法令名索引（五十音順）

【あ行】

【か行】

【さ　行】

【た 行】

【な 行】

【は 行】

【ら 行】

人事院規則、給実甲通達、通知・通達等の索引

●人事院規則

●給実甲通達

●通知・通達等

人事小六法

令和７年版

人事法制研究会
［編］

学陽書房

はしがき

―令和七年版の発刊にあたって―

国家公務員及び地方公務員の人事管理に関する諸制度は、任免、給与、人事評価、能率、分限、懲戒、保障、服務、勤務時間、退職管理、職員団体など極めて間口が広くなっています。これに加え、国家公務員法、地方公務員法等を始めとする関係法令から通達等に至るまでその奥行きも深く、公務員の人事管理を適切に行うために不可欠な関係法令及びその解釈・運用を正確に把握することは、人事担当者、各層管理者等にとってもなかなか容易でないというのが実情ではないでしょうか。

そこで、適切な人事管理を行うための道しるべとするため、コンパクトな判型の中に、公務員の人事管理に関して、諸制度に関する厖大な量に上る法律、政令、人事院規則、府令、省令、通達等を、分かりやすく、かつ、実務上最も便利なように分類、整理して、本書を刊行いたしました。

本書が、人事担当者、各層管理者等を始めとする関係の方々に広く利用され、公務員の適切な人事管理の一助となれば幸いです。

令和六年七月

人事法制研究会

《凡　例》

【本書の目的】
本書は、国家公務員、地方公務員、独立行政法人等の人事管理関係者及び職員団体の専従者、またひろく人事管理に関係ある人々のため、必要な法令・規則、通知・通達等を網ら収録して、日常の事務処理はもちろん、会議、出張等にも簡便に携行し役立てられるように編集した。

【収録法令】
人事管理関係者に、常時必要とされる法令はもとより、通知・通達をも吟味選択し、文字通り人事行政法規の集大成とした。

【内容現在】
内容は、原則令和六年六月七日現在のものである。

【未施行法令について】
改正法令は原則として令和七年七月一日までの施行のものを収録しているが、令和七年七月二日以後に施行となるものについては、その法令の末尾に事情を説明したうえ、別に掲げた。

【分　類】
第一編通則、第二編人事記録・人事統計報告、第三編採用試験・任免、人材交流、第四編給与、第五編人事評価、第六編研修、第七編能率、第八編分限・懲戒・保障、第九編服務、第十編退職管理、官民人材交流センター、第十一編職員団体、第十二編その他の計十二編に大きく分類し、さらに、第三編は採用試験・任免、人材交流の二項目に、第四編は俸給等、手当の二項目に、第八編は分限、懲戒、保障の三項目に、第九編は服務規律、勤務時間・休暇・休業の二項目に、第十編は退職管理、官民人材交流センターの二項目に、第十二編は宿舎、共済組合、勤労者財産形成の三項目に小分類した。

【公布・改正】
各法令の公布年月日及び法令番号は、各法令名の下に示し、以後の改正においては、「最終改正」として最新の改正年月日のみを掲げてある。ただし、未施行法令は最終改正として表記し、その法令の末尾に掲載した。（制定以降一度だけの改正の場合は、単に「改正」と表記した。）

【条文見出し・項番号】
条文見出しまたは項番号が本来付されていない法令については、読者の検索の便宜をはかって、見出しは［　］で、項番号は②、③…と表示して付してある。

【法令の抜粋】
収録法令のうち、必要部分の抄出にとどめた法令については、各法令の題名の下に「(抄)」と示した。また二以上の編に関連する条項を含んでいる法令については、必要な条項をそれぞれ関連のある編に抄出した。

【法令目次】
法令の目次は実務上重要と思われる法令を除き、原則省略した。

【参照条文】
国家公務員法については、それぞれの条文の末尾に参照条文を付けた。これに使用した略称は次のとおりである。

(1) ①とあるのは第一項についての参照条文である。以下②、③…とあるのはこれに準ずる。
(2) 参照条文の条、項、号は、三③［13］（第三条第三項第十三号）のごとく示した。
(3) 参照法令名は、国家公務員法については、単に「本法」と、人事院規則は「人規」と示した。
(4) その他の法令の略称は次のとおりである。

憲法　日本国憲法

国公法	国家公務員法
地公法	地方公務員法
自治法	地方自治法
行労法	行政執行法人の労働関係に関する法律
地公労法	地方公営企業等の労働関係に関する法律
地公企法	地方公営企業法
地教法	地方教育行政の組織及び運営に関する法律
国公災法	国家公務員災害補償法
地公災法	地方公務員災害補償法
国公共済法	国家公務員共済組合法
地公共済法	地方公務員等共済組合法
教特法	教育公務員特例法
給与法	一般職の職員の給与に関する法律
特別職給与法	特別職の職員の給与に関する法律
教員給与特別措置法	公立の義務教育諸学校等の教育職員の給与等に関する特別措置法
寒冷地手当法	国家公務員の寒冷地手当に関する法律
行組法	国家行政組織法
宿舎法	国家公務員宿舎法
労基法	労働基準法
退手法	国家公務員退職手当法
外公法	外務公務員法
勤務時間法	一般職の職員の勤務時間、休暇等に関する法律
育児休業法	国家公務員の育児休業等に関する法律
派遣法	国際機関等に派遣される一般職の国家公務員の処遇等に関する法律
建基法	建築基準法
官吏任免法	国家公務員法の規定が適用せられるまでの官吏その他政府職員の任免等に関する法律
労組法	労働組合法
労調法	労働関係調整法
定員法	行政機関の職員の定員に関する法律
法人格法	職員団体等に対する法人格の付与に関する法律
職安法	職業安定法
会検法	会計検査院法
公選法	公職選挙法
破防法	破壊活動防止法
農委法	農業委員会等に関する法律
地税法	地方税法
収用法	土地収用法
農災法	農業災害補償法
社教法	社会教育法
行訴法	行政事件訴訟法
国保法	国民健康保険法
児福法	児童福祉法
民委法	民生委員法
消組法	消防組織法
行審法	行政不服審査法
災救法	災害救助法
教育中立法	義務教育諸学校における教育の政治的中立の確保に関する臨時措置法
独禁法	私的独占の禁止及び公正取引の確保に関する法律
議院証人法	議院における証人の宣誓及び証言等に関する法律
出入国管理法	出入国管理及び難民認定法
産休法	女子教職員の出産に際しての補助教職員の確保に関する法律
倫理法	国家公務員倫理法
任期付研究員法	一般職の任期付研究員の採用、給与及び勤務時間の特例に関する法律
任期付職員法	一般職の任期付職員の採用及び給与の特例に関する法律
感染症法	感染症の予防及び感染症の患者に対する医療に関する法律

総目次

第一編 通則

第二編　人事記録・人事統計報告

第三編　採用試験・任免、人材交流

第一　採用試験・任免

第二　人材交流

第八編　分限・懲戒・保障

第一　分限

〔関係法令〕

第二　懲戒

第一編

通則

○日本国憲法

昭二一・一一・三

日本国民は、正当に選挙された国会における代表者を通じて行動し、われらとわれらの子孫のために、諸国民との協和による成果と、わが国全土にわたつて自由のもたらす恵沢を確保し、政府の行為によつて再び戦争の惨禍が起ることのないやうにすることを決意し、ここに主権が国民に存することを宣言し、この憲法を確定する。そもそも国政は、国民の厳粛な信託によるものであつて、その権威は国民に由来し、その権力は国民の代表者がこれを行使し、その福利は国民がこれを享受する。これは人類普遍の原理であり、この憲法は、かかる原理に基くものである。われらは、これに反する一切の憲法、法令及び詔勅を排除する。

日本国民は、恒久の平和を念願し、人間相互の関係を支配する崇高な理想を深く自覚するのであつて、平和を愛する諸国民の公正と信義に信頼して、われらの安全と生存を保持しようと決意した。われらは、平和を維持し、専制と隷従、圧迫と偏狭を地上から永遠に除去しようと努めてゐる国際社会において、名誉ある地位を占めたいと思ふ。われらは、全世界の国民が、ひとしく恐怖と欠乏から免かれ、平和のうちに生存する権利を有することを確認する。

われらは、いづれの国家も、自国のことのみに専念して他国を無視してはならないのであつて、政治道徳の法則は、普遍的なものであり、この法則に従ふことは、自国の主権を維持し、他国と対等関係に立たうとする各国の責務であると信ずる。

日本国民は、国家の名誉にかけ、全力をあげてこの崇高な理想と目的を達成することを誓ふ。

第一章　天皇

〔天皇の地位と主権在民〕

第一条　天皇は、日本国の象徴であり日本国民統合の象徴であつて、この地位は、主権の存する日本国民の総意に基く。

〔皇位の世襲〕

第二条　皇位は、世襲のものであつて、国会の議決した皇室典範の定めるところにより、これを継承する。

〔内閣の助言と承認及び責任〕

第三条　天皇の国事に関するすべての行為には、内閣の助言と承認を必要とし、内閣が、その責任を負ふ。

〔天皇の権能〕

第四条　天皇は、この憲法の定める国事に関する行為のみを行ひ、国政に関する権能を有しない。

② 天皇は、法律の定めるところにより、その国事に関する行為を委任することができる。

〔摂政〕

第五条　皇室典範の定めるところにより摂政を置くときは、摂政は、天皇の名でその国事に関する行為を行ふ。この場合には、前条第一項の規定を準用する。

〔天皇の任命行為〕

第六条　天皇は、国会の指名に基いて、内閣総理大臣を任命する。

② 天皇は、内閣の指名に基いて、最高裁判所の長たる裁判官を任命する。

〔天皇の国事行為〕

第七条　天皇は、内閣の助言と承認により、国民のために、左の国事に関する行為を行ふ。

一　憲法改正、法律、政令及び条約を公布すること。

二　国会を召集すること。

三　衆議院を解散すること。

四　国会議員の総選挙の施行を公示すること。

五　国務大臣及び法律の定めるその他の官吏の任免並びに全権委任状及び大使及び公使の信任状を認証すること。

六　大赦、特赦、減刑、刑の執行の免除及び復権を認証すること。

七　栄典を授与すること。

八　批准書及び法律の定めるその他の外交文書を認証すること。

九　外国の大使及び公使を接受すること。

十　儀式を行ふこと。

〔財産授受の制限〕

第八条　皇室に財産を譲り渡し、又は皇室が、財産を譲り受け、若しくは賜与することは、国会の議決に基かなければならない。

第二章　戦争の放棄

〔戦争の放棄と戦力及び交戦権の否認〕

第九条　日本国民は、正義と秩序を基調とする国際平和を誠実に希求し、国権の発動たる戦争と、武力による威嚇又は武力の行使は、国際紛争を解決する手段としては、永久にこれを放棄する。

② 前項の目的を達するため、陸海空軍その他の戦力は、これを保持しない。国の交戦権は、これを認めない。

第三章　国民の権利及び義務

〔国民たる要件〕
第十条　日本国民たる要件は、法律でこれを定める。
〔基本的人権〕
第十一条　国民は、すべての基本的人権の享有を妨げられない。この憲法が国民に保障する基本的人権は、侵すことのできない永久の権利として、現在及び将来の国民に与へられる。
〔自由及び権利の保持義務と公共福祉性〕
第十二条　この憲法が国民に保障する自由及び権利は、国民の不断の努力によつて、これを保持しなければならない。又、国民は、これを濫用してはならないのであつて、常に公共の福祉のためにこれを利用する責任を負ふ。
〔個人の尊重〕
第十三条　すべて国民は、個人として尊重される。生命、自由及び幸福追求に対する国民の権利については、公共の福祉に反しない限り、立法その他の国政の上で、最大の尊重を必要とする。
〔平等原則・貴族制度の否認・栄典の限界〕
第十四条　すべて国民は、法の下に平等であつて、人種、信条、性別、社会的身分又は門地により、政治的、経済的又は社会的関係において、差別されない。
② 華族その他の貴族の制度は、これを認めない。
③ 栄誉、勲章その他の栄典の授与は、いかなる特権も伴はない。栄典の授与は、現にこれを有し、又は将来これを受ける者の一代に限り、その効力を有する。
〔公務員の選定罷免権・公務員の本質・普通選挙及び投票秘密の保障〕
第十五条　公務員を選定し、及びこれを罷免することは、国民固有の権利である。
② すべて公務員は、全体の奉仕者であつて、一部の奉仕者ではない。
③ 公務員の選挙については、成年者による普通選挙を保障する。
④ すべて選挙における投票の秘密は、これを侵してはならない。選挙人は、その選択に関し公的にも私的にも責任を問はれない。
〔請願権〕
第十六条　何人も、損害の救済、公務員の罷免、法律、命令又は規則の制定、廃止又は改正その他の事項に関し、平穏に請願する権利を有し、何人も、かかる請願をしたためにいかなる差別待遇も受けない。
〔公務員の不法行為による損害賠償〕
第十七条　何人も、公務員の不法行為により、損害を受けたときは、法律の定めるところにより、国又は公共団体に、その賠償を求めることができる。
〔奴隷的拘束及び苦役の禁止〕
第十八条　何人も、いかなる奴隷的拘束も受けない。又、犯罪に因る処罰の場合を除いては、その意に反する苦役に服させられない。
〔思想及び良心の自由〕
第十九条　思想及び良心の自由は、これを侵してはならない。
〔信教の自由〕
第二十条　信教の自由は、何人に対してもこれを保障する。いかなる宗教団体も、国から特権を受け、又は政治上の権力を行使してはならない。
② 何人も、宗教上の行為、祝典、儀式又は行事に参加することを強制されない。
③ 国及びその機関は、宗教教育その他いかなる宗教的活動もしてはならない。
〔集会、結社及び表現の自由と通信秘密の保護〕
第二十一条　集会、結社及び言論、出版その他一切の表現の自由は、これを保障する。
② 検閲は、これをしてはならない。通信の秘密は、これを侵してはならない。
〔居住、移転、職業選択、外国移住及び国籍離脱の自由〕
第二十二条　何人も、公共の福祉に反しない限り、居住、移転及び職業選択の自由を有する。
② 何人も、外国に移住し、又は国籍を離脱する自由を侵されない。
〔学問の自由〕
第二十三条　学問の自由は、これを保障する。
〔家族関係における個人の尊厳と両性の平等〕
第二十四条　婚姻は、両性の合意のみに基いて成立し、夫婦が同等の権利を有することを基本として、相互の協力により、維持されなければならない。
② 配偶者の選択、財産権、相続、住居の選定、離婚並びに婚姻及び家族に関するその他の事項に関しては、法律は、個人の尊厳と両性の本質的平等に立脚して、制定されなければならない。
〔生存権・国民生活の社会的進歩向上に努める国の義務〕
第二十五条　すべて国民は、健康で文化的な最低限度の生活を営む権利を有する。
② 国は、すべての生活部面について、社会福祉、社会保障及び公衆衛生の向上及び増進に努めなければなら

ない。

〔教育を受ける権利と受けさせる義務〕

第二十六条　すべて国民は、法律の定めるところにより、その能力に応じて、ひとしく教育を受ける権利を有する。

②　すべて国民は、法律の定めるところにより、その保護する子女に普通教育を受けさせる義務を負ふ。義務教育は、これを無償とする。

〔勤労の権利と義務・勤労条件の基準・児童酷使の禁止〕

第二十七条　すべて国民は、勤労の権利を有し、義務を負ふ。

②　賃金、就業時間、休息その他の勤労条件に関する基準は、法律でこれを定める。

③　児童は、これを酷使してはならない。

〔勤労者の団結権及び団体行動権〕

第二十八条　勤労者の団結する権利及び団体交渉その他の団体行動をする権利は、これを保障する。

〔財産権〕

第二十九条　財産権は、これを侵してはならない。

②　財産権の内容は、公共の福祉に適合するやうに、法律でこれを定める。

③　私有財産は、正当な補償の下に、これを公共のために用ひることができる。

〔納税の義務〕

第三十条　国民は、法律の定めるところにより、納税の義務を負ふ。

〔生命及び自由の保障と科刑の制約〕

第三十一条　何人も、法律の定める手続によらなければ、その生命若しくは自由を奪はれ、又はその他の刑罰を科せられない。

〔裁判を受ける権利〕

第三十二条　何人も、裁判所において裁判を受ける権利を奪はれない。

〔逮捕の制約〕

第三十三条　何人も、現行犯として逮捕される場合を除いては、権限を有する司法官憲が発し、且つ理由となつてゐる犯罪を明示する令状によらなければ、逮捕されない。

〔抑留及び拘禁の制約〕

第三十四条　何人も、理由を直ちに告げられ、且つ、直ちに弁護人に依頼する権利を与へられなければ、抑留又は拘禁されない。又、何人も、正当な理由がなければ、拘禁されず、要求があれば、その理由は、直ちに本人及びその弁護人の出席する公開の法廷で示されなければならない。

〔侵入、捜索及び押収の制約〕

第三十五条　何人も、その住居、書類及び所持品について、侵入、捜索及び押収を受けることのない権利は、第三十三条の場合を除いては、正当な理由に基いて発せられ、且つ捜索する場所及び押収する物を明示する令状がなければ、侵されない。

②　捜索又は押収は、権限を有する司法官憲が発する各別の令状により、これを行ふ。

〔拷問及び残虐な刑罰の禁止〕

第三十六条　公務員による拷問及び残虐な刑罰は、絶対にこれを禁ずる。

〔刑事被告人の権利〕

第三十七条　すべて刑事事件においては、被告人は、公平な裁判所の迅速な公開裁判を受ける権利を有する。

②　刑事被告人は、すべての証人に対して審問する機会を充分に与へられ、又、公費で自己のために強制的手続により証人を求める権利を有する。

③　刑事被告人は、いかなる場合にも、資格を有する弁護人を依頼することができる。被告人が自らこれを依頼することができないときは、国でこれを附する。

〔自白強要の禁止と自白の証拠能力の限界〕

第三十八条　何人も、自己に不利益な供述を強要されない。

②　強制、拷問若しくは脅迫による自白又は不当に長く抑留若しくは拘禁された後の自白は、これを証拠とすることができない。

③　何人も、自己に不利益な唯一の証拠が本人の自白である場合には、有罪とされ、又は刑罰を科せられない。

〔遡及処罰、二重処罰等の禁止〕

第三十九条　何人も、実行の時に適法であつた行為又は既に無罪とされた行為については、刑事上の責任を問はれない。又、同一の犯罪について、重ねて刑事上の責任を問はれない。

〔刑事補償〕

第四十条　何人も、抑留又は拘禁された後、無罪の裁判を受けたときは、法律の定めるところにより、国にその補償を求めることができる。

第四章　国会

〔国会の地位〕

第四十一条　国会は、国権の最高機関であつて、国の唯一の立法機関である。

〔二院制〕

第四十二条　国会は、衆議院及び参議院の両議院でこれを構成する。

〔両議院の組織〕

第四十三条　両議院は、全国民を代表する選挙された議員でこれを組織する。

② 両議院の議員の定数は、法律でこれを定める。

〔議員及び選挙人の資格〕

第四十四条　両議院の議員及びその選挙人の資格は、法律でこれを定める。但し、人種、信条、性別、社会的身分、門地、教育、財産又は収入によつて差別してはならない。

〔衆議院議員の任期〕

第四十五条　衆議院議員の任期は、四年とする。但し、衆議院解散の場合には、その期間満了前に終了する。

〔参議院議員の任期〕

第四十六条　参議院議員の任期は、六年とし、三年ごとに議員の半数を改選する。

〔議員の選挙〕

第四十七条　選挙区、投票の方法その他両議院の議員の選挙に関する事項は、法律でこれを定める。

〔両議院議員相互兼職の禁止〕

第四十八条　何人も、同時に両議院の議員たることはできない。

〔議員の歳費〕

第四十九条　両議院の議員は、法律の定めるところにより、国庫から相当額の歳費を受ける。

〔議員の不逮捕特権〕

第五十条　両議院の議員は、法律の定める場合を除いては、国会の会期中逮捕されず、会期前に逮捕された議員は、その議院の要求があれば、会期中これを釈放しなければならない。

〔議員の発言表決の無答責〕

第五十一条　両議院の議員は、議院で行つた演説、討論又は表決について、院外で責任を問はれない。

〔常会〕

第五十二条　国会の常会は、毎年一回これを召集する。

〔臨時会〕

第五十三条　内閣は、国会の臨時会の召集を決定することができる。いづれかの議院の総議員の四分の一以上の要求があれば、内閣は、その召集を決定しなければならない。

〔総選挙・特別会・緊急集会〕

第五十四条　衆議院が解散されたときは、解散の日から四十日以内に、衆議院議員の総選挙を行ひ、その選挙の日から三十日以内に、国会を召集しなければならない。

② 衆議院が解散されたときは、参議院は、同時に閉会となる。但し、内閣は、国に緊急の必要があるときは、参議院の緊急集会を求めることができる。

③ 前項但書の緊急集会において採られた措置は、臨時のものであつて、次の国会開会の後十日以内に、衆議院の同意がない場合には、その効力を失ふ。

〔資格争訟〕

第五十五条　両議院は、各〻その議員の資格に関する争訟を裁判する。但し、議員の議席を失はせるには、出席議員の三分の二以上の多数による議決を必要とする。

〔議事の定足数と過半数議決〕

第五十六条　両議院は、各〻その総議員の三分の一以上の出席がなければ、議事を開き議決することができない。

② 両議院の議事は、この憲法に特別の定のある場合を除いては、出席議員の過半数でこれを決し、可否同数のときは、議長の決するところによる。

〔会議の公開と会議録〕

第五十七条　両議院の会議は、公開とする。但し、出席議員の三分の二以上の多数で議決したときは、秘密会を開くことができる。

② 両議院は、各〻その会議の記録を保存し、秘密会の記録の中で特に秘密を要すると認められるもの以外は、これを公表し、且つ一般に頒布しなければならない。

③ 出席議員の五分の一以上の要求があれば、各議員の表決は、これを会議録に記載しなければならない。

〔役員の選任・議院の自律権〕

第五十八条　両議院は、各〻その議長その他の役員を選任する。

② 両議院は、各〻その会議その他の手続及び内部の規律に関する規則を定め、又、院内の秩序をみだした議員を懲罰することができる。但し、議員を除名するには、出席議員の三分の二以上の多数による議決を必要とする。

〔法律の成立〕

第五十九条　法律案は、この憲法に特別の定のある場合を除いては、両議院で可決したとき法律となる。

② 衆議院で可決し、参議院でこれと異なつた議決をした法律案は、衆議院で出席議員の三分の二以上の多数で再び可決したときは、法律となる。

③ 前項の規定は、法律の定めるところにより、衆議院が、両議院の協議会を開くことを求めることを妨げな

い。

④　参議院が、衆議院の可決した法律案を受け取つた後、国会休会中の期間を除いて六十日以内に、議決しないときは、衆議院は、参議院がその法律案を否決したものとみなすことができる。

〔衆議院の予算先議権・予算の議決〕

第六十条　予算は、さきに衆議院に提出しなければならない。

②　予算について、参議院で衆議院と異なつた議決をした場合に、法律の定めるところにより、両議院の協議会を開いても意見が一致しないとき、又は参議院が、衆議院の可決した予算を受け取つた後、国会休会中の期間を除いて三十日以内に、議決しないときは、衆議院の議決を国会の議決とする。

〔条約締結の承認〕

第六十一条　条約の締結に必要な国会の承認については、前条第二項の規定を準用する。

〔議院の国政調査権〕

第六十二条　両議院は、各ゝ国政に関する調査を行ひ、これに関して、証人の出頭及び証言並びに記録の提出を要求することができる。

〔国務大臣の出席〕

第六十三条　内閣総理大臣その他の国務大臣は、両議院の一に議席を有すると有しないとにかかはらず、何時でも議案について発言するため議院に出席することができる。又、答弁又は説明のため出席を求められたときは、出席しなければならない。

〔弾劾裁判所〕

第六十四条　国会は、罷免の訴追を受けた裁判官を裁判するため、両議院の議員で組織する弾劾裁判所を設ける。

②　弾劾に関する事項は、法律でこれを定める。

第五章　内閣

〔行政権の帰属〕

第六十五条　行政権は、内閣に属する。

〔内閣の組織と責任〕

第六十六条　内閣は、法律の定めるところにより、その首長たる内閣総理大臣及びその他の国務大臣でこれを組織する。

②　内閣総理大臣その他の国務大臣は、文民でなければならない。

③　内閣は、行政権の行使について、国会に対し連帯して責任を負ふ。

〔内閣総理大臣の指名〕

第六十七条　内閣総理大臣は、国会議員の中から国会の議決で、これを指名する。この指名は、他のすべての案件に先だつて、これを行ふ。

②　衆議院と参議院とが異なつた指名の議決をした場合に、法律の定めるところにより、両議院の協議会を開いても意見が一致しないとき、又は衆議院が指名の議決をした後、国会休会中の期間を除いて十日以内に、参議院が、指名の議決をしないときは、衆議院の議決を国会の議決とする。

〔国務大臣の任免〕

第六十八条　内閣総理大臣は、国務大臣を任命する。但し、その過半数は、国会議員の中から選ばれなければならない。

②　内閣総理大臣は、任意に国務大臣を罷免することができる。

〔不信任決議と解散又は総辞職〕

第六十九条　内閣は、衆議院で不信任の決議案を可決し、又は信任の決議案を否決したときは、十日以内に衆議院が解散されない限り、総辞職をしなければならない。

〔内閣総理大臣の欠缺又は総選挙施行による総辞職〕

第七十条　内閣総理大臣が欠けたとき、又は衆議院議員総選挙の後に初めて国会の召集があつたときは、内閣は、総辞職をしなければならない。

〔総辞職後の職務続行〕

第七十一条　前二条の場合には、内閣は、あらたに内閣総理大臣が任命されるまで引き続きその職務を行ふ。

〔内閣総理大臣の職務権限〕

第七十二条　内閣総理大臣は、内閣を代表して議案を国会に提出し、一般国務及び外交関係について国会に報告し、並びに行政各部を指揮監督する。

〔内閣の職務権限〕

第七十三条　内閣は、他の一般行政事務の外、左の事務を行ふ。

一　法律を誠実に執行し、国務を総理すること。
二　外交関係を処理すること。
三　条約を締結すること。但し、事前に、時宜によつては事後に、国会の承認を経ることを必要とする。
四　法律の定める基準に従ひ、官吏に関する事務を掌理すること。
五　予算を作成して国会に提出すること。
六　この憲法及び法律の規定を実施するために、政令を制定すること。但し、政令には、特にその法律の委任がある場合を除いては、罰則を設けることができない。

七　大赦、特赦、減刑、刑の執行の免除及び復権を決定すること。

〔法律及び政令への署名と連署〕
第七十四条　法律及び政令には、すべて主任の国務大臣が署名し、内閣総理大臣が連署することを必要とする。

〔国務大臣訴追の制約〕
第七十五条　国務大臣は、その在任中、内閣総理大臣の同意がなければ、訴追されない。但し、これがため、訴追の権利は、害されない。

第六章　司法

〔司法権の機関と裁判官の職務上の独立〕
第七十六条　すべて司法権は、最高裁判所及び法律の定めるところにより設置する下級裁判所に属する。
②　特別裁判所は、これを設置することができない。行政機関は、終審として裁判を行ふことができない。
③　すべて裁判官は、その良心に従ひ独立してその職権を行ひ、この憲法及び法律にのみ拘束される。

〔最高裁判所の規則制定権〕
第七十七条　最高裁判所は、訴訟に関する手続、弁護士、裁判所の内部規律及び司法事務処理に関する事項について、規則を定める権限を有する。
②　検察官は、最高裁判所の定める規則に従はなければならない。
③　最高裁判所は、下級裁判所に関する規則を定める権限を、下級裁判所に委任することができる。

〔裁判官の身分の保障〕
第七十八条　裁判官は、裁判により、心身の故障のために職務を執ることができないと決定された場合を除いては、公の弾劾によらなければ罷免されない。裁判官の懲戒処分は、行政機関がこれを行ふことはできない。

〔最高裁判所の構成及び裁判官任命の国民審査〕
第七十九条　最高裁判所は、その長たる裁判官及び法律の定める員数のその他の裁判官でこれを構成し、その長たる裁判官以外の裁判官は、内閣でこれを任命する。
②　最高裁判所の裁判官の任命は、その任命後初めて行はれる衆議院議員総選挙の際国民の審査に付し、その後十年を経過した後初めて行はれる衆議院議員総選挙の際更に審査に付し、その後も同様とする。
③　前項の場合において、投票者の多数が裁判官の罷免を可とするときは、その裁判官は、罷免される。
④　審査に関する事項は、法律でこれを定める。
⑤　最高裁判所の裁判官は、法律の定める年齢に達した時に退官する。
⑥　最高裁判所の裁判官は、すべて定期に相当額の報酬を受ける。この報酬は、在任中、これを減額することができない。

〔下級裁判所の裁判官〕
第八十条　下級裁判所の裁判官は、最高裁判所の指名した者の名簿によつて、内閣でこれを任命する。その裁判官は、任期を十年とし、再任されることができる。但し、法律の定める年齢に達した時には退官する。
②　下級裁判所の裁判官は、すべて定期に相当額の報酬を受ける。この報酬は、在任中、これを減額することができない。

〔最高裁判所の法令審査権〕
第八十一条　最高裁判所は、一切の法律、命令、規則又は処分が憲法に適合するかしないかを決定する権限を有する終審裁判所である。

〔対審及び判決の公開〕
第八十二条　裁判の対審及び判決は、公開法廷でこれを行ふ。
②　裁判所が、裁判官の全員一致で、公の秩序又は善良の風俗を害する虞があると決した場合には、対審は、公開しないでこれを行ふことができる。但し、政治犯罪、出版に関する犯罪又はこの憲法第三章で保障する国民の権利が問題となつてゐる事件の対審は、常にこれを公開しなければならない。

第七章　財政

〔財政処理の要件〕
第八十三条　国の財政を処理する権限は、国会の議決に基いて、これを行使しなければならない。

〔課税の要件〕
第八十四条　あらたに租税を課し、又は現行の租税を変更するには、法律又は法律の定める条件によることを必要とする。

〔国費支出及び債務負担の要件〕
第八十五条　国費を支出し、又は国が債務を負担するには、国会の議決に基くことを必要とする。

〔予算の作成〕
第八十六条　内閣は、毎会計年度の予算を作成し、国会に提出して、その審議を受け議決を経なければならない。

〔予備費〕
第八十七条　予見し難い予算の不足に充てるため、国会の議決に基いて予備費を設け、内閣の責任でこれを支出することができる。

② すべて予備費の支出については、内閣は、事後に国会の承諾を得なければならない。

〔皇室財産及び皇室費用〕

第八十八条 すべて皇室財産は、国に属する。すべて皇室の費用は、予算に計上して国会の議決を経なければならない。

〔公の財産の用途制限〕

第八十九条 公金その他の公の財産は、宗教上の組織若しくは団体の使用、便益若しくは維持のため、又は公の支配に属しない慈善、教育若しくは博愛の事業に対し、これを支出し、又はその利用に供してはならない。

〔会計検査〕

第九十条 国の収入支出の決算は、すべて毎年会計検査院がこれを検査し、内閣は、次の年度に、その検査報告とともに、これを国会に提出しなければならない。

② 会計検査院の組織及び権限は、法律でこれを定める。

〔財政状況の報告〕

第九十一条 内閣は、国会及び国民に対し、定期に、少くとも毎年一回、国の財政状況について報告しなければならない。

第八章 地方自治

〔地方自治の本旨の確保〕

第九十二条 地方公共団体の組織及び運営に関する事項は、地方自治の本旨に基いて、法律でこれを定める。

〔地方公共団体の機関〕

第九十三条 地方公共団体には、法律の定めるところにより、その議事機関として議会を設置する。

② 地方公共団体の長、その議会の議員及び法律の定めるその他の吏員は、その地方公共団体の住民が、直接これを選挙する。

〔地方公共団体の権能〕

第九十四条 地方公共団体は、その財産を管理し、事務を処理し、及び行政を執行する権能を有し、法律の範囲内で条例を制定することができる。

〔一の地方公共団体のみに適用される特別法〕

第九十五条 一の地方公共団体のみに適用される特別法は、法律の定めるところにより、その地方公共団体の住民の投票においてその過半数の同意を得なければ、国会は、これを制定することができない。

第九章 改正

〔憲法改正の発議・国民投票・公布〕

第九十六条 この憲法の改正は、各議院の総議員の三分の二以上の賛成で、国会が、これを発議し、国民に提案してその承認を経なければならない。この承認には、特別の国民投票又は国会の定める選挙の際行はれる投票において、その過半数の賛成を必要とする。

② 憲法改正について前項の承認を経たときは、天皇は、国民の名で、この憲法と一体を成すものとして、直ちにこれを公布する。

第十章 最高法規

〔基本的人権の由来特質〕

第九十七条 この憲法が日本国民に保障する基本的人権は、人類の多年にわたる自由獲得の努力の成果であつて、これらの権利は、過去幾多の試錬に堪へ、現在及び将来の国民に対し、侵すことのできない永久の権利として信託されたものである。

〔憲法の最高性と条約及び国際法規の遵守〕

第九十八条 この憲法は、国の最高法規であつて、その条規に反する法律、命令、詔勅及び国務に関するその他の行為の全部又は一部は、その効力を有しない。

② 日本国が締結した条約及び確立された国際法規は、これを誠実に遵守することを必要とする。

〔憲法尊重擁護の義務〕

第九十九条 天皇又は摂政及び国務大臣、国会議員、裁判官その他の公務員は、この憲法を尊重し擁護する義務を負ふ。

第十一章 補則

〔施行期日と施行前の準備行為〕

第百条 この憲法は、公布の日から起算して六箇月を経過した日から、これを施行する。

② この憲法を施行するために必要な法律の制定、参議院議員の選挙及び国会召集の手続並びにこの憲法を施行するために必要な準備手続は、前項の期日よりも前に、これを行ふことができる。

〔参議院成立前の国会〕

第百一条 この憲法施行の際、参議院がまだ成立してゐないときは、その成立するまでの間、衆議院は、国会としての権限を行ふ。

〔参議院議員の任期の経過的特例〕

第百二条 この憲法による第一期の参議院議員のうち、その半数の者の任期は、これを三年とする。その議員は、法律の定めるところにより、これを定める。

〔公務員の地位に関する経過規定〕

第百三条　この憲法施行の際現に在職する国務大臣、衆議院議員及び裁判官並びにその他の公務員で、その地位に相応する地位がこの憲法で認められてゐる者は、法律で特別の定をした場合を除いては、この憲法施行のため、当然にはその地位を失ふことはない。但し、この憲法によつて、後任者が選挙又は任命されたときは、当然その地位を失ふ。

○日本国憲法施行の際現に効力を有する命令の規定の効力等に関する法律

昭二二・四・一八
法　七　二

最終改正　昭二三・六・三〇法六五

〔法律事項を規定した命令の暫定的効力〕

第一条　日本国憲法施行の際現に効力を有する命令の規定で、法律を以て規定すべき事項を規定するものは、昭和二十二年十二月三十一日まで、法律と同一の効力を有するものとする。

〔連合国最高司令官の要求に基く命令の効力〕

第一条の二　前条の規定は、昭和二十年勅令第五百四十二号（ポツダム宣言の受諾に伴い発する命令に関する件）に基き発せられた命令の効力に影響を及ぼすものではない。

〔行政官庁に関する命令の暫定的効力〕

第一条の三　行政官庁に関する従来の命令の規定で、法律を以て規定すべき事項を規定するものは、昭和二十三年国家行政組織に関する法律が制定施行される日の前日まで、法律と同一の効力を有するものとする。

〔法律に改められる命令とその暫定的効力〕

第一条の四　左に掲げる法令は、国会の議決により法律に改められたものとする。

墓地及埋葬取締規則（明治十七年太政官布達第二十五号）

墓地及埋葬取締規則に違背する者処分方（明治十七年太政官達第八十二号）

埋火葬の認許等に関する件（昭和二十二年厚生省令第九号）

警察犯処罰令（明治四十一年内務省令第十六号）

有害避妊用器具取締規則（昭和五年内務省令第四十号）

開港港則（明治三十一年勅令第百三十九号）

家畜ニ応用スル細菌学的予防治療品及診断品取締規則（昭和十五年農林省令第八十八号）

栄養士規則（昭和二十年厚生省令第十四号）

食肉輸移入取締規則（昭和二年内務省令第四号）

医薬品等の封緘及び検査証明の取締に関する件（昭和十八年厚生省令第四十二号）

鉄道共済組合令（明治四十年勅令第百二十七号）

専売局共済組合令（昭和十五年勅令第九百四十五号）

印刷局共済組合令（昭和十五年勅令第九百四十四号）

逓信共済組合令（昭和十五年勅令第九百五十号）

営林局署共済組合令（大正八年勅令第三百六号）

警察共済組合令（大正九年勅令第四十四号）

造幣局共済組合令（昭和十五年勅令第九百四十六号）

生糸検査所共済組合令（昭和十二年勅令第二百一号）

刑務共済組合令（昭和十五年勅令第四百八十九号）

教職員共済組合令（昭和十六年勅令第十七号）

政府職員共済組合令（昭和十五年勅令第八百二十七号）

土木共済組合令（昭和十六年勅令第六百四十九号）

北海道庁営林現業員共済組合令（昭和十七年勅令第六百八十六号）

② 前項に掲げる法令の効力は、暫定的のものとし、昭和二十三年七月十五日までに必要な改廃の措置をとらなければならない。

③ 第一項に掲げる法令は、昭和二十三年七月十五日までに法律として制定され、又は廃止されない限り、同月十六日以後その効力を失う。

〔「勅令」の読替規定〕

第二条 他の法律（前条の規定により法律と同一の効力を有する命令の規定を含む。）中「勅令」とあるのは、「政令」と読み替えるものとする。

② 前項の規定は、内閣その他行政機関に対し、日本国憲法が認めていない場合において命令を発する権限を付与したものと解釈されてはならない。

〔法令の廃止〕

第三条 左に掲げる法令は、これを廃止する。

明治二十三年法律第八十四号（命令の条項違犯に関する罰則に関する法律）

明治三十八年法律第六十二号（戸主でない者が爵位を授けられた場合に関する法律）

明治四十三年法律第三十九号（皇族から臣籍に入つた者及び婚嫁によつて臣籍から出て皇族になつた者の戸籍に関する法律）

大正十五年法律第八十三号（王公族の権義に関する法律）

昭和二年法律第五十一号（王公族から内地の家に入つた者及び内地の家を去り王公家に入つた者の戸籍等に関する法律）

明治二年六月二十五日行政官達（士族の称に関する件）

明治五年太政官布告第二十九号（世襲の卒士族に編入伺出方に関する件）

明治五年太政官布告第四十四号（郷士士族に編入伺出方に関する件）

明治七年太政官布告第七十三号（華士族分家者の平民籍編入に関する件）

明治十三年太政官布告第三号（士族戸主死亡後に於ける族称廃絶に関する件）

附　則

① この法律は、日本国憲法施行の日から、これを施行する。

② この法律の施行に関し必要な事項は、政令でこれを定める。

附　則（昭二三・六・三〇法六五）

この法律は、公布の日から、これを施行する。

○日本国憲法施行の際現に効力を有する勅令の規定の効力等に関する政令

昭二二・五・三
政令一四

① 日本国憲法施行の際現に効力を有する勅令の規定は、昭和二十二年法律第七十二号第一条に規定するものを除くの外、政令と同一の効力を有するものとする。

② 昭和二十二年法律第七十二号第一条に規定するものを除くの外、日本国憲法施行の際現に効力を有する命令の規定中「勅令」とあるのは「法律又は政令」、「閣令」とあるのは「総理庁令」と読み替えるものとする。

附　則

この政令は、公布の日から、これを施行する。

○内閣法

昭二二・一・一六
法　　　　五

最終改正　令五・四・二八法一四

〔職権〕

第一条　内閣は、国民主権の理念にのつとり、日本国憲法第七十三条その他日本国憲法に定める職権を行う。

2　内閣は、行政権の行使について、全国民を代表する議員からなる国会に対し連帯して責任を負う。

〔組織・連帯責任〕

第二条　内閣は、国会の指名に基づいて任命された首長たる内閣総理大臣及び内閣総理大臣により任命された国務大臣をもつて、これを組織する。

2　前項の国務大臣の数は、十四人以内とする。ただし、特別に必要がある場合においては、三人を限度にその数を増加し、十七人以内とすることができる。

〔行政事務の分担管理〕

第三条　各大臣は、別に法律の定めるところにより、主任の大臣として、行政事務を分担管理する。

②　前項の規定は、行政事務を分担管理しない大臣の存することを妨げるものではない。

〔閣議〕

第四条　内閣がその職権を行うのは、閣議によるものとする。

②　閣議は、内閣総理大臣がこれを主宰する。この場合において、内閣総理大臣は、内閣の重要政策に関する基本的な方針その他の案件を発議することができる。

③　各大臣は、案件の如何を問わず、内閣総理大臣に提出して、閣議を求めることができる。

〔内閣の代表〕

第五条　内閣総理大臣は、内閣を代表して内閣提出の法律案、予算その他の議案を国会に提出し、一般国務及び外交関係について国会に報告する。

〔行政各部の指揮監督〕

第六条　内閣総理大臣は、閣議にかけて決定した方針に基いて、行政各部を指揮監督する。

〔権限疑義の裁定〕

第七条　主任の大臣の間における権限についての疑義は、内閣総理大臣が、閣議にかけて、これを裁定する。

〔処分又は命令の中止権〕

第八条　内閣総理大臣は、行政各部の処分又は命令を中止せしめ、内閣の処置を待つことができる。

〔内閣総理大臣の臨時代理〕

第九条　内閣総理大臣に事故のあるとき、又は内閣総理大臣が欠けたときは、その予め指定する国務大臣が、臨時に、内閣総理大臣の職務を行う。

〔主任国務大臣の臨時代理〕

第十条　主任の国務大臣に事故のあるとき、又は主任の国務大臣が欠けたときは、内閣総理大臣又はその指定する国務大臣が、臨時に、その主任の国務大臣の職務を行う。

〔政令の限界〕

第十一条　政令には、法律の委任がなければ、義務を課し、又は権利を制限する規定を設けることができない。

〔内閣官房等の設置〕

第十二条　内閣に、内閣官房を置く。

②　内閣官房は、次に掲げる事務をつかさどる。

一　閣議事項の整理その他内閣の庶務

二　内閣の重要政策に関する基本的な方針に関する企画及び立案並びに総合調整に関する事務

三　閣議に係る重要事項に関する企画及び立案並びに総合調整に関する事務

四　行政各部の施策の統一を図るために必要となる企画及び立案並びに総合調整に関する事務

五　前三号に掲げるもののほか、行政各部の施策に関するその統一保持上必要な企画及び立案並びに総合調整に関する事務

六　内閣の重要政策に関する情報の収集調査に関する事務

七　国家公務員に関する制度の企画及び立案に関する事務

八　国家公務員法（昭和二十二年法律第百二十号）第十八条の二（独立行政法人通則法（平成十一年法律第百三号）第五十四条第一項において準用する場合を含む。）に規定する事務に関する事務

九　国家公務員の退職手当制度に関する事務

十　特別職の国家公務員の給与制度に関する事務

十一　国家公務員の総人件費の基本方針及び人件費予算の配分の方針の企画及び立案並びに調整に関する事務

十二　第七号から前号までに掲げるもののほか、国家公務員の人事行政に関する事務（他の行政機関の所掌に属するものを除く。）

十三　行政機関の機構及び定員に関する企画及び立案並びに調整に関する事務

十四　各行政機関の機構の新設、改正及び廃止並びに定員の設置、増減及び廃止に関する審査を行う事務

十五　前各号に掲げるもののほか、法律（法律に基づく命令を含む。）に基づき、内閣官房に属させられた事務

③　前項の外、内閣官房は、政令の定めるところにより、内閣の事務を助ける。

④　内閣官房の外、内閣に、別に法律の定めるところにより、必要な機関を置き、内閣の事務を助けしめることができる。

〔内閣官房長官〕

第十三条　内閣官房に内閣官房長官一人を置く。

2　内閣官房長官は、国務大臣をもつて充てる。

3　内閣官房長官は、内閣官房の事務を統轄し、所部の職員の服務につき、これを統督する。

〔内閣官房副長官〕

第十四条　内閣官房に、内閣官房副長官三人を置く。

2　内閣官房副長官の任免は、天皇がこれを認証する。

3　内閣官房副長官は、内閣官房長官の職務を助け、命を受けて内閣官房の事務（内閣感染症危機管理統括庁及び内閣人事局の所掌に属するものを除く。）をつかさどり、及びあらかじめ内閣官房長官の定めるところにより内閣官房長官不在の場合その職務を代行する。

〔内閣危機管理監〕

第十五条　内閣官房に、内閣危機管理監一人を置く。

2　内閣危機管理監は、内閣官房長官及び内閣官房副長官を助け、命を受けて第十二条第二項第一号から第六号までに掲げる事務のうち危機管理（国民の生命、身体又は財産に重大な被害が生じ、又は生じるおそれがある緊急の事態への対処及び当該事態の発生の防止をいう。次項、第十六条第二項第一号及び第十七条第三項において同じ。）に関するもの（国の防衛に関するもの及び内閣感染症危機管理統括庁の所掌に属するものを除く。）を統理する。

3　前項に定めるもののほか、内閣危機管理監は、臨時に命を受け、感染症に係る危機管理に関する事務について、内閣感染症危機管理統括庁の事務の処理に協力する。

4　内閣危機管理監の任免は、内閣総理大臣の申出により、内閣において行う。

5　国家公務員法第九十六条第一項、第九十八条第一項、第九十九条並びに第百条第一項及び第二項の規定は、内閣危機管理監の服務について準用する。

6　内閣危機管理監は、在任中、内閣総理大臣の許可がある場合を除き、報酬を得て他の職務に従事し、又は営利事業を営み、その他金銭上の利益を目的とする業務を行つてはならない。

第十五条の二　内閣官房に、内閣感染症危機管理統括庁を置く。

2　内閣感染症危機管理統括庁は、次に掲げる事務をつかさどる。

一　新型インフルエンザ等対策特別措置法（平成二十四年法律第三十一号）第六条第一項に規定する政府行動計画の策定及び推進に関する事務

二　新型インフルエンザ等対策特別措置法第十七条第二項の規定により内閣感染症危機管理統括庁が処理することとされた新型インフルエンザ等対策本部に関する事務

三　新型インフルエンザ等対策特別措置法第七十条の七の規定により内閣感染症危機管理統括庁が処理することとされた新型インフルエンザ等対策推進会議に関する事務

四　前三号に掲げるもののほか、第十二条第二項第二号から第五号まで及び第十五号に掲げる事務のうち感染症の発生及びまん延の防止に関するもの（国家安全保障局、内閣広報官及び内閣情報官の所掌に属するものを除く。）

3　内閣感染症危機管理統括庁に、内閣感染症危機管理監一人を置く。

4　内閣感染症危機管理監は、内閣官房長官を助け、命を受けて庁務を掌理するものとし、内閣総理大臣が内閣官房副長官の中から指名する者をもつて充てる。

5　内閣感染症危機管理統括庁に、内閣感染症危機管理監補一人を置く。

6　内閣感染症危機管理監補は、内閣感染症危機管理監を助け、庁務を整理するものとし、内閣総理大臣が内閣官房副長官補の中から指名する者をもつて充てる。

7　内閣感染症危機管理統括庁に、内閣感染症危機管理対策官一人を置く。

8　内閣感染症危機管理対策官は、内閣感染症危機管理監及び内閣感染症危機管理監補を助け、命を受けて、内閣感染症危機管理統括庁の所掌事務に係る重要な政策に関する事務を総括整理し、及びその所掌事務のうち重要事項に係るものに参画するものとし、厚生労働省の医務技監をもつて充てる。

〔国家安全保障局〕

第十六条　内閣官房に、国家安全保障局を置く。

2　国家安全保障局は、次に掲げる事務をつかさどる。

一　第十二条第二項第二号から第五号までに掲げる事務のうち我が国の安全保障（第二十一条第三項にお

いて「国家安全保障」という。）に関する外交政策、防衛政策及び経済政策の基本方針並びにこれらの政策に関する重要事項に関するもの（危機管理に関するもの並びに内閣広報官及び内閣情報官の所掌に属するものを除く。）

二　国家安全保障会議設置法（昭和六十一年法律第七十一号）第十二条の規定により国家安全保障局が処理することとされた国家安全保障会議の事務

三　国家安全保障会議設置法第六条の規定により国家安全保障会議に提供された資料又は情報その他の前二号に掲げる事務に係る資料又は情報を総合して整理する事務

3　国家安全保障局に、国家安全保障局長を置く。

4　国家安全保障局長は、内閣官房長官及び内閣官房副長官を助け、命を受けて局務を掌理する。

5　第十五条第四項から第六項までの規定は、国家安全保障局長について準用する。

6　国家安全保障局に、国家安全保障局次長二人を置く。

7　国家安全保障局次長は、国家安全保障局長を助け、局務を整理するものとし、内閣総理大臣が内閣官房副長官補の中から指名する者をもつて充てる。

（内閣官房副長官補）

第十七条　内閣官房に、内閣官房副長官補三人を置く。

2　内閣官房副長官補は、内閣官房長官、内閣官房副長官及び内閣危機管理監を助け、命を受けて内閣官房の事務（第十二条第二項第一号に掲げるもの並びに内閣感染症危機管理統括庁、国家安全保障局、内閣広報官、内閣情報官及び内閣人事局の所掌に属するものを除く。）を掌理する。

3　前項に定めるもののほか、内閣官房副長官補（第十五条の二第六項の規定により内閣総理大臣が指名した者を除く。）は、臨時に命を受け、感染症に係る危機管理に関する事務について、内閣感染症危機管理統括庁の事務の処理に協力する。

4　第十五条第四項から第六項までの規定は、内閣官房副長官補について準用する。

（内閣広報官）

第十八条　内閣官房に、内閣広報官一人を置く。

2　内閣広報官は、内閣官房長官、内閣官房副長官及び内閣危機管理監を助け、第十二条第二項第二号から第五号までに掲げる事務について必要な広報に関することを処理するほか、同項第二号から第五号までに掲げる事務のうち広報に関するものを掌理する。

3　第十五条第四項から第六項までの規定は、内閣広報官について準用する。

（内閣情報官）

第十九条　内閣官房に、内閣情報官一人を置く。

2　内閣情報官は、内閣官房長官、内閣官房副長官及び内閣危機管理監を助け、第十二条第二項第二号から第五号までに掲げる事務のうち特定秘密（特定秘密の保護に関する法律（平成二十五年法律第百八号）第三条第一項に規定する特定秘密をいう。）の保護に関するもの（内閣広報官の所掌に属するものを除く。）及び第十二条第二項第六号に掲げる事務を掌理する。

3　第十五条第四項から第六項までの規定は、内閣情報官について準用する。

（内閣人事局）

第二十条　内閣官房に、内閣人事局を置く。

2　内閣人事局は、第十二条第二項第七号から第十四号までに掲げる事務をつかさどる。

3　内閣人事局に、内閣人事局長を置く。

4　内閣人事局長は、内閣官房長官を助け、命を受けて局務を掌理するものとし、内閣総理大臣が内閣官房副長官の中から指名する者をもつて充てる。

（内閣総理大臣補佐官）

第二十一条　内閣官房に、内閣総理大臣補佐官五人以内を置く。

2　内閣総理大臣補佐官は、内閣総理大臣の命を受け、国家として戦略的に推進すべき基本的な施策その他の内閣の重要政策のうち特定のものに係る内閣総理大臣の行う企画及び立案について、内閣総理大臣を補佐する。

3　内閣総理大臣は、内閣総理大臣補佐官の中から、国家安全保障に関する重要政策を担当する者を指定するものとする。

4　内閣総理大臣補佐官は、非常勤とすることができる。

5　第十五条第四項及び第五項の規定は内閣総理大臣補佐官について、同条第六項の規定は常勤の内閣総理大臣補佐官について準用する。

（秘書官）

第二十二条　内閣官房に、内閣総理大臣に附属する秘書官並びに内閣総理大臣及び各省大臣以外の各国務大臣に附属する秘書官を置く。

2　前項の秘書官の定数は、政令で定める。

3　第一項の秘書官で、内閣総理大臣に附属する秘書官は、内閣総理大臣の、国務大臣に附属する秘書官は、国務大臣の命を受け、機密に関する事務をつかさどり、又は臨時に命を受け内閣官房その他関係各部局の事務を助ける。

〔内閣事務官〕

第二十三条　内閣官房に、内閣事務官その他所要の職員を置く。

2　内閣事務官は、命を受けて内閣官房の事務を整理する。

〔内部組織の政令委任〕

第二十四条　この法律に定めるもののほか、内閣官房の所掌事務を遂行するため必要な内部組織については、政令で定める。

〔主任の大臣〕

第二十五条　内閣官房に係る事項については、この法律にいう主任の大臣は、内閣総理大臣とする。

2　内閣総理大臣は、内閣官房に係る主任の行政事務について、法律又は政令の制定、改正又は廃止を必要と認めるときは、案をそなえて、閣議を求めなければならない。

3　内閣総理大臣は、内閣官房に係る主任の行政事務について、法律若しくは政令を施行するため、又は法律若しくは政令の特別の委任に基づいて、内閣官房の命令として内閣官房令を発することができる。

4　内閣官房令には、法律の委任がなければ、罰則を設け、又は義務を課し、若しくは国民の権利を制限する規定を設けることができない。

5　内閣総理大臣は、内閣官房の所掌事務について、公示を必要とする場合においては、告示を発することができる。

6　内閣総理大臣は、内閣官房の所掌事務について、命令又は示達をするため、所管の諸機関及び職員に対し、訓令又は通達を発することができる。

〔事務の分掌〕

第二十六条　内閣総理大臣は、管区行政評価局及び沖縄行政評価事務所に、内閣官房の所掌事務のうち、第十二条第二項第十三号及び第十四号に掲げる事務に関する調査並びに資料の収集及び整理に関する事務を分掌させることができる。

附　則

1　この法律は、日本国憲法施行の日〔昭二二・五・三〕から、これを施行する。

2　復興庁が廃止されるまでの間における第二条第二項の規定の適用については、同項中「十四人」とあるのは「十五人」と、同項ただし書中「十七人」とあるのは「十八人」とする。

3　国際博覧会推進本部が置かれている間における第二条第二項の規定の適用については、前項の規定にかかわらず、同条第二項中「十四人」とあるのは「十六人」と、同項ただし書中「十七人」とあるのは「十九人」とする。

4　東京オリンピック競技大会・東京パラリンピック競技大会推進本部が置かれている間における第二条第二項の規定の適用については、前二項の規定にかかわらず、同条第二項中「十四人」とあるのは「十七人」と、同項ただし書中「十七人」とあるのは「二十人」とする。

5　内閣人事局は、第二十条第二項に規定する事務のほか、当分の間、国家公務員制度改革基本法（平成二十年法律第六十八号）第二章に定める基本方針に基づいて行う国家公務員制度改革の推進に関する企画及び立案並びに当該国家公務員制度改革に関する施策の実施の推進に関する事務をつかさどる。

附　則（令四・五・一八法四三）（抄）

（施行期日）

第一条　この法律は、公布の日から起算して九月を超えない範囲内において政令で定める日〔令四・八・一〕から施行する。ただし、次の各号に掲げる規定は、当該各号に定める日から施行する。

一　〔前略〕附則〔中略〕第九条〔中略〕の規定　公布の日から起算して六月を超えない範囲内において政令で定める日〔令四・八・一〕

二～五　〔略〕

附　則（令五・四・二八法一四）（抄）

（施行期日）

第一条　この法律は、公布の日から起算して六月を超えない範囲内において政令で定める日〔令五・九・一〕から施行する。〔ただし書略〕

（政令への委任）

第二条　この法律の施行に関し必要な経過措置は、政令で定める。

○内閣官房組織令（抄）

昭三二・七・三一
政令二一九

最終改正　令六・三・二九政令七九

（内部組織）
第一条　内閣官房に、次の三室及び内閣サイバーセキュリティセンターを置く。
内閣総務官室
内閣広報室
内閣情報調査室

（内閣総務官室）
第二条　内閣総務官室においては、次の事務をつかさどる。
一　閣議事項の整理に関すること。
二　機密に関すること。
三　内閣の主管に属する人事に関すること。
四　内閣総理大臣、内閣官房長官及び内閣官房副長官の官印その他の公印の保管に関すること。
五　公文書類の接受、発送及び保存に関すること。
六　職員の厚生及び教養訓練に関すること。
七　予算、決算及び会計に関すること。
八　総理大臣官邸の管理運営に関すること。
九　前各号に掲げるもの以外の内閣の庶務
2　内閣総務官室に、内閣総務官一人を置く。
3　内閣総務官は、内閣総務官室の事務を掌理する。

（内閣広報室）
第三条　内閣広報室においては、次の事務をつかさどる。
一　内閣の重要政策に関する基本的な方針に関する企画及び立案並びに総合調整に関する事務のうち広報に関するもの
二　閣議に係る重要事項に関する企画及び立案並びに総合調整に関する事務のうち広報に関するもの
三　行政各部の施策の統一を図るために必要となる企画及び立案並びに総合調整に関する事務のうち広報に関するもの
四　前三号に掲げるもののほか、行政各部の施策に関するその統一保持上必要な企画及び立案並びに総合調整に関する事務のうち広報に関するもの
2　前項に定めるもののほか、内閣広報室は、内閣広報官が内閣法第十八条第二項に規定する広報に関することを処理することについて、これを補佐する。
3　内閣広報官は、内閣広報室の事務を掌理する。

（内閣情報調査室）
第四条　内閣情報調査室においては、次の事務をつかさどる。
一　内閣の重要政策に関する情報の収集及び分析その他の調査に関する事務（各行政機関の行う情報の収集及び分析その他の調査であつて内閣の重要政策に係るものの連絡調整に関する事務を含む。）
二　次に掲げる事務のうち特定秘密（特定秘密の保護に関する法律（平成二十五年法律第百八号）第三条第一項に規定する特定秘密をいう。）の保護に関するもの（内閣広報室においてつかさどるものを除く。）
イ　内閣の重要政策に関する基本的な方針に関する企画及び立案並びに総合調整に関する事務
ロ　閣議に係る重要事項に関する企画及び立案並びに総合調整に関する事務
ハ　行政各部の施策の統一を図るために必要となる企画及び立案並びに総合調整に関する事務
ニ　イからハまでに掲げるもののほか、行政各部の施策に関するその統一保持上必要な企画及び立案並びに総合調整に関する事務
2　内閣情報官は、内閣情報調査室の事務を掌理する。

（内閣サイバーセキュリティセンター）
第四条の二　内閣サイバーセキュリティセンターにおいては、次の事務をつかさどる。
一　情報通信ネットワーク又は電磁的記録媒体（電子的方式、磁気的方式その他人の知覚によつては認識することができない方式で作られる記録であつて、電子計算機による情報処理の用に供されるものに係る記録媒体をいう。）を通じて行われる行政各部の情報システムに対する不正な活動の監視及び分析に関すること。
二　行政各部におけるサイバーセキュリティ（サイバーセキュリティ基本法（平成二十六年法律第百四号）第二条に規定するサイバーセキュリティをいう。以下この項において同じ。）の確保に支障を及ぼし、又は及ぼすおそれがある重大な事象の原因究明のための調査に関すること（内閣情報調査室においてつかさどるものを除く。）。
三　行政各部におけるサイバーセキュリティの確保に関し必要な助言、情報の提供その他の援助に関すること。
四　行政各部におけるサイバーセキュリティの確保に関し必要な監査に関すること。

五　前各号に掲げるもののほか、行政各部の施策に関するその統一保持上必要な企画及び立案並びに総合調整に関する事務のうちサイバーセキュリティの確保に関するもの（国家安全保障局、内閣広報室及び内閣情報調査室においてつかさどるものを除く。）

2　内閣サイバーセキュリティセンターに、内閣サイバーセキュリティセンター長一人を置く。

3　内閣サイバーセキュリティセンター長は、内閣官房長官、内閣官房副長官及び内閣危機管理監を助け、内閣サイバーセキュリティセンターの事務を掌理するものとし、内閣総理大臣が内閣官房副長官補の中から指名する者をもつて充てる。

（内閣衛星情報センター）

第四条の三　内閣情報調査室に、内閣衛星情報センターを置く。

2　内閣衛星情報センターにおいては、内閣情報調査室の事務のうち次に掲げるものをつかさどる。

一　我が国の安全の確保、大規模災害への対応その他の内閣の重要政策に関する画像情報の収集を目的とする人工衛星（以下「情報収集衛星」という。）に関すること。

二　情報収集衛星により得られる画像情報の分析その他の調査に関すること。

三　情報収集衛星以外の人工衛星の利用その他の手段により得られる画像情報の収集及び分析その他の調査に関すること。

3　内閣衛星情報センターに、所長一人を置く。

4　所長は、内閣情報官を助け、内閣衛星情報センターの事務を掌理する。

（公文書監理官）

第四条の四　内閣総務官室に、公文書監理官一人（関係のある他の職を占める者をもつて充てられるものとする。）を置く。

2　公文書監理官は、命を受けて、内閣官房の所掌事務に関する公文書類の管理並びにこれに関連する情報の公開及び個人情報の保護の適正な実施の確保に係る重要事項についての事務並びに関係事務を総括整理する。

（総理大臣官邸事務所長）

第五条　内閣総務官室に、総理大臣官邸事務所長一人を置く。

2　総理大臣官邸事務所長は、内閣総務官室の事務のうち総理大臣官邸の管理運営に関すること及び特に命ぜられた機密に関することをつかさどる。

（人事政策統括官）

第五条の二　内閣人事局に、人事政策統括官三人（うち一人は、関係のある他の職を占める者をもつて充てられるものとする。）を置く。

2　人事政策統括官は、命を受けて内閣人事局の事務の一部をつかさどる。

（内閣審議官）

第六条　内閣官房に、内閣審議官を置く。

2　内閣審議官は、命を受けて、内閣官房の事務のうち重要事項に係るものに参画し、及びその事務の一部を総括整理し、又は人事政策統括官のつかさどる職務のうち重要事項に係るものを助ける。

3　内閣審議官の定数は、併任の者を除き、七十一人とする。ただし、そのうち四十六人は、内閣総理大臣が特に必要と認める場合に置かれるものとする。

第七条　内閣総務官室、内閣感染症危機管理統括庁、国家安全保障局、内閣広報室、内閣情報調査室若しくは内閣サイバーセキュリティセンター（以下「内閣総務官室等」という。）又は内閣人事局に属しない内閣審議官は、内閣官房副長官補を助け、命を受けて、内閣官房副長官補の掌理する事務（内閣サイバーセキュリティセンターにおいてつかさどるものを除く。以下同じ。）のうち重要事項に係るものに参画し、及びその事務の一部を総括整理する。

2　前項に定めるもののほか、内閣総務官室等又は内閣人事局に属しない内閣審議官は、臨時に命を受け、感染症に係る危機管理に関する事務について、内閣法第十七条第三項の命を受けた内閣官房副長官補を助け、内閣感染症危機管理統括庁の事務の処理に協力する。

3　内閣総務官室等に属する内閣審議官は、命を受けて、その属する内閣総務官室等の事務のうち重要事項に係るものに参画し、及びその属する内閣総務官室等の事務の一部を総括整理する。

4　内閣人事局に属する内閣審議官は、命を受けて、人事政策統括官のつかさどる職務のうち重要事項に係るものを助ける。

5　内閣総務官室等又は内閣人事局に属する内閣審議官は、前二項に定める職務を行うほか、命を受けて、内閣官房副長官補を助け、内閣官房副長官補の掌理する事務のうち重要事項に係るものに参画し、及びその事務の一部を総括整理する。

（内閣参事官）

第八条　内閣官房に、内閣参事官を置く。

2　内閣参事官は、命を受けて、内閣官房の事務の一部をつかさどり、又は人事政策統括官のつかさどる職務を助ける。

3　内閣参事官の定数は、併任の者を除き、百五人とする。ただし、そのうち三十二人は、内閣総理大臣が特に必要と認める場合に置かれるものとする。

第九条　内閣総務官室等又は内閣人事局に属しない内閣参事官は、内閣官房副長官補を助け、命を受けて内閣官房副長官補の掌理する事務の一部をつかさどる。

2　前項に定めるもののほか、内閣総務官室等又は内閣人事局に属しない内閣参事官は、臨時に命を受け、感染症に係る危機管理に関する事務について、内閣法第十七条第三項の命を受けた内閣官房副長官補を助け、内閣感染症危機管理統括庁の事務の処理に協力する。

3　内閣総務官室等に属する内閣参事官は、命を受けてその属する内閣総務官室等の事務（内閣総務官室については、総理大臣官邸事務所長のつかさどるものを除く。）の一部をつかさどる。

4　内閣人事局に属する内閣参事官は、命を受けて、人事政策統括官のつかさどる職務を助ける。

5　内閣総務官室等又は内閣人事局に属する内閣参事官は、前二項に定める職務を行うほか、命を受けて、内閣官房副長官補を助け、内閣官房副長官補の掌理する事務の一部をつかさどる。

（内閣危機管理監の事務の整理）

第十条　内閣総理大臣の指定する内閣官房副長官補は、内閣危機管理監の事務の整理を掌理する。

（内閣総理大臣等に附属する秘書官の定数）

第十一条　内閣総理大臣に附属する秘書官の定数は五人とし、内閣総理大臣及び各省大臣以外の各国務大臣に附属する秘書官の定数はそれぞれ一人とする。

（組織の細目）

第十二条　この政令に定めるもののほか、内閣官房の内部組織に関し必要な細目は、内閣総理大臣が定める。

○東日本大震災に対処するための特別の財政援助及び助成に関する法律（抄）

平二三・五・二
法　四　〇

最終改正　令四・一二・一六法一〇四

第一章　総則

（趣旨）

第一条　この法律は、東日本大震災に対処するため、地方公共団体等に対する特別の財政援助及び社会保険の加入者等についての負担の軽減、農林漁業者、中小企業者等に対する金融上の支援等の特別の助成に関する措置について定めるものとする。

（定義）

第二条　この法律において「東日本大震災」とは、平成二十三年三月十一日に発生した東北地方太平洋沖地震及びこれに伴う原子力発電所の事故による災害をいう。

2　この法律において「特定被災地方公共団体」とは、青森県、岩手県、宮城県、福島県、茨城県、栃木県、千葉県、新潟県及び長野県並びに東日本大震災による被害を受けた市町村で政令で定めるものをいう。

3　この法律において「特定被災区域」とは、東日本大震災に際し災害救助法（昭和二十二年法律第百十八号）が適用された市町村のうち政令で定めるもの及びこれに準ずる市町村として政令で定めるものの区域をいう。

第四章　総務省関係

（恩給法の死亡に係る給付の支給に関する規定の適用の特例）

第十一条　平成二十三年三月十一日に発生した東北地方太平洋沖地震による災害により行方不明となった者の生死が三月間分からない場合又はその者の死亡が三月以内に明らかとなり、かつ、その死亡の時期が分からない場合には、恩給法（大正十二年法律第四十八号。他の法律において準用する場合を含む。）の死亡に係る給付の支給に関する規定の適用については、同日に、その者は、死亡したものと推定する。

（一般職の職員の給与に関する法律の適用の特例）

第十二条　第十四条の規定により国家公務員退職手当法（昭和二十八年法律第百八十二号）の規定の適用について平成二十三年三月十一日に死亡したものと推定された一般職の職員の給与に関する法律（昭和二十五年法律第九十五号）第一条に規定する職員に対する同法の規定の適用については、同日に、当該職員は、死亡したものと推定する。

（国家公務員災害補償法の死亡に係る給付の支給に関する規定の適用の特例）

第十三条　平成二十三年三月十一日に発生した東北地方太平洋沖地震による災害により行方不明となった者の生死が三月間分からない場合又はその者の死亡が三月以内に明らかとなり、かつ、その死亡の時期が分からない場合には、国家公務員災害補償法（昭和二十六年法律第百九十一号。他の法律において準用する場合を含む。）の死亡に係る給付の支給に関する規定の適用については、同日に、その者は、死亡したものと推定する。

（国家公務員退職手当法の適用の特例）

第十四条　平成二十三年三月十一日に発生した東北地方太平洋沖地震による災害により行方不明となった国家公務員（以下この条において「行方不明職員」という。）の生死が三月間分からない場合又は行方不明職員の死亡が三月以内に明らかとなり、かつ、その死亡の時期が分からない場合には、国家公務員退職手当法の規定の適用については、同日に、当該行方不明職員は、死亡したものと推定する。

附　則（抄）

（施行期日）

第一条　この法律は、公布の日から施行する。〔ただし書略〕

○内閣府設置法

平一一・七・一六
法　八　九

最終改正　令六・五・一七法二七

第一章　総則

（目的）

第一条　この法律は、内閣府の設置並びに任務及びこれを達成するため必要となる明確な範囲の所掌事務を定めるとともに、その所掌する行政事務を能率的に遂行するため必要な組織に関する事項を定めることを目的とする。

第二章　内閣府の設置並びに任務及び所掌事務

（設置）

第二条　内閣に、内閣府を置く。

（任務）

第三条　内閣府は、内閣の重要政策に関する内閣の事務を助けることを任務とする。

2　前項に定めるもののほか、内閣府は、皇室、栄典及び公式制度に関する事務その他の国として行うべき事務の適切な遂行、男女共同参画社会の形成の促進、市民活動の促進、沖縄の振興及び開発、北方領土問題の解決の促進、災害からの国民の保護、事業者間の公正かつ自由な競争の促進、国の治安の確保、個人情報の適正な取扱いの確保、カジノ施設の設置及び運営に関する秩序の維持及び安全の確保、金融の適切な機能の確保、消費者が安心して安全で豊かな消費生活を営むことができる社会の実現に向けた施策の推進、こども（こども家庭庁設置法（令和四年法律第七十五号）第三条第一項に規定するこどもをいう。次条第一項第二十九号において同じ。）が自立した個人としてひとしく健やかに成長することのできる社会の実現に向けた施策の推進、政府の施策の実施を支援するための基盤の整備並びに経済その他の広範な分野に関係する施策に関する政府全体の見地からの関係行政機関の連携の確保を図るとともに、内閣総理大臣が政府全体の見地から管理することがふさわしい行政事務の円滑な遂行を図ることを任務とする。

3　内閣府は、第一項の任務を遂行するに当たり、内閣官房を助けるものとする。

（所掌事務）

第四条　内閣府は、前条第一項の任務を達成するため、行政各部の施策の統一を図るために必要となる次に掲げる事項の企画及び立案並びに総合調整に関する事務（内閣官房が行う内閣法（昭和二十二年法律第五号）第十二条第二項第二号に掲げる事務を除く。）をつかさどる。

一　短期及び中長期の経済の運営に関する事項

二　財政運営の基本及び予算編成の基本方針の企画及び立案のために必要となる事項

三　経済に関する重要な政策（経済全般の見地から行う財政に関する重要な政策を含む。）に関する事項（次号から第十一号までに掲げるものを除く。）

四　中心市街地の活性化（中心市街地の活性化に関する法律（平成十年法律第九十二号）第一条に規定するものをいう。）の総合的かつ一体的な推進を図るための基本的な政策に関する事項

五　都市の再生（都市再生特別措置法（平成十四年法律第二十二号）第一条に規定するものをいう。）及びこれと併せた都市の防災に関する機能の確保を図るための基本的な政策に関する事項

六　知的財産（知的財産基本法（平成十四年法律第百二十二号）第二条第一項に規定するものをいう。）の創造、保護及び活用の推進を図るための基本的な政策に関する事項

七　構造改革特別区域（構造改革特別区域法（平成十四年法律第百八十九号）第二条第一項に規定するものをいう。）における経済社会の構造改革の推進及び地域の活性化を図るための基本的な政策に関する事項

八　地域再生（地域再生法（平成十七年法律第二十四号）第一条に規定するものをいう。）の総合的かつ効果的な推進を図るための基本的な政策に関する事項

九　道州制特別区域（道州制特別区域における広域行政の推進に関する法律（平成十八年法律第百十六号）第二条第一項に規定するものをいう。）における広域行政（同条第二項に規定するものをいう。）の推進を図るための基本的な政策に関する事項

十　総合特別区域（総合特別区域法（平成二十三年法律第八十一号）第二条第一項に規定するものをいう。第三項第三号の六において同じ。）における産業の国際競争力の強化及び地域の活性化の推進を図るための基本的な政策に関する事項

十一　国家戦略特別区域（国家戦略特別区域法（平成二十五年法律第百七号）第二条第一項に規定するものをいう。第三項第三号の七において同じ。）における産業の国際競争力の強化及び国際的な経済活動の拠点の形成の推進を図るための基本的な政策に関する事項

十二　日本国憲法の国民主権の理念の下に、住民に身近な行政は、地方公共団体が自主的かつ総合的に広く担うようにするとともに、地域住民が自らの判断と責任において地域の諸課題に取り組むことができるようにするための改革を推進するための基本的な政策に関する事項

十三　科学技術の総合的かつ計画的な振興を図るための基本的な政策に関する事項

十四　科学技術に関する予算、人材その他の科学技術の振興に必要な資源の配分の方針に関する事項

十五　前二号に掲げるもののほか、科学技術の振興に関する事項

十六　研究開発の成果の実用化によるイノベーションの創出（科学技術・イノベーション基本法（平成七年法律第百三十号）第二条第一項に規定するものをいう。以下同じ。）の促進を図るための環境の総合的な整備に関する事項

十六の二　健康・医療に関する先端的研究開発及び新産業創出（健康・医療戦略推進法（平成二十六年法律第四十八号）第一条に規定するものをいう。）の総合的かつ計画的な推進を図るための基本的な政策に関する事項

十六の三　医療分野の研究開発及びその環境の整備に関する予算、人材その他の資源の配分の方針に関する事項

十七　宇宙の開発及び利用（以下「宇宙開発利用」という。）の総合的かつ計画的な推進を図るための基本的な政策に関する事項
十八　災害予防、災害応急対策、災害復旧及び災害からの復興（第三項第八号を除き、以下「防災」という。）に関する基本的な政策に関する事項
十九　前号に掲げるもののほか、大規模な災害が発生し、又は発生するおそれがある場合における当該災害への対処その他の防災に関する事項
二十　男女共同参画社会の形成（男女共同参画社会基本法（平成十一年法律第七十八号）第二条第一号に規定するものをいう。以下同じ。）の促進を図るための基本的な政策に関する事項
二十一　前号に掲げるもののほか、男女共同参画社会の形成を阻害する要因の解消その他の男女共同参画社会の形成の促進に関する事項
二十二　沖縄に関する諸問題に対処するための基本的な政策に関する事項
二十三　前号に掲げるもののほか、沖縄の自立的な発展のための基盤の総合的な整備その他の沖縄に関する諸問題への対処に関する事項
二十四　北方地域（政令で定める地域をいう。以下同じ。）に関する諸問題への対処に関する事項
二十五　金融の円滑化を図るための環境の総合的な整備に関する事項
二十六　国民の安定的な資産形成（金融サービスの提供及び利用環境の整備等に関する法律（平成十二年法律第百一号）第一条の二第六項に規定するものをいう。）の支援に関する施策の総合的な推進を図るための基本的な政策に関する事項
二十七　食品の安全性の確保を図る上で必要な環境の総合的な整備に関する事項
二十八　消費者基本法（昭和四十三年法律第七十八号）第二条の消費者の権利の尊重及びその自立の支援その他の基本理念の実現並びに消費者が安心して安全で豊かな消費生活を営むことができる社会の実現のための基本的な政策に関する事項
二十九　こどもが自立した個人としてひとしく健やかに成長することのできる社会の実現に向けた基本的な政策に関する事項
三十　結婚、出産又は育児に希望を持つことができる社会環境の整備等少子化の克服に向けた基本的な政策に関する事項
三十一　子ども・若者育成支援推進法（平成二十一年法律第七十一号）第一条に規定する子ども・若者育成支援に関する事項
三十二　海洋に関する施策の総合的かつ計画的な推進を図るための基本的な政策に関する事項
三十三　重要施設周辺及び国境離島等における土地等の利用状況の調査及び利用の規制等に関する法律（令和三年法律第八十四号）に基づく重要施設の施設機能及び国境離島等の離島機能を阻害する土地等の利用の防止のための基本的な政策に関する事項
三十四　経済施策を一体的に講ずることによる安全保障の確保の推進に関する法律（令和四年法律第四十三号）に基づく経済施策を一体的に講ずることによる安全保障の確保の推進のための基本的な政策に関する事項
三十五　重要経済安保情報の保護及び活用に関する法律（令和六年法律第二十七号）に基づく重要経済安保情報の保護及び活用のための基本的な政策に関する事項
三十六　孤独・孤立対策（孤独・孤立対策推進法（令和五年法律第四十五号）第一条に規定するものをいう。第三項第二十七号の六において同じ。）の推進を図るための基本的な政策に関する事項

2　前項に定めるもののほか、内閣府は、前条第一項の任務を達成するため、内閣総理大臣を長とし、前項に規定する事務を主たる事務とする内閣府が内閣官房を助けることがふさわしい内閣の重要政策について、当該重要政策に関して閣議において決定された基本的な方針に基づいて、行政各部の施策の統一を図るために必要となる企画及び立案並びに総合調整に関する事務をつかさどる。

3　前二項に定めるもののほか、内閣府は、前条第二項の任務を達成するため、次に掲げる事務をつかさどる。
一　内外の経済動向の分析に関すること。
二　経済に関する基本的かつ重要な政策に関する関係行政機関の施策の推進に関すること（他省の所掌に属するものを除く。）。
二の二　中心市街地の活性化に関する法律第九条第一項に規定する基本計画の認定に関すること。
三　民間資金等の活用による公共施設等の整備等の促進に関する法律（平成十一年法律第百十七号）第四条第一項に規定する特定事業の実施に関する基本的な方針の策定及び推進に関すること。
三の二　構造改革特別区域法第四条第一項に規定する構造改革特別区域計画の認定に関すること。
三の三　地域再生法第五条第一項に規定する地域再生

計画の認定に関すること、同法第十三条第一項の交付金に関すること（同法第五条第四項第一号ロに掲げる事業に要する経費に充てるための交付金については、当該交付金を充てて行う事業に関する関係行政機関の経費の配分計画に関することに限る。）、同法第十四条第一項に規定する指定金融機関の指定及び同項に規定する地域再生支援利子補給金の支給に関すること並びに同法第十五条第一項に規定する指定金融機関の指定及び同項に規定する利子補給金の支給に関すること。

三の四　地域における大学の振興及び若者の雇用機会の創出による若者の修学及び就業の促進に関する法律（平成三十年法律第三十七号）第四条第一項に規定する基本指針の策定に関すること、同法第五条第一項に規定する計画の認定に関すること及び同法第十一条の交付金に関すること。

三の五　道州制特別区域における広域行政の推進に関する法律第七条第一項に規定する道州制特別区域計画に関すること。

三の六　総合特別区域法第八条第一項に規定する国際戦略総合特別区域の指定に関すること、同法第十二条第一項に規定する国際戦略総合特別区域計画の認定に関すること、同法第二十八条第一項に規定する指定金融機関の指定及び同項に規定する国際戦略総合特区支援利子補給金の支給に関すること、同法第三十一条第一項に規定する地域活性化総合特別区域の指定に関すること、同法第三十五条第一項に規定する地域活性化総合特別区域計画の認定に関すること、同法第五十六条第一項に規定する指定金融機関の指定及び同項に規定する地域活性化総合特区支援利子補給金の支給に関すること並びに総合特別区域における産業の国際競争力の強化及び地域の活性化に関する関係行政機関の事務の調整に関すること。

三の七　国家戦略特別区域法第八条第一項に規定する国家戦略特別区域の指定に関すること、同法第八条第一項に規定する区域計画に関すること、同法第十六条の四第三項に規定する指針及び同法第十六条の五第三項に規定する指針の作成に関すること、同法第二十八条第一項に規定する指定金融機関の指定及び同項に規定する国家戦略特区支援利子補給金の支給に関すること並びに国家戦略特別区域における産業の国際競争力の強化及び国際的な経済活動の拠点の形成に関する関係行政機関の事務の調整に関すること。

四　市場開放問題及び政府調達に係る苦情処理に関する関係行政機関の事務の調整に関すること。

五　経済活動及び社会活動についての経済理論その他これに類する理論を用いた研究（大学及び大学共同利用機関におけるものを除く。）に関すること。

六　国民経済計算に関すること。

六の二　第一項第十二号の改革を推進するための基本的な政策に関する施策の実施の推進及びこれに必要な関係行政機関の事務の連絡調整に関すること。

七　科学技術・イノベーション基本計画（科学技術・イノベーション基本法第十二条第一項に規定するものをいう。）の策定及び推進に関すること。

七の二　科学技術に関する関係行政機関の経費の見積りの方針の調整に関すること。

七の二の二　特定国立研究開発法人による研究開発等の促進に関する特別措置法（平成二十八年法律第四十三号）第三条第一項に規定する特定国立研究開発法人による研究開発等を促進するための基本的な方針の策定及び推進に関すること。

七の三　研究開発の成果の実用化によるイノベーションの創出の促進を図るための環境の総合的な整備に関する施策の推進に関すること。

七の四　匿名加工医療情報（医療分野の研究開発に資するための匿名加工医療情報及び仮名加工医療情報に関する法律（平成二十九年法律第二十八号）第二条第三項に規定するものをいう。）及び仮名加工医療情報（同条第四項に規定するものをいう。）に関する施策に関すること（他省の所掌に属するものを除く。）。

七の五　宇宙開発利用に関する関係行政機関の事務の調整に関すること。

七の六　宇宙開発利用の推進に関すること（他省の所掌に属するものを除く。）。

七の七　多様な分野において公共の用又は公用に供される人工衛星等（人工衛星及び人工衛星に搭載される設備をいう。）で政令で定めるもの及びその運用に必要な施設又は設備の整備及び管理に関すること。

七の八　前三号に掲げるもののほか、宇宙開発利用に関する施策に関すること（他省の所掌に属するものを除く。）。

七の九　防災に関する施策の推進に関すること。

八　防災に関する組織（災害対策基本法（昭和三十六年法律第二百二十三号）第二章に規定するものをいう。）の設置及び運営並びに防災計画（同法第二条第七号に規定するものをいう。）に関すること。

八の二　被災者の応急救助及び避難住民等（武力攻撃

事態等における国民の保護のための措置に関する法律（平成十六年法律第百十二号）第七十五条第一項に規定するものをいう。）の救援に関すること。
九　激甚災害（激甚《じん》災害に対処するための特別の財政援助等に関する法律（昭和三十七年法律第百五十号）第二条第一項に規定するものをいう。）及び当該激甚災害に対し適用すべき措置の指定に関すること。
十　特定非常災害（特定非常災害の被害者の権利利益の保全等を図るための特別措置に関する法律（平成八年法律第八十五号）第二条第一項に規定するものをいう。）及び当該特定非常災害に対し適用すべき措置の指定に関すること。
十一　被災者生活再建支援金（被災者生活再建支援法（平成十年法律第六十六号）第三条第一項に規定するものをいう。）の支給に関すること。
十二　台風常襲地帯（台風常襲地帯における災害の防除に関する特別措置法（昭和三十三年法律第七十二号）第三条第一項に規定するものをいう。）及び災害防除事業（同法第二条第一項に規定するものをいう。）の指定に関すること。
十三　活動火山対策特別措置法（昭和四十八年法律第六十一号）第二条第一項に規定する活動火山対策の総合的な推進に関する基本的な指針の策定に関すること並びに同法第三条第一項に規定する火山災害警戒地域、同法第十三条第一項に規定する避難施設緊急整備地域及び同法第二十三条第一項に規定する降灰防除地域の指定に関すること。
十四　大規模地震対策特別措置法（昭和五十三年法律第七十三号）に基づく地震防災対策に関すること。
十四の二　原子力災害対策特別措置法（平成十一年法律第百五十六号）第二条第一号に規定する原子力災害（武力攻撃事態等における国民の保護のための措置に関する法律第百五条第七項第一号に規定する武力攻撃原子力災害を含む。）に対する対策に関すること。
十四の二の二　原子力基本法（昭和三十年法律第百八十六号）第三条の三に規定する原子力防災会議の事務局長に対する協力に関すること。
十四の二の三　原子力災害対策特別措置法第十五条第二項に規定する原子力緊急事態宣言、同条第三項に規定する緊急事態応急対策に関する事項の指示及び同条第四項に規定する原子力緊急事態解除宣言を行うこと並びに同法第十六条第一項に規定する原子力災害対策本部の設置及び運営に関すること。
十四の三　南海トラフ地震に係る地震防災対策の推進に関する特別措置法（平成十四年法律第九十二号）に基づく地震防災対策に関すること。
十四の四　日本海溝・千島海溝周辺海溝型地震に係る地震防災対策の推進に関する特別措置法（平成十六年法律第二十七号）に基づく地震防災対策に関すること。
十四の四の二　首都直下地震対策特別措置法（平成二十五年法律第八十八号）に基づく地震防災対策に関すること。
十四の五　東日本大震災復興特別区域法（平成二十三年法律第百二十二号）第四条第九項に規定する復興推進計画の認定に関すること、同法第四十四条第一項に規定する指定金融機関の指定及び復興特区支援利子補給金の支給に関すること、同法第四十六条第一項に規定する復興整備計画の推進に関すること並びに同法第二条第三項に規定する復興推進事業及び同法第四十六条第二項第四号に規定する復興整備事業に関する関係行政機関の事務の調整に関すること。
十五　第七号の九から前号までに掲げるもののほか、防災に関する施策に関すること（他省の所掌に属するものを除く。）。
十六　男女共同参画基本計画（男女共同参画社会基本法第十三条第一項に規定するものをいう。）の作成及び推進に関すること。
十七　前号に掲げるもののほか、男女共同参画社会の形成の促進に関する事務のうち他省の所掌に属しないものの企画及び立案並びに実施に関すること。
十八　沖縄（沖縄県の区域をいう。以下同じ。）における経済の振興及び社会の開発に関する総合的な計画（以下「振興開発計画」という。）の作成及び推進に関すること。
十九　振興開発計画に基づく事業に関する関係行政機関の経費の見積りの方針の調整及び当該事業で政令で定めるものに関する関係行政機関の経費（政令で定めるものを除く。）の配分計画に関すること（文部科学省及び環境省の所掌に属するものを除く。）。
二十　前二号に掲げるもののほか、沖縄における経済の振興及び社会の開発に関する施策に関すること（他省の所掌に属するものを除く。）。
二十一　沖縄振興開発金融公庫の業務に関すること。
二十二　沖縄県の区域内における位置境界不明地域内の各筆の土地の位置境界の明確化等に関する特別措置法（昭和五十二年法律第四十号）の規定による駐

留軍用地等以外の土地に係る各筆の土地の位置境界の明確化等に関すること。

二十三　北方領土問題その他北方地域に関する諸問題についての国民世論の啓発に関すること。

二十四　北方地域に生活の本拠を有していた者に対する援護措置その他北方地域に関する事務（外務省の所掌に属するものを除く。）の推進に関すること。

二十五　本土（北方地域以外の地域をいう。以下同じ。）と北方地域にわたる身分関係事項その他の事実についての公の証明に関する文書の作成に関すること。

二十六　本土と北方地域との間において解決を要する事項についての連絡、あっせん及び処理に関すること。

二十七　食品安全基本法（平成十五年法律第四十八号）第十一条第一項に規定する食品健康影響評価に関すること。

二十七の二　重要施設周辺及び国境離島等における土地等の利用状況の調査及び利用の規制等に関する法律に基づく土地等の利用状況の調査及び利用の規制等に関すること。

二十七の三　経済施策を一体的に講ずることによる安全保障の確保の推進に関する法律に基づく特定重要物資の安定的な供給の確保及び特定社会基盤役務の安定的な提供の確保並びに特定重要技術の開発支援及び特許出願の非公開に関すること（他省及び金融庁の所掌に属するものを除く。）並びに安全保障の確保に関する経済施策の総合的かつ効果的な推進に関する事務に関すること。

二十七の四　重要経済安保情報の保護及び活用に関する法律に基づく重要経済安保情報の保護及び活用に関する事務に関すること（他省の所掌に属するものを除く。）。

二十七の五　孤独・孤立対策重点計画（孤独・孤立対策推進法第八条第一項に規定するものをいう。）の作成及び推進に関すること。

二十七の六　前号に掲げるもののほか、孤独・孤立対策の推進に関する事務のうち他省の所掌に属しないものの企画及び立案並びに実施に関すること。

二十八　栄典制度に関する企画及び立案並びに栄典の授与及び剝奪の審査並びに伝達に関すること。

二十九　外国の勲章及び記章の受領及び着用に関すること。

三十　内閣総理大臣の行う表彰に関すること。

三十一　国民の祝日に関すること。

三十二　元号その他の公式制度に関すること。

三十三　国の儀式並びに内閣の行う儀式及び行事に関する事務に関すること（他省の所掌に属するものを除く。）。

三十四　迎賓施設における国賓及びこれに準ずる賓客の接遇に関すること。

三十五　国民生活の安定及び向上に関する経済の発展の見地からの基本的な政策の企画及び立案並びに推進に関すること（消費者庁の所掌に属するものを除く。）。

三十六　市民活動の促進に関すること。

三十六の二　休眠預金等（民間公益活動を促進するための休眠預金等に係る資金の活用に関する法律（平成二十八年法律第百一号）第二条第六項に規定するものをいう。）に係る資金の活用に関すること（金融庁の所掌に属するものを除く。）。

三十七　官報に関すること。

三十七の二　内閣所管の機密文書の印刷に関すること。

三十八　政府の重要な施策に関する広報に関すること。

三十九　世論の調査に関すること。

三十九の二　公文書等（公文書等の管理に関する法律（平成二十一年法律第六十六号）第二条第八項に規定するものをいう。）の管理に関する基本的な政策の企画及び立案並びに推進に関すること。

四十　公文書館に関する制度に関すること。

四十一　前二号に掲げるもののほか、公文書等の管理に関する法律第二条第六項に規定する歴史公文書等（国又は独立行政法人国立公文書館が保管するものに限り、現用のものを除く。）の保存及び利用に関すること（他の機関の所掌に属するものを除く。）。

四十二　削除

四十三　高齢社会対策の大綱（高齢社会対策基本法（平成七年法律第百二十九号）第六条に規定するものをいう。）の作成及び推進に関すること。

四十四　障害者基本計画（障害者基本法（昭和四十五年法律第八十四号）第十一条第一項に規定するものをいう。）の策定及び推進に関すること。

四十四の二　障害を理由とする差別の解消の推進に関する基本方針（障害を理由とする差別の解消の推進に関する法律（平成二十五年法律第六十五号）第六条第一項に規定するものをいう。）の作成及び推進に関すること。

四十五　交通安全基本計画（交通安全対策基本法（昭

和四十五年法律第百十号）第二十二条第一項に規定するものをいう。）の作成及び推進に関すること（国土交通省の所掌に属するものを除く。）。

四十五の二　性的指向及びジェンダーアイデンティティの多様性に関する国民の理解の増進に関する基本的な計画（性的指向及びジェンダーアイデンティティの多様性に関する国民の理解の増進に関する法律（令和五年法律第六十八号）第八条第一項に規定するものをいう。）の策定及び推進に関すること。

四十六　原子力の研究、開発及び利用に関する関係行政機関の事務の調整に関すること（安全の確保のうちその実施に関するものを除く。）。

四十七　地方制度に関する重要事項に係る関係行政機関の事務の連絡調整に関すること。

四十八　選挙制度に関する重要事項に係る事務の連絡調整に関すること。

四十九　国会等（国会等の移転に関する法律（平成四年法律第百九号）第一条に規定するものをいう。）の移転先の候補地の選定及びこれに関連する事項に係る事務の連絡調整に関すること。

五十　租税制度に関する基本的事項に係る関係行政機関の事務の連絡調整に関すること。

五十一　国際平和協力業務（国際連合平和維持活動等に対する協力に関する法律（平成四年法律第七十九号）第三条第五号に規定するものをいう。）及び物資協力（同条第六号に規定するものをいう。）に関すること（他省の所掌に属するものを除く。）。

五十二　科学に関する重要事項の審議及び研究の連絡に関すること。

五十三　北朝鮮当局によって拉致された被害者等の支援に関する法律（平成十四年法律第百四十三号）第二条、第四条から第六条まで、第十一条の二、第十一条の三、第十四条及び附則第二条に規定する事務（他省の所掌に属するものを除く。）

五十四　公益社団法人及び公益財団法人に関すること。

五十四の二　国家公務員法（昭和二十二年法律第百二十号）第十八条の七第二項及び第百六条の五第二項に規定する事務

五十四の三　国家公務員退職手当法（昭和二十八年法律第百八十二号）第十八条第二項に規定する事務

五十四の四　アイヌの人々の誇りが尊重される社会を実現するための施策の推進に関する法律（平成三十一年法律第十六号）第十条第一項に規定するアイヌ施策推進地域計画の認定に関すること及び同法第十五条第一項の交付金に関すること。

五十四の五　産業競争力強化法（平成二十五年法律第九十八号）第十四条の三第一項に規定する事務

五十五　所掌事務に係る国際協力に関すること。

五十六　政令で定める文教研修施設において所掌事務に関する研修を行うこと。

五十七　宮内庁法（昭和二十二年法律第七十号）第二条に規定する事務

五十八　私的独占の禁止及び公正取引の確保に関する法律（昭和二十二年法律第五十四号）第二十七条の二に規定する事務

五十九　警察法（昭和二十九年法律第百六十二号）第五条第四項及び第五項に規定する事務

五十九の二　個人情報の保護に関する法律（平成十五年法律第五十七号）第百三十二条に規定する事務

五十九の三　特定複合観光施設区域整備法（平成三十年法律第八十号）第二百十五条に規定する事務

六十　金融庁設置法（平成十年法律第百三十号）第四条第一項に規定する事務

六十一　消費者庁及び消費者委員会設置法（平成二十一年法律第四十八号）第四条第一項及び第六条第二項に規定する事務

六十二　こども家庭庁設置法第四条第一項に規定する事務

六十三　前各号に掲げるもののほか、法律（法律に基づく命令を含む。）に基づき内閣府に属させられた事務

第三章　組織

第一節　通則

（組織の構成）

第五条　内閣府の組織は、任務及びこれを達成するため必要となる明確な範囲の所掌事務を有する行政機関により系統的に構成され、かつ、内閣の重要な課題に弾力的に対応できるものとしなければならない。

2　内閣府は、内閣の統轄の下に、その政策について、自ら評価し、企画及び立案を行い、並びにデジタル庁及び国家行政組織法（昭和二十三年法律第百二十号）第一条の国の行政機関と相互の調整を図るとともに、その相互の連絡を図り、全て、一体として、行政機能を発揮しなければならない。

第二節　内閣府の長及び内閣府に置かれる特別な職

（内閣府の長）

第六条　内閣府の長は、内閣総理大臣とする。

2　内閣総理大臣は、内閣府に係る事項についての内閣法にいう主任の大臣とし、第四条第三項に規定する事務を分担管理する。

（内閣総理大臣の権限）

第七条　内閣総理大臣は、内閣府の事務を統括し、職員の服務について統督する。

2　内閣総理大臣は、内閣府に係る主任の行政事務について、法律又は政令の制定、改正又は廃止を必要と認めるときは、案をそなえて、閣議を求めなければならない。

3　内閣総理大臣は、内閣府に係る主任の行政事務について、法律若しくは政令を施行するため、又は法律若しくは政令の特別の委任に基づいて、内閣府の命令として内閣府令を発することができる。

4　内閣府令には、法律の委任がなければ、罰則を設け、又は義務を課し、若しくは国民の権利を制限する規定を設けることができない。

5　内閣総理大臣は、内閣府の所掌事務について、公示を必要とする場合においては、告示を発することができる。

6　内閣総理大臣は、内閣府の所掌事務について、命令又は示達をするため、所管の諸機関及び職員に対し、訓令又は通達を発することができる。

7　内閣総理大臣は、第三条第二項の任務を遂行するため政策について行政機関相互の調整を図る必要があると認めるときは、その必要性を明らかにした上で、関係行政機関の長に対し、必要な資料の提出及び説明を求め、並びに当該関係行政機関の政策に関し意見を述べることができる。

（内閣官房長官及び内閣官房副長官）

第八条　内閣官房長官は、内閣法に定める職務を行うほか、内閣総理大臣の命を受けて内閣府の事務を整理し、内閣総理大臣を助けて内閣府（法律で国務大臣をもってその長に充てることと定められている委員会その他の機関（以下「大臣委員会等」という。）を除く。）の事務（次条第一項の特命担当大臣が掌理する事務を除く。）を統括し、職員の服務について統督する。

2　内閣官房副長官は、内閣官房長官の命を受け、内閣法に定める職務を行うほか、内閣府の事務のうち特定事項に係るものに参画する。

（特命担当大臣）

第九条　内閣総理大臣は、内閣の重要政策に関して行政各部の施策の統一を図るために特に必要がある場合においては、内閣府に、内閣総理大臣を助け、命を受けて第四条第一項及び第二項に規定する事務並びにこれに関連する同条第三項に規定する事務（これらの事務のうち大臣委員会等の所掌に属するものを除く。）を掌理する職（以下「特命担当大臣」という。）を置くことができる。

2　特命担当大臣は、国務大臣をもって充てる。

第九条の二　第四条第一項第十八号及び第十九号並びに第三項第七号の九から第十四号まで、第十四号の三から第十四号の四の二まで及び第十五号に掲げる事務（同条第一項第十八号及び第十九号並びに第三項第七号の九及び第十五号に掲げる事務のうち同項第十四号の二に規定する原子力災害に対する対策に関するものを除く。）については、前条第一項の規定により特命担当大臣を置き、当該事務を掌理させるものとする。

第十条　第四条第一項第二十二号から第二十四号まで及び第三項第十八号から第二十六号までに掲げる事務については、第九条第一項の規定により特命担当大臣を置き、当該事務を掌理させるものとする。

第十一条　第四条第一項第二十五号及び第二十六号に掲げる事務、同条第二項に規定する事務（金融庁設置法第四条第三項の規定により金融庁の所掌に属するものに限る。）並びに第四条第三項第六十号に掲げる事務については、第九条第一項の規定により特命担当大臣を置き、当該事務を掌理させるものとする。

第十一条の二　第四条第一項第二十七号及び第二十八号に掲げる事務、同条第二項に規定する事務（消費者庁及び消費者委員会設置法第四条第三項の規定により消費者庁の所掌に属するものに限る。）並びに第四条第三項第二十七号及び第六十一号に掲げる事務については、第九条第一項の規定により特命担当大臣を置き、当該事務を掌理させるものとする。

第十一条の三　第四条第一項第二十九号から第三十一号までに掲げる事務、同条第二項に規定する事務（こども家庭庁設置法第四条第三項の規定によりこども家庭庁の所掌に属するものに限る。）及び第四条第三項第六十二号に掲げる事務については、第九条第一項の規定により特命担当大臣を置き、当該事務を掌理させるものとする。

第十二条　特命担当大臣は、その掌理する第四条第一項及び第二項に規定する事務の遂行のため必要があると認めるときは、関係行政機関の長に対し、必要な資料の提出及び説明を求めることができる。

2　特命担当大臣は、その掌理する第四条第一項及び第二項に規定する事務の遂行のため特に必要があると認めるときは、関係行政機関の長に対し、勧告することができる。

3 特命担当大臣は、前項の規定により関係行政機関の長に対し勧告したときは、当該関係行政機関の長に対し、その勧告に基づいてとった措置について報告を求めることができる。
4 特命担当大臣は、第二項の規定により勧告した事項に関し特に必要があると認めるときは、内閣総理大臣に対し、当該事項について内閣法第六条の規定による措置がとられるよう意見を具申することができる。

（副大臣）
第十三条 内閣府に、副大臣三人を置く。
2 内閣府に、前項の副大臣のほか、デジタル庁又は他省の副大臣の職を占める者をもって充てられる副大臣を置くことができる。
3 副大臣は、内閣官房長官又は特命担当大臣の命を受け、政策及び企画（大臣委員会等の所掌に係るものを除く。）をつかさどり、政務（大臣委員会等の所掌に係るものを除く。）を処理する。
4 各副大臣の行う前項の職務の範囲については、内閣総理大臣の定めるところによる。
5 副大臣の任免は、内閣総理大臣の申出により内閣が行い、天皇がこれを認証する。
6 副大臣は、内閣総辞職の場合においては、内閣総理大臣その他の国務大臣が全てその地位を失ったときに、これと同時にその地位を失う。

（大臣政務官）
第十四条 内閣府に、大臣政務官三人を置く。
2 内閣府に、前項の大臣政務官のほか、デジタル庁又は他省の大臣政務官の職を占める者をもって充てられる大臣政務官を置くことができる。
3 大臣政務官は、内閣官房長官又は特命担当大臣を助け、特定の政策及び企画（大臣委員会等の所掌に係るものを除く。）に参画し、政務（大臣委員会等の所掌に係るものを除く。）を処理する。
4 各大臣政務官の行う前項の職務の範囲については、内閣総理大臣の定めるところによる。
5 大臣政務官の任免は、内閣総理大臣の申出により、内閣が行う。
6 前条第六項の規定は、大臣政務官について準用する。

（大臣補佐官）
第十四条の二 内閣府に、特に必要がある場合においては、大臣補佐官六人以内を置くことができる。
2 内閣府に、六人を超えて大臣補佐官を置く必要がある場合においては、前項の大臣補佐官のほか、他省の大臣補佐官の職を占める者をもって充てられる大臣補佐官を置くことができる。
3 大臣補佐官は、内閣官房長官又は特命担当大臣の命を受け、特定の政策に係る内閣官房長官又は特命担当大臣の行う企画及び立案並びに政務（大臣委員会等の所掌に係るものを除く。）に関し、内閣官房長官又は特命担当大臣を補佐する。
4 大臣補佐官の任免は、内閣総理大臣の申出により、内閣が行う。
5 内閣総理大臣は、前項の申出をしようとするときは、あらかじめ、関係する内閣官房長官又は特命担当大臣の意見を聴くものとする。
6 大臣補佐官は、非常勤とすることができる。
7 国家公務員法第九十六条第一項、第九十八条第一項、第九十九条並びに第百条第一項及び第二項の規定は、大臣補佐官の服務について準用する。
8 常勤の大臣補佐官は、在任中、内閣総理大臣の許可がある場合を除き、報酬を得て他の職務に従事し、又は営利事業を営み、その他金銭上の利益を目的とする業務を行ってはならない。

（事務次官）
第十五条 内閣府に、事務次官一人を置く。
2 前項の事務次官は、内閣官房長官及び特命担当大臣を助け、府務を整理し、内閣府（宮内庁、大臣委員会等、金融庁、消費者庁及びこども家庭庁を除く。）の各部局及び機関の事務を監督する。

第三節 本府

第一款 内部部局等

（内閣府審議官）
第十六条 本府に、内閣府審議官二人を置く。
2 内閣府審議官は、命を受け、内閣府（宮内庁、公正取引委員会、大臣委員会等、個人情報保護委員会、カジノ管理委員会、金融庁、消費者庁及びこども家庭庁を除く。）の所掌事務に係る重要な政策に関する事務を総括整理する。

（内部部局等）
第十七条 本府には、その所掌事務を遂行するため、官房及び局並びにこれらの所掌に属しない事務の能率的な遂行のためこれを所掌する職で局長に準ずるものを置く。
2 前項の官房又は局には、特に必要がある場合においては、部を置くことができる。
3 第一項の官房及び局並びに前項の部の設置及び所掌事務の範囲は、政令で定める。
4 第一項の官房及び局並びに第二項の部には、課及びこれに準ずる室を置くことができるものとし、これらの設置及び所掌事務の範囲は、政令で定める。

5　第一項の局、第二項の部並びに前項の課及びこれに準ずる室に、それぞれ局長、部長、課長及び室長を置く。

6　第一項の官房には、長を置くことができるものとし、その設置及び職務は、政令で定める。

7　第一項の局又は第二項の部には、次長を置くことができるものとし、その設置、職務及び定数は、政令で定める。

8　第一項の官房若しくは局又は第二項の部に、その所掌事務の一部を総括整理する職又は第四項の課（これに準ずる室を含む。）の所掌に属しない事務の能率的な遂行のためこれを所掌する職で課長に準ずるものを置くことができるものとし、これらの設置、職務及び定数は、政令で定める。

9　第一項の局長に準ずる職の設置、職務及び定数は、政令で定める。

10　本府には、第一項の局長に準ずる職のつかさどる職務の全部又は一部を助ける職であって課長に準ずるものを置くことができるものとし、その設置、職務及び定数は、政令で定める。

第二款　重要政策に関する会議

第一目　設置

第十八条　本府に、内閣の重要政策に関して行政各部の施策の統一を図るために必要となる企画及び立案並びに総合調整に資するため、内閣総理大臣又は内閣官房長官をその長とし、関係大臣及び学識経験を有する者等の合議により処理することが適当な事務をつかさどらせるための機関（以下「重要政策に関する会議」という。）として、次の機関を置く。

経済財政諮問会議

総合科学技術・イノベーション会議

2　前項に定めるもののほか、別に法律の定めるところにより内閣府に置かれる重要政策に関する会議で本府に置かれるものは、次の表の上欄に掲げるものとし、それぞれ同表の下欄に掲げる法律（これらに基づく命令を含む。）の定めるところによる。

国家戦略特別区域諮問会議	国家戦略特別区域法
中央防災会議	災害対策基本法
男女共同参画会議	男女共同参画社会基本法

第二目　経済財政諮問会議

（所掌事務等）

第十九条　経済財政諮問会議（以下この目において「会議」という。）は、次に掲げる事務をつかさどる。

一　内閣総理大臣の諮問に応じて経済全般の運営の基本方針、財政運営の基本、予算編成の基本方針その他の経済財政政策（第四条第一項第一号から第三号までに掲げる事項について講じられる政策をいう。以下同じ。）に関する重要事項について調査審議すること。

二　内閣総理大臣又は関係各大臣の諮問に応じて国土形成計画法（昭和二十五年法律第二百五号）第六条第二項に規定する全国計画その他の経済財政政策に関連する重要事項について、経済全般の見地から政策の一貫性及び整合性を確保するため調査審議すること。

三　前二号に規定する重要事項に関し、それぞれ当該各号に規定する大臣に意見を述べること。

2　第九条第一項の規定により置かれた特命担当大臣で第四条第一項第一号から第三号までに掲げる事務を掌理するもの（以下「経済財政政策担当大臣」という。）は、その掌理する事務に係る前項第一号に規定する重要事項について、会議に諮問することができる。

3　前項の諮問に応じて会議が行う答申は、経済財政政策担当大臣に対し行うものとし、経済財政政策担当大臣が置かれていないときは、内閣総理大臣に対し行うものとする。

4　会議は、経済財政政策担当大臣が掌理する事務に係る第一項第一号に規定する重要事項に関し、経済財政政策担当大臣に意見を述べることができる。

（組織）

第二十条　会議は、議長及び議員十人以内をもって組織する。

（議長）

第二十一条　議長は、内閣総理大臣をもって充てる。

2　議長は、会務を総理する。

3　議長に事故があるときは、内閣官房長官が、その職務を代理する。

4　経済財政政策担当大臣が置かれている場合において議長に事故があるときは、前項の規定にかかわらず、経済財政政策担当大臣が、内閣官房長官に代わって、議長の職務を代理する。

（議員）

第二十二条　議員は、次に掲げる者をもって充てる。

一　内閣官房長官

二　経済財政政策担当大臣
三　各省大臣のうちから、内閣総理大臣が指定する者
四　法律で国務大臣をもってその長に充てることとされている委員会の長のうちから、内閣総理大臣が指定する者
五　前二号に定めるもののほか、関係する国の行政機関の長のうちから、内閣総理大臣が指定する者
六　関係機関（国の行政機関を除く。）の長のうちから、内閣総理大臣が任命する者
七　経済又は財政に関する政策について優れた識見を有する者のうちから、内閣総理大臣が任命する者

2　議長は、必要があると認めるときは、第二十条及び前項の規定にかかわらず、前項第一号から第四号までに掲げる議員である国務大臣以外の国務大臣を、議案を限って、議員として、臨時に会議に参加させることができる。

3　第一項第七号に掲げる議員の数は、同項各号に掲げる議員の総数の十分の四未満であってはならない。

4　第一項第五号から第七号までに掲げる議員は、非常勤とする。

（議員の任期）

第二十三条　前条第一項第六号及び第七号に掲げる議員の任期は、二年とする。ただし、補欠の議員の任期は、前任者の残任期間とする。

2　前項の議員は、再任されることができる。

（資料提出の要求等）

第二十四条　会議は、その所掌事務を遂行するため必要があると認めるときは、関係する審議会その他の関係行政機関の長に対し、資料の提出、意見の開陳、説明その他必要な協力を求めることができる。

2　会議は、その所掌事務を遂行するため特に必要があると認めるときは、前項に規定する者以外の者であって審議の対象となる事項に関し識見を有する者に対しても、必要な協力を依頼することができる。

（政令への委任）

第二十五条　第十九条から前条までに定めるもののほか、会議の組織、所掌事務及び議員その他会議に関し必要な事項は、政令で定める。

第三目　総合科学技術・イノベーション会議

（所掌事務等）

第二十六条　総合科学技術・イノベーション会議（以下この目において「会議」という。）は、次に掲げる事務をつかさどる。
一　内閣総理大臣の諮問に応じて科学技術の総合的かつ計画的な振興を図るための基本的な政策について調査審議すること。
二　内閣総理大臣又は関係各大臣の諮問に応じて科学技術に関する予算、人材その他の科学技術の振興に必要な資源の配分の方針その他科学技術の振興に関する重要事項について調査審議すること。
三　科学技術に関する大規模な研究開発その他の国家的に重要な研究開発について評価を行うこと。
四　内閣総理大臣の諮問に応じて研究開発の成果の実用化によるイノベーションの創出の促進を図るための環境の総合的な整備に関する重要事項について調査審議すること。
五　第一号に規定する基本的な政策並びに第二号及び前号に規定する重要事項に関し、それぞれ当該各号に規定する大臣に意見を述べること。

2　第九条第一項の規定により置かれた特命担当大臣で第四条第一項第十三号から第十六号までに掲げる事務を掌理するもの（以下「科学技術政策担当大臣」という。）は、その掌理する事務に係る前項第一号に規定する基本的な政策並びに同項第二号及び第四号に規定する重要事項について、会議に諮問することができる。

3　前項の諮問に応じて会議が行う答申は、科学技術政策担当大臣に対し行うものとし、科学技術政策担当大臣が置かれていないときは、内閣総理大臣に対し行うものとする。

4　会議は、科学技術政策担当大臣が掌理する事務に係る第一項第一号に規定する基本的な政策並びに同項第二号及び第四号に規定する重要事項に関し、科学技術政策担当大臣に意見を述べることができる。

（組織）

第二十七条　会議は、議長及び議員十四人以内をもって組織する。

（議長）

第二十八条　議長は、内閣総理大臣をもって充てる。

2　議長は、会務を総理する。

3　議長に事故があるときは、内閣官房長官が、その職務を代理する。

4　科学技術政策担当大臣が置かれている場合において議長に事故があるときは、前項の規定にかかわらず、科学技術政策担当大臣が、内閣官房長官に代わって、議長の職務を代理する。

（議員）

第二十九条　議員は、次に掲げる者をもって充てる。
一　内閣官房長官

二　科学技術政策担当大臣
三　各省大臣のうちから、内閣総理大臣が指定する者
四　法律で国務大臣をもってその長に充てることとされている委員会の長のうちから、内閣総理大臣が指定する者
五　前二号に定めるもののほか、関係する国の行政機関の長のうちから、内閣総理大臣が指定する者
六　科学又は技術に関して優れた識見を有する者のうちから、内閣総理大臣が任命する者
2　議長は、必要があると認めるときは、第二十七条及び前項の規定にかかわらず、前項第一号から第四号までに掲げる議員である国務大臣以外の国務大臣を、議案を限って、議員として、臨時に会議に参加させることができる。
3　第一項第六号に掲げる議員の数は、第一項に規定する議員の総数の十分の五未満であってはならない。
4　第一項第五号及び第六号に掲げる議員は、非常勤とする。ただし、そのうち四人以内は、常勤とすることができる。

（議員の任命）
第三十条　内閣総理大臣は、前条第一項第六号に掲げる議員を任命しようとするときは、両議院の同意を得なければならない。
2　前条第一項第六号に掲げる議員の任期が満了し、又は欠員を生じた場合において、国会の閉会又は衆議院の解散のために両議院の同意を得ることができないときは、内閣総理大臣は、前項の規定にかかわらず、同号に掲げる議員を任命することができる。
3　前項の場合においては、任命後最初の国会で両議院の承認を得なければならない。この場合において、両議院の事後の承認を得られないときは、内閣総理大臣は、直ちにその議員を罷免しなければならない。

（議員の任期）
第三十一条　第二十九条第一項第六号に掲げる議員の任期は、三年とする。ただし、補欠の議員の任期は、前任者の残任期間とする。
2　前項の議員は、再任されることができる。
3　第一項の議員の任期が満了したときは、当該議員は、後任者が任命されるまで引き続きその職務を行うものとする。

（議員の罷免）
第三十二条　内閣総理大臣は、第二十九条第一項第六号に掲げる議員が心身の故障のため職務の執行ができないと認める場合又は同号に掲げる議員に職務上の義務違反その他議員たるに適しない非行があると認める場合においては、両議院の同意を得て、これを罷免することができる。

（議員の服務）
第三十三条　第二十九条第一項第五号及び第六号に掲げる議員（同項第五号に掲げる議員にあっては、一般職の国家公務員であるものを除く。以下この条及び次条において同じ。）は、職務上知ることのできた秘密を漏らしてはならない。その職を退いた後も同様とする。
2　第二十九条第一項第五号及び第六号に掲げる議員は、在任中、政党その他の政治的団体の役員となり、又は積極的に政治運動をしてはならない。
3　第二十九条第一項第五号及び第六号に掲げる議員で常勤のものは、在任中、内閣総理大臣の許可のある場合を除くほか、報酬を得て他の職務に従事し、又は営利事業を営み、その他金銭上の利益を目的とする業務を行ってはならない。

（議員の給与）
第三十四条　第二十九条第一項第五号及び第六号に掲げる議員の給与は、別に法律で定める。

（資料提出の要求等）
第三十五条　会議は、その所掌事務を遂行するため必要があると認めるときは、関係行政機関の長に対し、資料の提出、意見の開陳、説明その他必要な協力を求めることができる。
2　会議は、その所掌事務を遂行するために特に必要があると認めるときは、前項に規定する者以外の者であって審議の対象となる事項に関し識見を有する者に対しても、必要な協力を依頼することができる。

（政令への委任）
第三十六条　第二十六条から前条までに定めるもののほか、会議の組織、所掌事務及び議員その他会議に関し必要な事項は、政令で定める。

第三款　審議会等

（設置）
第三十七条　本府に、宇宙政策委員会を置く。
2　前項に定めるもののほか、本府には、第四条第三項に規定する所掌事務の範囲内で、法律又は政令の定めるところにより、重要事項に関する調査審議、不服審査その他学識経験を有する者等の合議により処理することが適当な事務をつかさどらせるための合議制の機関（次項において「審議会等」という。）を置くことができる。
3　第一項に定めるもののほか、別に法律の定めるところにより内閣府に置かれる審議会等で本府に置かれる

ものは、次の表の上欄に掲げるものとし、それぞれ同表の下欄に掲げる法律（これらに基づく命令を含む。）の定めるところによる。

民間資金等活用事業推進委員会	民間資金等の活用による公共施設等の整備等の促進に関する法律
日本医療研究開発機構審議会	国立研究開発法人日本医療研究開発機構法（平成二十六年法律第四十九号）
食品安全委員会	食品安全基本法
土地等利用状況審議会	重要施設周辺及び国境離島等における土地等の利用状況の調査及び利用の規制等に関する法律
休眠預金等活用審議会	民間公益活動を促進するための休眠預金等に係る資金の活用に関する法律
公文書管理委員会	公文書等の管理に関する法律
障害者政策委員会	障害者基本法
原子力委員会	原子力基本法及び原子力委員会設置法（昭和三十年法律第百八十八号）
地方制度調査会	地方制度調査会設置法（昭和二十七年法律第三百十号）
選挙制度審議会	選挙制度審議会設置法（昭和三十六年法律第百十九号）
衆議院議員選挙区画定審議会	衆議院議員選挙区画定審議会設置法（平成六年法律第三号）
国会等移転審議会	国会等の移転に関する法律
公益認定等委員会	公益社団法人及び公益財団法人の認定等に関する法律（平成十八年法律第四十九号）
再就職等監視委員会	国家公務員法
退職手当審査会	国家公務員退職手当法
新技術等効果評価委員会	産業競争力強化法
消費者委員会	消費者庁及び消費者委員会設置法

（宇宙政策委員会）

第三十八条 宇宙政策委員会は、次に掲げる事務をつかさどる。

一 内閣総理大臣の諮問に応じて次に掲げる重要事項を調査審議すること。

イ 宇宙開発利用に関する政策に関する重要事項

ロ 関係行政機関の宇宙開発利用に関する経費の見積りの方針に関する重要事項

ハ イ及びロに掲げるもののほか、宇宙開発利用に関する重要事項

二 内閣総理大臣又は関係各大臣の諮問に応じて人工衛星及びその打上げ用ロケットの打上げの安全の確保又は宇宙の環境の保全に関する重要事項を調査審議すること。

2 宇宙政策委員会は、前項各号に掲げる重要事項に関し、必要があると認めるときは、内閣総理大臣又は関係各大臣に意見を述べることができる。

3 宇宙政策委員会は、第一項各号に掲げる重要事項に関し、必要があると認めるときは、内閣総理大臣又は内閣総理大臣を通じて関係各大臣に対し、必要な勧告をすることができる。

4 前三項に定めるもののほか、宇宙政策委員会の組織及び委員その他宇宙政策委員会に関し必要な事項は、政令で定める。

第四款 施設等機関

第三十九条 本府には、第四条第三項に規定する所掌事務の範囲内で、法律又は政令の定めるところにより、試験研究機関、文教研修施設（これらに類する機関及び施設を含む。）及び作業施設を置くことができる。

第五款 特別の機関

（設置）

第四十条 本府に、地方創生推進事務局、知的財産戦略推進事務局、科学技術・イノベーション推進事務局、健康・医療戦略推進事務局、宇宙開発戦略推進事務局、北方対策本部、総合海洋政策推進事務局及び金融危機対応会議を置く。

2 第十八条、第三十七条、前条及び前項に定めるもののほか、本府には、特に必要がある場合においては、第四条第三項に規定する所掌事務の範囲内で、法律の定めるところにより、特別の機関を置くことができる。

3 第一項に定めるもののほか、別に法律の定めるとこ

ろにより内閣府に置かれる特別の機関で本府に置かれるものは、次の表の上欄に掲げるものとし、それぞれ同表の下欄の法律（これらに基づく命令を含む。）の定めるところによる。

民間資金等活用事業推進会議	民間資金等の活用による公共施設等の整備等の促進に関する法律
孤独・孤立対策推進本部	孤独・孤立対策推進法
高齢社会対策会議	高齢社会対策基本法
中央交通安全対策会議	交通安全対策基本法
犯罪被害者等施策推進会議	犯罪被害者等基本法（平成十六年法律第百六十一号）
消費者政策会議	消費者基本法
国際平和協力本部	国際連合平和維持活動等に対する協力に関する法律
日本学術会議	日本学術会議法（昭和二十三年法律第百二十一号）
官民人材交流センター	国家公務員法
食品ロス削減推進会議	食品ロスの削減の推進に関する法律（令和元年法律第十九号）

（地方創生推進事務局）

第四十条の二　地方創生推進事務局は、第四条第一項第四号、第五号、第七号、第八号、第十号及び第十一号並びに第三項第二号の二、第三号の二から第三号の四まで、第三号の六及び第三号の七に掲げる事務をつかさどる。

2　地方創生推進事務局の長は、地方創生推進事務局長とする。

3　地方創生推進事務局に、所要の職員を置く。

4　前二項に定めるもののほか、地方創生推進事務局の組織に関し必要な事項は、政令で定める。

（知的財産戦略推進事務局）

第四十条の三　知的財産戦略推進事務局は、第四条第一項第六号に掲げる事務をつかさどる。

2　知的財産戦略推進事務局の長は、知的財産戦略推進事務局長とする。

3　知的財産戦略推進事務局に、所要の職員を置く。

4　前二項に定めるもののほか、知的財産戦略推進事務局の組織に関し必要な事項は、政令で定める。

（科学技術・イノベーション推進事務局）

第四十条の四　科学技術・イノベーション推進事務局は、第四条第一項第十三号から第十六号まで並びに第三項第七号から第七号の三まで及び第四十六号に掲げる事務をつかさどる。

2　科学技術・イノベーション推進事務局の長は、科学技術・イノベーション推進事務局長とする。

3　科学技術・イノベーション推進事務局に、所要の職員を置く。

4　前二項に定めるもののほか、科学技術・イノベーション推進事務局の組織に関し必要な事項は、政令で定める。

（健康・医療戦略推進事務局）

第四十条の五　健康・医療戦略推進事務局は、第四条第一項第十六号の二及び第十六号の三並びに第三項第七号の四に掲げる事務をつかさどる。

2　健康・医療戦略推進事務局の長は、健康・医療戦略推進事務局長とする。

3　健康・医療戦略推進事務局に、所要の職員を置く。

4　前二項に定めるもののほか、健康・医療戦略推進事務局の組織に関し必要な事項は、政令で定める。

（宇宙開発戦略推進事務局）

第四十条の六　宇宙開発戦略推進事務局は、第四条第一項第十七号及び第三項第七号の五から第七号の八までに掲げる事務をつかさどる。

2　宇宙開発戦略推進事務局の長は、宇宙開発戦略推進事務局長とする。

3　宇宙開発戦略推進事務局に、所要の職員を置く。

4　前二項に定めるもののほか、宇宙開発戦略推進事務局の組織に関し必要な事項は、政令で定める。

（北方対策本部）

第四十一条　北方対策本部は、第四条第一項第二十四号及び第三項第二十三号から第二十六号までに掲げる事務をつかさどる。

2　北方対策本部の長は、北方対策本部長とし、第十条の特命担当大臣をもって充てる。

3　北方対策本部長は、北方対策本部の事務を統括する。

4　北方対策本部長は、北方対策本部の所掌事務を遂行するために必要があると認めるときは、関係行政機関の長に対し、資料の提出、意見の開陳、説明その他必要な協力を求め、又は意見を述べることができる。

5 北方対策本部に、北方対策副本部長を置く。
6 北方対策副本部長は、北方対策本部長の職務を助ける。
7 北方対策本部に、所要の職員を置く。
8 第二項から前項までに定めるもののほか、北方対策本部の組織に関し必要な事項は、政令で定める。

（総合海洋政策推進事務局）
第四十一条の二 総合海洋政策推進事務局は、第四条第一項第三十二号に掲げる事務をつかさどる。
2 総合海洋政策推進事務局の長は、総合海洋政策推進事務局長とする。
3 総合海洋政策推進事務局に、所要の職員を置く。
4 前二項に定めるもののほか、総合海洋政策推進事務局の組織に関し必要な事項は、政令で定める。

（金融危機対応会議）
第四十二条 金融危機対応会議（以下この条において「会議」という。）は、内閣総理大臣の諮問に応じ、金融機関等の大規模かつ連鎖的な破綻等の金融危機への対応に関する方針その他の重要事項について審議し、及びこれに基づき関係行政機関の施策の実施を推進する事務をつかさどる。
2 会議は、議長及び第四項各号に掲げる議員をもって組織する。
3 議長は、内閣総理大臣をもって充てる。
4 議員は、次に掲げる者をもって充てる。
一 内閣官房長官
二 第十一条の特命担当大臣
三 金融庁長官
四 財務大臣
五 日本銀行総裁
5 議長は、必要があると認めるときは、第二項及び前項の規定にかかわらず、関係大臣その他の関係機関の長を、議案を限って、議員として、臨時に会議に参加させることができる。
6 第四項第三号及び第五号に掲げる議員は、非常勤とする。
7 第二項から前項までに定めるもののほか、会議の組織及び運営その他会議に関し必要な事項は、政令で定める。

第六款 地方支分部局

第一目 設置

第四十三条 本府に、沖縄総合事務局を置く。
2 前項に定めるもののほか、本府には、第四条第三項に規定する所掌事務を分掌させる必要がある場合においては、法律の定めるところにより、地方支分部局を置くことができる。

第二目 沖縄総合事務局

（総合事務局の所掌事務等）
第四十四条 沖縄総合事務局（以下「総合事務局」という。）は、内閣府の所掌事務のうち、第四条第三項第十八号、第二十号及び第二十二号に掲げる事務並びに沖縄に係る次に掲げる事務を分掌する。
一 次に掲げる地方支分部局その他の地方行政機関（以下「地方支分部局等」という。）において所掌することとされている事務
イ 公正取引委員会の事務総局の地方事務所
ロ 財務局
ハ 地方農政局
ニ 経済産業局
ホ 地方整備局
ヘ 地方運輸局
二 農林水産省設置法（平成十一年法律第九十八号）第四条第一項第三号に掲げる事務（地方農政局の所掌に属するものを除く。）、同項第五十七号、第六十一号、第六十二号、第六十三号、第六十五号、第六十七号、第六十八号、第七十四号から第七十六号まで及び第七十九号から第八十二号までに掲げる事務並びに次に掲げる事務
イ 民有林野に係る次に掲げる事務
(1) 森林資源の確保及び総合的な利用に関すること。
(2) 林野の造林及び治水、林道の開設及び改良その他の森林の整備に関すること（国営に係る森林治水事業を実施することを除く。）。
(3) 保安林に関すること。
(4) 森林病害虫の駆除及び予防その他の森林の保護に関すること。
(5) 林野の保全に係る地すべり防止に関する事業に関すること（国営に係る地すべり防止に関する事業の実施に関することを除く。）。
(6) 林野の保全に係るぼた山の崩壊の防止に関する事業の助成及び監督に関すること。
ロ 林業技術の改良及び発達並びに普及交換に関すること。
ハ 持続的な養殖生産の確保に関すること。
ニ 栽培漁業の促進に関すること。
ホ 水産に関する技術の改良及び発達並びに普及交換に関すること。
2 総合事務局は、前項の事務について、次の各号に掲げる事務の区分に応じて、当該各号に定める者の指揮

監督を受けるものとする。
一　公正取引委員会の事務総局の地方事務所において所掌することとされている事務　公正取引委員会
二　財務局において所掌することとされている事務　財務大臣（金融庁の所掌に属する事務（証券取引等監視委員会の所掌に属するものを除く。）については金融庁長官とし、証券取引等監視委員会の所掌に属する事務については証券取引等監視委員会とする。）
三　地方農政局において所掌することとされている事務及び前項第二号に掲げる事務　農林水産大臣
四　経済産業局において所掌することとされている事務　経済産業大臣（消費者庁の所掌に属する事務については、消費者庁長官とする。）
五　地方整備局及び地方運輸局において所掌することとされている事務　国土交通大臣

第四十五条　沖縄に係る前条第一項第一号に掲げる事務に関しては、政令の定めるところにより、総合事務局を同号の地方支分部局等と、総合事務局の長その他の職員を同号の地方支分部局等の長その他の職員とみなして、これらの事務の処理に関する法令の規定を適用する。
2　前条第二項及び前項に定めるもののほか、総合事務局において所掌する事務の処理に関し必要な事項は、内閣総理大臣と関係行政機関の長が協議して定める。
3　前項の協議により定められた事項で公示を必要とするものは、当該事務を所掌する行政機関の長が告示するものとする。

（総合事務局の位置及び組織）
第四十六条　総合事務局の位置及び組織は、政令で定める。

（事務所及びその支所）
第四十七条　内閣総理大臣は、総合事務局の所掌事務の一部を分掌させるため、所要の地に、総合事務局の事務所を置くことができる。
2　内閣総理大臣は、総合事務局の事務所の所掌事務の一部を分掌させるため、所要の地に、総合事務局の事務所の支所を置くことができる。
3　総合事務局の事務所及び事務所の支所の名称、位置、管轄区域、所掌事務及び内部組織は、内閣府令で定める。

第四節　宮内庁

第四十八条　宮内庁は、内閣府に置かれるものとする。
2　宮内庁の設置、組織及び所掌事務については、宮内庁法（これに基づく命令を含む。）の定めるところによる。

第五節　委員会及び庁

（設置）
第四十九条　内閣府には、その外局として、委員会及び庁を置くことができる。
2　法律で国務大臣をもってその長に充てることと定められている前項の委員会には、特に必要がある場合においては、委員会又は庁を置くことができる。
3　前二項の委員会及び庁（以下それぞれ「委員会」及び「庁」という。）の設置及び廃止は、法律で定める。

（委員会及び庁の長）
第五十条　委員会の長は、委員長とし、庁の長は、長官とする。

（任務及び所掌事務）
第五十一条　委員会及び庁の任務及びこれを達成するため必要となる所掌事務の範囲は、法律で定める。

（委員会の内部部局）
第五十二条　委員会には、法律の定めるところにより、事務局を置くことができる。
2　前項の事務局には、当該事務局の事務を遂行するため、官房及び部を置くことができる。
3　第一項の事務局並びに前項の官房及び部には、課及びこれに準ずる室を置くことができる。
4　第二項の官房及び部並びに前項の課及びこれに準ずる室の設置及び所掌事務の範囲は、政令で定める。
5　委員会には、特に必要がある場合においては、法律の定めるところにより、事務総局を置くことができる。

（庁の内部部局）
第五十三条　庁には、その所掌事務を遂行するため、官房及び部を置くことができる。
2　前項の規定にかかわらず、法律で特命担当大臣をもってその所掌事務の全部を掌理させるものと定められている庁のうち別に法律で定めるものには、当該法律の定める数の範囲内において、官房及び局を置くことができる。
3　前項の官房又は局には、特に必要がある場合においては、部を置くことができる。
4　第一項及び第二項の官房、同項の局並びに第一項及び前項の部の設置及び所掌事務の範囲は、政令で定める。
5　庁、第一項及び第二項の官房、同項の局並びに第一項及び第三項の部には、課及びこれに準ずる室を置くことができるものとし、これらの設置及び所掌事務の範囲は、政令で定める。

（審議会等）

第五十四条　委員会及び庁には、法律の定める所掌事務の範囲内で、法律又は政令の定めるところにより、重要事項に関する調査審議、不服審査その他学識経験を有する者等の合議により処理することが適当な事務をつかさどらせるための合議制の機関を置くことができる。

（施設等機関）

第五十五条　委員会及び庁には、法律の定める所掌事務の範囲内で、法律又は政令の定めるところにより、試験研究機関、文教研修施設（これらに類する機関及び施設を含む。）及び作業施設を置くことができる。

（特別の機関）

第五十六条　委員会及び庁には、特に必要がある場合においては、前二条に規定するもののほか、法律の定める所掌事務の範囲内で、法律の定めるところにより、特別の機関を置くことができる。

（地方支分部局）

第五十七条　委員会及び庁には、その所掌事務を分掌させる必要がある場合においては、法律の定めるところにより、地方支分部局を置くことができる。

（長の権限等）

第五十八条　各委員会の委員長及び各庁の長官は、その機関の事務を統括し、職員の服務について統督する。

2　各外局の長は、その機関の所掌事務について、内閣総理大臣に対し、案をそなえて、内閣府令を発することを求めることができる。

3　外局の長以外の各委員会の委員長及び各庁の長官は、その機関の所掌事務について、法律の定めるところにより、内閣総理大臣に対し、案をそなえて、内閣府令を発することを求めることができる。

4　各委員会及び各庁の長官は、法律の定めるところにより、政令及び内閣府令以外の規則その他の特別の命令を自ら発することができる。

5　第七条第四項の規定は、前項の命令について準用する。

6　各委員会及び各庁の長官は、その機関の所掌事務について、公示を必要とする場合においては、告示を発することができる。

7　各委員会及び各庁の長官は、その機関の所掌事務について、命令又は示達をするため、所管の諸機関及び職員に対し、訓令又は通達を発することができる。

8　各委員会及び各庁の長官は、その機関の任務を遂行するため政策について行政機関相互の調整を図る必要があると認めるときは、その必要性を明らかにした上で、関係行政機関の長に対し、必要な資料の提出及び説明を求め、並びに当該関係行政機関の政策に関し意見を述べることができる。

第五十九条及び第六十条　削除

（庁の次長等）

第六十一条　各庁には、特に必要がある場合においては、その庁の長である長官を助け、庁務を整理する職として次長を置くことができるものとし、その設置及び定数は、政令で定める。

2　各庁には、特に必要がある場合においては、その所掌事務の一部を総括整理する職を置くことができるものとし、その設置、職務及び定数は、政令で定める。

（官房及び局の所掌に属しない事務をつかさどる職等）

第六十二条　第五十三条第二項の規定により官房又は局を置く各庁には、特に必要がある場合においては、官房及び局の所掌に属しない事務の能率的な遂行のためこれを所掌する職で局長に準ずるものを置くことができるものとし、その設置、職務及び定数は、政令で定める。

2　第五十三条第一項の規定により官房又は部を置く各庁には、特に必要がある場合においては、官房及び部の所掌に属しない事務の能率的な遂行のためこれを所掌する職で部長に準ずるものを置くことができるものとし、その設置、職務及び定数は、政令で定める。

3　各庁には、特に必要がある場合においては、前二項の職のつかさどる職務の全部又は一部を助ける職で課長に準ずるものを置くことができるものとし、その設置、職務及び定数は、政令で定める。

（内部部局の職）

第六十三条　委員会の事務局並びに第五十三条第二項の局（以下この条において「局」という。）、第五十二条第二項並びに第五十三条第一項及び第三項の部（以下この条において「部」という。）並びに第五十二条第三項及び第五十三条第五項の課及びこれに準ずる室（以下この条において「課及びこれに準ずる室」という。）に、それぞれ事務局長並びに局長、部長、課長及び室長を置く。

2　第五十二条第二項並びに第五十三条第一項及び第二項の官房（以下この条において「官房」という。）には、長を置くことができるものとし、その設置及び職務は、政令で定める。

3　委員会の事務局又は局若しくは部には、次長を置くことができるものとし、その設置、職務及び定数は、政令で定める。

4　委員会の事務局又は官房、局若しくは部には、その所掌事務の一部を総括整理する職又は課及びこれに準ずる室の所掌に属しない事務の能率的な遂行のためこれを所掌する職で課長に準ずるものを置くことができるものとし、これらの設置、職務及び定数は、政令で定める。官房、局又は部を置かない庁にこれらの職に相当する職を置くときも、同様とする。

（内閣府に置かれる委員会及び庁）

第六十四条　別に法律の定めるところにより内閣府に置かれる委員会及び庁は、次の表の上欄に掲げるものとし、この法律に定めるもののほか、それぞれ同表の下欄の法律（これに基づく命令を含む。）の定めるところによる。

公正取引委員会	私的独占の禁止及び公正取引の確保に関する法律
国家公安委員会	警察法
個人情報保護委員会	個人情報の保護に関する法律
カジノ管理委員会	特定複合観光施設区域整備法
金融庁	金融庁設置法
消費者庁	消費者庁及び消費者委員会設置法
こども家庭庁	こども家庭庁設置法

第四章　雑則

（職員）

第六十五条　内閣府に、内閣府事務官、内閣府技官その他所要の職員を置く。

2　内閣府事務官は、命を受け、事務をつかさどる。

3　内閣府技官は、命を受け、技術をつかさどる。

（官房及び局の数）

第六十六条　第十七条第一項に基づき置かれる官房及び局の数は、国家行政組織法第七条第一項の規定に基づき置かれる官房及び局の数と合わせて、九十七以内とする。

（国会への報告等）

第六十七条　政府は、第十七条第三項、第六項、第七項若しくは第九項、第三十七条第二項、第三十九条、第五十二条第四項、第五十三条第四項、第五十四条、第五十五条、第六十一条、第六十二条第一項若しくは第二項又は第六十三条第二項若しくは第三項の規定により政令で設置される組織（第五十二条第四項の規定により設置される課及びこれに準ずる室を除く。）その他これらに準ずる主要な組織につき、その新設、改正及び廃止をしたときは、その状況を次の国会に報告しなければならない。

2　政府は、少なくとも毎年一回内閣府の組織の一覧表を官報で公示するものとする。

附　則

（施行期日）

第一条　この法律は、内閣法の一部を改正する法律（平成十一年法律第八十八号）の施行の日〔平一三・一・六〕から施行する。ただし、第四条第三項第五十三号及び第三十七条第三項の表情報公開審査会の項の規定は行政機関の保有する情報の公開に関する法律の施行の日又はこの法律の施行の日のいずれか遅い日から、附則第七条の規定は公布の日から施行する。

（所掌事務の特例）

第二条　内閣府は、第三条第二項の任務を達成するため、第四条第三項各号に掲げる事務のほか、当分の間、次に掲げる事務をつかさどる。

一　沖縄の復帰に伴い政府において特別の措置を要する事項で政令で定めるものに関する施策に関すること。

二　化学兵器の開発、生産、貯蔵及び使用の禁止並びに廃棄に関する条約に基づく遺棄化学兵器（我が国が遺棄締約国として遺棄化学兵器を特に緊急に廃棄する必要があると認められる領域締約国の領域内に存在するものに限る。）の廃棄に関すること。

三　一般社団法人及び一般財団法人に関する法律及び公益社団法人及び公益財団法人の認定等に関する法律の施行に伴う関係法律の整備等に関する法律（平成十八年法律第五十号）第四十二条第二項に規定する特例民法法人の監督に関する関係行政機関の事務の調整及び同法第一章第四節の規定による特例民法法人の通常の一般社団法人又は一般財団法人への移行に関すること。

2　内閣府は、第三条第二項の任務を達成するため、第四条第三項各号及び前項各号に掲げる事務のほか、次の表の上欄に掲げる日までの間、それぞれ同表の下欄に掲げる事務をつかさどる。

期限	事務

令和七年三月三十一日	地域人口の急減に対処するための特定地域づくり事業の推進に関する法律（令和元年法律第六十四号）に基づく特定地域づくり事業協同組合（同法第二条第三項に規定する特定地域づくり事業協同組合をいう。）の安定的な運営を確保するための事業に関する関係行政機関の経費の配分計画に関すること。
令和八年三月三十一日	女性の職業生活における活躍の推進に関する基本方針（女性の職業生活における活躍の推進に関する法律（平成二十七年法律第六十四号）第五条第一項に規定するものをいう。）の策定及び推進に関すること。
令和九年三月三十一日	一 有人国境離島地域（有人国境離島地域の保全及び特定有人国境離島地域に係る地域社会の維持に関する特別措置法（平成二十八年法律第三十三号）第二条第一項に規定するものをいう。）の保全及び特定有人国境離島地域（同条第二項に規定するものをいう。）に係る地域社会の維持に関する総合的な政策の企画及び立案並びに推進に関すること。 二 計画（有人国境離島地域の保全及び特定有人国境離島地域に係る地域社会の維持に関する特別措置法第十条第一項に規定するものをいう。）に基づき実施する事業に係る経費の見積りその他の当該事業に関すること（他省の所掌に属するものを除く。）。

令和十三年三月三十一日	一 原子力発電施設等立地地域（原子力発電施設等立地地域の振興に関する特別措置法（平成十二年法律第百四十八号）第三条第一項に規定するものをいう。以下同じ。）の指定に関すること。 二 原子力発電施設等立地地域の振興に関する計画（原子力発電施設等立地地域の振興に関する特別措置法第四条に規定するものをいう。）の作成に関すること。 三 原子力発電施設等立地地域の振興に関する重要事項に係る関係行政機関の事務の連絡調整に関すること。
令和十四年三月三十一日	沖縄県における駐留軍用地跡地の有効かつ適切な利用の推進に関する特別措置法（平成七年法律第百二号）の規定による駐留軍用地跡地の有効かつ適切な利用の推進に関すること（他省の所掌に属するものを除く。）。

3 内閣府は、第三条第二項の任務を達成するため、第四条第三項及び前二項に規定する事務のほか、それぞれ政令で定める日までの間、次に掲げる事務をつかさどる。
一 株式会社産業再生機構に関する次に掲げる事務
イ 次に掲げる事項の認可に関すること。
(1) 設立
(2) 定款の変更の決議
(3) 取締役及び監査役の選任及び解任の決議
(4) 合併、分割及び解散の決議
ロ 関係行政機関の事務の調整に関すること。
二 株式会社地域経済活性化支援機構に関する次に掲げる事務
イ 次に掲げる事項の認可に関すること。
(1) 設立
(2) 会社法（平成十七年法律第八十六号）第三十八条第一項に規定する設立時取締役及び同条第二項第二号に規定する設立時監査役の選任及び解任
(3) 取締役及び監査役の選任及び解任の決議
(4) 定款の変更の決議
(5) 合併、分割及び解散の決議
ロ 関係行政機関の事務の調整に関すること。
三 株式会社東日本大震災事業者再生支援機構に関する次に掲げる事務
イ 次に掲げる事項の認可に関すること。
(1) 設立
(2) 会社法第三十八条第一項に規定する設立時取締役及び同条第二項第二号に規定する設立時監査役の選任及び解任
(3) 取締役及び監査役の選任及び解任の決議
(4) 定款の変更の決議
(5) 合併、分割及び解散の決議
ロ 関係行政機関の事務の調整に関すること。

第二条の二 第四条第一項及び第三項の規定にかかわらず、復興庁が廃止されるまでの間は、同条第一項第十九号並びに第三項第七号の九及び第十五号に掲げる事務のうち東日本大震災（平成二十三年三月十一日に発生した東北地方太平洋沖地震及びこれに伴う原子力発電所の事故による災害をいう。第三項及び附則第三条の二第二項において同じ。）からの復興に関するもの並びに第四条第三項第十四号の五に掲げる事務については、内閣府の所掌事務としない。

2　前条第三項の規定にかかわらず、復興庁設置法（平成二十三年法律第百二十五号）附則第一条第二号に掲げる規定の施行の日から復興庁が廃止されるまでの間は、同項第三号（イ⑴及び⑵並びにロ（イ⑴及び⑵に係る部分に限る。）を除く。）に掲げる事務については、内閣府の所掌事務としない。

3　第九条の二の規定にかかわらず、復興庁が廃止されるまでの間は、同条の特命担当大臣は、第四条第一項第十九号並びに第三項第七号の九及び第十五号に掲げる事務のうち東日本大震災からの復興に関するものを掌理しない。

（組織の構成の特例）

第二条の三　復興庁が廃止されるまでの間における第五条第二項の規定の適用については、同項中「デジタル庁」とあるのは、「デジタル庁、復興庁」とする。

（特命担当大臣の掌理する事務の特例）

第三条　第十条の特命担当大臣は、同条に規定する事務のほか、次の表の上欄に掲げる期間、それぞれ同表の下欄に掲げる事務を掌理するものとする。

期間	事務
当分の間	附則第二条第一項第一号に掲げる事務
令和十四年三月三十一日までの間	附則第二条第二項の表令和十四年三月三十一日の項の下欄に掲げる事務

（副大臣の定数等の特例）

第三条の二　第十三条第一項の規定にかかわらず、復興庁が廃止されるまでの間は、副大臣の定数は、復興庁設置法第九条第一項の復興副大臣の職を兼ねる副大臣（次項において「兼職復興副大臣」という。）を除き、三人とする。この場合において、第十三条第二項の規定の適用については、同項中「前項」とあるのは、「附則第三条の二第一項前段」とする。

2　第十三条第三項の規定にかかわらず、兼職復興副大臣は、内閣官房長官又は特命担当大臣の命を受け、内閣府の所掌事務（大臣委員会等の所掌に属するものを除く。）のうち東日本大震災からの復興に関連するもの（以下この項及び次条第二項において「東日本大震災復興関連事務」という。）に係る政策及び企画をつかさどり、東日本大震災復興関連事務に係る政務を処理する。この場合において、兼職復興副大臣についての第十三条第四項の規定の適用については、同項中「前項」とあるのは、「附則第三条の二第二項前段」とする。

（大臣補佐官の定数等の特例）

第三条の三　第十四条の二第一項の規定にかかわらず、復興庁が廃止されるまでの間は、内閣府に、特に必要がある場合においては、復興庁設置法第十条の二第一項の復興大臣補佐官の職を兼ねる大臣補佐官（次項において「兼職復興大臣補佐官」という。）を除き、大臣補佐官六人以内を置くことができる。この場合において、第十四条の二第二項の規定の適用については、同項中「六人」とあるのは「附則第三条の三第一項前段に規定する兼職復興大臣補佐官を除き、六人」と、「前項」とあるのは「同項前段」とする。

2　第十四条の二第三項の規定にかかわらず、兼職復興大臣補佐官は、内閣官房長官又は特命担当大臣の命を受け、東日本大震災復興関連事務に係る特定の政策に係る内閣官房長官又は特命担当大臣の行う企画及び立案並びに政務に関し、内閣官房長官又は特命担当大臣を補佐する。

（審議会等の設置の特例）

第四条　令和十四年三月三十一日までの間、沖縄振興特別措置法（平成十四年法律第十四号）の定めるところにより内閣府に置かれる沖縄振興審議会は、本府に置く。

（特別の機関の設置の特例）

第四条の二　令和十三年三月三十一日までの間、原子力発電施設等立地地域の振興に関する特別措置法の定めるところにより内閣府に置かれる原子力立地会議は、本府に置く。

（地方創生推進事務局の所掌事務の特例）

第四条の二の二　地方創生推進事務局は、第四十条の二第一項に規定する事務のほか、令和七年三月三十一日までの間、附則第二条第二項の表令和七年三月三十一日の項の下欄に掲げる事務をつかさどる。

（科学技術・イノベーション推進事務局の所掌事務の特例）

第四条の二の三　科学技術・イノベーション推進事務局は、第四十条の四第一項に規定する事務のほか、令和十三年三月三十一日までの間、附則第二条第二項の表令和十三年三月三十一日の項の下欄に掲げる事務をつかさどる。

（総合海洋政策推進事務局の所掌事務の特例）

第四条の三　総合海洋政策推進事務局は、第四十一条の二第一項に規定する事務のほか、令和九年三月三十一日までの間、附則第二条第二項の表令和九年三月三十一日の項の下欄に掲げる事務をつかさどる。

（総合事務局の所掌事務の特例）

第五条 総合事務局は、第四十四条第一項に規定する事務のほか、内閣府の所掌事務のうち、次に掲げる事務を分掌する。

一 附則第二条第一項第一号に掲げる事務

二 附則第二条第二項の表令和十四年三月三十一日の項の下欄に掲げる事務

（総合科学技術会議の議員の任期の特例）

第六条 この法律の施行の後最初に任命される第二十九条第一項第六号に掲げる議員の任期は、第三十一条第一項の規定にかかわらず、内閣総理大臣の指定するところにより、当該議員の総数の半数（当該議員の総数が奇数である場合には、その二分の一の数に生じた端数を切り捨てた数）については、一年とする。

（経過措置）

第七条 第二十九条第一項第六号に掲げる議員を任命するために必要な行為は、この法律の施行前においても行うことができる。

第八条 前条に定めるもののほか、この法律の施行に関し必要な経過措置は、政令で定める。

附 則（令五・六・二三法六八）（抄）

（施行期日）

第一条 この法律は、公布の日から施行する。

附 則（令五・一一・二九法七九）（抄）

（施行期日）

第一条 この法律は、公布の日から起算して一年を超えない範囲内において政令で定める日から施行する。ただし、次の各号に掲げる規定は、当該各号に定める日から施行する。

一 〔略〕

二 〔前略〕附則〔中略〕第五十八条から第六十三条まで及び第六十五条の規定 公布の日から起算して三月を超えない範囲内において政令で定める日〔令六・二・一〕

三～五 〔略〕

（罰則に関する経過措置）

第六十七条 この法律〔中略〕の施行前にした行為及びこの附則の規定によりなお従前の例によることとされる場合におけるこの法律の施行後にした行為に対する罰則の適用については、なお従前の例による。

（政令への委任）

第六十八条 この附則に規定するもののほか、この法律の施行に関し必要な経過措置（罰則に関する経過措置を含む。）は、政令で定める。

（検討）

第六十九条 政府は、この法律の施行後五年を目途として、この法律による改正後のそれぞれの法律（以下この条において「改正後の各法律」という。）の施行の状況等を勘案し、必要があると認めるときは、改正後の各法律の規定について検討を加え、その結果に基づいて所要の措置を講ずるものとする。

附 則（令五・一二・一三法八六）（抄）

（施行期日）

1 この法律は、官報の発行に関する法律（令和五年法律第八十五号）の施行の日から施行する。〔ただし書略〕

附 則（令六・五・一七法二七）（抄）

（施行期日）

第一条 この法律は、公布の日から起算して一年を超えない範囲内において政令で定める日から施行する。ただし、〔中略〕附則〔中略〕第八条〔中略〕の規定は、公布の日から施行する。

★本法は、次の法律により一部改正されたが、公布の日から起算して二年を超えない範囲内において政令で定める日から施行となるため、一部改正の形で掲載した。

○公益信託に関する法律（抄）

令六・五・二二
法　三〇

（内閣府設置法の一部改正）

附則・第三十一条　内閣府設置法（平成十一年法律第八十九号）の一部を次のように改正する。

第四条第三項中第五十四号の五を第五十四号の六とし、第五十四号の二から第五十四号の四までを一号ずつ繰り下げ、第五十四号の次に次の一号を加える。

五十四の二　公益信託に関すること。

附　則（抄）

（施行期日）

第一条　この法律は、公布の日から起算して二年を超えない範囲内において政令で定める日から施行する。

〔ただし書略〕

○復興庁設置法

平二三・一二・一六
法　一二五

最終改正　令五・一二・一三法八六

第一章　総則

（目的）

第一条　この法律は、復興庁の設置並びに任務及びこれを達成するため必要となる明確な範囲の所掌事務を定めるとともに、その所掌する行政事務を能率的に遂行するため必要な組織に関する事項を定めることを目的とする。

第二章　復興庁の設置並びに任務及び所掌事務

（設置）

第二条　内閣に、復興庁を置く。

（任務）

第三条　復興庁は、次に掲げることを任務とする。

一　東日本大震災復興基本法（平成二十三年法律第七十六号）第二条の基本理念にのっとり、東日本大震災（平成二十三年三月十一日に発生した東北地方太平洋沖地震及びこれに伴う原子力発電所の事故による災害をいう。以下同じ。）からの復興に関する内閣の事務を内閣官房とともに助けること。

二　東日本大震災復興基本法第二条の基本理念にのっとり、主体的かつ一体的に行うべき東日本大震災からの復興に関する行政事務の円滑かつ迅速な遂行を図ること。

（所掌事務）

第四条　復興庁は、前条第一号の任務を達成するため、行政各部の施策の統一を図るために必要となる次に掲げる事務をつかさどる。

一　東日本大震災からの復興のための施策に関する基本的な方針又は計画に関する企画及び立案並びに総合調整に関すること。

二　関係地方公共団体が行う復興事業への国の支援その他関係行政機関が講ずる東日本大震災からの復興のための施策の実施の推進及びこれに関する総合調整に関すること。

三　前二号に掲げるもののほか、東日本大震災からの復興に関する施策の企画及び立案並びに総合調整に関すること。

2　復興庁は、前条第二号の任務を達成するため、次に掲げる事務をつかさどる。

一　東日本大震災からの復興に関する行政各部の事業を統括し及び監理すること。

二　東日本大震災からの復興に関する事業に関し、関係地方公共団体の要望を一元的に受理するとともに、当該要望への対応に関する方針を定め、これに基づき当該要望に係る事業の改善又は推進その他の措置を講ずること。

三　東日本大震災からの復興に関する事業を、次に定めるところにより、実施すること。

イ　東日本大震災からの復興に関する事業のうち政令で定める事業に必要な予算を、前号の方針に基づき、一括して要求し、確保すること。

ロ　東日本大震災からの復興に関する事業のうち公共事業その他の政令で定める事業の実施に関する計画を定めること。

ハ　東日本大震災からの復興に関する事業について、自ら執行し、又は関係行政機関に、イの政令で定める事業に係る予算を配分するとともに、イの方針及びロの計画その他必要な事項を通知することにより、当該通知の内容に基づき当該事業に係る支出負担行為の実施計画に関する書類の作製を含め執行させること。

四　東日本大震災からの復興に関し、関係地方公共団体に対し、政府全体の見地から、情報の提供、助言その他必要な協力を行うこと。

五　東日本大震災復興特別区域法（平成二十三年法律第百二十二号）第四条第九項に規定する復興推進計画の認定に関すること、同法第四十四条第一項に規定する指定金融機関の指定及び復興特区支援利子補給金の支給に関すること、同法第四十六条第一項に規定する復興整備計画の推進に関すること並びに同法第二条第三項に規定する復興推進事業及び同法第四十六条第二項第四号に規定する復興整備事業に関する関係行政機関の事務の調整に関すること。

六　福島復興再生特別措置法（平成二十四年法律第二十五号）第七条第十四項に規定する福島復興再生計画の認定に関すること、同法第十七条第一項に規定する生活環境整備事業に関すること、同法第十七条の二第六項に規定する特定復興再生拠点区域復興再生計画の認定に関すること、同法第十七条の九第六項に規定する特定帰還居住区域復興再生計画の認定に関すること、同法第三十三条第一項に規定する帰還・移住等環境整備事業計画に関すること、同法第三十四条第三項に規定する帰還・移住等環境整備交付金の配分計画に関すること、同法第四十五条第一項に規定する生活拠点形成事業計画に関すること、同法第四十六条第三項に規定する生活拠点形成交付金の配分計画に関すること、同法第八章に規定する福島国際研究教育機構に関すること並びに同法第七条第五項第一号に規定する産業復興再生事業、同条第七項第二号に規定する重点推進事業、同法第三十四条第一項に規定する帰還・移住等環境整備交付金事業等及び同法第四十六条第一項に規定する生活拠点形成交付金事業等に関する関係行政機関の事務の調整に関すること。

七　株式会社東日本大震災事業者再生支援機構の取締役及び監査役の選任及び解任の決議、定款の変更の決議並びに合併、分割及び解散の決議の認可に関すること並びに株式会社東日本大震災事業者再生支援機構に関する関係行政機関の事務の調整に関すること。

八　前各号に掲げるもののほか、東日本大震災からの復興に関する施策に関すること（他の府省の所掌に属するものを除く。）。

九　前各号に掲げるもののほか、法律（法律に基づく命令を含む。）に基づき復興庁に属させられた東日本大震災からの復興に関し必要な事務

3　前項第三号に掲げる事務は、他の府省の所掌事務としないものとする。

第三章　組織

第一節　通則

（組織の構成）

第五条　復興庁の組織は、任務及びこれを達成するため必要となる明確な範囲の所掌事務を有する行政機関により系統的に構成され、かつ、東日本大震災からの復興に関する内閣の課題に弾力的に対応できるものとしなければならない。

2　復興庁は、内閣の統轄の下に、その政策について、自ら評価し、企画及び立案を行い、並びに内閣府、デジタル庁及び国家行政組織法（昭和二十三年法律第百二十号）第一条の国の行政機関と相互の調整を図るとともに、その相互の連絡を図り、全て、一体として、行政機能を発揮しなければならない。

第二節　復興庁の長及び復興庁に置かれる特別な職

（復興庁の長）

第六条　復興庁の長は、内閣総理大臣とする。

2　内閣総理大臣は、復興庁に係る事項についての内閣法（昭和二十二年法律第五号）にいう主任の大臣とし、第四条第二項に規定する事務を分担管理する。

（内閣総理大臣の権限）

第七条　内閣総理大臣は、復興庁の事務を統括し、職員の服務について統督する。

2　内閣総理大臣は、復興庁に係る主任の行政事務について、法律又は政令の制定、改正又は廃止を必要と認めるときは、案をそなえて、閣議を求めなければならない。

3　内閣総理大臣は、復興庁に係る主任の行政事務について、法律若しくは政令を施行するため、又は法律若しくは政令の特別の委任に基づいて、復興庁の命令として復興庁令を発することができる。

4 復興庁令には、法律の委任がなければ、罰則を設け、又は義務を課し、若しくは国民の権利を制限する規定を設けることができない。
5 内閣総理大臣は、復興庁の所掌事務について、公示を必要とする場合においては、告示を発することができる。
6 内閣総理大臣は、復興庁の所掌事務について、命令又は示達をするため、所管の諸機関及び職員に対し、訓令又は通達を発することができる。
7 内閣総理大臣は、第三条第二号の任務を遂行するため政策について行政機関相互の調整を図る必要があると認めるときは、その必要性を明らかにした上で、関係行政機関の長に対し、必要な資料の提出及び説明を求め、並びに当該関係行政機関の政策に関し意見を述べることができる。

（復興大臣）
第八条 復興庁に、復興大臣を置く。
2 復興大臣は、国務大臣をもって充てる。
3 復興大臣は、内閣総理大臣を助け、復興庁の事務を統括し、職員の服務について統督する。
4 復興大臣は、第四条第一項に規定する事務の遂行のため必要があると認めるときは、関係行政機関の長に対し、必要な資料の提出及び説明を求めることができる。
5 復興大臣は、第四条第一項に規定する事務の遂行のため特に必要があると認めるときは、関係行政機関の長に対し、勧告することができる。この場合において、関係行政機関の長は、当該勧告を十分に尊重しなければならない。
6 復興大臣は、前項の規定により関係行政機関の長に対し勧告したときは、当該関係行政機関の長に対し、その勧告に基づいてとった措置について報告を求めることができる。
7 復興大臣は、第五項の規定により勧告した事項に関し特に必要があると認めるときは、内閣総理大臣に対し、当該事項について内閣法第六条の規定による措置がとられるよう意見を具申することができる。

（副大臣）
第九条 復興庁に、副大臣二人を置く。
2 復興庁に、前項の副大臣のほか、他の府省の副大臣の職を占める者をもって充てられる副大臣を置くことができる。
3 副大臣は、復興大臣の命を受け、政策及び企画をつかさどり、政務を処理する。
4 各副大臣の行う前項の職務の範囲については、復興大臣の定めるところによる。
5 復興大臣が指定する副大臣は、第三項の職務を行うほか、復興大臣の命を受け、特定の復興局の所掌事務に係る政策の企画及び立案並びに政務に関し、復興大臣を補佐する。
6 副大臣の任免は、内閣総理大臣の申出により内閣が行い、天皇がこれを認証する。
7 副大臣は、内閣総辞職の場合においては、内閣総理大臣その他の国務大臣が全てその地位を失ったときに、これと同時にその地位を失う。

（大臣政務官）
第十条 復興庁に、大臣政務官を置くことができる。
2 大臣政務官は、他の府省の大臣政務官の職を占める者をもって充てる。
3 大臣政務官は、復興大臣を助け、特定の政策及び企画に参画し、政務を処理する。
4 各大臣政務官の行う前項の職務の範囲については、復興大臣の定めるところによる。
5 復興大臣が指定する大臣政務官は、第三項の職務を行うほか、復興大臣の命を受け、特定の復興局の所掌事務に係る政策の企画及び立案並びに政務に関し、復興大臣を補佐する。
6 大臣政務官の任免は、内閣総理大臣の申出により、内閣が行う。
7 前条第七項の規定は、大臣政務官について準用する。

（大臣補佐官）
第十条の二 復興庁に、特に必要がある場合においては、大臣補佐官一人を置くことができる。
2 大臣補佐官は、復興大臣の命を受け、特定の政策に係る復興大臣の行う企画及び立案並びに政務に関し、復興大臣を補佐する。
3 大臣補佐官の任免は、内閣総理大臣の申出により、内閣が行う。
4 内閣総理大臣は、前項の申出をしようとするときは、あらかじめ、復興大臣の意見を聴くものとする。
5 大臣補佐官は、非常勤とすることができる。
6 国家公務員法（昭和二十二年法律第百二十号）第九十六条第一項、第九十八条第一項、第九十九条並びに第百条第一項及び第二項の規定は、大臣補佐官の服務について準用する。
7 常勤の大臣補佐官は、在任中、内閣総理大臣の許可がある場合を除き、報酬を得て他の職務に従事し、又は営利事業を営み、その他金銭上の利益を目的とする業務を行ってはならない。

（事務次官）
第十一条 復興庁に、事務次官一人を置く。
2 前項の事務次官は、復興大臣を助け、庁務を整理し、復興庁の各部局及び機関の事務を監督する。

第三節 復興庁に置かれる職

第十二条 復興庁には、その所掌事務の能率的な遂行のためその一部を所掌する職を置く。
2 復興庁には、前項の職のつかさどる職務の全部又は一部を助ける職を置くことができる。
3 前二項の職の設置、職務及び定数は、政令で定める。

第四節 復興推進会議等

（復興推進会議）
第十三条 復興庁に、復興推進会議（以下「会議」という。）を置く。
2 会議は、次に掲げる事務をつかさどる。
一 東日本大震災からの復興のための施策の実施を推進すること。
二 東日本大震災からの復興のための施策について必要な関係行政機関相互の調整をすること。
第十四条 会議は、議長、副議長及び議員をもって組織する。
2 議長は、内閣総理大臣をもって充てる。
3 副議長は、復興大臣をもって充てる。
4 議員は、次に掲げる者をもって充てる。
一 議長及び副議長以外の全ての国務大臣
二 内閣官房副長官、復興副大臣若しくは関係府省の副大臣、復興大臣政務官若しくは関係府省の大臣政務官又は国務大臣以外の関係行政機関の長のうちから、内閣総理大臣が任命する者
5 会議に、幹事を置く。
6 幹事は、関係行政機関の職員のうちから、内閣総理大臣が任命する。
7 幹事は、会議の所掌事務について、議長、副議長及び議員を助ける。
8 前各項に定めるもののほか、会議の組織及び運営に関し必要な事項は、政令で定める。

（復興推進委員会）
第十五条 復興庁に、復興推進委員会（以下「委員会」という。）を置く。
2 委員会は、次に掲げる事務をつかさどる。
一 東日本大震災からの復興のための施策の実施状況を調査審議し、必要があると認める場合に内閣総理大臣に意見を述べること。
二 内閣総理大臣の諮問に応じて、東日本大震災からの復興に関する重要事項を調査審議し、及びこれに関し必要と認める事項を内閣総理大臣に建議すること。
三 福島復興再生特別措置法第百十二条第四項、第百十五条第六項又は第百十六条第二項の規定により同法第百二十七条第一項に規定する主務大臣に意見を述べること。
3 委員会は、その所掌事務を遂行するため必要があると認めるときは、関係行政機関又は関係のある公私の団体に対し、資料の提出、意見の表明、説明その他の必要な協力を求めることができる。
4 委員会は、その所掌事務を遂行するため特に必要があると認めるときは、前項に規定する者以外の者であって調査審議の対象となる事項に関し識見を有する者に対しても、必要な協力を依頼することができる。
第十六条 委員会は、委員長及び委員十四人以内をもって組織する。
2 委員長及び委員は、関係地方公共団体の長及び優れた識見を有する者のうちから、内閣総理大臣が任命する。
3 前二項に定めるもののほか、委員会の組織及び運営に関し必要な事項は、政令で定める。

第五節 復興局

第十七条 復興庁に、地方機関として、復興局を置く。
2 復興局は、復興庁の所掌事務のうち、第四条第一項第二号及び第三号並びに第二項各号に掲げる事務の全部又は一部を分掌する。
3 復興局が分掌する前項の事務には、管轄区域の全部又は一部の区域内において、東日本大震災からの復興に関する各種の事業の推進に関し、関係行政機関及び関係地方公共団体の職員、関係民間事業者等が参加して必要な協議、調整等を行うための組織体に関する事務が含まれるものとする。
4 復興局の名称、位置及び管轄区域は、政令で定める。
5 復興局の所掌事務及び内部組織は、復興庁令で定める。
6 前項の内部組織の編成に当たっては、管轄区域における被災地域の地理的状況に配慮するものとする。

第六節 雑則

（政令への委任）
第十八条 前各節に定めるもののほか、復興庁の組織に関し必要な事項は、政令で定める。

第四章 雑則

（職員）

第十九条 復興庁に、復興事務官、復興技官その他所要の職員を置く。

2 復興事務官は、命を受け、事務をつかさどる。

3 復興技官は、命を受け、技術をつかさどる。

（国会への報告等）

第二十条 政府は、第十二条第三項の規定により政令で設置される同条第一項の職につき、その新設、改正及び廃止をしたときは、その状況を次の国会に報告しなければならない。

2 政府は、少なくとも毎年一回復興庁の組織の一覧表を官報で公示するものとする。

（復興庁の廃止）

第二十一条 復興庁は、別に法律で定めるところにより、令和十三年三月三十一日までに廃止するものとする。

附 則（抄）

（施行期日）

第一条 この法律は、公布の日から起算して四月を超えない範囲内において政令で定める日〔平二四・二・一〇〕から施行する。ただし、次の各号に掲げる規定は、当該各号に定める日から施行する。

一 附則第十五条の規定 公布の日

二 第四条第二項第六号の規定〔中略〕 株式会社東日本大震災事業者再生支援機構法（平成二十三年法律第百十三号）第九条第二項の認可の日の翌日〔平二四・二・二三〕又はこの法律の施行の日〔平二四・二・一〇〕のいずれか遅い日

（検討）

第二条 政府は、この法律の施行後三年を経過した場合において、この法律の施行の状況について検討を加え、その結果に基づいて必要な措置を講ずるものとする。

（他の法律の適用の特例）

第三条 復興庁が廃止されるまでの間における次の表の第一欄に掲げる法律の規定の適用については、同欄に掲げる法律の同表の第二欄に掲げる規定中同表の第三欄に掲げる字句は、それぞれ同表の第四欄に掲げる字句とする。

地方自治法（昭和二十二年法律第六十七号）	第二百四十五条	国家行政組織法	復興庁設置法（平成二十三年法律第百二十五号）第四条第二項に規定する事務をつかさどる機関たる復興庁、国家行政組織法
	第二百四十五条の四第一項	若しくはデジタル庁設置法第四条第二項	、デジタル庁設置法第四条第二項若しくは復興庁設置法第四条第二項
国家公務員法	第十九条第二項及び第四項、第二十五条第一項並びに第六十一条の七第一項	デジタル庁	デジタル庁、復興庁
	第五十五条第一項及び第六十一条の八第一項	及びデジタル庁	、デジタル庁及び復興庁
国有財産法（昭和二十三年法律第七十三号）	第三十二条第一項	及びデジタル庁	、デジタル庁及び復興庁
		、デジタル庁	、デジタル庁、復興庁
国家行政組織法	第一条及び第二条	及びデジタル庁	、デジタル庁及び復興庁
国家公務員宿舎法（昭和二十四年法律第百十七号）	第二条第四号	及びデジタル庁	、デジタル庁及び復興庁
		及び各省	、復興庁及び各省
国際連合平和維持活動等に対する協力に関する法律（平成四年法律第七十九号）	第三条第九号イ	デジタル庁	デジタル庁、復興庁
	第五条第六項	及びデジタル大臣	、デジタル大臣及び復興大臣
総務省設置法（平成十一年法律第九十一号）	第四条第一項第九号	及びデジタル庁設置法（令和三年法律第三十六号）第五条第二項	、デジタル庁設置法（令和三年法律第三十六号）第五条第二項及び復興庁設置法（平成二十三年法律第百二十五号）第五

		条第二項
	各府省及びデジタル庁	各府省、デジタル庁及び復興庁
第四条第一項第十号	及びデジタル庁	、デジタル庁及び復興庁

㊟本表は抜粋での掲載とした

2・3 〔略〕

（内閣府令の効力に関する経過措置）

第四条 この法律の施行前に株式会社東日本大震災事業者再生支援機構法の規定（内閣府本府の所掌事務に係るものに限る。）により発せられた内閣府設置法第七条第三項の内閣府令は、この法律の施行後は、前条第一項の規定により読み替えて適用する株式会社東日本大震災事業者再生支援機構法の相当規定（復興庁の所掌事務に係るものに限る。）に基づいて発せられた相当の第七条第三項の復興庁令としての効力を有するものとする。

2 この法律の施行前に東日本大震災復興特別区域法の規定により発せられた内閣府設置法第七条第三項の内閣府令は、この法律の施行後は、前条第三項の規定により読み替えて適用する東日本大震災復興特別区域法の相当規定に基づいて発せられた相当の第七条第三項の復興庁令としての効力を有するものとする。

（処分等に関する経過措置）

第五条 この法律の施行前に法令の規定により内閣府の長である内閣総理大臣がした認定、指定その他の処分又は通知その他の行為（当該処分又は行為に係る権限がこの法律の施行後も内閣府の長である内閣総理大臣の権限とされるものを除く。）は、この法律の施行後の法令の相当規定に基づいて、復興庁の長である内閣総理大臣がした認定、指定その他の処分又は通知その他の行為とみなす。

2 この法律の施行の際現に法令の規定により内閣府の長である内閣総理大臣に対してされている認定の申請その他の行為（当該行為に係る権限がこの法律の施行後も内閣府の長である内閣総理大臣の権限とされるものを除く。）は、この法律の施行後は、この法律の施行後の法令の相当規定に基づいて、復興庁の長である内閣総理大臣に対してされた認定の申請その他の行為とみなす。

第十二条から第十四条まで 削除

（政令への委任）

第十五条 この附則に規定するもののほか、この法律の施行に関し必要な経過措置は、政令で定める。

★本法は、次の法律により一部改正されたが、公布の日から起算して一年三月を超えない範囲内において政令で定める日から施行となるため、一部改正の形で掲載した。

○情報通信技術の活用による行政手続等に係る関係者の利便性の向上並びに行政運営の簡素化及び効率化を図るためのデジタル社会形成基本法等の一部を改正する法律（抄）

令六・六・七
法 四 六

（復興庁設置法の一部改正）

附則・第十四条 復興庁設置法（平成二十三年法律第百二十五号）の一部を次のように改正する。

附則第三条第一項の表情報通信技術を活用した行政の推進等に関する法律（平成十四年法律第百五十一号）の項中「第二十条」を「第二十五条」に改める。

附 則（抄）

（施行期日）

第一条 この法律は、公布の日から起算して一年三月を超えない範囲内において政令で定める日から施行する。〔ただし書略〕

○復興庁組織令

平二四・二・一
政令二二

最終改正 令六・三・二九政令八一

（統括官）

第一条 復興庁に、統括官二人を置く。

2 統括官は、命を受けて、復興庁設置法第四条第一項及び第二項に規定する事務のほか、次に掲げる事務を分掌する。

一 機密に関すること。
二 復興庁の職員の任免、給与、懲戒、服務その他の人事並びに教養及び訓練に関すること。
三 内閣総理大臣の官印及び庁印の保管に関すること。
四 公文書類の接受、発送、編集及び保存に関すること。
五 法令案その他の公文書類の審査に関すること。
六 復興庁の保有する情報の公開に関すること。
七 復興庁の保有する個人情報の保護に関すること。
八 復興庁の所掌事務に関する総合調整に関すること。
九 復興庁の行政の考査に関すること。
十 国会との連絡に関すること。
十一 広報に関すること。
十二 復興庁の機構及び定員に関すること。
十三 復興庁の所掌に係る経費及び収入の予算、決算及び会計並びに会計の監査に関すること。
十四 復興庁所管の国有財産及び物品の管理に関すること。
十五 復興庁の職員の衛生、医療その他の福利厚生に関すること。
十六 復興庁の所掌事務に関する政策の評価に関すること。
十七 前各号に掲げるもののほか、復興庁の所掌事務に関すること。

（審議官）

第二条 復興庁に、審議官五人（うち二人は、関係のある他の職を占める者をもって充てられるものとする。）を置く。

2 審議官は、命を受けて、統括官のつかさどる職務のうち重要事項に係るものを助ける。

3 審議官は、その充てられる者の占める関係のある他の職が非常勤の職であるときは、非常勤とする。

（公文書監理官及び参事官）

第三条 復興庁に、公文書監理官（関係のある他の職を占める者をもって充てられるものとする。）及び参事官を置く。

2 公文書監理官は、命を受けて、復興庁の所掌事務のうち公文書類の管理並びにこれに関連する情報の公開及び個人情報の保護の適正な実施の確保に関する重要事項に係るものに参画し、関係事務に関し必要な調整を行う。

3 参事官は、命を受けて、統括官のつかさどる職務を助ける。

4 公文書監理官の定数は一人と、参事官の定数は併任の者を除き八人とする。

（復興局の名称、位置及び管轄区域）

第四条 復興局の名称、位置及び管轄区域は、次の表のとおりとする。

名称	位置	管轄区域
岩手復興局	釜石市	岩手県
宮城復興局	石巻市	宮城県
福島復興局	福島市	福島県

附　則（抄）

（施行期日）

第一条 この政令は、復興庁設置法の施行の日（平成二十四年二月十日）から施行する。

（統括官に係る特例）

第二条 平成二十五年六月三十日までの間、第一条第一項の統括官のうち一人は、関係のある他の職を占める者をもって充てられるものとする。

第三条から第六条まで 削除

（他の政令の適用の特例）

第七条 復興庁が廃止されるまでの間における次の表の第一欄に掲げる政令の規定の適用については、同欄に掲げる政令の同表の第二欄に掲げる規定中同表の第三欄に掲げる字句は、それぞれ同表の第四欄に掲げる字句とする。

国家公務員倫理規程（平成十二年政令第百一号）	第二条第一項第六号及び第六条第一項	デジタル庁	デジタル庁、復興庁

	項第一号		
総務省組織令（平成十二年政令第二百四十六号）	第六条第一号	及びデジタル庁設置法（令和三年法律第三十六号）第五条第二項	、デジタル庁設置法（令和三年法律第三十六号）第五条第二項及び復興庁設置法（平成二十三年法律第百二十五号）第五条第二項
		及びデジタル庁の	、デジタル庁及び復興庁の
	第六条第二号、第四十二条第一号及び第百二十三条第一項第一号ロ	及びデジタル庁	、デジタル庁及び復興庁
職員の退職管理に関する政令（平成二十年政令第三百八十九号）	第五条	次に掲げるもの	次に掲げるもの並びに復興庁設置法（平成二十三年法律第百二十五号）第十二条第一項に規定する職又は当該職のつかさどる職務の全部若しくは一部を助ける職に就いている職員で構成される組織及び復興庁に置かれる復興局
	第十二条	当該各号に定めるもの	当該各号に定めるもの並びに再就職者が離職前五年間に復興庁に属する職員であった場合（再就職者が離職前五年間に復興庁以外の国の機関若しくは部局又は行政執行法人に属する職員であった場合において、当該国の機関若しくは部局又は行政執行法人が所掌していた事務を復興庁が所掌しているときは、当該再就職者が離職前五年間に復興庁に属する職員であったものとみなす。）における復興庁の事務次官及び公文書監理官並びに再就職者が離職前五年間に復興庁の公文書監理官に就いていた場合における復興庁に属する職員
	第十三条第一項	、次に掲げるもの	、次に掲げるもの並びに復興庁組織令（平成二十四年政令第二十二号）第二条第一項に規定する審議官並びに同令第三条第一項に規定する公文書監理官及び参事官
	第十四条	当該各号に定めるもの	当該各号に定めるもの並びに再就職者が離職した日の五年前の日より前に部課長等の職に就いていた時に復興庁に属する職員であった場合（再就職者が離職した日の五年前の日より前に部課長等の職に就いていた時に復興庁以外の国の機関等に属す

			る職員であった場合において、当該国の機関等が所掌していた事務を復興庁が所掌しているときは、当該再就職者が離職した日の五年前の日より前に部課長等の職に就いていた時に復興庁に属する職員であったものとみなす。）における復興庁の事務次官及び公文書監理官並びに再就職者が離職した日の五年前の日より前に復興庁の公文書監理官に就いていた場合における復興庁に属する職員
	第十五条第一項	次に掲げるもの	次に掲げるもの並びに復興庁の事務次官及び復興庁設置法第十二条第一項に規定する職

	第十六条第一項	次に掲げるもの	次に掲げるもの及び復興庁
	第十六条第一項第一号	国の機関	国の機関並びに復興庁
	第十七条	又は	若しくは
		国の機関	国の機関又は復興庁
	第十九条第一号	第二項各号に掲げる国の機関	第二項各号に掲げる国の機関並びに復興庁
		国の機関（	国の機関及び復興庁（
標準的な官職を定める政令（平成二十一年政令第三十号）	表一の項	デジタル庁審議官	デジタル庁審議官、復興庁の事務次官
		統括官	統括官、復興庁組織令（平成二十四年政令第二十二号）第一条第一項に規定する統括官
		第二条第一項に規定する審議官	第二条第一項に規定する審議官、復興庁組織令第二条第一項に規定する審議官
		第三条第一項に規定する参事官	第三条第一項に規定する参事官、復興庁組織令第三条第一項に規定する参事官
		、沖縄総合事務局	、沖縄総合事務局、復興局
女性の職業生活における活躍の推進に関する法律施行令（平成二十七年政令第三百十八号）	第一条第一項の表内閣総理大臣の項	及びデジタル庁	、デジタル庁及び復興庁

２　〔略〕

３　復興庁が廃止されるまでの間における幹部職員の任用等に関する政令（平成二十六年政令第百九十一号）第二条第一項及び第十条第一項の規定の適用については、同令第二条第一項第一号中「及びデジタル庁」とあるのは「、デジタル庁及び復興庁」と、同項中「十二　デジタル庁」とあるのは「十二　デジタル庁
十二の二　復興庁（復興局を除く。）」と、同令第十条第一項中「デジタル庁」とあるのは「デジタル庁、復興庁」とする。

（内閣府令の効力に関する経過措置）

第八条　この政令の施行前に東日本大震災復興特別区域法施行令の規定により発せられた内閣府設置法（平成十一年法律第八十九号）第七条第三項の内閣府令は、この政令の施行後は、前条第一項の規定により読み替えて適用する東日本大震災復興特別区域法施行令の相

当規定に基づいて発せられた相当の復興庁設置法第七条第三項の復興庁令としての効力を有するものとする。

（東日本大震災復興対策本部令の廃止）

第九条　東日本大震災復興対策本部令（平成二十三年政令第百八十二号）は、廃止する。

（東日本大震災復興対策本部令の廃止に伴う経過措置）

第十条　この政令の施行の日の前日において東日本大震災復興構想会議の議長及び委員である者の任期は、前条の規定による廃止前の東日本大震災復興対策本部令第三条第一項の規定にかかわらず、その日に満了する。

○人事院規則一―五七（復興庁設置法の施行に伴う関係人事院規則の適用の特例等に関する人事院規則）（抄）

平二四・二・一〇公布
平二四・二・一〇施行

最終改正　令五・三・三一規則一六―〇―七四

（復興庁が廃止されるまでの間における人事院規則の適用の特例）

第一条　復興庁が廃止されるまでの間における次の表の第一欄に掲げる規則の規定の適用については、同欄に掲げる規則の同表の第二欄に掲げる規定中同表の第三欄に掲げる字句は、それぞれ同表の第四欄に掲げる字句とする。

規則八―一二（職員の任免）	第九条第四項	デジタル庁	デジタル庁、復興庁
	第三十条第一項第一号	及びデジタル庁	、デジタル庁及び復興庁
	第四十八条第一項	機関	機関、復興庁設置法（平成二十三年法律第百二十五号）第十五条第一項の復興推進委員会
規則九―一二三（本府省業務調整手当）	第二条	次に掲げる組織	次に掲げる組織及び復興庁（復興局を除く。）に置かれる職
規則一一―四（職員の身分保障）	第七条の二第五項	及びデジタル庁	、デジタル庁及び復興庁
	第十一条	機関	機関、復興庁設置法（平成二十三年法律第百二十五号）第十五条第一項の復興推進委員会
規則一四―二一（株式所有により営利企業の経営に参加し得る地位にある職員の報告等）	第二条第一項	デジタル庁	デジタル庁、復興庁
規則二一―〇（国と民間企業との間の人事交流）	第二条第二項第一号	デジタル庁	デジタル庁、復興庁
	第二条第二項第二号	第十四条第一項	第十四条第一項、復興庁設置法（平成二十三年法律第百二十五号）第十三条第一項、第十五条第一項及び第十七条第一項

２・３　〔略〕

４　復興庁が廃止されるまでの間における規則一六―〇（職員の災害補償）別表第二の規定の適用については、同表中「第八号」とあるのは「第八号及び第八号の二」と、「八　デジタル庁」とあるのは「八　デジタル庁　八の二　復興庁」とする。

（平成二十四年三月三十一日までの間における人事院規則の適用の特例）

第二条　〔略〕

２　平成二十四年三月三十一日までの間における規則一一―八（職員の定年）別表の規定の適用については、同表中「又は郵政改革推進室長」とあるのは、「、郵政改革推進室長又は復興庁の事務次官」とする。

附　則

この規則は、公布の日から施行する。

〇国家行政組織法

昭二三・七・一〇
法　一　二　〇

最終改正　令三・五・一九法三六

（目的）

第一条　この法律は、内閣の統轄の下における行政機関で内閣府及びデジタル庁以外のもの（以下「国の行政機関」という。）の組織の基準を定め、もつて国の行政事務の能率的な遂行のために必要な国家行政組織を整えることを目的とする。

★読替え―復興庁設置法（平二三法一二五）により同条の「及びデジタル庁」を「、デジタル庁及び復興庁」に読み替える。

（組織の構成）

第二条　国家行政組織は、内閣の統轄の下に、内閣府及びデジタル庁の組織と共に、任務及びこれを達成するため必要となる明確な範囲の所掌事務を有する行政機関の全体によつて、系統的に構成されなければならない。

２　国の行政機関は、内閣の統轄の下に、その政策について、自ら評価し、企画及び立案を行い、並びに国の行政機関相互の調整を図るとともに、その相互の連絡を図り、全て、一体として、行政機能を発揮するようにしなければならない。内閣府及びデジタル庁との政策についての調整及び連絡についても、同様とする。

★読替え―復興庁設置法（平二三法一二五）により同条の「及びデジタル庁」を「、デジタル庁及び復興庁」に読み替える。

（行政機関の設置、廃止、任務及び所掌事務）

第三条　国の行政機関の組織は、この法律でこれを定めるものとする。

２　行政組織のため置かれる国の行政機関は、省、委員会及び庁とし、その設置及び廃止は、別に法律の定めるところによる。

３　省は、内閣の統轄の下に第五条第一項の規定により各省大臣の分担管理する行政事務及び同条第二項の規定により当該大臣が掌理する行政事務をつかさどる機関として置かれるものとし、委員会及び庁は、省に、その外局として置かれるものとする。

４　第二項の国の行政機関として置かれるものは、別表第一にこれを掲げる。

第四条　前条の国の行政機関の任務及びこれを達成するため必要となる所掌事務の範囲は、別に法律でこれを定める。

（行政機関の長）

第五条　各省の長は、それぞれ各省大臣とし、内閣法（昭和二十二年法律第五号）にいう主任の大臣として、それぞれ行政事務を分担管理する。

２　各省大臣は、前項の規定により行政事務を分担管理するほか、それぞれ、その分担管理する行政事務に係る各省の任務に関連する特定の内閣の重要政策について、当該重要政策に関して閣議において決定された基本的な方針に基づいて、行政各部の施策の統一を図るために必要となる企画及び立案並びに総合調整に関する事務を掌理する。

３　各省大臣は、国務大臣のうちから、内閣総理大臣が命ずる。ただし、内閣総理大臣が自ら当たることを妨げない。

第六条　委員会の長は、委員長とし、庁の長は、長官とする。

（内部部局）

第七条　省には、その所掌事務を遂行するため、官房及び局を置く。

２　前項の官房又は局には、特に必要がある場合においては、部を置くことができる。

３　庁には、その所掌事務を遂行するため、官房及び部を置くことができる。

４　官房、局及び部の設置及び所掌事務の範囲は、政令でこれを定める。

５　庁、官房、局及び部（その所掌事務が主として政策の実施に係るものである庁として別表第二に掲げるもの（以下「実施庁」という。）並びにこれに置かれる官房及び部を除く。）には、課及びこれに準ずる室を置くことができるものとし、これらの設置及び所掌事務の範囲は、政令でこれを定める。

６　実施庁並びにこれに置かれる官房及び部には、政令の定める数の範囲内において、課及びこれに準ずる室を置くことができるものとし、これらの設置及び所掌事務の範囲は、省令でこれを定める。

７　委員会には、法律の定めるところにより、事務局を置くことができる。第三項から第五項までの規定は、事務局の内部組織について、これを準用する。

８　委員会には、特に必要がある場合においては、法律の定めるところにより、事務総局を置くことができる。

（審議会等）

第八条　第三条の国の行政機関には、法律の定める所掌事務の範囲内で、法律又は政令の定めるところにより、重要事項に関する調査審議、不服審査その他学識経験を有する者等の合議により処理することが適当な事務をつかさどらせるための合議制の機関を置くことができる。

（施設等機関）

第八条の二　第三条の国の行政機関には、法律の定める所掌事務の範囲内で、法律又は政令の定めるところにより、試験研究機関、検査検定機関、文教研修施設（これらに類する機関及び施設を含む。）、医療更生施設、矯正収容施設及び作業施設を置くことができる。

（特別の機関）

第八条の三　第三条の国の行政機関には、特に必要がある場合においては、前二条に規定するもののほか、法律の定める所掌事務の範囲内で、法律の定めるところにより、特別の機関を置くことができる。

（地方支分部局）

第九条　第三条の国の行政機関には、その所掌事務を分掌させる必要がある場合においては、法律の定めるところにより、地方支分部局を置くことができる。

（行政機関の長の権限）

第十条　各省大臣、各委員会の委員長及び各庁の長官は、その機関の事務を統括し、職員の服務について、これを統督する。

第十一条　各省大臣は、主任の行政事務について、法律又は政令の制定、改正又は廃止を必要と認めるときは、案をそなえて、内閣総理大臣に提出して、閣議を求めなければならない。

第十二条　各省大臣は、主任の行政事務について、法律若しくは政令を施行するため、又は法律若しくは政令の特別の委任に基づいて、それぞれその機関の命令として省令を発することができる。

２　各外局の長は、その機関の所掌事務について、それぞれ主任の各省大臣に対し、案をそなえて、省令を発することを求めることができる。

３　省令には、法律の委任がなければ、罰則を設け、又は義務を課し、若しくは国民の権利を制限する規定を設けることができない。

第十三条　各委員会及び各庁の長官は、別に法律の定めるところにより、政令及び省令以外の規則その他の特別の命令を自ら発することができる。

２　前条第三項の規定は、前項の命令に、これを準用する。

第十四条　各省大臣、各委員会及び各庁の長官は、その機関の所掌事務について、公示を必要とする場合においては、告示を発することができる。

２　各省大臣、各委員会及び各庁の長官は、その機関の所掌事務について、命令又は示達をするため、所管の諸機関及び職員に対し、訓令又は通達を発することができる。

第十五条　各省大臣、各委員会及び各庁の長官は、その機関の任務（各省にあつては、各省大臣が主任の大臣として分担管理する行政事務に係るものに限る。）を遂行するため政策について行政機関相互の調整を図る必要があると認めるときは、その必要性を明らかにした上で、関係行政機関の長に対し、必要な資料の提出及び説明を求め、並びに当該関係行政機関の政策に関し意見を述べることができる。

第十五条の二　各省大臣は、第五条第二項に規定する事務の遂行のため必要があると認めるときは、関係行政機関の長に対し、必要な資料の提出及び説明を求めることができる。
2 各省大臣は、第五条第二項に規定する事務の遂行のため特に必要があると認めるときは、関係行政機関の長に対し、勧告することができる。
3 各省大臣は、前項の規定により関係行政機関の長に対し勧告したときは、当該関係行政機関の長に対し、その勧告に基づいてとつた措置について報告を求めることができる。
4 各省大臣は、第二項の規定により勧告した事項に関し特に必要があると認めるときは、内閣総理大臣に対し、当該事項について内閣法第六条の規定による措置がとられるよう意見を具申することができる。

（副大臣）
第十六条 各省に副大臣を置く。
2 副大臣の定数は、それぞれ別表第三の副大臣の定数の欄に定めるところによる。
3 副大臣は、その省の長である大臣の命を受け、政策及び企画をつかさどり、政務を処理し、並びにあらかじめその省の長である大臣の命を受けて大臣不在の場合その職務を代行する。
4 副大臣が二人置かれた省においては、各副大臣の行う前項の職務の範囲及び職務代行の順序については、その省の長である大臣の定めるところによる。
5 副大臣の任免は、その省の長である大臣の申出により内閣が行い、天皇がこれを認証する。
6 副大臣は、内閣総辞職の場合においては、内閣総理大臣その他の国務大臣がすべてその地位を失つたときに、これと同時にその地位を失う。

（大臣政務官）
第十七条 各省に大臣政務官を置く。
2 大臣政務官の定数は、それぞれ別表第三の大臣政務官の定数の欄に定めるところによる。
3 大臣政務官は、その省の長である大臣を助け、特定の政策及び企画に参画し、政務を処理する。
4 各大臣政務官の行う前項の職務の範囲については、その省の長である大臣の定めるところによる。
5 大臣政務官の任免は、その省の長である大臣の申出により、内閣がこれを行う。
6 前条第六項の規定は、大臣政務官について、これを準用する。

（大臣補佐官）
第十七条の二 各省に、特に必要がある場合においては、大臣補佐官一人を置くことができる。
2 大臣補佐官は、その省の長である大臣の命を受け、特定の政策に係るその省の長である大臣の行う企画及び立案並びに政務に関し、その省の長である大臣を補佐する。
3 大臣補佐官の任免は、その省の長である大臣の申出により、内閣がこれを行う。
4 大臣補佐官は、非常勤とすることができる。
5 国家公務員法（昭和二十二年法律第百二十号）第九十六条第一項、第九十八条第一項、第九十九条並びに第百条第一項及び第二項の規定は、大臣補佐官の服務について準用する。
6 常勤の大臣補佐官は、在任中、その省の長である大臣の許可がある場合を除き、報酬を得て他の職務に従事し、又は営利事業を営み、その他金銭上の利益を目的とする業務を行つてはならない。

（事務次官及び庁の次長等）
第十八条 各省には、事務次官一人を置く。
2 事務次官は、その省の長である大臣を助け、省務を整理し、各部局及び機関の事務を監督する。
3 各庁には、特に必要がある場合においては、長官を助け、庁務を整理する職として次長を置くことができるものとし、その設置及び定数は、政令でこれを定める。
4 各省及び各庁には、特に必要がある場合においては、その所掌事務の一部を総括整理する職を置くことができるものとし、その設置、職務及び定数は、法律（庁にあつては、政令）でこれを定める。

（秘書官）
第十九条 各省に秘書官を置く。
2 秘書官の定数は、政令でこれを定める。
3 秘書官は、それぞれ各省大臣の命を受け、機密に関する事務を掌り、又は臨時命を受け各部局の事務を助ける。

（官房及び局の所掌に属しない事務をつかさどる職等）
第二十条 各省には、特に必要がある場合においては、官房及び局の所掌に属しない事務の能率的な遂行のためこれを所掌する職で局長に準ずるものを置くことができるものとし、その設置、職務及び定数は、政令でこれを定める。
2 各庁には、特に必要がある場合においては、官房及び部の所掌に属しない事務の能率的な遂行のためこれを所掌する職で部長に準ずるものを置くことができるものとし、その設置、職務及び定数は、政令でこれを定める。
3 各省及び各庁（実施庁を除く。）には、特に必要がある場合においては、前二項の職のつかさどる職務の全部又は一部を助ける職で課長に準ずるものを置くことができるものとし、その設置、職務及び定数は、政令でこれを定める。

4 実施庁には、特に必要がある場合においては、政令の定める数の範囲内において、第二項の職のつかさどる職務の全部又は一部を助ける職で課長に準ずるものを置くことができるものとし、その設置、職務及び定数は、省令でこれを定める。

（内部部局の職）

第二十一条 委員会の事務局並びに局、部、課及び課に準ずる室に、それぞれ事務局長並びに局長、部長、課長及び室長を置く。

2 官房には、長を置くことができるものとし、その設置及び職務は、政令でこれを定める。

3 局、部又は委員会の事務局には、次長を置くことができるものとし、その設置、職務及び定数は、政令でこれを定める。

4 官房、局若しくは部（実施庁に置かれる官房及び部を除く。）又は委員会の事務局には、その所掌事務の一部を総括整理する職又は課（課に準ずる室を含む。）の所掌に属しない事務の能率的な遂行のためこれを所掌する職で課長に準ずるものを置くことができるものとし、これらの設置、職務及び定数は、政令でこれを定める。官房又は部を置かない庁（実施庁を除く。）にこれらの職に相当する職を置くときも、同様とする。

5 実施庁に置かれる官房又は部には、政令の定める数の範囲内において、その所掌事務の一部を総括整理する職又は課（課に準ずる室を含む。）の所掌に属しない事務の能率的な遂行のためこれを所掌する職で課長に準ずるものを置くことができるものとし、これらの設置、職務及び定数は、省令でこれを定める。官房又は部を置かない実施庁にこれらの職に相当する職を置くときも、同様とする。

第二十二条 削除

（官房及び局の数）

第二十三条 第七条第一項の規定に基づき置かれる官房及び局の数は、内閣府設置法（平成十一年法律第八十九号）第十七条第一項の規定に基づき置かれる官房及び局の数と合わせて、九十七以内とする。

第二十四条 削除

（国会への報告等）

第二十五条 政府は、第七条第四項（同条第七項において準用する場合を含む。）、第八条、第八条の二、第十八条第三項若しくは第四項、第二十条第一項若しくは第二項又は第二十一条第二項若しくは第三項の規定により政令で設置される組織その他これらに準ずる主要な組織につき、その新設、改正及び廃止をしたときは、その状況を次の国会に報告しなければならない。

2 政府は、少なくとも毎年一回国の行政機関の組織の一覧表を官報で公示するものとする。

附 則

第二十六条 この法律は、昭和二十四年六月一日から、これを施行する。但し、第二十七条の規定は、公布の日から、これを施行する。

第二十七条 この法律の施行に関し必要な細目は、他に別段の定のある場合を除く外、政令でこれを定める。

附 則（令三・五・一九法三六）（抄）

（施行期日）

第一条 この法律は、令和三年九月一日から施行する。〔ただし書略〕

別表第一（第三条関係）

省	委員会	庁
総務省	公害等調整委員会	消防庁
法務省	公安審査委員会	出入国在留管理庁 公安調査庁
外務省		
財務省		国税庁
文部科学省		スポーツ庁 文化庁
厚生労働省	中央労働委員会	
農林水産省		林野庁 水産庁
経済産業省		資源エネルギー庁 特許庁 中小企業庁
国土交通省	運輸安全委員会	観光庁 気象庁 海上保安庁
環境省	原子力規制委員会	
防衛省		防衛装備庁

別表第二（第七条関係）

公安調査庁
国税庁
特許庁
気象庁
海上保安庁

別表第三（第十六条、第十七条関係）

省	副大臣の定数	大臣政務官の定数
総務省	二人	三人
法務省	一人	一人
外務省	二人	三人
財務省	二人	二人
文部科学省	二人	二人
厚生労働省	二人	二人
農林水産省	二人	二人
経済産業省	二人	二人
国土交通省	二人	三人
環境省	二人	二人
防衛省	一人	二人

★復興庁設置法（平二三・一二・一六法一二五）（抄）

改正　令三・五・一九法三六

附　則（抄）

（施行期日）

第一条　この法律は、公布の日から起算して四月を超えない範囲内において政令で定める日〔平二四・二・一〇〕から施行する。〔ただし書略〕

（他の法律の適用の特例）

第三条　復興庁が廃止されるまでの間における次の表の第一欄に掲げる法律の規定の適用については、同欄に掲げる法律の同表の第二欄に掲げる規定中同表の第三欄に掲げる字句は、それぞれ同表の第四欄に掲げる字句とする。

〔略〕			
国家行政組織法	第一条及び第二条	及びデジタル庁	、デジタル庁及び復興庁
〔略〕			

2・3　〔略〕

○行政機関の職員の定員に関する法律

昭四四・五・一六
法　三　三

最終改正　令三・五・一九法三六

（定員の総数の最高限度）

第一条　内閣の機関（内閣官房及び内閣法制局をいう。以下同じ。）、内閣府、デジタル庁及び各省の所掌事務を遂行するために恒常的に置く必要がある職に充てるべき常勤の職員の定員の総数の最高限度は、三十三万千九百八十四人とする。

2　次に掲げる職員は、前項の職員に含まないものとする。

一　国家公務員法（昭和二十二年法律第百二十号）第二条第三項第一号、第二号及び第四号から第七号の四までに掲げる職員並びに同項第九号に掲げる職員のうち常勤の職員

二　宮内庁長官、侍従長、東宮大夫、式部官長及び侍従次長

三　自衛官

四　国際平和協力隊の隊員

★読替え―復興庁設置法（平二三法一二五）により一項の「デジタル庁」を「デジタル庁、復興庁」に読み替える。

（内閣府、各省等の定員）

第二条　内閣の機関、内閣府、デジタル庁及び各省の前条第一項の定員は、それぞれ政令で定める。

★読替え―復興庁設置法（平二三法一二五）により同条の「デジタル庁」を「デジタル庁、復興庁」に読み替える。

附　則

この法律は、公布の日から施行し、昭和四十四年四月一日から適用する。

★復興庁設置法（平二三・一二・一六法一二五）（抄）

改正　令三・五・一九法三六

附　則（抄）

（施行期日）

第一条　この法律は、公布の日から起算して四月を超えない範囲内において政令で定める日〔平二四・二・一〇〕から施行する。〔ただし書略〕

（他の法律の適用の特例）

第三条　復興庁が廃止されるまでの間における次の表の第一欄に掲げる法律の規定の適用については、同欄に掲げる法律の同表の第二欄に掲げる規定中同表の第三欄に掲げる字句は、それぞれ同表の第四欄に掲げる字句とする。

〔略〕			
行政機関の職員の定員に関する法律（昭和四十四年法律第三十三号）	第一条第一項及び第二条	デジタル庁	デジタル庁、復興庁
〔略〕			

2・3　〔略〕

○天皇の退位等に関する皇室典範特例法（抄）

平二九・六・一六
法　六三

附　則（抄）

（施行期日）

第一条　この法律は、公布の日から起算して三年を超えない範囲内において政令で定める日〔平三一・四・三〇〕から施行する。ただし、〔中略〕附則〔中略〕第十一条の規定はこの法律の施行の日の翌日から施行する。

（宮内庁法の一部改正）

第十一条　宮内庁法（昭和二十二年法律第七十号）の一部を次のように改正する。

附則を附則第一条とし、同条の次に次の二条を加える。

第二条　宮内庁は、第二条各号に掲げる事務のほか、上皇に関する事務をつかさどる。この場合において、内閣府設置法第四条第三項第五十七号の規定の適用については、同号中「第二条」とあるのは、「第二条及び附則第二条第一項前段」とする。

2　第三条第一項の規定にかかわらず、宮内庁に、前項前段の所掌事務を遂行するため、上皇職を置く。

3　上皇職に、上皇侍従長及び上皇侍従次長一人を置く。

4　上皇侍従長の任免は、天皇が認証する。

5　上皇侍従長は、上皇の側近に奉仕し、命を受け、上皇職の事務を掌理する。

6　上皇侍従次長は、命を受け、上皇侍従長を助け、上皇職の事務を整理する。

7　第三条第三項及び第十五条第四項の規定は、上皇職について準用する。

8　上皇侍従長及び上皇侍従次長は、国家公務員法（昭和二十二年法律第百二十号）第二条に規定する特別職とする。この場合において、特別職の職員の給与に関する法律（昭和二十四年法律第二百五十二号。以下この項及び次条第六項において「特別職給与法」という。）及び行政機関の職員の定員に関する法律（昭和四十四年法律第三十三号。以下この項及び次条第六項において「定員法」という。）の規定の適用については、特別職給与法第一条第四十二号中「侍従長」とあるのは「侍従長、上皇侍従長」と、同条第七十三号中「の者」とあるのは「の者及び上皇侍従次長」と、特別職給与法別表第一中「式部官長」とあるのは「上皇侍従長及び式部官長」と、定員法第一条第二項第二号中「侍従長」とあるのは「侍従長、上皇侍従長」と、「及び侍従次長」とあるのは「、侍従次長及び上皇侍従次長」とする。

第三条　第三条第一項の規定にかかわらず、宮内庁に、天皇の退位等に関する皇室典範特例法（平成二十九年法律第六十三号）第二条の規定による皇位の継承に伴い皇嗣となつた皇族に関する事務を遂行するため、皇嗣職を置く。

2　皇嗣職に、皇嗣職大夫を置く。

3　皇嗣職大夫は、命を受け、皇嗣職の事務を掌理する。

4　第三条第三項及び第十五条第四項の規定は、皇嗣職について準用する。

5　第一項の規定により皇嗣職が置かれている間は、東宮職を置かないものとする。

6　皇嗣職大夫は、国家公務員法第二条に規定する特別職とする。この場合において、特別職給与法及び定員法の規定の適用については、特別職給与法第一条第四十二号及び別表第一並びに定員法第一条第二項第二号中「東宮大夫」とあるのは、「皇嗣職大夫」とする。

○行政機関職員定員令

昭四四・五・一六
政令一二一

最終改正 令六・三・二九政令八七

〔定員〕

第一条 行政機関の職員の定員に関する法律第一条第一項の定員は、次の表のとおりとする。

区分	定員	備考
内閣の機関	一、五五八人	うち、一七人は、特別職の職員の定員とする。
内閣府	一五、五六四人	うち、六三人は、特別職の職員の定員とする。
デジタル庁	五四六人	
復興庁	二一八人	
総務省	四、八四一人	うち、一人は、特別職の職員の定員とする。
法務省	五五、五三五人	一 うち、一人は、特別職の職員の定員とする。 二 うち、一一、八六二人は、検察庁の職員の定員とする。
外務省	六、六六七人	うち、一七五人は、特別職の職員の定員とする。
財務省	七三、三八八人	うち、一人は、特別職の職員の定員とする。
文部科学省	二、二〇一人	うち、一人は、特別職の職員の定員とする。
厚生労働省	三三、七五九人	うち、一人は、特別職の職員の定員とする。
農林水産省	一九、五八三人	うち、一人は、特別職の職員の定員とする。
経済産業省	八、〇八〇人	うち、一人は、特別職の職員の定員とする。
国土交通省	六〇、一七〇人	うち、一人は、特別職の職員の定員とする。
環境省	三、三八五人	うち、一人は、特別職の職員の定員とする。
防衛省	二一、二五一人	うち、二一、二二六人は、特別職の職員の定員とする。
合計	三〇六、七四六人	

2 前項に規定する内閣府の定員のうち、宮内庁及び各外局別の定員は、次の表のとおりとする。

区分	定員	備考
宮内庁	一、〇四九人	うち、六三人は、特別職の職員の定員とする。
公正取引委員会	九二七人	事務総局の職員の定員とする。
国家公安委員会	八、〇五四人	一 警察庁の職員の定員とする。 二 うち、二、三一二人は、警察官の定員とする。
個人情報保護委員会	三一一人	事務局の職員の定員とする。
カジノ管理委員会	一六七人	事務局の職員の定員とする。
金融庁	一、六五四人	
消費者庁	四六五人	
こども家庭庁	四六五人	

3 第一項に規定する総務省の定員のうち、公害等調整委員会の定員は、三十六人（事務局の職員の定員とする。）とする。

〔内閣の各機関別の定員〕

第二条　内閣の各機関別の定員は、前条第一項に規定する内閣の機関の定員の範囲内において、内閣総理大臣が定める。

2　各省の本省及び各外局（総務省にあつては、公害等調整委員会を除く。）別の定員は、前条第一項に規定する当該省の定員（総務省にあつては、同項に規定する総務省の定員から同条第三項に規定する公害等調整委員会の定員を除いた定員とする。）の範囲内において、それぞれ省令で定める。

附　則

（施行期日）

1　この政令は、公布の日から施行し、昭和四十四年四月一日から適用する。

（定員の期間別の特例）

2　第一条第一項の規定にかかわらず、次の表の区分の欄に掲げる機関の同項に規定する定員は、同表の期間の欄に掲げる期間においては、それぞれ同表の定員の欄及び備考の欄に掲げるとおりとする。

区分	期間	定員	備考
総務省	令和六年九月三十日までの間	四、八七八人	うち、一人は、特別職の職員の定員とする。
法務省	令和六年十二月三十一日までの間	五五、五四二人	一　うち、一人は、特別職の職員の定員とする。 二　うち、一一、八六九人は、検察庁の職員の定員とする。
財務省	令和六年九月三十日までの間	七三、四〇二人	うち、一人は、特別職の職員の定員とする。
経済産業省	令和六年九月三十日までの間	八、一〇〇人	うち、一人は、特別職の職員の定員とする。
国土交通省	令和六年九月三十日までの間	六〇、二二〇人	うち、一人は、特別職の職員の定員とする。

附　則（令五・七・二一政令二四四）

この政令は、公布の日から施行する。

附　則（令五・八・一四政令二六一）（抄）

（施行期日）

第一条　この政令は、新型インフルエンザ等対策特別措置法及び内閣法の一部を改正する法律の施行の日（令和五年九月一日）から施行する。

附　則（令六・三・二九政令八七）

この政令は、令和六年四月一日から施行する。

○簡素で効率的な政府を実現するための行政改革の推進に関する法律

平一八・六・二
法　四　七

最終改正　令四・三・三一法七

第一章　総則

（目的）

第一条　この法律は、簡素で効率的な政府を実現することが喫緊の課題であることにかんがみ、簡素で効率的な政府を実現するための行政改革について、その基本理念及び重点分野並びに各重点分野における改革の基本方針その他の重要事項を定めるとともに、行政改革推進本部を設置することにより、これを総合的に推進することを目的とする。

（基本理念）

第二条　簡素で効率的な政府を実現するための行政改革は、国際化及び情報化の進展、人口構造の変化等の経済社会情勢の変化の中で、我が国の国際競争力を強化し、国民が豊かで安心して暮らすことのできる社会を実現するためには、民間の主体性や自律性を高め、その活力が最大限に発揮されるようにすることが不可欠であることにかんがみ、政府及び地方公共団体の事務及び事業の透明性の確保を図り、その必要性の有無及び実施主体の在り方について事務及び事業の内容及び性質に応じた分類、整理等の仕分けを踏まえた検討を行った上で、国民生活の安全に配慮しつつ、政府又は地方公共団体が実施する必要性の減少した事務及び事業を民間にゆだねて民間活動の領域を拡大すること並びに行政機構の整理及び合理化その他の措置を講ずることにより行政に要する経費を抑制して国民負担の上昇を抑えることを旨として、行われなければならない。

（国及び地方公共団体の責務）
第三条 国及び地方公共団体は、次章に定める重点分野について、前条の基本理念にのっとり、簡素で効率的な政府を実現するための行政改革を推進する責務を有する。

第二章 重点分野及び各重点分野における改革の基本方針等

第一節 政策金融改革

（趣旨及び基本方針）
第四条 政策金融改革は、次に掲げる基本方針に基づき、平成二十年度において、現行政策金融機関（商工組合中央金庫、国民生活金融公庫、農林漁業金融公庫、中小企業金融公庫、公営企業金融公庫、沖縄振興開発金融公庫、国際協力銀行及び日本政策投資銀行をいう。以下同じ。）の組織及び機能を再編成し、その政策金融の機能を、新たに設立する一の政策金融機関（以下「新政策金融機関」という。）に担わせることにより行われるものとする。ただし、国際協力銀行の政府開発援助に係る機能については、現行政策金融機関の政策金融の機能から分離して独立行政法人国際協力機構に担わせるものとし、沖縄振興開発金融公庫については、第十一条の定めるところによる。

一 新政策金融機関の政策金融の機能は、国民一般、中小企業者及び農林水産業者の資金調達を支援する機能並びに我が国にとって重要な資源の海外における開発及び取得を促進し、並びに我が国の産業の国際競争力の維持及び向上を図る機能に限定するものとする。

二 政策金融に係る貸付金については、平成二十年度末における新政策金融機関の貸付金の残高及び沖縄振興開発金融公庫の貸付金の残高の合計額の同年度の国内総生産（国際連合の定める基準に準拠して内閣府が作成する国民経済計算の体系における国内総生産をいう。以下同じ。）の額に占める割合が、平成十六年度末における現行政策金融機関の貸付金の残高の同年度の国内総生産の額に占める割合の二分の一以下となるようにするものとする。

三 現行政策金融機関の負債の総額が資産の総額を超える場合におけるその超過額又は新政策金融機関に生じた損失であって、これらの経営責任に帰すべきものを補てんするための補助金（交付金、補給金その他の給付金を含む。）の交付その他の国の負担となる財政上の措置は、行わないものとする。

四 内外の金融秩序の混乱又は大規模な災害、テロリズム若しくは感染症等による被害に対処するために必要な金融について、新政策金融機関及び第六条第一項に規定する機関その他の金融機関により迅速かつ円滑に行われることを可能とする体制を整備するものとする。

（新政策金融機関の在り方）
第五条 新政策金融機関は、次に掲げる組織及び業務の在り方を踏まえて、設立されるものとする。

一 特別の法律により特別の設立行為をもって設立される株式会社又は独立行政法人（独立行政法人通則法（平成十一年法律第百三号）第二条第一項に規定する独立行政法人をいう。以下同じ。）若しくはこれに類する法人とするものとする。

二 明確な経営責任の下で運営され、経営内容に関する情報の公開を徹底するものとする。

三 新政策金融機関の経営責任者は、これを適正かつ効率的に運営するため、設立の目的及びその担う金融業務に照らし必要と認められる識見及び能力を有する者のうちから選任されるものとし、特定の公務の経歴を有する者が固定的に選任されることがないよう十分に配慮するものとする。

四 組織については、簡素かつ効率的なものとすることを基本とし、国内金融の業務を行う部門と国際金融の業務を行う部門とに大別して、当該部門ごとに専門的能力を有する職員の配置及び育成を可能とするものとする。この場合において、国内金融の業務を行う部門にあっては、当該業務の態様に応じた区分を明確にしてその内部組織を編成するものとし、国際金融の業務を行う部門にあっては、当該業務を行ってきた現行政策金融機関の外国における信用が維持され、当該業務を主体的に遂行することを可能とする体制を整備するものとする。

五 業務については、現行政策金融機関から承継する業務（統合する現行政策金融機関から承継する債権の管理及び回収を含む。）及び前条第四号に規定する金融に係る業務とするものとし、債務の一部の保証、貸付債権の譲受けその他の業務の推進を図ることにより、一般の金融機関が行う金融を補完することを旨として行われるものとする。
六　業務の実施状況について的確な評価及び監視を行う体制を整備し、業務の必要性の有無及びこれを民間にゆだねることの適否についての見直し並びに貸付金の残高の継続的な縮小を行うことを可能とするものとする。

（商工組合中央金庫及び日本政策投資銀行の在り方）
第六条　商工組合中央金庫及び日本政策投資銀行は、完全民営化するものとし、平成二十年度において、これらに対する国の関与を縮小して経営の自主性を確保する措置を講ずるものとする。
2　商工組合中央金庫及び日本政策投資銀行に対する政府の出資については、これらの機関の業務を承継する機関の目的の達成に与える影響及び市場の動向を踏まえつつその縮減を図り、できる限り早期にその全部を処分するものとする。
3　政府は、第一項の完全民営化に当たっては、商工組合中央金庫及び日本政策投資銀行の円滑な運営に必要な財政基盤を確保するための措置を講ずるとともに、商工組合中央金庫の有する中小企業等協同組合その他の中小企業者を構成員とする団体及びその構成員に対する金融機能並びに日本政策投資銀行の有する長期の事業資金に係る投融資機能の根幹が維持されることとなるよう、必要な措置を講ずるものとする。

（公営企業金融公庫の在り方）
第七条　公営企業金融公庫は、平成二十年度において、廃止するものとし、地方公共団体のための資金調達を公営企業金融公庫により行う仕組みは、資本市場からの資金調達その他金融取引を活用して行う仕組みに移行させるものとする。
2　政府は、前項の移行の後の仕組みのために必要な財政基盤を確保するための措置を講ずるものとする。

（国民生活金融公庫の在り方）
第八条　国民生活金融公庫は、平成二十年度において、新政策金融機関に統合するものとする。
2　国民生活金融公庫の業務（小規模事業者の経営の改善発達を支援するための資金及び生活衛生関係の営業者等に対する資金の貸付けを含む。）は、新政策金融機関に承継させる。ただし、教育資金の貸付けについては、低所得者の資金需要に配慮しつつ、貸付けの対象の範囲を縮小するものとする。

（農林漁業金融公庫の在り方）
第九条　農林漁業金融公庫は、平成二十年度において、新政策金融機関に統合するものとする。
2　農林漁業金融公庫の業務は、新政策金融機関に承継させる。ただし、農林漁業者に対する長期かつ低利の資金の貸付けは、資本市場からの調達が困難な資金の貸付けに限定するものとし、農林漁業金融公庫法（昭和二十七年法律第三百五十五号）第十八条の二第一項第四号に規定する食品の製造等の事業を営む者に対する貸付けは、中小企業者に対する償還期間が十年を超える資金の貸付けに限定するものとする。

（中小企業金融公庫の在り方）
第十条　中小企業金融公庫は、平成二十年度において、新政策金融機関に統合するものとする。
2　中小企業金融公庫の業務は、新政策金融機関に承継させる。ただし、中小企業金融公庫法（昭和二十八年法律第百三十八号）第十九条第一項第一号及び第二号に掲げる業務については、中小企業者一般を対象とするものは廃止するものとし、それ以外のものは、中小企業に関する重要な施策の目的に従って行われるものに限定するとともに、その承継後においても定期的に見直しを行い、必要性が低下したと認められる部分は廃止するものとする。

（沖縄振興開発金融公庫の在り方）
第十一条　沖縄振興開発金融公庫は、沖縄振興特別措置法（平成十四年法律第十四号）第三条の二第一項の沖縄振興基本方針に係る同条第三項に規定する令和四年度を初年度とする十箇年の期間が経過した後において、新政策金融機関に統合するものとする。
2　沖縄振興開発金融公庫の業務は、新政策金融機関に承継させる。ただし、平成二十年度において、沖縄の置かれた特殊な諸事情にかんがみ特に存続させる必要があるものを除き、日本政策投資銀行の業務に相当する業務は廃止し、国民生活金融公庫、農林漁業金融公庫及び中小企業金融公庫の業務に相当する業務については第八条第二項ただし書、第九条第二項ただし書及び前条第二項ただし書の規定に準じた措置を講ずるものとする。
3　第一項の統合に当たっては、沖縄県の区域を管轄する新政策金融機関の事務所が、沖縄の振興に関する施策に金融上の寄与をするため、前項本文の業務を自立的かつ主体的に遂行することを可能とする体制を整備するものとする。

（国際協力銀行の在り方）
第十二条　国際協力銀行は、平成二十年度において、新政策金融機関に統合するものとする。
2　国際協力銀行の業務のうち、国際協力銀行法（平成十一年法律第三十五号）第二十三条第一項に規定する国際金融等業務は、我が国にとって重要な資源の海外における開発及び取得を促進し、並びに我が国の産業の国際競争力の維持及び向上を図るためのもの並びに国際金融秩序の混乱への対処に係るものに限定して新政策金融機関に承継させるものとし、同条第二項に規定する海外経済協力業務は、独立行政法人国際協力機構法（平成十四年法律第百三十六号）を改正するための措置を講じて、独立行政法人国際協力機構に承継させるものとする。

（留意事項）

第十三条　政府は、第五条から前条までの規定による措置を講ずるに当たっては、次の事項に留意しなければならない。

一　現行政策金融機関の資産及び負債を厳正かつ詳細に評価し、新政策金融機関その他現行政策金融機関の業務を承継する機関が将来にわたり業務を円滑に遂行する上で必要がないと認められる資産で政府の出資に係るものについては、これを国庫に帰属させること。

二　現行政策金融機関の行う資金の貸付けその他の業務の利用者及び現行政策金融機関が発行した債券の所有者の利益が不当に侵害されないようにすること。

（独立行政法人等の融資等業務の見直し）

第十四条　政府は、平成十八年度において、次に掲げる融資等業務（資金の貸付け、債務の保証、保険の引受け、出資若しくは利子の補給を行う業務又はこれに準ずる業務をいう。以下同じ。）の在り方について見直しを行うものとする。

一　独立行政法人のうち、平成十八年度から平成二十年度までの間に初めて中期目標の期間（独立行政法人通則法第二十九条第二項第一号に規定する中期目標の期間をいう。第五十二条において同じ。）が終了するものが、その目的を達成するために行う融資等業務

二　特殊法人（特別の法律により特別の設立行為をもって設立された法人であって、総務省設置法（平成十一年法律第九十一号）第四条第十五号の規定の適用を受けるものをいう。以下同じ。）のうち、現行政策金融機関、住宅金融公庫及び株式会社であるもの以外のものが、その目的を達成するために行う融資等業務

三　民法（明治二十九年法律第八十九号）第三十四条の規定により設立された法人のうち、法令に基づく融資等業務を行うもの又は国の補助金等（補助金等に係る予算の執行の適正化に関する法律（昭和三十年法律第百七十九号）第二条第一項に規定する補助金等をいう。）の交付を受けて融資等業務を行うものが行う当該融資等業務

第二節　独立行政法人の見直し

（国の歳出の縮減を図る見地からの見直し）

第十五条　平成十八年度以降に初めて中期目標の期間（独立行政法人通則法第二十九条第二項第一号（日本私立学校振興・共済事業団法（平成九年法律第四十八号）第二十六条において準用する場合を含む。）に規定する中期目標の期間をいう。次条において同じ。）が終了する独立行政法人（日本私立学校振興・共済事業団を含む。以下この節において同じ。）を所管する大臣は、独立行政法人通則法第三十五条第一項（日本私立学校振興・共済事業団法第二十六条において準用する場合を含む。）の規定による検討を行うときは、これらの独立行政法人に対する国の歳出の縮減を図る見地から、その組織及び業務の在り方並びにこれに影響を及ぼす国の施策の在り方について併せて検討を行い、その結果に基づき、必要な措置を講ずるものとする。

（融資等業務を行う独立行政法人の組織の見直し）

第十六条　平成十八年度から平成二十年度までの間に中期目標の期間が終了する独立行政法人のうち融資等業務を行うものを所管する大臣は、第十四条の規定による融資等業務の見直しの結果に応じ、当該独立行政法人の組織の在り方についても見直しを行うものとする。

第三節　特別会計改革

（趣旨）

第十七条　特別会計の改革は、特別会計の廃止及び統合並びにその経理の明確化を図るとともに、特別会計において経理されている事務及び事業の合理化及び効率化を図ることにより行われるものとし、平成十八年度から平成二十二年度までの間を目途に計画的に推進されるものとする。

2　前項の改革に当たっては、平成十八年度から平成二十二年度までの間において、特別会計における資産及び負債並びに剰余金及び積立金の縮減その他の措置により、財政の健全化に総額二十兆円程度の寄与をすることを目標とするものとする。

（特別会計の取扱いの原則）

第十八条　特別会計の新設は、事務及び事業の合理化若しくは効率化又は財政の健全化に資する場合を除き、行わないものとする。

2　政府は、平成二十三年四月一日において設置されている特別会計について、その存続の必要性を検討するものとし、その後においても、おおむね五年ごとに同様の検討を行うものとする。

（法制上の措置等）

第十九条　政府は、特別会計の廃止及び統合、一般会計と異なる取扱いの整理並びに企業会計の慣行を参考とした資産及び負債の開示その他の特別会計に係る情報の開示のため、この法律の施行後一年以内を目途として法制上の措置その他の必要な措置を講ずるものとする。

2　前項に規定するもののほか、政府は、国全体の財政状況の一覧性を確保するため、特別会計歳入歳出予算の総計及び純計について所管及び主要な経費の別に区分した書類を参考資料として予算に添付する措置その他の必要な措置を講ずるものとする。

3　政府は、特別会計において経理されている事務及び事業の必要性の有無及び実施主体の在り方について、事務及び事業の内容及び性質に応じた分類、整理等の仕分けを踏まえた検討を行うものとする。

（道路整備特別会計等の見直し）

第二十条　道路整備特別会計、治水特別会計、港湾整備特別会計、空港整備特別会計及び都市開発資金融通特別会計は、平成二十年度までに統合するものとする。この場合において、これらの特別会計において経理されていた事務及び事業については、その合理化及び効率化を図るものとする。

2　空港整備特別会計において経理されている事務及び事業については、将来において、独立行政法人その他の国以外の者に行わせることについて検討するものとする。

3　特定の税の収入額（これに相当する額を含む。以下この項において同じ。）の全部又は一部を道路に関する費用の財源に充てる制度（以下この項において「特定財源制度」という。）については、国の財政状況の悪化をもたらさないよう十分に配慮しつつ、特定財源制度に係る税の収入額の使途の在り方について、納税者の理解を得られるよう、次の基本方針により、見直しを行うものとする。

一　道路の整備は、これに対する需要を踏まえ、その必要性を見極めつつ、計画的に進めるものとする。この場合において、道路の整備に係る歳出については、一層の重点化及び効率化を図るものとする。

二　特定財源制度に係る税については、厳しい財政状況にかんがみ、及び環境への影響に配慮し、平成十七年十二月における税率の水準を維持するものとする。

三　特定財源制度に係る税の収入額については、一般財源化を図ることを前提とし、平成十九年度以降の歳出及び歳入の在り方に関する検討と併せて、納税者の理解を得つつ、具体的な改正の案を作成するものとする。

4　空港整備特別会計法（昭和四十五年法律第二十五号）附則第十一項の規定による措置については、第一項の統合の後においても、空港の整備に係る歳出及び借入金を抑制するよう努めつつ、これを実施するものとし、将来において、空港の整備の進捗《ちょく》状況を踏まえ、その廃止について検討するものとする。

（厚生保険特別会計及び国民年金特別会計の見直し）

第二十一条　厚生保険特別会計及び国民年金特別会計は、平成十九年度において統合するものとする。この場合において、これらの特別会計において経理されていた事務及び事業については、その合理化及び効率化を図るものとする。

（船員保険特別会計の見直し）

第二十二条　船員保険特別会計については、同特別会計において経理されている事務及び事業並びにこれらに係る制度の在り方を平成十八年度末までを目途に検討するものとし、その結果に基づき、当該事務及び事業のうち労働者災害補償保険法（昭和二十二年法律第五十号。次条第一項において「労災保険法」という。）による労働者災害補償保険事業又は雇用保険法（昭和四十九年法律第百十六号）による雇用保険事業に相当する部分以外の部分の健康保険法（大正十一年法律第七十号）第七条の二第一項に規定する全国健康保険協会その他の公法人への移管その他の必要な措置を講じた上で、平成二十二年度までを目途に、労働保険特別会計に統合するものとする。

（労働保険特別会計に係る見直し）

第二十三条　労働保険特別会計において経理される事業は、労災保険法の規定による保険給付に係る事業及び雇用保険法の規定による失業等給付に係る事業に限ることを基本とし、労災保険法の規定による労働福祉事業並びに雇用保険法の規定による雇用安定事業、能力開発事業及び雇用福祉事業については、廃止を含めた見直しを行うものとする。

2　雇用保険法第六十六条の規定による国庫負担（失業等給付に係るものに限る。）の在り方については、廃止を含めて検討するものとする。

（地震再保険特別会計に係る見直し）

第二十四条　地震再保険特別会計において経理されている再保険の機能に係る事務及び事業については、その在り方を平成二十年度末までに検討するものとする。

（貿易再保険特別会計に係る見直し）

第二十五条　貿易再保険特別会計については、経済協力開発機構の加盟国への輸出に係る短期の貿易保険その他の貿易保険への民間事業者の参入の一層の促進を図り、民間にゆだねることが可能なものはできる限りこれにゆだねることを通じて、同特別会計において経理される事務及び事業の見直しを行うものとし、関連する制度の改正について平成二十年度末までを目途に検討するものとする。

（農業共済再保険特別会計及び漁船再保険及漁業共済保険特別会計に係る見直し）

第二十六条　農業共済再保険特別会計及び漁船再保険及漁業共済保険特別会計において経理されている再保険の機能に係る事務及び事業については、積立金の管理の透明性の向上を図った上でこれらの特別会計を統合した特別会計において経理することを含め、その在り方を平成二十年度末までに検討するものとする。

（森林保険特別会計の見直し）

第二十七条　森林保険特別会計については、同特別会計において経理されている事務及び事業を独立行政法人に移管し、同特別会計を廃止することについて、平成二十年度末までに検討するものとする。

（国有林野事業特別会計の見直し）

第二十八条　国有林野事業特別会計については、同特別会計の設置の目的及び国有林野事業の改革のための特別措置法（平成十年法律第百三十四号）に基づく改革の実施状況を踏まえ、同特別会計の負担に属する借入金に係る債務の着実な処理その他国有林野の適切な管理運営のため必要な措置を講じつつ、同特別会計において経理されている事務及び事業の性質に応じ、その一部を独立行政法人に移管した上で、同特別会計を一般会計に統合することについて、平成二十二年度末までに検討するものとする。

（国営土地改良事業特別会計の見直し）

第二十九条　国営土地改良事業特別会計は、平成二十年度までに一般会計に統合するものとする。

2　土地改良法（昭和二十四年法律第百九十五号）による国営土地改良事業及び都道府県営土地改良事業については、食料・農業・農村基本法（平成十一年法律第百六号）第十五条第二項第三号の施策の推進の状況を踏まえ、国と地方公共団体との適切な役割分担について、平成十八年度末までに検討するものとする。

（食糧管理特別会計及び農業経営基盤強化措置特別会計の見直し）

第三十条　食糧管理特別会計及び農業経営基盤強化措置特別会計は、平成十九年度において統合するものとする。この場合において、これらの特別会計において経理されていた事務及び事業については、その合理化及び効率化を図るものとする。

2　前項前段の統合の後の特別会計において経理される事務及び事業については、当該統合の後において、その性質に応じ、一般会計において経理される事務及び事業への移行又は独立行政法人への移管について検討するものとする。

（自動車損害賠償保障事業特別会計及び自動車検査登録特別会計の見直し）

第三十一条　自動車損害賠償保障事業特別会計及び自動車検査登録特別会計は、平成二十年度において統合するものとする。この場合において、これらの特別会計において経理されていた事務及び事業については、その合理化及び効率化を図るものとする。

2　前項前段の統合の後の特別会計において経理される事務及び事業については、当該統合の後において、その性質に応じ、一般会計において経理される事務及び事業への移行又は独立行政法人への移管について検討するものとする。

（特許特別会計に係る見直し）

第三十二条　特許特別会計において経理される特許出願の審査（以下この条において単に「審査」という。）に係る事務及び事業については、一層迅速かつ的確な審査を実現することの必要性にかんがみ、審査の件数、審査に要する経費及び先行技術の調査の民間への委託の件数について中期的かつ定量的な目標を定め、業務の効率の向上及び委託の拡大を図るものとする。

（国立高度専門医療センター特別会計の見直し）

第三十三条　国立高度専門医療センター特別会計は、平成二十二年度において廃止するものとする。

2　国立がんセンター、国立循環器病センター、国立精神・神経センター、国立国際医療センター、国立成育医療センター及び国立長寿医療センターは、国立高度専門医療センター特別会計の負担に属する借入金に係る債務の処理その他これらの機関の事務及び事業の適切かつ安定的な運営を維持するために必要な措置を講じた上で、独立行政法人に移行させるものとする。

（登記特別会計の見直し）

第三十四条　登記特別会計は、同特別会計において経理されている事務及び事業の合理化及び効率化を図るとともに、不動産登記法（平成十六年法律第百二十三号）第十四条第一項の地図を整備するために必要な措置を講じつつ、平成二十二年度末において一般会計に統合するものとする。

（特定国有財産整備特別会計の見直し）

第三十五条　特定国有財産整備特別会計は、同特別会計において経理される事務及び事業を必要な範囲に限定するものとし、国の庁舎等の使用調整等に関する特別措置法（昭和三十二年法律第百十五号。以下「庁舎法」という。）第五条に基づく特定国有財産整備計画の策定の見通しを踏まえ、平成二十二年度を目途に、一般会計に統合するものとする。

（電源開発促進対策特別会計及び石油及びエネルギー需給構造高度化対策特別会計の見直し）

第三十六条　電源開発促進対策特別会計及び石油及びエネルギー需給構造高度化対策特別会計は、平成十九年度において統合するものとする。この場合において、これらの特別会計において経理されていた事務及び事業については、合理化及び効率化を図るとともに、勘定を区分して経理することによりその運営の透明性を確保するものとする。

2　前項前段の統合に当たっては、電源開発促進税の収入は、一般会計の歳入に組み入れた上で、電源開発促進税法（昭和四十九年法律第七十九号）第一条に規定する措置（以下この項において「電源開発促進対策」という。）に要する費用の財源に充てるため、毎会計年度、必要な金額を統合された特別会計に繰り入れるものとし、当該収入の一部について、電源開発促進税の課税の目的を踏まえ、電源開発促進対策に係る財政需要に照らして一般会計から当該特別会計に繰り入れることが必要となるまでの間、効果的な活用を図ることを可能とするものとする。

（産業投資特別会計の見直し）

第三十七条　産業投資特別会計の産業投資勘定は、同勘定において経理される投資の対象を必要な範囲に限定した上で、平成二十年度までに、財政融資資金特別会計に移管するものとする。

2　前項の移管の後の勘定の在り方については、将来において、民間投資その他の状況を勘案し、その廃止を含めて検討するものとする。

3　産業投資特別会計の社会資本整備勘定は、日本電信電話株式会社の株式の売払収入の活用による社会資本の整備の促進に関する特別措置法（昭和六十二年法律第八十六号）第二条第一項、第二条の二第一項、第三条第一項若しくは第二項又は附則第三条第一項の規定による貸付けに係る業務の終了に伴い、廃止するものとする。

（財政融資資金特別会計に係る見直し）

第三十八条　財政融資資金特別会計においてその運用に関する歳入歳出を経理される財政融資資金については、その規模を将来において適切に縮減されたものとするため、同特別会計の負担において発行される公債の発行額を着実に縮減するとともに、その償還の計画を作成するものとする。

2　財政融資資金の地方公共団体に対する貸付けについては、第七条第一項の移行の状況を見極めつつ、段階的に縮減するものとする。

（外国為替資金特別会計に係る見直し）

第三十九条　外国為替資金特別会計において経理される事務については、その執行に要する費用の節減その他の合理化及び効率化を図るものとする。

2　外国為替資金特別会計法（昭和二十六年法律第五十六号）第十三条の規定による一般会計の歳入への繰入れについては、同条に規定する残余のうち相当と認められる金額を繰り入れる措置を講ずるものとする。

（国債整理基金特別会計に係る見直し）

第四十条　国債整理基金特別会計において経理される事務については、その執行に要する費用の節減その他の合理化及び効率化を図るほか、日本銀行に取り扱わせる国債に関する事務の範囲について、平成十九年度末までに検討するものとする。

（交付税及び譲与税配付金特別会計に係る見直し）

第四十一条　交付税及び譲与税配付金特別会計については、交付税及び譲与税配付金特別会計法（昭和二十九年法律第百三号）附則第五条第一項に基づく借入金に係る中期的な返済計画を公表するものとする。

第四節　総人件費改革

（趣旨）

第四十二条　総人件費改革は、国家公務員及び地方公務員について、その総数の純減及び給与制度の見直しを行うとともに、独立行政法人、国立大学法人等（国立大学法人法（平成十五年法律第百十二号）第二条第五項に規定する国立大学法人等をいう。以下同じ。）、特殊法人及び認可法人（特別の法律により設立され、かつ、その設立に関し行政官庁の認可を要する法人をいう。以下同じ。）の役員及び職員についても、これに準じた措置を講ずることにより、これらの者に係る人件費の総額の削減を図ることにより行われるものとする。

2　前項の総人件費改革を推進するに当たっては、平成二十七年度以降の各年度における国家公務員の人件費の総額の当該年度の国内総生産の額に占める割合が、平成十七年度における当該割合の二分の一にできる限り近づくことを長期的な目安として、これに留意するものとする。

（国家公務員の純減）

第四十三条 政府は、平成二十二年度の国家公務員の年度末総数を、平成十七年度の国家公務員の年度末総数と比較して、同年度の国家公務員の年度末総数の百分の五に相当する数以上の純減とすることを目標として、これを達成するため必要な施策を講ずるものとする。

2 前項に規定する「国家公務員の年度末総数」とは、次に掲げる数の合計数をいう。

一 行政機関の職員の定員に関する法律（昭和四十四年法律第三十三号）第二条及び第三条に規定する定員の当該年度末における数

二 特定独立行政法人（独立行政法人通則法第二条第二項に規定する特定独立行政法人をいう。以下同じ。）の常時勤務に服することを要する役員及び同法第六十条第一項に規定する常勤職員の当該年度の一月一日における数

三 前二号に掲げる国家公務員以外の常時勤務に服することを要する国家公務員（国際平和協力隊の隊員並びに郵政民営化法（平成十七年法律第九十七号）第百六十六条第一項の規定による解散前の日本郵政公社の役員及び職員で常時勤務に服することを要するものを除く。）の法律に定められた数又は法律の規定に基づき定められた数の当該年度末における数

（行政機関等の職員の純減）

第四十四条 政府は、行政機関の職員の定員に関する法律第二条及び第三条に規定する定員並びに警察法（昭和二十九年法律第百六十二号）第五十七条第一項に規定する地方警務官の定員について、平成十八年度以降の五年間で、平成十七年度末におけるこれらの総数から、その百分の五に相当する数以上の純減をさせるものとし、その結果を踏まえ、行政機関の職員の定員に関する法律第一条に規定する定員の総数の最高限度について法制上の措置を講ずるものとする。

2 平成十八年度の国の一般会計の歳出予算の基礎とされた平成十七年度末の自衛官の人員数については、自衛隊の隊員に対する教育及び食事の支給並びに防衛省設置法（昭和二十九年法律第百六十四号）第四条第十三号に規定する装備品等の整備に係る業務その他の業務の民間への委託その他の方法により、前項の規定の例に準じて純減をさせるものとする。

（国の事務及び事業の見直し）

第四十五条 政府は、前条第一項の純減を実現するため、国の事務及び事業に関し、次条から第五十条までの規定による措置その他の合理化及び効率化のための措置を講ずるものとする。この場合において、事務及び事業の必要性の有無及び実施主体の在り方について事務及び事業の内容及び性質に応じた分類、整理等の仕分けを踏まえた検討を行うとともに、事務及び事業における国家公務員の身分を有しない者の活用を拡大する方策について検討を行うものとする。

2 前項の国の事務及び事業の合理化及び効率化に伴う定員の改廃に当たっては、その対象となる事務及び事業に従事する職員の異動を円滑に行うため、府省横断的な配置の転換及び職員の研修を行う仕組みの構築並びに職員の採用の抑制その他の人事管理上の措置を講ずるものとする。

第四十六条 農林水産省の地方支分部局が所掌する統計及び食糧の管理に関する事務並びに北海道開発局が所掌する事務その他国の行政に対する需要の変化が認められる事務及び事業については、その減量に向けた検討を加え、その結果に基づき、必要な措置を講ずるものとする。

第四十七条 国の行政機関の地方支分部局（これ以外の国の行政機関で、一定の管轄区域に係る事務を分掌するものを含む。）については、これらの事務及び事業を見直し、次に掲げる措置その他の事務及び事業の減量を図るための措置を講ずるほか、地方支分部局の統合、廃止及び合理化を推進するものとする。

一 地方公共団体への補助金の交付又は地域の振興に関する事務その他これに類する事務について、減量を行い、又は地方公共団体に権限を委譲すること。

二 民間事業者の指導及び監督に関する事務について、必要に応じ、地方公共団体に権限を委譲すること。

三 公共事業を担当する部局の事務の全体について、公共事業に係る事業量又は費用の減少に応じた減量を行うこと。

四 調査及び統計に関する事務について、民間への委託その他の方法による減量を行うこと。

第四十八条 公共職業安定所の職業紹介及び職業指導並びにこれらに付随する業務、政府が行う厚生年金保険事業及び国民年金事業に係る保険料の収納及び相談並びにこれらに付随する業務、刑事施設の運営に関する業務（法律の規定に基づき刑事施設の長若しくはその

指定する職員又は刑務官の行う公権力の行使に当たるものを除く。）並びに給与の計算その他これに類する定型的な業務は、その実施を民間にゆだねる方策を検討し、その結果に基づき、必要な措置を講ずるものとする。

2　登記に関する事務、特許権その他の工業所有権に関する事務、自動車の登録に関する事務、庁舎その他の国有の施設の管理に関する事務、雇用保険に関する事務その他一層の効率化が求められる事務は、その実施を民間にゆだねることの適否を検討し、その結果に基づき、必要な措置を講ずるものとする。

第四十九条　国の事務及び事業については、情報通信技術の活用及びそのために必要な制度の見直しを推進して、簡素化及び効率化を図るものとする。この場合において、人事管理、国家公務員共済組合法（昭和三十三年法律第百二十八号）による短期給付及び物品の調達に関する事務その他の各行政機関に共通する事務については、当該事務に係る情報システムの統一を進めるとともに、民間への委託による減量を行うものとする。

第五十条　国有林野事業の実施主体及び国立高度専門医療センターについては、第二十八条及び第三十三条第二項に規定するもののほか、特定独立行政法人以外の独立行政法人への移行を検討し、その結果に基づき、必要な措置を講ずるものとする。

2　主として政策の実施に係る国の事務及び事業のうち、自律的及び効率的な運営が可能と認められるものの実施主体については、特定独立行政法人以外の独立行政法人その他その職員が国家公務員の身分を有しない法人に移行させることを検討し、その結果に基づき、必要な措置を講ずるものとする。

（国家公務員の給与制度の見直し）

第五十一条　政府は、国家公務員（一般職の職員の給与に関する法律（昭和二十五年法律第九十五号）の適用を受ける職員に限る。以下この条において同じ。）の給与制度について、職務と責任に応じた給与の体系、国家公務員の給与と民間における賃金との比較方法の在り方その他の事項についての人事院における検討の状況を踏まえ、必要な措置を平成十八年度から順次講ずるものとする。特別職の職員及び同法が適用されない一般職の職員の給与制度についても、同様とする。

（特定独立行政法人の見直し）

第五十二条　平成十八年度以降に中期目標の期間が終了する特定独立行政法人については、その業務を国家公務員の身分を有しない者が行う場合における問題点の有無を検証し、その結果、役員及び職員に国家公務員の身分を与えることが必要と認められないときは、特定独立行政法人以外の独立行政法人に移行させるものとする。

（独立行政法人等における人件費の削減）

第五十三条　独立行政法人等（独立行政法人（政令で定める法人を除く。）及び国立大学法人等をいう。次項において同じ。）は、その役員及び職員に係る人件費の総額について、平成十八年度以降の五年間で、平成十七年度における額からその百分の五に相当する額以上を減少させることを基本として、人件費の削減に取り組まなければならない。

2　独立行政法人等を所管する大臣は、独立行政法人等による前項の規定による人件費の削減の取組の状況について、独立行政法人通則法（国立大学法人等にあっては、国立大学法人法）の定めるところにより、的確な把握を行うものとする。

第五十四条　特殊法人及び認可法人のうち政令で定めるもの（次項において「対象法人」という。）は、その役員及び職員の数又はこれらに係る人件費の総額について、平成十八年度以降の五年間で、平成十七年度におけるこれらの数又は額からその百分の五に相当する数又は額以上を減少させることを基本として、役員及び職員の数又は人件費の削減に取り組まなければならない。

2　対象法人を所管する大臣は、前項の規定による削減の取組について、必要な指導を行うものとする。

（地方公務員の職員数の純減）

第五十五条　政府は、平成二十二年四月一日におけるすべての地方公共団体を通じた地方公務員の総数が平成十七年四月一日における当該数からその千分の四十六に相当する数以上の純減をさせたものとなるよう、地方公共団体に対し、職員数の厳格な管理を要請するとともに、必要な助言その他の協力を行うものとする。

2　政府は、前項の規定の趣旨に照らして、地方公務員の配置に関し国が定める基準を見直すほか、地方公共団体の事務及び事業に係る施策については、地方公務員の増員をもたらすことのないよう努めるものとする。

3　政府及び地方公共団体は、公立学校の教職員（公立義務教育諸学校の学級編制及び教職員定数の標準に関する法律（昭和三十三年法律第百十六号）第二条第三項に規定する教職員及び公立高等学校の適正配置及び教職員定数の標準等に関する法律（昭和三十六年法律第百八十八号）第二条第一項に規定する教職員をいう。）その他の職員の総数について、児童及び生徒の減少に見合う数を上回る数の純減をさせるため必要な措置を講ずるものとする。

4　地方公共団体は、地方分権の進展に伴い、より自主的かつ主体的に行政改革を推進する必要があることに留意しつつ、その事務及び事業の必要性の有無及び実施主体の在り方について事務及び事業の内容及び性質に応じた分類、整理等の仕分けを踏まえた検討を行うとともに、職員数を厳格に管理するものとする。

5　地方公共団体は、公立の大学及び地方公営企業について、組織形態の在り方を見直し、公立大学法人（地方独立行政法人法（平成十五年法律第百十八号）第六十八条第一項に規定する公立大学法人をいう。以下この項において同じ。）又は一般地方独立行政法人（同法第八条第一項第五号に規定する一般地方独立行政法人をいい、公立大学法人を除く。）その他の法人への移行を推進するものとする。

（地方公務員の給与制度の見直し）

第五十六条　地方公共団体は、地方公務員の給与について、国家公務員の給与に係る措置に準じた措置、人事委員会の機能の強化その他の措置を通じ、民間給与の水準を的確に反映させるよう努めるものとする。

2　地方公共団体は、給与に関する情報の積極的な公表を行い、手当の是正その他の給与の一層の適正化に努めるものとする。

3　政府は、学校教育の水準の維持向上のための義務教育諸学校の教育職員の人材確保に関する特別措置法（昭和四十九年法律第二号）の廃止を含めた見直しその他公立学校の教職員の給与の在り方に関する検討を行い、平成十八年度中に結論を得て、平成二十年四月を目途に必要な措置を講ずるものとする。

（地方独立行政法人等に対する要請）

第五十七条　地方公共団体は、地方独立行政法人、地方住宅供給公社、地方道路公社及び土地開発公社並びに地方公共団体が資本金、基本金その他これらに準ずるものの四分の一以上を出資している法人に対し、その職員数及び職員の給与に関する情報を公開するよう要請するものとする。

第五節　国の資産及び債務に関する改革

（趣旨及び基本指針）

第五十八条　国の資産及び債務に関する改革は、財政融資資金の貸付金の残高の縮減を維持し、歳出の削減を徹底するほか、国有財産（国有財産法（昭和二十三年法律第七十三号）第二条に規定する国有財産をいう。以下同じ。）の売却、剰余金等（決算上の剰余金及び特別会計における積立金をいう。以下同じ。）の見直しその他の措置を講ずることにより、国の資産（外国為替資金特別会計法第一条に規定する外国為替等、年金積立金管理運用独立行政法人に対する寄託金及び国有財産法第三条第二項第二号の公共用財産その他これらに類する資産を除く。次条において同じ。）の圧縮を図るとともに、民間の知見を積極的に活用して国の資産及び債務の管理の在り方を見直すことにより行われるものとする。

2　政府は、前項の改革の推進に資するため、次に掲げる原則により財政運営に当たるとともに、国民の理解を深めるため、これらの原則に関連する情報を積極的に公表するものとする。

一　将来の国民負担を極力抑制すること。

二　市場金利の変動その他の要因が財政運営に与える影響を極力抑制すること。

三　国の債務の残高を抑制すること。

四　剰余金等が過大とならないようにすること。

（国の資産の圧縮）

第五十九条　政府は、平成二十七年度以降の各年度末における国の資産の額の当該年度の国内総生産の額に占める割合が、平成十七年度末における当該割合の二分の一にできる限り近づくことを長期的な目安として、これに留意しつつ、次に掲げる措置を講ずるものとする。

一　国の資産の保有の必要性を厳格に判断すること。

二　売却が可能と認められる国有財産の売却を促進すること。

三　過大と認められる剰余金等については、国債総額の抑制その他国民負担の軽減に資するため、その活用を図ること。

（国の資産及び債務の管理の在り方の見直し）

第六十条　政府は、国の資産及び債務の管理に関し、次に掲げる措置を講ずるものとする。

一　国有財産については、時価により売却した場合に見込まれる収入その他の当該国有財産の保有を継続することにより得られないこととなる利益を考慮し、その売却の可能性を検討すること。

二　国有財産の性質に応じ、その証券化（資産の流動化に関する法律（平成十年法律第百五号）第二条第二項に規定する資産の流動化その他これに類する手法を用いて資産を譲渡し、又は信託する方法をいう。以下この号において同じ。）について、危険の分散を行うための手法の有無及び国民負担の軽減に資するか否かを見極めつつ検討するほか、国の貸付金については、幅広い観点からその証券化の適否を検討すること。

三　国有財産の管理（国有財産法第一条に規定する管理をいう。）について、民間の知見を活用するための仕組みを整備するとともに、国債に関する施策について、当該知見を活用して関係職員の専門的能力を向上させ、その充実を図ること。

四　国有財産について、次に掲げるところにより、その効率的な活用の促進を図ること。

イ　庁舎等（庁舎法第二条第二項に規定する庁舎等をいう。以下この号において同じ。）の設置に当たっては、取得及び賃借のうち有利な方法によるものとし、既存の庁舎等については、使用の状況の実地監査及び庁舎法に基づく使用調整を徹底して使用の効率化を図るとともに、余裕が生じた部分を国以外の者に貸し付けること。

ロ　国が利用していない国有の宅地（宅地となる見込みのあるものを含む。）について、不整形な土地の区画の変更等により売却の容易化を図るとともに、売却までの間、国以外の者に対する貸付け又は管理の委託を行うよう努めること。

2　政府は、企業会計の慣行を参考とした貸借対照表その他の財務書類の整備を促進するため、当該書類を作成する基準について必要な見直しを行い、その他必要な取組を行うものとする。

（具体的内容及び手順等）

第六十一条　財務大臣は、平成十八年度中に、前二条の規定により講ずる措置について、その具体的内容、手順及び実施時期を定め、公表するものとする。

（地方公共団体における取組）

第六十二条　地方公共団体は、第五十八条から第六十条までの規定の趣旨を踏まえ、その地域の実情に応じ、次に掲げる施策を積極的に推進するよう努めるものとする。

一　当該地方公共団体の資産及び債務の実態を把握し、並びにこれらの管理に係る体制の状況を確認すること。

二　当該地方公共団体の資産及び債務に関する改革の方向性並びに当該改革を推進するための具体的な施策を策定すること。

2　政府は、地方公共団体に対し、前項各号の施策の推進を要請するとともに、企業会計の慣行を参考とした貸借対照表その他の財務書類の整備に関し必要な情報の提供、助言その他の協力を行うものとする。

第六節　関連諸制度の改革との連携

（公務員制度改革）

第六十三条　政府は、総人件費改革その他の重点分野における改革において実施される行政の組織及び運営の見直しと併せて、これらを担う公務員に係る制度の改革を推進することの重要性にかんがみ、次に掲げる措置を講ずるものとする。

一　能力及び実績に基づく人事管理、退職管理の適正化並びにこれらに関連する事項について、できるだけ早期にその具体化のため必要な措置を講ずること。

二　公務員の労働基本権及び人事院制度、給与制度、職員の能力及び実績に応じた処遇並びに幹部職員の選抜及び育成に係る制度その他の公務員に係る制度の在り方について、第五十一条に規定する措置の進捗状況その他の状況を踏まえつつ、国民の意見に十分配慮して、幅広く検討を行うこと。

三　国と民間企業との間の人事交流を促進するため必要な措置を講ずるとともに、国と大学その他の研究機関との間の人事交流を促進するための措置について検討を行うこと。

（規制改革）

第六十四条　政府は、この法律に基づく簡素で効率的な政府を実現するための行政改革の実現には、民間活動に係る規制の撤廃又は緩和が欠くことのできないものであることにかんがみ、金融、情報通信技術、出入国の管理、社会福祉、社会保障、労働、土地の測量その他の分野における規制の在り方について検討を加え、その結果に基づき、必要な措置を講ずるものとする。

（競争の導入による公共サービスの改革）

第六十五条　政府は、この法律に基づく簡素で効率的な政府を実現するための行政改革が競争の導入による公共サービスの改革と密接に関連するものであることにかんがみ、この章に定める重点分野その他の分野について、事務及び事業の必要性の有無及び実施主体の在り方に関する事務及び事業の内容及び性質に応じた分類、整理等の仕分けを踏まえた検討に資するものとなるよう、競争の導入による公共サービスの改革に関する法律（平成十八年法律第五十一号）に基づく改革を推進するものとする。

（公益法人制度改革）

第六十六条　政府は、この法律に基づく簡素で効率的な政府を実現するための行政改革の実現には、営利を目的としない民間の団体による公益的活動の発展を推進することが重要であることにかんがみ、一般社団法人及び一般財団法人に関する法律（平成十八年法律第四十八号）及び公益社団法人及び公益財団法人の認定等に関する法律（平成十八年法律第四十九号）の適切な運用を確保するとともに、政府及び地方公共団体の事務及び事業をこれらの法律による法人にゆだねる方策を検討し、その結果に基づき、必要な措置を講ずるものとする。

（政策評価の推進）

第六十七条 政府は、この法律に基づく簡素で効率的な政府を実現するための行政改革の実現には、政策評価（行政機関が行う政策の評価に関する法律（平成十三年法律第八十六号）第三条第二項に規定する政策評価をいう。以下この条において同じ。）の効果的な実施が欠くことのできないものであることにかんがみ、内閣の重要政策に係る政策評価の重点的かつ効率的な実施を推進するものとする。

第三章 行政改革推進本部

（行政改革推進本部の設置）

第六十八条 簡素で効率的な政府を実現するための行政改革を総合的かつ集中的に推進するため、内閣に、行政改革推進本部（以下「本部」という。）を置く。

（所掌事務）

第六十九条 本部は、次に掲げる事務をつかさどる。

一 簡素で効率的な政府を実現するための行政改革の推進に関する総合調整に関すること。

二 簡素で効率的な政府を実現するための行政改革に関する施策の実施の推進に関すること。

三 前二号に掲げるもののほか、他の法令の規定により本部に属させられた事務

（組織）

第七十条 本部は、行政改革推進本部長、行政改革推進副本部長及び行政改革推進本部員をもって組織する。

（行政改革推進本部長）

第七十一条 本部の長は、行政改革推進本部長（以下「本部長」という。）とし、内閣総理大臣をもって充てる。

2 本部長は、本部の事務を総括し、所部の職員を指揮監督する。

（行政改革推進副本部長）

第七十二条 本部に、行政改革推進副本部長（以下「副本部長」という。）を置き、国務大臣をもって充てる。

2 副本部長は、本部長の職務を助ける。

（行政改革推進本部員）

第七十三条 本部に、行政改革推進本部員（以下「本部員」という。）を置く。

2 本部員は、本部長及び副本部長以外のすべての国務大臣をもって充てる。

（資料の提出その他の協力）

第七十四条 本部は、その所掌事務を遂行するため必要があると認めるときは、国の行政機関、地方公共団体、独立行政法人及び国立大学法人等の長並びに特殊法人及び認可法人の代表者に対して、資料の提出、意見の開陳、説明その他の必要な協力を求めることができる。

2 本部は、その所掌事務を遂行するため特に必要があると認めるときは、前項に規定する者以外の者に対しても、必要な協力を依頼することができる。

（事務局）

第七十五条 本部に、その事務を処理させるため、事務局を置く。

2 事務局に、事務局長その他の職員を置く。

3 事務局長は、関係のある他の職を占める者をもって充てられるものとする。

4 事務局長は、本部長の命を受け、局務を掌理する。

（設置期限）

第七十六条 本部は、その設置の日から起算して五年を経過する日まで置かれるものとする。

（主任の大臣）

第七十七条 本部に係る事項については、内閣法（昭和二十二年法律第五号）にいう主任の大臣は、内閣総理大臣とする。

（政令への委任）

第七十八条 この法律に定めるもののほか、本部に関し必要な事項は、政令で定める。

附 則

（施行期日）

1 この法律は、公布の日から施行する。ただし、第三章の規定は、公布の日から起算して一月を超えない範囲内において政令で定める日〔平一八・六・二三〕から施行する。

（調整規定）

2 この法律の施行の日から健康保険法等の一部を改正する法律（平成十八年法律第八十三号）第四条の規定の施行の日の前日までの間における第二十二条の規定の適用については、同条中「健康保険法」とあるのは、「健康保険法等の一部を改正する法律（平成十八年法律第八十三号）第四条の規定による改正後の健康保険法」とする。

○行政改革推進本部令

平一八・六・二二
政令二一九

改正　平一九・三・二八政令六七

（専門調査会）
第一条　行政改革推進本部（以下「本部」という。）に、専門調査会を置く。
2　専門調査会は、本部の所掌事務の遂行に資するため、国及び地方公共団体の事務及び事業の内容及び性質に応じた公務員の労働基本権の在り方その他の公務員に係る制度に関する専門の事項を調査し、本部に報告するものとする。
3　専門調査会は、委員二十人以内をもって組織する。
4　専門調査会の委員は、学識経験を有する者のうちから、内閣総理大臣が任命する。
5　専門調査会の委員は、非常勤とする。

（行政改革推進本部長補佐）
第二条　本部に、行政改革推進本部長補佐（以下「本部長補佐」という。）を置く。
2　本部長補佐は、内閣官房副長官をもって充てる。
3　本部長補佐は、行政改革推進本部長（以下「本部長」という。）の命を受け、本部の事務局（以下「事務局」という。）の事務の総括及び事務局の職員の指揮監督に係る本部長の職務について本部長を補佐する。

（事務局次長）
第三条　事務局に、事務局次長三人以内を置く。
2　事務局次長は、関係のある他の職を占める者をもって充てられるものとする。
3　事務局次長は、事務局長を助け、局務を整理する。

（審議官）
第四条　事務局に、審議官四人以内を置く。
2　審議官は、関係のある他の職を占める者をもって充てられるものとする。
3　審議官は、命を受けて、局務に関する重要事項についての企画及び立案に参画し、関係事務を総括整理する。

（参事官）
第五条　事務局に、参事官七人以内を置く。
2　参事官は、関係のある他の職を占める者をもって充てられるものとする。
3　参事官は、命を受けて、局務を分掌し、又は局務に関する重要事項の審議に参画する。

（本部の組織の細目）
第六条　この政令に定めるもののほか、本部の組織に関し必要な細目は、内閣総理大臣が定める。

（本部の運営）
第七条　この政令に定めるもののほか、本部の運営に関し必要な事項は、本部長が本部に諮って定める。

附　則

この政令は、簡素で効率的な政府を実現するための行政改革の推進に関する法律附則第一項ただし書に規定する規定の施行の日（平成十八年六月二十三日）から施行する。

附　則（平一九・三・二八政令六七）

この政令は、平成十九年四月一日から施行する。

○競争の導入による公共サービスの改革に関する法律（抄）

平一八・六・二
法　五　一

最終改正　令四・六・一七法六八

（官民競争入札実施要項）
第九条　国の行政機関等の長等は、公共サービス改革基本方針において官民競争入札の対象として選定された公共サービスごとに、遅滞なく（法令の制定又は改廃を要するものにあっては、その制定又は改廃後遅滞なく）、公共サービス改革基本方針に従って、官民競争入札実施要項を定めなければならない。
2　官民競争入札実施要項は、官民競争入札の実施について、次に掲げる事項を定めるものとする。
一　官民競争入札対象公共サービスの詳細な内容及びその実施に当たり確保されるべき官民競争入札対象公共サービスの質に関する事項
二　官民競争入札対象公共サービスの実施期間に関する事項
三　次条に定めるもののほか、官民競争入札に参加する者に必要な資格に関する事項
四　官民競争入札に参加する者の募集に関する事項
五　官民競争入札対象公共サービスを実施する者を決定するための評価の基準その他の官民競争入札対象公共サービスを実施する者の決定に関する事項

六　官民競争入札の実施に関する事務を担当する職員と官民競争入札に参加する事務を担当する職員との間での官民競争入札の公正性を阻害するおそれがある情報の交換を遮断するための措置に関する事項
七　官民競争入札対象公共サービスに関する従来の実施状況に関する情報の開示に関する事項
八　公共サービス実施民間事業者に使用させることができる国有財産（国有財産法（昭和二十三年法律第七十三号）第二条第一項に規定する国有財産をいう。第十四条第二項第七号において同じ。）に関する事項
九　国の行政機関等の職員のうち、第三十一条第一項に規定する対象公共サービス従事者となることを希望する者に関する事項
十　公共サービス実施民間事業者が官民競争入札対象公共サービスを実施する場合において適用される法令の特例に関する事項
十一　公共サービス実施民間事業者が、官民競争入札対象公共サービスを実施するに当たり、国の行政機関等の長等に対して報告すべき事項、秘密を適正に取り扱うために必要な措置その他の官民競争入札対象公共サービスの適正かつ確実な実施の確保のために第二十条第一項の契約により公共サービス実施民間事業者が講ずべき措置に関する事項
十二　公共サービス実施民間事業者が官民競争入札対象公共サービスを実施するに当たり第三者に損害を加えた場合において、その損害の賠償に関し第二十条第一項の契約により当該公共サービス実施民間事業者が負うべき責任（国家賠償法（昭和二十二年法律第百二十五号）の規定により国の行政機関等が当該損害の賠償の責めに任ずる場合における求償に応ずる責任を含む。第十四条第二項第十号において同じ。）に関する事項
十三　官民競争入札対象公共サービスに係る第七条第八項に規定する評価に関する事項
十四　その他官民競争入札対象公共サービスの実施に関し必要な事項

3　前項第三号に規定する資格は、次に掲げる事項を考慮して当該官民競争入札対象公共サービスの適正かつ確実な実施（同項第十二号に規定する責任の履行を含む。第四号において同じ。）を確保するために必要かつ最小限のものとしなければならない。
一　知識及び能力
二　経理的基礎
三　技術的基礎
四　その他官民競争入札対象公共サービスの適正かつ確実な実施を確保する観点から必要な事項

4　第二項第七号に規定する実施状況に関する情報の開示においては、次に掲げるものを明らかにするものとする。
一　官民競争入札対象公共サービスに関する従来の実施に要した経費
二　官民競争入札対象公共サービスに関する従来の実施に要した人員
三　官民競争入札対象公共サービスに関する従来の実施に要した施設及び設備
四　官民競争入札対象公共サービスに関する従来の実施における目的の達成の程度

5　国の行政機関等の長等は、官民競争入札実施要項を定めようとするときは、官民競争入札等監理委員会の議を経なければならない。

6　国の行政機関等の長等は、官民競争入札実施要項を定めたときは、遅滞なく、これを公表しなければならない。

7　前二項の規定は、官民競争入札実施要項の変更について準用する。

（民間競争入札実施要項）
第十四条　国の行政機関等の長等は、公共サービス改革基本方針において民間競争入札の対象として選定された公共サービスごとに、遅滞なく（法令の制定又は改廃を要するものにあっては、その制定又は改廃後遅滞なく）、公共サービス改革基本方針に従って、民間競争入札実施要項を定めなければならない。

2　民間競争入札実施要項は、民間競争入札の実施について、次に掲げる事項を定めるものとする。
一　民間競争入札対象公共サービスの詳細な内容及びその実施に当たり確保されるべき民間競争入札対象公共サービスの質に関する事項
二　民間競争入札対象公共サービスの実施期間に関する事項
三　次条において準用する第十条に定めるもののほか、民間競争入札に参加する者に必要な資格に関する事項
四　民間競争入札に参加する者の募集に関する事項
五　落札者を決定するための評価の基準その他の落札者の決定に関する事項
六　民間競争入札対象公共サービスに関する従来の実施状況に関する情報の開示に関する事項
七　公共サービス実施民間事業者に使用させることができる国有財産に関する事項

八　公共サービス実施民間事業者が民間競争入札対象公共サービスを実施する場合において適用される法令の特例に関する事項
九　公共サービス実施民間事業者が、民間競争入札対象公共サービスを実施するに当たり、国の行政機関等の長等に対して報告すべき事項、秘密を適正に取り扱うために必要な措置その他の民間競争入札対象公共サービスの適正かつ確実な実施の確保のために第二十条第一項の契約により公共サービス実施民間事業者が講ずべき措置に関する事項
十　公共サービス実施民間事業者が民間競争入札対象公共サービスを実施するに当たり第三者に損害を加えた場合において、その損害の賠償に関し第二十条第一項の契約により当該公共サービス実施民間事業者が負うべき責任に関する事項
十一　民間競争入札対象公共サービスに係る第七条第八項に規定する評価に関する事項
十二　その他民間競争入札対象公共サービスの実施に関し必要な事項

3　前項第三号に規定する資格は、次に掲げる事項を考慮して当該民間競争入札対象公共サービスの適正かつ確実な実施（同項第十号に規定する責任の履行を含む。第四号において同じ。）を確保するために必要かつ最小限のものとしなければならない。
一　知識及び能力
二　経理的基礎
三　技術的基礎
四　その他民間競争入札対象公共サービスの適正かつ確実な実施を確保する観点から必要な事項

4　第二項第六号に規定する実施状況に関する情報の開示については、次に掲げるものを明らかにするものとする。
一　民間競争入札対象公共サービスに関する従来の実施に要した経費
二　民間競争入札対象公共サービスに関する従来の実施に要した人員
三　民間競争入札対象公共サービスに関する従来の実施に要した施設及び設備
四　民間競争入札対象公共サービスに関する従来の実施における目的の達成の程度

5　国の行政機関等の長等は、民間競争入札実施要項を定めようとするときは、官民競争入札等監理委員会の議を経なければならない。

6　国の行政機関等の長等は、民間競争入札実施要項を定めたときは、遅滞なく、これを公表しなければならない。

7　前二項の規定は、民間競争入札実施要項の変更について準用する。

（契約の締結等）

第二十条　国の行政機関等の長等は、第十三条第一項（第十五条において準用する場合を含む。）の規定により民間事業者を落札者として決定した場合には、官民競争入札実施要項又は民間競争入札実施要項及び申込みの内容に従い、書面により、官民競争入札対象公共サービス又は民間競争入札対象公共サービス（以下「対象公共サービス」という。）の実施に関する契約を締結し、当該対象公共サービスの実施を委託するものとする。

2　国の行政機関等の長等は、前項の契約を締結したときは、遅滞なく、当該契約の相手方の氏名又は名称及び当該契約の内容に関する事項のうち政令で定めるものを公表しなければならない。

（国家公務員退職手当法の特例）

第三十一条　国家公務員退職手当法（昭和二十八年法律第百八十二号）第二条第一項に規定する職員（以下この項において「職員」という。）のうち、国の行政機関等の長等が第二十条第一項の契約を締結した日の翌日から当該契約に係る対象公共サービスの第九条第二項第二号に規定する実施期間又は第十四条第二項第二号に規定する実施期間（以下この項において「実施期間」という。）の初日以後一年を経過する日までの期間内に、任命権者又はその委任を受けた者の要請に応じ、引き続いて当該対象公共サービスを実施する公共サービス実施民間事業者に使用される者（当該対象公共サービスに係る業務に従事するものに限る。以下この項において「対象公共サービス従事者」という。）となるための退職（同法第四条第一項又は第五条第一項の規定に該当する退職に限る。次項において「特定退職」という。）をし、かつ、引き続き対象公共サービス従事者として在職した後引き続いて実施期間の末日の翌日までに再び職員となった者（以下この条において「再任用職員」という。）が退職した場合におけるその者に対する同法第二条の四の規定による退職手当に係る同法第七条第一項の規定による在職期間の計算については、先の職員としての在職期間は、後の職員としての在職期間に引き続いたものとみなす。

2　再任用職員が退職した場合におけるその者に対する国家公務員退職手当法第二条の四の規定による退職手当の額の計算の基礎となる同法第五条の二第二項に規定する基礎在職期間（以下この項において「基礎在職

期間」という。）には、同条第二項の規定にかかわらず、特定退職に係る退職手当（以下この条において「先の退職手当」という。）の額の計算の基礎となった基礎在職期間を含むものとする。

3　再任用職員が退職した場合におけるその者に対する国家公務員退職手当法第二条の四の規定による退職手当の額は、第一号に規定する法律の規定にかかわらず、政令で定めるところにより、同号に掲げる額から第二号に掲げる額を控除して得た額とする。ただし、その額が第三号に掲げる額より少ないときは、同号に掲げる額とする。

一　国家公務員退職手当法第二条の四から第六条の四まで並びに附則第六項から第八項まで及び第十一項、国家公務員等退職手当法の一部を改正する法律（昭和四十八年法律第三十号）附則第五項から第七項まで、国家公務員退職手当法等の一部を改正する法律（平成十五年法律第六十二号）附則第四項並びに国家公務員退職手当法の一部を改正する法律（平成十七年法律第百十五号）附則第三条、第五条及び第六条の規定により計算した額

二　再任用職員が支給を受けた先の退職手当の額と当該先の退職手当の支給を受けた日の翌日から退職した日の前日までの期間に係る利息に相当する額を合計した額

三　前二項の規定を適用しないで第一号に規定する法律の規定により計算した額

4　前三項の規定は、再任用職員の退職前に、先の退職手当に関し、国家公務員退職手当法第十四条第一項の規定による処分（先の退職手当の全部を支給しないこととするものに限る。）又は同法第十五条第一項の規定による処分（先の退職手当の全部の返納を命ずるものに限る。）が行われたときは、適用しない。

5　再任用職員が退職し、まだ当該退職に係る退職手当（その額を第三項本文の規定により計算するものに限る。次項及び第七項において同じ。）の額が支払われていない場合において、先の退職手当に関し国家公務員退職手当法第十三条第一項から第三項までの規定による処分が行われたときは、当該退職に係る同法第十一条第二号に規定する退職手当管理機関（次項及び第七項において単に「退職手当管理機関」という。）は、当該処分を受けている者に対し、これらの規定による場合に準じて、第三項本文の規定により計算した額から同項第三号に掲げる額を控除して得た額（以下この条において「特例加算額」という。）の支払を差し止める処分を行うものとする。この場合において、先の退職手当に関し同法第十三条第一項から第三項までの規定による処分が取り消されたときは、当該特例加算額の支払を差し止める処分も取り消すものとする。

6　再任用職員の退職前に、先の退職手当に関し、国家公務員退職手当法第十四条第一項の規定による処分（先の退職手当の全部を支給しないこととするものを除く。）若しくは同法第十五条第一項の規定による処分（先の退職手当の全部の返納を命ずるものを除く。）が行われたとき、又は再任用職員が退職し、まだ当該退職に係る退職手当の額が支払われていない場合において、先の退職手当に関し同法第十四条第一項若しくは第二項、第十五条第一項、第十六条第一項若しくは第十七条第一項から第五項までの規定による処分が行われたときは、当該退職に係る退職手当管理機関は、当該処分を受けている者に対し、これらの規定による場合に準じて、特例加算額の全部又は一部を支給しないこととする処分を行うものとする。この場合において、これらの規定による処分が取り消されたときは、当該特例加算額の全部又は一部を支給しないこととする処分も取り消すものとする。

7　再任用職員が退職し、当該退職に係る退職手当の額が支払われた後において、先の退職手当に関し国家公務員退職手当法第十五条第一項、第十六条第一項又は第十七条第一項から第五項までの規定による処分が行われたときは、当該退職に係る退職手当管理機関は、当該処分を受けている者に対し、これらの規定による場合に準じて、特例加算額の全部又は一部に相当する額の返納又は納付を命ずる処分を行うものとする。この場合において、これらの規定による処分が取り消されたときは、当該特例加算額の全部又は一部に相当する額の返納又は納付を命ずる処分も取り消すものとする。

8　国家公務員退職手当法第十二条第二項及び第三項の規定は第五項及び第六項の規定による処分について、同条第二項の規定は前項の規定による処分について準用する。

○国家公務員の総人件費に関する基本方針

平二六・七・二五
閣議決定

国家公務員の総人件費については、以下の基本方針に基づき、関連する各制度について、必要な見直しを行いつつ総合的に運用するものとする。

1　基本的考え方

(1)　内閣の重要政策に対応するため、幹部職員人事の一元管理、人事行政及び組織管理を一体として行うことを通じ、府省の枠を超えた戦略的・機動的な人材配置の実現を目指す。このため、人的資源及び人件費予算の効果的な配分を行う。

(2)　厳しい財政事情に鑑み、職員構成の高齢化や雇用と年金の接続に伴う構造的な人件費の増加を抑制するとともに、簡素で効率的な行政組織・体制を確立することにより、総人件費の抑制を図る。

(3)　行政ニーズの変化に対応した行政組織の不断の見直し、組織活力の向上や人材の確保・育成、公務能率の向上に取り組み、コストパフォーマンスの高い政府の組織体制を確立することで、人件費の生み出す価値を一層高める。

(4)　あわせて、総人件費に関連する各制度及びその運用状況について国民の理解を得るよう努める。

2　給与及び退職給付

給与については、人事院勧告制度を尊重するとの基本姿勢に立ち、国政全般の観点から検討を行った上で取扱いを決定する。

また、職員の士気や組織活力の向上を図るとともに、国民の理解を得る観点から、地域の民間賃金や六十歳超を含む高齢層従業員の給与の実態も踏まえつつ、能力・実績の給与への一層の反映や給与カーブの見直し等を推進する。

さらに、退職給付（退職手当及び年金払い退職給付（使用者拠出分））について、官民比較に基づき、概ね五年ごとに退職手当支給水準の見直しを行うことを通じて、官民均衡を確保する。また、職員の年齢別構成を適正化し、組織活力の向上を図る観点から早期退職募集制度を活用する。

3　機構・定員及び級別定数

国の行政機関の機構管理については、行政ニーズの変化に的確に対応しつつ、簡素で効率的な行政組織の確立を図るため、既存機構の合理的再編成により対処することを基本とするとともに、既存機構の不断の見直しを行い、内閣の重要政策に戦略的・機動的に対応するための機構配置・再編を図る。

定員管理については、これまでの取組により主要先進国と比較してスリムな行政組織となっているが、厳しい財政事情にも鑑み、ＩＣＴの活用などの業務改革を推進して定員の合理化に強力に取り組むとともに、府省の枠にとらわれず定員の再配置を大胆に進め、内閣の重要政策に迅速かつ的確に対応できる体制を構築する。

級別定数及び指定職の号俸については、政府全体を通ずる国家公務員の人事管理にも資するよう、内閣の重要政策に対応できる体制を機構・定員管理と一体となって実現する。その際、複雑・高度化、ＩＣＴの活用などの業務の変化に応じ、官職の職責を適切に評価する。これらに当たり、適正な勤務条件の確保の観点からの人事院の意見を十分に尊重する。

4　人件費の生み出す価値の向上

人件費の生み出す価値を一層高める観点から、①適切な退職管理の実施と有為な人材の計画的な採用による組織活力向上、②人事交流の推進や研修等を通じた計画的な人材育成、③人事評価の的確な実施とその結果の反映を通じた能力・実績主義に基づく人事の推進、④女性の採用・登用の拡大と職員が働きやすい環境の整備、⑤意欲と能力を有する高齢層職員の活用、⑥業務運営の見直しやマネジメントの改革を通じた働き方の改革を推進する。

5　その他

内閣総理大臣は、上記の方針を踏まえ、毎年度、概算要求前に、人件費予算の配分の方針を定めるものとする。

○国の行政機関の機構・定員管理に関する方針—戦略的人材配置の実現に向けて—

平二六・七・二五
閣議決定

国家公務員の総人件費に関する基本方針（平成二十六年七月二十五日閣議決定。以下「基本方針」という。）を踏まえ、各年度の国の行政機関の機構・定員管理を戦略的かつ的確に実施するための基本的な枠組み及び指針を以下のとおり定める。

内閣人事局は、内閣の重要政策に迅速かつ的確に対処できるよう、この方針の下、毎年度の機構・定員管理において、各年度に策定する人件費予算の配分の方針で示す内閣としての重点分野に沿って審査を行い、府省の枠を超えた戦略的な機構・定員配置を推進する。

1 機構管理の方針

国の行政機関の機構管理については、基本方針で示された、行政ニーズの変化に的確に対応する簡素で効率的な行政組織の確立を推進するため、以下の方針に沿って行うものとする。

① 国の行政機関の機構管理については、既存機構の合理的再編成により対処することを基本とするとともに、既存機構の不断の見直しを図り、政府全体として戦略的な機構配置を実現する観点から、政策の重要度等を踏まえた機構の重点配置及び府省の枠を超えた機構の再配置を推進する。

② このため、各府省は、機構の新設に当たっては、既存機構の廃止・再編等を行うことを原則とするとともに、必要に応じて府省の枠を超えた機構再編についても検討するものとする。内閣官房については、内閣及び内閣総理大臣を直接に補佐する機関であることに鑑み、その機構の新設・再編に当たっては、政策の重要度等を踏まえ、府省の枠を超えた柔軟な機構管理を行う。

③ 年度途中に顕在化した課題に対して、緊急に体制を整備する必要がある場合には、毎年度の機構要求・審査手続によることなく、年度途中の機構要求・審査を行うなど機動的・弾力的な機構管理を行う。

④ ③のほか、内閣の喫緊かつ重要な課題に対応するため、必要に応じて設置される内閣審議官等についても、より柔軟に活用できるようにするものとする。

2 定員管理の方針

各府省の国家公務員の定員管理については、基本方針に基づき、府省の枠にとらわれない定員の再配置を的確に実施し、国の行政が適切に運営されるよう、以下の方針に沿って行うものとする。

(1) 計画期間中の定員管理

① 各府省の定員の合理化については、ＩＣＴの活用など行政の業務改革の取組を推進しつつ、計画的に実施することとし、平成二十七年度以降、五年ごとに基準年度を設定し、府省全体で、対基準年度末定員比で毎年二％（五年一〇％）以上を合理化することを基本とする。内閣人事局は、各府省の直近の定員の動向等を反映して、五年ごとに各府省の合理化目標数を決定し、各府省に通知する。

② 各府省は、業務改革の取組を具体的に推進しつつ、定員の合理化を行い、組織内における行政需要の変化を反映して、自律的な組織内の再配置に努め、新規増員の抑制を図るものとする。その際、各府省の自己改革を促進する観点から、合理化目標数の一部については、内閣人事局の定めるところにより、業務改革による定員合理化の具体的な取組と併せて、再配置の要求を行うことができることとする。これに係る合理化目標数については、各府省における業務改革の取組状況等を踏まえ、五年の計画期間内において、各年度に実施する合理化の員数を弾力化できることとする。

③ 上記のほか、各府省は、不断に業務改革に取り組み、定員合理化に努めるものとする。

(2) 各年度の定員管理

① 内閣人事局は、内閣の重要政策に対応した戦略的な定員配置を実現する観点から、府省の枠を超えて、大胆に定員の再配置を推進する。

② 内閣の重要政策として相当規模の増員が必要な行政需要に係る事務・事業や複数府省にまたがる事務・事業については、関連する他の府省からの定員の振替に積極的に取り組むこととする。

③ 各府省は、業務量に応じた業務実施体制や効率的・効果的な業務処理の在り方について不断に検証を行うとともに、行政事業レビューや政策評価の結果、行政評価等による勧告等を反映し、定員配置の最適化を図ることとする。

各府省の業務改革の取組を推進するため、総務省は、毎年度の機構・定員要求までに、各府省の業務改革の取組状況や業務の実施体制を点検し、「国の行政の業務改革に関する取組方針」（以下「取組方針」という。）を策定する。各府省は、取組方針を踏まえて機構・定員要求を行い、内閣人事局は、各府省の業務改革の取組を機構・定員の審査に適切に反映させる。総務省及び内閣人事局は、各府省の業務改革の具体的な取組及び機構・定員への反映状況を毎年度取りまとめ、公表する。

④ 新規増員は、政府の新たな重要課題に適切に対処するため、政府全体の人的資源の戦略的な再配置を実現する観点から、特に必要が認められる場合に限ることとする。各府省は、既存業務の増大への対応に当たっては、自律的な組織内の再配置によることを原則とし、新規増員は厳に抑制する。

⑤ 年度途中に顕在化した課題に対して、緊急に体制を整備する必要がある場合には、定員上の措置を含め、機動的・弾力的に対応する。

3 **その他**

① 各府省の国家公務員の定員管理の円滑化に資するため、府省間の実人員の移動の推進に努めるものとする。

② 各府省は、各四半期末における欠員の状況を翌月末日までに内閣人事局に報告するものとする。

③ 公庫等の職員についても、この方針に準じて措置するものとする。

○国家公務員法

昭二二・一〇・二一
法 一 二 〇

改正

昭二二・一二・一七法一九五
昭二三・一二・三法二二二
昭二三・一二・二一法二五八
昭二三・一二・二二法二六五
昭二四・三・三〇法二
昭二四・五・三一法一二五
昭二四・六・一法一七四
昭二五・三・三一法四九
昭二五・四・三法九五
昭二六・三・三〇法五九
昭二六・一二・二一法三一四
昭二七・三・三一法四一
昭二七・四・二六法九七
昭二七・六・一〇法一七四
昭二七・六・二一法二〇七
昭二七・七・三一法二五二
昭二七・七・三一法二五八
昭二七・七・三一法二六五
昭二七・七・三一法二六八
昭二九・六・九法一六四
昭三一・三・一七法一二
昭三一・三・二四法二七
昭三一・六・一一法一四〇
昭三一・六・二六法一六一
昭三二・六・一法一五八
昭三三・四・二四法七八
昭三三・四・二五法八六
昭三四・四・一五法一三七
昭三四・五・一五法一六三
昭三五・三・三一法三〇
昭三五・六・三〇法一一三
昭三七・四・一六法七七
昭三七・五・一一法一三三
昭三七・五・一五法一三二
昭三七・五・一六法一四〇
昭三七・九・一五法一六一
昭三八・六・二三法一一一
昭三九・六・二九法一一八
昭四〇・五・一八法六九
昭四〇・五・一八法七二
昭四〇・六・三法一一六
昭四一・六・二八法八九
昭四二・七・一五法六一
昭四五・五・二五法九七
昭四六・一二・一一法一一七
昭四七・六・八法五七
昭四八・一〇・一六法一一六
昭五三・六・二一法七九
昭五四・一二・二〇法六八
昭五六・六・一一法七七
昭五七・五・一法四〇
昭五八・一一・二八法六五
昭五八・一二・二法七八
昭五八・一二・二法八〇
昭六〇・一二・二一法九七
昭六一・一二・四法九三
平元・一・一一法一
平三・五・二一法七九
平五・一一・一二法八九
平六・六・一五法三三
平七・三・三一法五四
平八・六・二六法一〇三
平九・三・二六法三
平一〇・三・三一法一三
平一一・七・七法八三
平一一・七・一六法八七
平一一・七・一六法一〇二
平一一・七・一六法一〇四
平一一・七・三〇法一一六
平一一・八・一三法一二九
平一一・一二・八法一五一
平一一・一二・二二法一六〇
平一一・一二・二二法二二〇
平一二・三・三一法二二
平一三・四・一八法三二
平一四・七・三一法九八
平一六・六・二法七六
平一六・一二・一法一四七
平一七・五・二五法五〇
平一七・一〇・二一法一〇二
平一八・六・二法五〇
平一八・一二・二二法一一八
平一九・五・二五法五八
平一九・六・八法八〇
平一九・七・六法一〇八
平二四・六・二七法四二
平二五・五・三一法二三
平二五・一二・四法八九
平二六・四・一八法二二
平二六・六・一三法六七
平二六・六・一三法六九
平二七・六・一七法三九
平二七・九・一一法六六
令元・六・一四法三七
令三・五・一九法三六
令三・六・一一法六一
令三・六・一六法七五
令四・六・一七法六八

目次

第一章　総則

（この法律の目的及び効力）

第一条　この法律は、国家公務員たる職員について適用すべき各般の根本基準（職員の福祉及び利益を保護するための適切な措置を含む。）を確立し、職員がその職務の遂行に当り、最大の能率を発揮し得るように、民主的な方法で、選択され、且つ、指導さるべきことを定め、以て国民に対し、公務の民主的且つ能率的な運営を保障することを目的とする。

② この法律は、もつぱら日本国憲法第七十三条にいう官吏に関する事務を掌理する基準を定めるものである。

③ 何人も、故意に、この法律又はこの法律に基づく命令に違反し、又は違反を企て若しくは共謀してはならない。又、何人も、故意に、この法律又はこの法律に基づく命令の施行に関し、虚偽行為をなし、若しくはなそうと企て、又はその施行を妨げてはならない。

④ この法律のある規定が、効力を失い、又はその適用が無効とされても、この法律の他の規定又は他の関係における適用は、その影響を受けることがない。

⑤ この法律の規定が、従前の法律又はこれに基く法令と矛盾し又はてい触する場合には、この法律の規定が、優先する。

本条…全改（昭二三法二二二）、三項…一部改正（昭四〇法六九）

【参照条文】
①【「国家公務員」―憲法七⑤・一五①②・一六・七三④・九九、本法二。警察法五六（国家公務員とされる者）。
③【「この法律に基づく命令」―本法一六など。
⑤【優先条項―本法附一三、教特法附一②、給与法一②、検察官俸給法附八、恩給法八二の二、国公災法一②。
【特例―本法附一三、教特法、外公法、行労法、検察庁法。
【類似―①地公法一、⑤地公法二。
【「労働諸法との関係」改正附一六、改正附（昭二三法二二二）三。

（一般職及び特別職）

第二条　国家公務員の職は、これを一般職と特別職とに分つ。

② 一般職は、特別職に属する職以外の国家公務員の一切の職を包含する。

③ 特別職は、次に掲げる職員の職とする。

一　内閣総理大臣
二　国務大臣
三　人事官及び検査官
四　内閣法制局長官
五　内閣官房副長官
五の二　内閣危機管理監
五の三　国家安全保障局長
五の四　内閣官房副長官補、内閣広報官及び内閣情報官
六　内閣総理大臣補佐官
七　副大臣
七の二　大臣政務官
七の三　大臣補佐官
七の四　デジタル監
八　内閣総理大臣秘書官及び国務大臣秘書官並びに特別職たる機関の長の秘書官のうち人事院規則で指定するもの
九　就任について選挙によることを必要とし、あるいは国会の両院又は一院の議決又は同意によることを必要とする職員
十　宮内庁長官、侍従長、東宮大夫、式部官長及び侍従次長並びに法律又は人事院規則で指定する宮内庁のその他の職員
十一　特命全権大使、特命全権公使、特派大使、政府代表、全権委員、政府代表又は全権委員の代理並びに特派大使、政府代表又は全権委員の顧問及び随員
十一の二　日本ユネスコ国内委員会の委員
十二　日本学士院会員
十二の二　日本学術会議会員
十三　裁判官及びその他の裁判所職員
十四　国会職員
十五　国会議員の秘書

十六　防衛省の職員（防衛省に置かれる合議制の機関で防衛省設置法（昭和二十九年法律第百六十四号）第四十一条の政令で定めるものの委員及び同法第四条第一項第二十四号又は第二十五号に掲げる事務に従事する職員で同法第四十一条の政令で定めるもののうち、人事院規則で指定するものを除く。）

十七　独立行政法人通則法（平成十一年法律第百三号）第二条第四項に規定する行政執行法人（以下「行政執行法人」という。）の役員

④　この法律の規定は、一般職に属するすべての職（以下その職を官職といい、その職を占める者を職員という。）に、これを適用する。人事院は、ある職が、国家公務員の職に属するかどうか及び本条に規定する一般職に属するか特別職に属するかを決定する権限を有する。

⑤　この法律の規定は、この法律の改正法律により、別段の定がなされない限り、特別職に属する職には、これを適用しない。

⑥　政府は、一般職又は特別職以外の勤務者を置いてその勤務に対し俸給、給料その他の給与を支払つてはならない。

⑦　前項の規定は、政府又はその機関と外国人の間に、個人的基礎においてなされる勤務の契約には適用されない。

本条…全改（昭二三法二二二）、三項…一部改正（昭二二法一九五・昭二三法二五八・昭二四法二一・法一二五・昭二五法四九・昭二六法五九・法三一四・昭二七法四一・法九七・法一七四・法二〇七・法二五二・法二六五・昭二九法一六四・昭三一法一二・法一二七・法一四〇・法一六一・昭三三法一五八・昭三三法七八・昭三七法七七・法一二二・法一三三・昭四〇法六九・法一〇六・昭四一法八九・昭四五法九七・昭四八法一一六・昭五八法六五・法七八・法八〇・平元法一・平七法五四・平八法一〇三・平一一法一〇二・平一三法三二）、追加（平一一法一〇四）、三項…一部改正（平一七法一〇二・平一八法一一八・平一九法八〇・平二五法二二・法八九・平二六法二二・平二六法六七・平二七法六六・令三法三六）

【参照条文】

①【「一般職」―給与法一、「特別職」―特別職給与法。

③【⑨「職員」―国家公務員倫理審査会会長・委員、公正取引委員会委員長・委員、国家公安委員会委員、公害等調整委員会委員長・委員、中央労働委員会（公益委員のみ）委員、運輸安全委員会委員長・委員、総合科学技術会議議員（学識者議員のみ）、原子力委員会委員長、再就職等監視委員会委員長、証券取引等監視委員会委員長、公認会計士・監査審査会会長、中央更生保護審査会委員長、宇宙開発委員会委員長、社会保険審査会委員長、食品安全委員会委員、原子力委員会委員、原子力安全委員会委員、情報公開・個人情報保護審査会委員、公益認定等委員会委員、証券取引等監視委員会委員、公認会計士・監査審査会委員、地方財政審議会委員、行政不服審査会委員、国地方係争処理委員会委員、電気通信紛争処理委員会委員、中央更生保護審査会委員、宇宙開発委員会委員、労働保険審査会委員、社会保険審査会委員、運輸審議会委員、土地鑑定委員会委員、公害健康被害補償不服審査会委員、会計検査院情報公開・個人情報保護審査会委員、公安審査委員会委員長・委員、衆議院議員選挙区画定審議会委員、国会等移転審議会委員、地方分権改革推進委員会委員、再就職等監視委員会委員、公認会計士・監査審査会委員、電波監理審議会委員、中央社会保険医療協議会委員（公益委員のみ）、中央選挙管理会委員、政治資金適正化委員会委員、日本ユネスコ国内委員会会長・副会長・委員、日本学術会議会員

【⑩⑯「職員」―人規一―五。

【その他の特別職―宮内庁法附二。

⑦【外国人との契約―人規一―七。

【罰則―本法一一〇①1。

【類似―地公法三・四。

第二章　中央人事行政機関

章名…改正（昭二三法二二二・昭四〇法六九）

（人事院）

第三条　内閣の所轄の下に人事院を置く。人事院は、この法律に定める基準に従つて、内閣に報告しなければならない。

②　人事院は、法律の定めるところに従い、給与その他の勤務条件の改善及び人事行政の改善に関する勧告、採用試験（採用試験の対象官職及び種類並びに採用試験により確保すべき人材に関する事項を除く。）、任免（標準職務遂行能力、採用昇任等基本方針、幹部職員の任用等に係る特例及び幹部候補育成課程に関する事項（第三十三条第一項に規定する根本基準の実施につき必要な事項であつて、行政需要の変化に対応するために行う優れた人材の養成及び活用の確保に関するものを含む。）を除く。）、給与（一般職の職員の給与に関する法律（昭和二十五年法律第九十五号）第六条の二第一項の規定による指定職俸給表の適用を受ける職

員の号俸の決定の方法並びに同法第八条第一項の規定による職務の級の定数の設定及び改定に関する事項を除く。)、研修(第七十条の六第一項第一号に掲げる観点に係るものに限る。)の計画の樹立及び実施並びに当該研修に係る調査研究、分限、懲戒、苦情の処理、職務に係る倫理の保持その他職員に関する人事行政の公正の確保及び職員の利益の保護等に関する事務をつかさどる。

③ 法律により、人事院が処置する権限を与えられている部門においては、人事院の決定及び処分は、人事院によつてのみ審査される。

④ 前項の規定は、法律問題につき裁判所に出訴する権利に影響を及ぼすものではない。

本条…全改(昭二三法二二二)、三項…一部改正(昭三四法一六三)、見出し…全改・一項…削除・旧二・四項…一部改正し一項ずつ繰上・旧三項…全改し二項に繰上・旧五項…四項に繰上(昭四〇法六九)、二項…一部改正(平一一法一二九・平一九法一〇八・平二六法二二)

【参照条文】

①【「内閣の所轄」】—憲法六五、本法四・五・一一・一三、「この法律に定める基準」—本法二二②・二四・二八②。

②【「法律」】—本法、給与法、寒冷地手当法、教員給与特別措置法、国公災法、育児休業法、派遣法、勤務時間法など。

③【「審査」】—人事院の決定についての本法八六条の規定による行政措置要求の審査、人事院の処分についての本法九〇条の規定による審査請求の審査、本法九二条三項に基づく人規一三—一に定める再審、給与法二〇条による人事院の更正決定についての同法二一条の審査。

④【「裁判所に出訴する権利」】—憲法三二・七六①②、裁判所法三①、本法九二の二。

【適用除外】—行労法三七①[1]。

【類似】—地公法八。

(国家公務員倫理審査会)

第三条の二 前条第二項の所掌事務のうち職務に係る倫理の保持に関する事務を所掌させるため、人事院に国家公務員倫理審査会を置く。

② 国家公務員倫理審査会に関しては、この法律に定めるもののほか、国家公務員倫理法(平成十一年法律第百二十九号)の定めるところによる。

【参照条文】

②【「この法律に定めるもの」】—本法一七、一七の二、八四②、八四の二。

(職員)

第四条 人事院は、人事官三人をもつて、これを組織する。

② 人事官のうち一人は、総裁として命ぜられる。

③ 人事院は、事務総長及び予算の範囲内においてその職務を適切に行うため必要とする職員を任命する。

④ 人事院は、その内部機構を管理する。国家行政組織法(昭和二十三年法律第百二十号)は、人事院には適用されない。

本条…全改(昭二三法二二二)

【参照条文】

①【「人事院」】—本法三、「人事官」—本法二③[3]・五～一一・一五。

②【「総裁」】—本法一一。

③【「事務総長」】—本法一四・一五。

④【人規一—三、人規二—八、人規二—九。

【類似】—地公法九の二①・一〇①・一二。

(人事官)

第五条 人事官は、人格が高潔で、民主的な統治組織と成績本位の原則による能率的な事務の処理に理解があり、かつ、人事行政に関し識見を有する年齢三十五年以上の者のうちから、両議院の同意を経て、内閣が任命する。

② 人事官の任免は、天皇が認証する。

③ 次の各号のいずれかに該当する者は、人事官となることができない。

一 破産手続開始の決定を受けて復権を得ない者

二 拘禁刑以上の刑に処せられた者又は第四章に規定する罪を犯し、刑に処せられた者

三 第三十八条第二号又は第四号に該当する者

④ 任命の日以前五年間において、政党の役員、政治的顧問その他これらと同様な政治的影響力を有する政党員であつた者又は任命の日以前五年間において、公選による国若しくは都道府県の公職の候補者となつた者は、人事院規則で定めるところにより、人事官となることができない。

⑤ 人事官の任命については、そのうちの二人が、同一の政党に属し、又は同一の大学学部を卒業した者となることとなつてはならない。

一—六項…一部改正(昭二三法二二二)、二項…削除・旧三—六項…一項ずつ繰上(昭二三法二五八)、三項…一部改正(平一一法一五一)、一—五項…一部改正(令元法三七)、三項…一部改正(令四法六八)

【参照条文】

①【「成績本位の原則」―本法三三、〔罰則〕＝本法一〇九［3］・一一一。
【「両議院の同意」―会検法四、独禁法二九、更生保護法六、公安審査委員会設置法五。
②【「認証」―憲法七［5］。
③【「破産手続」―破産法二、「復権」―破産法二五五、二五六、「禁錮以上の刑」―刑法九～一四。
④【「政党」―政資法三②、「公選による公職」―人規一四―五、憲法四三・九三、公選法二・三、農委法四、漁業法八五。
⑤【「大学学部」―本法附三。
【類似―地公法九の二。

第六条（**宣誓及び服務**）人事官は、任命後、人事院規則の定めるところにより、最高裁判所長官の面前において、宣誓書に署名してからでなければ、その職務を行つてはならない。
② 第三章第七節の規定は、人事官にこれを準用する。
一・二項…一部改正（昭二三法二二二）
【参照条文】
①【「任命」―本法五、「人事院規則」―人規二―一〇、本法九七（職員の服務の宣誓）。
②【本法一五（本法一〇一①の特例）。
【類似―地公法九の二⑫。

第七条（**任期**）人事官の任期は、四年とする。但し、補欠の人事官は、前任者の残任期間在任する。
② 人事官は、これを再任することができる。但し、引き続き十二年を超えて在任することはできない。
③ 人事官であつた者は、退職後一年間は、人事院の官職以外の官職に、これを任命することができない。
三項…一部改正（昭二三法二二二）
【参照条文】
①【「任期」―本法附四。
③【罰則―本法一〇九［1］。
【類似―地公法九の二⑩。

第八条（**退職及び罷免**）人事官は、左の各号の一に該当する場合を除く外、その意に反して罷免されることがない。
一 第五条第三項各号の一に該当するに至つた場合
二 国会の訴追に基き、公開の弾劾手続により罷免を可とすると決定された場合
三 任期が満了して、再任されず又は人事官として引き続き十二年在任するに至つた場合
② 前項第二号の規定による弾劾の事由は、左に掲げるものとする。
一 心身の故障のため、職務の遂行に堪えないこと
二 職務上の義務に違反し、その他人事官たるに適しない非行があること
③ 人事官の中、二人以上が同一の政党に属することとなつた場合においては、これらの者の中一人以外の者は、内閣が両議院の同意を経て、これを罷免するものとする。
④ 前項の規定は、政党所属関係について異動のなかつた人事官の地位に、影響を及ぼすものではない。
一―四項…一部改正・六項…削除（昭二三法二二二）、一項…一部改正・五項…削除（昭二三法二五八）
【参照条文】
①【「弾劾」―本法九、人事官弾劾の訴追に関する法律。
③【罰則―本法一〇九［2］・一一一。
【類似―地公法九の二⑥～⑧。

第九条（**人事官の弾劾**）人事官の弾劾の裁判は、最高裁判所においてこれを行う。
② 国会は、人事官の弾劾の訴追をしようとするときは、訴追の事由を記載した書面を最高裁判所に提出しなければならない。
③ 国会は、前項の場合においては、同項に規定する書面の写を訴追に係る人事官に送付しなければならない。
④ 最高裁判所は、第二項の書面を受理した日から三十日以上九十日以内の間において裁判開始の日を定め、その日の三十日以前までに、国会及び訴追に係る人事官に、これを通知しなければならない。
⑤ 最高裁判所は、裁判開始の日から百日以内に判決を行わなければならない。
⑥ 人事官の弾劾の裁判の手続は、裁判所規則でこれを定める。
⑦ 裁判に要する費用は、国庫の負担とする。
一―四・六項…一部改正（昭二三法二二二）
【参照条文】
【「人事官弾劾」―人事官弾劾の訴追に関する法律、人事官弾劾訴追手続規程。
⑥【「裁判所規則」―人事官弾劾裁判手続規則。
【類似―地公法九の二⑥。

第十条（**人事官の給与**）人事官の給与は、別に法律で定める。
本条…全改（昭二三法二二二・昭三三法八六）
【参照条文】
【「法律」―特別職給与法一［4］・二・三①、別表一。

（総裁）

第十一条　人事院総裁は、人事官の中から、内閣が、これを命ずる。

② 人事院総裁は、院務を総理し、人事院を代表する。

③ 人事院総裁に事故のあるとき、又は人事院総裁が欠けたときは、先任の人事官が、その職務を代行する。

一―三項…一部改正（昭二三法二二二）

【参照条文】

①【「人事院総裁」―本法四②。

③【「先任の人事官」―本法附五。

【類似―地公法一〇。

（人事院会議）

第十二条　定例の人事院会議は、人事院規則の定めるところにより、少なくとも一週間に一回、一定の場所において開催することを常例としなければならない。

② 人事院会議の議事は、すべて議事録として記録しておかなければならない。

③ 前項の議事録は、幹事がこれを作成する。

④ 人事院の事務処理の手続に関し必要な事項は、人事院規則でこれを定める。

⑤ 事務総長は、幹事として人事院会議に出席する。

⑥ 人事院は、次に掲げる権限を行う場合においては、人事院の議決を経なければならない。

一　人事院規則の制定及び改廃

二　削除

三　第二十二条の規定による関係大臣その他の機関の長に対する勧告

四　第二十三条の規定による国会及び内閣に対する意見の申出

五　第二十四条の規定による国会及び内閣に対する報告

六　第二十八条の規定による国会及び内閣に対する勧告

七　第四十八条の規定による試験機関の指定

八　第六十条の規定による臨時的任用及びその更新に対する承認、臨時的任用に係る職員の員数の制限及びその資格要件の決定並びに臨時的任用の取消（人事院規則の定める場合を除く。）

九　第六十七条の規定による給与に関する法律に定める事項の改定案の作成並びに国会及び内閣に対する勧告

十　第八十七条の規定による事案の判定

十一　第九十二条の規定による処分の判定

十二　第九十五条の規定による補償に関する重要事項の立案

十三　第百三条第五項の審査請求に対する裁決

十四　第百八条の規定による国会及び内閣に対する意見の申出

十五　第百八条の三第六項の規定による職員団体の登録の効力の停止及び取消し

十六　その他人事院の議決によりその議決を必要とされた事項

本条…全改（昭二三法二二二）、六項…一部改正（昭三四法一六三・昭三七法一六一・昭三八法一一一・昭四〇法六九・平一九法一〇八・平二六法六九）

【参照条文】

①④【「人事院規則」―人規二―一。

⑤【「事務総長」―本法四③・一四。

【類似―地公法一一。

（事務総局及び予算）

第十三条　人事院に事務総局及び法律顧問を置く。

② 事務総局の組織及び法律顧問に関し必要な事項は、人事院規則でこれを定める。

③ 人事院は、毎会計年度の開始前に、次の会計年度においてその必要とする経費の要求書を国の予算に計上されるように内閣に提出しなければならない。この要求書には、土地の購入、建物の建造、事務所の借上、家具、備品及び消耗品の購入、俸給及び給料の支払その他必要なあらゆる役務及び物品に関する経費が計上されなければならない。

④ 内閣が、人事院の経費の要求書を修正する場合においては、人事院の要求書は、内閣により修正された要求書とともに、これを国会に提出しなければならない。

⑤ 人事院は、国会の承認を得て、その必要とする地方の事務所を置くことができる。

本条…全改（昭二三法二二二）、三項…一部改正・四項…削除・旧五・六項…一項ずつ繰上（昭四〇法六九）

【参照条文】

②【「人事院規則」―人規二―三、人規二―八、人規二―九。

③【「会計年度」―財政法一一。「経費の要求書」―財政法二〇・二一。憲法七三[5]・八六（内閣の予算作成権）。

④【財政法一九（独立機関の歳出見積減額）。

⑤【「地方の事務所」―自治法一五六④、人規二―三（七六～八六）。

【類似―地公法一二。

（事務総長）

第十四条　事務総長は、総裁の職務執行の補助者となり、その一般的監督の下に、人事院の事務上及び技術上のすべての活動を指揮監督し、人事院の職員について計画を立て、募集、配置及び指揮を行い、又、人事院会議の幹事となる。

本条…全改（昭二三法二二二）、一項…一部改正・二項…削除（昭四〇法六九）

【参照条文】

【本法四③（事務総長の任命）、人規三—〇（事務総長の権限）、「人事院会議の幹事」—本法一二⑤。

【類似—地公法一二③。

（人事院の職員の兼職禁止）

第十五条　人事官及び事務総長は、他の官職を兼ねてはならない。

本条…全改（昭二三法二二二）

【参照条文】

【本法一〇一。

【罰則—本法一〇九[4]・一一一。

【類似—地公法九の二⑨・一二②。

（人事院規則及び人事院指令）

第十六条　人事院は、その所掌事務について、法律を実施するため、又は法律の委任に基づいて、人事院規則を制定し、人事院指令を発し、及び手続を定める。人事院は、いつでも、適宜に、人事院規則を改廃することができる。

② 人事院規則及びその改廃は、官報をもつて、これを公布する。

③ 人事院は、この法律に基いて人事院規則を実施し又はその他の措置を行うため、人事院指令を発することができる。

本条…全改（昭二三法二二二）、一項…一部改正（昭四〇法六九）

【参照条文】

【人規一—〇、人規一—一、人規一—四、昭二六指令一—一。

①【「法律」—本法一〇二①その他、官吏任免法①、給与法二[4]、国公災法二[2]、派遣法二・五・六・一二、沖縄復帰特別措置法五五・五六・一五七、育児休業法二八、法人格法。「規則の制定改廃」—本法一二⑥[1]。

②【罰則—本法一〇九[5]。

【類似—地公法八⑤。

（人事院の調査）

第十七条　人事院又はその指名する者は、人事院の所掌する人事行政に関する事項に関し調査することができる。

② 人事院又は前項の規定により指名された者は、同項の調査に関し必要があるときは、証人を喚問し、又は調査すべき事項に関係があると認められる書類若しくはその写の提出を求めることができる。

③ 人事院は、第一項の調査（職員の職務に係る倫理の保持に関して行われるものに限る。）に関し必要があると認めるときは、当該調査の対象である職員に出頭を求めて質問し、又は同項の規定により指名された者に、当該職員の勤務する場所（職員として勤務していた場所を含む。）に立ち入らせ、帳簿書類その他必要な物件を検査させ、又は関係者に質問させることができる。

④ 前項の規定により立入検査をする者は、その身分を示す証明書を携帯し、関係者の請求があつたときは、これを提示しなければならない。

⑤ 第三項の規定による立入検査の権限は、犯罪捜査のために認められたものと解してはならない。

一・二項…一部改正（昭二三法二二二）、一項…全改（昭四〇法六九）、本条…追加（平一一法一二九）、見出し…全改（平一九法一〇八）

【参照条文】

【本法六七・八四② 八七・九一・一〇〇④、給与法二[3][5][6]、国公災法二[4][5]。

②【罰則—本法一一〇①[3]～[5]・一一一。

【適用除外—行労法三七①[1]。

【類似—地公法八。

（国家公務員倫理審査会への権限の委任）

第十七条の二　人事院は、前条の規定による権限（職員の職務に係る倫理の保持に関して行われるものに限り、かつ、第九十条第一項に規定する審査請求に係るものを除く。）を国家公務員倫理審査会に委任する。

本条…一部改正（平二六法六九）

【参照条文】

【本法三の二、倫理法一一[8]・二五・二八、人規二二—二。

【適用除外—行労法三七①[1]。

（給与の支払の監理）

第十八条　人事院は、職員に対する給与の支払を監理する。

② 職員に対する給与の支払は、人事院規則又は人事院指令に反してこれを行つてはならない。

本条…全改（昭二三法二二二）

【参照条文】

【本法六八～七〇、給与法三・九・一〇の三③・一〇の四③・一〇の五③・一一の八⑤・一一の九③・一一の一〇③・一二⑨・一二の二④・一三②・一九の三④・一九の六⑦・一九の九、人規九―五、人規九―七。

【罰則】本法一一〇①[6]・一一一。

（内閣総理大臣）

第十八条の二　内閣総理大臣は、法律の定めるところに従い、採用試験の対象官職及び種類並びに採用試験により確保すべき人材に関する事務、標準職務遂行能力、採用昇任等基本方針、幹部職員の任用等に係る特例及び幹部候補育成課程に関する事務（第三十三条第一項に規定する根本基準の実施につき必要な事務であつて、行政需要の変化に対応するために行う優れた人材の養成及び活用の確保に関するものを含む。）、一般職の職員の給与に関する法律第六条の二第一項の規定による指定職俸給表の適用を受ける職員の号俸の決定の方法並びに同法第八条第一項の規定による職務の級の定数の設定及び改定に関する事務並びに職員の人事評価（任用、給与、分限その他の人事管理の基礎とするために、職員がその職務を遂行するに当たり発揮した能力及び挙げた業績を把握した上で行われる勤務成績の評価をいう。以下同じ。）、研修、能率、厚生、服務、退職管理等に関する事務（第三条第二項の規定により人事院の所掌に属するものを除く。）をつかさどる。

② 内閣総理大臣は、前項に規定するもののほか、各行政機関がその職員について行なう人事管理に関する方針、計画等に関し、その統一保持上必要な総合調整に関する事務をつかさどる。

本条…追加（昭四〇法六九）、一項…一部改正（平一九法一〇八・平二六法二二）

【参照条文】

【「内閣総理大臣」】―憲法七二・七三[4]、本法七〇の四②・七一③・七三・八一の六・一〇四。

（内閣総理大臣の調査）

第十八条の三　内閣総理大臣は、職員の退職管理に関する事項（第百六条の二から第百六条の四までに規定するものに限る。）に関し調査することができる。

② 第十七条第二項から第五項までの規定は、前項の規定による調査について準用する。この場合において、同条第二項中「人事院又は前項の規定により指名された者は、同項」とあるのは「内閣総理大臣は、第十八条の三第一項」と、同条第三項中「第一項の調査（職員の職務に係る倫理の保持に関して行われるものに限る。）」とあるのは「第十八条の三第一項の調査」と、「対象である職員」とあるのは「対象である職員若しくは職員であつた者」と、「同項の規定により指名された者に、当該職員」とあるのは「当該職員」と、「立ち入らせ」とあるのは「立ち入り」と、「検査させ、又は関係者に質問させる」とあるのは「検査し、若しくは関係者に質問する」と読み替えるものとする。

本条…追加（平一九法一〇八）

（再就職等監視委員会への権限の委任）

第十八条の四　内閣総理大臣は、前条の規定による権限を再就職等監視委員会に委任する。

本条…追加（平一九法一〇八）

（内閣総理大臣の援助等）

第十八条の五　内閣総理大臣は、職員の離職に際しての離職後の就職の援助を行う。

② 内閣総理大臣は、官民の人材交流（国と民間企業との間の人事交流に関する法律（平成十一年法律第二百二十四号）第二条第三項に規定する交流派遣及び民間企業に現に雇用され、又は雇用されていた者の職員への第三十六条ただし書の規定による採用その他これらに準ずるものとして政令で定めるものをいう。第五十四条第二項第七号において同じ。）の円滑な実施のための支援を行う。

本条…追加（平一九法一〇八）、二項…一部改正（平二六法二二）

（官民人材交流センターへの事務の委任）

第十八条の六　内閣総理大臣は、前条に規定する事務を官民人材交流センターに委任する。

② 内閣総理大臣は、前項の規定により委任する事務について、その運営に関する指針を定め、これを公表する。

本条…追加（平一九法一〇八）、二項…追加（平二六法二二）

（官民人材交流センター）

第十八条の七　内閣府に、官民人材交流センターを置く。

② 官民人材交流センターは、この法律及び他の法律の規定によりその権限に属させられた事項を処理する。

③ 官民人材交流センターの長は、官民人材交流センター長とし、内閣官房長官をもつて充てる。

④ 官民人材交流センター長は、官民人材交流センターの事務を統括する。

⑤ 官民人材交流センター長は、官民人材交流センターの所掌事務を遂行するために必要があると認めるときは、関係行政機関の長に対し、資料の提出、意見の開陳、説明その他必要な協力を求め、又は意見を述べることができる。

⑥ 官民人材交流センターに、官民人材交流副センター長を置く。

⑦ 官民人材交流副センター長は、官民人材交流センター長の職務を助ける。

⑧ 官民人材交流センターに、所要の職員を置く。

⑨ 内閣総理大臣は、官民人材交流センターの所掌事務の全部又は一部を分掌させるため、所要の地に、官民人材交流センターの支所を置くことができる。

⑩ 第三項から前項までに定めるもののほか、官民人材交流センターの組織に関し必要な事項は、政令で定める。

本条…追加（平一九法一〇八）

（人事記録）

第十九条 内閣総理大臣は、職員の人事記録に関することを管理する。

② 内閣総理大臣は、内閣府、デジタル庁、各省その他の機関をして、当該機関の職員の人事に関する一切の事項について、人事記録を作成し、これを保管せしめるものとする。

③ 人事記録の記載事項及び様式その他人事記録に関し必要な事項は、政令でこれを定める。

④ 内閣総理大臣は、内閣府、デジタル庁、各省その他の機関によつて作成保管された人事記録で、前項の規定による政令に違反すると認めるものについて、その改訂を命じ、その他所要の措置をなすことができる。

一―四項…一部改正（昭二三法二二二）、二・四項…一部改正（昭二四法一二五・平一一法一六〇・令三法三六）、一―四項…一部改正（昭四〇法六九）

【参照条文】

③【「政令」】―人事記録の記載事項等に関する政令。

【適用除外―行労法三七①[1]】

【罰則―本法一〇九[6]】

【類似―地公法八①[1]】

★読替え―復興庁設置法（平二三法一二五）により二項・四項の「デジタル庁」を「デジタル庁、復興庁」に読み替える。

（統計報告）

第二十条 内閣総理大臣は、政令の定めるところにより、職員の在職関係に関する統計報告の制度を定め、これを実施するものとする。

② 内閣総理大臣は、前項の統計報告に関し必要があるときは、関係庁に対し随時又は定期に一定の形式に基いて、所要の報告を求めることができる。

一・二項…一部改正（昭二三法二二二・昭四〇法六九）

【参照条文】

①【「政令」】―人事統計報告に関する政令。

【適用除外―行労法三七①[1]】

【罰則―本法一〇九[7]】

【類似―地公法八①[1]】

（権限の委任）

第二十一条 人事院又は内閣総理大臣は、それぞれ人事院規則又は政令の定めるところにより、この法律に基づく権限の一部を他の機関をして行なわせることができる。この場合においては、人事院又は内閣総理大臣は、当該事務に関し、他の機関の長を指揮監督することができる。

本条…一部改正（昭二三法二二二）、全改（昭四〇法六九）

【参照条文】

【「人事院規則」人規二一―四。「権限の委任」―人規一四―八②、職員の兼業の許可に関する政令一。

（人事行政改善の勧告）

第二十二条 人事院は、人事行政の改善に関し、関係大臣その他の機関の長に勧告することができる。

② 前項の場合においては、人事院は、その旨を内閣に報告しなければならない。

一―三項…一部改正（昭二三法二二二）、二項…削除・旧三項…一部改正し二項に繰上（昭四〇法六九）

【参照条文】

【宿舎法二一（勧告に含まれる事項）。「勧告」―本法一二⑥[3]、給与法二[3]。

【適用除外―行労法三七①[1]】

【類似―本法二八、八八、地公法八①[4]】

（法令の制定改廃に関する意見の申出）

第二十三条 人事院は、この法律の目的達成上、法令の制定又は改廃に関し意見があるときは、その意見を国会及び内閣に同時に申し出なければならない。

本条…全改（昭二三法二二二）

【参照条文】

【「意見の申出」―本法一二⑥[4]。憲法四一・五九（国会の法律制定権）。憲法七三[6]（内閣の政令制定権）。

【適用除外―行労法三七①[1]】

【類似―本法二二・二八、給与法二[3][5]、勤務時間法二[1]、地公法八①[3]、独禁法四四②。

（人事院規則の制定改廃に関する内閣総理大臣からの要請）

第二十三条の二 内閣総理大臣は、この法律の目的達成上必要があると認めるときは、人事院に対し、人事院規則を制定し、又は改廃することを要請することができる。

② 内閣総理大臣は、前項の規定による要請をしたときは、速やかに、その内容を公表するものとする。
本条…追加（平二六法二二）

（業務の報告）
第二十四条　人事院は、毎年、国会及び内閣に対し、業務の状況を報告しなければならない。
② 内閣は、前項の報告を公表しなければならない。
一項…全改・二項…一部改正（昭二三法二二二）

【参照条文】
①【「報告」―本法三・一二⑥[5]。
【類似―独禁法四四①。

（人事管理官）
第二十五条　内閣府、デジタル庁及び各省並びに政令で指定するその他の機関には、人事管理官を置かなければならない。
② 人事管理官は、人事に関する部局の長となり、前項の機関の長を助け、人事に関する事務を掌る。この場合において、人事管理官は、中央人事行政機関との緊密な連絡及びこれに対する協力につとめなければならない。
一項…一部改正（昭二三法二二二・昭二四法一二五・平一一法一六〇）、見出し…全改・一・二項…一部改正（昭四〇法六九）、一項…一部改正（平一八法一一八・令三法三六）

【参照条文】
①【「政令」―人事管理官を置く機関を指定する政令。
②【「中央人事行政機関」―本法三・一八の二、総務省設置法4[2]。

★読替え―復興庁設置法（平二三法一二五）により一項の「デジタル庁」を「デジタル庁、復興庁」に読み替える。

第二十六条　削除
本条…削除（昭四〇法六九）

第三章　職員に適用される基準

章名…改正（平一九法一〇八）

第一節　通則

（平等取扱いの原則）

第二十七条　全て国民は、この法律の適用について、平等に取り扱われ、人種、信条、性別、社会的身分、門地又は第三十八条第四号に該当する場合を除くほか政治的意見若しくは政治的所属関係によつて、差別されてはならない。

本条…一部改正（昭二三法二二二・令元法三七）

【参照条文】
【憲法一四①(法の下の平等)。本法四六（採用試験の公開）。人規八―一二（二）、人規一一―四（二）、本法一〇八の七。
【罰則―本法一〇九[8]。
【類似―地公法一三、労基法三、職安法三。

（人事管理の原則）

第二十七条の二　職員の採用後の任用、給与その他の人事管理は、職員の採用年次、合格した採用試験の種類及び第六十一条の九第二項第二号に規定する課程対象者であるか否か又は同号に規定する課程対象者であつたか否かにとらわれてはならず、この法律に特段の定めがある場合を除くほか、人事評価に基づいて適切に行われなければならない。

本条…追加（平一九法一〇八）、本条…一部改正（平二六法二二）

（情勢適応の原則）
第二十八条　この法律及び他の法律に基づいて定められる職員の給与、勤務時間その他勤務条件に関する基礎事項は、国会により社会一般の情勢に適応するように、随時これを変更することができる。その変更に関しては、人事院においてこれを勧告することを怠つてはならない。
② 人事院は、毎年、少くとも一回、俸給表が適当であるかどうかについて国会及び内閣に同時に報告しなければならない。給与を決定する諸条件の変化により、俸給表に定める給与を百分の五以上増減する必要が生じたと認められるときは、人事院は、その報告にあわせて、国会及び内閣に適当な勧告をしなければならない。
本条…全改（昭二三法二二二）、一項…一部改正（平二六法二二）

【参照条文】
①【「給与」―本法六三〜六七、給与法一・二。「勤務時間」―勤務時間法五。「勤務条件」―本法八六（行政措置の要求）。本法一〇六（人事院規則への委任）。本法一〇八の五（交渉）。本法附六（労基法の適用排除）。本法改正附（昭二三法二二二）三（労基法の準用）。「その他の勤務条件に関する基礎事項」の例―本法九三・九四、憲法二七②。「勧告」―本法一二⑥[6]・二二、給与法二・二四、寒冷地手当法三・四、勤務時間法二、任期付研究員法一二、任期付職員法一一、宿舎法二一。
②【「俸給表」―本法六四、給与法六、人規九―一一。「勧告についての人事院の議決」―本法一一⑥[6]。
【類似―本法二二・二三、地公法一四・二六。

第二十九条から第三十二条まで　削除

第二九条から第三二条まで…削除（平一九法一〇八）

第二節　採用試験及び任免

節名…改正（平一九法一〇八）

（任免の根本基準）

第三十三条　職員の任用は、この法律の定めるところにより、その者の受験成績、人事評価又はその他の能力の実証に基づいて行わなければならない。

②　前項に規定する根本基準の実施に当たつては、次に掲げる事項が確保されなければならない。

一　職員の公正な任用

二　行政需要の変化に対応するために行う優れた人材の養成及び活用

③　職員の免職は、法律に定める事由に基づいてこれを行わなければならない。

④　第一項に規定する根本基準の実施につき必要な事項であつて第二項第一号に掲げる事項の確保に関するもの及び前項に規定する根本基準の実施につき必要な事項は、この法律に定めのあるものを除いては、人事院規則でこれを定める。

本条…全改（昭二三法二二二）、一項…一部改正・二項…削除・旧三・四項…一部改正し一項ずつ繰上（平一九法一〇八）、見出し…全改・二項…追加・旧二項…三項に繰下・旧三項…一部改正し四項に繰下（平二六法二二）

【参照条文】

【人規八―一二（二・三）。

①【「任用」―本法三五・五四～六〇・八一の四。「受験成績」―本法三六①・五一・五二。「能力の実証」―本法三六。

【罰則―本法一一〇①⑦・一一一。

②【本法七八・八二（免職事由）。教特法五・九・一〇、人規八―一二（五三～五八）（任免の手続）。

【類似①―地公法一五。

第三十三条の二　第五十四条第一項に規定する採用昇任等基本方針には、前条第一項に規定する根本基準の実施につき必要な事項であつて同条第二項第二号に掲げる事項の確保に関するものとして、職員の採用、昇任、降任及び転任に関する制度の適切かつ効果的な運用の確保に資する基本的事項を定めるものとする。

本条…追加（平二六法二二）

第一款　通則

（定義）

第三十四条　この法律において、次の各号に掲げる用語の意義は、当該各号に定めるところによる。

一　採用　職員以外の者を官職に任命すること（臨時的任用を除く。）をいう。

二　昇任　職員をその職員が現に任命されている官職より上位の職制上の段階に属する官職に任命することをいう。

三　降任　職員をその職員が現に任命されている官職より下位の職制上の段階に属する官職に任命することをいう。

四　転任　職員をその職員が現に任命されている官職以外の官職に任命することであつて前二号に定めるものに該当しないものをいう。

五　標準職務遂行能力　職制上の段階の標準的な官職の職務を遂行する上で発揮することが求められる能力として内閣総理大臣が定めるものをいう。

六　幹部職員　内閣府設置法（平成十一年法律第八十九号）第五十条若しくは国家行政組織法第六条に規定する長官、同法第十八条第一項に規定する事務次官若しくは同法第二十一条第一項に規定する局長若しくは部長の官職又はこれらの官職に準ずる官職であつて政令で定めるもの（以下「幹部職」という。）を占める職員をいう。

七　管理職員　国家行政組織法第二十一条第一項に規定する課長若しくは室長の官職又はこれらの官職に準ずる官職であつて政令で定めるもの（以下「管理職」という。）を占める職員をいう。

②　前項第五号の標準的な官職は、係員、係長、課長補佐、課長その他の官職とし、職制上の段階及び職務の種類に応じ、政令で定める。

本条…全改（平一九法一〇八）、一項…一部改正（平二六法二二）

（欠員補充の方法）

第三十五条　官職に欠員を生じた場合においては、その任命権者は、法律又は人事院規則に別段の定のある場合を除いては、採用、昇任、降任又は転任のいずれか一の方法により、職員を任命することができる。但し、人事院が特別の必要があると認めて任命の方法を指定した場合は　この限りではない。

本条…一部改正（昭二三法二二二）

【参照条文】

【「欠員補充」―人規八―一二（六）。「任命権者」―本法五五①②、人規八―一二（四・五）。「採用、昇任、降任又は転任」―本法三四・五四・七五①、人規八―一二。「別段の定」―本法六〇、人規八―一二（六・三五～四一）。

【類似―地公法一七①。

（採用の方法）

第三十六条　職員の採用は、競争試験によるものとする。ただし、係員の官職（第三十四条第二項に規定する標準的な官職が係員である職制上の段階に属する官職その他これに準ずる官職として人事院規則で定めるものをいう。第四十五条の二第一項において同じ。）以外の官職に採用しようとする場合又は人事院規則で定める場合には、競争試験以外の能力の実証に基づく試験（以下「選考」という。）の方法によることを妨げない。

一・二項…一部改正・三項…削除（昭二三法二二二）、一項…一部改正・二項…削除（平一九法一〇八）、本条…一部改正（平二六法二二）

【参照条文】

【「競争試験」―本法四二～四九、人規八―一二（八・一七）、人規八―一八。「選考」―人規八―一二（一八～二四）。

【特例―教特法三・一一、検察庁法一八・一九、外公法一〇。

【類似―地公法一七の二。

第三十七条　削除

本条…削除（平一九法一〇八）

（欠格条項）

第三十八条　次の各号のいずれかに該当する者は、人事院規則で定める場合を除くほか、官職に就く能力を有しない。

一　拘禁刑以上の刑に処せられ、その執行を終わるまで又はその執行を受けることがなくなるまでの者

二　懲戒免職の処分を受け、当該処分の日から二年を経過しない者

三　人事院の人事官又は事務総長の職にあつて、第百九条から第百十二条までに規定する罪を犯し、刑に処せられた者

四　日本国憲法施行の日以後において、日本国憲法又はその下に成立した政府を暴力で破壊することを主張する政党その他の団体を結成し、又はこれに加入した者

本条…一部改正（昭二三法二二二・平一一法一五一・平一九法一〇八・令元法三七・令四法六八）

【参照条文】

【本法四三・七六（官職に就く能力）。「人事院規則」―なし。「禁錮以上の刑」―刑法九～一三。「懲戒免職」―本法八二、本法附六。「政府を暴力で破壊することを主張する政党その他の団体」―破防法一・四。

【特例―外公法七、学校教育法九、検察庁法二〇。

【類似―地公法一六、旧官吏懲戒令四。

【「当然の法理の特例」―外国人教員任用法。

（人事に関する不法行為の禁止）

第三十九条　何人も、次の各号のいずれかに該当する事項を実現するために、金銭その他の利益を授受し、提供し、要求し、若しくは授受を約束したり、脅迫、強制その他これに類する方法を用いたり、直接たると間接たるとを問わず、公の地位を利用し、又はその利用を提供し、要求し、若しくは約束したり、あるいはこれらの行為に関与してはならない。

一　退職若しくは休職又は任用の不承諾

二　採用のための競争試験（以下「採用試験」という。）若しくは任用の志望の撤回又は任用に対する競争の中止

三　任用、昇給、留職その他官職における利益の実現又はこれらのことの推薦

本条…一部改正（平一九法一〇八）

【参照条文】

【罰則―本法一一〇①⑧・②、刑法一九七～一九八。

（人事に関する虚偽行為の禁止）

第四十条　何人も、採用試験、選考、任用又は人事記録に関して、虚偽又は不正の陳述、記載、証明、採点、判断又は報告を行つてはならない。

本条…一部改正（平一九法一〇八）

【参照条文】

【「採用試験・選考」―本法三六。「任用」―本法三三・三五・五四～六〇。「人事記録」―本法一九。

【罰則―本法一一〇①⑨・一一一。

（受験又は任用の阻害及び情報提供の禁止）

第四十一条　試験機関に属する者その他の職員は、受験若しくは任用を阻害し、又は受験若しくは任用に不当な影響を与える目的を以て特別若しくは秘密の情報を提供してはならない。

【参照条文】

【「試験機関」―本法四八、人規八―一八（一一）。「秘密」―人規八―一八（一六）。

【罰則―本法一一〇①⑩・一一一。

【類似―地公法一八の三。

第二款　採用試験

款名…改正（平一九法一〇八）

（採用試験の実施）

第四十二条　採用試験は、この法律に基づく命令で定めるところにより、これを行う。

本条…一部改正（昭二三法二二二・平一九法一〇八・平二六法二二）

【参照条文】

【「採用試験」―本法三六。「人事院規則」―人規八―一二（八～一七）、人規八―一八。

（受験の欠格条項）
第四十三条 第四十四条に規定する資格に関する制限の外、官職に就く能力を有しない者は、受験することができない。

【参照条文】
【「官職に就く能力を有しない者」―本法三八。
【類似―地公法一六。

（受験の資格要件）
第四十四条 人事院は、人事院規則により、受験者に必要な資格として官職に応じ、その職務の遂行に欠くことのできない最小限度の客観的且つ画一的な要件を定めることができる。

本条…一部改正（昭二三法二二二）

【参照条文】
【本法三八（欠格条項）、本法四三（受験の欠格条項）。「受験資格」―人規八―一八（八・九）。
【類似―地公法一九。

（採用試験の内容）
第四十五条 採用試験は、受験者が、当該採用試験に係る官職の属する職制上の段階の標準的な官職に係る標準職務遂行能力及び当該採用試験に係る官職についての適性を有するかどうかを判定することをもつてその目的とする。

本条…一部改正（昭二三法二二二）、全改（平一九法一〇八）

【参照条文】
【「採用試験」―本法三六。「試験の内容」―人規八―一八（二・六）。
【類似―地公法二〇①。

（採用試験における対象官職及び種類並びに採用試験により確保すべき人材）
第四十五条の二 採用試験は、次に掲げる官職を対象として行うものとする。
一 係員の官職のうち、政策の企画及び立案又は調査及び研究に関する事務をその職務とする官職その他これらに類する官職であつて政令で定めるもの（第三号に掲げるものを除く。）
二 定型的な事務をその職務とする係員の官職その他の係員の官職（前号及び次号に掲げるものを除く。）
三 係員の官職のうち、特定の行政分野に係る専門的な知識を必要とする事務をその職務とする官職として政令で定めるもの
四 係員の官職より上位の職制上の段階に属する官職のうち、民間企業における実務の経験その他これに類する経験を有する者を採用することが適当なものとして政令で定めるもの

② 採用試験の種類は、次に掲げるとおりとする。
一 総合職試験（前項第一号に掲げる官職への採用を目的とした競争試験をいう。）であつて、一定の範囲の知識、技術その他の能力（以下この項において「知識等」という。）を有する者として政令で定めるものごとに、受験者が同号に掲げる官職の属する職制上の段階の標準的な官職に係る標準職務遂行能力及び同号に掲げる官職についての適性を有するかどうかを判定することを目的として行うそれぞれの採用試験
二 一般職試験（前項第二号に掲げる官職への採用を目的とした競争試験をいう。）であつて、一定の範囲の知識等を有する者として政令で定めるものごとに、受験者が同号に掲げる官職の属する職制上の段階の標準的な官職に係る標準職務遂行能力及び同号に掲げる官職についての適性を有するかどうかを判定することを目的として行うそれぞれの採用試験
三 専門職試験（前項第三号に掲げる官職への採用を目的とした競争試験をいう。）であつて、同号に規定する特定の行政分野に応じて一定の範囲の知識等を有する者として政令で定めるものごとに、受験者が同号に掲げる官職の属する職制上の段階の標準的な官職に係る標準職務遂行能力及び同号に掲げる官職についての適性を有するかどうかを判定することを目的として行うそれぞれの採用試験
四 経験者採用試験（前項第四号に掲げる官職への採用を目的とした競争試験をいう。）であつて、同号に規定する職制上の段階その他の官職に係る分類に応じて一定の範囲の知識等を有する者として政令で定めるものごとに、受験者が同号に掲げる官職の属する職制上の段階の標準的な官職に係る標準職務遂行能力及び同号に掲げる官職についての適性を有するかどうかを判定することを目的として行うそれぞれの採用試験

③ 採用試験により確保すべき人材に関する事項は、前項各号に掲げる採用試験の種類ごとに、政令で定める。

④ 前三項の政令は、人事院の意見を聴いて定めるものとする。

本条…追加（平二六法二二）

（採用試験の方法等）

第四十五条の三　採用試験の方法、試験科目、合格者の決定の方法その他採用試験に関する事項については、この法律に定めのあるものを除いては、前条第二項各号に掲げる採用試験の種類に応じ、人事院規則で定める。

本条…追加（平二六法二二）

（採用試験の公開平等）

第四十六条　採用試験は、人事院規則の定める受験の資格を有するすべての国民に対して、平等の条件で公開されなければならない。

本条…一部改正（昭二三法二二二）

【参照条文】
【「受験の資格」―本法四四、人規八―一八（八・九）。「平等の条件」―本法二七。
【類似―地公法一八の二。

（採用試験の告知）

第四十七条　採用試験の告知は、公告によらなければならない。

②　前項の告知には、その採用試験に係る官職についての職務及び責任の概要及び給与、受験の資格要件、採用試験の時期及び場所、願書の入手及び提出の場所、時期及び手続その他の必要な受験手続並びに人事院が必要と認めるその他の注意事項を記載するものとする。

③　第一項の規定による公告は、人事院規則の定めるところにより、受験の資格を有するすべての者に対し、受験に必要な事項を周知させることができるように、これを行わなければならない。

④　人事院は、受験の資格を有すると認められる者が受験するように、常に努めなければならない。

⑤　人事院は、公告された採用試験又は実施中の採用試験を、取り消し又は変更することができる。

二―四項…一部改正・五項…追加（昭二三法二二二）、二・五項…一部改正（平一九法一〇八）

【参照条文】
②【「受験の資格要件」―本法四四。「採用試験の時期及び場所」―本法四九。
③【人規八―一八（一九・二〇・二三～二五）。
【罰則―本法一〇九[9]。

（試験機関）

第四十八条　採用試験は、人事院規則の定めるところにより、人事院の定める試験機関が、これを行う。

本条…一部改正（昭二三法二二二・平一九法一〇八）

【参照条文】
【本法一二⑥[7]。人規八―一八（一一～一六）。
【類似―地公法一八。

（採用試験の時期及び場所）

第四十九条　採用試験の時期及び場所は、国内の受験資格者が、無理なく受験することができるように、これを定めなければならない。

本条…一部改正（平一九法一〇八）

【参照条文】
【「採用試験の時期及び場所」―本法四七、人規八―一八（一七）。

第三款　採用候補者名簿

款名…改正（平一九法一〇八）

（名簿の作成）

第五十条　採用試験による職員の採用については、人事院規則の定めるところにより、採用候補者名簿を作成するものとする。

本条…一部改正（昭二三法二二二・平一九法一〇八）

【参照条文】
【「採用試験」―本法三六。「人事院規則」―人規八―一二（一〇～一六）。「採用候補者名簿」―本法五一・五六。
【類似―地公法二一①。

（採用候補者名簿に記載される者）

第五十一条　採用候補者名簿には、当該官職に採用することができる者として、採用試験において合格点以上を得た者の氏名及び得点を記載するものとする。

本条…一部改正（昭二三法二二二・平一九法一〇八）

【参照条文】
【「採用候補者名簿」―本法五〇、人規八―一二（一〇～一六）。「採用試験」―本法三六、人規八―一八。
【類似―地公法二一②。

（名簿の閲覧）

第五十二条　採用候補者名簿は、受験者、任命権者その他関係者の請求に応じて、常に閲覧に供されなければならない。

旧五三条…一部改正し五二条に繰上（平一九法一〇八）

【参照条文】
【「採用候補者名簿」―本法五〇、人規八―一二（一〇～一六）。「名簿の閲覧」―人規八―一二（一五）。

（名簿の失効）

第五十三条　採用候補者名簿が、その作成後一年以上を経過したとき、又は人事院の定める事由に該当するときは、いつでも、人事院は、任意に、これを失効させることができる。

本条…一部改正（昭二三法二二二）、旧五四条…一部改正し五三条に繰上（平一九法一〇八）

【参照条文】
【人規八―一二（一四）。「採用候補者名簿」―本法五〇。

第四款 任用

（採用昇任等基本方針）

第五十四条 内閣総理大臣は、公務の能率的な運営を確保する観点から、あらかじめ、次条第一項に規定する任命権者及び法律で別に定められた任命権者と協議して職員の採用、昇任、降任及び転任に関する制度の適切かつ効果的な運用を確保するための基本的な方針（以下「採用昇任等基本方針」という。）の案を作成し、閣議の決定を求めなければならない。

② 採用昇任等基本方針には、第三十三条の二に規定する基本的事項のほか、次に掲げる事項を定めるものとする。

一 職員の採用、昇任、降任及び転任に関する制度の適切かつ効果的な運用に関する基本的な指針

二 第五十六条の採用候補者名簿による採用及び第五十七条の選考による採用に関する指針

三 第五十八条の昇任及び転任に関する指針

四 管理職への任用に関する基準その他の指針

五 任命権者を異にする官職への任用に関する指針

六 職員の公募（官職の職務の具体的な内容並びに当該官職に求められる能力及び経験を公示して、当該官職の候補者を募集することをいう。次項において同じ。）に関する指針

七 官民の人材交流に関する指針

八 子の養育又は家族の介護を行う職員の状況を考慮した職員の配置その他の措置による仕事と生活の調和を図るための指針

九 前各号に掲げるもののほか、職員の採用、昇任、降任及び転任に関する制度の適切かつ効果的な運用を確保するために必要な事項

③ 前項第六号の指針を定めるに当たつては、犯罪の捜査その他特殊性を有する職務の官職についての公募の制限に関する事項その他職員の公募の適正を確保するために必要な事項に配慮するものとする。

④ 内閣総理大臣は、第一項の規定による閣議の決定があつたときは、遅滞なく、採用昇任等基本方針を公表しなければならない。

⑤ 第一項及び前項の規定は、採用昇任等基本方針の変更について準用する。

⑥ 任命権者は、採用昇任等基本方針に沿つて、職員の採用、昇任、降任及び転任を行わなければならない。

本条…追加（平一九法一〇八）、二項…一部改正・三項…追加・旧三～五項…一項ずつ繰下（平二六法二二）

【参照条文】
①【「任命権者」―人規八―一二（三）。「採用」―本法三四・五六・五七。「昇任・降任及び転任」―本法三四・五八。
②【「採用候補者名簿」―本法五〇～五三。

（任命権者）

第五十五条 任命権は、法律に別段の定めのある場合を除いては、内閣、各大臣（内閣総理大臣及び各省大臣をいう。以下同じ。）、会計検査院長及び人事院総裁並びに宮内庁長官及び各外局の長に属するものとする。これらの機関の長の有する任命権は、その部内の機関に属する官職に限られ、内閣の有する任命権は、その直属する機関（内閣府及びデジタル庁を除く。）に属する官職に限られる。ただし、外局の長（国家行政組織法第七条第五項に規定する実施庁以外の庁にあつては、外局の幹部職）に対する任命権は、各大臣に属する。

② 前項に規定する機関の長たる任命権者は、幹部職以外の官職（内閣が任命権を有する場合にあつては、幹部職を含む。）の任命権を、その部内の上級の国家公務員（内閣が任命権を有する幹部職にあつては、内閣総理大臣又は国務大臣）に限り委任することができる。この委任は、その効力が発生する日の前に、書面をもつて、これを人事院に提示しなければならない。

③ この法律、人事院規則及び人事院指令に規定する要件を備えない者は、これを任命し、雇用し、昇任させ若しくは転任させてはならず、又はいかなる官職にも配置してはならない。

本条…全改（昭二三法二二二）、一項…一部改正（昭二七法二六八・平一一法一〇二・令三法三六）、一・二項…一部改正（平二六法二二）

【参照条文】
【「任命権者」―人規八―一二（三）。
①【「内閣」―憲法六六、内閣法二。「各省大臣」―行組法五。「会計検査院長」―会検法三。「人事院総裁」―本法一一。「宮内庁長官」―宮内庁法八。「外局の長」―行組法三②③・六。「法律に別段の定」―検察庁法一五①、内閣法制局設置法二②など。
②【「任命権の委任」―人規八―一二（五）。
③【「この法律」に定める要件―本法三三・三八・五六・五七・五八。「人事院規則」―人規八―一二（任命権行使に対する規制）。

【類似―地公法六。

★**読替え―復興庁設置法（平二三法一二五）により一項の「及びデジタル庁」を「、デジタル庁及び復興庁」に読み**

替える。

（採用候補者名簿による採用）

第五十六条　採用候補者名簿による職員の採用は、任命権者が、当該採用候補者名簿に記載された者の中から、面接を行い、その結果を考慮して行うものとする。

本条…一部改正（昭二三法二二二・昭四〇法六九）、全改（平一九法一〇八）

【参照条文】

【「採用候補者名簿」―本法五〇～五三。人規八―一二（八）（名簿からの選択）。

（選考による採用）

第五十七条　選考による職員の採用（職員の幹部職への任命に該当するものを除く。）は、任命権者が、任命しようとする官職の属する職制上の段階の標準的な官職に係る標準職務遂行能力及び当該任命しようとする官職についての適性を有すると認められる者の中から行うものとする。

本条…全改（平一九法一〇八）、一部改正（平二六法二二）

（昇任、降任及び転任）

第五十八条　職員の昇任及び転任（職員の幹部職への任命に該当するものを除く。）は、任命権者が、職員の人事評価に基づき、任命しようとする官職の属する職制上の段階の標準的な官職に係る標準職務遂行能力及び当該任命しようとする官職についての適性を有すると認められる者の中から行うものとする。

②　任命権者は、職員を降任させる場合（職員の幹部職への任命に該当する場合を除く。）には、当該職員の人事評価に基づき、任命しようとする官職の属する職制上の段階の標準的な官職に係る標準職務遂行能力及び当該任命しようとする官職についての適性を有すると認められる官職に任命するものとする。

③　国際機関又は民間企業に派遣されていたこと等の事情により、人事評価が行われていない職員の昇任、降任及び転任（職員の幹部職への任命に該当するものを除く。）については、前二項の規定にかかわらず、任命権者が、人事評価以外の能力の実証に基づき、任命しようとする官職の属する職制上の段階の標準的な官職に係る標準職務遂行能力及び当該任命しようとする官職についての適性を判断して行うことができる。

本条…一部改正（昭二三法二二二）、全改（平一九法一〇八）、一―三項…一部改正（平二六法二二）

【参照条文】

【「昇任・降任及び転任」―本法三四。

（条件付任用）

第五十九条　職員の採用及び昇任は、職員であつた者又はこれに準ずる者のうち、人事院規則で定める者を採用する場合その他人事院規則で定める場合を除き、条件付のものとし、職員が、その官職において六月の期間（六月の期間とすることが適当でないと認められる職員として人事院規則で定める職員にあつては、人事院規則で定める期間）を勤務し、その間その職務を良好な成績で遂行したときに、正式のものとなるものとする。

②　前項に定めるもののほか、条件付任用に関し必要な事項は、人事院規則で定める。

本条…全改（昭二三法二二二）、一・二項…一部改正（令三法六一）

【参照条文】

【本法八一―①②（分限規定適用除外）。人規八―一二（三二～三四）（条件附任用期間）。人規一一―四（八・一〇）（降任・免職）。人規一八―〇（一）（派遣除外職員）。

【類似―地公法二二。

（臨時的任用）

第六十条　任命権者は、人事院規則の定めるところにより、緊急の場合、臨時の官職に関する場合又は採用候補者名簿がない場合には、人事院の承認を得て、六月を超えない任期で、臨時的任用を行うことができる。この場合において、その任用は、人事院規則の定めるところにより人事院の承認を得て、六月の期間で、これを更新することができるが、再度更新することはできない。

②　人事院は、臨時的任用につき、その員数を制限し、又は、任用される者の資格要件を定めることができる。

③　人事院は、前二項の規定又は人事院規則に違反する臨時的任用を取り消すことができる。

④　臨時的任用は、任用に際して、いかなる優先権をも与えるものではない。

⑤　前各項に定めるもののほか、臨時的に任用された者に対しては、この法律及び人事院規則を適用する。

一―三・五項…一部改正（昭二三法二二二）、一・五項…一部改正（平一九法一〇八）

【参照条文】

【本法八一―①①（分限規定の適用除外）。人規一一―四（九）（免職）。「臨時的任用」―人規八―一二（三九～四一）。「臨時的任用についての人事院の議決」―本法一二⑥⑧。「特例」―産休法四、育児休業法七。

【類似―地公法二二の三。

（定年前再任用短時間勤務職員の任用）

第六十条の二　任命権者は、年齢六十年に達した日以後にこの法律の規定により退職（臨時的職員その他の法律により任期を定めて任用される職員及び常時勤務を要しない官職を占める職員が退職する場合を除く。）をした者（以下この条及び第八十二条第二項において「年齢六十年以上退職者」という。）又は年齢六十年に達した日以後に自衛隊法（昭和二十九年法律第百六十五号）の規定により退職（自衛官及び同法第四十四条の六第三項各号に掲げる隊員が退職する場合を除く。）をした者（以下この項及び第三項において「自衛隊法による年齢六十年以上退職者」という。）を、人事院規則で定めるところにより、従前の勤務実績その他の人事院規則で定める情報に基づく選考により、短時間勤務の官職（当該官職を占める職員の一週間当たりの通常の勤務時間が、常時勤務を要する官職でその職務が当該短時間勤務の官職と同種の官職を占める職員の一週間当たりの通常の勤務時間に比し短い時間である官職をいう。以下この項及び第三項において同じ。）（一般職の職員の給与に関する法律別表第十一に規定する指定職俸給表の適用を受ける職員が占める官職及びこれに準ずる行政執行法人の官職として人事院規則で定める官職（第四項及び第六節第一款第二目においてこれらの官職を「指定職」という。）を除く。以下この項及び第三項において同じ。）に採用することができる。ただし、年齢六十年以上退職者又は自衛隊法による年齢六十年以上退職者がこれらの者を採用しようとする短時間勤務の官職に係る定年退職日相当日（短時間勤務の官職を占める職員が、常時勤務を要する官職でその職務が当該短時間勤務の官職と同種の官職を占めているものとした場合における第八十一条の六第一項に規定する定年退職日をいう。次項及び第三項において同じ。）を経過した者であるときは、この限りでない。

② 前項の規定により採用された職員（以下この条及び第八十二条第二項において「定年前再任用短時間勤務職員」という。）の任期は、採用の日から定年退職日相当日までとする。

③ 任命権者は、年齢六十年以上退職者又は自衛隊法による年齢六十年以上退職者のうちこれらの者を採用しようとする短時間勤務の官職に係る定年退職日相当日を経過していない者以外の者を当該短時間勤務の官職に採用することができず、定年前再任用短時間勤務職員のうち当該定年前再任用短時間勤務職員を昇任し、降任し、又は転任しようとする短時間勤務の官職に係る定年退職日相当日を経過していない定年前再任用短時間勤務職員以外の職員を当該短時間勤務の官職に昇任し、降任し、又は転任することができない。

④ 任命権者は、定年前再任用短時間勤務職員を、指定職又は指定職以外の常時勤務を要する官職に昇任し、降任し、又は転任することができない。

本条…追加（令三法六一）

第五款　休職、復職、退職及び免職

（休職、復職、退職及び免職）

第六十一条　職員の休職、復職、退職及び免職は任命権者が、この法律及び人事院規則に従い、これを行う。

本条…一部改正（昭二三法二二二）

【参照条文】

【人規八―一二（五四）。「休職」―本法七五・七九・八〇、人規一一―四（三～五）。「復職」―本法八〇①、人規一一―四（六）。「退職」―本法七七。「免職」―本法七五・七八。「任命権者」―本法五五、人規八―一二（四⑫・五〇）。「人事院規則」―人規八―一二（五三・五四）、人規一一―四。

【特例―教特法六・三五。

第六款　幹部職員の任用等に係る特例

本款…追加（平二六法二二）

（適格性審査及び幹部候補者名簿）

第六十一条の二　内閣総理大臣は、次に掲げる者について、政令で定めるところにより、幹部職（自衛隊法第三十条の二第一項第六号に規定する幹部職を含む。第二号及び次項において同じ。）に属する官職（同条第一項第二号に規定する自衛官以外の隊員が占める職を含む。次項及び第六十一条の十一において同じ。）に係る標準職務遂行能力（同法第三十条の二第一項第五号に規定する標準職務遂行能力を含む。次項において同じ。）を有することを確認するための審査（以下「適格性審査」という。）を公正に行うものとする。

一　幹部職員（自衛隊法第三十条の二第一項第六号に規定する幹部隊員を含む。次号及び第六十一条の九第一項において同じ。）

二　幹部職員以外の者であつて、幹部職の職責を担うにふさわしい能力を有すると見込まれる者として任命権者（自衛隊法第三十一条第一項の規定により同法第二条第五項に規定する隊員（以下「自衛隊員」という。）の任免について権限を有する者を含む。第三項及び第四項、第六十一条の六並びに第六十一条の十一において同じ。）が内閣総理大臣に推薦した者

三　前二号に掲げる者に準ずる者として政令で定める者

② 内閣総理大臣は、適格性審査の結果、幹部職に属する官職に係る標準職務遂行能力を有することを確認した者について、政令で定めるところにより、氏名その他政令で定める事項を記載した名簿（以下この条及び次条において「幹部候補者名簿」という。）を作成するものとする。

③ 内閣総理大臣は、任命権者の求めがある場合には、政令で定めるところにより、当該任命権者に対し、幹部候補者名簿を提示するものとする。

④ 内閣総理大臣は、政令で定めるところにより、定期的に、及び任命権者の求めがある場合その他必要があると認める場合には随時、適格性審査を行い、幹部候補者名簿を更新するものとする。

⑤ 内閣総理大臣は、前各項の規定による権限を内閣官房長官に委任する。

⑥ 第一項（第三号を除く。）及び第二項から第四項までの政令は、人事院の意見を聴いて定めるものとする。

本条…追加（平二六法二二）、一・二・六項…一部改正（令三法六一）

（幹部候補者名簿に記載されている者の中からの任用）

第六十一条の三　選考による職員の採用であつて、幹部職への任命に該当するものは、任命権者が、幹部候補者名簿に記載されている者であつて、当該任命しようとする幹部職についての適性を有すると認められる者の中から行うものとする。

② 職員の昇任及び転任であつて、幹部職への任命に該当するものは、任命権者が、幹部候補者名簿に記載されている者であつて、職員の人事評価に基づき、当該任命しようとする幹部職についての適性を有すると認められる者の中から行うものとする。

③ 任命権者は、幹部候補者名簿に記載されている職員の降任であつて、幹部職への任命に該当するものを行う場合には、当該職員の人事評価に基づき、当該任命しようとする幹部職についての適性を有すると認められる幹部職に任命するものとする。

④ 国際機関又は民間企業に派遣されていたこと等の事情により人事評価が行われていない職員のうち、幹部候補者名簿に記載されている者の昇任、降任又は転任であつて、幹部職への任命に該当するものについては、任命権者が、前二項の規定にかかわらず、人事評価以外の能力の実証に基づき、当該任命しようとする幹部職についての適性を判断して行うことができる。

本条…追加（平二六法二二）

（内閣総理大臣及び内閣官房長官との協議に基づく任用等）

第六十一条の四　任命権者は、職員の選考による採用、昇任、降任及び転任であつて幹部職への任命に該当するもの、幹部職員の幹部職以外の官職への昇任、降任及び転任（第八十一条の二第一項の規定による降任及び転任を除く。）並びに幹部職員の退職（政令で定めるものに限る。第四項において同じ。）及び免職（次項及び第三項において「採用等」という。）を行う場合には、政令で定めるところにより、あらかじめ内閣総理大臣及び内閣官房長官に協議した上で、当該協議に基づいて行うものとする。

② 前項の場合において、災害その他緊急やむを得ない理由により、あらかじめ内閣総理大臣及び内閣官房長官に協議する時間的余裕がないときは、任命権者は、同項の規定にかかわらず、当該協議を行うことなく、職員の採用等を行うことができる。

③ 任命権者は、前項の規定により職員の採用等を行つた場合には、内閣総理大臣及び内閣官房長官に通知するとともに、遅滞なく、当該採用等について、政令で定めるところにより、内閣総理大臣及び内閣官房長官に協議し、当該協議に基づいて必要な措置を講じなければならない。

④ 内閣総理大臣又は内閣官房長官は、幹部職員について適切な人事管理を確保するために必要があると認めるときは、任命権者に対し、幹部職員の昇任、降任、転任、退職及び免職（第八十一条の二第一項の規定による降任及び転任を除く。以下この項において「昇任等」という。）について協議を求めることができる。この場合において、協議が調つたときは、任命権者は、当該協議に基づいて昇任等を行うものとする。

本条…追加（平二六法二二）、一・四項…一部改正（令三法六一）

（管理職への任用に関する運用の管理）

第六十一条の五　任命権者は、政令で定めるところにより、定期的に、及び内閣総理大臣の求めがある場合には随時、管理職への任用の状況を内閣総理大臣に報告するものとする。

② 内閣総理大臣は、第五十四条第二項第四号の基準に照らして必要があると認める場合には、任命権者に対し、管理職への任用に関する運用の改善その他の必要な措置をとることを求めることができる。

本条…追加（平二六法二二）

（任命権者を異にする管理職への任用に係る調整）

第六十一条の六　内閣総理大臣は、任命権者を異にする管理職（自衛隊法第三十条の二第一項第七号に規定する管理職を含む。）への任用の円滑な実施に資するよう、任命権者に対する情報提供、任命権者相互間の情報交換の促進その他の必要な調整を行うものとする。

本条…追加（平二六法二二）

（人事に関する情報の管理）

第六十一条の七　内閣総理大臣は、この款及び次款の規定の円滑な運用を図るため、内閣府、デジタル庁、各省その他の機関に対し、政令で定めるところにより、当該機関の幹部職員、管理職員、第六十一条の九第二項第二号に規定する課程対象者その他これらに準ずる職員として政令で定めるものの人事に関する情報の提供を求めることができる。

② 内閣総理大臣は、政令で定めるところにより、前項の規定により提出された情報を適正に管理するものとする。

本条…追加（平二六法二二）

★読替え―復興庁設置法（平二三法一二五）により一項の「デジタル庁」を「デジタル庁、復興庁」に読み替える。

（特殊性を有する幹部職等の特例）

第六十一条の八　法律の規定に基づき内閣に置かれる機関（内閣法制局、内閣府及びデジタル庁を除く。以下この項において「内閣の直属機関」という。）、人事院、検察庁及び会計検査院の官職（当該官職が内閣の直属機関に属するものであつて、その任命権者が内閣の委任を受けて任命権を行う者であるものを除く。）については、第六十一条の二から第六十一条の五までの規定は適用せず、第五十七条、第五十八条及び前条第一項の規定の適用については、第五十七条中「採用（職員の幹部職への任命に該当するものを除く。）」とあるのは「採用」と、第五十八条第一項中「転任（職員の幹部職への任命に該当するものを除く。）」とあるのは「転任」と、同条第二項中「降任させる場合（職員の幹部職への任命に該当する場合を除く。）」とあるのは「降任させる場合」と、同条第三項中「転任（職員の幹部職への任命に該当するものを除く。）」とあるのは「転任」と、前条第一項中「、政令」とあるのは「、当該機関の職員が適格性審査を受ける場合その他の必要がある場合として政令で定める場合に限り、政令」とする。

② **警察庁**の官職については、第六十一条の二、第六十一条の三、第六十一条の四第四項及び第六十一条の五の規定は適用せず、第五十七条、第五十八条、第六十一条の四第一項から第三項まで及び前条第一項の規定の適用については、第五十七条中「採用（職員の幹部職への任命に該当するものを除く。）」とあるのは「採用」と、第五十八条第一項中「転任（職員の幹部職への任命に該当するものを除く。）」とあるのは「転任」と、同条第二項中「降任させる場合（職員の幹部職への任命に該当する場合を除く。）」とあるのは「降任させる場合」と、同条第三項中「転任（職員の幹部職への任命に該当するものを除く。）」とあるのは「転任」と、第六十一条の四第一項中「に協議した上で、当該協議に基づいて行う」とあるのは「（任命権者が警察庁長官である場合にあつては、国家公安委員会を通じて内閣総理大臣及び内閣官房長官）に通知するものとする。この場合において、内閣総理大臣及び内閣官房長官は、任命権者（任命権者が警察庁長官である場合にあつては、国家公安委員会を通じて任命権者）に対し、当該幹部職に係る標準職務遂行能力を有しているか否かの観点から意見を述べることができる」と、同条第二項中「に協議する」とあるのは「（任命権者が警察庁長官である場合にあつては、国家公安委員会を通じて内閣総理大臣及び内閣官房長官）に通知する」と、「当該協議」とあるのは「当該通知」と、同条第三項中「内閣総理大臣及び内閣官房長官に通知するとともに、遅滞なく」とあるのは「遅滞なく」と、「に協議し、当該協議に基づいて必要な措置を講じなければならない」とあるのは「（任命権者が警察庁長官である場合にあつては、国家公安委員会を通じて内閣総理大臣及び内閣官房長官）に通知しなければならない。この場合において、内閣総理大臣及び内閣官房長官は、任命権者（任命権者が警察庁長官である場合にあつては、国家公安委員会を通じて任命権者）に対し、当該幹部職に係る標準職務遂行能力を有しているか否かの観点から意見を述べることができるものとする」と、前条第一項中「、政令」とあるのは「、当該機関の職員が適格性審査を受ける場合その他の必要がある場合として政令で定める場合に限り、政令」とする。

③ 内閣法制局、宮内庁、外局として置かれる委員会（政令で定めるものを除く。）及び国家行政組織法第七条第五項に規定する実施庁の幹部職（これらの機関の長を除く。）については、第六十一条の四第四項の規定は適用せず、同条第一項及び第三項の規定の適用については、同条第一項中「内閣総理大臣」とあるのは「任命権者の属する機関に係る事項についての内閣法（昭和二十二年法律第五号）にいう主任の大臣（第三項において単に「主任の大臣」という。）を通じて

内閣総理大臣」と、同条第三項中「内閣総理大臣」とあるのは「主任の大臣を通じて内閣総理大臣」とする。

本条…追加（平二六法二二）

★読替え—復興庁設置法（平二三法一二五）により一項の「及びデジタル庁」を「、デジタル庁及び復興庁」に読み替える。

第七款　幹部候補育成課程

本款…追加（平二六法二二）

（運用の基準）

第六十一条の九　内閣総理大臣、各省大臣（自衛隊法第三十一条第一項の規定により自衛隊員の任免について権限を有する防衛大臣を含む。）、会計検査院長、人事院総裁その他機関の長であつて政令で定めるもの（以下この条及び次条において「各大臣等」という。）は、幹部職員の候補となり得る管理職員（同法第三十条の二第一項第七号に規定する管理隊員を含む。次項において同じ。）としてその職責を担うにふさわしい能力及び経験を有する職員（自衛隊員（自衛官を除く。）を含む。同項において同じ。）を育成するための課程（以下「幹部候補育成課程」という。）を設け、内閣総理大臣の定める基準に従い、運用するものとする。

②　前項の基準においては、次に掲げる事項を定めるものとする。

一　各大臣等が、その職員であつて、採用後、一定期間勤務した経験を有するものの中から、本人の希望及び人事評価（自衛隊法第三十一条第三項に規定する人事評価を含む。次号において同じ。）に基づいて、幹部候補育成課程における育成の対象となるべき者を随時選定すること。

二　各大臣等が、前号の規定により選定した者（以下「課程対象者」という。）について、人事評価に基づいて、引き続き課程対象者とするかどうかを定期的に判定すること。

三　各大臣等が、課程対象者に対し、管理職員に求められる政策の企画立案及び業務の管理に係る能力の育成を目的とした研修（政府全体を通ずるものを除く。）を実施すること。

四　各大臣等が、課程対象者に対し、管理職員に求められる政策の企画立案及び業務の管理に係る能力の育成を目的とした研修であつて、政府全体を通ずるものとして内閣総理大臣が企画立案し、実施するものを受講させること。

五　各大臣等が、課程対象者に対し、国の複数の行政機関又は国以外の法人において勤務させることにより、多様な勤務を経験する機会を付与すること。

六　第三号の研修の実施及び前号の機会の付与に当たつては、次に掲げる事項を行うよう努めること。

イ　民間企業その他の法人における勤務の機会を付与すること。

ロ　国際機関、在外公館その他の外国に所在する機関における勤務又は海外への留学の機会を付与すること。

ハ　所掌事務に係る専門性の向上を目的とした研修を実施し、又はその向上に資する勤務の機会を付与すること。

七　前各号に掲げるもののほか、幹部候補育成課程に関する政府全体としての統一性を確保するために必要な事項

本条…追加（平二六法二二）、二項…一部改正（平二七法三九）

（運用の管理）

第六十一条の十　各大臣等（会計検査院長及び人事院総裁を除く。次項において同じ。）は、政令で定めるところにより、定期的に、及び内閣総理大臣の求めがある場合には随時、幹部候補育成課程の運用の状況を内閣総理大臣に報告するものとする。

②　内閣総理大臣は、前条第一項の基準に照らして必要があると認める場合には、各大臣等に対し、幹部候補育成課程の運用の改善その他の必要な措置をとることを求めることができる。

本条…追加（平二六法二二）

（任命権者を異にする任用に係る調整）

第六十一条の十一　第六十一条の六の規定は、任命権者を異にする官職への課程対象者の任用について準用する。

本条…追加（平二六法二二）

第三節　給与

旧四節…三節に繰上（平一九法一〇八）

（給与の根本基準）

第六十二条　職員の給与は、その官職の職務と責任に応じてこれをなす。

二項…削除（平一九法一〇八）

【参照条文】

【本法六三～七〇、給与法四。

【類似—地公法二四①。

第一款　通則

款名…改正（平一九法一〇八）

（法律による給与の支給）

第六十三条　職員の給与は、別に定める法律に基づいてなされ、これに基づかずには、いかなる金銭又は有価物も支給することはできない。

見出し・一項…一部改正（平一九法一〇八）、二項…削除（平一九法一〇八）

【参照条文】

【本法二⑥（給与支払の禁止）。

【「給与に関する法律」―給与法一。

【罰則―本法一一〇①⑪・一一一、給与法二五。

【類似―給与法三②、地公法二五①④。

（**俸給表**）

第六十四条　前条に規定する法律（以下「給与に関する法律」という。）には、俸給表が規定されなければならない。

② 俸給表は、生計費、民間における賃金その他人事院の決定する適当な事情を考慮して定められ、かつ、等級ごとに明確な俸給額の幅を定めていなければならない。

二項…全改（昭二三法二二二）、一・二項…一部改正（平一九法一〇八）

【参照条文】

①【「俸給表」―本法二八②、給与法六、任期付研究員法六、任期付職員法七。

【類似―地公法二四②・二五③〜⑤。

（**給与に関する法律に定めるべき事項**）

第六十五条　給与に関する法律には、前条の俸給表のほか、次に掲げる事項が規定されなければならない。

一　初任給、昇給その他の俸給の決定の基準に関する事項

二　官職又は勤務の特殊性を考慮して支給する給与に関する事項

三　親族の扶養その他職員の生計の事情を考慮して支給する給与に関する事項

四　地域の事情を考慮して支給する給与に関する事項

五　時間外勤務、夜間勤務及び休日勤務に対する給与に関する事項

六　一定の期間における勤務の状況を考慮して年末等に特別に支給する給与に関する事項

七　常時勤務を要しない官職を占める職員の給与に関する事項

② 前項第一号の基準は、勤続期間、勤務能率その他勤務に関する諸要件を考慮して定められるものとする。

一項…一部改正（昭二三法二二二）、見出し…全改・一項…一部改正（平一九法一〇八）

【参照条文】

①【「初任給」―給与法一〇の四、人規九―八（一一〜一九）。「昇給の基準」―給与法八、人規九―八（三四〜四一）。「官職又は勤務の特殊性」―給与法一〇・一〇の二・一〇の三・一〇の四・一〇の五・一三・一九の三、人規九―六、人規九―七、人規九―一七、人規九―三〇、人規九―三四、人規九―九三、人規九―一二二、人規九―一二三、人規九―一二九。「親族の扶養」―給与法一一・一一の二、人規九―七、人規九―八〇。「地域」―給与法一一の三・一三の二、人規九―四九、人規九―五五、寒冷地手当法、人規九―七。「時間外勤務」―勤務時間法一三②、給与法一六、人規九―七、人規九―九七。「夜間勤務」―給与法一八、人規九―七。「休日勤務」―給与法一七、人規九―七、人規九―四三。「宿日直勤務」―給与法一九の二、人規九―七、勤務時間法一三①、人規一五―一四（一三〜一五）、人規九―一五。「年末等に特別に支給する給与」―給与法一九の四〜一九の七、人規九―四〇。「常時勤務を要しない官職」―給与法二二、人規九―一。

②【「勤務能率」―本法七一。

【類似―地公法二五③。

第六十六条　削除

本条…削除（平一九法一〇八）

（**給与に関する法律に定める事項の改定**）

第六十七条　人事院は、第二十八条第二項の規定によるもののほか、給与に関する法律に定める事項に関し、常時、必要な調査研究を行い、これを改定する必要を認めたときは、遅滞なく改定案を作成して、国会及び内閣に勧告をしなければならない。

本条…一部改正（昭二三法二二二）、全改（平一九法一〇八）

【参照条文】

【本法二二⑥⑨（人事院の議決）・六五（給与に関する法律に定める事項の立案）・二八（情勢適応の原則）・二三（意見の申出）。

【類似―給与法二③・二四、地公法二四②。

第二款　給与の支払

（**給与簿**）

第六十八条　職員に対して給与の支払をなす者は、先づ受給者につき給与簿を作成しなければならない。

② 給与簿は、何時でも人事院の職員が検査し得るようにしておかなければならない。

③ 前二項に定めるものを除いては、給与簿に関し必要な事項は、人事院規則でこれを定める。

二・三項…一部改正（昭二三法二二二）

【参照条文】
【本法一八、人規九―五。
【罰則―本法一一〇①⑫・一一一。
【類似―労基法一〇八。

（給与簿の検査）
第六十九条　職員の給与が法令、人事院規則又は人事院指令に適合して行われることを確保するため必要があるときは、人事院は給与簿を検査し、必要があると認めるときは、その是正を命ずることができる。

本条…一部改正（昭二三法二二二）

【参照条文】
【本法一八①（給与の支払の監理）。本法一八②・六三、給与法三②（給与支給の法令準拠主義）。「更正命令」―給与法二〇。

（違法の支払に対する措置）
第七十条　人事院は、給与の支払が、法令、人事院規則又は人事院指令に違反してなされたことを発見した場合には、自己の権限に属する事項については自ら適当な措置をなす外、必要があると認めるときは、事の性質に応じて、これを会計検査院に報告し、又は検察官に通報しなければならない。

本条…一部改正（昭二三法二二二）

【参照条文】
【「法令」―本法一八②・六三、給与法、寒冷地手当法、派遣法など。「会計検査院」―会検法三一～三四。「検察官」―検察庁法四。
【罰則―本法一一〇①⑬・一一一。

第四節　人事評価

本節…追加（平一九法一〇八）

（人事評価の根本基準）
第七十条の二　職員の人事評価は、公正に行われなければならない。

本条…追加（平一九法一〇八）

【参照条文】
【類似―地公法二三①】

（人事評価の実施）
第七十条の三　職員の執務については、その所轄庁の長は、定期的に人事評価を行わなければならない。
②　人事評価の基準及び方法に関する事項その他人事評価に関し必要な事項は、人事院の意見を聴いて、政令で定める。

本条…追加（平一九法一〇八）

【参照条文】
【地公法二三の二】

（人事評価に基づく措置）
第七十条の四　所轄庁の長は、前条第一項の人事評価の結果に応じた措置を講じなければならない。
②　内閣総理大臣は、勤務成績の優秀な者に対する表彰に関する事項及び成績の著しく不良な者に対する矯正方法に関する事項を立案し、これについて、適当な措置を講じなければならない。

本条…追加（平一九法一〇八）

【参照条文】
【地公法二三の三】

第四節の二　研修

本節…追加（平二六法二二）

（研修の根本基準）
第七十条の五　研修は、職員に現在就いている官職又は将来就くことが見込まれる官職の職務の遂行に必要な知識及び技能を習得させ、並びに職員の能力及び資質を向上させることを目的とするものでなければならない。
②　前項の根本基準の実施につき必要な事項は、この法律に定めのあるものを除いては、人事院の意見を聴いて政令で定める。
③　人事院及び内閣総理大臣は、それぞれの所掌事務に係る研修による職員の育成について調査研究を行い、その結果に基づいて、それぞれの所掌事務に係る研修について適切な方策を講じなければならない。

本条…追加（平二六法二二）

（研修計画）
第七十条の六　人事院、内閣総理大臣及び関係庁の長は、前条第一項に規定する根本基準を達成するため、職員の研修（人事院にあつては第一号に掲げる観点から行う研修とし、内閣総理大臣にあつては第二号に掲げる観点から行う研修とし、関係庁の長にあつては第三号に掲げる観点から行う研修とする。）について計画を樹立し、その実施に努めなければならない。
一　国民全体の奉仕者としての使命の自覚及び多角的な視点等を有する職員の育成並びに研修の方法に関する専門的知見を活用して行う職員の効果的な育成
二　各行政機関の課程対象者の政府全体を通じた育成又は内閣の重要政策に関する理解を深めることを通じた行政各部の施策の統一性の確保
三　行政機関が行うその職員の育成又は行政機関がその所掌事務について行うその職員及び他の行政機関の職員に対する知識及び技能の付与
②　前項の計画は、同項の目的を達成するために必要かつ適切な職員の研修の機会が確保されるものでなければならない。

③ 内閣総理大臣は、第一項の規定により内閣総理大臣及び関係庁の長が行う研修についての計画の樹立及び実施に関し、その総合的企画及び関係各庁に対する調整を行う。
④ 内閣総理大臣は、前項の総合的企画に関連して、人事院に対し、必要な協力を要請することができる。
⑤ 人事院は、第一項の計画の樹立及び実施に関し、その監視を行う。

本条…追加（平二六法二二）

（研修に関する報告要求等）

第七十条の七 人事院は、内閣総理大臣又は関係庁の長に対し、人事院規則の定めるところにより、前条第一項の計画に基づく研修の実施状況について報告を求めることができる。
② 人事院は、内閣総理大臣又は関係庁の長が法令に違反して前条第一項の計画に基づく研修を行つた場合には、その是正のため必要な指示を行うことができる。

本条…追加（平二六法二二）

第五節 能率

（能率の根本基準）

第七十一条 職員の能率は、充分に発揮され、且つ、その増進がはかられなければならない。
② 前項の根本基準の実施につき、必要な事項は、この法律に定めるものを除いては、人事院規則でこれを定める。
③ 内閣総理大臣は、職員の能率の発揮及び増進について、調査研究を行い、その確保のため適切な方策を講じなければならない。

二・三項…一部改正（昭二三法二二二）、三項…一部改正（昭四〇法六九・平二六法二二）

【参照条文】
① 【「能率」―本法一①・七三・七三の二・八七。
② 【「人事院規則」―人規一〇―四、人規一〇―五、人規一〇―六、人規一〇―七、人規一〇―八、人規一〇―一〇、人規一〇―一一、一〇―一三。

第七十二条 削除

【適用除外―行労法三七①㈠。

本条…削除（平一九法一〇八）

（能率増進計画）

第七十三条 内閣総理大臣及び関係庁の長は、職員の勤務能率の発揮及び増進のために、次に掲げる事項について計画を樹立し、その実施に努めなければならない。
一 職員の保健に関する事項
二 職員のレクリエーションに関する事項
三 職員の安全保持に関する事項
四 職員の厚生に関する事項
② 前項の計画の樹立及び実施に関し、内閣総理大臣は、その総合的企画並びに関係各庁に対する調整及び監視を行う。

一・二項…一部改正（昭二三法二二二・昭四〇法六九・平二六法二二）

【参照条文】
【本法第一次改正附三（労基法等の準用）。
① 【本法七一（能率の発揮増進）。「保健」―人規一〇―四、人規一〇―七、人規一〇―八。「レクリエーション」―人規一〇―六。「安全保持」―人規一〇―四、人規一〇―五、人規一〇―七、人規一〇―八。「厚生」―国公共済法、宿舎法。

【適用除外―行労法三七①㈠。

【類似―地公法四二。

（能率の増進に関する要請）

第七十三条の二 内閣総理大臣は、職員の能率の増進を図るため必要があると認めるときは、関係庁の長に対し、国家公務員宿舎法（昭和二十四年法律第百十七号）又は国家公務員等の旅費に関する法律（昭和二十五年法律第百十四号）の執行に関し必要な要請をすることができる。

本条…追加（平二六法二二）

第六節 分限、懲戒及び保障

（分限、懲戒及び保障の根本基準）

第七十四条 すべて職員の分限、懲戒及び保障については、公正でなければならない。
② 前項に規定する根本基準の実施につき必要な事項は、この法律に定めるものを除いては、人事院規則でこれを定める。

二項…一部改正（昭二三法二二二）

【参照条文】
【「分限」―本法七五～八一の五、人規一一―四。「懲戒」―本法八二～八五、人規一二―〇。「保障」―本法八六～九五、国公災法、人規一三―一、人規一三―二、人規一三―三、人規一三―四、人規一六―〇、人規一六―二、人規一六―三、人規一六―四。

【類似―地公法二七①。

第一款 分限

第一目 降任、休職、免職等

（身分保障）

第七十五条 職員は、法律又は人事院規則で定める事由による場合でなければ、その意に反して、降任され、休職され、又は免職されることはない。

② 職員は、この法律又は人事院規則で定める事由に該当するときは、降給されるものとする。
一・二項…一部改正（昭二三法二二二・令三法六一）
【参照条文】
①【旧官吏分限令、本法三三③・六一。「法律又は人事院規則に定める事由」―本法七八・七九、人規一一―四（三・七）。
②【「人事院規則」―人規一一―一〇㈣。
【適用除外―本法八一。［二項のみ適用除外］＝独立行政法人通則法五九①②。
【特例―検察庁法二三～二五。
【類似―地公法二七②。

（欠格による失職）

第七十六条　職員が第三十八条各号（第二号を除く。）のいずれかに該当するに至つたときは、人事院規則で定める場合を除くほか、当然失職する。

本条…一部改正（昭二三法二二二・令元法三七）

【参照条文】

【「人事院規則」―なし。「失職」―人規八―一二（四⑧）、外公法七②、学校教育法九、退手法一二①②（失職者に対する退職手当の支給制限）、恩給法五一、国公共済法九七（一部失職者に対する共済給付等の制限）。

【類似―地公法二八④。


（離職）

第七十七条　職員の離職に関する規定は、この法律及び人事院規則でこれを定める。

本条…全改（昭二三法二二二）

【参照条文】

【本法三三③・六一・七六・七八・八二。人規八―一二（四⑦～⑪・五一・五二）。

【適用除外―行労法三七①⑪。

【特例―検察庁法二二・二三。

（本人の意に反する降任及び免職の場合）
第七十八条　職員が、次の各号に掲げる場合のいずれかに該当するときは、人事院規則の定めるところにより、その意に反して、これを降任し、又は免職することができる。
一　人事評価又は勤務の状況を示す事実に照らして、勤務実績がよくない場合
二　心身の故障のため、職務の遂行に支障があり、又はこれに堪えない場合
三　その他その官職に必要な適格性を欠く場合
四　官制若しくは定員の改廃又は予算の減少により廃職又は過員を生じた場合
本条…一部改正（昭二三法二二二・平一九法一〇八）
【参照条文】
【本法三三③・三五・六一・八二。「人事院規則」―人規一一―四（七～一〇）、人規八―一二（五四～五八）。「勤務実績」―人事評価の基準、方法等に関する政令。「定員」―定員法。
【適用除外―本法八一。
【特例―検察庁法二三～二五、人規一一―四（八・九）。
【類似―地公法二八①、旧官吏分限令三～五。

（幹部職員の降任に関する特例）
第七十八条の二　任命権者は、幹部職員（幹部職のうち職制上の段階が最下位の段階のものを占める幹部職員を除く。以下この条において同じ。）について、次の各号に掲げる場合のいずれにも該当するときは、人事院規則の定めるところにより、当該幹部職員が前条各号に掲げる場合のいずれにも該当しない場合においても、その意に反して降任（直近下位の職制上の段階に属する幹部職への降任に限る。）を行うことができる。
一　当該幹部職員が、人事評価又は勤務の状況を示す事実に照らして、他の官職（同じ職制上の段階に属する他の官職であつて、当該官職に対する任命権が当該幹部職員の任命権者に属するものをいう。第三号において「他の官職」という。）を占める他の幹部職員に比して勤務実績が劣つているものとして人事院規則で定める要件に該当する場合
二　当該幹部職員が現に任命されている官職に幹部職員となり得る他の特定の者を任命すると仮定した場合において、当該他の特定の者が、人事評価又は勤務の状況を示す事実その他の客観的な事実及び当該官職についての適性に照らして、当該幹部職員より優れた業績を挙げることが十分見込まれる場合として人事院規則で定める要件に該当する場合
三　当該幹部職員について、欠員を生じ、若しくは生ずると見込まれる他の官職についての適性が他の候補者と比較して十分でない場合として人事院規則で定める要件に該当すること若しくは他の官職の職務を行うと仮定した場合において当該幹部職員が当該他の官職に現に就いている他の職員より優れた業績を挙げることが十分見込まれる場合として人事院規則で定める要件に該当しないことにより、転任させるべき適当な官職がないと認められる場合又は幹部職員の任用を適切に行うため当該幹部職員を降任させる必要がある場合として人事院規則で定めるその他の場合
本条…追加（平二六法二二）

（本人の意に反する休職の場合）

第七十九条　職員が、左の各号の一に該当する場合又は人事院規則で定めるその他の場合においては、その意に反して、これを休職することができる。

一　心身の故障のため、長期の休養を要する場合

二　刑事事件に関し起訴された場合

本条…一部改正（昭二三法二二二）

【参照条文】

【本法七五（身分保障）、本法八九～九二の二（不利益処分の審査）。「人事院規則で定めるその他の場合」―人規一一―四（三）、本法六一（休職に関する権限者）。本法八〇、人規一一―四（四）。

【適用除外―本法八一。

【関連―人規一〇―四（二四・別表第四）。

【類似―地公法二七②・二八②③、旧官吏分限令一一。

（休職の効果）

第八十条　前条第一号の規定による休職の期間は、人事院規則でこれを定める。休職期間中その事故の消滅したときは、休職は当然終了したものとし、すみやかに復職を命じなければならない。

② 前条第二号の規定による休職の期間は、その事件が裁判所に係属する間とする。

③ いかなる休職も、その事由が消滅したときは、当然に終了したものとみなされる。

④ 休職者は、職員としての身分を保有するが、職務に従事しない。休職者は、その休職の期間中、給与に関する法律で別段の定めをしない限り、何らの給与を受けてはならない。

一項…全改・三項…追加・旧三項…一部改正し四項に繰下（昭二三法二二二）、四項…一部改正（平一九法一〇八）

【参照条文】

①【「休職の期間」―人規一一―四（五）、教特法六・一四・三〇・三五、公立学校事務職員休職特例法。「復職」―本法六一、人規一一―四（六）。

④【人規一一―四（四）（休職職員の保有する官職）。「給与に関する法律」―本法六三～六七、給与法附⑥。「休職の期間中の給与」―給与法二三、人規九―一三、教特法一四②・三〇、公立学校事務職員休職特例法、寒冷地手当支給規則四[1]・[2]。

【適用除外―本法八一。

【関連―人規八―一二（三七③[4]）、人規九―八（四四）、人規九―三四（六②）、人規九―四〇（五②[5]・一一②[5]）、退手法七④。恩給法四〇ノ二。

【特例―人規一一―四（一一）。

【類似―地公法二八③、旧官吏分限令五・一一[2]・一二・一三。

（適用除外）

第八十一条　次に掲げる職員の分限（定年に係るものを除く。次項において同じ。）については、第七十五条、第七十八条から前条まで及び第八十九条並びに行政不服審査法（平成二十六年法律第六十八号）の規定は、適用しない。

一　臨時的職員

二　条件付採用期間中の職員

② 前項各号に掲げる職員の分限については、人事院規則で必要な事項を定めることができる。

一・二項…一部改正・三項…削除（昭二三法二二二）、一項…一部改正（昭三七法一六一・昭五六法七七・平一九法一〇八・平二六法六九）

【参照条文】

①【「臨時的職員」―本法六〇、人規八―一二（三九）、産休法、育児休業法七。「条件付採用期間」―本法五九、人規八―一二（三二）。

②【「人事院規則」―人規一一―四（八～一〇）。

【類似―地公法二九の二。

第二目　管理監督職勤務上限年齢による降任等

本目…追加（令三法六一）

（管理監督職勤務上限年齢による降任等）

第八十一条の二　任命権者は、管理監督職（一般職の職員の給与に関する法律第十条の二第一項に規定する官職及びこれに準ずる官職として人事院規則で定める官職並びに指定職（これらの官職のうち、病院、療養所、診療所その他の国の部局又は機関に勤務する医師及び歯科医師が占める官職その他のその職務と責任に特殊性があること又は欠員の補充が困難であることによりこの条の規定を適用することが著しく不適当と認められる官職として人事院規則で定める官職を除く。）をいう。以下この目及び第八十一条の七において同じ。）を占める職員でその占める管理監督職に係る管理監督職勤務上限年齢に達している職員について、異動期間（当該管理監督職勤務上限年齢に達した日の翌日から同日以後における最初の四月一日までの間をいう。以下この目及び同条において同じ。）（第八十一条の五第一項から第四項までの規定により延長された期間を含む。以下この項において同じ。）に、管理監督職以外の官職又は管理監督職勤務上限年齢が当該職員の年齢を超える管理監督職（以下この項及び第三項においてこれらの官職を「他の官職」という。）への降

任又は転任（降給を伴う転任に限る。）をするものとする。ただし、異動期間に、この法律の他の規定により当該職員について他の官職への昇任、降任若しくは転任をした場合又は第八十一条の七第一項の規定により当該職員を管理監督職を占めたまま引き続き勤務させることとした場合は、この限りでない。

② 前項の管理監督職勤務上限年齢は、年齢六十年とする。ただし、次の各号に掲げる管理監督職を占める職員の管理監督職勤務上限年齢は、当該各号に定める年齢とする。

一　国家行政組織法第十八条第一項に規定する事務次官及びこれに準ずる管理監督職のうち人事院規則で定める管理監督職　年齢六十二年

二　前号に掲げる管理監督職のほか、その職務と責任に特殊性があること又は欠員の補充が困難であることにより管理監督職勤務上限年齢を年齢六十年とすることが著しく不適当と認められる管理監督職として人事院規則で定める管理監督職　六十年を超え六十四年を超えない範囲内で人事院規則で定める年齢

③ 第一項本文の規定による他の官職への降任又は転任（以下この目及び第八十九条第一項において「他の官職への降任等」という。）を行うに当たつて任命権者が遵守すべき基準に関する事項その他の他の官職への降任等に関し必要な事項は、人事院規則で定める。

本条…追加（令三法六一）

（管理監督職への任用の制限）

第八十一条の三　任命権者は、採用し、昇任し、降任し、又は転任しようとする管理監督職に係る管理監督職勤務上限年齢に達している者を、その者が当該管理監督職を占めているものとした場合における異動期間の末日の翌日（他の官職への降任等をされた職員にあつては、当該他の官職への降任等をされた日）以後、当該管理監督職に採用し、昇任し、降任し、又は転任することができない。

本条…追加（令三法六一）

（適用除外）

第八十一条の四　前二条の規定は、臨時的職員その他の法律により任期を定めて任用される職員には適用しない。

本条…追加（令三法六一）

（管理監督職勤務上限年齢による降任等及び管理監督職への任用の制限の特例）

第八十一条の五　任命権者は、他の官職への降任等をすべき管理監督職を占める職員について、次に掲げる事由があると認めるときは、当該職員が占める管理監督職に係る異動期間の末日の翌日から起算して一年を超えない期間内（当該期間内に次条第一項に規定する定年退職日（以下この項及び次項において「定年退職日」という。）がある職員にあつては、当該異動期間の末日の翌日から定年退職日までの期間内。第三項において同じ。）で当該異動期間を延長し、引き続き当該管理監督職を占める職員に、当該管理監督職を占めたまま勤務をさせることができる。

一　当該職員の職務の遂行上の特別の事情を勘案して、当該職員の他の官職への降任等により公務の運営に著しい支障が生ずると認められる事由として人事院規則で定める事由

二　当該職員の職務の特殊性を勘案して、当該職員の他の官職への降任等により、当該管理監督職の欠員の補充が困難となることにより公務の運営に著しい支障が生ずると認められる事由として人事院規則で定める事由

② 任命権者は、前項又はこの項の規定により異動期間（これらの規定により延長された期間を含む。）が延長された管理監督職を占める職員について、前項各号に掲げる事由が引き続きあると認めるときは、人事院の承認を得て、延長された当該異動期間の末日の翌日から起算して一年を超えない期間内（当該期間内に定年退職日がある職員にあつては、延長された当該異動期間の末日の翌日から定年退職日までの期間内。第四項において同じ。）で延長された当該異動期間を更に延長することができる。ただし、更に延長される当該異動期間の末日は、当該職員が占める管理監督職に係る異動期間の末日の翌日から起算して三年を超えることができない。

③ 任命権者は、第一項の規定により異動期間を延長することができる場合を除き、他の官職への降任等をすべき特定管理監督職群（職務の内容が相互に類似する複数の管理監督職（指定職を除く。以下この項及び次項において同じ。）であつて、これらの欠員を容易に補充することができない年齢別構成その他の特別の事情がある管理監督職として人事院規則で定める管理監督職をいう。以下この項において同じ。）に属する管理監督職を占める職員について、当該職員の他の官職への降任等により、当該特定管理監督職群に属する管理監督職の欠員の補充が困難となることにより公務の運営に著しい支障が生ずると認められる事由として人事院規則で定める事由があると認めるときは、当該職員が占める管理監督職に係る異動期間の末日の翌日から起算して一年を超えない期間内で当該異動期間を延

長し、引き続き当該管理監督職を占めている職員に当該管理監督職を占めたまま勤務をさせ、又は当該職員を当該管理監督職が属する特定管理監督職群の他の管理監督職に降任し、若しくは転任することができる。

④　任命権者は、第一項若しくは第二項の規定により異動期間（これらの規定により延長された期間を含む。）が延長された管理監督職を占める職員について前項に規定する事由があると認めるとき（第二項の規定により延長された当該異動期間を更に延長することができるときを除く。）、又は前項若しくはこの項の規定により異動期間（前三項又はこの項の規定により延長された期間を含む。）が延長された管理監督職を占める職員について前項に規定する事由が引き続きあると認めるときは、人事院の承認を得て、延長された当該異動期間の末日の翌日から起算して一年を超えない期間内で延長された当該異動期間を更に延長することができる。

⑤　前各項に定めるもののほか、これらの規定による異動期間（これらの規定により延長された期間を含む。）の延長及び当該延長に係る職員の降任又は転任に関し必要な事項は、人事院規則で定める。

本条…追加（令三法六一）

第三目　定年による退職等

本目…追加（昭五六法七七）、一部改正・旧二目…三目に繰下（令三法六一）

（定年による退職）

第八十一条の六　職員は、法律に別段の定めのある場合を除き、定年に達したときは、定年に達した日以後における最初の三月三十一日又は第五十五条第一項に規定する任命権者若しくは法律で別に定められた任命権者があらかじめ指定する日のいずれか早い日（次条第一項及び第二項ただし書において「定年退職日」という。）に退職する。

②　前項の定年は、年齢六十五年とする。ただし、その職務と責任に特殊性があること又は欠員の補充が困難であることにより定年を年齢六十五年とすることが著しく不適当と認められる官職を占める医師及び歯科医師その他の職員として人事院規則で定める職員の定年は、六十五年を超え七十年を超えない範囲内で人事院規則で定める年齢とする。

③　前二項の規定は、臨時的職員その他の法律により任期を定めて任用される職員及び常時勤務を要しない官職を占める職員には適用しない。

本条…追加（昭五六法七七）、一・二項…一部改正・旧八一条の二…八一条の六に繰下（令三法六一）

【参照条文】

①【「別段の定め」―検察庁法二二。「別に定められた任命権」―内閣法制局設置法二②など。

②【「人事院規則」―人規一一―八（一～四）。

③【本法六〇など（三項の適用除外職員）。「法律により任期を定めて任用される職員」―更生保護法一八、育児休業法七①、科学技術・イノベーション創出の活性化に関する法律一四・一六など。

【類似―地公法二八の二、教特法八①、裁判所法五〇、会検法五③、自衛隊法四四の二、独禁法三〇③。

（定年による退職の特例）

第八十一条の七　任命権者は、定年に達した職員が前条第一項の規定により退職すべきこととなる場合において、次に掲げる事由があると認めるときは、同項の規定にかかわらず、当該職員に係る定年退職日の翌日から起算して一年を超えない範囲内で期限を定め、当該職員を当該定年退職日において従事している職務に従事させるため、引き続き勤務させることができる。ただし、第八十一条の五第一項から第四項までの規定により異動期間（これらの規定により延長された期間を含む。）を延長した職員であつて、定年退職日において管理監督職を占めている職員については、同条第一項又は第二項の規定により当該定年退職日まで当該異動期間を延長した場合であつて、引き続き勤務させることについて人事院の承認を得たときに限るものとし、当該期限は、当該職員が占めている管理監督職に係る異動期間の末日の翌日から起算して三年を超えることができない。

一　前条第一項の規定により退職すべきこととなる職員の職務の遂行上の特別の事情を勘案して、当該職員の退職により公務の運営に著しい支障が生ずると認められる事由として人事院規則で定める事由

二　前条第一項の規定により退職すべきこととなる職員の職務の特殊性を勘案して、当該職員の退職により、当該職員が占める官職の欠員の補充が困難となることにより公務の運営に著しい支障が生ずると認められる事由として人事院規則で定める事由

②　任命権者は、前項の期限又はこの項の規定により延長された期限が到来する場合において、前項各号に掲げる事由が引き続きあると認めるときは、人事院の承認を得て、これらの期限の翌日から起算して一年を超えない範囲内で期限を延長することができる。ただし、当該期限は、当該職員に係る定年退職日（同項ただし書に規定する職員にあつては、当該職員が占めている管理監督職に係る異動期間の末日）の翌日から起

算して三年を超えることができない。

③ 前二項に定めるもののほか、これらの規定による勤務に関し必要な事項は、人事院規則で定める。

本条…追加（昭五六法七七）、一・二項…一部改正・三項…追加・旧八一条の三…八一条の七に繰下（令三法六一）

【参照条文】

【人規一一―八（六～一〇）、人規一八―〇（一[4]）。

【類似―自衛隊法四四の三。地公法二八の三。

（定年に関する事務の調整等）

第八十一条の八　内閣総理大臣は、職員の定年に関する事務の適正な運営を確保するため、各行政機関が行う当該事務の運営に関し必要な調整を行うほか、職員の定年に関する制度の実施に関する施策を調査研究し、その権限に属する事項について適切な方策を講ずるものとする。

本条…追加（昭五六法七七）、一部改正（平一一法八三）、旧八一条の六…八一条の八に繰下（令三法六一）

第二款　懲戒

（懲戒の場合）

第八十二条　職員が次の各号のいずれかに該当する場合には、当該職員に対し、懲戒処分として、免職、停職、減給又は戒告の処分をすることができる。

一　この法律若しくは国家公務員倫理法又はこれらの法律に基づく命令（国家公務員倫理法第五条第三項の規定に基づく訓令及び同条第四項の規定に基づく規則を含む。）に違反した場合

二　職務上の義務に違反し、又は職務を怠つた場合

三　国民全体の奉仕者たるにふさわしくない非行のあつた場合

② 職員が、任命権者の要請に応じ特別職に属する国家公務員、地方公務員又は沖縄振興開発金融公庫その他その業務が国の事務若しくは事業と密接な関連を有する法人のうち人事院規則で定めるものに使用される者（以下この項において「特別職国家公務員等」という。）となるため退職し、引き続き特別職国家公務員等として在職した後、引き続いて当該退職を前提として職員として採用された場合（一の特別職国家公務員等として在職した後、引き続き一以上の特別職国家公務員等として在職し、引き続いて当該退職を前提として職員として採用された場合を含む。）において、当該退職までの引き続く職員としての在職期間（当該退職前に同様の退職（以下この項において「先の退職」という。）、特別職国家公務員等としての在職及び職員としての採用がある場合には、当該先の退職までの引き続く職員としての在職期間を含む。以下この項において「要請に応じた退職前の在職期間」という。）中に前項各号のいずれかに該当したときは、当該職員に対し、同項に規定する懲戒処分を行うことができる。定年前再任用短時間勤務職員が、年齢六十年以上退職者となつた日までの引き続く職員としての在職期間（要請に応じた退職前の在職期間を含む。）又は第六十条の二第一項の規定によりかつて採用されて定年前再任用短時間勤務職員として在職していた期間中に前項各号のいずれかに該当したときも、同様とする。

本条…一部改正（昭二三法二二二・昭四〇法六九・平一一法一二九・平一一法二二〇）、追加（平一一法八三）、一項…一部改正（平一七法一〇二）、二項…一部改正（平一九法五八）、一・二項…一部改正（令三法六一）

【参照条文】

【本法八三・八四、人規一二―〇、本法附八（遡及適用）。「国民全体の奉仕者」―憲法一五②、本法九六①。本法八九～九二の二（不利益処分の審査）。

【関連―本法三八[3]。退手法一二①[1]、国公共済法九七①。恩給法五一。

【類似―地公法二九、旧官吏懲戒令。

（懲戒の効果）

第八十三条　停職の期間は、一年をこえない範囲内において、人事院規則でこれを定める。

② 停職者は、職員としての身分を保有するが、その職務に従事しない。停職者は、第九十二条の規定による場合の外、停職の期間中給与を受けることができない。

一項…全改・二項…一部改正・三項…削除（昭二三法二二二）

【参照条文】

【「停職の期間」―人規一二―〇（二）。

【罰則―本法一〇九[10]・一一〇①[14]・一一一。

【関連―退手法七④。恩給法四〇ノ二・五一

【類似―本法八〇④。人規八―一二（三七③[4]）（懲戒の派生的効果）。

（懲戒権者）

第八十四条　懲戒処分は、任命権者が、これを行う。

② 人事院は、この法律に規定された調査を経て職員を懲戒手続に付することができる。

二項…追加（昭二三法二二二）

【参照条文】

①【「任命権者」―本法五五、人規八―一二（三）。

②【「この法律」―本法一七。「懲戒の手続」―人規一二―〇。

【適用除外―行労法三七①[1]。
【類似―地公法六、旧官吏懲戒令六。

（国家公務員倫理審査会への権限の委任）

第八十四条の二　人事院は、前条第二項の規定による権限（国家公務員倫理法又はこれに基づく命令（同法第五条第三項の規定に基づく訓令及び同条第四項の規定に基づく規則を含む。）に違反する行為に関して行われるものに限る。）を国家公務員倫理審査会に委任する。

本条…一部改正（平一一法一三〇・平一七法一〇二）

【参照条文】

【本法三の二、倫理法一一[10]・三〇、人規二二―二。

【適用除外―行労法三七①[1]。


（刑事裁判との関係）

第八十五条　懲戒に付せらるべき事件が、刑事裁判所に係属する間においても、人事院又は人事院の承認を経て任命権者は、同一事件について、適宜に、懲戒手続を進めることができる。この法律による懲戒処分は、当該職員が、同一又は関連の事件に関し、重ねて刑事上の訴追を受けることを妨げない。

本条…全改（昭二三法二二二）

【参照条文】

【本法八四、人規一二―〇(八)、懲戒手続進行の承認申請について（昭三三職職―三九四）。

【対照―旧官吏懲戒令七。

第三款　保障

第一目　勤務条件に関する行政措置の要求

（勤務条件に関する行政措置の要求）
第八十六条　職員は、俸給、給料その他あらゆる勤務条件に関し、人事院に対して、人事院若しくは内閣総理大臣又はその職員の所轄庁の長により、適当な行政上の措置が行われることを要求することができる。
本条…一部改正（昭二三法二二二・昭四〇法六九）
【参照条文】
【人規一三―二。「勤務条件」―本法二八・一〇六・一〇八の五、国公災法二四・二五、人規一三―三（災害補償の実施に関する審査の申立て等）。
【適用除外―行労法三七①[1]。
【行政措置要求の特例―外公法一七・一八。
【罰則―本法一一〇①[15]・一一一。
【類似―地公法四六。

（事案の審査及び判定）

第八十七条　前条に規定する要求のあつたときは、人事院は、必要と認める調査、口頭審理その他の事実審査を行い、一般国民及び関係者に公平なように、且つ、職員の能率を発揮し、及び増進する見地において、事案を判定しなければならない。

本条…一部改正（昭二三法二二二）

【参照条文】

【「公平」―本法二七。「能率発揮」―本法一①・七一①。「審査の手続」―人規一三―二。本法二二⑥[10]。

【適用除外―行労法三七①[1]。

【類似―地公法四七。


（判定の結果採るべき措置）

第八十八条　人事院は、前条に規定する判定に基き、勤務条件に関し一定の措置を必要と認めるときは、その権限に属する事項については、自らこれを実行し、その他の事項については、内閣総理大臣又はその職員の所轄庁の長に対し、その実行を勧告しなければならない。

本条…一部改正（昭二三法二二二・昭四〇法六九）

【参照条文】

【「人事院の権限」―本法三。「勧告」―人規一三―二（一五）。

【適用除外―行労法三七①[1]。

【類似―地公法四七、本法二二。

第二目　職員の意に反する不利益な処分に関する審査

（職員の意に反する降給等の処分に関する説明書の交付）
第八十九条　職員に対し、その意に反して、降給（他の官職への降任等に伴う降給を除く。）、降任（他の官職への降任等に該当する降任を除く。）、休職若しくは免職をし、その他職員に対し著しく不利益な処分を行い、又は懲戒処分を行おうとするときは、当該処分を行う者は、当該職員に対し、当該処分の際、当該処分の事由を記載した説明書を交付しなければならない。
②　職員が前項に規定する著しく不利益な処分を受けたと思料する場合には、同項の説明書の交付を請求することができる。
③　第一項の説明書には、当該処分につき、人事院に対して審査請求をすることができる旨及び審査請求をすることができる期間を記載しなければならない。
三項…追加（昭三七法一六一）、一部改正（平二六法六九）、一・二項…一部改正（令三法六一）
【参照条文】
①【「降給」―本法七五②、人規一一―一〇。「降任」―本法七五①・七八、人規一一―四（七）。「休職」―本法七五①・七九、人規一一―四（三）。「免職」―本法七五①・七八、人規一一―四（七）。「懲戒処分」―本法八二、人規一二―〇。本法五五・六一・

八四（処分権者）。人規一二―四（一三）、人規一三―〇（七）（処分説明書の写の人事院提出）。

③【行審法八二・八三（教示）】

【適用除外―本法八一。】

【類似―地公法四九。】

第九十条（審査請求）

第九十条　前条第一項に規定する処分を受けた職員は、人事院に対してのみ審査請求をすることができる。

②　前条第一項に規定する処分及び法律に特別の定めがある処分を除くほか、職員に対する処分については、審査請求をすることができない。職員がした申請に対する不作為についても、同様とする。

③　第一項に規定する審査請求については、行政不服審査法第二章の規定を適用しない。

本条…一部改正（昭二三法二二二）、全改（昭三七法一六一）、見出し…全改・一―三項…一部改正（平二六法六九）

【参照条文】

①【「審査請求」―行審法二～四、人規一三―一（審査の手続）。】

②【「法律に特別の定めがある処分」―本法一〇三⑤。】

【特例―外公法一九～二二。】

【適用除外―本法八一。】

【一部適用除外―行労法三七③。】

【類似―地公法四九の二。】

第九十条の二（審査請求期間）

第九十条の二　前条第一項に規定する審査請求は、処分説明書を受領した日の翌日から起算して三月以内にしなければならず、処分があつた日の翌日から起算して一年を経過したときは、することができない。

本条…追加（昭三七法一六一）、見出し…全改・本条…一部改正（平二六法六九）

【参照条文】

【人規一三―一（六②③）。】

【類似―地公法四九の三、行審法一八・五四。】

第九十一条（調査）

第九十一条　第九十条第一項に規定する審査請求を受理したときは、人事院又はその定める機関は、直ちにその事案を調査しなければならない。

②　前項に規定する場合において、処分を受けた職員から請求があつたときは、口頭審理を行わなければならない。口頭審理は、その職員から請求があつたときは、公開して行わなければならない。

③　処分を行つた者又はその代理者及び処分を受けた職員は、すべての口頭審理に出席し、自己の代理人として弁護人を選任し、陳述を行い、証人を出席せしめ、並びに書類、記録その他のあらゆる適切な事実及び資料を提出することができる。

④　前項に掲げる者以外の者は、当該事案に関し、人事院に対し、あらゆる事実及び資料を提出することができる。

一・四項…一部改正（昭二三法二二二）、一項…一部改正（昭三七法一六一・平二六法六九）

【参照条文】

①【「人事院の定める機関」―人規一三―一（一九～二九）。「調査」―本法一七。】

②【「口頭審理」―人規一三―一（三〇～四三）。】

③【「処分を行つた者」―本法五五・六一・八四。「代理者及び代理人」―人規一三―一（一五～一八）。人規一三―一（四四～六〇）（証拠調べ）。】

【一部適用除外―行労法三七③。】

【類似―地公法五〇①。】

第九十二条（調査の結果採るべき措置）

第九十二条　前条に規定する調査の結果、処分を行うべき事由のあることが判明したときは、人事院は、その処分を承認し、又はその裁量により修正しなければならない。

②　前条に規定する調査の結果、その職員に処分を受けるべき事由のないことが判明したときは、人事院は、その処分を取り消し、職員としての権利を回復するために必要で、且つ、適切な処置をなし、及びその職員がその処分によつて受けた不当な処置を是正しなければならない。人事院は、職員がその処分によつて失つた俸給の弁済を受けるように指示しなければならない。

③　前二項の判定は、最終のものであつて、人事院規則の定めるところにより、人事院によつてのみ審査される。

本条…全改（昭二三法二二二）

【参照条文】

③【「判定」―人規一三―一（六七～七〇）。「審査」―本法三③・④・一二⑥⑪、人規一三―一（七一～七七）。】

【適用除外―本法八一。】

【一部適用除外―行労法三七③。】

【罰則―本法一〇九⑪。】

【類似―地公法五〇③・八⑧、行審法四六。】

第九十二条の二（審査請求と訴訟との関係）

第九十二条の二　第八十九条第一項に規定する処分であつて人事院に対して審査請求をすることができるもの

の取消しの訴えは、審査請求に対する人事院の裁決を経た後でなければ、提起することができない。

本条…追加（昭三七法一四〇）、見出し・本条…一部改正（平二六法六九）

【参照条文】

【行訴法八、「取消しの訴え」—行訴法三②、「裁決又は決定」—人規一三—一（六七）。

【類似—地公法五一の二。

第三目　公務傷病に対する補償

（公務傷病に対する補償）

第九十三条　職員が公務に基き死亡し、又は負傷し、若しくは疾病にかかり、若しくはこれに起因して死亡した場合における、本人及びその直接扶養する者がこれによつて受ける損害に対し、これを補償する制度が樹立し実施せられなければならない。

②　前項の規定による補償制度は、法律によつてこれを定める。

【参照条文】

【人規一六—〇、人規一六—二、人規一六—三、人規一六—四。人規一三—三。

②【「法律」—国公災法。

【類似—地公法四五①②④。

（法律に規定すべき事項）

第九十四条　前条の補償制度には、左の事項が定められなければならない。

一　公務上の負傷又は疾病に起因した活動不能の期間における経済的困窮に対する職員の保護に関する事項

二　公務上の負傷又は疾病に起因して、永久に、又は長期に所得能力を害せられた場合におけるその職員の受ける損害に対する補償に関する事項

三　公務上の負傷又は疾病に起因する職員の死亡の場合におけるその遺族又は職員の死亡当時その収入によつて生計を維持した者の受ける損害に対する補償に関する事項

【参照条文】

【国公災法、人規一六—〇、人規一六—二、人規一六—三、人規一六—四。

【類似—地公法四五③。

（補償制度の立案及び実施の責務）

第九十五条　人事院は、なるべくすみやかに、補償制度の研究を行い、その成果を国会及び内閣に提出するとともに、その計画を実施しなければならない。

本条…全改（昭二三法二二二）

【参照条文】

【本法一二⑥⑫。

第七節　服務

（服務の根本基準）

第九十六条　すべて職員は、国民全体の奉仕者として、公共の利益のために勤務し、且つ、職務の遂行に当つては、全力を挙げてこれに専念しなければならない。

②　前項に規定する根本基準の実施に関し必要な事項は、この法律又は国家公務員倫理法に定めるものを除いては、人事院規則でこれを定める。

二項…一部改正（昭二三法二二二・平一一法一二九）

【参照条文】

①【「国民全体の奉仕者」—憲法一五②、本法八二、旧官吏服務紀律一。

②【適用除外—行労法三七①⑪。

【類似—地公法三〇。

（服務の宣誓）

第九十七条　職員は、政令の定めるところにより、服務の宣誓をしなければならない。

本条…一部改正（昭二三法二二二・昭四〇法六九）

【参照条文】

【「政令」—職員の服務の宣誓に関する政令。

【類似—本法六、地公法三一。

（法令及び上司の命令に従う義務並びに争議行為等の禁止）

第九十八条　職員は、その職務を遂行するについて、法令に従い、且つ、上司の職務上の命令に忠実に従わなければならない。

②　職員は、政府が代表する使用者としての公衆に対して同盟罷業、怠業その他の争議行為をなし、又は政府の活動能率を低下させる怠業的行為をしてはならない。又、何人も、このような違法な行為を企て、又はその遂行を共謀し、そそのかし、若しくはあおつてはならない。

③　職員で同盟罷業その他前項の規定に違反する行為をした者は、その行為の開始とともに、国に対し、法令に基いて保有する任命又は雇用上の権利をもつて、対抗することができない。

本条…全改（昭二三法二二二）、四項…一部改正（昭二七法二五八・昭三五法一一三）、八項…追加（昭三七法一六一）、見出し…一部改正・二—四・七・八項…削除・旧五・六項…三項ずつ繰上（昭四〇法六九）

【参照条文】

①【「職務」—本法一〇五。「職務上の命令」—行組法一〇・一四②。

②【「争議行為」—憲法二八、労調法七。

③【「法令に基づく権利」―本法七五・八六～九五など。
【②・③の適用除外―行労法三七①[1]。
【罰則―本法一一一の二[1]。
【類似―地公法三二・三七、行労法一七・一八、労調法三六～四〇、労組法八。

第九十九条（**信用失墜行為の禁止**）　職員は、その官職の信用を傷つけ、又は官職全体の不名誉となるような行為をしてはならない。

【参照条文】
【本法八二①[3]（懲戒）。「官職」―本法二④。
【類似―地公法三三、旧官吏服務紀律三・八～一〇・一四。

第百条（**秘密を守る義務**）　職員は、職務上知ることのできた秘密を漏らしてはならない。その職を退いた後といえども同様とする。

②　法令による証人、鑑定人等となり、職務上の秘密に属する事項を発表するには、所轄庁の長（退職者については、その退職した官職又はこれに相当する官職の所轄庁の長）の許可を要する。

③　前項の許可は、法律又は政令の定める条件及び手続に係る場合を除いては、これを拒むことができない。

④　前三項の規定は、人事院で扱われる調査又は審理の際人事院から求められる情報に関しては、これを適用しない。何人も、人事院の権限によつて行われる調査又は審理に際して、秘密の又は公表を制限された情報を陳述し又は証言することを人事院から求められた場合には、何人からも許可を受ける必要がない。人事院が正式に要求した情報について、人事院に対して、陳述及び証言を行わなかつた者は、この法律の罰則の適用を受けなければならない。

⑤　前項の規定は、第十八条の四の規定により権限の委任を受けた再就職等監視委員会が行う調査について準用する。この場合において、同項中「人事院」とあるのは「再就職等監視委員会」と、「調査又は審理」とあるのは「調査」と読み替えるものとする。

三項…一部改正・四項…追加（昭二三法二二二）、三項…一部改正（昭四〇法六九）、五項…追加（平一九法一〇八）

【参照条文】
【本法附一二（従前の職員への適用）。
②【民訴法一九〇以下、二二二以下、刑訴法一四三以下、一六五以下、議院証人法五（証人、鑑定人）。
③【「政令」―なし。
④【「人事院の調査」―本法一七・九一。
【④の適用除外―行労法三七①[1]。
【罰則（①・②の罰則）＝本法一〇九[12]・一一一。（④の罰則）＝本法一一〇①[18]・一一一。
【類似―地公法三四、旧官吏服務紀律四・五。

第百一条（**職務に専念する義務**）　職員は、法律又は命令の定める場合を除いては、その勤務時間及び職務上の注意力のすべてをその職責遂行のために用い、政府がなすべき責を有する職務にのみ従事しなければならない。職員は、法律又は命令の定める場合を除いては、官職を兼ねてはならない。職員は、官職を兼ねる場合においても、それに対して給与を受けてはならない。

②　前項の規定は、地震、火災、水害その他重大な災害に際し、当該官庁が職員を本職以外の業務に従事させることを妨げない。

本条…全改（昭二三法二二二）、一項…一部改正・三項…削除（昭四〇法六九）

【参照条文】
①【前段「法律又は命令」―本法八〇④・八三②・九一③・一〇八の五⑧・一〇八の六⑤、派遣法三、育児休業法五①・二六①、勤務時間法（一四～二三）、外公法二三、官民交流法一〇①、法科大学院派遣法四⑨・一一⑤、科学技術・イノベーション創出の活性化に関する法律一八、人規一〇―六（五）、人規一〇―七（五・二四②）、人規一〇―一四（二一の二・六②～一〇）、人規一三―五（五②）、人規一五―一四（一七～三二）、人規一五―一五（三・四）、人規一七―二（六⑥）、人規二二―二（六②・九②）、職員の兼業の許可に関する政令二。「勤務時間」―勤務時間法、人規一五―一四（一の二～一六の三）、人規一五―一五。中段「法律又は命令」―司法試験法一三②、人規八―一二（四[6]・三五～三八）。
【特例―教特法二一・三〇・三五。
【類似―地公法三五、旧官吏服務紀律六。

第百二条（**政治的行為の制限**）　職員は、政党又は政治的目的のために、寄附金その他の利益を求め、若しくは受領し、又は何らの方法を以てするを問わず、これらの行為に関与し、あるいは選挙権の行使を除く外、人事院規則で定める政治的行為をしてはならない。

②　職員は、公選による公職の候補者となることができない。

③　職員は、政党その他の政治的団体の役員、政治的顧問、その他これらと同様な役割をもつ構成員となることができない。

一・二項…一部改正・三項…全改（昭二三法二二二）

【参照条文】

①【「人事院規則」―人規一四―七、〔罰則〕＝本法一一一の二[2]。

②【「公選による公職」―人規一四―五、公選法八九～九一（公務員の立候補制限）・一三六・一三六の二（公務員等の選挙運動の禁止）・二三九の二（公務員の事前運動の禁止）。

③【政資法三・五（政党等の定義）。

【適用除外―人規一四―七（①但書）、昭二六指令一四―三。

【類似―裁判所法五二[1]、自衛隊法六一、警察法一〇③・四二③、地公法三六、教特法一八。

（私企業からの隔離）

第百三条 職員は、商業、工業又は金融業その他営利を目的とする私企業（以下営利企業という。）を営むことを目的とする会社その他の団体の役員、顧問若しくは評議員の職を兼ね、又は自ら営利企業を営んではならない。

② 前項の規定は、人事院規則の定めるところにより、所轄庁の長の申出により人事院の承認を得た場合には、これを適用しない。

③ 営利企業について、株式所有の関係その他の関係により、当該企業の経営に参加し得る地位にある職員に対し、人事院は、人事院規則の定めるところにより、株式所有の関係その他の関係について報告を徴することができる。

④ 人事院は、人事院規則の定めるところにより、前項の報告に基き、企業に対する関係の全部又は一部の存続が、その職員の職務遂行上適当でないと認めるときは、その旨を当該職員に通知することができる。

⑤ 前項の通知を受けた職員は、その通知の内容について不服があるときは、その通知を受領した日の翌日から起算して三月以内に、人事院に審査請求をすることができる。

⑥ 第九十条第三項並びに第九十一条第二項及び第三項の規定は前項の審査請求のあつた場合について、第九十二条の二の規定は第四項の通知の取消しの訴えについて、それぞれ準用する。

⑦ 第五項の審査請求をしなかつた職員及び人事院が同項の審査請求について調査した結果、通知の内容が正当であると裁決された職員は、人事院規則の定めるところにより、人事院規則の定める期間内に、その企業に対する関係の全部若しくは一部を絶つか、又はその官職を退かなければならない。

二項…全改・三―六・八項…一部改正（昭二三法二二二）、七項…一部改正（昭三七法一四〇）、六―八項…一部改正（昭三七法一六一）、九項…追加（昭三八法一一）、二・九項…一部改正（平一一法一〇四・平一七法一〇二）、二・九項…削除・旧三項…一部改正し二項に繰上・旧四―六項…一項ずつ繰上・旧七・八項…一部改正し一項ずつ繰上（平一九法一〇八）、五―七項…一部改正（平二六法六九）

【参照条文】

②【「人事院規則」―人規一四―八。

③・④・⑦【「人事院規則」―人規一四―二一。

⑤・⑥【本法一二⑥[13]（審査請求に対する裁決）。

【罰則―本法一〇九[13]。

【適用除外―人規一四―八⑥。

【類似―地公法三八、旧官吏服務紀律七・一一・一二。

（他の事業又は事務の関与制限）

第百四条 職員が報酬を得て、営利企業以外の事業の団体の役員、顧問若しくは評議員の職を兼ね、その他いかなる事業に従事し、若しくは事務を行うにも、内閣総理大臣及びその職員の所轄庁の長の許可を要する。

本条…一部改正（昭二三法二二二・昭四〇法六九）

【参照条文】

【本法一〇三①②、職員の兼業の許可に関する政令、職員の兼業の許可に関する内閣官房令、職員の兼業の許可について（昭四一総人局九七）、大学の教員との兼業の許可について（平一六総人恩総一六三）、専門スタッフ職職員の兼業の許可について（平二〇総人恩総三八二）。

【適用除外―職員の兼業の許可に関する政令三。

【特例―教特法一七・三〇、消防団を中核とした地域防災力の充実強化に関する法律一〇、矯正医官の兼業の特例等に関する法律、ハンセン病問題の解決の促進に関する法律一一の二。

【類似―地公法三八、旧官吏服務紀律一三。

（職員の職務の範囲）

第百五条 職員は、職員としては、法律、命令、規則又は指令による職務を担当する以外の義務を負わない。

本条…全改（昭二三法二二二）

【参照条文】

【本法九六・九八①・一〇一。

（勤務条件）

第百六条 職員の勤務条件その他職員の服務に関し必要な事項は、人事院規則でこれを定めることができる。

② 前項の人事院規則は、この法律の規定の趣旨に沿うものでなければならない。

一・二項…一部改正（昭二三法二二二）

【参照条文】

【本法附一六（労基法適用除外）、本法改正附（昭二三法二二二）三①（労基法準用）。「勤務条件」―本法二八・八六・一〇八の五。「人事院規則」―人規一五―一四、人規一五―一五など。

【適用除外―独立行政法人通則法五九①②。

【特例―外公法二三。

第八節　退職管理

本節…追加（平一九法一〇八）

第一款　離職後の就職に関する規制

本款…追加（平一九法一〇八）

（他の役職員についての依頼等の規制）

第百六条の二　職員は、営利企業等（営利企業及び営利企業以外の法人（国、国際機関、地方公共団体、行政執行法人及び地方独立行政法人法（平成十五年法律第百十八号）第二条第二項に規定する特定地方独立行政法人を除く。）をいう。以下同じ。）に対し、他の職員若しくは行政執行法人の役員（以下「役職員」という。）をその離職後に、若しくは役職員であつた者を、当該営利企業等若しくはその子法人（当該営利企業等に財務及び営業又は事業の方針を決定する機関（株主総会その他これに準ずる機関をいう。）を支配されている法人として政令で定めるものをいう。以下同じ。）の地位に就かせることを目的として、当該役職員若しくは役職員であつた者に関する情報を提供し、若しくは当該地位に関する情報の提供を依頼し、又は当該役職員をその離職後に、若しくは役職員であつた者を、当該営利企業等若しくはその子法人の地位に就かせることを要求し、若しくは依頼してはならない。

② 前項の規定は、次に掲げる場合には適用しない。

一　職業安定法（昭和二十二年法律第百四十一号）、船員職業安定法（昭和二十三年法律第百三十号）その他の法令の定める職業の安定に関する事務として行う場合

二　退職手当通算予定職員を退職手当通算法人の地位に就かせることを目的として行う場合（独立行政法人通則法第五十四条第一項において読み替えて準用する第四項に規定する退職手当通算予定役員を同条第一項において準用する次項に規定する退職手当通算法人の地位に就かせることを目的として行う場合を含む。）

三　官民人材交流センター（以下「センター」という。）の職員が、その職務として行う場合

③ 前項第二号の「退職手当通算法人」とは、独立行政法人（独立行政法人通則法第二条第一項に規定する独立行政法人をいう。以下同じ。）その他特別の法律により設立された法人でその業務が国の事務又は事業と密接な関連を有するもののうち政令で定めるもの（退職手当（これに相当する給付を含む。）に関する規程において、職員が任命権者又はその委任を受けた者の要請に応じ、引き続いて当該法人の役員又は当該法人に使用される者となつた場合に、職員としての勤続期間を当該法人の役員又は当該法人に使用される者としての勤続期間に通算することと定めている法人に限る。）をいう。

④ 第二項第二号の「退職手当通算予定職員」とは、任命権者又はその委任を受けた者の要請に応じ、引き続いて退職手当通算法人（前項に規定する退職手当通算法人をいう。以下同じ。）の役員又は退職手当通算法人に使用される者となるため退職することとなる職員であつて、当該退職手当通算法人に在職した後、特別の事情がない限り引き続いて選考による採用が予定されている者のうち政令で定めるものをいう。

本条…追加（平一九法一〇八）、一・二項…一部改正（平二六法六七）

（在職中の求職の規制）

第百六条の三　職員は、利害関係企業等（営利企業等のうち、職員の職務に利害関係を有するものとして政令で定めるものをいう。以下同じ。）に対し、離職後に当該利害関係企業等若しくはその子法人の地位に就くことを目的として、自己に関する情報を提供し、若しくは当該地位に関する情報の提供を依頼し、又は当該地位に就くことを要求し、若しくは約束してはならない。

② 前項の規定は、次に掲げる場合には適用しない。

一　退職手当通算予定職員が退職手当通算法人に対して行う場合

二　在職する局等組織（国家行政組織法第七条第一項に規定する官房若しくは局、同法第八条の二に規定する施設等機関その他これらに準ずる国の部局若しくは機関として政令で定めるもの、これらに相当する行政執行法人の組織として政令で定めるもの又は都道府県警察をいう。以下同じ。）の意思決定の権限を実質的に有しない官職として政令で定めるものに就いている職員が行う場合

三　センターから紹介された利害関係企業等との間で、当該利害関係企業等又はその子法人の地位に就

くことに関して職員が行う場合
四　職員が利害関係企業等に対し、当該利害関係企業等若しくはその子法人の地位に就くことを目的として、自己に関する情報を提供し、若しくは当該地位に関する情報の提供を依頼し、又は当該地位に就くことを要求し、若しくは約束することにより公務の公正性の確保に支障が生じないと認められる場合として政令で定める場合において、政令で定める手続により内閣総理大臣の承認を得た職員が当該承認に係る利害関係企業等に対して行う場合
③　前項第四号の規定による内閣総理大臣が承認する権限は、再就職等監視委員会に委任する。
④　前項の規定により再就職等監視委員会に委任された権限は、政令で定めるところにより、再就職等監察官に委任することができる。
⑤　再就職等監視委員会が第三項の規定により委任を受けた権限に基づき行う承認（前項の規定により委任を受けた権限に基づき再就職等監察官が行う承認を含む。）についての審査請求は、再就職等監視委員会に対して行うことができる。
本条…追加（平一九法一〇八）、二項…一部改正（平二六法六七）、五項…一部改正（平二六法六九）

第百六条の四（再就職者による依頼等の規制）　職員であつた者であつて離職後に営利企業等の地位に就いている者（退職手当通算予定職員であつた者であつて引き続いて退職手当通算法人の地位に就いている者（以下「退職手当通算離職者」という。）を除く。以下「再就職者」という。）は、離職前五年間に在職していた局等組織に属する役職員又はこれに類する者として政令で定めるものに対し、国、行政執行法人若しくは都道府県と当該営利企業等若しくはその子法人との間で締結される売買、貸借、請負その他の契約又は当該営利企業等若しくはその子法人に対して行われる行政手続法（平成五年法律第八十八号）第二条第二号に規定する処分に関する事務（以下「契約等事務」という。）であつて離職前五年間の職務に属するものに関し、離職後二年間、職務上の行為をするように、又はしないように要求し、又は依頼してはならない。
②　前項の規定によるもののほか、再就職者のうち、国家行政組織法第二十一条第一項に規定する部長若しくは課長の職又はこれらに準ずる職であつて政令で定めるものに、離職した日の五年前の日より前に就いていた者は、当該職に就いていた時に在職していた局等組織に属する役職員又はこれに類する者として政令で定めるものに対し、契約等事務であつて離職した日の五年前の日より前の職務（当該職に就いていたときの職務に限る。）に属するものに関し、離職後二年間、職務上の行為をするように、又はしないように要求し、又は依頼してはならない。
③　前二項の規定によるもののほか、再就職者のうち、国家行政組織法第六条に規定する長官、同法第十八条第一項に規定する事務次官、同法第二十一条第一項に規定する事務局長若しくは局長の職又はこれらに準ずる職であつて政令で定めるものに就いていた者は、当該職に就いていた時に在職していた府省その他の政令で定める国の機関、行政執行法人若しくは都道府県警察（以下「局長等としての在職機関」という。）に属する役職員又はこれに類する者として政令で定めるものに対し、契約等事務であつて局長等としての在職機関の所掌に属するものに関し、離職後二年間、職務上の行為をするように、又はしないように要求し、又は依頼してはならない。
④　前三項の規定によるもののほか、再就職者は、在職していた府省その他の政令で定める国の機関、行政執行法人若しくは都道府県警察（以下この項において「行政機関等」という。）に属する役職員又はこれに類する者として政令で定めるものに対し、国、行政執行法人若しくは都道府県と営利企業等（当該再就職者が現にその地位に就いているものに限る。）若しくはその子法人との間の契約であつて当該行政機関等においてその締結について自らが決定したもの又は当該行政機関等による当該営利企業等若しくはその子法人に対する行政手続法第二条第二号に規定する処分であつて自らが決定したものに関し、職務上の行為をするように、又はしないように要求し、又は依頼してはならない。
⑤　前各項の規定は、次に掲げる場合には適用しない。
一　試験、検査、検定その他の行政上の事務であつて、法律の規定に基づく行政庁による指定若しくは登録その他の処分（以下「指定等」という。）を受けた者が行う当該指定等に係るもの若しくは行政庁から委託を受けた者が行う当該委託に係るものを遂行するために必要な場合、又は国の事務若しくは事業と密接な関連を有する業務として政令で定めるものを行うために必要な場合
二　行政庁に対する権利若しくは義務を定めている法令の規定若しくは国、行政執行法人若しくは都道府県との間で締結された契約に基づき、権利を行使し、若しくは義務を履行する場合、行政庁の処分に

より課された義務を履行する場合又はこれらに類する場合として政令で定める場合
三　行政手続法第二条第三号に規定する申請又は同条第七号に規定する届出を行う場合
四　会計法（昭和二十二年法律第三十五号）第二十九条の三第一項に規定する競争の手続、行政執行法人が公告して申込みをさせることによる競争の手続又は地方自治法（昭和二十二年法律第六十七号）第二百三十四条第一項に規定する一般競争入札若しくはせり売りの手続に従い、売買、貸借、請負その他の契約を締結するために必要な場合
五　法令の規定により又は慣行として公にされ、又は公にすることが予定されている情報の提供を求める場合（一定の日以降に公にすることが予定されている情報を同日前に開示するよう求める場合を除く。）
六　再就職者が役職員（これに類する者を含む。以下この号において同じ。）に対し、契約等事務に関し、職務上の行為をするように、又はしないように要求し、又は依頼することにより公務の公正性の確保に支障が生じないと認められる場合として政令で定める場合において、政令で定める手続により内閣総理大臣の承認を得て、再就職者が当該承認に係る役職員に対し、当該承認に係る契約等事務に関し、職務上の行為をするように、又はしないように要求し、又は依頼する場合
⑥　前項第六号の規定による内閣総理大臣が承認する権限は、再就職等監視委員会に委任する。
⑦　前項の規定により再就職等監視委員会に委任された権限は、政令で定めるところにより、再就職等監察官に委任することができる。
⑧　再就職等監視委員会が第六項の規定により委任を受けた権限に基づき行う承認（前項の規定により委任を受けた権限に基づき再就職等監察官が行う承認を含む。）についての審査請求は、再就職等監視委員会に対して行うことができる。
⑨　職員は、第五項各号に掲げる場合を除き、再就職者から第一項から第四項までの規定により禁止される要求又は依頼を受けたとき（独立行政法人通則法第五十四条第一項において準用する第一項から第四項までの規定により禁止される要求又は依頼を受けたときを含む。）は、政令で定めるところにより、再就職等監察官にその旨を届け出なければならない。

本条…追加（平一九法一〇八）、一・三・四・五・九項…一部改正（平二六法六七）、八項…一部改正（平二六法六九）

第二款　再就職等監視委員会

本款…追加（平一九法一〇八）

（設置）

第百六条の五　内閣府に、再就職等監視委員会（以下「委員会」という。）を置く。
②　委員会は、次に掲げる事務をつかさどる。
一　第十八条の四の規定により委任を受けた権限に基づき調査を行うこと。
二　第百六条の三第三項及び前条第六項の規定により委任を受けた権限に基づき承認を行うこと。
三　前二号に掲げるもののほか、この法律及び他の法律の規定によりその権限に属させられた事項を処理すること。

本条…追加（平一九法一〇八）

（職権の行使）

第百六条の六　委員会の委員長及び委員は、独立してその職権を行う。

本条…追加（平一九法一〇八）

（組織）

第百六条の七　委員会は、委員長及び委員四人をもつて組織する。
②　委員は、非常勤とする。
③　委員長は、会務を総理し、委員会を代表する。
④　委員長に事故があるときは、あらかじめその指名する委員が、その職務を代理する。

本条…追加（平一九法一〇八）

（委員長及び委員の任命）

第百六条の八　委員長及び委員は、人格が高潔であり、職員の退職管理に関する事項に関し公正な判断をすることができ、法律又は社会に関する学識経験を有する者であつて、かつ、役職員又は自衛隊員としての前歴（検察官その他の職務の特殊性を勘案して政令で定める者としての前歴を除く。）を有しない者のうちから、両議院の同意を得て、内閣総理大臣が任命する。
②　委員長又は委員の任期が満了し、又は欠員を生じた場合において、国会の閉会又は衆議院の解散のために両議院の同意を得ることができないときは、内閣総理大臣は、前項の規定にかかわらず、委員長又は委員を任命することができる。
③　前項の場合においては、任命後最初の国会において両議院の事後の承認を得なければならない。この場合において、両議院の事後の承認を得られないときは、内閣総理大臣は、直ちにその委員長又は委員を罷免しなければならない。

本条…追加（平一九法一〇八）、一項…一部改正（平二六法二二）

（委員長及び委員の任期）

第百六条の九　委員長及び委員の任期は、三年とする。ただし、補欠の委員長及び委員の任期は、前任者の残任期間とする。

② 委員長及び委員は、再任されることができる。

③ 委員長及び委員の任期が満了したときは、当該委員長及び委員は、後任者が任命されるまで引き続きその職務を行うものとする。

本条…追加（平一九法一〇八）

（身分保障）

第百六条の十　委員長及び委員は、次の各号のいずれかに該当する場合を除いては、在任中、その意に反して罷免されることがない。

一　破産手続開始の決定を受けたとき。

二　拘禁刑以上の刑に処せられたとき。

三　役職員又は自衛隊員（第百六条の八第一項に規定する政令で定める者を除く。）となつたとき。

四　委員会により、心身の故障のため職務の執行ができないと認められたとき、又は職務上の義務違反その他委員長若しくは委員たるに適しない非行があると認められたとき。

本条…追加（平一九法一〇八）、一部改正（平二六法二二・令四法六八）

（罷免）

第百六条の十一　内閣総理大臣は、委員長又は委員が前条各号のいずれかに該当するときは、その委員長又は委員を罷免しなければならない。

本条…追加（平一九法一〇八）

（服務）

第百六条の十二　委員長及び委員は、職務上知ることのできた秘密を漏らしてはならない。その職を退いた後も同様とする。

② 委員長及び委員は、在任中、政党その他の政治的団体の役員となり、又は積極的に政治運動をしてはならない。

③ 委員長は、在任中、内閣総理大臣の許可のある場合を除くほか、報酬を得て他の職務に従事し、又は営利事業を営み、その他金銭上の利益を目的とする業務を行つてはならない。

本条…追加（平一九法一〇八）

（給与）

第百六条の十三　委員長及び委員の給与は、別に法律で定める。

本条…追加（平一九法一〇八）

（再就職等監察官）

第百六条の十四　委員会に、再就職等監察官（以下「監察官」という。）を置く。

② 監察官は、委員会の定めるところにより、次に掲げる事務を行う。

一　第百六条の三第四項及び第百六条の四第七項の規定により委任を受けた権限に基づき承認を行うこと。

二　第百六条の四第九項の規定による届出を受理すること。

三　第百六条の十九及び第百六条の二十第一項の規定による調査を行うこと。

四　前三号に掲げるもののほか、この法律及び他の法律の規定によりその権限に属させられた事項を処理すること。

③ 監察官のうち常勤とすべきものの定数は、政令で定める。

④ 前項に規定するもののほか、監察官は、非常勤とする。

⑤ 監察官は、役職員又は自衛隊員としての前歴（検察官その他の職務の特殊性を勘案して政令で定める者としての前歴を除く。）を有しない者のうちから、委員会の議決を経て、内閣総理大臣が任命する。

本条…追加（平一九法一〇八）、五項…一部改正（平二六法二二）

（事務局）

第百六条の十五　委員会の事務を処理させるため、委員会に事務局を置く。

② 事務局に、事務局長のほか、所要の職員を置く。

③ 事務局長は、委員長の命を受けて、局務を掌理する。

本条…追加（平一九法一〇八）

（違反行為の疑いに係る任命権者の報告）

第百六条の十六　任命権者は、職員又は職員であつた者に再就職等規制違反行為（第百六条の二から第百六条の四までの規定に違反する行為をいう。以下同じ。）を行つた疑いがあると思料するときは、その旨を委員会に報告しなければならない。

本条…追加（平一九法一〇八）

（任命権者による調査）

第百六条の十七　任命権者は、職員又は職員であつた者に再就職等規制違反行為を行つた疑いがあると思料して当該再就職等規制違反行為に関して調査を行おうとするときは、委員会にその旨を通知しなければならない。

② 委員会は、任命権者が行う前項の調査の経過について、報告を求め、又は意見を述べることができる。

③ 任命権者は、第一項の調査を終了したときは、遅滞なく、委員会に対し、当該調査の結果を報告しなければならない。

本条…追加（平一九法一〇八）

（任命権者に対する調査の要求等）

第百六条の十八　委員会は、第百六条の四第九項の届出、第百六条の十六の報告又はその他の事由により職員又は職員であつた者に再就職等規制違反行為を行つた疑いがあると思料するときは、任命権者に対し、当該再就職等規制違反行為に関する調査を行うよう求めることができる。

② 前条第二項及び第三項の規定は、前項の規定により行われる調査について準用する。

本条…追加（平一九法一〇八）

（共同調査）

第百六条の十九　委員会は、第百六条の十七第二項（前条第二項において準用する場合を含む。）の規定により報告を受けた場合において必要があると認めるときは、再就職等規制違反行為に関し、監察官に任命権者と共同して調査を行わせることができる。

本条…追加（平一九法一〇八）

（委員会による調査）

第百六条の二十　委員会は、第百六条の四第九項の届出、第百六条の十六の報告又はその他の事由により職員又は職員であつた者に再就職等規制違反行為を行つた疑いがあると思料する場合であつて、特に必要があると認めるときは、当該再就職等規制違反行為に関する調査の開始を決定し、監察官に当該調査を行わせることができる。

② 任命権者は、前項の調査に協力しなければならない。

③ 委員会は、第一項の調査を終了したときは、遅滞なく、任命権者に対し、当該調査の結果を通知しなければならない。

本条…追加（平一九法一〇八）

（勧告）

第百六条の二十一　委員会は、第百六条の十七第三項（第百六条の十八第二項において準用する場合を含む。）の規定による調査の結果の報告に照らし、又は第百六条の十九若しくは前条第一項の規定により監察官に調査を行わせた結果、任命権者において懲戒処分その他の措置を行うことが適当であると認めるときは、任命権者に対し、当該措置を行うべき旨の勧告をすることができる。

② 任命権者は、前項の勧告に係る措置について、委員会に対し、報告しなければならない。

③ 委員会は、内閣総理大臣に対し、この節の規定の適切な運用を確保するために必要と認められる措置について、勧告することができる。

本条…追加（平一九法一〇八）

（政令への委任）

第百六条の二十二　第百六条の五から前条までに規定するもののほか、委員会に関し必要な事項は、政令で定める。

本条…追加（平一九法一〇八）

第三款　雑則

本款…追加（平一九法一〇八）

（任命権者への届出）

第百六条の二十三　職員（退職手当通算予定職員を除く。）は、離職後に営利企業等の地位に就くことを約束した場合には、速やかに、政令で定めるところにより、任命権者に政令で定める事項を届け出なければならない。

② 前項の届出を受けた任命権者は、第百六条の三第一項の規定の趣旨を踏まえ、当該届出を行つた職員の任用を行うものとする。

③ 第一項の届出を受けた任命権者は、当該届出を行つた職員が管理又は監督の地位にある職員の官職として政令で定めるものに就いている職員（以下「管理職職員」という。）である場合には、速やかに、当該届出に係る事項を内閣総理大臣に通知するものとする。

本条…追加（平一九法一〇八）

（内閣総理大臣への届出）

第百六条の二十四　管理職職員であつた者（退職手当通算離職者を除く。次項において同じ。）は、離職後二年間、次に掲げる法人の役員その他の地位であつて政令で定めるものに就こうとする場合（前条第一項の規定により政令で定める事項を届け出た場合を除く。）には、あらかじめ、政令で定めるところにより、内閣総理大臣に政令で定める事項を届け出なければならない。

一　行政執行法人以外の独立行政法人

二　特殊法人（法律により直接に設立された法人及び特別の法律により特別の設立行為をもつて設立された法人（独立行政法人に該当するものを除く。）のうち政令で定めるものをいう。）

三　認可法人（特別の法律により設立され、かつ、その設立に関し行政庁の認可を要する法人のうち政令で定めるものをいう。）

四　公益社団法人又は公益財団法人（国と特に密接な関係があるものとして政令で定めるものに限る。）

②　管理職職員であつた者は、離職後二年間、営利企業以外の事業の団体の地位に就き、若しくは事業に従事し、若しくは事務を行うこととなつた場合（報酬を得る場合に限る。）又は営利企業（前項第二号又は第三号に掲げる法人を除く。）の地位に就いた場合は、前条第一項又は前項の規定による届出を行つた場合、日々雇い入れられる者となつた場合その他政令で定める場合を除き、政令で定めるところにより、速やかに、内閣総理大臣に政令で定める事項を届け出なければならない。

本条…追加（平一九法一〇八）、一項…一部改正（平二六法六七）

（内閣総理大臣による報告及び公表）

第百六条の二十五　内閣総理大臣は、第百六条の二十三第三項の規定による通知及び前条の規定による届出を受けた事項について、遅滞なく、政令で定めるところにより、内閣に報告しなければならない。

②　内閣は、毎年度、前項の報告を取りまとめ、政令で定める事項を公表するものとする。

本条…追加（平一九法一〇八）

（退職管理基本方針）

第百六条の二十六　内閣総理大臣は、あらかじめ、第五十五条第一項に規定する任命権者及び法律で別に定められた任命権者と協議して職員の退職管理に関する基本的な方針（以下「退職管理基本方針」という。）の案を作成し、閣議の決定を求めなければならない。

②　内閣総理大臣は、前項の規定による閣議の決定があつたときは、遅滞なく、退職管理基本方針を公表しなければならない。

③　前二項の規定は、退職管理基本方針の変更について準用する。

④　任命権者は、退職管理基本方針に沿つて、職員の退職管理を行わなければならない。

本条…追加（平一九法一〇八）

（再就職後の公表）

第百六条の二十七　在職中に第百六条の三第二項第四号の承認を得た管理職職員が離職後に当該承認に係る営利企業等の地位に就いた場合には、当該管理職職員が離職時に在職していた府省その他の政令で定める国の機関、行政執行法人又は都道府県警察（以下この条において「在職機関」という。）は、政令で定めるところにより、その者の離職後二年間（その者が当該営利企業等の地位に就いている間に限る。）、次に掲げる事項を公表しなければならない。

一　その者の氏名

二　在職機関が当該営利企業等に対して交付した補助金等（補助金等に係る予算の執行の適正化に関する法律（昭和三十年法律第百七十九号）第二条第一項に規定する補助金等をいう。）の総額

三　在職機関と当該営利企業等との間の売買、貸借、請負その他の契約の総額

四　その他政令で定める事項

本条…追加（平一九法一〇八）、一部改正（平二六法六七）

第九節　退職年金制度

本節…全改（昭三四法一六三）、旧八節…九節に繰下（平一九法一〇八）

（退職年金制度）

第百七条　職員が、相当年限忠実に勤務して退職した場合、公務に基く負傷若しくは疾病に基き退職した場合又は公務に基き死亡した場合におけるその者又はその遺族に支給する年金に関する制度が、樹立し実施せられなければならない。

②　前項の年金制度は、退職又は死亡の時の条件を考慮して、本人及びその退職又は死亡の当時直接扶養する者のその後における適当な生活の維持を図ることを目的とするものでなければならない。

③　第一項の年金制度は、健全な保険数理を基礎として定められなければならない。

④　前三項の規定による年金制度は、法律によつてこれを定める。

本条…全改（昭三四法一六三）

【参照条文】

④【「法律」】―国公共済法一二六の六、恩給法。

【類似】―退手法、地公法四三。

（意見の申出）

第百八条　人事院は、前条の年金制度に関し調査研究を行い、必要な意見を国会及び内閣に申し出ることができる。

三・四項…一部改正（昭二三法二二二）、本条…全改（昭三四法一六二）

【参照条文】

【「意見の申出」】―本法二二⑥[14]

【類似】―本法二三・二八・六三・六七・九五。

第十節　職員団体

本節…追加（昭四〇法六九）、旧九節…一〇節に繰

下（平一九法一〇八）

（職員団体）

第百八条の二　この法律において「職員団体」とは、職員がその勤務条件の維持改善を図ることを目的として組織する団体又はその連合体をいう。

② 前項の「職員」とは、第五項に規定する職員以外の職員をいう。

③ 職員は、職員団体を結成し、若しくは結成せず、又はこれに加入し、若しくは加入しないことができる。ただし、重要な行政上の決定を行う職員、重要な行政上の決定に参画する管理的地位にある職員、職員の任免に関して直接の権限を持つ監督的地位にある職員、職員の任免、分限、懲戒若しくは服務、職員の給与その他の勤務条件又は職員団体との関係についての当局の計画及び方針に関する機密の事項に接し、そのためにその職務上の義務と責任とが職員団体の構成員としての誠意と責任とに直接に抵触すると認められる監督的地位にある職員その他職員団体との関係において当局の立場に立つて遂行すべき職務を担当する職員（以下「管理職員等」という。）と管理職員等以外の職員とは、同一の職員団体を組織することができず、管理職員等と管理職員等以外の職員とが組織する団体は、この法律にいう「職員団体」ではない。

④ 前項ただし書に規定する管理職員等の範囲は、人事院規則で定める。

⑤ 警察職員及び海上保安庁又は刑事施設において勤務する職員は、職員の勤務条件の維持改善を図ることを目的とし、かつ、当局と交渉する団体を結成し、又はこれに加入してはならない。

本条…追加（昭四〇法六九）、三項…一部改正（昭五三法七九）、五項…一部改正（平一七法五〇）

【参照条文】

【憲法二八（団体結成）、本法附一六（労組法等の不適用）、ＩＬＯ八七号条約、行労法四（行政執行法人の職員の組合）、労組法二。

④【「人事院規則」ー人規一七ー〇。

⑤【「警察職員」ー警察法三四・五六①、出入国管理法六一の三の二④。

【罰則ー本法一一〇①[20]・一一一。

【適用除外ー行労法三七①[1]。

【類似ー地公法五二。

（職員団体の登録）

第百八条の三　職員団体は、人事院規則で定めるところにより、理事その他の役員の氏名及び人事院規則で定める事項を記載した申請書に規約を添えて人事院に登録を申請することができる。

② 職員団体の規約には、少なくとも次に掲げる事項を記載するものとする。

一 名称

二 目的及び業務

三 主たる事務所の所在地

四 構成員の範囲及びその資格の得喪に関する規定

五 理事その他の役員に関する規定

六 次項に規定する事項を含む業務執行、会議及び投票に関する規定

七 経費及び会計に関する規定

八 他の職員団体との連合に関する規定

九 規約の変更に関する規定

十 解散に関する規定

③ 職員団体が登録される資格を有し、及び引き続いて登録されているためには、規約の作成又は変更、役員の選挙その他これらに準ずる重要な行為が、すべての構成員が平等に参加する機会を有する直接かつ秘密の投票による全員の過半数（役員の選挙については、投票者の過半数）によつて決定される旨の手続を定め、かつ、現実にその手続によりこれらの重要な行為が決定されることを必要とする。ただし、連合体である職員団体又は全国的規模をもつ職員団体にあつては、すべての構成員が平等に参加する機会を有する構成団体ごと又は地域若しくは職域ごとの直接かつ秘密の投票による投票者の過半数で代議員を選挙し、この代議員の全員が平等に参加する機会を有する直接かつ秘密の投票による全員の過半数（役員の選挙については、投票者の過半数）によつて決定される旨の手続を定め、かつ、現実に、その手続により決定されることをもつて足りるものとする。

④ 前項に定めるもののほか、職員団体が登録される資格を有し、及び引き続いて登録されているためには、前条第五項に規定する職員以外の職員のみをもつて組織されていることを必要とする。ただし、同項に規定する職員以外の職員であつた者でその意に反して免職され、若しくは懲戒処分としての免職の処分を受け、当該処分を受けた日の翌日から起算して一年以内のもの又はその期間内に当該処分について法律の定めるところにより審査請求をし、若しくは訴えを提起し、これに対する裁決若しくは裁判が確定するに至らないものを構成員にとどめていること、及び当該職員団体の役員である者を構成員としていることを妨げない。

⑤ 人事院は、登録を申請した職員団体が前三項の規定に適合するものであるときは、人事院規則で定めると

ころにより、規約及び第一項に規定する申請書の記載事項を登録し、当該職員団体にその旨を通知しなければならない。この場合において、職員でない者の役員就任を認めている職員団体を、そのゆえをもつて登録の要件に適合しないものと解してはならない。

⑥ 登録された職員団体が職員団体でなくなつたとき、登録された職員団体について第二項から第四項までの規定に適合しない事実があつたとき、又は登録された職員団体が第九項の規定による届出をしなかつたときは、人事院は、人事院規則で定めるところにより、六十日を超えない範囲内で当該職員団体の登録の効力を停止し、又は当該職員団体の登録を取り消すことができる。

⑦ 前項の規定による登録の取消しに係る聴聞の期日における審理は、当該職員団体から請求があつたときは、公開により行わなければならない。

⑧ 第六項の規定による登録の取消しは、当該処分の取消しの訴えを提起することができる期間内及び当該処分の取消しの訴えの提起があつたときは当該訴訟が裁判所に係属する間は、その効力を生じない。

⑨ 登録された職員団体は、その規約又は第一項に規定する申請書の記載事項に変更があつたときは、人事院規則で定めるところにより、人事院にその旨を届け出なければならない。この場合においては、第五項の規定を準用する。

⑩ 登録された職員団体は、解散したときは、人事院規則で定めるところにより、人事院にその旨を届け出なければならない。

本条…追加（昭四〇法六九）、六項…一部改正・七項…追加・旧七―九項…一項ずつ繰下（昭五三法七九）、六項…一部改正・七項…追加・旧七―九項…一項ずつ繰下・一〇項…削除（平五法八九）、四項…一部改正（平二六法六九）

【参照条文】

【人規一七―一（職員団体の登録）。

④【「法律」―本法九〇①、外公法一九。

⑥【「登録の効力の停止及び取消し」―本法一一⑥⑮。

【適用除外―行労法三七①Ⅰ。

【類似―地公法五三、労組法五。

第百八条の四 削除

本条…削除（平一八法五〇）

（交渉）

第百八条の五 当局は、登録された職員団体から、職員の給与、勤務時間その他の勤務条件に関し、及びこれに附帯して、社交的又は厚生的活動を含む適法な活動に係る事項に関し、適法な交渉の申入れがあつた場合においては、その申入れに応ずべき地位に立つものとする。

② 職員団体と当局との交渉は、団体協約を締結する権利を含まないものとする。

③ 国の事務の管理及び運営に関する事項は、交渉の対象とすることができない。

④ 職員団体が交渉することのできる当局は、交渉事項について適法に管理し、又は決定することのできる当局とする。

⑤ 交渉は、職員団体と当局があらかじめ取り決めた員数の範囲内で、職員団体がその役員の中から指名する者と当局の指名する者との間において行なわなければならない。交渉に当たつては、職員団体と当局との間において、議題、時間、場所その他必要な事項をあらかじめ取り決めて行なうものとする。

⑥ 前項の場合において、特別の事情があるときは、職員団体は、役員以外の者を指名することができるものとする。ただし、その指名する者は、当該交渉の対象である特定の事項について交渉する適法な委任を当該職員団体の執行機関から受けたことを文書によつて証明できる者でなければならない。

⑦ 交渉は、前二項の規定に適合しないこととなつたとき、又は他の職員の職務の遂行を妨げ、若しくは国の事務の正常な運営を阻害することとなつたときは、これを打ち切ることができる。

⑧ 本条に規定する適法な交渉は、勤務時間中においても行なうことができるものとする。

⑨ 職員は、職員団体に属していないという理由で、第一項に規定する事項に関し、不満を表明し、又は意見を申し出る自由を否定されてはならない。

本条…追加（昭四〇法六九）

【参照条文】

【「交渉」―憲法二八、労組法一・六、行労法一・八～一一。「勤務条件」―本法二八・八六～八八・一〇六。「団体協約」―労組法一・六・一四～一八。行労法八（管理運営事項）。

【適用除外―行労法三七①Ⅰ。

【類似―地公法五五。

（人事院規則の制定改廃に関する職員団体からの要請）

第百八条の五の二 登録された職員団体は、人事院規則の定めるところにより、職員の勤務条件について必要があると認めるときは、人事院に対し、人事院規則を制定し、又は改廃することを要請することができる。

② 人事院は、前項の規定による要請を受けたときは、速やかに、その内容を公表するものとする。

本条…追加（平二六法二二）

【参照条文】

【人規一七―四（規則の制定改廃に関する職員団体からの要請）。

第百八条の六（職員団体のための職員の行為の制限） 職員は、職員団体の業務にもつぱら従事することができない。ただし、所轄庁の長の許可を受けて、登録された職員団体の役員としてもつぱら従事する場合は、この限りでない。

② 前項ただし書の許可は、所轄庁の長が相当と認める場合に与えることができるものとし、これを与える場合においては、所轄庁の長は、その許可の有効期間を定めるものとする。

③ 第一項ただし書の規定により登録された職員団体の役員として専ら従事する期間は、職員としての在職期間を通じて五年（行政執行法人の労働関係に関する法律（昭和二十三年法律第二百五十七号）第二条第二号の職員として同法第七条第一項ただし書の規定により労働組合の業務に専ら従事したことがある職員については、五年からその専ら従事した期間を控除した期間）を超えることができない。

④ 第一項ただし書の許可は、当該許可を受けた職員が登録された職員団体の役員として当該職員団体の業務にもつぱら従事する者でなくなつたときは、取り消されるものとする。

⑤ 第一項ただし書の許可を受けた職員は、その許可が効力を有する間は、休職者とする。

⑥ 職員は、人事院規則で定める場合を除き、給与を受けながら、職員団体のためその業務を行ない、又は活動してはならない。

本条…追加（昭四〇法六九）、三項…一部改正（昭四六法一二七・昭六一法九三・平一一法一〇四・平二四法四二・平二六法六七）

【参照条文】

①【人規一七―二（専従許可の手続）。

⑤「休職者」―本法八〇④、人規一一―四（一二）。

⑥【「人事院規則」―人規一七―二。

【関連―退手法七④、国公災法四③[6]、国公共済法九九⑤、国公共済法施行令二①[2]。

【適用除外―行労法三七①[1]。

【類似―地公法五五の二。

第百八条の七（不利益取扱いの禁止） 職員は、職員団体の構成員であること、これを結成しようとしたこと、若しくはこれに加入しようとしたこと、又はその職員団体における正当な行為をしたことのために不利益な取扱いを受けない。

本条…追加（昭四〇法六九）

【参照条文】

【本法二七・八六～九〇、人規一一―四（二）。

【適用除外―行労法三七①[1]。

【類似―地公法五六、労組法七[1]。

第四章　罰則

第百九条 次の各号のいずれかに該当する者は、一年以下の拘禁刑又は五十万円以下の罰金に処する。

一 第七条第三項の規定に違反して任命を受諾した者

二 第八条第三項の規定に違反して故意に人事官を罷免しなかつた閣員

三 人事官の欠員を生じた後六十日以内に人事官を任命しなかつた閣員（この期間内に両議院の同意を経なかつた場合にはこの限りでない。）

四 第十五条の規定に違反して官職を兼ねた者

五 第十六条第二項の規定に違反して故意に人事院規則及びその改廃を官報に掲載することを怠つた者

六 第十九条の規定に違反して故意に人事記録の作成、保管又は改訂をしなかつた者

七 第二十条の規定に違反して故意に報告しなかつた者

八 第二十七条の規定に違反して差別をした者

九 第四十七条第三項の規定に違反して採用試験の公告を怠り又はこれを抑止した職員

十 第八十三条第一項の規定に違反して停職を命じた者

十一 第九十二条の規定によつてなされる人事院の判定、処置又は指示に故意に従わなかつた者

十二 第百条第一項若しくは第二項又は第百六条の十二第一項の規定に違反して秘密を漏らした者

十三 第百三条の規定に違反して営利企業の地位に就いた者

十四 離職後二年を経過するまでの間に、離職前五年間に在職していた局等組織に属する役職員又はこれに類する者として政令で定めるものに対し、契約等事務であつて離職前五年間の職務に属するものに関し、職務上不正な行為をするように、又は相当の行為をしないように要求し、又は依頼した再就職者

十五 国家行政組織法第二十一条第一項に規定する部長若しくは課長の職又はこれらに準ずる職であつて政令で定めるものに離職した日の五年前の日より前

に就いていた者であつて、離職後二年を経過するまでの間に、当該職に就いていた時に在職していた局等組織に属する役職員又はこれに類する者として政令で定めるものに対し、契約等事務であつて離職した日の五年前の日より前の職務（当該職に就いていたときの職務に限る。）に属するものに関し、職務上不正な行為をするように、又は相当の行為をしないように要求し、又は依頼した再就職者

十六　国家行政組織法第六条に規定する長官、同法第十八条第一項に規定する事務次官、同法第二十一条第一項に規定する事務局長若しくは局長の職又はこれらに準ずる職であつて政令で定めるものに就いていた者であつて、離職後二年を経過するまでの間に、局長等としての在職機関に属する役職員又はこれに類する者として政令で定めるものに対し、契約等事務であつて局長等としての在職機関の所掌に属するものに関し、職務上不正な行為をするように、又は相当の行為をしないように要求し、又は依頼した再就職者

十七　在職していた府省その他の政令で定める国の機関、行政執行法人若しくは都道府県警察（以下この号において「行政機関等」という。）に属する役職員又はこれに類する者として政令で定めるものに対し、国、行政執行法人若しくは都道府県と営利企業等（再就職者が現にその地位に就いているものに限る。）若しくはその子法人との間の契約であつて当該行政機関等においてその締結について自らが決定したもの又は当該行政機関等による当該営利企業等若しくはその子法人に対する行政手続法第二条第二号に規定する処分であつて自らが決定したものに関し、職務上不正な行為をするように、又は相当の行為をしないように要求し、又は依頼した再就職者

十八　第十四号から前号までに掲げる再就職者から要求又は依頼（独立行政法人通則法第五十四条第一項において準用する第十四号から前号までに掲げる要求又は依頼を含む。）を受けた職員であつて、当該要求又は依頼を受けたことを理由として、職務上不正な行為をし、又は相当の行為をしなかつた者

本条…全改（昭二三法二二二）、一部改正（昭二三法二五八・昭四〇法六九・平一九法一〇八・平二六法六七・令四法六八）

第百十条　次の各号のいずれかに該当する者は、三年以下の拘禁刑又は百万円以下の罰金に処する。

一　第二条第六項の規定に違反した者

二　第十七条第二項（第十八条の三第二項において準用する場合を含む。次号及び第四号において同じ。）の規定による証人として喚問を受け虚偽の陳述をした者

三　第十七条第二項の規定により証人として喚問を受け正当の理由がなくてこれに応ぜず、又は同項の規定により書類若しくはその写しの提出を求められ正当の理由がなくてこれに応じなかつた者

四　第十七条第二項の規定により書類又はその写しの提出を求められ、虚偽の事項を記載した書類又は写しを提出した者

五　第十七条第三項（第十八条の三第二項において準用する場合を含む。）の規定による検査を拒み、妨げ、若しくは忌避し、又は質問に対して陳述をせず、若しくは虚偽の陳述をした者（第十七条第一項の調査の対象である職員（第十八条の三第二項において準用する場合にあつては、同条第一項の調査の対象である職員又は職員であつた者）を除く。）

六　第十八条の規定に違反して給与を支払つた者

七　第三十三条第一項の規定に違反して任命をした者

八　第三十九条の規定による禁止に違反した者

九　第四十条の規定に違反して虚偽行為を行つた者

十　第四十一条の規定に違反して受験若しくは任用を阻害し又は情報を提供した者

十一　第六十三条の規定に違反して給与を支給した者

十二　第六十八条の規定に違反して給与の支払をした者

十三　第七十条の規定に違反して給与の支払について故意に適当な措置をとらなかつた人事官

十四　第八十三条第一項の規定に違反して停職者に俸給を支給した者

十五　第八十六条の規定に違反して故意に勤務条件に関する行政措置の要求の申出を妨げた者

十六　何人たるを問わず第九十八条第二項前段に規定する違法な行為の遂行を共謀し、唆し、若しくはあおり、又はこれらの行為を企てた者

十七　第百条第四項（同条第五項において準用する場合を含む。）の規定に違反して陳述及び証言を行わなかつた者

十八　第百二条第一項に規定する政治的行為の制限に違反した者

十九　第百八条の二第五項の規定に違反して団体を結成した者

②　前項第八号に該当する者の収受した金銭その他の利益は、これを没収する。その全部又は一部を没収する

ことができないときは、その価額を追徴する。

本条…全改（昭二三法二二二）、一項…一部改正（昭四〇法六九）・追加（平一一法一二九）、一項…一部改正（平一九法一〇八・令三法七五・令四法六八）

第百十一条　第百九条第二号から第四号まで若しくは第十二号又は前条第一項第一号から第七号まで、第九号から第十五号まで、第十七号若しくは第十九号に掲げる行為を企て、命じ、故意にこれを容認し、唆し又はその幇《ほう》助をした者は、それぞれ各本条の刑に処する。

本条…全改（昭二三法二二二）、一部改正（昭二三法二五八・昭四〇法六九・令四法六八）

第百十二条　次の各号のいずれかに該当する者は、三年以下の拘禁刑に処する。ただし、刑法（明治四十年法律第四十五号）に正条があるときは、刑法による。

一　職務上不正な行為（第百六条の二第一項又は第百六条の三第一項の規定に違反する行為を除く。次号において同じ。）をすること若しくはしたこと、又は相当の行為をしないこと若しくはしなかつたことに関し、営利企業等に対し、離職後に当該営利企業等若しくはその子法人の地位に就くこと、又は他の役職員をその離職後に、若しくは役職員であつた者を、当該営利企業等若しくはその子法人の地位に就かせることを要求し、又は約束した職員

二　職務に関し、他の役職員に職務上不正な行為をするように、又は相当の行為をしないように要求し、依頼し、若しくは唆すこと、又は要求し、依頼し、若しくは唆したことに関し、営利企業等に対し、離職後に当該営利企業等若しくはその子法人の地位に就くこと、又は他の役職員をその離職後に、若しくは役職員であつた者を、当該営利企業等若しくはその子法人の地位に就かせることを要求し、又は約束した職員

三　前号（独立行政法人通則法第五十四条第一項において準用する場合を含む。）の不正な行為をするように、又は相当の行為をしないように要求し、依頼し、又は唆した行為の相手方であつて、同号（同項において準用する場合を含む。）の要求又は約束があつたことの情を知つて職務上不正な行為をし、又は相当の行為をしなかつた職員

本条…追加（平一九法一〇八）、一部改正（平二六法六七・令四法六八）

第百十三条　次の各号のいずれかに該当する者は、十万円以下の過料に処する。

一　第百六条の四第一項から第四項までの規定に違反して、役職員又はこれらの規定に規定する役職員に類する者として政令で定めるものに対し、契約等事務に関し、職務上の行為をするように、又はしないように要求し、又は依頼した者（不正な行為をするように、又は相当の行為をしないように要求し、又は依頼した者を除く。）

二　第百六条の二十四第一項又は第二項の規定による届出をせず、又は虚偽の届出をした者

本条…追加（平一九法一〇八）

附　則

〔**施行期日**〕

第一条　この法律は、昭和二十三年七月一日から施行する。

二項…削除・旧三項…一部改正し二項に繰上（昭二三法二二二）、一項…一部改正・二項…削除（令三法六一）

〔**大学学部の意味**〕

第二条　第五条第五項に規定する大学学部には、旧大学令（大正七年勅令第三百八十八号）に規定する大学学部及び旧専門学校令（明治三十六年勅令第六十一号）に規定する専門学校を含むものとする。

本条…全改（昭二三法二二二）、一部改正（昭二三法二五八）、旧三条…一部改正し二条に繰上（令三法六一）

【参照条文】

【学校教育法九四。

〔**秘密保持の規定の適用**〕

第三条　第百条の規定は、従前職員であつた者で同条の規定の施行前に退職した者についても適用する。

旧二条…一部改正し三条に繰上（令三法六一）

〔**職務と責任の特殊性に基づく特例**〕

第四条　職員に関し、その職務と責任の特殊性に基づいて、この法律の特例を要する場合には、別に法律又は人事院規則（人事院の所掌する事項以外の事項については、政令）をもつて、当該特例を規定することができる。ただし、当該特例は、第一条の精神に反するものであつてはならない。

本条…一部改正（昭二三法二二二・昭四〇法六九）、旧三条…一部改正し四条に繰上（令三法六一）

【参照条文】

【「一般職」—本法二。

【特例—教特法、外公法、検察庁法三二の二、検察官俸給法、行労法、給特法、公立学校事務職員休職特例法、人規一一—四（一一）、人規一四—七（①但書）、人規一四—八⑤、職員の兼業の許可に関する政令一①③、職員の服務の宣誓に関する政令三など。

〔**この法律の施行に伴う経過的特例**〕

第五条　この法律の各規定の施行又は適用の際現に効力

を有する政府職員に関する法令の規定の改廃及びこれらの規定の適用を受ける者に、この法律の規定を適用するに当たり、必要な経過的特例その他の事項は、法律又は人事院規則で定める。

本条…一部改正（昭二三法二二二）、旧一四条…一部改正し五条に繰上（令三法六一）

【参照条文】

【「法律又は人事院規則」―官吏任免法、人規一―三、人規一―四。

〔労働組合法等の適用排除〕

第六条　労働組合法（昭和二十四年法律第百七十四号）、労働関係調整法（昭和二十一年法律第二十五号）、労働基準法（昭和二十二年法律第四十九号）、船員法（昭和二十二年法律第百号）、最低賃金法（昭和三十四年法律第百三十七号）、じん肺法（昭和三十五年法律第三十号）、労働安全衛生法（昭和四十七年法律第五十七号）及び船員災害防止活動の促進に関する法律（昭和四十二年法律第六十一号）並びにこれらの法律に基づく命令は、職員には適用しない。

本条…追加（昭二三法二二二）、一部改正（昭二四法一七四・昭三四法一三七・昭三五法三〇・昭三九法一一八・昭四二法六一・昭四七法五七・昭五七法四〇）、旧一六条…一部改正し六条に繰上（令三法六一）

【参照条文】

【本法改正附（昭二三法二二二）三（労基法の準用）・四（職員団体の存続）・五（罰則の適用）。

【適用除外―行労法三七①Ⅰ、労基法一一二（国についての適用）。

〔**職員団体のための職員の行為の制限に関する経過措置**〕

第七条　第百八条の六の規定の適用については、国家公務員の労働関係の実態に鑑み、労働関係の適正化を促進し、もって公務の能率的な運営に資するため、当分の間、同条第三項中「五年」とあるのは、「七年以下の範囲内で人事院規則で定める期間」とする。

本条…追加（平九法三）、旧一八条…一部改正し七条に繰上（令三法六一）

〔**定年退職年齢に関する経過措置**〕

第八条　令和五年四月一日から令和十三年三月三十一日までの間における第八十一条の六第二項の規定の適用については、次の表の上欄に掲げる期間の区分に応じ、同項中「六十五年」とあるのはそれぞれ同表の中欄に掲げる字句と、同項ただし書中「七十年」とあるのはそれぞれ同表の下欄に掲げる字句とする。

令和五年四月一日から令和七年三月三十一日まで	六十一年	六十六年
令和七年四月一日から令和九年三月三十一日まで	六十二年	六十七年
令和九年四月一日から令和十一年三月三十一日まで	六十三年	六十八年
令和十一年四月一日から令和十三年三月三十一日まで	六十四年	六十九年

② 令和五年四月一日から令和十三年三月三十一日までの間における国家公務員法等の一部を改正する法律（令和三年法律第六十一号。以下この条及び次条において「令和三年国家公務員法等改正法」という。）第一条の規定による改正前の第八十一条の二第二項第一号に掲げる職員に相当する職員として人事院規則で定める職員に対する第八十一条の六第二項の規定の適用については、前項の規定にかかわらず、次の表の上欄に掲げる期間の区分に応じ、同条第二項ただし書中同表の中欄に掲げる字句は、それぞれ同表の下欄に掲げる字句とする。

令和五年四月一日から令和七年三月三十一日まで	六十五年を超えない範囲内で人事院規則で定める年齢	年齢六十六年
令和七年四月一日から令和九年三月三十一日まで	七十年	六十七年
令和九年四月一日から令和十一年三月三十一日まで	七十年	六十八年
令和十一年四月一日から令和十三年三月三十一日まで	七十年	六十九年

③ 令和五年四月一日から令和十三年三月三十一日までの間における令和三年国家公務員法等改正法第一条の規定による改正前の第八十一条の二第二項第二号に掲

げる職員に相当する職員として人事院規則で定める職員に対する第八十一条の六第二項の規定の適用については、第一項の規定にかかわらず、次の表の上欄に掲げる期間の区分に応じ、同条第二項中「六十五年」とあるのはそれぞれ同表の中欄に掲げる字句と、同項ただし書中「七十年」とあるのはそれぞれ同表の下欄に掲げる字句とする。

令和五年四月一日から令和七年三月三十一日まで	六十三年	六十六年
令和七年四月一日から令和九年三月三十一日まで	六十三年	六十七年
令和九年四月一日から令和十一年三月三十一日まで	六十三年	六十八年
令和十一年四月一日から令和十三年三月三十一日まで	六十四年	六十九年

④　令和五年四月一日から令和七年三月三十一日までの間における令和三年国家公務員法等改正法第一条の規定による改正前の第八十一条の二第二項第三号に掲げる職員に相当する職員として人事院規則で定める職員に対する第八十一条の六第二項の規定の適用については、第一項の規定にかかわらず、同条第二項中「、年齢六十五年」とあるのは「、六十年を超え六十五年を超えない範囲内で人事院規則で定める年齢」と、同項ただし書中「六十五年を超え七十年を超えない範囲内で人事院規則で定める年齢」とあるのは「年齢六十六年」とする。

⑤　令和七年四月一日から令和十三年三月三十一日までの間における前項に規定する職員に対する第八十一条の六第二項の規定の適用については、第一項の規定にかかわらず、次の表の上欄に掲げる期間の区分に応じ、同条第二項中「、年齢六十五年」とあるのはそれぞれ同表の中欄に掲げる字句と、同項ただし書中「七十年」とあるのはそれぞれ同表の下欄に掲げる字句とする。

令和七年四月一日から令和九年三月三十一日まで	、六十一年を超え六十五年を超えない範囲内で人事院規則で定める年齢	六十七年
令和九年四月一日から令和十一年三月三十一日まで	、六十二年を超え六十五年を超えない範囲内で人事院規則で定める年齢	六十八年
令和十一年四月一日から令和十三年三月三十一日まで	、六十三年を超え六十五年を超えない範囲内で人事院規則で定める年齢	六十九年

本条…追加（令三法六一）

〔**任命権者の責務**〕

第九条　任命権者は、当分の間、職員（臨時的職員その他の法律により任期を定めて任用される職員及び常時勤務を要しない官職を占める職員並びに令和三年国家公務員法等改正法第一条の規定による改正前の第八十一条の二第二項第一号に掲げる職員に相当する職員として人事院規則で定める職員及び同項第三号に掲げる職員に相当する職員のうち人事院規則で定める職員その他人事院規則で定める職員を除く。以下この条において同じ。）が年齢六十年（同項第二号に掲げる職員に相当する職員として人事院規則で定める職員にあつては同号に定める年齢とし、同項第三号に掲げる職員に相当する職員のうち人事院規則で定める職員にあつては同号に定める年齢とする。以下この条において同じ。）に達する日の属する年度の前年度（当該前年度に職員でなかつた者その他の当該前年度においてこの条の規定による情報の提供及び意思の確認を行うことができない職員として人事院規則で定める職員にあつては、人事院規則で定める期間）において、当該職員に対し、人事院規則で定めるところにより、令和三年国家公務員法等改正法による定年の引上げに伴う当分の間の措置として講じられる一般職の職員の給与に関する法律附則第八項から第十六項までの規定による年齢六十年に達した日後における最初の四月一日以後の当該職員の俸給月額を引き下げる給与に関する特例措置及び国家公務員退職手当法（昭和二十八年法律第百八十二号）附則第十二項から第十五項までの規定による当該職員が年齢六十年に達した日から定年に達する日の前日までの間に非違によることなく退職をした場合における退職手当の基本額を当該職員が当該退職をした日に第八十一条の六第一項の規定により退職をしたものと仮定した場合における額と同額とする退職手当に関する特例措置その他の当該職員が年齢六十年に達する日以後に適用される任用、給与及び退職手当に関する措置の内容その他の必要な情報を提供するものとするとともに、同日の翌日以後における勤務の意思を確認するよう努めるものとする。

本条…追加（令三法六一）

附　則（昭二二・一二・一七法一九五）（抄）

第十七条　この法律は、公布の後六十日を経過した日から、これを施行する。

第一次改正法附則（昭二三・一二・三法二二二）（抄）

改正　令三・六・一一法六一

〔**施行期日**〕

第一条　この法律は、公布の日から、施行する。但し、改正後の国家公務員法第十三条第三項から第五項までの規定は、昭和二十四年度以後の会計年度について適用し、この附則第六条の規定及びこの附則第七条中船員職業安定法（昭和二十三年法律第百三十号）第十条の改正規定は、別に人事院規則で定める日から適用する。

【参照条文】

【「人事院規則」―人規一―三。

〔**公選による公職に在る者の措置**〕

第二条　人事院規則で定めた場合を除き、国家公務員法第百二条第二項の改正規定施行の際、職員で現に公選による公職に在る者は、昭和二十四年六月三十日までにその公職を退いて辞表の写及びその辞表が受理され、且つ、その効力を生じたことを公に証明する書面を人事院に送付しない限り、その日においてその官職を失うものとする。

【参照条文】

【「公選による公職」―人規一四―五。

〔**労働基準法・船員法の準用**〕

第三条　一般職に属する職員に関しては、別に法律が制定実施されるまでの間、国家公務員法の精神にてい触せず、且つ、同法に基く法律又は人事院規則で定められた事項に矛盾しない範囲内において、労働基準法及び船員法並びにこれらに基く命令の規定を準用する。但し、労働基準監督機関の職権に関する規定は、一般職に属する職員の勤務条件に関しては、準用しない。

2　前項の場合において必要な事項は、人事院規則で定める。

【参照条文】

①【「一般職」―本法二、労基法一一二（国についての適用）、本法附一六（労基法の不適用）。

②【「人事院規則」―なし。

【適用除外―行労法三七①②。

〔**職員を主たる構成員とする労働組合又は団体の存続**〕

第四条　職員を主たる構成員とする労働組合又は団体で、国家公務員法附則第十六条の規定が適用される日において、現に存するものは、引き続き存続することができる。これらの団体は、すべて役員の選挙及び業務執行について民主的手続を定め、その他その組織、目的及び手続において、この法律の規定に従わなければならない。これらの団体は、人事院の定める手続により、人事院に登録しなければならない。

2　前項の組合又は団体に関して必要な事項は、法律又は人事院規則で定める。

【参照条文】

【本法一〇八の二～一〇八の七、本法附一六（職員の団体）。

〔**従前の罰則の適用**〕

第五条　国家公務員法附則第六条の規定の施行前にした同条に規定する法令の規定に違反する行為に対する罰則の適用については、同条の規定にかかわらず、なお従前の例による。

〔**昭和二三年政令二〇一号の失効**〕

第八条　昭和二十三年七月二十二日附内閣総理大臣宛連合国最高司令官書簡に基く臨時措置に関する政令（昭和二十三年政令第二百一号）は、国家公務員に関して、その効力を失う。

2　前項の政令がその効力を失う前になした同令第二条第一項の規定に違反する行為に関する罰則の適用については、なお従前の例による。

〔**読替**〕

第九条　この法律施行の際、他の法令中「人事委員会」、「人事委員長」、「人事委員」及び「人事委員会規則」とあるのは、それぞれ「人事院」、「人事院総裁」、「人事官」及び「人事院規則」と読み替えるものとする。

〔**人事委員会職員の身分**〕

第十条　人事院設置の際、現に臨時人事委員会の職員である者は、別に辞令を発せられない限り、そのまま人事院の各相当の職員となるものとする。人事院の事務総長の職は、臨時人事委員会の事務局長の職に相当するものとする。

〔**国会及び裁判所職員の取扱**〕

第十一条　国会及び裁判所の職員は、昭和二十六年十二月三十一日までこの法律の定める一般職に属する職員とする。

〔**法令の廃止**〕

第十二条　官吏懲戒令（明治三十二年勅令第六十三号）、高等試験委員及び普通試験委員官制（大正七年勅令第九号）、高等試験令（昭和四年勅令第十五号）、一級官吏銓衡委員会官制（昭和十六年勅令第四号）、昭和二十年勅令第七十七号（二級事務官吏の任用資格の特例に関する件）、二級事務官吏銓衡委員会官制（昭和二十年勅令第七十八号）及び高等試験委員及び普通試験委員臨時措置法（昭和二十三年法律第五十三号）並びにこれらに基く命令は、この法律施行の日から廃止する。但し、高等試験令は、裁判所法（昭和二十二年法律第五十九号）第六十六条及び弁護士法（昭和八年法律第五十三号）第三条の試験に関する限り、又、高等試験委員会は、その第三部に関する限り、昭和二十三年十二月三十一日までは、従前の法律に定めた条件の下に存続するものとする。

2　この法律施行の際、現に前項に規定する法令によつて設置された委員会の事務にもつぱら従事している職員は、その日において、辞令を用いることなく、その職を免ぜられるものとする。

第二次改正法附則（昭二三・一二・二一法二五八）

この法律は、公布の日から施行する。

附　則（昭二三・一二・二三法二六五）（抄）

第三十二条　この法律は、昭和二十四年一月一日から施行する。〔後略〕

第三次改正法附則（昭二四・三・三〇法二）

この法律は、公布の日から施行する。

第四次改正法附則（昭二四・五・三一法一二五）

この法律は、昭和二十四年六月一日から施行する。

附　則（昭二四・六・一法一七四）（抄）

1　この法律施行の期日〔昭二四・六・一〇〕は、公布の日から起算して三十日を越えない期間内において、政令で定める。

附　則（昭二五・三・三一法四九）

この法律は、公布の日から施行する。

附　則（昭二五・四・三法九五）（抄）

1　この法律は、公布の日から施行し、昭和二十五年四月一日から適用する。

附　則（昭二六・三・三〇法五九）（抄）

1　この法律のうち、裁判所法第六十五条の二及び国家公務員法第二条の改正規定は昭和二十七年一月一日から、その他の規定は昭和二十六年四月一日から施行する。

附　則（昭二六・一二・二一法三一四）

1　この法律は、昭和二十七年一月一日から施行する。

2　この法律による改正規定により支給する国会職員の給与の総額は、予算の範囲をこえないものとする。

附　則（昭二七・三・三一法四一）（抄）

1　この法律は、日本国との平和条約の最初の効力発生の日（昭和二十七年四月一日までに同条約が効力を発生しないときは、同日）から施行する。〔後略〕

附　則（昭二七・四・二六法九七）（抄）

1　この法律は、公布の日から施行する。〔後略〕

附　則（昭二七・六・一〇法一七四）（抄）

1　この法律は、公布の日から施行し、第六条の規定及び第七条（公共事業費に係る改正の部分に限る。）の規定は、昭和二十七年四月一日から、これらの規定以外の本則の規定並びに附則第二項及び第三項の規定は、条約の効力発生の日〔昭二七・四・二八〕から適用する。

附　則（昭二七・六・二一法二〇七）（抄）

（**施行期日**）

1　この法律施行の期日〔昭二七・八・一〕は、公布の日から三箇月をこえない期間内において、政令で定める。〔後略〕

附　則（昭二七・七・三一法二五二）（抄）

1　この法律は、昭和二十七年八月一日から施行する。

附　則（昭二七・七・三一法二五八）（抄）

1　この法律は、昭和二十七年八月一日から施行する。

附　則（昭二七・七・三一法二六五）（抄）

1　この法律は、昭和二十七年八月一日から施行する。〔後略〕

附　則（昭二七・七・三一法二六八）（抄）

1　この法律は、昭和二十七年八月一日から施行する。

附　則（昭二九・六・九法一六四）（抄）

1　この法律は、公布の日から起算して一月をこえない範囲内において政令で定める日〔昭二九・七・一〕から施行する。

附　則（昭三一・三・一七法一二）（抄）

1　この法律は、公布の日から施行する。

附　則（昭三一・三・二四法二七）（抄）

（**施行期日**）

1　この法律は、昭和三十一年四月一日から施行する。

附　則（昭三一・六・一一法一四〇）（抄）

1　この法律は、公布の日から施行する。

附　則（昭三一・六・二六法一六一）（抄）

1　この法律は、公布の日から施行する。

附　則（昭三二・六・一法一五八）（抄）

（施行期日）

1　この法律は、昭和三十二年八月一日から施行する。

附　則（昭三三・四・二四法七八）（抄）

（施行期日）

1　この法律は、昭和三十三年八月一日から施行する。

附　則（昭三三・四・二五法八六）（抄）

1　この法律は、公布の日から施行し、〔中略〕昭和三十三年四月一日から適用する。〔ただし書略〕

附　則（昭三四・四・一五法一三七）（抄）

（施行期日）

第一条　この法律の施行期日〔昭三四・七・一〇〕は、公布の日から起算して九十日をこえない範囲内において、各規定につき、政令で定める。

附　則（昭三四・五・一五法一六三）（抄）

（施行期日）

第一条　この法律は、公布の日から施行する。ただし、次の各号に掲げる改正規定は、当該各号に掲げる日から施行する。

一　〔前略〕第三条〔中略〕の規定　昭和三十四年十月一日

附　則（昭三五・三・三一法三〇）（抄）

（施行期日）

第一条　この法律は、昭和三十五年四月一日から施行する。

附　則（昭三五・六・三〇法一一三）（抄）

（施行期日）

第一条　この法律は、昭和三十五年七月一日から施行する。

附　則（昭三七・四・一六法七七）（抄）

（施行期日）

1　この法律は、〔中略〕昭和三十七年七月一日から施行する。

附　則（昭三七・五・一一法一二二）（抄）

（施行期日）

1　この法律は、昭和三十七年九月一日から施行する。〔後略〕

附　則（昭三七・五・一五法一三三）（抄）

（施行期日）

1　この法律は、公布の日から起算して十月をこえない範囲内において、〔中略〕政令で定める日〔昭三七・一一・一〕から施行する。〔ただし書略〕

附　則（昭三七・五・一六法一四〇）

1　この法律は、昭和三十七年十月一日から施行する。

2　この法律による改正後の規定は、この附則に特別の定めがある場合を除き、この法律の施行前に生じた事項にも適用する。ただし、この法律による改正前の規定によつて生じた効力を妨げない。

3　この法律の施行の際現に係属している訴訟については、当該訴訟を提起することができない旨を定めるこの法律による改正後の規定にかかわらず、なお従前の例による。

4　この法律の施行の際現に係属している訴訟の管轄については、当該管轄を専属管轄とする旨のこの法律による改正後の規定にかかわらず、なお従前の例による。

5　この法律の施行の際現にこの法律による改正前の規定による出訴期間が進行している処分又は裁決に関する訴訟の出訴期間については、なお従前の例による。ただし、この法律による改正後の規定による出訴期間がこの法律による改正前の規定による出訴期間より短い場合に限る。

6　この法律の施行前にされた処分又は裁決に関する当事者訴訟で、この法律による改正により出訴期間が定められることとなつたものについての出訴期間は、この法律の施行の日から起算する。

7　この法律の施行の際現に係属している処分又は裁決の取消しの訴えについては、当該法律関係の当事者の一方を被告とする旨のこの法律による改正後の規定にかかわらず、なお従前の例による。ただし、裁判所は、原告の申立てにより、決定をもつて、当該訴訟を当事者訴訟に変更することを許すことができる。

8　前項ただし書の場合には、行政事件訴訟法第十八条後段及び第二十一条第二項から第五項までの規定を準用する。

9　この法律による改正後の公職選挙法第二十四条（同法第二十九条において準用する場合を含む。）の規定は、この法律の施行の日（以下「施行日」という。）以後に調製される選挙人名簿に係る訴訟について、この法律による改正後の公職選挙法のその他の規定は、施行日以後にその期日が公示され又は告示される選挙に係る訴訟について適用し、施行日前に調製された選挙人名簿又は施行日前にその期日が公示され若しくは告示された選挙に係る訴訟については、なお従前の例による。

附　則（昭三七・九・一五法一六一）（抄）

1　この法律は、昭和三十七年十月一日から施行する。

2　この法律による改正後の規定は、この附則に特別の定めがある場合を除き、この法律の施行前にされた行政庁の処分、この法律の施行前にされた申請に係る行政庁の不作為その他この法律の施行前に生じた事項についても適用する。ただし、この法律による改正前の規定によつて生じた効力を妨げない。

3　この法律の施行前に提起された訴願、審査の請求、異議の申立てその他の不服申立て（以下「訴願等」という。）については、この法律の施行後も、なお従前の例による。この法律の施行前にされた訴願等の裁決、決定その他の処分（以下「裁決等」という。）又はこの法律の施行前に提起された訴願等につきこの法律の施行後にされる裁決等にさらに不服がある場合の訴願等についても、同様とする。

4　前項に規定する訴願等で、この法律の施行後は行政不服審査法による不服申立てをすることができることとなる処分に係るものは、同法以外の法律の適用については、行政不服審査法による不服申立てとみなす。

5　第三項の規定によりこの法律の施行後にされる審査の請求、異議の申立てその他の不服申立ての裁決等については、行政不服審査法による不服申立てをすることができない。

6　この法律の施行前にされた行政庁の処分で、この法律による改正前の規定により訴願等をすることができるものとされ、かつ、その提起期間が定められていなかつたものについて、行政不服審査法による不服申立てをすることができる期間は、この法律の施行の日から起算する。

8　この法律の施行前にした行為に対する罰則の適用については、なお従前の例による。

9　前八項に定めるもののほか、この法律の施行に関して必要な経過措置は、政令で定める。

10　この法律及び行政事件訴訟法の施行に伴う関係法律の整理等に関する法律（昭和三十七年法律第百四十号）に同一の法律についての改正規定がある場合においては、当該法律は、この法律によつてまず改正され、次いで行政事件訴訟法の施行に伴う関係法律の整理等に関する法律によつて改正されるものとする。

【参照条文】

⑨「政令」―なし

附　則（昭三八・六・二二法一一一）（抄）

1　この法律は、昭和三十九年一月一日から施行する。

附　則（昭三八・七・一二法一三九）（抄）

1　この法律は、公布の日から起算して三十日をこえない範囲内において政令で定める日〔昭三八・八・一〇〕から施行する。

附　則（昭三九・六・一八法一〇五）（抄）

（施行期日）

1　この法律は、公布の日から施行する。〔後略〕

附　則（昭三九・六・二九法一一八）（抄）

（施行期日）

第一条　この法律は、公布の日から施行する。〔ただし書略〕

附　則（昭三九・七・一法一二六）（抄）

（施行期日）

1　この法律は、公布の日から施行する。〔後略〕

附　則（昭三九・七・二法一三三）（抄）

1　この法律は、公布の日から施行する。

附　則（昭四〇・五・一八法六九）（抄）

（施行期日）

第一条　この法律は、公布の日から起算して九十日をこえない範囲内で政令で定める日〔昭四〇・五・一九〕から施行する。ただし、目次の改正規定（「第八節　退職年金制度」を「第八節　退職年金制度　第九節　職員団体」に改める部分に限る。）、第十二条第六項の改正規定（同項第二号及び第十三号を改める部分を除く。）、第九十八条の改正規定、第百一条の改正規定（同条第三項を削る部分に限る。）、第三章中第八節の次に一節を加える改正規定、第百十条第一項の改正規定（同項第二号を改める部分を除く。）及び第百十一条の改正規定（「第十六号」を「第十五号」に改める部分に限る。）並びに次条（第六項から第九項までを除く。）、附則第六条、附則第九条、附則第十二条（第四十条第一項第一号中「第三項から第五項まで」を「第二項から第四項まで」に改める部分を除く。）、附則第十八条から附則第二十条まで、附則第二十三条、附則第二十七条及び附則第二十八条の規定は、政令で定める日〔昭四一・六・一四〕。ただし、第三章第八節の次に一節を加える改正規定中第百八条の六第一項から第五項までを加える部分は、昭四一・一二・一四〕から施行する。

（経過規定）

第二条　この法律の施行（前条ただし書の規定による施行をいう。以下この項、次項、第四項及び第五項において同じ。）の際現に存する改正前の国家公務員法（以下「旧法」という。）の規定に基づく登録をされた職員団体は、この法律の施行の日から起算して一年以内に、改正後の国家公務員法（以下「新法」という。）第百八条の三の規定による登録の申請をすることができる。この場合において、人事院は、申請を受理した日から起算して三十日以内に、新法第百八条の三の規定による登録をした旨又はしない旨の通知をしなければならない。

2　この法律の施行の際現に存する旧法の規定に基づく登録をされた職員団体で、前項の規定による登録の申請をしないものの取扱いについては、この法律の施行の日から起算して一年を経過するまでの間、同項の規定による登録の申請をしたものの取扱いについては、同項の規定による登録をした旨又はしない旨の通知を受けるまでの間は、なお従前の例による。ただし、新法第百八条の五の規定の適用があるものとする。

3　旧法の規定に基づく法人たる職員団体で第一項の規定により登録をした旨の通知を受けたもののうち、その通知を受ける前に新法の規定に基づく法人となる旨を人事院に申し出たものは、その通知を受けた時に新法の規定に基づく法人となり、同一性をもつて存続するものとする。

4　前項の規定により新法の規定に基づく法人たる職員団体として存続するものを除き、旧法の規定に基づく法人たる職員団体でこの法律の施行の際現に存するものは、第一項の規定による登録の申請をしなかつたものにあつては、この法律の施行の日から起算して一年を経過した日において、同項の規定による登録の申請をしたものにあつては、同項の規定による登録をした旨又はしない旨の通知を受けた時において、それぞれ解散するものとし、その解散及び清算については、なお従前の例による。

5　この法律の施行の日から起算して二年間は、新法第百八条の六第一項の規定を適用せず、職員は、なお従前の例により、登録された職員団体の役員として当該職員団体の業務にもつぱら従事することができる。

6　この法律の施行（前条ただし書の規定による施行を含む。）前にした行為に対する罰則の規定の適用については、なお従前の例による。

7　この法律の施行の際現に効力を有する人事院規則の規定でこの法律の施行後は政令をもつて規定すべき事項を規定するものは、この法律の施行の日から起算して九月間は、政令としての効力を有するものとする。

8　この法律の施行前に法令の規定に基づいて人事院若しくは大蔵大臣がした決定、処分その他の行為又は人事院若しくは大蔵大臣に対してした請求その他の行為で、この法律の施行後は内閣総理大臣がすべき決定、処分その他の行為又は内閣総理大臣に対してすべき請求その他の行為に該当するものは、この法律の施行後における法令の相当規定に基づいて内閣総理大臣がした決定、処分その他の行為又は内閣総理大臣に対してした請求その他の行為とみなす。

9　この附則に定めるもののほか、この法律の施行に関し必要な経過措置は、人事院規則（人事院の所掌する事項以外の事項については、政令）で定める。

附　則（昭四〇・五・一八法七二）（抄）

（施行期日）

1　この法律は、公布の日から施行する。〔後略〕

附　則（昭四〇・六・三法一一六）（抄）

1　この法律は、公布の日から施行する。

附　則（昭四一・六・二八法八九）（抄）

1　この法律は、公布の日から施行する。

附　則（昭四二・七・一五法六一）（抄）

（施行期日）

1　この法律は、公布の日から施行する。

附　則（昭四五・五・二五法九七）（抄）

（施行期日）

第一条　この法律は、公布の日から施行する。

附　則（昭四六・一二・一法一一七）

（施行期日）

第一条　この法律は、公布の日から施行する。

附　則（昭四七・六・八法五七）（抄）

（施行期日）

第一条　この法律は、公布の日から起算して六月をこえない範囲内において政令で定める日〔昭四七・一〇・一〕から施行する。

附　則（昭四八・一〇・一六法一一六）（抄）

1　この法律は、公布の日から施行する。〔ただし書略〕

附　則（昭五三・六・二一法七九）

1　この法律は、公布の日から施行する。

2　この法律の施行の日前になされた国家公務員法第百八条の三第六項（裁判所職員臨時措置法（昭和二十六年法律第二百九十九号）において準用する場合を含む。）〔中略〕の規定による登録の取消しの効力については、なお従前の例による。

附　則（昭五四・一二・二〇法六八）（抄）

改正　平一六・一二・一法一四七

（施行期日）

第一条　この法律は、公布の日から起算して六月を経過した日から施行する。

第五条　国家公務員法（昭和二十二年法律第百二十号）第百八条の四〔中略〕において準用する民法第八十四条の三第一項の規定により科すべき過料の額については、当分の間、なお従前の例による。

附　則（昭五六・六・一一法七七）（抄）

（施行期日）

第一条　この法律は、昭和六十年三月三十一日から施行する。ただし、次条の規定は、公布の日から施行する。

（実施のための準備）

第二条　この法律による改正後の国家公務員法（以下「新法」という。）の規定による職員の定年に関する制度の円滑な実施を確保するため、任命権者は、長期的な人事管理の計画的推進その他必要な準備を行うものとし、人事院及び内閣総理大臣は、それぞれの権限に応じ、任命権者の行う準備に関し必要な連絡、調整その他の措置を講ずるものとする。

（経過措置）

第三条　この法律の施行の日（以下「施行日」という。）の前日までに新法第八十一条の二第二項に規定する定年に達している職員（同条第三項に規定する職員を除く。）は、施行日に退職する。

第四条　新法第八十一条の三の規定は、前条の規定により職員が退職すべきこととなる場合について準用する。この場合において、新法第八十一条の三第一項中「同項」とあるのは「国家公務員法の一部を改正する法律（昭和五十六年法律第七十七号。以下「昭和五十六年法律第七十七号」という。）附則第三条」と、同条中「その職員に係る定年退職日」とあるのは「昭和五十六年法律第七十七号の施行の日」と読み替えるものとする。

第五条　新法第八十一条の四の規定は、附則第三条の規定により職員が退職した場合又は前条において準用する新法第八十一条の三の規定により職員が勤務した後退職した場合について準用する。この場合において、新法第八十一条の四第三項中「その者に係る定年退職日」とあるのは、「その者が年齢六十年（退職した時に第八十一条の二第二項各号に掲げる職員であった者にあっては、当該各号に定める年齢）に達した日」と読み替えるものとする。

附　則（昭五七・五・一法四〇）（抄）

（施行期日）

1　この法律は、公布の日から起算して六月を超えない範囲内において政令で定める日〔昭五七・一〇・一〕から施行する。

附　則（昭五八・一一・二八法六五）（抄）

（施行期日）

1　この法律は、〔中略〕昭和五十九年一月二十日から起算して一年六月を超えない範囲内において政令で定める日〔昭六〇・七・一九〕から、〔中略〕施行する。

附　則（昭五八・一二・二法七八）（抄）

1　この法律（第一条を除く。）は、昭和五十九年七月一日から施行する。

附　則（昭五八・一二・二法八〇）（抄）

（施行期日）

1　この法律は、総務庁設置法（昭和五十八年法律第七十九号）の施行の日〔昭五九・七・一〕から施行する。

附　則（昭六〇・一二・二一法九七）（抄）

（施行期日等）

1　この法律は、〔中略〕昭和六十一年一月一日から〔中略〕施行する。

附　則（昭六一・一二・四法九三）（抄）

（施行期日）

第一条　この法律は、昭和六十二年四月一日から施行する。〔ただし書略〕

附　則（平元・一・一一法一）（抄）

（施行期日）

1　この法律は、公布の日から施行する。

附　則（平三・五・二一法七九）（抄）

（施行期日）

第一条　この法律は、公布の日から施行する。ただし、次の各号に掲げる規定は、それぞれ当該各号に定める日から施行する。

五　〔前略〕附則第八条から第十三条までの規定　公布の日から起算して一年を超えない範囲内において政令で定める日〔平四・五・二〇〕

附　則（平五・一一・一二法八九）（抄）

（施行期日）

第一条　この法律は、行政手続法（平成五年法律第八十八号）の施行の日から施行する。

附　則（平六・六・一五法三三）（抄）

（施行期日）

第一条　この法律は、公布の日から起算して六月を超えない範囲内において政令で定める日〔平六・九・一〕から施行する。

附　則（平七・三・三一法五四）（抄）

（施行期日）

第一条　この法律は、平成八年四月一日から施行する。

附　則（平八・六・二六法一〇三）（抄）

（施行期日）

1　この法律は、公布の日から施行する。

附　則（平九・三・二六法三）

この法律は、平成九年四月一日から施行する。

附　則（平一〇・三・三一法一三）（抄）

（施行期日）

1　この法律は、平成十年四月一日から施行する。〔ただし書略〕

附　則（平一一・七・七法八三）（抄）

最終改正　平二四・八・二二法六三

（施行期日）

第一条　この法律は、平成十三年四月一日から施行する。ただし、次の各号に掲げる規定は、当該各号に定める日から施行する。

一　次条の規定　公布の日

二　第一条中国家公務員法第八十二条の改正規定（同条第二項後段に係る部分を除く。）〔中略〕　公布の日から起算して三月を超えない範囲内において政令で定める日〔平一一・一〇・一〕

（実施のための準備）

第二条　第一条の規定による改正後の国家公務員法（附則第四条から第六条までにおいて「新国家公務員法」という。）第八十一条の四及び第八十一条の五の規定の円滑な実施を確保するため、任命権者は、長期的な人事管理の計画的推進その他必要な準備を行うものとし、人事院及び内閣総理大臣は、それぞれの権限に応じ、任命権者の行う準備に関し必要な連絡、調整その他の措置を講ずるものとする。

（旧法再任用職員に関する経過措置）

第三条　この法律の施行の日（以下「施行日」という。）前に第一条の規定による改正前の国家公務員法第八十一条の四第一項の規定により採用され、同項の任期又は同条第二項の規定により更新された任期の末日が施行日以後である職員（次項において「旧法再任用職員」という。）に係る任用（任期の更新を除く。）及び退職手当については、なお従前の例による。

2　旧法再任用職員に対する第二条の規定による改正後の国家公務員の寒冷地手当に関する法律第一条及び第二条の二の規定、第三条の規定による改正後の一般職の職員の給与に関する法律第八条第十一項、第十九条の四第三項、第十九条の七第二項、第十九条の八第三項、第十九条の九第二項、第十九条の十第四項及び別表第一から別表第八までの規定並びに第四条の規定による改正後の一般職の職員の給与に関する法律等の一部を改正する法律附則第十五項の規定の適用については、旧法再任用職員は、国家公務員法第八十一条の四第一項の規定により採用された職員でないものとみなす。

（任期の末日に関する特例）

第四条　次の表の上欄に掲げる期間における新国家公務員法第八十一条の四第三項（新国家公務員法第八十一条の五第二項において準用する場合を含む。）の規定の適用については、新国家公務員法第八十一条の四第三項中「六十五年」とあるのは、同表の上欄に掲げる区分に応じそれぞれ同表の下欄に掲げる字句とする。

平成十三年四月一日から平成十六年三月三十一日まで	六十一年
平成十六年四月一日から平成十九年三月三十一日まで	六十二年
平成十九年四月一日から平成二十二年三月三十一日まで	六十三年
平成二十二年四月一日から平成二十五年三月三十一日まで	六十四年

（特定警察職員等に関する特例）

第五条　施行日から平成十九年三月三十一日までの間における新国家公務員法第八十一条の四第一項及び第八十一条の五第一項の規定の適用については、新国家公務員法第八十一条の四第一項中「（以下「定年退職者等」という。）」とあるのは、「（警察庁の職員であった者のうち地方公務員等共済組合法（昭和三十七年法律第百五十二号）附則第十八条の二第一項第一号に規定する特定警察職員等である者を除く。以下「定年退職者等」という。）」とする。

2　厚生年金保険法（昭和二十九年法律第百十五号）附則第七条の三第一項第四号に規定する特定警察職員等である職員に対する次の表の上欄に掲げる期間における新国家公務員法第八十一条の四第三項（新国家公務員法第八十一条の五第二項において準用する場合を含む。）の規定の適用については、前条の規定にかかわらず、新国家公務員法第八十一条の四第三項中「六十五年」とあるのは、同表の上欄に掲げる区分に応じそれぞれ同表の下欄に掲げる字句とする。

平成十九年四月一日から平成二十二年三月三十一日まで	六十一年
平成二十二年四月一日から平成二十五年三月三十一日まで	六十二年
平成二十五年四月一日から平成二十八年三月三十一日まで	六十三年
平成二十八年四月一日から平成三十一年三月三十一日まで	六十四年

（懲戒処分に関する経過措置）

第六条　新国家公務員法第八十二条第二項前段の規定は、同項前段に規定する退職が附則第一条第二号の政令で定める日以後である職員について適用する。この場合において、同日前に同項前段に規定する先の退職がある職員については、当該先の退職の前の職員としての在職期間は、同項前段に規定する要請に応じた退職前の在職期間には含まれないものとする。

2　新国家公務員法第八十二条第二項後段の規定は、同項後段の定年退職者等となった日が施行日以後である職員について適用する。この場合において、附則第一条第二号の政令で定める日前に同項前段に規定する退職又は先の退職がある職員については、同日前のこれらの退職の前の職員としての在職期間は、同項後段の定年退職者等となった日までの引き続く職員としての在職期間には含まれないものとする。

附　則（平一一・七・一六法八七）（抄）

（施行期日）

第一条　この法律は、平成十二年四月一日から施行する。〔ただし書略〕

附　則（平一一・七・一六法一〇二）（抄）

（施行期日）

第一条　この法律は、内閣法の一部を改正する法律（平成十一年法律第八十八号）の施行の日〔平一三・一・六〕から施行する。〔ただし書略〕

附　則（平一一・七・一六法一〇四）（抄）

（施行期日）

第一条　この法律は、内閣法の一部を改正する法律（平成十一年法律第八十八号）の施行の日〔平一三・一・六〕から施行する。〔ただし書略〕

附　則（平一一・七・三〇法一一六）（抄）

（施行期日）

第一条　この法律は、公布の日から施行する。〔ただし書略〕

附　則（平一一・八・一三法一二九）（抄）

（施行期日）

第一条　この法律は、平成十二年四月一日から施行する。ただし、次の各号に掲げる規定は、当該各号に定める日から施行する。

一　〔前略〕附則第六条（国家公務員法第八十二条第一項第一号の改正規定に係る部分を除く。）〔中略〕の規定　公布の日

附　則（平一一・一二・八法一五一）（抄）

（施行期日）

第一条　この法律は、平成十二年四月一日から施行する。〔ただし書略〕

附　則（平一一・一二・二二法一六〇）（抄）

（施行期日）

第一条　この法律〔中略〕は、平成十三年一月六日から施行する。〔ただし書略〕

附　則（平一一・一二・二二法二二〇）（抄）

（施行期日）

第一条　この法律（第一条を除く。）は、平成十三年一月六日から施行する。〔ただし書略〕

附　則（平一二・三・三一法二二）（抄）

（施行期日等）

第一条　この法律は、平成十二年四月一日から施行する。〔ただし書略〕

附　則（平一三・四・一八法三二）（抄）

（施行期日）

1　この法律は、平成十三年七月一日から施行する。

附　則（平一四・七・三一法九八）（抄）

（施行期日）

第一条　この法律は、公社法の施行の日〔平一五・四・一〕から施行する。〔ただし書略〕

附　則（平一六・六・二法七六）（抄）

（施行期日）

第一条　この法律は、破産法（平成十六年法律第七十五号。次条第八項並びに附則第三条第八項、第五条第八項、第十六項及び第二十一項、第八条第三項並びに第十三条において「新破産法」という。）の施行の日〔平一七・一・一〕から施行する。〔ただし書略〕

附　則（平一六・一二・一法一四七）（抄）

（施行期日）

第一条　この法律は、公布の日から起算して六月を超えない範囲内において政令で定める日〔平一七・四・一〕から施行する。

附　則（平一七・五・二五法五〇）（抄）

（施行期日）

第一条　この法律は、公布の日から起算して一年を超えない範囲内において政令で定める日〔平一八・五・二四〕から施行する。〔ただし書略〕

附　則（平一七・一〇・二一法一〇二）（抄）

（施行期日）

第一条　この法律は、郵政民営化法の施行の日〔平一九・一〇・一〕から施行する。〔ただし書略〕

附　則（平一八・六・二法五〇）（抄）

最終改正　令元・一二・一一法七一

この法律は、一般社団・財団法人法の施行の日〔平二〇・一二・一〕から施行する。〔ただし書略〕

○一般社団法人及び一般財団法人に関する法律及び公益社団法人及び公益財団法人の認定等に関する法律の施行に伴う関係法律の整備等に関する法律（平一八・六・二法五〇）

（国家公務員法の一部改正に伴う経過措置）

第二百一条　前条の規定による改正前の国家公務員法（次項において「旧国家公務員法」という。）第百八条の四（裁判所職員臨時措置法（昭和二十六年法律第二百九十九号）において準用する場合を含む。同項において同じ。）の規定に基づく法人である職員団体であってこの法律の施行の際現に存するものは、施行日以後は、職員団体等に対する法人格の付与に関する法律（昭和五十三年法律第八十号。同項、第二百八条及び第二百十九条において「法人格付与法」という。）第二条第五項に規定する法人である登録職員団体として存続するものとする。

２　この法律の施行の際現に登記所に備えられている旧国家公務員法第百八条の四において準用する旧非訟事件手続法第百十九条に規定する法人登記簿は、法人格付与法第五十一条に規定する職員団体等登記簿とみなす。

附　則（平一八・一二・二二法一一八）（抄）

（施行期日）

第一条　この法律は、公布の日から起算して三月を超えない範囲内において政令で定める日（平一九・一・九）から施行する。〔ただし書略〕

附　則（平一九・五・二五法五八）（抄）

（施行期日）

第一条　この法律は、平成二十年十月一日から施行する。〔ただし書略〕

附　則（平一九・六・八法八〇）（抄）

（施行期日）

第一条　この法律は、公布の日から起算して六月を超えない範囲内において政令で定める日（平一九・九・一）から施行する。〔ただし書略〕

附　則（平一九・七・六法一〇八）（抄）
最終改正　平二六・六・一三法六七

（施行期日）

第一条　この法律は、平成二十年十二月三十一日までの間において政令で定める日（平二〇・一二・三一）から施行する。ただし、次の各号に掲げる規定は、当該各号に定める日から施行する。

一　〔前略〕附則第三条及び第十四条から第十六条までの規定　公布の日

二　第一条中国家公務員法第三十八条第四号の改正規定、同法第百九条の改正規定（同条第十二号に係る部分を除く。）、同法第百十条第一項の改正規定（同項第三号、第五号の二及び第十八号に係る部分を除く。）及び同法本則に二条を加える改正規定（同法第百十二条に係る部分に限る。）〔中略〕並びに附則第七条、第十条（附則第七条の準用に係る部分に限る。）、第十一条（附則第七条の準用に係る部分に限る。）〔中略〕の規定　公布の日から起算して六月を超えない範囲内において政令で定める日（平一九・一二・二七）

三　第二条〔中略〕の規定並びに次条、附則第八条、第十一条（附則第八条の準用に係る部分に限る。）〔中略〕の規定〔中略〕　公布の日から起算して二年を超えない範囲内において政令で定める日（平二一・四・一）

（国家公務員の職階制に関する法律の廃止）

第二条　国家公務員の職階制に関する法律（昭和二十五年法律第百八十号）は、廃止する。

（準備行為等）

第三条　第一条の規定による改正後の国家公務員法第百六条の八第一項の規定による再就職等監視委員会の委員長及び委員の任命に関し必要な行為は、この法律の施行の日（以下「施行日」という。）前においても、同項の規定の例により行うことができる。

２　第二条の規定による改正後の国家公務員法第五十四条第一項に規定する採用昇任等基本方針の策定及び同法第七十条の三第二項の政令の制定に関し必要な行為は、附則第一条第三号に掲げる規定の施行の日（以下「第三号施行日」という。）前においても、同法第五十四条第一項及び第七十条の三第二項の規定の例により行うことができる。

３　この法律の公布の日から施行日の前日までの間においては、第三条の規定による改正後の独立行政法人通則法第六十条第三項中「国家公務員法第三章第八節及び第四章（第五十四条の二第一項」とあるのは、「国家公務員法等の一部を改正する法律（平成十九年法律第百八号）第一条の規定による改正後の国家公務員法第三章第八節及び第四章（国家公務員法等の一部を改正する法律（平成十九年法律第百八号）第三条の規定による改正後の第五十四条の二第一項」とする。

（営利企業への再就職の暫定的規制）

第四条　施行日から三年を超えない範囲内において政令で定める日〔平二一・一二・三一〕までの間、職員（職員であった者であって離職の日から起算して二年を経過していない者を含む。）は、離職前の在職機関（離職前五年間に在職していた政令で定める国の機関、独立行政法人通則法第二条第二項に規定する特定独立行政法人、郵政民営化法（平成十七年法律第九十七号）第百六十六条第一項の規定による解散前の日本郵政公社又は都道府県警察をいう。）と密接な関係にある営利企業として政令で定めるものの地位に就くことを承諾し、又は就いてはならない。

2　前項の規定の適用については、次に掲げる職員は、同項に規定する職員に含まれないものとし、次に掲げる職員以外の職員が次に掲げる職員となった場合には、その時点で離職したものとみなす。

一　常時勤務を要しない官職を占める職員（国家公務員法第八十一条の五第一項に規定する短時間勤務の官職を占める職員を除く。）

二　臨時的職員

三　条件付採用期間中の職員

3　第一項の規定は、国と民間企業との間の人事交流に関する法律第二十条に規定する交流採用職員が離職後同条に規定する交流元企業の地位に就く場合には、適用しない。

4　第一項の規定は、任命権者又はその委任を受けた者の要請に応じ、引き続いて独立行政法人通則法第二条第一項に規定する独立行政法人その他特別の法律により設立された法人でその業務が国の事務又は事業と密接な関連を有するもののうち政令で定めるもの（退職手当（これに相当する給付を含む。）に関する規程において、職員が任命権者又はその委任を受けた者の要請に応じ、引き続いて当該法人の役員又は当該法人に使用される者となった場合に、職員としての勤続期間を当該法人の役員又は当該法人に使用される者としての勤続期間に通算することと定めている法人に限る。以下この項において「退職手当通算法人」という。）の役員又は退職手当通算法人に使用される者となるため退職する職員であって、当該退職手当通算法人に在職した後、特別の事情がない限り引き続いて選考による採用が予定されている者のうち政令で定めるものについては、適用しない。

5　第一項の規定は、政令で定めるところにより、職員が所轄庁の長又は当該職員の勤務する特定独立行政法人の長（当該職員が既に離職している場合には、離職時の所轄庁の長又は離職時に勤務していた特定独立行政法人の長）の申出により内閣の承認を得た場合には、適用しない。

6　内閣は、前項の承認の申出が、公務の公正性の確保のための基準として政令で定めるものに適合すると認める場合でなければ、同項の承認をしてはならない。

7　内閣は、職員が第一項の政令で定める営利企業の役員の地位に就くことを承諾し、又は就こうとする場合を除き、離職前五年間に管理又は監督の地位にある職員の官職として政令で定めるものに在職した期間のない職員についての第五項の規定による承認の権限を、政令で定めるところにより、当該職員の所轄庁の長又は当該職員の勤務する特定独立行政法人の長（当該職員が既に離職している場合には、離職時の所轄庁の長又は離職時に勤務していた特定独立行政法人の長）に委任することができる。

8　第一項の規定に違反して営利企業の地位に就いた者は、一年以下の懲役又は五十万円以下の罰金に処する。

9　施行日から第一項の政令で定める日までの間にした同項に規定する行為に対する罰則の適用については、同項の政令で定める日後も、なお従前の例による。

（他の役職員についての依頼等の規制の特例）

第五条　前条第一項に規定する政令で定める日までの間、公務の公正性の確保を図りつつ職員又は特定独立行政法人の役員（以下この項において「役職員」という。）の離職後の就職の援助を行うための基準として政令で定める基準に適合する場合において、政令で定める手続により内閣総理大臣の承認を得て、職員が当該承認に係る他の役職員又は役職員であった者を当該承認に係る営利企業等（営利企業及び営利企業以外の法人（国、国際機関、地方公共団体、特定独立行政法人及び地方独立行政法人法（平成十五年法律第百十八号）第二条第二項に規定する特定地方独立行政法人を除く。）をいう。以下この項及び次条において同じ。）又はその子法人（当該営利企業等に財務及び営業又は事業の方針を決定する機関（株主総会その他これに準ずる機関をいう。）を支配されている法人として政令で定めるものをいう。以下この項において同じ。）の地位に就かせることを目的として当該営利企業等に対し、当該役職員若しくは役職員であった者に関する情報を提供し、若しくは当該地位に関する情報の提供を依頼し、又は当該営利企業等若しくはその子法人の地位に就くことを要求し、若しくは約束するときは、第一条の規定による改正後の国家公務員法（次条において「改正後の法」という。）第百六条の二の規定は、適用しない。

２　前項の規定による内閣総理大臣が承認する権限は、再就職等監視委員会（以下「委員会」という。）に委任する。

３　前項の規定により委員会に委任された権限は、政令で定めるところにより、再就職等監察官に委任することができる。

４　委員会が第二項の規定により委任を受けた権限に基づき行う承認（前項の規定により委任を受けた権限に基づき再就職等監察官が行う承認を含む。）についての行政不服審査法（昭和三十七年法律第百六十号）による不服申立ては、委員会に対して行うことができる。

第六条　前条第一項の承認に係る管理職職員（改正後の法第百六条の二十三第三項に規定する管理職職員をいう。）が当該承認に係る営利企業等の地位に就いた場合には、その者が離職時に在職していた府省その他の政令で定める国の機関、特定独立行政法人又は都道府県警察（以下この条において「在職機関」という。）は、政令で定めるところにより、その者の離職後二年間（その者が当該営利企業等の地位に就いている間に限る。）、次に掲げる事項を公表しなければならない。

一　その者の氏名

二　在職機関が当該営利企業等に対して交付した補助金等（補助金等に係る予算の執行の適正化に関する法律（昭和三十年法律第百七十九号）第二条第一項に規定する補助金等をいう。）の総額

三　在職機関と当該営利企業等との間の売買、貸借、請負その他の契約の総額

四　その他政令で定める事項

（経過措置）

第七条　附則第一条第二号に掲げる規定の施行の日から施行日の前日までの間においては、第一条の規定による改正後の国家公務員法第百九条第十四号から第十八号まで及び第百十二条における次の各号に掲げる用語の意義は、当該各号に定めるところによるものとし、同条第一号中「不正な行為（第百六条の二第一項又は第百六条の三第一項の規定に違反する行為を除く。次号において同じ。）」とあるのは、「不正な行為」とする。

一　再就職者　職員であった者であって離職後に営利企業等の地位に就いている者のうち、退職手当通算予定職員（任命権者又はその委任を受けた者の要請に応じ引き続いて退職手当通算法人（独立行政法人通則法第二条第一項に規定する独立行政法人その他特別の法律により設立された法人でその業務が国の事務又は事業と密接な関連を有するもののうち政令で定めるもの（退職手当その他これに相当する給付に関する規程において、職員が任命権者又はその委任を受けた者の要請に応じ、引き続いて当該法人の役員又は当該法人に使用される者となった場合に、職員としての勤続期間を当該法人の役員又は当該法人に使用される者としての勤続期間に通算することと定めている法人に限る。）をいう。以下同じ。）の役員又は退職手当通算法人に使用される者となるため退職することとなる職員であって、当該退職手当通算法人に在職した後、特別の事情がない限り引き続いて選考による採用が予定されている者のうち政令で定めるものをいう。）であった者であって引き続いて退職手当通算法人の地位に就いている者以外の者

二　局等組織　国家行政組織法（昭和二十三年法律第百二十号）第七条第一項に規定する官房若しくは局、同法第八条の二に規定する施設等機関その他これらに準ずる国の部局若しくは機関として政令で定めるもの、これらに相当する特定独立行政法人の組織として政令で定めるもの又は都道府県警察

三　役職員　職員又は特定独立行政法人の役員

四　契約等事務　国、特定独立行政法人若しくは都道府県と営利企業等（再就職者が現にその地位に就いているものに限る。）若しくはその子法人との間で締結される売買、貸借、請負その他の契約又は当該営利企業等若しくはその子法人に対して行われる行政手続法（平成五年法律第八十八号）第二条第二号に規定する処分に関する事務

五　営利企業等　営利企業及び営利企業以外の法人（国、国際機関、地方公共団体、特定独立行政法人及び地方独立行政法人法第二条第二項に規定する特定地方独立行政法人を除く。）

六　局長等としての在職機関　国家行政組織法第六条に規定する長官、同法第十八条第一項に規定する事務次官、同法第二十一条第一項に規定する事務局長若しくは局長の職又はこれらに準ずる職であって政令で定めるものに就いていた時に在職していた府省その他の政令で定める国の機関、特定独立行政法人又は都道府県警察

七　子法人　営利企業等に財務及び営業又は事業の方

針を決定する機関（株主総会その他これに準ずる機関をいう。）を支配されている法人として政令で定めるもの

第八条　第三号施行日から起算して三年間は、第二条の規定による改正後の国家公務員法（以下この条において「改正後の法」という。）第二十七条の二並びに第五十八条第一項及び第二項の規定の適用については、改正後の法第二十七条の二中「第五十八条第三項に規定する場合を除くほか、人事評価」とあり、並びに改正後の法第五十八条第一項及び第二項中「人事評価」とあるのは、「人事評価又はその他の能力の実証」とする。

2　第二条の規定による改正前の国家公務員法（以下この条において「改正前の法」という。）第七十二条第一項の規定により第三号施行日前の直近の勤務成績の評定が行われた日から起算して一年を経過する日までの間は、改正後の法第三章第四節の規定にかかわらず、所轄庁の長（第四条の規定による改正後の独立行政法人通則法第五十九条第二項の規定により読み替えて適用する改正後の法第七十条の三第一項の規定により人事評価を行う特定独立行政法人の長を含む。）は、なお従前の例により、勤務成績の評定を行うことができる。

3　任命権者が、職員をその職員が現に任命されている官職の置かれる機関と規模の異なる他の機関（管轄区域の単位を同じくする機関（職員が現に任命されている官職の置かれる機関が国家行政組織法第八条の二に規定する施設等機関である場合にあっては、同条に規定する同種の機関）に限る。）に置かれる官職（当該任命されている官職より一段階上位又は一段階下位の職制上の段階に属する官職に限る。）に任命する場合において、当該任命が従前の例によれば昇任又は降任に該当しないときは、当分の間、改正後の法第三十四条第一項の規定にかかわらず、これを同項第四号に規定する転任とみなす。

4　第三号施行日前に改正前の法第五十条の規定により作成された採用候補者名簿であって附則第一条第三号に掲げる規定の施行の際現に効力を有するものについては、改正後の法第五十条の規定により作成された採用候補者名簿とみなす。

5　第三号施行日前に改正前の法によって行われた不利益処分に関する説明書の交付、不服申立て及び調査については、なお従前の例による。

第九条　施行日前に第一条の規定による改正前の国家公務員法（以下この条において「改正前の法」という。）第百三条第三項の規定によりされた人事院の承認（同条第二項の規定に係るものに限る。）は、附則第四条第五項の規定によりされた内閣の承認とみなす。

2　この法律の施行の際現に人事院にされている改正前の法第百三条第三項の規定による承認（同条第二項の規定に係るものに限る。）の申出は、内閣にされた附則第四条第五項の規定による承認の申出とみなす。

3　人事院がした改正前の法第百三条第三項の承認の処分（同条第二項の規定に係るものに限る。）に関する事項であって、同条第九項の規定による報告が行われていないものについては、なお従前の例による。

（行政執行法人等の役員への準用）

第十条　附則第四条（第三項及び第七項を除く。）、第五条から第七条まで、前条（第三項を除く。）及び附則第十二条の規定は、独立行政法人通則法（平成十一年法律第百三号）第二条第四項に規定する行政執行法人の役員（非常勤の者を除く。以下この条において同じ。）若しくは役員であった者又は独立行政法人通則法の一部を改正する法律（平成二十六年法律第六十六号）による改正前の独立行政法人通則法第二条第二項に規定する特定独立行政法人の役員であった者について準用する。この場合において、附則第四条第二項及び第六項中「前項」とあるのは「附則第十条において準用する前項」と、同条第二項中「次に掲げる職員は、同項に規定する職員に含まれないものとし、次に掲げる職員以外の職員が次に掲げる職員となった場合には、その時点で離職したものとみなす」とあるのは「常勤の役員が非常勤の役員となった場合には離職したものとみなすものとし、次に掲げる職員としての在職は、役員の離職前の在職に該当しないものとする」と、同条第四項、第五項、第八項及び第九項中「第一項の」とあるのは「附則第十条において準用する第一項の」と、同条第四項中「選考による採用」とあるのは「任命」と、同条第五項中「所轄庁の長又は当該職員の勤務する特定独立行政法人の長」とあるのは「任命権者」と、「離職時の所轄庁の長又は離職時に勤務していた特定独立行政法人の長」とあるのは「当該役員の任命権者又はこれに相当する役員の任命権者」と、附則第五条第一項中「前条第一項」とあるのは「附則第十条において準用する前条第一項」と、同項、及び附則第七条中「第一条の」とあるのは「第三条の規定による改正後の独立行政法人通則法第五十四条の二第一項において準用する第一条の」と、附則第七条中「同条第一号」とあるのは「第三条の規定による改正後の独立行政法人通則法第五十四条の二第一項にお

いて準用する第一条の規定による改正後の国家公務員法第百十二条第一号」と、同条第一号中「退職手当通算予定職員」とあるのは「退職手当通算予定役員」と、「選考による採用」とあるのは「任命」と、前条第一項中「第一条の規定による改正前の国家公務員法」とあるのは「第三条の規定による改正前の独立行政法人通則法」と、同項及び同条第二項中「第百三条第三項」とあるのは「第五十四条第四項ただし書」と、「承認（同条第二項の規定に係るものに限る。）」とあるのは「承認」と、「附則第四条第五項」とあるのは「附則第十条において準用する附則第四条第五項」と、附則第十二条第一項中「第一条の」とあるのは「独立行政法人通則法第五十四条第一項において準用する第一条の」と、同条第二項中「国家公務員法」とあるのは「独立行政法人通則法第五十四条の二第一項において準用する国家公務員法」と読み替えるものとするほか、必要な技術的読替えは、政令で定める。

（裁判官及び裁判官の秘書官以外の裁判所職員等への準用）

第十一条　附則第四条（第三項を除く。）、第五条から第七条まで、第八条及び第九条（第三項を除く。）並びに次条の規定は、裁判官及び裁判官の秘書官以外の裁判所職員並びに当該裁判所職員であった者について準用する。この場合において、これらの規定（附則第六条（第四号を除く。）を除く。）中「政令」とあるのは「最高裁判所規則」と、「内閣」、「内閣総理大臣」又は「人事院」とあるのは「最高裁判所」と、附則第四条第二項第一号中「国家公務員法」とあるのは「裁判所職員臨時措置法（昭和二十六年法律第二百九十九号）において準用する国家公務員法」と、同条第五項及び第七項中「所轄庁の長又は当該職員の勤務する特定独立行政法人の長」とあり、及び「所轄庁の長又は離職時に勤務していた特定独立行政法人の長」とあり、並びに附則第八条第二項中「所轄庁の長（第四条の規定による改正後の独立行政法人通則法第五十九条第二項の規定により読み替えて適用する改正後の法第七十条の三第一項の規定により人事評価を行う特定独立行政法人の長を含む。）」とあるのは「任命権者又はその委任を受けた者」と、附則第五条第一項及び第七条並びに次条第一項中「第一条の規定による改正後の国家公務員法」とあるのは「裁判所職員臨時措置法において準用する第一条の規定による改正後の国家公務員法」と、附則第五条第二項中「再就職等監視委員会」とあるのは「裁判所職員再就職等監視委員会」と、附則第六条中「その者が離職時に在職していた府省その他の政令で定める国の機関、特定独立行政法人又は都道府県警察」とあるのは「最高裁判所規則で定める裁判所」と、「政令で定めるところ」とあるのは「最高裁判所規則で定めるところ」と、附則第八条第一項中「第二条の規定による改正後の国家公務員法」とあるのは「裁判所職員臨時措置法において準用する第二条の規定による改正後の国家公務員法」と、同条第二項中「第二条の規定による改正前の国家公務員法」とあるのは「裁判所職員臨時措置法において準用する第二条の規定による改正前の国家公務員法」と、同条第三項中「機関（職員が現に任命されている官職の置かれる機関が国家行政組織法第八条の二に規定する施設等機関である場合にあっては、同条に規定する同種の機関）」とあるのは「機関」と、附則第九条第一項中「第一条の規定による改正前の国家公務員法」とあるのは「裁判所職員臨時措置法において準用する第一条の規定による改正前の国家公務員法」と、次条第二項中「国家公務員法」とあるのは「裁判所職員臨時措置法において準用する国家公務員法」と読み替えるものとする。

（公益社団法人等に関する経過措置等）

第十二条　第一条の規定による改正後の国家公務員法第百六条の二十四第一項第四号に規定する公益社団法人又は公益財団法人には、一般社団法人及び一般財団法人に関する法律及び公益社団法人及び公益財団法人の認定等に関する法律の施行に伴う関係法律の整備等に関する法律（平成十八年法律第五十号）第四十二条第一項に規定する特例社団法人又は特例財団法人を含むものとする。

２　施行日が公益社団法人及び公益財団法人の認定等に関する法律（平成十八年法律第四十九号）の施行の日前である場合には、同法の施行の日の前日までの間における国家公務員法の規定の適用については、同法第百六条の二十四第一項第四号中「公益社団法人又は公益財団法人」とあるのは「民法（明治二十九年法律第八十九号）第三十四条の規定により設立された法人」と、同法第百八条の四中「民法（明治二十九年法律第八十九号）」とあるのは「民法」とする。

（全国健康保険協会の設立に際しての職員の採用に関する特例）

第十三条　施行日が平成二十年十月一日前である場合には、施行日から平成二十年九月三十日までの間は、健康保険法等の一部を改正する法律（平成十八年法律第八十三号）附則第十五条第二項又は第三項の規定により全国健康保険協会の職員の採用に関して行う事務については、第一条の規定による改正後の国家公務員法第百六条の二第一項の規定は、適用しない。

（処分等の効力）

第十四条　この法律（附則第一条各号に掲げる規定にあっては、当該規定）の施行前に改正前のそれぞれの法律（これに基づく命令を含む。）の規定によってした処分、手続その他の行為であって、改正後のそれぞれの法律の規定に相当の規定があるものは、この附則に別段の定めがあるものを除き、改正後のそれぞれの法律の相当の規定によってしたものとみなす。

（罰則に関する経過措置）

第十五条　この法律（附則第一条各号に掲げる規定にあっては、当該規定）の施行前にした行為に対する罰則の適用については、なお従前の例による。

（その他の経過措置の人事院規則等への委任）

第十六条　附則第四条から前条までに定めるもののほか、この法律の施行に関し必要な経過措置（罰則に関する経過措置を含む。）は、人事院規則（人事院の所掌する事項以外の事項については、政令）で定める。

2　裁判官及び裁判官の秘書官以外の裁判所職員並びに当該裁判所職員であった者に関する前項の規定の適用については、同項中「人事院規則（人事院の所掌する事項以外の事項については、政令）」とあるのは、「最高裁判所規則」とする。

（見直し）

第十七条　政府は、第一条の規定による改正後の国家公務員法第十八条の七第一項の規定により設置された官民人材交流センターについて、この法律の施行後五年を経過した場合において、その体制を見直し、その結果に基づき、必要な措置を講ずるものとする。

附　則（平二四・六・二七法四二）（抄）

（施行期日）

第一条　この法律は、平成二十五年四月一日から施行する。〔ただし書略〕

附　則（平二五・五・三一法二三）（抄）

（施行期日）

1　この法律は、公布の日から施行する。〔ただし書略〕

附　則（平二五・一二・四法八九）（抄）

（施行期日）

1　この法律は、公布の日から施行する。ただし、第二条から第四条までの規定は、公布の日から起算して六月を超えない範囲内において政令で定める日〔平二六・一・七〕から施行する。

附　則（平二六・四・一八法二二）（抄）

（施行期日）

第一条　この法律は、公布の日から起算して六月を超えない範囲内において、政令で定める日〔平二六・五・三〇〕から施行する。ただし、次の各号に掲げる規定は、当該各号に定める日から施行する。

一　次条及び附則〔中略〕第四十二条までの規定　公布の日

二　第一条中国家公務員法の目次の改正規定（「第七款　幹部候補育成課程（第六十一条の九―第六十一条の十二）」に係る部分に限る。）及び同法第三章第二節に二款を加える改正規定（同節第七款に係る部分に限る。）　この法律の施行の日（以下「施行日」という。）から起算して三月を経過する日

三　第一条（国家公務員法第百六条の八第一項の改正規定、同法第百六条の十第三号の改正規定及び同法第百六条の十四第五項の改正規定に限る。）〔中略〕の規定　公布の日から起算して一年六月を超えない範囲内において政令で定める日〔平二七・一〇・一〕

（準備行為）

第二条　内閣は、第一条の規定による改正後の国家公務員法（次条及び附則第七条第二項において「新国家公務員法」という。）第四十五条の二第一項から第三項まで、第六十一条の二第一項各号列記以外の部分及び第二項から第四項まで並びに第七十条の五第二項の政令を定めようとするときは、施行日前においても、人事院の意見を聴くことができる。

2・3　〔略〕

（国家公務員法の一部改正に伴う経過措置）

第三条　施行日から附則第一条第二号に定める日の前日までの間は、新国家公務員法第三条、第十八条の二、第二十七条の二、第六十一条の二、第六十一条の七及び第七十条の六の規定並びに附則第三十二条の規定による改正後の独立行政法人通則法（平成十一年法律第百三号。以下この項において「新独立行政法人通則法」という。）第五十四条の二第一項の規定の適用については、新国家公務員法第三条第二項及び第十八条の二第一項中「、幹部職員の任用等に係る特例及び幹部候補育成課程に係る特例」とあるのは「及び幹部職員の任用等に係る特例」と、新国家公務員法第二十七条の二中「、合格した採用試験の種類及び第六十一条の九第二項第二号に規定する課程対象者であるか否か又は同号に規定する課程対象者であつたか否か」とあるのは「及び合格した採用試験の種類」と、新国家公務員法第六十一条の二第一項中「次項及び第六十一条の十

一」とあるのは「次項」と、同項第一号中「この項及び第六十一条の九第一項」とあるのは「この項」と、同項第二号中「、第六十一条の六並びに第六十一条の十一」とあるのは「並びに第六十一条の六」と、新国家公務員法第六十一条の七第一項中「この款及び次款」とあるのは「この款」と、「、第六十一条の九第二項第二号に規定する課程対象者その他」とあるのは「その他」と、新国家公務員法第七十条の六第一項第二号中「各行政機関の課程対象者の政府全体を通じた育成又は内閣の」とあるのは「内閣の」と、新独立行政法人通則法第五十四条の二第一項中「、幹部職員の任用等に係る特例及び幹部候補育成課程」とあるのは「及び幹部職員の任用等に係る特例」とする。

2　施行日から起算して三月を超えない範囲内において政令で定める日〔平二六・六・二九〕までの間は、新国家公務員法第三十四条第一項第六号に規定する幹部職（以下この項において単に「幹部職」という。）に任用される者並びに幹部職を占める職員であって幹部職以外の官職に任用される者、退職する者及び免職される者については、新国家公務員法第六十一条の三及び第六十一条の四の規定は適用せず、新国家公務員法第五十七条及び第五十八条の規定の適用については、新国家公務員法第五十七条中「採用（職員の幹部職への任命に該当するものを除く。）」とあるのは「採用」と、新国家公務員法第五十八条第一項中「転任（職員の幹部職への任命に該当するものを除く。）」とあるのは「転任」と、同条第二項中「降任させる場合（職員の幹部職への任命に該当する場合を除く。）」とあるのは「降任させる場合」と、同条第三項中「転任（職員の幹部職への任命に該当するものを除く。）」とあるのは「転任」とする。

（処分等の効力）

第十条　この法律の施行前にこの法律による改正前のそれぞれの法律（これに基づく命令を含む。次条第一項において「旧法令」という。）の規定によってした処分、手続その他の行為であって、この法律による改正後のそれぞれの法律の規定に相当の規定があるものは、この附則に別段の定めがあるものを除き、この法律による改正後のそれぞれの法律（これに基づく命令を含む。同項において「新法令」という。）の相当の規定によってしたものとみなす。

（命令の効力）

第十一条　この法律の施行の際現に効力を有する旧法令の規定により発せられた内閣府令又は総務省令で、新法令の規定により内閣官房令で定めるべき事項を定めているものは、この法律の施行後は、内閣官房令としての効力を有するものとする。

2　この法律の施行の際現に効力を有する人事院規則の規定でこの法律の施行後は政令をもって規定すべき事項を規定するものは、施行日から起算して二年を経過する日までの間は、政令としての効力を有するものとする。

（その他の経過措置）

第十三条　附則第三条から前条までに定めるもののほか、この法律の施行に関し必要な経過措置は、政令（人事院の所掌する事項については、人事院規則）で定める。

（検討）

第四十二条　政府は、平成二十八年度までに、公務の運営の状況、国家公務員の再任用制度の活用の状況、民間企業における高年齢者の安定した雇用を確保するための措置の実施の状況その他の事情を勘案し、人事院が国会及び内閣に平成二十三年九月三十日に申し出た意見を踏まえつつ、国家公務員の定年の段階的な引上げ、国家公務員の再任用制度の活用の拡大その他の雇用と年金の接続のための措置を講ずることについて検討するものとする。

附　則（平二六・六・一三法六七）（抄）

（施行期日）

第一条　この法律は、独立行政法人通則法の一部を改正する法律（平成二十六年法律第六十六号。以下「通則法改正法」という。）の施行の日〔平二七・四・一〕から施行する。〔ただし書略〕

（国家公務員法の一部改正に伴う経過措置）

第三条　第百四条の規定による改正前の特定独立行政法人の労働関係に関する法律（以下「旧特労法」という。）第七条第一項ただし書の規定により旧特労法第四条第二項に規定する組合の業務に専ら従事した期間は、第二条の規定による改正後の国家公務員法第百八条の六の規定の適用については、第百四条の規定による改正後の行政執行法人の労働関係に関する法律（以下「新行労法」という。）第七条第一項ただし書の規定により新行労法第四条第二項に規定する組合の業務に専ら従事した期間とみなす。

附　則（平二六・六・一三法六九）（抄）

（施行期日）

第一条　この法律は、行政不服審査法（平成二十六年法律第六十八号）の施行の日〔平二八・四・一〕から施行する。

（経過措置の原則）

第五条　行政庁の処分その他の行為又は不作為についての不服申立てであってこの法律の施行前にされた行政庁の処分その他の行為又はこの法律の施行前にされた申請に係る行政庁の不作為に係るものについては、この附則に特別の定めがある場合を除き、なお従前の例による。

（訴訟に関する経過措置）

第六条　この法律による改正前の法律の規定により不服申立てに対する行政庁の裁決、決定その他の行為を経た後でなければ訴えを提起できないこととされる事項であって、当該不服申立てを提起しないでこの法律の施行前にこれを提起すべき期間を経過したもの（当該不服申立てが他の不服申立てに対する行政庁の裁決、決定その他の行為を経た後でなければ提起できないとされる場合にあっては、当該他の不服申立てを提起しないでこの法律の施行前にこれを提起すべき期間を経過したものを含む。）の訴えの提起については、なお従前の例による。

2　この法律の規定による改正前の法律の規定（前条の規定によりなお従前の例によることとされる場合を含む。）により異議申立てが提起された処分その他の行為であって、この法律の規定による改正後の法律の規定により審査請求に対する裁決を経た後でなければ取消しの訴えを提起することができないこととされるものの取消しの訴えの提起については、なお従前の例による。

3　不服申立てに対する行政庁の裁決、決定その他の行為の取消しの訴えであって、この法律の施行前に提起されたものについては、なお従前の例による。

（罰則に関する経過措置）

第九条　この法律の施行前にした行為並びに附則第五条及び前二条の規定によりなお従前の例によることとされる場合におけるこの法律の施行後にした行為に対する罰則の適用については、なお従前の例による。

（その他の経過措置の政令への委任）

第十条　附則第五条から前条までに定めるもののほか、この法律の施行に関し必要な経過措置（罰則に関する経過措置を含む。）は、政令で定める。

附　則（平二七・六・一七法三九）（抄）

（施行期日）

第一条　この法律は、公布の日から起算して十月を超えない範囲内において政令で定める日〔平二七・一〇・一〕から施行する。〔ただし書略〕

附　則（平二七・九・一一法六六）（抄）

（施行期日）

第一条　この法律は、平成二十八年四月一日から施行する。〔ただし書略〕

附　則（令元・六・一四法三七）（抄）

（施行期日）

第一条　この法律は、公布の日から起算して三月を経過した日から施行する。〔ただし書略〕

附　則（令三・五・一九法三六）（抄）

（施行期日）

第一条　この法律は、令和三年九月一日から施行する。〔ただし書略〕

附　則（令三・六・一一法六一）（抄）

改正　令三・六・一一法六二

（施行期日）

第一条　この法律は、令和五年四月一日から施行する。ただし、〔中略〕次条並びに附則第十五条及び第十六条の規定は、公布の日から施行する。

（実施のための準備等）

第二条　第一条の規定による改正後の国家公務員法（以下「新国家公務員法」という。）の規定による職員（国家公務員法第二条に規定する一般職に属する職員をいう。以下同じ。）の任用、分限その他の人事行政に関する制度の円滑な実施を確保するため、任命権者（同法第五十五条第一項に規定する任命権者及び法律で別に定められた任命権者並びにその委任を受けた者をいう。以下この項及び次項並びに次条から附則第六条までにおいて同じ。）は、長期的な人事管理の計画的推進その他必要な準備を行うものとし、人事院及び内閣総理大臣は、それぞれの権限に応じ、任命権者の行う準備に関し必要な連絡、調整その他の措置を講ずるものとする。

2　任命権者は、この法律の施行の日（以下「施行日」という。）の前日までの間に、施行日から令和六年三月三十一日までの間に年齢六十年に達する職員（当該職員が占める官職に係る第一条の規定による改正前の国家公務員法（以下「旧国家公務員法」という。）第八十一条の二第二項に規定する定年が年齢六十年である職員に限る。）に対し、新国家公務員法附則第九条の規定の例により、同条に規定する給与に関する特例措置及び退職手当に関する特例措置その他の当該職員が年齢六十年に達する日以後に適用される任用、給与及び退職手当に関する措置の内容その他の必要な情報を提供するものとするとともに、同日の翌日以後における勤務の意思を確認するよう努めるものとする。

3　特定地方警務官（第七条の規定による改正後の警察法第五十六条の二第一項に規定する特定地方警務官を

いう。附則第六条第十一項及び第十一条第九項において同じ。）に対する前項の規定の適用については、同項中「任命権者」とあるのは「警視総監又は道府県警察本部長」と、「対し、」とあるのは「対し、第七条の規定による改正後の警察法附則第三十八項の規定により読み替えて適用する」とする。

4　第四条の規定による改正後の検察庁法（次項及び附則第十六条第一項において「新検察庁法」という。）の規定による検察官の任用、分限その他の人事行政に関する制度の円滑な実施を確保するため、法務大臣は、長期的な人事管理の計画的推進その他必要な準備を行うものとし、人事院及び内閣総理大臣は、それぞれの権限に応じ、法務大臣の行う準備に関し必要な連絡、調整その他の措置を講ずるものとする。

5　法務大臣は、施行日の前日までの間に、施行日から令和六年三月三十一日までの間に年齢六十三年に達する検察官（検事総長を除く。）に対し、新検察庁法附則第四条の規定の例により、同条に規定する給与に関する特例措置及び退職手当に関する特例措置その他の当該検察官が年齢六十三年に達する日以後に適用される任用、給与及び退職手当に関する措置の内容その他の必要な情報を提供するものとするとともに、同日の翌日以後における勤務の意思を確認するよう努めるものとする。

6　第八条の規定による改正後の自衛隊法（以下「新自衛隊法」という。）の規定による隊員（自衛隊法第二条第五項に規定する隊員をいう。以下同じ。）の任用、分限その他の人事行政に関する制度の円滑な実施を確保するため、任命権者（同法第三十一条第一項の規定により隊員の任免について権限を有する者をいう。以下この項及び次項並びに附則第八条から第十一条までにおいて同じ。）は、長期的な人事管理の計画的推進その他必要な準備を行うものとし、防衛大臣は、任命権者の行う準備に関し必要な連絡、調整その他の措置を講ずるものとする。

7　任命権者は、施行日の前日までの間に、施行日から令和六年三月三十一日までの間に年齢六十年に達する隊員（当該隊員が占める官職に係る第八条の規定による改正前の自衛隊法（以下「旧自衛隊法」という。）第四十四条の二第二項に規定する定年が年齢六十年である隊員に限る。）に対し、新自衛隊法附則第十四項の規定の例により、同項に規定する給与に関する特例措置及び退職手当に関する特例措置その他の当該隊員が年齢六十年に達する日以後に適用される任用、給与及び退職手当に関する措置の内容その他の必要な情報を提供するものとするとともに、同日の翌日以後における勤務の意思を確認するよう努めるものとする。

（国家公務員法の一部改正に伴う経過措置）

第三条　新国家公務員法第六十条の二の規定は、施行日以後に退職をした同条第一項に規定する年齢六十年以上退職者（次項において「新国家公務員法による年齢六十年以上退職者」という。）及び同条第一項に規定する自衛隊法による年齢六十年以上退職者（次項において「新自衛隊法による年齢六十年以上退職者」という。）について適用する。

2　任命権者は、基準日（令和七年四月一日、令和九年四月一日、令和十一年四月一日及び令和十三年四月一日をいう。以下この項において同じ。）から基準日の翌年の三月三十一日までの間、基準日における新国家公務員法定年相当年齢（新国家公務員法第六十条の二第一項に規定する短時間勤務の官職であって同項に規定する指定職（次条第一項及び附則第六条第三項において「指定職」という。）以外のもの（附則第六条第二項を除き、以下この条及び附則第五条から第七条までにおいて「短時間勤務の官職」という。）を占める職員が、常時勤務を要する官職でその職務が当該短時間勤務の官職と同種の官職を占めているものとした場合における新国家公務員法第八十一条の六第二項に規定する定年をいう。以下この項及び附則第五条第二項において同じ。）が基準日の前日における新国家公務員法定年相当年齢を超える短時間勤務の官職（基準日における新国家公務員法定年相当年齢が新国家公務員法第八十一条の六第一項本文に規定する定年である短時間勤務の官職に限る。）及びこれに相当する基準日以後に設置された短時間勤務の官職その他の人事院規則で定める短時間勤務の官職（以下この項において「新国家公務員法原則定年相当年齢引上げ短時間勤務官職」という。）に、基準日の前日までに新国家公務員法による年齢六十年以上退職者又は新自衛隊法による年齢六十年以上退職者となった者（基準日前から新国家公務員法第八十一条の七第一項又は第二項の規定により勤務した後基準日以後に退職をした者及び基準日前から新自衛隊法第四十四条の七第一項又は第二項の規定により勤務した後基準日以後に退職をした者を含む。）のうち基準日の前日において同日における当該新国家公務員法原則定年相当年齢引上げ短時間勤務官職に係る新国家公務員法定年相当年齢に達している者（当該人事院規則で定める短時間勤務の官職にあっては、人事院規則で定める者）を、新国家公務員法第六十条の二第一項の規定により採用することができず、新国家公務員法原則定年相当年齢引上げ短時間勤務官職に、同条第二項に規定する定年前再任用短時間勤務職員（附則第十二条第一項及び第三項を除き、以下「定年前再任用短時間勤務職員」という。）のうち基準日の前日において同日における当該新国家公務員法原則定年相当年齢引上げ短時間勤務官職に係る新国家公務員法定年相当年齢に達している定年前再任用短時間勤務職員（当該人事院規則で定める短時間勤務の官職にあっては、人事院規則で定める定年前再任用短時間勤務職員）を、昇任し、降任し、又は転任することができない。

3　平成十一年十月一日前に新国家公務員法第八十二条第二項前段に規定する退職又は先の退職がある定年前再任用短時間勤務職員について、同項後段の規定を適用する場合には、同項後段に規定する引き続く職員としての在職期間には、同日前の当該退職又は先の退職の前の職員としての在職期間を含まないものとする。

4　暫定再任用職員（次条第一項若しくは第二項又は附則第五条第一項若しくは第二項の規定により採用された職員をいう。附則第六条及び第七条において同じ。）として在職していた期間がある定年前再任用短時間勤務職員に対する新国家公務員法第八十二条第二項後段の規定の適用については、同項後段中「又は」とあるのは、「又は国家公務員法等の一部を改正する法律（令和三年法律第六十一号）附則第四条第一項若しくは第二項若しくは第五条第一項若しくは第二項の規定によりかつて採用されて同法附則第三条第四項に規定する暫定再任用職員として在職していた期間若しくは」とする。

5　施行日前に旧国家公務員法第八十一条の三第一項又は第二項の規定により勤務することとされ、かつ、旧国家公務員法勤務延長期限（同条第一項の期限又は同条第二項の規定により延長された期限をいう。以下この項及び次項において同じ。）が施行日以後に到来する職員（次項において「旧国家公務員法勤務延長職員」という。）に係る当該旧国家公務員法勤務延長期限までの間における同条第一項又は第二項の規定による勤務については、新国家公務員法第八十一条の七の規定にかかわらず、なお従前の例による。

6　任命権者は、旧国家公務員法勤務延長職員について、旧国家公務員法勤務延長期限又はこの項の規定により延長された期限が到来する場合において、新国家公務員法第八十一条の七第一項各号に掲げる事由があると認めるときは、人事院の承認を得て、これらの期限の翌日から起算して一年を超えない範囲内で期限を延長することができる。ただし、当該期限は、当該旧国家公務員法勤務延長職員に係る旧国家公務員法第八十一条の二第一項に規定する定年退職日の翌日から起算して三年を超えることができない。

7　独立行政法人通則法（平成十一年法律第百三号）第二条第四項に規定する行政執行法人の職員に対する前項の規定の適用については、同項中「ときは、人事院の承認を得て」とあるのは、「ときは」とする。

8　新国家公務員法第八十一条の二第一項の規定は、施行日において第五項の規定により同条第一項に規定する管理監督職を占めたまま引き続き勤務している職員には適用しない。

9　任命権者は、基準日（施行日、令和七年四月一日、令和九年四月一日、令和十一年四月一日及び令和十三年四月一日をいう。以下この項において同じ。）から基準日の翌年の三月三十一日までの間、基準日における新国家公務員法定年（新国家公務員法第八十一条の六第二項に規定する定年をいう。以下この項及び次条第二項において同じ。）が基準日の前日における新国家公務員法定年（基準日が施行日である場合には、施行日の前日における旧国家公務員法第八十一条の二第二項に規定する定年）を超える官職（基準日における新国家公務員法定年が新国家公務員法第八十一条の六第二項本文に規定する定年である官職に限る。）及びこれに相当する基準日以後に設置された官職その他の人事院規則で定める官職に、基準日から基準日の翌年の三月三十一日までの間に新国家公務員法第八十一条の七第一項若しくは第二項の規定又は第五項若しくは第六項の規定により勤務している職員のうち、基準日の前日において同日における当該官職に係る新国家公務員法定年（基準日が施行日である場合には、施行日の前日における旧国家公務員法第八十一条の二第二項に規定する定年）に達している職員（当該人事院規則で定める官職にあっては、人事院規則で定める職員）を、昇任し、降任し、又は転任することができない。

10　第二条の規定による改正後の一般職の職員の給与に関する法律（附則第七条及び第十二条第四項において「新一般職給与法」という。）附則第八項から第十六項までの規定は、第五項又は第六項の規定により勤務している職員には適用しない。

11　第五項から前項までに定めるもののほか、第五項又は第六項の規定による勤務に関し必要な事項は、人事院規則で定める。

12　研究施設研究教育職員（第六条の規定による改正後の教育公務員特例法第三十一条第一項に規定する研究

施設研究教育職員をいう。附則第六条第九項及び第十項において同じ。）については、第二項及び第九項の規定は、適用しない。

第四条　任命権者は、次に掲げる者のうち、年齢六十五年に達する日以後における最初の三月三十一日（以下「年齢六十五年到達年度の末日」という。）までの間にある者であって、当該者を採用しようとする常時勤務を要する官職（指定職を除く。以下この項及び次項並びに附則第六条第四項において同じ。）に係る旧国家公務員法第八十一条の二第二項に規定する定年（施行日以後に設置された官職その他の人事院規則で定める官職にあっては、人事院規則で定める年齢）に達している者を、人事院規則で定めるところにより、従前の勤務実績その他の人事院規則で定める情報に基づく選考により、一年を超えない範囲内で任期を定め、当該常時勤務を要する官職に採用することができる。

一　施行日前に旧国家公務員法第八十一条の二第一項の規定により退職した者

二　旧国家公務員法第八十一条の三第一項若しくは第二項又は前条第五項若しくは第六項の規定により勤務した後退職した者

三　施行日前に旧国家公務員法の規定により退職した者（前二号に掲げる者を除く。）のうち、勤続期間その他の事情を考慮して前二号に掲げる者に準ずる者として人事院規則で定める者

四　施行日前に旧自衛隊法の規定により退職した者（旧自衛隊法第四十四条の三第一項又は第二項及び附則第八条第五項又は第六項の規定により勤務した後退職した者を含む。）のうち、前三号に掲げる者に準ずる者として人事院規則で定める者

2　令和十四年三月三十一日までの間、任命権者は、次に掲げる者のうち、年齢六十五年到達年度の末日までの間にある者であって、当該者を採用しようとする常時勤務を要する官職に係る新国家公務員法定年に達している者を、人事院規則で定めるところにより、従前の勤務実績その他の人事院規則で定める情報に基づく選考により、一年を超えない範囲内で任期を定め、当該常時勤務を要する官職に採用することができる。

一　施行日以後に新国家公務員法第八十一条の六第一項の規定により退職した者

二　施行日以後に新国家公務員法第八十一条の七第一項又は第二項の規定により勤務した後退職した者

三　施行日以後に新国家公務員法第六十条の二第一項の規定により採用された者のうち、同条第二項に規定する任期が満了したことにより退職した者

四　施行日以後に新国家公務員法の規定により退職した者（前三号に掲げる者を除く。）のうち、勤続期間その他の事情を考慮して前三号に掲げる者に準ずる者として人事院規則で定める者

五　施行日以後に新自衛隊法の規定により退職した者のうち、前各号に掲げる者に準ずる者として人事院規則で定める者

3　前二項の任期又はこの項の規定により更新された任期は、人事院規則で定めるところにより、一年を超えない範囲内で更新することができる。ただし、当該任期の末日は、前二項の規定により採用する者又はこの項の規定により任期を更新する者の年齢六十五年到達年度の末日以前でなければならない。

第五条　任命権者は、新国家公務員法第六十条の二第三項の規定にかかわらず、前条第一項各号に掲げる者のうち、年齢六十五年到達年度の末日までの間にある者であって、当該者を採用しようとする短時間勤務の官職に係る旧国家公務員法定年相当年齢（短時間勤務の官職を占める職員が、常時勤務を要する官職でその職務が当該短時間勤務の官職と同種の官職を占めているものとした場合における旧国家公務員法第八十一条の二第二項に規定する定年（施行日以後に設置された官職その他の人事院規則で定める官職にあっては、人事院規則で定める年齢）をいう。）に達している者を、人事院規則で定めるところにより、従前の勤務実績その他の人事院規則で定める情報に基づく選考により、一年を超えない範囲内で任期を定め、当該短時間勤務の官職に採用することができる。

2　令和十四年三月三十一日までの間、任命権者は、新国家公務員法第六十条の二第三項の規定にかかわらず、前条第二項各号に掲げる者のうち、年齢六十五年到達年度の末日までの間にある者であって、当該者を採用しようとする短時間勤務の官職に係る新国家公務員法定年相当年齢に達している者（新国家公務員法第六十条の二第一項の規定により当該短時間勤務の官職に採用することができる者を除く。）を、人事院規則で定めるところにより、従前の勤務実績その他の人事院規則で定める情報に基づく選考により、一年を超えない範囲内で任期を定め、当該短時間勤務の官職に採用することができる。

3　前二項の規定により採用された職員の任期については、前条第三項の規定を準用する。

第六条　施行日前に旧国家公務員法第八十一条の四第一項又は第八十一条の五第一項の規定により採用された職員（以下この項及び次項において「旧国家公務員法

再任用職員」という。）のうち、この法律の施行の際現に常時勤務を要する官職を占める職員は、施行日に、附則第四条第一項の規定により採用されたものとみなす。この場合において、当該採用されたものとみなされる職員の任期は、同項の規定にかかわらず、施行日における旧国家公務員法再任用職員としての任期の残任期間と同一の期間とする。

2　旧国家公務員法再任用職員のうち、この法律の施行の際現に旧国家公務員法第八十一条の五第一項に規定する短時間勤務の官職を占める職員は、施行日に、前条第一項の規定により採用されたものとみなす。この場合において、当該採用されたものとみなされる職員の任期は、同項の規定にかかわらず、施行日における旧国家公務員法再任用職員としての任期の残任期間と同一の期間とする。

3　任命権者は、暫定再任用職員を指定職に昇任し、又は転任することができない。

4　任命権者は、附則第四条第一項又は前条第一項の規定により採用した職員のうち当該職員を昇任し、降任し、又は転任しようとする常時勤務を要する官職に係る旧国家公務員法第八十一条の二第二項に規定する定年（施行日以後に設置された官職その他の人事院規則で定める官職にあっては、人事院規則で定める年齢）に達した職員以外の職員及び附則第四条第二項又は前条第二項の規定により採用した職員のうち当該職員を昇任し、降任し、又は転任しようとする常時勤務を要する官職に係る新国家公務員法第八十一条の六第二項に規定する定年に達した職員以外の職員を、当該常時勤務を要する官職に昇任し、降任し、又は転任することができない。

5　前二条の規定が適用される場合における新国家公務員法第六十条の二第三項の規定の適用については、同項中「経過していない定年前再任用短時間勤務職員」とあるのは、「経過していない定年前再任用短時間勤務職員、国家公務員法等の一部を改正する法律（令和三年法律第六十一号。以下この項において「令和三年国家公務員法等改正法」という。）附則第四条第一項又は第五条第一項の規定により採用した職員のうち当該職員を昇任し、降任し、又は転任しようとする短時間勤務の官職に係る旧国家公務員法定年相当年齢（短時間勤務の官職を占める職員が、常時勤務を要する官職でその職務が当該短時間勤務の官職と同種の官職を占めているものとした場合における令和三年国家公務員法等改正法第一条の規定による改正前の第八十一条の二第二項に規定する定年（令和三年国家公務員法等改正法の施行の日以後に設置された官職その他の人事院規則で定める官職にあつては、人事院規則で定める年齢）をいう。）に達している職員及び令和三年国家公務員法等改正法附則第四条第二項又は第五条第二項の規定により採用した職員のうち当該職員を昇任し、降任し、又は転任しようとする短時間勤務の官職に係る新国家公務員法定年相当年齢（短時間勤務の官職を占める職員が、常時勤務を要する官職でその職務が当該短時間勤務の官職と同種の官職を占めているものとした場合における第八十一条の六第二項に規定する定年をいう。）に達している職員」とする。

6　任命権者は、基準日（前二条の規定が適用される間における各年の四月一日（施行日を除く。）をいう。以下この項において同じ。）から基準日の翌年の三月三十一日までの間、基準日における新国家公務員法定年（新国家公務員法第八十一条の六第二項に規定する定年（短時間勤務の官職にあっては、当該短時間勤務の官職を占める職員が、常時勤務を要する官職でその職務が当該短時間勤務の官職と同種の官職を占めているものとした場合における同項に規定する定年）をいう。以下この項において同じ。）が基準日の前日における新国家公務員法定年を超える官職及びこれに相当する基準日以後に設置された官職その他の人事院規則で定める官職（以下この項において「新国家公務員法定年引上げ官職」という。）に、附則第四条第二項各号に掲げる者のうち基準日の前日において同日における当該新国家公務員法定年引上げ官職に係る新国家公務員法定年に達している者（当該人事院規則で定める官職にあっては、人事院規則で定める者）を、同項又は前条第二項の規定により採用しようとする場合には、当該者は当該者を採用しようとする新国家公務員法定年引上げ官職に係る新国家公務員法定年に達しているものとみなして、これらの規定を適用し、新国家公務員法定年引上げ官職に、附則第四条第二項又は前条第二項の規定により採用された職員のうち基準日の前日において同日における当該新国家公務員法定年引上げ官職に係る新国家公務員法定年に達している職員（当該人事院規則で定める官職にあっては、人事院規則で定める職員）を、昇任し、降任し、又は転任しようとする場合には、当該職員は当該職員を昇任し、降任し、又は転任しようとする新国家公務員法定年引上げ官職に係る新国家公務員法定年に達しているものとみなして、第四項の規定及び前項の規定により読み替えて適用する新国家公務員法第六十条の二第三項の規定を適用する。

7　暫定再任用短時間勤務職員とみなして、新国家公務員法第八十二条第二項後段の規定を適用する。この場合において、同項後段中「年齢六十年以上退職者」とあるのは「国家公務員法等の一部を改正する法律（令和三年法律第六十一号。以下この項において「令和三年国家公務員法等改正法」という。）附則第四条第一項第一号から第三号まで若しくは第二項第一号、第二号若しくは第四号に掲げる者となつた日若しくは同項第三号に掲げる者に該当する場合における年齢六十年以上退職者」と、「又は」とあるのは「又は令和三年国家公務員法等改正法第一条の規定による改正前の第八十一条の四第一項若しくは第八十一条の五第一項の規定によりかつて採用されて職員として在職していた期間、令和三年国家公務員法等改正法附則第四条第一項若しくは第二項若しくは第五条第一項若しくは第二項の規定によりかつて採用されて令和三年国家公務員法等改正法附則第三条第四項に規定する暫定再任用職員として在職していた期間若しくは」とする。

8　平成十一年十月一日前に新国家公務員法第八十二条第二項前段に規定する退職又は先の退職がある暫定再任用職員について、前項の規定により定年前再任用短時間勤務職員とみなして同条第二項後段の規定を適用する場合には、同項後段に規定する引き続く職員としての在職期間には、同日前の当該退職又は先の退職の前の職員としての在職期間を含まないものとする。

9　研究施設研究教育職員への採用についての前二条の規定の適用については、附則第四条第一項及び第二項並びに前条第一項及び第二項中「任期を定め」とあるのは「文部科学省令で定めるところにより任命権者が定める任期をもって」と、附則第四条第三項（前条第三項において準用する場合を含む。）中「範囲内で」とあるのは「範囲内で文部科学省令で定めるところにより任命権者が定める期間をもって」とする。

10　附則第四条第二項又は前条第二項の規定による研究施設研究教育職員への採用並びにこれらの規定により採用された研究施設研究教育職員の昇任、降任及び転任に関し必要な経過措置は、第六項の規定にかかわらず、文部科学省令で定める。

11　検察官及び退職時に特定地方警務官であった者については、前二条の規定は、適用しない。

第七条　暫定再任用職員（短時間勤務の官職を占める暫定再任用職員（以下この条において「暫定再任用短時間勤務職員」という。）を除く。以下この項及び次項において同じ。）の俸給月額は、当該暫定再任用職員が定年前再任用短時間勤務職員であるものとした場合に適用される一般職の職員の給与に関する法律第六条第二項に規定する俸給表の定年前再任用短時間勤務職員の欄に掲げる基準俸給月額のうち、同法第八条第三項の規定により当該暫定再任用職員の属する職務の級に応じた額とする。

2　国家公務員の育児休業等に関する法律（平成三年法律第百九号。第九項及び附則第十二条において「育児休業法」という。）第十二条第一項に規定する育児短時間勤務をしている暫定再任用職員に対する前項の規定の適用については、同項中「とする」とあるのは、「に、国家公務員の育児休業等に関する法律（平成三年法律第百九号）第十七条の規定により読み替えられた一般職の職員の勤務時間、休暇等に関する法律（平成六年法律第三十三号）第五条第一項ただし書の規定により定められた当該暫定再任用職員の勤務時間を同項本文に規定する勤務時間で除して得た数を乗じて得た額とする」とする。

3　暫定再任用短時間勤務職員の俸給月額は、当該暫定再任用短時間勤務職員が定年前再任用短時間勤務職員であるものとした場合に適用される一般職の職員の給与に関する法律第六条第二項に規定する俸給表の定年前再任用短時間勤務職員の欄に掲げる基準俸給月額のうち、同法第八条第三項の規定により当該暫定再任用短時間勤務職員の属する職務の級に応じた額に、一般職の職員の勤務時間、休暇等に関する法律（平成六年法律第三十三号）第五条第二項の規定により定められた当該暫定再任用短時間勤務職員の勤務時間を同条第一項に規定する勤務時間で除して得た数を乗じて得た額とする。

4　暫定再任用短時間勤務職員は、定年前再任用短時間勤務職員とみなして、新一般職給与法第十二条第二項、第十六条第二項及び第二十二条第一項の規定を適用する。

5　暫定再任用職員は、定年前再任用短時間勤務職員とみなして、新一般職給与法第十九条の四第三項の規定を適用する。

6　新一般職給与法第十九条の七第一項の職員に暫定再任用職員が含まれる場合における勤勉手当の額の同条第二項各号に掲げる職員の区分ごとの総額の算定に係る同項の規定の適用については、同項第一号中「定年前再任用短時間勤務職員」とあるのは「定年前再任用短時間勤務職員及び国家公務員法等の一部を改正する法律（令和三年法律第六十一号）附則第三条第四項に規定する暫定再任用職員（次号において「暫定再任用職員」という。）」と、同項第二号中「定年前再任用短時間勤務職員」とあるのは「定年前再任用短時間勤務職員及び暫定再任用職員」とする。

7　附則第二十四条の規定による改正後の国家公務員の寒冷地手当に関する法律（昭和二十四年法律第二百号。附則第十二条第五項において「新寒冷地手当法」という。）の規定並びに一般職の職員の給与に関する法律第八条第四項、第七項及び第九項から第十一項まで、第十条の四、第十一条、第十一条の二、第十一条の五から第十一条の七まで、第十一条の九、第十一条の十、第十三条の二並びに第十四条並びに新一般職給与法第八条第五項、第六項及び第八項の規定は、暫定再任用職員には適用しない。

8　暫定再任用職員に対する第三条の規定による改正後の国家公務員退職手当法（附則第十二条第六項において「新退職手当法」という。）第二条第一項の規定の適用については、同項中「第四十五条の二第一項」とあるのは、「第四十五条の二第一項又は国家公務員法等の一部を改正する法律（令和三年法律第六十一号）附則第四条第一項若しくは第二項若しくは第五条第一項若しくは第二項」とする。

9　暫定再任用短時間勤務職員は、定年前再任用短時間勤務職員とみなして、附則第十九条の規定による改正後の育児休業法（附則第十二条において「新育児休業法」という。）第二十六条第一項並びに附則第二十条の規定による改正後の一般職の職員の勤務時間、休暇等に関する法律第五条第二項、第六条第一項ただし書及び第二項ただし書、第七条第二項、第十一条、第十七条第一項並びに第二十三条の規定を適用する。

10　前三条及び前各項に定めるもののほか、暫定再任用職員の任用その他暫定再任用職員に関し必要な事項は、人事院規則で定める。

（その他の経過措置の政令等への委任）

第十五条　附則第三条から前条までに定めるもののほか、この法律の施行に関し必要な経過措置は、政令（人事院の所掌する事項については、人事院規則）で定める。

（検討）

第十六条　政府は、国家公務員の年齢別構成及び人事管理の状況、民間における高年齢者の雇用の状況その他の事情並びに人事院における検討の状況に鑑み、必要があると認めるときは、新国家公務員法若しくは新自衛隊法に規定する管理監督職勤務上限年齢による降任等若しくは定年前再任用短時間勤務職員若しくは定年前再任用短時間勤務隊員に関連する制度又は新検察庁法に規定する年齢が六十三年に達した検察官の任用に関連する制度について検討を行い、その結果に基づいて所要の措置を講ずるものとする。

2　政府は、国家公務員の給与水準が旧国家公務員法第八十一条の二第二項、第四条の規定による改正前の検察庁法第二十二条又は旧自衛隊法第四十四条の二第二項に規定する定年の前後で連続的なものとなるよう、国家公務員の給与制度について、人事院においてこの法律の公布後速やかに行われる昇任及び昇格の基準、昇給の基準、俸給表に定める俸給月額その他の事項についての検討の状況を踏まえ、令和十三年三月三十一日までに所要の措置を順次講ずるものとする。

3　政府は、前項の人事院における検討のためには、職員の能力及び実績を職員の処遇に的確に反映するための人事評価の改善が重要であることに鑑み、この法律の公布後速やかに、人事評価の結果を表示する記号の段階その他の人事評価に関し必要な事項について検討を行い、施行日までに、その結果に基づいて所要の措置を講ずるものとする

附　則（令三・六・一六法七五）（抄）

（施行期日）

1　この法律は、公布の日から起算して二十日を経過した日から施行する。

附　則（令四・六・一七法六八）（抄）

（施行期日）

1　この法律は、刑法等一部改正法施行日〔令七・六・一〕から施行する。〔ただし書略〕

★復興庁設置法（平二三・一二・一六法一二五）（抄）

最終改正 令三・五・一九法三六

附 則（抄）

（施行期日）

第一条 この法律は、公布の日から起算して四月を超えない範囲内において政令で定める日〔平二四・二・一〇〕から施行する。〔ただし書略〕

（他の法律の適用の特例）

第三条 復興庁が廃止されるまでの間における次の表の第一欄に掲げる法律の規定の適用については、同欄に掲げる法律の同表の第二欄に掲げる規定中同表の第三欄に掲げる字句は、それぞれ同表の第四欄に掲げる字句とする。

〔略〕			
国家公務員法	第十九条第二項及び第四項、第二十五条第一項並びに第六十一条の七第一項	デジタル庁	デジタル庁、復興庁
	第五十五条第一項及び第六十一条の八第一項	及びデジタル庁	、デジタル庁及び復興庁
〔略〕			

2・3 〔略〕

○独立行政法人通則法の一部を改正する法律及び独立行政法人通則法の一部を改正する法律の施行に伴う関係法律の整備に関する法律の施行に伴う関係政令の整備等及び経過措置に関する政令（抄）

平二七・三・一八
政令七四

最終改正 平二八・一二・二六政令三九六

（国家公務員法の一部改正に伴う経過措置）

第百四十条 旧特定独立行政法人の役員であった者は、独立行政法人通則法の一部を改正する法律の施行に伴う関係法律の整備に関する法律（平成二十六年法律第六十七号。以下「整備法」という。）第二条の規定による改正後の国家公務員法（昭和二十二年法律第百二十号。以下「新国家公務員法」という。）第百六条の二第一項並びに第百十二条第一号及び第二号（これらの規定を新通則法第五十四条第一項において準用する場合を含む。）の規定の適用については、新国家公務員法第百六条の二第一項に規定する役職員であった者とみなす。

2 旧特定独立行政法人の役員としての前歴は、新国家公務員法第百六条の八第一項の規定の適用については、同項に規定する役職員としての前歴とみなす。

3 旧特定独立行政法人の役員としての前歴は、新国家公務員法第百六条の十四第五項の規定の適用については、同項に規定する役職員としての前歴とみなす。

（独立行政法人国立病院機構の職員の再就職の届出等に関する経過措置）

第百四十一条 施行日前の国立病院機構（整備法の施行の日の前日までの間における独立行政法人国立病院機構をいう。以下この条において同じ。）の職員が整備法の施行前に整備法第二条の規定による改正前の国家公務員法（以下この項において「旧国家公務員法」という。）第百六条の二十三第一項の規定による届出をした場合における同条第三項及び旧国家公務員法第百六条の二十五の規定の適用については、なお従前の例による。この場合において、同項中「第一項の届出を受けた任命権者は、当該」とあるのは「独立行政法人国立病院機構の理事長は、第一項の規定による」と、「である」とあるのは「であった」とする。

2 施行日前の国立病院機構の職員であった者に関する新国家公務員法第百六条の十六、第百六条の十七、第百六条の十八第一項、第百六条の十九、第百六条の二十第二項及び第三項並びに第百六条の二十一第一項及び第二項の規定の適用については、独立行政法人国立病院機構の理事長は、これらの規定に規定する任命権者とみなす。

3 施行日前の国立病院機構の理事長であった者又は監事であった者に関する第百三十九条第三項の規定によりみなして適用する新通則法第五十四条第一項において準用する新国家公務員法第百六条の十六、第百六条の十七、第百六条の十八第一項、第百六条の十九、第百六条の二十第一項及び第二項並びに第百六条の二十一第一項及び第二項の規定の適用については、厚生労働大臣は、これらの規定に規定する任命権者とみなす。

4 施行日前の国立病院機構の役員（理事長又は監事を除く。）であった者に関する第百三十九条第三項の規定によりみなして適用する新通則法第五十四条第一項において準用する新国家公務員法第百六条の十六、第百六条の十七、第百六条の十八第一項、第百六条の十

九、第百六条の二十第二項及び第三項並びに第百六条の二十一第一項及び第二項の規定の適用については、独立行政法人国立病院機構の理事長は、これらの規定に規定する任命権者とみなす。

5　施行日前の国立病院機構の理事長であった者又は監事であった者に関する第百四十四条の規定により読み替えて適用する第九条の規定による改正後の行政執行法人の役員の退職管理に関する政令（以下「新役員退職管理令」という。）第十五条第一項及び第二項の規定並びに第百四十四条の規定により読み替えて適用する新役員退職管理令第二十条において準用する新役員退職管理令第十五条第一項の規定の適用については、これらの規定中「離職した行政執行法人の役員の職又はこれに相当する職並びに旧特定独立行政法人の役員の職の任命権者」とあるのは、「厚生労働大臣」とする。

6　施行日前の国立病院機構の役員（理事長又は監事を除く。）であった者に関する第百四十四条の規定により読み替えて適用する新役員退職管理令第十五条第一項及び第二項の規定並びに第百四十四条の規定により読み替えて適用する新役員退職管理令第二十条において準用する新役員退職管理令第十五条第一項の規定の適用については、これらの規定中「離職した行政執行法人の役員の職又はこれに相当する職並びに旧特定独立行政法人の役員の職の任命権者」とあるのは、「独立行政法人国立病院機構の理事長」とする。

7　新国家公務員法第百六条の二十四第二項の規定は、整備法附則第二十三条の規定により独立行政法人国立病院機構の職員となった場合については、適用しない。

（職員の在職期間に関する経過措置）

第百四十二条　次の表の上欄に掲げる規定の適用については、当分の間、同表の中欄に掲げる字句は、同表の下欄に掲げる字句とする。

国立研究開発法人宇宙航空研究開発機構法（平成十四年法律第百六十一号）附則第四条第三項	機構の成立	独立行政法人通則法の一部を改正する法律の施行に伴う関係法律の整備に関する法律（平成二十六年法律第六十七号）第八十八条の規定による改正前の第三条の独立行政法人宇宙航空研究開発機構（以下この項において「旧機構」という。）の成立
	引き続いて機構	引き続いて旧機構
	引き続き機構	引き続き旧機構（機構を含む。以下この項において同じ。）
	その者の機構	その者の旧機構
	機構を	旧機構を
国立研究開発法人海洋研究開発機構法（平成十五年法律第九十五号）附則第四条第三項	機構の成立	独立行政法人通則法の一部を改正する法律の施行に伴う関係法律の整備に関する法律（平成二十六年法律第六十七号）第九十二条の規定による改正前の第三条の独立行政法人海洋研究開発機構（以下この項において「旧機構」という。）の成立
	引き続いて機構	引き続いて旧機構
	引き続き機構	引き続き旧機構（機構を含む。以下この項において同じ。）
	その者の機構	その者の旧機構
	機構を	旧機構を
独立行政法人産業技術総合研究所法の一部を改正する法律（平成十六年法律第八十三号）附則第四条第三項	引き続いて研究所	引き続いて独立行政法人通則法の一部を改正する法律の施行に伴う関係法律の整備に関する法律（平成二十六年法律第六十七号）第百七十条の規定による改正前の独立行政法人産業技術総合研究所法第二条の独立行政法人産業技術総合研究所（以下この項において「旧研究所」という。）
	引き続き研究所	引き続き旧研究所（国立研究開発法人産業技

		術総合研究所を含む。以下この項において同じ。）
	その者の研究所	その者の旧研究所
	研究所を	旧研究所を
独立行政法人情報通信研究機構法の一部を改正する法律（平成十八年法律第二十一号）附則第四条第三項	引き続いて機構	引き続いて独立行政法人通則法の一部を改正する法律の施行に伴う関係法律の整備に関する法律（平成二十六年法律第六十七号）第四十七条の規定による改正前の独立行政法人情報通信研究機構法第三条の独立行政法人情報通信研究機構（以下この項において「旧機構」という。）
	引き続き機構	引き続き旧機構（国立研究開発法人情報通信研究機構を含む。以下この項において同じ。）
	その者の機構	その者の旧機構
	機構を	旧機構を
独立行政法人国立環境研究所法の一部を改正する法律（平成十八年法律第二十九号）附則第四条第三項	引き続き施行日後の研究所	引き続き施行日後の研究所（国立研究開発法人国立環境研究所を含む。以下この項において同じ。）
高度専門医療に関する研究等を行う国立研究開発法人に関する法律（平成二十年法律第九十三号）附則第五条第三項	国立高度専門医療研究センターの成立	独立行政法人通則法の一部を改正する法律の施行に伴う関係法律の整備に関する法律（平成二十六年法律第六十七号）第百三十条の規定による改正前の高度専門医療に関する研究等を行う独立行政法人に関する法律（平成二十年法律第九十三号）第四条第一項に規定する国立高度専門医療研究センター（以下この項において「旧国立高度専門医療研究センター」という。）の成立
	引き続いて国立高度専門医療研究センター	引き続いて旧国立高度専門医療研究センター
	引き続き国立高度専門医療研究センター	引き続き旧国立高度専門医療研究センター（国立高度専門医療研究センターを含む。以下この項において同じ。）
	その者の国立高度専門医療研究センター	その者の旧国立高度専門医療研究センター
	国立高度専門医療研究センターを	旧国立高度専門医療研究センターを

○国家公務員法の規定が適用せられるまでの官吏その他政府職員の任免等に関する法律

昭二二・一〇・二一
法　一　二　一

最終改正　昭四〇・五・一八法六九

① 官吏その他政府職員の任免、叙級、休職、復職、懲戒その他身分上の事項、俸給、手当その他給与に関する事項及び服務に関する事項については、その官職について国家公務員法の規定が適用せられるまでの間、従前の例による。但し、法律又は人事院規則（人事院の所掌する事項以外の事項については、政令）を以て別段の定をなしたときは、その定による。

② 前項但書の規定による定は、国家公務員法の精神に沿うものでなければならない。

附　則（抄）

① この法律は、昭和二十三年一月一日から、これを施行する。

附　則（昭二二・一二・二〇法二一五）

この法律は、昭和二十三年一月一日から、これを施行する。

附　則（昭四〇・五・一八法六九）（抄）

（施行期日）

第一条　この法律は、公布の日から起算して九十日をこえない範囲内で政令で定める日〔昭四〇・五・一九〕から施行する。

○人事管理官を置く機関を指定する政令

昭四〇・七・二七
政　令　二　六　一

最終改正　平二四・九・一四政令二三五

国家公務員法第二十五条第一項の政令で指定する機関は、次のとおりとする。

一　会計検査院
二　人事院
三　内閣官房及び内閣法制局
四　宮内庁並びに内閣府及び各省の外局

附　則

この政令は、昭和四十年八月一日から施行する。

○国家公務員制度改革基本法

平二〇・六・一三
法　六　八

第一章　総則

（目的）

第一条　この法律は、行政の運営を担う国家公務員に関する制度を社会経済情勢の変化に対応したものとすることが喫緊の課題であることにかんがみ、国民全体の奉仕者である国家公務員について、一人一人の職員が、その能力を高めつつ、国民の立場に立ち、責任を自覚し、誇りを持って職務を遂行することとするため、国家公務員制度改革について、その基本理念及び基本方針その他の基本となる事項を定めるとともに、国家公務員制度改革推進本部を設置することにより、これを総合的に推進することを目的とする。

（基本理念）

第二条　国家公務員制度改革は、次に掲げる事項を基本として行われるものとする。

一　議院内閣制の下、国家公務員がその役割を適切に果たすこと。

二　多様な能力及び経験を持つ人材を登用し、及び育成すること。

三　官民の人材交流を推進するとともに、官民の人材の流動性を高めること。

四　国際社会の中で国益を全うし得る高い能力を有する人材を確保し、及び育成すること。

五　国民全体の奉仕者としての職業倫理を確立するとともに、能力及び実績に基づく適正な評価を行うこと。

六　能力及び実績に応じた処遇を徹底するとともに、仕事と生活の調和を図ることができる環境を整備し、及び男女共同参画社会の形成に資すること。

七　政府全体を通ずる国家公務員の人事管理について、国民に説明する責任を負う体制を確立すること。

（国の責務）

第三条　国は、前条の基本理念にのっとり、国家公務員制度改革を推進する責務を有する。

（改革の実施及び目標時期等）

第四条　政府は、次章に定める基本方針に基づき、国家公務員制度改革を行うものとし、このために必要な措置については、この法律の施行後五年以内を目途として講ずるものとする。この場合において、必要となる法制上の措置については、この法律の施行後三年以内を目途として講ずるものとする。

2　政府は、前項の措置を講ずるに当たっては、職員の職務の特殊性に十分に配慮するものとする。

第二章　国家公務員制度改革の基本方針

（議院内閣制の下での国家公務員の役割等）

第五条　政府は、議院内閣制の下、政治主導を強化し、国家公務員が内閣、内閣総理大臣及び各大臣を補佐する役割を適切に果たすこととするため、次に掲げる措置を講ずるものとする。

一　内閣官房に、内閣総理大臣の命を受け、内閣の重要政策のうち特定のものに係る企画立案に関し、内閣総理大臣を補佐する職（以下この項において「国家戦略スタッフ」という。）を、各府省に、大臣の命を受け、特定の政策の企画立案及び政務に関し、大臣を補佐する職（以下この項において「政務スタッフ」という。）を置くものとすること。

二　国家戦略スタッフ及び政務スタッフ（以下この号において「国家戦略スタッフ等」という。）の任用等については、次に定めるところによるものとすること。

イ　国家戦略スタッフ等は、特別職の国家公務員とするとともに、公募を活用するなど、国の行政機関の内外から人材を機動的に登用できるものとすること。

ロ　国家戦略スタッフ等を有効に活用できるものとするため、給与その他の処遇及び退任後の扱いについて、それぞれの職務の特性に応じた適切なものとすること。

2　政府は、縦割り行政の弊害を排除するため、内閣の人事管理機能を強化し、並びに多様な人材の登用及び弾力的な人事管理を行えるよう、次に掲げる措置を講ずるものとする。

一　事務次官、局長、部長その他の幹部職員（地方支分部局等の職員を除く。以下単に「幹部職員」という。）を対象とした新たな制度を設けるものとすること。

二　課長、室長、企画官その他の管理職員（地方支分部局等の職員を除く。以下単に「管理職員」という。）を対象とした新たな制度を設けるものとすること。

三　幹部職員の任用については、内閣官房長官が、その適格性を審査し、その候補者名簿の作成を行うとともに、各大臣が人事を行うに当たって、任免については、内閣総理大臣及び内閣官房長官と協議した上で行うものとすること。

四　幹部職員及び管理職員（以下「幹部職員等」という。）の任用に当たっては、国の行政機関の内外から多様かつ高度な能力及び経験を有する人材の登用に努めるものとすること。

五　幹部職員等の任用、給与その他の処遇については、任命権者が、それぞれ幹部職員又は管理職員の範囲内において、その昇任、降任、昇給、降給等を適切に行うことができるようにする等その職務の特性並びに能力及び実績に応じた弾力的なものとするための措置を講ずるものとすること。

3　政府は、政官関係の透明化を含め、政策の立案、決定及び実施の各段階における国家公務員としての責任の所在をより明確なものとし、国民の的確な理解と批判の下にある公正で民主的な行政の推進に資するため、次に掲げる措置を講ずるものとする。

一　職員が国会議員と接触した場合における当該接触に関する記録の作成、保存その他の管理をし、及びその情報を適切に公開するために必要な措置を講ずるものとすること。この場合において、当該接触が個別の事務又は事業の決定又は執行に係るものであるときは、当該接触に関する記録の適正な管理及びその情報の公開の徹底に特に留意するものとすること。

二　前号の措置のほか、各般の行政過程に係る記録の作成、保存その他の管理が適切に行われるようにするための措置その他の措置を講ずるものとすること。

4　政府は、職員の育成及び活用を府省横断的に行うとともに、幹部職員等について、適切な人事管理を徹底するため、次に掲げる事務を内閣官房において一元的に行うこととするための措置を講ずるものとする。

一　幹部職員等に係る各府省ごとの定数の設定及び改定

二　次条第三項に規定する幹部候補育成課程に関する統一的な基準の作成及び運用の管理

三　次条第三項第三号に規定する研修のうち政府全体を通ずるものの企画立案及び実施

四　次条第三項に規定する課程対象者の府省横断的な配置換えに係る調整

五　管理職員を任用する場合の選考に関する統一的な基準の作成及び運用の管理

六　管理職員の府省横断的な配置換えに係る調整

七　幹部職員等以外の職員の府省横断的な配置に関する指針の作成

八　第二項第三号に規定する適格性の審査及び候補者名簿の作成

九　幹部職員等及び次条第三項に規定する課程対象者の人事に関する情報の管理

十　次条第四項第二号に規定する目標の設定等を通じた公募による任用の推進

十一　官民の人材交流の推進

（多様な人材の登用等）

第六条　政府は、採用試験について、多様かつ優秀な人材を登用するため、次に掲げる措置を講ずるものとする。

一　現行の採用試験の種類及び内容を抜本的に見直し、採用試験に次に掲げる種類を設けるとともに、その内容をそれぞれ次に定めるものとすること。

イ　総合職試験　政策の企画立案に係る高い能力を有するかどうかを重視して行う試験

ロ　一般職試験　的確な事務処理に係る能力を有するかどうかを重視して行う試験

ハ　専門職試験　特定の行政分野に係る専門的な知識を有するかどうかを重視して行う試験

二　前号の措置に併せ、次に掲げる採用試験の区分を設けるとともに、その内容をそれぞれ次に定めるものとすること。

イ　院卒者試験　大学院の課程を修了した者又はこれと同程度の学識及び能力を有する者を対象とした採用試験

ロ　中途採用試験　係長以上の職への採用を目的とした採用試験

2　政府は、職員の職務能力の向上を図るため、研修その他の能力開発によって得られた成果を人事評価に確実に反映させるとともに、自発的な能力開発を支援するための措置を講ずるものとする。

3　政府は、次に定めるところにより、管理職員としてその職責を担うにふさわしい能力及び経験を有する職員を総合的かつ計画的に育成するための仕組み（以下「幹部候補育成課程」という。）を整備するものとする。この場合において、幹部候補育成課程における育成の対象となる者（以下「課程対象者」という。）であること又は課程対象者であったことによって、管理職員への任用が保証されるものとしてはならず、職員の採用後の任用は、人事評価に基づいて適切に行われなければならない。

一　課程対象者の選定については、採用後、一定期間の勤務経験を経た職員の中から、本人の希望及び人事評価に基づいて随時行うものとすること。
二　課程対象者については、人事評価に基づいて、引き続き課程対象者とするかどうかを定期的に判定するものとすること。
三　管理職員に求められる政策の企画立案及び業務の管理に係る能力の育成を目的とした研修を行うものとすること。
四　国の複数の行政機関又は国以外の法人において勤務させることにより、多様な勤務を経験する機会を付与するものとすること。
4　政府は、幹部職員等に関し、その職責を担うにふさわしい能力を有する人材を確保するため、次に掲げる措置を講ずるものとする。
一　幹部職員等に求められる役割及び職業倫理を明確に示すとともに、これらを人事評価の基準とするための措置を講ずること。
二　公募に付する幹部職員等の職の数について目標を定めるものとすること。
5　政府は、高度の専門的な知識又は経験の求められる職に充てる人材を国の行政機関の内外から登用し、その能力を十分に発揮させるため、兼業及び給与の在り方を見直し、必要な措置を講ずるものとする。

（官民の人材交流の推進等）
第七条　政府は、官民の人材交流を推進するとともに、官民の人材の流動性を高めるため、現行の制度を抜本的に見直し、次に掲げる措置を講ずるものとする。
一　民間企業その他の法人の意向を適切に把握した上で、国と民間企業との間の人事交流に関する法律（平成十一年法律第二百二十四号）第一条に規定する人事交流について、その透明性を確保しつつ、手続の簡素化及び対象の拡大等を行うこと。
二　課程対象者に、民間企業その他の法人における勤務の機会を付与するよう努めるものとし、そのための措置を講ずること。
三　給与、退職手当、年金その他の処遇を見直し、必要な措置を講ずること。

（国際競争力の高い人材の確保と育成）
第八条　政府は、国際社会の中で国益を全うし得る高い能力を有する人材を確保し、及び育成するため、次に掲げる措置を講ずるものとする。
一　国際対応に重点を置いた採用を行うための措置を講ずること。
二　課程対象者に国際機関、在外公館その他の外国に所在する機関における勤務又は海外への留学の機会を付与するよう努めるものとし、そのための措置を講ずること。

（職員の倫理の確立及び信賞必罰の徹底）
第九条　政府は、職員の倫理の確立及び信賞必罰の徹底のため、次に掲げる措置を講ずるものとする。
一　人事評価について、次に定めるところにより行うものとすること。
イ　国民の立場に立ち職務を遂行する態度その他の職業倫理を評価の基準として定めること。
ロ　業績評価に係る目標の設定は、所属する組織の目標を踏まえて行わなければならないものとすること。
ハ　職員に対する評価結果の開示その他の職員の職務に対する主体的な取組を促すための措置を講ずること。
二　職務上知ることのできた秘密を漏らした場合その他の職務上の義務に違反した場合又は職務を怠った場合における懲戒処分について、適正かつ厳格な実施の徹底を図るための措置を講ずること。
三　国家賠償法（昭和二十二年法律第百二十五号）に基づく求償権について、適正かつ厳格な行使の徹底を図るための措置を講ずること。

（能力及び実績に応じた処遇の徹底等）
第十条　政府は、職員が意欲と誇りを持って働くことを可能とするため、次に掲げる措置を講ずるものとする。
一　各部局において業務の簡素化のための計画を策定するとともに、職員の超過勤務の状況を管理者の人事評価に反映させるための措置を講ずること。
二　優秀な人材の国の行政機関への確保を図るため、職員の初任給の引上げ、職員の能力及び実績に応じた処遇の徹底を目的とした給与及び退職手当の見直しその他の措置を講ずること。
三　雇用と年金の接続の重要性に留意して、次に掲げる措置を講ずること。
イ　定年まで勤務できる環境を整備するとともに、再任用制度の活用の拡大を図るための措置を講ずること。
ロ　定年を段階的に六十五歳に引き上げることについて検討すること。
ハ　イの環境の整備及びロの定年の引上げの検討に際し、高年齢である職員の給与の抑制を可能とする制度その他のこれらに対応した給与制度の在り方並びに職制上の段階に応じそれに属する職に就くことができる年齢を定める制度及び職種に応じ定年を定める制度の導入について検討すること。

（内閣人事局の設置）

第十一条　政府は、次に定めるところにより内閣官房に事務を追加するとともに、当該事務を行わせるために内閣官房に内閣人事局を置くものとし、このために必要な法制上の措置について、第四条第一項の規定にかかわらず、この法律の施行後一年以内を目途として講ずるものとする。

一　内閣官房長官は、政府全体を通ずる国家公務員の人事管理について、国民に説明する責任を負うとともに、第五条第四項に掲げる事務及びこれらに関連する事務を所掌するものとすること。

二　総務省、人事院その他の国の行政機関が国家公務員の人事行政に関して担っている機能について、内閣官房が新たに担う機能を実効的に発揮する観点から必要な範囲で、内閣官房に移管するものとすること。

（労働基本権）

第十二条　政府は、協約締結権を付与する職員の範囲の拡大に伴う便益及び費用を含む全体像を国民に提示し、その理解のもとに、国民に開かれた自律的労使関係制度を措置するものとする。

第三章　国家公務員制度改革推進本部

（国家公務員制度改革推進本部の設置）

第十三条　国家公務員制度改革を総合的かつ集中的に推進するため、内閣に、国家公務員制度改革推進本部（以下「本部」という。）を置く。

（所掌事務）

第十四条　本部は、次に掲げる事務をつかさどる。

一　国家公務員制度改革の推進に関する企画及び立案並びに総合調整に関すること。

二　国家公務員制度改革に関する施策の実施の推進に関すること。

（組織）

第十五条　本部は、国家公務員制度改革推進本部長、国家公務員制度改革推進副本部長及び国家公務員制度改革推進本部員をもって組織する。

（国家公務員制度改革推進本部長）

第十六条　本部の長は、国家公務員制度改革推進本部長（以下「本部長」という。）とし、内閣総理大臣をもって充てる。

2　本部長は、本部の事務を総括し、所部の職員を指揮監督する。

（国家公務員制度改革推進副本部長）

第十七条　本部に、国家公務員制度改革推進副本部長（以下「副本部長」という。）を置き、国務大臣をもって充てる。

2　副本部長は、本部長の職務を助ける。

（国家公務員制度改革推進本部員）

第十八条　本部に、国家公務員制度改革推進本部員（以下「本部員」という。）を置く。

2　本部員は、本部長及び副本部長以外のすべての国務大臣をもって充てる。

（資料の提出その他の協力）

第十九条　本部は、その所掌事務を遂行するため必要があると認めるときは、国の行政機関の長に対して、資料の提出、意見の開陳、説明その他の必要な協力を求めることができる。

2　本部は、その所掌事務を遂行するため特に必要があると認めるときは、前項に規定する者以外の者に対しても、必要な協力を依頼することができる。

（事務局）

第二十条　本部に、その事務を処理させるため、事務局を置く。

2　事務局に、事務局長その他の職員を置く。

3　事務局長は、関係のある他の職を占める者であって、かつ、公務内外の人事管理制度に関し識見を有する者をもって充てられるものとする。

4　事務局長は、本部長の命を受け、局務を掌理する。

（設置期限）

第二十一条　本部は、その設置の日から起算して五年を経過する日まで置かれるものとする。

（主任の大臣）

第二十二条　本部に係る事項については、内閣法（昭和二十二年法律第五号）にいう主任の大臣は、内閣総理大臣とする。

（政令への委任）

第二十三条　この法律に定めるもののほか、本部に関し必要な事項は、政令で定める。

附　則

（施行期日）

第一条　この法律は、公布の日から施行する。ただし、第三章の規定は、公布の日から起算して一月を超えない範囲内において政令で定める日〔平二〇・七・一一〕から施行する。

（地方公務員の労働基本権等）

第二条　政府は、地方公務員の労働基本権の在り方について、第十二条に規定する国家公務員の労使関係制度に係る措置に併せ、これと整合性をもって、検討する。

2　本部は、第十四条に掲げる事務のほか、前項の検討に関する事務をつかさどる。

○警察法（抄）

昭二九・六・八
法　一　六　二

最終改正　令四・一二・九法九七

第一章　総則

（服務の宣誓の内容）

第三条　この法律により警察の職務を行うすべての職員は、日本国憲法及び法律を擁護し、不偏不党且つ公平中正にその職務を遂行する旨の服務の宣誓を行うものとする。

第三章　警察庁

第五節　職員

（職員）

第三十四条　警察庁に、警察官、皇宮護衛官、事務官、技官その他所要の職員を置く。

2　皇宮護衛官は、皇宮警察本部に置く。

3　長官は警察官とし、警察庁の次長、官房長、局長及び部長、管区警察局長その他政令で定める職は警察官をもつて、皇宮警察本部長は皇宮護衛官をもつて充てる。

第四章　都道府県警察

第三節　都道府県警察の組織

（警視総監の任免）

第四十九条　警視総監は、国家公安委員会が都公安委員会の同意を得た上内閣総理大臣の承認を得て、任免する。

2　都公安委員会は、国家公安委員会に対し、警視総監の懲戒又は罷免に関し必要な勧告をすることができる。

（警察本部長の任免）

第五十条　警察本部長は、国家公安委員会が道府県公安委員会の同意を得て、任免する。

2　道府県公安委員会は、国家公安委員会に対し、警察本部長の懲戒又は罷免に関し必要な勧告をすることができる。

（方面本部）

第五十一条　道の区域を五以内の方面に分ち、方面の区域内における警察の事務を処理させるため、方面ごとに方面本部を置く。但し、道警察本部の所在地を包括する方面には、置かないものとする。

2　方面本部に、方面本部長を置く。

3　方面本部長は、方面公安委員会の管理に服し、方面本部の事務を統括し、及び道警察本部長の命を受け、方面本部の所属の警察職員を指揮監督する。

4　前条の規定は、方面本部長について準用する。

5　方面の数、名称及び区域並びに方面本部の位置は、国家公安委員会の意見を聞いて、条例で定める。

6　方面本部の内部組織は、政令で定める基準に従い、条例で定める。

（職員）

第五十五条　都道府県警察に、警察官その他所要の職員を置く。

2　警視総監、警察本部長、方面本部長、市警察部長及び警察署長は、警察官をもつて充てる。

3　第一項の職員のうち、警視総監、警察本部長及び方面本部長以外の警視正以上の階級にある警察官は、国家公安委員会が都道府県公安委員会の同意を得て、任免し、その他の職員は、警視総監又は警察本部長がそれぞれ都道府県公安委員会の意見を聞いて、任免する。

4　都道府県公安委員会は、警視総監、警察本部長及び方面本部長以外の警視正以上の階級にある警察官については国家公安委員会に対し、その他の職員については警視総監又は警察本部長に対し、それぞれその懲戒又は罷免に関し必要な勧告をすることができる。

（職員の人事管理）

第五十六条　都道府県警察の職員のうち、警視正以上の階級にある警察官（以下「地方警務官」という。）は、一般職の国家公務員とする。

2　前項の職員以外の都道府県警察の職員（以下「地方警察職員」という。）の任用及び給与、勤務時間その他の勤務条件、並びに服務に関して地方公務員法の規定により条例又は人事委員会規則で定めることとされている事項については、第三十四条第一項に規定する職員の例を基準として当該条例又は人事委員会規則を定めるものとする。

3　警視総監又は警察本部長は、第四十三条の二第一項の規定による指示がある場合のほか、都道府県警察の職員が次の各号のいずれかに該当する疑いがあると認める場合は、速やかに事実を調査し、当該職員が当該各号のいずれかに該当することが明らかになつたときは、都道府県公安委員会に対し、都道府県公安委員会の定めるところにより、その結果を報告しなければならない。

一　その職務を遂行するに当たつて、法令又は条例の規定に違反した場合

二　前号に掲げるもののほか、職務上の義務に違反し、又は職務を怠つた場合

三　全体の奉仕者たるにふさわしくない非行のあつた場合

（地方警務官等に係る国家公務員法の特例）

第五十六条の二　前条第一項の規定にかかわらず、退職時に特定地方警務官（地方警務官のうち、その属する都道府県警察において巡査の階級から順次警視の階級まで昇任し、引き続き地方警務官となつた者及びこれに準ずるものとして国家公安委員会規則で定める者をいう。以下同じ。）であつた者については、国家公務員法第六十条の二の規定は、適用しない。

2　特定地方警務官は、第五十六条の四第一項の規定により任命されたときは、当該任命の時に一般職の国家公務員を退職する。

3　特定地方警務官に対する国家公務員法第八十一条の二及び第八十一条の七の規定の適用については、同法第八十一条の二第一項ただし書中「異動期間」とあるのは「当該職員が警察法（昭和二十九年法律第百六十二号）第五十六条の二第一項に規定する特定地方警務官である場合又は異動期間」と、「又は」とあるのは「若しくは」と、同法第八十一条の七第一項ただし書中「ただし、」とあるのは「ただし、警察法第五十六条の二第五項において読み替えて準用する」とする。

4　第五十六条の四第一項の規定により任命された者に対する国家公務員法第八十一条の三の規定の適用については、同条中「(他の官職への降任等」とあるのは「(警察法（昭和二十九年法律第百六十二号）第五十六条の四第一項の規定による任命」と、「職員」とあるのは「者」と、「当該他の官職への降任等」とあるのは「当該任命」とする。

5　国家公務員法第八十一条の五の規定は、特定地方警務官について準用する。この場合において、同条第一項中「他の官職への降任等を」とあるのは「警視総監又は道府県警察本部長が警察法第五十六条の四第一項の規定による任命（以下この項及び第三項において「特定任命」という。）を」と、同項各号中「他の官職への降任等」とあるのは「特定任命に伴う退職」と、同条第三項中「他の官職への降任等を」とあるのは「警視総監又は道府県警察本部長が特定任命を」と、「他の官職への降任等に」とあるのは「特定任命に伴う退職に」と読み替えるものとする。

第五十六条の三　第五十六条第一項の規定にかかわらず、特定地方警務官については、国家公務員法第百六条の二の規定は、適用しない。

2　特定地方警務官であつた者で、離職後に国家公務員法第百六条の二第一項に規定する営利企業等の地位に就いているもの（同法第百六条の四第一項に規定する退職手当通算離職者を除く。）は、同法第百六条の四及び第百九条の規定の適用については、これらの規定に規定する再就職者に含まれないものとする。

3　特定地方警務官に対する国家公務員法第百十二条の規定の適用については、同条第一号中「第百六条の二第一項又は第百六条の三第一項」とあるのは「第百六条の三第一項」と、同号及び同条第二号中「若しくはその子法人の地位に就くこと、又は他の役職員をその離職後に、若しくは役職員であつた者を、当該営利企業等若しくはその子法人の地位に就かせること」とあ

るのは「又はその子法人の地位に就くこと」とする。

4　特定地方警務官以外の地方警務官及び第三十四条第一項に規定する職員に対する国家公務員法第百六条の二、第百六条の四、第百九条、第百十二条及び第百十三条の規定の適用については、同法第百六条の二第一項中「他の職員」とあるのは「他の職員（警察法（昭和二十九年法律第百六十二号）第五十六条の二第一項に規定する特定地方警務官（以下単に「特定地方警務官」という。）を除く。）」と、同法第百六条の四第一項及び第百九条第十四号中「役職員」とあるのは「役職員（特定地方警務官を含む。以下この条において同じ。）」と、同法第百十二条第二号中「役職員に」とあるのは「役職員（特定地方警務官を含む。）に」と、同法第百十三条第一号中「役職員又は」とあるのは「役職員（特定地方警務官を含む。以下この号において同じ。）又は」とする。

（特定地方警務官に係る地方公務員法の特例）

第五十六条の四　警視総監又は道府県警察本部長は、国家公務員法第八十一条の二第一項に規定する管理監督職（以下この項において単に「管理監督職」という。）を占める特定地方警務官でその占める管理監督職に係る同条第二項に規定する管理監督職勤務上限年齢に達している特定地方警務官について、国家公安委員会の同意を得て、同条第一項本文に規定する異動期間（第五十六条の二第五項において読み替えて準用する同法第八十一条の五第一項から第四項までの規定により延長された期間を含む。以下この項において単に「異動期間」という。）に、当該特定地方警務官としての在職に引き続き、その属する都道府県警察の警視以下の階級にある警察官に任命するものとする。ただし、異動期間に、同法の他の規定により当該特定地方警務官について同法第八十一条の二第一項に規定する他の官職への昇任、降任若しくは転任をされた場合又は同法第八十一条の七第一項の規定により当該特定地方警務官を管理監督職を占めたまま引き続き勤務させることとされた場合は、この限りでない。

2　前項本文の規定による任命を行うに当たつて警視総監又は道府県警察本部長が遵守すべき基準に関する事項その他の当該任命に関し必要な事項は、条例で定める。

第五十六条の五　特定地方警務官は、地方公務員法第八条第一項（第四号に係る部分に限る。）、第三章第六節の二（第三十八条の二第二項及び第三項を除く。）、第六十条（第四号から第八号までに係る部分に限る。）及び第六十三条から第六十五条までの規定の適用については、同法第四条第一項に規定する職員（以下この条において単に「職員」という。）とみなす。この場合において、同法第八条第一項第四号中「人事行政の運営」とあるのは「警察法（昭和二十九年法律第百六十二号）第五十六条の五の規定により職員とみなされる同法第五十六条の二第一項に規定する特定地方警務官（第三十八条の二第一項及び第六項第六号において単に「特定地方警務官」という。）の退職管理」と、「任命権者」とあるのは「都道府県公安委員会」と、同法第三十八条の二第一項中「退職手当通算法人の地位に就いている者」とあるのは「退職手当通算法人の地位に就いている者（特定地方警務官であつた者にあつては、国家公務員法（昭和二十二年法律第百二十号）第百六条の二第四項に規定する退職手当通算予定職員であつた者であつて引き続いて同条第三項に規定する退職手当通算法人の地位に就いている者）」と、同条第六項第六号中「任命権者」とあるのは「任命権者（再就職者が特定地方警務官であつた者である場合にあつては、都道府県公安委員会）」と、同法第三十八条の三から第三十八条の五までの規定（見出しを含む。）中「任命権者」とあるのは「都道府県公安委員会」とするほか、職員とみなされる特定地方警務官に対する同法第六十三条第一号及び第二号の規定の適用については、同条第　号中「若しくは当該役職員」とあるのは「又は当該役職員」と、「行為、又は営利企業等に対し、離職後に当該営利企業等若しくはその子法人の地位に就くことを目的として、自己に関する情報を提供し、若しくは当該地位に就くことを要求し、若しくは約束する行為」とあるのは「行為」と、同号及び同条第二号中「離職後に当該営利企業等若しくはその子法人の地位に就くこと、又は他の役職員をその離職後に、若しくは」とあるのは「他の役職員をその離職後に、又は」と、「若しくはその子法人の地位に就かせることを要求し」とあるのは「又はその子法人の地位に就かせることを要求し」とする。

第五章　警察職員

（警察官の階級）

第六十二条　警察官（長官を除く。）の階級は、警視総監、警視監、警視長、警視正、警視、警部、警部補、巡査部長及び巡査とする。

（皇宮護衛官の階級、職務等）

第六十九条　皇宮護衛官の階級は、皇宮警視監、皇宮警視長、皇宮警視正、皇宮警視、皇宮警部、皇宮警部補、皇宮巡査部長及び皇宮巡査とする。

２　皇宮護衛官は、上官の指揮監督を受け、皇宮警察の事務を執行する。

３　皇宮護衛官は、天皇及び皇后、皇太子その他の皇族の生命、身体若しくは財産に対する罪、皇室用財産に対する罪又は皇居、御所その他皇室用財産である施設若しくは天皇及び皇后、皇太子その他の皇族の宿泊の用に供されている施設における犯罪について、国家公安委員会の定めるところにより、刑事訴訟法の規定による司法警察職員としての職務を行う。

４　第六十七条及び前条第一項の規定は、皇宮護衛官について準用する。

５　警察官職務執行法（昭和二十三年法律第百三十六号）第二条、第五条、第六条第一項、第三項及び第四項並びに第七条の規定は皇宮護衛官の職務の執行について、同法第四条の規定は皇宮護衛官の警備の職務の執行について準用する。この場合において、同法第二条第二項中「又は駐在所」とあるのは「若しくは駐在所又はこれらに相当する皇宮警察本部の施設」と、同条第三項中「駐在所」とあるのは「駐在所若しくはこれらに相当する皇宮警察本部の施設」と、同法第四条第二項中「所属の公安委員会」とあるのは「国家公安委員会」と、「公安委員会は」とあるのは「国家公安委員会は」と読み替えるものとする。

６　皇宮護衛官及び警察官は、その職務の執行に関し、相互に協力しなければならない。

附　則（令三・六・一一法六一）（抄）

（施行期日）

第一条　この法律は、令和五年四月一日から施行する。ただし、〔中略〕次条〔中略〕の規定は、公布の日から施行する。

（実施のための準備等）

第二条　〔略〕

２　〔略〕

３　特定地方警務官（第七条の規定による改正後の警察法第五十六条の二第一項に規定する特定地方警務官をいう。附則第六条第十一項及び第十一条第九項において同じ。）に対する前項の規定の適用については、同項中「任命権者」とあるのは「警視総監又は道府県警察本部長」と、「対し、」とあるのは「対し、第七条の規定による改正後の警察法附則第三十八項の規定により読み替えて適用する」とする。

４～７　〔略〕

○検察庁法（抄）

昭二二・四・一六
法　六　一

最終改正　令四・六・一七法六八

〔検察官の種類〕

第三条　検察官は、検事総長、次長検事、検事長、検事及び副検事とする。

〔検察官の職務〕

第四条　検察官は、刑事について、公訴を行い、裁判所に法の正当な適用を請求し、且つ、裁判の執行を監督し、又、裁判所の権限に属するその他の事項についても職務上必要と認めるときは、裁判所に、通知を求め、又は意見を述べ、又、公益の代表者として他の法令がその権限に属させた事務を行う。

〔法務大臣の指揮監督権〕

第十四条　法務大臣は、第四条及び第六条に規定する検察官の事務に関し、検察官を一般に指揮監督することができる。但し、個々の事件の取調又は処分については、検事総長のみを指揮することができる。

〔検察官の等級〕

第十五条　検事総長、次長検事及び各検事長は一級とし、その任免は、内閣が行い、天皇が、これを認証する。

②　検事は、一級又は二級とし、副検事は、二級とする。

〔二級検察官の任命叙級資格〕

第十八条　二級の検察官の任命及び叙級は、左の資格の一を有する者に就いてこれを行う。
一 司法修習生の修習を終えた者
二 裁判官の職に在つた者
三 三年以上政令で定める大学において法律学の教授又は准教授の職に在つた者
② 副検事は、前項の規定にかかわらず、次の各号のいずれかに該当する者で政令で定める審議会等（国家行政組織法（昭和二十三年法律第百二十号）第八条に規定する機関をいう。）の選考を経たものの中からもこれを任命することができる。
一 司法修習生となる資格を得た者
二 三年以上政令で定める二級官吏その他の公務員の職に在つた者
③ 三年以上副検事の職に在つて政令で定める考試を経た者は、第一項の規定にかかわらず、これを二級の検事に任命及び叙級することができる。

〔一級検察官の任命叙級資格〕
第十九条 一級の検察官の任命及び叙級は、次の各号に掲げる資格のいずれかを有する者についてこれを行う。
一 八年以上二級の検事、判事、判事補、簡易裁判所判事又は弁護士の職に在つた者
二 最高裁判所長官、最高裁判所判事、高等裁判所長官又は判事の職に在つた者
三 前条第一項第一号又は第三号の資格を得た後八年以上法務省の事務次官、最高裁判所事務総長若しくは裁判所調査官又は二級以上の法務事務官、法務教官、裁判所事務官、司法研修所教官若しくは裁判所職員総合研修所教官の職に在つた者
四 前条第一項第一号又は第三号の資格を有し一年以上一級官吏の職に在つた者
② 前項第一号及び第三号に規定する各職の在職年数は、これを通算する。
③ 前条第三項の規定により検事に任命された者は、第一項第三号及び第四号の規定の適用については、これを同条第一項第一号の資格を有する者とみなす。

〔任命の欠格事由〕
第二十条 他の法律の定めるところにより一般の官吏に任命されることができない者のほか、次の各号のいずれかに該当する者は、検察官に任命することができない。
一 拘禁刑以上の刑に処せられた者
二 弾劾裁判所の罷免の裁判を受けた者
② 前項の規定により検察官に任命することができない者のほか、年齢が六十三年に達した者は、次長検事又は検事長に任命することができない。

〔適用除外〕
第二十条の二 検察官については、国家公務員法（昭和二十二年法律第百二十号）第六十条の二の規定は、適用しない。

〔俸給〕
第二十一条 検察官の受ける俸給については、別に法律でこれを定める。

〔定年による退官〕
第二十二条 検察官は、年齢が六十五年に達した時に退官する。
② 検察官については、国家公務員法第八十一条の七の規定は、適用しない。
③ 法務大臣は、次長検事及び検事長が年齢六十三年に達したときは、年齢が六十三年に達した日の翌日に検事に任命するものとする。

〔適格審査会と罷免〕
第二十三条 検察官が心身の故障、職務上の非能率その他の事由に因りその職務を執るに適しないときは、検事総長、次長検事及び検事長については、検察官適格審査会の議決及び法務大臣の勧告を経て、検事及び副検事については、検察官適格審査会の議決を経て、その官を免ずることができる。
② 検察官は、左の場合に、その適格に関し、検察官適格審査会の審査に付される。
一 すべての検察官について三年ごとに定時審査を行う場合
二 法務大臣の請求により各検察官について随時審査を行う場合
三 職権で各検察官について随時審査を行う場合
③ 検察官適格審査会は、検察官が心身の故障、職務上の非能率その他の事由に因りその職務を執るに適しないかどうかを審査し、その議決を法務大臣に通知しなければならない。法務大臣は、検察官適格審査会から検察官がその職務を執るに適しない旨の議決の通知のあつた場合において、その議決を相当と認めるときは、検事総長、次長検事及び検事長については、当該検察官の罷免の勧告を行い、検事及び副検事については、これを罷免しなければならない。
④ 検察官適格審査会は、法務省に置かれるものとし、国会議員、裁判官、弁護士、日本学士院会員及び学識経験者の中から選任された十一人の委員をもつてこれを組織する。ただし、委員となる国会議員は、衆議院議員四人及び参議院議員二人とし、それぞれ衆議院及び参議院においてこれを選出する。

⑤　検察官適格審査会に、委員一名につきそれぞれ一名の予備委員を置く。
⑥　各委員の予備委員は、それぞれその委員と同一の資格のある者の中から、これを選任する。但し、予備委員となる国会議員は、それぞれ衆議院及び参議院においてこれを選出する。
⑦　委員に事故のあるとき、又は委員が欠けたときは、その予備委員が、その職務を行う。
⑧　前七項に規定するものの外、検察官適格審査会に関する事項は、政令でこれを定める。

〔剰員〕
第二十四条　検事長、検事又は副検事が検察庁の廃止その他の事由に因り剰員となつたときは、法務大臣は、その検事長、検事又は副検事に俸給の半額を給して欠位を待たせることができる。

〔身分保障〕
第二十五条　検察官は、前三条の場合を除いては、その意思に反して、その官を失い、職務を停止され、又は俸給を減額されることはない。但し、懲戒処分による場合は、この限りでない。

〔本法と公務員法との関係〕
第三十二条　第十五条、第十八条から第二十条の二まで及び第二十二条から第二十五条まで並びに附則第三条及び第四条の規定は、国家公務員法附則第四条の規定により、検察官の職務と責任の特殊性に基づいて、同法の特例を定めたものとする。

附　則（抄）

〔施行期日〕
第一条　この法律は、日本国憲法の施行の日〔昭二二・五・三〕から、これを施行する。

〔定年退官年齢に関する経過措置〕
第三条　令和五年四月一日から令和七年三月三十一日までの間における第二十二条第一項の規定の適用については、同項中「検察官は、年齢が六十五年」とあるのは、「検事総長は、年齢が六十五年に達した時に、その他の検察官は、年齢が六十四年」とする。

〔法務大臣の責務〕
第四条　法務大臣は、当分の間、検察官（検事総長を除く。）が年齢六十三年に達する日の属する年度の前年度（当該前年度に検察官でなかつた者その他の当該前年度においてこの条の規定による情報の提供及び意思の確認を行うことができない検察官として法務大臣が定める準則で定める検察官にあつては、当該準則で定める期間）において、当該検察官に対し、法務大臣が定める準則に従つて、国家公務員法等の一部を改正する法律（令和三年法律第六十一号）による定年の引上げに伴う当分の間の措置として講じられる検察官の俸給等に関する法律（昭和二十三年法律第七十六号）附則第五条及び第六条第一項の規定による年齢六十三年に達した日の翌日以後の当該検察官の俸給月額を引き下げる給与に関する特例措置及び国家公務員退職手当法（昭和二十八年法律第百八十二号）附則第十二項から第十五項までの規定による当該検察官が年齢六十三年に達した日から定年に達する日の前日までの間に非違によることなく退職をした場合における退職手当の基本額を当該検察官が当該退職をした日に国家公務員法第八十一条の六第一項の規定により退職をしたものと仮定した場合における額と同額とする退職手当に関する特例措置その他の当該検察官が年齢六十三年に達する日以後に適用される任用、給与及び退職手当に関する措置の内容その他の必要な情報を提供するものとするとともに、同日の翌日以後における勤務の意思を確認するよう努めるものとする。

附　則（令四・六・一七法六八）（抄）

〔施行期日〕
1　この法律は、刑法等一部改正法施行日〔令七・六・一〕から施行する。〔ただし書略〕

○外務公務員法

昭二七・三・三一
法　四　一

最終改正　令四・六・一七法六八

第一章　総則

（この法律の目的）

第一条　この法律は、外務公務員の職務と責任の特殊性に基づき、外務公務員の標準的な官職、任免、給与、人事評価、能率、保障、服務等に関し国家公務員法（昭和二十二年法律第百二十号）の特例その他必要な事項を定め、あわせて名誉総領事及び名誉領事並びに外務省に勤務する外国人の任用について規定することを目的とする。

（外務公務員の定義）

第二条　この法律において「外務公務員」とは、左に掲げる者をいう。

一　特命全権大使（以下「大使」という。）
二　特命全権公使（以下「公使」という。）
三　特派大使
四　政府代表
五　全権委員
六　政府代表又は全権委員の代理並びに特派大使、政府代表又は全権委員の顧問及び随員
七　外務職員

2　この法律において「特派大使」とは、日本国政府を代表して、外国における重要な儀式への参列その他臨時の重要な任務を処理するため、外国に派遣される者をいう。

3　この法律において「政府代表」とは、日本国政府を代表して、特定の目的をもつて外国政府と交渉し、又は国際会議若しくは国際機関に参加し、若しくはこれにおいて行動する権限を付与された者をいう。

4　この法律において「全権委員」とは、日本国政府を代表して、特定の目的をもつて外国政府と交渉し、又は国際会議に参加し、且つ、条約に署名調印する権限を付与された者をいう。

5　この法律において「外務職員」とは、外務省本省に勤務する一般職の国家公務員のうち外交領事事務（これと直接関連する業務を含む。）及びその一般的補助業務に従事する者で外務省令で定めるもの並びに在外公館に勤務するすべての一般職の国家公務員をいう。

（外務職員に対する国家公務員法等の適用）

第三条　国家公務員法並びにこれに基く法令の規定は、この法律にその特例を定める場合を除く外、外務職員に関して適用があるものとする。

（特別職の外務公務員に対する国家公務員法の準用等）

第四条　国家公務員法第九十六条第一項、第九十八条第一項、第九十九条並びに第百条第一項及び第二項の規定は、外務職員以外の外務公務員に準用する。この場合において、国家公務員法第九十六条第一項、第九十八条第一項、第九十九条及び第百条第一項中「職員」とあるのは「外務職員以外の外務公務員」と、第百条第二項中「所轄庁の長（退職者については、その退職した官職又はこれに相当する官職の所轄庁の長）」とあるのは「外務大臣」と読み替えるものとする。

2　前項に定めるものを除く外、外務職員以外の外務公務員の任免その他の身分上の事項及び服務に関する事項については、この法律の定めるところによる。

第二章　標準的な官職

（外務職員の標準職務遂行能力及び標準的な官職）

第五条　国家公務員法第三十四条第一項第五号に規定する標準職務遂行能力は、外務職員については、外務大臣が定めるものとする。

2　国家公務員法第三十四条第二項に規定する標準的な官職は、外務職員については、外務省令で定める。

（外務職員の公の名称）

第六条　外務職員（外務事務次官を除く。）は、組織上の名称の外、公の便宜のために国際慣行に従い用いる公の名称として、参事官、一等書記官、二等書記官、三等書記官及び外交官補、総領事、領事、副領事及び領事官補並びに一等理事官、二等理事官、三等理事官、副理事官及び外務書記という名称を用いることができる。

2　外務大臣は、公の便宜のために国際慣行に従い特に必要と認める場合には、外務職員に対し、前項に掲げる公の名称以外の公の名称を用いさせることができる。

3　前二項に定めるものを除く外、公の名称に関し必要な事項は、外務省令で定める。

第三章　任免

（外務公務員の欠格事由）

第七条　国家公務員法第三十八条の規定に該当する場合のほか、国籍を有しない者又は外国の国籍を有する者

は、外務公務員となることができない。

2 外務公務員は、前項の規定により外務公務員となることができなくなつたときは、当然失職する。

（特別職の外務公務員の任免等）

第八条 大使及び公使の任免は、外務大臣の申出により内閣が行い、天皇がこれを認証する。

2 外務大臣は、大使及び公使に在外公館の長を命ずる場合又は在外公館の長たる大使及び公使に在外公館の長であることを免ずる場合には、政令で定めるところにより、あらかじめ内閣総理大臣及び内閣官房長官に協議した上で、当該協議に基づいて行うものとする。

3 内閣総理大臣又は内閣官房長官は、大使及び公使について適切な人事管理を確保するために必要があると認めるときは、外務大臣に対し、大使及び公使に在外公館の長を命ずること並びに在外公館の長たる大使及び公使に在外公館の長であることを免ずることについて協議を求めることができる。この場合において、協議が調つたときは、外務大臣は、当該協議に基づいて在外公館の長を命じ、又は在外公館の長であることを免ずるものとする。

4 第二条第一項第三号から第六号までに掲げる外務公務員の任免は、外務大臣の申出により内閣が行う。

5 前項の外務公務員については、国会議員のうちから、任免することができる。

6 前二項の外務公務員は、その任務を終了したときは、解任されるものとする。

（信任状等の認証）

第九条 大使及び公使の信任状及び解任状、外国における重要な儀式への参列に際し特派大使に携行させる信任状、全権委任状並びに領事官の委任状は、天皇がこれを認証する。

（選考による外務職員の任命）

第十条 外務大臣は、もつぱら財務、商務、農務、労働等に関する外交領事事務又は特別の技術を必要とする外交領事事務に従事させるためその他特に必要がある場合には、外務省令で定めるところにより、選考によつて外務職員を任命することができる。

第十一条 削除

（大使及び公使の待命）

第十二条 在外公館の長たる大使及び公使その他在外公館に勤務する大使及び公使は、その在外公館に勤務することを免ぜられたときは、新たに在外公館に勤務することを命ぜられるまでの間、待命となる。

2 待命の大使又は公使は、その待命の期間が一年を経過するときは、その職を免ぜられる。

3 待命の大使又は公使は、特別の必要がある場合には、臨時に、第二条第一項第三号から第六号までに掲げる者の任務又はこれらに準ずる任務（以下「特派大使等の任務」という。）その他外務省本省の事務に従事させることができる。

4 待命の大使又は公使は、前項の規定により特派大使等の任務に従事している間にその待命の期間が一年を経過するに至つた場合には、第二項の規定にかかわらず、その任務を終了するまでの間は、その職を免ぜられない。

5 待命の大使又は公使には、第三項の規定により臨時に特派大使等の任務その他外務省本省の事務に従事する場合を除くほか、待命の期間中、俸給及び地域手当のそれぞれ百分の八十を支給するものとする。

6 第二項から前項までに規定する場合を除くほか、待命の大使又は公使は、この法律の適用については、待命でない大使又は公使と異なることはない。

第四章 給与

（在外公館に勤務する外務公務員の給与）

第十三条 在外公館に勤務する外務公務員の給与は、在外公館の名称及び位置並びに在外公館に勤務する外務公務員の給与に関する法律（昭和二十七年法律第九十三号）に基いて支給するものとする。

第五章 人事評価及び能率

（人事評価）

第十四条 外務職員の人事評価の基準及び方法に関する事項その他人事評価に関し必要な事項は、外務省令で定める。

（研修）

第十五条 外務大臣は、外務省令で定めるところにより、外務職員に、政令で定める文教研修施設又は外国を含むその他の場所で研修を受ける機会を与えなければならない。

（査察）

第十六条 外務大臣は、在外公館の事務が適正に行われているかどうかを査察させるため、外務公務員のうち適当と認める者を査察使として派遣することができる。

2 査察使は、査察の結果を遅滞なく外務大臣に文書で報告しなければならない。

3 外務大臣は、前項の報告を受けたときは、その報告に基き必要と認める措置を執らなければならない。

4 前三項に定めるものを除く外、査察に関し必要な事項は、外務省令で定める。

第六章 保障

（勤務条件に関する行政措置の要求）

第十七条 外務職員は、勤務条件に関し、外務大臣により適当な行政上の措置が行われることを要求しようとするときは、国家公務員法第八十六条の規定にかかわらず、審議会等（国家行政組織法（昭和二十三年法律第百二十号）第八条に規定する機関をいう。）で政令で定めるもの（以下「審議会」という。）に対して要求しなければならない。

2 国家公務員法第八十七条及び第八十八条の規定は、前項の要求に係る事案の審査及び判定並びにその結果執るべき措置に準用する。この場合において、同法第八十七条中「前条」とあるのは「外務公務員法第十七条第一項」と、「人事院」とあるのは「同項に規定する審議会」と、「職員」とあるのは「外務職員」と、同法第八十八条中「人事院」とあるのは「外務公務員法第十七条第一項に規定する審議会」と、「その権限に属する事項については、自らこれを実行し、その他の事項については、内閣総理大臣又はその職員の所轄庁の長に対し、」とあるのは「外務大臣に対し、」と読み替えるものとする。

3 前二項に定めるものを除く外、勤務条件に関する行政措置の要求に関する審査の手続に関し必要な事項は、政令で定める。

第十八条 外務職員は、前条の規定による審議会の判定に対し不服があるときは、人事院に対し、再審査を要求することができる。

2 国家公務員法第八十七条及び第八十八条の規定は、前項の要求に係る事案の審査及び判定並びにその結果執るべき措置に準用する。この場合において、同法第八十七条中「前条」とあるのは「外務公務員法第十八条第一項」と、「職員」とあるのは「外務職員」と、同法第八十八条中「その権限に属する事項については、自らこれを実行し、その他の事項については、内閣総理大臣又はその職員の所轄庁の長に対し、」とあるのは「外務大臣に対し、」と読み替えるものとする。

（懲戒処分についての審査請求）

第十九条 外務職員が外交機密の漏えいによつて国家の重大な利益を毀損したという理由で懲戒処分を受けた場合におけるその処分についての審査請求は、国家公務員法第九十条第一項の規定にかかわらず、外務大臣に対してしなければならない。

2 前項の処分については、国家公務員法第八十九条第三項中「人事院」とあるのは、「外務大臣」と読み替えるものとする。

3 国家公務員法第九十条第三項及び第九十条の二の規定は、第一項に規定する審査請求について準用する。

第二十条 外務大臣は、前条第一項の処分についての審査請求がされたときは、これを却下する場合を除き、直ちにその事案を審議会の調査に付さなければならない。

2 審議会は、前項の規定に基いて事案を調査する場合において、処分を受けた外務職員の請求があつたときは、口頭審理を行わなければならない。

3 口頭審理は、非公開とする。

4 処分を受けた外務職員は、すべての口頭審理に出席し、陳述を行い、証人を出席させ、並びに書類、記録その他のあらゆる適切な事実及び資料を提出することができる。

5 前条第一項の処分についての審査請求に対する裁決は、審議会の調査の結果に基づいてしなければならない。

6 外務大臣は、前条第一項の処分の全部又は一部を取り消し、又は変更したときは、その処分によつて当該外務職員が失つた給与の弁済をしなければならない。

第二十一条 前二条に定めるものを除くほか、懲戒処分についての審査請求の手続に関し必要な事項は、政令で定める。

（審査請求と訴訟との関係）

第二十二条 第十九条第一項の処分の取消しの訴えは、当該処分についての審査請求に対する外務大臣の裁決を経た後でなければ、提起することができない。

第七章 服務

（休暇帰国）

第二十三条 外務大臣は、在外公館に勤務する外務公務員のうち一又は二以上の在外公館に引き続き勤務する期間（不健康地その他これに類する地域で外務大臣が指定するものにある在外公館にあつては、勤務する期間一月につき一月を加算した期間）が三年をこえる者に対し、三年につき一回、二月以内の期間（勤務地と本邦との間を往復するに要する期間を除く。）の休暇のための帰国（以下「休暇帰国」という。）を許すことができる。

2 特別の事情がある場合には、休暇帰国の期間は、前項に定める期間に二月以内の期間を加えたものとすることができる。

3 第一項の休暇は、有給休暇とする。

4　前三項に定めるものを除く外、休暇帰国に関し必要な事項は、外務省令で定める。

第八章　名誉総領事及び名誉領事並びに外国人の任用

（名誉総領事及び名誉領事の任命）
第二十四条　外務大臣は、審議会の意見を聞いて、名誉総領事又は名誉領事を任命することができる。

（外国人の採用）
第二十五条　外務大臣は、審議会の意見を聞いて、外務省本省に勤務する外国人を採用することができる。
2　在外公館の長は、外務大臣の許可を得て、当該在外公館に勤務する外国人を採用することができる。

第九章　雑則

（政令及び外務省令）
第二十六条　外務大臣は、第十七条第三項及び第二十一条の規定に基づく政令案の立案並びに第五条第二項、第十条、第十四条、第十五条、第十六条第四項及び第二十三条第四項の規定による外務省令の制定又は改廃を行うときは、あらかじめ審議会の議に付し、その意見に基づいてこれをしなければならない。

（罰則）
第二十七条　第四条において準用する国家公務員法第百条第一項又は第二項の規定に違反して秘密を漏らした者及びこれらの項の規定に違反する行為を企て、命じ、故意にこれを容認し、唆し、又はその幇《ほう》助をした者は、一年以下の拘禁刑又は三万円以下の罰金に処する。

（国外犯罪）
第二十八条　国家公務員法中外務職員に関して適用される罰則の規定及び前条の規定は、国外において当該各条に掲げるいずれかの罪を犯した者にも適用する。

附　則（抄）

1　この法律は、日本国との平和条約の最初の効力発生の日（昭和二十七年四月一日までに同条約が効力を発生しないときは、同日）から施行する。但し、第二十六条及び附則第五項の規定は、公布の日から施行する。
2　第十九条から第二十二条までの規定は、外務省本省に勤務する一般職の国家公務員で外務公務員でないものに準用する。この場合において、第十九条第一項、第二十条第二項及び第四項並びに第二十条第六項中「外務職員」とあるのは、「外務省本省に勤務する一般職の国家公務員で外務公務員でないもの」と読み替えるものとする。

○外務公務員法施行令

昭二七・一二・一
政令四七三

最終改正　令二・一二・二四政令三七七

第一章　特命全権大使の任免に係る外務大臣の申出に関する手続

第一条　外務大臣は、特命全権大使の任免について、外務公務員法（以下「法」という。）第八条第一項の規定による申出を行う場合において、必要があると認めるときは、外務人事審議会の意見を求めることができる。

第一章の二　内閣総理大臣及び内閣官房長官との協議の手続

第一条の二　法第八条第二項の規定による協議は、在外公館の長を命じようとし、又は免じようとする特命全権大使及び特命全権公使の氏名、その命じようとし、又は免じようとする内容その他の内閣総理大臣が定める事項を記載した書面により行うものとする。

第一章の三　外務省研修所

第一条の三　法第十五条に規定する政令で定める文教研修施設は、外務省研修所とする。

第二章　勤務条件に関する行政措置の要求に関する審査の手続

（行政措置の要求）

第一条の四 法第十七条第一項に規定する審議会等で政令で定めるものは、外務人事審議会（以下「審議会」という。）とする。

第二条 法第十七条第一項の規定による勤務条件に関する行政措置の要求は、外務職員（法第二条第五項に規定する外務職員をいう。以下同じ。）が、個別的に、又は職員団体（人事院に登録された外務省の職員団体をいう。以下同じ。）を通じてその代表者により団体的に行うことができる。

第三条 前条に規定する要求を行う外務職員（職員団体の代表者を含む。以下本章において「申請者」という。）は、行政措置要求書正副各一通を、書類、記録その他の適切な資料とともに、審議会に提出しなければならない。ただし、資料については、申請者は、審査の係属中においても、随時これを提出することができる。

2 前項の行政措置要求書には、左に掲げる事項を記載しなければならない。

一 申請者の官職、氏名、住所、生年月日及び勤務場所。但し、申請者が職員団体の代表者である場合には、職員団体における役職名及び氏名

二 要求事項

三 要求の事由

（要求の受理）

第四条 審議会は、行政措置要求書が提出された場合には、行政措置要求書の記載事項及び申請者の資格について審査し、その要求を受理するかどうかについて決定を行わなければならない。

2 審議会は、要求を受理した場合には、その旨を申請者及び外務大臣に通知し、却下した場合には、その旨を申請者に通知しなければならない。

（事案の審査等）

第五条 審議会は、事案の審査のため必要と認めるときは、申請者又はその他の関係者から意見を徴し、又はこれらの者に対し資料の提出を求め、若しくは出頭を求めてその陳述を聞き、その他必要な事実調査を行うことができる。

2 審議会は、前項の事案の審査のため必要と認めるときは、公開又は非公開の口頭審理を行うことができる。

（要求の取下及び審査の打切）

第六条 申請者は、審議会が判定を行うまでは、いつでも書面をもつて要求を取り下げることができる。

2 要求が審議会に係属中において、申請者の死亡等により事案の審査を継続することが不可能となつた場合又は事案の解決、要求の事由の消滅等により事案の審査を継続する必要がなくなつた場合には、審議会は、その審査を打ち切り、要求を却下することができる。

（勧告書及び判定書の送達）

第七条 審議会は、事案の審査を終了したときは、すみやかに事案を判定し、判定書を申請者に送達するとともに、その写を外務大臣に送付しなければならない。

2 審議会が判定に基き、外務大臣に対し勧告する場合には、勧告書を外務大臣に送付するとともに、その写を申請者に送達しなければならない。

（委任規定）

第八条 本章に定めるものを除く外、勤務条件に関する行政措置の要求に関する審議会の審査の手続に関し必要な事項は、審議会が定める。

第三章 懲戒処分についての審査請求に関する審査の手続

（審査請求書）

第九条 法第十九条第一項の懲戒処分についての審査請求は、審査請求書正副各一通を外務大臣に提出してしなければならない。

2 前項の審査請求書には、次に掲げる事項を記載しなければならない。

一 処分を受けた者の氏名、生年月日及び住所並びに現にその者が外務職員である場合には、その官職及び勤務場所

二 処分を受けた当時における官職及び勤務場所

三 処分者（処分を行つた者をいう。ただし、その者が官職を去つた場合には、現にその官職にある者をいう。以下同じ。）の官職及び氏名

四 処分の年月日及び処分説明書を受領した年月日

五 審査請求の趣旨及び理由

六 口頭審理を請求する場合には、その旨

七 審査請求の年月日

（補正）

第十条 外務大臣は、審査請求書が前条の規定に違反する場合には、十日以上の期間を定めて、その期間内に不備を補正すべきことを命じなければならない。ただし、その違反の程度が軽微であるときは、この限りでない。

（代理者及び代理人）

第十一条 処分者は、審議会の調査に関し必要があるときは、外務職員のうちから任意に自己の代理者を選任し、及びこれを解任することができる。

2　代理者は、審議会の調査については、処分者とみなす。

3　審査請求人及び処分者（以下「当事者」という。）は、審議会の調査に関し必要があるときは、審議会の承認を得て、その者を代理する代理人を選任し、及びこれを解任することができる。

4　代理人は、当事者のために審査請求に係る事案の調査に関し必要な行為をすることができる。ただし、審査請求人の代理人は、審査請求の全部又は一部を取り下げることはできない。

5　代理人の行つた行為は、当事者が遅滞なく取り消し、又は訂正したときは、その効力を失う。

6　処分者が代理者を選任し、又は解任した場合及び当事者が代理人を選任し、又は解任した場合には、遅滞なくその者の氏名、住所及び官職又は職業を審議会に届け出なければならない。

（欠格条項）

第十二条　左の各号の一に該当する審議会の委員（臨時委員を含む。以下同じ。）は、調査に加わることができない。

一　当事者若しくはその代理人である者又はそれらであつた者あるいは職務上その事案の処分に関与した者

二　当事者の配偶者、四親等以内の血族若しくは三親等以内の姻族である者又はそれらであつた者

三　その事案について証人又は鑑定人として指名された者

（忌避の申立）

第十三条　当事者又はその代理人は、審議会の委員について、調査の公正を妨げるような事情があると認めるときは、審議会に対し、当該委員を忌避することを申し立てることができる。

2　審議会は、忌避の申立があつたときは、事案の調査中であると否とを問わず、直ちにこれを審査しなければならない。この場合においては、忌避を申し立てられた委員は、当該審査に加わることができない。

3　審議会は、前項の審査の結果、申立に正当な事由がないと認めるときは、その申立を却下し、申立が正当な事由に基いたものであると認めるときは、その事案につき、当該委員の職務の執行を停止しなければならない。

（審議会の調査）

第十四条　審議会は、審査請求に係る事案がその調査に付された場合には、当事者、代理人、証人及び鑑定人の陳述の聴取、関係資料の検討等を行い、外務大臣がその事案について公正妥当な判定を行うことができるように、その事案の調査をしなければならない。

2　審議会の調査は、三名以上の委員によつて行わなければならない。

（調査の方法）

第十五条　審議会の調査は、審査請求人による口頭審理の請求があつた場合を除くほか、書面審理によつて行う。ただし、審議会は、必要があると認めるときは、口頭審理を行うことができる。

2　審議会は、二以上の審査請求が、同一の審査請求人からなされたものである場合又は同一の事件若しくは相関連する事件に関して同一の処分者により行われた処分に係る場合には、審査請求人の請求により、又は職権で、これらの審査請求に係る事案を併せて調査することができる。

3　審議会は、必要があると認めるときは、前項の規定により併合した調査を分離することができる。

（口頭審理）

第十六条　審議会は、口頭審理を行う場合には、最初の口頭審理の期日の二十日前までに、書面をもつてその日時及び場所を当事者又はその代理人に通知しなければならない。

2　当事者の一方及びその代理人が、ともにやむを得ない事由によつて指定された日時に口頭審理に出席することができないときは、口頭審理の期日の五日前までに到着するように、理由を記載した書面を審議会に提出して、その日時の変更を申請することができる。

3　審議会は、前項の申請が正当な理由に基くものであると認めるときは、新たな日時を指定しなければならない。

4　審議会は、当事者の一方及びその代理人が、ともに口頭審理の期日に正当な理由がなくて出頭しなかつたとき、又は出頭しても相手方の主張した事実について争わなかつたと明白に認められるときは、その相手方の主張した事実を承認したものとみなすことができる。

5　審議会は、口頭審理の終了前に、当事者又はその代理人に対し、最終陳述をし、且つ、必要な証拠を提出することができる機会を与えなければならない。

（証拠の提出等）

第十七条　審議会は、当事者又はその代理人に対し、証拠の提出を求め、又は質問することができる。

2　当事者又はその代理人は、証拠を審議会に提出することができる。

（証拠調等）

第十八条　当事者又はその代理人は、審議会に対し、証拠調を申請することができる。
2　審議会は、職権で、必要と認める証拠調をすることができる。
3　審議会は、学識経験のある者に鑑定を依頼することができる。

（調書）
第十九条　審議会は、事案の調査を終了したときは、すみやかに、調査に関する調書を作成し、これを外務大臣に提出しなければならない。
2　前項の調書には、審査請求に係る処分を承認すべきであるか、どのように修正すべきであるか、又は取り消すべきであるかの意見を付さなければならない。ただし、処分者のした処分よりも審査請求人にとつて不利益となるような意見を付することはできない。
3　第一項の調書には、調査を行つた委員の氏名を記載しなければならない。

（裁決）
第二十条　外務大臣は、審査請求が法定の期間経過後にされたものであるとき、その他不適法であるときは、裁決で、当該審査請求を却下する。ただし、その不適法が、審査請求書が第九条の規定に違反する場合であるときは、審査請求人が第十条の規定による補正命令に応じなかつたときでなければ、却下することができない。
2　外務大臣は、前条の規定により審議会から調書が提出されたときは、これに基づいて、裁決で、当該審査請求を棄却し、又は当該審査請求に係る処分の全部若しくは一部を取り消し、若しくは修正する。
3　外務大臣は、前項の規定による裁決をしたときは、速やかに、裁決書を当事者に送付しなければならない。

（審査請求の取下げ及び処分の取消し又は修正）
第二十一条　審査請求人は、審査請求に係る事案に関する外務大臣の裁決があるまでは、審議会の承認を得て、審査請求の全部又は一部を取り下げることができる。
2　審査請求が審議会の調査に付されている場合において、処分者が当該審査請求に係る処分を取り消し、又は修正したときは、処分者は、審査請求人にその旨を通知しなければならない。
3　審査請求人は、前項の通知を受領した場合には、調査中の審査請求を継続するか、又は取り下げるかを速やかに外務大臣に申し出なければならない。

（調査の費用）
第二十二条　調査の費用は、左に掲げるものを除く外、それぞれ当事者の負担とする。
一　審議会が職権で出頭を依頼した証人及び鑑定人の旅費
二　審議会が職権で行つた証拠調に関する費用
三　審議会の文書送達に要した費用

（委任規定）
第二十三条　この章に定めるものを除くほか、懲戒処分に関する審査請求に係る事案の調査の手続に関し必要な事項は、審議会が定める。

附　則（抄）
この政令は、公布の日から施行する。

○裁判所職員臨時措置法

昭二六・一二・六
法　二　九　九

最終改正　令三・六・一一法六一

裁判官及び裁判官の秘書官以外の裁判所職員の採用試験、任免、給与、人事評価、能率、分限、懲戒、保障、服務、退職管理及び退職年金制度に関する事項については、他の法律に特別の定めのあるものを除くほか、当分の間、次に掲げる法律の規定を準用する。この場合において、これらの法律の規定（国家公務員法（昭和二十二年法律第百二十号）第三十八条第三号及び国家公務員の自己啓発等休業に関する法律（平成十九年法律第四十五号）第八条第二項の規定を除く。）中「人事院」、「内閣総理大臣」、「内閣府」又は「内閣」とあるのは「最高裁判所」と、「人事院規則」、「政令」又は「命令」とあるのは「最高裁判所規則」と、「国家公務員倫理審査会」とあるのは「裁判所職員倫理審査会」と、「再就職等監視委員会」とあるのは「裁判所職員再就職等監視委員会」と、国家公務員法第五十七条中「採用（職員の幹部職への任命に該当するものを除く。）」とあるのは「採用」と、同法第五十八条第一項中「転任（職員の幹部職への任命に該当するものを除く。）」とあるのは「転任」と、同条第二項中「降任させる場合（職員の幹部職への任命に該当する場合を除く。）」とあるのは「降任させる場合」と、同条第三項中「転任（職員の幹部職への任命に該当するものを除く。）」とあるのは「転任」と、同法第七十条の六第一項中「研修（人事院にあつては第一号に掲げる観点から行う研修とし、内閣総理大臣にあつては第二号に掲げる観点から行う研修とし、関係庁の長にあつては第三号に掲げる観点から行う研修とする。」」とあるのは「研修」と、同法第八十二条第二項中「特別職に属する国家公務員」とあるのは「一般職に属する国家公務員、特別職に属する国家公務員（裁判官及び裁判官の秘書官以外の裁判所職員を除く。）」と、同法第百六条の二第二項第三号中「官民人材交流センター（以下「センター」という。）」とあるのは「最高裁判所規則の定めるところにより裁判官及び裁判官の秘書官以外の裁判所職員の離職に際しての離職後の就職の援助に関する事務を行う最高裁判所の組織」と、同法第百六条の三第二項第三号中「センター」とあるのは「前条第二項第三号に規定する組織」と読み替えるものとする。

一　国家公務員法（第一条から第三条まで、第四条から第二十五条まで、第二十八条、第三十三条第二項第二号、第三十三条の二、第三十四条第一項第六号及び第七号、第四十五条の二、第四十五条の三、第五十四条、第五十五条、第六十一条の二から第六十一条の十一まで、第六十四条第二項、第六十七条、第七十条の三第二項、第七十条の六第一項各号及び第三項から第五項まで、第七十条の七、第七十三条第二項、第七十三条の二、第七十八条の二、第九十五条、第百六条の七から第百六条の十三まで、第百六条の十四第三項から第五項まで、第百六条の十五、第百六条の二十五、第百六条の二十六、第百八条並びに第百八条の五の二の規定並びにこれらの規定に関する罰則並びに執行官について第六十条の二、第八十一条の二から第八十一条の八まで並びに附則第八条及び第九条の規定を除く。）

二　一般職の任期付職員の採用及び給与の特例に関する法律（平成十二年法律第百二十五号）（第十一条の規定を除く。）

三　一般職の職員の給与に関する法律（昭和二十五年法律第九十五号）（第二条及び第二十四条の規定を除く。）

四　国家公務員の寒冷地手当に関する法律（昭和二十四年法律第二百号）（第三条第二項、第四条及び第五条の規定を除く。）

五　国家公務員災害補償法（昭和二十六年法律第百九十一号）

六　一般職の職員の勤務時間、休暇等に関する法律（平成六年法律第三十三号）（第二条及び第三条の規定を除く。）

七　国家公務員の育児休業等に関する法律（平成三年法律第百九号）

八　国家公務員の自己啓発等休業に関する法律

九　国家公務員の配偶者同行休業に関する法律（平成二十五年法律第七十八号）

十　国家公務員倫理法（平成十一年法律第百二十九号）（第二条第二項第三号から第五号まで、同条第三項第二号から第四号まで、同条第四項第二号及び第三号、同条第七項、第四条、第五条第四項から第六項まで、第十三条から第二十一条まで、第四十条から第四十三条まで並びに第四十六条の規定を除く。）

附　則（抄）

1　この法律は、昭和二十七年一月一日から施行する。

2　この法律は、この法律の施行前に生じた事項にも適用する。但し、この法律の本則に掲げる法律の規定によつて生じた効力を妨げない。

3　この法律の施行前にこの法律の本則に掲げる法律の規定によつてした処分、手続その他の行為は、この法律の適用については、この法律の規定によつてしたものとみなす。

4　この法律の施行前にした行為に対する罰則の適用については、この法律の施行後も、なお従前の例による。

○裁判所職員に関する臨時措置規則

昭二七・二・六
最高裁規則一

最終改正　平二一・三・三一最高裁規則六

裁判官及び裁判官の秘書官以外の裁判所職員の採用試験、任免、給与、能率、分限、懲戒、保障及び服務に関する事項については、他の最高裁判所規則に特別の定のあるものを除くほか、当分の間、その性質に反しない限り、裁判所職員臨時措置法（昭和二十六年法律第二百九十九号）に掲げる法律の規定に基く人事院規則、政令又は命令の規定を準用する。

附　則

この規則は、公布の日から施行し、昭和二十七年一月一日から適用する。

○国会職員法

昭二二・四・三〇
法　八　五

最終改正　令四・六・一七法六八

第一章　総則

〔国会職員の範囲〕

第一条　この法律において国会職員とは、次に掲げる者をいう。

一　各議院事務局の事務総長、参事、常任委員会専門員及び常任委員会調査員並びに衆議院事務局の調査局長及び調査局調査員

二　各議院法制局の法制局長及び参事

三　国立国会図書館の館長、副館長、司書、専門調査員、調査員及び参事

四　裁判官弾劾裁判所事務局（以下「弾劾裁判所事務局」という。）及び裁判官訴追委員会事務局（以下「訴追委員会事務局」という。）の参事

五　前各号に掲げる者を除くほか、各議院事務局、各議院法制局、国立国会図書館、弾劾裁判所事務局及び訴追委員会事務局の職員

第二章　任用

〔欠格事由〕

第二条　国会職員は次の各号のいずれかに該当しない者でなければならない。

一　拘禁刑に処せられて、その刑の執行を終わらない者又はその刑の執行を受けることのなくなるまでの者

二　懲戒処分により官公職を免ぜられ、その身分を失つた日から二年を経過しない者

三　前二号のいずれかに該当する者のほか、国家公務員法（昭和二十二年法律第百二十号）の規定により官職に就く能力を有しない者

〔任用〕

第三条　国会職員の任用は、別に定のあるものを除き、各本属長の定める任用の基準に基いて、これを行う。

第三条の二　国会職員の昇任（国会職員にその国会職員が現に命ぜられている職より上位の職制上の段階に属する職を命ずることをいう。以下同じ。）及び転任（国会職員にその国会職員が現に命ぜられている職以外の職を命ずることであつて昇任及び降任（国会職員にその国会職員が現に命ぜられている職より下位の職制上の段階に属する職を命ずることをいう。以下同じ。）に該当しないものをいう。以下同じ。）は、各本属長が、国会職員の人事評価（任用、給与、分限その他の人事管理の基礎とするために、国会職員がその職務を遂行するに当たり発揮した能力及び挙げた業績を把握した上で行われる勤務成績の評価をいう。以下同じ。）に基づき、命じようとする職の属する職制上の段階の標準的な職に係る標準職務遂行能力（職制上の段階の標準的な職の職務を遂行する上で発揮することが求められる能力として両議院の議長が協議して定めるものをいう。以下同じ。）及び当該命じようとする職についての適性を有すると認められる者の中から行うものとする。

②　各本属長は、国会職員を降任させる場合には、当該

国会職員の人事評価に基づき、命じようとする職の属する職制上の段階の標準的な職に係る標準職務遂行能力及び当該命じようとする職についての適性を有すると認められる職を命ずるものとする。

③　国際機関に派遣されていたこと等の事情により、人事評価が行われていない国会職員の昇任、降任及び転任については、前二項の規定にかかわらず、各本属長が、人事評価以外の能力の実証に基づき、命じようとする職の属する職制上の段階の標準的な職に係る標準職務遂行能力及び当該命じようとする職についての適性を判断して行うことができる。

④　前三項の標準的な職は、係員、係長、課長補佐、課長その他の職とし、職制上の段階及び職務の種類に応じ、両議院の議長が協議して定める。

第三条の三　各本属長は、高度の専門的な知識経験又は優れた識見を有する者をその者が有する当該高度の専門的な知識経験又は優れた識見を一定の期間活用して遂行することが特に必要とされる業務に従事させる場合には、選考により、任期を定めて国会職員を採用することができる。

②　各本属長は、前項の規定によるほか、専門的な知識経験を有する者を当該専門的な知識経験が必要とされる業務に従事させる場合において、両議院の議長が協議して定める場合に該当するときであつて、当該専門的な知識経験を有する者を当該業務に期間を限つて従事させることが公務の能率的運営を確保するために必要であるときは、選考により、任期を定めて国会職員を採用することができる。

③　前二項の規定により採用される国会職員の任期及びこれらの規定により任期を定めて採用された国会職員の任用の制限については、一般職の任期付職員の採用及び給与の特例に関する法律（平成十二年法律第百二十五号）の適用を受ける職員の例による。

④　前三項の規定の実施に関し必要な事項は、両議院の議長が協議して定める。

⑤　前各項の規定は、非常勤の職員の採用については、適用しない。

〔採用〕

第四条　国会職員の採用は、国会職員であつた者又はこれに準ずる者のうち、両議院の議長が協議して定める者を採用する場合その他両議院の議長が協議して定める場合を除き、条件付のものとし、国会職員が、その職において六月の期間（六月の期間とすることが適当でないと認められる国会職員にあつては、両議院の議長が協議して定める期間）を勤務し、その間その職務を良好な成績で遂行したときに、正式のものとなるものとする。

②　前項に定めるもののほか、条件付採用に関し必要な事項は、両議院の議長が協議して定める。

〔定年前再任用短時間勤務職員の任用〕

第四条の二　各本属長は、年齢六十年に達した日以後にこの法律の規定により退職（各議院事務局の事務総長、議長又は副議長の秘書事務をつかさどる参事及び常任委員会専門員、各議院法制局の法制局長並びに国立国会図書館の館長及び専門調査員並びに臨時の職員、法律により任期を定めて任用される国会職員及び非常勤の職員が退職する場合を除く。）をした者（以下この条及び第二十八条第二項において「年齢六十年以上退職者」という。）を、両議院の議長が協議して定めるところにより、従前の勤務実績その他の両議院の議長が協議して定める情報に基づく選考により、短時間勤務の職（当該職を占める国会職員の一週間当たりの通常の勤務時間が、常時勤務を要する職でその職務が当該短時間勤務の職と同種の職を占める国会職員の一週間当たりの通常の勤務時間に比し短い時間である職をいう。以下この項及び第三項において同じ。）（第二十五条第三項の規定に基づく定めにおいて一般職の職員の給与に関する法律（昭和二十五年法律第九十五号）別表第十一に規定する指定職俸給表に相当する給料表の適用を受ける国会職員が占める職として両議院の議長が協議して定める職（第四項及び第四章において「指定職」という。）を除く。以下この項及び第三項において同じ。）に採用することができる。ただし、年齢六十年以上退職者がその者を採用しようとする短時間勤務の職に係る定年退職日相当日（短時間勤務の職を占める国会職員が、常時勤務を要する職でその職務が当該短時間勤務の職と同種の職を占めているものとした場合における第十五条の六第一項に規定する定年退職日をいう。次項及び第三項において同じ。）を経過した者であるときは、この限りでない。

②　前項の規定により採用された国会職員（以下この条及び第二十八条第二項において「定年前再任用短時間勤務職員」という。）の任期は、採用の日から定年退職日相当日までとする。

③　各本属長は、年齢六十年以上退職者のうちその者を採用しようとする短時間勤務の職に係る定年退職日相当日を経過していない者以外の者を当該短時間勤務の職に採用することができず、定年前再任用短時間勤務職員のうち当該定年前再任用短時間勤務職員を昇任

し、降任し、又は転任しようとする短時間勤務の職に係る定年退職日相当日を経過していない定年前再任用短時間勤務職員以外の国会職員を当該短時間勤務の職に昇任し、降任し、又は転任することができない。
④　各本属長は、定年前再任用短時間勤務職員を、指定職又は指定職以外の常時勤務を要する職に昇任し、降任し、又は転任することができない。

〔適用除外〕
第五条　この章の規定（第二条の規定を除く。）は、各議院事務局の事務総長、議長又は副議長の秘書事務をつかさどる参事及び常任委員会専門員、各議院法制局の法制局長並びに国立国会図書館の館長及び専門調査員については、適用しない。

第三章　人事評価

〔人事評価の実施〕
第六条　国会職員の執務については、各本属長は、定期的に人事評価を行わなければならない。
②　人事評価の基準及び方法に関する事項その他人事評価に関し必要な事項は、両議院の議長が協議して定める。

〔人事評価に基づく措置〕
第七条　各本属長は、前条第一項の人事評価の結果に応じた措置を講じなければならない。

〔適用除外〕
第八条　この章の規定は、各議院事務局の事務総長、議長又は副議長の秘書事務をつかさどる参事及び常任委員会専門員、各議院法制局の法制局長並びに国立国会図書館の館長及び専門調査員については、適用しない。

第四章　分限及び保障

〔身分の保障〕
第九条　国会職員は、この法律で定める事由による場合でなければ、その意に反して、降任され、休職され、又は免職されることはない。
②　国会職員は、この法律で定める事由又は両議院の議長が協議して定める事由に該当するときは、降給されるものとする。
③　前項の規定により降給するときは、第十五条の二第三項に規定する他の職への降任等に伴う降給をする場合その他両議院の議長が協議して定める場合を除き、国会職員考査委員会の審査を経なければならない。

〔失職〕
第十条　国会職員が第二条各号（第二号を除く。）のいずれかに該当するに至つたときは、当然失職する。

〔降任及び免職〕
第十一条　国会職員が次の各号のいずれかに該当するときは、両議院の議長が協議して定めるところにより、その意に反して、これを降任し、又は免職することができる。
一　人事評価又は勤務の状況を示す事実に照らして、勤務実績が良くないとき。
二　身体又は精神の故障により、職務の遂行に支障があり、又はこれに堪えないとき。
三　その他その職に必要な適格性を欠くとき。
四　廃職となり、又は定員改正により過員を生じたとき。
②　前項第一号から第三号までの規定により降任し、又は免職するときは、国会職員考査委員会の審査を経なければならない。

〔退職〕
第十二条　第十三条第一項第三号により休職を命ぜられ、満期となつたときは、当然退職者とする。

〔休職〕
第十三条　国会職員が左の各号の一に該当するときは、その意に反して、これに休職を命ずることができる。
一　懲戒のため国会職員考査委員会の審査に付せられたとき
二　刑事事件に関し起訴されたとき
三　廃職となり又は定員改正により過員を生じたとき
四　身体又は精神の故障により長期の休養を要するとき
五　事務の都合により必要があるとき
②　前項第四号及び第五号の規定により休職を命ずるには、国会職員考査委員会の審査を経なければならない。
③　第一項の休職の期間は、第一号及び第二号の場合においては、その事件が、国会職員考査委員会又は裁判所に繫属中とし、第三号及び第五号の場合においては一年とし、第四号の場合においては、三年をこえない範囲内において、休養を要する程度に応じ個々の場合について、休職について権限のある者がこれを定める。
④　第一項第四号に該当し、三年に満たない期間休職を命ぜられた国会職員が、その期間経過の際、引き続き同号に該当するときは、休職について権限のある者は、その休職を発令した日から引き続き三年をこえない範囲内において、休養を要する程度に応じ、当該休職期間を延長しなければならない。

〔休職者の地位〕

第十四条　休職者は、その身分を有するが、職務に従事しない。

②　前条第一項第三号乃至第五号の規定により休職を命ぜられた者に対しては、休職期間が満期となるまでは、事務の都合により、何時でも復職を命ずることができる。

③　前条第一項第四号の規定により休職を命ぜられ同条第三項又は第四項の規定による三年の休職期間が満期となつた者及び同条第一項第五号の規定により休職を命ぜられその休職期間が満期となつた者については、事務の都合により、復職を命じ、又は休職期間を更新することができる。

〔休職・復職を命ずる者〕

第十五条　休職及び復職は、任用について権限がある者が、これを行う。

〔管理監督職勤務上限年齢による降任等〕

第十五条の二　各本属長は、管理監督職（指定職その他管理又は監督の地位にある国会職員が占める職のうち両議院の議長が協議して定める職（これらの職のうち、その職務と責任に特殊性があること又は欠員の補充が困難であることによりこの条の規定を適用することが著しく不適当と認められる職として両議院の議長が協議して定める職を除く。）をいう。以下この章において同じ。）を占める国会職員でその占める管理監督職に係る管理監督職勤務上限年齢に達している国会職員について、異動期間（当該管理監督職勤務上限年齢に達した日の翌日から同日以後における最初の四月一日までの間をいう。以下この章において同じ。）（第十五条の五第一項から第四項までの規定により延長された期間を含む。以下この項において同じ。）に、管理監督職以外の職又は管理監督職勤務上限年齢が当該国会職員の年齢を超える管理監督職（以下この項及び第三項においてこれらの職を「他の職」という。）への降任又は転任（降給を伴う転任に限る。）をするものとする。ただし、異動期間に、この法律の他の規定により当該国会職員について他の職への昇任、降任若しくは転任をした場合若しくは他の法律の規定により他の職に任用した場合又は第十五条の七第一項の規定により当該国会職員を管理監督職を占めたまま引き続き勤務させることとした場合は、この限りでない。

②　前項の管理監督職勤務上限年齢は、年齢六十年とする。ただし、次の各号に掲げる管理監督職を占める国会職員の管理監督職勤務上限年齢は、当該各号に定める年齢とする。

一　各議院事務局の事務次長、各議院法制局の法制次長及び国立国会図書館の副館長並びにこれらに準ずる管理監督職のうち両議院の議長が協議して定める管理監督職　年齢六十二年

二　前号に掲げる管理監督職のほか、その職務と責任に特殊性があること又は欠員の補充が困難であることにより管理監督職勤務上限年齢を年齢六十年とすることが著しく不適当と認められる管理監督職として両議院の議長が協議して定める管理監督職　六十年を超え六十四年を超えない範囲内で両議院の議長が協議して定める年齢

③　第一項本文の規定による他の職への降任又は転任（以下この章において「他の職への降任等」という。）を行うに当たつて各本属長が遵守すべき基準に関する事項その他の他の職への降任等に関し必要な事項は、両議院の議長が協議して定める。

〔管理監督職への任用の制限〕

第十五条の三　各本属長は、採用し、昇任し、降任し、又は転任しようとする管理監督職に係る管理監督職勤務上限年齢に達している者を、その者が当該管理監督職を占めているものとした場合における異動期間の末日の翌日（他の職への降任等をされた国会職員にあつては、当該他の職への降任等をされた日）以後、当該管理監督職に採用し、昇任し、降任し、又は転任することができない。

〔適用除外〕

第十五条の四　前二条の規定は、法律により任期を定めて任用される国会職員には適用しない。

〔管理監督職勤務上限年齢による降任等及び管理監督職への任用の制限の特例〕

第十五条の五　各本属長は、他の職への降任等をすべき管理監督職を占める国会職員について、次に掲げる事由があると認めるときは、当該国会職員が占める管理監督職に係る異動期間の末日の翌日から起算して一年を超えない期間内（当該期間内に次条第一項に規定する定年退職日（以下この項及び次項において「定年退職日」という。）がある国会職員にあつては、当該異動期間の末日の翌日から定年退職日までの期間内。第三項において同じ。）で当該異動期間を延長し、引き続き当該管理監督職を占める国会職員に、当該管理監督職を占めたまま勤務をさせることができる。

一　当該国会職員の職務の遂行上の特別の事情を勘案して、当該国会職員の他の職への降任等により公務の運営に著しい支障が生ずると認められる事由として両議院の議長が協議して定める事由

二　当該国会職員の職務の特殊性を勘案して、当該国会職員の他の職への降任等により、当該管理監督職の欠員の補充が困難となることにより公務の運営に著しい支障が生ずると認められる事由として両議院の議長が協議して定める事由

②　各本属長は、前項又はこの項の規定により異動期間（これらの規定により延長された期間を含む。）が延長された管理監督職を占める国会職員について、前項各号に掲げる事由が引き続きあると認めるときは、延長された当該異動期間の末日の翌日から起算して一年を超えない期間内（当該期間内に定年退職日がある国会職員にあつては、延長された当該異動期間の末日の翌日から定年退職日までの期間内。第四項において同じ。）で延長された当該異動期間を更に延長することができる。ただし、更に延長される当該異動期間の末日は、当該国会職員が占める管理監督職に係る異動期間の末日の翌日から起算して三年を超えることができない。

③　各本属長は、第一項の規定により異動期間を延長することができる場合を除き、他の職への降任等をすべき特定管理監督職群（職務の内容が相互に類似する複数の管理監督職（指定職を除く。以下この項及び次項において同じ。）であつて、これらの欠員を容易に補充することができない年齢別構成その他の特別の事情がある管理監督職として両議院の議長が協議して定める管理監督職をいう。以下この項において同じ。）に属する管理監督職を占める国会職員について、当該国会職員の他の職への降任等により、当該特定管理監督職群に属する管理監督職の欠員の補充が困難となることにより公務の運営に著しい支障が生ずると認められる事由として両議院の議長が協議して定める事由があると認めるときは、当該国会職員が占める管理監督職に係る異動期間の末日の翌日から起算して一年を超えない期間内で当該異動期間を延長し、引き続き当該管理監督職を占めている国会職員に当該管理監督職を占めたまま勤務をさせ、又は当該国会職員を当該管理監督職が属する特定管理監督職群の他の管理監督職に降任し、若しくは転任することができる。

④　各本属長は、第一項若しくは第二項の規定により異動期間（これらの規定により延長された期間を含む。）が延長された管理監督職を占める国会職員について前項に規定する事由があると認めるとき（第二項の規定により延長された当該異動期間を更に延長することができるときを除く。）又は前項若しくはこの項の規定により異動期間（前三項又はこの項の規定により延長された期間を含む。）が延長された管理監督職を占める国会職員について前項に規定する事由が引き続きあると認めるときは、延長された当該異動期間の末日の翌日から起算して一年を超えない期間内で延長された当該異動期間を更に延長することができる。

⑤　前各項に定めるもののほか、これらの規定による異動期間（これらの規定により延長された期間を含む。）の延長及び当該延長に係る国会職員の降任又は転任に関し必要な事項は、両議院の議長が協議して定める。

〔定年による退職〕

第十五条の六　国会職員は、定年に達したときは、定年に達した日以後における最初の三月三十一日又は各本属長があらかじめ指定する日のいずれか早い日（次条第一項及び第二項ただし書において「定年退職日」という。）に退職する。

②　前項の定年は、年齢六十五年とする。ただし、その職務と責任に特殊性があること又は欠員の補充が困難であることにより定年を年齢六十五年とすることが著しく不適当と認められる職を占める国会職員として両議院の議長が協議して定める国会職員の定年は、六十五年を超え七十年を超えない範囲内で両議院の議長が協議して定める年齢とする。

③　前二項の規定は、法律により任期を定めて任用される国会職員及び非常勤の職員には適用しない。

〔定年による退職の特例〕

第十五条の七　各本属長は、定年に達した国会職員が前条第一項の規定により退職すべきこととなる場合において、次に掲げる事由があると認めるときは、同項の規定にかかわらず、当該国会職員に係る定年退職日の翌日から起算して一年を超えない範囲内で期限を定め、当該国会職員を当該定年退職日において従事している職務に従事させるため、引き続き勤務させることができる。ただし、第十五条の五第一項から第四項までの規定により異動期間（これらの規定により延長された期間を含む。）を延長した国会職員であつて、定年退職日において管理監督職を占めている国会職員については、同条第一項又は第二項の規定により当該定年退職日まで当該異動期間を延長した場合に限るものとし、当該期限は、当該国会職員が占めている管理監督職に係る異動期間の末日の翌日から起算して三年を超えることができない。

一　前条第一項の規定により退職すべきこととなる国会職員の職務の遂行上の特別の事情を勘案して、当該国会職員の退職により公務の運営に著しい支障が生ずると認められる事由として両議院の議長が協議

して定める事由

二　前条第一項の規定により退職すべきこととなる国会職員の職務の特殊性を勘案して、当該国会職員の退職により、当該国会職員が占める職の欠員の補充が困難となることにより公務の運営に著しい支障が生ずると認められる事由として両議院の議長が協議して定める事由

② 各本属長は、前項の期限又はこの項の規定により延長された期限が到来する場合において、前項各号に掲げる事由が引き続きあると認めるときは、これらの期限の翌日から起算して一年を超えない範囲内で期限を延長することができる。ただし、当該期限は、その国会職員に係る定年退職日（同項ただし書に規定する国会職員にあつては、当該国会職員が占めている管理監督職に係る異動期間の末日）の翌日から起算して三年を超えることができない。

③ 前二項に定めるもののほか、これらの規定による勤務に関し必要な事項は、両議院の議長が協議して定める。

〔苦情の処理〕

第十五条の八　国会職員で、その意に反して、降給（他の職への降任等に伴う降給を除く。）、降任（他の職への降任等に該当する降任を除く。）、休職若しくは免職をされ、その他著しく不利益な処分若しくは取扱いを受け、又は懲戒処分を受けたものの苦情の処理に関しては、衆議院の事務局及び法制局並びに訴追委員会事務局の職員については衆議院議長が衆議院の議院運営委員会に諮つて定め、参議院の事務局及び法制局並びに弾劾裁判所事務局の職員については参議院議長が参議院の議院運営委員会に諮つて定め、国立国会図書館の職員については国立国会図書館の館長が両議院の議院運営委員会の承認を経て定めるところによる。

〔適用除外〕

第十六条　この章の規定（第十条の規定を除く。）は、各議院事務局の事務総長、議長又は副議長の秘書事務をつかさどる参事及び常任委員会専門員、各議院法制局の法制局長並びに国立国会図書館の館長及び専門調査員には適用しない。

② この章の規定（第十条の規定を除く。）は、臨時の職員の分限には適用しない。

③ 第九条、第十一条から第十五条まで及び前条の規定は、条件付採用期間中の職員の分限には適用しない。

④ 臨時の職員及び条件付採用期間中の職員の分限については、両議院の議長が協議して必要な事項を定めることができる。

第五章　服務等

〔服務の根本基準〕

第十七条　国会職員は、国会の事務に従事するに当り、公正不偏、誠実にその職務を尽し、以て国民全体に奉仕することを本分とする。

〔上司の命令に従う義務〕

第十八条　国会職員は、その職務を行うについては、上司の命令に従わねばならない。但し、その命令について意見を述べることができる。

〔組合〕

第十八条の二　国会職員は、組合又はその連合体（以下本条中「組合」という。）を結成し、若しくは結成せず、又はこれらに加入し、若しくは加入しないことができる。国会職員は、これらの組織を通じて、代表者を自ら選んでこれを指名し、勤務条件に関し、及びその他社交的厚生的活動を含む適法な目的のため、当局と交渉することができる。但し、この交渉は、当局と団体協約を締結する権利を含まないものとする。すべて国会職員は、国会職員の組合に属していないという理由で、不満を表明し、又は意見を申し出る自由を否定されてはならない。

② 国会職員は、前項の組合について、その構成員であること、これを結成しようとしたこと若しくはこれに加入しようとしたこと又はその組合における正当な行為をしたことのために不利益な取扱を受けない。

③ 国会職員は、同盟罷業、怠業その他の争議行為をし、又は国会の活動能率を低下させる怠業的行為をしてはならない。又、このような違法な行為を企て、又はその遂行を共謀し、そそのかし、若しくはあおつてはならない。

④ 国会職員で同盟罷業その他前項の規定に違反する行為をした者は、その行為の開始とともに、当局に対し、法令に基いて保有する任命上又は雇用上の権利を以て、対抗することができない。

⑤ 国会職員が当局と交渉する場合の手続その他組合に関し必要な事項は、両議院の議長が協議してこれを定める。

〔秘密を守る義務〕

第十九条　国会職員は、本属長の許可がなければ、職務上知り得た秘密を漏らすことはできない。その職を離れた後でも同様である。

〔信用失墜行為の禁止〕

第二十条　国会職員は、職務の内外を問わず、その信用を失うような行為があつてはならない。

〔政治的行為の禁止〕

第二十条の二　国会職員は、政党又は政治的目的のために、寄附金その他の利益を求め、若しくは受領し、又は何らの方法を以てするを問わず、これらの行為に関与し、あるいは選挙権の行使を除く外、両議院の議長が両議院の議院運営委員会の合同審査会に諮つて定める政治的行為をしてはならない。

②　国会職員は、公選による公職の候補者となり、又は公選による公職と兼ねることができない。

③　国会職員は、政党その他の政治的団体の役員、政治的顧問その他これらと同様な役割をもつ構成員となることができない。

〔営利行為の禁止〕

第二十一条　国会職員は、営利を目的とする事業団体の役員又は職員その他の使用人となり、又は営利を目的とする事業に従事することができない。

②　本属長は、その所属国会職員が、営利を目的としない事業団体の役員若しくは職員となり、又は営利を目的としない事業に従事することが、国会職員の職務遂行に支障があると認める場合においては、これを禁ずることができる。

〔兼職の禁止〕

第二十二条　国会職員は、本属長の許可を受けなければ、本職の外に、給料を得て他の事務を行うことはできない。

〔職務離脱の禁止〕

第二十三条　国会職員は、本属長の許可を受けなければ、濫りに職務を離れることはできない。

〔服務細則〕

第二十四条　国会職員の居住地、制服その他服務上必要な事項は、本属長がこれを定める。

第二十四条の二　国会職員の勤務時間、休日及び休暇に関する事項については、両議院の議長が、両議院の議院運営委員会の合同審査会に諮つてこれを定める。

〔適用除外〕

第二十四条の三　本章の規定は、各議院事務局の事務総長、議長又は副議長の秘書事務を掌る参事及び常任委員会専門員、各議院法制局の法制局長並びに国立国会図書館の館長については、これを適用しない。

②　第二十条の二から第二十二条までの規定は、両議院の議長が協議して定める非常勤の職員については、これを適用しない。

第五章の二　適性評価

〔適性評価〕

第二十四条の四　各議院の議長は、両議院の議長が協議して定めるところにより、両議院の議長が協議して定める国会職員又は国会職員になることが見込まれる者について、適性評価（国会法（昭和二十二年法律第七十九号）第百二条の十八に規定する適性評価をいう。以下次条までにおいて同じ。）を実施するものとする。

②　各議院の議長は、適性評価の対象となる者（以下この項において「評価対象者」という。）について、両議院の議長が協議して定める事項についての調査を行うため必要な範囲内において、その院の国会職員に評価対象者若しくは評価対象者の知人その他の関係者に質問させ、若しくは評価対象者に対し資料の提出を求めさせ、又は公務所若しくは公私の団体に照会して必要な事項の報告を求めることができる。

第二十四条の五　前条に定めるもののほか、適性評価の実施に関し必要な事項は、両議院の議長が協議して定める。

第六章　給与、旅費、災害補償及び年金等

〔給与〕

第二十五条　国会職員は、その在職中給料を受ける。

②　国会職員は、給料の外、必要な手当その他の給与及び旅費を受けることができる。

③　国会職員の給料、手当その他の給与の種類、額、支給条件及び支給方法並びに旅費については、別に法律（これに基く命令を含む。）で定めるものを除く外、両議院の議長が、両議院の議院運営委員会の合同審査会に諮つてこれを定める。

〔休職者の給与〕

第二十六条　第十三条の規定により休職を命ぜられた国会職員は、両議院の議長が両議院の議院運営委員会の合同審査会に諮つて定めるところにより、給与の全部又は一部を受けることができる。

〔災害補償〕

第二十六条の二　国会職員及びその遺族は、両議院の議長が両議院の議院運営委員会の合同審査会に諮つて定めるところにより、その国会職員の公務上の災害又は通勤による災害に対する補償等を受ける。

〔年金等〕

第二十七条　国会職員及びその遺族は、その国会職員の退職又は死亡の場合には、別に法律の定めるところにより、年金及び一時金並びに退職手当を受ける。

〔能率〕

第二十七条の二　各本属長は、国会職員の勤務能率の発揮及び増進のために、左の事項について計画を樹立

し、これが実施に努めるものとする。
一　国会職員の教育訓練に関する事項
二　国会職員の保健に関する事項
三　国会職員の元気回復に関する事項
四　国会職員の安全保持に関する事項
五　国会職員の厚生に関する事項

第二十七条の三　国会職員に関する留学費用の償還義務については、国家公務員の留学費用の償還に関する法律（平成十八年法律第七十号）第二条第一項に規定する職員の例による。

第七章　懲戒

〔懲戒〕
第二十八条　各議院事務局の事務総長、議長又は副議長の秘書事務をつかさどる参事及び常任委員会専門員、各議院法制局の法制局長並びに国立国会図書館の館長及び専門調査員を除く国会職員は、次の各号のいずれかに該当する場合において懲戒の処分を受ける。
一　職務上の義務に違反し、又は職務を怠つたとき。
二　職務の内外を問わずその信用を失うような行為があつたとき。
②　国会職員が、各本属長の要請に応じ国会職員以外の国家公務員、地方公務員又は沖縄振興開発金融公庫その他その業務が国の事務若しくは事業と密接な関連を有する法人のうち両議院の議長が協議して定めるものに使用される者（以下この項において「国会職員以外の国家公務員等」という。）となるため退職し、引き続き国会職員以外の国家公務員等として在職した後、引き続いて当該退職を前提として国会職員として採用された場合（一の国会職員以外の国家公務員等として在職した後、引き続き一以上の国会職員以外の国家公務員等として在職し、引き続いて当該退職を前提として国会職員として採用された場合を含む。）において、当該退職までの引き続く国会職員としての在職期間（当該退職前に同様の退職（以下この項において「先の退職」という。）、国会職員以外の国家公務員等としての在職及び国会職員としての採用がある場合には、当該先の退職までの引き続く国会職員としての在職期間を含む。以下この項において「要請に応じた退職前の在職期間」という。）のうち前項の国会職員としての在職期間中に同項各号のいずれかに該当したときは、当該国会職員（同項の国会職員であるものに限る。）は、懲戒の処分を受ける。定年前再任用短時間勤務職員が、年齢六十年以上退職者となつた日までの引き続く国会職員としての在職期間（要請に応じた退職前の在職期間を含む。）のうち同項の国会職員としての在職期間又は第四条の二第一項の規定によりかつて採用されて定年前再任用短時間勤務職員として在職していた期間中に前項各号のいずれかに該当したときも、同様とする。

〔懲戒の種類〕
第二十九条　懲戒は左の通りとする。
一　戒　告
二　減　給
三　停　職
四　免　職

〔懲戒の効果〕
第三十条　減給は、一日以上一年以下給料の五分の一以下を減ずる。

第三十条の二　停職の期間は、一日以上一年以下とする。
②　停職者は、国会職員としての身分を保有するが、職務に従事しない。停職者は、停職の期間中給与を受けることができない。

〔懲戒権者〕
第三十一条　懲戒は、国会職員考査委員会の審査を経て、任用について権限がある者が、これを行う。

〔刑事裁判との関係〕
第三十二条　懲戒に付せらるべき事件が、刑事裁判所に係属する間においても、同一事件について、適宜に、懲戒手続を進めることができる。この法律による懲戒処分は、その国会職員が、同一又は関連の事件に関し、重ねて刑事上の訴追を受けることを妨げない。

第八章　国会職員考査委員会

〔設置〕
第三十三条　国会職員の分限及び懲戒に関する事項を審査するため、各議院事務局、各議院法制局、国立国会図書館、裁判官弾劾裁判所（以下「弾劾裁判所」という。）及び裁判官訴追委員会（以下「訴追委員会」という。）に、それぞれ国会職員考査委員会を設ける。

〔組織通則〕
第三十四条　国会職員考査委員会は、それぞれ委員長一人、委員若干人でこれを組織する。

〔各議院事務局に設ける国会職員考査委員会の組織〕
第三十五条　各議院事務局に設ける国会職員考査委員会の委員長は、その院の事務局の事務総長、その委員は、その院の事務局の事務次長及び部長並びにその院が衆議院である場合にあつては衆議院事務局の調査局長、他の院の事務局の事務総長及び事務次長、各議院法制局の法制局長及び法制次長並びに国立国会図書館の館長が、これに当たる。

〔各議院法制局に設ける国会職員考査委員会の組織〕

第三十五条の二 各議院法制局に設ける国会職員考査委員会の委員長は、その院の法制局の法制局長、その委員は、その院の法制局の法制次長及び部長、他の院の法制局の法制局長及び法制次長、各議院事務局の事務総長及び事務次長並びに国立国会図書館の館長が、これに当る。

〔国立国会図書館に設ける国会職員考査委員会の組織〕

第三十六条 国立国会図書館に設ける国会職員考査委員会の委員長は、国立国会図書館の館長、その委員には、国立国会図書館の副館長、館長が指名する部局の長、関西館長及び国際子ども図書館長、各議院事務局の事務総長及び事務次長並びに各議院法制局の法制局長及び法制次長が、これに当たる。

〔弾劾裁判所に設ける国会職員考査委員会の組織〕

第三十七条 弾劾裁判所に設ける国会職員考査委員会の委員長は、弾劾裁判所の裁判長、その委員には、弾劾裁判所事務局及び訴追委員会事務局の事務局長、各議院事務局の事務総長及び事務次長並びに各議院法制局の法制局長及び法制次長が、これに当る。

〔訴追委員会に設ける国会職員考査委員会の組織〕

第三十八条 訴追委員会に設ける国会職員考査委員会の委員長は、訴追委員会の委員長、その委員は、訴追委員会事務局及び弾劾裁判所事務局の事務局長、各議院事務局の事務総長及び事務次長並びに各議院法制局の法制局長及び法制次長が、これに当る。

〔幹事〕

第三十九条 国会職員考査委員会にそれぞれ幹事数人を置き、各委員長が、国会職員の中よりこれを命ずる。

〔細則〕

第四十条 国会職員考査委員会に関する規程は、両議院の議院運営委員会の合同審査会に諮り、両議院の議長が、これを定める。

第九章 国際機関等への派遣

〔国会職員の派遣〕

第四十一条 各本属長は、条約その他の国際約束若しくはこれに準ずるものに基づき又は次に掲げる機関の要請に応じ、これらの機関の業務に従事させるため、その所属国会職員（両議院の議長が協議して定める国会職員を除く。）を派遣することができる。

一 わが国が加盟している国際機関

二 外国政府の機関

三 前二号に準ずる機関で、両議院の議長が協議して定めるもの

② 各本属長は、前項の規定によりその所属国会職員を派遣する場合には、当該国会職員の同意を得なければならない。

〔派遣国会職員の身分〕

第四十二条 前条第一項の規定により派遣された国会職員（以下「派遣国会職員」という。）は、その派遣の期間中、国会職員としての身分を保有するが、職務に従事しない。

〔派遣国会職員の給与等〕

第四十三条 派遣国会職員に関する給与、旅費、災害補償、退職又は死亡の場合における年金及び一時金、退職手当等並びに派遣国会職員の職務への復帰及び復帰時における処遇については、国際機関等に派遣される一般職の国家公務員の処遇等に関する法律（昭和四十五年法律第百十七号）第三条に規定する派遣職員の例による。

〔協議〕

第四十四条 前三条の規定の実施に関し必要な事項は、両議院の議長が協議して定める。

第十章 補則

〔労働三法等の不適用〕

第四十五条 労働組合法（昭和二十四年法律第百七十四号）、労働関係調整法（昭和二十一年法律第二十五号）、労働基準法（昭和二十二年法律第四十九号）、最低賃金法（昭和三十四年法律第百三十七号）、じん肺法（昭和三十五年法律第三十号）及び労働安全衛生法（昭和四十七年法律第五十七号）並びにこれらに基く命令は、国会職員については、これを適用しない。

② 国会職員に関しては、この法律で定めた事項及びこの法律に基き両議院の議長若しくは本属長が定めた事項又は国会職員の勤務条件について他の法律（これに基く命令を含む。）で定めた事項に矛盾しない範囲内において、労働基準法及び労働安全衛生法並びにこれらに基く命令の規定を準用する。但し、労働基準監督機関の職権に関する規定は、これを準用しない。

③ 前項の規定の適用に関し必要な事項は、両議院の議長が協議してこれを定める。

附 則

1 この法律は、国会法施行の日〔昭二二・五・三〕から、これを施行する。

2 令和五年四月一日から令和十三年三月三十一日まで

の間における第十五条の六第二項の規定の適用については、次の表の上欄に掲げる期間の区分に応じ、同項中「六十五年」とあるのはそれぞれ同表の中欄に掲げる字句と、同項ただし書中「七十年」とあるのはそれぞれ同表の下欄に掲げる字句とする。

令和五年四月一日から令和七年三月三十一日まで	六十一年	六十六年
令和七年四月一日から令和九年三月三十一日まで	六十二年	六十七年
令和九年四月一日から令和十一年三月三十一日まで	六十三年	六十八年
令和十一年四月一日から令和十三年三月三十一日まで	六十四年	六十九年

3　令和五年四月一日から令和十三年三月三十一日までの間における国会職員法及び国家公務員退職手当法の一部を改正する法律（令和三年法律第六十二号。以下「令和三年国会職員法等改正法」という。）第一条の規定による改正前の第十五条の二第二項第一号に掲げる国会職員に相当する国会職員として両議院の議長が協議して定める国会職員に対する第十五条の六第二項の規定の適用については、前項の規定にかかわらず、次の表の上欄に掲げる期間の区分に応じ、同条第二項ただし書中同表の中欄に掲げる字句は、それぞれ同表の下欄に掲げる字句とする。

令和五年四月一日から令和七年三月三十一日まで	六十五年を超え七十年を超えない範囲内で両議院の議長が協議して定める年齢	年齢六十六年
令和七年四月一日から令和九年三月三十一日まで	七十年	六十七年
令和九年四月一日から令和十一年三月三十一日まで	七十年	六十八年
令和十一年四月一日から令和十三年三月三十一日まで	七十年	六十九年

4　令和五年四月一日から令和十三年三月三十一日までの間における令和三年国会職員法等改正法第一条の規定による改正前の第十五条の二第二項第二号に掲げる国会職員に相当する国会職員として両議院の議長が協議して定める国会職員に対する第十五条の六第二項の規定の適用については、附則第二項の規定にかかわらず、次の表の上欄に掲げる期間の区分に応じ、同条第二項中「六十五年」とあるのはそれぞれ同表の中欄に掲げる字句と、同項ただし書中「七十年」とあるのはそれぞれ同表の下欄に掲げる字句とする。

令和五年四月一日から令和七年三月三十一日まで	六十三年	六十六年
令和七年四月一日から令和九年三月三十一日まで	六十三年	六十七年
令和九年四月一日から令和十一年三月三十一日まで	六十三年	六十八年
令和十一年四月一日から令和十三年三月三十一日まで	六十四年	六十九年

5　令和五年四月一日から令和七年三月三十一日までの間における令和三年国会職員法等改正法第一条の規定による改正前の第十五条の二第二項第三号に掲げる国会職員に相当する国会職員として両議院の議長が協議して定める国会職員に対する第十五条の六第二項の規定の適用については、附則第二項の規定にかかわらず、同条第二項中「、年齢六十五年」とあるのは「、年齢六十年を超え六十五年を超えない範囲内で両議院の議長が協議して定める年齢」と、同項ただし書中「六十五年を超え七十年を超えない範囲内で両議院の議長が協議して定める年齢」とあるのは「年齢六十六年」とする。

6　令和七年四月一日から令和十三年三月三十一日までの間における前項に規定する国会職員に対する第十五条の六第二項の規定の適用については、附則第二項の規定にかかわらず、次の表の上欄に掲げる期間の区分に応じ、同条第二項中「、年齢六十五年」とあるのはそれぞれ同表の中欄に掲げる字句と、同項ただし書中「七十年」とあるのはそれぞれ同表の下欄に掲げる字句とする。

令和七年四月一日から令和九年三月三十一日まで	、六十一年を超え六十五年を超えない範囲内で両議院の議長が協議して定める年齢	六十七年
令和九年四月一日から令和十一年三月三十一日まで	、六十二年を超え六十五年を超えない範囲内で両議院の議長が協議して定める年齢	六十八年
令和十一年四月一日から令和十三年三月三十一日まで	、六十三年を超え六十五年を超えない範囲内で両議院の議長が協議して定める年齢	六十九年

7　各本属長は、当分の間、国会職員（各議院事務局の事務総長、議長又は副議長の秘書事務をつかさどる参事及び常任委員会専門員、各議院法制局の法制局長並びに国立国会図書館の館長及び専門調査員並びに臨時の職員、法律により任期を定めて任用される国会職員及び非常勤の職員並びに令和三年国会職員法等改正法第一条の規定による改正前の第十五条の二第二項第一号に掲げる国会職員に相当する国会職員として両議院の議長が協議して定める国会職員及び同項第三号に掲げる国会職員に相当する国会職員のうち両議院の議長が協議して定める国会職員その他両議院の議長が協議して定める国会職員を除く。以下この項において同じ。）が年齢六十年（同条第二項第二号に掲げる国会職員に相当する国会職員として両議院の議長が協議して定める国会職員にあつては同号に定める年齢とし、同項第三号に掲げる国会職員に相当する国会職員のうち両議院の議長が協議して定める国会職員にあつては同号に定める年齢とする。以下この項において同じ。）に達する日の属する年度の前年度（当該前年度に国会職員でなかつた者その他の当該前年度においてこの項の規定による情報の提供及び意思の確認を行うことができない国会職員として両議院の議長が協議して定める国会職員にあつては、両議院の議長が協議して定める期間）において、当該国会職員に対し、両議院の議長が協議して定めるところにより、当該国会職員が年齢六十年に達する日以後に適用される任用、給与及び退職手当に関する措置の内容その他の必要な情報を提供するものとするとともに、同日の翌日以後における勤務の意思を確認するよう努めるものとする。

8　令和三年国会職員法等改正法による定年の引上げに伴う第二十五条第三項の規定に基づく定めにおいて定める給与に関する特例措置により降給をする場合における第九条第二項及び第三項並びに第十五条の八の規定の適用については、第九条第二項中「又は」とあるのは「、第二十五条第三項の規定に基づく定めにおいて定める事由又は」と、同条第三項中「する場合」とあるのは「する場合、国会職員法及び国家公務員退職手当法の一部を改正する法律（令和三年法律第六十二号）による定年の引上げに伴う第二十五条第三項の規定に基づく定めにおいて定める給与に関する特例措置（第十五条の八において「定年の引上げに伴う給与に関する特例措置」という。）による降給をする場合」と、第十五条の八中「伴う降給」とあるのは「伴う降給及び定年の引上げに伴う給与に関する特例措置による降給」とする。

附　則（令三・六・一一法六二）（抄）

（施行期日）

第一条　この法律は、令和五年四月一日から施行する。ただし、次条及び附則第八条の規定は、公布の日から施行する。

（実施のための準備等）

第二条　第一条の規定による改正後の国会職員法（以下「新国会職員法」という。）の規定による国会職員（国会職員法第一条に規定する国会職員（各議院事務局の事務総長、議長又は副議長の秘書事務をつかさどる参事及び常任委員会専門員、各議院法制局の法制局長並びに国立国会図書館の館長及び専門調査員を除く。）をいう。以下同じ。）の任用、分限その他の人事行政に関する制度の円滑な実施を確保するため、各本属長は、長期的な人事管理の計画的推進その他必要な準備を行うものとする。

2　各本属長は、この法律の施行の日（以下「施行日」という。）の前日までの間に、施行日から令和六年三月三十一日までの間に年齢六十年に達する国会職員（当該国会職員が占める職に係る第一条の規定による改正前の国会職員法（以下「旧国会職員法」という。）第十五条の二第二項に規定する定年が年齢六十年である国会職員に限る。）に対し、新国会職員法附則第七項の規定の例により、当該国会職員が年齢六十年に達する日以後に適用される任用、給与及び退職手当に関する措置の内容その他の必要な情報を提供するものとするとともに、同日の翌日以後における勤務の意思を確認するよう努めるものとする。

（経過措置）

第三条　新国会職員法第四条の二の規定は、施行日以後に退職をした同条第一項に規定する年齢六十年以上退職者（次項において「年齢六十年以上退職者」という。）について適用する。

2　各本属長は、基準日（令和七年四月一日、令和九年四月一日、令和十一年四月一日及び令和十三年四月一日をいう。以下この項において同じ。）から基準日の翌年の三月三十一日までの間、基準日における新国会職員法定年相当年齢（新国会職員法第四条の二第一項に規定する短時間勤務の職であって同項に規定する指定職（次条第一項及び附則第六条第三項において「指定職」という。）以外のもの（附則第六条第二項を除き、以下この項及び附則第五条から第七条までにおいて「短時間勤務の職」という。）を占める国会職員が、常時勤務を要する職でその職務が当該短時間勤務の職と同種の職を占めているものとした場合における新国会職員法第十五条の六第二項に規定する定年をいう。以下この項及び附則第五条第二項において同じ。）が基準日の前日における新国会職員法定年相当年齢を超える短時間勤務の職（基準日における新国会職員法定年相当年齢が新国会職員法第十五条の六第二項本文に規定する定年である短時間勤務の職に限る。）及びこれに相当する基準日以後に設置された短時間勤務の職その他の両議院の議長が協議して定める短時間勤務の職（以下この項において「新国会職員法原則定年相当年齢引上げ短時間勤務職」という。）に、基準日の前日までに年齢六十年以上退職者となった者（基準日前から新国会職員法第十五条の七第一項又は第二項の規定により勤務した後基準日以後に退職をした者を含む。）のうち基準日の前日において同日における当該新国会職員法原則定年相当年齢引上げ短時間勤務職に係る新国会職員法定年相当年齢に達している者（当該両議院の議長が協議して定める短時間勤務の職にあっては、両議院の議長が協議して定める者）を、新国会職員法第四条の二第一項の規定により採用することができず、新国会職員法原則定年相当年齢引上げ短時間勤務職に、同条第二項に規定する定年前再任用短時間勤務職員（以下「定年前再任用短時間勤務職員」という。）のうち基準日の前日において同日における当該新国会職員法原則定年相当年齢引上げ短時間勤務職に係る新国会職員法定年相当年齢に達している定年前再任用短時間勤務職員（当該両議院の議長が協議して定める短時間勤務の職にあっては、両議院の議長が協議して定める定年前再任用短時間勤務職員）を、昇任し、降任し、又は転任することができない。

3　平成十一年十月一日前に新国会職員法第二十八条第二項前段に規定する退職又は先の退職がある定年前再任用短時間勤務職員について、同項後段の規定を適用する場合には、同項後段に規定する引き続く国会職員としての在職期間には、同日前の当該退職又は先の退職の前の国会職員としての在職期間を含まないものとする。

4　暫定再任用職員（次条第一項若しくは第二項又は附則第五条第一項若しくは第二項の規定により採用された国会職員をいう。附則第六条及び第七条において同じ。）として在職していた期間がある定年前再任用短時間勤務職員に対する新国会職員法第二十八条第二項後段の規定の適用については、同項後段中「又は」とあるのは、「又は国会職員法及び国家公務員退職手当法の一部を改正する法律（令和三年法律第六十二号）附則第四条第一項若しくは第二項若しくは第五条第一項若しくは第二項の規定によりかつて採用されて同法附則第三条第四項に規定する暫定再任用職員として在職していた期間若しくは」とする。

5　施行日前に旧国会職員法第十五条の三第一項又は第二項の規定により勤務することとされ、かつ、旧国会職員法勤務延長期限（同条第一項の期限又は同条第二項の規定により延長された期限をいう。以下この項及び次項において同じ。）が施行日以後に到来する国会職員（次項において「旧国会職員法勤務延長職員」という。）に係る当該旧国会職員法勤務延長期限までの間における同条第一項又は第二項の規定による勤務については、新国会職員法第十五条の七の規定にかかわらず、なお従前の例による。

6　各本属長は、旧国会職員法勤務延長職員について、旧国会職員法勤務延長期限又はこの項の規定により延長された期限が到来する場合において、新国会職員法第十五条の七第一項各号に掲げる事由があると認めるときは、これらの期限の翌日から起算して一年を超えない範囲内で期限を延長することができる。ただし、当該期限は、当該旧国会職員法勤務延長職員に係る旧国会職員法第十五条の二第一項に規定する定年退職日の翌日から起算して三年を超えることができない。

7　新国会職員法第十五条の二第一項の規定は、施行日において第五項の規定により同条第一項に規定する管理監督職を占めたまま引き続き勤務している国会職員には適用しない。

8　各本属長は、基準日（施行日、令和七年四月一日、令和九年四月一日、令和十一年四月一日及び令和十三年四月一日をいう。以下この項において同じ。）から基準日の翌年の三月三十一日までの間、基準日における新国会職員法定年（新国会職員法第十五条の六第二項に規定する定年をいう。以下この項及び次条第二項において同じ。）が基準日の前日における新国会職員法定年（基準日が施行日である場合には、施行日の前日における旧国会職員法第十五条の二第二項に規定する定年）を超える職（基準日における新国会職員法定年が新国会職員法第十五条の六第二項本文に規定する定年である職に限る。）及びこれに相当する基準日以後に設置された職その他の両議院の議長が協議して定める職に、基準日から基準日の翌年の三月三十一日までの間に新国会職員法第十五条の七第一項若しくは第二項の規定又は第五項若しくは第六項の規定により勤務している国会職員のうち、基準日の前日において同日における当該職に係る新国会職員法定年（基準日が施行日である場合には、施行日の前日における旧国会職員法第十五条の二第二項に規定する定年）に達している国会職員（当該両議院の議長が協議して定める職にあっては、両議院の議長が協議して定める国会職員）を、昇任し、降任し、又は転任することができない。

9　第五項から前項までに定めるもののほか、第五項又は第六項の規定による勤務に関し必要な事項は、両議院の議長が協議して定める。

第四条　各本属長は、次に掲げる者のうち、年齢六十五年に達する日以後における最初の三月三十一日（以下この条及び次条において「年齢六十五年到達年度の末日」という。）までの間にある者であって、当該者を採用しようとする常時勤務を要する職（指定職を除く。以下この項及び次項並びに附則第六条第四項において同じ。）に係る旧国会職員法第十五条の二第二項に規定する定年（施行日以後に設置された職その他の両議院の議長が協議して定める職にあっては、両議院の議長が協議して定める年齢）に達している者を、両議院の議長が協議して定めるところにより、従前の勤務実績その他の両議院の議長が協議して定める情報に基づく選考により、一年を超えない範囲内で任期を定め、当該常時勤務を要する職に採用することができる。

一　施行日前に旧国会職員法第十五条の二第一項の規定により退職した者

二　旧国会職員法第十五条の三第一項若しくは第二項又は前条第五項若しくは第六項の規定により勤務した後退職した者

三　施行日前に旧国会職員法の規定により退職した者（前二号に掲げる者を除く。）のうち、勤続期間その他の事情を考慮して前二号に掲げる者に準ずる者として両議院の議長が協議して定める者

2　令和十四年三月三十一日までの間、各本属長は、次に掲げる者のうち、年齢六十五年到達年度の末日までの間にある者であって、当該者を採用しようとする常時勤務を要する職に係る新国会職員法定年に達している者を、両議院の議長が協議して定めるところにより、従前の勤務実績その他の両議院の議長が協議して定める情報に基づく選考により、一年を超えない範囲内で任期を定め、当該常時勤務を要する職に採用することができる。

一　施行日以後に新国会職員法第十五条の六第一項の規定により退職した者

二　施行日以後に新国会職員法第十五条の七第一項又は第二項の規定により勤務した後退職した者

三　施行日以後に新国会職員法第四条の二第一項の規定により採用された者のうち、同条第二項に規定する任期が満了したことにより退職した者

四　施行日以後に新国会職員法の規定により退職した者（前三号に掲げる者を除く。）のうち、勤続期間その他の事情を考慮して前三号に掲げる者に準ずる者として両議院の議長が協議して定める者

3　前二項の任期又はこの項の規定により更新された任期は、両議院の議長が協議して定めるところにより、一年を超えない範囲内で更新することができる。ただし、当該任期の末日は、前二項の規定により採用する者又はこの項の規定により任期を更新する者の年齢六十五年到達年度の末日以前でなければならない。

第五条　各本属長は、新国会職員法第四条の二第三項の規定にかかわらず、前条第一項各号に掲げる者のうち、年齢六十五年到達年度の末日までの間にある者であって、当該者を採用しようとする短時間勤務の職に係る旧国会職員法定年相当年齢（短時間勤務の職を占める国会職員が、常時勤務を要する職でその職務が当該短時間勤務の職と同種の職を占めているものとした場合における旧国会職員法第十五条の二第二項に規定する定年（施行日以後に設置された職その他の両議院の議長が協議して定める職にあっては、両議院の議長

が協議して定める年齢）をいう。）に達している者を、両議院の議長が協議して定めるところにより、従前の勤務実績その他の両議院の議長が協議して定める情報に基づく選考により、一年を超えない範囲内で任期を定め、当該短時間勤務の職に採用することができる。

2　令和十四年三月三十一日までの間、各本属長は、新国会職員法第四条の二第三項の規定にかかわらず、前条第二項各号に掲げる者のうち、年齢六十五年到達年度の末日までの間にある者であって、当該者を採用しようとする短時間勤務の職に係る新国会職員法定年相当年齢に達している者（新国会職員法第四条の二第一項の規定により当該短時間勤務の職に採用することができる者を除く。）を、両議院の議長が協議して定めるところにより、従前の勤務実績その他の両議院の議長が協議して定める情報に基づく選考により、一年を超えない範囲内で任期を定め、当該短時間勤務の職に採用することができる。

3　前二項の規定により採用された国会職員の任期については、前条第三項の規定を準用する。

第六条　施行日前に旧国会職員法第十五条の四第一項又は第十五条の五第一項の規定により採用された国会職員（以下この項及び次項において「旧国会職員法再任用職員」という。）のうち、この法律の施行の際現に常時勤務を要する職を占める国会職員は、施行日に、附則第四条第一項の規定により採用されたものとみなす。この場合において、当該採用されたものとみなされる国会職員の任期は、同項の規定にかかわらず、施行日における旧国会職員法再任用職員としての任期の残任期間と同一の期間とする。

2　旧国会職員法再任用職員のうち、この法律の施行の際現に旧国会職員法第十五条の五第一項に規定する短時間勤務の職を占める国会職員は、施行日に、前条第一項の規定により採用されたものとみなす。この場合において、当該採用されたものとみなされる国会職員の任期は、同項の規定にかかわらず、施行日における旧国会職員法再任用職員としての任期の残任期間と同一の期間とする。

3　各本属長は、暫定再任用職員を指定職に昇任し、又は転任することができない。

4　各本属長は、附則第四条第一項又は前条第一項の規定により採用した国会職員のうち当該国会職員を昇任し、降任し、又は転任しようとする常時勤務を要する職に係る旧国会職員法第十五条の二第二項に規定する定年（施行日以後に設置された職その他の両議院の議長が協議して定める職にあっては、両議院の議長が協議して定める年齢）に達した国会職員以外の国会職員及び附則第四条第二項又は前条第二項の規定により採用した国会職員のうち当該国会職員を昇任し、降任し、又は転任しようとする常時勤務を要する職に係る新国会職員法第十五条の六第二項に規定する定年に達した国会職員以外の国会職員を、当該常時勤務を要する職に昇任し、降任し、又は転任することができない。

5　前二条の規定が適用される場合における新国会職員法第四条の二第三項の規定の適用については、同項中「経過していない定年前再任用短時間勤務職員」とあるのは、「経過していない定年前再任用短時間勤務職員、国会職員法及び国家公務員退職手当法の一部を改正する法律（令和三年法律第六十二号。以下この項において「令和三年国会職員法等改正法」という。）附則第四条第一項又は第五条第一項の規定により採用した国会職員のうち当該国会職員を昇任し、降任し、又は転任しようとする短時間勤務の職に係る旧国会職員法定年相当年齢（短時間勤務の職を占める国会職員が、常時勤務を要する職でその職務が当該短時間勤務の職と同種の職を占めているものとした場合における令和三年国会職員法等改正法第一条の規定による改正前の第十五条の二第二項に規定する定年（令和三年国会職員法等改正法の施行の日以後に設置された職その他の両議院の議長が協議して定める職にあつては、両議院の議長が協議して定める年齢）をいう。）に達している国会職員及び令和三年国会職員法等改正法附則第四条第二項又は第五条第二項の規定により採用した国会職員のうち当該国会職員を昇任し、降任し、又は転任しようとする短時間勤務の職に係る新国会職員法定年相当年齢（短時間勤務の職を占める国会職員が、常時勤務を要する職でその職務が当該短時間勤務の職と同種の職を占めているものとした場合における第十五条の六第二項に規定する定年をいう。）に達している国会職員」とする。

6　各本属長は、基準日（前二条の規定が適用される間における各年の四月一日（施行日を除く。）をいう。以下この項において同じ。）から基準日の翌年の三月三十一日までの間、基準日における新国会職員法定年（新国会職員法第十五条の六第二項に規定する定年（短時間勤務の職にあっては、当該短時間勤務の職を占める国会職員が、常時勤務を要する職でその職務が当該短時間勤務の職と同種の職を占めているものとした場合における同項に規定する定年）をいう。以下この項において同じ。）が基準日の前日における新国会職員法定年を超える職及びこれに相当する基準日以後に設置された職その他の両議院の議長が協議して定める職（以下この項において「新国会職員法定年引上げ職」という。）に、附則第四条第二項各号に掲げる者のうち基準日の前日において同日における当該新国会職員法定年引上げ職に係る新国会職員法定年に達している者（当該両議院の議長が協議して定める職にあっては、両議院の議長が協議して定める者）を、同項又は前条第二項の規定により採用しようとする場合には、当該者は当該者を採用しようとする新国会職員法定年引上げ職に係る新国会職員法定年に達しているものとみなして、これらの規定を適用し、新国会職員法定年引上げ職に、附則第四条第二項又は前条第二項の規定により採用された国会職員のうち基準日の前日において同日における当該新国会職員法定年引上げ職に係る新国会職員法定年に達している国会職員（当該両議院の議長が協議して定める職にあっては、両議院の議長が協議して定める国会職員）を、昇任し、降任し、又は転任しようとする場合には、当該国会職員は当該国会職員を昇任し、降任し、又は転任しようとする新国会職員法定年引上げ職に係る新国会職員法定年に達しているものとみなして、第四項の規定及び前項の規定により読み替えて適用する新国会職員法第四条の二第三項の規定を適用する。

7　暫定再任用職員は、定年前再任用短時間勤務職員とみなして、新国会職員法第二十八条第二項後段の規定を適用する。この場合において、同項後段中「年齢六十年以上退職者」とあるのは「国会職員法及び国家公務員退職手当法の一部を改正する法律（令和三年法律第六十二号。以下この項において「令和三年国会職員法等改正法」という。）附則第四条第一項各号若しくは第二項第一号、第二号若しくは第四号に掲げる者となつた日若しくは同項第三号に掲げる者に該当する場合における年齢六十年以上退職者」と、「同項」とあるのは「前項」と、「又は」とあるのは「又は令和三年国会職員法等改正法第一条の規定による改正前の第十五条の四第一項若しくは第十五条の五第一項の規定によりかつて採用されて国会職員として在職していた期間、令和三年国会職員法等改正法附則第四条第一項若しくは第二項若しくは第五条第一項若しくは第二項の規定によりかつて採用されて令和三年国会職員法等改正法附則第三条第四項に規定する暫定再任用職員として在職していた期間若しくは」とする。

8　平成十一年十月一日前に新国会職員法第二十八条第二項前段に規定する退職又は先の退職がある暫定再任用職員について、前項の規定により定年前再任用短時間勤務職員とみなして同条第二項後段の規定を適用する場合には、同項後段に規定する引き続く国会職員としての在職期間には、同日前の当該退職又は先の退職の前の国会職員としての在職期間を含まないものとする。

（その他の経過措置の両院議長協議決定への委任）

第八条　附則第三条から前条までに定めるもののほか、この法律の施行に関し必要な経過措置は、両議院の議長が協議して定める。

附　則（令四・六・一七法六八）（抄）

（施行期日）

1　この法律は、刑法等一部改正法施行日〔令七・六・一〕から施行する。〔ただし書略〕

○自衛隊法（抄）

昭二九・六・九
法　一　六　五

最終改正　令六・五・一七法二四

第一章　総則

（定義）

第二条　この法律において「自衛隊」とは、防衛大臣、防衛副大臣、防衛大臣政務官、防衛大臣補佐官、防衛大臣政策参与及び防衛大臣秘書官並びに防衛省の事務次官及び防衛審議官並びに防衛省本省の内部部局、防衛大学校、防衛医科大学校、防衛会議、統合幕僚監部、情報本部、防衛監察本部、地方防衛局その他の機関（政令で定める合議制の機関並びに防衛省設置法（昭和二十九年法律第百六十四号）第四条第一項第二十四号又は第二十五号に掲げる事務をつかさどる部局及び職で政令で定めるものを除く。）並びに陸上自衛隊、海上自衛隊及び航空自衛隊並びに防衛装備庁（政令で定める合議制の機関を除く。）を含むものとする。

2　この法律において「陸上自衛隊」とは、陸上幕僚監部並びに統合幕僚長及び陸上幕僚長の監督を受ける部隊及び機関を含むものとする。

3　この法律において「海上自衛隊」とは、海上幕僚監部並びに統合幕僚長及び海上幕僚長の監督を受ける部隊及び機関を含むものとする。

4　この法律において「航空自衛隊」とは、航空幕僚監部並びに統合幕僚長及び航空幕僚長の監督を受ける部隊及び機関を含むものとする。

5　この法律（第九十四条の七第三号を除く。）において「隊員」とは、防衛省の職員で、防衛大臣、防衛副大臣、防衛大臣政務官、防衛大臣補佐官、防衛大臣政策参与、防衛大臣秘書官、第一項の政令で定める合議制の機関の委員、同項の政令で定める部局に勤務する職員及び同項の政令で定める職にある職員以外のものをいうものとする。

第五章　隊員

第一節　通則

（定義）

第三十条の二　この章において、次の各号に掲げる用語の意義は、当該各号に定めるところによる。

一　採用　隊員以外の者を隊員に任命すること（臨時的な任用を除く。）をいう。

二　昇任　自衛官にあつてはその者を現に任命されている階級より上位の階級に任命することをいい、自衛官以外の隊員にあつてはその者を現に任命されている官職より上位の職制上の段階に属する官職に任命することをいう。

三　降任　自衛官にあつてはその者を現に任命されている階級より下位の階級に任命することをいい、自衛官以外の隊員にあつてはその者を現に任命されている官職より下位の職制上の段階に属する官職に任命することをいう。

四　転任　自衛官以外の隊員を現に任命されている官職以外の官職に任命することであつて、前二号に定めるものに該当しないものをいう。

五　標準職務遂行能力　自衛官以外の隊員について、職制上の段階の標準的な官職の職務を遂行する上で発揮することが求められる能力として防衛大臣が内閣総理大臣と協議して定めるものをいう。

六　幹部隊員　防衛省の事務次官若しくは防衛審議官、防衛省本省の官房長、局長若しくは次長、防衛装備庁長官若しくは防衛装備庁の部長の官職又はこれらの官職に準ずる官職であつて政令で定めるもの（以下「幹部職」という。）を占める自衛官以外の隊員をいう。

七　管理隊員　防衛省本省若しくは防衛装備庁の内部部局の課長の官職又はこれに準ずる官職であつて政令で定めるもの（以下「管理職」という。）を占める自衛官以外の隊員をいう。

2　前項第五号の標準的な官職は、係員、係長、課長その他の官職とし、職制上の段階及び職務の種類に応じ、防衛省令で定める。

（任命権者等）

第三十一条　隊員の任用、休職、復職、退職、免職、補職及び懲戒処分（次項において「任用等」という。）は、幹部隊員にあつては防衛大臣が、幹部隊員以外の隊員にあつては防衛大臣又はその委任を受けた者（防衛装備庁の職員である隊員（自衛官を除く。）にあつては、防衛装備庁長官又はその委任を受けた者）が行う。

2　防衛装備庁長官は、防衛装備庁における適切な人事管理を確保するために必要があると認めるときは、防衛大臣に対し、防衛装備庁の職員である自衛官の任用等について意見を述べることができる。この場合において、防衛大臣は、その意見を尊重するものとする。

3　隊員の採用後の任用、給与その他の人事管理は、隊員の採用年次、合格した試験の種類及び課程対象者（国家公務員法（昭和二十二年法律第百二十号）第六十一条の九第二項第二号に規定する課程対象者をいう。以下この項及び第三十一条の六第一項において同じ。）であるか否か又は課程対象者であつたか否かにとらわれてはならず、この法律に特段の定めがある場合を除くほか、人事評価（隊員がその職務を遂行するに当たり発揮した能力及び挙げた業績を把握した上で行われる勤務成績の評価をいう。以下同じ。）に基づいて適切に行われなければならない。

4　隊員の退職管理は、防衛大臣が行う。ただし、第六十五条の二第二項第一号に規定する若年定年等隊員以外の隊員の退職管理（第六十五条の三第二項第五号、同条第六項において準用する国家公務員法第百六条の三第五項、第六十五条の四第五項第六号、同条第九項において準用する同法第百六条の四第八項、第六十五条の四第十項、第六十五条の八第一項において準用する同法第十八条の三第一項、第十八条の四（同項に係る部分に限る。）、第百六条の十六から第百六条の二十まで、第百六条の二十一第一項及び第二項並びに第百六条の二十二並びに第六十五条の九の規定に係るものに限る。次項において同じ。）にあつては、内閣総理大臣が行う。

5　隊員の任免、分限、懲戒、服務、退職管理その他人事管理に関する基準（国家公務員法第五十四条に規定する採用昇任等基本方針に準じ内閣総理大臣と協議して定めるものを含む。）は、この法律に定めるもののほか、防衛大臣（第六十五条の二第二項第一号に規定する若年定年等隊員以外の隊員の退職管理に関する基準にあつては、内閣総理大臣）が定める。

（人事評価）

第三十一条の二　隊員の人事評価は、公正に行われなければならない。

2　隊員の執務については、防衛大臣若しくは防衛装備庁長官又はその委任を受けた者は、定期的に人事評価を行わなければならない。

3　前二項に定めるもののほか、人事評価の基準及び方法に関する事項その他人事評価に関し必要な事項は、防衛大臣が定める。

（幹部候補者名簿に記載されている者の中からの任用）

第三十一条の三　選考による隊員（自衛官を除く。以下この条、次条、第三十一条の六、第四十一条の二、第四十二条の二、第四十四条の二から第四十四条の七まで及び附則第十四項において同じ。）の採用であつて、幹部職への任命に該当するものは、防衛大臣が、幹部候補者名簿（国家公務員法第六十一条の二第二項に規定する幹部候補者名簿をいう。以下この条において同じ。）に記載されている者であつて、当該任命しようとする幹部職についての適性を有すると認められるものの中から行うものとする。

2　隊員の昇任及び転任であつて、幹部職への任命に該当するものは、防衛大臣が、幹部候補者名簿に記載されている者であつて、隊員の人事評価に基づき、当該任命しようとする幹部職についての適性を有すると認められるものの中から行うものとする。

3　防衛大臣は、幹部候補者名簿に記載されている隊員の降任であつて、幹部職への任命に該当するものを行う場合には、当該隊員の人事評価に基づき、当該任命しようとする幹部職についての適性を有すると認められる幹部職に任命するものとする。

4　国際機関又は民間企業に派遣されていたことその他の事情により人事評価が行われていない隊員のうち、幹部候補者名簿に記載されている隊員の昇任、降任又は転任であつて、幹部職への任命に該当するものについては、防衛大臣が、前二項の規定にかかわらず、人事評価以外の能力の実証に基づき、当該任命しようとする幹部職についての適性を判断して行うことができる。

（内閣総理大臣及び内閣官房長官との協議に基づく任用等）

第三十一条の四　防衛大臣は、隊員の選考による採用、昇任、降任及び転任であつて幹部職への任命に該当するもの、幹部隊員の幹部職以外の官職への昇任、降任及び転任（第四十四条の二第一項の規定による降任及び転任を除く。）並びに幹部隊員の退職（政令で定めるものに限る。第四項において同じ。）及び免職（次項及び第三項において「採用等」という。）を行う場合には、防衛省令で定めるところにより、あらかじめ内閣総理大臣及び内閣官房長官に協議した上で、当該協議に基づいて行うものとする。

2　前項の場合において、災害その他緊急やむを得ない理由により、あらかじめ内閣総理大臣及び内閣官房長官に協議する時間的余裕がないときは、防衛大臣は、同項の規定にかかわらず、当該協議を行うことなく、隊員の採用等を行うことができる。

3　防衛大臣は、前項の規定により隊員の採用等を行つた場合には、内閣総理大臣及び内閣官房長官に通知するとともに、遅滞なく、当該採用等について、防衛省令で定めるところにより、内閣総理大臣及び内閣官房長官に協議し、当該協議に基づいて必要な措置を講じなければならない。

4　内閣総理大臣又は内閣官房長官は、幹部隊員について適切な人事管理を確保するために必要があると認めるときは、防衛大臣に対し、幹部隊員の昇任、降任、転任、退職及び免職（第四十四条の二第一項の規定による降任及び転任を除く。以下この項において「昇任等」という。）について協議を求めることができる。この場合において、協議が調つたときは、防衛大臣は、当該協議に基づいて昇任等を行うものとする。

（管理職への任用に関する運用の管理）

第三十一条の五　防衛大臣及び防衛装備庁長官は、政令で定めるところにより、定期的に、及び内閣総理大臣の求めがある場合には随時、管理職への任用の状況を内閣総理大臣に報告するものとする。

2　内閣総理大臣は、第三十一条第五項の規定により採用昇任等基本方針に準じて防衛大臣が内閣総理大臣と協議して定める基準のうち、管理職への任用に関する基準に照らして必要があると認める場合には、防衛大臣又は防衛装備庁長官に対し、管理職への任用に関する運用の改善その他の必要な措置をとることを求めることができる。

（人事に関する情報の管理）

第三十一条の六　内閣総理大臣は、防衛大臣又は防衛装備庁長官に対し、政令で定めるところにより、幹部隊員、管理隊員、課程対象者である隊員その他これらに準ずる隊員として政令で定めるものの人事に関する情報の提供を求めることができる。

2　内閣総理大臣は、政令で定めるところにより、前項の規定により提出された情報を適正に管理するものとする。

（自衛官の階級）

第三十二条　陸上自衛隊の自衛官の階級は、陸将、陸将補、一等陸佐、二等陸佐、三等陸佐、一等陸尉、二等陸尉、三等陸尉、准陸尉、陸曹長、一等陸曹、二等陸曹、三等陸曹、陸士長、一等陸士及び二等陸士とする。

２　海上自衛隊の自衛官の階級は、海将、海将補、一等海佐、二等海佐、三等海佐、一等海尉、二等海尉、三等海尉、准海尉、海曹長、一等海曹、二等海曹、三等海曹、海士長、一等海士及び二等海士とする。

３　航空自衛隊の自衛官の階級は、空将、空将補、一等空佐、二等空佐、三等空佐、一等空尉、二等空尉、三等空尉、准空尉、空曹長、一等空曹、二等空曹、三等空曹、空士長、一等空士及び二等空士とする。

（服制）

第三十三条　自衛官、自衛官候補生、予備自衛官、即応予備自衛官、予備自衛官補、学生（防衛省設置法第十五条第一項又は第十六条第一項（第三号を除く。）の教育訓練を受けている者をいう。第九十八条第一項を除き、以下同じ。）、生徒その他その勤務の性質上制服を必要とする隊員の服制は、防衛省令で定める。

（非常勤の隊員等の特例）

第三十四条　予備自衛官、即応予備自衛官及び予備自衛官補以外の非常勤の隊員、臨時的に任用された隊員、学生、生徒、法律により任期を定めて任用された隊員（第三十六条の規定により任用期間を定めて任用された自衛官を除く。）、第四十一条の二第一項若しくは第四十五条の二第一項の規定により採用された隊員又は条件付採用期間中の隊員に対するこの章の規定の適用については、その職務と責任の特殊性に基づいて、政令でこの章の規定（これらの規定に係る罰則を含む。）の特例（罰則の特例にあつては、当該罰則を適用しないこととするものに限る。）を定めることができる。

第二節　任免

（隊員の採用）

第三十五条　隊員の採用は、試験によるものとする。ただし、試験以外の能力の実証に基く選考によることを妨げない。

２　前項の試験は、受験者が、次の各号に掲げる区分に応じ、当該各号に定める能力及び適性（自衛官にあつては、能力。第三十七条において同じ。）を有するかどうかを判定することをもつてその目的とする。

一　自衛官　当該試験に係る階級において求められる能力

二　自衛官以外の隊員　当該試験に係る官職の属する職制上の段階の標準的な官職に係る標準職務遂行能力及び当該試験に係る官職についての適性

３　第一項の試験及び選考その他隊員の採用の方法及び手続に関し必要な事項は、防衛省令で定める。

（陸士長等、海士長等及び空士長等の任用期間等）

第三十六条　陸士長、一等陸士及び二等陸士（以下「陸士長等」という。）は二年を、海士長、一等海士及び二等海士（以下「海士長等」という。）並びに空士長、一等空士及び二等空士（以下「空士長等」という。）は三年を任用期間として任用されるものとする。ただし、防衛大臣の定める特殊の技術を必要とする職務を担当する陸士長等は、その志願に基づき、三年を任用期間として任用されることができる。

２　自衛官候補生は、その修了後引き続いて前項の規定に基づき任用される自衛官として必要な知識及び技能を修得させるための教育訓練を受けるものとする。

３　自衛官候補生の任用期間は、三月を基準として前項に規定する教育訓練に要する期間を勘案して防衛省令で定めるものとし、自衛官候補生から引き続いて第一項の自衛官に任用された者の当該自衛官としての任用期間は、同項の規定にかかわらず、同項に規定する期間からその者の自衛官候補生としての任用期間に相当する期間を減じた期間とする。

４　自衛官候補生の員数は、防衛省の職員の定員外とする。

５　前各項の規定は、陸士長等、海士長等又は空士長等で、志願に基づき陸曹候補者、海曹候補者又は空曹候補者の指定を受けた者のうち防衛大臣の定めるものについては、適用しない。

６　第一項の任用期間の起算日は、同項の自衛官に任用された日とする。ただし、三等陸曹、三等海曹又は三等空曹以上の階級から降任された場合にあつては降任の日、前項に規定する陸曹候補者、海曹候補者又は空曹候補者の指定を受けた者のうち防衛大臣の定めるものがその指定を取り消された場合にあつては当該指定を取り消された日とする。

７　防衛大臣は、陸士長等、海士長等又は空士長等の任用期間が満了した場合において、当該陸士長等、海士長等又は空士長等が志願をしたときは、引き続き二年を任用期間としてこれを任用することができる。この場合における任用期間の起算日は、引き続いて任用された日とする。

８　防衛大臣は、任用期間を定めて任用されている陸士長等、海士長等又は空士長等が任用期間が満了したことにより退職することが自衛隊の任務の遂行に重大な支障を及ぼすと認める場合には、当該陸士長等、海士長等又は空士長等が第七十六条第一項の規定による防衛出動を命ぜられている場合にあつては一年以内、その他の場合にあつては六月以内の期間を限つて、任用期間を延長することができる。

（隊員の任期を定めた採用）

第三十六条の二　第三十一条第一項の規定により隊員の任免について権限を有する者（以下「任命権者」という。）は、第三十五条の規定にかかわらず、高度の専門的な知識経験又は優れた識見を有する者をその者が有する当該高度の専門的な知識経験又は優れた識見を一定の期間活用して遂行することが特に必要とされる業務に従事させる場合には、防衛大臣の承認を得て、選考により、任期を定めて隊員（法律により任期を定めて任用することとされている官職を占める隊員及び非常勤の隊員を除く。以下この条から第三十六条の四までにおいて同じ。）を採用することができる。

2　任命権者は、前項の規定によるほか、専門的な知識経験を有する者を当該専門的な知識経験が必要とされる業務に従事させる場合において、次の各号に掲げる場合のいずれかに該当するときであつて、当該者を当該業務に期間を限つて従事させることが公務の能率的運営を確保するために必要であるときは、防衛大臣の承認を得て、選考により、任期を定めて隊員を採用することができる。

一　当該専門的な知識経験を有する隊員の育成に相当の期間を要するため、当該専門的な知識経験が必要とされる業務に従事させることが適任と認められる隊員を部内で確保することが一定の期間困難である場合

二　当該専門的な知識経験が急速に進歩する技術に係るものであることその他当該専門的な知識経験の性質上、当該専門的な知識経験が必要とされる業務に当該者が有する当該専門的な知識経験を有効に活用することができる期間が一定の期間に限られる場合

三　前二号に掲げる場合に準ずる場合として政令で定める場合

第三十六条の三　前条各項の規定により採用される隊員の任期は、五年を超えない範囲内で任命権者が定める。

2　任命権者は、前項の規定により任期を定めて隊員を採用する場合には、当該隊員にその任期を明示しなければならない。

第三十六条の四　任命権者は、第三十六条の二各項の規定により任期を定めて採用された隊員（次条において「任期付隊員」という。）の任期が五年に満たない場合にあつては、防衛大臣の承認を得て、採用した日から五年を超えない範囲内において、その任期を更新することができる。

2　前条第二項の規定は、前項の規定により任期を更新する場合について準用する。

第三十六条の五　任命権者は、任期付隊員が採用時に占めていた官職においてその有する高度の専門的な知識経験又は優れた識見を活用して従事していた業務と同一の業務を行うことをその職務の主たる内容とする他の官職に任用する場合その他任期付隊員を任期を定めて採用した趣旨に反しない場合に限り、防衛大臣の承認を得て、任期付隊員を、その任期中、他の官職に任用することができる。

（研究員の任期を定めた採用）

第三十六条の六　任命権者は、第三十五条の規定にかかわらず、次に掲げる場合には、選考により、任期を定めて自衛官以外の隊員（防衛省の機関又は部隊等の長その他の政令で定める官職を占める隊員及び非常勤の隊員を除く。第四項において同じ。）を採用することができる。

一　研究業績等により当該研究分野において特に優れた研究者と認められている者を招へいして、当該研究分野に係る高度の専門的な知識経験を必要とする研究業務（防衛装備庁の施設等機関その他の防衛省の機関又は部隊等において行う試験研究に関する業務をいう。以下この条及び次条において同じ。）に従事させる場合

二　独立して研究する能力があり、研究者として高い資質を有すると認められる者（この号の規定又は一般職の任期付研究員の採用、給与及び勤務時間の特例に関する法律（平成九年法律第六十五号）第三条第一項第二号の規定によりかつて任期を定めて採用されたことがある者を除く。）を、当該研究分野における先導的役割を担う有為な研究者となるために必要な能力のかん養に資する研究業務に従事させる場合

2　任命権者は、前項第一号の規定により任期を定めた採用を行う場合には、防衛大臣の承認を得なければならない。

3　任命権者は、第一項第二号の規定により任期を定めた採用を行う場合には、防衛大臣の定めるところにより定めた採用計画に基づいてしなければならない。この場合において、当該採用計画には、その対象となる

研究業務及び選考の手続を定めるものとする。

4　第三十六条の二から前条までの規定は、自衛官以外の隊員であつて研究業務に従事するものについては、適用しない。

第三十六条の七　前条第一項第一号に規定する場合における任期は、五年を超えない範囲内で任命権者が定める。ただし、特に五年を超える任期を定める必要があると認める場合には、防衛大臣の承認を得て、七年（特別の計画に基づき期間を定めて実施される研究業務に従事させる場合にあつては、十年）を超えない範囲内で任期を定めることができる。

2　前条第一項第二号に規定する場合における任期は、三年（研究業務の性質上特に必要がある場合で、防衛大臣の承認を得たときは、五年）を超えない範囲内で任命権者が定める。

3　任命権者は、前二項の規定により任期を定めて隊員を採用する場合には、当該隊員にその任期を明示しなければならない。

第三十六条の八　任命権者は、第三十六条の六第一項第一号の規定により任期を定めて採用された隊員の任期が五年に満たない場合にあつては採用した日から五年、同項第二号の規定により任期を定めて採用された隊員の任期が三年に満たない場合（前条第二項の防衛大臣の承認を得て任期が定められた場合を除く。）にあつては採用した日から三年、当該隊員のうち同項の防衛大臣の承認を得て任期が定められた隊員の任期が五年に満たない場合にあつては採用した日から五年を超えない範囲内において、その任期を更新することができる。

2　前条第三項の規定は、前項の規定により任期を更新する場合について準用する。

（隊員の昇任、降任及び転任）

第三十七条　隊員の昇任及び転任（自衛官にあつては、昇任）は、隊員の幹部職への任命に該当するものを除き、人事評価に基づき、次の各号に掲げる区分に応じ、当該各号に定める能力及び適性を有すると認められる者の中から行うものとする。

一　自衛官　任命しようとする階級において求められる能力

二　自衛官以外の隊員　任命しようとする官職の属する職制上の段階の標準的な官職に係る標準職務遂行能力及び当該任命しようとする官職についての適性

2　隊員を降任させる場合（隊員の幹部職への任命に該当する場合を除く。）は、懲戒処分による場合を除き、人事評価に基づき、当該隊員が、前項各号に掲げる区分に応じ、当該各号に定める能力及び適性を有すると認められる階級又は官職に任命するものとする。

3　国際機関又は民間企業に派遣されていたことその他の事情により、人事評価が行われていない隊員の昇任、降任又は転任（自衛官にあつては、昇任又は降任）については、隊員の幹部職への任命に該当するものを除き、前二項の規定にかかわらず、人事評価以外の能力の実証に基づき、第一項各号に掲げる区分に応じ、当該各号に定める能力及び適性を判断して行うことができる。

4　前三項に定めるもののほか、隊員の昇任、降任及び転任（自衛官にあつては、昇任及び降任）の方法及び手続に関し必要な事項は、防衛省令で定める。

（欠格条項）

第三十八条　次の各号のいずれかに該当する者は、隊員となることができない。

一　拘禁刑以上の刑に処せられ、その執行を終わるまで又はその執行を受けることがなくなるまでの者

二　法令の規定による懲戒免職の処分を受け、当該処分の日から二年を経過しない者

三　日本国憲法又はその下に成立した政府を暴力で破壊することを主張する政党その他の団体を結成し、又はこれに加入した者

2　隊員は、前項第一号又は第三号に該当するに至つたときは、防衛省令で定める場合を除き、当然失職する。

（人事に関する不正行為の禁止）

第三十九条　何人も、隊員の任用、休職、復職、退職、免職、補職、懲戒処分その他の人事に関する行為を不正に実現し、又は不正にその実現を妨げる目的をもつて、金銭その他の利益を授受し、提供し、若しくはその授受を要求し、若しくは約束し、脅迫、強制その他これに類する方法を用い、又は公の地位を利用し、若しくはその利用を提供し、要求し、若しくは約束し、あるいはこれらの行為に関与してはならない。

（退職の承認）

第四十条　第三十一条第一項の規定により隊員の退職について権限を有する者は、隊員が退職することを申し出た場合において、これを承認することが自衛隊の任務の遂行に著しい支障を及ぼすと認めるときは、その退職について政令で定める特別の事由がある場合を除いては、任用期間を定めて任用されている陸士長等、海士長等又は空士長等にあつてはその任用期間内において必要な期間、その他の隊員にあつては自衛隊の任務を遂行するため最少限度必要とされる期間その退職

を承認しないことができる。

（条件付採用）

第四十一条　隊員の採用は、隊員であつた者又はこれに準ずる者のうち、政令で定める者を採用する場合その他政令で定める場合を除き、条件付のものとし、隊員が、その職において六月の期間（六月の期間とすることが適当でないと認められる隊員として防衛省令で定める隊員にあつては、防衛省令で定める期間）を勤務し、その間その職務を良好な成績で遂行したときに、正式のものとなる。

２　前項に定めるもののほか、条件付採用に関し必要な事項は、防衛省令で定める。

（定年前再任用短時間勤務隊員の任用）

第四十一条の二　任命権者は、年齢六十年に達した日以後にこの法律の規定により退職（臨時的に任用された隊員その他の法律により任期を定めて任用された隊員及び非常勤の隊員が退職する場合を除く。）をした隊員（以下この条及び第四十六条第二項において「年齢六十年以上退職者」という。）又は年齢六十年に達した日以後に国家公務員法の規定により退職（同法第八十一条の六第三項に規定する職員及び警察法（昭和二十九年法律第百六十二号）第五十六条の二第一項に規定する特定地方警務官が退職する場合を除く。）をした者（以下この項及び第三項において「国家公務員法による年齢六十年以上退職者」という。）を、政令で定めるところにより、従前の勤務実績その他の政令で定める情報に基づく選考により、短時間勤務の官職（当該官職を占める隊員の一週間当たりの通常の勤務時間が、常時勤務を要する官職でその職務が当該短時間勤務の官職と同種の官職を占める隊員の一週間当たりの通常の勤務時間に比し短い時間である官職をいう。以下この項及び第三項において同じ。）（防衛省の職員の給与等に関する法律（昭和二十七年法律第二百六十六号。以下「防衛省職員給与法」という。）第四条第一項の規定により一般職の職員の給与に関する法律（昭和二十五年法律第九十五号）別表第十一指定職俸給表の適用を受ける隊員が占める官職（以下「指定職」という。）を除く。以下この項及び第三項において同じ。）に採用することができる。ただし、年齢六十年以上退職者又は国家公務員法による年齢六十年以上退職者がこれらの者を採用しようとする短時間勤務の官職に係る定年退職日相当日（短時間勤務の官職を占める隊員が、常時勤務を要する官職でその職務が当該短時間勤務の官職と同種の官職を占めているものとした場合における第四十四条の六第一項に規定する定年退職日をいう。次項及び第三項において同じ。）を経過した者であるときは、この限りでない。

２　前項の規定により採用された隊員（次項及び第四項において「定年前再任用短時間勤務隊員」という。）の任期は、採用の日から定年退職日相当日までとする。

３　任命権者は、年齢六十年以上退職者又は国家公務員法による年齢六十年以上退職者のうちこれらの者を採用しようとする短時間勤務の官職に係る定年退職日相当日を経過していない者以外の者を当該短時間勤務の官職に採用することができず、定年前再任用短時間勤務隊員のうち当該定年前再任用短時間勤務隊員を昇任し、降任し、又は転任しようとする短時間勤務の官職に係る定年退職日相当日を経過していない定年前再任用短時間勤務隊員以外の隊員を当該短時間勤務の官職に昇任し、降任し、又は転任することができない。

４　任命権者は、定年前再任用短時間勤務隊員を、指定職又は指定職以外の常時勤務を要する官職に昇任し、降任し、又は転任することができない。

第三節　分限、懲戒及び保障

（身分保障）

第四十二条　隊員は、懲戒処分による場合、第四十四条の二第一項又は第四十四条の五第三項の規定により降任される場合及び次の各号のいずれかに該当する場合を除き、その意に反して、降任され、又は免職されることがない。

一　人事評価又は勤務の状況を示す事実に照らして、勤務実績がよくない場合

二　心身の故障のため、職務の遂行に支障があり、又はこれに堪えない場合

三　前二号に規定する場合のほか、その職務に必要な適格性を欠く場合

四　組織、編成若しくは定員の改廃又は予算の減少により、廃職又は過員を生じた場合

（幹部隊員の降任に関する特例）

第四十二条の二　防衛大臣は、幹部隊員（幹部職のうち職制上の段階が最下位の段階のものを占める幹部隊員を除く。以下この条において同じ。）について、次の各号に掲げる場合のいずれにも該当するときは、政令の定めるところにより、当該幹部隊員が前条各号に掲げる場合のいずれにも該当しない場合においても、その意に反して降任（直近下位の職制上の段階に属する幹部職への降任に限る。）を行うことができる。

一　当該幹部隊員が、人事評価又は勤務の状況を示す事実に照らして、同じ職制上の段階に属する他の官

職を占める他の幹部隊員に比して勤務実績が劣っているものとして政令で定める要件に該当する場合

二　当該幹部隊員が現に任命されている官職に幹部隊員となり得る他の特定の者を任命すると仮定した場合において、当該他の特定の者が、人事評価又は勤務の状況を示す事実その他の客観的な事実及び当該官職についての適性に照らして、当該幹部隊員より優れた業績を挙げることが十分見込まれる場合として政令で定める要件に該当する場合

三　当該幹部隊員について、欠員を生じ、若しくは生ずると見込まれる同じ職制上の段階に属する他の官職についての適性が他の候補者と比較して十分でない場合として政令で定める要件に該当すること若しくは同じ職制上の段階に属する他の官職の職務を行うと仮定した場合において当該幹部隊員が当該他の官職に現に就いている他の隊員より優れた業績を挙げることが十分見込まれる場合として政令で定める要件に該当しないことにより、転任させるべき適当な官職がないと認められる場合又は幹部隊員の任用を適切に行うため当該幹部隊員を降任させる必要がある場合として政令で定めるその他の場合

（休職）

第四十三条　隊員は、次の各号の一に該当する場合又は政令で定める場合を除き、その意に反して休職にされることがない。

一　心身の故障のため長期の休養を要する場合

二　刑事事件に関し起訴された場合

（休職の効果）

第四十四条　休職の期間は、政令で定める。ただし、前条第二号の規定による休職の期間は、その事件が裁判所に係属する間とする。

2　休職者は、隊員としての身分を保有するが、職務に従事しない。

3　休職者には、法令で別段の定をする場合を除き、給与を支給しない。

4　第三十一条第一項の規定により隊員の復職について権限を有する者は、休職者について休職の事由が消滅したときは、政令で定める場合を除き、直ちにその者を復職させなければならない。

（管理監督職勤務上限年齢による降任等）

第四十四条の二　任命権者は、管理監督職（防衛省職員給与法第十一条の三第一項に規定する官職及びこれに準ずる官職として政令で定める官職並びに指定職（これらの官職のうち、病院等に勤務する医師及び歯科医師が占める官職その他のその職務と責任に特殊性があること又は欠員の補充が困難であることによりこの条の規定を適用することが著しく不適当と認められる官職として政令で定める官職を除く。）をいう。以下同じ。）を占める隊員でその占める管理監督職に係る管理監督職勤務上限年齢に達している隊員について、異動期間（当該管理監督職勤務上限年齢に達した日の翌日から同日以後における最初の四月一日までの間をいう。以下同じ。）（第四十四条の五第一項から第四項までの規定により延長された期間を含む。以下この項において同じ。）に、管理監督職以外の官職又は管理監督職勤務上限年齢が当該隊員の年齢を超える管理監督職（以下この項及び第三項においてこれらの官職を「他の官職」という。）への降任又は転任（俸給月額の引下げを伴う転任に限る。）をするものとする。ただし、異動期間に、この法律の他の規定により当該隊員について他の官職への昇任、降任若しくは転任をした場合又は第四十四条の七第一項の規定により当該隊員を管理監督職を占めたまま引き続き勤務させることとした場合は、この限りでない。

2　前項の管理監督職勤務上限年齢は、年齢六十年とする。ただし、次の各号に掲げる管理監督職を占める隊員の管理監督職勤務上限年齢は、当該各号に定める年齢とする。

一　防衛省の事務次官及びこれに準ずる管理監督職のうち政令で定める管理監督職　年齢六十二年

二　前号に掲げる管理監督職のほか、その職務と責任に特殊性があること又は欠員の補充が困難であることにより管理監督職勤務上限年齢を年齢六十年とすることが著しく不適当と認められる管理監督職として政令で定める管理監督職　六十年を超え六十四年を超えない範囲内で政令で定める年齢

3　第一項本文の規定による他の官職への降任又は転任（以下「他の官職への降任等」という。）を行うに当たって任命権者が遵守すべき基準に関する事項その他の他の官職への降任等に関し必要な事項は、政令で定める。

（管理監督職への任用の制限）

第四十四条の三　任命権者は、採用し、昇任し、降任し、又は転任しようとする管理監督職に係る管理監督職勤務上限年齢に達している者を、その者が当該管理監督職を占めているものとした場合における異動期間の末日の翌日（他の官職への降任等をされた隊員にあつては、当該他の官職への降任等をされた日）以後、当該管理監督職に採用し、昇任し、降任し、又は転任することができない。

（適用除外）

第四十四条の四　前二条の規定は、臨時的に任用された隊員及び法律により任期を定めて任用された隊員には適用しない。

（管理監督職勤務上限年齢による降任等及び管理監督職への任用の制限の特例）

第四十四条の五　任命権者は、他の官職への降任等をすべき管理監督職を占める隊員について、次に掲げる事由があると認めるときは、当該隊員が占める管理監督職に係る異動期間の末日の翌日から起算して一年を超えない期間内（当該期間内に次条第一項に規定する定年退職日がある隊員にあつては、当該異動期間の末日の翌日から同項に規定する定年退職日までの期間内。第三項において同じ。）で当該異動期間を延長し、引き続き当該管理監督職を占める隊員に、当該管理監督職を占めたまま勤務をさせることができる。

一　当該隊員の職務の遂行上の特別の事情を勘案して、当該隊員の他の官職への降任等により自衛隊の任務の遂行に著しい支障を及ぼすと認められる事由として政令で定める事由

二　当該隊員の職務の特殊性を勘案して、当該隊員の他の官職への降任等により、当該管理監督職の欠員の補充が困難となることにより自衛隊の任務の遂行に著しい支障を及ぼすと認められる事由として政令で定める事由

2　任命権者は、前項又はこの項の規定により異動期間（これらの規定により延長された期間を含む。）が延長された管理監督職を占める隊員について、前項各号に掲げる事由が引き続きあると認めるときは、防衛大臣の定めるところにより、延長された当該異動期間の末日の翌日から起算して一年を超えない期間内（当該期間内に次条第一項に規定する定年退職日がある隊員にあつては、延長された当該異動期間の末日の翌日から同項に規定する定年退職日までの期間内。第四項において同じ。）で延長された当該異動期間を更に延長することができる。ただし、更に延長される当該異動期間の末日は、当該隊員が占める管理監督職に係る異動期間の末日の翌日から起算して三年を超えることができない。

3　任命権者は、第一項の規定により異動期間を延長することができる場合を除き、他の官職への降任等をすべき特定管理監督職群（職務の内容が相互に類似する複数の管理監督職（指定職を除く。以下この項及び次項において同じ。）であつて、これらの欠員を容易に補充することができない年齢別構成その他の特別の事情がある管理監督職として政令で定める管理監督職をいう。以下この項において同じ。）に属する管理監督職を占める隊員について、当該隊員の他の官職への降任等により、当該特定管理監督職群に属する管理監督職の欠員の補充が困難となることにより自衛隊の任務の遂行に著しい支障を及ぼすと認められる事由として政令で定める事由があると認めるときは、当該隊員が占める管理監督職に係る異動期間の末日の翌日から起算して一年を超えない期間内で当該異動期間を延長し、引き続き当該管理監督職を占めたまま勤務をさせ、又は当該隊員を当該管理監督職が属する特定管理監督職群の他の管理監督職に降任し、若しくは転任することができる。

4　任命権者は、第一項若しくは第二項の規定により異動期間（これらの規定により延長された期間を含む。）が延長された管理監督職を占める隊員について前項に規定する事由があると認めるとき（第二項の規定により延長された当該異動期間を更に延長することができるときを除く。）、又は前項若しくはこの項の規定により異動期間（前三項又はこの項の規定により延長された期間を含む。）が延長された管理監督職を占める隊員について前項に規定する事由が引き続きあると認めるときは、防衛大臣の定めるところにより、延長された当該異動期間の末日の翌日から起算して一年を超えない期間内で延長された当該異動期間を更に延長することができる。

5　前各項に定めるもののほか、これらの規定による異動期間（これらの規定により延長された期間を含む。）の延長及び当該延長に係る隊員の降任又は転任に関し必要な事項は、政令で定める。

（自衛官以外の隊員の定年及び定年による退職の特例）

第四十四条の六　隊員は、定年に達したときは、定年に達した日以後における最初の三月三十一日又は防衛大臣があらかじめ指定する日のいずれか早い日（次条第一項及び第二項ただし書において「定年退職日」という。）に退職する。

2　前項の定年は、年齢六十五年とする。ただし、その職務と責任に特殊性があること又は欠員の補充が困難であることにより定年を年齢六十五年とすることが著しく不適当と認められる官職を占める隊員として政令で定める隊員の定年は、六十五年を超え七十年を超えない範囲内で政令で定める年齢とする。

3　前二項の規定は、次の各号の一に該当する隊員には適用しない。

一　臨時的に任用された隊員
二　法律により任期を定めて任用された隊員
三　非常勤の隊員

第四十四条の七　任命権者は、定年に達した隊員が前条第一項の規定により退職すべきこととなる場合において、次に掲げる事由があると認めるときは、同項の規定にかかわらず、当該隊員に係る定年退職日の翌日から起算して一年を超えない範囲内で期限を定め、当該隊員を当該定年退職日において従事している職務に従事させるため、引き続き隊員として勤務させることができる。ただし、第四十四条の五第一項から第四項までの規定により異動期間（これらの規定により延長された期間を含む。）を延長した隊員であつて、定年退職日において管理監督職を占めている隊員については、同条第一項又は第二項の規定により当該定年退職日まで当該異動期間を延長した場合であつて、引き続き勤務させることについて防衛大臣の定める場合に限るものとし、当該期限は、当該隊員が占めている管理監督職に係る異動期間の末日の翌日から起算して三年を超えることができない。
一　前条第一項の規定により退職すべきこととなる隊員の職務の遂行上の特別の事情を勘案して、当該隊員の退職により自衛隊の任務の遂行に著しい支障を及ぼすと認められる事由として政令で定める事由
二　前条第一項の規定により退職すべきこととなる隊員の職務の特殊性を勘案して、当該隊員の退職により、当該隊員が占める官職の欠員の補充が困難となることにより自衛隊の任務の遂行に著しい支障を及ぼすと認められる事由として政令で定める事由
2　任命権者は、前項の期限又はこの項の規定により延長された期限が到来する場合において、前項各号に掲げる事由が引き続きあると認めるときは、防衛大臣の定めるところにより、これらの期限の翌日から起算して一年を超えない範囲内で期限を延長することができる。ただし、当該期限は、当該隊員に係る定年退職日（同項ただし書に規定する隊員にあつては、当該隊員が占めている管理監督職に係る異動期間の末日）の翌日から起算して三年を超えることができない。
3　前二項に定めるもののほか、これらの規定による勤務に関し必要な事項は、政令で定める。

（自衛官の定年及び定年による退職の特例）
第四十五条　自衛官（陸士長等、海士長等、空士長等及び第三十六条の二各項の規定により任期を定めて採用された自衛官を除く。以下この条及び次条において同じ。）は、定年に達したときは、定年に達した日の翌日に退職する。
2　前項の定年は、勤務の性質に応じ、階級ごとに政令で定める。
3　防衛大臣は、自衛官が定年に達したことにより退職することが自衛隊の任務の遂行に重大な支障を及ぼすと認めるときは、当該自衛官が第七十六条第一項の規定による防衛出動を命ぜられている場合にあつては一年以内の期間を限り、その他の場合にあつては六月以内の期間を限り、当該自衛官が定年に達した後も引き続いて自衛官として勤務させることができる。
4　防衛大臣は、前項の期間又はこの項の期間が満了する場合において、前項の事由が引き続き存すると認めるときは、当該自衛官の同意を得て、一年以内の期間を限り、引き続いて自衛官として勤務させることができる。ただし、その期間の末日は、当該自衛官が定年に達した日の翌々日から起算して三年を超えることができない。

（自衛官への定年退職者等の再任用）
第四十五条の二　任命権者は、前条第一項の規定により退職した者又は同条第三項若しくは第四項の規定により勤務した後退職した者を、従前の勤務実績等に基づく選考により、一年（任期の末日がその者が年齢六十年に達する日前となる場合にあつては、三年）を超えない範囲内で任期を定め、教育、研究、補給その他防衛大臣の定める業務を行うことを職務とする常時勤務を要する官職に引き続いて採用することができる。
2　前項の任期又はこの項の規定により更新された任期は、政令で定めるところにより、前項に定める期間を超えない範囲内で更新することができる。
3　前二項の規定による任期については、その末日は、その者が年齢六十五年に達する日以前でなければならない。
4　防衛大臣は、第一項の規定により採用された自衛官がその任期が満了したことにより退職することが自衛隊の任務の遂行に重大な支障を及ぼすと認めるときは、当該自衛官が第七十六条第一項の規定による防衛出動を命ぜられている場合にあつては一年以内の期間を限り、その他の場合にあつては六月以内の期間を限り、任期を延長することができる。

（懲戒処分）
第四十六条　隊員が次の各号のいずれかに該当する場合には、当該隊員に対し、懲戒処分として、免職、降任、停職、減給又は戒告の処分をすることができる。
一　職務上の義務に違反し、又は職務を怠つた場合
二　隊員たるにふさわしくない行為のあつた場合

三　その他この法律若しくは自衛隊員倫理法（平成十一年法律第百三十号）又はこれらの法律に基づく命令に違反した場合

2　隊員が、任命権者の要請に応じ一般職に属する国家公務員、特別職に属する国家公務員（隊員を除く。）、地方公務員又は沖縄振興開発金融公庫その他その業務が国の事務若しくは事業と密接な関連を有する法人のうち政令で定めるものに使用される者（以下この項において「一般職国家公務員等」という。）となるため退職し、引き続き一般職国家公務員等として在職した後、引き続いて当該退職を前提として隊員として採用された場合（一の一般職国家公務員等として在職した後、引き続き一以上の一般職国家公務員等として在職し、引き続いて当該退職を前提として隊員として採用された場合を含む。）において、当該退職までの引き続く隊員としての在職期間（当該退職前に同様の退職（以下この項において「先の退職」という。）、一般職国家公務員等としての在職及び隊員としての採用がある場合には、当該先の退職までの引き続く隊員としての在職期間を含む。以下この項において「要請に応じた退職前の在職期間」という。）中に前項各号のいずれかに該当したときは、当該隊員に対し、同項に規定する懲戒処分を行うことができる。隊員が、第四十一条の二第一項又は前条第一項の規定により採用された場合において、年齢六十年以上退職者となつた日若しくは第四十五条第一項の規定により退職した者若しくは同条第三項若しくは第四項の規定により勤務した後退職した者となつた日までの引き続く隊員としての在職期間（要請に応じた退職前の在職期間を含む。）又は第四十一条の二第一項若しくは前条第一項の規定によりかつて採用されて隊員として在職していた期間中に前項各号のいずれかに該当したときも、同様とする。

（懲戒の効果）

第四十七条　懲戒処分としての降任は、階級又は職務の級の一級又は二級だけ下位の階級又は職務の級にくだすものとする。

2　停職の期間は、一年以内とする。停職者は、隊員としての身分を保有するが、特に命ぜられた場合を除いては、職務に従事することを停止される。

3　停職者には、法令で別段の定をする場合を除き、給与を支給しない。

4　減給は、一年以内の期間、俸給の五分の一以下を減ずるものとする。

（学生又は生徒の分限及び懲戒の特例）

第四十八条　防衛大学校若しくは防衛医科大学校の長又は第二十五条第五項の政令で定める陸上自衛隊の学校の校長（以下この条において「学校長等」という。）は、学生又は生徒が成績不良又は心身の故障のため修学の見込みがないと認める場合には、その意に反して退校を命ずることができる。

2　学校長等は、学生又は生徒が次の各号のいずれかに該当する場合には、その意に反して休学を命ずることができる。

一　心身の故障のため長期の休養を要する場合

二　刑事事件に関し起訴された場合

3　学校長等は、学生又は生徒が次の各号のいずれかに該当する場合には、これに対し懲戒処分として、退校、停学又は戒告の処分をすることができる。

一　学生又は生徒としての義務に違反し、又は学業を怠つた場合

二　学生又は生徒たるにふさわしくない行為があつた場合

三　その他この法律又はこの法律に基く命令に違反した場合

4　学生又は生徒が第一項又は前項の規定により退校にされた場合には、当然退職するものとする。

5　前項に定めるもののほか、学生又は生徒の分限及び懲戒の効果に関し必要な事項は、政令で定める。

（審査請求の特例）

第四十八条の二　防衛装備庁の職員である隊員（幹部隊員及び自衛官を除く。次項において同じ。）は、防衛装備庁長官により、その意に反して、降任され、休職にされ、若しくは免職され、又は懲戒処分を受けた場合においては、防衛大臣に対して審査請求をすることができる。

2　防衛装備庁長官の委任を受けた者により防衛装備庁の職員である隊員がその意に反して降任され、休職にされ、若しくは免職され、又は懲戒処分を受けた場合における審査請求は、防衛大臣に対して行うものとする。

（審査請求の処理）

第四十九条　隊員に対するその意に反する降任、休職若しくは免職又は懲戒処分についての審査請求については、行政不服審査法（平成二十六年法律第六十八号）第二章の規定は、適用しない。

2　前項に規定する審査請求は、処分の通知を受けた日の翌日から起算して三月以内にしなければならず、処分があつた日の翌日から起算して一年を経過したときは、することができない。

3　防衛大臣は、第一項に規定する審査請求を受けた場合には、これを審議会等（国家行政組織法（昭和二十三年法律第百二十号）第八条に規定する機関をいう。以下同じ。）で政令で定めるものに付議しなければならない。

4　第一項に規定する審査請求に対する裁決は、前項の政令で定める審議会等の議決に基づいてしなければならない。

5　防衛大臣は、第一項に規定する処分の全部又は一部を取り消し、又は変更する場合において、必要があると認めるときは、隊員がその処分によつて受けた不当な結果を是正するため、その処分によつて失われた給与の弁済その他の措置をとらなければならない。

6　第一項に規定する審査請求の手続は、政令で定める。

7　この法律に別段の定めがある場合を除くほか、隊員に対する処分については、審査請求をすることができない。隊員がした申請に対する不作為についても、同様とする。

（適用除外）

第五十条　第四十二条から第四十四条まで及び行政不服審査法の規定は、条件附採用期間中の隊員、臨時的に任用された隊員、学生及び生徒については、適用しない。

（審査請求と訴訟との関係）

第五十条の二　第四十九条第一項に規定する処分（前条に規定する隊員又は学生若しくは生徒に係るものを除く。）の取消しの訴えは、当該処分についての審査請求に対する裁決を経た後でなければ、提起することができない。

（委任規定）

第五十一条　本節に定めるもののほか、隊員の分限及び懲戒に関し必要な事項は、政令で定める。

第四節　服務

（服務の本旨）

第五十二条　隊員は、わが国の平和と独立を守る自衛隊の使命を自覚し、一致団結、厳正な規律を保持し、常に徳操を養い、人格を尊重し、心身をきたえ、技能をみがき、強い責任感をもつて専心その職務の遂行にあたり、事に臨んでは危険を顧みず、身をもつて責務の完遂に努め、もつて国民の負託にこたえることを期するものとする。

（服務の宣誓）

第五十三条　隊員は、防衛省令で定めるところにより、服務の宣誓をしなければならない。

（勤務態勢及び勤務時間等）

第五十四条　隊員は、何時でも職務に従事することのできる態勢になければならない。

2　隊員の勤務時間及び休暇は、勤務の性質に応じ、防衛省令で定める。

（指定場所に居住する義務）

第五十五条　自衛官は、防衛省令で定めるところに従い、防衛大臣が指定する場所に居住しなければならない。

（職務遂行の義務）

第五十六条　隊員は、法令に従い、誠実にその職務を遂行するものとし、職務上の危険若しくは責任を回避し、又は上官の許可を受けないで職務を離れてはならない。

（上官の命令に服従する義務）

第五十七条　隊員は、その職務の遂行に当つては、上官の職務上の命令に忠実に従わなければならない。

（品位を保つ義務）

第五十八条　隊員は、常に品位を重んじ、いやしくも隊員としての信用を傷つけ、又は自衛隊の威信を損するような行為をしてはならない。

2　自衛官、自衛官候補生、学生及び生徒は、防衛大臣の定めるところに従い、制服を着用し、服装を常に端正に保たなければならない。

（秘密を守る義務）

第五十九条　隊員は、職務上知ることのできた秘密を漏らしてはならない。その職を離れた後も、同様とする。

2　隊員が法令による証人、鑑定人等となり、職務上の秘密に属する事項を発表する場合には、防衛大臣の許可を受けなければならない。その職を離れた後も、同様とする。

3　前項の許可は、法令に別段の定がある場合を除き、拒むことができない。

4　前三項の規定は、第六十五条の八第一項において準用する国家公務員法第十八条の四の規定により権限の委任を受けた再就職等監視委員会が同項において準用する同法第十八条の三第一項の規定により行う調査に際して、隊員が、職務上の秘密に属する事項を陳述し、若しくは証言し、又は当該事項の記載、記録若しくは表示がされた書類その他の物件を提出し、若しくは提示する場合については、適用しない。

（職務に専念する義務）

第六十条　隊員は、法令に別段の定がある場合を除き、その勤務時間及び職務上の注意力のすべてをその職務遂行のために用いなければならない。

2　隊員は、法令に別段の定めがある場合を除き、防衛省以外の国家機関の職若しくは独立行政法人通則法（平成十一年法律第百三号）第二条第四項に規定する行政執行法人（以下「行政執行法人」という。）の職を兼ね、又は地方公共団体の機関の職に就くことができない。

3　隊員は、自己の職務以外の防衛省の職務を行い、又は防衛省以外の国家機関の職若しくは行政執行法人の職を兼ね、若しくは地方公共団体の機関の職に就く場合においても、防衛省令で定める場合を除き、給与を受けることができない。

（政治的行為の制限）

第六十一条　隊員は、政党又は政令で定める政治的目的のために、寄附金その他の利益を求め、若しくは受領し、又は何らの方法をもつてするを問わず、これらの行為に関与し、あるいは選挙権の行使を除くほか、政令で定める政治的行為をしてはならない。

2　隊員は、公選による公職の候補者となることができない。

3　隊員は、政党その他の政治的団体の役員、政治的顧問その他これらと同様な役割をもつ構成員となることができない。

（私企業からの隔離）

第六十二条　隊員は、営利を目的とする会社その他の団体の役員若しくは顧問の地位その他これらに相当する地位につき、又は自ら営利企業を営んではならない。

2　前項の規定は、隊員が、防衛省令で定める基準に従い行う防衛大臣又はその委任を受けた者の承認を受けた場合には、適用しない。

（他の職又は事業の関与制限）

第六十三条　隊員は、報酬を受けて、第六十条第二項に規定する国家機関、行政執行法人及び地方公共団体の機関の職並びに前条第一項の地位以外の職又は地位に就き、あるいは営利企業以外の事業を行う場合には、防衛省令で定める基準に従い行う防衛大臣の承認を受けなければならない。

（団体の結成等の禁止）

第六十四条　隊員は、勤務条件等に関し使用者たる国の利益を代表する者と交渉するための組合その他の団体を結成し、又はこれに加入してはならない。

2　隊員は、同盟罷業、怠業その他の争議行為をし、又は政府の活動能率を低下させる怠業的行為をしてはならない。

3　何人も、前項の行為を企て、又はその遂行を共謀し、教唆し、若しくはせん動してはならない。

4　前三項の規定に違反する行為をした隊員は、その行為の開始とともに、国に対し、法令に基いて保有する任用上の権利をもつて対抗することができない。

（防衛医科大学校卒業生の勤続に関する義務）

第六十四条の二　防衛医科大学校卒業生（防衛省設置法第十六条第二項に規定する防衛医科大学校卒業生をいう。第九十九条第一項において同じ。）は、同法第十六条第一項第一号の教育訓練を修了した者にあつてはその修了後九年の期間、同項第二号又は第三号の教育訓練を修了した者にあつてはその修了後六年の期間を経過するまでは、隊員として勤続するように努めなければならない。

（委任規定）

第六十五条　本節又は自衛隊員倫理法に定めるもののほか、隊員の服務に関し必要な事項は、防衛省令で定める。

第五節　退職管理

第一款　離職後の就職に関する規制

（他の隊員についての依頼等の規制）

第六十五条の二　隊員は、営利企業等（営利企業及び営利企業以外の法人（国、国際機関、地方公共団体、行政執行法人及び地方独立行政法人法（平成十五年法律第百十八号）第二条第二項に規定する特定地方独立行政法人を除く。）をいう。以下同じ。）に対し、他の隊員をその離職後に、若しくは隊員であつた者を、当該営利企業等若しくはその子法人（当該営利企業等に財務及び営業又は事業の方針を決定する機関（株主総会その他これに準ずる機関をいう。）を支配されている法人として政令で定めるものをいう。以下同じ。）の地位に就かせることを目的として、当該隊員若しくは隊員であつた者に関する情報を提供し、若しくは当該地位に関する情報の提供を依頼し、又は当該隊員をその離職後に、若しくは隊員であつた者を、当該営利企業等若しくはその子法人の地位に就かせることを要求し、若しくは依頼してはならない。

2　前項の規定は、次に掲げる場合には、適用しない。

一　陸上幕僚監部、海上幕僚監部若しくは航空幕僚監部又は陸上自衛隊、海上自衛隊若しくは航空自衛隊の部隊若しくは機関に置かれる組織であつて第六十五条の十第一項に規定する就職の援助に関する事務を処理するものに属する隊員のうちから防衛大臣が指定する者が若年定年等隊員（次のイからハまでのいずれかに該当する隊員をいう。以下同じ。）に係る当該就職の援助を目的として行う場合

イ　定年が年齢六十五年に満たないとされている自衛官（防衛省職員給与法別表第二の陸将、海将及び空将の欄並びに陸将補、海将補及び空将補の㈠欄又は㈡欄の適用を受ける自衛官を除く。）

ロ　第三十六条の規定により任用期間を定めて任用された自衛官

ハ　第四十五条の二第一項の規定により採用された自衛官で、同項の任期又は同条第二項の規定により更新された任期の末日の年齢が六十五年に達していないもの（定年に達した日の翌日に防衛省職員給与法別表第二の陸将、海将及び空将の欄並びに陸将補、海将補及び空将補の㈠欄又は㈡欄の適用を受ける自衛官を除く。）

二　退職手当通算予定隊員を退職手当通算法人の地位に就かせることを目的として行う場合

3　前項第二号の「退職手当通算法人」とは、独立行政法人（独立行政法人通則法第二条第一項に規定する独立行政法人をいう。以下同じ。）その他特別の法律により設立された法人でその業務が国の事務又は事業と密接な関連を有するもののうち政令で定めるもの（退職手当（これに相当する給付を含む。）に関する規程において、隊員が任命権者の要請に応じ、引き続いて当該法人の役員又は当該法人に使用される者となつた場合に、隊員としての勤続期間を当該法人の役員又は当該法人に使用される者としての勤続期間に通算することと定めている法人に限る。）をいう。

4　第二項第二号の「退職手当通算予定隊員」とは、任命権者の要請に応じ、引き続いて退職手当通算法人（前項に規定する退職手当通算法人をいう。以下同じ。）の役員又は退職手当通算法人に使用される者となるため退職することとなる隊員であつて、当該退職手当通算法人に在職した後、特別の事情がない限り引き続いて選考による採用が予定されている者のうち政令で定めるものをいう。

（在職中の求職の規制）

第六十五条の三　隊員は、利害関係企業等（営利企業等のうち隊員の職務に利害関係を有するものとして政令で定めるものをいう。以下同じ。）に対し、離職後に当該利害関係企業等若しくはその子法人の地位に就くことを目的として、自己に関する情報を提供し、若しくは当該地位に関する情報の提供を依頼し、又は当該地位に就くことを要求し、若しくは約束してはならない。

2　前項の規定は、次に掲げる場合には、適用しない。

一　退職手当通算予定隊員（前条第四項に規定する退職手当通算予定隊員をいう。以下同じ。）が退職手当通算法人に対して行う場合

二　在職する局等組織（防衛省本省に置かれる官房又は局、施設等機関その他これらに準ずる部局又は機関として政令で定めるものをいう。以下同じ。）の意思決定の権限を実質的に有しない官職又は階級として政令で定めるものにある隊員が行う場合

三　若年定年等隊員が第六十五条の十第一項に規定する就職の援助を受けて、利害関係企業等との間で、当該利害関係企業等又はその子法人の地位に就くことに関して行う場合

四　一般定年等隊員（若年定年等隊員以外の隊員をいう。以下同じ。）が官民人材交流センターから紹介された利害関係企業等との間で、当該利害関係企業等又はその子法人の地位に就くことに関して行う場合

五　隊員が利害関係企業等に対し、当該利害関係企業等若しくはその子法人の地位に就くことを目的として、自己に関する情報を提供し、若しくは当該地位に関する情報の提供を依頼し、又は当該地位に就くことを要求し、若しくは約束することにより公務の公正性の確保に支障が生じないと認められる場合として政令で定める場合において、政令で定める手続により若年定年等隊員にあつては防衛大臣の、一般定年等隊員にあつては内閣総理大臣の承認を得て、当該承認に係る利害関係企業等に対して行う場合

3　防衛大臣は、前項第五号に規定する承認を行い、又は行わないこととする場合には、防衛省令で定めるところにより、政令で定める審議会等（以下「審議会」という。）の意見を聴かなければならない。

4　防衛大臣が行う第二項第五号に規定する承認についての審査請求は、防衛大臣に対して行うことができる。

5　防衛大臣は、前項に規定する審査請求を受けてこれに対する裁決を行う場合には、審議会に付議し、その議決に基づいて行わなければならない。

6　国家公務員法第百六条の三第三項から第五項までの規定は、内閣総理大臣が行う第二項第五号に規定する承認について準用する。

（再就職者による依頼等の規制）

第六十五条の四　隊員であつた者であつて離職後に営利企業等の地位に就いている者（退職手当通算予定隊員であつた者であつて引き続いて退職手当通算法人の地位に就いている者（以下「退職手当通算離職者」という。）を除く。以下「再就職者」という。）は、離職前

五年間に在職していた局等組織に属する隊員又はこれに類する者として政令で定めるものに対し、防衛省と当該営利企業等若しくはその子法人との間で締結される売買、貸借、請負その他の契約又は当該営利企業等若しくはその子法人に対して行われる行政手続法（平成五年法律第八十八号）第二条第二号に規定する処分に関する事務（以下「契約等事務」という。）であつて離職前五年間の職務に属するものに関し、離職後二年間、職務上の行為をするように、又はしないように要求し、又は依頼してはならない。

2　前項の規定によるもののほか、再就職者のうち、防衛省本省若しくは防衛装備庁の内部部局に置かれる部の部長若しくは課の課長の職又はこれらに準ずる職であつて政令で定めるものに、離職した日の五年前の日より前に就いていた者は、当該職に就いていた時に在職していた局等組織に属する隊員又はこれに類する者として政令で定めるものに対し、契約等事務であつて離職した日の五年前の日より前の職務（当該職に就いていたときの職務に限る。）に属するものに関し、離職後二年間、職務上の行為をするように、又はしないように要求し、又は依頼してはならない。

3　前二項の規定によるもののほか、再就職者のうち、防衛省の事務次官、防衛省本省の内部部局に置かれる局の局長若しくは防衛装備庁長官の職又はこれらに準ずる職であつて政令で定めるものに就いていた者は、隊員又はこれに類する者として政令で定めるものに対し、契約等事務であつて防衛省の所掌に属するものに関し、離職後二年間、職務上の行為をするように、又はしないように要求し、又は依頼してはならない。

4　前三項の規定によるもののほか、再就職者は、隊員又はこれに類する者として政令で定めるものに対し、防衛省と営利企業等（当該再就職者が現にその地位に就いているものに限る。）若しくはその子法人との間の契約であつて防衛省においてその締結について自らが決定したもの又は防衛省による当該営利企業等若しくはその子法人に対する行政手続法第二条第二号に規定する処分であつて自らが決定したものに関し、職務上の行為をするように、又はしないように要求し、又は依頼してはならない。

5　前各項の規定は、次に掲げる場合には、適用しない。

一　防衛省から委託を受けた者が行う当該委託に係るものを遂行するために必要な場合、又は国の事務若しくは事業と密接な関連を有する業務として政令で定めるものを行うために必要な場合

二　防衛省若しくは防衛装備庁に対する権利若しくは義務を定めている法令の規定若しくは防衛省との間で締結された契約に基づき、権利を行使し、若しくは義務を履行する場合、防衛省の処分により課された義務を履行する場合又はこれらに類する場合として政令で定める場合

三　行政手続法第二条第三号に規定する申請又は同条第七号に規定する届出を行う場合

四　会計法（昭和二十二年法律第三十五号）第二十九条の三第一項に規定する競争の手続に従い、売買、貸借、請負その他の契約を締結するために必要な場合

五　法令の規定により又は慣行として公にされ、又は公にすることが予定されている情報の提供を求める場合（一定の日以降に公にすることが予定されている情報を同日前に開示するよう求める場合を除く。）

六　再就職者が隊員（これに類する者を含む。以下この号において同じ。）に対し、契約等事務に関し、職務上の行為をするように、又はしないように要求し、又は依頼することにより公務の公正性の確保に支障が生じないと認められる場合として政令で定める場合において、政令で定める手続により離職の際に若年定年等隊員であつた再就職者にあつては防衛大臣の、離職の際に一般定年等隊員であつた再就職者にあつては内閣総理大臣の承認を得て、再就職者が当該承認に係る隊員に対し、当該承認に係る契約等事務に関し、職務上の行為をするように、又はしないように要求し、又は依頼する場合

6　防衛大臣は、前項第六号に規定する承認を行い、又は行わないこととする場合には、防衛省令で定めるところにより、審議会の意見を聴かなければならない。

7　防衛大臣が行う第五項第六号に規定する承認についての審査請求は、防衛大臣に対して行うことができる。

8　防衛大臣は、前項に規定する審査請求を受けてこれに対する裁決を行う場合には、審議会に付議し、その議決に基づいて行わなければならない。

9　国家公務員法第百六条の四第六項から第八項までの規定は、内閣総理大臣が行う第五項第六号に規定する承認について準用する。

10　隊員は、第五項各号に掲げる場合を除き、再就職者から第一項から第四項までの規定により禁止される要求又は依頼を受けたときは、政令で定めるところにより、当該再就職者が離職の際に若年定年等隊員であつた場合にあつては防衛大臣に、当該再就職者が離職の

際に一般定年等隊員であつた場合にあつては再就職等監察官に、その旨を届け出なければならない。

第二款　違反行為に関する調査等

（若年定年等隊員等に係る調査）

第六十五条の五　防衛大臣は、若年定年等隊員又は離職の際に若年定年等隊員であつた者に違反行為（前款の規定に違反する行為をいう。以下この款において同じ。）を行つた疑いがあると思料するときは、当該違反行為に関し調査を行うことができる。

2　防衛大臣は、前項の調査に関し必要があるときは、証人を喚問し、又は調査すべき事項に関係があると認められる書類若しくはその写しの提出を求めることができる。

3　防衛大臣は、第一項の調査に関し必要があると認めるときは、隊員に、当該調査の対象である若年定年等隊員若しくは離職の際に若年定年等隊員であつた者に出頭を求めて質問させ、又は当該若年定年等隊員の勤務する場所若しくは当該若年定年等隊員若しくは離職の際に若年定年等隊員であつた者が隊員として勤務していた場所に立ち入らせ、帳簿書類その他必要な物件を検査させ、若しくは関係者に質問させることができる。

4　前項の規定により立入検査をする者は、その身分を示す証明書を携帯し、関係者の請求があつたときは、これを提示しなければならない。

5　第三項の規定による立入検査の権限は、犯罪捜査のために認められたものと解してはならない。

（審議会への権限の委任）

第六十五条の六　防衛大臣は、前条の規定による権限を審議会に委任する。

（懲戒手続等）

第六十五条の七　防衛大臣は、若年定年等隊員又は離職の際に若年定年等隊員であつた者の違反行為に関して懲戒その他の処分を行おうとするときは、審議会の意見を聴かなければならない。

2　審議会は、防衛大臣に対し、この節の若年定年等隊員又は離職の際に若年定年等隊員であつた者に係る規定の適切な運用を確保するために必要と認められる措置に関し、意見を述べることができる。

（一般定年等隊員等に係る調査）

第六十五条の八　国家公務員法第十八条の三第一項、第十八条の四（同項に係る部分に限る。）、第百六条の十六から第百六条の二十まで、第百六条の二十一第一項及び第二項並びに第百六条の二十二の規定は、一般定年等隊員又は離職の際に一般定年等隊員であつた者に係る違反行為に関する調査について準用する。この場合において、同法第百六条の十六、第百六条の十七、第百六条の十八第一項、第百六条の十九、第百六条の二十第二項及び第三項並びに第百六条の二十一第二項の規定中「任命権者」とあるのは「防衛大臣」と、同法第百六条の十八第一項及び第百六条の二十第一項中「第百六条の四第九項」とあるのは「自衛隊法第六十五条の四第十項」と、同法第百六条の二十一第一項中「任命権者において」とあるのは「防衛大臣（防衛装備庁の職員（自衛隊法第三十条の二第一項第六号に規定する幹部隊員及び自衛官を除く。）にあつては、防衛装備庁長官）において」と、「任命権者に対し」とあるのは「防衛大臣に対し」と読み替えるものとする。

2　第六十五条の五第二項から第五項までの規定は、前項において準用する国家公務員法第十八条の三第一項の規定による調査について準用する。この場合において、第六十五条の五第二項及び第三項中「防衛大臣」とあるのは「内閣総理大臣」と、同項中「隊員に、当該調査」とあるのは「当該調査」と、「若年定年等隊員」とあるのは「一般定年等隊員」と、「質問させ、」とあるのは「質問し、」と、「立ち入らせ」とあるのは「立ち入り」と、「検査させ」とあるのは「検査し」と、「質問させる」とあるのは「質問する」と読み替えるものとする。

（一般定年等隊員等に係る勧告等）

第六十五条の九　再就職等監視委員会は、一般定年等隊員又は離職の際に一般定年等隊員であつた者に係るこの節（第六十五条の三第三項から第五項まで、第六十五条の四第六項から第八項まで、第六十五条の五から第六十五条の七まで、前条第二項及び次款の規定を除く。）の規定の適切な運用を確保するために必要と認められる措置について、内閣総理大臣に勧告することができる。

第三款　雑則

（隊員の離職に際しての援助）

第六十五条の十　防衛大臣は、若年定年等隊員の離職に際しての離職後の就職の援助を行う。

2　国家公務員法第十八条の五第一項及び第十八条の六（同項に係る部分に限る。）の規定は、一般定年等隊員の離職に際しての離職後の就職の援助について準用する。

（防衛大臣への届出等）

第六十五条の十一　隊員（退職手当通算予定隊員を除く。）は、離職後に営利企業等の地位に就くことを約束した場合には、速やかに、防衛省令で定めるところにより、任命権者が防衛大臣であるときは防衛大臣に、任命権者が防衛大臣以外の者であるときは当該任命権者を通じて防衛大臣に、政令で定める事項を届け出なければならない。

2　任命権者は、前項の規定による届出があつたときは、第六十五条の三第一項の規定の趣旨を踏まえ、当該届出をした隊員の任用及び補職を行うものとする。

3　管理又は監督の地位にある隊員の官職として政令で定めるものに就いている隊員（以下「管理職隊員」という。）であつた者（退職手当通算離職者を除く。次項において同じ。）は、離職後二年間、次に掲げる法人の役員その他の地位であつて政令で定めるものに就こうとする場合（第一項の規定による届出をした場合を除く。）には、あらかじめ、防衛省令で定めるところにより、防衛大臣に政令で定める事項を届け出なければならない。

一　行政執行法人以外の独立行政法人

二　特殊法人（法律により直接に設立された法人及び特別の法律により特別の設立行為をもつて設立された法人（独立行政法人に該当するものを除く。）のうち政令で定めるものをいう。）

三　認可法人（特別の法律により設立され、かつ、その設立に関し行政庁の認可を要する法人のうち政令で定めるものをいう。）

四　公益社団法人又は公益財団法人（国と特に密接な関係があるものとして政令で定めるものに限る。）

4　管理職隊員であつた者は、離職後二年間、営利企業以外の事業の団体の地位に就き、若しくは事業に従事し、若しくは事務を行うこととなつた場合（報酬を得る場合に限る。）又は営利企業（前項第二号及び第三号に掲げる法人を除く。）の地位に就いた場合は、第一項又は前項の規定による届出を行つた場合、日々雇い入れられる者となつた場合その他政令で定める場合を除き、防衛省令で定めるところにより、速やかに、防衛大臣に政令で定める事項を届け出なければならない。

5　防衛大臣は、第一項及び前二項の規定による届出（第一項の規定による届出にあつては、管理職隊員がしたものに限る。）を受けた事項について、遅滞なく、政令で定めるところにより、内閣に報告しなければならない。

6　内閣は、毎年度、前項の報告を取りまとめ、政令で定める事項を公表するものとする。

（再就職後の公表）

第六十五条の十二　在職中に第六十五条の三第二項第五号の承認を得た管理職隊員が離職後に当該承認に係る営利企業等の地位に就いた場合には、防衛大臣は、防衛省令で定めるところにより、その者の離職後二年間（その者が当該営利企業等の地位に就いている間に限る。）、次に掲げる事項を公表しなければならない。

一　その者の氏名

二　防衛省が当該営利企業等に対して交付した補助金等（補助金等に係る予算の執行の適正化に関する法律（昭和三十年法律第百七十九号）第二条第一項に規定する補助金等をいう。）の総額

三　防衛省と当該営利企業等との間の売買、貸借、請負その他の契約に係る金額の総額

四　その他政令で定める事項

第六十五条の十三　防衛大臣は、毎年度、防衛省令で定めるところにより、第六十五条の十第一項に規定する就職の援助の実施結果について公表するものとする。

第六節　予備自衛官等

第一款　予備自衛官

（予備自衛官）

第六十六条　予備自衛官は、第七十条第一項各号に規定する招集命令により招集された場合において同条第三項の規定により自衛官となつて勤務し、第七十一条第一項に規定する訓練招集命令により招集された場合において訓練に従事するものとする。

2　予備自衛官の員数は、四万七千九百人とし、防衛省の職員の定員外とする。

（採用等）

第六十七条　予備自衛官の採用は、第三十五条の規定にかかわらず、自衛官であつた者又は次項の規定により予備自衛官に任用されたことがある者の志願に基づき、防衛省令で定めるところにより、選考によつて行うものとする。

2　前項の規定によるもののほか、第七十五条の九第一項に規定する教育訓練のすべてを修了した者は、修了の日の翌日に予備自衛官に任用されるものとする。

3　防衛大臣又はその委任を受けた者は、前二項の規定により任用された予備自衛官に対し、防衛省令で定めるところにより、相当の自衛官の階級を指定するものとする。

（任用期間及びその延長）

第六十八条　前条第一項又は第二項の規定により予備自衛官に任用された者の任用期間は、任用の日から起算して三年とする。

2　防衛大臣は、予備自衛官（第七十条第一項各号の規

定による招集命令を受け、同条第三項の規定により自衛官となつている者を含む。）がその任用期間が満了した場合において、志願をしたときは、引き続き三年（その任用期間が満了した時に年齢六十二年に達している者にあつては、三年を超えない範囲内で防衛大臣が別に定める期間）を任用期間として、これを予備自衛官に任用することができる。この場合における任用期間の起算日は、引き続いて任用された日とする。

3　防衛大臣は、予備自衛官が第七十条第一項各号の規定による招集命令を受け、同条第三項の規定により自衛官となつている場合において、当該自衛官が予備自衛官としての任用期間が満了したことにより退職することが自衛隊の任務の遂行に重大な支障を及ぼすと認めるときは、当該自衛官が第七十六条第一項の規定による防衛出動を命ぜられている場合にあつては一年以内の期間を限り、その他の場合にあつては六月以内の期間を限り、その者の任用期間を延長することができる。

4　予備自衛官が第七十条第一項各号の規定による招集命令を受け、同条第三項の規定により自衛官となつていた期間は、予備自衛官の任用期間に含めて計算するものとする。

（昇進）

第六十九条　防衛大臣又はその委任を受けた者は、人事評価に基づく選考により、予備自衛官を、その現に指定されている自衛官の階級より上位の階級を指定して、昇進させることができる。

2　前項の選考その他予備自衛官の昇進の方法及び手続に関し必要な事項は、防衛省令で定める。

（予備自衛官の呼称及び制服の着用）

第六十九条の二　予備自衛官は、その指定に係る自衛官の階級名に予備の文字を冠した呼称を用いることができる。

2　予備自衛官は、第七十一条に規定する訓練招集命令を受けて訓練に従事する場合においては、防衛大臣の定めるところに従い、制服を着用しなければならない。

3　前項に規定するもののほか、予備自衛官は、次の場合には、防衛大臣の定めるところにより、制服を着用することができる。

一　自衛隊の行なう儀式その他公の儀式に参加する場合

二　自衛隊の行なう行事その他防衛大臣の定める行事に参加する場合

（防衛招集、国民保護等招集及び災害招集）

第七十条　防衛大臣は、次の各号に掲げる場合には、内閣総理大臣の承認を得て、予備自衛官に対し、当該各号に定める招集命令書による招集命令を発することができる。

一　第七十六条第一項の規定による防衛出動命令が発せられた場合又は事態が緊迫し、同項の規定による防衛出動命令が発せられることが予測される場合において、必要があると認めるとき　防衛招集命令書による防衛招集命令

二　第七十七条の四の規定により国民の保護のための措置（武力攻撃事態等における国民の保護のための措置に関する法律（平成十六年法律第百十二号）第二条第三項に規定する国民の保護のための措置をいい、治安の維持に係るものを除く。以下同じ。）又は緊急対処保護措置（同法第百七十二条第一項に規定する緊急対処保護措置をいい、治安の維持に係るものを除く。以下同じ。）を実施するため部隊等を派遣する場合において、特に必要があると認めるとき　国民保護等招集命令書による国民保護等招集命令

三　第八十三条第二項の規定により部隊等を救援のため派遣する場合において、特に必要があると認めるとき　災害招集命令書による災害招集命令

2　前項各号の招集命令を受けた予備自衛官は、指定の日時に、指定の場所に出頭して、招集に応じなければならない。

3　第一項各号の招集命令により招集された予備自衛官は、辞令を発せられることなく、招集に応じて出頭した日をもつて、現に指定されている階級の自衛官となるものとする。この場合において、当該自衛官の員数は、防衛省の職員の定員外とする。

4　前項本文の場合においては、当該自衛官の任用期間は、第三十六条の規定にかかわらず、その者の予備自衛官としての任用期間によるものとし、当該自衛官については、第四十五条第一項の定年に関する規定は、適用しない。

5　第一項各号の規定による招集命令を受けた予備自衛官が心身の故障その他真にやむを得ない事由により指定の日時に、指定の場所に出頭することができない旨を申し出た場合又は招集に応じて出頭した予備自衛官についてこれらの事由があると認める場合においては、防衛大臣は、政令で定めるところにより、招集命令を取り消し、又は招集を猶予し、若しくは解除することができる。

6　防衛大臣は、第一項各号の規定による招集命令を受

け、第三項の規定により自衛官となつた者について、招集の必要がなくなつた場合には、速やかに、招集を解除しなければならない。

7　前二項の規定により招集を解除された自衛官は、次項の規定による招集命令を受けた場合又は第九項に該当する場合を除き、辞令を発せられることなく、招集の解除の日の翌日をもつて予備自衛官となり、招集の解除の日の当該自衛官の階級を指定されたものとする。

8　防衛大臣は、第六項の規定により招集を解除する場合において、新たに第一項各号に掲げる場合に該当するときは、内閣総理大臣の承認を得て、当該自衛官に対し、当該各号に定める招集命令書による招集命令を発することができる。この場合において、当該招集命令を受けた自衛官は、同項各号の規定による招集命令を受け、第三項の規定により自衛官となつたものとする。

9　第六十八条第三項の規定により任用期間が延長されていた自衛官が招集を解除された場合においては、招集の解除の日をもつて予備自衛官の任用期間が満了したものとする。

（訓練招集）

第七十一条　防衛大臣は、所要の訓練を行うため、各回ごとに招集期間を定めて、予備自衛官に対し、訓練招集命令書によつて、訓練招集命令を発することができる。

2　前項の訓練招集命令を受けた予備自衛官は、指定の日時に、指定の場所に出頭して、訓練招集に応じなければならない。

3　第一項の招集期間は、一年を通じて二十日をこえないものとする。

4　第一項の規定による訓練招集命令を受けた予備自衛官が心身の故障その他正当な事由により指定の日時に、指定の場所に出頭することができない旨を申し出た場合又は訓練招集に応じて出頭した予備自衛官についてこれらの事由があると認める場合においては、防衛大臣は、政令で定めるところにより、訓練招集命令を取り消し、又は変更することができる。

5　第一項の訓練招集命令により招集された予備自衛官は、その招集されている期間中、防衛省令で定めるところに従い、防衛大臣が指定する場所に居住して、訓練に従事するものとする。

（委任規定）

第七十二条　前二条に規定するもののほか、第七十条第一項各号に規定する防衛招集命令書、国民保護等招集命令書及び災害招集命令書並びに前条第一項に規定する訓練招集命令書に記載すべき事項、予備自衛官に対する防衛招集命令、国民保護等招集命令及び災害招集命令並びに訓練招集命令の手続その他予備自衛官の防衛招集、国民保護等招集及び災害招集並びに訓練招集に関し必要な事項は、政令で定める。

（不利益取扱の禁止）

第七十三条　何人も、被用者を求め、又は求職者の採否を決定する場合においては、予備自衛官である者に対し、その予備自衛官であることを理由として不利益な取扱をしてはならない。

2　すべて使用者は、被用者が予備自衛官であること又は予備自衛官になろうとしたことを理由として、その者を解雇し、その他これに対して不利益な取扱をしてはならない。

（予備自衛官である者の使用者に対する情報の提供）

第七十三条の二　防衛大臣又はその委任を受けた者は、予備自衛官（第七十条第一項各号の規定による招集命令を受け、同条第三項の規定により自衛官となつている者を含む。）である者の使用者から求められた場合であつて、当該予備自衛官の同意があるときは、自衛隊の任務遂行に支障を生じない限度において、当該使用者に対し、当該予備自衛官の訓練招集の予定期間その他予備自衛官の職務に対する理解と協力の確保に資するものとして防衛省令で定める情報の提供を行うものとする。

（予備自衛官である者の使用者に対する給付金）

第七十三条の三　防衛大臣又はその委任を受けた者は、予備自衛官（第七十条第一項各号の規定による招集命令を受け、同条第三項の規定により自衛官となつている者を含む。第二号において同じ。）が次の各号に掲げる場合のいずれかに該当することとなつたときは、当該予備自衛官である者の使用者（政令で定める者を除く。）に対し、当該予備自衛官である者が当該使用者の事業に従事することができない間における当該事業の継続に伴う負担を考慮して政令で定める額に、当該各号に定める日の数を乗じて得た額を、予備自衛官の職務に対する理解と協力の確保に資するための給付金として支給することができる。

一　第七十条第一項各号の規定による招集命令を受け、同条第三項の規定により自衛官となつて勤務した場合　自衛官としての勤務のために当該事業に従事することができなかつた日（招集に応じて出頭した日から招集の解除の日までの間の日に限る。）

二　第七十条第一項各号の規定による招集命令又は第

七十一条第一項の規定による訓練招集命令を受けた後に当該招集命令又は訓練招集命令を受けた予備自衛官として公務上負傷し、又は疾病にかかつた場合
　当該負傷又は疾病の療養のために当該事業に従事することができなかつた日（招集の解除の日又は同項の招集期間の終了の日の翌日以後最初に当該事業に従事することができなかつた日から起算して政令で定める期間を経過する日までの間の日に限る。）
2　前項に定めるもののほか、同項の給付金の支給に関し必要な事項は、政令で定める。

（住所変更の届出）
第七十四条　予備自衛官は、住所を変更したとき、心身の故障のため長期の休養を要するに至つたとき、又は心身障害の状態となつたときは、政令で定めるところにより、防衛大臣に対し、すみやかに、その旨を届け出なければならない。
2　予備自衛官は、防衛招集、国民保護等招集若しくは災害招集又は訓練招集に支障を来すことのないように、常にその所在を同居の親族その他政令で定める者に明らかにしておかなければならない。
3　予備自衛官が死亡したとき、又は所在不明となつたときは、前項の同居の親族その他政令で定める者は、政令で定めるところにより、防衛大臣に対し、すみやかに、その旨を届け出なければならない。

（適用除外）
第七十五条　第四十一条、第三節、第五十四条第一項、第六十条第二項及び第三項、第六十一条から第六十三条まで並びに前節の規定は、予備自衛官については、適用しない。ただし、第六十一条第一項の規定は、第七十一条第一項の規定による訓練招集命令により招集されている予備自衛官については、適用があるものとする。
2　第四十一条、第六十条第二項及び第三項、第六十一条第二項及び第三項、第六十二条、第六十三条並びに前節の規定は、第七十条第三項の規定により自衛官となつている者については、適用しない。

第二款　即応予備自衛官

（即応予備自衛官）
第七十五条の二　即応予備自衛官は、第七十五条の四第一項各号に規定する招集命令により招集された場合において同条第三項の規定により自衛官となつてあらかじめ指定された陸上自衛隊の部隊において勤務し、第七十五条の五第一項に規定する訓練招集命令により招集された場合において訓練に従事するものとする。
2　即応予備自衛官の員数は、七千九百八十一人とし、防衛省の職員の定員外とする。

（部隊の指定）
第七十五条の三　防衛大臣又はその委任を受けた者は、即応予備自衛官に対し、次条第一項各号に規定する招集命令により招集された場合において同条第三項の規定により自衛官となつて勤務する陸上自衛隊の部隊を指定するものとする。

（防衛招集、国民保護等招集、治安招集及び災害等招集）
第七十五条の四　防衛大臣は、次の各号に掲げる場合において、必要があると認めるときは、内閣総理大臣の承認を得て、即応予備自衛官に対し、当該各号に定める招集命令書による招集命令を発することができる。
一　第七十六条第一項の規定による防衛出動命令が発せられた場合又は事態が緊迫し、同項の規定による防衛出動命令が発せられることが予測される場合　防衛招集命令書による防衛招集命令
二　第七十七条の四の規定により国民の保護のための措置又は緊急対処保護措置を実施するため部隊等を派遣する場合　国民保護等招集命令書による国民保護等招集命令
三　第七十八条第一項若しくは第八十一条第二項の規定による治安出動命令が発せられた場合又は事態が緊迫し、第七十八条第一項の規定による治安出動命令が発せられることが予測される場合　治安招集命令書による治安招集命令
四　第八十三条第二項の規定により部隊等を救援のため派遣する場合又は第八十三条の二若しくは第八十三条の三の規定により部隊等を支援のため派遣する場合　災害等招集命令書による災害等招集命令
2　前項各号の招集命令を受けた即応予備自衛官は、指定の日時に、指定の場所に出頭して、招集に応じなければならない。
3　第一項各号の招集命令により招集された即応予備自衛官は、辞令を発せられることなく、招集に応じて出頭した日をもつて、現に指定されている階級の自衛官となつて現に指定されている陸上自衛隊の部隊において勤務するものとする。この場合において、当該自衛官の員数は、防衛省の職員の定員外とする。
4　防衛大臣は、第一項各号の規定による招集命令を受け、前項の規定により自衛官となつた者について、招集の必要がなくなつた場合には、速やかに、招集を解除しなければならない。
5　前項の規定又は第七項において準用する第七十条第五項の規定により招集を解除された自衛官は、次項の

規定による招集命令を受けた場合又は第七項において準用する同条第九項に該当する場合を除き、辞令を発せられることなく、招集の解除の日の翌日をもつて即応予備自衛官となり、招集の解除の日の当該自衛官の階級を指定されたものとする。

6　防衛大臣は、第四項の規定により招集を解除する場合において、新たに第一項各号に掲げる場合に該当し、必要があると認めるときは、内閣総理大臣の承認を得て、当該自衛官に対し、当該各号に定める招集命令書による招集命令を発することができる。この場合において、当該招集命令を受けた自衛官は、同項各号の規定による招集命令を受け、第三項の規定により自衛官となつたものとする。

7　第七十条第四項、第五項及び第九項の規定は、第一項各号の規定による招集命令を受けた即応予備自衛官について準用する。この場合において、同条第四項中「前項本文」とあるのは「第七十五条の四第三項前段」と、同条第五項中「第一項各号」とあるのは「第七十五条の四第一項各号」と、同条第九項中「第六十八条第三項」とあるのは「第七十五条の八において準用する第六十八条第三項」と読み替えるものとする。

（訓練招集）

第七十五条の五　防衛大臣は、所要の訓練を行うため、各回ごとに招集期間を定めて、即応予備自衛官に対し、訓練招集命令書によつて、訓練招集命令を発することができる。

2　前項の訓練招集命令を受けた即応予備自衛官は、指定の日時に、指定の場所に出頭して、訓練招集に応じなければならない。

3　第一項の招集期間は、一年を通じて、三十日を超えない範囲内で防衛省令で定める期間とする。

4　第七十一条第四項及び第五項の規定は、第一項の規定による訓練招集命令を受けた即応予備自衛官について準用する。この場合において、これらの規定中「第一項」とあるのは、「第七十五条の五第一項」と読み替えるものとする。

（委任規定）

第七十五条の六　前二条に規定するもののほか、第七十五条の四第一項各号に規定する防衛招集命令書、国民保護等招集命令書、治安招集命令書及び災害等招集命令書並びに前条第一項に規定する訓練招集命令書に記載すべき事項、即応予備自衛官に対する防衛招集命令、国民保護等招集命令、治安招集命令及び災害等招集命令並びに訓練招集命令の手続その他即応予備自衛官の防衛招集、国民保護等招集、治安招集及び災害等招集並びに訓練招集に関し必要な事項は、政令で定める。

（勤続報奨金）

第七十五条の七　防衛大臣又はその委任を受けた者は、即応予備自衛官（第七十五条の四第一項各号の規定による招集命令を受け、同条第三項の規定により自衛官となつている者を含む。）がその任用期間のうち防衛省令で定める期間以上在職し、かつ、良好な成績で勤務したときは、防衛省令で定めるところにより、その者に対し、勤続報奨金を支給することができる。

（準用）

第七十五条の八　第六十七条第一項及び第三項、第六十八条から第六十九条の二まで並びに第七十三条から第七十五条までの規定は、即応予備自衛官について準用する。この場合において、第六十七条第三項中「前二項の規定により任用された」とあるのは「採用された」と、第六十八条第一項中「前条第一項又は第二項の規定により予備自衛官に任用された」とあるのは「即応予備自衛官に採用された」と、「任用の」とあるのは「採用の」と、同条第二項、第三項及び第四項中「第七十条第一項各号」とあるのは「第七十五条の四第一項各号」と、同条第二項中「年齢六十二年」とあるのは「第四十五条第二項の規定により階級ごとに政令で定める年齢から三年を減じた年齢」と、「予備自衛官に」とあるのは「即応予備自衛官に」と、第六十九条の二第一項中「予備の」とあるのは「即応予備の」と、同条第二項中「第七十一条」とあるのは「第七十五条の五」と、第七十三条の二中「第七十条第一項各号」とあるのは「第七十五条の四第一項各号」と、第七十三条の三第一項中「第七十条第一項各号」とあるのは「第七十五条の四第一項各号」と、同項第二号中「第七十一条第一項」とあるのは「第七十五条の五第一項」と、第七十四条第二項中「国民保護等招集若しくは災害招集」とあるのは「国民保護等招集、治安招集若しくは災害等招集」と、第七十五条第一項ただし書中「第七十一条第一項」とあるのは「第七十五条の五第一項」と、同条第二項中「第七十条第三項」とあるのは「第七十五条の四第三項」と読み替えるものとする。

第三款　予備自衛官補

（予備自衛官補）

第七十五条の九　予備自衛官補は、第七十五条の十一第一項に規定する教育訓練招集命令により招集された場合において、予備自衛官として必要な知識及び技能を修得させるための教育訓練を受けるものとする。

2　予備自衛官補の員数は、防衛省の職員の定員外とする。

（教育訓練の修了期限等）

第七十五条の十　予備自衛官補は、採用の日から起算して三年を超えない範囲内で防衛大臣の定める期限までに、前条第一項に規定する教育訓練の全てを修了するものとする。ただし、防衛大臣又はその委任を受けた者は、当該期限後二年以内に修了する見込みがあると認める予備自衛官補について、二年を超えない範囲内で当該期限を延長することができる。

2　予備自衛官補に採用された者の任用期間は、採用の日から前項の防衛大臣の定める期限の末日（同項ただし書の規定により当該期限が延長された場合にあつては、当該延長された期限の末日）又は前条第一項に規定する教育訓練の全てを修了した日のいずれか早い日までとする。

（教育訓練招集）

第七十五条の十一　防衛大臣は、所要の教育訓練を行うため、各回ごとに招集期間を定めて、予備自衛官補に対し、教育訓練招集命令書によつて、教育訓練招集命令を発することができる。

2　前項の教育訓練招集命令を受けた予備自衛官補は、指定の日時に、指定の場所に出頭して、教育訓練招集に応じなければならない。

3　第一項の招集期間は、一年を通じて五十日を超えないものとする。

4　第七十一条第四項及び第五項の規定は、第一項の規定による教育訓練招集命令を受けた予備自衛官補について準用する。この場合において、同条第四項中「第一項」とあるのは「第七十五条の十一第一項」と、「訓練招集命令」とあるのは「教育訓練招集命令」と、「訓練招集に」とあるのは「教育訓練招集に」と、同条第五項中「第一項の訓練招集命令」とあるのは「第七十五条の十一第一項の教育訓練招集命令」と、「訓練に従事する」とあるのは「教育訓練を受ける」と読み替えるものとする。

（委任規定）

第七十五条の十二　前条に規定するもののほか、同条第一項に規定する教育訓練招集命令書に記載すべき事項、予備自衛官補に対する教育訓練招集命令の手続その他予備自衛官補の教育訓練招集に関し必要な事項は、政令で定める。

（準用）

第七十五条の十三　第六十九条の二第二項及び第三項、第七十三条、第七十四条並びに第七十五条第一項の規定は、予備自衛官補について準用する。この場合において、第六十九条の二第二項中「第七十一条」とあるのは「第七十五条の十一」と、「訓練招集命令」とあるのは「教育訓練招集命令」と、「訓練に従事する」とあるのは「教育訓練を受ける」と、第七十四条第二項中「防衛招集、国民保護等招集若しくは災害招集又は訓練招集」とあるのは「教育訓練招集」と、第七十五条第一項ただし書中「第七十一条第一項」とあるのは「第七十五条の十一第一項」と、「訓練招集命令」とあるのは「教育訓練招集命令」と読み替えるものとする。

第九章　罰則

第百十八条　次の各号のいずれかに該当する者は、一年以下の拘禁刑又は五十万円以下の罰金に処する。

一　第五十九条第一項又は第二項の規定に違反して秘密を漏らした者

二　第六十二条第一項の規定に違反した者

三　第六十五条の四第一項の規定に違反する行為（職務上不正な行為をするように、又は相当の行為をしないように要求し、又は依頼する行為に限る。）をした再就職者

四　第六十五条の四第二項の規定に違反する行為（職務上不正な行為をするように、又は相当の行為をしないように要求し、又は依頼する行為に限る。）をした再就職者

五　第六十五条の四第三項の規定に違反する行為（職務上不正な行為をするように、又は相当の行為をしないように要求し、又は依頼する行為に限る。）をした再就職者

六　第六十五条の四第四項の規定に違反する行為（職務上不正な行為をするように、又は相当の行為をしないように要求し、又は依頼する行為に限る。）をした再就職者

七　第三号から前号までに掲げる再就職者から要求又は依頼を受けた隊員であつて、当該要求又は依頼を受けたことにより、職務上不正な行為をし、又は相当な行為をしなかつた者

八　正当な理由がなくて自衛隊の保有する武器を使用した者

2　前項第一号に掲げる行為を企て、教唆し、又はその幇《ほう》助をした者は、同項の刑に処する。

第百十八条の二　次の各号のいずれかに該当する者は、三年以下の拘禁刑又は百万円以下の罰金に処する。

一　第六十五条の五第二項（第六十五条の八第二項に

おいて読み替えて準用する場合を含む。以下この号及び次号において同じ。）の規定により証人として喚問を受け正当の理由がなくてこれに応ぜず、又は第六十五条の五第二項の規定により書類若しくはその写しの提出を求められ正当の理由がなくてこれに応じなかつた者

二　第六十五条の五第二項の規定により証人として喚問を受け虚偽の陳述をし、若しくは正当な理由がなくて証言を行わず、又は同項の規定により書類若しくはその写しの提出を求められ虚偽の事項を記載した書類若しくは写しを提出した者

三　第六十五条の五第三項（第六十五条の八第二項において読み替えて準用する場合を含む。）の規定による検査を拒み、妨げ、若しくは忌避し、又は質問に対して陳述をせず、若しくは虚偽の陳述をした者（第六十五条の五第一項の調査の対象である若年定年等隊員及び離職の際に若年定年等隊員であつた者並びに第六十五条の八第一項において準用する国家公務員法第十八条の三第一項の調査の対象である一般定年等隊員及び離職の際に一般定年等隊員であつた者を除く。）

第百十八条の三　次の各号のいずれかに該当する者は、三年以下の拘禁刑に処する。ただし、刑法に正条があるときは、同法による。

一　職務上不正な行為（第六十五条の二第一項又は第六十五条の三第一項の規定に違反する行為を除く。次号において同じ。）をすること若しくはしたこと、又は相当の行為をしないこと若しくはしなかつたことに関し、営利企業等に対し、離職後に当該営利企業等若しくはその子法人の地位に就くこと、又は他の隊員をその離職後に、若しくは隊員であつた者を、当該営利企業等若しくはその子法人の地位に就かせることを要求し、又は約束した隊員

二　職務に関し、他の隊員に職務上不正な行為をするように、又は相当の行為をしないように要求し、依頼し、若しくは唆すこと、又は要求し、依頼し、若しくは唆したことに関し、営利企業等に対し、離職後に当該営利企業等若しくはその子法人の地位に就くこと、又は他の隊員をその離職後に、若しくは隊員であつた者を、当該営利企業等若しくはその子法人の地位に就かせることを要求し、又は約束した隊員

三　前号の職務上不正な行為をするように、又は相当の行為をしないように要求し、依頼し、又は唆した行為の相手方であつて、同号の要求又は約束があつたことの情を知つて職務上不正な行為をし、又は相当の行為をしなかつた隊員

第百十九条　次の各号のいずれかに該当する者は、三年以下の拘禁刑に処する。

一　第六十一条第一項の規定に違反した者

二　第六十四条第一項の規定に違反して組合その他の団体を結成した者

三　第六十四条第二項の規定に違反した者

四　第七十条第一項第一号の規定による防衛招集命令を受けた予備自衛官又は第七十五条の四第一項第一号若しくは第三号の規定による防衛招集命令若しくは治安招集命令を受けた即応予備自衛官で、正当な理由がなくて指定された日から三日を過ぎてなお指定された場所に出頭しないもの

五　第七十七条又は第七十九条第一項の規定による出動待機命令を受けた者で、正当な理由がなくて職務の場所を離れ七日を過ぎたもの又は職務の場所につくように命ぜられた日から正当な理由がなくて七日を過ぎてなお職務の場所につかないもの

六　第七十八条第一項又は第八十一条第二項に規定する治安出動命令を受けた者で、上官の職務上の命令に反抗し、又はこれに服従しないもの

七　上官の職務上の命令に対し多数共同して反抗した者

八　正当な権限がなくて又は上官の職務上の命令に違反して自衛隊の部隊を指揮した者

2　前項第二号若しくは第四号から第六号までに規定する行為の遂行を教唆し、若しくはその幇《ほう》助をした者又は同項第三号、第七号若しくは第八号に規定する行為の遂行を共謀し、教唆し、若しくは煽《せん》動した者は、それぞれ同項の刑に処する。

第百二十六条　次の各号のいずれかに該当する者は、十万円以下の過料に処する。

一　第六十五条の四第一項から第四項までの規定に違反して、隊員又はこれらの規定に規定する隊員に類する者として政令で定めるものに対し、契約等事務に関し、職務上の行為をするように、又はしないように要求し、又は依頼した者（職務上不正な行為をするように、又は相当の行為をしないように要求し、又は依頼した者を除く。）

二　第六十五条の十一第三項又は第四項の規定による届出をせず、又は虚偽の届出をした者

附　則〔略〕

附　則（令四・六・一一法六一）（抄）

（施行期日）

第一条　この法律は、令和五年四月一日から施行する。ただし、〔中略〕次条〔中略〕の規定は、公布の日から施行する。

（実施のための準備等）

第二条　〔略〕

２～５　〔略〕

６　第八条の規定による改正後の自衛隊法（以下「新自衛隊法」という。）の規定による隊員（自衛隊法第二条第五項に規定する隊員をいう。以下同じ。）の任用、分限その他の人事行政に関する制度の円滑な実施を確保するため、任命権者（同法第三十一条第一項の規定により隊員の任免について権限を有する者をいう。以下この項及び次項並びに附則第八条から第十一条までにおいて同じ。）は、長期的な人事管理の計画的推進その他必要な準備を行うものとし、防衛大臣は、任命権者の行う準備に関し必要な連絡、調整その他の措置を講ずるものとする。

７　任命権者は、施行日の前日までの間に、施行日から令和六年三月三十一日までの間に年齢六十年に達する隊員（当該隊員が占める官職に係る第八条の規定による改正前の自衛隊法（以下「旧自衛隊法」という。）第四十四条の二第二項に規定する定年が年齢六十年である隊員に限る。）に対し、新自衛隊法附則第十四項の規定の例により、同項に規定する給与に関する特例措置及び退職手当に関する特例措置その他の当該隊員が年齢六十年に達する日以後に適用される任用、給与及び退職手当に関する措置の内容その他の必要な情報を提供するものとするとともに、同日の翌日以後における勤務の意思を確認するよう努めるものとする。

（自衛隊法の一部改正に伴う経過措置）

第八条　新自衛隊法第四十一条の二の規定は、施行日以後に退職をした同条第一項に規定する年齢六十年以上退職者（次項において「新自衛隊法による年齢六十年以上退職者」という。）及び同条第一項に規定する国家公務員法による年齢六十年以上退職者（次項において「新国家公務員法による年齢六十年以上退職者」という。）について適用する。

２　任命権者は、附則第三条第二項に規定する基準日（以下この項において「基準日」という。）から基準日の翌年の三月三十一日までの間、基準日における新自衛隊法定年相当年齢（新自衛隊法第四十一条の二第一項に規定する短時間勤務の官職であって同項に規定する指定職（次条第一項及び附則第十一条第三項において「指定職」という。）以外のもの（附則第十一条第二項を除き、以下「短時間勤務の官職」という。）を占める隊員が、常時勤務を要する官職でその職務が当該短時間勤務の官職と同種の官職を占めているものとした場合における新自衛隊法第四十四条の六第二項に規定する定年をいう。以下この項及び附則第十条第二項において同じ。）が基準日の前日における新自衛隊法定年相当年齢を超える短時間勤務の官職（基準日における新自衛隊法定年相当年齢が新自衛隊法第四十四条の六第二項本文に規定する定年である短時間勤務の官職に限る。）及びこれに相当する基準日以後に設置された短時間勤務の官職その他の政令で定める短時間勤務の官職（以下この項において「新自衛隊法原則定年相当年齢引上げ短時間勤務官職」という。）に、基準日の前日までに新自衛隊法による年齢六十年以上退職者又は新国家公務員法による年齢六十年以上退職者となった者（基準日前から新自衛隊法第四十四条の七第一項又は第二項の規定により勤務した後基準日以後に退職をした者及び基準日前から新国家公務員法第八十一条の七第一項又は第二項の規定により勤務した後基準日以後に退職をした者を含む。）のうち基準日の前日において同日における当該新自衛隊法原則定年相当年齢引上げ短時間勤務官職に係る新自衛隊法定年相当年齢に達している者（当該政令で定める短時間勤務の官職にあっては、政令で定める者）を、新自衛隊法第四十一条の二第一項の規定により採用することができず、新自衛隊法原則定年相当年齢引上げ短時間勤務官職に、同条第二項に規定する定年前再任用短時間勤務隊員（以下「定年前再任用短時間勤務隊員」という。）のうち基準日の前日において同日における当該新自衛隊法原則定年相当年齢引上げ短時間勤務官職に係る新自衛隊法定年相当年齢に達している定年前再任用短時間勤務隊員（当該政令で定める短時間勤務の官職にあっては、政令で定める定年前再任用短時間勤務隊員）を、昇任し、降任し、又は転任することができない。

３　平成十一年十月一日前に新自衛隊法第四十六条第二項前段に規定する退職又は先の退職がある定年前再任用短時間勤務隊員について、同項後段の規定を適用する場合には、同項後段に規定する引き続く隊員としての在職期間には、同日前の当該退職又は先の退職の前の隊員としての在職期間を含まないものとする。

４　暫定再任用隊員（次条第一項若しくは第二項又は附則第十条第一項若しくは第二項の規定により採用された隊員をいう。附則第十一条及び第十二条において同じ。）として在職していた期間がある定年前再任用短時間勤務隊員に対する新自衛隊法第四十六条第二項後段の規定の適用については、同項後段中「）又は」とあるのは、「）又は国家公務員法等の一部を改正する法律（令和三年法律第六十一号）附則第九条第一項若しくは第二項若しくは第十条第一項若しくは第二項の規定によりかつて採用されて同法附則第八条第四項に規定する暫定再任用隊員として在職していた期間若しくは」とする。

5 施行日前に旧自衛隊法第四十四条の三第一項又は第二項の規定により勤務することとされ、かつ、旧自衛隊法勤務延長期限（同条第一項の期限又は同条第二項の規定により延長された期限をいう。以下この項及び次項において同じ。）が施行日以後に到来する隊員（次項において「旧自衛隊法勤務延長隊員」という。）に係る当該旧自衛隊法勤務延長期限までの間における同条第一項又は第二項の規定による勤務については、新自衛隊法第四十四条の七の規定にかかわらず、なお従前の例による。

6 任命権者は、旧自衛隊法勤務延長隊員について、旧自衛隊法勤務延長期限又はこの項の規定により延長された期限が到来する場合において、新自衛隊法第四十四条の七第一項各号に掲げる事由があると認めるときは、防衛大臣の定めるところにより、これらの期限の翌日から起算して一年を超えない範囲内で期限を延長することができる。ただし、当該期限は、当該旧自衛隊法勤務延長隊員に係る旧自衛隊法第四十四条の二第一項に規定する定年退職日の翌日から起算して三年を超えることができない。

7 新自衛隊法第四十四条の二第一項の規定は、施行日において第五項の規定により同条第一項に規定する管理監督職を占めたまま引き続き勤務している隊員には適用しない。

8 任命権者は、附則第三条第九項に規定する基準日（以下この項において「基準日」という。）から基準日の翌年の三月三十一日までの間、基準日における新自衛隊法定年（新自衛隊法第四十四条の六第二項に規定する定年をいう。以下この項及び次条第二項において同じ。）が基準日の前日における新自衛隊法定年（基準日が施行日である場合には、施行日の前日における旧自衛隊法第四十四条の二第二項に規定する定年）を超える官職（基準日における新自衛隊法定年が新自衛隊法第四十四条の六第二項本文に規定する定年である官職に限る。）及びこれに相当する基準日以後に設置された官職その他の政令で定める官職に、基準日から基準日の翌年の三月三十一日までの間に新自衛隊法第四十四条の七第一項若しくは第二項の規定又は第五項若しくは第六項の規定により勤務している隊員のうち、基準日の前日において同日における当該官職に係る新自衛隊法定年（基準日が施行日である場合には、施行日の前日における旧自衛隊法第四十四条の二第二項に規定する定年）に達している隊員（当該政令で定める官職にあっては、政令で定める隊員）を、昇任し、降任し、又は転任することができない。

9 第九条の規定による改正後の防衛省の職員の給与等に関する法律（附則第十二条第五項及び第十三条において「新防衛省職員給与法」という。）附則第五項から第十一項まで及び第十六項の規定は、第五項又は第六項の規定により勤務している隊員には適用しない。

10 第五項から前項までに定めるもののほか、第五項又は第六項の規定による勤務に関し必要な事項は、政令で定める。

第九条 任命権者は、次に掲げる者のうち、年齢六十五年到達年度の末日までの間にある者であって、当該者を採用しようとする常時勤務を要する官職（指定職を除く。以下この項及び次項並びに附則第十一条第四項において同じ。）に係る旧自衛隊法第四十四条の二第二項に規定する定年（施行日以後に設置された官職その他の政令で定める官職にあっては、政令で定める年齢）に達している者を、政令で定めるところにより、従前の勤務実績その他の政令で定める情報に基づく選考により、一年を超えない範囲内で任期を定め、当該常時勤務を要する官職に採用することができる。

一 施行日前に旧自衛隊法第四十四条の二第一項の規定により退職した者

二 旧自衛隊法第四十四条の三第一項若しくは第二項又は前条第五項若しくは第六項の規定により勤務した後退職した者

三 施行日前に旧自衛隊法の規定により退職した者（前二号及び第五号から第七号までに掲げる者を除く。）のうち、勤続期間その他の事情を考慮して前二号に掲げる者に準ずる者として政令で定める者

四 施行日前に旧国家公務員法の規定により退職した者（旧国家公務員法第八十一条の三第一項又は第二項及び附則第三条第五項又は第六項の規定により勤務した後退職した者を含む。）のうち、前三号に掲げる者に準ずる者として政令で定める者

五 施行日前に自衛隊法第四十五条第一項の規定により退職した者

六 施行日前に自衛隊法第四十五条第二項の規定による政令で定める定年に達した者であって、同条第三項又は第四項の規定により勤務した後退職した者

七　施行日前に自衛隊法第四十五条第一項に規定する定年に達した日の翌日以前に退職した者のうち勤続期間その他の事情を考慮して前二号に掲げる者に準ずるものとして政令で定める者

2　令和十四年三月三十一日までの間、任命権者は、次に掲げる者のうち、年齢六十五年到達年度の末日までの間にある者であって、当該者を採用しようとする常時勤務を要する官職に係る新自衛隊法定年に達している者を、政令で定めるところにより、従前の勤務実績その他の政令で定める情報に基づく選考により、一年を超えない範囲内で任期を定め、当該常時勤務を要する官職に採用することができる。

一　施行日以後に新自衛隊法第四十四条の六第一項の規定により退職した者

二　施行日以後に新自衛隊法第四十四条の七第一項又は第二項の規定により勤務した後退職した者

三　施行日以後に新自衛隊法第四十一条の二第一項の規定により採用された者のうち、同条第二項に規定する任期が満了したことにより退職した者

四　施行日以後に新自衛隊法の規定により退職した者（前三号及び第六号から第八号までに掲げる者を除く。）のうち、勤続期間その他の事情を考慮して前三号に掲げる者に準ずる者として政令で定める者

五　施行日以後に新国家公務員法の規定により退職した者のうち、前各号に掲げる者に準ずる者として政令で定める者

六　施行日以後に自衛隊法第四十五条第一項の規定により退職した者

七　施行日以後に自衛隊法第四十五条第二項の規定による政令で定める定年に達した者であって、同条第三項又は第四項の規定により勤務した後退職した者

八　施行日以後に自衛隊法第四十五条第一項に規定する定年に達した日の翌日以前に退職した者のうち勤続期間その他の事情を考慮して前二号に掲げる者に準ずるものとして政令で定める者

3　前二項の任期又はこの項の規定により更新された任期は、政令で定めるところにより、一年を超えない範囲内で更新することができる。ただし、当該任期の末日は、前二項の規定により採用する者又はこの項の規定により任期を更新する者の年齢六十五年到達年度の末日以前でなければならない。

第十条　任命権者は、新自衛隊法第四十一条の二第三項の規定にかかわらず、前条第一項各号に掲げる者のうち、年齢六十五年到達年度の末日までの間にある者であって、当該者を採用しようとする短時間勤務の官職に係る旧自衛隊法定年相当年齢（短時間勤務の官職を占める隊員が、常時勤務を要する官職でその職務が当該短時間勤務の官職と同種の官職を占めているものとした場合における旧自衛隊法第四十四条の二第二項に規定する定年（施行日以後に設置された官職その他の政令で定める官職にあっては、政令で定める年齢）をいう。）に達している者を、政令で定めるところにより、従前の勤務実績その他の政令で定める情報に基づく選考により、一年を超えない範囲内で任期を定め、当該短時間勤務の官職に採用することができる。

2　令和十四年三月三十一日までの間、任命権者は、新自衛隊法第四十一条の二第三項の規定にかかわらず、前条第二項各号に掲げる者のうち、年齢六十五年到達年度の末日までの間にある者であって、当該者を採用しようとする短時間勤務の官職に係る新自衛隊法定年相当年齢に達している者（新自衛隊法第四十一条の二第一項の規定により当該短時間勤務の官職に採用することができる者を除く。）を、政令で定めるところにより、従前の勤務実績その他の政令で定める情報に基づく選考により、一年を超えない範囲内で任期を定め、当該短時間勤務の官職に採用することができる。

3　前二項の規定により採用された隊員の任期については、前条第三項の規定を準用する。

第十一条　施行日前に旧自衛隊法第四十四条の四第一項又は第四十四条の五第一項の規定により採用された隊員（以下この項及び次項において「旧自衛隊法再任用隊員」という。）のうち、この法律の施行の際現に常時勤務を要する官職を占める隊員は、施行日に、附則第九条第一項の規定により採用されたものとみなす。この場合において、当該採用されたものとみなされる隊員の任期は、同項の規定にかかわらず、施行日における旧自衛隊法再任用隊員としての任期の残任期間と同一の期間とする。

2　旧自衛隊法再任用隊員のうち、この法律の施行の際現に旧自衛隊法第四十四条の五第一項に規定する短時間勤務の官職を占める隊員は、施行日に、前条第一項の規定により採用されたものとみなす。この場合において、当該採用されたものとみなされる隊員の任期は、同項の規定にかかわらず、施行日における旧自衛隊法再任用隊員としての任期の残任期間と同一の期間とする。

3　任命権者は、暫定再任用隊員を指定職に昇任し、又は転任することができない。

4　任命権者は、附則第九条第一項又は前条第一項の規定により採用した隊員のうち当該隊員を昇任し、降任

し、又は転任しようとする常時勤務を要する官職に係る旧自衛隊法第四十四条の二第二項に規定する定年（施行日以後に設置された官職その他の政令で定める官職にあっては、政令で定める年齢）に達した隊員以外の隊員及び附則第九条第二項又は前条第二項の規定により採用した隊員のうち当該隊員を昇任し、降任し、又は転任しようとする常時勤務を要する官職に係る新自衛隊法第四十四条の六第二項に規定する定年に達した隊員以外の隊員を、当該常時勤務を要する官職に昇任し、降任し、又は転任することができない。

5　前二条の規定が適用される場合における新自衛隊法第四十一条の二第三項の規定の適用については、同項中「経過していない定年前再任用短時間勤務隊員」とあるのは、「経過していない定年前再任用短時間勤務隊員、国家公務員法等の一部を改正する法律（令和三年法律第六十一号。以下この項において「令和三年国家公務員法等改正法」という。）附則第九条第一項又は第十条第一項の規定により採用した隊員のうち当該隊員を昇任し、降任し、又は転任しようとする短時間勤務の官職に係る旧自衛隊法定年相当年齢（短時間勤務の官職を占める隊員が、常時勤務を要する官職でその職務が当該短時間勤務の官職と同種の官職を占めているものとした場合における令和三年国家公務員法等改正法第八条の規定による改正前の第四十四条の二第二項に規定する定年（令和三年国家公務員法等改正法の施行の日以後に設置された官職その他の政令で定める官職にあっては、政令で定める年齢）をいう。）に達している隊員及び令和三年国家公務員法等改正法附則第九条第二項又は第十条第二項の規定により採用した隊員のうち当該隊員を昇任し、降任し、又は転任しようとする短時間勤務の官職に係る新自衛隊法定年相当年齢（短時間勤務の官職を占める隊員が、常時勤務を要する官職でその職務が当該短時間勤務の官職と同種の官職を占めているものとした場合における第四十四条の六第二項に規定する定年をいう。）に達している隊員」とする。

6　任命権者は、附則第六条第六項に規定する基準日（以下この項において「基準日」という。）から基準日の翌年の三月三十一日までの間、基準日における新自衛隊法定年（新自衛隊法第四十四条の六第二項に規定する定年（短時間勤務の官職にあっては、当該短時間勤務の官職を占める隊員が、常時勤務を要する官職でその職務が当該短時間勤務の官職と同種の官職を占めているものとした場合における同項に規定する定年）をいう。以下この項において同じ。）が基準日の前日における新自衛隊法定年を超える官職及びこれに相当する基準日以後に設置された官職その他の政令で定める官職（以下この項において「新自衛隊法定年引上げ官職」という。）に、附則第九条第二項各号に掲げる者のうち基準日の前日において同日における当該新自衛隊法定年引上げ官職に係る新自衛隊法定年に達している者（当該政令で定める官職にあっては、政令で定める者）を、同項又は前条第二項の規定により採用しようとする場合には、当該者は当該者を採用しようとする新自衛隊法定年引上げ官職に係る新自衛隊法定年に達しているものとみなして、これらの規定を適用し、新自衛隊法定年引上げ官職に、附則第九条第二項又は前条第二項の規定により採用された隊員のうち基準日の前日において同日における当該新自衛隊法定年引上げ官職に係る新自衛隊法定年に達している隊員（当該政令で定める官職にあっては、政令で定める隊員）を、昇任し、降任し、又は転任しようとする場合には、当該隊員は当該隊員を昇任し、降任し、又は転任しようとする新自衛隊法定年引上げ官職に係る新自衛隊法定年に達しているものとみなして、第四項の規定及び前項の規定により読み替えて適用する新自衛隊法第四十一条の二第三項の規定を適用する。

7　暫定再任用隊員は、定年前再任用短時間勤務隊員とみなして、新自衛隊法第四十六条第二項後段の規定を適用する。この場合において、同項後段中「年齢六十年以上退職者」とあるのは「国家公務員法等の一部を改正する法律（令和三年法律第六十一号。以下この項において「令和三年国家公務員法等改正法」という。）附則第九条第一項第一号から第三号まで若しくは第五号から第七号まで若しくは第二項第一号、第二号、第四号若しくは第六号から第八号までに掲げる者となった日若しくは同項第三号に掲げる者に該当する場合における年齢六十年以上退職者」と、「）又は」とあるのは「）又は令和三年国家公務員法等改正法第八条の規定による改正前の第四十四条の四第一項若しくは第四十四条の五第一項の規定によりかつて採用されて隊員として在職していた期間、令和三年国家公務員法等改正法附則第九条第一項若しくは第二項若しくは第十条第一項若しくは第二項の規定によりかつて採用されて令和三年国家公務員法等改正法附則第八条第四項に規定する暫定再任用隊員として在職していた期間若しくは」とする。

8　平成十一年十月一日前に新自衛隊法第四十六条第二項前段に規定する退職又は先の退職がある暫定再任用隊員について、前項の規定により定年前再任用短時間勤務隊員とみなして同条第二項後段の規定を適用する場合には、同項後段に規定する引き続く隊員としての在職期間には、同日前の当該退職又は先の退職の前の隊員としての在職期間を含まないものとする。

9　退職時に特定地方警務官であった者については、前二条の規定は、適用しない。

第十二条　暫定再任用隊員（短時間勤務の官職を占める暫定再任用隊員（以下この条において「暫定再任用短時間勤務隊員」という。）を除く。以下この項及び次項において同じ。）の俸給月額は、当該暫定再任用隊員が定年前再任用短時間勤務隊員であるものとした場合に適用される防衛省の職員の給与等に関する法律第四条第一項に規定する俸給表の定年前再任用短時間勤務職員の欄に掲げる基準俸給月額のうち、同法第四条の二第三項の規定により当該暫定再任用隊員の属する職務の級に応じた額とする。

2　新育児休業法第二十七条第一項において準用する育児休業法第十二条第一項に規定する育児短時間勤務をしている暫定再任用隊員に対する前項の規定の適用については、同項中「とする」とあるのは、「に、当該暫定再任用隊員の一週間当たりの通常の勤務時間を定年前再任用短時間勤務隊員及び新育児休業法第二十七条第一項において準用する育児休業法第十三条第一項に規定する育児短時間勤務職員以外の隊員の一週間当たりの通常の勤務時間として防衛省令で定めるもので除して得た数を乗じて得た額とする」とする。

3　暫定再任用短時間勤務隊員の俸給月額は、当該暫定再任用短時間勤務隊員が定年前再任用短時間勤務隊員であるものとした場合に適用される防衛省の職員の給与等に関する法律第四条第一項に規定する俸給表の定年前再任用短時間勤務職員の欄に掲げる基準俸給月額のうち、同法第四条の二第三項の規定により当該暫定再任用短時間勤務隊員の属する職務の級に応じた額に、当該暫定再任用短時間勤務隊員の一週間当たりの通常の勤務時間を定年前再任用短時間勤務隊員及び新育児休業法第二十七条第一項において準用する育児休業法第十三条第一項に規定する育児短時間勤務職員以外の隊員の一週間当たりの通常の勤務時間として防衛省令で定めるもので除して得た数を乗じて得た額とする。

4　暫定再任用短時間勤務隊員は、定年前再任用短時間勤務隊員とみなして、防衛省の職員の給与等に関する法律第十四条第二項において準用する新一般職給与法第十二条第二項及び第十六条第二項の規定を適用する。

5　新寒冷地手当法の規定並びに防衛省の職員の給与等に関する法律第五条第二項、第十二条及び第十四条（初任給調整手当、同条第二項において準用する一般職の職員の給与に関する法律第十一条の五から第十一条の七までの規定による地域手当、住居手当及び特地勤務手当（これに準ずる手当を含む。）に係る部分に限る。）並びに新防衛省職員給与法第五条第一項の規定は、暫定再任用隊員には適用しない。

6　暫定再任用隊員に対する新退職手当法第二条第一項の規定の適用については、同項中「又は自衛隊法」とあるのは「、自衛隊法」と、「第四十五条の二第一項」とあるのは「第四十五条の二第一項又は国家公務員法等の一部を改正する法律（令和三年法律第六十一号）附則第九条第一項若しくは第二項若しくは第十条第一項若しくは第二項」とする。

7　暫定再任用短時間勤務隊員は、定年前再任用短時間勤務隊員とみなして、新育児休業法第二十七条第一項において準用する新育児休業法第二十六条第一項並びに自衛隊法第五十四条第二項の規定に基づく防衛省令で定める勤務時間及び休暇の規定を適用する。

8　前三条及び前各項に定めるもののほか、暫定再任用隊員の任用その他暫定再任用隊員に関し必要な事項は、政令で定める。

○日本国との平和条約の効力の発生及び日本国とアメリカ合衆国との間の安全保障条約第三条に基く行政協定の実施等に伴い国家公務員法等の一部を改正する等の法律（抄）

昭二七・六・一〇
法一七四

最終改正 平一九・六・八法八〇

（駐留軍等労働者の身分）

第八条 日本国とアメリカ合衆国との間の相互協力及び安全保障条約に基づき駐留するアメリカ合衆国軍隊、日本国とアメリカ合衆国との間の相互協力及び安全保障条約第六条に基づく施設及び区域並びに日本国における合衆国軍隊の地位に関する協定第十五条第一項(a)に規定する諸機関、日本国における国際連合の軍隊の地位に関する協定に基づき本邦内にある国際連合の軍隊又は日本国とアメリカ合衆国との間の相互防衛援助協定第七条の規定に基づくアメリカ合衆国政府の責務を本邦において遂行する同国政府の職員のために労務に服する者で国が雇用するもの（以下「駐留軍等労働者」という。）は、国家公務員でない。

2 駐留軍等労働者は、国家公務員法第二条第六項に規定する勤務者と解してはならない。

（駐留軍等労働者の勤務条件）

第九条 駐留軍等労働者の給与は、その職務の内容と責任に応ずるものでなければならない。

2 駐留軍等労働者の給与その他の勤務条件は、生計費並びに国家公務員及び民間事業の従事員における給与その他の勤務条件を考慮して、防衛大臣が定める。

○国家公務員の留学費用の償還に関する法律

平一八・六・一四
法七〇

最終改正 令三・六・一一法六一

（目的）

第一条 この法律は、国家公務員の留学費用の償還に関し必要な事項を定めること等により、国家公務員の留学及びこれに相当する研修等について、その成果を公務に活用させるようにするとともに、国民の信頼を確保し、もって公務の能率的な運営に資することを目的とする。

（定義）

第二条 この法律において「職員」とは、第十条から第十二条までを除き、国家公務員法（昭和二十二年法律第百二十号）第二条に規定する一般職に属する国家公務員をいう。

2 この法律において「留学」とは、学校教育法（昭和二十二年法律第二十六号）に基づく大学の大学院の課程（同法第百四条第七項第二号の規定により大学院の課程に相当する教育を行うものとして認められたものを含む。）又はこれに相当する外国の大学（これに準ずる教育施設を含む。）の課程に在学してその課程を履修する研修であって、国家公務員法第七十条の六の規定に基づき、職員の同意を得て、国が実施するもののうち、その内容及び実施形態を考慮して人事院規則で定めるものをいう。

3　この法律において「留学費用」とは、旅費その他の留学に必要な費用として人事院規則で定めるものをいう。

4　この法律において「特別職国家公務員等」とは、国家公務員法第二条に規定する特別職に属する国家公務員、地方公務員又は沖縄振興開発金融公庫その他その業務が国の事務若しくは事業と密接な関連を有する法人のうち人事院規則で定めるものに使用される者をいう。

（留学費用の償還）

第三条　留学を命ぜられた職員が次の各号に掲げるいずれかの期間内に離職した場合には、その者は、それぞれ当該各号に定める金額を国に償還しなければならない。

一　当該留学の期間　当該留学のために国が支出した留学費用の総額に相当する金額

二　当該留学の期間の末日の翌日から起算した職員としての在職期間が五年に達するまでの期間　当該留学のために国が支出した留学費用の総額に相当する金額に、同日から起算した職員としての在職期間が通増する程度に応じて百分の百から一定の割合で逓減するように人事院規則で定める率を乗じて得た金額

2　前項の離職した場合には、死亡により職員でなくなった場合を含まないものとする。

3　第一項第二号の職員としての在職期間には、次に掲げる期間を含まないものとする。

一　国家公務員法第七十九条の規定による休職の期間（公務上負傷し、若しくは疾病にかかり、又は通勤（国家公務員災害補償法（昭和二十六年法律第百九十一号）第一条の二に規定する通勤をいう。以下同じ。）により負傷し、若しくは疾病にかかり、国家公務員法第七十九条第一号に掲げる事由に該当して休職にされた場合における当該休職の期間その他の人事院規則で定める休職の期間を除く。）

二　国家公務員法第八十二条の規定による停職の期間

三　国家公務員法第百八条の六第一項ただし書の規定により職員団体の業務に専ら従事した期間又は行政執行法人の労働関係に関する法律（昭和二十三年法律第二百五十七号）第七条第一項ただし書の規定により労働組合の業務に専ら従事した期間

四　国家公務員の育児休業等に関する法律（平成三年法律第百九号）第三条第一項の規定による育児休業をした期間

五　国家公務員の自己啓発等休業に関する法律（平成十九年法律第四十五号）第三条第一項の規定による自己啓発等休業をした期間

六　国家公務員の配偶者同行休業に関する法律（平成二十五年法律第七十八号）第三条第一項の規定による配偶者同行休業をした期間

（適用除外）

第四条　前条の規定は、留学を命ぜられた職員が次の各号に掲げる場合のいずれかに該当して離職した場合には、適用しない。

一　公務上負傷し、若しくは疾病にかかり、若しくは通勤により負傷し、若しくは疾病にかかり、国家公務員法第七十八条第二号に掲げる事由に該当して免職された場合又は同条第四号に掲げる事由に該当して免職された場合

二　国家公務員法第八十一条の六第一項の規定により退職した場合（同法第八十一条の七第一項の期限又は同条第二項の規定により延長された期限の到来により退職した場合を含む。）

三　任期を定めて採用された職員が、当該任期が満了したことにより退職した場合

四　前三号に掲げる場合に準ずる場合として人事院規則で定める場合

五　国家公務員法第五十五条第一項に規定する任命権者及び法律で別に定められた任命権者並びにこれらの任命権者から委任を受けた者の要請に応じ特別職国家公務員等となるため退職した場合

六　前号に掲げる場合のほか、特別職国家公務員等となるため離職した場合であって、人事院規則で定める場合

（特別職国家公務員等となった者に関する特例）

第五条　留学を命ぜられた職員のうち、前条第五号又は第六号に掲げる場合に該当して離職し、引き続き特別職国家公務員等として在職した後、引き続いて職員として採用された者（一の特別職国家公務員等として在職した後、引き続き一以上の特別職国家公務員等として在職し、引き続いて職員として採用された者を含む。）が離職した場合には、同条第五号又は第六号に掲げる場合に該当して離職した後における特別職国家公務員等としての在職を職員としての在職とみなして、第三条の規定を適用する。この場合において、同条第三項中「次に掲げる期間」とあるのは、「次に掲げる期間及び第五条第一項の規定により特別職国家公務員等としての在職が職員としての在職とみなされる場合における次に掲げる期間に相当する期間として人事院規則で定める期間」とする。

2　留学を命ぜられた職員のうち、前条第五号又は第六

号に掲げる場合に該当して離職し、引き続き特別職国家公務員等として在職する者（一の特別職国家公務員等として在職した後、引き続き一以上の特別職国家公務員等として在職する者を含む。）が、当該特別職国家公務員等でなくなった場合（引き続いて職員として採用される場合又は引き続き当該特別職国家公務員等以外の特別職国家公務員等として在職する場合を除く。）には、当該特別職国家公務員等でなくなったことを離職したことと、同条第五号又は第六号に掲げる場合に該当して離職した後における特別職国家公務員等としての在職を職員としての在職とそれぞれみなして、前二条の規定を適用する。この場合において、第三条第三項中「次に掲げる期間」とあるのは「次に掲げる期間及び第五条第二項の規定により特別職国家公務員等としての在職が職員としての在職とみなされる場合における次に掲げる期間に相当する期間として人事院規則で定める期間」と、前条中「次の各号に掲げる場合」とあるのは「特別職国家公務員等につき次の各号に掲げる場合に相当する場合として人事院規則で定める場合」とする。

（人事院規則への委任）

第六条　この法律（次条及び第九条から第十二条までを除く。次条において同じ。）の実施に関し必要な事項は、人事院規則で定める。

（外務職員の研修に関する特例）

第七条　外務公務員法（昭和二十七年法律第四十一号）第二条第五項に規定する外務職員に対する同法第十五条の規定に基づく研修に関するこの法律の規定の適用については、第二条第二項中「研修」とあるのは「研修その他の研修」と、「国家公務員法第七十条の六」とあるのは「外務公務員法（昭和二十七年法律第四十一号）第十五条」と、「人事院規則」とあるのは「外務省令」と、同条第三項、第三条第一項第二号及び前条（見出しを含む。）中「人事院規則」とあるのは「外務省令」とする。

第八条　削除

（行政執行法人の講ずべき措置）

第九条　留学に相当する研修を実施する独立行政法人通則法（平成十一年法律第百三号）第二条第四項に規定する行政執行法人は、第三条から第六条までに規定する措置に準じて、その職員で当該研修を命ぜられたものが第三条第一項各号に掲げる期間に相当する期間内に離職した場合に、その者に、当該研修の実施のために要する留学費用に相当する費用の全部又は一部を償還させるために必要な措置を講じなければならない。

（裁判所職員への準用）

第十条　第二条から第六条まで（第二条第一項及び第四項並びに第四条第五号を除く。）の規定は、裁判所職員（国家公務員法第二条第三項第十三号に掲げる裁判官及びその他の裁判所職員をいう。）について準用する。この場合において、これらの規定中「人事院規則」とあるのは「最高裁判所規則」と読み替えるほか、次の表の上欄に掲げる規定中同表の中欄に掲げる字句は、それぞれ同表の下欄に掲げる字句に読み替えるものとする。

第二条第二項	であって、国家公務員法第七十条の六の規定に基づき	であって
第三条第三項第一号	国家公務員法第七十九条の規定	裁判所職員臨時措置法（昭和二十六年法律第二百九十九号）において準用する国家公務員法（昭和二十二年法律第百二十号）第七十九条の規定
	国家公務員災害補償法	裁判所職員臨時措置法において準用する国家公務員災害補償法
	いう。以下同じ	いう
	国家公務員法第七十九条第一号	裁判所職員臨時措置法において準用する国家公務員法第七十九条第一号
	除く。）	除く。）又は裁判官弾劾法（昭和二十二年法

		律第百三十七号）第三十九条の規定による職務の停止の期間
第三条第三項第二号	国家公務員法第八十二条	裁判所職員臨時措置法において準用する国家公務員法第八十二条
第三条第三項第三号	国家公務員法第百八条の六第一項ただし書	裁判所職員臨時措置法において準用する国家公務員法第百八条の六第一項ただし書
	期間又は行政執行法人の労働関係に関する法律（昭和二十三年法律第二百五十七号）第七条第一項ただし書の規定により労働組合の業務に専ら従事した期間	期間
第三条第三項第四号	国家公務員の育児休業等に関する法律	裁判官の育児休業に関する法律（平成三年法律第百十一号）第二条第一項又は裁判所職員臨時措置法において準用する国家公務員の育児休業等に関する法律
第三条第三項第五号	国家公務員の自己啓発等休業に関する法律	裁判所職員臨時措置法において準用する国家公務員の自己啓発等休業に関する法律
第三条第三項第六号	国家公務員の配偶者同行休業に関する法律	裁判官の配偶者同行休業に関する法律（平成二十五年法律第九十一号）第三条第一項又は裁判所職員臨時措置法において準用する国家公務員の配偶者同行休業に関する法律
第四条第一号	通勤	通勤（裁判官の災害補償に関する法律（昭和三十五年法律第百号）においてその例によるものとされ、又は裁判所職員臨時措置法において準用する国家公務員災害補償法第一条の二に規定する通勤をいう。）
	国家公務員法第七十八条第二号	裁判官分限法（昭和二十二年法律第百二十七号）第一条第一項（同

		項の裁判に係る部分に限る。）に規定する事由に該当して免官され、若しくは裁判所職員臨時措置法において準用する国家公務員法第七十八条第二号
第四条第二号	国家公務員法	裁判所法（昭和二十二年法律第五十九号）又は裁判所職員臨時措置法において準用する国家公務員法
第四条第六号	前号に掲げる場合のほか、特別職国家公務員等	一般職国家公務員等（国家公務員法第二条に規定する一般職に属する国家公務員、同条に規定する特別職に属する国家公務員（裁判所職員を除く。）、地方公務員又は沖縄振興開発金融公庫その他その業務が国の事務若しくは事業と密接な関連を有する法人のうち最高裁判所規則で定めるものに使用される者をいう。以下同じ。）
第五条（見出しを含む。）	特別職国家公務員等	一般職国家公務員等
第五条	前条第五号又は第六号	前条第六号
	同条第五号又は第六号	同号
第五条第二項	前二条	前二条（前条第五号を除く。）
第六条	この法律（次条及び第九条から第十二条までを除く。次条において同じ。）	この法律

（防衛省職員への準用）

第十一条　第二条第二項及び第三項、第三条（第三項第三号を除く。）並びに第四条から第六条までの規定は、防衛省職員（国家公務員法第二条第三項第十六号に掲げる防衛省の職員をいう。）について準用する。この場合において、これらの規定中「人事院規則」とあるのは「防衛省令」と読み替えるほか、次の表の上欄に掲げる規定中同表の中欄に掲げる字句は、それぞれ同表の下欄に掲げる字句に読み替えるものとする。

第二条第二項	であって、国家公務員法第七十条の六の規定に基づき	であって
第三条第三項第一号	国家公務員法第七十八条の規定	自衛隊法（昭和二十九年法律第百六十五号）第四十三条の規定
	国家公務員災害補償法	防衛省の職員の給与等に関する法

		律（昭和二十七年法律第二百六十六号）第二十七条第一項において準用する国家公務員災害補償法
	国家公務員法第七十九条第一号	自衛隊法第四十三条第一号
第三条第三項第二号	国家公務員法第八十二条	自衛隊法第四十六条
第三条第三項第四号	第三条第一項	第二十七条第一項において準用する同法第三条第一項
第三条第三項第五号	第三条第一項	第十条において準用する同法第三条第一項
第三条第三項第六号	第三条第一項	第十一条において準用する同法第三条第一項
第四条第一号	国家公務員法第七十	自衛隊法第
	八条第二号	四十二条第二号
第四条第二号	国家公務員法第八十一条の六第一項	自衛隊法第四十四条の六第一項又は第四十五条第一項
	第八十一条の七第一項	第四十四条の七第一項
	場合を含む	場合及び同法第四十五条第三項又は第四項の規定により勤務した後退職した場合を含む
第四条第五号	国家公務員法第五十五条第一項に規定する任命権者及び法律で別に定められた任命権者並びにこれらの任命権者から委任を受けた者	自衛隊法第三十一条第一項の規定により同法第二条第五項に規定する隊員の任免について権限を有する者
	特別職国家公務員等	一般職国家公務員等
		（同法第四十六条第二項に規定する一般職国家公務員等をいう。以下同じ。）
第四条第六号及び第五条（見出しを含む。）	特別職国家公務員等	一般職国家公務員等
第五条第一項	第三条	第三条（第三項第三号を除く。）
第五条第二項	前二条	前二条（第三条第三項第三号を除く。）
第六条	この法律（次条及び第九条から第十二条までを除く。次条において同じ。）	この法律

（地方公共団体における留学費用に相当する費用の償還）

第十二条　留学に相当する研修を実施する地方公共団体は、当該研修を命ぜられた職員が第三条第一項各号に掲げる期間に相当する期間内に離職した場合に、その者に、当該研修の実施のために要する留学費用に相当する費用の全部又は一部を償還させることができる。

2　前項の規定により償還させる金額その他必要な事項

については、第三条から第六条までに規定する措置を基準として条例で定めるものとする。

附　則（抄）

（施行期日等）

第一条　この法律は、公布の日から起算して三月を超えない範囲内において政令で定める日〔平一八・六・一九〕から施行する。〔ただし書略〕

2　第三条（第十条及び第十一条において準用する場合を含む。）の規定は、この法律の施行後に留学を命ぜられた国家公務員について適用する。

附　則（平二九・五・三一法四一）（抄）

（施行期日）

第一条　この法律は、平成三十一年四月一日から施行する。〔ただし書略〕

（国家公務員の留学費用の償還に関する法律の一部改正に伴う経過措置）

第四十六条　前条の規定による改正後の国家公務員の留学費用の償還に関する法律（以下この条において「新留学費用償還法」という。）第二条第二項（新留学費用償還法第十条及び第十一条において準用する場合を含む。）に規定する留学には、前条の規定による改正前の国家公務員の留学費用の償還に関する法律（以下この条において「旧留学費用償還法」という。）第二条第二項（旧留学費用償還法第十条及び第十一条において準用する場合を含む。）に規定する留学（旧学校教育法第百四条第四項第二号の規定により大学院の課程に相当する教育を行う課程として認められていた課程に係るものに限る。）を含むものとする。

○人事院規則一〇―一二（職員の留学費用の償還）

平一八・六・一四公布
平一八・六・一九施行

最終改正　令四・七・一規則一〇―一二―一七

（趣旨）

第一条　この規則は、留学費用償還法に規定する職員の留学費用の償還に関し必要な事項を定めるものとする。

（留学）

第二条　留学費用償還法第二条第二項の人事院規則で定める研修（以下「留学」という。）は、次に掲げる要件のいずれにも該当するものとして人事院が定める研修とする。

一　公務外においても有用な知識、技能等の修得が可能なものであること。

二　国が必要な費用を支出するものであること。

三　留学費用償還法第二条第二項に規定する職員の同意があらかじめ書面により行われるものであること。

（留学費用）

第三条　留学費用償還法第二条第三項の人事院規則で定める費用（以下「留学費用」という。）は、次に掲げる費用とする。

一　国家公務員等の旅費に関する法律（昭和二十五年法律第百十四号）による旅費

二　留学に係る大学院等の課程（学校教育法（昭和二十二年法律第二十六号）に基づく大学の大学院の課程（同法第百四条第七項第二号の規定により大学院の課程に相当する教育を行うものとして認められたものを含む。）又はこれに相当する外国の大学（これに準ずる教育施設を含む。）の課程をいう。以下この条において同じ。）に在学して当該大学院等の課程を履修するために当該大学院等の課程を置く大学等（同法に基づく大学、外国の大学又はこれらに準ずる教育施設をいう。）に対して支払う費用

三　留学に係る大学院等の課程に在学して当該大学院等の課程を履修する上で必要な教育を受けるために当該教育を行う教育施設に対して支払う費用

（国の事務又は事業と密接な関連を有する業務を行う法人）

第四条　留学費用償還法第二条第四項の人事院規則で定める法人は、沖縄振興開発金融公庫のほか、次に掲げる法人とする。

一　国家公務員退職手当法施行令（昭和二十八年政令第二百十五号）第九条の二各号に掲げる法人

二　国家公務員退職手当法施行令第九条の四各号に掲げる法人（沖縄振興開発金融公庫及び前号に掲げる法人を除く。）

三　中部国際空港の設置及び管理に関する法律（平成十年法律第三十六号）第四条第二項に規定する指定会社

四　アイヌの人々の誇りが尊重される社会を実現するための施策の推進に関する法律（平成三十一年法律第十六号）第二十条第三項に規定する指定法人

（留学を命ずる職員に対して明示すべき事項）

第五条　各省各庁の長は、留学の実施について職員の同

意を得るに当たっては、当該職員に当該留学が留学費用償還法第二条第二項に規定するものである旨を明示しなければならない。

２　各省各庁の長は、職員に留学を命ずるに当たっては、当該職員に当該留学の期間を明示しなければならない。留学を命じた後に当該留学の期間を変更する場合も、同様とする。

（留学費用償還法第三条第一項に該当する者に対する通知）

第六条　各省各庁の長は、留学費用償還法第三条第一項に該当する者に対し、速やかに、留学の名称及び期間、留学のために国が支出した留学費用の総額、同項の規定により償還しなければならない金額その他必要な事項を書面により通知するものとする。

（留学費用償還法第三条第一項第二号の人事院規則で定める率）

第七条　留学費用償還法第三条第一項第二号の人事院規則で定める率は、六十月から同号の職員としての在職期間の月数を控除した月数を六十月で除して得た率とする。

２　前項の職員としての在職期間の月数の計算については、次の各号に定めるところによる。

一　月により期間を計算する場合は、民法（明治二十九年法律第八十九号）第百四十三条に定めるところによる。

二　一月に満たない期間が二以上ある場合は、これらの期間を合算するものとし、これらの期間の計算については、三十日をもって一月とする。

（職員としての在職期間に含まれる休職の期間）

第八条　留学費用償還法第三条第三項第一号の人事院規則で定める休職の期間は、次に掲げる期間とする。

一　公務上負傷し、若しくは疾病にかかり、又は通勤（補償法第一条の二に規定する通勤をいう。次条第二号において同じ。）により負傷し、若しくは疾病にかかり、法第七十九条第一号に掲げる事由に該当して休職にされた場合における当該休職の期間

二　規則一一—四（職員の身分保障）第三条第一項第一号、第二号、第四号若しくは第五号又は第二項に規定する事由に該当して休職にされた場合における当該休職の期間

２　次の各号に掲げる職員（次条第一号において「派遣職員等」という。）に関する前項第一号の規定の適用については、当該各号に定める当該職員の業務（同条第一号において「派遣職員等業務」という。）を公務とみなす。

一　派遣法第三条に規定する派遣職員　派遣先の機関の業務

二　官民人事交流法第八条第二項に規定する交流派遣職員　官民人事交流法第十六条に規定する派遣先企業において就いていた業務

三　法科大学院派遣法第四条第三項又は第十一条第一項の規定により派遣された職員　法科大学院派遣法第九条（法科大学院派遣法第十八条において準用する場合を含む。）に規定する当該法科大学院における教授等の業務

四　福島復興再生特別措置法（平成二十四年法律第二十五号）第四十八条の三第七項に規定する派遣職員　同法第四十八条の九に規定する機構における特定業務

五　福島復興再生特別措置法第八十九条の三第七項に規定する派遣職員　同法第八十九条の九に規定する機構における特定業務

六　令和七年国際博覧会特措法第二十五条第七項に規定する派遣職員　平成三十七年国際博覧会特措法第三十一条に規定する博覧会協会における特定業務

七　令和九年国際園芸博覧会特措法第十五条第七項に規定する派遣職員　令和九年国際園芸博覧会特措法第二十一条に規定する博覧会協会における特定業務

（留学費用償還法第三条第一項の規定が適用されない場合）

第九条　留学費用償還法第四条第四号の人事院規則で定める場合は、次に掲げる場合とする。

一　派遣職員等が、派遣職員等業務を公務とみなした場合に留学費用償還法第四条第一号に該当する場合

二　職員が、年齢六十年に達した日以後に法の規定により退職した場合（引き続いて法第六十条の二第一項の規定により採用される場合に限る。）

三　検察官が、公務上負傷し、若しくは疾病にかかり、又は通勤により負傷し、若しくは疾病にかかり、検察庁法（昭和二十二年法律第六十一号）第二十三条第一項に規定する事由（心身の故障に限る。）に該当してその官を免ぜられた場合

四　検察官が、検察庁法第二十二条第一項の規定により退官した場合

五　前各号に掲げる場合のほか、留学費用償還法第四条第一号から第三号までに掲げる場合に準ずる場合として人事院が定める場合

第十条　留学費用償還法第四条第六号の人事院規則で定める場合は、組織の改廃に伴い法律の規定により特別職国家公務員等（留学費用償還法第二条第四項に規定

する特別職国家公務員等をいう。以下同じ。）となるため離職した場合とする。

（特別職国家公務員等となった者に関する特例）

第十一条 留学費用償還法第五条第一項及び第二項の規定により読み替えて適用する留学費用償還法第三条第三項の人事院規則で定める期間は、次に掲げる期間とする。

一 裁判所職員臨時措置法（昭和二十六年法律第二百九十九号）において準用する法（以下「準用国家公務員法」という。）第七十九条、国会職員法（昭和二十二年法律第八十五号）第十三条、自衛隊法（昭和二十九年法律第百六十五号）第四十三条若しくは地方公務員法（昭和二十五年法律第二百六十一号）第二十八条第二項の規定若しくは同法第二十七条第二項の規定に基づく条例の規定若しくは第四条に規定する法人に使用される者若しくは港湾法（昭和二十五年法律第二百十八号）第四十三条の二十九第一項若しくは民間資金等の活用による公共施設等の整備等の促進に関する法律（平成十一年法律第百十七号）第七十八条第一項に規定する国派遣職員に係る労働協約、就業規則その他これらに準ずるもの（以下「法人の就業規則等」という。）の定めによる休職の期間（次に掲げる期間を除く。）又は裁判官弾劾法（昭和二十二年法律第百三十七号）第三十九条の規定による職務の停止の期間

イ 公務上若しくは業務上負傷し、若しくは疾病にかかり、又は通勤（補償法（他の法律において準用し、又は例による場合を含む。）の適用を受ける者にあっては補償法第一条の二に規定する通勤、地方公務員災害補償法の適用を受ける者にあっては同法第二条第二項に規定する通勤、労働者災害補償保険法の適用を受ける者にあっては同法第七条第二項に規定する通勤をいう。次条第一号において同じ。）により負傷し、若しくは疾病にかかり、法第七十九条第一号に掲げる事由に相当する事由に該当して休職にされた場合における当該休職の期間

ロ 規則一一—四第三条第一項第一号、第二号、第四号若しくは第五号又は第二項に規定する事由に相当する事由に該当して休職にされた場合における当該休職の期間

ハ 法人の就業規則等の定めるところにより我が国が加盟している国際機関、外国政府の機関その他これらに準ずる機関の要請に応じ、これらの機関の業務に従事するために休職にされた場合における当該休職の期間

二 準用国家公務員法第八十二条、国会職員法第二十八条及び第二十九条第三号、自衛隊法第四十六条若しくは地方公務員法第二十九条の規定又は法人の就業規則等の定めによる停職の期間（法人の就業規則等の定めるところにより制裁として出勤を停止された期間を含む。）

三 準用国家公務員法第百八条の六第一項ただし書若しくは地方公務員法第五十五条の二第一項ただし書の規定により職員団体の業務に専ら従事した期間又は法人の就業規則等の定めにより労働組合の業務に専ら従事した期間

四 裁判官の育児休業に関する法律（平成三年法律第百十一号）第二条第一項、裁判所職員臨時措置法において準用する育児休業法第三条第一項、国会職員の育児休業等に関する法律（平成三年法律第百八号）第三条第一項、育児休業法第二十七条第一項において準用する育児休業法第三条第一項、地方公務員の育児休業等に関する法律（平成三年法律第百十号）第二条第一項又は育児休業、介護休業等育児又は家族介護を行う労働者の福祉に関する法律（平成三年法律第七十六号）第二条第一号の規定による育児休業をした期間

五 裁判所職員臨時措置法において準用する自己啓発等休業法第三条第一項、自己啓発等休業法第十条において準用する自己啓発等休業法第三条第一項若しくは地方公務員法第二十六条の五第一項の規定による自己啓発等休業をした期間又は法人の就業規則等の定めによる自発的な大学等における修学（自己啓発等休業法第二条第三項に規定する大学等における修学をいう。）若しくは国際協力の促進に資する外国における奉仕活動への参加のための休業をした期間

六 裁判官の配偶者同行休業に関する法律（平成二十五年法律第九十一号）第三条第一項、裁判所職員臨時措置法において準用する配偶者同行休業法第三条第一項、国会職員の配偶者同行休業に関する法律（平成二十五年法律第八十号）第三条第一項、配偶者同行休業法第十一条において準用する配偶者同行休業法第三条第一項若しくは地方公務員法第二十六条の六第一項の規定による配偶者同行休業をした期間又は法人の就業規則等の定めによる外国に住所若しくは居所を定めて滞在する配偶者と当該住所若しくは居所において生活を共にするための休業をした期間

第十二条 留学費用償還法第五条第二項の規定により読み替えて適用する留学費用償還法第四条の各号列記以外の部分の人事院規則で定める場合は、次に掲げる場合とする。

一 公務上若しくは業務上負傷し、若しくは疾病にかかり、又は通勤により負傷し、若しくは疾病にかかり、次に掲げる場合に該当することとなった場合

イ 裁判官分限法（昭和二十二年法律第百二十七号）第一条第一項（同項の裁判に係る部分に限る。）に規定する事由に該当して免官された場合

ロ 準用国家公務員法第七十八条第二号、国会職員法第十一条第一項第二号、自衛隊法第四十二条第二号又は地方公務員法第二十八条第一項第二号に掲げる事由に該当して免職された場合

ハ 法人の就業規則等において定めるところにより心身の故障のため解雇された場合

二 準用国家公務員法第七十八条第四号、国会職員法第十一条第一項第四号、自衛隊法第四十二条第四号又は地方公務員法第二十八条第一項第四号に掲げる事由に該当して免職された場合

三 裁判所法（昭和二十二年法律第五十九号）第五十条の規定により退官した場合、準用国家公務員法第八十一条の六第一項の規定により退職した場合（準用国家公務員法第八十一条の七第一項の期限又は同条第二項の規定により延長された期限の到来により退職した場合を含む。）、国会職員法第十五条の六第一項の規定により退職した場合（同法第十五条の七第一項の期限又は同条第二項の規定により延長された期限の到来により退職した場合を含む。）、自衛隊法第四十四条の六第一項若しくは第四十五条第一項の規定により退職した場合（同法第四十四条の七第一項の期限又は同条第二項の規定により延長された期限の到来により退職した場合及び同法第四十五条第三項又は第四項の規定により勤務した後退職した場合を含む。）、地方公務員法第二十八条の六第一項の規定により退職した場合（同法第二十八条の七第一項の期限又は同条第二項の規定により延長された期限の到来により退職した場合を含む。）又は法人の就業規則等において定める定年に達したことにより退職した場合

四 任期を定めて採用された特別職国家公務員等が、当該任期が満了したことにより退職した場合

五 外務公務員法（昭和二十七年法律第四十一号）第十二条第二項の規定により免職された場合

六 前各号に掲げる場合に準ずる場合として人事院が定める場合

（報告）

第十三条 各省各庁の長は、毎年五月末日までに、前年の四月一日に始まる年度内において実施した留学の名称及び当該留学を命ぜられた職員の数並びにかつて留学を命ぜられた職員のうち、当該年度内において離職（留学費用償還法第五条第二項の規定により離職とみなされる場合を含み、留学費用償還法第四条第五号又は第六号に該当して離職した場合を除く。）又は死亡した者の留学及び留学費用の償還に関する状況その他必要な事項を人事院に報告しなければならない。

（雑則）

第十四条 この規則に定めるもののほか、職員の留学費用の償還に関し必要な事項は、人事院が定める。

附　則（抄）

（施行期日）

1 この規則は、留学費用償還法の施行の日（平成十八年六月十九日）から施行する。

○人事院規則一〇—一二（職員の留学費用の償還）の運用について

平一八・六・一四
人研調—九二七

最終改正 令五・三・一〇人研—一三二

第二条関係

1 この条の「人事院が定める研修」は、行政官長期在外研究員制度、行政官国内研究員（修士課程コース）制度及び行政官国内研究員（博士課程コース）制度による研修並びに次に掲げる研修とする。

一 会計検査院海外大学院等派遣研修（旧会計検査院アジア経済研究所開発スクール等派遣研修及び旧会計検査院アジア経済研究所開発スクール派遣研修を含む。）
二 会計検査院会計専門職大学院派遣研修
三 会計検査院公共政策大学院（国際プログラム）派遣研修
四 警察庁海外調査研究
五 警察庁情報通信職員国内大学院派遣制度
六 金融庁在外研究員制度
七 金融庁国内大学院派遣制度
八 法務省検事在外研究員（米国大学院コース）派遣制度
九 財務省在外研究員制度
十 財務省経済学等専門研修制度
十一 財務省税関研修所大学委託研修制度
十二 財務省財務局経済学等研究員派遣制度
十三 国税庁在外研究員制度
十四 国税庁税務大学校研究科博士前期課程受講コース
十五 文部科学省宇宙関係在外研究員派遣制度
十六 文部科学省原子力関係在外研究員派遣制度
十七 文部科学省国内大学院派遣制度
十八 文化庁文化政策関係行政官国内研究員派遣制度
十九 農林水産省検査・監察部国内会計専門職大学院派遣制度
二十 農林水産省国内大学院（事業構想修士）派遣制度
二十一 経済産業省海外調査研究員制度
二十二 経済産業省国内大学院経済等研修
二十三 特許庁外国大学院課程履修研修
二十四 特許庁国内大学院課程履修研修
二十五 国土交通省国内政策研究員派遣制度
二十六 海上保安庁在外大学院派遣制度
二十七 海上保安庁国内大学院派遣制度
二十八 原子力規制委員会職員長期在外研究員制度
二十九 原子力規制委員会原子力規制行政官国内研究員制度

2 各省各庁の長は、前項各号に掲げる研修の内容若しくは実施形態を変更する場合又は学校教育法（昭和二十二年法律第二十六号）に基づく大学の大学院の課程（同法第百四条第七項第二号の規定により大学院の課程に相当する教育を行うものとして認められたものを含む。）若しくはこれに相当する外国の大学（これに準ずる教育施設を含む。）の課程に在学してその課程を履修する研修であって、国家公務員法（昭和二十二年法律第百二十号）第七十条の六の規定に基づき、職員の同意を得て、国が実施するものであり、かつ、規則第二条各号に掲げる要件のいずれにも該当すると認められるものを新たに実施する場合には、速やかに、人事院事務総長に報告するものとする。

第三条関係

1 この条の第二号の「大学等」には、同号の大学等のために支払を受ける者が含まれる。

2 この条の第二号に該当する費用として、例えば、入学料、授業料、学籍登録料、学生保険料、施設使用料がある。

3 この条の第三号の「教育施設」には、同号の教育施設のために支払を受ける者が含まれる。

4 この条の第三号に該当する費用として、例えば、サマースクール受講料がある。

第五条関係

1 この条の第一項の規定による明示をする際には、各省各庁の長は、留学費用の償還に関する制度及びその留学のために支出する予定である留学費用について説明するものとする。

2 この条の第二項の規定による明示は、書面により行うものとする。

第六条関係

この条の規定による通知は、次に掲げる事項を記載して行うものとする。

一 留学の名称及び期間
二 留学のために国が支出した留学費用の総額
三 留学費用償還法第三条第一項各号のいずれに該当するかの別

四　留学費用償還法第三条第一項第二号の職員としての在職期間（同号に該当する場合に限る。）

五　留学費用償還法第三条第一項の規定により償還しなければならない金額

六　その他必要な事項

第七条関係

この条に規定する率を用いて留学費用償還法第三条第一項第二号の規定により償還しなければならない金額を計算するに際し、一円未満の端数を生じたときは、国等の債権債務等の金額の端数計算に関する法律（昭和二十五年法律六十一号）第二条第一項の規定に従い、端数を切り捨てることとなる。

第十三条関係

この条の規定による報告は、次に掲げる事項を記載して行うものとする。

一　前年の四月一日に始まる年度内において実施した留学（当該年度の前年度から引き続き実施されているものを含む。）の名称及び当該留学を命ぜられた職員の数

二　かつて留学を命ぜられた職員（留学費用償還法の施行後に留学を命ぜられた職員に限る。）のうち前年の四月一日に始まる年度内において離職又は死亡（以下「離職等」という。）した者に係る次の事項

(1)　氏名

(2)　離職等をした時に職員であったか否かの別

(3)　離職等をした時における官職又は職

(4)　命ぜられた留学の名称

(5)　命ぜられた留学の期間

(6)　命ぜられた留学に係る規則第三条第二号に規定する大学等の名称及び専攻分野

(7)　離職等をした年月日

(8)　留学費用償還法第四条第一号から第四号まで若しくは規則第十二条各号のいずれかに該当する離職、これらに該当しない離職又は死亡の別

(9)　規則第七条第一項の職員としての在職期間の月数

(10)　留学費用償還法第三条第一項の規定により償還しなければならない金額

(11)　償還の終了、未了の別

三　その他必要な事項

○外務職員の留学費用の償還に関する省令

平一八・六・一六
外務省令一〇

（趣旨）

第一条　この省令は、国家公務員の留学費用の償還に関する法律（平成十八年法律第七十号。以下「法」という。）に規定する外務職員の留学費用の償還に関し必要な事項を定めるものとする。

（留学）

第二条　法第七条の規定において読み替えて適用する法第二条第二項で定める研修（以下「留学」という。）は、次に掲げるものとする。

一　外務職員の研修に関する省令（昭和二十七年外務省令第十八号。以下「省令」という。）第四条第一項に規定する在外上級研修員として外国において行う研修

二　省令第四条第二項に規定する外務省専門職研修員として外国において行う研修

（留学費用）

第三条　法第二条第三項の外務省令で定める費用（以下「留学費用」という。）は、次に掲げる費用とする。

一　国家公務員等の旅費に関する法律（昭和二十五年法律第百十四号）による旅費（ただし、留学以外の公務に係る旅費を除く。）

二　在外公館の名称及び位置並びに在外公館に勤務する外務公務員の給与に関する法律（昭和二十七年法律第九十三号）第六条第八項に規定する研修員手当

（留学を命ずる職員に対して明示すべき事項）
第四条　外務大臣は、留学の実施について職員の同意を得るに当たっては、当該職員に当該留学が法第二条第二項に規定するものである旨を明示しなければならない。

（法第三条第一項に該当する者に対する通知）
第五条　外務大臣は、法第三条第一項に該当する者に対し、速やかに、国が支出した留学費用の総額、同項の規定により償還しなければならない金額その他必要な事項を書面により通知するものとする。

（法第三条第一項第二号の外務省令で定める率）
第六条　法第三条第一項第二号の外務省令で定める率は、六十月から同号の職員としての在職期間の月数を控除した月数を六十月で除して得た率とする。
2　前項の職員としての在職期間の月数の計算については、次の各号に定めるところによる。
一　月により期間を計算する場合は、民法（明治二十九年法律第八十九号）第百四十三条に定めるところによる。
二　一月に満たない期間が二以上ある場合は、これらの期間を合算するものとし、これらの期間の計算については、三十日をもって一月とする。

（雑則）
第七条　この省令に定めるもののほか、外務職員の留学費用の償還に関し必要な事項は、外務大臣が定める。

附　則

この省令は、法の施行の日（平成十八年六月十九日）から施行する。

○行政事件訴訟法

昭三七・五・一六
法　一　三　九

最終改正　令五・一一・二九法七九

第一章　総則

（この法律の趣旨）
第一条　行政事件訴訟については、他の法律に特別の定めがある場合を除くほか、この法律の定めるところによる。

（行政事件訴訟）
第二条　この法律において「行政事件訴訟」とは、抗告訴訟、当事者訴訟、民衆訴訟及び機関訴訟をいう。

（抗告訴訟）
第三条　この法律において「抗告訴訟」とは、行政庁の公権力の行使に関する不服の訴訟をいう。
2　この法律において「処分の取消しの訴え」とは、行政庁の処分その他公権力の行使に当たる行為（次項に規定する裁決、決定その他の行為を除く。以下単に「処分」という。）の取消しを求める訴訟をいう。
3　この法律において「裁決の取消しの訴え」とは、審査請求その他の不服申立て（以下単に「審査請求」という。）に対する行政庁の裁決、決定その他の行為（以下単に「裁決」という。）の取消しを求める訴訟をいう。
4　この法律において「無効等確認の訴え」とは、処分若しくは裁決の存否又はその効力の有無の確認を求める訴訟をいう。
5　この法律において「不作為の違法確認の訴え」とは、行政庁が法令に基づく申請に対し、相当の期間内に何らかの処分又は裁決をすべきであるにかかわらず、これをしないことについての違法の確認を求める訴訟をいう。
6　この法律において「義務付けの訴え」とは、次に掲げる場合において、行政庁がその処分又は裁決をすべき旨を命ずることを求める訴訟をいう。
一　行政庁が一定の処分をすべきであるにかかわらずこれがされないとき（次号に掲げる場合を除く。）。
二　行政庁に対し一定の処分又は裁決を求める旨の法令に基づく申請又は審査請求がされた場合において、当該行政庁がその処分又は裁決をすべきであるにかかわらずこれがされないとき。
7　この法律において「差止めの訴え」とは、行政庁が一定の処分又は裁決をすべきでないにかかわらずこれがされようとしている場合において、行政庁がその処分又は裁決をしてはならない旨を命ずることを求める訴訟をいう。

（当事者訴訟）
第四条　この法律において「当事者訴訟」とは、当事者間の法律関係を確認し又は形成する処分又は裁決に関する訴訟で法令の規定によりその法律関係の当事者の一方を被告とするもの及び公法上の法律関係に関する確認の訴えその他の公法上の法律関係に関する訴訟をいう。

（民衆訴訟）
第五条　この法律において「民衆訴訟」とは、国又は公共団体の機関の法規に適合しない行為の是正を求める訴訟で、選挙人たる資格その他自己の法律上の利益にかかわらない資格で提起するものをいう。

（機関訴訟）

第六条　この法律において「機関訴訟」とは、国又は公共団体の機関相互間における権限の存否又はその行使に関する紛争についての訴訟をいう。

（この法律に定めがない事項）

第七条　行政事件訴訟に関し、この法律に定めがない事項については、民事訴訟の例による。

第二章　抗告訴訟

第一節　取消訴訟

（処分の取消しの訴えと審査請求との関係）

第八条　処分の取消しの訴えは、当該処分につき法令の規定により審査請求をすることができる場合においても、直ちに提起することを妨げない。ただし、法律に当該処分についての審査請求に対する裁決を経た後でなければ処分の取消しの訴えを提起することができない旨の定めがあるときは、この限りでない。

2　前項ただし書の場合においても、次の各号の一に該当するときは、裁決を経ないで、処分の取消しの訴えを提起することができる。

一　審査請求があつた日から三箇月を経過しても裁決がないとき。

二　処分、処分の執行又は手続の続行により生ずる著しい損害を避けるため緊急の必要があるとき。

三　その他裁決を経ないことにつき正当な理由があるとき。

3　第一項本文の場合において、当該処分につき審査請求がされているときは、裁判所は、その審査請求に対する裁決があるまで（審査請求があつた日から三箇月を経過しても裁決がないときは、その期間を経過するまで）、訴訟手続を中止することができる。

（原告適格）

第九条　処分の取消しの訴え及び裁決の取消しの訴え（以下「取消訴訟」という。）は、当該処分又は裁決の取消しを求めるにつき法律上の利益を有する者（処分又は裁決の効果が期間の経過その他の理由によりなくなつた後においてもなお処分又は裁決の取消しによつて回復すべき法律上の利益を有する者を含む。）に限り、提起することができる。

2　裁判所は、処分又は裁決の相手方以外の者について前項に規定する法律上の利益の有無を判断するに当たつては、当該処分又は裁決の根拠となる法令の規定の文言のみによることなく、当該法令の趣旨及び目的並びに当該処分において考慮されるべき利益の内容及び性質を考慮するものとする。この場合において、当該法令の趣旨及び目的を考慮するに当たつては、当該法令と目的を共通にする関係法令があるときはその趣旨及び目的をも参酌するものとし、当該利益の内容及び性質を考慮するに当たつては、当該処分又は裁決がその根拠となる法令に違反してされた場合に害されることとなる利益の内容及び性質並びにこれが害される態様及び程度をも勘案するものとする。

（取消しの理由の制限）

第十条　取消訴訟においては、自己の法律上の利益に関係のない違法を理由として取消しを求めることができない。

2　処分の取消しの訴えとその処分についての審査請求を棄却した裁決の取消しの訴えとを提起することができる場合には、裁決の取消しの訴えにおいては、処分の違法を理由として取消しを求めることができない。

（被告適格等）

第十一条　処分又は裁決をした行政庁（処分又は裁決があつた後に当該行政庁の権限が他の行政庁に承継されたときは、当該他の行政庁。以下同じ。）が国又は公共団体に所属する場合には、取消訴訟は、次の各号に掲げる訴えの区分に応じてそれぞれ当該各号に定める者を被告として提起しなければならない。

一　処分の取消しの訴え　当該処分をした行政庁の所属する国又は公共団体

二　裁決の取消しの訴え　当該裁決をした行政庁の所属する国又は公共団体

2　処分又は裁決をした行政庁が国又は公共団体に所属しない場合には、取消訴訟は、当該行政庁を被告として提起しなければならない。

3　前二項の規定により被告とすべき国若しくは公共団体又は行政庁がない場合には、取消訴訟は、当該処分又は裁決に係る事務の帰属する国又は公共団体を被告として提起しなければならない。

4　第一項又は前項の規定により国又は公共団体を被告として取消訴訟を提起する場合には、訴状には、民事訴訟の例により記載すべき事項のほか、次の各号に掲げる訴えの区分に応じてそれぞれ当該各号に定める行政庁を記載するものとする。

一　処分の取消しの訴え　当該処分をした行政庁

二　裁決の取消しの訴え　当該裁決をした行政庁

5　第一項又は第三項の規定により国又は公共団体を被告として取消訴訟が提起された場合には、被告は、遅滞なく、裁判所に対し、前項各号に掲げる訴えの区分に応じてそれぞれ当該各号に定める行政庁を明らかにしなければならない。

6　処分又は裁決をした行政庁は、当該処分又は裁決に係る第一項の規定による国又は公共団体を被告とする訴訟について、裁判上の一切の行為をする権限を有する。

（管轄）

第十二条　取消訴訟は、被告の普通裁判籍の所在地を管轄する裁判所又は処分若しくは裁決をした行政庁の所在地を管轄する裁判所の管轄に属する。

2　土地の収用、鉱業権の設定その他不動産又は特定の場所に係る処分又は裁決についての取消訴訟は、その不動産又は場所の所在地の裁判所にも、提起することができる。

3　取消訴訟は、当該処分又は裁決に関し事案の処理に当たつた下級行政機関の所在地の裁判所にも、提起することができる。

4　国又は独立行政法人通則法（平成十一年法律第百三号）第二条第一項に規定する独立行政法人若しくは別表に掲げる法人を被告とする取消訴訟は、原告の普通裁判籍の所在地を管轄する高等裁判所の所在地を管轄する地方裁判所（次項において「特定管轄裁判所」という。）にも、提起することができる。

5　前項の規定により特定管轄裁判所に同項の取消訴訟が提起された場合であつて、他の裁判所に事実上及び法律上同一の原因に基づいてされた処分又は裁決に係る抗告訴訟が係属している場合においては、当該特定管轄裁判所は、当事者の住所又は所在地、尋問を受けるべき証人の住所、争点又は証拠の共通性その他の事情を考慮して、相当と認めるときは、申立てにより又は職権で、訴訟の全部又は一部について、当該他の裁判所又は第一項から第三項までに定める裁判所に移送することができる。

（関連請求に係る訴訟の移送）

第十三条　取消訴訟と次の各号の一に該当する請求（以下「関連請求」という。）に係る訴訟とが各別の裁判所に係属する場合において、相当と認めるときは、関連請求に係る訴訟の係属する裁判所は、申立てにより又は職権で、その訴訟を取消訴訟の係属する裁判所に移送することができる。ただし、取消訴訟又は関連請求に係る訴訟の係属する裁判所が高等裁判所であるときは、この限りでない。

一　当該処分又は裁決に関連する原状回復又は損害賠償の請求
二　当該処分とともに一個の手続を構成する他の処分の取消しの請求
三　当該処分に係る裁決の取消しの請求
四　当該裁決に係る処分の取消しの請求
五　当該処分又は裁決の取消しを求める他の請求
六　その他当該処分又は裁決の取消しの請求と関連する請求

（出訴期間）

第十四条　取消訴訟は、処分又は裁決があつたことを知つた日から六箇月を経過したときは、提起することができない。ただし、正当な理由があるときは、この限りでない。

2　取消訴訟は、処分又は裁決の日から一年を経過したときは、提起することができない。ただし、正当な理由があるときは、この限りでない。

3　処分又は裁決につき審査請求をすることができる場合又は行政庁が誤つて審査請求をすることができる旨を教示した場合において、審査請求があつたときは、処分又は裁決に係る取消訴訟は、その審査請求をした者については、前二項の規定にかかわらず、これに対する裁決があつたことを知つた日から六箇月を経過したとき又は当該裁決の日から一年を経過したときは、提起することができない。ただし、正当な理由があるときは、この限りでない。

（被告を誤つた訴えの救済）

第十五条　取消訴訟において、原告が故意又は重大な過失によらないで被告とすべき者を誤つたときは、裁判所は、原告の申立てにより、決定をもつて、被告を変更することを許すことができる。

2　前項の決定は、書面でするものとし、その正本を新たな被告に送達しなければならない。

3　第一項の決定があつたときは、出訴期間の遵守については、新たな被告に対する訴えは、最初に訴えを提起した時に提起されたものとみなす。

4　第一項の決定があつたときは、従前の被告に対しては、訴えの取下げがあつたものとみなす。

5　第一項の決定に対しては、不服を申し立てることができない。

6　第一項の申立てを却下する決定に対しては、即時抗告をすることができる。

7　上訴審において第一項の決定をしたときは、裁判所は、その訴訟を管轄裁判所に移送しなければならない。

（請求の客観的併合）

第十六条　取消訴訟には、関連請求に係る訴えを併合することができる。

2　前項の規定により訴えを併合する場合において、取消訴訟の第一審裁判所が高等裁判所であるときは、関連請求に係る訴えの被告の同意を得なければならない。被告が異議を述べないで、本案について弁論をし、又は弁論準備手続において申述をしたときは、同意したものとみなす。

（共同訴訟）

第十七条　数人は、その数人の請求又はその数人に対する請求が処分又は裁決の取消しの請求と関連請求とである場合に限り、共同訴訟人として訴え、又は訴えられることができる。

2　前項の場合には、前条第二項の規定を準用する。

（第三者による請求の追加的併合）

第十八条　第三者は、取消訴訟の口頭弁論の終結に至るまで、その訴訟の当事者の一方を被告として、関連請求に係る訴えをこれに併合して提起することができる。この場合において、当該取消訴訟が高等裁判所に係属しているときは、第十六条第二項の規定を準用する。

（原告による請求の追加的併合）

第十九条　原告は、取消訴訟の口頭弁論の終結に至るまで、関連請求に係る訴えをこれに併合して提起することができる。この場合において、当該取消訴訟が高等裁判所に係属しているときは、第十六条第二項の規定を準用する。

2　前項の規定は、取消訴訟について民事訴訟法（平成八年法律第百九号）第百四十三条の規定の例によることを妨げない。

第二十条　前条第一項前段の規定により、処分の取消しの訴えをその処分についての審査請求を棄却した裁決の取消しの訴えに併合して提起する場合には、同項後段において準用する第十六条第二項の規定にかかわらず、処分の取消しの訴えの被告の同意を得ることを要せず、また、その提起があつたときは、出訴期間の遵守については、処分の取消しの訴えは、裁決の取消しの訴えを提起した時に提起されたものとみなす。

（国又は公共団体に対する請求への訴えの変更）

第二十一条　裁判所は、取消訴訟の目的たる請求を当該処分又は裁決に係る事務の帰属する国又は公共団体に対する損害賠償その他の請求に変更することが相当であると認めるときは、請求の基礎に変更がない限り、口頭弁論の終結に至るまで、原告の申立てにより、決定をもつて、訴えの変更を許すことができる。

2　前項の決定には、第十五条第二項の規定を準用する。

3　裁判所は、第一項の規定により訴えの変更を許す決定をするには、あらかじめ、当事者及び損害賠償その他の請求に係る訴えの被告の意見をきかなければならない。

4　訴えの変更を許す決定に対しては、即時抗告をすることができる。

5　訴えの変更を許さない決定に対しては、不服を申し立てることができない。

（第三者の訴訟参加）

第二十二条　裁判所は、訴訟の結果により権利を害される第三者があるときは、当事者若しくはその第三者の申立てにより又は職権で、決定をもつて、その第三者を訴訟に参加させることができる。

2　裁判所は、前項の決定をするには、あらかじめ、当事者及び第三者の意見をきかなければならない。

3　第一項の申立てをした第三者は、その申立てを却下する決定に対して即時抗告をすることができる。

4　第一項の規定により訴訟に参加した第三者については、民事訴訟法第四十条第一項から第三項までの規定を準用する。

5　第一項の規定により第三者が参加の申立てをした場合には、民事訴訟法第四十五条第三項及び第四項の規定を準用する。

（行政庁の訴訟参加）

第二十三条　裁判所は、処分又は裁決をした行政庁以外の行政庁を訴訟に参加させることが必要であると認めるときは、当事者若しくはその行政庁の申立てにより又は職権で、決定をもつて、その行政庁を訴訟に参加させることができる。

2　裁判所は、前項の決定をするには、あらかじめ、当事者及び当該行政庁の意見をきかなければならない。

3　第一項の規定により訴訟に参加した行政庁については、民事訴訟法第四十五条第一項及び第二項の規定を準用する。

（釈明処分の特則）

第二十三条の二　裁判所は、訴訟関係を明瞭にするため、必要があると認めるときは、次に掲げる処分をすることができる。

一　被告である国若しくは公共団体に所属する行政庁又は被告である行政庁に対し、処分又は裁決の内容、処分又は裁決の根拠となる法令の条項、処分又は裁決の原因となる事実その他処分又は裁決の理由を明らかにする資料（次項に規定する審査請求に係る事件の記録を除く。）であつて当該行政庁が保有するものの全部又は一部の提出を求めること。

二　前号に規定する行政庁以外の行政庁に対し、同号に規定する資料であつて当該行政庁が保有するものの全部又は一部の送付を嘱託すること。

2　裁判所は、処分についての審査請求に対する裁決を経た後に取消訴訟の提起があつたときは、次に掲げる処分をすることができる。

一　被告である国若しくは公共団体に所属する行政庁又は被告である行政庁に対し、当該審査請求に係る事件の記録であつて当該行政庁が保有するものの全部又は一部の提出を求めること。

二　前号に規定する行政庁以外の行政庁に対し、同号に規定する事件の記録であつて当該行政庁が保有するものの全部又は一部の送付を嘱託すること。

（職権証拠調べ）

第二十四条　裁判所は、必要があると認めるときは、職権で、証拠調べをすることができる。ただし、その証拠調べの結果について、当事者の意見をきかなければならない。

（執行停止）

第二十五条　処分の取消しの訴えの提起は、処分の効力、処分の執行又は手続の続行を妨げない。

2　処分の取消しの訴えの提起があつた場合において、処分、処分の執行又は手続の続行により生ずる重大な損害を避けるため緊急の必要があるときは、裁判所は、申立てにより、決定をもつて、処分の効力、処分の執行又は手続の続行の全部又は一部の停止（以下「執行停止」という。）をすることができる。ただし、処分の効力の停止は、処分の執行又は手続の続行の停止によつて目的を達することができる場合には、することができない。

3　裁判所は、前項に規定する重大な損害を生ずるか否かを判断するに当たつては、損害の回復の困難の程度を考慮するものとし、損害の性質及び程度並びに処分の内容及び性質をも勘案するものとする。

4　執行停止は、公共の福祉に重大な影響を及ぼすおそれがあるとき、又は本案について理由がないとみえるときは、することができない。

5　第二項の決定は、疎明に基づいてする。

6　第二項の決定は、口頭弁論を経ないですることができる。ただし、あらかじめ、当事者の意見をきかなければならない。

7　第二項の申立てに対する決定に対しては、即時抗告をすることができる。

8　第二項の決定に対する即時抗告は、その決定の執行を停止する効力を有しない。

（事情変更による執行停止の取消し）

第二十六条　執行停止の決定が確定した後に、その理由が消滅し、その他事情が変更したときは、裁判所は、相手方の申立てにより、決定をもつて、執行停止の決定を取り消すことができる。

2　前項の申立てに対する決定及びこれに対する不服については、前条第五項から第八項までの規定を準用する。

（内閣総理大臣の異議）

第二十七条　第二十五条第二項の申立てがあつた場合には、内閣総理大臣は、裁判所に対し、異議を述べることができる。執行停止の決定があつた後においても、同様とする。

2　前項の異議には、理由を附さなければならない。

3　前項の異議の理由においては、内閣総理大臣は、処分の効力を存続し、処分を執行し、又は手続を続行しなければ、公共の福祉に重大な影響を及ぼすおそれのある事情を示すものとする。

4　第一項の異議があつたときは、裁判所は、執行停止をすることができず、また、すでに執行停止の決定をしているときは、これを取り消さなければならない。

5　第一項後段の異議は、執行停止の決定をした裁判所に対して述べなければならない。ただし、その決定に対する抗告が抗告裁判所に係属しているときは、抗告裁判所に対して述べなければならない。

6　内閣総理大臣は、やむをえない場合でなければ、第一項の異議を述べてはならず、また、異議を述べたときは、次の常会において国会にこれを報告しなければならない。

（執行停止等の管轄裁判所）

第二十八条　執行停止又はその決定の取消しの申立ての管轄裁判所は、本案の係属する裁判所とする。

（執行停止に関する規定の準用）

第二十九条　前四条の規定は、裁決の取消しの訴えの提起があつた場合における執行停止に関する事項について準用する。

（裁量処分の取消し）

第三十条　行政庁の裁量処分については、裁量権の範囲をこえ又はその濫用があつた場合に限り、裁判所は、その処分を取り消すことができる。

（特別の事情による請求の棄却）

第三十一条　取消訴訟については、処分又は裁決が違法ではあるが、これを取り消すことにより公の利益に著しい障害を生ずる場合において、原告の受ける損害の程度、その損害の賠償又は防止の程度及び方法その他一切の事情を考慮したうえ、処分又は裁決を取り消すことが公共の福祉に適合しないと認めるときは、裁判所は、請求を棄却することができる。この場合には、当該判決の主文において、処分又は裁決が違法であることを宣言しなければならない。

2　裁判所は、相当と認めるときは、終局判決前に、判決をもつて、処分又は裁決が違法であることを宣言することができる。

3　終局判決に事実及び理由を記載するには、前項の判決を引用することができる。

（取消判決等の効力）

第三十二条　処分又は裁決を取り消す判決は、第三者に対しても効力を有する。

2　前項の規定は、執行停止の決定又はこれを取り消す決定に準用する。

第三十三条　処分又は裁決を取り消す判決は、その事件について、処分又は裁決をした行政庁その他の関係行政庁を拘束する。

2　申請を却下し若しくは棄却した処分又は審査請求を却下し若しくは棄却した裁決が判決により取り消されたときは、その処分又は裁決をした行政庁は、判決の趣旨に従い、改めて申請に対する処分又は審査請求に対する裁決をしなければならない。

3　前項の規定は、申請に基づいてした処分又は審査請求を認容した裁決が判決により手続に違法があることを理由として取り消された場合に準用する。

4　第一項の規定は、執行停止の決定に準用する。

（第三者の再審の訴え）

第三十四条　処分又は裁決を取り消す判決により権利を害された第三者で、自己の責めに帰することができない理由により訴訟に参加することができなかつたため判決に影響を及ぼすべき攻撃又は防御の方法を提出することができなかつたものは、これを理由として、確定の終局判決に対し、再審の訴えをもつて、不服の申立てをすることができる。

2　前項の訴えは、確定判決を知つた日から三十日以内に提起しなければならない。

3　前項の期間は、不変期間とする。

4　第一項の訴えは、判決が確定した日から一年を経過したときは、提起することができない。

（訴訟費用の裁判の効力）

第三十五条　国又は公共団体に所属する行政庁が当事者又は参加人である訴訟における確定した訴訟費用の裁判は、当該行政庁が所属する国又は公共団体に対し、又はそれらの者のために、効力を有する。

第二節　その他の抗告訴訟

（無効等確認の訴えの原告適格）

第三十六条　無効等確認の訴えは、当該処分又は裁決に続く処分により損害を受けるおそれのある者その他当該処分又は裁決の無効等の確認を求めるにつき法律上の利益を有する者で、当該処分若しくは裁決の存否又はその効力の有無を前提とする現在の法律関係に関する訴えによつて目的を達することができないものに限り、提起することができる。

（不作為の違法確認の訴えの原告適格）

第三十七条　不作為の違法確認の訴えは、処分又は裁決についての申請をした者に限り、提起することができる。

（義務付けの訴えの要件等）

第三十七条の二　第三条第六項第一号に掲げる場合において、義務付けの訴えは、一定の処分がされないことにより重大な損害を生ずるおそれがあり、かつ、その損害を避けるため他に適当な方法がないときに限り、提起することができる。

2　裁判所は、前項に規定する重大な損害を生ずるか否かを判断するに当たつては、損害の回復の困難の程度を考慮するものとし、損害の性質及び程度並びに処分の内容及び性質をも勘案するものとする。

3　第一項の義務付けの訴えは、行政庁が一定の処分をすべき旨を命ずることを求めるにつき法律上の利益を有する者に限り、提起することができる。

4　前項に規定する法律上の利益の有無の判断については、第九条第二項の規定を準用する。

5　義務付けの訴えが第一項及び第三項に規定する要件に該当する場合において、その義務付けの訴えに係る処分につき、行政庁がその処分をすべきであることがその処分の根拠となる法令の規定から明らかであると認められ又は行政庁がその処分をしないことがその裁量権の範囲を超え若しくはその濫用となると認められるときは、裁判所は、行政庁がその処分をすべき旨を命ずる判決をする。

第三十七条の三　第三条第六項第二号に掲げる場合において、義務付けの訴えは、次の各号に掲げる要件のいずれかに該当するときに限り、提起することができる。

一　当該法令に基づく申請又は審査請求に対し相当の期間内に何らの処分又は裁決がされないこと。

二　当該法令に基づく申請又は審査請求を却下し又は棄却する旨の処分又は裁決がされた場合において、当該処分又は裁決が取り消されるべきものであり、又は無効若しくは不存在であること。

2　前項の義務付けの訴えは、同項各号に規定する法令に基づく申請又は審査請求をした者に限り、提起することができる。

3　第一項の義務付けの訴えを提起するときは、次の各号に掲げる区分に応じてそれぞれ当該各号に定める訴えをその義務付けの訴えに併合して提起しなければならない。この場合において、当該各号に定める訴えに係る訴訟の管轄について他の法律に特別の定めがあるときは、当該義務付けの訴えに係る訴訟の管轄は、第三十八条第一項において準用する第十二条の規定にかかわらず、その定めに従う。

一　第一項第一号に掲げる要件に該当する場合　同号に規定する処分又は裁決に係る不作為の違法確認の訴え

二　第一項第二号に掲げる要件に該当する場合　同号に規定する処分又は裁決に係る取消訴訟又は無効等確認の訴え

4　前項の規定により併合して提起された義務付けの訴え及び同項各号に定める訴えに係る弁論及び裁判は、分離しないでしなければならない。

5　義務付けの訴えが第一項から第三項までに規定する要件に該当する場合において、同項各号に定める訴えに係る請求に理由があると認められ、かつ、その義務付けの訴えに係る処分又は裁決につき、行政庁がその処分若しくは裁決をすべきであることがその処分若しくは裁決の根拠となる法令の規定から明らかであると認められ又は行政庁がその処分若しくは裁決をしないことがその裁量権の範囲を超え若しくはその濫用となると認められるときは、裁判所は、その義務付けの訴えに係る処分又は裁決をすべき旨を命ずる判決をする。

6　第四項の規定にかかわらず、裁判所は、審理の状況その他の事情を考慮して、第三項各号に定める訴えについてのみ終局判決をすることがより迅速な争訟の解決に資すると認めるときは、当該訴えについてのみ終局判決をすることができる。この場合において、裁判所は、当該訴えについてのみ終局判決をしたときは、当事者の意見を聴いて、当該訴えに係る訴訟手続が完結するまでの間、義務付けの訴えに係る訴訟手続を中止することができる。

7　第一項の義務付けの訴えのうち、行政庁が一定の裁決をすべき旨を命ずることを求めるものは、処分についての審査請求がされた場合において、当該処分に係る処分の取消しの訴え又は無効等確認の訴えを提起することができないときに限り、提起することができる。

（差止めの訴えの要件）

第三十七条の四　差止めの訴えは、一定の処分又は裁決がされることにより重大な損害を生ずるおそれがある場合に限り、提起することができる。ただし、その損害を避けるため他に適当な方法があるときは、この限りでない。

2　裁判所は、前項に規定する重大な損害を生ずるか否かを判断するに当たつては、損害の回復の困難の程度を考慮するものとし、損害の性質及び程度並びに処分又は裁決の内容及び性質をも勘案するものとする。

3　差止めの訴えは、行政庁が一定の処分又は裁決をしてはならない旨を命ずることを求めるにつき法律上の利益を有する者に限り、提起することができる。

4　前項に規定する法律上の利益の有無の判断については、第九条第二項の規定を準用する。

5　差止めの訴えが第一項及び第三項に規定する要件に該当する場合において、その差止めの訴えに係る処分又は裁決につき、行政庁がその処分若しくは裁決をすべきでないことがその処分若しくは裁決の根拠となる法令の規定から明らかであると認められ又は行政庁がその処分若しくは裁決をすることがその裁量権の範囲を超え若しくはその濫用となると認められるときは、裁判所は、行政庁がその処分又は裁決をしてはならない旨を命ずる判決をする。

（仮の義務付け及び仮の差止め）

第三十七条の五　義務付けの訴えの提起があつた場合において、その義務付けの訴えに係る処分又は裁決がされないことにより生ずる償うことのできない損害を避けるため緊急の必要があり、かつ、本案について理由があるとみえるときは、裁判所は、申立てにより、決定をもつて、仮に行政庁がその処分又は裁決をすべき旨を命ずること（以下この条において「仮の義務付け」という。）ができる。

2　差止めの訴えの提起があつた場合において、その差止めの訴えに係る処分又は裁決がされることにより生ずる償うことのできない損害を避けるため緊急の必要があり、かつ、本案について理由があるとみえるときは、裁判所は、申立てにより、決定をもつて、仮に行政庁がその処分又は裁決をしてはならない旨を命ずること（以下この条において「仮の差止め」という。）ができる。

3　仮の義務付け又は仮の差止めは、公共の福祉に重大な影響を及ぼすおそれがあるときは、することができない。

4 第二十五条第五項から第八項まで、第二十六条から第二十八条まで及び第三十三条第一項の規定は、仮の義務付け又は仮の差止めに関する事項について準用する。

5 前項において準用する第二十五条第七項の即時抗告についての裁判又は前項において準用する第二十六条第一項の決定により仮の義務付けの決定が取り消されたときは、当該行政庁は、当該仮の義務付けの決定に基づいてした処分又は裁決を取り消さなければならない。

（取消訴訟に関する規定の準用）

第三十八条 第十一条から第十三条まで、第十六条から第十九条まで、第二十一条から第二十三条まで、第二十四条、第三十三条及び第三十五条の規定は、取消訴訟以外の抗告訴訟について準用する。

2 第十条第二項の規定は、処分の無効等確認の訴えとその処分についての審査請求を棄却した裁決に係る抗告訴訟とを提起することができる場合に、第二十条の規定は、処分の無効等確認の訴えをその処分についての審査請求を棄却した裁決に係る抗告訴訟に併合して提起する場合に準用する。

3 第二十三条の二、第二十五条から第二十九条まで及び第三十二条第二項の規定は、無効等確認の訴えについて準用する。

4 第八条及び第十条第二項の規定は、不作為の違法確認の訴えに準用する。

第三章 当事者訴訟

（出訴の通知）

第三十九条 当事者間の法律関係を確認し又は形成する処分又は裁決に関する訴訟で、法令の規定によりその法律関係の当事者の一方を被告とするものが提起されたときは、裁判所は、当該処分又は裁決をした行政庁にその旨を通知するものとする。

（出訴期間の定めがある当事者訴訟）

第四十条 法令に出訴期間の定めがある当事者訴訟は、その法令に別段の定めがある場合を除き、正当な理由があるときは、その期間を経過した後であつても、これを提起することができる。

2 第十五条の規定は、法令に出訴期間の定めがある当事者訴訟について準用する。

（抗告訴訟に関する規定の準用）

第四十一条 第二十三条、第二十四条、第三十三条第一項及び第三十五条の規定は当事者訴訟について、第二十三条の二の規定は当事者訴訟における処分又は裁決の理由を明らかにする資料の提出について準用する。

2 第十三条の規定は、当事者訴訟とその目的たる請求と関連請求の関係にある請求に係る訴訟とが各別の裁判所に係属する場合における移送に、第十六条から第十九条までの規定は、これらの訴えの併合について準用する。

第四章 民衆訴訟及び機関訴訟

（訴えの提起）

第四十二条 民衆訴訟及び機関訴訟は、法律に定める場合において、法律に定める者に限り、提起することができる。

（抗告訴訟又は当事者訴訟に関する規定の準用）

第四十三条 民衆訴訟又は機関訴訟で、処分又は裁決の取消しを求めるものについては、第九条及び第十条第一項の規定を除き、取消訴訟に関する規定を準用する。

2 民衆訴訟又は機関訴訟で、処分又は裁決の無効の確認を求めるものについては、第三十六条の規定を除き、無効等確認の訴えに関する規定を準用する。

3 民衆訴訟又は機関訴訟で、前二項に規定する訴訟以外のものについては、第三十九条及び第四十条第一項の規定を除き、当事者訴訟に関する規定を準用する。

第五章 補則

（仮処分の排除）

第四十四条 行政庁の処分その他公権力の行使に当たる行為については、民事保全法（平成元年法律第九十一号）に規定する仮処分をすることができない。

（処分の効力等を争点とする訴訟）

第四十五条 私法上の法律関係に関する訴訟において、処分若しくは裁決の存否又はその効力の有無が争われている場合には、第二十三条第一項及び第二項並びに第三十九条の規定を準用する。

2 前項の規定により行政庁が訴訟に参加した場合には、民事訴訟法第四十五条第一項及び第二項の規定を準用する。ただし、攻撃又は防御の方法は、当該処分若しくは裁決の存否又はその効力の有無に関するものに限り、提出することができる。

3 第一項の規定により行政庁が訴訟に参加した後において、処分若しくは裁決の存否又はその効力の有無に関する争いがなくなつたときは、裁判所は、参加の決定を取り消すことができる。

4 第一項の場合には、当該争点について第二十三条の二及び第二十四条の規定を、訴訟費用の裁判について第三十五条の規定を準用する。

（取消訴訟等の提起に関する事項の教示）

第四十六条　行政庁は、取消訴訟を提起することができる処分又は裁決をする場合には、当該処分又は裁決の相手方に対し、次に掲げる事項を書面で教示しなければならない。ただし、当該処分を口頭でする場合は、この限りでない。

一　当該処分又は裁決に係る取消訴訟の被告とすべき者

二　当該処分又は裁決に係る取消訴訟の出訴期間

三　法律に当該処分についての審査請求に対する裁決を経た後でなければ処分の取消しの訴えを提起することができない旨の定めがあるときは、その旨

2　行政庁は、法律に処分についての審査請求に対する裁決に対してのみ取消訴訟を提起することができる旨の定めがある場合において、当該処分をするときは、当該処分の相手方に対し、法律にその定めがある旨を書面で教示しなければならない。ただし、当該処分を口頭でする場合は、この限りでない。

3　行政庁は、当事者間の法律関係を確認し又は形成する処分又は裁決に関する訴訟で法令の規定によりその法律関係の当事者の一方を被告とするものを提起することができる処分又は裁決をする場合には、当該処分又は裁決の相手方に対し、次に掲げる事項を書面で教示しなければならない。ただし、当該処分を口頭でする場合は、この限りでない。

一　当該訴訟の被告とすべき者

二　当該訴訟の出訴期間

附　則

（施行期日）

第一条　この法律は、昭和三十七年十月一日から施行する。

（行政事件訴訟特例法の廃止）

第二条　行政事件訴訟特例法（昭和二十三年法律第八十一号。以下「旧法」という。）は、廃止する。

（経過措置に関する原則）

第三条　この法律は、この附則に特別の定めがある場合を除き、この法律の施行前に生じた事項にも適用する。ただし、旧法によつて生じた効力を妨げない。

（訴願前置に関する経過措置）

第四条　法令の規定により訴願をすることができる処分又は裁決であつて、訴願を提起しないでこの法律の施行前にこれを提起すべき期間を経過したものの取消訴訟の提起については、この法律の施行後も、なお旧法第二条の例による。

（取消しの理由の制限に関する経過措置）

第五条　この法律の施行の際現に係属している裁決の取消しの訴えについては、第十条第二項の規定を適用しない。

（被告適格に関する経過措置）

第六条　この法律の施行の際現に係属している取消訴訟の被告適格については、なお従前の例による。

（出訴期間に関する経過措置）

第七条　この法律の施行の際現に旧法第五条第一項の期間が進行している処分又は裁決の取消しの訴えの出訴期間で、処分又は裁決があつたことを知つた日を基準とするものについては、なお従前の例による。ただし、その期間は、この法律の施行の日から起算して三箇月をこえることができない。

2　この法律の施行の際現に旧法第五条第三項の期間が進行している処分又は裁決の取消しの訴えの出訴期間で、処分又は裁決があつた日を基準とするものについては、なお従前の例による。

3　前二項の規定は、この法律の施行後に審査請求がされた場合における第十四条第四項の規定の適用を妨げない。

（取消訴訟以外の抗告訴訟に関する経過措置）

第八条　取消訴訟以外の抗告訴訟で、この法律の施行の際現に係属しているものの原告適格及び被告適格については、なお従前の例による。

2　附則第五条の規定は、処分の無効等確認の訴えとその処分についての審査請求を棄却した裁決に係る抗告訴訟とを提起することができる場合に準用する。

（当事者訴訟に関する経過措置）

第九条　第三十九条の規定は、この法律の施行後に提起される当事者訴訟についてのみ、適用する。

（民衆訴訟及び機関訴訟に関する経過措置）

第十条　民衆訴訟及び機関訴訟のうち、処分又は裁決の取消しを求めるものについては、取消訴訟に関する経過措置に関する規定を、処分又は裁決の無効の確認を求めるものについては、無効等確認の訴えに関する経過措置に関する規定を準用する。

（処分の効力等を争点とする訴訟に関する経過措置）

第十一条　第三十九条の規定は、この法律の施行の際現に係属している私法上の法律関係に関する訴訟については、この法律の施行後に新たに処分若しくは裁決の存否又はその効力の有無が争われるに至つた場合にのみ、準用する。

別表（第十二条関係）

名称	根拠法
沖縄科学技術大学院大学学園	沖縄科学技術大学院大学学園法（平成二十一年法律第七十六号）
沖縄振興開発金融公庫	沖縄振興開発金融公庫法（昭和四十七年法律第三十一号）
外国人技能実習機構	外国人の技能実習の適正な実施及び技能実習生の保護に関する法律（平成二十八年法律第八十九号）
株式会社国際協力銀行	株式会社国際協力銀行法（平成二十三年法律第三十九号）
株式会社日本政策金融公庫	株式会社日本政策金融公庫法（平成十九年法律第五十七号）
株式会社日本貿易保険	貿易保険法（昭和二十五年法律第六十七号）
金融経済教育推進機構	金融サービスの提供及び利用環境の整備等に関する法律（平成十二年法律第百一号）
原子力損害賠償・廃炉等支援機構	原子力損害賠償・廃炉等支援機構法（平成二十三年法律第九十四号）
国立健康危機管理研究機構	国立健康危機管理研究機構法（令和五年法律第四十六号）
国立大学法人	国立大学法人法（平成十五年法律第百十二号）
新関西国際空港株式会社	関西国際空港及び大阪国際空港の一体的かつ効率的な設置及び管理に関する法律（平成二十三年法律第五十四号）
大学共同利用機関法人	国立大学法人法
脱炭素成長型経済構造移行推進機構	脱炭素成長型経済構造への円滑な移行の推進に関する法律（令和五年法律第三十二号）
日本銀行	日本銀行法（平成九年法律第八十九号）
日本司法支援センター	総合法律支援法（平成十六年法律第七十四号）
日本私立学校振興・共済事業団	日本私立学校振興・共済事業団法（平成九年法律第四十八号）
日本中央競馬会	日本中央競馬会法（昭和二十九年法律第二百五号）
日本年金機構	日本年金機構法（平成十九年法律第百九号）
農水産業協同組合貯金保険機構	農水産業協同組合貯金保険法（昭和四十八年法律第五十三号）
福島国際研究教育機構	福島復興再生特別措置法（平成二十四年法律第二十五号）
放送大学学園	放送大学学園法（平成十四年法律第百五十六号）
預金保険機構	預金保険法（昭和四十六年法律第三十四号）

★本法は、次の法律の附則により一部改正されたが、公布の日から起算して四年を超えない範囲内において政令で定める日から施行となるため、一部改正の形で掲載した。

○民事訴訟法等の一部を改正する法律（抄）

令四・五・二五
法　四　八

（行政事件訴訟法の一部改正）

第五十八条　行政事件訴訟法（昭和三十七年法律第百三十九号）の一部を次のように改正する。

第十五条第二項中「書面で」を「電子決定書（民事訴訟法（平成八年法律第百九号）第百二十二条において準用する同法第二百五十二条第一項の規定により作成された電磁的記録（電子的方式、磁気的方式その他人の知覚によつては認識することができない方式で作られる記録であつて、電子計算機による情報処理の用に供されるものをいう。）をいう。以下この項において同じ。）を作成して」に、「正本」を「電子決定書（同法第百二十二条において準用する同法第二百五十三条第二項の規定により裁判所の使用に係る電子計算機（入出力装置を含む。）に備えられたファイルに記録されたものに限る。）」に改める。

第十九条第二項中「(平成八年法律第百九号)」を削る。

附　則（抄）

（施行期日）
第一条　この法律は、公布の日から起算して四年を超えない範囲内において政令で定める日から施行する。〔ただし書略〕

（行政事件訴訟法の一部改正に伴う経過措置）
第五十九条　前条の規定による改正後の行政事件訴訟法第十五条第二項（同法第二十一条第二項（同法第三十八条第一項（同法第四十三条第二項において準用する場合を含む。）及び同法第四十三条第一項において準用する場合を含む。）、同法第四十条第二項（同法第四十三条第三項において準用する場合を含む。）及び同法第四十三条第一項において準用する場合を含む。）の規定は、施行日以後に提起される取消訴訟、法令に出訴期間の定めがある当事者訴訟、同法第四十三条第一項に規定する訴訟若しくは同条第三項に規定する訴訟（法令に出訴期間の定めがあるものに限る。）における被告の変更を許す決定又は抗告訴訟、同条第一項に規定する訴訟若しくは同条第二項に規定する訴訟における訴えの変更を許す決定の送達について適用し、施行日前に提起された取消訴訟、法令に出訴期間の定めがある当事者訴訟、同条第一項に規定する訴訟若しくは同条第三項に規定する訴訟（法令に出訴期間の定めがあるものに限る。）における被告の変更を許す決定又は抗告訴訟、同条第一項に規定する訴訟若しくは同条第二項に規定する訴訟における訴えの変更を許す決定の送達については、なお従前の例による。

○地方公務員法

昭二五・一二・一三
法　二六一

改正

昭二七・六・一〇法一七五　昭五七・五・一法四〇
昭二七・七・三一法二六二　昭五七・七・一六法六六
昭二七・七・三一法二八九　昭六〇・一二・二七法一〇八
昭二九・六・三法一五六　昭六二・九・二六法九九
昭二九・六・八法一六三　平三・四・二法二四
昭二九・六・二三法一九二　平三・五・二一法七九
昭三一・六・一二法一四八　平四・三・三一法二三
昭三四・四・一五法一三七　平五・一一・一二法八九
昭三四・一二・一八法一九九　平七・三・三一法五四
昭三五・六・三〇法一一三　平九・三・二八法八
昭三七・五・一二法一三〇　平九・六・四法六七
昭三七・五・一五法一三三　平一〇・九・三〇法一一二
昭三七・五・一六法一四〇　平一一・七・一六法八七
昭三七・九・八法一五二　平一一・七・二二法一〇七
昭三七・九・一五法一六一　平一一・一二・八法一五一
昭三八・六・八法九九　平一一・一二・二二法一六〇
昭三九・六・二九法一一八　平一三・七・一一法一一二
昭四〇・五・一八法七一　平一五・七・四法一〇四
昭四一・七・一五法一二〇　平一五・七・一六法一一九
昭四二・七・一五法六一　平一六・六・二法七六
昭四二・八・一法一二一　平一六・六・九法八四
昭四六・一二・一一法一一七　平一六・六・九法八五
昭四七・六・八法五七　平一六・一一・一七法一四〇
昭五二・一一・八法七八　平一六・一二・一法一四七
昭五三・六・二一法七九　平一八・六・二法五〇
昭五四・一二・二〇法六八　平一九・五・一六法四六
昭五六・一一・二〇法九二　平一九・一二・五法一二八
平二〇・一二・一二法八九　平二六・五・三〇法四二
平二一・一一・三〇法八六　平二六・六・一三法六九
平二三・五・二法三五　平二九・五・一七法二九
平二三・五・二法三七　平三〇・七・六法七一
平二四・八・二二法六七　令元・六・一四法三七
平二五・六・一四法四四　令三・六・一一法六三
平二五・一一・二二法七九　令三・六・一六法七五
平二六・五・一四法三四　令四・六・一七法六八

第一章　総則

（この法律の目的）

第一条　この法律は、地方公共団体の人事機関並びに地方公務員の任用、人事評価、給与、勤務時間その他の勤務条件、休業、分限及び懲戒、服務、退職管理、研修、福祉及び利益の保護並びに団体等人事行政に関する根本基準を確立することにより、地方公共団体の行政の民主的かつ能率的な運営並びに特定地方独立行政法人の事務及び事業の確実な実施を保障し、もつて地方自治の本旨の実現に資することを目的とする。

本条…一部改正（平一五法一一九・平二五法七九・平二六法三四）

（この法律の効力）

第二条　地方公務員（地方公共団体のすべての公務員をいう。）に関する従前の法令又は条例、地方公共団体の規則若しくは地方公共団体の機関の定める規程の規定がこの法律の規定に抵触する場合には、この法律の規定が、優先する。

本条…一部改正（平一五法一一九）

（一般職に属する地方公務員及び特別職に属する地方公務員）

第三条　地方公務員（地方公共団体及び特定地方独立行政法人（地方独立行政法人法（平成十五年法律第百十八号）第二条第二項に規定する特定地方独立行政法人をいう。以下同じ。）の全ての公務員をいう。以下同じ。）の職は、一般職と特別職とに分ける。

2　一般職は、特別職に属する職以外の一切の職とする。

3　特別職は、次に掲げる職とする。

一　就任について公選又は地方公共団体の議会の選挙、議決若しくは同意によることを必要とする職

一の二　地方公営企業の管理者及び企業団の企業長の職

二　法令又は条例、地方公共団体の規則若しくは地方公共団体の機関の定める規程により設けられた委員及び委員会（審議会その他これに準ずるものを含む。）の構成員の職で臨時又は非常勤のもの

二の二　都道府県労働委員会の委員の職で常勤のもの

三　臨時又は非常勤の顧問、参与、調査員、嘱託員及びこれらの者に準ずる者の職（専門的な知識経験又は識見を有する者が就く職であつて、当該知識経験又は識見に基づき、助言、調査、診断その他総務省令で定める事務を行うものに限る。）

三の二　投票管理者、開票管理者、選挙長、選挙分会長、審査分会長、国民投票分会長、投票立会人、開票立会人、選挙立会人、審査分会立会人、国民投票分会立会人その他総務省令で定める者の職

四　地方公共団体の長、議会の議長その他地方公共団体の機関の長の秘書の職で条例で指定するもの

五　非常勤の消防団員及び水防団員の職

六　特定地方独立行政法人の役員

三項…一部改正（昭二七法一七五・昭三四法一九九・昭三八法九九・昭四一法一二〇・平四法二三・平七法五四）、一・三項…一部改正（平一五法一一九）、三項…一部改正（平一六法一四〇・平二三法三五）、一・三項…一部改正（平二九法二九）

（この法律の適用を受ける地方公務員）

第四条　この法律の規定は、一般職に属するすべての地方公務員（以下「職員」という。）に適用する。

2　この法律の規定は、法律に特別の定がある場合を除く外、特別職に属する地方公務員には適用しない。

（人事委員会及び公平委員会並びに職員に関する条例の制定）

第五条　地方公共団体は、法律に特別の定がある場合を除く外、この法律に定める根本基準に従い、条例で、人事委員会又は公平委員会の設置、職員に適用される基準の実施その他職員に関する事項について必要な規定を定めるものとする。但し、その条例は、この法律の精神に反するものであつてはならない。

2　第七条第一項又は第二項の規定により人事委員会を置く地方公共団体においては、前項の条例を制定し、又は改廃しようとするときは、当該地方公共団体の議会において、人事委員会の意見を聞かなければならない。

第二章　人事機関

（任命権者）

第六条　地方公共団体の長、議会の議長、選挙管理委員会、代表監査委員、教育委員会、人事委員会及び公平委員会並びに警視総監、道府県警察本部長、市町村の消防長（特別区が連合して維持する消防の消防長を含む。）その他法令又は条例に基づく任命権者は、法律に特別の定めがある場合を除くほか、この法律並びにこれに基づく条例、地方公共団体の規則及び地方公共団体の機関の定める規程に従い、それぞれ職員の任命、人事評価（任用、給与、分限その他の人事管理の基礎とするために、職員がその職務を遂行するに当たり発揮した能力及び挙げた業績を把握した上で行われる勤務成績の評価をいう。以下同じ。）、休職、免職及び懲戒等を行う権限を有するものとする。

2　前項の任命権者は、同項に規定する権限の一部をその補助機関たる上級の地方公務員に委任することができる。

一項…一部改正（昭二〇法一六三・昭三八法九九・平二六法三四）

（人事委員会又は公平委員会の設置）

第七条　都道府県及び地方自治法（昭和二十二年法律第六十七号）第二百五十二条の十九第一項の指定都市は、条例で人事委員会を置くものとする。

2　前項の指定都市以外の市で人口（官報で公示された最近の国勢調査又はこれに準ずる人口調査の結果による人口をいう。以下同じ。）十五万以上のもの及び特別区は、条例で人事委員会又は公平委員会を置くものとする。

3　人口十五万未満の市、町、村及び地方公共団体の組合は、条例で公平委員会を置くものとする。

4　公平委員会を置く地方公共団体は、議会の議決を経て定める規約により、公平委員会を置く他の地方公共団体と共同して公平委員会を置き、又は他の地方公共団体の人事委員会に委託して次条第二項に規定する公平委員会の事務を処理させることができる。

二・三項…全改・四項…追加（昭二七法一七五）、一項…一部改正（昭三一法一四八）、二項…一部改正（昭三七法一三三）、二・三項…一部改正（昭五二法七八）、四項…一部改正（平二六法三四）

（人事委員会又は公平委員会の権限）

第八条　人事委員会は、次に掲げる事務を処理する。

一　人事行政に関する事項について調査し、人事記録に関することを管理し、及びその他人事に関する統計報告を作成すること。

二　人事評価、給与、勤務時間その他の勤務条件、研修、厚生福利制度その他職員に関する制度について絶えず研究を行い、その成果を地方公共団体の議会若しくは長又は任命権者に提出すること。

三　人事機関及び職員に関する条例の制定又は改廃に関し、地方公共団体の議会及び長に意見を申し出ること。

四　人事行政の運営に関し、任命権者に勧告すること。

五　給与、勤務時間その他の勤務条件に関し講ずべき措置について地方公共団体の議会及び長に勧告すること。

六　職員の競争試験及び選考並びにこれらに関する事務を行うこと。

七　削除

八　職員の給与がこの法律及びこれに基く条例に適合して行われることを確保するため必要な範囲において、職員に対する給与の支払を監理すること。

九　職員の給与、勤務時間その他の勤務条件に関する措置の要求を審査し、判定し、及び必要な措置を執ること。
十　職員に対する不利益な処分についての審査請求に対する裁決をすること。
十一　前二号に掲げるものを除くほか、職員の苦情を処理すること。
十二　前各号に掲げるものを除く外、法律又は条例に基きその権限に属せしめられた事務
2　公平委員会は、次に掲げる事務を処理する。
一　職員の給与、勤務時間その他の勤務条件に関する措置の要求を審査し、判定し、及び必要な措置を執ること。
二　職員に対する不利益な処分についての審査請求に対する裁決をすること。
三　前二号に掲げるものを除くほか、職員の苦情を処理すること。
四　前三号に掲げるものを除くほか、法律に基づきその権限に属せしめられた事務
3　人事委員会は、第一項第一号、第二号、第六号、第八号及び第十二号に掲げる事務で人事委員会規則で定めるものを当該地方公共団体の他の機関又は人事委員会の事務局長に委任することができる。
4　人事委員会又は公平委員会は、第一項第十一号又は第二項第三号に掲げる事務を委員又は事務局長に委任することができる。
5　人事委員会又は公平委員会は、法律又は条例に基づきその権限に属せしめられた事務に関し、人事委員会規則又は公平委員会規則を制定することができる。
6　人事委員会又は公平委員会は、法律又は条例に基くその権限の行使に関し必要があるときは、証人を喚問し、又は書類若しくはその写の提出を求めることができる。
7　人事委員会又は公平委員会は、人事行政に関する技術的及び専門的な知識、資料その他の便宜の授受のため、国若しくは他の地方公共団体の機関又は特定地方独立行政法人との間に協定を結ぶことができる。
8　第一項第九号及び第十号又は第二項第一号及び第二号の規定により人事委員会又は公平委員会に属せしめられた権限に基く人事委員会又は公平委員会の決定（判定を含む。）及び処分は、人事委員会規則又は公平委員会規則で定める手続により、人事委員会又は公平委員会によつてのみ審査される。
9　前項の規定は、法律問題につき裁判所に出訴する権利に影響を及ぼすものではない。

一・二項…一部改正（昭三七法一六一）、二・七項…一部改正（昭四〇法七一）、一項…一部改正（昭四二法一二〇）、六項…一部改正（平一五法一一九）・一―三項…一部改正・四項…追加・旧四項…一部改正し五項に繰下・旧五―八項…一項ずつ繰下（平一六法八五）、一項…一部改正（平二六法三四）、一・二項…一部改正（平二六法六九）

（抗告訴訟の取扱い）
第八条の二　人事委員会又は公平委員会は、人事委員会又は公平委員会の行政事件訴訟法（昭和三十七年法律第百三十九号）第三条第二項に規定する処分又は同条第三項に規定する裁決に係る同法第十一条第一項（同法第三十八条第一項において準用する場合を含む。）の規定による地方公共団体を被告とする訴訟について、当該地方公共団体を代表する。

本条…追加（平一六法八四）

（公平委員会の権限の特例等）
第九条　公平委員会を置く地方公共団体は、条例で定めるところにより、公平委員会が、第八条第二項各号に掲げる事務のほか、職員の競争試験及び選考並びにこれらに関する事務を行うこととすることができる。
2　前項の規定により同項に規定する事務を行うこととされた公平委員会（以下「競争試験等を行う公平委員会」という。）を置く地方公共団体に対する第七条第四項の規定の適用については、同項中「公平委員会を置く地方公共団体」とあるのは「競争試験等を行う公平委員会（第九条第二項に規定する競争試験等を行う公平委員会をいう。以下この項において同じ。）を置く地方公共団体」と、「、公平委員会」とあるのは「、競争試験等を行う公平委員会」と、「公平委員会を置き、又は他の地方公共団体の人事委員会に委託して次条第二項に規定する公平委員会の事務を処理させる」とあるのは「競争試験等を行う公平委員会を置く」とする。
3　競争試験等を行う公平委員会は、第一項に規定する事務で公平委員会規則で定めるものを当該地方公共団体の他の機関又は競争試験等を行う公平委員会の事務局長に委任することができる。

本条…追加（平一六法八五）、二項…一部改正（平二六法三四）

（人事委員会又は公平委員会の委員）
第九条の二　人事委員会又は公平委員会は、三人の委員をもつて組織する。
2　委員は、人格が高潔で、地方自治の本旨及び民主的で能率的な事務の処理に理解があり、かつ、人事行政に関し識見を有する者のうちから、議会の同意を得て、地方公共団体の長が選任する。

3 第十六条第一号、第二号若しくは第四号のいずれかに該当する者又は第六十条から第六十三条までに規定する罪を犯し、刑に処せられた者は、委員となることができない。
4 委員の選任については、そのうちの二人が、同一の政党に属する者となることとなつてはならない。
5 委員のうち二人以上が同一の政党に属することとなつた場合には、これらの者のうち一人を除く他の者は、地方公共団体の長が議会の同意を得て罷免するものとする。ただし、政党所属関係について異動のなかつた者を罷免することはできない。
6 地方公共団体の長は、委員が心身の故障のため職務の遂行に堪えないと認めるとき、又は委員に職務上の義務違反その他委員たるに適しない非行があると認めるときは、議会の同意を得て、これを罷免することができる。この場合においては、議会の常任委員会又は特別委員会において公聴会を開かなければならない。
7 委員は、前二項の規定による場合を除くほか、その意に反して罷免されることがない。
8 委員は、第十六条第一号、第三号又は第四号のいずれかに該当するに至つたときは、その職を失う。
9 委員は、地方公共団体の議会の議員及び当該地方公共団体の地方公務員（第七条第四項の規定により公平委員会の事務の処理の委託を受けた地方公共団体の人事委員会の委員については、他の地方公共団体に公平委員会の事務の処理を委託した地方公共団体の地方公務員を含む。）の職（執行機関の附属機関の委員その他の構成員の職を除く。）を兼ねることができない。
10 委員の任期は、四年とする。ただし、補欠委員の任期は、前任者の残任期間とする。
11 人事委員会の委員は、常勤又は非常勤とし、公平委員会の委員は、非常勤とする。
12 第三十条から第三十八条までの規定は常勤の人事委員会の委員の服務について、第三十条から第三十四条まで、第三十六条及び第三十七条の規定は非常勤の人事委員会の委員及び公平委員会の委員の服務について、それぞれ準用する。

九項…全改・一〇項…削除・一二項…追加・旧一一・一二項…一項ずつ繰上（昭二七法一七五）、三・八項…一部改正（平一一法一五一）、九項…一部改正・一三項…削除・本条…一条繰下（平一六法八五）、三項…一部改正（平二六法三四）、二・三・五・七・八・一〇・一二項…一部改正（令元法三七）

（人事委員会又は公平委員会の委員長）

第十条 人事委員会又は公平委員会は、委員のうちから委員長を選挙しなければならない。
2 委員長は、委員会に関する事務を処理し、委員会を代表する。
3 委員長に事故があるとき、又は委員長が欠けたときは、委員長の指定する委員が、その職務を代理する。

（人事委員会又は公平委員会の議事）

第十一条 人事委員会又は公平委員会は、三人の委員が出席しなければ会議を開くことができない。
2 人事委員会又は公平委員会は、会議を開かなければ公務の運営又は職員の福祉若しくは利益の保護に著しい支障が生ずると認められる十分な理由があるときは、前項の規定にかかわらず、二人の委員が出席すれば会議を開くことができる。
3 人事委員会又は公平委員会の議事は、出席委員の過半数で決する。
4 人事委員会又は公平委員会の議事は、議事録として記録して置かなければならない。
5 前各項に定めるものを除くほか、人事委員会又は公平委員会の議事に関し必要な事項は、人事委員会又は公平委員会が定める。

一項…一部改正・二項…追加・旧二・三項…一項ずつ繰下・旧四項…一部改正し一項繰下（平一六法八五）

（人事委員会及び公平委員会の事務局又は事務職員）

第十二条 人事委員会に事務局を置き、事務局に事務局長その他の事務職員を置く。
2 人事委員会は、第九条の二第九項の規定にかかわらず、委員に事務局長の職を兼ねさせることができる。
3 事務局長は、人事委員会の指揮監督を受け、事務局の局務を掌理する。
4 第七条第二項の規定により人事委員会を置く地方公共団体は、第一項の規定にかかわらず、事務局を置かないで事務職員を置くことができる。
5 公平委員会に、事務職員を置く。
6 競争試験等を行う公平委員会を置く地方公共団体は、前項の規定にかかわらず、事務局を置き、事務局に事務局長その他の事務職員を置くことができる。
7 第一項及び第四項又は前二項の事務職員は、人事委員会又は公平委員会がそれぞれ任免する。
8 第一項の事務局の組織は、人事委員会が定める。
9 第一項及び第四項から第六項までの事務職員の定数は、条例で定める。
10 第二項及び第三項の規定は第六項の事務局長について、第八項の規定は第六項の事務局について準用する。この場合において、第二項及び第三項中「人事委員会」とあるのは「競争試験等を行う公平委員会」

と、第八項中「第一項の事務局」とあるのは「第六項の事務局」と、「人事委員会」とあるのは「競争試験等を行う公平委員会」と読み替えるものとする。

四項…追加・旧五・七・八項…一部改正し一項ずつ繰下・旧四・六項…一項ずつ繰下（昭二七法一七五）、見出し…全部改正・二項…一部改正・六項…追加・旧六項…一部改正し一項繰下・旧七項…一項繰下・旧八項…一部改正し一項繰下・旧九項…削除・一〇項…追加（平一六法八五）

第三章　職員に適用される基準

第一節　通則

（平等取扱いの原則）

第十三条　全て国民は、この法律の適用について、平等に取り扱われなければならず、人種、信条、性別、社会的身分若しくは門地によつて、又は第十六条第四号に該当する場合を除くほか、政治的意見若しくは政治的所属関係によつて、差別されてはならない。

見出し…全改・本条…一部改正（令元法三七）

（情勢適応の原則）

第十四条　地方公共団体は、この法律に基いて定められた給与、勤務時間その他の勤務条件が社会一般の情勢に適応するように、随時、適当な措置を講じなければならない。

2　人事委員会は、随時、前項の規定により講ずべき措置について地方公共団体の議会及び長に勧告することができる。

二項…追加（平一六法八五）

第二節　任用

（任用の根本基準）

第十五条　職員の任用は、この法律の定めるところにより、受験成績、人事評価その他の能力の実証に基づいて行わなければならない。

本条…一部改正（平二六法三四）

（定義）

第十五条の二　この法律において、次の各号に掲げる用語の意義は、当該各号に定めるところによる。

一　採用　職員以外の者を職員の職に任命すること（臨時的任用を除く。）をいう。

二　昇任　職員をその職員が現に任命されている職より上位の職制上の段階に属する職員の職に任命することをいう。

三　降任　職員をその職員が現に任命されている職より下位の職制上の段階に属する職員の職に任命することをいう。

四　転任　職員をその職員が現に任命されている職以外の職員の職に任命することであつて前二号に定めるものに該当しないものをいう。

五　標準職務遂行能力　職制上の段階の標準的な職（職員の職に限る。以下同じ。）の職務を遂行する上で発揮することが求められる能力として任命権者が定めるものをいう。

2　前項第五号の標準的な職は、職制上の段階及び職務の種類に応じ、任命権者が定める。

3　地方公共団体の長及び議会の議長以外の任命権者は、標準職務遂行能力及び第一項第五号の標準的な職を定めようとするときは、あらかじめ、地方公共団体の長に協議しなければならない。

本条…追加（平二六法三四）

（欠格条項）

第十六条　次の各号のいずれかに該当する者は、条例で定める場合を除くほか、職員となり、又は競争試験若しくは選考を受けることができない。

一　拘禁刑以上の刑に処せられ、その執行を終わるまで又はその執行を受けることがなくなるまでの者

二　当該地方公共団体において懲戒免職の処分を受け、当該処分の日から二年を経過しない者

三　人事委員会又は公平委員会の委員の職にあつて、第六十条から第六十三条までに規定する罪を犯し、刑に処せられた者

四　日本国憲法施行の日以後において、日本国憲法又はその下に成立した政府を暴力で破壊することを主張する政党その他の団体を結成し、又はこれに加入した者

本文…一部改正（平一一法一五一）、本条…一部改正（平二六法三四・令元法三七・令四法六八）

（任命の方法）

第十七条　職員の職に欠員を生じた場合においては、任命権者は、採用、昇任、降任又は転任のいずれかの方法により、職員を任命することができる。

2　人事委員会（競争試験等を行う公平委員会を含む。以下この節において同じ。）を置く地方公共団体においては、人事委員会は、前項の任命の方法のうちのいずれによるべきかについての一般的基準を定めることができる。

二項…一部改正（平一六法八五）、二項…一部改正・三―五項…削除（平二六法三四）

（採用の方法）

第十七条の二　人事委員会を置く地方公共団体においては、職員の採用は、競争試験によるものとする。ただ

し、人事委員会規則（競争試験等を行う公平委員会を置く地方公共団体においては、公平委員会規則。以下この節において同じ。）で定める場合には、選考（競争試験以外の能力の実証に基づく試験をいう。以下同じ。）によることを妨げない。

2 人事委員会を置かない地方公共団体においては、職員の採用は、競争試験又は選考によるものとする。

3 人事委員会（人事委員会を置かない地方公共団体においては、任命権者とする。以下この節において「人事委員会等」という。）は、正式任用になつてある職に就いていた職員が、職制若しくは定数の改廃又は予算の減少に基づく廃職又は過員によりその職を離れた後において、再びその職に復する場合における資格要件、採用手続及び採用の際における身分に関し必要な事項を定めることができる。

本条…追加（平二六法三四）

（試験機関）

第十八条 採用のための競争試験（以下「採用試験」という。）又は選考は、人事委員会等が行うものとする。ただし、人事委員会等は、他の地方公共団体の機関との協定によりこれと共同して、又は国若しくは他の地方公共団体の機関との協定によりこれらの機関に委託して、採用試験又は選考を行うことができる。

見出し…全改・一項…一部改正・二項…削除（平二六法三四）

（採用試験の公開平等）

第十八条の二 採用試験は、人事委員会等の定める受験の資格を有する全ての国民に対して平等の条件で公開されなければならない。

本条…追加（平二六法三四）

（受験の阻害及び情報提供の禁止）

第十八条の三 試験機関に属する者その他職員は、受験を阻害し、又は受験に不当な影響を与える目的をもつて特別若しくは秘密の情報を提供してはならない。

本条…追加（平二六法三四）

（受験の資格要件）

第十九条 人事委員会等は、受験者に必要な資格として職務の遂行上必要であつて最少かつ適当な限度の客観的かつ画一的な要件を定めるものとする。

本条…全改（平二六法三四）

（採用試験の目的及び方法）

第二十条 採用試験は、受験者が、当該採用試験に係る職の属する職制上の段階の標準的な職に係る標準職務遂行能力及び当該採用試験に係る職についての適性を有するかどうかを正確に判定することをもつてその目的とする。

2 採用試験は、筆記試験その他の人事委員会等が定める方法により行うものとする。

本条…全改（平二六法三四）

（採用候補者名簿の作成及びこれによる採用）

第二十一条 人事委員会を置く地方公共団体における採用試験による職員の採用については、人事委員会は、試験ごとに採用候補者名簿を作成するものとする。

2 採用候補者名簿には、採用試験において合格点以上を得た者の氏名及び得点を記載するものとする。

3 採用候補者名簿による職員の採用は、任命権者が、人事委員会の提示する当該名簿に記載された者の中から行うものとする。

4 採用候補者名簿に記載された者の数が採用すべき者の数よりも少ない場合その他の人事委員会規則で定める場合には、人事委員会は、他の最も適当な採用候補者名簿に記載された者を加えて提示することを妨げない。

5 前各項に定めるものを除くほか、採用候補者名簿の作成及びこれによる採用の方法に関し必要な事項は、人事委員会規則で定めなければならない。

五項…一部改正（平一六法八五）、見出し…全改・一―五項…一部改正（平二六法三四）

（選考による採用）

第二十一条の二 選考は、当該選考に係る職の属する職制上の段階の標準的な職に係る標準職務遂行能力及び当該選考に係る職についての適性を有するかどうかを正確に判定することをもつてその目的とする。

2 選考による職員の採用は、任命権者が、人事委員会等の行う選考に合格した者の中から行うものとする。

3 人事委員会等は、その定める職員の職について前条第一項に規定する採用候補者名簿がなく、かつ、人事行政の運営上必要であると認める場合においては、その職の採用試験又は選考に相当する国又は他の地方公共団体の採用試験又は選考に合格した者を、その職の選考に合格した者とみなすことができる。

本条…追加（平二六法三四）

（昇任の方法）

第二十一条の三 職員の昇任は、任命権者が、職員の受験成績、人事評価その他の能力の実証に基づき、任命しようとする職の属する職制上の段階の標準的な職に係る標準職務遂行能力及び当該任命しようとする職についての適性を有すると認められる者の中から行うものとする。

本条…追加（平二六法三四）

（**昇任試験又は選考の実施**）

第二十一条の四　任命権者が職員を人事委員会規則で定める職（人事委員会を置かない地方公共団体においては、任命権者が定める職）に昇任させる場合には、当該職について昇任のための競争試験（以下「昇任試験」という。）又は選考が行われなければならない。

2　人事委員会は、前項の人事委員会規則を定めようとするときは、あらかじめ、任命権者の意見を聴くものとする。

3　昇任試験は、人事委員会等の指定する職に正式に任用された職員に限り、受験することができる。

4　第十八条から第二十一条までの規定は、第一項の規定による職員の昇任試験を実施する場合について準用する。この場合において、第十八条の二中「定める受験の資格を有する全ての国民」とあるのは「指定する職に正式に任用された全ての職員」と、第二十一条中「職員の採用」とあるのは「職員の昇任」と、「採用候補者名簿」とあるのは「昇任候補者名簿」と、同条第四項中「採用すべき」とあるのは「昇任させるべき」と、同条第五項中「採用の方法」とあるのは「昇任の方法」と読み替えるものとする。

5　第十八条並びに第二十一条の二第一項及び第二項の規定は、第一項の規定による職員の昇任のための選考を実施する場合について準用する。この場合において、同条第二項中「職員の採用」とあるのは、「職員の昇任」と読み替えるものとする。

本条…追加（平二六法三四）

（**降任及び転任の方法**）

第二十一条の五　任命権者は、職員を降任させる場合には、当該職員の人事評価その他の能力の実証に基づき、任命しようとする職の属する職制上の段階の標準的な職に係る標準職務遂行能力及び当該任命しようとする職についての適性を有すると認められる職に任命するものとする。

2　職員の転任は、任命権者が、職員の人事評価その他の能力の実証に基づき、任命しようとする職の属する職制上の段階の標準的な職に係る標準職務遂行能力及び当該任命しようとする職についての適性を有すると認められる者の中から行うものとする。

本条…追加（平二六法三四）

（**条件付採用**）

第二十二条　職員の採用は、全て条件付のものとし、当該職員がその職において六月の期間を勤務し、その間その職務を良好な成績で遂行したときに、正式のものとなるものとする。この場合において、人事委員会等は、人事委員会規則（人事委員会を置かない地方公共団体においては、地方公共団体の規則。第二十二条の四第一項及び第二十二条の五第一項において同じ。）で定めるところにより、条件付採用の期間を一年を超えない範囲内で延長することができる。

一項…一部改正（昭二九法一九二）、見出し…全改・一・二項…一部改正（平二六法三四）、見出し・一項…一部改正・二―七項…削除（平二九法二九）、本条…一部改正（令三法六三）

（**会計年度任用職員の採用の方法等**）

第二十二条の二　次に掲げる職員（以下この条において「会計年度任用職員」という。）の採用は、第十七条の二第一項及び第二項の規定にかかわらず、競争試験又は選考によるものとする。

一　一会計年度を超えない範囲内で置かれる非常勤の職（第二十二条の四第一項に規定する短時間勤務の職を除く。）（次号において「会計年度任用の職」という。）を占める職員であつて、その一週間当たりの通常の勤務時間が常時勤務を要する職を占める職員の一週間当たりの通常の勤務時間に比し短い時間であるもの

二　会計年度任用の職を占める職員であつて、その一週間当たりの通常の勤務時間が常時勤務を要する職を占める職員の一週間当たりの通常の勤務時間と同一の時間であるもの

2　会計年度任用職員の任期は、その採用の日から同日の属する会計年度の末日までの期間の範囲内で任命権者が定める。

3　任命権者は、前二項の規定により会計年度任用職員を採用する場合には、当該会計年度任用職員にその任期を明示しなければならない。

4　任命権者は、会計年度任用職員の任期が第二項に規定する期間に満たない場合には、当該会計年度任用職員の勤務実績を考慮した上で、当該期間の範囲内において、その任期を更新することができる。

5　第三項の規定は、前項の規定により任期を更新する場合について準用する。

6　任命権者は、会計年度任用職員の採用又は任期の更新に当たつては、職務の遂行に必要かつ十分な任期を定めるものとし、必要以上に短い任期を定めることにより、採用又は任期の更新を反復して行うことのないよう配慮しなければならない。

7　会計年度任用職員に対する前条の規定の適用については、同条中「六月」とあるのは、「一月」とする。

本条…追加（平二九法二九）、一項…一部改正（令三法

六三）

（臨時的任用）

第二十二条の三　人事委員会を置く地方公共団体においては、任命権者は、人事委員会規則で定めるところにより、常時勤務を要する職に欠員を生じた場合において、緊急のとき、臨時の職に関するとき、又は採用候補者名簿（第二十一条の四第四項において読み替えて準用する第二十一条第一項に規定する昇任候補者名簿を含む。）がないときは、人事委員会の承認を得て、六月を超えない期間で臨時的任用を行うことができる。この場合において、任命権者は、人事委員会の承認を得て、当該臨時的任用を六月を超えない期間で更新することができるが、再度更新することはできない。

2　前項の場合において、人事委員会は、臨時的に任用される者の資格要件を定めることができる。

3　人事委員会は、前二項の規定に違反する臨時的任用を取り消すことができる。

4　人事委員会を置かない地方公共団体においては、任命権者は、地方公共団体の規則で定めるところにより、常時勤務を要する職に欠員を生じた場合において、緊急のとき、又は臨時の職に関するときは、六月を超えない期間で臨時的任用を行うことができる。この場合において、任命権者は、当該臨時的任用を六月を超えない期間で更新することができるが、再度更新することはできない。

5　臨時的任用は、正式任用に際して、いかなる優先権をも与えるものではない。

6　前各項に定めるもののほか、臨時的に任用された職員に対しては、この法律を適用する。

本条…追加（平二九法二九）

（定年前再任用短時間勤務職員の任用）

第二十二条の四　任命権者は、当該任命権者の属する地方公共団体の条例年齢以上退職者（条例で定める年齢に達した日以後に退職（臨時的に任用される職員その他の法律により任期を定めて任用される職員及び非常勤職員が退職する場合を除く。）をした者をいう。以下同じ。）を、条例で定めるところにより、従前の勤務実績その他の人事委員会規則で定める情報に基づく選考により、短時間勤務の職（当該職を占める職員の一週間当たりの通常の勤務時間が、常時勤務を要する職でその職務が当該短時間勤務の職と同種の職を占める職員の一週間当たりの通常の勤務時間に比し短い時間である職をいう。以下同じ。）に採用することができる。ただし、条例年齢以上退職者がその者を採用しようとする短時間勤務の職に係る定年退職日相当日（短時間勤務の職を占める職員が、常時勤務を要する職でその職務が当該短時間勤務の職と同種の職を占めているものとした場合における第二十八条の六第一項に規定する定年退職日をいう。第三項及び第四項において同じ。）を経過した者であるときは、この限りでない。

2　前項の条例で定める年齢は、国の職員につき定められている国家公務員法（昭和二十二年法律第百二十号）第六十条の二第一項に規定する年齢を基準として定めるものとする。

3　第一項の規定により採用された職員（以下この条及び第二十九条第三項において「定年前再任用短時間勤務職員」という。）の任期は、採用の日から定年退職日相当日までとする。

4　任命権者は、条例年齢以上退職者のうちその者を採用しようとする短時間勤務の職に係る定年退職日相当日を経過していない者以外の者を当該短時間勤務の職に採用することができず、定年前再任用短時間勤務職員のうち当該定年前再任用短時間勤務職員を昇任し、降任し、又は転任しようとする短時間勤務の職に係る定年退職日相当日を経過していない定年前再任用短時間勤務職員以外の職員を当該短時間勤務の職に昇任し、降任し、又は転任することができない。

5　任命権者は、定年前再任用短時間勤務職員を、常時勤務を要する職に昇任し、降任し、又は転任することができない。

6　第一項の規定による採用については、第二十二条の規定は、適用しない。

本条…追加（令三法六三）

第二十二条の五　地方公共団体の組合を組織する地方公共団体の任命権者は、前条第一項本文の規定によるほか、当該地方公共団体の組合の条例年齢以上退職者を、条例で定めるところにより、従前の勤務実績その他の人事委員会規則で定める情報に基づく選考により、短時間勤務の職に採用することができる。

2　地方公共団体の組合の任命権者は、前条第一項本文の規定によるほか、当該地方公共団体の組合を組織する地方公共団体の条例年齢以上退職者を、条例で定めるところにより、従前の勤務実績その他の地方公共団体の組合の規則（競争試験等を行う公平委員会を置く地方公共団体の組合においては、公平委員会規則）で定める情報に基づく選考により、短時間勤務の職に採用することができる。

3　前二項の場合においては、前条第一項ただし書及び第三項から第六項までの規定を準用する。

本条…追加（令三法六三）

第三節　人事評価

本節…全改（平二六法三四）

（人事評価の根本基準）

第二十三条　職員の人事評価は、公正に行われなければならない。

2　任命権者は、人事評価を任用、給与、分限その他の人事管理の基礎として活用するものとする。

本条…全改（平二六法三四）

（人事評価の実施）

第二十三条の二　職員の執務については、その任命権者は、定期的に人事評価を行わなければならない。

2　人事評価の基準及び方法に関する事項その他人事評価に関し必要な事項は、任命権者が定める。

3　前項の場合において、任命権者が地方公共団体の長及び議会の議長以外の者であるときは、同項に規定する事項について、あらかじめ、地方公共団体の長に協議しなければならない。

本条…追加（平二六法三四）

（人事評価に基づく措置）

第二十三条の三　任命権者は、前条第一項の人事評価の結果に応じた措置を講じなければならない。

本条…追加（平二六法三四）

（人事評価に関する勧告）

第二十三条の四　人事委員会は、人事評価の実施に関し、任命権者に勧告することができる。

本条…追加（平二六法三四）

第四節　給与、勤務時間その他の勤務条件

（給与、勤務時間その他の勤務条件の根本基準）

第二十四条　職員の給与は、その職務と責任に応ずるものでなければならない。

2　職員の給与は、生計費並びに国及び他の地方公共団体の職員並びに民間事業の従事者の給与その他の事情を考慮して定められなければならない。

3　職員は、他の職員の職を兼ねる場合においても、これに対して給与を受けてはならない。

4　職員の勤務時間その他職員の給与以外の勤務条件を定めるに当つては、国及び他の地方公共団体の職員との間に権衡を失しないように適当な考慮が払われなければならない。

5　職員の給与、勤務時間その他の勤務条件は、条例で定める。

二項…削除・旧三―六項…一項ずつ繰上（平二六法三四）

（給与に関する条例及び給与の支給）

第二十五条　職員の給与は、前条第五項の規定による給与に関する条例に基づいて支給されなければならず、また、これに基づかずには、いかなる金銭又は有価物も職員に支給してはならない。

2　職員の給与は、法律又は条例により特に認められた場合を除き、通貨で、直接職員に、その全額を支払わなければならない。

3　給与に関する条例には、次に掲げる事項を規定するものとする。

一　給料表

二　等級別基準職務表

三　昇給の基準に関する事項

四　時間外勤務手当、夜間勤務手当及び休日勤務手当に関する事項

五　前号に規定するものを除くほか、地方自治法第二百四条第二項に規定する手当を支給する場合には、当該手当に関する事項

六　非常勤の職その他勤務条件の特別な職があるときは、これらについて行う給与の調整に関する事項

七　前各号に規定するものを除くほか、給与の支給方法及び支給条件に関する事項

4　前項第一号の給料表には、職員の職務の複雑、困難及び責任の度に基づく等級ごとに明確な給料額の幅を定めていなければならない。

5　第三項第二号の等級別基準職務表には、職員の職務を前項の等級ごとに分類する際に基準となるべき職務の内容を定めていなければならない。

二項…追加・旧二―五項…一項ずつ繰下（昭四〇法七〇）、一・三項…一部改正・四項…削除・旧五・六項…一項ずつ繰上（平二三法三七）、見出し…全改・一・三項…一部改正・四・五項…全改（平二六法三四）、三項…一部改正（平二九法二九）

（給料表に関する報告及び勧告）

第二十六条　人事委員会は、毎年少くとも一回、給料表が適当であるかどうかについて、地方公共団体の議会及び長に同時に報告するものとする。給与を決定する諸条件の変化により、給料表に定める給料額を増減することが適当であると認めるときは、あわせて適当な勧告をすることができる。

（修学部分休業）

第二十六条の二　任命権者は、職員（臨時的に任用される職員その他の法律により任期を定めて任用される職員及び非常勤職員を除く。以下この条及び次条において同じ。）が申請した場合において、公務の運営に支

障がなく、かつ、当該職員の公務に関する能力の向上に資すると認めるときは、条例で定めるところにより、当該職員が、大学その他の条例で定める教育施設における修学のため、当該修学に必要と認められる期間として条例で定める期間中、一週間の勤務時間の一部について勤務しないこと（以下この条において「修学部分休業」という。）を承認することができる。

2 前項の規定による承認は、修学部分休業をしている職員が休職又は停職の処分を受けた場合には、その効力を失う。

3 職員が第一項の規定による承認を受けて勤務しない場合には、条例で定めるところにより、減額して給与を支給するものとする。

4 前三項に定めるもののほか、修学部分休業に関し必要な事項は、条例で定める。

本条…追加（平一六法八五）、一項…一部改正（平二五法四四）

（高齢者部分休業）

第二十六条の三 任命権者は、高年齢として条例で定める年齢に達した職員が申請した場合において、公務の運営に支障がないと認めるときは、条例で定めるところにより、当該職員が当該条例で定める年齢に達した日以後の日で当該申請において示した日から当該職員に係る定年退職日（第二十八条の六第一項に規定する定年退職日をいう。）までの期間中、一週間の勤務時間の一部について勤務しないこと（次項において「高齢者部分休業」という。）を承認することができる。

2 前条第二項から第四項までの規定は、高齢者部分休業について準用する。

本条…追加（平一六法八五）、一項…一部改正（平二五法四四・令三法六三）

第四節の二 休業

本節…追加（平一九法四六）

（休業の種類）

第二十六条の四 職員の休業は、自己啓発等休業、配偶者同行休業、育児休業及び大学院修学休業とする。

2 育児休業及び大学院修学休業については、別に法律で定めるところによる。

本条…追加（平一九法四六）、一項…一部改正（平二五法七九）

（自己啓発等休業）

第二十六条の五 任命権者は、職員（臨時的に任用される職員その他の法律により任期を定めて任用される職員及び非常勤職員を除く。以下この条及び次条（第八項及び第九項を除く。）において同じ。）が申請した場合において、公務の運営に支障がなく、かつ、当該職員の公務に関する能力の向上に資すると認めるときは、条例で定めるところにより、当該職員が、三年を超えない範囲内において条例で定める期間、大学等課程の履修（大学その他の条例で定める教育施設の課程の履修をいう。第五項において同じ。）又は国際貢献活動（国際協力の促進に資する外国における奉仕活動（当該奉仕活動を行うために必要な国内における訓練その他の準備行為を含む。）のうち職員として参加することが適当であると認められるものとして条例で定めるものに参加することをいう。第五項において「国際貢献活動」という。）のための休業（以下この条において「自己啓発等休業」という。）をすることを承認することができる。

2 自己啓発等休業をしている職員は、自己啓発等休業を開始した時就いていた職又は自己啓発等休業の期間中に異動した職を保有するが、職務に従事しない。

3 自己啓発等休業をしている期間については、給与を支給しない。

4 自己啓発等休業の承認は、当該自己啓発等休業をしている職員が休職又は停職の処分を受けた場合には、その効力を失う。

5 任命権者は、自己啓発等休業をしている職員が当該自己啓発等休業の承認に係る大学等課程の履修又は国際貢献活動を取りやめたことその他条例で定める事由に該当すると認めるときは、当該自己啓発等休業の承認を取り消すものとする。

6 前各項に定めるもののほか、自己啓発等休業に関し必要な事項は、条例で定める。

本条…追加（平一九法四六）、一項…一部改正（平二五法七九）

（配偶者同行休業）

第二十六条の六 任命権者は、職員が申請した場合において、公務の運営に支障がないと認めるときは、条例で定めるところにより、当該申請をした職員の勤務成績その他の事情を考慮した上で、当該職員が、三年を超えない範囲内において条例で定める期間、配偶者同行休業（職員が、外国での勤務その他の条例で定める事由により外国に住所又は居所を定めて滞在するその配偶者（届出をしないが事実上婚姻関係と同様の事情にある者を含む。第五項及び第六項において同じ。）と、当該住所又は居所において生活を共にするための休業をいう。以下この条において同じ。）をすることを承認することができる。

2 配偶者同行休業をしている職員は、当該配偶者同行休業を開始した日から引き続き配偶者同行休業をしようとする期間が前項の条例で定める期間を超えない範囲内において、条例で定めるところにより、任命権者に対し、配偶者同行休業の期間の延長を申請することができる。

3　配偶者同行休業の期間の延長は、条例で定める特別の事情がある場合を除き、一回に限るものとする。

4　第一項の規定は、配偶者同行休業の期間の延長の承認について準用する。

5　配偶者同行休業の承認は、当該配偶者同行休業をしている職員が休職若しくは停職の処分を受けた場合又は当該配偶者同行休業に係る配偶者が死亡し、若しくは当該職員の配偶者でなくなつた場合には、その効力を失う。

6　任命権者は、配偶者同行休業をしている職員が当該配偶者同行休業に係る配偶者と生活を共にしなくなつたことその他条例で定める事由に該当すると認めるときは、当該配偶者同行休業の承認を取り消すものとする。

7　任命権者は、第一項又は第二項の規定による申請があつた場合において、当該申請に係る期間（以下この項及び次項において「申請期間」という。）について職員の配置換えその他の方法によつて当該申請をした職員の業務を処理することが困難であると認めるときは、条例で定めるところにより、当該業務を処理するため、次の各号に掲げる任用のいずれかを行うことができる。この場合において、第二号に掲げる任用は、申請期間について一年を超えて行うことができない。

一　申請期間を任用の期間（以下この条において「任期」という。）の限度として行う任期を定めた採用

二　申請期間を任期の限度として行う臨時的任用

8　任命権者は、条例で定めるところにより、前項の規定により任期を定めて採用された職員の任期が申請期間に満たない場合には、当該申請期間の範囲内において、その任期を更新することができる。

9　任命権者は、第七項の規定により任期を定めて採用された職員を、任期を定めて採用した趣旨に反しない場合に限り、その任期中、他の職に任用することができる。

10　第七項の規定に基づき臨時的任用を行う場合には、第二十二条の三第一項から第四項までの規定は、適用しない。

11　前条第二項、第三項及び第六項の規定は、配偶者同行休業について準用する。

本条…追加（平二五法七九）、八・一〇項…一部改正（平二九法二九）

第五節　分限及び懲戒

（分限及び懲戒の基準）

第二十七条　全て職員の分限及び懲戒については、公正でなければならない。

2　職員は、この法律で定める事由による場合でなければ、その意に反して、降任され、又は免職されず、この法律又は条例で定める事由による場合でなければ、その意に反して、休職され、又は降給されることがない。

3　職員は、この法律で定める事由による場合でなければ、懲戒処分を受けることがない。

一・二項…一部改正（令三法六三）

（降任、免職、休職等）

第二十八条　職員が、次の各号に掲げる場合のいずれかに該当するときは、その意に反して、これを降任し、又は免職することができる。

一　人事評価又は勤務の状況を示す事実に照らして、勤務実績がよくない場合

二　心身の故障のため、職務の遂行に支障があり、又はこれに堪えない場合

三　前二号に規定する場合のほか、その職に必要な適格性を欠く場合

四　職制若しくは定数の改廃又は予算の減少により廃職又は過員を生じた場合

2　職員が、次の各号に掲げる場合のいずれかに該当するときは、その意に反して、これを休職することができる。

一　心身の故障のため、長期の休養を要する場合

二　刑事事件に関し起訴された場合

3　職員の意に反する降任、免職、休職及び降給の手続及び効果は、法律に特別の定めがある場合を除くほか、条例で定めなければならない。

4　職員は、第十六条各号（第二号を除く。）のいずれかに該当するに至つたときは、条例に特別の定めがある場合を除くほか、その職を失う。

四・五項…削除・旧六項…二項繰上（昭三七法一六一）、見出し…全改（昭五六法九二）、一項…一部改正（平二六法三四）、二―四項…一部改正（令元法三七）

（管理監督職勤務上限年齢による降任等）

第二十八条の二　任命権者は、管理監督職（地方自治法第二百四条第二項に規定する管理職手当を支給される職員の職及びこれに準ずる職であつて条例で定める職をいう。以下この節において同じ。）を占める職員でその占める管理監督職に係る管理監督職勤務上限年齢

に達している職員について、異動期間（当該管理監督職勤務上限年齢に達した日の翌日から同日以後における最初の四月一日までの間をいう。以下この節において同じ。）（第二十八条の五第一項から第四項までの規定により延長された期間を含む。以下この項において同じ。）に、管理監督職以外の職又は管理監督職勤務上限年齢が当該職員の年齢を超える管理監督職（以下この項及び第四項においてこれらの職を「他の職」という。）への降任又は転任（降給を伴う転任に限る。）をするものとする。ただし、異動期間に、この法律の他の規定により当該職員について他の職への昇任、降任若しくは転任をした場合又は第二十八条の七第一項の規定により当該職員を管理監督職を占めたまま引き続き勤務させることとした場合は、この限りでない。

2　前項の管理監督職勤務上限年齢は、条例で定めるものとする。

3　管理監督職及び管理監督職勤務上限年齢を定めるに当たつては、国及び他の地方公共団体の職員との間に権衡を失しないように適当な考慮が払われなければならない。

4　第一項本文の規定による他の職への降任又は転任（以下この節及び第四十九条第一項ただし書において「他の職への降任等」という。）を行うに当たつて任命権者が遵守すべき基準に関する事項その他の他の職への降任等に関し必要な事項は、条例で定める。

本条…追加（令三法六三）

（管理監督職への任用の制限）

第二十八条の三　任命権者は、採用し、昇任し、降任し、又は転任しようとする管理監督職に係る管理監督職勤務上限年齢に達している者を、その者が当該管理監督職を占めているものとした場合における異動期間の末日の翌日（他の職への降任等をされた職員にあつては、当該他の職への降任等をされた日）以後、当該管理監督職に採用し、昇任し、降任し、又は転任することができない。

本条…追加（令三法六三）

（適用除外）

第二十八条の四　前二条の規定は、臨時的に任用される職員その他の法律により任期を定めて任用される職員には適用しない。

本条…追加（令三法六三）

（管理監督職勤務上限年齢による降任等及び管理監督職への任用の制限の特例）

第二十八条の五　任命権者は、他の職への降任等をすべき管理監督職を占める職員について、次に掲げる事由があると認めるときは、条例で定めるところにより、当該職員が占める管理監督職に係る異動期間の末日の翌日から起算して一年を超えない期間内（当該期間内に次条第一項に規定する定年退職日（以下この項及び次項において「定年退職日」という。）がある職員にあつては、当該異動期間の末日の翌日から定年退職日までの期間内。第三項において同じ。）で当該異動期間を延長し、引き続き当該管理監督職を占める職員に、当該管理監督職を占めたまま勤務をさせることができる。

一　当該職員の職務の遂行上の特別の事情を勘案して、当該職員の他の職への降任等により公務の運営に著しい支障が生ずると認められる事由として条例で定める事由

二　当該職員の職務の特殊性を勘案して、当該職員の他の職への降任等により、当該管理監督職の欠員の補充が困難となることにより公務の運営に著しい支障が生ずると認められる事由として条例で定める事由

2　任命権者は、前項又はこの項の規定により異動期間（これらの規定により延長された期間を含む。）が延長された管理監督職を占める職員について、前項各号に掲げる事由が引き続きあると認めるときは、条例で定めるところにより、延長された当該異動期間の末日の翌日から起算して一年を超えない期間内（当該期間内に定年退職日がある職員にあつては、延長された当該異動期間の末日の翌日から定年退職日までの期間内。第四項において同じ。）で延長された当該異動期間を更に延長することができる。ただし、更に延長される当該異動期間の末日は、当該職員が占める管理監督職に係る異動期間の末日の翌日から起算して三年を超えることができない。

3　任命権者は、第一項の規定により異動期間を延長することができる場合を除き、他の職への降任等をすべき特定管理監督職群（職務の内容が相互に類似する複数の管理監督職であつて、これらの欠員を容易に補充することができない年齢別構成その他の特別の事情がある管理監督職として人事委員会規則（人事委員会を置かない地方公共団体においては、地方公共団体の規則）で定める管理監督職をいう。以下この項において同じ。）に属する管理監督職を占める職員について、当該職員の他の職への降任等により、当該特定管理監督職群に属する管理監督職の欠員の補充が困難となることにより公務の運営に著しい支障が生ずると認められる事由として条例で定める事由があると認めるとき

は、条例で定めるところにより、当該職員が占める管理監督職に係る異動期間の末日の翌日から起算して一年を超えない期間内で当該異動期間を延長し、引き続き当該管理監督職を占めたまま勤務をさせ、又は当該職員を当該管理監督職が属する特定管理監督職群の他の管理監督職に降任し、若しくは転任することができる。

4　任命権者は、第一項若しくは第二項の規定により異動期間（これらの規定により延長された期間を含む。）が延長された管理監督職を占める職員について前項に規定する事由があると認めるとき（第二項の規定により延長された当該異動期間を更に延長することができるときを除く。）、又は前項若しくはこの項の規定により異動期間（前三項又はこの項の規定により延長された期間を含む。）が延長された管理監督職を占める職員について前項に規定する事由が引き続きあると認めるときは、条例で定めるところにより、延長された当該異動期間の末日の翌日から起算して一年を超えない期間内で延長された当該異動期間を更に延長することができる。

5　前各項に定めるもののほか、これらの規定による異動期間（これらの規定により延長された期間を含む。）の延長及び当該延長に係る職員の降任又は転任に関し必要な事項は、条例で定める。

本条…追加（令三法六三）

（定年による退職）

第二十八条の六　職員は、定年に達したときは、定年に達した日以後における最初の三月三十一日までの間において、条例で定める日（次条第一項及び第二項ただし書において「定年退職日」という。）に退職する。

2　前項の定年は、国の職員につき定められている定年を基準として条例で定めるものとする。

3　前項の場合において、地方公共団体における当該職員に関しその職務と責任に特殊性があること又は欠員の補充が困難であることにより国の職員につき定められている定年を基準として定めることが実情に即さないと認められるときは、当該職員の定年については、条例で別の定めをすることができる。この場合においては、国及び他の地方公共団体の職員との間に権衡を失しないように適当な考慮が払われなければならない。

4　前三項の規定は、臨時的に任用される職員その他の法律により任期を定めて任用される職員及び非常勤職員には適用しない。

本条…追加（昭五六法九二）、一項…一部改正（平一一法一〇七）、一項…一部改正・旧二八条の二…二八条の六に繰下

（定年による退職の特例）

第二十八条の七　任命権者は、定年に達した職員が前条第一項の規定により退職すべきこととなる場合において、次に掲げる事由があると認めるときは、同項の規定にかかわらず、条例で定めるところにより、当該職員に係る定年退職日の翌日から起算して一年を超えない範囲内で期限を定め、当該職員を当該定年退職日において従事している職務に従事させるため、引き続き勤務させることができる。ただし、第二十八条の五第一項から第四項までの規定により異動期間（これらの規定により延長された期間を含む。）を延長した職員であつて、定年退職日において管理監督職を占めている職員については、同条第一項又は第二項の規定により当該定年退職日まで当該異動期間を延長した場合に限るものとし、当該期限は、当該職員が占めている管理監督職に係る異動期間の末日の翌日から起算して三年を超えることができない。

一　前条第一項の規定により退職すべきこととなる職員の職務の遂行上の特別の事情を勘案して、当該職員の退職により公務の運営に著しい支障が生ずると認められる事由として条例で定める事由

二　前条第一項の規定により退職すべきこととなる職員の職務の特殊性を勘案して、当該職員の退職により、当該職員が占める職の欠員の補充が困難となることにより公務の運営に著しい支障が生ずると認められる事由として条例で定める事由

2　任命権者は、前項の期限又はこの項の規定により延長された期限が到来する場合において、前項各号に掲げる事由が引き続きあると認めるときは、条例で定めるところにより、これらの期限の翌日から起算して一年を超えない範囲内で期限を延長することができる。ただし、当該期限は、当該職員に係る定年退職日（同項ただし書に規定する職員にあつては、当該職員が占めている管理監督職に係る異動期間の末日）の翌日から起算して三年を超えることができない。

3　前二項に定めるもののほか、これらの規定による勤務に関し必要な事項は、条例で定める。

本条…追加（昭五六法九二）、一部改正（平一一法一〇七）、一・二項…一部改正・三項…追加・旧二八条の三…二八条の七に繰下（令三法六三）

（懲戒）

第二十九条　職員が次の各号のいずれかに該当する場合には、当該職員に対し、懲戒処分として戒告、減給、

停職又は免職の処分をすることができる。
一　この法律若しくは第五十七条に規定する特例を定めた法律又はこれらに基づく条例、地方公共団体の規則若しくは地方公共団体の機関の定める規程に違反した場合
二　職務上の義務に違反し、又は職務を怠つた場合
三　全体の奉仕者たるにふさわしくない非行のあつた場合

2　職員が、任命権者の要請に応じ当該地方公共団体の特別職に属する地方公務員、他の地方公共団体若しくは特定地方独立行政法人の地方公務員、国家公務員又は地方公社（地方住宅供給公社、地方道路公社及び土地開発公社をいう。）その他その業務が地方公共団体若しくは国の事務若しくは事業と密接な関連を有する法人のうち条例で定めるものに使用される者（以下この項において「特別職地方公務員等」という。）となるため退職し、引き続き特別職地方公務員等として在職した後、引き続いて当該退職を前提として職員として採用された場合（一の特別職地方公務員等として在職した後、引き続き一以上の特別職地方公務員等として在職し、引き続いて当該退職を前提として職員として採用された場合を含む。）において、当該退職までの引き続く職員としての在職期間（当該退職前に同様の退職（以下この項において「先の退職」という。）、特別職地方公務員等としての在職及び職員としての採用がある場合には、当該先の退職までの引き続く職員としての在職期間を含む。次項において「要請に応じた退職前の在職期間」という。）中に前項各号のいずれかに該当したときは、当該職員に対し同項に規定する懲戒処分を行うことができる。

3　定年前再任用短時間勤務職員（第二十二条の四第一項の規定により採用された職員に限る。以下この項において同じ。）が、条例年齢以上退職者となつた日までの引き続く職員としての在職期間（要請に応じた退職前の在職期間を含む。）又は第二十二条の四第一項の規定によりかつて採用されて定年前再任用短時間勤務職員として在職していた期間中に第一項各号のいずれかに該当したときは、当該職員に対し同項に規定する懲戒処分を行うことができる。

4　職員の懲戒の手続及び効果は、法律に特別の定めがある場合を除くほか、条例で定めなければならない。

一項…一部改正（昭二九法一五六・平一一法一〇七）、二・三項…追加・旧二項…二項ずつ繰下（平一一法一〇七）、二項…一部改正（平一五法一一九）、一―四項…一部改正（令三法六三）

（適用除外）

第二十九条の二　次に掲げる職員及びこれに対する処分については、第二十七条第二項、第二十八条第一項から第三項まで、第四十九条第一項及び第二項並びに行政不服審査法（平成二十六年法律第六十八号）の規定を適用しない。
一　条件附採用期間中の職員
二　臨時的に任用された職員

2　前項各号に掲げる職員の分限については、条例で必要な事項を定めることができる。

本条…追加（昭三七法一六一）、一項…一部改正（平二六法六九）

第六節　服務

（服務の根本基準）

第三十条　すべて職員は、全体の奉仕者として公共の利益のために勤務し、且つ、職務の遂行に当つては、全力を挙げてこれに専念しなければならない。

（服務の宣誓）

第三十一条　職員は、条例の定めるところにより、服務の宣誓をしなければならない。

（法令等及び上司の職務上の命令に従う義務）

第三十二条　職員は、その職務を遂行するに当つて、法令、条例、地方公共団体の規則及び地方公共団体の機関の定める規程に従い、且つ、上司の職務上の命令に忠実に従わなければならない。

（信用失墜行為の禁止）

第三十三条　職員は、その職の信用を傷つけ、又は職員の職全体の不名誉となるような行為をしてはならない。

（秘密を守る義務）

第三十四条　職員は、職務上知り得た秘密を漏らしてはならない。その職を退いた後も、また、同様とする。

2　法令による証人、鑑定人等となり、職務上の秘密に属する事項を発表する場合においては、任命権者（退職者については、その退職した職又はこれに相当する職に係る任命権者）の許可を受けなければならない。

3　前項の許可は、法律に特別の定がある場合を除く外、拒むことができない。

（職務に専念する義務）

第三十五条　職員は、法律又は条例に特別の定がある場合を除く外、その勤務時間及び職務上の注意力のすべてをその職責遂行のために用い、当該地方公共団体がなすべき責を有する職務にのみ従事しなければならない。

（政治的行為の制限）

第三十六条　職員は、政党その他の政治的団体の結成に関与し、若しくはこれらの団体の役員となつてはならず、又はこれらの団体の構成員となるように、若しくはならないように勧誘運動をしてはならない。

2　職員は、特定の政党その他の政治的団体又は特定の内閣若しくは地方公共団体の執行機関を支持し、又はこれに反対する目的をもつて、あるいは公の選挙又は投票において特定の人又は事件を支持し、又はこれに反対する目的をもつて、次に掲げる政治的行為をしてはならない。ただし、当該職員の属する地方公共団体の区域（当該職員が都道府県の支庁若しくは地方事務所又は地方自治法第二百五十二条の十九第一項の指定都市の区若しくは総合区に勤務する者であるときは、当該支庁若しくは地方事務所又は区若しくは総合区の所管区域）外において、第一号から第三号まで及び第五号に掲げる政治的行為をすることができる。

一　公の選挙又は投票において投票をするように、又はしないように勧誘運動をすること。

二　署名運動を企画し、又は主宰する等これに積極的に関与すること。

三　寄附金その他の金品の募集に関与すること。

四　文書又は図画を地方公共団体又は特定地方独立行政法人の庁舎（特定地方独立行政法人にあつては、事務所。以下この号において同じ。）、施設等に掲示し、又は掲示させ、その他地方公共団体又は特定地方独立行政法人の庁舎、施設、資材又は資金を利用し、又は利用させること。

五　前各号に定めるものを除く外、条例で定める政治的行為

3　何人も前二項に規定する政治的行為を行うよう職員に求め、職員をそそのかし、若しくはあおつてはならず、又は職員が前二項に規定する政治的行為をなし、若しくはなさないことに対する代償若しくは報復として、任用、職務、給与その他職員の地位に関してなんらかの利益若しくは不利益を与え、与えようと企て、若しくは約束してはならない。

4　職員は、前項に規定する違法な行為に応じなかつたことの故をもつて不利益な取扱を受けることはない。

5　本条の規定は、職員の政治的中立性を保障することにより、地方公共団体の行政及び特定地方独立行政法人の業務の公正な運営を確保するとともに職員の利益を保護することを目的とするものであるという趣旨において解釈され、及び運用されなければならない。

二項…一部改正（昭二九法一五六・昭三一法一四八）、二・五項…一部改正（平一五法一一九）、二項…一部改正（平二六法四二）

（争議行為等の禁止）

第三十七条　職員は、地方公共団体の機関が代表する使用者としての住民に対して同盟罷業、怠業その他の争議行為をし、又は地方公共団体の機関の活動能率を低下させる怠業的行為をしてはならない。又、何人も、このような違法な行為を企て、又はその遂行を共謀し、そそのかし、若しくはあおつてはならない。

2　職員で前項の規定に違反する行為をしたものは、その行為の開始とともに、地方公共団体に対し、法令又は条例、地方公共団体の規則若しくは地方公共団体の機関の定める規程に基いて保有する任命上又は雇用上の権利をもつて対抗することができなくなるものとする。

（営利企業への従事等の制限）

第三十八条　職員は、任命権者の許可を受けなければ、商業、工業又は金融業その他営利を目的とする私企業（以下この項及び次条第一項において「営利企業」という。）を営むことを目的とする会社その他の団体の役員その他人事委員会規則（人事委員会を置かない地方公共団体においては、地方公共団体の規則）で定める地位を兼ね、若しくは自ら営利企業を営み、又は報酬を得ていかなる事業若しくは事務にも従事してはならない。ただし、非常勤職員（短時間勤務の職を占める職員及び第二十二条の二第一項第二号に掲げる職員を除く。）については、この限りでない。

2　人事委員会は、人事委員会規則により前項の場合における任命権者の許可の基準を定めることができる。

見出し…全改・一項…一部改正（平二六法三四）、一項…一部改正（平二九法二九）

第六節の二　退職管理

本節…追加（平二六法三四）

（再就職者による依頼等の規制）

第三十八条の二　職員（臨時的に任用された職員、条件付採用期間中の職員及び非常勤職員（短時間勤務の職を占める職員を除く。）を除く。以下この節、第六十条及び第六十三条において同じ。）であつた者であつて離職後に営利企業等（営利企業及び営利企業以外の法人（国、国際機関、地方公共団体、独立行政法人通則法（平成十一年法律第百三号）第二条第四項に規定する行政執行法人及び特定地方独立行政法人を除く。）をいう。以下同じ。）の地位に就いている者（退職手当通算予定職員であつた者であつて引き続いて退職手当通算法人の地位に就いている者及び公益的法人等への一般職の地方公務員の派遣等に関する法律（平成十

二年法律第五十号）第十条第二項に規定する退職派遣者を除く。以下「再就職者」という。）は、離職前五年間に在職していた地方公共団体の執行機関の組織（当該執行機関（当該執行機関の附属機関を含む。）の補助機関及び当該執行機関の管理に属する機関の総体をいう。第三十八条の七において同じ。）若しくは議会の事務局（事務局を置かない場合には、これに準ずる組織。同条において同じ。）若しくは特定地方独立行政法人（以下「地方公共団体の執行機関の組織等」という。）の職員若しくは特定地方独立行政法人の役員（以下「役職員」という。）又はこれらに類する者として人事委員会規則（人事委員会を置かない地方公共団体においては、地方公共団体の規則。以下この条（第七項を除く。）、第三十八条の七、第六十条及び第六十四条において同じ。）で定めるものに対し、当該地方公共団体若しくは当該特定地方独立行政法人と当該営利企業等若しくはその子法人（国家公務員法第百六条の二第一項に規定する子法人の例を基準として人事委員会規則で定めるものをいう。以下同じ。）との間で締結される売買、貸借、請負その他の契約又は当該営利企業等若しくはその子法人に対して行われる行政手続法（平成五年法律第八十八号）第二条第二号に規定する処分に関する事務（以下「契約等事務」という。）であつて離職前五年間の職務に属するものに関し、離職後二年間、職務上の行為をするように、又はしないように要求し、又は依頼してはならない。

2　前項の「退職手当通算法人」とは、地方独立行政法人法第二条第一項に規定する地方独立行政法人その他その業務が地方公共団体又は国の事務又は事業と密接な関連を有する法人のうち人事委員会規則で定めるもの（退職手当（これに相当する給付を含む。）に関する規程において、職員が任命権者又はその委任を受けた者の要請に応じ、引き続いて当該法人の役員又は当該法人に使用される者となつた場合に、職員としての勤続期間を当該法人の役員又は当該法人に使用される者としての勤続期間に通算することと定められており、かつ、当該地方公共団体の条例において、当該法人の役員又は当該法人に使用される者として在職した後引き続いて再び職員となつた者の当該法人の役員又は当該法人に使用される者としての勤続期間を当該職員となつた者の職員としての勤続期間に通算することと定められている法人に限る。）をいう。

3　第一項の「退職手当通算予定職員」とは、任命権者又はその委任を受けた者の要請に応じ、引き続いて退職手当通算法人（前項に規定する退職手当通算法人をいう。以下同じ。）の役員又は退職手当通算法人に使用される者となるため退職することとなる職員であつて、当該退職手当通算法人に在職した後、特別の事情がない限り引き続いて選考による採用が予定されている者のうち人事委員会規則で定めるものをいう。

4　第一項の規定によるもののほか、再就職者のうち、地方自治法第百五十八条第一項に規定する普通地方公共団体の長の直近下位の内部組織の長又はこれに準ずる職であつて人事委員会規則で定めるものに離職した日の五年前の日より前に就いていた者は、当該職に就いていた時に在職していた地方公共団体の執行機関の組織等の役職員又はこれに類する者として人事委員会規則で定めるものに対し、契約等事務であつて離職した日の五年前の日より前の職務（当該職に就いていたときの職務に限る。）に属するものに関し、離職後二年間、職務上の行為をするように、又はしないように要求し、又は依頼してはならない。

5　第一項及び前項の規定によるもののほか、再就職者は、在職していた地方公共団体の執行機関の組織等の役職員又はこれに類する者として人事委員会規則で定めるものに対し、当該地方公共団体若しくは当該特定地方独立行政法人と営利企業等（当該再就職者が現にその地位に就いているものに限る。）若しくはその子法人との間の契約であつて当該地方公共団体若しくは当該特定地方独立行政法人においてその締結について自らが決定したもの又は当該地方公共団体若しくは当該特定地方独立行政法人による当該営利企業等若しくはその子法人に対する行政手続法第二条第二号に規定する処分であつて自らが決定したものに関し、職務上の行為をするように、又はしないように要求し、又は依頼してはならない。

6　第一項及び前二項の規定（第八項の規定に基づく条例が定められているときは、当該条例の規定を含む。）は、次に掲げる場合には適用しない。

一　試験、検査、検定その他の行政上の事務であつて、法律の規定に基づく行政庁による指定若しくは登録その他の処分（以下「指定等」という。）を受けた者が行う当該指定等に係るもの若しくは行政庁から委託を受けた者が行う当該委託に係るものを遂行するために必要な場合、又は地方公共団体若しくは国の事務若しくは事業と密接な関連を有する業務として人事委員会規則で定めるものを行うために必要な場合

二　行政庁に対する権利若しくは義務を定めている法令の規定若しくは地方公共団体若しくは特定地方独

立行政法人との間で締結された契約に基づき、権利を行使し、若しくは義務を履行する場合、行政庁の処分により課された義務を履行する場合又はこれらに類する場合として人事委員会規則で定める場合

三　行政手続法第二条第三号に規定する申請又は同条第七号に規定する届出を行う場合

四　地方自治法第二百三十四条第一項に規定する一般競争入札若しくはせり売りの手続又は特定地方独立行政法人が公告して申込みをさせることによる競争の手続に従い、売買、貸借、請負その他の契約を締結するために必要な場合

五　法令の規定により又は慣行として公にされ、又は公にすることが予定されている情報の提供を求める場合（一定の日以降に公にすることが予定されている情報を同日前に開示するよう求める場合を除く。）

六　再就職者が役職員（これに類する者を含む。以下この号において同じ。）に対し、契約等事務に関し、職務上の行為をするように、又はしないように要求し、又は依頼することにより公務の公正性の確保に支障が生じないと認められる場合として人事委員会規則で定める場合において、人事委員会規則で定める手続により任命権者の承認を得て、再就職者が当該承認に係る役職員に対し、当該承認に係る契約等事務に関し、職務上の行為をするように、又はしないように要求し、又は依頼する場合

7　職員は、前項各号に掲げる場合を除き、再就職者から第一項、第四項又は第五項の規定（次項の規定に基づく条例が定められているときは、当該条例の規定を含む。）により禁止される要求又は依頼を受けたとき（地方独立行政法人法第五十条の二において準用する第一項、第四項又は第五項の規定（同条において準用する次項の規定に基づく条例が定められているときは、当該条例の規定を含む。）により禁止される要求又は依頼を受けたときを含む。）は、人事委員会規則又は公平委員会規則で定めるところにより、人事委員会又は公平委員会にその旨を届け出なければならない。

8　地方公共団体は、その組織の規模その他の事情に照らして必要があると認めるときは、再就職者のうち、国家行政組織法（昭和二十三年法律第百二十号）第二十一条第一項に規定する部長又は課長の職に相当する職として人事委員会規則で定めるものに離職した日の五年前の日より前に就いていた者について、当該職に就いていた時に在職していた地方公共団体の執行機関の組織等の役職員又はこれに類する者として人事委員会規則で定めるものに対し、契約等事務であつて離職した日の五年前の日より前の職務（当該職に就いていたときの職務に限る。）に属するものに関し、離職後二年間、職務上の行為をするように、又はしないように要求し、又は依頼してはならないことを条例により定めることができる。

本条…追加（平二六法三四）、一項…一部改正（平二九法二九・令三法六三）

（**違反行為の疑いに係る任命権者の報告**）

第三十八条の三　任命権者は、職員又は職員であつた者に前条の規定（同条第八項の規定に基づく条例が定められているときは、当該条例の規定を含む。）に違反する行為（以下「規制違反行為」という。）を行つた疑いがあると思料するときは、その旨を人事委員会又は公平委員会に報告しなければならない。

本条…追加（平二六法三四）

（**任命権者による調査**）

第三十八条の四　任命権者は、職員又は職員であつた者に規制違反行為を行つた疑いがあると思料して当該規制違反行為に関して調査を行おうとするときは、人事委員会又は公平委員会にその旨を通知しなければならない。

2　人事委員会又は公平委員会は、任命権者が行う前項の調査の経過について、報告を求め、又は意見を述べることができる。

3　任命権者は、第一項の調査を終了したときは、遅滞なく、人事委員会又は公平委員会に対し、当該調査の結果を報告しなければならない。

本条…追加（平二六法三四）

（**任命権者に対する調査の要求等**）

第三十八条の五　人事委員会又は公平委員会は、第三十八条の二第七項の届出、第三十八条の三の報告又はその他の事由により職員又は職員であつた者に規制違反行為を行つた疑いがあると思料するときは、任命権者に対し、当該規制違反行為に関する調査を行うよう求めることができる。

2　前条第二項及び第三項の規定は、前項の規定により行われる調査について準用する。

本条…追加（平二六法三四）

（**地方公共団体の講ずる措置**）

第三十八条の六　地方公共団体は、国家公務員法中退職管理に関する規定の趣旨及び当該地方公共団体の職員の離職後の就職の状況を勘案し、退職管理の適正を確保するために必要と認められる措置を講ずるものとする。

２　地方公共団体は、第三十八条の二の規定の円滑な実施を図り、又は前項の規定による措置を講ずるため必要と認めるときは、条例で定めるところにより、職員であつた者で条例で定めるものが、条例で定める法人の役員その他の地位であつて条例で定めるものに就こうとする場合又は就いた場合には、離職後条例で定める期間、条例で定める事項を条例で定める者に届け出させることができる。

本条…追加（平二六法三四）

（廃置分合に係る特例）

第三十八条の七　職員であつた者が在職していた地方公共団体（この条の規定により当該職員であつた者が在職していた地方公共団体とみなされる地方公共団体を含む。）の廃置分合により当該職員であつた者が在職していた地方公共団体（以下この条において「元在職団体」という。）の事務が他の地方公共団体に承継された場合には、当該他の地方公共団体を当該元在職団体と、当該他の地方公共団体の執行機関の組織若しくは議会の事務局で当該元在職団体の執行機関の組織若しくは議会の事務局に相当するものの職員又はこれに類する者として当該他の地方公共団体の人事委員会規則で定めるものを当該元在職団体の執行機関の組織若しくは議会の事務局の職員又はこれに類する者として当該元在職団体の人事委員会規則で定めるものと、それぞれみなして、第三十八条の二から前条までの規定（第三十八条の二第八項の規定に基づく条例が定められているときは当該条例の規定を含み、これらの規定に係る罰則を含む。）並びに第六十条第四号から第八号まで及び第六十三条の規定を適用する。

本条…追加（平二六法三四）

第七節　研修

節名…改正（平二六法三四）

（研修）

第三十九条　職員には、その勤務能率の発揮及び増進のために、研修を受ける機会が与えられなければならない。

２　前項の研修は、任命権者が行うものとする。

３　地方公共団体は、研修の目標、研修に関する計画の指針となるべき事項その他研修に関する基本的な方針を定めるものとする。

４　人事委員会は、研修に関する計画の立案その他研修の方法について任命権者に勧告することができる。

三項…追加・旧三項…一項繰下（平一六法八五）

第四十条　削除

本条…削除（平二六法三四）

第八節　福祉及び利益の保護

（福祉及び利益の保護の根本基準）

第四十一条　職員の福祉及び利益の保護は、適切であり、且つ、公正でなければならない。

第一款　厚生福利制度

（厚生制度）

第四十二条　地方公共団体は、職員の保健、元気回復その他厚生に関する事項について計画を樹立し、これを実施しなければならない。

（共済制度）

第四十三条　職員の病気、負傷、出産、休業、災害、退職、障害若しくは死亡又はその被扶養者の病気、負傷、出産、死亡若しくは災害に関して適切な給付を行なうための相互救済を目的とする共済制度が、実施されなければならない。

２　前項の共済制度には、職員が相当年限忠実に勤務して退職した場合又は公務に基づく病気若しくは負傷により退職し、若しくは死亡した場合におけるその者又はその遺族に対する退職年金に関する制度が含まれていなければならない。

３　前項の退職年金に関する制度は、退職又は死亡の時の条件を考慮して、本人及びその退職又は死亡の当時その者が直接扶養する者のその後における適当な生活の維持を図ることを目的とするものでなければならない。

４　第一項の共済制度については、国の制度との間に権衡を失しないように適当な考慮が払われなければならない。

５　第一項の共済制度は、健全な保険数理を基礎として定めなければならない。

６　第一項の共済制度は　法律によつてこれを定める。

本条…全改（昭三七法一五二）、一項…一部改正（昭五七法六六）、二・三項…一部改正（昭六〇法一〇八）

第四十四条　削除

本条…削除（昭三七法一五二）

第二款　公務災害補償

（公務災害補償）

第四十五条　職員が公務に因り死亡し、負傷し、若しくは疾病にかかり、若しくは公務に因る負傷若しくは疾病により死亡し、若しくは障害の状態となり、又は船員である職員が公務に因り行方不明となつた場合においてその者又はその者の遺族若しくは被扶養者がこれらの原因によつて受ける損害は、補償されなければならない。

２　前項の規定による補償の迅速かつ公正な実施を確保

するため必要な補償に関する制度が実施されなければならない。

3　前項の補償に関する制度には、次に掲げる事項が定められなければならない。

一　職員の公務上の負傷又は疾病に対する必要な療養又は療養の費用の負担に関する事項

二　職員の公務上の負傷又は疾病に起因する療養の期間又は船員である職員の公務による行方不明の期間におけるその職員の所得の喪失に対する補償に関する事項

三　職員の公務上の負傷又は疾病に起因して、永久に、又は長期に所得能力を害された場合におけるその職員の受ける損害に対する補償に関する事項

四　職員の公務上の負傷又は疾病に起因する死亡の場合におけるその遺族又は職員の死亡の当時その収入によつて生計を維持した者の受ける損害に対する補償に関する事項

4　第二項の補償に関する制度は、法律によつて定めるものとし、当該制度については、国の制度との間に権衡を失しないように適当な考慮が払われなければならない。

二―四項…追加（昭二七法一七五）、一項…一部改正（昭三七法一三〇）、二―四項…一部改正（昭三七法一六一）、本条…全改（昭四二法一二一）、一項…一部改正（昭五七法六六）

第三款　勤務条件に関する措置の要求

（勤務条件に関する措置の要求）

第四十六条　職員は、給与、勤務時間その他の勤務条件に関し、人事委員会又は公平委員会に対して、地方公共団体の当局により適当な措置が執られるべきことを要求することができる。

（審査及び審査の結果執るべき措置）

第四十七条　前条に規定する要求があつたときは、人事委員会又は公平委員会は、事案について口頭審理その他の方法による審査を行い、事案を判定し、その結果に基いて、その権限に属する事項については、自らこれを実行し、その他の事項については、当該事項に関し権限を有する地方公共団体の機関に対し、必要な勧告をしなければならない。

（要求及び審査、判定の手続等）

第四十八条　前二条の規定による要求及び審査、判定の手続並びに審査、判定の結果執るべき措置に関し必要な事項は、人事委員会規則又は公平委員会規則で定めなければならない。

第四款　不利益処分に関する審査請求

款名…改正（昭三七法一六一・平二六法六九）

（不利益処分に関する説明書の交付）

第四十九条　任命権者は、職員に対し、懲戒その他その意に反すると認める不利益な処分を行う場合においては、その際、当該職員に対し、処分の事由を記載した説明書を交付しなければならない。ただし、他の職への降任等に該当する降任をする場合又は他の職への降任等に伴い降給をする場合は、この限りでない。

2　職員は、その意に反して不利益な処分を受けたと思うときは、任命権者に対し処分の事由を記載した説明書の交付を請求することができる。

3　前項の規定による請求を受けた任命権者は、その日から十五日以内に、同項の説明書を交付しなければならない。

4　第一項又は第二項の説明書には、当該処分につき、人事委員会又は公平委員会に対して審査請求をすることができる旨及び審査請求をすることができる期間を記載しなければならない。

二項…一部改正（昭二九法一九二）、見出し・二項…一部改正・四項…全改・五項…削除（昭三七法一六一）、四項…一部改正（平二六法六九）、一項…一部改正（令三法六三）

（審査請求）

第四十九条の二　前条第一項に規定する処分を受けた職員は、人事委員会又は公平委員会に対してのみ審査請求をすることができる。

2　前条第一項に規定する処分を除くほか、職員に対する処分については、審査請求をすることができない。職員がした申請に対する不作為についても、同様とする。

3　第一項に規定する審査請求については、行政不服審査法第二章の規定を適用しない。

本条…追加（昭三七法一六一）、見出し…全改・一―三項…一部改正（平二六法六九）

（審査請求期間）

第四十九条の三　前条第一項に規定する審査請求は、処分があつたことを知つた日の翌日から起算して三月以内にしなければならず、処分があつた日の翌日から起算して一年を経過したときは、することができない。

本条…追加（昭三七法一六一）、見出し…全改・本条…一部改正（平二六法六九）

（審査及び審査の結果執るべき措置）

第五十条　第四十九条の二第一項に規定する審査請求を受理したときは、人事委員会又は公平委員会は、直ちにその事案を審査しなければならない。この場合にお

いて、処分を受けた職員から請求があつたときは、口頭審理を行わなければならない。口頭審理は、その職員から請求があつたときは、公開して行わなければならない。

2 人事委員会又は公平委員会は、必要があると認めるときは、当該審査請求に対する裁決を除き、審査に関する事務の一部を委員又は事務局長に委任することができる。

3 人事委員会又は公平委員会は、第一項に規定する審査の結果に基いて、その処分を承認し、修正し、又は取り消し、及び必要がある場合においては、任命権者にその職員の受けるべきであつた給与その他の給付を回復するため必要で且つ適切な措置をさせる等その職員がその処分によつて受けた不当な取扱を是正するための指示をしなければならない。

一項…一部改正・二項…追加・旧二項…一部改正し三項に繰下（昭三七法一六一）、二項…一部改正（平一六法八五）、一・二項…一部改正（平二六法六九）

（審査請求の手続等）

第五十一条 審査請求の手続及び審査の結果執るべき措置に関し必要な事項は、人事委員会規則又は公平委員会規則で定めなければならない。

見出し・本条…一部改正（昭三七法一六一・平二六法六九）

（審査請求と訴訟との関係）

第五十一条の二 第四十九条第一項に規定する処分であつて人事委員会又は公平委員会に対して審査請求をすることができるものの取消しの訴えは、審査請求に対する人事委員会又は公平委員会の裁決を経た後でなければ、提起することができない。

本条…追加（昭三七法一四〇）、見出し…全改・本条…一部改正（平二六法六九）

第九節 職員団体

（職員団体）

第五十二条 この法律において「職員団体」とは、職員がその勤務条件の維持改善を図ることを目的として組織する団体又はその連合体をいう。

2 前項の「職員」とは、第五項に規定する職員以外の職員をいう。

3 職員は、職員団体を結成し、若しくは結成せず、又はこれに加入し、若しくは加入しないことができる。ただし、重要な行政上の決定を行う職員、重要な行政上の決定に参画する管理的地位にある職員、職員の任免に関して直接の権限を持つ監督的地位にある職員、職員の任免、分限、懲戒若しくは服務、職員の給与その他の勤務条件又は職員団体との関係についての当局の計画及び方針に関する機密の事項に接し、そのためにその職務上の義務と責任とが職員団体の構成員としての誠意と責任とに直接に抵触すると認められる監督的地位にある職員その他職員団体との関係において当局の立場に立つて遂行すべき職務を担当する職員（以下「管理職員等」という。）と管理職員等以外の職員とは、同一の職員団体を組織することができず、管理職員等と管理職員等以外の職員とが組織する団体は、この法律にいう「職員団体」ではない。

4 前項ただし書に規定する管理職員等の範囲は、人事委員会規則又は公平委員会規則で定める。

5 警察職員及び消防職員は、職員の勤務条件の維持改善を図ることを目的とし、かつ、地方公共団体の当局と交渉する団体を結成し、又はこれに加入してはならない。

本条…全改（昭四〇法七一）、三項…一部改正（昭五三法七九）

（職員団体の登録）

第五十三条 職員団体は、条例で定めるところにより、理事その他の役員の氏名及び条例で定める事項を記載した申請書に規約を添えて人事委員会又は公平委員会に登録を申請することができる。

2 前項に規定する職員団体の規約には、少くとも左に掲げる事項を記載するものとする。

一 名称
二 目的及び業務
三 主たる事務所の所在地
四 構成員の範囲及びその資格の得喪に関する規定
五 理事その他の役員に関する規定
六 第三項に規定する事項を含む業務執行、会議及び投票に関する規定
七 経費及び会計に関する規定
八 他の職員団体との連合に関する規定
九 規約の変更に関する規定
十 解散に関する規定

3 職員団体が登録される資格を有し、及び引き続き登録されているためには、規約の作成又は変更、役員の選挙その他これらに準ずる重要な行為が、すべての構成員が平等に参加する機会を有する直接且つ秘密の投票による全員の過半数（役員の選挙については、投票者の過半数）によつて決定される旨の手続を定め、且つ、現実に、その手続によりこれらの重要な行為が決定されることを必要とする。但し、連合体である職員団体にあつては、すべての構成員が平等に参加する機

会を有する構成団体ごとの直接且つ秘密の投票による投票者の過半数で代議員を選挙し、すべての代議員が平等に参加する機会を有する直接且つ秘密の投票によるその全員の過半数（役員の選挙については、投票者の過半数）によつて決定される旨の手続を定め、且つ、現実に、その手続により決定されることをもつて足りるものとする。

4　前項に定めるもののほか、職員団体が登録される資格を有し、及び引き続き登録されているためには、当該職員団体が同一の地方公共団体に属する前条第五項に規定する職員以外の職員のみをもつて組織されていることを必要とする。ただし、同項に規定する職員以外の職員であつた者でその意に反して免職され、若しくは懲戒処分としての免職の処分を受け、当該処分を受けた日の翌日から起算して一年以内のもの又はその期間内に当該処分について法律の定めるところにより審査請求をし、若しくは訴えを提起し、これに対する裁決若しくは裁判が確定するに至らないものを構成員にとどめていること、及び当該職員団体の役員である者を構成員としていることを妨げない。

5　人事委員会又は公平委員会は、登録を申請した職員団体が前三項の規定に適合するものであるときは、条例で定めるところにより、規約及び第一項に規定する申請書の記載事項を登録し、当該職員団体にその旨を通知しなければならない。この場合において、職員でない者の役員就任を認めている職員団体を、そのゆえをもつて登録の要件に適合しないものと解してはならない。

6　登録を受けた職員団体が職員団体でなくなつたとき、登録を受けた職員団体について第二項から第四項までの規定に適合しない事実があつたとき、又は登録を受けた職員団体が第九項の規定による届出をしなかつたときは、人事委員会又は公平委員会は、条例で定めるところにより、六十日を超えない範囲内で当該職員団体の登録の効力を停止し、又は当該職員団体の登録を取り消すことができる。

7　前項の規定による登録の取消しに係る聴聞の期日における審理は、当該職員団体から請求があつたときは、公開により行わなければならない。

8　第六項の規定による登録の取消しは、当該処分の取消しの訴えを提起することができる期間内及び当該処分の取消しの訴えの提起があつたときは当該訴訟が裁判所に係属する間は、その効力を生じない。

9　登録を受けた職員団体は、その規約又は第一項に規定する申請書の記載事項に変更があつたときは、条例で定めるところにより、人事委員会又は公平委員会にその旨を届け出なければならない。この場合においては、第五項の規定を準用する。

10　登録を受けた職員団体は、解散したときは、条例で定めるところにより、人事委員会又は公平委員会にその旨を届け出なければならない。

七項…追加（昭三七法一六一）、一・四項…全改・二・三項…一部改正・五・六項…追加・旧五―七項…一部改正し二項ずつ繰下（昭四〇法七一）、六項…一部改正・七項…追加・旧七―九項…一項ずつ繰下（昭五三法七九）、六項…一部改正・七項…追加・旧七―九項…一項ずつ繰下・一〇項…削除（平五法八九）、四項…一部改正（平二六法六九）

第五十四条　削除

本条…削除（平一八法五〇）

（交渉）

第五十五条　地方公共団体の当局は、登録を受けた職員団体から、職員の給与、勤務時間その他の勤務条件に関し、及びこれに附帯して、社交的又は厚生的活動を含む適法な活動に係る事項に関し、適法な交渉の申入れがあつた場合においては、その申入れに応ずべき地位に立つものとする。

2　職員団体と地方公共団体の当局との交渉は、団体協約を締結する権利を含まないものとする。

3　地方公共団体の事務の管理及び運営に関する事項は、交渉の対象とすることができない。

4　職員団体が交渉することのできる地方公共団体の当局は、交渉事項について適法に管理し、又は決定することのできる地方公共団体の当局とする。

5　交渉は、職員団体と地方公共団体の当局があらかじめ取り決めた員数の範囲内で、職員団体がその役員の中から指名する者と地方公共団体の当局の指名する者との間において行なわなければならない。交渉に当たつては、職員団体と地方公共団体の当局との間において、議題、時間、場所その他必要な事項をあらかじめ取り決めて行なうものとする。

6　前項の場合において、特別の事情があるときは、職員団体は、役員以外の者を指名することができるものとする。ただし、その指名する者は、当該交渉の対象である特定の事項について交渉する適法な委任を当該職員団体の執行機関から受けたことを文書によつて証明できる者でなければならない。

7　交渉は、前二項の規定に適合しないこととなつたとき、又は他の職員の職務の遂行を妨げ、若しくは地方公共団体の事務の正常な運営を阻害することとなつたときは、これを打ち切ることができる。

8 本条に規定する適法な交渉は、勤務時間中においても行なうことができる。

9 職員団体は、法令、条例、地方公共団体の規則及び地方公共団体の機関の定める規程にてい触しない限りにおいて、当該地方公共団体の当局と書面による協定を結ぶことができる。

10 前項の協定は、当該地方公共団体の当局及び職員団体の双方において、誠意と責任をもつて履行しなければならない。

11 職員は、職員団体に属していないという理由で、第一項に規定する事項に関し、不満を表明し、又は意見を申し出る自由を否定されてはならない。

一項…全改・二―八・一一項…追加・四項…削除・旧二項…一部改正し九項に繰下・旧三項…一〇項に繰下（昭四〇法七一）

（職員団体のための職員の行為の制限）

第五十五条の二 職員は、職員団体の業務にもつぱら従事することができない。ただし、任命権者の許可を受けて、登録を受けた職員団体の役員としてもつぱら従事する場合は、この限りでない。

2 前項ただし書の許可は、任命権者が相当と認める場合に与えることができるものとし、これを与える場合においては、任命権者は、その許可の有効期間を定めるものとする。

3 第一項ただし書の規定により登録を受けた職員団体の役員として専ら従事する期間は、職員としての在職期間を通じて五年（地方公営企業等の労働関係に関する法律（昭和二十七年法律第二百八十九号）第六条第一項ただし書（同法附則第五項において準用する場合を含む。）の規定により労働組合の業務に専ら従事したことがある職員については、五年からその専ら従事した期間を控除した期間）を超えることができない。

4 第一項ただし書の許可は、当該許可を受けた職員が登録を受けた職員団体の役員として当該職員団体の業務にもつぱら従事する者でなくなつたときは、取り消されるものとする。

5 第一項ただし書の許可を受けた職員は、その許可が効力を有する間は、休職者とし、いかなる給与も支給されず、また、その期間は、退職手当の算定の基礎となる勤続期間に算入されないものとする。

6 職員は、条例で定める場合を除き、給与を受けながら、職員団体のためその業務を行ない、又は活動してはならない。

本条…追加（昭四〇法七一）、三項…一部改正（昭四六法一一七・平三法二四・平一五法一一九）

（不利益取扱の禁止）

第五十六条 職員は、職員団体の構成員であること、職員団体を結成しようとしたこと、若しくはこれに加入しようとしたこと又は職員団体のために正当な行為をしたことの故をもつて不利益な取扱を受けることはない。

第四章 補則

（特例）

第五十七条 職員のうち、公立学校（学校教育法（昭和二十二年法律第二十六号）第一条に規定する学校及び就学前の子どもに関する教育、保育等の総合的な提供の推進に関する法律（平成十八年法律第七十七号）第二条第七項に規定する幼保連携型認定こども園であつて地方公共団体の設置するものをいう。）の教職員（学校教育法第七条（就学前の子どもに関する教育、保育等の総合的な提供の推進に関する法律第二十六条において準用する場合を含む。）に規定する校長及び教員並びに学校教育法第二十七条第二項（同法第八十二条において準用する場合を含む。）、第三十七条第一項（同法第四十九条及び第八十二条において準用する場合を含む。）、第六十条第一項（同法第八十二条において準用する場合を含む。）、第六十九条第一項、第九十二条第一項及び第百二十条第一項並びに就学前の子どもに関する教育、保育等の総合的な提供の推進に関する法律第十四条第二項に規定する事務職員をいう。）、単純な労務に雇用される者その他その職務と責任の特殊性に基づいてこの法律に対する特例を必要とするものについては、別に法律で定める。ただし、その特例は、第一条の精神に反するものであつてはならない。

本条…一部改正（昭二九法一五六・平二四法六七）

（他の法律の適用除外等）

第五十八条 労働組合法（昭和二十四年法律第百七十四号）、労働関係調整法（昭和二十一年法律第二十五号）及び最低賃金法（昭和三十四年法律第百三十七号）並びにこれらに基く命令の規定は、職員に関して適用しない。

2 労働安全衛生法（昭和四十七年法律第五十七号）第二章の規定並びに船員災害防止活動の促進に関する法律（昭和四十二年法律第六十一号）第二章及び第五章の規定並びに同章に基づく命令の規定は、地方公共団体の行う労働基準法（昭和二十二年法律第四十九号）別表第一第一号から第十号まで及び第十三号から第十五号までに掲げる事業に従事する職員以外の職員に関して適用しない。

3　労働基準法第二条、第十四条第二項及び第三項、第二十四条第一項、第三十二条の三から第三十二条の五まで、第三十八条の二第二項及び第三項、第三十八条の三、第三十八条の四、第三十九条第六項から第八項まで、第四十一条の二、第七十五条から第九十三条まで並びに第百二条の規定、労働安全衛生法第六十六条の八の四及び第九十二条の規定、船員法（昭和二十二年法律第百号）第六条中労働基準法第二条に関する部分、第三十条、第三十七条中勤務条件に関する部分、第五十三条第一項、第八十九条から第百条まで、第百二条及び第百八条中勤務条件に関する部分の規定並びに船員災害防止活動の促進に関する法律第六十二条の規定並びにこれらの規定に基づく命令の規定は、職員に関して適用しない。ただし、労働基準法第百二条の規定、労働安全衛生法第九十二条の規定、船員法第三十七条及び第百八条中勤務条件に関する部分の規定並びに船員災害防止活動の促進に関する法律第六十二条の規定並びにこれらの規定に基づく命令の規定は、地方公共団体の行う労働基準法別表第一第一号から第十号まで及び第十三号から第十五号までに掲げる事業に従事する職員に、同法第七十五条から第八十八条まで及び船員法第八十九条から第九十六条までの規定は、地方公務員災害補償法（昭和四十二年法律第百二十一号）第二条第一項に規定する者以外の職員に関しては適用する。

4　職員に関しては、労働基準法第三十二条の二第一項中「使用者は、当該事業場に、労働者の過半数で組織する労働組合がある場合においてはその労働組合、労働者の過半数で組織する労働組合がない場合においては労働者の過半数を代表する者との書面による協定により、又は」とあるのは「使用者は、」と、同法第三十四条第二項ただし書中「当該事業場に、労働者の過半数で組織する労働組合がある場合においてはその労働組合、労働者の過半数で組織する労働組合がない場合においては労働者の過半数を代表する者との書面による協定があるときは」とあるのは「条例に特別の定めがある場合は」と、同法第三十七条第三項中「使用者が、当該事業場に、労働者の過半数で組織する労働組合があるときはその労働組合、労働者の過半数で組織する労働組合がないときは労働者の過半数を代表する者との書面による協定により」とあるのは「使用者が」と、同法第三十九条第四項中「当該事業場に、労働者の過半数で組織する労働組合があるときはその労働組合、労働者の過半数で組織する労働組合がないときは労働者の過半数を代表する者との書面による協定により、次に掲げる事項を定めた場合において、第一号に掲げる労働者の範囲に属する労働者が有給休暇を時間を単位として請求したときは、前三項の規定による有給休暇の日数のうち第二号に掲げる日数については、これらの規定にかかわらず、当該協定で定めるところにより」とあるのは「前三項の規定にかかわらず、特に必要があると認められるときは、」とする。

5　労働基準法、労働安全衛生法、船員法及び船員災害防止活動の促進に関する法律の規定並びにこれらの規定に基づく命令の規定中第三項の規定により職員に関して適用されるものを適用する場合における職員の勤務条件に関する労働基準監督機関の職権は、地方公共団体の行う労働基準法別表第一第一号から第十号まで及び第十三号から第十五号までに掲げる事業に従事する職員の場合を除き、人事委員会又はその委任を受けた人事委員会の委員（人事委員会を置かない地方公共団体においては、地方公共団体の長）が行うものとする。

一項…一部改正（昭三四法一三七）、二項…追加・旧二項…一部改正し三項に繰下・旧三項…四項に繰下（昭三九法一一八）、三項…一部改正（昭四〇法七一）、二項…一部改正（昭四二法六一）、三項…一部改正（昭四二法一二一）、二―四項…一部改正（昭四七法五七・昭五七法四〇）、三項…一部改正（昭六二法九九）、二項…一部改正・三項…一部改正・四項…旧四項五項に繰下・全改（平一〇法一一二）、三項…一部改正（平一三法一一二・平一五法一〇四・平一九法一二八）、見出し・三・四項…一部改正（平二〇法八九）、三・四項…一部改正（平二二法八六）、三項…一部改正（平三〇法七一）

（人事行政の運営等の状況の公表）

第五十八条の二　任命権者は、次条に規定するもののほか、条例で定めるところにより、毎年、地方公共団体の長に対し、職員（臨時的に任用された職員及び非常勤職員（短時間勤務の職を占める職員及び第二十二条の二第一項第二号に掲げる職員を除く。）を除く。）の任用、人事評価、給与、勤務時間その他の勤務条件、休業、分限及び懲戒、服務、退職管理、研修並びに福祉及び利益の保護等人事行政の運営の状況を報告しなければならない。

2　人事委員会又は公平委員会は、条例で定めるところにより、毎年、地方公共団体の長に対し、業務の状況を報告しなければならない。

3　地方公共団体の長は、前二項の規定による報告を受けたときは、条例で定めるところにより、毎年、第一項の規定による報告を取りまとめ、その概要及び前項の規定による報告を公表しなければならない。

本条…追加（平一六法八五）、一項…一部改正（平二五法七九・平二六法三四・平二九法二九）

（等級等ごとの職員の数の公表）

第五十八条の三　任命権者は、第二十五条第四項に規定する等級及び職員の職の属する職制上の段階ごとに、職員の数を、毎年、地方公共団体の長に報告しなければならない。

2　地方公共団体の長は、毎年、前項の規定による報告を取りまとめ、公表しなければならない。

本条…追加（平二六法三四）

（総務省の協力及び技術的助言）

第五十九条　総務省は、地方公共団体の人事行政がこの法律によつて確立される地方公務員制度の原則に沿つて運営されるように協力し、及び技術的助言をすることができる。

本条…一部改正（昭二七法二六二）、見出し・本条…一部改正（昭三五法一一三・平一一法一六〇）

第五章　罰則

（罰則）

第六十条　次の各号のいずれかに該当する者は、一年以下の拘禁刑又は五十万円以下の罰金に処する。

一　第十三条の規定に違反して差別をした者

二　第三十四条第一項又は第二項の規定（第九条の二第十二項において準用する場合を含む。）に違反して秘密を漏らした者

三　第五十条第三項の規定による人事委員会又は公平委員会の指示に故意に従わなかつた者

四　離職後二年を経過するまでの間に、離職前五年間に在職していた地方公共団体の執行機関の組織等に属する役職員又はこれに類する者として人事委員会規則で定めるものに対し、契約等事務であつて離職前五年間の職務に属するものに関し、職務上不正な行為をするように、又は相当の行為をしないように要求し、又は依頼した再就職者

五　地方自治法第百五十八条第一項に規定する普通地方公共団体の長の直近下位の内部組織の長又はこれに準ずる職であつて人事委員会規則で定めるものに離職した日の五年前の日より前に就いていた者であつて、離職後二年を経過するまでの間に、当該職に就いていた時に在職していた地方公共団体の執行機関の組織等に属する役職員又はこれに類する者として人事委員会規則で定めるものに対し、契約等事務であつて離職した日の五年前の日より前の職務（当該職に就いていたときの職務に限る。）に属するものに関し、職務上不正な行為をするように、又は相当の行為をしないように要求し、又は依頼した再就職者

六　在職していた地方公共団体の執行機関の組織等に属する役職員又はこれに類する者として人事委員会規則で定めるものに対し、当該地方公共団体若しくは当該特定地方独立行政法人と営利企業等（再就職者が現にその地位に就いているものに限る。）若しくはその子法人との間の契約であつて当該地方公共団体若しくは当該特定地方独立行政法人においてその締結について自らが決定したもの又は当該地方公共団体若しくは当該特定地方独立行政法人による当該営利企業等若しくはその子法人に対する行政手続法第二条第二号に規定する処分であつて自らが決定したものに関し、職務上不正な行為をするように、又は相当の行為をしないように要求し、又は依頼した再就職者

七　国家行政組織法第二十一条第一項に規定する部長又は課長の職に相当する職として人事委員会規則で定めるものに離職した日の五年前の日より前に就いていた者であつて、離職後二年を経過するまでの間に、当該職に就いていた時に在職していた地方公共団体の執行機関の組織等に属する役職員又はこれに類する者として人事委員会規則で定めるものに対し、契約等事務であつて離職した日の五年前の日より前の職務（当該職に就いていたときの職務に限る。）に属するものに関し、職務上不正な行為をするように、又は相当の行為をしないように要求し、又は依頼した再就職者（第三十八条の二第八項の規定に基づき条例を定めている地方公共団体の再就職者に限る。）

八　第四号から前号までに掲げる再就職者から要求又は依頼（地方独立行政法人法第五十条の二において準用する第四号から前号までに掲げる要求又は依頼を含む。）を受けた職員であつて、当該要求又は依頼を受けたことを理由として、職務上不正な行為をし、又は相当の行為をしなかつた者

本条…一部改正（昭四〇法七一・平一六法八五・平二六法三四・令四法六八）

第六十一条　次の各号のいずれかに該当する者は、三年以下の拘禁刑又は百万円以下の罰金に処する。

一　第五十条第一項に規定する権限の行使に関し、第

八条第六項の規定により人事委員会若しくは公平委員会から証人として喚問を受け、正当な理由がなくてこれに応ぜず、若しくは虚偽の陳述をした者又は同項の規定により人事委員会若しくは公平委員会から書類若しくはその写の提出を求められ、正当な理由がなくてこれに応ぜず、若しくは虚偽の事項を記載した書類若しくはその写を提出した者

二　第十五条の規定に違反して任用した者

三　第十八条の三（第二十一条の四第四項において準用する場合を含む。）の規定に違反して受験を阻害し、又は情報を提供した者

四　何人たるを問わず、第三十七条第一項前段に規定する違法な行為の遂行を共謀し、唆し、若しくはあおり、又はこれらの行為を企てた者

五　第四十六条の規定による勤務条件に関する措置の要求の申出を故意に妨げた者

本条…一部改正（平一六法八五・平二六法三四・令三法七五・令四法六八）

第六十二条　第六十条第二号又は前条第一号から第三号まで若しくは第五号に掲げる行為を企て、命じ、故意にこれを容認し、そそのかし、又はそのほう助をした者は、それぞれ各本条の刑に処する。

第六十二条の二…削除（令四法六八）

第六十三条　次の各号のいずれかに該当する者は、三年以下の拘禁刑に処する。ただし、刑法（明治四十年法律第四十五号）に正条があるときは、刑法による。

一　職務上不正な行為（当該職務上不正な行為が、営利企業等に対し、他の役職員をその離職後に、若しくは役職員であつた者を、当該営利企業等若しくはその子法人の地位に就かせることを目的として、当該役職員若しくは役職員であつた者に関する情報を提供し、若しくは当該地位に関する情報の提供を依頼し、若しくは当該役職員若しくは役職員であつた者を当該地位に就かせることを要求し、若しくは依頼する行為、又は営利企業等に対し、離職後に当該営利企業等若しくはその子法人の地位に就くことを目的として、自己に関する情報を提供し、若しくは当該地位に関する情報の提供を依頼し、若しくは当該地位に就くことを要求し、若しくは約束する行為である場合における当該職務上不正な行為を除く。次号において同じ。）をすること若しくはしたこと、又は相当の行為をしないこと若しくはしなかつたことに関し、営利企業等に対し、離職後に当該営利企業等若しくはその子法人の地位に就くこと、又は他の役職員をその離職後に、若しくは役職員であつた者を、当該営利企業等若しくはその子法人の地位に就かせることを要求し、又は約束した職員

二　職務に関し、他の役職員に職務上不正な行為をするように、又は相当の行為をしないように要求し、依頼し、若しくは唆すこと、又は要求し、依頼し、若しくは唆したことに関し、営利企業等に対し、離職後に当該営利企業等若しくはその子法人の地位に就くこと、又は他の役職員をその離職後に、若しくは役職員であつた者を、当該営利企業等若しくはその子法人の地位に就かせることを要求し、又は約束した職員

三　前号（地方独立行政法人法第五十条の二において準用する場合を含む。）の不正な行為をするように、又は相当の行為をしないように要求し、依頼し、又は唆した行為の相手方であつて、同号（同条において準用する場合を含む。）の要求又は約束があつたことの情を知つて職務上不正な行為をし、又は相当の行為をしなかつた職員

本条…追加（平二六法三四）、本条…一部改正（令四法六八）

第六十四条　第三十八条の二第一項、第四項又は第五項の規定（同条第八項の規定に基づく条例が定められているときは、当該条例の規定を含む。）に違反して、役職員又はこれらの規定に規定する役職員に類する者として人事委員会規則で定めるものに対し、契約等事務に関し、職務上の行為をするように、又はしないように要求し、又は依頼した者（不正な行為をするように、又は相当の行為をしないように要求し、又は依頼した者を除く。）は、十万円以下の過料に処する。

本条…追加（平二六法三四）

第六十五条　第三十八条の六第二項の条例には、これに違反した者に対し、十万円以下の過料を科する旨の規定を設けることができる。

本条…追加（平二六法三四）

附　則

（施行期日）

1　この法律の規定中、第十五条及び第十七条から第二十三条までの規定並びに第六十一条第二号及び第三号の罰則並びに第六十二条中第六十一条第二号及び第三号に関する部分は、都道府県及び地方自治法第百五十五条第二項の市にあつてはこの法律公布の日から起算して二年を経過した日から、その他の地方公共団体にあつてはこの法律公布の日から起算して二年六月を経過した日からそれぞれ施行し、第二十七条から第二十九条まで及び第四十六条から第五十一条までの規定並

びに第六十条第三号、第六十一条第一号及び同条第五号の罰則並びに第六十二条中第六十一条第一号及び第五号に関する部分は、この法律公布の日から起算して八月を経過した日から施行し、その他の規定は、この法律公布の日から起算して二月を経過した日から施行する。

（人事委員会又は公平委員会の設置期限）

2 都道府県及び地方自治法第百五十五条第二項の市の人事委員会は、この法律公布の日から起算して六月以内に、公平委員会は、この法律公布の日から起算して八月以内に設置しなければならない。

（人事委員会の委員の基礎的研修）

3 都道府県及び地方自治法第百五十五条第二項の市の人事委員会の最初に選任される委員は、この法律公布の日から起算して七月以内に地方自治庁が人事院の協力を得て行う人事行政に関する基礎的研修を受けるものとする。

（人事委員会の事務職員の技術的研修）

4 都道府県及び地方自治法第百五十五条第二項の市の人事委員会の最初に任命される事務局長及びその事務局の主要な事務職員で当該人事委員会の指定するものは、この法律公布の日から起算して八月以内に地方自治庁が人事院の協力を得て行う人事行政に関する技術的研修を受けるものとする。

（経過規定）

5 最初に選任される人事委員会又は公平委員会の委員の任期は、第九条の二第十項本文の規定にかかわらず、一人は四年、一人は三年、一人は二年とする。この場合において、各委員の任期は、地方公共団体の長がくじで定める。

6 職員の任免、給与、分限、懲戒、服務その他身分取扱に関する事項については、この法律中の各相当規定がそれぞれの地方公共団体に適用されるまでの間は、当該地方公共団体については、なお、従前の例による。

7 昭和二十三年七月二十二日附内閣総理大臣宛連合国最高司令官書簡に基く臨時措置に関する政令（昭和二十三年政令第二百一号）は、職員に関してはその効力を失う。

8 前項の政令がその効力を失う前にした同令第二条第一項の規定に違反する行為に対する罰則の適用については、なお、従前の例による。

9 第十六条第三号の懲戒免職の処分には、当該地方公共団体において、地方公務員に関する従前の規定によりなされた懲戒免職の処分を含むものとする。

10 地方公務員に関する従前の規定により休職を命ぜられた者又は懲戒手続中の者若しくは懲戒処分を受けた者の休職又は懲戒に関しては、なお、従前の例による。

11 この法律公布の日から起算して六月を経過するまでの間は、第五十三条第一項中「人事委員会（人事委員会を置かない地方公共団体においては、地方公共団体の長とする。以下本節中同じ。）」及び「人事委員会」とあるのは「当該地方公共団体の長」と、同条第四項から第六項までのうち「人事委員会」とあるのは「当該地方公共団体の長」と、それぞれ読み替えるものとする。

12 この法律公布の日から起算して六月を経過するまでの間は、第五十四条第一項但書中「人事委員会」とあるのは「当該地方公共団体の長」と読み替えるものとする。

13 第五十八条第一項の規定施行の際現に存する労働組合でその主たる構成員が職員であるものは、この法律公布の日から起算して四月以内に第五十三条第一項の規定による登録の申請をしなければならない。この場合において、地方公共団体の長は、申請を受理した日から一月以内に第五十三条第一項の規定による登録をした旨又はしない旨の通知をしなければならない。

14 第五十八条第一項の規定施行の際現に存する労働組合でその主たる構成員が職員であるもののうち、前項の規定による登録の申請をしないものの取扱については、この法律公布の日から起算して四月を経過するまでの間、同項の規定による登録の申請をしたものの取扱については、同項の規定により登録をした旨又はしない旨の通知を受けるまでの間は、第五十八条第一項の規定にかかわらず、なお、従前の例による。

15 第五十八条第一項の規定施行の際現に存する法人である労働組合でその主たる構成員が職員であるものが第五十三条第一項の規定により登録されたときは、第五十四条第一項の法人である職員団体として設立されたものとみなす。

16 第五十八条第一項の規定施行の際現に存する労働組合で、附則第十三項の規定による登録の申請をしないものは、この法律公布の日から起算して四月を経過した日において、同項の規定による登録の申請をしたもののうち登録をしない旨の通知を受けたものは、この法律公布の日から起算して五月を経過した日において、それぞれ解散するものとする。

17 前二項の場合において必要な事項は、政令で定める。

18 第五十八条第一項及び第二項の規定施行前にしたこれらの規定に規定する法令の規定に違反する行為に対する罰則の適用については、これらの規定にかかわらず、なお、従前の例による。

19 この法律公布の日から起算して六月を経過するまでの間は、第五十八条第三項中「人事委員会又はその委任を受けた人事委員会の委員（人事委員会を置かない地方公共団体においては、地方公共団体の長）」とあるのは「地方公共団体の長」と読み替えるものとする。

（職員が職員団体の役員として専ら従事することができる期間の特例）

20 第五十五条の二の規定の適用については、職員の労働関係の実態にかんがみ、労働関係の適正化を促進し、もつて公務の能率的な運営に資するため、当分の間、同条第三項中「五年」とあるのは、「七年以下の範囲内で人事委員会規則又は公平委員会規則で定める期間」とする。

21 令和五年四月一日から令和十三年三月三十一日までの間における第二十八条の六第二項の条例で定める定年に関しては、国の職員につき定められている当該期間における定年に関する特例を基準として、条例で特例を定めるものとする。

22 第二十八条の六第三項の規定に基づき地方公共団体における当該職員の定年について条例で別の定めをしている場合には、令和五年四月一日から令和十三年三月三十一日までの間における当該定年に関し、条例で特例を定めることができる。この場合においては、国及び他の地方公共団体の職員との間に権衡を失しないように適当な考慮が払われなければならない。

23 任命権者は、当分の間、職員（臨時的に任用される職員その他の法律により任期を定めて任用される職員、非常勤職員その他この項の規定による情報の提供及び意思の確認を行わない職員として条例で定める職員を除く。以下この項において同じ。）が条例で定める年齢に達する日の属する年度の前年度（当該前年度に職員でなかつた者その他の当該前年度においてこの項の規定による情報の提供及び意思の確認を行うことができない職員として条例で定める職員にあつては、条例で定める期間）において、当該職員に対し、条例で定めるところにより、当該職員が当該条例で定める年齢に達する日以後に適用される任用及び給与に関する措置の内容その他の必要な情報を提供するものとするとともに、同日の翌日以後における勤務の意思を確認するよう努めるものとする。

24 前項の情報の提供及び意思の確認を行わない職員として条例で定める職員は、国家公務員法附則第九条に規定する情報の提供及び意思の確認を行わない職員を基準として定めるものとする。

25 附則第二十三項の条例で定める年齢は、国の職員につき定められている国家公務員法附則第九条に規定する年齢を基準として定めるものとする。

26 地方公務員法の一部を改正する法律（令和三年法律第六十三号）による改正前の第二十八条の二第二項及び第三項の規定に基づく定年の引上げに伴う給与に関する特例措置により降給をする場合における第四十九条第一項の規定の適用については、同項ただし書中「又は他の職への降任等に伴い降給をする場合」とあるのは、「、他の職への降任等に伴い降給をする場合又は地方公務員法の一部を改正する法律（令和三年法律第六十三号）による改正前の第二十八条の二第二項及び第三項の規定に基づく定年の引上げに伴う給与に関する特例措置により降給をする場合」とする。

一項…一部改正（昭二七法一七五）、七項…一部改正・二〇・二一項…削除（昭二七法二八九）、五項…一部改正・二〇項…追加（昭四〇法七一）、二一項…追加（平七法五四）、二〇項…追加・旧二〇項…一部改正し二一項に繰下・旧二一項…二二項に繰下（平九法八）、旧二二項…二一項に繰上（平一一法八七）、二項…一部改正（平一一法一六〇）、五項…一部改正（平一六法八五）、二一項…削除（平二九法二九）、二一—二六頃…追加（令三法六三）

附　則（昭四〇・五・一八法七一）（抄）

（施行期日）

第一条 この法律は、公布の日から起算して九十日をこえない範囲内で政令で定める日から施行する。ただし、第八条の改正規定、第五十二条から第五十五条までの改正規定、第五十五条の次に一条を加える改正規定並びに次条、附則第三条及び附則第五条から附則第八条までの規定は、政令で定める日から施行する。

（経過規定）

第二条 この法律の施行（前条ただし書の規定による施行をいう。以下この条において同じ。）の際現に存する改正前の地方公務員法（以下「旧法」という。）第五十三条第一項の規定により登録を受けた職員団体は、この法律の施行の日から起算して三月以内に、改正後の地方公務員法（以下「新法」という。）第五十三条の規定による登録の申請をすることができる。この場合において、人事委員会又は公平委員会は、申請を受理した日から起算して三十日以内に、新法第五十三条第一項の規定による登録をした旨又はしない旨の通知をしなければならない。

2　この法律の施行の際現に存する旧法第五十三条第一項の規定により登録を受けた職員団体で前項の規定による登録の申請をしないものの取扱いについては、この法律の施行の日から起算して三月を経過するまでの間、同項の規定による登録の申請をしたものの取扱いについては、同項の規定により登録をした旨又はしない旨の通知を受けるまでの間は、なお従前の例による。ただし、新法第五十五条の規定の適用があるものとする。

3　旧法の規定に基づく法人たる職員団体で第一項の規定による登録をした旨の通知を受けたもののうち、その通知を受ける前に新法の規定に基づく法人となる旨を人事委員会又は公平委員会に申し出たものは、その通知を受けた時に新法の規定に基づく法人となり、同一性をもつて存続するものとする。

4　前項の規定により新法の規定に基づく法人たる職員団体として存続するものを除き、旧法の規定に基づく法人たる職員団体でこの法律の施行の際現に存するものは、第一項の規定による登録の申請をしなかつたものにあつては、この法律の施行の日から起算して三月を経過した日において、同項の規定による登録の申請をしたものにあつては、同項の規定による登録をした旨又はしない旨の通知を受けた時において、それぞれ解散するものとし、その解散及び清算については、なお従前の例による。

5　この法律の施行の日から起算して二年間は、新法第五十五条の二第一項の規定は適用せず、職員は、なお従前の例により、登録を受けた職員団体の役員として当該職員団体の業務にもつぱら従事することができる。

附　則（昭五六・一一・二〇法九二）（抄）

（施行期日）

第一条　この法律は、昭和六十年三月三十一日から施行する。ただし、次条の規定は、公布の日から施行する。

（必要な準備措置）

第二条　この法律による改正後の地方公務員法（以下「新法」という。）の規定による職員の定年に関する制度の円滑な実施を確保するため、任命権者（地方公務員法第六条第一項に規定する任命権者をいう。以下同じ。）は、長期的な人事管理の計画的推進その他必要な準備を行うものとし、地方公共団体の長は、任命権者の行う準備に関し必要な連絡、調整その他の措置を講ずるものとする。

（経過措置）

第三条　職員（新法第二十八条の二第四項に規定する職員を除く。以下同じ。）で同条第二項及び第三項の規定に基づく条例の施行の日（以下「条例施行日」という。）の前日までにこれらの規定に基づく定年として当該条例で定められた年齢に達しているものは、条例施行日に退職する。

第四条　新法第二十八条の三の規定は、前条の規定により職員が退職すべきこととなる場合について準用する。この場合において、新法第二十八条の三第一項中「前条第一項」とあるのは「地方公務員法の一部を改正する法律（昭和五十六年法律第九十二号。以下「昭和五十六年法律第九十二号」という。）附則第三条」と、「、同項」とあるのは「、同条」と、「その職員に係る同項の規定に基づく条例で定める日」とあるのは「昭和五十六年法律第九十二号附則第三条に規定する条例施行日」と、同条第二項ただし書中「その職員に係る前条第一項の規定に基づく条例で定める日」とあるのは「昭和五十六年法律第九十二号附則第三条に規定する条例施行日」と読み替えるものとする。

第五条　新法第二十八条の四の規定は、附則第三条の規定により職員が退職した場合又は前条において準用する新法第二十八条の三の規定により職員が勤務した後退職した場合について準用する。この場合において、新法第二十八条の四第一項中「第二十八条の二第一項」とあるのは「地方公務員法の一部を改正する法律（昭和五十六年法律第九十二号。以下「昭和五十六年法律第九十二号」という。）附則第三条」と、「前条」とあるのは「昭和五十六年法律第九十二号附則第四条において準用する前条」と、同条第三項中「その者に係る第二十八条の二第一項の規定に基づく条例で定める日」とあるのは「その者が第二十八条の二第二項及び第三項の規定に基づく定年として条例で定められた年齢に達した日」と読み替えるものとする。

附　則（平一一・七・二二法一〇七）

（施行期日）

第一条　この法律は、平成十三年四月一日から施行する。ただし、次の各号に掲げる規定は、当該各号に定める日から施行する。

一　次条の規定　公布の日

二　第一条中地方公務員法第二十九条の改正規定（同条第一項の次に一項を加える部分（同条第三項に係る部分を除く。）に限る。）及び附則第三条第一項の

規定　公布の日から起算して三月を超えない範囲内において政令で定める日

（実施のための準備）

第二条　第一条の規定による改正後の地方公務員法（以下「新法」という。）第二十八条の四から第二十八条の六までの規定の円滑な実施を確保するため、任命権者（地方公務員法第六条第一項に規定する任命権者をいう。以下同じ。）は、長期的な人事管理の計画的推進その他必要な準備を行うものとし、地方公共団体の長は、任命権者の行う準備に関し必要な連絡、調整その他の措置を講ずるものとする。

（懲戒処分に関する経過措置）

第三条　新法第二十九条第二項の規定は、同項に規定する退職が附則第一条第二号の政令で定める日以後である職員について適用する。この場合において、同日前に同項に規定する先の退職がある職員については、当該先の退職の前の職員としての在職期間は、同項に規定する要請に応じた退職前の在職期間には含まれないものとする。

2　新法第二十九条第三項の規定は、同項の定年退職者等となった日がこの法律の施行の日（以下「施行日」という。）以後である職員について適用する。この場合において、附則第一条第二号の政令で定める日前に新法第二十九条第二項に規定する退職又は先の退職がある職員については、これらの退職の前の職員としての在職期間は、同条第三項の定年退職者等となった日までの引き続く職員としての在職期間には含まれないものとする。

附　則（平二六・五・一四法三四）（抄）

改正　平二六・五・三〇法四二

（施行期日）

第一条　この法律は、公布の日から起算して二年を超えない範囲内において政令で定める日〔平二八・四・一〕から施行する。ただし、〔中略〕次条及び附則第六条の規定は、公布の日から施行する。

（準備行為）

第二条　第一条の規定による改正後の地方公務員法（以下「新法」という。）第十五条の二第一項第五号に規定する標準職務遂行能力及び同号の標準的な職並びに新法第二十三条の二第二項に規定する人事評価の基準及び方法に関する事項その他人事評価に関し必要な事項を定めるに当たって必要な手続その他の行為は、この法律の施行の日（以下「施行日」という。）前においても、新法第十五条の二並びに第二十三条の二第二項及び第三項の規定の例により行うことができる。

2　〔略〕

（地方公務員法の一部改正に伴う経過措置）

第三条　第一条の規定による改正前の地方公務員法（以下この条において「旧法」という。）第四十条第一項の規定により施行日前の直近の勤務成績の評定が行われた日から起算して一年を経過する日までの間は、新法第三章第三節の規定にかかわらず、任命権者は、なお従前の例により、勤務成績の評定を行うことができる。

2　任命権者が、職員をその職員が現に任命されている職の置かれる機関（地方自治法（昭和二十二年法律第六十七号）第百五十五条第一項に規定する支庁、地方事務所、支所及び出張所、同法第百五十六条第一項に規定する行政機関、同法第二百二条の四第三項に規定する地域自治区の事務所、同法第二百四十四条第一項に規定する公の施設、同法第二百五十二条の二十第一項に規定する区の事務所及びその出張所並びに同法第二百五十二条の二十の二第一項に規定する総合区の事務所及びその出張所をいう。以下この項において同じ。）と規模の異なる他の機関であって所管区域の単位及び種類を同じくするものに置かれる職であって当該任命されている職より一段階上位又は一段階下位の職制上の段階に属するものに任命する場合において、当該任命が従前の例によれば昇任又は降任に該当しないときは、当分の間、新法第十五条の二第一項の規定にかかわらず、これを同項第四号に規定する転任とみなす。

3　施行日前に旧法第二十一条第一項の規定により作成された採用候補者名簿であってこの法律の施行の際現に効力を有するものについては、新法第二十一条第一項の規定により作成された採用候補者名簿とみなす。

4　施行日前に旧法第二十一条第一項の規定により作成された昇任候補者名簿であってこの法律の施行の際現に効力を有するものについては、新法第二十一条の四第四項において読み替えて準用する新法第二十一条第一項の規定により作成された昇任候補者名簿とみなす。

5　施行日前に旧法によって行われた不利益処分に関する説明書の交付、不服申立て及び審査については、なお従前の例による。

（処分等の効力）

第四条　この法律の施行前にこの法律による改正前のそれぞれの法律（これに基づく命令を含む。）の規定によってした又はすべき処分、手続、通知その他の行為であって、この法律による改正後のそれぞれの法律

（これに基づく命令を含む。以下この条において「新法令」という。）の規定に相当の規定があるものは、新法令に別段の定めのあるものを除き、新法令の相当の規定によってした又はすべき処分、手続、通知その他の行為とみなす。

（罰則に関する経過措置）

第五条　この法律の施行前にした行為に対する罰則の適用については、なお従前の例による。

（その他の経過措置）

第六条　この附則に規定するもののほか、この法律の施行に関し必要な経過措置（罰則に関する経過措置を含む。）は、政令で定める。

附　則（平二九・五・一七法二九）（抄）

改正　令二・三・三一法一

（施行期日）

第一条　この法律は、令和二年四月一日から施行する。ただし、次条及び附則第四条の規定は、公布の日から施行する。

（施行のために必要な準備等）

第二条　第一条の規定による改正後の地方公務員法（次項及び附則第十七条において「新地方公務員法」という。）の規定による地方公務員（地方公務員法第二条に規定する地方公務員をいう。同項において同じ。）の任用、服務その他の人事行政に関する制度及び第二条の規定による改正後の地方自治法（同項において「新地方自治法」という。）の規定による給与に関する制度の適正かつ円滑な実施を確保するため、任命権者（地方公務員法第六条第一項に規定する任命権者をいう。以下この項において同じ。）は、人事管理の計画的推進その他の必要な準備を行うものとし、地方公共団体の長は、任命権者の行う準備に関し必要な連絡、調整その他の措置を講ずるものとする。

2　総務大臣は、新地方公務員法の規定による地方公務員の任用、服務その他の人事行政に関する制度及び新地方自治法の規定による給与に関する制度の適正かつ円滑な実施を確保するため、地方公共団体に対して必要な資料の提出を求めることその他の方法により前項の準備及び措置の実施状況を把握した上で、必要があると認めるときは、当該準備及び措置について技術的な助言又は勧告をするものとする。

（臨時的任用に関する経過措置）

第三条　この法律の施行の日前に第一条の規定による改正前の地方公務員法（附則第十七条において「旧地方公務員法」という。）第二十二条第二項若しくは第五項の規定により行われた臨時的任用の期間又は同条第二項若しくは第五項の規定により更新された臨時的任用の期間の末日がこの法律の施行の日以後である職員（地方公務員法第四条第一項に規定する職員をいう。附則第十七条において同じ。）に係る当該臨時的任用（常時勤務を要する職に欠員を生じた場合に行われたものに限る。）については、なお従前の例による。

（政令への委任）

第四条　前二条及び附則第十七条に定めるもののほか、この法律の施行に関し必要な経過措置は、政令で定める。

附　則（平三〇・七・六法七一）（抄）

（施行期日）

第一条　この法律は、平成三十一年四月一日から施行する。〔ただし書略〕

附　則（令元・六・一四法三七）（抄）

（施行期日）

第一条　この法律は、公布の日から起算して三月を経過した日から施行する。ただし、次の各号に掲げる規定は、当該各号に定める日から施行する。

一　〔略〕

二　〔前略〕第四十二条から第四十八条まで〔中略〕の規定　公布の日から起算して六月を経過した日

附　則（令三・六・一一法六三）（抄）

（施行期日）

第一条　この法律は、令和五年四月一日から施行する。ただし、次条の規定は、公布の日から施行する。

（実施のための準備等）

第二条　この法律による改正後の地方公務員法（以下「新地方公務員法」という。）の規定による職員（地方公務員法第三条に規定する一般職に属する職員をいう。以下同じ。）の任用、分限その他の人事行政に関する制度の適正かつ円滑な実施を確保するため、任命権者（同法第六条第一項に規定する任命権者及びその委任を受けた者をいう。以下この項及び第三項並びに次条から附則第八条までにおいて同じ。）は、長期的な人事管理の計画的推進その他必要な準備を行うものとし、地方公共団体の長は、任命権者の行う準備に関し必要な連絡、調整その他の措置を講ずるものとする。

2　総務大臣は、新地方公務員法の規定による職員の任用、分限その他の人事行政に関する制度の適正かつ円滑な実施を確保するため、地方公共団体に対して必要な資料の提出を求めることその他の方法により前項の準備及び措置の実施状況を把握した上で、必要があると認めるときは、当該準備及び措置について技術的な助言又は勧告をするものとする。

3　任命権者は、この法律の施行の日（以下「施行日」という。）の前日までの間に、施行日から令和六年三月三十一日までの間に条例で定める年齢に達する職員（当該職員が占める職に係るこの法律による改正前の地方公務員法（以下「旧地方公務員法」という。）第二十八条の二第二項の規定に基づく定年が当該条例で定める年齢である職員に限る。）に対し、新地方公務員法附則第二十三項の規定の例により、当該職員が当該条例で定める年齢に達する日以後に適用される任用及び給与に関する措置の内容その他の必要な情報を提供するものとするとともに、同日の翌日以後における勤務の意思を確認するよう努めるものとする。

4　前項の条例で定める年齢は、国の職員につき定められている国家公務員法等の一部を改正する法律（令和三年法律第六十一号。次条及び附則第四条第四項において「令和三年国家公務員法等改正法」という。）附則第二条第二項に規定する年齢を基準として定めるものとする。

（定年前再任用短時間勤務職員等に関する経過措置）

第三条　新地方公務員法第二十二条の四及び第二十二条の五の規定は、施行日以後に退職した新地方公務員法第二十二条の四第一項に規定する条例年齢以上退職者について適用する。

2　前項に定めるもののほか、施行日から令和十四年三月三十一日までの間における新地方公務員法第二十二条の四及び第二十二条の五の規定の適用に関し必要な経過措置は、令和三年国家公務員法等改正法附則第三条第二項の規定を基準として、条例で定めるものとする。

3　平成十一年十月一日前に新地方公務員法第二十九条第二項に規定する退職又は先の退職がある新地方公務員法第二十二条の四第三項に規定する定年前再任用短時間勤務職員（以下「定年前再任用短時間勤務職員」という。）について、新地方公務員法第二十九条第三項の規定を適用する場合には、同項に規定する引き続く職員としての在職期間には、同日前の当該退職又は先の退職の前の職員としての在職期間を含まないものとする。

4　次条第一項若しくは第二項又は附則第六条第一項若しくは第二項の規定により採用された職員（次条第二項第四号に掲げる者に該当して採用された職員を除く。）として在職していた期間がある定年前再任用短時間勤務職員に対する新地方公務員法第二十九条第三項の規定の適用については、同項中「又は」とあるのは、「又は地方公務員法の一部を改正する法律（令和三年法律第六十三号）附則第四条第一項若しくは第二項若しくは附則第六条第一項若しくは第二項の規定によりかつて採用されて職員として在職していた期間若しくは」とする。

5　施行日前に旧地方公務員法第二十八条の三第一項又は第二項の規定により勤務することとされ、かつ、旧地方公務員法勤務延長期限（同条第一項の期限又は同条第二項の規定により延長された期限をいう。以下この項及び次項において同じ。）が施行日以後に到来する職員（次項において「旧地方公務員法勤務延長職員」という。）に係る当該旧地方公務員法勤務延長期限までの間における同条第一項又は第二項の規定による勤務については、新地方公務員法第二十八条の七の規定にかかわらず、なお従前の例による。

6　任命権者は、旧地方公務員法勤務延長職員について、旧地方公務員法勤務延長期限又はこの項の規定により延長された期限が到来する場合において、新地方公務員法第二十八条の七第一項各号に掲げる事由があると認めるときは、条例で定めるところにより、これらの期限の翌日から起算して一年を超えない範囲内で期限を延長することができる。ただし、当該期限は、当該旧地方公務員法勤務延長職員に係る旧地方公務員法第二十八条の二第一項に規定する定年退職日の翌日から起算して三年を超えることができない。

7　新地方公務員法第二十八条の二第一項の規定は、施行日において第五項の規定により同条第一項に規定する管理監督職を占めたまま引き続き勤務している職員には適用しない。

8　前三項に定めるもののほか、施行日から令和十四年三月三十一日までの間における新地方公務員法第二十八条の七第一項若しくは第二項の規定又は第五項若しくは第六項の規定による勤務に関し必要な経過措置は、令和三年国家公務員法等改正法附則第三条第九項の規定を基準として、条例で定めるものとする。

9　第五項から前項までに定めるもののほか、第五項又は第六項の規定による勤務に関し必要な事項は、条例で定める。

（定年退職者等の再任用に関する経過措置）

第四条　任命権者は、当該任命権者の属する地方公共団体における次に掲げる者のうち、条例で定める年齢（第四項において「特定年齢」という。）に達する日以後における最初の三月三十一日（以下「特定年齢到達年度の末日」という。）までの間にある者であって、当該者を採用しようとする常時勤務を要する職に係る旧地方公務員法第二十八条の二第二項及び第三項の規定に基づく定年（施行日以後に設置された職その他の条例で定める職にあっては、条例で定める年齢）に達している者を、条例で定めるところにより、従前の勤務実績その他の人事委員会規則（地方公務員法第九条第二項に規定する競争試験等を行う公平委員会（以下この項及び次条第二項において「競争試験等を行う公平委員会」という。）を置く地方公共団体においては公平委員会規則、人事委員会及び競争試験等を行う公平委員会を置かない地方公共団体においては地方公共団体の規則。以下同じ。）で定める情報に基づく選考により、一年を超えない範囲内で任期を定め、当該常時勤務を要する職に採用することができる。

一　施行日前に旧地方公務員法第二十八条の二第一項の規定により退職した者

二　旧地方公務員法第二十八条の三第一項若しくは第二項又は前条第五項若しくは第六項の規定により勤務した後退職した者

三　施行日前に退職した者（前二号に掲げる者を除く。）のうち、勤続期間その他の事情を考慮して前二号に掲げる者に準ずる者として条例で定める者

2　令和十四年三月三十一日までの間、任命権者は、当該任命権者の属する地方公共団体における次に掲げる者のうち、特定年齢到達年度の末日までの間にある者であって、当該者を採用しようとする常時勤務を要する職に係る新地方公務員法定年（新地方公務員法第二十八条の六第二項及び第三項の規定に基づく定年をいう。次条第三項及び第四項において同じ。）に達している者を、条例で定めるところにより、従前の勤務実績その他の人事委員会規則で定める情報に基づく選考により、一年を超えない範囲内で任期を定め、当該常時勤務を要する職に採用することができる。

一　施行日以後に新地方公務員法第二十八条の六第一項の規定により退職した者

二　施行日以後に新地方公務員法第二十八条の七第一項又は第二項の規定により勤務した後退職した者

三　施行日以後に新地方公務員法第二十二条の四第一項の規定により採用された者のうち、同条第三項に規定する任期が満了したことにより退職した者

四　施行日以後に新地方公務員法第二十二条の五第一項又は第二項の規定により採用された者のうち、同条第三項において準用する新地方公務員法第二十二条の四第三項に規定する任期が満了したことにより退職した者

五　施行日以後に退職した者（前各号に掲げる者を除く。）のうち、勤続期間その他の事情を考慮して前各号に掲げる者に準ずる者として条例で定める者

3　前二項の任期又はこの項の規定により更新された任期は、条例で定めるところにより、一年を超えない範囲内で更新することができる。ただし、当該任期の末日は、前二項の規定により採用する者又はこの項の規定により任期を更新する者の特定年齢到達年度の末日以前でなければならない。

4　特定年齢は、国の職員につき定められている令和三年国家公務員法等改正法附則第四条第一項に規定する年齢を基準として定めるものとする。

5　第一項及び第二項の規定による採用については、新地方公務員法第二十二条の規定は、適用しない。

第五条　地方公共団体の組合を組織する地方公共団体の任命権者は、前条第一項の規定によるほか、当該地方公共団体の組合における同項各号に掲げる者のうち、特定年齢到達年度の末日までの間にある者であって、当該者を採用しようとする常時勤務を要する職に係る旧地方公務員法第二十八条の二第二項及び第三項の規定に基づく定年（施行日以後に設置された職その他の条例で定める職にあっては、条例で定める年齢）に達している者を、条例で定めるところにより、従前の勤務実績その他の人事委員会規則で定める情報に基づく選考により、一年を超えない範囲内で任期を定め、当該常時勤務を要する職に採用することができる。

2　地方公共団体の組合の任命権者は、前条第一項の規定によるほか、当該地方公共団体の組合を組織する地方公共団体における同項各号に掲げる者のうち、特定年齢到達年度の末日までの間にある者であって、当該者を採用しようとする常時勤務を要する職に係る旧地方公務員法第二十八条の二第二項及び第三項の規定に基づく定年（施行日以後に設置された職その他の条例で定める職にあっては、条例で定める年齢）に達している者を、条例で定めるところにより、従前の勤務実績その他の地方公共団体の組合の規則（競争試験等を行う公平委員会を置く地方公共団体の組合においては、公平委員会規則。第四項及び附則第七条において同じ。）で定める情報に基づく選考により、一年を超えない範囲内で任期を定め、当該常時勤務を要する職に採用することができる。

3　令和十四年三月三十一日までの間、地方公共団体の組合を組織する地方公共団体の任命権者は、前条第二項の規定によるほか、当該地方公共団体の組合における同項各号に掲げる者のうち、特定年齢到達年度の末日までの間にある者であって、当該者を採用しようと

する常時勤務を要する職に係る新地方公務員法定年に達している者を、条例で定めるところにより、従前の勤務実績その他の人事委員会規則で定める情報に基づく選考により、一年を超えない範囲内で任期を定め、当該常時勤務を要する職に採用することができる。

4　令和十四年三月三十一日までの間、地方公共団体の組合の任命権者は、前条第二項の規定によるほか、当該地方公共団体の組合を組織する地方公共団体における同項各号に掲げる者のうち、特定年齢到達年度の末日までの間にある者であって、当該者を採用しようとする常時勤務を要する職に係る新地方公務員法定年に達している者を、条例で定めるところにより、従前の勤務実績その他の地方公共団体の組合の規則で定める情報に基づく選考により、一年を超えない範囲内で任期を定め、当該常時勤務を要する職に採用することができる。

5　前各項の場合においては、前条第三項及び第五項の規定を準用する。

第六条　任命権者は、新地方公務員法第二十二条の四第四項の規定にかかわらず、当該任命権者の属する地方公共団体における附則第四条第一項各号に掲げる者のうち、特定年齢到達年度の末日までの間にある者であって、当該者を採用しようとする短時間勤務の職（新地方公務員法第二十二条の四第一項に規定する短時間勤務の職をいう。附則第八条第二項を除き、以下同じ。）に係る旧地方公務員法定年相当年齢（短時間勤務の職を占める職員が、常時勤務を要する職でその職務が当該短時間勤務の職と同種の職を占めているものとした場合における旧地方公務員法第二十八条の二第二項及び第三項の規定に基づく定年（施行日以後に設置された職その他の条例で定める職にあっては、条例で定める年齢）をいう。次条第一項及び第二項において同じ。）に達している者を、条例で定めるところにより、従前の勤務実績その他の人事委員会規則で定める情報に基づく選考により、一年を超えない範囲内で任期を定め、当該短時間勤務の職に採用することができる。

2　令和十四年三月三十一日までの間、任命権者は、新地方公務員法第二十二条の四第四項の規定にかかわらず、当該任命権者の属する地方公共団体における附則第四条第二項各号に掲げる者のうち、特定年齢到達年度の末日までの間にある者であって、当該者を採用しようとする短時間勤務の職に係る新地方公務員法定年相当年齢（短時間勤務の職を占める職員が、常時勤務を要する職でその職務が当該短時間勤務の職と同種の職を占めているものとした場合における新地方公務員法第二十八条の六第二項及び第三項の規定に基づく定年をいう。次条第三項及び第四項において同じ。）に達している者（新地方公務員法第二十二条の四第一項の規定により当該短時間勤務の職に採用することができる者を除く。）を、条例で定めるところにより、従前の勤務実績その他の人事委員会規則で定める情報に基づく選考により、一年を超えない範囲内で任期を定め、当該短時間勤務の職に採用することができる。

3　前二項の場合においては、附則第四条第三項及び第五項の規定を準用する。

第七条　地方公共団体の組合を組織する地方公共団体の任命権者は、前条第一項の規定によるほか、新地方公務員法第二十二条の五第三項において準用する新地方公務員法第二十二条の四第四項の規定にかかわらず、当該地方公共団体の組合における附則第四条第一項各号に掲げる者のうち、特定年齢到達年度の末日までの間にある者であって、当該者を採用しようとする短時間勤務の職に係る旧地方公務員法定年相当年齢に達している者を、条例で定めるところにより、従前の勤務実績その他の人事委員会規則で定める情報に基づく選考により、一年を超えない範囲内で任期を定め、当該短時間勤務の職に採用することができる。

2　地方公共団体の組合の任命権者は、前条第一項の規定によるほか、新地方公務員法第二十二条の五第三項において準用する新地方公務員法第二十二条の四第四項の規定にかかわらず、当該地方公共団体の組合を組織する地方公共団体における附則第四条第一項各号に掲げる者のうち、特定年齢到達年度の末日までの間にある者であって、当該者を採用しようとする短時間勤務の職に係る旧地方公務員法定年相当年齢に達している者を、条例で定めるところにより、従前の勤務実績その他の地方公共団体の組合の規則で定める情報に基づく選考により、一年を超えない範囲内で任期を定め、当該短時間勤務の職に採用することができる。

3　令和十四年三月三十一日までの間、地方公共団体の組合を組織する地方公共団体の任命権者は、前条第二項の規定によるほか、新地方公務員法第二十二条の五第三項において準用する新地方公務員法第二十二条の四第四項の規定にかかわらず、当該地方公共団体の組合における附則第四条第二項各号に掲げる者のうち、特定年齢到達年度の末日までの間にある者であって、当該者を採用しようとする短時間勤務の職に係る新地方公務員法定年相当年齢に達している者（新地方公務員法第二十二条の五第一項の規定により当該短時間勤務の職に採用することができる者を除く。）を、条例で定めるところにより、従前の勤務実績その他の人事委員会規則で定める情報に基づく選考により、一年を超えない範囲内で任期を定め、当該短時間勤務の職に採用することができる。

4　令和十四年三月三十一日までの間、地方公共団体の組合の任命権者は、前条第二項の規定によるほか、新地方公務員法第二十二条の五第三項において準用する新地方公務員法第二十二条の四第四項の規定にかかわらず、当該地方公共団体の組合を組織する地方公共団体における附則第四条第二項各号に掲げる者のうち、特定年齢到達年度の末日までの間にある者であって、当該者を採用しようとする短時間勤務の職に係る新地方公務員法定年相当年齢に達している者（新地方公務員法第二十二条の五第二項の規定により当該短時間勤務の職に採用することができる者を除く。）を、条例で定めるところにより、従前の勤務実績その他の地方公共団体の組合の規則で定める情報に基づく選考により、一年を超えない範囲内で任期を定め、当該短時間勤務の職に採用することができる。

5　前各項の場合においては、附則第四条第三項及び第五項の規定を準用する。

第八条　施行日前に旧地方公務員法第二十八条の四第一項、第二十八条の五第一項又は第二十八条の六第一項若しくは第二項の規定により採用された職員（以下この項及び次項において「旧地方公務員法再任用職員」という。）のうち、この法律の施行の際現に常時勤務を要する職を占める職員は、施行日に、附則第四条第一項の規定（旧地方公務員法第二十八条の六第一項又は第二項の規定により採用された職員のうち地方公共団体の組合を組織する地方公共団体の任命権者により採用された職員にあっては附則第五条第一項の規定、旧地方公務員法第二十八条の六第一項又は第二項の規定により採用された職員のうち地方公共団体の組合の任命権者により採用された職員にあっては附則第五条第二項の規定）により採用されたものとみなす。この場合において、当該採用されたものとみなされる職員の任期は、附則第四条第一項並びに第五条第一項及び第二項の規定にかかわらず、施行日における旧地方公務員法再任用職員としての任期の残任期間と同一の期間とする。

2　旧地方公務員法再任用職員のうち、この法律の施行の際現に旧地方公務員法第二十八条の五第一項に規定する短時間勤務の職を占める職員は、施行日に、附則第六条第一項の規定（旧地方公務員法第二十八条の六第一項又は第二項の規定により採用された職員のうち地方公共団体の組合を組織する地方公共団体の任命権者により採用された職員にあっては前条第一項の規定、旧地方公務員法第二十八条の六第一項又は第二項の規定により採用された職員のうち地方公共団体の組合の任命権者により採用された職員にあっては前条第二項の規定）により採用されたものとみなす。この場合において、当該採用されたものとみなされる職員の任期は、附則第六条第一項並びに前条第一項及び第二項の規定にかかわらず、施行日における旧地方公務員法再任用職員としての任期の残任期間と同一の期間とする。

3　任命権者は、附則第四条第一項、第五条第一項若しくは第二項若しくは第六条第一項又は前条第一項若しくは第二項の規定により採用した職員のうち当該職員を昇任し、降任し、又は転任しようとする常時勤務を要する職に係る旧地方公務員法第二十八条の二第二項及び第三項の規定に基づく定年（施行日以後に設置された職その他の条例で定める職にあっては、条例で定める年齢）に達した職員以外の職員及び附則第四条第一項、第五条第三項若しくは第四項若しくは第六条第一項又は前条第三項若しくは第四項の規定により採用した職員のうち当該職員を昇任し、降任し、又は転任しようとする常時勤務を要する職に係る新地方公務員法第二十八条の六第二項及び第三項の規定に基づく定年に達した職員以外の職員を、当該常時勤務を要する職に昇任し、降任し、又は転任することができない。

4　附則第四条から前条までの規定が適用される場合における新地方公務員法第二十二条の四第四項の規定の適用については、同項中「経過していない定年前再任用短時間勤務職員」とあるのは、「経過していない定年前再任用短時間勤務職員、地方公務員法の一部を改正する法律（令和三年法律第六十三号。以下この項において「令和三年地方公務員法改正法」という。）附則第四条第一項、第五条第一項若しくは第二項、第六条第一項又は第七条第一項若しくは第二項の規定により採用した職員のうち当該職員を昇任し、降任し、又は転任しようとする短時間勤務の職に係る旧地方公務員法定年相当年齢（短時間勤務の職を占める職員が、常時勤務を要する職でその職務が当該短時間勤務の職と同種の職を占めているものとした場合における令和三年地方公務員法改正法による改正前の第二十八条の二第二項及び第三項の規定に基づく定年（令和三年地方公務員法改正法の施行の日以後に設置された職その他の条例で定める職にあっては、条例で定める年齢）

をいう。）に達している職員及び令和三年地方公務員法改正法附則第四条第二項、第五条第三項若しくは第四項、第六条第二項又は第七条第三項若しくは第四項の規定により採用した職員のうち当該職員を昇任し、降任し、又は転任しようとする短時間勤務の職に係る新地方公務員法定年相当年齢（短時間勤務の職を占める職員が、常時勤務を要する職でその職務が当該短時間勤務の職と同種の職を占めているものとした場合における第二十八条の六第二項及び第三項の規定に基づく定年をいう。）に達している職員」とする。

5　任命権者は、基準日（附則第四条から前条までの規定が適用される間における各年の四月一日（施行日を除く。）をいう。以下この項において同じ。）から基準日の翌年の三月三十一日までの間、基準日における新地方公務員法定年（新地方公務員法第二十八条の六第二項及び第三項の規定に基づく定年（短時間勤務の職にあっては、当該短時間勤務の職を占める職員が、常時勤務を要する職でその職務が当該短時間勤務の職と同種の職を占めているものとした場合における同条第二項及び第三項の規定に基づく定年）をいう。以下この項において同じ。）が基準日の前日における新地方公務員法定年を超える職及びこれに相当する基準日以後に設置された職その他の条例で定める職（以下この項において「新地方公務員法定年引上げ職」という。）に、附則第四条第二項各号に掲げる者のうち基準日の前日において同日における当該新地方公務員法定年引上げ職に係る新地方公務員法定年に達している者（当該条例で定める職にあっては、条例で定める者）を、同項、附則第五条第三項若しくは第四項若しくは第六条第二項又は前条第三項若しくは第四項の規定により採用しようとする場合には、当該者は当該者を採用しようとする新地方公務員法定年引上げ職に係る新地方公務員法定年に達しているものとみなして、これらの規定を適用し、新地方公務員法定年引上げ職に、附則第四条第二項、第五条第三項若しくは第四項若しくは第六条第二項又は前条第三項若しくは第四項の規定により採用された職員のうち基準日の前日において同日における当該新地方公務員法定年引上げ職に係る新地方公務員法定年に達している職員（当該条例で定める職にあっては、条例で定める職員）を、昇任し、降任し、又は転任しようとする場合には、当該職員は当該職員を昇任し、降任し、又は転任しようとする新地方公務員法定年引上げ職に係る新地方公務員法定年に達しているものとみなして、第三項の規定及び前項の規定により読み替えて適用する新地方公務員法第二十二条の四第四項の規定を適用する。

6　附則第四条第一項若しくは第二項又は第六条第一項若しくは第二項の規定により採用された職員（附則第四条第二項第四号に掲げる者に該当して採用された職員を除く。次項において同じ。）は、定年前再任用短時間勤務職員とみなして、新地方公務員法第二十九条第三項の規定を適用する。この場合において、同項中「（第二十二条の四第一項の規定により採用された職員に限る。以下この項において同じ。）が、条例年齢以上退職者」とあるのは「が、地方公務員法の一部を改正する法律（令和三年法律第六十三号。以下この項において「令和三年地方公務員法改正法」という。）附則第四条第一項各号若しくは第二項第一号、第二号若しくは第五号に掲げる者となつた日若しくは同項第三号に掲げる者に該当する場合における条例年齢以上退職者」と、「又は」とあるのは「又は令和三年地方公務員法改正法による改正前の第二十八条の四第一項若しくは第二十八条の五第一項の規定によりかつて採用されて職員として在職していた期間、令和三年地方公務員法改正法附則第四条第一項若しくは第二項若しくは第六条第一項若しくは第二項の規定によりかつて採用されて職員として在職していた期間若しくは」とする。

7　平成十一年十月一日前に新地方公務員法第二十九条第二項に規定する退職又は先の退職がある附則第四条第一項若しくは第二項又は第六条第一項若しくは第二項の規定により採用された職員について、前項の規定により定年前再任用短時間勤務職員とみなして新地方公務員法第二十九条第三項の規定を適用する場合には、同項に規定する引き続く職員としての在職期間には、同日前の当該退職又は先の退職の前の職員としての在職期間を含まないものとする。

第九条　大学（教育公務員特例法（昭和二十四年法律第一号）第二条第一項に規定する公立学校であるものに限る。）の同条第二項に規定する教員への採用についての附則第四条から第七条までの規定の適用については、附則第四条第一項及び第二項中「任期を定め」とあるのは「教授会の議に基づき学長が定める任期をもって」と、同条第三項（附則第五条第五項、第六条第三項及び第七条第五項において準用する場合を含む。）中「範囲内で」とあるのは「範囲内で教授会の議に基づき学長が定める期間をもって」と、附則第五条第一項から第四項まで、第六条第一項及び第二項並びに第七条第一項から第四項までの規定中「任期を定め」とあるのは「教授会の議に基づき学長が定める任期をもって」とする。

2　暫定再任用職員（附則第四条第一項若しくは第二項、第五条第一項から第四項まで、第六条第一項若しくは第二項又は第七条第一項から第四項までの規定により採用された職員をいう。第七項において同じ。）に対する附則第十四条の規定による改正後のへき地教育振興法（昭和二十九年法律第百四十三号）第五条の二第一項の規定の適用については、同項中「第二項」とあるのは、「第二項、地方公務員法の一部を改正する法律（令和三年法律第六十三号）附則第四条第一項若しくは第二項、第五条第一項から第四項まで、第六条第一項若しくは第二項若しくは第七条第一項から第四項まで」とする。

3　地方教育行政の組織及び運営に関する法律（昭和三十一年法律第百六十二号）第三十七条第一項に規定する県費負担教職員に対する附則第四条及び第六条の規定の適用については、附則第四条第一項及び第二項並びに第六条第一項及び第二項中「当該任命権者の属する地方公共団体」とあるのは「市町村」と、「採用しようとする」とあるのは「採用しようとする当該市町村を包括する都道府県の区域内の市町村の」とする。

4　附則第四条第一項若しくは第二項又は第六条第一項若しくは第二項の規定により採用された職員に対する附則第十五条の規定による改正後の地方教育行政の組織及び運営に関する法律第四十七条の二第一項の規定の適用については、同項中「養護助教諭」とあるのは「養護助教諭（地方公務員法の一部を改正する法律（令和三年法律第六十三号）附則第四条第一項若しくは第二項又は第六条第一項若しくは第二項の規定により採用された者（以下この項において「暫定再任用職員」という。）を除く。）」と、「講師（同法」とあるのは「講師（暫定再任用職員及び地方公務員法」とする。

5　地方独立行政法人法（平成十五年法律第百十八号）第二条第二項に規定する特定地方独立行政法人の職員に対する附則第二条から第四条まで及び第六条並びに前条の規定の適用については、次の表の上欄に掲げるこれらの規定中同表の中欄に掲げる字句は、それぞれ同表の下欄に掲げる字句とする。

附則第二条第三項	に条例	に設立団体（地方独立行政法人法第六条第三項に規定する設立団体をいう。以下同じ。）の条例
	当該条例	当該設立団体の条例
附則第二条第四項及び第三条第二項	条例	設立団体の条例
附則第三条第六項	ときは、条例で定めるところにより	ときは
附則第三条第八項及び第九項	条例	設立団体の条例
附則第四条第一項	地方公共団体における	特定地方独立行政法人における
	条例	設立団体の条例
	人事委員会規則（地方公務員法第九条第二項に規定する競争試験等を行う公平委員会（以下この項及び次条第二項において「競争試験等を行う公平委員会」という。）を置く地方公共団体においては公平委員会規則、人事委員会及び競争試験等を行う公平委員会を置かない地方公共団体においては地方公共団体の規則。以下同じ。）	特定地方独立行政法人の規程
附則第四条第二項	地方公共団体	特定地方独立行政法人
	条例	設立団体の条例
	人事委員会規則	特定地方独立行政法人の規程
附則第四条第三項	条例	設立団体の条例
附則第六条	地方公共団体	特定地方独立行政法人

		人
第一項及び第二項	条例	設立団体の条例
	人事委員会規則	特定地方独立行政法人の規程
附則第八条第三項から第五項まで	条例	設立団体の条例

6　設立団体が二以上である場合における前項の規定の適用については、前項の表附則第二条第三項の項中「設立団体（地方独立行政法人法第六条第三項に規定する設立団体をいう。以下同じ。）」とあるのは「地方独立行政法人法第百二十三条第四項の規定によりその条例を特定地方独立行政法人の職員に対して適用する旨が定款に定められた地方公共団体（以下「条例適用設立団体」という。）」と、「設立団体の条例」とあるのは「条例適用設立団体の条例」と、同表附則第二条第四項及び第三条第二項の項、附則第三条第八項及び第九項の項、附則第四条第一項の項、附則第四条第二項の項、附則第四条第三項の項、附則第六条第一項及び第二項の項及び附則第八条第三項から第五項までの項中「設立団体」とあるのは「条例適用設立団体」とする。

7　附則第四条から前条まで及び前各項に定めるもののほか、暫定再任用職員の任用その他暫定再任用職員に関し必要な事項は、条例で定める。

（その他の経過措置の政令への委任）

第十条　附則第三条から前条までに定めるもののほか、この法律の施行に関し必要な経過措置は、政令で定める。

（検討）

第十一条　政府は、国家公務員に係る管理監督職勤務上限年齢による降任等又は定年前再任用短時間勤務職員に関連する制度についての検討の状況に鑑み、必要があると認めるときは、地方公務員に係るこれらの制度について検討を行い、その結果に基づいて所要の措置を講ずるものとする。

附　則（令三・六・一六法七五）（抄）

（施行期日）

1　この法律は、公布の日から起算して二十日を経過した日から施行する。

附　則（令四・六・一七法六八）（抄）

（施行期日）

1　この法律は、刑法等一部改正法施行日〔令七・六・一〕から施行する。〔ただし書略〕

○消防組織法（抄）

昭二三・一二・二三
法　二　二　六

最終改正　平二六・五・三〇法四二

第一章　総則

（消防の任務）

第一条　消防は、その施設及び人員を活用して、国民の生命、身体及び財産を火災から保護するとともに、水火災又は地震等の災害を防除し、及びこれらの災害による被害を軽減するほか、災害等による傷病者の搬送を適切に行うことを任務とする。

第三章　地方公共団体の機関

（市町村の消防に関する責任）

第六条　市町村は、当該市町村の区域における消防を十分に果たすべき責任を有する。

（市町村の消防の管理）

第七条　市町村の消防は、条例に従い、市町村長がこれを管理する。

（市町村の消防に要する費用）

第八条　市町村の消防に要する費用は、当該市町村がこれを負担しなければならない。

（消防機関）

第九条　市町村は、その消防事務を処理するため、次に掲げる機関の全部又は一部を設けなければならない。

一　消防本部

二 消防署
三 消防団

（消防本部及び消防署）
第十条 消防本部及び消防署の設置、位置及び名称並びに消防署の管轄区域は、条例で定める。
2 消防本部の組織は市町村の規則で定め、消防署の組織は市町村長の承認を得て消防長が定める。

（消防職員）
第十一条 消防本部及び消防署に消防職員を置く。
2 消防職員の定員は、条例で定める。ただし、臨時又は非常勤の職については、この限りでない。

（消防長）
第十二条 消防本部の長は、消防長とする。
2 消防長は、消防本部の事務を統括し、消防職員を指揮監督する。

（消防署長）
第十三条 消防署の長は、消防署長とする。
2 消防署長は、消防長の指揮監督を受け、消防署の事務を統括し、所属の消防職員を指揮監督する。

（消防職員の職務）
第十四条 消防職員は、上司の指揮監督を受け、消防事務に従事する。

（消防職員の任命）
第十五条 消防長は、市町村長が任命し、消防長以外の消防職員は、市町村長の承認を得て消防長が任命する。
2 消防長及び消防署長は、これらの職に必要な消防に関する知識及び経験を有する者の資格として市町村の条例で定める資格を有する者でなければならない。
3 市町村が前項の条例を定めるに当たつては、同項に規定する者の資格の基準として政令で定める基準を参酌するものとする。

（消防職員の身分取扱い等）
第十六条 消防職員に関する任用、給与、分限及び懲戒、服務その他身分取扱いに関しては、この法律に定めるものを除くほか、地方公務員法（昭和二十五年法律第二百六十一号）の定めるところによる。
2 消防吏員の階級並びに訓練、礼式及び服制に関する事項は、消防庁の定める基準に従い、市町村の規則で定める。

（消防職員委員会）
第十七条 次に掲げる事項に関して消防職員から提出された意見を審議させ、その結果に基づき消防長に対して意見を述べさせ、もつて消防事務の円滑な運営に資するため、消防本部に消防職員委員会を置く。
一 消防職員の給与、勤務時間その他の勤務条件及び厚生福利に関すること。
二 消防職員の職務遂行上必要な被服及び装備品に関すること。
三 消防の用に供する設備、機械器具その他の施設に関すること。
2 消防職員委員会は、委員長及び委員をもつて組織する。
3 委員長は消防長に準ずる職のうち市町村の規則で定めるものにある消防職員のうちから消防長が指名する者をもつて充て、委員は消防職員（委員長として指名された消防職員及び消防長を除く。）のうちから消防長が指名する。
4 前三項に規定するもののほか、消防職員委員会の組織及び運営に関し必要な事項は、消防庁の定める基準に従い、市町村の規則で定める。

（消防団）
第十八条 消防団の設置、名称及び区域は、条例で定める。
2 消防団の組織は、市町村の規則で定める。
3 消防本部を置く市町村においては、消防団は、消防長又は消防署長の所轄の下に行動するものとし、消防長又は消防署長の命令があるときは、その区域外においても行動することができる。

（消防団員）
第十九条 消防団に消防団員を置く。
2 消防団員の定員は、条例で定める。

（消防団長）
第二十条 消防団の長は、消防団長とする。
2 消防団長は、消防団の事務を統括し、所属の消防団員を指揮監督する。

（消防団員の職務）
第二十一条 消防団員は、上司の指揮監督を受け、消防事務に従事する。

（消防団員の任命）
第二十二条 消防団長は、消防団の推薦に基づき市町村長が任命し、消防団長以外の消防団員は、市町村長の承認を得て消防団長が任命する。

（消防団員の身分取扱い等）
第二十三条 消防団員に関する任用、給与、分限及び懲戒、服務その他身分取扱いに関しては、この法律に定めるものを除くほか、常勤の消防団員については地方公務員法の定めるところにより、非常勤の消防団員については条例で定める。
2 消防団員の階級並びに訓練、礼式及び服制に関する事項は、消防庁の定める基準に従い、市町村の規則で定める。

（非常勤消防団員に対する公務災害補償）

第二十四条　消防団員で非常勤のものが公務により死亡し、負傷し、若しくは疾病にかかり、又は公務による負傷若しくは疾病により死亡し、若しくは障害の状態となつた場合においては、市町村は、政令で定める基準に従い条例で定めるところにより、その消防団員又はその者の遺族がこれらの原因によつて受ける損害を補償しなければならない。

２　前項の場合においては、市町村は、当該消防団員で非常勤のもの又はその者の遺族の福祉に関して必要な事業を行うように努めなければならない。

（非常勤消防団員に対する退職報償金）

第二十五条　消防団員で非常勤のものが退職した場合においては、市町村は、条例で定めるところにより、その者（死亡による退職の場合には、その者の遺族）に退職報償金を支給しなければならない。

（特別区の消防に関する責任）

第二十六条　特別区の存する区域においては、特別区が連合してその区域内における第六条に規定する責任を有する。

（特別区の消防の管理及び消防長の任命）

第二十七条　前条の特別区の消防は、都知事がこれを管理する。

２　特別区の消防長は、都知事が任命する。

（特別区の消防への準用）

第二十八条　前二条に規定するもののほか、特別区の存する区域における消防については、特別区の存する区域を一の市とみなして、市町村の消防に関する規定を準用する。

（都道府県の消防に関する所掌事務）

第二十九条　都道府県は、市町村の消防が十分に行われるよう消防に関する当該都道府県と市町村との連絡及び市町村相互間の連絡協調を図るほか、消防に関し、次に掲げる事務をつかさどる。

一　消防職員及び消防団員の教養訓練に関する事項
二　市町村相互間における消防職員の人事交流のあつせんに関する事項
三　消防統計及び消防情報に関する事項
四　消防施設の強化拡充の指導及び助成に関する事項
五　消防思想の普及宣伝に関する事項
六　消防の用に供する設備、機械器具及び資材の性能試験に関する事項
七　市町村の消防計画の作成の指導に関する事項
八　消防の応援及び緊急消防援助隊に関する事項
九　市町村の消防が行う人命の救助に係る活動の指導に関する事項
十　傷病者の搬送及び傷病者の受入れの実施に関する基準に関する事項
十一　市町村の行う救急業務の指導に関する事項
十二　消防に関する市街地の等級化に関する事項（消防庁長官が指定する市に係るものを除く。）
十三　前各号に掲げるもののほか、法律（法律に基づく命令を含む。）に基づきその権限に属する事項

（都道府県の航空消防隊）

第三十条　前条に規定するもののほか、都道府県は、その区域内の市町村の長の要請に応じ、航空機を用いて、当該市町村の消防を支援することができる。

２　都道府県知事及び市町村長は、前項の規定に基づく市町村の消防の支援に関して協定することができる。

３　都道府県知事は、第一項の規定に基づく市町村の消防の支援のため、都道府県の規則で定めるところにより、航空消防隊を設けるものとする。

第五章　各機関相互間の関係等

（消防庁長官の助言、勧告及び指導）

第三十七条　消防庁長官は、必要に応じ、消防に関する事項について都道府県又は市町村に対して助言を与え、勧告し、又は指導を行うことができる。

（市町村の消防の相互の応援）

第三十九条　市町村は、必要に応じ、消防に関し相互に応援するように努めなければならない。

２　市町村長は、消防の相互の応援に関して協定することができる。

（消防、警察及び関係機関の相互協力等）

第四十二条　消防及び警察は、国民の生命、身体及び財産の保護のために相互に協力をしなければならない。

２　消防庁、警察庁、都道府県警察、都道府県知事、市町村長及び水防法に規定する水防管理者は、相互間において、地震、台風、水火災等の非常事態の場合における災害の防御の措置に関しあらかじめ協定することができる。これらの災害に際して消防が警察を応援する場合は、運営管理は警察がこれを留保し、消防職員は、警察権を行使してはならない。これらの災害に際して警察が消防を応援する場合は、災害区域内の消防に関係のある警察の指揮は、消防が行う。

（非常事態における都道府県知事の指示）

第四十三条　都道府県知事は、地震、台風、水火災等の非常事態の場合において、緊急の必要があるときは、

市町村長、市町村の消防長又は水防法に規定する水防管理者に対して、前条第二項の規定による協定の実施その他災害の防御の措置に関し、必要な指示をすることができる。この場合における指示は、消防庁長官の行う勧告、指導及び助言の趣旨に沿うものでなければならない。

（非常事態における消防庁長官等の措置要求等）

第四十四条　消防庁長官は、地震、台風、水火災等の非常事態の場合において、これらの災害が発生した市町村（以下この条から第四十四条の三までにおいて「災害発生市町村」という。）の消防の応援又は支援（以下「消防の応援等」という。）に関し、当該災害発生市町村の属する都道府県の知事から要請があり、かつ、必要があると認めるときは、当該都道府県以外の都道府県の知事に対し、当該災害発生市町村の消防の応援等のため必要な措置をとることを求めることができる。

2　消防庁長官は、前項に規定する場合において、当該災害の規模等に照らし緊急を要し、同項の要請を待ついとまがないと認められるときは、同項の要請を待たないで、緊急に消防の応援等を必要とすると認められる災害発生市町村のため、当該災害発生市町村の属する都道府県以外の都道府県の知事に対し、当該必要な措置をとることを求めることができる。この場合において、消防庁長官は、当該災害発生市町村の属する都道府県の知事に対し、速やかにその旨を通知するものとする。

3　都道府県知事は、前二項の規定による消防庁長官の求めに応じ当該必要な措置をとる場合において、必要があると認めるときは、その区域内の市町村の長に対し、消防機関（第九条に規定する機関をいう。以下同じ。）の職員の応援出動等の措置をとることを求めることができる。

4　消防庁長官は、第一項又は第二項の場合において、人命の救助等のために特に緊急を要し、かつ、広域的に消防機関の職員の応援出動等の措置を的確かつ迅速にとる必要があると認められるときは、緊急に当該応援出動等の措置を必要とすると認められる災害発生市町村のため、当該災害発生市町村以外の市町村の長に対し、当該応援出動等の措置をとることを自ら求めることができる。この場合において、消防庁長官は、第一項の場合にあつては当該応援出動等の措置をとることを求めた市町村の属する都道府県の知事に対し、第二項の場合にあつては当該都道府県の知事及び当該災害発生市町村の属する都道府県の知事に対し、速やかにその旨を通知するものとする。

5　消防庁長官は、第一項、第二項又は前項に規定する場合において、大規模地震対策特別措置法第三条第一項に規定する地震防災対策強化地域に係る著しい地震災害その他の大規模な災害又は毒性物質の発散その他の政令で定める原因により生ずる特殊な災害に対処するために特別の必要があると認められるときは、当該特別の必要があると認められる災害発生市町村のため、当該災害発生市町村の属する都道府県以外の都道府県の知事又は当該都道府県内の市町村の長に対し、第四十五条第一項に規定する緊急消防援助隊（以下この条から第四十四条の三までにおいて「緊急消防援助隊」という。）の出動のため必要な措置をとることを指示することができる。この場合において、消防庁長官は、当該災害発生市町村の属する都道府県の知事及び当該出動のため必要な措置をとることを指示した市町村の属する都道府県の知事に対し、速やかにその旨を通知するものとする。

6　都道府県知事は、前項の規定による消防庁長官の指示に基づき、その区域内の市町村の長に対し、緊急消防援助隊の出動の措置をとることを指示することができる。

7　前各項の規定は、大規模地震対策特別措置法第二条第十三号の警戒宣言が発せられた場合に準用する。

8　消防庁長官は、第一項、第二項若しくは第四項又は第五項の規定により、災害発生市町村のため、当該災害発生市町村以外の災害発生市町村において既に行動している緊急消防援助隊の出動のため必要な措置をとることを求め又は指示するときは、あらかじめ、当該緊急消防援助隊が行動している災害発生市町村（以下この項及び第四十四条の三第一項において「緊急消防援助隊行動市町村」という。）の長及び当該緊急消防援助隊行動市町村の属する都道府県の知事の意見を聴くものとする。ただし、当該災害の規模等に照らし緊急を要し、あらかじめ、意見を聴くいとまがないと認められるときは、この限りでない。

（消防応援活動調整本部）

第四十四条の二　一の都道府県の区域内において災害発生市町村が二以上ある場合において、緊急消防援助隊が消防の応援等のため出動したときは、当該都道府県の知事は、消防応援活動調整本部（以下この条及び次条第二項において「調整本部」という。）を設置するものとする。

2　調整本部は、次に掲げる事務をつかさどる。

一　災害発生市町村の消防の応援等のため当該都道府

県及び当該都道府県の区域内の市町村が実施する措置の総合調整に関すること。
二　前号に掲げる事務を円滑に実施するための関係機関との連絡に関すること。
3　調整本部の長は、消防応援活動調整本部長（以下この条において「調整本部長」という。）とし、都道府県知事をもつて充てる。
4　調整本部長は、調整本部の事務を総括する。
5　調整本部に本部員を置き、次に掲げる者をもつて充てる。
一　当該都道府県の知事がその部内の職員のうちから任命する者
二　当該都道府県の区域内の市町村の置く消防本部のうち都道府県知事が指定するものの長又はその指名する職員
三　当該都道府県の区域内の災害発生市町村の長の指名する職員
四　当該都道府県の区域内の災害発生市町村に出動した緊急消防援助隊の隊員のうちから都道府県知事が任命する者
6　調整本部に副本部長を置き、前項の本部員のうちから、都道府県知事が指名する。
7　副本部長は、調整本部長を助け、調整本部長に事故があるときは、その職務を代理する。
8　調整本部長は、必要があると認めるときは、国の職員その他の者を調整本部の会議に出席させることができる。

（都道府県知事の緊急消防援助隊に対する指示等）

第四十四条の三　都道府県知事は、前条第一項に規定する場合において、緊急消防援助隊行動市町村以外の災害発生市町村の消防の応援等に関し緊急の必要があると認めるときは、当該緊急消防援助隊行動市町村以外の災害発生市町村のため、緊急消防援助隊行動市町村において行動している緊急消防援助隊に対し、出動することを指示することができる。
2　都道府県知事は、前項の規定による指示をするときは、あらかじめ、調整本部の意見を聴くものとする。ただし、当該災害の規模等に照らし緊急を要し、あらかじめ、調整本部の意見を聴くいとまがないと認められるときは、この限りでない。
3　都道府県知事は、第一項の規定による指示をした場合には、消防庁長官に対し、速やかにその旨を通知するものとする。
4　前項の規定により通知を受けた消防庁長官は、当該緊急消防援助隊として活動する人員が都道府県に属する場合にあつては当該都道府県の知事に対し、当該緊急消防援助隊として活動する人員が市町村に属する場合にあつては当該市町村の属する都道府県の知事を通じて当該市町村の長に対し、速やかにその旨を通知するものとする。

（緊急消防援助隊）

第四十五条　緊急消防援助隊とは、第四十四条第一項、第二項若しくは第四項の規定による求めに応じ、又は同条第五項の規定による指示に基づき、消防の応援等を行うことを任務として、都道府県又は市町村に属する消防に関する人員及び施設により構成される部隊をいう。
2　総務大臣は、緊急消防援助隊の出動に関する措置を的確かつ迅速に行うため、緊急消防援助隊の編成及び施設の整備等に係る基本的な事項に関する計画を策定し、公表するものとする。これを変更したときも、同様とする。
3　総務大臣は、前項の計画を策定し、又は変更しようとするときは、あらかじめ財務大臣と協議するものとする。
4　消防庁長官は、政令で定めるところにより、都道府県知事又は市町村長の申請に基づき、必要と認める人員及び施設を緊急消防援助隊として登録するものとする。
5　消防庁長官は、第二項の計画に照らして必要があると認めるときは、都道府県知事又は市町村長に対し、前項の登録について協力を求めることができる。

（情報通信システムの整備等）

第四十六条　消防庁長官は、緊急消防援助隊の出動その他消防の応援等に関する情報通信システムの整備及び運用のため必要な事項を定めるものとする。

（消防機関の職員が応援のため出動した場合の指揮）

第四十七条　消防機関の職員がその属する市町村以外の市町村の消防の応援のため出動した場合においては、当該職員は、応援を受けた市町村の長の指揮の下に行動するものとする。
2　前項の規定は、緊急消防援助隊の隊員の属する市町村の長が、第四十四条第一項、第二項若しくは第四項の規定による求めに応じ、又は同条第五項の規定による指示に基づき、当該隊員の属する緊急消防援助隊が行動している市町村以外の市町村の消防の応援のため出動を命ずることを妨げるものではない。

（航空消防隊が支援のため出動した場合の連携）

第四十八条　都道府県の航空消防隊が市町村の消防機関

の支援のため出動した場合においては、当該航空消防隊は、支援を受けた市町村の消防機関との相互に密接な連携の下に行動するものとする。

（国の負担及び補助）

第四十九条 第四十四条第五項に基づく指示を受けて出動した緊急消防援助隊の活動（当該緊急消防援助隊が第四十四条の三第一項の規定による指示を受けて出動した場合の活動を含む。）により増加し、又は新たに必要となる消防に要する費用のうち当該緊急消防援助隊の隊員の特殊勤務手当及び時間外勤務手当その他の政令で定める経費は、政令で定めるところにより、国が負担する。

2 緊急消防援助隊に係る第四十五条第二項の計画に基づいて整備される施設であつて政令で定めるものに要する経費は、政令で定めるところにより、予算の範囲内において、国が補助するものとする。

3 前項に定めるもののほか、市町村の消防に要する費用に対する補助金に関しては、法律でこれを定める。

（国有財産等の無償使用）

第五十条 総務大臣又はその委任を受けた者は、緊急消防援助隊の活動に必要があるときは、国有財産法（昭和二十三年法律第七十三号）第十九条において準用する同法第二十二条及び財政法（昭和二十二年法律第三十四号）第九条第一項の規定にかかわらず、その所掌事務に支障を生じない限度において、その所管に属する消防用の国有財産（国有財産法第二条第一項に規定する国有財産をいう。）又は国有の物品を、当該緊急消防援助隊として活動する人員の属する都道府県又は市町村に対し、無償で使用させることができる。

（消防学校等）

第五十一条 都道府県は、財政上の事情その他特別の事情のある場合を除くほか、単独に又は共同して、消防職員及び消防団員の教育訓練を行うために消防学校を設置しなければならない。

2 地方自治法第二百五十二条の十九第一項の指定都市（以下「指定都市」という。）は、単独に又は都道府県と共同して、消防職員及び消防団員の教育訓練を行うために消防学校を設置することができる。

3 前項の規定により消防学校を設置する指定都市以外の市及び町村は、消防職員及び消防団員の訓練を行うために訓練機関を設置することができる。

4 消防学校の教育訓練については、消防庁が定める基準を確保するように努めなければならない。

（教育訓練の機会）

第五十二条 消防職員及び消防団員には、消防に関する知識及び技能の習得並びに向上のために、その者の職務に応じ、消防庁に置かれる教育訓練機関又は消防学校の行う教育訓練を受ける機会が与えられなければならない。

2 国及び地方公共団体は、住民の自主的な防災組織が行う消防に資する活動の促進のため、当該防災組織を構成する者に対し、消防に関する教育訓練を受ける機会を与えるために必要な措置を講ずるよう努めなければならない。

○教育公務員特例法

昭二四・一・一二
法 一

最終改正 令四・六・ 七法六八

第一章 総則

（この法律の趣旨）

第一条 この法律は、教育を通じて国民全体に奉仕する教育公務員の職務とその責任の特殊性に基づき、教育公務員の任免、人事評価、給与、分限、懲戒、服務及び研修等について規定する。

（定義）

第二条 この法律において「教育公務員」とは、地方公務員のうち、学校（学校教育法（昭和二十二年法律第二十六号）第一条に規定する学校及び就学前の子どもに関する教育、保育等の総合的な提供の推進に関する法律（平成十八年法律第七十七号）第二条第七項に規定する幼保連携型認定こども園（以下「幼保連携型認定こども園」という。）をいう。以下同じ。）であつて地方公共団体が設置するもの（以下「公立学校」という。）の学長、校長（園長を含む。以下同じ。）、教員及び部局長並びに教育委員会の専門的教育職員をいう。

2 この法律において「教員」とは、公立学校の教授、准教授、助教、副校長（副園長を含む。以下同じ。）、教頭、主幹教諭（幼保連携型認定こども園の主幹養護教諭及び主幹栄養教諭を含む。以下同じ。）、指導教

諭、教諭、助教諭、養護教諭、養護助教諭、栄養教諭、主幹保育教諭、指導保育教諭、保育教諭、助保育教諭及び講師をいう。

3　この法律で「部局長」とは、大学（公立学校であるものに限る。第二十二条の六第三項、第二十二条の七第二項第二号及び第二十六条第一項を除き、以下同じ。）の副学長、学部長その他政令で指定する部局の長をいう。

4　この法律で「評議会」とは、大学に置かれる会議であつて当該大学を設置する地方公共団体の定めるところにより学長、学部長その他の者で構成するものをいう。

5　この法律で「専門的教育職員」とは、指導主事及び社会教育主事をいう。

第二章　任免、人事評価、給与、分限及び懲戒

第一節　大学の学長、教員及び部局長

（採用及び昇任の方法）

第三条　学長及び部局長の採用（現に当該学長の職以外の職に任命されている者を当該学長の職に任命する場合及び現に当該部局長の職以外の職に任命されている者を当該部局長の職に任命する場合を含む。次項から第四項までにおいて同じ。）並びに教員の採用（現に当該教員の職が置かれる部局に置かれる教員の職以外の職に任命されている者を当該部局に置かれる教員の職に任命する場合を含む。以下この項及び第五項において同じ。）及び昇任（採用に該当するものを除く。同項において同じ。）は、選考によるものとする。

2　学長の採用のための選考は、人格が高潔で、学識が優れ、かつ、教育行政に関し識見を有する者について、評議会（評議会を置かない大学にあつては、教授会。以下同じ。）の議に基づき学長の定める基準により、評議会が行う。

3　学部長の採用のための選考は、当該学部の教授会の議に基づき、学長が行う。

4　学部長以外の部局長の採用のための選考は、評議会の議に基づき学長の定める基準により、学長が行う。

5　教員の採用及び昇任のための選考は、評議会の議に基づき学長の定める基準により、教授会の議に基づき学長が行う。

6　前項の選考について教授会が審議する場合において、その教授会が置かれる組織の長は、当該大学の教員人事の方針を踏まえ、その選考に関し、教授会に対して意見を述べることができる。

（転任）

第四条　学長、教員及び部局長は、学長及び教員にあつては評議会、部局長にあつては学長の審査の結果によるのでなければ、その意に反して転任（現に学長の職に任命されている者を当該学長の職以外の職に任命する場合、現に教員の職に任命されている者を当該教員の職が置かれる部局に置かれる教員の職以外の職に任命する場合及び現に部局長の職に任命されている者を当該部局長の職以外の職に任命する場合をいう。）をされることはない。

2　評議会及び学長は、前項の審査を行うに当たつては、その者に対し、審査の事由を記載した説明書を交付しなければならない。

3　評議会及び学長は、審査を受ける者が前項の説明書を受領した後十四日以内に請求した場合には、その者に対し、口頭又は書面で陳述する機会を与えなければならない。

4　評議会及び学長は、第一項の審査を行う場合において必要があると認めるときは、参考人の出頭を求め、又はその意見を徴することができる。

5　前三項に規定するもののほか、第一項の審査に関し必要な事項は、学長及び教員にあつては評議会、部局長にあつては学長が定める。

（降任及び免職）

第五条　学長、教員及び部局長は、学長及び教員にあつては評議会、部局長にあつては学長の審査の結果によるのでなければ、その意に反して免職されることはない。教員の降任（前条第一項の転任に該当するものを除く。）についても、また同様とする。

2　前条第二項から第五項までの規定は、前項の審査の場合に準用する。

（人事評価）

第五条の二　学長、教員及び部局長の人事評価及びその結果に応じた措置は、学長にあつては評議会が、教員及び学部長にあつては教授会の議に基づき学長が、学部長以外の部局長にあつては学長が行う。

2　前項の人事評価の基準及び方法に関する事項その他人事評価に関し必要な事項は、評議会の議に基づき学長が定める。

（休職の期間）

第六条　学長、教員及び部局長の休職の期間は、心身の故障のため長期の休養を要する場合の休職においては、個々の場合について、評議会の議に基づき学長が定める。

（任期）

第七条　学長及び部局長の任期については、評議会の議に基づき学長が定める。

（定年）

第八条　大学の教員に対する地方公務員法（昭和二十五年法律第二百六十一号）第二十八条の六第一項、第二項及び第四項の規定の適用については、同条第一項中「定年に達した日以後における最初の三月三十一日までの間において、条例で定める日」とあるのは「定年に達した日から起算して一年を超えない範囲内で評議会の議に基づき学長があらかじめ指定する日」と、同条第二項中「国の職員につき定められている定年を基準として条例で」とあるのは「評議会の議に基づき学長が」と、同条第四項中「臨時的に任用される職員その他の法律により任期を定めて任用される職員」とあるのは「臨時的に任用される職員」とする。

２　大学の教員については、地方公務員法第二十八条の六第三項及び第二十八条の七の規定は、適用しない。

（懲戒）

第九条　学長、教員及び部局長は、学長及び教員にあつては評議会、部局長にあつては学長の審査の結果によるのでなければ、懲戒処分を受けることはない。

２　第四条第二項から第五項までの規定は、前項の審査の場合に準用する。

（任命権者）

第十条　大学の学長、教員及び部局長の任用、免職、休職、復職、退職及び懲戒処分は、学長の申出に基づいて、任命権者が行う。

２　大学の学長、教員及び部局長に係る標準職務遂行能力は、評議会の議に基づく学長の申出に基づいて、任命権者が定める。

第二節　大学以外の公立学校の校長及び教員

（採用及び昇任の方法）

第十一条　公立学校の校長の採用（現に校長の職以外の職に任命されている者を校長の職に任命する場合を含む。）並びに教員の採用（現に教員の職以外の職に任命されている者を教員の職に任命する場合を含む。以下この条において同じ。）及び昇任（採用に該当するものを除く。）は、選考によるものとし、その選考は、大学附置の学校にあつては当該大学の学長が、大学附置の学校以外の公立学校（幼保連携型認定こども園を除く。）にあつてはその校長及び教員の任命権者である教育委員会の教育長が、大学附置の学校以外の公立学校（幼保連携型認定こども園に限る。）にあつてはその校長及び教員の任命権者である地方公共団体の長が行う。

（条件付任用）

第十二条　公立の小学校、中学校、義務教育学校、高等学校、中等教育学校、特別支援学校、幼稚園及び幼保連携型認定こども園（以下「小学校等」という。）の教諭、助教諭、保育教諭、助保育教諭及び講師（以下「教諭等」という。）に係る地方公務員法第二十二条に規定する採用については、同条中「六月」とあるのは「一年」として同条の規定を適用する。

２　地方教育行政の組織及び運営に関する法律（昭和三十一年法律第百六十二号）第四十条に定める場合のほか、公立の小学校等の校長又は教員で地方公務員法第二十二条（同法第二十二条の二第七項及び前項の規定において読み替えて適用する場合を含む。）の規定により正式任用になつている者が、引き続き同一都道府県内の公立の小学校等の校長又は教員に任用された場合には、その任用については、同法第二十二条の規定は適用しない。

（校長及び教員の給与）

第十三条　公立の小学校等の校長及び教員の給与は、これらの者の職務と責任の特殊性に基づき条例で定めるものとする。

２　前項に規定する給与のうち地方自治法（昭和二十二年法律第六十七号）第二百四条第二項の規定により支給することができる義務教育等教員特別手当は、これらの者のうち次に掲げるものを対象とするものとし、その内容は、条例で定める。

一　公立の小学校、中学校、義務教育学校、中等教育学校の前期課程又は特別支援学校の小学部若しくは中学部に勤務する校長及び教員

二　前号に規定する校長及び教員との権衡上必要があると認められる公立の高等学校、中等教育学校の後期課程、特別支援学校の高等部若しくは幼稚部、幼稚園又は幼保連携型認定こども園に勤務する校長及び教員

（休職の期間及び効果）

第十四条　公立学校の校長及び教員の休職の期間は、結核性疾患のため長期の休養を要する場合の休職においては、満二年とする。ただし、任命権者は、特に必要があると認めるときは、予算の範囲内において、その休職の期間を満三年まで延長することができる。

２　前項の規定による休職者には、その休職の期間中、給与の全額を支給する。

第三節　専門的教育職員

（採用及び昇任の方法）

第十五条　専門的教育職員の採用（現に指導主事の職以

外の職に任命されている者を指導主事の職に任命する場合及び現に社会教育主事の職以外の職に任命されている者を社会教育主事の職に任命する場合を含む。以下この条において同じ。）及び昇任（採用に該当するものを除く。）は、選考によるものとし、その選考は、当該教育委員会の教育長が行う。

第十六条　削除

第三章　服務

（兼職及び他の事業等の従事）

第十七条　教育公務員は、教育に関する他の職を兼ね、又は教育に関する他の事業若しくは事務に従事することが本務の遂行に支障がないと任命権者（地方教育行政の組織及び運営に関する法律第三十七条第一項に規定する県費負担教職員（以下「県費負担教職員」という。）については、市町村（特別区を含む。以下同じ。）の教育委員会）において認める場合には、給与を受け、又は受けないで、その職を兼ね、又はその事業若しくは事務に従事することができる。

2　前項の規定は、非常勤の講師（地方公務員法第二十二条の四第一項に規定する短時間勤務の職を占める者及び同法第二十二条の二第一項第二号に掲げる者を除く。）については、適用しない。

3　第一項の場合においては、地方公務員法第三十八条第二項の規定により人事委員会が定める許可の基準によることを要しない。

（公立学校の教育公務員の政治的行為の制限）

第十八条　公立学校の教育公務員の政治的行為の制限については、当分の間、地方公務員法第三十六条の規定にかかわらず、国家公務員の例による。

2　前項の規定は、政治的行為の制限に違反した者の処罰につき国家公務員法（昭和二十二年法律第百二十号）第百十条第一項の例による趣旨を含むものと解してはならない。

（大学の学長、教員及び部局長の服務）

第十九条　大学の学長、教員及び部局長の服務について、地方公務員法第三十条の根本基準の実施に関し必要な事項は、前条第一項並びに同法第三十一条から第三十五条まで、第三十七条及び第三十八条に定めるものを除いては、評議会の議に基づき学長が定める。

第四章　研修

（研修実施者及び指導助言者）

第二十条　この章において「研修実施者」とは、次の各号に掲げる者の区分に応じ当該各号に定める者をいう。

一　市町村が設置する中等教育学校（後期課程に学校教育法第四条第一項に規定する定時制の課程のみを置くものを除く。次号において同じ。）の校長及び教員のうち県費負担教職員である者　当該市町村の教育委員会

二　地方自治法第二百五十二条の二十二第一項の中核市（以下この号及び次項第二号において「中核市」という。）が設置する小学校等（中等教育学校を除く。）の校長及び教員のうち県費負担教職員である者　当該中核市の教育委員会

三　前二号に掲げる者以外の教育公務員　当該教育公務員の任命権者

2　この章において「指導助言者」とは、次の各号に掲げる者の区分に応じ当該各号に定める者をいう。

一　前項第一号に掲げる者　同号に定める市町村の教育委員会

二　前項第二号に掲げる者　同号に定める中核市の教育委員会

三　公立の小学校等の校長及び教員のうち県費負担教職員である者（前二号に掲げる者を除く。）　当該校長及び教員の属する市町村の教育委員会

四　公立の小学校等の校長及び教員のうち県費負担教職員以外の者　当該校長及び教員の任命権者

（研修）

第二十一条　教育公務員は、その職責を遂行するために、絶えず研究と修養に努めなければならない。

2　教育公務員の研修実施者は、教育公務員（公立の小学校等の校長及び教員（臨時的に任用された者その他の政令で定める者を除く。以下この章において同じ。）を除く。）の研修について、それに要する施設、研修を奨励するための方途その他研修に関する計画を樹立し、その実施に努めなければならない。

（研修の機会）

第二十二条　教育公務員には、研修を受ける機会が与えられなければならない。

2　教員は、授業に支障のない限り、本属長の承認を受けて、勤務場所を離れて研修を行うことができる。

3　教育公務員は、任命権者（第二十条第一項第一号に掲げる者については、同号に定める市町村の教育委員会。以下この章において同じ。）の定めるところにより、現職のままで、長期にわたる研修を受けることができる。

（校長及び教員としての資質の向上に関する指標の策定に関する指針）

第二十二条の二　文部科学大臣は、公立の小学校等の校長及び教員の計画的かつ効果的な資質の向上を図るため、次条第一項に規定する指標の策定に関する指針（以下この条及び次条第一項において「指針」という。）を定めなければならない。

2　指針においては、次に掲げる事項を定めるものとする。

一　公立の小学校等の校長及び教員の資質の向上に関する基本的な事項

二　次条第一項に規定する指標の内容に関する事項

三　その他公立の小学校等の校長及び教員の資質の向上を図るに際し配慮すべき事項

3　文部科学大臣は、指針を定め、又はこれを変更したときは、遅滞なく、これを公表しなければならない。

（校長及び教員としての資質の向上に関する指標）

第二十二条の三　公立の小学校等の校長及び教員の任命権者は、指針を参酌し、その地域の実情に応じ、当該校長及び教員の職責、経験及び適性に応じて向上を図るべき校長及び教員としての資質に関する指標（以下この章において「指標」という。）を定めるものとする。

2　公立の小学校等の校長及び教員の任命権者は、指標を定め、又はこれを変更しようとするときは、第二十二条の七第一項に規定する協議会において協議するものとする。

3　公立の小学校等の校長及び教員の任命権者は、指標を定め、又はこれを変更したときは、遅滞なく、これを公表するよう努めるものとする。

4　独立行政法人教職員支援機構は、指標を策定する者に対して、当該指標の策定に関する専門的な助言を行うものとする。

（教員研修計画）

第二十二条の四　公立の小学校等の校長及び教員の研修実施者は、指標を踏まえ、当該校長及び教員の研修について、毎年度、体系的かつ効果的に実施するための計画（以下この条及び第二十二条の六第二項において「教員研修計画」という。）を定めるものとする。

2　教員研修計画においては、おおむね次に掲げる事項を定めるものとする。

一　研修実施者が実施する第二十三条第一項に規定する初任者研修、第二十四条第一項に規定する中堅教諭等資質向上研修その他の研修（以下この項及び次条第二項第一号において「研修実施者実施研修」という。）に関する基本的な方針

二　研修実施者実施研修の体系に関する事項

三　研修実施者実施研修の時期、方法及び施設に関する事項

四　研修実施者が指導助言者として行う第二十二条の六第二項に規定する資質の向上に関する指導助言等の方法に関して必要な事項（研修実施者が都道府県の教育委員会である場合においては、県費負担教職員について第二十条第二項第三号に定める市町村の教育委員会が指導助言者として行う第二十二条の六第二項に規定する資質の向上に関する指導助言等に関する基本的な事項を含む。）

五　前号に掲げるもののほか、研修を奨励するための方途に関する事項

六　前各号に掲げるもののほか、研修の実施に関し必要な事項として文部科学省令で定める事項

3　公立の小学校等の校長及び教員の研修実施者は、教員研修計画を定め、又はこれを変更したときは、遅滞なく、これを公表するよう努めるものとする。

（研修等に関する記録）

第二十二条の五　公立の小学校等の校長及び教員の任命権者は、文部科学省令で定めるところにより、当該校長及び教員ごとに、研修の受講その他の当該校長及び教員の資質の向上のための取組の状況に関する記録（以下この条及び次条第二項において「研修等に関する記録」という。）を作成しなければならない。

2　研修等に関する記録には、次に掲げる事項を記載するものとする。

一　当該校長及び教員が受講した研修実施者実施研修に関する事項

二　第二十六条第一項に規定する大学院修学休業により当該教員が履修した同項に規定する大学院の課程等に関する事項

三　認定講習等（教育職員免許法（昭和二十四年法律第百四十七号）別表第三備考第六号の文部科学大臣の認定する講習又は通信教育をいう。次条第一項及び第三項において同じ。）のうち当該任命権者が開設したものであつて、当該校長及び教員が単位を修得したものに関する事項

四　前三号に掲げるもののほか、当該校長及び教員が行つた資質の向上のための取組のうち当該任命権者が必要と認めるものに関する事項

3　公立の小学校等の校長及び教員の任命権者が都道府県の教育委員会である場合においては、指導助言者（第二十条第二項第二号及び第三号に定める者に限る。）に対し、当該校長及び教員の研修等に関する記録に係る情報を提供するも

のとする。

（資質の向上に関する指導助言等）

第二十二条の六　公立の小学校等の校長及び教員の指導助言者は、当該校長及び教員がその職責、経験及び適性に応じた資質の向上のための取組を行うことを促進するため、当該校長及び教員からの相談に応じ、研修、認定講習等その他の資質の向上のための機会に関する情報を提供し、又は資質の向上に関する指導及び助言を行うものとする。

2　公立の小学校等の校長及び教員の指導助言者は、前項の規定による相談への対応、情報の提供並びに指導及び助言（次項において「資質の向上に関する指導助言等」という。）を行うに当たつては、当該校長及び教員に係る指標及び教員研修計画を踏まえるとともに、当該校長及び教員の研修等に関する記録に係る情報を活用するものとする。

3　指導助言者は、資質の向上に関する指導助言等を行うため必要があると認めるときは、独立行政法人教職員支援機構、認定講習等を開設する大学その他の関係者に対し、これらの者が行う研修、認定講習等その他の資質の向上のための機会に関する情報の提供その他の必要な協力を求めることができる。

（協議会）

第二十二条の七　公立の小学校等の校長及び教員の任命権者は、指標の策定に関する協議並びに当該指標に基づく当該校長及び教員の資質の向上に関して必要な事項についての協議を行うための協議会（以下この条において「協議会」という。）を組織するものとする。

2　協議会は、次に掲げる者をもつて構成する。

一　指標を策定する任命権者

二　公立の小学校等の校長及び教員の研修に協力する大学その他の当該校長及び教員の資質の向上に関係する大学として文部科学省令で定める者

三　その他当該任命権者が必要と認める者

3　協議会において協議が調つた事項については、協議会の構成員は、その協議の結果を尊重しなければならない。

4　前三項に定めるもののほか、協議会の運営に関し必要な事項は、協議会が定める。

（初任者研修）

第二十三条　公立の小学校等の教諭等の研修実施者は、当該教諭等（臨時的に任用された者その他の政令で定める者を除く。）に対して、その採用（現に教諭等の職以外の職に任命されている者を教諭等の職に任命する場合を含む。）の日から一年間の教諭又は保育教諭の職務の遂行に必要な事項に関する実践的な研修（次項において「初任者研修」という。）を実施しなければならない。

2　指導助言者は、初任者研修を受ける者（次項において「初任者」という。）の所属する学校の副校長、教頭、主幹教諭（養護又は栄養の指導及び管理をつかさどる主幹教諭を除く。）、指導教諭、教諭、主幹保育教諭、指導保育教諭、保育教諭又は講師のうちから、指導教員を命じるものとする。

3　指導教員は、初任者に対して教諭又は保育教諭の職務の遂行に必要な事項について指導及び助言を行うものとする。

（中堅教諭等資質向上研修）

第二十四条　公立の小学校等の教諭等（臨時的に任用された者その他の政令で定める者を除く。以下この項において同じ。）の研修実施者は、当該教諭等に対して、個々の能力、適性等に応じて、公立の小学校等における教育に関し相当の経験を有し、その教育活動その他の学校運営の円滑かつ効果的な実施において中核的な役割を果たすことが期待される中堅教諭等としての職務を遂行する上で必要とされる資質の向上を図るために必要な事項に関する研修（次項において「中堅教諭等資質向上研修」という。）を実施しなければならない。

2　指導助言者は、中堅教諭等資質向上研修を実施するに当たり、中堅教諭等資質向上研修を受ける者の能力、適性等について評価を行い、その結果に基づき、当該者ごとに中堅教諭等資質向上研修に関する計画書を作成しなければならない。

（指導改善研修）

第二十五条　公立の小学校等の教諭等の任命権者は、児童、生徒又は幼児（以下「児童等」という。）に対する指導が不適切であると認定した教諭等に対して、その能力、適性等に応じて、当該指導の改善を図るために必要な事項に関する研修（以下この条において「指導改善研修」という。）を実施しなければならない。

2　指導改善研修の期間は、一年を超えてはならない。ただし、特に必要があると認めるときは、任命権者は、指導改善研修を開始した日から引き続き二年を超えない範囲内で、これを延長することができる。

3　任命権者は、指導改善研修を実施するに当たり、指導改善研修を受ける者の能力、適性等に応じて、その者ごとに指導改善研修に関する計画書を作成しなければならない。

4　任命権者は、指導改善研修の終了時において、指導改善研修を受けた者の児童等に対する指導の改善の程度に関する認定を行わなければならない。

5　任命権者は、第一項及び前項の認定に当たつては、教育委員会規則（幼保連携型認定こども園にあつては、地方公共団体の規則。次項において同じ。）で定めるところにより、教育学、医学、心理学その他の児童等に対する指導に関する専門的知識を有する者及び当該任命権者の属する都道府県又は市町村の区域内に居住する保護者（親権を行う者及び未成年後見人をいう。）である者の意見を聴かなければならない。

6　前項に定めるもののほか、事実の確認の方法その他第一項及び第四項の認定の手続に関し必要な事項は、教育委員会規則で定めるものとする。

7　前各項に規定するもののほか、指導改善研修の実施に関し必要な事項は、政令で定める。

（指導改善研修後の措置）

第二十五条の二　任命権者は、前条第四項の認定において指導の改善が不十分でなお児童等に対する指導を適切に行うことができないと認める教諭等に対して、免職その他の必要な措置を講ずるものとする。

第五章　大学院修学休業

（大学院修学休業の許可及びその要件等）

第二十六条　公立の小学校等の主幹教諭、指導教諭、教諭、養護教諭、栄養教諭、主幹保育教諭、指導保育教諭、保育教諭又は講師（以下「主幹教諭等」という。）で次の各号のいずれにも該当するものは、任命権者（第二十条第一項第一号に掲げる者については、同号に定める市町村の教育委員会。次項及び第二十八条第二項において同じ。）の許可を受けて、三年を超えない範囲内で年を単位として定める期間、大学（短期大学を除く。）の大学院の課程若しくは専攻科の課程又はこれらの課程に相当する外国の大学の課程（次項及び第二十八条第二項において「大学院の課程等」という。）に在学してその課程を履修するための休業（以下「大学院修学休業」という。）をすることができる。

一　主幹教諭（養護又は栄養の指導及び管理をつかさどる主幹教諭を除く。）、指導教諭、教諭、主幹保育教諭、指導保育教諭、保育教諭又は講師にあつては教育職員免許法に規定する教諭の専修免許状、養護をつかさどる主幹教諭又は養護教諭にあつては同法に規定する養護教諭の専修免許状、栄養の指導及び管理をつかさどる主幹教諭又は栄養教諭にあつては同法に規定する栄養教諭の専修免許状の取得を目的としていること。

二　取得しようとする専修免許状に係る基礎となる免許状（教育職員免許法に規定する教諭の一種免許状若しくは特別免許状、養護教諭の一種免許状又は栄養教諭の一種免許状であつて、同法別表第三、別表第五、別表第六、別表第六の二又は別表第七の規定により専修免許状の授与を受けようとする場合には有することを必要とされるものをいう。次号において同じ。）を有していること。

三　取得しようとする専修免許状に係る基礎となる免許状について、教育職員免許法別表第三、別表第五、別表第六、別表第六の二又は別表第七に定める最低在職年数を満たしていること。

四　条件付採用期間中の者、臨時的に任用された者、第二十三条第一項に規定する初任者研修を受けている者その他政令で定める者でないこと。

2　大学院修学休業の許可を受けようとする主幹教諭等は、取得しようとする専修免許状の種類、在学しようとする大学院の課程等及び大学院修学休業をしようとする期間を明らかにして、任命権者に対し、その許可を申請するものとする。

（大学院修学休業の効果）

第二十七条　大学院修学休業をしている主幹教諭等は、地方公務員としての身分を保有するが、職務に従事しない。

2　大学院修学休業をしている期間については、給与を支給しない。

（大学院修学休業の許可の失効等）

第二十八条　大学院修学休業の許可は、当該大学院修学休業をしている主幹教諭等が休職又は停職の処分を受けた場合には、その効力を失う。

2　任命権者は、大学院修学休業をしている主幹教諭等が当該大学院修学休業の許可に係る大学院の課程等を退学したことその他政令で定める事由に該当すると認めるときは、当該大学院修学休業の許可を取り消すものとする。

第六章　職員団体

（公立学校の職員の職員団体）

第二十九条　地方公務員法第五十三条及び第五十四条並びに地方公務員法の一部を改正する法律（昭和四十年法律第七十一号）附則第二条の規定の適用については、一の都道府県内の公立学校の職員のみをもつて組織する地方公務員法第五十二条第一項に規定する職員団体（当該都道府県内の一の地方公共団体の公立学校の職員のみをもつて組織するものを除く。）は、当該都道府県の職員をもつて組織する同項に規定する職員団体とみなす。

2　前項の場合において、同項の職員団体は、当該都道府県内の公立学校の職員であつた者でその意に反して免職され、若しくは懲戒処分としての免職の処分を受け、当該処分を受けた日の翌日から起算して一年以内のもの又はその期間内に当該処分について法律の定めるところにより審査請求をし、若しくは訴えを提起し、これに対する裁決又は裁判が確定するに至らないものを構成員にとどめていること、及び当該職員団体の役員である者を構成員としていることを妨げない。

第七章　教育公務員に準ずる者に関する特例

（教員の職務に準ずる職務を行う者等に対するこの法律の準用）

第三十条　公立の学校において教員の職務に準ずる職務を行う者並びに国立又は公立の専修学校又は各種学校の校長及び教員については、政令の定めるところにより、この法律の規定を準用する。

第三十一条　文部科学省に置かれる研究施設で政令で定めるもの（次条及び第三十五条において「研究施設」という。）の職員のうち専ら研究又は教育に従事する者（以下この章及び附則第八条において「研究施設研究教育職員」という。）に対する国家公務員法の適用については、次の表の上欄に掲げる同法の規定中同表の中欄に掲げる字句は、それぞれ同表の下欄に掲げる字句とする。

第八十一条の二第二項	年齢六十年とする。ただし、次の各号に掲げる管理監督職を占める職員の管理監督職勤務上限年齢は、当該各号に	文部科学省令で定めるところにより任命権者が
第八十一条の五第一項及び第三項	で当該	で文部科学省令で定めるところにより任命権者が定める期間をもつて当該
第八十一条の五第二項及び第四項	で延長された	で文部科学省令で定めるところにより任命権者が定める期間をもつて延長された
第八十一条の六第一項	定年に達した日以後における最初の三月三十一日又は第五十五条第一項に規定する任命権者若しくは法律で別に定められた任命権者があらかじめ指定する日のいずれか早い日	定年に達した日から起算して一年を超えない範囲内で文部科学省令で定めるところにより任命権者があらかじめ指定する日
第八十一条の六第二項	年齢六十五年とする。ただし、その職務と責任に特殊性があること又は欠員の補充が困難であることにより定年を年齢六十五年とすることが著しく不適当と認められる官職を占める医師及び歯科医師その他の職員として人事院規則で定める職員の定年は、六十五年を超え七十年を超えない範囲内で人事院規則で定める年齢とする	文部科学省令で定めるところにより任命権者が定める
第八十一条の七第一項	期限を定め	文部科学省令で定めるところにより任命権者が定める期限をもつて
第八十一条の七第二項	範囲内で	範囲内で文部科学省令で定めるところにより任命権者が定める期間をもつて

2　前項の規定により読み替えて適用する国家公務員法第八十一条の六第二項の規定により任命権者が研究施設研究教育職員の定年を定める場合における次に掲げる採用、昇任、降任及び転任に係る特例に関し必要な事項は、文部科学省令で定める。

一　国家公務員法第六十条の二第一項の規定による研究施設研究教育職員への採用並びに同条第二項に規定する定年前再任用短時間勤務職員である研究施設

研究教育職員の昇任、降任及び転任

二　国家公務員法第八十一条の七第一項又は第二項の規定により勤務している研究施設研究教育職員の昇任、降任及び転任

第三十二条　研究施設の長及び研究施設研究教育職員の服務について、国家公務員法第九十六条第一項の根本基準の実施に関し必要な事項は、同法第九十七条から第百五条まで又は国家公務員倫理法（平成十一年法律第百二十九号）に定めるものを除いては、任命権者が定める。

第三十三条　前条に定める者は、教育に関する他の職を兼ね、又は教育に関する他の事業若しくは事務に従事することが本務の遂行に支障がないと任命権者において認める場合には、給与を受け、又は受けないで、その職を兼ね、又はその事業若しくは事務に従事することができる。

2　前項の場合においては、国家公務員法第百一条第一項の規定に基づく命令又は同法第百四条の規定による承認又は許可を要しない。

第三十四条　研究施設研究教育職員（政令で定める者に限る。以下この条において同じ。）が、国及び行政執行法人（独立行政法人通則法（平成十一年法律第百三号）第二条第四項に規定する行政執行法人をいう。以下同じ。）以外の者が国若しくは行政執行法人（行政執行法人のうち、その業務の内容その他の事情を勘案して国の行う研究と同等の公益性を有する研究を行うものとして文部科学大臣が指定するものをいう。以下この項において同じ。）と共同して行う研究又は国若しくは指定行政執行法人の委託を受けて行う研究（以下この項において「共同研究等」という。）に従事するため国家公務員法第七十九条の規定により休職にされた場合において、当該共同研究等への従事が当該共同研究等の効率的実施に特に資するものとして政令で定める要件に該当するときは、研究施設研究教育職員に関する国家公務員退職手当法（昭和二十八年法律第百八十二号）第六条の四第一項及び第七条第四項の規定の適用については、当該休職に係る期間は、同法第六条の四第一項に規定する現実に職務をとることを要しない期間には該当しないものとみなす。

2　前項の規定は、研究施設研究教育職員が国及び行政執行法人以外の者から国家公務員退職手当法の規定による退職手当に相当する給付として政令で定めるものの支払を受けた場合には、適用しない。

3　前項に定めるもののほか、第一項の規定の適用に関し必要な事項は、政令で定める。

第三十五条　研究施設の長及び研究施設研究教育職員については、第三条第一項、第二項及び第五項、第五条の二、第六条、第七条、第二十一条並びに第二十二条の規定を準用する。この場合において、第三条第二項中「評議会（評議会を置かない大学にあつては、教授会。以下同じ。）の議に基づき学長」とあり、同条第五項、第五条の二第二項及び第六条中「評議会の議に基づき学長」とあり、第五条の二第一項中「評議会」とあり、及び「教授会の議に基づき学長」とあり、並びに第二十一条第二項中「研修実施者」とあるのは「任命権者」と、第三条第二項中「評議会が」とあり、同条第五項中「教授会の議に基づき学長が」とあり、及び第七条中「評議会の議に基づき学長が」とあるのは「文部科学省令で定めるところにより任命権者が」と読み替えるものとする。

附　則

（施行期日）

第一条　この法律は、公布の日から施行する。

2　この法律中の規定が、国家公務員法又は地方公務員法の規定に矛盾し、又は抵触すると認められるに至つた場合は、国家公務員法又は地方公務員法の規定が優先する。

（恩給法の準用）

第二条　この法律施行の際　現に恩給法（大正十二年法律第四十八号）第十九条に規定する公務員又は準公務員たる者が引き続き公立の学校の職員となつた場合（その公務員又は準公務員が引き続き同法第十九条に規定する公務員若しくは準公務員又はこれらの者とみなされる者として在職し、更に引き続き公立の学校の職員となつた場合を含む。）には、同法第二十二条に規定する教育職員又は準教育職員として勤続するものとみなし、当分の間、これに同法の規定を準用する。

2　前項の公立の学校の職員とは、次に掲げる者をいう。

一　公立の大学の学長、教授、助教授、常時勤務に服することを要する講師若しくは助手又は公立の高等専門学校の校長、教授、助教授、常時勤務に服することを要する講師若しくは助手

二　公立の高等学校の校長、教諭、養護教諭、助教諭又は養護助教諭

三　公立の中学校、小学校若しくは特別支援学校の校長、教諭若しくは養護教諭又は公立の幼稚園の園長、教諭若しくは養護教諭

四　第二号に掲げる学校の常時勤務に服することを要する講師

五　第三号に掲げる学校の助教諭、養護助教諭又は常時勤務に服することを要する講師

3　第一項の規定を適用する場合においては、前項第一号から第三号までに掲げる職員は、恩給法第二十二条第一項に規定する教育職員とみなし、前項第四号及び第五号に掲げる職員は、同法第二十二条第二項に規定する準教育職員とみなす。

（旧恩給法における養護助教諭の取扱）

第三条　恩給法の一部を改正する法律（昭和二十六年法律第八十七号）による改正前の恩給法第二十二条第二項の助教諭には、養護助教諭が含まれていたものとする。

（指定都市以外の市町村の教育委員会及び長に係る協議会の特例）

第四条　地方自治法第二百五十二条の十九第一項の指定都市（以下「指定都市」という。）以外の市町村の教育委員会及び長については、当分の間、第二十二条の三第二項及び第二十二条の七の規定は、適用しない。この場合において、当該教育委員会及び長は、第二十二条の三第一項に規定する指標を定め、又はこれを変更しようとするときは、第二十二条の七第二項第二号に掲げる者、当該市町村を包括する都道府県の教育委員会若しくは知事又は独立行政法人教職員支援機構の意見を聴くよう努めるものとする。

（幼稚園等の教諭等に対する初任者研修等の特例）

第五条　幼稚園、特別支援学校の幼稚部及び幼保連携型認定こども園（以下この条及び次条において「幼稚園等」という。）の教諭等の研修実施者（第二十条第一項に規定する研修実施者をいう。以下この項において同じ。）については、当分の間、第二十三条第一項の規定は、適用しない。この場合において、幼稚園等の教諭等の研修実施者（指定都市以外の市町村の設置する幼稚園及び特別支援学校の幼稚部の教諭等については当該市町村を包括する都道府県の教育委員会、当該市町村の設置する幼保連携型認定こども園の教諭等については当該市町村を包括する都道府県の知事）は、採用（現に教諭等の職以外の職に任命されている者を教諭等の職に任命する場合を含む。）の日から起算して一年に満たない幼稚園等の教諭等（臨時的に任用された者その他の政令で定める者を除く。）に対して、幼稚園等の教諭又は保育教諭の職務の遂行に必要な事項に関する研修を実施しなければならない。

2　市（指定都市を除く。）町村の教育委員会及び長は、その所管に属する幼稚園等の教諭等に対して都道府県の教育委員会及び知事が行う前項後段の研修に協力しなければならない。

3　第十二条第一項の規定は、当分の間、幼稚園等の教諭等については、適用しない。

（幼稚園等の教諭等に対する中堅教諭等資質向上研修の特例）

第六条　指定都市以外の市町村の設置する幼稚園等の教諭等に対する中堅教諭等資質向上研修（第二十四条第一項に規定する中堅教諭等資質向上研修をいう。次項において同じ。）は、当分の間、同条第一項の規定にかかわらず、幼稚園及び特別支援学校の幼稚部の教諭等については当該市町村を包括する都道府県の教育委員会が、幼保連携型認定こども園の教諭等については当該市町村を包括する都道府県の知事が実施しなければならない。

2　指定都市以外の市町村の教育委員会及び長は、その所管に属する幼稚園等の教諭等に対して都道府県の教育委員会及び知事が行う中堅教諭等資質向上研修に協力しなければならない。

（指定都市以外の市町村の教育委員会及び長に係る指導改善研修の特例）

第七条　指定都市以外の市町村の教育委員会及び長については、当分の間、第二十五条及び第二十五条の二の規定は、適用しない。この場合において、当該教育委員会及び長は、その所管に属する小学校等の教諭等（その任命権が当該教育委員会及び長に属する者に限る。）のうち、児童等に対する指導が不適切であると認める教諭等（政令で定める者を除く。）に対して、第二十五条第一項に規定する指導改善研修に準ずる研修その他必要な措置を講じなければならない。

（研究施設研究教育職員に関する特例）

第八条　研究施設研究教育職員に対する次の表の第一欄に掲げる法律の規定の適用については、同表の第二欄に掲げる規定中同表の第三欄に掲げる字句は、それぞれ同表の第四欄に掲げる字句とする。

国家公務員法	附則第八条第一項	第八十一条の六第二項	第八十一条の六第二項（教育公務員特例法（昭和二十四年法律第一号）第三十一条第一項の規定により読み替えて適用する場合を除く。）
		同項中	第八十一条の六第二項中

	附則第九条	年齢六十年（同項第二号に掲げる職員に相当する職員として人事院規則で定める職員にあつては同号に定める年齢とし、同項第三号に掲げる職員に相当する職員のうち人事院規則で定める職員にあつては同号に定める年齢とする。以下この条において同じ。）	令和三年国家公務員法等改正法の施行の日の前日において令和三年国家公務員法等改正法第六条の規定による改正前の教育公務員特例法第三十一条第一項の規定により読み替えて適用する令和三年国家公務員法等改正法第一条の規定による改正前の第八十一条の二第二項の規定により任命権者が定めていた年齢
		年齢六十年に	当該年齢に
一般職の職員の給与に関する法律（昭和二十五年法律第九十五号）	附則第八項	六十歳（次の各号に掲げる職員にあつては、当該各号に定める年齢）	国家公務員法等の一部を改正する法律（令和三年法律第六十一号。以下この項において「令和三年国家公務員法等改正法」という。）の施行の日の前日において令和三年国家公務員法等改正法第六条の規定による改正前の教育公務員特例法（昭和二十四年法律第一号）第三十一条第一項の規定により読み替えて適用する令和三年国家公務員法等改正法第一条の規定による改正前の国家公務員法第八十一条の二第二項の規定により任命権者が定めていた年齢
国家公務員退職手当法	附則第十二項	六十歳（次の各号に掲げる者にあつては、当該各号に定める年齢）	国家公務員法等の一部を改正する法律（令和三年法律第六十一号。以下この項において「令和三年国家公務員法等改正法」という。）の施行の日の前日において令和三年国家公務員法等改正法第六条の規定による改正前の教育公務員特例法（昭和二十四年法律第一号）第三十一条第一項の規定により読み替えて適用する令和三年国家公務員法等改正法第一条の規定による改正前の国家公務員法第八十一条の二第二項の規定により任命権者が定めていた年齢（次項において「改正前定年」という。）
	附則第十三項	同項又は同条第二項	第四条第一項又は第二項
		六十歳（前項各号に掲げる者にあつては、当該各号に定める年齢）	改正前定年
	附則第十六項	同条第一項又は第二項	同項又は同条第二項
		定年（附則第十二項各号及び第十四項各号に掲げる者以外の者（国家公務員法等の一部を改正する法律（令和三年法律第六十一号）第一条の規定による改正前の国家公務員法第八十一条の二第二項本文（裁判所職員	教育公務員特例法（昭和二十四年法律第一号）附則第八条の規定により読み替えて適用する附則第十二項に規定する改正前定年

			臨時措置法において準用する場合を含む。）の適用を受けていた者であつて附則第十四項第二号に掲げる職員に該当する職員、国会職員法及び国家公務員退職手当法の一部を改正する法律（令和三年法律第六十二号）第一条の規定による改正前の国会職員法第十五条の二第二項本文の適用を受けていた者であつて附則第十四項第八号に掲げる国会職員に該当する国会職員及び国家公務員法等の一部を改正する法律第八条の規定による改正前の自衛隊法第四十四条の二第二項本文の適用を受けていた者であつて附則第十四項第十号に掲げる隊員に該当する隊員を含む。）にあつては六十歳

			とし、附則第十二項各号に掲げる者にあつては当該各号に定める年齢とし、附則第十四項第一号に掲げる職員、同項第七号に掲げる国会職員及び同項第九号に掲げる隊員にあつては六十五歳とし、同項第十二号に掲げる職員にあつては内閣官房令で定める年齢とする。）

○教育公務員特例法施行令

昭二四・一・一二
政令　六

最終改正　令四・八・三一政令二八三

（部局の長）

第一条　教育公務員特例法（以下「法」という。）第二条第三項の部局の長とは、次に掲げる者をいう。

一　大学（法第二条第三項に規定する大学をいう。以下この条及び第八条において同じ。）の教養部の長

二　大学に附置される研究所の長

三　大学又は大学の医学部若しくは歯学部に附属する病院の長

四　大学に附属する図書館の長

五　大学院に置かれる研究科（学校教育法（昭和二十二年法律第二十六号）第百条ただし書に規定する組織を含む。）の長

（法第二十一条第二項の政令で定める者）

第二条　法第二十一条第二項の政令で定める者は、次に掲げる者とする。

一　臨時的に任用された者

二　地方公務員法（昭和二十五年法律第二百六十一号）第二十二条の二第一項に規定する会計年度任用職員（以下「会計年度任用職員」という。）

三　地方公務員法第二十六条の六第七項、地方公務員の育児休業等に関する法律（平成三年法律第百十号）第六条第一項若しくは第十八条第一項又は地方公共団体の一般職の任期付職員の採用に関する法律

（平成十四年法律第四十八号）第三条第一項若しくは第二項、第四条若しくは第五条の規定により任期を定めて採用された者

（初任者研修の対象から除く者）

第三条　法第二十三条第一項の政令で定める者は、次に掲げる者とする。

一　臨時的に任用された者

二　教諭等として小学校等において引き続き一年を超える期間を勤務したことがある者で、研修実施者が教諭又は保育教諭の職務の遂行に必要な事項についての知識又は経験の程度を勘案し、初任者研修を実施する必要がないと認めるもの

三　教育職員免許法（昭和二十四年法律第百四十七号）第四条第三項に規定する特別免許状を有する者

四　会計年度任用職員

五　地方公務員法第二十六条の六第七項、地方公務員の育児休業等に関する法律第六条第一項若しくは第十八条第一項又は地方公共団体の一般職の任期付職員の採用に関する法律第三条第一項若しくは第二項、第四条若しくは第五条の規定により任期を定めて採用された者

（中堅教諭等資質向上研修の対象から除く者）

第四条　法第二十四条第一項の政令で定める者は、次に掲げる者とする。

一　臨時的に任用された者

二　中堅教諭等資質向上研修を受けたことがある者で、研修実施者が当該者の能力、適性等を勘案して中堅教諭等資質向上研修を実施する必要がないと認めるもの

三　会計年度任用職員

四　地方公務員法第二十六条の六第七項、地方公務員の育児休業等に関する法律第六条第一項若しくは第十八条第一項又は地方公共団体の一般職の任期付職員の採用に関する法律第三条第一項若しくは第二項、第四条若しくは第五条の規定により任期を定めて採用された者

五　指導主事、社会教育主事その他教育委員会の事務局（地方教育行政の組織及び運営に関する法律（昭和三十一年法律第百六十二号）第二十三条第一項の条例の定めるところによりその長が同項第一号に掲げる事務を管理し、及び執行することとされた地方公共団体にあつては、当該事務を分掌する内部部局を含む。）において学校教育又は社会教育に関する事務に従事した経験を有する者で、研修実施者が当該者の経験の程度を勘案して中堅教諭等資質向上研修を実施する必要がないと認めるもの

（指導改善研修の対象から除く者）

第五条　次に掲げる者は、指導改善研修の対象から除くものとする。

一　条件付採用期間中の者

二　臨時的に任用された者

（大学院修学休業をすることができない者）

第六条　法第二十六条第一項第四号の政令で定める者は、次に掲げる者とする。

一　指導改善研修を命ぜられている者

二　許可を受けようとする大学院修学休業の期間の満了の日（以下この号において「休業期間満了日」という。）の前日までの間又は休業期間満了日から起算して一年以内に定年退職日（地方公務員法第二十八条の六第一項に規定する定年退職日をいう。第四号において同じ。）又は同法第二十二条の四第一項に規定する定年退職日相当日が到来する者

三　会計年度任用職員

四　地方公務員法第二十八条の七第一項又は第二項の規定により定年退職日の翌日以降引き続き勤務している者

（大学院修学休業の許可の取消事由）

第七条　法第二十八条第二項の政令で定める事由は、次の各号のいずれにも該当することとする。

一　大学院修学休業をしている主幹教諭等が正当な理由なく当該大学院修学休業の許可に係る大学院の課程等を休学し、又はその授業を頻繁に欠席していること。

二　大学院修学休業をしている主幹教諭等が教育職員免許法第四条第二項に規定する専修免許状を取得するのに必要とする単位を当該大学院修学休業の期間内に修得することが困難となつたこと。

（大学の助手に対する法の規定の準用）

第八条　大学の助手については、法第三条第一項、第五項及び第六項、第四条から第六条まで、第八条から第十条まで、第十七条から第十九条まで、第二十一条並びに第二十二条の規定中教員に関する部分の規定を準用する。この場合において、法第二十一条第二項中「研修実施者」とあるのは「任命権者」と、「（公立の小学校等の校長及び教員（臨時的に任用された者その他の政令で定める者を除く。以下この章において同じ。）を除く。）の研修」とあるのは「の研修」と読み替えるものとする。

2　前項の場合において、任命権者は、法第十条に規定する権限を学部長その他の大学の機関に委任すること

ができる。

3　第一項の場合において、次の表の上欄に掲げる者は、同表の中欄に掲げる法の規定に規定する権限（法第八条第一項の規定にあつては、同項の規定により読み替えられた地方公務員法の各規定に規定する権限）の全部又は一部を、それぞれ同表の下欄に掲げる者に委任することができる。

学長	第三条第五項、第五条の二、第六条、第八条第一項及び第十九条	学部長その他の大学内の他の機関
評議会（評議会を置かない大学にあつては、教授会）	第三条第五項、第四条（第五条第二項及び第九条第二項において準用する場合を含む。）、第五条第一項、第五条の二第二項、第六条、第八条第一項、第九条第一項及び第十九条	教授会その他の大学内の他の機関
教授会	第三条第五項及び第五条の二第一項	当該教授会に属する教員のうちの一部の者で構成する会議その他の大学内の他の機関

（高等専門学校の助手並びに高等学校、中等教育学校及び特別支援学校の実習助手及び寄宿舎指導員に対する法の規定の準用）

第九条　高等専門学校（公立学校（法第二条第一項に規定する公立学校をいう。次項において同じ。）であるものに限る。）の助手については、法第十一条、第十四条、第十七条、第十八条、第二十一条及び第二十二条の規定中教員に関する部分の規定を準用する。この場合において、法第二十一条第二項中「研修実施者」とあるのは「任命権者」と、「（公立の小学校等の校長及び教員（臨時的に任用された者その他の政令で定める者を除く。以下この章において同じ。）を除く。）の研修」とあるのは「の研修」と読み替えるものとする。

2　高等学校、中等教育学校及び特別支援学校（いずれも公立学校であるものに限る。）の実習助手並びに特別支援学校（公立学校であるものに限る。）の寄宿舎指導員については、法第十一条、第十二条第二項、第十三条、第十四条、第十七条、第十八条、第二十一条及び第二十二条の規定中教員に関する部分の規定を準用する。この場合において、法第二十一条第二項中「研修実施者」とあるのは「任命権者」と、「（公立の小学校等の校長及び教員（臨時的に任用された者その他の政令で定める者を除く。以下この章において同じ。）を除く。）の研修」とあるのは「の研修」と読み替えるものとする。

（専修学校及び各種学校の校長及び教員に対する法の規定の準用）

第十条　専修学校及び各種学校（いずれも国が設置するものに限る。）の校長及び教員については、法第十一条、第十四条、第二十一条及び第二十二条の規定中それぞれ校長及び教員に関する部分の規定を準用する。この場合において、法第二十一条第二項中「研修実施者」とあるのは「任命権者」と、「（公立の小学校等の校長及び教員（臨時的に任用された者その他の政令で定める者を除く。以下この章において同じ。）を除く。）の研修」とあるのは「の研修」と読み替えるものとする。

2　専修学校及び各種学校（いずれも地方公共団体が設置するものに限る。）の校長及び教員については、法第十一条、第十四条、第十七条、第十八条、第二十一条、第二十二条及び第二十九条の規定中それぞれ校長及び教員に関する部分の規定を準用する。この場合において、法第二十一条第二項中「研修実施者」とあるのは「任命権者」と、「（公立の小学校等の校長及び教員（臨時的に任用された者その他の政令で定める者を除く。以下この章において同じ。）を除く。）の研修」とあるのは「の研修」と読み替えるものとする。

（法第三十一条の政令で定める研究施設）

第十一条　法第三十一条の政令で定める研究施設は、国立教育政策研究所とする。

（法第三十四条第一項の政令で定める研究施設研究教育職員等）

第十二条　法第三十四条第一項の政令で定める者は、一般職の職員の給与に関する法律（昭和二十五年法律第九十五号）第六条第一項の規定に基づき同法別表第七研究職俸給表の適用を受ける者でその属する職務の級が一級であるもの以外の者とする。

2　法第三十四条第一項の政令で定める要件は、次に掲げる要件の全てに該当することとする。

一　当該研究施設研究教育職員の共同研究等への従事が、当該共同研究等の規模、内容等に照らして、当該共同研究等の効率的実施に特に資するものであること。

二　当該研究施設研究教育職員が共同研究等において従事する業務が、その職務に密接な関連があり、かつ、当該共同研究等において重要なものであること。
三　当該研究施設研究教育職員を共同研究等に従事させることについて当該共同研究等を行う国及び行政執行法人以外の者からの要請があること。
3　各省各庁の長等（財政法（昭和二十二年法律第三十四号）第二十条第二項に規定する各省各庁の長及び行政執行法人の長をいう。）は、職員の退職に際し、その者の在職期間のうちに研究施設研究教育職員として共同研究等に従事するため国家公務員法（昭和二十二年法律第百二十号）第七十九条の規定により休職にされた期間があつた場合において、当該休職に係る期間（その期間が更新された場合にあつては、当該更新に係る期間。以下この項において同じ。）における当該研究施設研究教育職員としての当該共同研究等への従事が前項各号に掲げる要件の全てに該当することにつき、文部科学大臣において当該休職前（更新に係る場合には、当該更新前）に内閣総理大臣の承認を受けているときに限り、当該休職に係る期間について法第三十四条第一項の規定を適用するものとする。
4　法第三十四条第二項の政令で定める給付は、所得税法（昭和四十年法律第三十三号）第三十条第一項に規定する退職手当等（同法第三十一条の規定により退職手当等とみなされるものを含む。）とする。
5　第三項の承認に係る共同研究等に従事した研究施設研究教育職員は、当該共同研究等を行う国及び行政執行法人以外の者から前項に規定する退職手当等の支払を受けたときは、所得税法第二百二十六条第二項の規定により交付された源泉徴収票（源泉徴収票の交付のない場合には、これに準ずるもの）を文部科学大臣に提出し、文部科学大臣はその写しを内閣総理大臣に送付しなければならない。

附　則（抄）

（施行期日）
1　この政令は、公布の日から施行する。
（法附則第五条第一項の政令で定める者）
2　法附則第五条第一項の政令で定める者は、次に掲げる者とする。
一　臨時的に任用された者
二　教諭等として小学校等において引き続き一年を超える期間を勤務したことがある者で、法附則第五条第一項後段に規定する幼稚園等の教諭等の研修実施者が教諭又は保育教諭の職務の遂行に必要な事項についての知識又は経験の程度を勘案し、同項後段に規定する研修を実施する必要がないと認めるもの
三　会計年度任用職員
四　地方公務員法第二十六条の六第七項、地方公務員の育児休業等に関する法律第六条第一項若しくは第十八条第一項又は地方公共団体の一般職の任期付職員の採用に関する法律第三条第一項若しくは第二項、第四条若しくは第五条の規定により任期を定めて採用された者
（十年経験者研修を受けた者に対する中堅教諭等資質向上研修の特例）
3　法第二十四条第一項の政令で定める者は、第四条各号に掲げる者のほか、教育公務員特例法等の一部を改正する法律（平成二十八年法律第八十七号）第一条の規定による改正前の法第二十四条第一項の十年経験者研修を受けたことがある者で、研修実施者が当該者の能力、適性等を勘案して中堅教諭等資質向上研修を実施する必要がないと認めるものとする。
（幼稚園等の教諭等に対する中堅教諭等資質向上研修の特例）
4　法附則第六条第一項に規定する幼稚園等の教諭等についての第四条第二号及び第五号並びに前項の規定の適用については、当分の間、これらの規定中「研修実施者」とあるのは、「研修実施者（指定都市以外の市町村の設置する幼稚園及び特別支援学校の幼稚部の教諭等については当該市町村を包括する都道府県の教育委員会、当該市町村の設置する幼保連携型認定こども園の教諭等については当該市町村を包括する都道府県の知事）」とする。
（法附則第七条の政令で定める者）
5　法附則第七条の政令で定める者は、次に掲げる者とする。
一　条件付採用期間中の者
二　臨時的に任用された者

○公立の大学における外国人教員の任用等に関する特別措置法

昭五七・九・一
法八九

最終改正 平一八・三・三一法二四

(目的)

第一条 この法律は、公立の大学において外国人を教授等に任用することができることとすることにより、大学における教育及び研究の進展を図るとともに、学術の国際交流の推進に資することを目的とする。

(外国人の公立の大学の教授等への任用等)

第二条 公立の大学においては、外国人(日本の国籍を有しない者をいう。以下同じ。)を教授、准教授、助教又は講師(以下「教員」という。)に任用することができる。

2 前項の規定により任用された教員は、外国人であることを理由として、教授会その他大学の運営に関与する合議制の機関の構成員となり、その議決に加わることを妨げられるものではない。

3 第一項の規定により任用される教員の任期については、教育公務員特例法(昭和二十四年法律第一号)第二条第四項に規定する評議会(評議会を置かない大学にあつては、教授会)の議に基づき学長の定めるところによる。

附 則

(施行期日)

この法律は、公布の日から施行する。

○公益的法人等への一般職の地方公務員の派遣等に関する法律

平一二・四・二六
法五〇

最終改正 令元・六・一四法三七

(目的)

第一条 この法律は、地方公共団体が人的援助を行うことが必要と認められる公益的法人等の業務に専ら従事させるために職員(地方公務員法(昭和二十五年法律第二百六十一号)第四条第一項に規定する職員をいう。第七条を除き、以下同じ。)を派遣する制度等を整備することにより、公益的法人等の業務の円滑な実施の確保等を通じて、地域の振興、住民の生活の向上等に関する地方公共団体の諸施策の推進を図り、もって公共の福祉の増進に資することを目的とする。

(職員の派遣)

第二条 任命権者(地方公務員法第六条第一項に規定する任命権者及びその委任を受けた者をいう。以下同じ。)は、次に掲げる団体のうち、その業務の全部又は一部が当該地方公共団体の事務又は事業と密接な関連を有するものであり、かつ、当該地方公共団体がその施策の推進を図るため人的援助を行うことが必要であるものとして条例で定めるもの(以下この項及び第三項において「公益的法人等」という。)との間の取決めに基づき、当該公益的法人等の業務にその役職員として専ら従事させるため、条例で定めるところにより、職員（条例で定める職員を除く。）を派遣することができる。

一　一般社団法人又は一般財団法人

二　地方独立行政法人法（平成十五年法律第百十八号）第八条第一項第五号に規定する一般地方独立行政法人

三　特別の法律により設立された法人（前号に掲げるもの及び営利を目的とするものを除く。）で政令で定めるもの

四　地方自治法（昭和二十二年法律第六十七号）第二百六十三条の三第一項に規定する連合組織で同項の規定による届出をしたもの

2　任命権者は、前項の規定による職員の派遣（以下「職員派遣」という。）の実施に当たっては、あらかじめ、当該職員に同項の取決めの内容を明示し、その同意を得なければならない。

3　第一項の取決めにおいては、当該職員派遣に係る職員の職員派遣を受ける公益的法人等（以下「派遣先団体」という。）における報酬その他の勤務条件及び当該派遣先団体において従事すべき業務、当該職員の職員派遣の期間、当該職員の職務への復帰に関する事項その他職員派遣に当たって合意しておくべきものとして条例で定める事項を定めるものとする。

4　前項の規定により第一項の取決めで定める職員派遣に係る職員の派遣先団体において従事すべき業務は、当該派遣先団体の主たる業務が地方公共団体の事務又は事業と密接な関連を有すると認められる業務である場合を除き、地方公共団体の事務又は事業と密接な関連を有すると認められる業務を主たる内容とするものでなければならない。

（職員派遣の期間）

第三条　職員派遣の期間は、三年を超えることができない。

2　前項の期間は、任命権者が特に必要があると認めるときは、派遣先団体との合意により、職員派遣をされた職員（以下「派遣職員」という。）の同意を得て、職員派遣をした日から引き続き五年を超えない範囲内において、これを延長することができる。

（派遣先団体の業務への従事等）

第四条　派遣職員は、その職員派遣の期間中、第二条第一項の取決めに定められた内容に従って、派遣先団体の業務に従事するものとする。

2　派遣職員は、その職員派遣の期間中、職員派遣された時就いていた職又は職員派遣の期間中に異動した職を保有するが、職務に従事しない。

（派遣職員の職務への復帰）

第五条　任命権者は、派遣職員が派遣先団体の役職員の地位を失った場合その他の条例で定める場合であって、その職員派遣を継続することができないか又は適当でないと認めるときは、速やかに当該職員派遣に係る派遣職員を職務に復帰させなければならない。

2　派遣職員は、その職員派遣の期間が満了したときは、職務に復帰する。

（派遣職員の給与）

第六条　派遣職員には、その職員派遣の期間中、給与を支給しない。

2　派遣職員が派遣先団体において従事する業務が地方公共団体の委託を受けて行う業務、地方公共団体と共同して行う業務若しくは地方公共団体の事務若しくは事業を補完し若しくは支援すると認められる業務であってその実施により地方公共団体の事務若しくは事業の効率的若しくは効果的な実施が図られると認められるものである場合又はこれらの業務が派遣先団体の主たる業務である場合には、地方公共団体は、前項の規定にかかわらず、派遣職員に対して、その職員派遣の期間中、条例で定めるところにより、給与を支給することができる。

（派遣職員に関する地方公務員等共済組合法の特例）

第七条　派遣職員に対する地方公務員等共済組合法（昭和三十七年法律第百五十二号）の規定の適用については、派遣先団体の業務を公務とみなす。

2　派遣職員は、地方公務員等共済組合法第三十九条第三項の規定にかかわらず、引き続き職員派遣をされた日の前日において所属していた地方公務員共済組合（同法第三条第一項に規定する地方公務員共済組合をいう。）の組合員であるものとする。

3　派遣職員に関する地方公務員等共済組合法の規定の適用については、同法第百十三条第二項各号列記以外の部分中「地方公共団体（市町村立学校職員給与負担法（昭和二十三年法律第百三十五号）第一条又は第二条の規定により都道府県がその給与を負担する者にあっては、都道府県。以下この条において同じ。）」とあるのは「公益的法人等への一般職の地方公務員の派遣等に関する法律（平成十二年法律第五十号）第二条第三項に規定する派遣先団体（以下「派遣先団体」という。）」と、同項各号中「地方公共団体」とあり、並びに同法第百十六条第一項中「地方公共団体の機関、特定地方独立行政法人又は職員団体」とあり、及び「地方公共団体、特定地方独立行政法人又は職員団体（第

三項において「地方公共団体等」という。）」とあるのは「派遣先団体」と、同項中「第百十三条第二項（同条第六項の規定により読み替えて適用する場合を含む。）又は同条第四項及び第五項並びに」とあるのは「第百十三条第二項及び」と、同条第三項中「第百十三条第四項第二号に掲げる費用及び同条第五項に規定する費用（長期給付に係るものに限る。）並びに厚生年金保険法」とあるのは「厚生年金保険法」と、「地方公共団体等」とあるのは「派遣先団体」とする。

（派遣職員に関する子ども・子育て支援法の特例）

第八条　派遣職員に関する子ども・子育て支援法（平成二十四年法律第六十五号）の規定の適用については、派遣先団体を同法第六十九条第一項第三号に規定する団体とみなす。

（派遣職員の復帰時等における処遇）

第九条　地方公共団体は、派遣職員が職務に復帰した場合における任用、給与等に関する処遇及び職員派遣後職務に復帰した職員が退職した場合（派遣職員がその職員派遣の期間中に退職した場合を含む。）の退職手当の取扱いについては、部内の職員との均衡を失することのないよう、条例で定めるところにより必要な措置を講じ、又は適切な配慮をしなければならない。

（特定法人の業務に従事するために退職した者の採用）

第十条　任命権者と特定法人（当該地方公共団体が出資している株式会社のうち、その業務の全部又は一部が地域の振興、住民の生活の向上その他公益の増進に寄与するとともに当該地方公共団体の事務又は事業と密接な関連を有するものであり、かつ、当該地方公共団体がその施策の推進を図るため人的援助を行うことが必要であるものとして条例で定めるものをいう。以下同じ。）との間で締結された取決めに定められた内容に従って当該特定法人の業務に従事するよう求める任命権者の要請に応じて職員（条例で定める職員を除く。）が退職し、引き続き当該取決めで定める当該特定法人の役職員として在職した後、当該取決めで定める当該特定法人において業務に従事すべき期間が満了した場合又はその者が当該特定法人の役職員の地位を失った場合その他の条例で定める場合には、地方公務員法第十六条各号（第二号を除く。）のいずれかに該当する場合（同条の条例で定める場合を除く。）その他条例で定める場合を除き、その者が退職した時就いていた職又はこれに相当する職に係る任命権者は、当該特定法人の役職員としての在職に引き続き、その者を職員として採用するものとする。

2　前項の取決めにおいては、同項の要請に応じて退職し引き続き当該特定法人に在職する者（以下「退職派遣者」という。）の当該特定法人における報酬その他の勤務条件並びに当該特定法人において従事すべき業務及び業務に従事すべき期間、同項の規定による当該退職派遣者の採用に関する事項その他当該退職派遣者が当該特定法人の業務に従事するに当たって合意しておくべきものとして条例で定める事項を定めるものとする。

3　前項の規定により第一項の取決めで定める退職派遣者の特定法人において従事すべき業務は、当該特定法人の主たる業務が地域の振興、住民の生活の向上その他公益の増進に寄与し、かつ、地方公共団体の事務又は事業と密接な関連を有すると認められる業務（以下この項において「公益寄与業務」という。）である場合を除き、公益寄与業務を主たる内容とするものでなければならない。

4　第二項の規定により第一項の取決めで定める退職派遣者の特定法人において業務に従事すべき期間は、同項の要請に応じて退職をする日の翌日から起算して三年を超えない範囲内で定めるものとする。

5　第一項の規定による採用については、地方公務員法第二十二条の規定は、適用しない。

（退職派遣者に関する地方公務員等共済組合法の特例）

第十一条　特定法人又は退職派遣者は、地方公務員等共済組合法第百四十条第一項に規定する公庫等又は公庫等職員とみなして、それぞれ同条（第三項を除く。）の規定を適用する。この場合において、同条第一項中「役員及び常時勤務に服することを要しない者」とあるのは「常時勤務に服することを要しない者」と、「退職した場合」とあるのは「退職した場合（政令で定める場合を除く。）」と、同条第二項第一号中「五年」とあるのは「三年」とする。

（退職派遣者の採用時における処遇等）

第十二条　地方公共団体は、退職派遣者が第十条第一項の規定により職員として採用された場合における任用、給与等に関する処遇及び同項の規定により採用された職員が退職した場合の退職手当の取扱いについては、部内の職員との均衡を失することのないよう、条例で定めるところにより必要な措置を講じ、又は適切な配慮をしなければならない。

2　第十条第一項の規定により採用された職員（同項の規定によりかつて採用されたことのある職員を含む。）に対する地方公務員法第二十九条の規定の適用については、同条第二項中「又は」とあるのは「若しくは」と、「使用される者」とあるのは「使用される者又は公益的法人等への一般職の地方公務員の派遣等に関する法律（平成十二年法律第五十号）第十条第二項に規定する退職派遣者」と、「在職した後、引き続いて当該退職を前提として」とあるのは「在職した後、引き続いて当該退職を前提として又は同条第一項の規定に基づいて」とする。

附　則（抄）

（施行期日）

第一条　この法律は、平成十四年四月一日から施行する。ただし、第十条から第十二条まで及び次条の規定は、同年三月三十一日から施行する。

（退職派遣者の採用等に関する規定の適用）

第二条　第十条から第十二条までの規定は、平成十四年三月三十一日以後に第十条第一項の任命権者の要請に応じて退職した者について適用する。

（職員派遣の特例）

第二条の二　当分の間、設立団体（地方独立行政法人法第六条第三項に規定する設立団体をいう。）の任命権者が同法第五十九条第二項に規定する移行型一般地方独立行政法人（以下この条において「移行型一般地方独立行政法人」という。）の成立の日から当該移行型一般地方独立行政法人へ第二条第一項の規定により職員を派遣した場合において、業務の適正かつ効率的な運営を確保するため引き続き人的援助を行うことが特に必要であると認めるときは、第三条第二項の規定にかかわらず、派遣先団体である当該移行型一般地方独立行政法人との合意により、職員派遣をされた当該職員の同意を得て、三年を超えない範囲内で当該職員派遣の期間を延長することができる。ただし、当該職員派遣の期間は、当該職員派遣をした日から起算して十年を超えることができない。

○災害対策基本法（抄）

昭三六・一一・一五
法　二二三

最終改正　令五・六・一六法五八

第二章　防災に関する組織

第四節　災害時における職員の派遣

（職員の派遣の要請）

第二十九条　都道府県知事又は都道府県の委員会若しくは委員（以下「都道府県知事等」という。）は、災害応急対策又は災害復旧のため必要があるときは、政令で定めるところにより、指定行政機関の長、指定地方行政機関の長又は指定公共機関（独立行政法人通則法第二条第四項に規定する行政執行法人に限る。以下この節において同じ。）に対し、当該指定行政機関、指定地方行政機関又は指定公共機関の職員の派遣を要請することができる。

2　市町村長又は市町村の委員会若しくは委員（以下「市町村長等」という。）は、災害応急対策又は災害復旧のため必要があるときは、政令で定めるところにより、指定地方行政機関の長又は指定公共機関（その業務の内容その他の事情を勘案して市町村の地域に係る災害応急対策又は災害復旧に特に寄与するものとしてそれぞれ地域を限つて内閣総理大臣が指定するものに限る。次条において「特定公共機関」という。）に対し、当該指定地方行政機関又は指定公共機関の職員の派遣を要請することができる。

3　都道府県又は市町村の委員会又は委員は、前二項の規定により職員の派遣を要請しようとするときは、あらかじめ、当該都道府県の知事又は当該市町村の市町村長に協議しなければならない。

（職員の派遣のあつせん）

第三十条　都道府県知事等又は市町村長等は、災害応急対策又は災害復旧のため必要があるときは、政令で定めるところにより、内閣総理大臣又は都道府県知事に対し、それぞれ、指定行政機関、指定地方行政機関若しくは指定公共機関又は指定地方行政機関若しくは特定公共機関の職員の派遣についてあつせんを求めることができる。

2　都道府県知事等又は市町村長等は、災害応急対策又は災害復旧のため必要があるときは、政令で定めるところにより、内閣総理大臣又は都道府県知事に対し、それぞれ、地方自治法第二百五十二条の十七の規定による職員の派遣について、又は同条の規定による職員の派遣若しくは地方独立行政法人法第百二十四条第一項の規定による職員（指定地方公共機関である同法第二条第二項に規定する特定地方独立行政法人（次条において「特定地方公共機関」という。）の職員に限る。）の派遣についてあつせんを求めることができる。

3　前条第三項の規定は、前二項の規定によりあつせんを求めようとする場合について準用する。

（職員の派遣義務）

第三十一条　指定行政機関の長及び指定地方行政機関の長、都道府県知事等及び市町村長等並びに指定公共機関及び特定地方公共機関は、前二条の規定による要請又はあつせんがあつたときは、その所掌事務又は業務の遂行に著しい支障のない限り、適任と認める職員を派遣しなければならない。

（派遣職員の身分取扱い）

第三十二条　都道府県又は市町村は、前条又は他の法律の規定により災害応急対策又は災害復旧のため派遣された職員に対し、政令で定めるところにより、災害派遣手当を支給することができる。

2　前項に規定するもののほか、前条の規定により指定行政機関、指定地方行政機関又は指定公共機関から派遣された職員の身分取扱いに関し必要な事項は、政令で定める。

（派遣職員に関する資料の提出等）

第三十三条　指定行政機関の長若しくは指定地方行政機関の長、都道府県知事又は指定公共機関は、内閣総理大臣に対し、第三十一条の規定による職員の派遣が円滑に行われるよう、定期的に、災害応急対策又は災害復旧に必要な技術、知識又は経験を有する職員の職種別現員数及びこれらの者の技術、知識又は経験の程度を記載した資料を提出するとともに、当該資料を相互に交換しなければならない。

○災害対策基本法施行令（抄）

昭三七・七・九
政令二八八

最終改正　令六・三・二九政令七五

第四章　災害時における職員の派遣

（職員の派遣の要請手続）

第十五条　都道府県知事若しくは都道府県の委員会若しくは委員（以下「都道府県知事等」という。）又は市町村長若しくは市町村の委員会若しくは委員（以下「市町村長等」という。）は、法第二十九条第一項又は第二項の規定により指定行政機関、指定地方行政機関又は指定公共機関（同条第一項に規定する指定公共機関をいう。以下この章において同じ。）の職員の派遣を要請しようとするときは、次の各号に掲げる事項を記載した文書をもつてこれをしなければならない。

一　派遣を要請する理由
二　派遣を要請する職員の職種別人員数
三　派遣を必要とする期間
四　派遣される職員の給与その他の勤務条件
五　前各号に掲げるもののほか、職員の派遣について必要な事項

（職員の派遣のあつせんの要求手続）

第十六条　都道府県知事等又は市町村長等は、法第三十条第一項又は第二項の規定により内閣総理大臣又は都道府県知事に対し職員の派遣についてあつせんを求めようとするときは、次の各号に掲げる事項を記載した

文書をもつてこれをしなければならない。
一　派遣のあつせんを求める理由
二　派遣のあつせんを求める職員の職種別人員数
三　派遣を必要とする期間
四　派遣される職員の給与その他の勤務条件
五　前各号に掲げるもののほか、職員の派遣のあつせんについて必要な事項

（派遣職員の身分等）
第十七条　法第三十一条の規定により指定行政機関、指定地方行政機関又は指定公共機関から派遣される職員（以下この条及び次条において「派遣職員」という。）は、派遣を受けた都道府県又は市町村の職員の身分を併せ有することとなるものとする。
2　派遣職員は、派遣を受けた都道府県又は市町村の職員の定数の外に置くものとする。
3　派遣職員の任用については、地方公務員法（昭和二十五年法律第二百六十一号）第十七条の二第一項及び第二項並びに第十八条から第二十二条の三までの規定は、適用しない。
4　派遣を受けた都道府県又は市町村の都道府県知事等又は市町村長等は、地方公務員法第二十八条第一項又は第二項の規定にかかわらず、派遣職員をその意に反して降任し、休職し、又は免職することができない。
5　派遣を受けた都道府県又は市町村の都道府県知事等又は市町村長等は、地方公務員法第二十九条第一項の規定にかかわらず、派遣職員に対し懲戒処分として戒告、減給、停職又は免職の処分をすることができない。
6　派遣職員に対する国家公務員法（昭和二十二年法律第百二十号）第七十八条第一号及び第八十二条第一項第二号並びに自衛隊法（昭和二十九年法律第百六十五号）第四十二条第一号及び第四十六条第一項第一号の規定の適用については、派遣を受けた都道府県又は市町村の職員としての職務を国又は指定公共機関の職員としての職務とみなす。
7　派遣職員に対する国家公務員法第八十二条第一項第一号の規定の適用については、同号中「この法律若しくは国家公務員倫理法又はこれらの法律に基づく命令（国家公務員倫理法第五条第三項の規定に基づく訓令及び同条第四項の規定に基づく規則を含む。）」とあるのは「この法律若しくは国家公務員倫理法若しくはこれらの法律に基づく命令（国家公務員倫理法第五条第三項の規定に基づく訓令及び同条第四項の規定に基づく規則を含む。）又は地方公務員法（昭和二十五年法律第二百六十一号）若しくは同法第五十七条に規定する特例を定めた法律若しくはこれらに基づく条例、派遣を受けた都道府県若しくは市町村の規則若しくは当該都道府県若しくは市町村の機関の定める規程」と、派遣職員に対する自衛隊法第四十六条第一項第三号の規定の適用については、同号中「この法律若しくは自衛隊員倫理法（平成十一年法律第百三十号）又はこれらの法律に基づく命令」とあるのは「この法律若しくは自衛隊員倫理法（平成十一年法律第百三十号）若しくはこれらの法律に基づく命令又は地方公務員法（昭和二十五年法律第二百六十一号）若しくは同法第五十七条に規定する特例を定めた法律若しくはこれらに基づく条例、派遣を受けた都道府県若しくは市町村の規則若しくは当該都道府県若しくは市町村の機関の定める規程」とする。
8　派遣職員は、派遣の期間が終了したとき、又は派遣をした指定行政機関、指定地方行政機関若しくは指定公共機関の職員の身分を失つたときは、同時に派遣を受けた都道府県又は市町村の職員の身分を失うものとする。

（派遣職員の給与等）
第十八条　派遣職員は、一般職の職員の給与に関する法律（昭和二十五年法律第九十五号）第十二条第一項の通勤手当、同法第十二条の二第一項及び第三項の単身赴任手当、同法第十二条の三第一項の在宅勤務等手当、同法第十三条第一項の特殊勤務手当、同法第十六条第一項の超過勤務手当、同法第十七条の休日給、同法第十八条の夜勤手当、同法第十九条の二第一項及び第二項の宿日直手当、同法第十九条の三第一項の管理職員特別勤務手当並びに国家公務員等の旅費に関する法律（昭和二十五年法律第百十四号）第三条第一項の旅費又は国若しくは指定公共機関の職員に対して支給されるべきこれらに相当するものの支給を受けることができない。
2　派遣職員は、地方自治法（昭和二十二年法律第六十七号）第二百四条第一項の給料、同条第二項の扶養手当、地域手当、住居手当、初任給調整手当、特地勤務手当（これに準ずる手当を含む。）、管理職手当、期末手当、勤勉手当、寒冷地手当及び退職手当、地方公務員法第四十二条第一項の共済制度による給付並びに同法第四十五条第一項の公務災害補償又は派遣を受けた都道府県若しくは市町村の職員に対して支給されるべきこれらに相当するものの支給を受けることができない。
3　派遣職員に対する次に掲げる規定（指定公共機関からの派遣職員にあつては、第六号及び第七号に掲げる

規定）の適用については、派遣を受けた都道府県又は市町村の職員としての勤務を国又は指定公共機関の職員としての勤務とみなす。

一　一般職の職員の給与に関する法律第八条第六項から第八項まで（防衛省の職員の給与等に関する法律（昭和二十七年法律第二百六十六号）第五条第二項において準用する場合を含む。）、第十五条及び第十九条の七第一項

二　人事院規則九―七（俸給等の支給）第七条

三　防衛省の職員の給与等に関する法律第十一条第二項、第十六条第二項、第十七条第一項、第十八条第三項及び第十八条の二第一項

四　防衛省の職員の給与等に関する法律施行令（昭和二十七年政令第三百六十八号）第八条の三第四項

五　国家公務員の寒冷地手当に関する法律（昭和二十四年法律第二百号）第一条及び第五条

六　国家公務員退職手当法（昭和二十八年法律第百八十二号）第二条第一項、第六条の四第一項及び第七条第四項

七　国家公務員共済組合法（昭和三十三年法律第百二十八号）第二条第一項

4　派遣職員に対する次に掲げる規定（指定公共機関からの派遣職員にあつては、第一号、第三号及び第五号に掲げる規定）の適用については、派遣を受けた都道府県又は市町村の公務を国又は指定公共機関の公務とみなす。

一　国家公務員災害補償法（昭和二十六年法律第百九十一号）第十条、第十二条、第十二条の二第一項、第十三条第一項及び第八項、第十五条、第十八条並びに第二十二条第一項及び第二項

二　防衛省の職員の給与等に関する法律第二十七条第一項において準用する前号に掲げる規定

三　国家公務員退職手当法第五条第一項第四号

四　防衛省の職員の給与等に関する法律第二十八条第三項

五　国家公務員共済組合法第八十三条第一項、第二項及び第四項、第八十五条第二項並びに第八十九条第一項

5　派遣職員の国家公務員災害補償法第四条第一項（防衛省の職員の給与等に関する法律第二十七条第一項において準用する場合を含む。）の給与及び国家公務員共済組合法第二条第一項第五号の報酬については、派遣を受けた都道府県又は市町村が法令の規定により当該派遣職員に対し支給した通勤手当、単身赴任手当、在宅勤務等手当、特殊勤務手当、時間外勤務手当、休日勤務手当、夜間勤務手当、宿日直手当及び管理職員特別勤務手当又はこれらに相当するものを、国が法令の規定により当該派遣職員に対し支給し、又は指定公共機関が当該派遣職員に対し支給した通勤手当、単身赴任手当、在宅勤務等手当、特殊勤務手当、超過勤務手当、休日給、夜勤手当、宿日直手当及び管理職員特別勤務手当又はこれらに相当するものとみなす。

6　派遣職員の地方自治法第二百四条第二項のへき地手当（これに準ずる手当を含む。）、時間外勤務手当、夜間勤務手当、休日勤務手当及び農林漁業普及指導手当又は派遣を受けた都道府県若しくは市町村の職員に対して支給されるこれらに相当するものの支給額の算定の基礎となる給与については、国が法令の規定により当該派遣職員に対し支給し、又は指定公共機関が当該派遣職員に対し支給する俸給（俸給の調整額を含む。）、扶養手当及び地域手当又はこれらに相当するものを、派遣を受けた都道府県若しくは市町村が法令の規定により当該派遣職員に対し支給すべき給料、扶養手当及び地域手当又はこれらに相当するものとみなす。

7　派遣職員に対する一般職の職員の給与に関する法律第十一条の三から第十一条の七までの地域手当、同法第十三条の二第一項の特地勤務手当、同法第十四条第一項及び第二項の特地勤務手当に準ずる手当並びに国家公務員の寒冷地手当に関する法律第一条の寒冷地手当又はこれらに相当するものの支給については、国の職員としての勤務に係る地域の支給地域の区分又は官署の級別区分に応じ、これを行うものとする。

8　国又は指定公共機関が派遣職員に対して支給した一般職の職員の給与に関する法律第五条第一項の俸給、同法第十条の二第一項の俸給の特別調整額、同法第十条の三第一項の本府省業務調整手当、同法第十条の四第一項及び第二項の初任給調整手当、同法第十条の五第一項の専門スタッフ職調整手当、同法第十一条第一項の扶養手当、同法第十一条の三から第十一条の七までの地域手当、同法第十一条の八第一項及び第三項の広域異動手当、同法第十一条の九第一項の研究員調整手当、同法第十一条の十第一項の住居手当、同法第十三条の二第一項の特地勤務手当、同法第十四条第一項及び第二項の特地勤務手当に準ずる手当、同法第十九条の四第一項の期末手当並びに同法第十九条の七第一項の勤勉手当の支給額、国家公務員の寒冷地手当に関する法律第一条の寒冷地手当の支給額並びに国家公務員災害補償法第九条各号に規定する公務災害補償に要する費用又はこれらに相当するもの並びに国又は指定

公共機関が負担した国家公務員共済組合法第九十九条第二項第一号から第三号までに規定する負担金及び厚生年金保険法（昭和二十九年法律第百十五号）第八十二条第一項の保険料のうち派遣職員に係る額については、派遣を受けた都道府県又は市町村がこれを負担するものとする。

（災害派遣手当）

第十九条　法第三十二条第一項の災害派遣手当は、災害応急対策又は災害復旧のため派遣された職員が住所又は居所を離れて派遣を受けた都道府県又は市町村の区域に滞在することを要する場合に限り、総務大臣が定める基準に従い、当該都道府県又は市町村の条例で定める額を支給するものとする。

○大学の教員等の任期に関する法律

平九・六・一三
法　八　二

最終改正　平二七・五・二七法二七

（目的）

第一条　この法律は、大学等において多様な知識又は経験を有する教員等相互の学問的交流が不断に行われる状況を創出することが大学等における教育研究の活性化にとって重要であることにかんがみ、任期を定めることができる場合その他教員等の任期について必要な事項を定めることにより、大学等への多様な人材の受入れを図り、もって大学等における教育研究の進展に寄与することを目的とする。

（定義）

第二条　この法律において、次の各号に掲げる用語の意義は、当該各号に定めるところによる。

一　大学　学校教育法（昭和二十二年法律第二十六号）第一条に規定する大学をいう。

二　教員　大学の教授、准教授、助教、講師及び助手をいう。

三　教員等　教員並びに国立大学法人法（平成十五年法律第百十二号）第二条第三項に規定する大学共同利用機関法人、独立行政法人大学改革支援・学位授与機構及び独立行政法人大学入試センター（次号、第六条及び第七条第二項において「大学共同利用機関法人等」という。）の職員のうち専ら研究又は教育に従事する者をいう。

四　任期　地方公務員としての教員の任用に際して、又は国立大学法人（国立大学法人法第二条第一項に規定する国立大学法人をいう。以下同じ。）、大学共同利用機関法人等、公立大学法人（地方独立行政法人法（平成十五年法律第百十八号）第六十八条第一項に規定する公立大学法人をいう。以下同じ。）若しくは学校法人（私立学校法（昭和二十四年法律第二百七十号）第三条に規定する学校法人をいう。以下同じ。）と教員等との労働契約において定められた期間であって、地方公務員である教員が就いていた職若しくは同一の地方公共団体の他の職（特別職に属する職及び非常勤の職を除く。）に引き続き任用される場合又は同一の国立大学法人、大学共同利用機関法人等、公立大学法人若しくは学校法人との間で引き続き労働契約が締結される場合を除き、当該期間の満了により退職することとなるものをいう。

（公立の大学の教員の任期）

第三条　公立の大学の学長は、教育公務員特例法（昭和二十四年法律第一号）第二条第四項に規定する評議会（評議会を置かない大学にあっては、教授会）の議に基づき、当該大学の教員（常時勤務の者に限る。以下この条及び次条において同じ。）について、次条の規定による任期を定めた任用を行う必要があると認めるときは、教員の任期に関する規則を定めなければならない。

2　公立の大学は、前項の規定により学長が教員の任期に関する規則を定め、又はこれを変更したときは、遅滞なく、これを公表しなければならない。

3 第一項の教員の任期に関する規則に記載すべき事項及び前項の公表の方法については、文部科学省令で定める。

第四条 任命権者は、前条第一項の教員の任期に関する規則が定められている大学について、教育公務員特例法第十条第一項の規定に基づきその教員を任用する場合において、次の各号のいずれかに該当するときは、任期を定めることができる。
一 先端的、学際的又は総合的な教育研究であることその他の当該教育研究組織で行われる教育研究の分野又は方法の特性に鑑み、多様な人材の確保が特に求められる教育研究組織の職に就けるとき。
二 助教の職に就けるとき。
三 大学が定め又は参画する特定の計画に基づき期間を定めて教育研究を行う職に就けるとき。

2 任命権者は、前項の規定により任期を定めて教員を任用する場合には、当該任用される者の同意を得なければならない。

（国立大学、公立大学法人の設置する大学又は私立大学の教員の任期）

第五条 国立大学法人、公立大学法人又は学校法人は、当該国立大学法人、公立大学法人又は学校法人の設置する大学の教員について、前条第一項各号のいずれかに該当するときは、労働契約において任期を定めることができる。

2 国立大学法人、公立大学法人又は学校法人は、前項の規定により教員との労働契約において任期を定めようとするときは、あらかじめ、当該大学に係る教員の任期に関する規則を定めておかなければならない。

3 公立大学法人（地方独立行政法人法第七十一条第一項ただし書の規定の適用を受けるものに限る。）又は学校法人は、前項の教員の任期に関する規則を定め、又はこれを変更しようとするときは、当該大学の学長の意見を聴くものとする。

4 国立大学法人、公立大学法人又は学校法人は、第二項の教員の任期に関する規則を定め、又はこれを変更したときは、これを公表するものとする。

5 第一項の規定により定められた任期は、教員が当該任期中（当該任期が始まる日から一年以内の期間を除く。）にその意思により退職することを妨げるものであってはならない。

（大学共同利用機関法人等の職員への準用）

第六条 前条（第三項を除く。）の規定は、大学共同利用機関法人等の職員のうち専ら研究又は教育に従事する者について準用する。

（労働契約法の特例）

第七条 第五条第一項（前条において準用する場合を含む。）の規定による任期の定めがある労働契約を締結した教員等の当該労働契約に係る労働契約法（平成十九年法律第百二十八号）第十八条第一項の規定の適用については、同項中「五年」とあるのは、「十年」とする。

2 前項の教員等のうち大学に在学している間に国立大学法人、公立大学法人若しくは学校法人又は大学共同利用機関法人等との間で期間の定めのある労働契約（当該労働契約の期間のうちに大学に在学している期間を含むものに限る。）を締結していた者の同項の労働契約に係る労働契約法第十八条第一項の規定の適用については、当該大学に在学している期間は、同項に規定する通算契約期間に算入しない。

（他の法律の適用除外）

第八条 地方公共団体の一般職の任期付職員の採用に関する法律（平成十四年法律第四十八号）の規定は、地方公務員である教員には適用しない。

附 則

この法律は、公布の日から起算して三月を超えない範囲内において政令で定める日〔平九・八・二五〕から施行する。

○科学技術・イノベーション創出の活性化に関する法律

平二〇・六・一一
法 六 三

最終改正 令五・六・七法四七

第一章 総則

(目的)

第一条 この法律は、国際競争の激化、急速な少子高齢化の進展等の経済社会情勢の変化に対応して、我が国の経済社会を更に発展させるためには科学技術・イノベーション創出の活性化を通じてこれに関する知識、人材及び資金の好循環を実現することが極めて重要であることに鑑み、科学技術・イノベーション創出の活性化に関し、基本理念を定め、並びに国、地方公共団体、研究開発法人及び大学等並びに民間事業者の責務等を明らかにするとともに、科学技術・イノベーション創出の活性化のために必要な事項等を定めることにより、我が国の国際競争力の強化、経済社会の健全な発展及び国民生活の向上に寄与することを目的とする。

(定義)

第二条 この法律において「研究開発」とは、科学技術に関する試験若しくは研究又は科学技術に関する開発をいう。

2 この法律において「研究開発等」とは、研究開発又は研究開発の成果の普及若しくは実用化をいう。

3 この法律において「研究開発能力」とは、研究開発等を行う能力をいう。

4 この法律において「研究開発システム」とは、研究開発等の推進のための基盤が整備され、科学技術に関する予算、人材その他の科学技術の振興に必要な資源(以下単に「科学技術の振興に必要な資源」という。)が投入されるとともに、研究開発が行われ、その成果の普及及び実用化が図られるまでの仕組み全般をいう。

5 この法律において「イノベーションの創出」とは、科学技術・イノベーション基本法(平成七年法律第百三十号)第二条第一項に規定するイノベーションの創出をいう。

6 この法律において「科学技術・イノベーション創出の活性化」とは、科学技術の活性化及び研究開発の成果の実用化によるイノベーションの創出の活性化をいう。

7 この法律において「大学等」とは、大学及び大学共同利用機関をいう。

8 この法律において「試験研究機関等」とは、次に掲げる機関のうち科学技術に関する試験又は研究(以下単に「研究」という。)を行うもので政令で定めるものをいう。

一 内閣府設置法(平成十一年法律第八十九号)第三十九条及び第五十五条並びに宮内庁法(昭和二十二年法律第七十号)第十六条第二項並びに国家行政組織法(昭和二十三年法律第百二十号)第八条の二に規定する機関

二 内閣府設置法第四十条及び第五十六条並びに国家行政組織法第八条の三に規定する特別の機関又は当該機関に置かれる試験所、研究所その他これらに類する機関

三 内閣府設置法第四十三条及び第五十七条(宮内庁法第十八条第一項において準用する場合を含む。)並びに宮内庁法第十七条第一項並びに国家行政組織法第九条に規定する地方支分部局に置かれる試験所、研究所その他これらに類する機関

四 行政執行法人(独立行政法人通則法(平成十一年法律第百三号)第二条第四項に規定する行政執行法人をいう。以下同じ。)

9 この法律において「研究開発法人」とは、独立行政法人通則法第二条第一項に規定する独立行政法人(以下単に「独立行政法人」という。)であって、研究開発等、研究開発等であって公募によるものに係る業務又は科学技術に関する啓発及び知識の普及に係る業務を行うもののうち重要なものとして別表第一に掲げるものをいう。

10 この法律において「国立大学法人等」とは、国立大学法人法(平成十五年法律第百十二号)第二条第五項に規定する国立大学法人等をいう。

11 この法律において「研究者等」とは、科学技術に関する研究者及び技術者(研究開発の補助を行う人材を含む。)をいう。

12 この法律において「研究公務員」とは、試験研究機関等に勤務する次に掲げる国家公務員をいう。

一 一般職の職員の給与に関する法律(昭和二十五年法律第九十五号)第六条第一項の規定に基づき同法別表第七研究職俸給表(次号において「別表第七」という。)の適用を受ける職員並びに同項の規定に基づき同法別表第六教育職俸給表㈠(次号において

「別表第六」という。）の適用を受ける職員、同項の規定に基づき同法別表第八医療職俸給表(一)（次号において「別表第八」という。）の適用を受ける職員及び一般職の任期付職員の採用及び給与の特例に関する法律（平成十二年法律第百二十五号）第七条第一項の規定に基づき同項に規定する俸給表（次号において「任期付職員俸給表」という。）の適用を受ける職員のうち研究を行う者として政令で定める者並びに一般職の任期付研究員の採用、給与及び勤務時間の特例に関する法律（平成九年法律第六十五号）第六条第一項又は第二項の規定に基づきこれらの規定に規定する俸給表（次号において「任期付研究員俸給表」という。）の適用を受ける職員（第十四条第二項において「任期付研究員俸給表適用職員」という。）

二　防衛省の職員の給与等に関する法律（昭和二十七年法律第二百六十六号）第四条第一項の規定に基づき別表第七に定める額の俸給が支給される職員並びに同項の規定に基づき別表第六又は別表第八に定める額の俸給が支給される職員、同条第二項の規定に基づき任期付職員俸給表に定める額の俸給が支給される職員及び防衛省設置法（昭和二十九年法律第百六十四号）第三十九条に規定する自衛官のうち研究を行う者として政令で定める者並びに防衛省の職員の給与等に関する法律第四条第三項の規定に基づき任期付研究員俸給表に定める額の俸給が支給される職員

三　行政執行法人に勤務する国家公務員法（昭和二十二年法律第百二十号）第二条に規定する一般職に属する職員のうち研究を行う者として政令で定める者

13　この法律において「産学官連携」とは、研究開発等の実施、人事交流、人材の育成その他の科学技術・イノベーション創出の活性化に必要な取組の効果的な実施を図るために国、地方公共団体、研究開発法人、大学等及び民間事業者が相互に連携することをいう。

14　この法律において「中小企業者」とは、次の各号のいずれかに該当する者をいう。

一　資本金の額又は出資の総額が三億円以下の会社並びに常時使用する従業員の数が三百人以下の会社及び個人であって、製造業、建設業、運輸業その他の業種（次号から第四号までに掲げる業種及び第五号の政令で定める業種を除く。）に属する事業を主たる事業として営むもの

二　資本金の額又は出資の総額が一億円以下の会社並びに常時使用する従業員の数が百人以下の会社及び個人であって、卸売業（第五号の政令で定める業種を除く。）に属する事業を主たる事業として営むもの

三　資本金の額又は出資の総額が五千万円以下の会社並びに常時使用する従業員の数が百人以下の会社及び個人であって、サービス業（第五号の政令で定める業種を除く。）に属する事業を主たる事業として営むもの

四　資本金の額又は出資の総額が五千万円以下の会社並びに常時使用する従業員の数が五十人以下の会社及び個人であって、小売業（次号の政令で定める業種を除く。）に属する事業を主たる事業として営むもの

五　資本金の額又は出資の総額がその業種ごとに政令で定める金額以下の会社並びに常時使用する従業員の数がその業種ごとに政令で定める数以下の会社及び個人であって、その政令で定める業種に属する事業を主たる事業として営むもの

六　企業組合

七　協業組合

八　事業協同組合、事業協同小組合、商工組合、協同組合連合会その他の特別の法律により設立された組合及びその連合会であって、政令で定めるもの

15　この法律において「国等」とは、国及び独立行政法人その他特別の法律によって設立された法人であって新技術に関する研究開発のための補助金、委託費その他相当の反対給付を受けない給付金（以下「新技術補助金等」という。）を交付するものとして政令で定めるものをいう。

16　この法律において「指定補助金等」とは、内閣総理大臣、経済産業大臣及び各省各庁の長等（財政法（昭和二十二年法律第三十四号）第二十条第二項に規定する各省各庁の長、国等である独立行政法人の主務大臣（独立行政法人通則法第六十八条に規定する主務大臣をいう。第二十七条の三、第三十四条の六、第四十八条及び第五十二条において同じ。）及び国等である特別の法律によって設立された法人の主務大臣をいう。以下同じ。）が、第三十四条の十一第一項の指針における同条第二項第一号に掲げる事項に照らして適切であるものとして指定する新技術補助金等をいう。

（基本理念）

第三条　科学技術・イノベーション創出の活性化は、これに関する国際的な水準を踏まえるとともに地域経済の活性化を図る観点を踏まえつつ、次に掲げる事項を推進することにより、我が国における科学技術の水準

の向上を図るとともに、国民経済の健全な発展及び安全で豊かな国民生活の実現に寄与するよう行われなければならない。

一　研究開発等の推進のための基盤の強化並びに科学技術の振興に必要な資源の確保及び柔軟かつ弾力的な活用

二　研究開発等を行う機関（以下「研究開発機関」という。）及び研究者等が、これまでの研究開発の成果の集積を最大限に活用しながら、その研究開発能力を最大限に発揮して研究開発等を行うことができる環境の整備

三　産学官連携による基礎的な研究開発からその成果の実用化までの一貫した取組

四　経済社会情勢の変化と社会の要請に対応した研究開発法人及び大学等による経営能力の強化を図るための改革

五　革新的な研究開発又は研究開発の成果を活用した新たな事業の創出を行う意欲を有する多様な人材が主体的かつ積極的にこれらに取り組むことができる環境の整備

2　科学技術・イノベーション創出の活性化は、科学技術・イノベーション基本法第三条に規定する科学技術・イノベーション創出の振興に関する方針にのっとり、政府の行政改革の基本方針との整合性に配慮して、行われなければならない。

（国の責務）

第四条　国は、前条の基本理念（以下単に「基本理念」という。）にのっとり、科学技術・イノベーション創出の活性化に関する総合的な施策を策定し、及び実施する責務を有する。

（地方公共団体の責務）

第五条　地方公共団体は、基本理念にのっとり、科学技術・イノベーション創出の活性化に関し、国の施策に準じた施策及びその地方公共団体の区域の特性を生かした自主的な施策を策定し、及び実施する責務を有する。

（研究開発法人及び大学等の責務等）

第六条　研究開発法人及び大学等は、基本理念にのっとり、その研究開発能力の強化及び研究開発等の効率的推進に努めるとともに、民間事業者と連携し、科学技術・イノベーション創出の活性化に努めるものとする。

2　研究開発法人及び大学等は、基本理念にのっとり、経済社会情勢の変化、社会の要請、自らの研究開発能力の現状、科学技術に関する内外の動向その他のその経営を取り巻く状況を的確に把握しつつ、経営能力の強化に努めるものとする。

3　国及び地方公共団体は、研究開発システムの改革の推進等による研究開発能力の強化及び研究開発等の効率的推進に関する施策で大学等に係るものを策定し、及び実施するに当たっては、大学等における研究活動の活性化を図るよう努めるとともに、研究者等の自主性の尊重その他の大学等における研究の特性に配慮しなければならない。

（民間事業者の責務）

第六条の二　民間事業者は、基本理念にのっとり、その事業活動に関し、研究開発法人及び大学等と積極的に連携し、科学技術・イノベーション創出の活性化に努めるものとする。

（連携の強化）

第七条　国は、国、地方公共団体、研究開発法人、大学等及び民間事業者が相互に連携を図りながら協力することにより、科学技術・イノベーション創出の活性化が図られることに鑑み、これらの者の間の連携の強化に必要な施策を講ずるものとする。

（法制上の措置等）

第八条　政府は、科学技術・イノベーション創出の活性化に関する施策を実施するため必要な法制上、財政上、税制上又は金融上の措置その他の措置を講じなければならない。

第二章　研究開発等の推進のための基盤の強化

第一節　科学技術に関する教育の水準の向上及び人材の育成等

（科学技術に関する教育の水準の向上）

第九条　国は、科学技術に関する教育の水準の向上が研究開発能力の強化に極めて重要であることに鑑み、科学技術に関する教育に従事する教員の能力の向上、科学技術に関する教育における研究者等の活用、大学等の教育研究施設等の充実その他の科学技術に関する教育の水準の向上を図るために必要な施策を講ずるものとする。

（卓越した研究者等の育成等）

第十条　国は、多様な人材の活用による科学技術・イノベーション創出の活性化を図るため、次に掲げる事項に関し、必要な施策を講ずるものとする。

一　先導的な科学技術に関する教育への支援その他卓越した研究者等の育成を図ること。

二　研究者等が研究開発の内容及び成果の有用性等に

関する説明を行う能力の向上を図ること。

三　研究開発の成果を活用して起業を行う人材、多様かつ大量の情報の適正かつ効果的な活用に係る専門的な知識又は技術を有する人材その他の科学技術・イノベーション創出の活性化に必要な能力を有する人材の育成を図ること。

四　科学技術経営（研究開発の成果を資金、設備その他の資源と組み合わせて有効に活用するとともに、将来の活用の内容を展望して研究開発を計画的に展開することをいう。）その他の科学技術・イノベーション創出の活性化のための経営に関する教育の振興及び知識の習得の促進を図ること。

五　研究開発能力の強化を図るための研究開発等に係る企画立案、資金の確保並びに知的財産権の取得及び活用その他の研究開発等に係る運営及び管理に係る業務に関し、専門的な知識及び能力を有する人材の確保を図ること。

2　国は、前項第一号から第四号までの事項に関し実践的な取組を促進するため、民間事業者からの講師の派遣その他の民間事業者と当該取組を行う機関との連携を支援するために必要な施策を講ずるものとする。

（技能及び知識の有効な活用及び継承）

第十一条　国は、研究者等（研究者等であった者を含む。）の有する技能及び知識の有効な活用及び継承が研究開発能力の強化に極めて重要であることにかんがみ、その技能及び知識の有効な活用及び継承を図るために必要な施策を講ずるものとする。

第二節　若年研究者等の能力の活用等

（若年研究者等の能力の活用）

第十二条　国は、研究開発等の推進における若年者、女性及び外国人（日本の国籍を有しない者をいう。以下同じ。）である研究者等（以下「若年研究者等」という。）の能力の活用が研究開発能力の強化に極めて重要であることに鑑み、国の資金（国から研究開発法人に提供された資金その他の国の資金に由来する資金を含む。以下同じ。）により行われる研究開発等の推進における若年研究者等の能力の活用を図るとともに、研究開発法人、大学等及び民間事業者による若年研究者等の能力の活用の促進に必要な施策を講ずるものとする。

2　研究開発法人、大学等及び民間事業者は、その研究開発等の推進における若年研究者等の能力の活用を図るよう努めるものとする。

（若年者である研究者の雇用の安定等）

第十二条の二　国は、卓越した研究者の確保が将来にわたる研究開発能力の強化に極めて重要であることに鑑み、若年者である研究者を自立させることができるよう、その雇用の安定等に資するために必要な施策を講ずるものとする。

2　研究開発法人及び大学等は、若年者である研究者の育成が研究開発能力の強化に極めて重要であることに鑑み、その研究者が、その年齢にかかわりなく知識及び能力に応じて活躍できるよう、人事評価（人事管理の基礎とするために、研究者がその職務を遂行するに当たり発揮した能力及び挙げた業績を把握した上で行われる勤務成績の評価をいう。以下この項において同じ。）に係る機能の充実強化、人事評価の結果に応じた適切な処遇その他の必要な措置を講ずるよう努めるものとする。

（卓越した研究者等の確保）

第十三条　国は、アジア地域その他の地域の経済の発展等により、卓越した研究者等の確保の重要性が著しく増大していることにかんがみ、海外の地域からの卓越した研究者等の円滑な招へいを不当に阻害する要因の解消その他の卓越した研究者等の確保に必要な施策を講ずるものとする。

2　研究開発法人、大学等及び民間事業者は、海外の地域における卓越した研究者等の処遇等を勘案し、必要に応じて、卓越した研究者等の給与について他の職員の給与水準に比較して必要な優遇措置を講ずること等により、卓越した研究者等の確保に努めるものとする。

（外国人の研究公務員への任用）

第十四条　国家公務員法第五十五条第一項の規定その他の法律の規定により任命権を有する者（同条第二項の規定によりその任命権が委任されている場合には、その委任を受けた者。以下「任命権者」という。）は、外国人を研究公務員（第二条第十二項第二号に規定する者を除く。）に任用することができる。ただし、次に掲げる職員については、この限りでない。

一　試験研究機関等の長である職員

二　試験研究機関等の長を助け、当該試験研究機関等の業務を整理する職の職員その他これに準ずる職員として政令で定めるもの

三　試験研究機関等に置かれる支所その他の政令で定める機関の長である職員

2　任命権者は、前項の規定により外国人を研究公務員（第二条第十二項第一号及び第三号に規定する者（一般職の任期付職員の採用及び給与の特例に関する法律第五条第一項に規定する任期付職員並びに任期付研究

員俸給表適用職員及び同号に規定する者のうち一般職の任期付研究員の採用、給与及び勤務時間の特例に関する法律第三条第一項の規定により任期を定めて採用された職員を除く。）に限る。第十六条において同じ。）に任用する場合において、当該外国人を任用するために特に必要であるときには、任期を定めることができる。

第三節 人事交流の促進等

（人事交流の促進）

第十五条 国は、研究開発等に係る人事交流の促進により、研究者等の研究開発能力の強化等を図るため、研究開発法人と国立大学法人等との間の人事交流の促進その他の研究開発等に係る人事交流の促進に必要な施策を講ずるものとする。

2 研究開発法人及び国立大学法人等は、必要に応じて、次に掲げる措置その他の研究開発等に係る人事交流の促進のための措置を講ずること等により、その研究開発等に係る人事交流の促進に努めるものとする。

一 その研究者等が民間事業者と共にその研究開発の成果の実用化を行うための休暇制度を導入すること。

二 その研究者等が研究開発法人と国立大学法人等との間で転職をしている場合における退職金の算定の基礎となる在職期間についてそれぞれの法人における在職期間を通算すること。

三 その研究者等に退職金の金額に相当する金額を分割してあらかじめ毎年又は毎月給付すること。

四 クロスアポイントメント（研究者等が複数の研究開発法人、大学等を設置する者又は民間事業者（以下この号において「複数の研究開発法人等」という。）との間で労働契約を締結するとともに、当該複数の研究開発法人等の間で当該研究者等の出向に関する協定等を締結することにより、当該研究者等が当該複数の研究開発法人等において当該協定等において定められた割合で業務に従事する仕組みをいう。）を活用すること。

（労働契約法の特例）

第十五条の二 次の各号に掲げる者の当該各号の労働契約に係る労働契約法（平成十九年法律第百二十八号）第十八条第一項の規定の適用については、同項中「五年」とあるのは、「十年」とする。

一 研究者等であって研究開発法人又は大学等を設置する者との間で期間の定めのある労働契約（以下この条において「有期労働契約」という。）を締結したもの

二 研究開発等に係る企画立案、資金の確保並びに知的財産権の取得及び活用その他の研究開発等に係る運営及び管理に係る業務（専門的な知識及び能力を必要とするものに限る。）に従事する者であって研究開発法人又は大学等を設置する者との間で有期労働契約を締結したもの

三 試験研究機関等、研究開発法人及び大学等以外の者が試験研究機関等、研究開発法人又は大学等との協定その他の契約によりこれらと共同して行う研究開発等（次号において「共同研究開発等」という。）の業務に専ら従事する研究者等であって当該試験研究機関等、研究開発法人及び大学等以外の者との間で有期労働契約を締結したもの

四 共同研究開発等に係る企画立案、資金の確保並びに知的財産権の取得及び活用その他の共同研究開発等に係る運営及び管理に係る業務（専門的な知識及び能力を必要とするものに限る。）に専ら従事する者であって当該共同研究開発等を行う試験研究機関等、研究開発法人及び大学等以外の者との間で有期労働契約を締結したもの

2 前項第一号及び第二号に掲げる者（大学の学生である者を除く。）のうち大学に在学している間に研究開発法人又は大学等を設置する者との間で有期労働契約（当該有期労働契約の期間のうちに大学に在学している期間を含むものに限る。）を締結していた者の同項第一号及び第二号の労働契約に係る労働契約法第十八条第一項の規定の適用については、当該大学に在学している期間は、同項に規定する通算契約期間に算入しない。

（研究公務員の任期を定めた採用）

第十六条 任命権者は、国家公務員法に基づく人事院規則の定めるところにより、研究公務員の採用について任期を定めることができる。ただし、第十四条の規定の適用がある場合は、この限りでない。

（研究公務員に関する国家公務員退職手当法の特例）

第十七条 研究公務員が、国及び行政執行法人以外の者が国（当該研究公務員が行政執行法人の職員である場合にあっては、当該行政執行法人。以下この条において同じ。）と共同して行う研究又は国の委託を受けて行う研究（以下この項において「共同研究等」という。）に従事するため国家公務員法第七十九条又は自衛隊法（昭和二十九年法律第百六十五号）第四十三条の規定により休職にされた場合において、当該共同研究等への従事が当該共同研究等の効率的実施に特に資するものとして政令で定める要件に該当するときは、

研究公務員に関する国家公務員退職手当法（昭和二十八年法律第百八十二号）第六条の四第一項及び第七条第四項の規定の適用については、当該休職に係る期間は、同法第六条の四第一項に規定する現実に職務をとることを要しない期間には該当しないものとみなす。

２　前項の規定は、研究公務員が国以外の者から国家公務員退職手当法の規定による退職手当に相当する給付として政令で定めるものの支払を受けた場合には、適用しない。

３　前項に定めるもののほか、第一項の規定の適用に関し必要な事項は、政令で定める。

（研究集会への参加）

第十八条　研究公務員が、科学技術に関する研究集会への参加（その準備行為その他の研究集会に関連する事務への参加を含む。）を申し出たときは、任命権者は、その参加が、研究に関する国と国以外の者との間の交流及び行政執行法人と行政執行法人以外の者との間の交流の促進に特に資するものであり、かつ、当該研究公務員の職務に密接な関連があると認められる場合には、当該研究公務員の所属する試験研究機関等の研究業務の運営に支障がない限り、その参加を承認することができる。

第四節　国際交流の促進等

（国際的に卓越した研究開発等の拠点の整備、充実等）

第十九条　国は、国際的視点に立った研究開発能力の強化を図るため、国の資金により行われる研究開発等の実施における卓越した外国人の研究者等の招へい、国際的に卓越した研究開発等に係る環境の整備、一の研究開発等における多数の研究開発機関の研究者等の能力の活用その他の国際的に卓越した研究開発等を行う拠点の整備、充実等に必要な施策を講ずるものとする。

（国際的な交流を促進するに当たっての配慮）

第二十条　国は、国の資金により行われる研究開発等に関し国際的な交流を促進するに当たっては、条約その他の国際約束を誠実に履行すべき義務並びに国際的な平和及び安全の維持並びに我が国の国際競争力の維持について配慮しなければならない。

（国の行う国際共同研究に係る特許発明等の実施）

第二十一条　国は、外国若しくは外国の公共的団体又は国際機関と共同して行った研究（基盤技術研究円滑化法（昭和六十年法律第六十五号）第四条に規定する基盤技術に関する試験研究を除く。）の成果に係る国有の特許権及び実用新案権のうち政令で定めるものについて、これらの者その他の政令で定める者に対し通常実施権の許諾を行うときは、その許諾を無償とし、又はその許諾の対価を時価よりも低く定めることができる。

（国の委託に係る国際共同研究の成果に係る特許権等の取扱い）

第二十二条　国は、その委託に係る研究であって本邦法人と外国法人、外国若しくは外国の公共的団体又は国際機関（第三号において「外国法人等」という。）とが共同して行うものの成果について、産業技術力強化法（平成十二年法律第四十四号）第十七条第一項に定めるところによるほか、次に掲げる取扱いをすることができる。

一　当該成果に係る特許権若しくは実用新案権又は特許を受ける権利若しくは実用新案登録を受ける権利のうち政令で定めるものについて、政令で定めるところにより、その一部のみを受託者から譲り受けること。

二　当該成果に係る特許権又は実用新案権のうち政令で定めるものが国と国以外の者であって政令で定めるものとの共有に係る場合において、当該国以外の者のその特許発明又は登録実用新案の実施について、国の持分に係る対価を受けず、又は時価よりも低い対価を受けること。

三　当該成果に係る国有の特許権又は実用新案権のうち政令で定めるものについて、当該特許に係る発明又は実用新案登録に係る考案をした者が所属する本邦法人又は外国法人等その他の政令で定める者に対し、通常実施権の許諾を無償とし、又はその許諾の対価を時価よりも低く定めること。

（国の行う国際共同研究に係る損害賠償の請求権の放棄）

第二十三条　国は、外国若しくは外国の公共的団体又は国際機関と共同して行う研究のうち政令で定めるものについて、これらの者その他の政令で定める者（以下この条において「外国等」という。）に対し、次に掲げる国の損害賠償の請求権を放棄することができる。

一　当該研究が行われる期間において当該研究の活動により生じた国有の施設、設備、機械器具及び資材の滅失又は損傷に関する外国等に対する国の損害賠償の請求権

二　当該研究が行われる期間において当該研究の活動により国家公務員災害補償法（昭和二十六年法律第百九十一号）第一条第一項又は防衛省の職員の給与等に関する法律第一条に規定する職員につき生じた

公務上の災害に関し、国が国家公務員災害補償法第十条、第十二条から第十三条まで、第十五条及び第十八条の規定（防衛省の職員の給与等に関する法律第二十七条第一項において準用する場合を含む。）に基づき補償を行ったことにより国家公務員災害補償法第六条第一項の規定（防衛省の職員の給与等に関する法律第二十七条第一項において準用する場合を含む。）に基づき取得した外国等に対する損害賠償の請求権

第五節　研究開発法人における人材活用等に関する方針等

第二十四条　研究開発法人は、内閣総理大臣の定める基準に即して、その研究開発等の推進のための基盤の強化のうち人材の活用等に係るものに関する方針（以下この条において「人材活用等に関する方針」という。）を作成しなければならない。

2　人材活用等に関する方針は、次に掲げる事項について定めるものとする。

一　研究開発等の推進における若年研究者等の能力の活用に関する事項

二　卓越した研究者等の確保に関する事項

三　研究開発等に係る人事交流の促進に関する事項

四　その他研究開発等の推進のための基盤の強化のうち人材の活用等に係るものに関する重要事項

3　研究開発法人は、人材活用等に関する方針を作成したときは、遅滞なく、これを公表しなければならない。これを変更したときも同様とする。

4　研究開発法人は、人材活用等に関する方針に基づき、その人材の活用等に係る研究開発等の推進のための基盤の強化を図るものとする。

5　国立大学法人等は、研究者等の自主性の尊重その他の大学等における研究の特性に配慮しつつ、必要に応じて、前各項の規定による研究開発法人の人材の活用等に係る研究開発等の推進のための基盤の強化に準じ、その人材の活用等に係る研究開発等の推進のための基盤の強化を図るよう努めるものとする。

第六節　その他の研究開発等の推進のための基盤の強化

（研究開発等の公正性の確保等）

第二十四条の二　研究者等は、研究開発等の公正性の確保及び研究開発等に係る資金の適正な使用について第一義的責任を有するものであって、研究開発等に係る倫理に関し知識と理解を深めること等を通じて、研究開発等の公正かつ適正な実施に努めるものとする。

2　研究開発機関は、その研究者等が研究開発等に係る倫理に関する知識と理解を深めるために必要な取組を実施するとともに、研究開発等に係る不正行為（資金の不正な使用を含む。次項において同じ。）について客観的な根拠に基づき適切に対処するよう努めるものとする。

3　国は、研究開発等に係る不正行為が科学技術に対する国民の信頼を損なうとともに、科学技術の水準の向上を妨げることに鑑み、その防止のための体制の強化その他の研究開発等に係る不正行為の防止に必要な施策を講ずるものとする。

（研究開発法人及び大学等の経営能力の強化の推進）

第二十四条の三　研究開発法人及び大学等は、その経営能力の強化を図るに当たっては、その経営に関する専門的知識を有する人材及びその経営を担うべき人材の育成及び確保に努めるものとする。

2　国は、研究開発法人及び大学等の経営能力の強化を図るため、その経営に係る体制の整備の支援その他の必要な施策を講ずるものとする。

（研究開発施設等の整備）

第二十四条の四　国は、研究開発能力の強化を図るため、国、研究開発法人及び大学等の研究開発に係る施設及び設備（第三十五条において「研究開発施設等」という。）、情報処理、情報通信、電磁的記録の保管等に係る施設及び設備並びに研究材料、計量の標準、科学技術に関する情報その他の研究開発の推進のための知的基盤をなすもの（同条において「知的基盤」という。）を整備するために必要な施策を講ずるものとする。

第三章　競争の促進等

（競争の促進）

第二十五条　国は、研究開発等に係る競争の促進を図るため、公募型研究開発（国の資金により行われる研究開発等であって公募によるものをいう。以下同じ。）の更なる活用その他の研究開発機関相互間及び研究者等相互間の公正な競争の促進に必要な施策を講ずるものとする。

2　国は、公募型研究開発の更なる活用に当たっては、研究開発等に係る競争の促進を図るとともに研究開発法人、大学等及び民間事業者の研究開発能力の積極的な活用並びに研究開発等の効率的推進を図るため、研究開発等の目的に応じ、国及び民間事業者のそれぞれの資金を組み合わせて行われる研究開発等の方式、懸賞型研究開発方式（公募型研究開発の方式であって、応募者のうち特に優れた成果を収めた者に賞金を交付

するものをいう。）その他の研究開発等の方式の適切な活用に配慮しなければならない。

（公募型研究開発に係る資金の統一的な使用の基準の整備）

第二十六条　国は、公募型研究開発の効率的推進を図るため、異なる種類の公募型研究開発に係る資金について、可能な限り、統一的な使用の基準の整備を行うものとする。

（間接経費の交付）

第二十六条の二　国及び研究開発法人は、公募型研究開発に係る資金を交付するときは、当該公募型研究開発の特性を踏まえ、研究開発等の実施に直接必要な経費（第三十四条の三において「直接経費」という。）に加え、その交付を受ける研究開発機関（その交付を受ける研究者等が所属する研究開発機関を含む。）において当該研究開発等の実施に係る管理等に必要な経費（同条において「間接経費」という。）についても交付するものとする。

（独立行政法人への業務の移管等）

第二十七条　国は、公募型研究開発の効率的推進を図るため、その公募型研究開発に係る業務の全部又は一部を独立行政法人に移管することが公募型研究開発の効率的推進に資すると認めるときは、可能な限り、これを独立行政法人に移管するものとする。

2　公募型研究開発に係る業務を行う独立行政法人は、その完了までに数年度を要する公募型研究開発を委託して行わせる場合において、可能な限り、数年度にわたり研究開発等を行わせる契約を受託者と締結すること等により公募型研究開発に係る資金の効率的な使用が図られるよう努めるものとする。

（基金）

第二十七条の二　公募型研究開発に係る業務を行う研究開発法人のうち別表第二に掲げるもの（次条第一項において「資金配分機関」という。）は、独立行政法人通則法第一条第一項に規定する個別法（第三十四条の六第一項及び第四十八条第一項において単に「個別法」という。）の定めるところにより、特定公募型研究開発業務（公募型研究開発に係る業務であって次の各号のいずれにも該当するもの及びこれに附帯する業務をいう。）に要する費用に充てるための基金（以下単に「基金」という。）を設けることができる。

一　将来における我が国の経済社会の発展の基盤となる先端的な研究開発等又は革新的な技術の創出のための研究開発等に係る業務であって特に先進的で緊要なもの

二　複数年度にわたる業務であって、各年度の所要額をあらかじめ見込み難く、弾力的な支出が必要であることその他の特段の事情があり、あらかじめ当該複数年度にわたる財源を確保しておくことがその安定的かつ効率的な実施に必要であると認められるもの

2　基金の運用によって生じた利子その他の収入金は、当該基金に充てるものとする。

3　独立行政法人通則法第四十七条及び第六十七条（第七号に係る部分に限る。）の規定は、基金の運用について準用する。この場合において、同法第四十七条第三号中「金銭信託」とあるのは、「金銭信託で元本補塡の契約があるもの」と読み替えるものとする。

（国会への報告等）

第二十七条の三　資金配分機関は、基金を設けたときは、毎事業年度、当該基金に係る業務に関する報告書を作成し、当該事業年度の終了後六月以内に主務大臣に提出しなければならない。

2　主務大臣は、前項の報告書の提出を受けたときは、これに意見を付けて、国会に報告しなければならない。

第四章　国及び民間事業者等の資金により行われる研究開発等の効率的推進等

第一節　科学技術の振興に必要な資源の柔軟かつ弾力的な配分等

（科学技術の振興に必要な資源の柔軟かつ弾力的な配分等）

第二十八条　国は、研究開発能力の強化を図るため、我が国の国際競争力の強化等の重要性に鑑み、科学技術に関する内外の動向、多様な分野の研究開発の国際的な水準等を踏まえ、効率性に配慮しつつ、科学技術の振興に必要な資源の柔軟かつ弾力的な配分を行うものとする。

2　国は、前項に定めるもののほか、我が国及び国民の安全に係る研究開発等並びに成果を収めることが困難であっても成果の実用化により極めて重要なイノベーションの創出をもたらす可能性のある革新的な研究開発を推進することの重要性に鑑み、これらに必要な資源の配分を行うとともに、これらの評価に当たってはその特性に配慮するものとする。

3　国は、第一項の場合において、我が国及び国民の安全又は経済社会の存立の基盤をなす科学技術については、長期的な観点からその育成及び水準の向上を図る

とともに、科学技術の振興に必要な資源の安定的な配分（必要な人材の確保を含む。）を行うよう配慮しなければならない。

4　国は、第一項の場合において、公募型研究開発とそれ以外の国の資金により行われる研究開発等のそれぞれの役割を踏まえ、これらについて調和のとれた科学技術の振興に必要な資源の配分を行うこと等により、これらが互いに補完して、研究開発能力の強化及び国の資金により行われる研究開発等の効率的推進が図られるよう配慮しなければならない。

（会計の制度の適切な活用等）

第二十九条　国、研究開発法人及び国立大学法人等は、国の資金により行われる研究開発等の効率的推進を図るため、国の資金により行われる研究開発等において、研究開発等に係る経費を翌年度に繰り越して使用することその他の会計の制度の適切な活用を図るとともに、その経理事務の合理化を図るよう努めるものとする。

第二節　研究開発法人及び大学等の研究開発能力の強化等

（民間事業者等からの資金の受入れの促進等）

第三十条　国は、研究開発法人及び大学等の民間事業者との連携を通じた研究開発能力の強化及び経営努力の促進等を図るため、民間事業者と共同して又はその委託を受けて行う研究開発等に関し民間事業者から提供される資金その他の民間事業者等からの資金（国の資金であるものを除く。以下この条において単に「民間事業者等からの資金」という。）により行われる研究開発等が国の資金により行われる研究開発等とあいまってこれらの研究開発能力の強化に資するものとなるよう配慮しつつ、研究開発等に関し民間事業者から提供される資金に応じて国が研究開発法人及び大学等における研究開発等に必要な資金を配分することその他の研究開発法人及び大学等による民間事業者等からの資金の受入れ及び民間事業者等からの資金により行われる研究開発等の促進に必要な施策を講ずるものとする。

2　研究開発法人及び大学等は、その研究開発等について、民間事業者等からの資金により行われる研究開発等が国の資金により行われる研究開発等とあいまってその研究開発能力の強化に資するものとなるよう配慮しつつ、民間事業者等からの資金の受入れ及び民間事業者等からの資金により行われる研究開発等の推進に努めるものとする。

（科学技術に対する理解の増進及び研究開発等に係る寄附の促進）

第三十一条　国は、科学技術に対する国民の理解と関心を深めるとともに、研究開発等に係る寄附が活発に行われるような環境を醸成するために必要な施策を講ずるものとする。

2　研究開発法人及び大学等は、その研究開発等に関する国民の理解と関心を深めるために必要な広報その他の啓発活動に努めるとともに、寄附金の積極的な受入れのために必要な取組を行うよう努めるものとする。

（研究開発法人の自律性、柔軟性及び競争性の向上等）

第三十二条　国は、研究開発法人が研究開発能力の強化及び国の資金により行われる研究開発等の効率的推進並びにイノベーションの創出のための極めて重要な基盤となっていること、研究開発法人における卓越した研究者等の確保が著しく重要になっていること等にかんがみ、研究開発法人について、その運営の効率化を図りつつ、柔軟かつ弾力的に科学技術の振興に必要な資源の確保を図るとともに、その自律性、柔軟性及び競争性の更なる向上並びに国の資金により行われる研究開発等の推進におけるその能力の積極的な活用を図るために必要な施策を講ずるものとする。

2　国は、大学等が研究開発能力の強化及び国の資金により行われる研究開発等の効率的推進並びにイノベーションの創出のための極めて重要な基盤となっていること、大学等における卓越した研究者等の確保が著しく重要になっていること等にかんがみ、大学等について、柔軟かつ弾力的に科学技術の振興に必要な資源の確保を図るとともに、国の資金により行われる研究開発等の推進におけるその能力の積極的な活用を図るために必要な施策を講ずるものとする。

（迅速かつ効果的な物品及び役務の調達）

第三十二条の二　国は、研究開発法人及び大学等の研究開発能力の強化を図るため、研究開発法人及び大学等が研究開発等の特性を踏まえて迅速かつ効果的に物品及び役務の調達を行うことができるよう必要な措置を講ずるものとする。

（簡素で効率的な政府を実現するための行政改革の推進に関する法律の運用上の配慮）

第三十三条　研究開発法人の研究者に係る簡素で効率的な政府を実現するための行政改革の推進に関する法律（平成十八年法律第四十七号）第五十三条第一項の規定の運用に当たっては、同法の基本理念にのっとり研究開発法人の運営の効率化を図りつつ、研究開発能力の強化及び国の資金により行われる研究開発等の効率的推進が図られるよう配慮しなければならない。

第三節　研究開発等の適切な評価等

第三十四条　国は、国の資金により行われる研究開発等の適切な評価が研究開発能力の強化及び当該研究開発等の効率的推進に極めて重要であることに鑑み、研究者等の事務負担が過重なものとならないよう配慮しつつ、当該研究開発等について、国際的な水準を踏まえるとともに、新規性の程度、革新性の程度等を踏まえて適切な評価を行い、その結果を科学技術の振興に必要な資源の配分の在り方その他の国の資金により行われる研究開発等の推進の在り方に反映させるものとする。

2　国は、国の資金により行われる研究開発等の適切な評価が研究開発能力の強化及び当該研究開発等の効率的推進に極めて重要であることに鑑み、研究開発等の評価に関する高度な能力を有する人材の確保その他の取組を支援するために必要な施策を講ずるものとする。

3　研究開発法人及び国立大学法人等は、その研究者等の事務負担が過重なものとならないよう配慮しつつ、その研究開発等及びその研究者等の研究開発能力等の適切な評価を行うよう努めるものとする。

第五章　イノベーションの創出の促進等

第一節　産学官連携によるイノベーションの創出の促進等

（産学官連携の促進）

第三十四条の二　研究開発法人及び大学等は、民間事業者におけるイノベーションの創出を効果的に行うためには研究開発法人及び大学等がその研究開発能力を最大限に発揮して積極的に協力することが重要であるとともに、このような協力を行うことがその研究開発能力の強化に資することに鑑み、産学官連携を組織的に推進するために必要な体制の整備、仕組みの構築、民間事業者に対する情報の提供その他の取組を行うよう努めるものとする。

2　国は、研究開発法人及び大学等による前項の取組への支援その他の産学官連携を促進するために必要な施策を講ずるものとする。

3　民間事業者は、研究開発法人又は大学等と産学官連携を行う場合には、研究開発の成果の取扱い、人事交流、資金の負担等に関し、当該研究開発法人又は大学等の研究開発能力の維持及び向上に寄与することに配慮するよう努めるものとする。

4　研究開発法人、大学等及び民間事業者は、産学官連携を行うに当たり、知的財産の保護並びに個人及び法人に係る情報の適切な管理に努めるものとする。

（共同して研究開発等を行う場合等における経費についての負担）

第三十四条の三　研究開発法人及び大学等は、民間事業者と共同して又はその委託を受けて研究開発等を行う場合には、当該民間事業者との合意に基づき、当該研究開発等に従事する者の人件費、当該研究開発等に係る施設及び設備の維持管理等に必要な経費その他の直接経費及び間接経費のほか、産学官連携に係る活動の充実強化に必要な経費についても、その負担を求めることができる。

（成果活用事業者への支援）

第三十四条の四　国は、研究開発法人又は大学等の研究開発の成果を事業活動において活用し、又は活用しようとする者（以下「成果活用事業者」という。）による当該研究開発の成果を活用した新たな事業の創出又はその行う事業の成長発展を支援するために必要な施策を講ずるものとする。

2　研究開発法人及び大学等は、その研究開発の成果の普及及び活用の促進を図るために適当と認めるときは、当該研究開発法人又は当該大学等の研究開発の成果に係る成果活用事業者が円滑に新たな事業を創出し、又はその行う事業の成長発展を図ることができるよう、当該研究開発法人及び大学等の有する知的財産権の移転、設定又は許諾、技術的な指導又は助言、その保有する施設又は設備の貸付けその他の研究開発の成果の普及及び活用の促進に必要な支援を行うよう努めるものとする。

3　研究開発法人及び国立大学法人等（地方独立行政法人法（平成十五年法律第百十八号）第六十八条第一項に規定する公立大学法人を含む。次条において同じ。）は、前項に規定する支援を行うに当たっては、成果活用事業者の資力その他の事情を勘案し、特に必要と認める場合には、その支援を無償とし、又はその支援の対価を時価よりも低く定めること等の措置をとることができる。

（研究開発法人及び国立大学法人等による株式又は新株予約権の取得及び保有）

第三十四条の五　研究開発法人及び国立大学法人等は、成果活用事業者に対し前条第三項の措置をとる場合において、当該成果活用事業者の発行した株式又は新株予約権を取得することができる。

2　研究開発法人及び国立大学法人等は、前項の規定により取得した株式又は新株予約権（その行使により発行され、又は移転された株式を含む。）を保有することができる。

（研究開発法人による出資等の業務）

第三十四条の六　研究開発法人のうち、実用化及びこれによるイノベーションの創出を図ることが特に必要な研究開発の成果を保有するものとして別表第三に掲げるものは、その研究開発の成果の実用化及びこれによるイノベーションの創出を図るため、個別法の定めるところにより、次に掲げる者に対する出資並びに人的及び技術的援助の業務を行うことができる。

一　その研究開発法人の研究開発の成果に係る成果活用事業者

二　前号に掲げる成果活用事業者に対し当該成果活用事業者の行う事業活動に関する必要な助言、資金供給その他の支援を行う事業であって、その研究開発法人における研究開発等の進展に資するもの（以下この号において「資金供給等事業」という。）を行う者（資金供給等事業を行う投資事業有限責任組合契約に関する法律（平成十年法律第九十号）第二条第二項に規定する投資事業有限責任組合を含む。）

三　次に掲げる活動その他の活動によりその研究開発法人の研究開発の成果の活用を促進する者

イ　その研究開発法人の研究開発の成果の民間事業者への移転

ロ　その研究開発法人が民間事業者その他の者と共同して又はその委託を受けて行う研究開発等についての企画及びあっせん

ハ　その研究開発法人の研究開発の成果を活用しようとする民間事業者その他の者と共同して又はその委託を受けて行う当該研究開発の成果を実用化するために必要な研究開発

2　前項に規定する研究開発法人は、同項第二号又は第三号の者に対する出資を行おうとするときは、主務大臣の認可を受けなければならない。

3　主務大臣は、前項の認可をしようとするときは、あらかじめ、財務大臣に協議しなければならない。

（地方創生への貢献）

第三十四条の七　国及び地方公共団体は、各地域における自然的、経済的及び社会的な特性を最大限に生かした科学技術・イノベーション創出の活性化及び研究開発の成果による新たな産業の創出を通じて個性豊かで活力に満ちた自立的な地域社会が実現されるよう、産学官連携の促進、地域における研究開発等の推進、新たな事業の創出その他の活動を支援するために必要な施策を講ずるものとする。

2　国及び地方公共団体は、前項の規定による支援を行うに当たっては、各地域における主体的な取組が促進されるよう配慮するものとする。

第二節　中小企業者によるイノベーションの創出の促進等

（特定新技術補助金等の支出の目標等に関する方針）

第三十四条の八　国は、中小企業者の革新的な研究開発の促進を図るため、毎年度、新技術補助金等のうち国等が中小企業者及び事業を営んでいない個人（以下単に「個人」という。）に対して支出の機会の増大を図るべきもの（以下「特定新技術補助金等」という。）の交付に関し、国等の当該年度の予算及び事務又は事業の予定等を勘案して、特定新技術補助金等の内容及び支出の目標その他当該目標を達成するために必要な措置に関する方針を定めるものとする。

2　内閣総理大臣は、あらかじめ各省各庁の長等と協議して前項の方針の案を作成し、閣議の決定を求めなければならない。

3　内閣総理大臣は、前項の規定による閣議の決定があったときは、遅滞なく、第一項の方針を公表しなければならない。

4　前二項の規定は、第一項の方針の変更について準用する。

5　国等は、特定新技術補助金等を交付するに当たっては、予算の適正な使用に留意しつつ、第一項の方針に定められた目標を達成するよう努めなければならない。

（特定新技術補助金等の支出の実績の概要の通知及び公表）

第三十四条の九　各省各庁の長等は、毎会計年度又は毎事業年度の終了後、特定新技術補助金等の中小企業者及び個人への支出の実績の概要を内閣総理大臣に通知するものとする。

2　内閣総理大臣は、前項の実績の概要の要旨を遅滞なく公表しなければならない。

（各省各庁の長等に対する要請）

第三十四条の十　内閣総理大臣、経済産業大臣及び中小企業者の行う事業の主務大臣は、当該事業を行う者を相手方とする特定新技術補助金等の交付に関し、各省各庁の長等に対し、中小企業者及び個人への支出の機会の増大を図るため特に必要があると認められる措置をとるべきことを要請することができる。

（指定補助金等の交付等に関する指針）

第三十四条の十一　国は、革新的な研究開発を行う中小企業者による科学技術・イノベーション創出の活性化を通じて我が国の国際競争力の強化その他の我が国における政策課題の解決を図るため、指定補助金等の交付その他の支援に関する指針を定めるものとする。

2　前項の指針は、次に掲げる事項について定めるものとする。

一　新技術補助金等のうち、前項の政策課題の解決に資する革新的な研究開発の実施及びその成果の実用化の促進を図るために国等が当該研究開発に関する課題を設定した上で当該課題に取り組む中小企業者及び個人に対して交付すべきものの基準に関する事項

二　指定補助金等に係る研究開発の効果的かつ効率的な実施を促進するために必要な指定補助金等の交付の方法に関する事項

三　国等による指定補助金等の交付を受けて開発された物品及び役務の調達その他の指定補助金等に係る成果を利用した事業活動の支援を行うに当たって配慮すべき事項

3　内閣総理大臣は、あらかじめ各省各庁の長等と協議して第一項の指針の案を作成し、閣議の決定を求めなければならない。

4　内閣総理大臣は、前項の規定による閣議の決定があったときは、遅滞なく、第一項の指針を公表しなければならない。

5　前二項の規定は、第一項の指針の変更について準用する。

6　国等は、第一項の指針に従って、指定補助金等に関する事務を処理するものとする。

（指定補助金等に係る研究開発の成果の概要の通知及び公表）

第三十四条の十二　各省各庁の長等は、毎会計年度又は毎事業年度の終了後、指定補助金等に係る研究開発の成果の概要を内閣総理大臣に通知するものとする。

2　内閣総理大臣は、前項の成果の概要の要旨を遅滞なく公表しなければならない。

（中小企業信用保険法の特例）

第三十四条の十三　中小企業信用保険法（昭和二十五年法律第二百六十四号）第三条の八第一項に規定する新事業開拓保険の保険関係であって、特定新技術事業活動関連保証（同項に規定する債務の保証であって、指定補助金等に係る成果を利用した事業活動に必要な資金に係るものをいう。次項において同じ。）を受けた中小企業者に係るものについての同条第一項及び第二項の規定の適用については、同条第一項中「二億円」とあるのは「三億円（科学技術・イノベーション創出の活性化に関する法律（平成二十年法律第六十三号）第二条第十六項に規定する指定補助金等（以下単に「指定補助金等」という。）に係る成果を利用した事業活動に必要な資金以外の資金に係る債務の保証に係る保険関係については、二億円）」と、「四億円」とあるのは「六億円（指定補助金等に係る成果を利用した事業活動に必要な資金以外の資金に係る債務の保証に係る保険関係については、四億円）」と、同条第二項中「二億円」とあるのは「三億円（指定補助金等に係る成果を利用した事業活動に必要な資金以外の資金に係る債務の保証に係る保険関係については、二億円）」とする。

2　中小企業信用保険法第三条の二第一項の規定は、特定新技術事業活動関連保証であってその保証について担保（保証人（特定新技術事業活動関連保証を受けた法人たる中小企業者の代表者を除く。）の保証を含む。）を提供させないものについては、適用しない。

（中小企業投資育成株式会社法の特例）

第三十四条の十四　中小企業投資育成株式会社は、中小企業投資育成株式会社法（昭和三十八年法律第百一号）第五条第一項各号に掲げる事業のほか、次に掲げる事業を行うことができる。

一　国等から指定補助金等を交付された中小企業者及び個人が指定補助金等の成果を利用した事業活動を実施するために資本金の額が三億円を超える株式会社を設立する際に発行する株式の引受け及び当該引受けに係る株式の保有

二　国等から指定補助金等を交付された中小企業者のうち資本金の額が三億円を超える株式会社が指定補助金等の成果を利用した事業活動を実施するために必要とする資金の調達を図るために発行する株式、新株予約権（新株予約権付社債に付されたものを除く。）又は新株予約権付社債等（中小企業投資育成株式会社法第五条第一項第二号に規定する新株予約権付社債等をいう。以下この条において同じ。）の引受け及び当該引受けに係る株式、新株予約権（その行使により発行され、又は移転された株式を含む。）又は新株予約権付社債等（新株予約権付社債等に付された新株予約権の行使により発行され、又は移転された株式を含む。）の保有

2　前項第一号の規定による株式の引受け及び当該引受けに係る株式の保有並びに同項第二号の規定による株式、新株予約権（新株予約権付社債に付されたものを除く。）又は新株予約権付社債等の引受け及び当該引受けに係る株式、新株予約権（その行使により発行さ

れ、又は移転された株式を含む。）又は新株予約権付社債等（新株予約権付社債等に付された新株予約権の行使により発行され、又は移転された株式を含む。）の保有は、中小企業投資育成株式会社法の適用については、それぞれ同法第五条第一項第一号及び第二号の事業とみなす。

第三節　研究開発施設等の共用の促進等

（研究開発施設等の共用及び知的基盤の供用の促進）

第三十五条　国は、研究開発施設等の共用及び知的基盤の供用の促進を図るため、国、研究開発法人及び国立大学法人等が保有する研究開発施設等及び知的基盤のうち研究開発機関及び研究者等の利用に供するものについて、その利用に必要な情報の提供その他の当該研究開発施設等及び知的基盤を広く研究開発機関及び研究者等の利用に供するために必要な施策を講ずるものとする。

2　研究開発法人及び国立大学法人等は、その保有する研究開発施設等及び知的基盤のうち研究開発機関及び研究者等の利用に供するものについて、可能な限り、広く研究開発機関及び研究者等の利用に供するよう努めるものとする。

（国有施設等の使用）

第三十六条　国は、民間事業者の研究開発能力の強化等を図るため、政令で定めるところにより、国が現に行っている研究と密接に関連し、かつ、当該研究の効率的推進に特に有益である研究を行う者に対し、その者がその研究のために試験研究機関等その他の政令で定める国の機関の国有の試験研究施設を使用して得た記録、資料その他の研究の結果を国に政令で定める条件で提供することを約するときは、当該試験研究施設の使用の対価を時価よりも低く定めることができる。

2　国は、民間事業者の研究開発能力の強化等を図るため、政令で定めるところにより、国以外の者であって、試験研究機関等その他の政令で定める国の機関と共同して行う研究に必要な施設を当該機関の敷地内に整備し、当該施設において研究を行おうとするものに対し、その者が当該施設において行った研究により得た記録、資料その他の研究の結果を国に政令で定める条件で提供することを約するときは、当該施設の用に供する土地の使用の対価を時価よりも低く定めることができる。

（国有施設等の使用に関する条件の特例）

第三十七条　国の行政機関の長は、試験研究機関等その他の政令で定める国の機関のうち、その所管するものであって当該国の機関が行う特定の分野に関する研究に係る状況が次の各号のいずれにも適合するものを、官報で公示するものとする。

一　当該国の機関において当該特定の分野に関する研究に関する国以外の者との交流の実績が相当程度あり、かつ、その交流の一層の促進を図ることが当該特定の分野に関する研究の効率的推進に相当程度寄与するものであると認められること。

二　当該国の機関を中核として、その周辺に当該国の機関が行う当該特定の分野に関する研究と関連する研究を行う国以外の者の施設が相当程度集積するものと見込まれること。

2　中核的研究機関（前項の規定により公示された国の機関をいう。）に対する前条の規定の適用については、同条第一項中「国が」とあるのは「中核的研究機関が」と、「密接に関連し、かつ、当該研究の効率的推進に特に有益である」とあるのは「関連する」と、「試験研究機関等その他の政令で定める国の機関」とあるのは「中核的研究機関」と、「提供する」とあるのは「提供し、又は中核的研究機関の国有の試験研究施設を使用して行った研究の成果を国に報告する」と、同条第二項中「試験研究機関等その他の政令で定める国の機関と共同して行う研究」とあるのは「中核的研究機関と共同して行っている研究と密接に関連し、かつ、当該研究の効率的推進に特に有益である研究又は中核的研究機関が行った研究の成果を活用する研究」と、「提供する」とあるのは「提供し、又は当該施設において行った研究の成果を国に報告する」とする。

第四節　研究開発の成果の実用化等を不当に阻害する要因の解消等

（研究開発の成果の実用化等を不当に阻害する要因の解消）

第三十八条　国は、研究開発の成果の実用化及びこれによるイノベーションの創出を図るため、これらを不当に阻害する要因の調査を行い、その結果に基づき、規制の見直しその他の当該要因の解消に必要な施策を講ずるものとする。

（国の資金により行われる研究開発に係る収入及び設備その他の物品の有効な活用）

第三十九条　国は、研究開発の成果の実用化及びこれによるイノベーションの創出を図る等のため、国の資金により行われる研究開発に係る収入及び設備その他の物品の取扱いについて、これらが、当該研究開発の成果の実用化及び更なる研究開発の推進に有効に活用されるよう配慮するものとする。

（特許制度の国際的な調和の実現等）
第四十条　国は、特許制度の国際的な調和が研究開発の成果の適切な保護を図るために極めて重要であることにかんがみ、特許制度の国際的な調和の実現を図るために必要な施策を講ずるものとする。
２　国は、民間事業者が研究開発の成果に係る知的財産権を行使して、正当な利益を確保することが、その研究開発能力の強化に極めて重要であることに鑑み、国際的な連携に配慮しつつ、知的財産権を侵害する事犯の取締りを行うことその他の方法により知的財産権が安定的に保護されるための環境の整備に必要な施策を講ずるものとする。
３　研究開発法人、大学等及び民間事業者は、その研究開発等の効率的推進を図るため、その研究開発において特許に関する情報の活用に努めるものとする。

（研究開発の成果の国外流出の防止）
第四十一条　国は、研究開発の成果の適切な保護を図るため、国の資金により行われる研究開発の成果について、我が国の国際競争力の維持に支障を及ぼすこととなる国外流出の防止に必要な施策を講ずるものとする。
２　研究開発法人、大学等及び民間事業者は、その研究開発の成果について、我が国の国際競争力の維持に支障を及ぼすこととなる国外流出の防止に努めるものとする。

（国際標準への適切な対応）
第四十二条　国は、研究開発の成果に係る国際的な標準（以下この条において「国際標準」という。）への適切な対応が研究開発の成果の実用化及びこれによるイノベーションの創出に極めて重要であることにかんがみ、国際標準に関する啓発及び知識の普及、国際標準に関する国際機関その他の国際的な枠組みへの参画その他の国際標準への適切な対応に必要な施策を講ずるものとする。
２　研究開発法人、大学等及び民間事業者は、必要に応じて、国際標準に関する専門的知識を有する人材を確保し及び育成すること、その研究開発の成果に係る仕様等を国際標準とすること、その研究開発等の推進において国際標準を積極的に活用することその他の国際標準への適切な対応に努めるものとする。

（未利用成果の積極的な活用）
第四十三条　国は、研究開発の成果の実用化及びこれによるイノベーションの創出を図るため、国、研究開発法人、大学等及び民間事業者の研究開発の成果のうち、活用されていないもの（次項において「未利用成果」という。）について、その積極的な活用を図るために必要な施策を講ずるものとする。
２　研究開発法人、大学等及び民間事業者は、未利用成果の積極的な活用に努めるものとする。

（中小企業者その他の民間事業者の革新的な研究開発の促進等）
第四十四条　国は、中小企業者その他の民間事業者が研究開発能力の強化及び研究開発等の効率的推進並びにイノベーションの創出に極めて重要な役割を果たすものであることに鑑み、その革新的な研究開発の促進に必要な施策を講ずるものとする。
２　国、地方公共団体、研究開発法人及び国立大学法人等は、国、地方公共団体、研究開発法人又は国立大学法人等を当事者の一方とする契約で役務の給付又は物件の納入に対し当該国、地方公共団体、研究開発法人又は国立大学法人等が対価の支払をすべきものを締結するに当たっては、予算の適正な使用に留意しつつ、革新的な研究開発を行う中小企業者の受注の機会の増大を図るよう努めるものとする。

（公共事業等における研究開発の成果の活用）
第四十四条の二　国及び地方公共団体は、公共事業その他の事業の実施に関し、その効果的かつ効率的な推進を図るとともに研究開発の成果の実用化に資するよう、革新的な研究開発の成果等の活用に努めるものとする。

（研究開発等を支援するための事業の振興）
第四十五条　国は、研究開発等を支援するための事業を行う者が研究開発等の効率的推進に極めて重要な役割を果たすものであることにかんがみ、当該事業の振興に必要な施策を講ずるものとする。

（国の受託研究の成果に係る特許権等の譲与）
第四十六条　国は、国以外の者から委託を受けて行った研究の成果に係る国有の特許権又は実用新案権の一部を、政令で定めるところにより、当該国以外の者に譲与することができる。

第六章　研究開発システムの改革に関する内外の動向等の調査研究等

（内外の動向等の調査研究）
第四十七条　国は、研究開発システムの改革に関する内外の動向、多様な分野の研究開発の国際的な水準、研究開発等に係る費用と便益の比較その他の方法による異なる分野の研究開発等の重要性の比較、国の資金により行われる研究開発等のイノベーションの創出への影響並びに著しい新規性を有し又は著しく創造的な分野を対象とする研究開発であってその成果の実用化により極めて重要なイノベーションの創出をもたらす可能性のあるもの及び社会科学又は経営管理方法への自然科学の応用に関する研究開発の推進の在り方について、調査研究を行い、その結果を研究開発システム及び国の資金により行われる研究開発等の推進の在り方に反映させるものとする。

（客観的な根拠となる情報の活用による科学技術・イノベーション政策の推進）

第四十七条の二　総合科学技術・イノベーション会議は、科学技術・イノベーション創出の活性化に係る政策の効果的な推進に資するよう、その所掌事務を遂行するに当たっては、調査審議等の対象となる事項の特性を踏まえ、科学技術・イノベーション創出の活性化に係る各種の情報及びその分析の結果その他の客観的な根拠となる情報の積極的な活用を図るものとする。

2　関係行政機関、研究開発法人及び大学等は、総合科学技術・イノベーション会議の行う科学技術・イノベーション創出の活性化に係る情報の収集及び分析について、情報の提供その他の協力を行うよう努めるものとする。

第七章　研究開発法人に対する主務大臣の要求

第四十八条　主務大臣は、個別法に基づき研究開発法人に対し必要な措置をとることを求めることができるときのほか、研究開発等に関する条約その他の国際約束を我が国が誠実に履行するため必要があると認めるとき又は災害その他非常の事態が発生し、若しくは発生するおそれがある場合において、国民の生命、身体若しくは財産を保護するため緊急の必要があると認めるときは、研究開発法人に対し、必要な措置をとることを求めることができる。

2　研究開発法人は、主務大臣から前項の規定による求めがあったときは、その求めに応じなければならない。

第八章　更なる科学技術・イノベーション創出の活性化に向けた検討

（国立大学法人に係る改革に関する検討）

第四十九条　政府は、科学技術・イノベーション創出の活性化において、国立大学法人（国立大学法人法第二条第一項に規定する国立大学法人をいう。以下この条において同じ。）が果たす役割の重要性に鑑み、自主性、自律性その他の大学における教育及び研究の特性を尊重しつつ、国立大学法人に係る改革に関し、科学技術・イノベーション創出の活性化の観点から、経営的視点に基づきマネージメントを行う能力の向上、産学官連携の推進並びに若年者である研究者の雇用の安定及び研究開発等に係る環境の整備を図るため、民間資金の受入れの拡大、人事及び給与の在り方の見直し並びに評価の活用等について検討を行い、その結果に基づいて必要な措置を講ずるものとする。

（著作物その他の知的財産の利用及び活用に関する検討）

第五十条　政府は、著作物その他の知的財産の利用及び活用を促進し、その創造と利用及び活用の好循環を実現することが科学技術・イノベーション創出の活性化にとって極めて重要であることに鑑み、著作物その他の知的財産の利用及び活用を図るための措置について検討を行い、その結果に基づいて必要な措置を講ずるものとする。

2　前項の検討を行うに当たっては、権利者の利益を不当に侵害しないよう留意するものとする。

（公募型研究開発に係る資源配分の在り方等に関する検討）

第五十一条　政府は、前二条に定めるもののほか、公募型研究開発に係るそれぞれの研究開発等の特性に応じた効果的な資源の配分の在り方その他の科学技術・イノベーション創出の活性化に関する方策について検討を行い、その結果に基づいて必要な措置を講ずるものとする。

第九章　罰則

第五十二条　次の各号のいずれかに該当する場合には、その違反行為をした研究開発法人の役員は、二十万円以下の過料に処する。

一　第二十七条の二第三項において準用する独立行政法人通則法第四十七条の規定に違反して基金を運用したとき。

二　第三十四条の六第二項の規定により主務大臣の認可を受けなければならない場合において、その認可を受けなかったとき。

附　則（抄）

（施行期日）

第一条　この法律は、公布の日から起算して六月を超えない範囲内において政令で定める日〔平二〇・一〇・二一〕から施行する。ただし、附則第七条の規定はこの法律の公布の日又は独立行政法人気象研究所法（平成二十年法律第　　号）の公布の日のいずれか遅い日から、附則第八条の規定はこの法律の公布の日又は高度専門医療に関する研究等を行う独立行政法人に関する法律（平成二十年法律第九十三号）の公布の日のいずれか遅い日から施行する。

（研究交流促進法の廃止）

第二条　研究交流促進法（昭和六十一年法律第五十七号）は、廃止する。

（経過措置）

第三条　この法律の施行前に前条の規定による廃止前の研究交流促進法（以下「旧法」という。）（第六条を除く。以下この条において同じ。）又は旧法に基づく命令の規定によりした処分、手続その他の行為は、この法律又はこの法律に基づく命令の相当する規定によりした処分、手続その他の行為とみなす。

第四条　この法律の施行前に旧法第六条第一項に規定する共同研究等に従事するため国家公務員法第七十九条又は自衛隊法第四十三条の規定により休職にされた旧法第二条第三項に規定する研究公務員については、旧法第六条の規定は、なおその効力を有する。

第五条　この法律の施行前に旧法第十二条第一項の規定によりされた公示で、この法律の施行の際現に効力を有するものは、第三十七条第一項の規定によりされた公示とみなす。

（検討）

第六条　政府は、この法律の施行後三年以内に、更なる研究開発能力の強化及び研究開発等の効率的推進の観点からの研究開発システムの在り方に関する総合科学技術会議における検討の結果を踏まえ、この法律の施行の状況、研究開発システムの改革に関する内外の動向の変化等を勘案し、この法律の規定について検討を加え、必要があると認めるときは、その結果に基づいて必要な措置を講ずるものとする。

別表第一（第二条関係）

一　国立研究開発法人日本医療研究開発機構
二　国立研究開発法人情報通信研究機構
三　独立行政法人酒類総合研究所
四　独立行政法人国立特別支援教育総合研究所
五　独立行政法人国立科学博物館
六　国立研究開発法人物質・材料研究機構
七　国立研究開発法人防災科学技術研究所
八　国立研究開発法人量子科学技術研究開発機構
九　国立研究開発法人科学技術振興機構
十　独立行政法人日本学術振興会
十一　国立研究開発法人理化学研究所
十二　国立研究開発法人宇宙航空研究開発機構
十三　国立研究開発法人海洋研究開発機構
十四　国立研究開発法人日本原子力研究開発機構
十五　独立行政法人労働者健康安全機構
十六　国立研究開発法人医薬基盤・健康・栄養研究所
十七　国立研究開発法人国立がん研究センター
十八　国立研究開発法人国立循環器病研究センター
十九　国立研究開発法人国立精神・神経医療研究センター
二十　国立研究開発法人国立国際医療研究センター
二十一　国立研究開発法人国立成育医療研究センター
二十二　国立研究開発法人国立長寿医療研究センター
二十三　国立研究開発法人農業・食品産業技術総合研究機構
二十四　国立研究開発法人国際農林水産業研究センター
二十五　国立研究開発法人森林研究・整備機構
二十六　国立研究開発法人水産研究・教育機構

二十七　独立行政法人経済産業研究所
二十八　国立研究開発法人産業技術総合研究所
二十九　独立行政法人エネルギー・金属鉱物資源機構
三十　国立研究開発法人新エネルギー・産業技術総合開発機構
三十一　国立研究開発法人土木研究所
三十二　国立研究開発法人建築研究所
三十三　国立研究開発法人海上・港湾・航空技術研究所
三十四　独立行政法人自動車技術総合機構
三十五　国立研究開発法人国立環境研究所
三十六　独立行政法人環境再生保全機構

別表第二（第二十七条の二関係）

一　国立研究開発法人日本医療研究開発機構
二　国立研究開発法人科学技術振興機構
三　独立行政法人日本学術振興会
四　国立研究開発法人農業・食品産業技術総合研究機構
五　国立研究開発法人新エネルギー・産業技術総合開発機構

別表第三（第三十四条の六関係）

一　国立研究開発法人情報通信研究機構
二　国立研究開発法人物質・材料研究機構
三　国立研究開発法人防災科学技術研究所
四　国立研究開発法人量子科学技術研究開発機構
五　国立研究開発法人科学技術振興機構
六　国立研究開発法人理化学研究所
七　国立研究開発法人宇宙航空研究開発機構
八　国立研究開発法人海洋研究開発機構
九　国立研究開発法人日本原子力研究開発機構
十　国立研究開発法人医薬基盤・健康・栄養研究所
十一　国立研究開発法人国立がん研究センター
十二　国立研究開発法人国立循環器病研究センター
十三　国立研究開発法人国立精神・神経医療研究センター
十四　国立研究開発法人国立国際医療研究センター
十五　国立研究開発法人国立成育医療研究センター
十六　国立研究開発法人国立長寿医療研究センター
十七　国立研究開発法人農業・食品産業技術総合研究機構
十八　国立研究開発法人国際農林水産業研究センター
十九　国立研究開発法人森林研究・整備機構
二十　国立研究開発法人水産研究・教育機構
二十一　国立研究開発法人産業技術総合研究所
二十二　独立行政法人エネルギー・金属鉱物資源機構
二十三　国立研究開発法人新エネルギー・産業技術総合開発機構
二十四　国立研究開発法人土木研究所
二十五　国立研究開発法人建築研究所
二十六　国立研究開発法人海上・港湾・航空技術研究所
二十七　国立研究開発法人国立環境研究所

★本法は、次の法律により一部改正されたが、国立健康危機管理研究機構法（令五法四六）の施行の日〔令和五年六月七日から起算して三年を超えない範囲内において政令で定める日〕から施行となるため、一部改正の形で掲載した。

○国立健康危機管理研究機構法の施行に伴う関係法律の整備に関する法律（抄）

令五・六・七
法　四　七

（科学技術・イノベーション創出の活性化に関する法律の一部改正）

第十二条　科学技術・イノベーション創出の活性化に関する法律（平成二十年法律第六十三号）の一部を次のように改正する。

第二条第九項中「という。）」の下に「又は特殊法人（法律により直接に設立された法人又は特別の法律により特別の設立行為をもって設立された法人であって、総務省設置法（平成十一年法律第九十一号）第四条第一項第八号の規定の適用を受けるものをいう。）」を加える。

第二十七条の二第一項中「研究開発法人」を「研究開発独立行政法人（研究開発法人のうち、独立行政法人であるものをいう。以下同じ。）」に改める。

第三十三条、第三十四条の四第三項、第三十四条の五（見出しを含む。）、第三十四条の六の見出し並びに同条第一項及び第二項、第七章の章名、第四十八条並びに第五十二条中「研究開発法人」を「研究開発独立行政法人」に改める。

別表第一中第二十号を削り、第二十一号を第二十号とし、第二十二号から第三十六号までを一号ずつ繰り上げ、同表に次の一号を加える。

三十六　国立健康危機管理研究機構

別表第三中第十四号を削り、第十五号を第十四号とし、第十六号から第二十七号までを一号ずつ繰り上げる。

附　則（抄）

（施行期日）

第一条　この法律は、国立健康危機管理研究機構法（令和五年法律第四十六号）の施行の日（以下「施行日」という。）〔令和五年六月七日から起算して三年を超えない範囲内において政令で定める日〕から施行する。〔ただし書略〕

○科学技術・イノベーション創出の活性化に関する法律施行令

平二〇・一〇・一〇
政令三一四

最終改正　令六・二・二六政令三六

（試験研究機関等）

第一条　科学技術・イノベーション創出の活性化に関する法律（平成二十年法律第六十三号。以下「法」という。）第二条第八項の政令で定める機関は、別表第一に掲げる機関とする。

（研究公務員）

第二条　法第二条第十二項第一号の政令で定める者は、次に掲げる者とする。

一　別表第一の一の項に掲げる機関に勤務する者のうち、研究をその職務の一部とするもの

二　別表第一の二の項に掲げる機関に勤務する者のうち、研究所、研究部その他の命令で定める部課等に所属するものであって、研究をその職務の一部とするもの

三　別表第一の三の項に掲げる機関に勤務する者のうち、科学技術に関する高度の知識を修得させるための教育訓練を行うために研究をその職務の一部とする者として命令で定めるもの

2　法第二条第十二項第二号の政令で定める者は、防衛省の職員の給与等に関する法律（昭和二十七年法律第二百六十六号）第四条第一項の規定に基づき一般職の職員の給与に関する法律（昭和二十五年法律第九十五号）別表第六教育職俸給表㈠又は同法別表第八医療職俸給表㈠に定める額の俸給が支給される職員、同条第二項の規定に基づき一般職の任期付職員の採用及び給与の特例に関する法律（平成十二年法律第百二十五号）第七条第一項に規定する俸給表に定める額の俸給が支給される職員及び防衛省の職員の給与等に関する法律第四条第四項の規定に基づき同法別表第二自衛官俸給表に定める額の俸給が支給される職員（同表の陸将、海将及び空将の欄並びに陸将補、海将補及び空将補の㈠欄の適用を受ける職員を除く。）のうち、次に掲げる者とする。

一　別表第一の四の項に掲げる機関に勤務する者のうち、研究をその職務の一部とするもの

二　別表第一の五の項に掲げる機関に勤務する者のうち、研究所、研究部その他の命令で定める部課等に所属するものであって、研究をその職務の一部とするもの

三　別表第一の六の項に掲げる機関に勤務する者のうち、科学技術に関する高度の知識を修得させるための教育訓練を行うために研究をその職務の一部とする者として命令で定めるもの

3　法第二条第十二項第三号の政令で定める者は、研究をその職務の全部又は一部とする者とする。

（中小企業者の範囲）

第二条の二　法第二条第十四項第五号に規定する政令で定める業種並びにその業種ごとの資本金の額又は出資の総額及び常時使用する従業員の数は、次の表のとおりとする。

	業種	資本金の額又は出資の総額	常時使用する従業員の数
一	ゴム製品製造業（自動車又は航空機用タイヤ及びチューブ製造業並びに工業用ベルト製造業を除く。）	三億円	九百人
二	ソフトウェア業又は情報処理サービス業	三億円	三百人
三	旅館業	五千万円	二百人

2 法第二条第十四項第八号の政令で定める組合及び連合会は、次のとおりとする。

一 事業協同組合及び事業協同小組合並びに協同組合連合会

二 水産加工業協同組合及び水産加工業協同組合連合会

三 商工組合及び商工組合連合会

四 商店街振興組合及び商店街振興組合連合会

五 生活衛生同業組合、生活衛生同業小組合及び生活衛生同業組合連合会であって、その直接又は間接の構成員の三分の二以上が五千万円（卸売業を主たる事業とする事業者については、一億円）以下の金額をその資本金の額若しくは出資の総額とする法人又は常時五十人（卸売業又はサービス業を主たる事業とする事業者については、百人）以下の従業員を使用する者であるもの

六 酒造組合、酒造組合連合会及び酒造組合中央会であって、その直接又は間接の構成員たる酒類製造業者の三分の二以上が三億円以下の金額をその資本金の額若しくは出資の総額とする法人又は常時三百人以下の従業員を使用する者であるもの並びに酒販組合、酒販組合連合会及び酒販組合中央会であって、その直接又は間接の構成員たる酒類販売業者の三分の二以上が五千万円（酒類卸売業者については、一億円）以下の金額をその資本金の額若しくは出資の総額とする法人又は常時五十人（酒類卸売業者については、百人）以下の従業員を使用する者であるもの

七 内航海運組合及び内航海運組合連合会であって、その直接又は間接の構成員たる内航海運事業を営む者の三分の二以上が三億円以下の金額をその資本金の額若しくは出資の総額とする法人又は常時三百人以下の従業員を使用する者であるもの

八 技術研究組合であって、その直接又は間接の構成員の三分の二以上が法第二条第十四項第一号から第七号までに規定する中小企業者であるもの

（新技術補助金等を交付する法人の範囲）

第二条の三 法第二条第十五項の政令で定める法人は、次のとおりとする。

一 国立研究開発法人日本医療研究開発機構、国立研究開発法人情報通信研究機構、国立研究開発法人科学技術振興機構、国立研究開発法人医薬基盤・健康・栄養研究所、国立研究開発法人農業・食品産業技術総合研究機構、独立行政法人情報処理推進機構、独立行政法人エネルギー・金属鉱物資源機構、国立研究開発法人新エネルギー・産業技術総合開発機構、独立行政法人中小企業基盤整備機構、独立行政法人鉄道建設・運輸施設整備支援機構及び独立行政法人環境再生保全機構

二 日本商工会議所、全国中小企業団体中央会及び全国商工会連合会

（外国人を任用できない職員等の範囲）

第三条 法第十四条第一項第二号の政令で定める職員は、試験研究機関等の長を助け当該試験研究機関等の業務を整理する職又は試験研究機関等の業務のうち重要事項に係るものを総括整理する職であって、命令で定める職の職員とする。

2 法第十四条第一項第三号の政令で定める機関は、支所、支場、出張所その他これらに類する機関のうち、命令で定めるものとする。

（国家公務員退職手当法の特例に関する要件等）

第四条 法第十七条第一項の政令で定める要件は、次に掲げる要件の全てに該当することとする。

一 研究公務員の共同研究等（国及び行政執行法人以外の者が国（当該研究公務員が行政執行法人の職員である場合にあっては、当該行政執行法人。以下この号において同じ。）と共同して行う研究又は国の委託を受けて行う研究をいう。以下この条において同じ。）への従事が、当該共同研究等の規模、内容その他の状況に照らして、当該共同研究等の効率的実施に特に資するものであること。

二 研究公務員が共同研究等において従事する業務が、当該研究公務員の職務に密接な関連があり、かつ、当該共同研究等において重要なものであること。

三 研究公務員を共同研究等に従事させることについて当該共同研究等を行う国及び行政執行法人以外の

者からの要請があること。

2　各省各庁の長（財政法（昭和二十二年法律第三十四号）第二十条第二項に規定する各省各庁の長をいう。以下同じ。）及び行政執行法人の長（第四項において「各省各庁の長等」という。）は、職員の退職に際し、その者の在職期間のうちに研究公務員として共同研究等に従事するため国家公務員法（昭和二十二年法律第百二十号）第七十九条又は自衛隊法（昭和二十九年法律第百六十五号）第四十三条の規定により休職にされた期間があった場合において、当該休職に係る期間（その期間が更新された場合にあっては、当該更新に係る期間。以下この項において同じ。）における当該研究公務員としての当該共同研究等への従事が前項各号に掲げる要件の全てに該当することにつき、当該休職前（更新に係る場合には、当該更新前）に当該研究公務員の所属する各省各庁（財政法第二十一条に規定する各省各庁をいう。）又は行政執行法人の長において内閣総理大臣の承認を受けていたときに限り、当該休職に係る期間について法第十七条第一項の規定を適用するものとする。

3　法第十七条第二項の政令で定める給付は、所得税法（昭和四十年法律第三十三号）第三十条第一項に規定する退職手当等（同法第三十一条の規定により退職手当等とみなされるものを含む。）とする。

4　第二項の承認に係る共同研究等に従事した研究公務員は、当該共同研究等を行う国及び行政執行法人以外の者から前項に規定する退職手当等の支払を受けたときは、所得税法第二百二十六条第二項の規定により交付された源泉徴収票（源泉徴収票の交付のない場合には、これに準ずるもの）を各省各庁の長等に提出し、各省各庁の長等はその写しを内閣総理大臣に送付しなければならない。

（無償又は時価よりも低い対価による通常実施権の許諾）

第五条　法第二十一条の政令で定める特許権及び実用新案権は、同条に規定する研究（当該研究の相手方がその成果として取得することとなる特許権及び実用新案権（以下この条において「特許権等」という。）についての国、本邦人又は本邦法人に対する通常実施権の許諾を無償とし、又はその許諾の対価を時価よりも低く定めることを約しているものに限る。）の成果に係る国有の特許権等とする。

2　法第二十一条の政令で定める者は、次の各号に掲げる者（条約に別段の定めがある場合を除き、前項に規定する国有の特許権等に係る同条に規定する研究の相手方に限る。）の区分に応じ当該各号に定める者並びに本邦人及び本邦法人のうち、当該特許権等の管理を所掌する各省各庁の長が、当該特許権等ごとに指定するものとする。

一　外国又は外国の公共的団体　当該外国並びに当該外国の公共的団体、国民及び法人

二　国際機関　当該国際機関並びに当該国際機関を構成する外国並びに当該外国の公共的団体、国民及び法人

3　各省各庁の長は、前項の規定による指定をしようとするときは、財務大臣に協議しなければならない。

（国の委託に係る国際共同研究の成果に係る特許権等の取扱い）

第六条　法第二十二条第一号の政令で定める特許権若しくは実用新案登録を受ける権利は、国の委託に係る研究であって、本邦法人と外国法人、外国若しくは外国の公共的団体又は国際機関（以下この条において「外国法人等」という。）とが共同して行うもの（以下この条において「国際共同研究」という。）であり、かつ、次に掲げる要件のすべてに該当するものの成果に係る特許権等（特許権又は実用新案権をいう。以下この条において同じ。）又は特許を受ける権利等（特許を受ける権利又は実用新案登録を受ける権利をいう。次項において同じ。）のうち、本邦法人又は外国法人等（条約に別段の定めがある場合を除き、当該国際共同研究に参加する外国法人等に係る外国（外国法人又は外国の公共的団体にあってはそれらの属する外国、外国にあっては当該外国、国際機関にあっては当該国際機関を構成する外国の全部又は一部とする。以下この条において「参加国」という。）において、当該参加国が資金の全部を提供して行われる研究の成果に係る特許権等をその特許に係る発明又は実用新案登録に係る考案をした者（以下この条において「発明者等」という。）が所属する本邦法人又は国の機関（以下この条において「本邦法人等」という。）が保有することが認められているものに限る。）に所属する者が発明者等であるものとする。

一　外国法人等の研究能力の活用が当該国際共同研究の効率的実施に特に資するものであること。

二　条約に別段の定めがある場合を除き、参加国（二以上の参加国がある場合は、その全部又は一部）において、当該参加国が資金の全部を提供して行われる研究の成果に係る特許権等を発明者等が所属する本邦法人等が保有することが認められていること。

2　法第二十二条第一号の規定により国がその一部のみを譲り受ける場合における特許権等又は特許を受ける権利等に係る国の持分の割合は、二分の一を下回らない範囲内で当該特許権等又は特許を受ける権利等の管理を所掌する各省各庁の長が定めるものとする。

3　法第二十二条第二号及び第三号の政令で定める特許権等は、国の委託に係る国際共同研究であって、第一項第一号に掲げる要件に該当するものの成果に係る特許権等とする。

4　法第二十二条第二号の政令で定める国以外の者は、本邦法人又は外国法人等（条約に別段の定めがある場合を除き、参加国において、当該参加国が資金の全部を提供して行われる研究の成果に係る特許権等の全部を発明者等が所属する本邦法人等が保有することが認められているか、又は当該特許権等が当該本邦法人等と当該参加国との共有に係る場合において、当該本邦法人等のその特許発明若しくは登録実用新案の実施について当該参加国がその持分に係る対価を受けず、若しくは時価よりも低い対価を受けているものに限る。）であって次に掲げるもののうち、前項に規定する特許権等の管理を所掌する各省各庁の長が当該特許権等ごとに指定するものとする。

一　発明者等が所属する本邦法人又は外国法人等

二　前号に掲げる者に当該特許権等に係る国際共同研究の再委託を行った本邦法人又は外国法人等

三　前号に掲げる者のほか、第一号に掲げる者と特別な関係を有する者として命令で定める本邦法人又は外国法人等

5　法第二十二条第三号の政令で定める者は、本邦法人又は外国法人等（条約に別段の定めがある場合を除き、参加国において、当該参加国が資金の全部を提供して行われる研究の成果に係る特許権等の全部を発明者等が所属する本邦法人等が保有することが認められているか、当該特許権等が当該本邦法人等と当該参加国との共有に係る場合において、当該本邦法人等のその特許発明若しくは登録実用新案の実施について当該参加国がその持分に係る対価を受けず、若しくは時価よりも低い対価を受けているか、又は当該特許権等が当該参加国の所有に係る場合において、当該本邦法人等に対し、通常実施権の許諾が無償とされ、若しくはその許諾の対価が時価よりも低く定められているものに限る。）であって前項各号に掲げるもののうち、第三項に規定する特許権等の管理を所掌する各省各庁の長が当該特許権等ごとに指定するものとする。

6　各省各庁の長は、第二項の割合を定めようとするとき、又は前二項の規定による指定をしようとするときは、財務大臣に協議しなければならない。

（損害賠償の請求権の放棄ができる研究等）

第七条　法第二十三条の政令で定める研究は、国が外国若しくは外国の公共的団体又は国際機関（以下この条において「外国」と総称する。）と共同して行う研究であって、当該外国が、法第二十三条の規定により国が当該研究について当該外国に対して放棄する請求権と同種の請求権を、国及びその職員に対して放棄することを約しているものとする。

2　法第二十三条の政令で定める者は、次に掲げる者（その職員を含む。）のうち、前項に規定する研究に係る国の損害賠償の請求に関する事務を所掌する各省各庁の長が、当該研究ごとに指定するものとする。

一　当該研究の相手方である外国

二　当該研究の相手方である外国が担当する当該研究の部分に参加する当該外国以外の者のうち、法第二十三条の規定により国が当該研究についてその者に対して放棄する請求権と同種の請求権を、国及びその職員に対して放棄することを約している者

三　当該研究の相手方である外国と共同して行う研究その他の活動（当該研究と関連を有するものに限る。）であって、当該研究において使用される当該外国の施設又は設備を国と共用するものに参加することにより当該研究に関与することとなる者のうち、法第二十三条の規定により国が当該研究についてその者に対して放棄する請求権と同種の請求権を、国及びその職員に対して放棄することを約している者

3　各省各庁の長は、前項の規定による指定をしようとするときは、財務大臣に協議しなければならない。

（研究開発法人による出資等の業務）

第七条の二　別表第二の第二欄に掲げる研究開発法人に係る同表の第三欄に掲げる個別法の規定の政令で定める出資並びに人的及び技術的援助は、それぞれ同表の第四欄に定める出資並びに人的及び技術的援助とする。

（国有施設の減額使用）

第八条　各省各庁の長は、国が現に行っている研究と密接に関連し、かつ、当該研究の効率的推進に特に有益であると認定した国以外の者が行う研究について、当該国以外の者に対し、次項に定める国の機関の国有の試験研究施設を、法第三十六条第一項の規定により、時価からその五割以内を減額した対価で使用させることができる。

2　法第三十六条第一項の政令で定める国の機関は、別表第一（七の項を除く。）に掲げる機関とする。

3　法第三十六条第一項の政令で定める条件は、同項に規定する提供を無償で行うこととする。

4　各省各庁の長は、第一項の規定による認定をしようとするときは、財務大臣に協議しなければならない。

5　第一項の規定による認定に関し必要な手続その他の事項は、命令で定める。

（国有地の減額使用）

第九条　各省各庁の長は、国以外の者であって、次項に定める国の機関と共同して行う研究に必要な施設を当該機関の敷地内に整備し、当該施設においてその研究を行おうとするものであると認定したものに対し、当該施設の用に供する土地を、法第三十六条第二項の規定により、時価からその五割以内を減額した対価で使用させることができる。

2　法第三十六条第二項の政令で定める国の機関は、別表第一（七の項を除く。）に掲げる機関とする。

3　法第三十六条第二項の政令で定める条件は、同項に規定する提供を無償で行うこととする。

4　各省各庁の長は、第一項の規定による認定をしようとするときは、財務大臣に協議しなければならない。

5　第一項の規定による認定に関し必要な手続その他の事項は、命令で定める。

（中核的研究機関に係る特例）

第十条　法第三十七条第一項の政令で定める国の機関は、別表第一（七の項を除く。）に掲げる機関とする。

第十一条　各省各庁の長は、中核的研究機関（前条に規定する機関のうち法第三十七条第一項の規定により公示されたものをいう。以下同じ。）が現に行っている研究と関連すると認定した国以外の者が行う研究について、当該国以外の者に対し、中核的研究機関の国有の試験研究施設を、同条第二項の規定により読み替えて適用される法第三十六条第一項の規定により、時価からその五割以内を減額した対価で使用させることができる。

2　法第三十七条第二項の規定により読み替えて適用される法第三十六条第一項の政令で定める条件は、同項に規定する提供を無償で行うこととする。

3　第八条第四項及び第五項の規定は、第一項の規定による認定について準用する。

第十二条　各省各庁の長は、国以外の者であって、中核的研究機関と共同して行う研究、中核的研究機関が現に行っている研究と密接に関連し、かつ、当該研究の効率的推進に特に有益である研究又は中核的研究機関が行った研究の成果を活用する研究に必要な施設を当該中核的研究機関の敷地内に整備し、当該施設においてその研究を行おうとするものであると認定したものに対し、当該施設の用に供する土地を、法第三十七条第二項の規定により読み替えて適用される法第三十六条第二項の規定により、時価からその五割以内を減額した対価で使用させることができる。

2　法第三十七条第二項の規定により読み替えて適用される法第三十六条第二項の政令で定める条件は、同項に規定する提供を無償で行うこととする。

3　第九条第四項及び第五項の規定は、第一項の規定による認定について準用する。

（国の譲与する特許権等の限度）

第十三条　法第四十六条の規定による国有の特許権又は実用新案権の一部の譲与は、国の持分の割合が二分の一を下回らない範囲内において行うものとする。

（命令）

第十四条　この政令における命令は、次のとおりとする。

一　第二条、第三条、第八条第五項（第十一条第三項において準用する場合を含む。）及び第九条第五項（第十二条第三項において準用する場合を含む。）の命令については、別表第一に掲げる機関を所管する大臣の発する命令

二　第六条第四項第三号の命令については、同条第三項に規定する特許権等の管理を所掌する大臣の発する命令

2　第六条第三項に規定する特許権等の管理を所掌する大臣は、前項第二号の命令を定めようとするときは、財務大臣に協議しなければならない。

附　則（抄）

（施行期日）

第一条　この政令は、法の施行の日（平成二十年十月二十一日）から施行する。

（研究交流促進法施行令の廃止）

第二条　研究交流促進法施行令（昭和六十一年政令第三百四十五号）は、廃止する。

（経過措置）

第三条　法附則第四条の規定によりなおその効力を有するものとされる法附則第二条の規定による廃止前の研究交流促進法（昭和六十一年法律第五十七号）第六条の規定の適用については、前条の規定による廃止前の研究交流促進法施行令第四条の規定は、なおその効力を有する。

別表第一（第一条、第二条、第八条―第十条、第十四条関係）

一	一 内閣府経済社会総合研究所 二 警察庁科学警察研究所 三 文部科学省国立教育政策研究所 四 文部科学省科学技術・学術政策研究所 五 厚生労働省国立医薬品食品衛生研究所 六 厚生労働省国立保健医療科学院 七 厚生労働省国立社会保障・人口問題研究所 八 厚生労働省国立感染症研究所 九 農林水産省動物医薬品検査所 十 農林水産省農林水産政策研究所 十一 国土交通省国土技術政策総合研究所 十二 気象庁気象研究所 十三 気象庁高層気象台 十四 気象庁地磁気観測所 十五 環境省環境調査研修所
二	一 消防庁消防大学校 二 法務省法務総合研究所 三 厚生労働省国立障害者リハビリテーションセンター 四 国土交通省国土地理院
三	一 気象庁気象大学校 二 海上保安庁海上保安大学校
四	一 防衛装備庁航空装備研究所 二 防衛装備庁陸上装備研究所 三 防衛装備庁艦艇装備研究所 四 防衛装備庁次世代装備研究所 五 防衛装備庁千歳試験場 六 防衛装備庁下北試験場 七 防衛装備庁岐阜試験場
五	一 防衛省防衛研究所 二 自衛隊中央病院
六	一 防衛省防衛大学校 二 防衛省防衛医科大学校
七	一 独立行政法人農林水産消費安全技術センター 二 独立行政法人製品評価技術基盤機構 三 独立行政法人国立印刷局

別表第二（第七条の二関係）

一	国立研究開発法人情報通信研究機構	国立研究開発法人情報通信研究機構法（平成十一年法律第百六十二号）第十四条第一項第十三号	法第三十四条の六第一項第一号に掲げる者に対する出資並びに人的及び技術的援助
二	国立研究開発法人物質・材料研究機構	国立研究開発法人物質・材料研究機構法（平成十一年法律第百七十三号）第十五条第五号	法第三十四条の六第一項第一号及び第三号に掲げる者に対する出資並びに人的及び技術的援助
三	国立研究開発法人防災科学技術研究所	国立研究開発法人防災科学技術研究所法（平成十一年法律第百七十四号）第十五条第七号	法第三十四条の六第一項第一号に掲げる者に対する出資並びに人的及び技術的援助
四	国立研究開発法人量子科学技術研究開発機構	国立研究開発法人量子科学技術研究開発機構法（平成十一年法律第百七十六号）第十六条第一項第八号	法第三十四条の六第一項第一号に掲げる者に対する出資並びに人的及び技術的援助
五	国立研究開発法人科学技術振興機構	国立研究開発法人科学技術振興機構法（平成十四年法律第百五十八号）第二十三条第一項第十一号	法第三十四条の六第一項第一号に掲げる者に対する出資並びに人的及び技術的援助
六	国立研究開発法人理化学研究所	国立研究開発法人理化学研究所法（平成十四年法律第百六十号）第十六条第一項第五号	法第三十四条の六第一項各号に掲げる者に対する出資並びに人的及び技術的援助
七	国立研究開発法人宇宙	国立研究開発法人宇宙航空研究	法第三十四条の六第一項各号に

	航空研究開発機構	開発機構法（平成十四年法律第百六十一号）第十八条第十一号	掲げる者に対する出資並びに人的及び技術的援助
八	国立研究開発法人海洋研究開発機構	国立研究開発法人海洋研究開発機構法（平成十五年法律第九十五号）第十七条第七号	法第三十四条の六第一項第一号に掲げる者に対する出資並びに人的及び技術的援助
九	国立研究開発法人日本原子力研究開発機構	国立研究開発法人日本原子力研究開発機構法（平成十六年法律第百五十五号）第十七条第一項第十号	法第三十四条の六第一項第一号に掲げる者に対する出資並びに人的及び技術的援助
十	国立研究開発法人医薬基盤・健康・栄養研究所	国立研究開発法人医薬基盤・健康・栄養研究所法（平成十六年法律第百三十五号）第十五条第一項第七号	法第三十四条の六第一項第一号に掲げる者に対する出資（金銭の出資を除く。）並びに人的及び技術的援助
十一	国立研究開発法人国立がん研究センター	高度専門医療に関する研究等を行う国立研究開発法人に関する法律（平成二十年法律第九十三	法第三十四条の六第一項第一号に掲げる者に対する出資（金銭の出資を除く。）並びに人的及び
		号）第十三条第一項第五号	技術的援助
十二	国立研究開発法人国立循環器病研究センター	高度専門医療に関する研究等を行う国立研究開発法人に関する法律第十四条第五号	法第三十四条の六第一項第一号に掲げる者に対する出資（金銭の出資を除く。）並びに人的及び技術的援助
十三	国立研究開発法人国立精神・神経医療研究センター	高度専門医療に関する研究等を行う国立研究開発法人に関する法律第十五条第六号	法第三十四条の六第一項第一号に掲げる者に対する出資（金銭の出資を除く。）並びに人的及び技術的援助
十四	国立研究開発法人国立国際医療研究センター	高度専門医療に関する研究等を行う国立研究開発法人に関する法律第十六条第七号	法第三十四条の六第一項第一号に掲げる者に対する出資（金銭の出資を除く。）並びに人的及び技術的援助
十五	国立研究開発法人国立成育医療研究センター	高度専門医療に関する研究等を行う国立研究開発法人に関する法律第十七条第五号	法第三十四条の六第一項第一号に掲げる者に対する出資（金銭の出資を除く。）並びに人的及び技術的援助
十六	国立研究開発法人国立長寿医療研究センター	高度専門医療に関する研究等を行う国立研究開発法人に関する法律第十八条第六号	法第三十四条の六第一項第一号に掲げる者に対する出資（金銭の出資を除く。）並びに人的及び技術的援助
十七	国立研究開発法人農業・食品産業技術総合研究機構	国立研究開発法人農業・食品産業技術総合研究機構法（平成十一年法律第百九十二号）第十四条第一項第六号	法第三十四条の六第一項第一号に掲げる者に対する出資並びに人的及び技術的援助
十八	国立研究開発法人国際農林水産業研究センター	国立研究開発法人国際農林水産業研究センター法（平成十一年法律第百九十七号）第十一条第三号	法第三十四条の六第一項第一号に掲げる者に対する出資並びに人的及び技術的援助
十九	国立研究開発法人森林研究・整備機構	国立研究開発法人森林研究・整備機構法（平成十一年法律第百九十八号）第十三条第一項第五号	法第三十四条の六第一項第一号に掲げる者に対する出資並びに人的及び技術的援助
二十	国立研究開発	国立研究開発法人	法第三十四条の

	発法人水産研究・教育機構	人水産研究・教育機構法（平成十一年法律第百九十九号）第十二条第一項第六号及び第二項第四号	六第一項第一号に掲げる者に対する出資並びに人的及び技術的援助
二十一	国立研究開発法人産業技術総合研究所	国立研究開発法人産業技術総合研究所法（平成十一年法律第二百三号）第十一条第一項第六号	法第三十四条の六第一項第一号及び第三号に掲げる者に対する出資並びに人的及び技術的援助
二十二	独立行政法人エネルギー・金属鉱物資源機構	独立行政法人エネルギー・金属鉱物資源機構法（平成十四年法律第九十四号）第十一条第一項第二十二号	法第三十四条の六第一項第一号に掲げる者に対する出資並びに人的及び技術的援助
二十三	国立研究開発法人新エネルギー・産業技術総合開発機構	国立研究開発法人新エネルギー・産業技術総合開発機構法（平成十四年法律第百四十五号）第十五条第八号の二	法第三十四条の六第一項第一号に掲げる者に対する出資（金銭の出資を除く。）並びに人的及び技術的援助
二十四	国立研究開発法人土木研究所	国立研究開発法人土木研究所法（平成十一年法律第二百五号）第十二条第六号	法第三十四条の六第一項第一号に掲げる者に対する出資並びに人的及び技術的援助
二十五	国立研究開発法人建築研究所	国立研究開発法人建築研究所法（平成十一年法律第二百六号）第十二条第七号	法第三十四条の六第一項第一号に掲げる者に対する出資並びに人的及び技術的援助
二十六	国立研究開発法人海上・港湾・航空技術研究所	国立研究開発法人海上・港湾・航空技術研究所法（平成十一年法律第二百八号）第十一条第七号	法第三十四条の六第一項第一号に掲げる者に対する出資並びに人的及び技術的援助
二十七	国立研究開発法人国立環境研究所	国立研究開発法人国立環境研究所法（平成十一年法律第二百十六号）第十一条第一項第三号	法第三十四条の六第一項第一号に掲げる者に対する出資並びに人的及び技術的援助

○労働組合法

昭二四・六・一
法一七四

最終改正 令五・六 一四法五三

第一章 総則

（目的）

第一条 この法律は、労働者が使用者との交渉において対等の立場に立つことを促進することにより労働者の地位を向上させること、労働者がその労働条件について交渉するために自ら代表者を選出することその他の団体行動を行うために自主的に労働組合を組織し、団結することを擁護すること並びに使用者と労働者との関係を規制する労働協約を締結するための団体交渉をすること及びその手続を助成することを目的とする。

2 刑法（明治四十年法律第四十五号）第三十五条の規定は、労働組合の団体交渉その他の行為であつて前項に掲げる目的を達成するためにした正当なものについて適用があるものとする。但し、いかなる場合においても、暴力の行使は、労働組合の正当な行為と解釈されてはならない。

（労働組合）

第二条 この法律で「労働組合」とは、労働者が主体となつて自主的に労働条件の維持改善その他経済的地位の向上を図ることを主たる目的として組織する団体又はその連合団体をいう。但し、左の各号の一に該当するものは、この限りでない。

一　役員、雇入解雇昇進又は異動に関して直接の権限を持つ監督的地位にある労働者、使用者の労働関係についての計画と方針とに関する機密の事項に接し、そのためにその職務上の義務と責任とが当該労働組合の組合員としての誠意と責任とに直接にてい触する監督的地位にある労働者その他使用者の利益を代表する者の参加を許すもの

二　団体の運営のための経費の支出につき使用者の経理上の援助を受けるもの。但し、労働者が労働時間中に時間又は賃金を失うことなく使用者と協議し、又は交渉することを使用者が許すことを妨げるものではなく、且つ、厚生資金又は経済上の不幸若しくは災厄を防止し、若しくは救済するための支出に実際に用いられる福利その他の基金に対する使用者の寄附及び最小限の広さの事務所の供与を除くものとする。

三　共済事業その他福利事業のみを目的とするもの

四　主として政治運動又は社会運動を目的とするもの

（労働者）

第三条　この法律で「労働者」とは、職業の種類を問わず、賃金、給料その他これに準ずる収入によつて生活する者をいう。

第四条　削除

第二章　労働組合

（労働組合として設立されたものの取扱）

第五条　労働組合は、労働委員会に証拠を提出して第二条及び第二項の規定に適合することを立証しなければ、この法律に規定する手続に参与する資格を有せず、且つ、この法律に規定する救済を与えられない。但し、第七条第一号の規定に基く個々の労働者に対する保護を否定する趣旨に解釈されるべきではない。

2　労働組合の規約には、左の各号に掲げる規定を含まなければならない。

一　名称

二　主たる事務所の所在地

三　連合団体である労働組合以外の労働組合（以下「単位労働組合」という。）の組合員は、その労働組合のすべての問題に参与する権利及び均等の取扱を受ける権利を有すること。

四　何人も、いかなる場合においても、人種、宗教、性別、門地又は身分によつて組合員たる資格を奪われないこと。

五　単位労働組合にあつては、その役員は、組合員の直接無記名投票により選挙されること、及び連合団体である労働組合又は全国的規模をもつ労働組合にあつては、その役員は、単位労働組合の組合員又はその組合員の直接無記名投票により選挙された代議員の直接無記名投票により選挙されること。

六　総会は、少くとも毎年一回開催すること。

七　すべての財源及び使途、主要な寄附者の氏名並びに現在の経理状況を示す会計報告は、組合員によつて委嘱された職業的に資格がある会計監査人による正確であることの証明書とともに、少くとも毎年一回組合員に公表されること。

八　同盟罷業は、組合員又は組合員の直接無記名投票により選挙された代議員の直接無記名投票の過半数による決定を経なければ開始しないこと。

九　単位労働組合にあつては、その規約は、組合員の直接無記名投票による過半数の支持を得なければ改正しないこと、及び連合団体である労働組合又は全国的規模をもつ労働組合にあつては、その規約は、単位労働組合の組合員又はその組合員の直接無記名投票により選挙された代議員の直接無記名投票による過半数の支持を得なければ改正しないこと。

（交渉権限）

第六条　労働組合の代表者又は労働組合の委任を受けた者は、労働組合又は組合員のために使用者又はその団体と労働協約の締結その他の事項に関して交渉する権限を有する。

（不当労働行為）

第七条　使用者は、次の各号に掲げる行為をしてはならない。

一　労働者が労働組合の組合員であること、労働組合に加入し、若しくはこれを結成しようとしたこと若しくは労働組合の正当な行為をしたことの故をもつて、その労働者を解雇し、その他これに対して不利益な取扱いをすること又は労働者が労働組合に加入せず、若しくは労働組合から脱退することを雇用条件とすること。ただし、労働組合が特定の工場事業場に雇用される労働者の過半数を代表する場合において、その労働者がその労働組合の組合員であることを雇用条件とする労働協約を締結することを妨げるものではない。

二　使用者が雇用する労働者の代表者と団体交渉をすることを正当な理由がなくて拒むこと。

三　労働者が労働組合を結成し、若しくは運営することを支配し、若しくはこれに介入すること、又は労働組合の運営のための経費の支払につき経理上の援助を与えること。ただし、労働者が労働時間中に時

間又は賃金を失うことなく使用者と協議し、又は交渉することを使用者が許すことを妨げるものではなく、かつ、厚生資金又は経済上の不幸若しくは災厄を防止し、若しくは救済するための支出に実際に用いられる福利その他の基金に対する使用者の寄附及び最小限の広さの事務所の供与を除くものとする。

四　労働者が労働委員会に対し使用者がこの条の規定に違反した旨の申立てをしたこと若しくは中央労働委員会に対し第二十七条の十二第一項の規定による命令に対する再審査の申立てをしたこと又は労働委員会がこれらの申立てに係る調査若しくは審問をし、若しくは当事者に和解を勧め、若しくは労働関係調整法（昭和二十一年法律第二十五号）による労働争議の調整をする場合に労働者が証拠を提示し、若しくは発言をしたことを理由として、その労働者を解雇し、その他これに対して不利益な取扱いをすること。

（損害賠償）

第八条　使用者は、同盟罷業その他の争議行為であつて正当なものによつて損害を受けたことの故をもつて、労働組合又はその組合員に対し賠償を請求することができない。

（基金の流用）

第九条　労働組合は、共済事業その他福利事業のために特設した基金を他の目的のために流用しようとするときは、総会の決議を経なければならない。

（解散）

第十条　労働組合は、左の事由によつて解散する。

一　規約で定めた解散事由の発生

二　組合員又は構成団体の四分の三以上の多数による総会の決議

（法人である労働組合）

第十一条　この法律の規定に適合する旨の労働委員会の証明を受けた労働組合は、その主たる事務所の所在地において登記することによつて法人となる。

2　この法律に規定するものの外、労働組合の登記に関して必要な事項は、政令で定める。

3　労働組合に関して登記すべき事項は、登記した後でなければ第三者に対抗することができない。

（代表者）

第十二条　法人である労働組合には、一人又は数人の代表者を置かなければならない。

2　代表者が数人ある場合において、規約に別段の定めがないときは、法人である労働組合の事務は、代表者の過半数で決する。

（法人である労働組合の代表）

第十二条の二　代表者は、法人である労働組合のすべての事務について、法人である労働組合を代表する。ただし、規約の規定に反することはできず、また、総会の決議に従わなければならない。

（代表者の代表権の制限）

第十二条の三　法人である労働組合の管理については、代表者の代表権に加えた制限は、善意の第三者に対抗することができない。

（代表者の代理行為の委任）

第十二条の四　法人である労働組合の管理については、代表者は、規約又は総会の決議によつて禁止されていないときに限り、特定の行為の代理を他人に委任することができる。

（利益相反行為）

第十二条の五　法人である労働組合が代表者の債務を保証することその他代表者以外の者との間において法人である労働組合と代表者との利益が相反する事項については、代表者は、代表権を有しない。この場合においては、裁判所は、利害関係人の請求により、特別代理人を選任しなければならない。

（一般社団法人及び一般財団法人に関する法律の準用）

第十二条の六　一般社団法人及び一般財団法人に関する法律（平成十八年法律第四十八号）第四条及び第七十八条（第八条に規定する場合を除く。）の規定は、法人である労働組合について準用する。

（清算中の法人である労働組合の能力）

第十三条　解散した法人である労働組合は、清算の目的の範囲内において、その清算の結了に至るまではなお存続するものとみなす。

（清算人）

第十三条の二　法人である労働組合が解散したときは、代表者がその清算人となる。ただし、規約に別段の定めがあるとき、又は総会において代表者以外の者を選任したときは、この限りでない。

（裁判所による清算人の選任）

第十三条の三　前条の規定により清算人となる者がないとき、又は清算人が欠けたため損害を生ずるおそれがあるときは、裁判所は、利害関係人の請求により、清算人を選任することができる。

（清算人の解任）

第十三条の四　重要な事由があるときは、裁判所は、利害関係人の請求により、清算人を解任することができる。

（清算人及び解散の登記）
第十三条の五　清算人は、解散後二週間以内に、主たる事務所の所在地において、その氏名及び住所並びに解散の原因及び年月日の登記をしなければならない。
2　清算中に就職した清算人は、就職後二週間以内に、主たる事務所の所在地において、その氏名及び住所の登記をしなければならない。

（清算人の職務及び権限）
第十三条の六　清算人の職務は、次のとおりとする。
一　現務の結了
二　債権の取立て及び債務の弁済
三　残余財産の引渡し
2　清算人は、前項各号に掲げる職務を行うために必要な一切の行為をすることができる。

（債権の申出の催告等）
第十三条の七　清算人は、その就職の日から二月以内に、少なくとも三回の公告をもつて、債権者に対し、一定の期間内にその債権の申出をすべき旨の催告をしなければならない。この場合において、その期間は、二月を下ることができない。
2　前項の公告には、債権者がその期間内に申出をしないときは清算から除斥されるべき旨を付記しなければならない。ただし、清算人は、知れている債権者を除斥することができない。
3　清算人は、知れている債権者には、各別にその申出の催告をしなければならない。
4　第一項の公告は、官報に掲載してする。

（期間経過後の債権の申出）
第十三条の八　前条第一項の期間の経過後に申出をした債権者は、法人である労働組合の債務が完済された後まだ権利の帰属すべき者に引き渡されていない財産に対してのみ、請求をすることができる。

（清算中の法人である労働組合についての破産手続の開始）
第十三条の九　清算中に法人である労働組合の財産がその債務を完済するのに足りないことが明らかになつたときは、清算人は、直ちに破産手続開始の申立てをし、その旨を公告しなければならない。
2　清算人は、清算中の法人である労働組合が破産手続開始の決定を受けた場合において、破産管財人にその事務を引き継いだときは、その任務を終了したものとする。
3　前項に規定する場合において、清算中の法人である労働組合が既に債権者に支払い、又は権利の帰属すべき者に引き渡したものがあるときは、破産管財人は、これを取り戻すことができる。
4　第一項の規定による公告は、官報に掲載してする。

（残余財産の帰属）
第十三条の十　解散した法人である労働組合の財産は、規約で指定した者に帰属する。
2　規約で権利の帰属すべき者を指定せず、又はその者を指定する方法を定めなかつたときは、代表者は、総会の決議を経て、当該法人である労働組合の目的に類似する目的のために、その財産を処分することができる。
3　前二項の規定により処分されない財産は、国庫に帰属する。

（特別代理人の選任等に関する事件の管轄）
第十三条の十一　次に掲げる事件は、法人である労働組合の主たる事務所の所在地を管轄する地方裁判所の管轄に属する。
一　特別代理人の選任に関する事件
二　法人である労働組合の清算人に関する事件

（不服申立ての制限）
第十三条の十二　法人である労働組合の清算人の選任の裁判に対しては、不服を申し立てることができない。

（裁判所の選任する清算人の報酬）
第十三条の十三　裁判所は、第十三条の三の規定により法人である労働組合の清算人を選任した場合には、法人である労働組合が当該清算人に対して支払う報酬の額を定めることができる。この場合においては、裁判所は、当該清算人の陳述を聴かなければならない。

第三章　労働協約

（労働協約の効力の発生）
第十四条　労働組合と使用者又はその団体との間の労働条件その他に関する労働協約は、書面に作成し、両当事者が署名し、又は記名押印することによつてその効力を生ずる。

（労働協約の期間）
第十五条　労働協約には、三年をこえる有効期間の定をすることができない。
2　三年をこえる有効期間の定をした労働協約は、三年の有効期間の定をした労働協約とみなす。
3　有効期間の定がない労働協約は、当事者の一方が、署名し、又は記名押印した文書によつて相手方に予告して、解約することができる。一定の期間を定める労働協約であつて、その期間の経過後も期限を定めず効力を存続する旨の定があるものについて、その期間の経過後も、同様とする。

4　前項の予告は、解約しようとする日の少くとも九十日前にしなければならない。

（基準の効力）

第十六条　労働協約に定める労働条件その他の労働者の待遇に関する基準に違反する労働契約の部分は、無効とする。この場合において無効となつた部分は、基準の定めるところによる。労働契約に定がない部分についても、同様とする。

（一般的拘束力）

第十七条　一の工場事業場に常時使用される同種の労働者の四分の三以上の数の労働者が一の労働協約の適用を受けるに至つたときは、当該工場事業場に使用される他の同種の労働者に関しても、当該労働協約が適用されるものとする。

（地域的の一般的拘束力）

第十八条　一の地域において従業する同種の労働者の大部分が一の労働協約の適用を受けるに至つたときは、当該労働協約の当事者の双方又は一方の申立てに基づき、労働委員会の決議により、厚生労働大臣又は都道府県知事は、当該地域において従業する他の同種の労働者及びその使用者も当該労働協約（第二項の規定により修正があつたものを含む。）の適用を受けるべきことの決定をすることができる。

2　労働委員会は、前項の決議をする場合において、当該労働協約に不適当な部分があると認めたときは、これを修正することができる。

3　第一項の決定は、公告によつてする。

第四章　労働委員会

第一節　設置、任務及び所掌事務並びに組織等

（労働委員会）

第十九条　労働委員会は、使用者を代表する者（以下「使用者委員」という。）、労働者を代表する者（以下「労働者委員」という。）及び公益を代表する者（以下「公益委員」という。）各同数をもつて組織する。

2　労働委員会は、中央労働委員会及び都道府県労働委員会とする。

3　労働委員会に関する事項は、この法律に定めるもののほか、政令で定める。

（中央労働委員会）

第十九条の二　国家行政組織法（昭和二十三年法律第百二十号）第三条第二項の規定に基づいて、厚生労働大臣の所轄の下に、中央労働委員会を置く。

2　中央労働委員会は、労働者が団結することを擁護し、及び労働関係の公正な調整を図ることを任務とする。

3　中央労働委員会は、前項の任務を達成するため、第五条、第十一条、第十八条及び第二十六条の規定による事務、不当労働行為事件の審査等（第七条、次節及び第三節の規定による事件の処理をいう。以下同じ。）に関する事務、労働争議のあつせん、調停及び仲裁に関する事務並びに労働関係調整法第三十五条の二及び第三十五条の三の規定による事務その他法律（法律に基づく命令を含む。）に基づき中央労働委員会に属させられた事務をつかさどる。

（中央労働委員会の委員の任命等）

第十九条の三　中央労働委員会は、使用者委員、労働者委員及び公益委員各十五人をもつて組織する。

2　使用者委員は使用者団体の推薦（使用者委員のうち四人については、行政執行法人（独立行政法人通則法（平成十一年法律第百三号）第二条第四項に規定する行政執行法人をいう。以下この項、次条第二項第二号及び第十九条の十第一項において同じ。）の推薦）に基づいて、労働者委員は労働組合の推薦（労働者委員のうち四人については、行政執行法人の労働関係に関する法律（昭和二十三年法律第二百五十七号）第二条第二号に規定する職員（以下この章において「行政執行法人職員」という。）が結成し、又は加入する労働組合の推薦）に基づいて、公益委員は厚生労働大臣が使用者委員及び労働者委員の同意を得て作成した委員候補者名簿に記載されている者のうちから両議院の同意を得て、内閣総理大臣が任命する。

3　公益委員の任期が満了し、又は欠員を生じた場合において、国会の閉会又は衆議院の解散のために両議院の同意を得ることができないときは、内閣総理大臣は、前項の規定にかかわらず、厚生労働大臣が使用者委員及び労働者委員の同意を得て作成した委員候補者名簿に記載されている者のうちから、公益委員を任命することができる。

4　前項の場合においては、任命後最初の国会で両議院の事後の承認を求めなければならない。この場合において、両議院の事後の承認が得られないときは、内閣総理大臣は、直ちにその公益委員を罷免しなければならない。

5　公益委員の任命については、そのうち七人以上が同一の政党に属することとなつてはならない。

6　中央労働委員会の委員（次条から第十九条の九までにおいて単に「委員」という。）は、非常勤とする。ただし、公益委員のうち二人以内は、常勤とすることができる。

（委員の欠格条項）
第十九条の四　拘禁刑以上の刑に処せられ、その執行を終わるまで、又は執行を受けることがなくなるまでの者は、委員となることができない。
2　次の各号のいずれかに該当する者は、公益委員となることができない。
一　国会又は地方公共団体の議会の議員
二　行政執行法人の役員、行政執行法人職員又は行政執行法人職員が結成し、若しくは加入する労働組合の組合員若しくは役員

（委員の任期等）
第十九条の五　委員の任期は、二年とする。ただし、補欠の委員の任期は、前任者の残任期間とする。
2　委員は、再任されることができる。
3　委員の任期が満了したときは、当該委員は、後任者が任命されるまで引き続き在任するものとする。

（公益委員の服務）
第十九条の六　常勤の公益委員は、在任中、次の各号のいずれかに該当する行為をしてはならない。
一　政党その他の政治的団体の役員となり、又は積極的に政治運動をすること。
二　内閣総理大臣の許可のある場合を除くほか、報酬を得て他の職務に従事し、又は営利事業を営み、その他金銭上の利益を目的とする業務を行うこと。
2　非常勤の公益委員は、在任中、前項第一号に該当する行為をしてはならない。

（委員の失職及び罷免）
第十九条の七　委員は、第十九条の四第一項に規定する者に該当するに至つた場合には、その職を失う。公益委員が同条第二項各号のいずれかに該当するに至つた場合も、同様とする。
2　内閣総理大臣は、委員が心身の故障のために職務の執行ができないと認める場合又は委員に職務上の義務違反その他委員たるに適しない非行があると認める場合には、使用者委員及び労働者委員にあつては中央労働委員会の同意を得て、公益委員にあつては両議院の同意を得て、その委員を罷免することができる。
3　前項の規定により、内閣総理大臣が中央労働委員会に対して、使用者委員又は労働者委員の罷免の同意を求めた場合には、当該委員は、その議事に参与することができない。
4　内閣総理大臣は、公益委員のうち六人が既に属している政党に新たに属するに至つた公益委員を直ちに罷免するものとする。
5　内閣総理大臣は、公益委員のうち七人以上が同一の政党に属することとなつた場合（前項の規定に該当する場合を除く。）には、同一の政党に属する者が六人になるように、両議院の同意を得て、公益委員を罷免するものとする。ただし、政党所属関係に異動のなかつた委員を罷免することはできないものとする。

（委員の給与等）
第十九条の八　委員は、別に法律の定めるところにより俸給、手当その他の給与を受け、及び政令の定めるところによりその職務を行うために要する費用の弁償を受けるものとする。

（中央労働委員会の会長）
第十九条の九　中央労働委員会に会長を置く。
2　会長は、委員が公益委員のうちから選挙する。
3　会長は、中央労働委員会の会務を総理し、中央労働委員会を代表する。
4　中央労働委員会は、あらかじめ公益委員のうちから委員の選挙により、会長に故障がある場合において会長を代理する委員を定めておかなければならない。

（地方調整委員）
第十九条の十　中央労働委員会に、行政執行法人とその行政執行法人職員との間に発生した紛争その他の事件で地方において中央労働委員会が処理すべきものとして政令で定めるものに係るあつせん若しくは調停又は第二十四条の二第五項の規定による手続に参与させるため、使用者、労働者及び公益をそれぞれ代表する地方調整委員を置く。
2　地方調整委員は、中央労働委員会の同意を得て、政令で定める区域ごとに厚生労働大臣が任命する。
3　第十九条の五第一項本文及び第二項、第十九条の七第二項並びに第十九条の八の規定は、地方調整委員について準用する。この場合において、第十九条の七第二項中「内閣総理大臣」とあるのは「厚生労働大臣」と、「使用者委員及び労働者委員にあつては中央労働委員会の同意を得て、公益委員にあつては両議院」とあるのは「中央労働委員会」と読み替えるものとする。

（中央労働委員会の事務局）
第十九条の十一　中央労働委員会にその事務を整理させるために事務局を置き、事務局に会長の同意を得て厚生労働大臣が任命する事務局長及び必要な職員を置く。
2　事務局に、地方における事務を分掌させるため、地方事務所を置く。
3　地方事務所の位置、名称及び管轄区域は、政令で定める。

（都道府県労働委員会）

第十九条の十二　都道府県知事の所轄の下に、都道府県労働委員会を置く。

2　都道府県労働委員会は、使用者委員、労働者委員及び公益委員各十三人、各十一人、各九人、各七人又は各五人のうち政令で定める数のものをもつて組織する。ただし、条例で定めるところにより、当該政令で定める数に使用者委員、労働者委員及び公益委員各二人を加えた数のものをもつて組織することができる。

3　使用者委員は使用者団体の推薦に基づいて、労働者委員は労働組合の推薦に基づいて、公益委員は使用者委員及び労働者委員の同意を得て、都道府県知事が任命する。

4　公益委員の任命については、都道府県労働委員会における別表の上欄に掲げる公益委員の数（第二項ただし書の規定により公益委員の数を同項の政令で定める数に二人を加えた数とする都道府県労働委員会にあつては当該二人を加えた数）に応じ、それぞれ同表の下欄に定める数以上の公益委員が同一の政党に属することとなつてはならない。

5　公益委員は、自己の行為によつて前項の規定に抵触するに至つたときは、当然退職するものとする。

6　第十九条の三第六項、第十九条の四第一項、第十九条の五、第十九条の七第一項前段、第二項及び第三項、第十九条の八、第十九条の九並びに前条第一項の規定は、都道府県労働委員会について準用する。この場合において、第十九条の三第六項ただし書中「、常勤」とあるのは「、条例で定めるところにより、常勤」と、第十九条の七第二項中「内閣総理大臣」とあるのは「都道府県知事」と、「使用者委員及び労働者委員にあつては中央労働委員会の同意を得て、公益委員にあつては両議院」とあるのは「都道府県労働委員会」と、同条第三項中「内閣総理大臣」とあるのは「都道府県知事」と、「使用者委員又は労働者委員」とあるのは「都道府県労働委員会の委員」と、前条第一項中「厚生労働大臣」とあるのは「都道府県知事」と読み替えるものとする。

（労働委員会の権限）

第二十条　労働委員会は、第五条、第十一条及び第十八条の規定によるもののほか、不当労働行為事件の審査等並びに労働争議のあつせん、調停及び仲裁をする権限を有する。

（会議）

第二十一条　労働委員会は、公益上必要があると認めたときは、その会議を公開することができる。

2　労働委員会の会議は、会長が招集する。

3　労働委員会は、使用者委員、労働者委員及び公益委員各一人以上が出席しなければ、会議を開き、議決することができない。

4　議事は、出席委員の過半数で決し、可否同数のときは、会長の決するところによる。

（強制権限）

第二十二条　労働委員会は、その事務を行うために必要があると認めたときは、使用者又はその団体、労働組合その他の関係者に対して、出頭、報告の提出若しくは必要な帳簿書類の提出を求め、又は委員若しくは労働委員会の職員（以下単に「職員」という。）に関係工場事業場に臨検し、業務の状況若しくは帳簿書類その他の物件を検査させることができる。

2　労働委員会は、前項の臨検又は検査をさせる場合においては、委員又は職員にその身分を証明する証票を携帯させ、関係人にこれを呈示させなければならない。

（秘密を守る義務）

第二十三条　労働委員会の委員若しくは委員であつた者又は職員若しくは職員であつた者は、その職務に関して知得した秘密を漏らしてはならない。中央労働委員会の地方調整委員又は地方調整委員であつた者も、同様とする。

（公益委員のみで行う権限）

第二十四条　第五条及び第十一条の規定による事件の処理並びに不当労働行為事件の審査等（次条において「審査等」という。）並びに労働関係調整法第四十二条の規定による事件の処理には、労働委員会の公益委員のみが参与する。ただし、使用者委員及び労働者委員は、第二十七条第一項（第二十七条の十七の規定により準用する場合を含む。）の規定により調査（公益委員の求めがあつた場合に限る。）及び審問を行う手続並びに第二十七条の十四第一項（第二十七条の十七の規定により準用する場合を含む。）の規定により和解を勧める手続に参与し、又は第二十七条の七第四項及び第二十七条の十二第二項（第二十七条の十七の規定により準用する場合を含む。）の規定による行為をすることができる。

2　中央労働委員会は、常勤の公益委員に、中央労働委員会に係属している事件に関するもののほか、行政執行法人職員の労働関係の状況その他中央労働委員会の事務を処理するために必要と認める事項の調査を行わせることができる。

（合議体等）

第二十四条の二　中央労働委員会は、会長が指名する公益委員五人をもつて構成する合議体で、審査等を行う。

2　前項の規定にかかわらず、次の各号のいずれかに該当する場合においては、公益委員の全員をもつて構成する合議体で、審査等を行う。

一　前項の合議体が、法令の解釈適用について、その意見が前に中央労働委員会のした第五条第一項若しくは第十一条第一項又は第二十七条の十二第一項（第二十七条の十七の規定により準用する場合を含む。）の規定による処分に反すると認めた場合

二　前項の合議体を構成する者の意見が分かれたため、その合議体としての意見が定まらない場合

三　前項の合議体が、公益委員の全員をもつて構成する合議体で審査等を行うことを相当と認めた場合

四　第二十七条の十第三項（第二十七条の十七の規定により準用する場合を含む。）の規定による異議の申立てを審理する場合

3　都道府県労働委員会は、公益委員の全員をもつて構成する合議体で、審査等を行う。ただし、条例で定めるところにより、会長が指名する公益委員五人又は七人をもつて構成する合議体で、審査等を行うことができる。この場合において、前項（第一号及び第四号を除く。）の規定は、都道府県労働委員会について準用する。

4　労働委員会は、前三項の規定により審査等を行うときは、一人又は数人の公益委員に審査等の手続（第五条第一項、第十一条第一項、第二十七条の四第一項（第二十七条の十七の規定により準用する場合を含む。）、第二十七条の七第一項（当事者若しくは証人に陳述させ、又は提出された物件を留め置く部分を除き、第二十七条の十七の規定により準用する場合を含む。）、第二十七条の十二第一項（第二十七条の十七の規定により準用する場合を含む。）の規定による処分並びに第二十七条の二十の申立てを除く。次項において同じ。）の全部又は一部を行わせることができる。

5　中央労働委員会は、公益を代表する地方調整委員に、中央労働委員会が行う審査等の手続のうち、第二十七条第一項（第二十七条の十七の規定により準用する場合を含む。）の規定により調査及び審問を行う手続並びに第二十七条の十四第一項（第二十七条の十七の規定により準用する場合を含む。）の規定により和解を勧める手続の全部又は一部を行わせることができる。この場合において、使用者を代表する地方調整委員及び労働者を代表する地方調整委員は、これらの手続（調査を行う手続にあつては公益を代表する地方調整委員の求めがあつた場合に限る。）に参与することができる。

（中央労働委員会の管轄等）

第二十五条　中央労働委員会は、行政執行法人職員の労働関係に係る事件のあつせん、調停、仲裁及び処分（行政執行法人職員が結成し、又は加入する労働組合に関する第五条第一項及び第十一条第一項の規定による処分については、政令で定めるものに限る。）について、専属的に管轄するほか、二以上の都道府県にわたり、又は全国的に重要な問題に係る事件のあつせん、調停、仲裁及び処分について、優先して管轄する。

2　中央労働委員会は、第五条第一項、第十一条第一項及び第二十七条の十二第一項の規定による都道府県労働委員会の処分を取り消し、承認し、若しくは変更する完全な権限をもつて再審査し、又はその処分に対する再審査の申立てを却下することができる。この再審査は、都道府県労働委員会の処分の当事者のいずれか一方の申立てに基づいて、又は職権で、行うものとする。

（規則制定権）

第二十六条　中央労働委員会は、その行う手続及び都道府県労働委員会が行う手続に関する規則を定めることができる。

2　都道府県労働委員会は、前項の規則に違反しない限りにおいて、その会議の招集に関する事項その他の政令で定める事項に関する規則を定めることができる。

第二節　不当労働行為事件の審査の手続

（不当労働行為事件の審査の開始）

第二十七条　労働委員会は、使用者が第七条の規定に違反した旨の申立てを受けたときは、遅滞なく調査を行い、必要があると認めたときは、当該申立てが理由があるかどうかについて審問を行わなければならない。この場合において、審問の手続においては、当該使用者及び申立人に対し、証拠を提出し、証人に反対尋問をする充分な機会が与えられなければならない。

2　労働委員会は、前項の申立てが、行為の日（継続する行為にあつてはその終了した日）から一年を経過した事件に係るものであるときは、これを受けることができない。

（公益委員の除斥）

第二十七条の二　公益委員は、次の各号のいずれかに該当するときは、審査に係る職務の執行から除斥され

る。

一 公益委員又はその配偶者若しくは配偶者であつた者が事件の当事者又は法人である当事者の代表者であり、又はあつたとき。

二 公益委員が事件の当事者の四親等以内の血族、三親等以内の姻族又は同居の親族であり、又はあつたとき。

三 公益委員が事件の当事者の後見人、後見監督人、保佐人、保佐監督人、補助人又は補助監督人であるとき。

四 公益委員が事件について証人となつたとき。

五 公益委員が事件について当事者の代理人であり、又はあつたとき。

2 前項に規定する除斥の原因があるときは、当事者は、除斥の申立てをすることができる。

（公益委員の忌避）

第二十七条の三 公益委員について審査の公正を妨げるべき事情があるときは、当事者は、これを忌避することができる。

2 当事者は、事件について労働委員会に対し書面又は口頭をもつて陳述した後は、公益委員を忌避することができない。ただし、忌避の原因があることを知らなかつたとき、又は忌避の原因がその後に生じたときは、この限りでない。

（除斥又は忌避の申立てについての決定）

第二十七条の四 除斥又は忌避の申立てについては、労働委員会が決定する。

2 除斥又は忌避の申立てに係る公益委員は、前項の規定による決定に関与することができない。ただし、意見を述べることができる。

3 第一項の規定による決定は、書面によるものとし、かつ、理由を付さなければならない。

（審査の手続の中止）

第二十七条の五 労働委員会は、除斥又は忌避の申立てがあつたときは、その申立てについての決定があるまで審査の手続を中止しなければならない。ただし、急速を要する行為についてはこの限りでない。

（審査の計画）

第二十七条の六 労働委員会は、審問開始前に、当事者双方の意見を聴いて、審査の計画を定めなければならない。

2 前項の審査の計画においては、次に掲げる事項を定めなければならない。

一 調査を行う手続において整理された争点及び証拠（その後の審査の手続における取調べが必要な証拠として整理されたものを含む。）

二 審問を行う期間及び回数並びに尋問する証人の数

三 第二十七条の十二第一項の命令の交付の予定時期

3 労働委員会は、審査の現状その他の事情を考慮して必要があると認めるときは、当事者双方の意見を聴いて、審査の計画を変更することができる。

4 労働委員会及び当事者は、適正かつ迅速な審査の実現のため、審査の計画に基づいて審査が行われるよう努めなければならない。

（証拠調べ）

第二十七条の七 労働委員会は、当事者の申立てにより又は職権で、調査を行う手続においては第二号に掲げる方法により、審問を行う手続においては次の各号に掲げる方法により証拠調べをすることができる。

一 事実の認定に必要な限度において、当事者又は証人に出頭を命じて陳述させること。

二 事件に関係のある帳簿書類その他の物件であつて、当該物件によらなければ当該物件により認定すべき事実を認定することが困難となるおそれがあると認めるもの（以下「物件」という。）の所持者に対し、当該物件の提出を命じ、又は提出された物件を留め置くこと。

2 労働委員会は、前項第二号の規定により物件の提出を命ずる処分（以下「物件提出命令」という。）をするかどうかを決定するに当たつては、個人の秘密及び事業者の事業上の秘密の保護に配慮しなければならない。

3 労働委員会は、物件提出命令をする場合において、物件に提出を命ずる必要がないと認める部分又は前項の規定により配慮した結果提出を命ずることが適当でないと認める部分があるときは、その部分を除いて、提出を命ずることができる。

4 調査又は審問を行う手続に参与する使用者委員及び労働者委員は、労働委員会が第一項第一号の規定により当事者若しくは証人に出頭を命ずる処分（以下「証人等出頭命令」という。）又は物件提出命令をしようとする場合には、意見を述べることができる。

5 労働委員会は、職権で証拠調べをしたときは、その結果について、当事者の意見を聴かなければならない。

6 物件提出命令の申立ては、次に掲げる事項を明らかにしてしなければならない。

一 物件の表示

二 物件の趣旨

三 物件の所持者

四　証明すべき事実

7　労働委員会は、物件提出命令をしようとする場合には、物件の所持者を審尋しなければならない。

8　労働委員会は、物件提出命令をする場合には、第六項各号（第三号を除く。）に掲げる事項を明らかにしなければならない。

第二十七条の八　労働委員会が証人に陳述させるときは、その証人に宣誓をさせなければならない。

2　労働委員会が当事者に陳述させるときは、その当事者に宣誓をさせることができる。

第二十七条の九　民事訴訟法（平成八年法律第百九号）第百九十六条、第百九十七条及び第二百一条第二項から第四項までの規定は、労働委員会が証人に陳述させる手続に、同法第二百十条の規定において準用する同法第二百一条第二項の規定は、労働委員会が当事者に陳述させる手続について準用する。

（不服の申立て）

第二十七条の十　都道府県労働委員会の証人等出頭命令又は物件提出命令（以下この条において「証人等出頭命令等」という。）を受けた者は、証人等出頭命令等について不服があるときは、証人等出頭命令等を受けた日から一週間以内（天災その他この期間内に審査の申立てをしなかつたことについてやむを得ない理由があるときは、その理由がやんだ日の翌日から起算して一週間以内）に、その理由を記載した書面により、中央労働委員会に審査を申し立てることができる。

2　中央労働委員会は、前項の規定による審査の申立てを理由があると認めるときは、証人等出頭命令等の全部又は一部を取り消す。

3　中央労働委員会の証人等出頭命令等を受けた者は、証人等出頭命令等について不服があるときは、証人等出頭命令等を受けた日から一週間以内（天災その他この期間内に異議の申立てをしなかつたことについてやむを得ない理由があるときは、その理由がやんだ日の翌日から起算して一週間以内）に、その理由を記載した書面により、中央労働委員会に異議を申し立てることができる。

4　中央労働委員会は、前項の規定による異議の申立てを理由があると認めるときは、証人等出頭命令等の全部若しくは一部を取り消し、又はこれを変更する。

5　審査の申立て又は異議の申立ての審理は、書面による。

6　中央労働委員会は、職権で審査申立人又は異議申立人を審尋することができる。

（審問廷の秩序維持）

第二十七条の十一　労働委員会は、審問を妨げる者に対し退廷を命じ、その他審問廷の秩序を維持するために必要な措置を執ることができる。

（救済命令等）

第二十七条の十二　労働委員会は、事件が命令を発するのに熟したときは、事実の認定をし、この認定に基づいて、申立人の請求に係る救済の全部若しくは一部を認容し、又は申立てを棄却する命令（以下「救済命令等」という。）を発しなければならない。

2　調査又は審問を行う手続に参与する使用者委員及び労働者委員は、労働委員会が救済命令等を発しようとする場合は、意見を述べることができる。

3　第一項の事実の認定及び救済命令等は、書面によるものとし、その写しを使用者及び申立人に交付しなければならない。

4　救済命令等は、交付の日から効力を生ずる。

（救済命令等の確定）

第二十七条の十三　使用者が救済命令等について第二十七条の十九第一項の期間内に同項の取消しの訴えを提起しないときは、救済命令等は、確定する。

2　使用者が確定した救済命令等に従わないときは、労働委員会は、使用者の住所地の地方裁判所にその旨を通知しなければならない。この通知は、労働組合及び労働者もすることができる。

（和解）

第二十七条の十四　労働委員会は、審査の途中において、いつでも、当事者に和解を勧めることができる。

2　救済命令等が確定するまでの間に当事者間で和解が成立し、当事者双方の申立てがあつた場合において、労働委員会が当該和解の内容が当事者間の労働関係の正常な秩序を維持させ、又は確立させるため適当と認めるときは、審査の手続は終了する。

3　前項に規定する場合において、和解（前項の規定により労働委員会が適当と認めたものに限る。次項において同じ。）に係る事件について既に発せられている救済命令等は、その効力を失う。

4　労働委員会は、和解に金銭の一定額の支払又はその他の代替物若しくは有価証券の一定の数量の給付を内容とする合意が含まれる場合は、当事者双方の申立てにより、当該合意について和解調書を作成することができる。

5　前項の和解調書は、強制執行に関しては、民事執行法（昭和五十四年法律第四号）第二十二条第五号に掲げる債務名義とみなす。

6　前項の規定による債務名義についての執行文の付与

は、労働委員会の会長が行う。民事執行法第二十九条後段の執行文及び文書の謄本の送達も、同様とする。

7　前項の規定による執行文付与に関する異議についての裁判は、労働委員会の所在地を管轄する地方裁判所においてする。

8　第四項の和解調書並びに第六項後段の執行文及び文書の謄本の送達に関して必要な事項は、政令で定める。

（再審査の申立て）

第二十七条の十五　使用者は、都道府県労働委員会の救済命令等の交付を受けたときは、十五日以内（天災その他この期間内に再審査の申立てをしなかつたことについてやむを得ない理由があるときは、その理由がやんだ日の翌日から起算して一週間以内）に中央労働委員会に再審査の申立てをすることができる。ただし、この申立ては、救済命令等の効力を停止せず、救済命令等は、中央労働委員会が第二十五条第二項の規定による再審査の結果、これを取り消し、又は変更したときは、その効力を失う。

2　前項の規定は、労働組合又は労働者が中央労働委員会に対して行う再審査の申立てについて準用する。

（再審査と訴訟との関係）

第二十七条の十六　中央労働委員会は、第二十七条の十九第一項の訴えに基づく確定判決によつて都道府県労働委員会の救済命令等の全部又は一部が支持されたときは、当該救済命令等について、再審査することができない。

（再審査の手続への準用）

第二十七条の十七　第二十七条第一項、第二十七条の二から第二十七条の九まで、第二十七条の十第三項から第六項まで及び第二十七条の十一から第二十七条の十四までの規定は、中央労働委員会の再審査の手続について準用する。この場合において、第二十七条の二第一項第四号中「とき」とあるのは「とき又は事件について既に発せられている都道府県労働委員会の救済命令等に関与したとき」と読み替えるものとする。

（審査の期間）

第二十七条の十八　労働委員会は、迅速な審査を行うため、審査の期間の目標を定めるとともに、目標の達成状況その他の審査の実施状況を公表するものとする。

第三節　訴訟

（取消しの訴え）

第二十七条の十九　使用者が都道府県労働委員会の救済命令等について中央労働委員会に再審査の申立てをしないとき、又は中央労働委員会が救済命令等を発したときは、使用者は、救済命令等の交付の日から三十日以内に、救済命令等の取消しの訴えを提起することができる。この期間は、不変期間とする。

2　使用者は、第二十七条の十五第一項の規定により中央労働委員会に再審査の申立てをしたときは、その申立てに対する中央労働委員会の救済命令等に対してのみ、取消しの訴えを提起することができる。この訴えについては、行政事件訴訟法（昭和三十七年法律第百三十九号）第十二条第三項から第五項までの規定は、適用しない。

3　前項の規定は、労働組合又は労働者が行政事件訴訟法の定めるところにより提起する取消しの訴えについて準用する。

（緊急命令）

第二十七条の二十　前条第一項の規定により使用者が裁判所に訴えを提起した場合において、受訴裁判所は、救済命令等を発した労働委員会の申立てにより、決定をもつて、使用者に対し判決の確定に至るまで救済命令等の全部又は一部に従うべき旨を命じ、又は当事者の申立てにより、若しくは職権でこの決定を取り消し、若しくは変更することができる。

（証拠の申出の制限）

第二十七条の二十一　労働委員会が物件提出命令をしたにもかかわらず物件を提出しなかつた者（審査の手続において当事者でなかつた者を除く。）は、裁判所に対し、当該物件提出命令に係る物件により認定すべき事実を証明するためには、当該物件に係る証拠の申出をすることができない。ただし、物件を提出しなかつたことについて正当な理由があると認められる場合は、この限りでない。

第四節　雑則

（中央労働委員会の勧告等）

第二十七条の二十二　中央労働委員会は、都道府県労働委員会に対し、この法律の規定により都道府県労働委員会が処理する事務について、報告を求め、又は法令の適用その他当該事務の処理に関して必要な勧告、助言若しくはその委員若しくは事務局職員の研修その他の援助を行うことができる。

（抗告訴訟の取扱い等）

第二十七条の二十三　都道府県労働委員会は、その処分（行政事件訴訟法第三条第二項に規定する処分をいい、第二十四条の二第四項の規定により公益委員がした処分及び同条第五項の規定により公益を代表する地方調整委員がした処分を含む。次項において同じ。）に係る行政事件訴訟法第十一条第一項（同法第三十八条第一項において準用する場合を含む。次項において同じ。）の規定による都道府県を被告とする訴訟について、当該都道府県を代表する。

２　都道府県労働委員会は、公益委員、事務局長又は事務局の職員でその指定するものに都道府県労働委員会の処分に係る行政事件訴訟法第十一条第一項の規定による都道府県を被告とする訴訟又は都道府県労働委員会を当事者とする訴訟を行わせることができる。

（費用弁償）

第二十七条の二十四　第二十二条第一項の規定により出頭を求められた者又は第二十七条の七第一項第一号（第二十七条の十七の規定により準用する場合を含む。）の証人は、政令の定めるところにより、費用の弁償を受けることができる。

（行政手続法の適用除外）

第二十七条の二十五　労働委員会がする処分（第二十四条の二第四項の規定により公益委員がする処分及び同条第五項の規定により公益を代表する地方調整委員がする処分を含む。）については、行政手続法（平成五年法律第八十八号）第二章及び第三章の規定は、適用しない。

（審査請求の制限）

第二十七条の二十六　労働委員会がする処分（第二十四条の二第四項の規定により公益委員がする処分及び同条第五項の規定により公益を代表する地方調整委員がする処分を含む。）又はその不作為については、審査請求をすることができない。

第五章　罰則

第二十八条　救済命令等の全部又は一部が確定判決によつて支持された場合において、その違反があつたときは、その行為をした者は、一年以下の拘禁刑若しくは百万円以下の罰金に処し、又はこれを併科する。

第二十八条の二　第二十七条の八第一項（第二十七条の十七の規定により準用する場合を含む。）の規定により宣誓した証人が虚偽の陳述をしたときは、三月以上十年以下の拘禁刑に処する。

第二十九条　第二十三条の規定に違反した者は、一年以下の拘禁刑又は三十万円以下の罰金に処する。

第三十条　第二十二条の規定に違反して報告をせず、若しくは虚偽の報告をし、若しくは帳簿書類の提出をせず、又は同条の規定に違反して出頭をせず、若しくは同条の規定による検査を拒み、妨げ、若しくは忌避した者は、三十万円以下の罰金に処する。

第三十一条　法人の代表者又は法人若しくは人の代理人、使用人その他の従業者が、その法人又は人の業務に関して前条の違反行為をしたときは、行為者を罰するほか、その法人又は人に対しても同条の刑を科する。

第三十二条　使用者が第二十七条の二十の規定による裁判所の命令に違反したときは、五十万円（当該命令が作為を命ずるものであるときは、その命令の日の翌日から起算して不履行の日数が五日を超える場合にはその超える日数一日につき十万円の割合で算定した金額を加えた金額）以下の過料に処する。第二十七条の十三第一項（第二十七条の十七の規定により準用する場合を含む。）の規定により確定した救済命令等に違反した場合も、同様とする。

第三十二条の二　次の各号のいずれかに該当する者は、三十万円以下の過料に処する。

一　正当な理由がないのに、第二十七条の七第一項第一号（第二十七条の十七の規定により準用する場合を含む。）の規定による処分に違反して出頭せず、又は陳述をしない者

二　正当な理由がないのに、第二十七条の七第一項第二号（第二十七条の十七の規定により準用する場合を含む。）の規定による処分に違反して物件を提出しない者

三　正当な理由がないのに、第二十七条の八（第二十七条の十七の規定により準用する場合を含む。）の規定による処分に違反して宣誓をしない者

第三十二条の三　第二十七条の八第二項（第二十七条の十七の規定により準用する場合を含む。）の規定により宣誓した当事者が虚偽の陳述をしたときは、三十万円以下の過料に処する。

第三十二条の四　第二十七条の十一（第二十七条の十七の規定により準用する場合を含む。）の規定による処分に違反して審問を妨げた者は、十万円以下の過料に処する。

第三十三条　法人である労働組合の清算人は、次の各号のいずれかに該当する場合には、五十万円以下の過料に処する。

一　第十三条の五に規定する登記を怠つたとき。

二　第十三条の七第一項又は第十三条の九第一項の公告を怠り、又は不正の公告をしたとき。

三　第十三条の九第一項の規定による破産手続開始の申立てを怠つたとき。

四　官庁又は総会に対し、不実の申立てをし、又は事実を隠ぺいしたとき。

２　前項の規定は、法人である労働組合の代表者が第十

一条第二項の規定に基いて発する政令で定められた登記事項の変更の登記をすることを怠つた場合において、その代表者につき準用する。

附 則（抄）

1 この法律施行の期日〔昭二四・六・一〇〕は、公布の日から起算して三十日を越えない期間内において、政令で定める。

2 この法律施行の際現に法人である労働組合は、この法律の規定による法人である労働組合とみなす。但し、この法律施行の日から六十日以内にこの法律の規定に適合する旨の労働委員会の証明を受けなければならない。

3 この法律施行の際現に労働委員会の委員である者は、この法律の規定によつて罷免される場合を除く外、その任期満了の日まで在任するものとし、労働委員会の事務局長及びその他の職員は、法令に従つて別に辞令を発せられないときは、この法律の規定によつて任命されたものとみなされ、同級に止まり、同俸給を受けるものとする。

4 この法律施行の際現に労働委員会に係属中の事件の処理については、なお改正前の労働組合法（昭和二十年法律第五十一号）の規定による。

5 この法律の施行前にした行為に対する罰則の適用については、なお従前の例による。

9 他の法律中「労働組合法（昭和二十年法律第五十一号）」を「労働組合法（昭和二十四年法律第百七十四号）」に改める。

附 則（平一六・一二・一法一四七）（抄）

（労働組合法の一部改正に伴う経過措置）

第三十一条 この法律の施行の日が労働組合法の一部を改正する法律（平成十六年法律第百四十号）の施行の日前である場合には、同法の施行の日の前日までの間における労働組合法第三十一条第二項の規定の適用については、同項ただし書中「能力」とあるのは、「行為能力」とする。

○会社法の施行に伴う関係法律の整備等に関する法律（抄）（平一七・七・二六法八七）

（労働組合法の一部改正に伴う経過措置）

第三百十四条 施行日前に生じた前条の規定による改正前の労働組合法第十条各号に掲げる事由により労働組合が解散した場合における労働組合の清算については、なお従前の例による。ただし、清算に関する登記の登記事項については、前条の規定による改正後の労働組合法の定めるところによる。

附 則（平一八・六・二法五〇）（抄）

改正 平二三・六・二四法七四

この法律は、一般社団・財団法人法の施行の日〔平二〇・一二・一〕から施行する。〔ただし書略〕

○一般社団法人及び一般財団法人に関する法律及び公益社団法人及び公益財団法人の認定等に関する法律の施行に伴う関係法律の整備等に関する法律（抄）（平一八・六・二法五〇）

（労働組合法の一部改正に伴う経過措置）

第二百八十七条 施行日前に生じた法人である労働組合と代表者との利益が相反する事項についての特別代理人の選任の手続については、なお従前の例による。

2 施行日前に解散した法人である労働組合の清算人の裁判所による選任及び解任の手続については、なお従前の例による。

3 施行日前に解散した法人である労働組合の解散及び清算に関する裁判所の監督については、なお従前の例による。

附 則（平二六・六・一三法六七）（抄）

（施行期日）

第一条 この法律は、独立行政法人通則法の一部を改正する法律（平成二十六年法律第六十六号。以下「通則法改正法」という。）の施行の日〔平二七・四・一〕から施行する。〔ただし書略〕

（労働組合法の一部改正に伴う経過措置）

第二十一条 この法律の施行の際現に中央労働委員会の委員である者であって、第百五条の規定による改正前の労働組合法第十九条の三第二項に規定する特定独立行政法人又は同項に規定する特定独立行政法人職員が結成し、若しくは加入する労働組合の推薦に基づき任命されたものは、この法律の施行後初めて委員の任期の満了による新たな委員の任命が行われる日の前日までは、新行労法第二十五条の規定の適用については、第百五条の規定による改正後の労働組合法第十九条の三第二項に規定する行政執行法人又は同項に規定する行政執行法人職員が結成し、若しくは加入する労働組合の推薦に基づき任命された委員とみなす。

別表（第十九条の十二関係）

十五人	七人
十三人	六人
十一人	五人
九人	四人
七人	三人
五人	二人

★本法は、次の法律により一部改正されたが、公布の日から起算して二年六月を超えない範囲内において政令で定める日から施行となるため、一部改正の形で掲載した。

○民事関係手続等における情報通信技術の活用等の推進を図るための関係法律の整備に関する法律（抄）

令五・六・一四
法　五　三

（労働組合法の一部改正）

第三十六条　労働組合法（昭和二十四年法律第百七十四号）の一部を次のように改正する。

第二十七条の十四第六項中「の執行文及び文書の謄本」を削り、同条第八項中「並びに」を「の送達及び」に改め、「の執行文及び文書の謄本」を削る。

附　則（抄）

この法律は、公布の日から起算して五年を超えない範囲内において政令で定める日から施行する。ただし、次の各号に掲げる規定は、当該各号に定める日から施行する。

一　〔略〕

二　〔前略〕第三十六条〔中略〕の規定〔中略〕　公布の日から起算して二年六月を超えない範囲内において政令で定める日

三　〔略〕

○労働組合法施行令

昭二四・六・二九
政令二三一

最終改正　平二七・三・三一政令一二六

（法第五条の管轄）

第一条　労働組合法（以下「法」という。）第五条第一項の労働委員会は、当該労働組合が参与しようとする手続につき、法及びこの政令の規定により管轄権を有する労働委員会とする。

（法第十一条の管轄）

第二条　法第十一条第一項の労働委員会は、法第二十五条第一項の規定により中央労働委員会が専属的に管轄する場合を除き、労働組合の主たる事務所の所在地を管轄する都道府県労働委員会又は中央労働委員会とする。

2　労働委員会は、法第十一条第一項の証明の申請があつた場合において、当該労働組合が法の規定に適合すると認めたときは、遅滞なくその旨の証明書を交付しなければならない。

（法人である労働組合の登記）

第三条　法第十一条第一項の規定による登記には、左の事項を掲げなければならない。

一　名称

二　主たる事務所の所在場所

三　目的及び事業

四　代表者の氏名及び住所

五　解散事由を定めたときはその事由

第四条　法人である労働組合が主たる事務所を移転したときは、二週間以内に、旧所在地においては移転の登記をし、新所在地においては前条に掲げる事項を登記しなければならない。

2　同一の登記所の管轄区域内において主たる事務所を移転したときは、その移転の登記をするだけで足りる。

第五条　前条の場合を除く外、登記した事項中に変更を生じたときは、二週間以内にその登記をしなければならない。

第五条の二　法人である労働組合の代表者の職務の執行を停止し、若しくはその職務を代行する者を選任する仮処分又はその仮処分の変更若しくは取消しがあつたときは、その登記をしなければならない。

第六条　法人である労働組合の清算が結了したときは、清算結了の日から二週間以内にその登記をしなければならない。

第七条　法人である労働組合の登記に関する事務は、その主たる事務所の所在地を管轄する法務局若しくは地方法務局若しくはこれらの支局又はこれらの出張所が管轄登記所としてつかさどる。

2　各登記所に労働組合登記簿を備える。

第八条　法第十一条第一項の規定による登記の申請書には、規約、第二条第二項の証明書及び代表者の資格を証する書面を添附しなければならない。

第九条　法人である労働組合の主たる事務所の移転その他登記事項の変更の登記の申請書には、登記事項の変更を証する書面を添附しなければならない。ただし、代表者の氏、名又は住所の変更の登記については、この限りでない。

第十条　法人である労働組合の解散の登記の申請書には、解散の事由を証する書面及び代表者が清算人とならない場合には清算人の資格を証する書面を添附しなければならない。

第十一条　商業登記法（昭和三十八年法律第百二十五号）第二条から第五条まで、第七条から第十五条まで、第十七条第一項、第二項及び第四項、第十八条、第十九条の二、第二十条第一項及び第二項、第二十一条から第二十三条の二まで、第二十四条第一号から第十四号まで、第二十六条、第二十七条、第五十一条から第五十三条まで、第百三十二条から第百三十七条まで並びに第百三十九条から第百四十八条までの規定は、法人である労働組合の登記に準用する。この場合において、同法第十七条第四項中「事項又は前項の規定により申請書に記載すべき事項」とあるのは「事項」と、「前二項」とあるのは「同項」と読み替えるものとする。

第十二条から第十四条まで　削除

（労働協約の拡張適用の手続）

第十五条　法第十八条の決議及び決定は、当該地域が一の都道府県の区域内のみにあるときは、当該都道府県労働委員会及び当該都道府県知事が行い、当該地域が二以上の都道府県にわたるとき、又は中央労働委員会において当該事案が全国的に重要な問題に係るものであると認めたときは、中央労働委員会及び厚生労働大臣が行うものとする。

（労働委員会の権限の行使）

第十六条　労働委員会は、法及び労働関係調整法（昭和二十一年法律第二十五号）に規定する権限を独立して行うものとする。

第十七条から第十九条まで　削除

（委員の任命手続）

第二十条　内閣総理大臣は、法第十九条の三第二項の規定に基づき使用者を代表する者（以下「使用者委員」という。）又は労働者を代表する者（以下「労働者委員」という。）を任命しようとするときは、使用者団体（二以上の都道府県にわたつて組織を有するものに限る。）、行政執行法人（同項に規定する行政執行法人をいう。第二十三条の二第一項において同じ。）又は労働組合（行政執行法人職員（法第十九条の三第二項に規定する行政執行法人職員をいう。以下同じ。）が結成し、又は加入する労働組合の推薦に基づき任命する同項に規定する四人の委員以外の委員に関しては、二以上の都道府県にわたつて組織を有するものに限る。）に対して候補者の推薦を求め、その推薦があつた者のうちから任命するものとする。

2　内閣総理大臣は、前項の規定により候補者の推薦を求めるときは、その旨及び推薦に係る手続その他必要な事項を官報で公告するものとする。

3　労働組合は、第一項の規定により同項の候補者を推薦するときは、当該労働組合が法第二条及び第五条第二項の規定に適合する旨の中央労働委員会の証明書を添えなければならない。

第二十一条　都道府県知事は、法第十九条の十二第三項の規定に基づき使用者委員又は労働者委員を任命しようとするときは、当該都道府県の区域内のみに組織を有する使用者団体又は労働組合に対して候補者の推薦を求め、その推薦があつた者のうちから任命するものとする。

2　都道府県知事は、法第十九条の十二第三項の規定に基づき公益を代表する者（以下「公益委員」という。）を任命しようとするときは、使用者委員及び労働者委員にその任命しようとする委員の候補者の名簿を提示して同意を求め、その同意があつた者のうちから任命するものとする。

3　労働組合は、第一項の規定により同項の候補者を推薦するときは、当該労働組合が法第二条及び第五条第二項の規定に適合する旨の当該候補者の推薦に係る都道府県労働委員会の証明書を添えなければならない。

（公益委員の通知義務）

第二十二条　公益委員は、政党に加入したとき、政党から脱退し、若しくは除名されたとき、又は所属政党が変わつたときは、直ちに、中央労働委員会の公益委員にあつては内閣総理大臣に、都道府県労働委員会の公益委員にあつては都道府県知事にその旨を通知しなければならない。

（中央労働委員会の委員の費用弁償）

第二十三条　法第十九条の八の規定により中央労働委員会の委員が弁償を受ける費用の種類及び金額は、会長である委員及び常勤の公益委員にあつては特別職の職員の給与に関する法律（昭和二十四年法律第二百五十二号）第一条第五号から第四十一号までに掲げる職員が、その他の公益委員にあつては一般職の職員の給与に関する法律（昭和二十五年法律第九十五号）第六条第一項第十一号に規定する指定職俸給表の適用を受ける職員が、使用者委員及び労働者委員にあつては同項第一号イに規定する行政職俸給表㈠（以下「行政職俸給表㈠」という。）の十級の職務にある者が、国家公務員等の旅費に関する法律（昭和二十五年法律第百十四号。以下「旅費法」という。）の規定に基づいて受ける旅費の種類及び金額と同一とする。

2　前項に定めるもののほか、同項の費用の支給については、旅費法の定めるところによる。

（地方調整委員）

第二十三条の二　法第十九条の十第一項の政令で定める事件は、同項に規定する行政執行法人とその行政執行法人職員との間に発生した紛争その他の事件で別表第一に定める一の区域内のみに係るものとする。

2　法第十九条の十第二項の政令で定める区域は、別表第一のとおりとする。

3　使用者を代表する地方調整委員、労働者を代表する地方調整委員及び公益を代表する地方調整委員の数は、別表第一に定める区域ごとに各四人とする。

4　第二十条の規定は、厚生労働大臣が法第十九条の十第二項の規定に基づき使用者又は労働者を代表する地方調整委員を任命しようとする場合に準用する。この場合において、第二十条第一項中「労働組合の推薦に基づき任命する同項に規定する四人の委員以外の委員に関しては」とあるのは、「労働組合以外の労働組合にあつては」と読み替えるものとする。

5　法第十九条の十第三項で準用する法第十九条の八の規定により地方調整委員が弁償を受ける費用の種類及び金額は、行政職俸給表㈠の八級の職務にある者が旅費法の規定に基づいて受ける旅費の種類及び金額と同一とする。

6　前項に定めるもののほか、同項の費用の支給については、旅費法の定めるところによる。

（地方事務所）

第二十三条の三　中央労働委員会事務局の地方事務所の名称は別表第二の上欄に、その位置は同表の中欄に、その管轄区域は同表の下欄に、それぞれ定めるとおりとする。

（都道府県労働委員会の委員の費用弁償）

第二十四条　法第十九条の十二第六項で準用する法第十九条の八の規定により都道府県労働委員会の委員が弁償を受ける費用の種類、金額及び支給方法は、当該都道府県の条例の定めるところによる。

（都道府県労働委員会の事務局の組織）

第二十五条　都道府県労働委員会の事務局の内部組織は、会長の同意を得て都道府県知事が定める。

（都道府県労働委員会の委員の数）

第二十五条の二　都道府県労働委員会の法第十九条の十二第二項の政令で定める使用者委員、労働者委員及び公益委員の数は、別表第三に掲げるところによる。

（公益委員のみで行う会議）

第二十六条　労働委員会は、法第二十四条第一項に規定する事件の処理については、公益委員（法第二十四条の二第一項又は第三項ただし書の合議体で審査等（同条に規定する審査等をいう。）を行う場合にあつては、当該合議体を構成する公益委員。次項において同じ。）の過半数が出席しなければ、会議を開き、議決をすることができない。

2　前項の事件の処理に係る会議の議事は、公益委員の過半数をもつて決する。

（法第二十五条第一項の政令で定める処分）

第二十六条の二　法第二十五条第一項の政令で定める処分は、次に掲げる事項に関し行われる法第五条第一項又は第十一条第一項の規定による処分とする。

一　行政執行法人職員が結成し、又は加入する労働組合の推薦に基づき任命される法第十九条の三第二項

に規定する四人の委員を推薦する手続
二　法第四章第二節及び第三節に規定する手続及び救済
三　次に掲げる労働組合に係る法第十一条第一項に規定する手続
イ　単位労働組合（連合団体である労働組合以外の労働組合をいう。以下この号において同じ。）のうち組合員の過半数が行政執行法人職員である労働組合
ロ　連合団体である労働組合のうち単位労働組合の組合員の総員の過半数が行政執行法人職員である労働組合

（法第二十六条第二項の政令で定める事項）
第二十六条の三　法第二十六条第二項の政令で定める事項は、次に掲げる事項とする。
一　都道府県労働委員会の会議の招集に関する事項
二　法第二十七条の十八の規定による都道府県労働委員会の審査の期間の目標及び審査の実施状況の公表に関する事項
三　都道府県労働委員会の庶務に関する事項

（法第二十七条第一項の申立ての管轄）
第二十七条　法第二十七条第一項の労働委員会は、不当労働行為の当事者である労働者、労働組合その他の労働者の団体若しくは使用者の住所地若しくは主たる事務所の所在地を管轄する都道府県労働委員会又は不当労働行為が行われた地を管轄する都道府県労働委員会とする。ただし、法第七条第四号に掲げる不当労働行為に関しては、当該不当労働行為に係る同号の労働委員会も、法第二十七条第一項の労働委員会であるものとする。
2　同一の不当労働行為について二以上の労働委員会に事件が係属するときは、当該事件の処理は、最初に申立を受けた労働委員会がする。
3　不当労働行為について一の労働委員会に事件が係属する場合又は前項の規定により最初に申立を受けた労働委員会が事件の処理をすべき場合において、中央労働委員会が必要があると認めて管轄権を有する他の労働委員会を指定したときは、当該事件の処理は、その指定を受けた労働委員会がする。
4　相互に関連を有する二以上の不当労働行為につき各別に二以上の労働委員会に事件が係属する場合において、中央労働委員会が必要があると認めて当該事件の一につき管轄権を有する一の労働委員会を指定したときは、当該事件の全部の処理は、その指定を受けた労働委員会がする。
5　中央労働委員会において全国的に重要な問題にかかるものであると認めた事件に関しては、法第二十七条第一項の労働委員会は、前四項の規定にかかわらず、中央労働委員会とする。

（管轄指定）
第二十七条の二　第一条、第十五条又は前条の規定により中央労働委員会の権限に属する特定の事件の処理につき、中央労働委員会が必要があると認めて関係都道府県労働委員会のうち、その一を指定したときは、当該事件の処理は、その都道府県労働委員会がする。

（行政執行法人職員の労働関係に係る事件の取扱い）
第二十八条　前二条の規定は、法第二十五条第一項の規定により中央労働委員会が専属的に管轄する処分については、適用しない。

（和解調書の正本等の送達等）
第二十九条　法第二十七条の十四第四項の和解調書の正本は、同項の規定による申立てをした当事者に送達しなければならない。
2　民事訴訟法（平成八年法律第百九号）第九十八条第二項、第九十九条から第百三条まで、第百五条、第百六条、第百七条第一項（第一号及び第三号を除く。）及び第三項並びに第百九条の規定は、和解調書の正本等（前項の和解調書の正本並びに法第二十七条の十四第六項後段の執行文及び文書の謄本をいう。以下同じ。）の送達に準用する。この場合において、民事訴訟法第九十八条第二項及び第百三条中「裁判所書記官」とあるのは、「労働委員会の職員」と、同法第九十九条第一項中「郵便又は執行官」とあるのは「郵便」と、同法第百二条第一項中「訴訟無能力者」とあるのは「未成年者（独立して法律行為をすることができる場合を除く。）又は成年被後見人」と、同法第百七条第一項中「裁判所書記官」とあるのは「労働委員会の職員」と、「最高裁判所規則で」とあるのは「厚生労働大臣が」と読み替えるものとする。
第三十条　労働委員会は、送達を受けるべき者の住所、居所その他送達すべき場所が知れないとき、又は前条第二項において準用する民事訴訟法第百七条第一項（第二号及び第三号を除く。）の規定により送達をすることができないときは、公示送達をすることができる。
2　公示送達は、和解調書の正本等を送達を受けるべき者にいつでも交付する旨を労働委員会の掲示場に掲示するとともに官報又は都道府県の公報に掲載して行うものとする。
3　労働委員会が前項の規定による掲示及び掲載をした

ときは、その掲示を始めた日の翌日から起算して二週間を経過した時に送達があつたものとみなす。

第三十一条　当事者及び利害関係を疎明した第三者は、労働委員会に対し、和解調書の正本の交付を請求することができる。

（出頭を求められた者等の費用弁償）

第三十二条　中央労働委員会に係る法第二十七条の二十四に規定する出頭を求められた者又は証人が弁償を受ける費用の種類及び金額は、行政職俸給表㈠の一級及び二級の職務のうち厚生労働大臣が指定する級の職務にある者が旅費法の規定に基づいて受ける旅費の種類及び金額と同一とする。

2　前項に定めるもののほか、同項の費用の支給については、旅費法の定めるところによる。

第三十三条　都道府県労働委員会に係る法第二十七条の二十四に規定する出頭を求められた者又は証人が弁償を受ける費用の種類、金額及び支給方法は、当該都道府県の条例の定めるところによる。

附　則（抄）

1　この政令は、公布の日から施行し、昭和二十四年六月十日から適用する。

3　従前の規定により調製した労働組合登記簿は、この政令の規定により調製した労働組合登記簿とみなす。

4　労働組合について従前の規定により登記した事項は、この政令の規定により登記したものとみなす。

5　この政令施行前労働組合について登記した事項中に変更を生じた場合又は労働組合が解散した場合における変更の登記又は解散の登記については、この政令施行後でも、なお、従前の例による。

6　第二条の規定は、法附則第二項但書の証明に準用する。

7　法附則第二項の労働組合についてこの政令施行後最初に登記の申請をする場合には、申請書に同項の規定による証明書を添附しなければならない。

附　則（平二七・三・一八政令七四）（抄）

この政令は、平成二十七年四月一日から施行する。

〔ただし書略〕

附　則（平二七・三・三一政令一二六）（抄）

（施行期日）

第一条　この政令は、平成二十七年四月一日から施行する。

（労働組合法施行令の一部改正に伴う経過措置）

第二条　この政令の施行の際現に地方調整委員である者は、当該地方調整委員としての任期が満了する日までの間、引き続き地方調整委員として在任するものとする。この場合において、当該地方調整委員の数は、第二条による改正後の労働組合法施行令（次条において「新令」という。）第二十三条の二第三項に定める数を上回ることができる。

第三条　この政令の施行の際現に地方調整委員である者に係る区域については、当該者に係る第二条の規定による改正前の労働組合法施行令別表第一に定める区域を包含する新令別表第一に定める区域を当該者に係る区域とみなす。

別表第一（第二十三条の二関係）

区域名	当該区域に含まれる都道府県
東日本	北海道　青森県　岩手県　宮城県　秋田県　山形県　福島県　茨城県　栃木県　群馬県　埼玉県　千葉県　東京都　神奈川県　山梨県　新潟県　富山県　石川県　福井県　長野県　岐阜県　静岡県　愛知県　三重県
西日本	滋賀県　京都府　大阪府　兵庫県　奈良県　和歌山県　鳥取県　島根県　岡山県　広島県　山口県　徳島県　香川県　愛媛県　高知県　福岡県　佐賀県　長崎県　熊本県　大分県　宮崎県　鹿児島県　沖縄県

別表第二（第二十三条の三関係）

名　称	位　置	管　轄　区　域
西日本地方事務所	大阪市	滋賀県　京都府　大阪府　兵庫県　奈良県　和歌山県　鳥取県　島根県　岡山県　広島県　山口県　徳島県　香川県　愛媛県　高知県　福岡県　佐賀県　長崎県　熊本県　大分県　宮崎県　鹿児島県　沖縄県

別表第三（第二十五条の二関係）

	都道府県労働委員会	委員の数
一	東京都に置かれる都道府県労働委員会	使用者委員、労働者委員及び公益委員各十三人
二	大阪府に置かれる都道府県労働委員会	使用者委員、労働者委員及び公益委員各十一人
三	北海道、神奈川県、愛知県、兵庫県又は福岡県に置かれる都道府県労働委員会	使用者委員、労働者委員及び公益委員各七人
四	青森県、岩手県、宮城県、秋田県、山形県、福島県、茨城県、栃木県、群馬県、埼玉県、千葉県、新潟県、富山県、石川県、福井県、山梨県、長野県、岐阜県、静岡県、三重県、滋賀県、京都府、奈良県、和歌山県、鳥取県、島根県、岡山県、広島県、山口県、徳島県、香川県、愛媛県、高知県、佐賀県、長崎県、熊本県、大分県、宮崎県、鹿児島県又は沖縄県	使用者委員、労働者委員及び公益委員各五人

に置かれる都道府県労働委員会

○労働関係調整法

昭二一・九・二七
法　二五

最終改正　平二六・六・一三法六九

第一章　総則

第一条　この法律は、労働組合法と相俟つて、労働関係の公正な調整を図り、労働争議を予防し、又は解決して、産業の平和を維持し、もつて経済の興隆に寄与することを目的とする。

第二条　労働関係の当事者は、互に労働関係を適正化するやうに、労働協約中に、常に労働関係の調整を図るための正規の機関の設置及びその運営に関する事項を定めるやうに、且つ労働争議が発生したときは、誠意をもつて自主的にこれを解決するやうに、特に努力しなければならない。

第三条　政府は、労働関係に関する主張が一致しない場合に、労働関係の当事者が、これを自主的に調整することに対し助力を与へ、これによつて争議行為をできるだけ防止することに努めなければならない。

第四条　この法律は、労働関係の当事者が、直接の協議又は団体交渉によつて、労働条件その他労働関係に関する事項を定め、又は労働関係に関する主張の不一致を調整することを妨げるものでないとともに、又、労働関係の当事者が、かかる努力をする責務を免除するものではない。

第五条　この法律によつて労働関係の調整をなす場合に

は、当事者及び労働委員会その他の関係機関は、できるだけ適宜の方法を講じて、事件の迅速な処理を図らなければならない。

第六条　この法律において労働争議とは、労働関係の当事者間において、労働関係に関する主張が一致しないで、そのために争議行為が発生してゐる状態又は発生する虞がある状態をいふ。

第七条　この法律において争議行為とは、同盟罷業、怠業、作業所閉鎖その他労働関係の当事者が、その主張を貫徹することを目的として行ふ行為及びこれに対抗する行為であつて、業務の正常な運営を阻害するものをいふ。

第八条　この法律において公益事業とは、次に掲げる事業であつて、公衆の日常生活に欠くことのできないものをいう。

一　運輸事業
二　郵便、信書便又は電気通信の事業
三　水道、電気又はガスの供給の事業
四　医療又は公衆衛生の事業

②　内閣総理大臣は、前項の事業の外、国会の承認を経て、業務の停廃が国民経済を著しく阻害し、又は公衆の日常生活を著しく危くする事業を、一年以内の期間を限り、公益事業として指定することができる。

③　内閣総理大臣は、前項の規定によつて公益事業の指定をしたときは、遅滞なくその旨を、官報に告示するの外、新聞、ラヂオ等適宜の方法により、公表しなければならない。

第八条の二　中央労働委員会及び都道府県労働委員会に、その行う労働争議の調停又は仲裁に参与させるため、中央労働委員会にあつては厚生労働大臣が、都道府県労働委員会にあつては都道府県知事がそれぞれ特別調整委員を置くことができる。

②　中央労働委員会に置かれる特別調整委員は、厚生労働大臣が、都道府県労働委員会に置かれる特別調整委員は、都道府県知事が任命する。

③　特別調整委員は、使用者を代表する者、労働者を代表する者及び公益を代表する者とする。

④　特別調整委員のうち、使用者を代表する者は使用者団体の推薦に基づいて、労働者を代表する者は労働組合の推薦に基づいて、公益を代表する者は当該労働委員会の使用者を代表する委員（行政執行法人の労働関係に関する法律（昭和二十三年法律第二百五十七号）第二十五条に規定する行政執行法人担当使用者委員（次条において「行政執行法人担当使用者委員」という。）を除く。）及び労働者を代表する委員（同法第二十五条に規定する行政執行法人担当労働者委員（次条において「行政執行法人担当労働者委員」という。）を除く。）の同意を得て、任命されるものとする。

⑤　特別調整委員は、政令で定めるところにより、その職務を行ふために要する費用の弁償を受けることができる。

⑥　特別調整委員に関する事項は、この法律に定めるものの外、政令でこれを定める。

第八条の三　中央労働委員会が第十条のあつせん員候補者の委嘱及びその名簿の作成、第十二条第一項ただし書の労働委員会の同意、第十八条第四号の労働委員会の決議その他政令で定める事務を処理する場合には、これらの事務の処理には、使用者を代表する委員のうち行政執行法人担当使用者委員以外の委員（第二十一条第一項において「一般企業担当使用者委員」という。）、労働者を代表する委員のうち行政執行法人担当労働者委員以外の委員（第二十一条第一項において「一般企業担当労働者委員」という。）並びに公益を代表する委員のうち会長があらかじめ指名する十人の委員及び会長（第二十一条第一項及び第三十一条の二において「一般企業担当公益委員」という。）のみが参与する。この場合において、中央労働委員会の事務の処理に関し必要な事項は、政令で定める。

第九条　争議行為が発生したときは、その当事者は、直ちにその旨を労働委員会又は都道府県知事に届け出なければならない。

第二章　斡旋

第十条　労働委員会は、斡旋員候補者を委嘱し、その名簿を作製して置かなければならない。

第十一条　斡旋員候補者は、学識経験を有する者で、この章の規定に基いて労働争議の解決につき援助を与へることができる者でなければならないが、その労働委員会の管轄区域内に住んでゐる者でなくても差し支へない。

第十二条　労働争議が発生したときは、労働委員会の会長は、関係当事者の双方若しくは一方の申請又は職権に基いて、斡旋員名簿に記されてゐる者の中から、斡旋員を指名しなければならない。但し、労働委員会の同意を得れば、斡旋員名簿に記されてゐない者を臨時の斡旋員に委嘱することもできる。

②　労働組合法第十九条の十第一項に規定する地方において中央労働委員会が処理すべき事件として政令で定めるものについては、中央労働委員会の会長は、前項の規定にかかわらず、関係当事者の双方若しくは一方

の申請又は職権に基づいて、同条第一項に規定する地方調整委員のうちから、あつせん員を指名する。ただし、中央労働委員会の会長が当該地方調整委員のうちからあつせん員を指名することが適当でないと認める場合は、この限りでない。

第十三条　斡旋員は、関係当事者間を斡旋し、双方の主張の要点を確め、事件が解決されるやうに努めなければならない。

第十四条　斡旋員は、自分の手では事件が解決される見込がないときは、その事件から手を引き、事件の要点を労働委員会に報告しなければならない。

第十四条の二　斡旋員は、政令で定めるところにより、その職務を行ふために要する費用の弁償を受けることができる。

第十五条　斡旋員候補者に関する事項は、この章に定めるものの外命令でこれを定める。

第十六条　この章の規定は、労働争議の当事者が、双方の合意又は労働協約の定により、別の斡旋方法によつて、事件の解決を図ることを妨げるものではない。

第三章　調停

第十七条　労働組合法第二十条の規定による労働委員会による労働争議の調停は、この章の定めるところによる。

第十八条　労働委員会は、左の各号のいずれかに該当する場合に、調停を行う。

一　関係当事者の双方から、労働委員会に対して、調停の申請がなされたとき。

二　関係当事者の双方又は一方から、労働協約の定めに基づいて、労働委員会に対して調停の申請がなされたとき。

三　公益事業に関する事件につき、関係当事者の一方から、労働委員会に対して、調停の申請がなされたとき。

四　公益事業に関する事件につき、労働委員会が職権に基づいて、調停を行う必要があると決議したとき。

五　公益事業に関する事件又はその事件が規模が大きいため若しくは特別の性質の事業に関するものであるために公益に著しい障害を及ぼす事件につき、厚生労働大臣又は都道府県知事から、労働委員会に対して、調停の請求がなされたとき。

第十九条　労働委員会による労働争議の調停は、使用者を代表する調停委員、労働者を代表する調停委員及び公益を代表する調停委員から成る調停委員会を設け、これによつて行ふ。

第二十条　調停委員会の、使用者を代表する調停委員と労働者を代表する調停委員とは、同数でなければならない。

第二十一条　使用者を代表する調停委員は労働委員会の使用者を代表する委員（中央労働委員会にあつては、一般企業担当使用者委員）又は特別調整委員のうちから、労働者を代表する調停委員は労働委員会の労働者を代表する委員（中央労働委員会にあつては、一般企業担当労働者委員）又は特別調整委員の中から、公益を代表する調停委員は労働委員会の公益を代表する委員（中央労働委員会にあつては、一般企業担当公益委員）又は特別調整委員の中から労働委員会の会長がこれを指名する。

②　労働組合法第十九条の十第一項に規定する地方において中央労働委員会が処理すべき事件として政令で定めるものについては、中央労働委員会の会長は、前項の規定にかかわらず、同条第一項に規定する地方調整委員のうちから、調停委員を指名する。ただし、中央労働委員会の会長が当該地方調整委員のうちから調停委員を指名することが適当でないと認める場合は、この限りでない。

第二十二条　調停委員会に、委員長を置く。委員長は、調停委員会で、公益を代表する調停委員の中から、これを選挙する。

第二十三条　調停委員会は、委員長がこれを招集し、その議事は、出席者の過半数でこれを決する。

②　調停委員会は、使用者を代表する調停委員及び労働者を代表する調停委員が出席しなければ、会議を開くことはできない。

第二十四条　調停委員会は、期日を定めて、関係当事者の出頭を求め、その意見を徴さなければならない。

第二十五条　調停をなす場合には、調停委員会は、関係当事者及び参考人以外の者の出席を禁止することができる。

第二十六条　調停委員会は、調停案を作成して、これを関係当事者に示し、その受諾を勧告するとともに、その調停案は理由を附してこれを公表することができる。この場合必要があるときは、新聞又はラヂオによる協力を請求することができる。

②　前項の調停案が関係当事者の双方により受諾された後、その調停案の解釈又は履行について意見の不一致が生じたときは、関係当事者は、その調停案を提示した調停委員会にその解釈又は履行に関する見解を明らかにすることを申請しなければならない。

③ 前項の調停委員会は、前項の申請のあつた日から十五日以内に、関係当事者に対して、申請のあつた事項について解釈又は履行に関する見解を示さなければならない。

④ 前項の解釈又は履行に関する見解が示されるまでは、関係当事者は、当該調停案の解釈又は履行に関して争議行為をなすことができない。但し、前項の期間が経過したときは、この限りでない。

第二十七条 公益事業に関する事件の調停については、特に迅速に処理するために、必要な優先的取扱がなされなければならない。

第二十八条 この章の規定は、労働争議の当事者が、双方の合意又は労働協約の定により、別の調停方法によつて事件の解決を図ることを妨げるものではない。

第四章 仲裁

第二十九条 労働組合法第二十条の規定による労働委員会による労働争議の仲裁は、この章の定めるところによる。

第三十条 労働委員会は、左の各号の一に該当する場合に、仲裁を行ふ。

一 関係当事者の双方から、労働委員会に対して、仲裁の申請がなされたとき。

二 労働協約に、労働委員会による仲裁の申請をなさなければならない旨の定がある場合に、その定に基いて、関係当事者の双方又は一方から、労働委員会に対して、仲裁の申請がなされたとき。

第三十一条 労働委員会による労働争議の仲裁は、三人以上の奇数の仲裁委員をもつて組織される仲裁委員会を設け、これによつて行う。

第三十一条の二 仲裁委員は、労働委員会の公益を代表する委員又は特別調整委員のうちから、関係当事者が合意により選定した者につき、労働委員会の会長が指名する。ただし、関係当事者の合意による選定がされなかつたときは、労働委員会の会長が、関係当事者の意見を聴いて、労働委員会の公益を代表する委員（中央労働委員会にあつては、一般企業担当公益委員）又は特別調整委員の中から指名する。

第三十一条の三 仲裁委員会に、委員長を置く。委員長は、仲裁委員が互選する。

第三十一条の四 仲裁委員会は、委員長が招集する。

② 仲裁委員会は、仲裁委員の過半数が出席しなければ、会議を開き、議決することができない。

③ 仲裁委員会の議事は、仲裁委員の過半数でこれを決する。

第三十一条の五 関係当事者のそれぞれが指名した労働委員会の使用者を代表する委員又は特別調整委員及び労働者を代表する委員又は特別調整委員は、仲裁委員会の同意を得て、その会議に出席し、意見を述べることができる。

第三十二条 仲裁をなす場合には、仲裁委員会は、関係当事者及び参考人以外の者の出席を禁止することができる。

第三十三条 仲裁裁定は、書面に作成してこれを行ふ。その書面には効力発生の期日も記さなければならない。

第三十四条 仲裁裁定は、労働協約と同一の効力を有する。

第三十五条 この章の規定は、労働争議の当事者が、双方の合意又は労働協約の定により、別の仲裁方法によつて事件の解決を図ることを妨げるものではない。

第四章の二 緊急調整

第三十五条の二 内閣総理大臣は、事件が公益事業に関するものであるため、又はその規模が大きいため若しくは特別の性質の事業に関するものであるために、争議行為により当該業務が停止されるときは国民経済の運行を著しく阻害し、又は国民の日常生活を著しく危くする虞があると認める事件について、その虞が現実に存するときに限り、緊急調整の決定をすることができる。

② 内閣総理大臣は、前項の決定をしようとするときは、あらかじめ中央労働委員会の意見を聴かなければならない。

③ 内閣総理大臣は、緊急調整の決定をしたときは、直ちに、理由を附してその旨を公表するとともに、中央労働委員会及び関係当事者に通知しなければならない。

第三十五条の三 中央労働委員会は、前条第三項の通知を受けたときは、その事件を解決するため、最大限の努力を尽さなければならない。

② 中央労働委員会は、前項の任務を遂行するため、その事件について、左の各号に掲げる措置を講ずることができる。

一 斡旋を行ふこと。

二 調停を行ふこと。

三 仲裁を行ふこと（第三十条各号に該当する場合に限る。）

四 事件の実情を調査し、及び公表すること。

五 解決のため必要と認める措置をとるべきことを勧

告すること。

③　前項第二号の調停は、第十八条各号に該当しない場合であつても、これを行ふことができる。

第三十五条の四　中央労働委員会は、緊急調整の決定に係る事件については、他のすべての事件に優先してこれを処理しなければならない。

第三十五条の五　第三十五条の二の規定により内閣総理大臣がした決定については、審査請求をすることができない。

第五章　争議行為の制限禁止等

第三十六条　工場事業場における安全保持の施設の正常な維持又は運行を停廃し、又はこれを妨げる行為は、争議行為としてでもこれをなすことはできない。

第三十七条　公益事業に関する事件につき関係当事者が争議行為をするには、その争議行為をしようとする日の少なくとも十日前までに、労働委員会及び厚生労働大臣又は都道府県知事にその旨を通知しなければならない。

②　緊急調整の決定があつた公益事業に関する事件については、前項の規定による通知は、第三十八条に規定する期間を経過した後でなければこれをすることができない。

第三十八条　緊急調整の決定をなした旨の公表があつたときは、関係当事者は、公表の日から五十日間は、争議行為をなすことができない。

第三十九条　第三十七条の規定の違反があつた場合においては、その違反行為について責任のある使用者若しくはその団体、労働者の団体又はその他の者若しくはその団体は、これを十万円以下の罰金に処する。

②　前項の規定は、そのものが、法人であるときは、理事、取締役、執行役その他法人の業務を執行する役員に、法人でない団体であるときは、代表者その他業務を執行する役員にこれを適用する。

③　一個の争議行為に関し科する罰金の総額は、十万円を超えることはできない。

④　法人、法人でない使用者又は労働者の組合、争議団等の団体であつて解散したものに、第一項の規定を適用するについては、その団体は、なほ存続するものとみなす。

第四十条　第三十八条の規定の違反があつた場合においては、その違反行為について責任のある使用者若しくはその団体、労働者の団体又はその他の者若しくはその団体は、これを二十万円以下の罰金に処する。

②　前条第二項から第四項までの規定は、前項の場合に準用する。この場合において同条第三項中「十万円」とあるのは、「二十万円」と読み替へるものとする。

第四十一条　削除

第四十二条　第三十九条の罪は、労働委員会の請求を待つてこれを論ずる。

第四十三条　調停又は仲裁をなす場合において、その公正な進行を妨げる者に対しては、調停委員会の委員長又は仲裁委員会の委員長は、これに退場を命ずることができる。

附　則

第一条　この法律施行の期日（昭二一・一〇・一三）は、勅令でこれを定める。

第二条　労働争議調停法は、これを廃止する。

〇行政執行法人の労働関係に関する法律

昭二三・一二・二〇
法　二　五　七

最終改正　令三・六・一一法六一

第一章　総則

（目的及び関係者の義務）

第一条　この法律は、行政執行法人の職員の労働条件に関する苦情又は紛争の友好的かつ平和的調整を図るように団体交渉の慣行と手続とを確立することによつて、行政執行法人の正常な運営を最大限に確保し、もつて公共の福祉を増進し、擁護することを目的とする。

2　国家の経済と国民の福祉に対する行政執行法人の重要性に鑑み、この法律で定める手続に関与する関係者は、経済的紛争をできるだけ防止し、かつ、主張の不一致を友好的に調整するために、最大限の努力を尽さなければならない。

（定義）

第二条　この法律において、次の各号に掲げる用語の意義は、当該各号に定めるところによる。

一　行政執行法人　独立行政法人通則法（平成十一年法律第百三号）第二条第四項に規定する行政執行法人をいう。

二　職員　行政執行法人に勤務する一般職に属する国家公務員をいう。

（労働組合法との関係等）

第三条　職員に関する労働関係については、この法律の定めるところにより、この法律に定めのないものについては、労働組合法（昭和二十四年法律第百七十四号。第五条第二項第八号、第七条第一号ただし書、第八条、第十八条、第二十四条の二第一項及び第二項、第二十七条の十三第二項、第二十八条、第三十一条並びに第三十二条の規定を除く。）の定めるところによる。この場合において、同法第六条中「労働組合の代表者又は労働組合の委任を受けた者」とあり、及び同法第七条第二号中「使用者が雇用する労働者の代表者」とあるのは「労働組合を代表する交渉委員」と、同条第四号中「労働関係調整法（昭和二十一年法律第二十五号）による労働争議の調整」とあるのは「行政執行法人の労働関係に関する法律による紛争の調整」と読み替えるものとする。

2　中央労働委員会（以下「委員会」という。）は、職員に関する労働関係について労働組合法第二十四条第一項に規定する事件の処理をする場合には、会長及び第二十五条の規定に基づき公益を代表する委員のうちから会長があらかじめ指名した四人の委員全員により構成する審査委員会を設けて事件の処理を行わせ、当該審査委員会のした処分をもって委員会の処分とすることができる。ただし、事件が重要と認められる場合その他審査委員会が処分をすることが適当でないと認められる場合は、この限りでない。

3　前項の審査委員会に関する事項その他同項の適用に関し必要な事項は、政令で定める。

第二章　労働組合

（職員の団結権）

第四条　職員は、労働組合を結成し、若しくは結成せず、又はこれに加入し、若しくは加入しないことができる。

2　委員会は、職員が結成し、又は加入する労働組合（以下「組合」という。）について、職員のうち労働組合法第二条第一号に規定する者の範囲を認定して告示するものとする。

3　前項の規定による委員会の事務の処理には、委員会の公益を代表する委員のみが参与する。

4　行政執行法人は、職を新設し、変更し、又は廃止したときは、速やかにその旨を委員会に通知しなければならない。

5　前条第二項及び第三項の規定は、第三項に規定する事務の処理について準用する。

第五条及び第六条　削除

（組合のための職員の行為の制限）

第七条　職員は、組合の業務に専ら従事することができない。ただし、行政執行法人の許可を受けて、組合の役員として専ら従事する場合は、この限りでない。

2　前項ただし書の許可は、行政執行法人が相当と認める場合に与えることができるものとし、これを与える場合においては、行政執行法人は、その許可の有効期間を定めるものとする。

3　第一項ただし書の規定により組合の役員として専ら従事する期間は、職員としての在職期間を通じて五年（その職員が国家公務員法（昭和二十二年法律第百二十号）第百八条の六第一項ただし書の規定により職員団体の業務に専ら従事したことがある者であるときは、五年からその専ら従事した期間を控除した期間）を超えることができない。

4　第一項ただし書の許可は、当該許可を受けた職員が組合の役員として当該組合の業務にもっぱら従事する者でなくなったときは、取り消されるものとする。

5　第一項ただし書の許可を受けた職員は、その許可が効力を有する間は、休職者とし、いかなる給与も支給されないものとする。

第三章　団体交渉等

（団体交渉の範囲）

第八条　第十一条及び第十二条第二項に規定するもののほか、職員に関する次に掲げる事項は、団体交渉の対象とし、これに関し労働協約を締結することができる。ただし、行政執行法人の管理及び運営に関する事項は、団体交渉の対象とすることができない。

一　賃金その他の給与、労働時間、休憩、休日及び休暇に関する事項

二　昇職、降職、転職、免職、休職、先任権及び懲戒の基準に関する事項

三　労働に関する安全、衛生及び災害補償に関する事項

四　前三号に掲げるもののほか、労働条件に関する事項

（交渉委員等）

第九条　行政執行法人と組合との団体交渉は、専ら、行政執行法人を代表する交渉委員と組合を代表する交渉委員とにより行う。

第十条　行政執行法人を代表する交渉委員は当該行政執行法人が、組合を代表する交渉委員は当該組合が指名する。

2 行政執行法人及び組合は、交渉委員を指名したときは、その名簿を相手方に提示しなければならない。

第十一条 前二条に定めるもののほか、交渉委員の数、交渉委員の任期その他団体交渉の手続に関し必要な事項は、団体交渉で定める。

（苦情処理）

第十二条 行政執行法人及び組合は、職員の苦情を適当に解決するため、行政執行法人を代表する者及び職員を代表する者各同数をもつて構成する苦情処理共同調整会議を設けなければならない。

2 苦情処理共同調整会議の組織その他苦情処理に関する事項は、団体交渉で定める。

第十三条から第十六条まで 削除

第四章 争議行為

（争議行為の禁止）

第十七条 職員及び組合は、行政執行法人に対して同盟罷業、怠業、その他業務の正常な運営を阻害する一切の行為をすることができない。また、職員並びに組合の組合員及び役員は、このような禁止された行為を共謀し、唆し、又はあおつてはならない。

2 行政執行法人は、作業所閉鎖をしてはならない。

（第十七条に違反した職員の身分）

第十八条 前条の規定に違反する行為をした職員は、解雇されるものとする。

（不当労働行為の申立て等）

第十九条 前条の規定による解雇に係る労働組合法第二十七条第一項の申立てがあつた場合において、当該申立てが当該解雇がされた日から二月を経過した後にされたものであるときは、委員会は、同条第二項の規定にかかわらず、これを受けることができない。

2 前条の規定による解雇に係る労働組合法第二十七条第一項の申立てを受けたときは、委員会は、当該申立ての日から二月以内に同法第二十七条の十二第一項の命令を発するようにしなければならない。

第五章 削除

第二十条から第二十四条まで 削除

第六章 あつせん、調停及び仲裁

（行政執行法人担当委員）

第二十五条 委員会が次条第一項、第二十七条第三号及び第四号並びに第三十三条第四号の委員会の決議、次条第二項及び第二十九条第四項の委員会の同意その他政令で定める委員会の事務を処理する場合には、これらの事務の処理には、公益を代表する委員のうち会長があらかじめ指名する四人の委員及び会長（次条第二項、第二十九条第二項及び第三十四条第二項において「行政執行法人担当公益委員」という。）、労働組合法第十九条の三第二項に規定する行政執行法人の推薦に基づき任命された同項に規定する四人の委員（次条第二項及び第二十九条第二項において「行政執行法人担当使用者委員」という。）並びに同法第十九条の三第二項に規定する行政執行法人職員が結成し、又は加入する労働組合の推薦に基づき任命された同項に規定する四人の委員（次条第二項及び第二十九条第二項において「行政執行法人担当労働者委員」という。）のみが参与する。この場合において、委員会の事務の処理に関し必要な事項は、政令で定める。

（あつせん）

第二十六条 委員会は、行政執行法人とその職員との間に発生した紛争について、関係当事者の双方若しくは一方の申請又は委員会の決議により、あつせんを行うことができる。

2 前項のあつせんは、委員会の会長が行政執行法人担当公益委員、行政執行法人担当使用者委員若しくは行政執行法人担当労働者委員若しくは第二十九条第四項の調停委員候補者名簿に記載されている者のうちから指名するあつせん員又は委員会の同意を得て委員会の会長が委嘱するあつせん員によつて行う。

3 労働組合法第十九条の十第一項に規定する地方において中央労働委員会が処理すべき事件として政令で定めるものについては、委員会の会長は、前項の規定にかかわらず、同条第一項に規定する地方調整委員のうちから、あつせん員を指名する。ただし、委員会の会長が当該地方調整委員のうちからあつせん員を指名することが適当でないと認める場合は、この限りでない。

4 あつせん員（委員会の委員又は労働組合法第十九条の十第一項に規定する地方調整委員である者を除く。次項において同じ。）は、政令で定めるところにより、報酬及びその職務を行うために要する費用の弁償を受けることができる。

5 あつせん員又はあつせん員であつた者は、その職務に関して知ることができた秘密を漏らしてはならない。

6 労働関係調整法（昭和二十一年法律第二十五号）第十三条及び第十四条の規定は、第一項のあつせんについて準用する。

（調停の開始）

第二十七条　委員会は、次の場合に調停を行う。
一　関係当事者の双方が委員会に調停の申請をしたとき。
二　関係当事者の一方が労働協約の定に基いて委員会に調停の申請をしたとき。
三　関係当事者の一方の申請により、委員会が調停を行う必要があると決議したとき。
四　委員会が職権に基き、調停を行う必要があると決議したとき。
五　主務大臣が委員会に調停の請求をしたとき。

（委員会による調停）
第二十八条　委員会による調停は、当該事件について設ける調停委員会によつて行う。

（調停委員会）
第二十九条　調停委員会は、公益を代表する調停委員、行政執行法人を代表する調停委員及び職員を代表する調停委員各三人以内で組織する。ただし、行政執行法人を代表する調停委員と職員を代表する調停委員とは、同数でなければならない。
2　公益を代表する調停委員は行政執行法人担当公益委員のうちから、行政執行法人を代表する調停委員は行政執行法人担当使用者委員のうちから、職員を代表する調停委員は行政執行法人担当労働者委員のうちから、委員会の会長が指名する。
3　労働組合法第十九条の十第一項に規定する地方において中央労働委員会が処理すべき事件として政令で定めるものについては、委員会の会長は、前項の規定にかかわらず、同条第一項に規定する地方調整委員のうちから、調停委員を指名する。ただし、委員会の会長が当該地方調整委員のうちから調停委員を指名することが適当でないと認める場合は、この限りでない。
4　委員会の会長は、必要があると認めるときは、前二項の規定にかかわらず、厚生労働大臣があらかじめ委員会の同意を得て作成した調停委員候補者名簿に記載されている者のうちから、調停委員を委嘱することができる。
5　前項の規定による調停委員は、政令で定めるところにより、報酬及びその職務を行うために要する費用の弁償を受けることができる。

第三十条　削除

（報告及び指示）
第三十一条　委員会は、調停委員会に、その行う事務に関し報告をさせ、又は必要な指示をすることができる。

（調停に関する準用規定）
第三十二条　労働関係調整法第二十二条から第二十五条まで、第二十六条第一項から第三項まで及び第四十三条の規定は、調停委員会及び調停について準用する。

（仲裁の開始）
第三十三条　委員会は、次の場合に仲裁を行う。
一　関係当事者の双方が委員会に仲裁の申請をしたとき。
二　関係当事者の一方が労働協約の定に基いて委員会に仲裁の申請をしたとき。
三　委員会があつせん又は調停を開始した後二月を経過して、なお紛争が解決しない場合において、関係当事者の一方が委員会に仲裁の申請をしたとき。
四　委員会が、あつせん又は調停を行つている事件について、仲裁を行う必要があると決議したとき。
五　主務大臣が委員会に仲裁の請求をしたとき。

（仲裁委員会）
第三十四条　委員会による仲裁は、当該事件について設ける仲裁委員会によつて行う。
2　仲裁委員会は、行政執行法人担当公益委員の全員をもつて充てる仲裁委員又は委員会の会長が行政執行法人担当公益委員のうちから指名する三人の仲裁委員で組織する。
3　労働関係調整法第三十一条の三から第三十四条まで及び第四十三条の規定は、仲裁委員会、仲裁及び裁定について準用する。この場合において、同法第三十一条の五中「委員又は特別調整委員」とあるのは、「委員」と読み替えるものとする。

（委員会の裁定）
第三十五条　行政執行法人とその職員との間に発生した紛争に係る委員会の裁定に対しては、当事者は、双方とも最終的決定としてこれに服従しなければならない。
2　政府は、行政執行法人がその職員との間に発生した紛争に係る委員会の裁定を実施した結果、その事務及び事業の実施に著しい支障が生ずることのないように、できる限り努力しなければならない。

第七章　雑則

（主務大臣）
第三十六条　第二十七条第五号及び第三十三条第五号に規定する主務大臣は、厚生労働大臣及び行政執行法人を所管する大臣（当該調停又は仲裁に係る行政執行法人を所管する大臣に限る。）とする。

（他の法律の適用除外）
第三十七条　次に掲げる法律の規定は、職員については、適用しない。

一　国家公務員法第三条第二項から第四項まで、第三条の二、第十七条、第十七条の二、第十九条、第二十条、第二十二条、第二十三条、第七十条の五から第七十一条まで、第七十三条、第七十七条、第八十四条第二項、第八十四条の二、第八十六条から第八十八条まで、第九十六条第二項、第九十八条第二項及び第三項、第百条第四項、第百八条の二から第百八条の七まで並びに附則第六条の規定

二　国家公務員法の一部を改正する法律（昭和二十三年法律第二百二十二号）附則第三条の規定

2　前項の規定は、職員に関し、その職務と責任の特殊性に基づいて、国家公務員法附則第四条に定める同法の特例を定めたものである。

3　行政執行法人及び職員に係る処分又はその不作為であつて第三条第一項の規定により読み替えられた労働組合法第七条各号に該当するものについては、審査請求をすることができない。

附　則（抄）

1　この法律は、昭和二十四年六月一日から施行する。

3　第七条の規定の適用については、行政執行法人の運営の実態に鑑み、労働関係の適正化を促進し、もつて行政執行法人の効率的な運営に資するため、当分の間、同条第三項中「五年」とあるのは、「七年以下の範囲内で労働協約で定める期間」とする。

○地方公営企業等の労働関係に関する法律

昭二七・七・三一
法　二　八　九

最終改正　平二六・六・一三法六九

（目的）

第一条　この法律は、地方公共団体の経営する企業及び特定地方独立行政法人の正常な運営を最大限に確保し、もつて住民の福祉の増進に資するため、地方公共団体の経営する企業とこれらに従事する職員との間の平和的な労働関係の確立を図ることを目的とする。

（関係者の責務）

第二条　地方公共団体におけるその経営する企業及び特定地方独立行政法人の重要性にかんがみ、この法律に定める手続に関与する関係者は、紛争をできるだけ防止し、かつ、主張の不一致を友好的に調整するために、最大限の努力を尽さなければならない。

（定義）

第三条　この法律において、次の各号に掲げる用語の意義は、当該各号に定めるところによる。

一　地方公営企業　次に掲げる事業（これに附帯する事業を含む。）を行う地方公共団体が経営する企業をいう。

イ　鉄道事業

ロ　軌道事業

ハ　自動車運送事業

ニ　電気事業

ホ　ガス事業

ヘ　水道事業

ト　工業用水道事業

チ　イからトまでの事業のほか、地方公営企業法（昭和二十七年法律第二百九十二号）第二条第三項の規定に基づく条例又は規約の定めるところにより同法第四章の規定が適用される企業

二　特定地方独立行政法人　地方独立行政法人法（平成十五年法律第百十八号）第二条第二項に規定する特定地方独立行政法人をいう。

三　地方公営企業等　地方公営企業及び特定地方独立行政法人をいう。

四　職員　地方公営企業又は特定地方独立行政法人に勤務する一般職に属する地方公務員をいう。

（他の法律との関係）

第四条　職員に関する労働関係については、この法律の定めるところにより、この法律に定めのないものについては、労働組合法（昭和二十四年法律第百七十四号）（第五条第二項第八号、第七条第一号ただし書、第八条及び第十八条の規定を除く。）及び労働関係調整法（昭和二十一年法律第二十五号）（第九条、第十八条、第二十六条第四項、第三十条及び第三十五条の二から第四十二条までの規定を除く。）の定めるところによる。

（職員の団結権）

第五条　職員は、労働組合を結成し、若しくは結成せず、又はこれに加入し、若しくは加入しないことができる。

2　労働委員会は、職員が結成し、又は加入する労働組合（以下「組合」という。）について、職員のうち労

働組合法第二条第一号に規定する者の範囲を認定して告示するものとする。

3　地方公営企業等は、職を新設し、変更し、又は廃止したときは、速やかにその旨を労働委員会に通知しなければならない。

（組合のための職員の行為の制限）

第六条　職員は、組合の業務に専ら従事することができない。ただし、地方公営企業等の許可を受けて、組合の役員としてもつぱら従事する場合は、この限りでない。

2　前項ただし書の許可は、地方公営企業等が相当と認める場合に与えることができるものとし、これを与える場合においては、地方公営企業は、その許可の有効期間を定めるものとする。

3　第一項ただし書の規定により組合の役員としてもつぱら従事する期間は、職員としての在職期間を通じて五年（地方公務員法（昭和二十五年法律第二百六十一号）第五十五条の二第一項ただし書の規定により職員団体の業務にもつぱら従事したことがある職員については、五年からそのもつぱら従事した期間を控除した期間）をこえることができない。

4　第一項ただし書の許可は、当該許可を受けた職員が組合の役員として当該組合の業務にもつぱら従事する者でなくなつたときは、取り消されるものとする。

5　第一項ただし書の許可を受けた職員は、その許可が効力を有する間は、休職者とし、いかなる給与も支給されず、また、その期間は、退職手当の算定の基礎となる勤続期間に算入されないものとする。

（団体交渉の範囲）

第七条　第十三条第二項に規定するもののほか、職員に関する次に掲げる事項は、団体交渉の対象とし、これに関し労働協約を締結することができる。ただし、地方公営企業等の管理及び運営に関する事項は、団体交渉の対象とすることができない。

一　賃金その他の給与、労働時間、休憩、休日及び休暇に関する事項

二　昇職、降職、転職、免職、休職、先任権及び懲戒の基準に関する事項

三　労働に関する安全、衛生及び災害補償に関する事項

四　前三号に掲げるもののほか、労働条件に関する事項

（条例に抵触する協定）

第八条　地方公共団体の長は、地方公営企業において当該地方公共団体の条例に抵触する内容を有する協定が締結されたときは、その締結後十日以内に、その協定が条例に抵触しなくなるために必要な条例の改正又は廃止に係る議案を当該地方公共団体の議会に付議して、その議決を求めなければならない。ただし、当該地方公共団体の議会がその締結の日から起算して十日を経過した日に閉会しているときは、次の議会に速やかにこれを付議しなければならない。

2　特定地方独立行政法人の理事長は、設立団体（地方独立行政法人法第六条第三項に規定する設立団体をいう。以下同じ。）の条例に抵触する内容を有する協定を締結したときは、速やかに、当該設立団体の長に対して、その協定が条例に抵触しなくなるために必要な条例の改正又は廃止に係る議案を当該設立団体の議会に付議して、その議決を求めるよう要請しなければならない。

3　前項の規定による要請を受けた設立団体の長は、その要請を受けた日から十日以内に、同項の協定が条例に抵触しなくなるために必要な条例の改正又は廃止に係る議案を当該設立団体の議会に付議して、その議決を求めるものとする。ただし、当該設立団体の議会がその要請を受けた日から起算して十日を経過した日に閉会しているときは、次の議会に速やかにこれを付議するものとする。

4　第一項又は第二項の協定は、第一項又は第二項の条例の改正又は廃止がなければ、条例に抵触する限度において、効力を生じない。

（規則その他の規程に抵触する協定）

第九条　地方公共団体の長その他の地方公共団体の機関は、地方公営企業において、当該地方公共団体の長その他の地方公共団体の機関の定める規則その他の規程に抵触する内容を有する協定が締結されたときは、速やかに、その協定が規則その他の規程に抵触しなくなるために必要な規則その他の規程の改正又は廃止のための措置をとらなければならない。

（予算上資金上不可能な支出を内容とする協定）

第十条　地方公営企業の予算上又は資金上、不可能な資金の支出を内容とするいかなる協定も、当該地方公共団体の議会によつて所定の行為がなされるまでは、当該地方公共団体を拘束せず、且つ、いかなる資金といえども、そのような協定に基いて支出されてはならない。

2　前項の協定をしたときは、当該地方公共団体の長は、その締結後十日以内に、事由を附しこれを当該地方公共団体の議会に付議して、その承認を求めなければならない。但し、当該地方公共団体の議会がその締

結の日から起算して十日を経過した日に閉会しているときは、次の議会にすみやかにこれを付議しなければならない。

3　前項の規定により当該地方公共団体の議会の承認があつたときは、第一項の協定は、それに記載された日附にさかのぼつて効力を発生するものとする。

（争議行為の禁止）

第十一条　職員及び組合は、地方公営企業等に対して同盟罷業、怠業その他の業務の正常な運営を阻害する一切の行為をすることができない。また、職員並びに組合の組合員及び役員は、このような禁止された行為を共謀し、唆し、又はあおつてはならない。

2　地方公営企業等は、作業所閉鎖をしてはならない。

（前条の規定に違反した職員の身分）

第十二条　地方公共団体及び特定地方独立行政法人は、前条の規定に違反する行為をした職員を解雇することができる。

（苦情処理）

第十三条　地方公営企業等及び組合は、職員の苦情を適当に解決するため、地方公営企業等を代表する者及び職員を代表する者各同数をもつて構成する苦情処理共同調整会議を設けなければならない。

2　苦情処理共同調整会議の組織その他苦情処理に関する事項は、団体交渉で定める。

（調停の開始）

第十四条　労働委員会は、次に掲げる場合に、地方公営企業等の労働関係に関して調停を行う。

一　関係当事者の双方が調停の申請をしたとき。

二　関係当事者の双方又は一方が労働協約の定めに基づいて調停の申請をしたとき。

三　関係当事者の一方が調停の申請をなし、労働委員会が調停を行う必要があると決議したとき。

四　労働委員会が職権に基づいて調停を行う必要があると決議したとき。

五　厚生労働大臣又は都道府県知事が調停の請求をしたとき。

（仲裁の開始）

第十五条　労働委員会は、次に掲げる場合に、地方公営企業等の労働関係に関して仲裁を行う。

一　関係当事者の双方が仲裁の申請をしたとき。

二　関係当事者の双方又は一方が労働協約の定めに基づいて仲裁の申請をしたとき。

三　労働委員会が、その労働委員会においてあつせん又は調停を行つている労働争議について、仲裁を行う必要があると決議したとき。

四　労働委員会があつせん又は調停を開始した後二月を経過して、なお労働争議が解決しない場合において、関係当事者の一方が仲裁の申請をしたとき。

五　厚生労働大臣又は都道府県知事が仲裁の請求をしたとき。

（仲裁裁定）

第十六条　地方公営企業等とその職員との間に発生した紛争に係る仲裁裁定に対しては、当事者は、双方とも最終的決定としてこれに服従しなければならない。

2　地方公共団体の長は、地方公営企業とその職員との間に発生した紛争に係る仲裁裁定が実施されるように、できる限り努力しなければならない。ただし、当該地方公営企業の予算上又は資金上、不可能な資金の支出を内容とする仲裁裁定については、第十条の規定を準用する。

3　第八条第一項及び第四項の規定は当該地方公共団体の条例に抵触する内容を有する仲裁裁定について、第九条の規定は当該地方公共団体の規則その他の規程に抵触する内容を有する仲裁裁定について準用する。

4　設立団体は、特定地方独立行政法人がその職員との間に発生した紛争に係る仲裁裁定を実施した結果、その事務及び事業の実施に著しい支障が生ずることのないように、できる限り努力しなければならない。

5　第八条第二項から第四項までの規定は、当該設立団体の条例に抵触する内容を有する仲裁裁定について準用する。

（第五条第二項の事務の処理）

第十六条の二　第五条第二項の規定による労働委員会の事務の処理には、公益を代表する委員のみが参与する。

（不当労働行為の申立て等）

第十六条の三　第十二条の規定による解雇に係る労働組合法第二十七条第一項の申立てがあつた場合において、その申立てが当該解雇がなされた日から二月を経過した後になされたものであるときは、労働委員会は、同条第二項の規定にかかわらず、これを受けることができない。

2　第十二条の規定による解雇に係る労働組合法第二十七条第一項の申立て又は同法第二十七条の十五第一項若しくは第二項の再審査の申立てを受けたときは、労働委員会は、申立ての日から二月以内に命令を発するようにしなければならない。

（地方公営企業法の準用）

第十七条　地方公営企業法第三十八条並びに第三十九条第一項及び第二項から第六項までの規定は、地方公営企業（同法第四章の規定が適用されるものを除く。）に勤務する職員について準用する。

2　地方公営企業法第三十九条第二項の規定は、前項に規定する職員（同法第三十九条第二項の政令で定める基準に従い地方公共団体の長が定める職にある者を除く。）について準用する。

附　則（抄）

1　この法律の施行期日〔昭二七・一〇・一〕は、公布の日から起算して六箇月をこえない範囲内で、政令で定める。

4　第六条の規定の適用については、地方公営企業等の運営の実態にかんがみ、労働関係の適正化を促進し、もつて地方公営企業等の効率的な運営に資するため、当分の間、同条第三項中「五年」とあるのは、「七年以下の範囲内で労働協約で定める期間」とする。

5　地方公務員法第五十七条に規定する単純な労務に雇用される一般職に属する地方公務員であつて、第三条第四号の職員以外のものに係る労働関係その他身分取扱いについては、その労働関係その他身分取扱いに関し特別の法律が制定施行されるまでの間は、この法律（第十七条を除く。）並びに地方公営企業法第三十八条及び第三十九条の規定を準用する。この場合において、同条第一項中「第四十九条まで、第五十二条から第五十六条まで」とあるのは「第四十九条まで」と、同条第五項中「地方公営企業の管理者」とあるのは「任命権者（委任を受けて任命権を行う者を除く。）」と読み替えるものとする。

附　則〔昭四〇・五・一八法七〇〕（抄）

（施行期日）

第一条　この法律は、公布の日から起算して九十日をこえない範囲内で政令で定める日〔昭四〇・八・一五〕から施行する。ただし、第六条の改正規定及び附則第四項の改正規定（同項の法律番号以外の改正に係る部分を除く。）並びに附則第三条の規定は、政令で定める日〔昭四一・一二・一四〕から施行する。

（経過措置）

第三条　この法律の施行の際現に改正前の第五条第一項ただし書に規定する者について改正前の同条第二項の条例で定められている範囲は、この法律の施行の際現に存する組合に係る改正後の同項に規定する者について、改正後の同項の規定により労働委員会が認定したものとみなす。

附　則〔平二六・六・一三法六九〕（抄）

（施行期日）

第一条　この法律は、行政不服審査法（平成二十六年法律第六十八号）の施行の日〔平二八・四・一〕から施行する。

（地方公営企業法等の一部改正に伴う調整規定）

第三条　地方公務員法及び地方独立行政法人法の一部を改正する法律（平成二十六年法律第三十四号）の施行の日がこの法律の施行の日（以下「施行日」という。）後となる場合には、〔中略〕第百三十五条のうち地方公営企業等の労働関係に関する法律第十七条第一項の改正規定中「第五項」を「第六項」とあるのは「及び第三十九条第一項」を「並びに第三十九条第一項及び第三項から第五項まで」と、同法附則第五項の改正規定中「同条第四項」を「同条第五項」とあるのは「同条第三項」を「同条第四項」とする。

2　前項の場合において、地方公務員法及び地方独立行政法人法の一部を改正する法律附則第十一条のうち地方公営企業等の労働関係に関する法律第十七条第一項の改正規定中「及び第三十九条第一項」を「並びに第三十九条第一項及び第三項から第五項まで」とあるのは「第五項」を「第六項」と、同法附則第五項の改正規定中「同条第三項」を「同条第四項」とあるのは「同条第四項」を「同条第五項」〔中略〕とする。

○労働基準法

昭二二・四・七
法　四　九

最終改正　令六・五・三一法四二

第一章　総則

（労働条件の原則）
第一条　労働条件は、労働者が人たるに値する生活を営むための必要を充たすべきものでなければならない。
② この法律で定める労働条件の基準は最低のものであるから、労働関係の当事者は、この基準を理由として労働条件を低下させてはならないことはもとより、その向上を図るように努めなければならない。

（労働条件の決定）
第二条　労働条件は、労働者と使用者が、対等の立場において決定すべきものである。
② 労働者及び使用者は、労働協約、就業規則及び労働契約を遵守し、誠実に各々その義務を履行しなければならない。

（均等待遇）
第三条　使用者は、労働者の国籍、信条又は社会的身分を理由として、賃金、労働時間その他の労働条件について、差別的取扱をしてはならない。

（男女同一賃金の原則）
第四条　使用者は、労働者が女性であることを理由として、賃金について、男性と差別的取扱いをしてはならない。

（強制労働の禁止）
第五条　使用者は、暴行、脅迫、監禁その他精神又は身体の自由を不当に拘束する手段によつて、労働者の意思に反して労働を強制してはならない。

（中間搾取の排除）
第六条　何人も、法律に基いて許される場合の外、業として他人の就業に介入して利益を得てはならない。

（公民権行使の保障）
第七条　使用者は、労働者が労働時間中に、選挙権その他公民としての権利を行使し、又は公の職務を執行するために必要な時間を請求した場合においては、拒んではならない。但し、権利の行使又は公の職務の執行に妨げがない限り、請求された時刻を変更することができる。

第八条　削除

（定義）
第九条　この法律で「労働者」とは、職業の種類を問わず、事業又は事務所（以下「事業」という。）に使用される者で、賃金を支払われる者をいう。

第十条　この法律で使用者とは、事業主又は事業の経営担当者その他その事業の労働者に関する事項について、事業主のために行為をするすべての者をいう。

第十一条　この法律で賃金とは、賃金、給料、手当、賞与その他名称の如何を問わず、労働の対償として使用者が労働者に支払うすべてのものをいう。

第十二条　この法律で平均賃金とは、これを算定すべき事由の発生した日以前三箇月間にその労働者に対し支払われた賃金の総額を、その期間の総日数で除した金額をいう。ただし、その金額は、次の各号の一によつて計算した金額を下つてはならない。
一　賃金が、労働した日若しくは時間によつて算定され、又は出来高払制その他の請負制によつて定められた場合においては、賃金の総額をその期間中に労働した日数で除した金額の百分の六十
二　賃金の一部が、月、週その他一定の期間によつて定められた場合においては、その部分の総額をその期間の総日数で除した金額と前号の金額の合算額
② 前項の期間は、賃金締切日がある場合においては、直前の賃金締切日から起算する。
③ 前二項に規定する期間中に、次の各号のいずれかに該当する期間がある場合においては、その日数及びその期間中の賃金は、前二項の期間及び賃金の総額から控除する。
一　業務上負傷し、又は疾病にかかり療養のために休業した期間
二　産前産後の女性が第六十五条の規定によつて休業した期間
三　使用者の責めに帰すべき事由によつて休業した期間
四　育児休業、介護休業等育児又は家族介護を行う労働者の福祉に関する法律（平成三年法律第七十六号）第二条第一号に規定する育児休業又は同条第二号に規定する介護休業（同法第六十一条第三項に規定する行政執行法人介護休業及び同法第六十一条の二第三項に規定する介護をするための休業を含む。第三十九条第十項において同じ。）をした期間
五　試みの使用期間
④ 第一項の賃金の総額には、臨時に支払われた賃金及び三箇月を超える期間ごとに支払われる賃金並びに通貨以外のもので支払われた賃金で一定の範囲に属しな

いものは算入しない。

⑤　賃金が通貨以外のもので支払われる場合、第一項の賃金の総額に算入すべきものの範囲及び評価に関し必要な事項は、厚生労働省令で定める。

⑥　雇入後三箇月に満たない者については、第一項の期間は、雇入後の期間とする。

⑦　日日雇い入れられる者については、その従事する事業又は職業について、厚生労働大臣の定める金額を平均賃金とする。

⑧　第一項乃至第六項によつて算定し得ない場合の平均賃金は、厚生労働大臣の定めるところによる。

第二章　労働契約

（この法律違反の契約）

第十三条　この法律で定める基準に達しない労働条件を定める労働契約は、その部分については無効とする。この場合において、無効となつた部分は、この法律で定める基準による。

（契約期間等）

第十四条　労働契約は、期間の定めのないものを除き、一定の事業の完了に必要な期間を定めるもののほかは、三年（次の各号のいずれかに該当する労働契約にあつては、五年）を超える期間について締結してはならない。

一　専門的な知識、技術又は経験（以下この号及び第四十一条の二第一項第一号において「専門的知識等」という。）であつて高度のものとして厚生労働大臣が定める基準に該当する専門的知識等を有する労働者（当該高度の専門的知識等を必要とする業務に就く者に限る。）との間に締結される労働契約

二　満六十歳以上の労働者との間に締結される労働契約（前号に掲げる労働契約を除く。）

②　厚生労働大臣は、期間の定めのある労働契約の締結時及び当該労働契約の期間の満了時において労働者と使用者との間に紛争が生ずることを未然に防止するため、使用者が講ずべき労働契約の期間の満了に係る通知に関する事項その他必要な事項についての基準を定めることができる。

③　行政官庁は、前項の基準に関し、期間の定めのある労働契約を締結する使用者に対し、必要な助言及び指導を行うことができる。

（労働条件の明示）

第十五条　使用者は、労働契約の締結に際し、労働者に対して賃金、労働時間その他の労働条件を明示しなければならない。この場合において、賃金及び労働時間に関する事項その他の厚生労働省令で定める事項については、厚生労働省令で定める方法により明示しなければならない。

②　前項の規定によつて明示された労働条件が事実と相違する場合においては、労働者は、即時に労働契約を解除することができる。

③　前項の場合、就業のために住居を変更した労働者が、契約解除の日から十四日以内に帰郷する場合においては、使用者は、必要な旅費を負担しなければならない。

（賠償予定の禁止）

第十六条　使用者は、労働契約の不履行について違約金を定め、又は損害賠償額を予定する契約をしてはならない。

（前借金相殺の禁止）

第十七条　使用者は、前借金その他労働することを条件とする前貸の債権と賃金を相殺してはならない。

（強制貯金）

第十八条　使用者は、労働契約に附随して貯蓄の契約をさせ、又は貯蓄金を管理する契約をしてはならない。

②　使用者は、労働者の貯蓄金をその委託を受けて管理しようとする場合においては、当該事業場に、労働者の過半数で組織する労働組合があるときはその労働組合、労働者の過半数で組織する労働組合がないときは労働者の過半数を代表する者との書面による協定をし、これを行政官庁に届け出なければならない。

③　使用者は、労働者の貯蓄金をその委託を受けて管理する場合においては、貯蓄金の管理に関する規程を定め、これを労働者に周知させるため作業場に備え付ける等の措置をとらなければならない。

④　使用者は、労働者の貯蓄金をその委託を受けて管理する場合において、貯蓄金の管理が労働者の預金の受入であるときは、利子をつけなければならない。この場合において、その利子が、金融機関の受け入れる預金の利率を考慮して厚生労働省令で定める利率による利子を下るときは、その厚生労働省令で定める利率による利子をつけたものとみなす。

⑤　使用者は、労働者の貯蓄金をその委託を受けて管理する場合において、労働者がその返還を請求したときは、遅滞なく、これを返還しなければならない。

⑥　使用者が前項の規定に違反した場合において、当該貯蓄金の管理を継続することが労働者の利益を著しく害すると認められるときは、行政官庁は、使用者に対して、その必要な限度の範囲内で、当該貯蓄金の管理を中止すべきことを命ずることができる。

⑦　前項の規定により貯蓄金の管理を中止すべきことを命ぜられた使用者は、遅滞なく、その管理に係る貯蓄金を労働者に返還しなければならない。

（解雇制限）

第十九条　使用者は、労働者が業務上負傷し、又は疾病にかかり療養のために休業する期間及びその後三十日間並びに産前産後の女性が第六十五条の規定によつて休業する期間及びその後三十日間は、解雇してはならない。ただし、使用者が、第八十一条の規定によつて打切補償を支払う場合又は天災事変その他やむを得ない事由のために事業の継続が不可能となつた場合においては、この限りでない。

②　前項但書後段の場合においては、その事由について行政官庁の認定を受けなければならない。

（解雇の予告）

第二十条　使用者は、労働者を解雇しようとする場合においては、少くとも三十日前にその予告をしなければならない。三十日前に予告をしない使用者は、三十日分以上の平均賃金を支払わなければならない。但し、天災事変その他やむを得ない事由のために事業の継続が不可能となつた場合又は労働者の責に帰すべき事由に基いて解雇する場合においては、この限りでない。

②　前項の予告の日数は、一日について平均賃金を支払つた場合においては、その日数を短縮することができる。

③　前条第二項の規定は、第一項但書の場合にこれを準用する。

第二十一条　前条の規定は、左の各号の一に該当する労働者については適用しない。但し、第一号に該当する者が一箇月を超えて引き続き使用されるに至つた場合、第二号若しくは第三号に該当する者が所定の期間を超えて引き続き使用されるに至つた場合又は第四号に該当する者が十四日を超えて引き続き使用されるに至つた場合においては、この限りでない。

一　日日雇い入れられる者

二　二箇月以内の期間を定めて使用される者

三　季節的業務に四箇月以内の期間を定めて使用される者

四　試の使用期間中の者

（退職時等の証明）

第二十二条　労働者が、退職の場合において、使用期間、業務の種類、その事業における地位、賃金又は退職の事由（退職の事由が解雇の場合にあつては、その理由を含む。）について証明書を請求した場合においては、使用者は、遅滞なくこれを交付しなければならない。

②　労働者が、第二十条第一項の解雇の予告がされた日から退職の日までの間において、当該解雇の理由について証明書を請求した場合においては、使用者は、遅滞なくこれを交付しなければならない。ただし、解雇の予告がされた日以後に労働者が当該解雇以外の事由により退職した場合においては、使用者は、当該退職の日以後、これを交付することを要しない。

③　前二項の証明書には、労働者の請求しない事項を記入してはならない。

④　使用者は、あらかじめ第三者と謀り、労働者の就業を妨げることを目的として、労働者の国籍、信条、社会的身分若しくは労働組合運動に関する通信をし、又は第一項及び第二項の証明書に秘密の記号を記入してはならない。

（金品の返還）

第二十三条　使用者は、労働者の死亡又は退職の場合において、権利者の請求があつた場合においては、七日以内に賃金を支払い、積立金、保証金、貯蓄金その他名称の如何を問わず、労働者の権利に属する金品を返還しなければならない。

②　前項の賃金又は金品に関して争がある場合においては、使用者は、異議のない部分を、同項の期間中に支払い、又は返還しなければならない。

第三章　賃金

（賃金の支払）

第二十四条　賃金は、通貨で、直接労働者に、その全額を支払わなければならない。ただし、法令若しくは労働協約に別段の定めがある場合又は厚生労働省令で定める賃金について確実な支払の方法で厚生労働省令で定めるものによる場合においては、通貨以外のもので支払い、また、法令に別段の定めがある場合又は当該事業場の労働者の過半数で組織する労働組合があるときはその労働組合、労働者の過半数で組織する労働組合がないときは労働者の過半数を代表する者との書面による協定がある場合においては、賃金の一部を控除して支払うことができる。

②　賃金は、毎月一回以上、一定の期日を定めて支払わなければならない。ただし、臨時に支払われる賃金、賞与その他これに準ずるもので厚生労働省令で定める賃金（第八十九条において「臨時の賃金等」という。）については、この限りでない。

（非常時払）

第二十五条　使用者は、労働者が出産、疾病、災害その他厚生労働省令で定める非常の場合の費用に充てるために請求する場合においては、支払期日前であつても、既往の労働に対する賃金を支払わなければならない。

（休業手当）

第二十六条　使用者の責に帰すべき事由による休業の場合においては、使用者は、休業期間中当該労働者に、その平均賃金の百分の六十以上の手当を支払わなければならない。

（出来高払制の保障給）

第二十七条　出来高払制その他の請負制で使用する労働者については、使用者は、労働時間に応じ一定額の賃金の保障をしなければならない。

（最低賃金）

第二十八条　賃金の最低基準に関しては、最低賃金法（昭和三十四年法律第百三十七号）の定めるところによる。

第二十九条から第三十一条まで　削除

第四章　労働時間、休憩、休日及び年次有給休暇

（労働時間）

第三十二条　使用者は、労働者に、休憩時間を除き一週間について四十時間を超えて、労働させてはならない。

②　使用者は、一週間の各日については、労働者に、休憩時間を除き一日について八時間を超えて、労働させてはならない。

第三十二条の二　使用者は、当該事業場に、労働者の過半数で組織する労働組合がある場合においてはその労働組合、労働者の過半数で組織する労働組合がない場合においては労働者の過半数を代表する者との書面による協定により、又は就業規則その他これに準ずるものにより、一箇月以内の一定の期間を平均し一週間当たりの労働時間が前条第一項の労働時間を超えない定めをしたときは、同条の規定にかかわらず、その定めにより、特定された週において同項の労働時間又は特定された日において同条第二項の労働時間を超えて、労働させることができる。

②　使用者は、厚生労働省令で定めるところにより、前項の協定を行政官庁に届け出なければならない。

第三十二条の三　使用者は、就業規則その他これに準ずるものにより、その労働者に係る始業及び終業の時刻をその労働者の決定に委ねることとした労働者については、当該事業場の労働者の過半数で組織する労働組合がある場合においてはその労働組合、労働者の過半数で組織する労働組合がない場合においては労働者の過半数を代表する者との書面による協定により、次に掲げる事項を定めたときは、その協定で第二号の清算期間として定められた期間を平均し一週間当たりの労働時間が第三十二条第一項の労働時間を超えない範囲内において、同条の規定にかかわらず、一週間において同項の労働時間又は一日において同条第二項の労働時間を超えて、労働させることができる。

一　この項の規定による労働時間により労働させることができることとされる労働者の範囲

二　清算期間（その期間を平均し一週間当たりの労働時間が第三十二条第一項の労働時間を超えない範囲内において労働させる期間をいい、三箇月以内の期間に限るものとする。以下この条及び次条において同じ。）

三　清算期間における総労働時間

四　その他厚生労働省令で定める事項

②　清算期間が一箇月を超えるものである場合における前項の規定の適用については、同項各号列記以外の部分中「労働時間を超えない」とあるのは「労働時間を超えず、かつ、当該清算期間をその開始の日以後一箇月ごとに区分した各期間（最後に一箇月未満の期間を生じたときは、当該期間。以下この項において同じ。）ごとに当該各期間を平均し一週間当たりの労働時間が五十時間を超えない」と、「同項」とあるのは「同条第一項」とする。

③　一週間の所定労働日数が五日の労働者について第一項の規定により労働させる場合における同項の規定の適用については、同項各号列記以外の部分（前項の規定により読み替えて適用する場合を含む。）中「第三十二条第一項の労働時間」とあるのは「第三十二条第一項の労働時間（当該事業場の労働者の過半数で組織する労働組合がある場合においてはその労働組合、労働者の過半数で組織する労働組合がない場合においては労働者の過半数を代表する者との書面による協定により、労働時間の限度について、当該清算期間における所定労働日数を同条第二項の労働時間に乗じて得た時間とする旨を定めたときは、当該清算期間における日数を七で除して得た数をもつてその時間を除して得た時間）」と、「同項」とあるのは「同条第一項」とする。

④　前条第二項の規定は、第一項各号に掲げる事項を定めた協定について準用する。ただし、清算期間が一箇月以内のものであるときは、この限りでない。

第三十二条の三の二　使用者が、清算期間が一箇月を超えるものであるときの当該清算期間中の前条第一項の規定により労働させた期間が当該清算期間より短い労働者について、当該労働させた期間を平均し一週間当たり四十時間を超えて労働させた場合においては、その超えた時間（第三十三条又は第三十六条第一項の規定により延長し、又は休日に労働させた時間を除く。）の労働については、第三十七条の規定の例により割増賃金を支払わなければならない。

第三十二条の四　使用者は、当該事業場に、労働者の過半数で組織する労働組合がある場合においてはその労働組合、労働者の過半数で組織する労働組合がない場合においては労働者の過半数を代表する者との書面による協定により、次に掲げる事項を定めたときは、第三十二条の規定にかかわらず、その協定で第二号の対象期間として定められた期間を平均し一週間当たりの労働時間が四十時間を超えない範囲内において、当該協定（次項の規定による定めをした場合においては、その定めを含む。）で定めるところにより、特定された週において同条第一項の労働時間又は特定された日において同条第二項の労働時間を超えて、労働させることができる。

一　この条の規定による労働時間により労働させることができることとされる労働者の範囲

二　対象期間（その期間を平均し一週間当たりの労働時間が四十時間を超えない範囲内において労働させる期間をいい、一箇月を超え一年以内の期間に限るものとする。以下この条及び次条において同じ。）

三　特定期間（対象期間中の特に業務が繁忙な期間をいう。第三項において同じ。）

四　対象期間における労働日及び当該労働日ごとの労働時間（対象期間を一箇月以上の期間ごとに区分することとした場合においては、当該区分による各期間のうち当該対象期間の初日の属する期間（以下この条において「最初の期間」という。）における労働日及び当該労働日ごとの労働時間並びに当該最初の期間を除く各期間における労働日数及び総労働時間）

五　その他厚生労働省令で定める事項

②　使用者は、前項の協定で同項第四号の区分をし当該区分による各期間のうち最初の期間を除く各期間における労働日数及び総労働時間を定めたときは、当該各期間の初日の少なくとも三十日前に、当該事業場に、労働者の過半数で組織する労働組合がある場合においてはその労働組合、労働者の過半数で組織する労働組合がない場合においては労働者の過半数を代表する者の同意を得て、厚生労働省令で定めるところにより、当該労働日数を超えない範囲内において当該各期間における労働日及び当該総労働時間を超えない範囲内において当該各期間における労働日ごとの労働時間を定めなければならない。

③　厚生労働大臣は、労働政策審議会の意見を聴いて、厚生労働省令で、対象期間における労働日数の限度並びに一日及び一週間の労働時間の限度並びに対象期間（第一項の協定で特定期間として定められた期間を除く。）及び同項の協定で特定期間として定められた期間における連続して労働させる日数の限度を定めることができる。

④　第三十二条の二第二項の規定は、第一項の協定について準用する。

第三十二条の四の二　使用者が、対象期間中の前条の規定により労働させた期間が当該対象期間より短い労働者について、当該労働させた期間を平均し一週間当たり四十時間を超えて労働させた場合においては、その超えた時間（第三十三条又は第三十六条第一項の規定により延長し、又は休日に労働させた時間を除く。）の労働については、第三十七条の規定の例により割増賃金を支払わなければならない。

第三十二条の五　使用者は、日ごとの業務に著しい繁閑の差が生ずることが多く、かつ、これを予測した上で就業規則その他これに準ずるものにより各日の労働時間を特定することが困難であると認められる厚生労働省令で定める事業であつて、常時使用する労働者の数が厚生労働省令で定める数未満のものに従事する労働者については、当該事業場に、労働者の過半数で組織する労働組合がある場合においてはその労働組合、労働者の過半数で組織する労働組合がない場合においては労働者の過半数を代表する者との書面による協定があるときは、第三十二条第二項の規定にかかわらず、一日について十時間まで労働させることができる。

②　使用者は、前項の規定により労働者に労働させる場合においては、厚生労働省令で定めるところにより、当該労働させる一週間の各日の労働時間を、あらかじめ、当該労働者に通知しなければならない。

③　第三十二条の二第二項の規定は、第一項の協定について準用する。

（災害等による臨時の必要がある場合の時間外労働等）

第三十三条　災害その他避けることのできない事由によつて、臨時の必要がある場合においては、使用者は、行政官庁の許可を受けて、その必要の限度において第三十二条から前条まで若しくは第四十条の労働時間を延長し、又は第三十五条の休日に労働させることができる。ただし、事態急迫のために行政官庁の許可を受ける暇がない場合においては、事後に遅滞なく届け出なければならない。

② 前項ただし書の規定による届出があつた場合において、行政官庁がその労働時間の延長又は休日の労働を不適当と認めるときは、その後にその時間に相当する休憩又は休日を与えるべきことを、命ずることができる。

③ 公務のために臨時の必要がある場合においては、第一項の規定にかかわらず、官公署の事業（別表第一に掲げる事業を除く。）に従事する国家公務員及び地方公務員については、第三十二条から前条まで若しくは第四十条の労働時間を延長し、又は第三十五条の休日に労働させることができる。

（休憩）

第三十四条 使用者は、労働時間が六時間を超える場合においては少くとも四十五分、八時間を超える場合においては少くとも一時間の休憩時間を労働時間の途中に与えなければならない。

② 前項の休憩時間は、一斉に与えなければならない。ただし、当該事業場に、労働者の過半数で組織する労働組合がある場合においてはその労働組合、労働者の過半数で組織する労働組合がない場合においては労働者の過半数を代表する者との書面による協定があるときは、この限りでない。

③ 使用者は、第一項の休憩時間を自由に利用させなければならない。

（休日）

第三十五条 使用者は、労働者に対して、毎週少くとも一回の休日を与えなければならない。

② 前項の規定は、四週間を通じ四日以上の休日を与える使用者については適用しない。

（時間外及び休日の労働）

第三十六条 使用者は、当該事業場に、労働者の過半数で組織する労働組合がある場合においてはその労働組合、労働者の過半数で組織する労働組合がない場合においては労働者の過半数を代表する者との書面による協定をし、厚生労働省令で定めるところによりこれを行政官庁に届け出た場合においては、第三十二条から第三十二条の五まで若しくは第四十条の労働時間（以下この条において「労働時間」という。）又は前条の休日（以下この条において「休日」という。）に関する規定にかかわらず、その協定で定めるところによつて労働時間を延長し、又は休日に労働させることができる。

② 前項の協定においては、次に掲げる事項を定めるものとする。

一 この条の規定により労働時間を延長し、又は休日に労働させることができることとされる労働者の範囲

二 対象期間（この条の規定により労働時間を延長し、又は休日に労働させることができる期間をいい、一年間に限るものとする。第四号及び第六項第三号において同じ。）

三 労働時間を延長し、又は休日に労働させることができる場合

四 対象期間における一日、一箇月及び一年のそれぞれの期間について労働時間を延長して労働させることができる時間又は労働させることができる休日の日数

五 労働時間の延長及び休日の労働を適正なものとするために必要な事項として厚生労働省令で定める事項

③ 前項第四号の労働時間を延長して労働させることができる時間は、当該事業場の業務量、時間外労働の動向その他の事情を考慮して通常予見される時間外労働の範囲内において、限度時間を超えない時間に限る。

④ 前項の限度時間は、一箇月について四十五時間及び一年について三百六十時間（第三十二条の四第一項第二号の対象期間として三箇月を超える期間を定めて同条の規定により労働させる場合にあつては、一箇月について四十二時間及び一年について三百二十時間）とする。

⑤ 第一項の協定においては、第二項各号に掲げるもののほか、当該事業場における通常予見することのできない業務量の大幅な増加等に伴い臨時的に第三項の限度時間を超えて労働させる必要がある場合において、一箇月について労働時間を延長して労働させ、及び休日において労働させることができる時間（第二項第四号に関して協定した時間を含め百時間未満の範囲内に限る。）並びに一年について労働時間を延長して労働させることができる時間（同号に関して協定した時間を含め七百二十時間を超えない範囲内に限る。）を定めることができる。この場合において、第一項の協定に、併せて第二項第二号の対象期間において労働時間を延長して労働させる時間が一箇月について四十五時間（第三十二条の四第一項第二号の対象期間として三

箇月を超える期間を定めて同条の規定により労働させる場合にあつては、一箇月について四十二時間）を超えることができる月数（一年について六箇月以内に限る。）を定めなければならない。

⑥ 使用者は、第一項の協定で定めるところによつて労働時間を延長して労働させ、又は休日において労働させる場合であつても、次の各号に掲げる時間について、当該各号に定める要件を満たすものとしなければならない。

一 坑内労働その他厚生労働省令で定める健康上特に有害な業務について、一日について労働時間を延長して労働させた時間　二時間を超えないこと。

二 一箇月について労働時間を延長して労働させ、及び休日において労働させた時間　百時間未満であること。

三 対象期間の初日から一箇月ごとに区分した各期間に当該各期間の直前の一箇月、二箇月、三箇月、四箇月及び五箇月の期間を加えたそれぞれの期間における労働時間を延長して労働させ、及び休日において労働させた時間の一箇月当たりの平均時間　八十時間を超えないこと。

⑦ 厚生労働大臣は、労働時間の延長及び休日の労働を適正なものとするため、第一項の協定で定める労働時間の延長及び休日の労働について留意すべき事項、当該労働時間の延長に係る割増賃金の率その他の必要な事項について、労働者の健康、福祉、時間外労働の動向その他の事情を考慮して指針を定めることができる。

⑧ 第一項の協定をする使用者及び労働組合又は労働者の過半数を代表する者は、当該協定で労働時間の延長及び休日の労働を定めるに当たり、当該協定の内容が前項の指針に適合したものとなるようにしなければならない。

⑨ 行政官庁は、第七項の指針に関し、第一項の協定をする使用者及び労働組合又は労働者の過半数を代表する者に対し、必要な助言及び指導を行うことができる。

⑩ 前項の助言及び指導を行うに当たつては、労働者の健康が確保されるよう特に配慮しなければならない。

⑪ 第三項から第五項まで及び第六項（第二号及び第三号に係る部分に限る。）の規定は、新たな技術、商品又は役務の研究開発に係る業務については適用しない。

（時間外、休日及び深夜の割増賃金）

第三十七条 使用者が、第三十三条又は前条第一項の規定により労働時間を延長し、又は休日に労働させた場合においては、その時間又はその日の労働については、通常の労働時間又は労働日の賃金の計算額の二割五分以上五割以下の範囲内でそれぞれ政令で定める率以上の率で計算した割増賃金を支払わなければならない。ただし、当該延長して労働させた時間が一箇月について六十時間を超えた場合においては、その超えた時間の労働については、通常の労働時間の賃金の計算額の五割以上の率で計算した割増賃金を支払わなければならない。

② 前項の政令は、労働者の福祉、時間外又は休日の労働の動向その他の事情を考慮して定めるものとする。

③ 使用者が、当該事業場に、労働者の過半数で組織する労働組合があるときはその労働組合、労働者の過半数で組織する労働組合がないときは労働者の過半数を代表する者との書面による協定により、第一項ただし書の規定により割増賃金を支払うべき労働者に対して、当該割増賃金の支払に代えて、通常の労働時間の賃金が支払われる休暇（第三十九条の規定による有給休暇を除く。）を厚生労働省令で定めるところにより与えることを定めた場合において、当該労働者が当該休暇を取得したときは、当該労働者の同項ただし書に規定する時間を超えた時間の労働のうち当該取得した休暇に対応するものとして厚生労働省令で定める時間の労働については、同項ただし書の規定による割増賃金を支払うことを要しない。

④ 使用者が、午後十時から午前五時まで（厚生労働大臣が必要であると認める場合においては、その定める地域又は期間については午後十一時から午前六時まで）の間において労働させた場合においては、その時間の労働については、通常の労働時間の賃金の計算額の二割五分以上の率で計算した割増賃金を支払わなければならない。

⑤ 第一項及び前項の割増賃金の基礎となる賃金には、家族手当、通勤手当その他厚生労働省令で定める賃金は算入しない。

（時間計算）

第三十八条 労働時間は、事業場を異にする場合においても、労働時間に関する規定の適用については通算する。

② 坑内労働については、労働者が坑口に入つた時刻から坑口を出た時刻までの時間を、休憩時間を含め労働時間とみなす。但し、この場合においては、第三十四条第二項及び第三項の休憩に関する規定は適用しない。

第三十八条の二　労働者が労働時間の全部又は一部について事業場外で業務に従事した場合において、労働時間を算定し難いときは、所定労働時間労働したものとみなす。ただし、当該業務を遂行するためには通常所定労働時間を超えて労働することが必要となる場合においては、当該業務に関しては、厚生労働省令で定めるところにより、当該業務の遂行に通常必要とされる時間労働したものとみなす。

②　前項ただし書の場合において、当該業務に関し、当該事業場に、労働者の過半数で組織する労働組合があるときはその労働組合、労働者の過半数で組織する労働組合がないときは労働者の過半数を代表する者との書面による協定があるときは、その協定で定める時間を同項ただし書の当該業務の遂行に通常必要とされる時間とする。

③　使用者は、厚生労働省令で定めるところにより、前項の協定を行政官庁に届け出なければならない。

第三十八条の三　使用者が、当該事業場に、労働者の過半数で組織する労働組合があるときはその労働組合、労働者の過半数で組織する労働組合がないときは労働者の過半数を代表する者との書面による協定により、次に掲げる事項を定めた場合において、労働者を第一号に掲げる業務に就かせたときは、当該労働者は、厚生労働省令で定めるところにより、第二号に掲げる時間労働したものとみなす。

一　業務の性質上その遂行の方法を大幅に当該業務に従事する労働者の裁量にゆだねる必要があるため、当該業務の遂行の手段及び時間配分の決定等に関し使用者が具体的な指示をすることが困難なものとして厚生労働省令で定める業務のうち、労働者に就かせることとする業務（以下この条において「対象業務」という。）

二　対象業務に従事する労働者の労働時間として算定される時間

三　対象業務の遂行の手段及び時間配分の決定等に関し、当該対象業務に従事する労働者に対し使用者が具体的な指示をしないこと。

四　対象業務に従事する労働者の労働時間の状況に応じた当該労働者の健康及び福祉を確保するための措置を当該協定で定めるところにより使用者が講ずること。

五　対象業務に従事する労働者からの苦情の処理に関する措置を当該協定で定めるところにより使用者が講ずること。

六　前各号に掲げるもののほか、厚生労働省令で定める事項

②　前条第三項の規定は、前項の協定について準用する。

第三十八条の四　賃金、労働時間その他の当該事業場における労働条件に関する事項を調査審議し、事業主に対し当該事項について意見を述べることを目的とする委員会（使用者及び当該事業場の労働者を代表する者を構成員とするものに限る。）が設置された事業場において、当該委員会がその委員の五分の四以上の多数による議決により次に掲げる事項に関する決議をし、かつ、使用者が、厚生労働省令で定めるところにより当該決議を行政官庁に届け出た場合において、第二号に掲げる労働者の範囲に属する労働者を当該事業場における第一号に掲げる業務に就かせたときは、当該労働者は、厚生労働省令で定めるところにより、第三号に掲げる時間労働したものとみなす。

一　事業の運営に関する事項についての企画、立案、調査及び分析の業務であつて、当該業務の性質上これを適切に遂行するにはその遂行の方法を大幅に労働者の裁量に委ねる必要があるため、当該業務の遂行の手段及び時間配分の決定等に関し使用者が具体的な指示をしないこととする業務（以下この条において「対象業務」という。）

二　対象業務を適切に遂行するための知識、経験等を有する労働者であつて、当該対象業務に就かせたときは当該決議で定める時間労働したものとみなされることとなるものの範囲

三　対象業務に従事する前号に掲げる労働者の範囲に属する労働者の労働時間として算定される時間

四　対象業務に従事する第二号に掲げる労働者の範囲に属する労働者の労働時間の状況に応じた当該労働者の健康及び福祉を確保するための措置を当該決議で定めるところにより使用者が講ずること。

五　対象業務に従事する第二号に掲げる労働者の範囲に属する労働者からの苦情の処理に関する措置を当該決議で定めるところにより使用者が講ずること。

六　使用者は、この項の規定により第二号に掲げる労働者の範囲に属する労働者を対象業務に就かせたときは第三号に掲げる時間労働したものとみなすことについて当該労働者の同意を得なければならないこと及び当該同意をしなかつた当該労働者に対して解雇その他不利益な取扱いをしてはならないこと。

七　前各号に掲げるもののほか、厚生労働省令で定める事項

②　前項の委員会は、次の各号に適合するものでなけれ

ばならない。

一　当該委員会の委員の半数については、当該事業場に、労働者の過半数で組織する労働組合がある場合においてはその労働組合、労働者の過半数で組織する労働組合がない場合においては労働者の過半数を代表する者に厚生労働省令で定めるところにより任期を定めて指名されていること。

二　当該委員会の議事について、厚生労働省令で定めるところにより、議事録が作成され、かつ、保存されるとともに、当該事業場の労働者に対する周知が図られていること。

三　前二号に掲げるもののほか、厚生労働省令で定める要件

③　厚生労働大臣は、対象業務に従事する労働者の適正な労働条件の確保を図るために、労働政策審議会の意見を聴いて、第一項各号に掲げる事項その他同項の委員会が決議する事項について指針を定め、これを公表するものとする。

④　第一項の規定による届出をした使用者は、厚生労働省令で定めるところにより、定期的に、同項第四号に規定する措置の実施状況を行政官庁に報告しなければならない。

⑤　第一項の委員会においてその委員の五分の四以上の多数による議決により第三十二条の二第一項、第三十二条の三第一項、第三十二条の四第一項及び第二項、第三十二条の五第一項、第三十四条第二項ただし書、第三十六条第一項、第二項及び第五項、第三十七条第三項、第三十八条の二第二項、前条第一項並びに次条第四項、第六項及び第九項ただし書に規定する事項について決議が行われた場合における第三十二条の二第一項、第三十二条の三第一項、第三十二条の四第一項から第三項まで、第三十二条の五第一項、第三十四条第二項ただし書、第三十六条、第三十七条第三項、第三十八条の二第二項、前条第一項並びに次条第四項、第六項及び第九項ただし書の規定の適用については、第三十二条の二第一項中「協定」とあるのは「協定若しくは第三十八条の四第一項に規定する委員会の決議（第百六条第一項を除き、以下「決議」という。）」と、第三十二条の三第一項、第三十二条の四第一項から第三項まで、第三十二条の五第一項、第三十四条第二項ただし書、第三十六条第二項及び第五項から第七項まで、第三十七条第三項、第三十八条の二第二項、前条第一項並びに次条第四項、第六項及び第九項ただし書中「協定」とあるのは「協定又は決議」と、第三十二条の四第二項中「同意を得て」とあるのは「同意を得て、又は決議に基づき」と、第三十六条第一項中「届け出た場合」とあるのは「届け出た場合又は決議を行政官庁に届け出た場合」と、「その協定」とあるのは「その協定又は決議」と、同条第八項中「又は労働者の過半数を代表する者」とあるのは「若しくは労働者の過半数を代表する者又は同項の決議をする委員」と、「当該協定」とあるのは「当該協定又は当該決議」と、同条第九項中「又は労働者の過半数を代表する者」とあるのは「若しくは労働者の過半数を代表する者又は同項の決議をする委員」とする。

（年次有給休暇）

第三十九条　使用者は、その雇入れの日から起算して六箇月間継続勤務し全労働日の八割以上出勤した労働者に対して、継続し、又は分割した十労働日の有給休暇を与えなければならない。

②　使用者は、一年六箇月以上継続勤務した労働者に対しては、雇入れの日から起算して六箇月を超えて継続勤務する日（以下「六箇月経過日」という。）から起算した継続勤務年数一年ごとに、前項の日数に、次の表の上欄に掲げる六箇月経過日から起算した継続勤務年数の区分に応じ同表の下欄に掲げる労働日を加算した有給休暇を与えなければならない。ただし、継続勤務した期間を六箇月経過日から一年ごとに区分した各期間（最後に一年未満の期間を生じたときは、当該期間）の初日の前日の属する期間において出勤した日数が全労働日の八割未満である者に対しては、当該初日以後の一年間においては有給休暇を与えることを要しない。

六箇月経過日から起算した継続勤務年数	労働日
一年	一労働日
二年	二労働日
三年	四労働日
四年	六労働日
五年	八労働日
六年以上	十労働日

③　次に掲げる労働者（一週間の所定労働時間が厚生労働省令で定める時間以上の者を除く。）の有給休暇の日数については、前二項の規定にかかわらず、これらの規定による有給休暇の日数を基準とし、通常の労働

者の一週間の所定労働日数として厚生労働省令で定める日数（第一号において「通常の労働者の週所定労働日数」という。）と当該労働者の一週間の所定労働日数又は一週間当たりの平均所定労働日数との比率を考慮して厚生労働省令で定める日数とする。

一　一週間の所定労働日数が通常の労働者の週所定労働日数に比し相当程度少ないものとして厚生労働省令で定める日数以下の労働者

二　週以外の期間によつて所定労働日数が定められている労働者については、一年間の所定労働日数が、前号の厚生労働省令で定める日数に一日を加えた日数を一週間の所定労働日数とする労働者の一年間の所定労働日数その他の事情を考慮して厚生労働省令で定める日数以下の労働者

④　使用者は、当該事業場に、労働者の過半数で組織する労働組合があるときはその労働組合、労働者の過半数で組織する労働組合がないときは労働者の過半数を代表する者との書面による協定により、次に掲げる事項を定めた場合において、第一号に掲げる労働者の範囲に属する労働者が有給休暇を時間を単位として請求したときは、前三項の規定による有給休暇の日数のうち第二号に掲げる日数については、これらの規定にかかわらず、当該協定で定めるところにより時間を単位として有給休暇を与えることができる。

一　時間を単位として有給休暇を与えることができることとされる労働者の範囲

二　時間を単位として与えることができることとされる有給休暇の日数（五日以内に限る。）

三　その他厚生労働省令で定める事項

⑤　使用者は、前各項の規定による有給休暇を労働者の請求する時季に与えなければならない。ただし、請求された時季に有給休暇を与えることが事業の正常な運営を妨げる場合においては、他の時季にこれを与えることができる。

⑥　使用者は、当該事業場に、労働者の過半数で組織する労働組合がある場合においてはその労働組合、労働者の過半数で組織する労働組合がない場合においては労働者の過半数を代表する者との書面による協定により、第一項から第三項までの規定による有給休暇を与える時季に関する定めをしたときは、これらの規定による有給休暇の日数のうち五日を超える部分については、前項の規定にかかわらず、その定めにより有給休暇を与えることができる。

⑦　使用者は、第一項から第三項までの規定による有給休暇（これらの規定により使用者が与えなければならない有給休暇の日数が十労働日以上である労働者に係るものに限る。以下この項及び次項において同じ。）の日数のうち五日については、基準日（継続勤務した期間を六箇月経過日から一年ごとに区分した各期間（最後に一年未満の期間を生じたときは、当該期間）の初日をいう。以下この項において同じ。）から一年以内の期間に、労働者ごとにその時季を定めることにより与えなければならない。ただし、第一項から第三項までの規定による有給休暇を当該有給休暇に係る基準日より前の日から与えることとしたときは、厚生労働省令で定めるところにより、労働者ごとにその時季を定めることにより与えなければならない。

⑧　前項の規定にかかわらず、第五項又は第六項の規定により第一項から第三項までの規定による有給休暇を与えた場合においては、当該与えた有給休暇の日数（当該日数が五日を超える場合には、五日とする。）分については、時季を定めることにより与えることを要しない。

⑨　使用者は、第一項から第三項までの規定による有給休暇の期間又は第四項の規定による有給休暇の時間については、就業規則その他これに準ずるもので定めるところにより、それぞれ、平均賃金若しくは所定労働時間労働した場合に支払われる通常の賃金又はこれらの額を基準として厚生労働省令で定めるところにより算定した額の賃金を支払わなければならない。ただし、当該事業場に、労働者の過半数で組織する労働組合がある場合においてはその労働組合、労働者の過半数で組織する労働組合がない場合においては労働者の過半数を代表する者との書面による協定により、その期間又はその時間について、それぞれ、健康保険法（大正十一年法律第七十号）第四十条第一項に規定する標準報酬月額の三十分の一に相当する金額（その金額に、五円未満の端数があるときは、これを切り捨て、五円以上十円未満の端数があるときは、これを十円に切り上げるものとする。）又は当該金額を基準として厚生労働省令で定めるところにより算定した金額を支払う旨を定めたときは、これによらなければならない。

⑩　労働者が業務上負傷し、又は疾病にかかり療養のために休業した期間及び育児休業、介護休業等育児又は家族介護を行う労働者の福祉に関する法律第二条第一号に規定する育児休業又は同条第二号に規定する介護休業をした期間並びに産前産後の女性が第六十五条の規定によつて休業した期間は、第一項及び第二項の規定の適用については、これを出勤したものとみなす。

（労働時間及び休憩の特例）

第四十条　別表第一第一号から第三号まで、第六号及び第七号に掲げる事業以外の事業で、公衆の不便を避けるために必要なものその他特殊の必要あるものについては、その必要避くべからざる限度で、第三十二条から第三十二条の五までの労働時間及び第三十四条の休憩に関する規定について、厚生労働省令で別段の定めをすることができる。

② 前項の規定による別段の定めは、この法律で定める基準に近いものであつて、労働者の健康及び福祉を害しないものでなければならない。

（労働時間等に関する規定の適用除外）

第四十一条　この章、第六章及び第六章の二で定める労働時間、休憩及び休日に関する規定は、次の各号の一に該当する労働者については適用しない。

一　別表第一第六号（林業を除く。）又は第七号に掲げる事業に従事する者

二　事業の種類にかかわらず監督若しくは管理の地位にある者又は機密の事務を取り扱う者

三　監視又は断続的労働に従事する者で、使用者が行政官庁の許可を受けたもの

第四十一条の二　賃金、労働時間その他の当該事業場における労働条件に関する事項を調査審議し、事業主に対し当該事項について意見を述べることを目的とする委員会（使用者及び当該事業場の労働者を代表する者を構成員とするものに限る。）が設置された事業場において、当該委員会がその委員の五分の四以上の多数による議決により次に掲げる事項に関する決議をし、かつ、使用者が、厚生労働省令で定めるところにより当該決議を行政官庁に届け出た場合において、第二号に掲げる労働者の範囲に属する労働者（以下この項において「対象労働者」という。）であつて書面その他の厚生労働省令で定める方法によりその同意を得たものを当該事業場における第一号に掲げる業務に就かせたときは、この章で定める労働時間、休憩、休日及び深夜の割増賃金に関する規定は、対象労働者については適用しない。ただし、第三号から第五号までに規定する措置のいずれかを使用者が講じていない場合は、この限りでない。

一　高度の専門的知識等を必要とし、その性質上従事した時間と従事して得た成果との関連性が通常高くないと認められるものとして厚生労働省令で定める業務のうち、労働者に就かせることとする業務（以下この項において「対象業務」という。）

二　この項の規定により労働する期間において次のいずれにも該当する労働者であつて、対象業務に就かせようとするものの範囲

イ　使用者との間の書面その他の厚生労働省令で定める方法による合意に基づき職務が明確に定められていること。

ロ　労働契約により使用者から支払われると見込まれる賃金の額を一年間当たりの賃金の額に換算した額が基準年間平均給与額（厚生労働省において作成する毎月勤労統計における毎月きまつて支給する給与の額を基礎として厚生労働省令で定めるところにより算定した労働者一人当たりの給与の平均額をいう。）の三倍の額を相当程度上回る水準として厚生労働省令で定める額以上であること。

三　対象業務に従事する対象労働者の健康管理を行うために当該対象労働者が事業場内にいた時間（この項の委員会が厚生労働省令で定める労働時間以外の時間を除くことを決議したときは、当該決議に係る時間を除いた時間）と事業場外において労働した時間との合計の時間（第五号ロ及びニ並びに第六号において「健康管理時間」という。）を把握する措置（厚生労働省令で定める方法に限る。）を当該決議で定めるところにより使用者が講ずること。

四　対象業務に従事する対象労働者に対し、一年間を通じ百四日以上、かつ、四週間を通じ四日以上の休日を当該決議及び就業規則その他これに準ずるもので定めるところにより使用者が与えること。

五　対象業務に従事する対象労働者に対し、次のいずれかに該当する措置を当該決議及び就業規則その他これに準ずるもので定めるところにより使用者が講ずること。

イ　労働者ごとに始業から二十四時間を経過するまでに厚生労働省令で定める時間以上の継続した休息時間を確保し、かつ、第三十七条第四項に規定する時刻の間において労働させる回数を一箇月について厚生労働省令で定める回数以内とすること。

ロ　健康管理時間を一箇月又は三箇月についてそれぞれ厚生労働省令で定める時間を超えない範囲内とすること。

ハ　一年に一回以上の継続した二週間（労働者が請求した場合においては、一年に二回以上の継続した一週間）（使用者が当該期間において、第三十九条の規定による有給休暇を与えたときは、当該有給休暇を与えた日を除く。）について、休日を与えること。

二　健康管理時間の状況その他の事項が労働者の健康の保持を考慮して厚生労働省令で定める要件に該当する労働者に健康診断（厚生労働省令で定める項目を含むものに限る。）を実施すること。

六　対象業務に従事する対象労働者の健康管理時間の状況に応じた当該対象労働者の健康及び福祉を確保するための措置であつて、当該対象労働者に対する有給休暇（第三十九条の規定による有給休暇を除く。）の付与、健康診断の実施その他の厚生労働省令で定める措置のうち当該決議で定めるものを使用者が講ずること。

七　対象労働者のこの項の規定による同意の撤回に関する手続

八　対象業務に従事する対象労働者からの苦情の処理に関する措置を当該決議で定めるところにより使用者が講ずること。

九　使用者は、この項の規定による同意をしなかつた対象労働者に対して解雇その他不利益な取扱いをしてはならないこと。

十　前各号に掲げるもののほか、厚生労働省令で定める事項

②　前項の規定による届出をした使用者は、厚生労働省令で定めるところにより、同項第四号から第六号までに規定する措置の実施状況を行政官庁に報告しなければならない。

③　第三十八条の四第二項、第三項及び第五項の規定は、第一項の委員会について準用する。

④　第一項の決議をする委員は、当該決議の内容が前項において準用する第三十八条の四第三項の指針に適合したものとなるようにしなければならない。

⑤　行政官庁は、第三項において準用する第三十八条の四第三項の指針に関し、第一項の決議をする委員に対し、必要な助言及び指導を行うことができる。

第五章　安全及び衛生

第四十二条　労働者の安全及び衛生に関しては、労働安全衛生法（昭和四十七年法律第五十七号）の定めるところによる。

第四十三条から第五十五条まで　削除

第六章　年少者

（最低年齢）

第五十六条　使用者は、児童が満十五歳に達した日以後の最初の三月三十一日が終了するまで、これを使用してはならない。

②　前項の規定にかかわらず、別表第一第一号から第五号までに掲げる事業以外の事業に係る職業で、児童の健康及び福祉に有害でなく、かつ、その労働が軽易なものについては、行政官庁の許可を受けて、満十三歳以上の児童をその者の修学時間外に使用することができる。映画の製作又は演劇の事業については、満十三歳に満たない児童についても、同様とする。

（年少者の証明書）

第五十七条　使用者は、満十八才に満たない者について、その年齢を証明する戸籍証明書を事業場に備え付けなければならない。

②　使用者は、前条第二項の規定によつて使用する児童については、修学に差し支えないことを証明する学校長の証明書及び親権者又は後見人の同意書を事業場に備え付けなければならない。

（未成年者の労働契約）

第五十八条　親権者又は後見人は、未成年者に代つて労働契約を締結してはならない。

②　親権者若しくは後見人又は行政官庁は、労働契約が未成年者に不利であると認める場合においては、将来に向つてこれを解除することができる。

第五十九条　未成年者は、独立して賃金を請求することができる。親権者又は後見人は、未成年者の賃金を代つて受け取つてはならない。

（労働時間及び休日）

第六十条　第三十二条の二から第三十二条の五まで、第三十六条、第四十条及び第四十一条の二の規定は、満十八才に満たない者については、これを適用しない。

②　第五十六条第二項の規定によつて使用する児童についての第三十二条の規定の適用については、同条第一項中「一週間について四十時間」とあるのは「、修学時間を通算して一週間について四十時間」と、同条第二項中「一日について八時間」とあるのは「、修学時間を通算して一日について七時間」とする。

③　使用者は、第三十二条の規定にかかわらず、満十五歳以上で満十八歳に満たない者については、満十八歳に達するまでの間（満十五歳に達した日以後の最初の三月三十一日までの間を除く。）、次に定めるところにより、労働させることができる。

一　一週間の労働時間が第三十二条第一項の労働時間を超えない範囲内において、一週間のうち一日の労働時間を四時間以内に短縮する場合において、他の日の労働時間を十時間まで延長すること。

二　一週間について四十八時間以下の範囲内で厚生労働省令で定める時間、一日について八時間を超えな

い範囲内において、第三十二条の二又は第三十二条の四及び第三十二条の四の二の規定の例により労働させること。

（深夜業）

第六十一条　使用者は、満十八才に満たない者を午後十時から午前五時までの間において使用してはならない。ただし、交替制によつて使用する満十六才以上の男性については、この限りでない。

② 厚生労働大臣は、必要であると認める場合においては、前項の時刻を、地域又は期間を限つて、午後十一時及び午前六時とすることができる。

③ 交替制によつて労働させる事業については、行政官庁の許可を受けて、第一項の規定にかかわらず午後十時三十分まで労働させ、又は前項の規定にかかわらず午前五時三十分から労働させることができる。

④ 前三項の規定は、第三十三条第一項の規定によつて労働時間を延長し、若しくは休日に労働させる場合又は別表第一第六号、第七号若しくは第十三号に掲げる事業若しくは電話交換の業務については、適用しない。

⑤ 第一項及び第二項の時刻は、第五十六条第二項の規定によつて使用する児童については、第一項の時刻は、午後八時及び午前五時とし、第二項の時刻は、午後九時及び午前六時とする。

（危険有害業務の就業制限）

第六十二条　使用者は、満十八才に満たない者に、運転中の機械若しくは動力伝導装置の危険な部分の掃除、注油、検査若しくは修繕をさせ、運転中の機械若しくは動力伝導装置にベルト若しくはロープの取付け若しくは取りはずしをさせ、動力によるクレーンの運転をさせ、その他厚生労働省令で定める危険な業務に就かせ、又は厚生労働省令で定める重量物を取り扱う業務に就かせてはならない。

② 使用者は、満十八才に満たない者を、毒劇薬、毒劇物その他有害な原料若しくは材料又は爆発性、発火性若しくは引火性の原料若しくは材料を取り扱う業務、著しくじんあい若しくは粉末を飛散し、若しくは有害ガス若しくは有害放射線を発散する場所又は高温若しくは高圧の場所における業務その他安全、衛生又は福祉に有害な場所における業務に就かせてはならない。

③ 前項に規定する業務の範囲は、厚生労働省令で定める。

（坑内労働の禁止）

第六十三条　使用者は、満十八才に満たない者を坑内で労働させてはならない。

（帰郷旅費）

第六十四条　満十八才に満たない者が解雇の日から十四日以内に帰郷する場合においては、使用者は、必要な旅費を負担しなければならない。ただし、満十八才に満たない者がその責めに帰すべき事由に基づいて解雇され、使用者がその事由について行政官庁の認定を受けたときは、この限りでない。

第六章の二　妊産婦等

（坑内業務の就業制限）

第六十四条の二　使用者は、次の各号に掲げる女性を当該各号に定める業務に就かせてはならない。

一　妊娠中の女性及び坑内で行われる業務に従事しない旨を使用者に申し出た産後一年を経過しない女性　坑内で行われるすべての業務

二　前号に掲げる女性以外の満十八歳以上の女性　坑内で行われる業務のうち人力により行われる掘削の業務その他の女性に有害な業務として厚生労働省令で定めるもの

（危険有害業務の就業制限）

第六十四条の三　使用者は、妊娠中の女性及び産後一年を経過しない女性（以下「妊産婦」という。）を、重量物を取り扱う業務、有害ガスを発散する場所における業務その他妊産婦の妊娠、出産、哺《ほ》育等に有害な業務に就かせてはならない。

② 前項の規定は、同項に規定する業務のうち女性の妊娠又は出産に係る機能に有害である業務につき、厚生労働省令で、妊産婦以外の女性に関して、準用することができる。

③ 前二項に規定する業務の範囲及びこれらの規定によりこれらの業務に就かせてはならない者の範囲は、厚生労働省令で定める。

（産前産後）

第六十五条　使用者は、六週間（多胎妊娠の場合にあつては、十四週間）以内に出産する予定の女性が休業を請求した場合においては、その者を就業させてはならない。

② 使用者は、産後八週間を経過しない女性を就業させてはならない。ただし、産後六週間を経過した女性が請求した場合において、その者について医師が支障がないと認めた業務に就かせることは、差し支えない。

③ 使用者は、妊娠中の女性が請求した場合においては、他の軽易な業務に転換させなければならない。

第六十六条　使用者は、妊産婦が請求した場合においては、第三十二条の二第一項、第三十二条の四第一項及び第三十二条の五第一項の規定にかかわらず、一週間について第三十二条第一項の労働時間、一日について同条第二項の労働時間を超えて労働させてはならない。

② 使用者は、妊産婦が請求した場合においては、第三十三条第一項及び第三項並びに第三十六条第一項の規定にかかわらず、時間外労働をさせてはならず、又は休日に労働させてはならない。

③ 使用者は、妊産婦が請求した場合においては、深夜業をさせてはならない。

（育児時間）

第六十七条　生後満一年に達しない生児を育てる女性は、第三十四条の休憩時間のほか、一日二回各々少なくとも三十分、その生児を育てるための時間を請求することができる。

② 使用者は、前項の育児時間中は、その女性を使用してはならない。

（生理日の就業が著しく困難な女性に対する措置）

第六十八条　使用者は、生理日の就業が著しく困難な女性が休暇を請求したときは、その者を生理日に就業させてはならない。

第七章　技能者の養成

（徒弟の弊害排除）

第六十九条　使用者は、徒弟、見習、養成工その他名称の如何を問わず、技能の習得を目的とする者であることを理由として、労働者を酷使してはならない。

② 使用者は、技能の習得を目的とする労働者を家事その他技能の習得に関係のない作業に従事させてはならない。

（職業訓練に関する特例）

第七十条　職業能力開発促進法（昭和四十四年法律第六十四号）第二十四条第一項（同法第二十七条の二第二項において準用する場合を含む。）の認定を受けて行う職業訓練を受ける労働者について必要がある場合においては、その必要の限度で、第十四条第一項の契約期間、第六十二条及び第六十四条の三の年少者及び妊産婦等の危険有害業務の就業制限、第六十三条の年少者の坑内労働の禁止並びに第六十四条の二の妊産婦等の坑内業務の就業制限に関する規定について、厚生労働省令で別段の定めをすることができる。ただし、第六十三条の年少者の坑内労働の禁止に関する規定については、満十六歳に満たない者に関しては、この限りでない。

第七十一条　前条の規定に基いて発する厚生労働省令は、当該厚生労働省令によつて労働者を使用することについて行政官庁の許可を受けた使用者に使用される労働者以外の労働者については、適用しない。

第七十二条　第七十条の規定に基づく厚生労働省令の適用を受ける未成年者についての第三十九条の規定の適用については、同条第一項中「十労働日」とあるのは「十二労働日」と、同条第二項の表六年以上の項中「十労働日」とあるのは「八労働日」とする。

第七十三条　第七十一条の規定による許可を受けた使用者が第七十条の規定に基いて発する厚生労働省令に違反した場合においては、行政官庁は、その許可を取り消すことができる。

第七十四条　削除

第八章　災害補償

（療養補償）

第七十五条　労働者が業務上負傷し、又は疾病にかかつた場合においては、使用者は、その費用で必要な療養を行い、又は必要な療養の費用を負担しなければならない。

② 前項に規定する業務上の疾病及び療養の範囲は、厚生労働省令で定める。

（休業補償）

第七十六条　労働者が前条の規定による療養のため、労働することができないために賃金を受けない場合においては、使用者は、労働者の療養中平均賃金の百分の六十の休業補償を行わなければならない。

② 使用者は、前項の規定により休業補償を行つている労働者と同一の事業場における同種の労働者に対して所定労働時間労働した場合に支払われる通常の賃金の、一月から三月まで、四月から六月まで、七月から九月まで及び十月から十二月までの各区分による期間（以下四半期という。）ごとの一箇月一人当り平均額（常時百人未満の労働者を使用する事業場については、労働省において作成する毎月勤労統計における当該事業場の属する産業に係る毎月きまつて支給する給与の四半期の労働者一人当りの一箇月平均額。以下平均給与額という。）が、当該労働者が業務上負傷し、又は疾病にかかつた日の属する四半期における平均給与額の百分の百二十をこえ、又は百分の八十を下るに至つた場合においては、使用者は、その上昇し又は低下した比率に応じて、その上昇し又は低下するに至つた四半期の次の次の四半期において、前項の規定により当該労働者に対して行つている休業補償の額を改訂し、その改訂をした四半期に属する最初の月から改訂され

た額により休業補償を行わなければならない。改訂後の休業補償の額の改訂についてもこれに準ずる。

③ 前項の規定により難い場合における改訂の方法その他同項の規定による改訂について必要な事項は、厚生労働省令で定める。

（障害補償）

第七十七条 労働者が業務上負傷し、又は疾病にかかり、治つた場合において、その身体に障害が存するときは、使用者は、その障害の程度に応じて、平均賃金に別表第二に定める日数を乗じて得た金額の障害補償を行わなければならない。

（休業補償及び障害補償の例外）

第七十八条 労働者が重大な過失によつて業務上負傷し、又は疾病にかかり、且つ使用者がその過失について行政官庁の認定を受けた場合においては、休業補償又は障害補償を行わなくてもよい。

（遺族補償）

第七十九条 労働者が業務上死亡した場合においては、使用者は、遺族に対して、平均賃金の千日分の遺族補償を行わなければならない。

（葬祭料）

第八十条 労働者が業務上死亡した場合においては、使用者は、葬祭を行う者に対して、平均賃金の六十日分の葬祭料を支払わなければならない。

（打切補償）

第八十一条 第七十五条の規定によつて補償を受ける労働者が、療養開始後三年を経過しても負傷又は疾病がなおらない場合においては、使用者は、平均賃金の千二百日分の打切補償を行い、その後はこの法律の規定による補償を行わなくてもよい。

（分割補償）

第八十二条 使用者は、支払能力のあることを証明し、補償を受けるべき者の同意を得た場合においては、第七十七条又は第七十九条の規定による補償に替え、平均賃金に別表第三に定める日数を乗じて得た金額を、六年にわたり毎年補償することができる。

（補償を受ける権利）

第八十三条 補償を受ける権利は、労働者の退職によつて変更されることはない。

② 補償を受ける権利は、これを譲渡し、又は差し押えてはならない。

（他の法律との関係）

第八十四条 この法律に規定する災害補償の事由について、労働者災害補償保険法（昭和二十二年法律第五十号）又は厚生労働省令で指定する法令に基づいてこの法律の災害補償に相当する給付が行なわれるべきものである場合においては、使用者は、補償の責を免れる。

② 使用者は、この法律による補償を行つた場合においては、同一の事由については、その価額の限度において民法による損害賠償の責を免れる。

（審査及び仲裁）

第八十五条 業務上の負傷、疾病又は死亡の認定、療養の方法、補償金額の決定その他補償の実施に関して異議のある者は、行政官庁に対して、審査又は事件の仲裁を申し立てることができる。

② 行政官庁は、必要があると認める場合においては、職権で審査又は事件の仲裁をすることができる。

③ 第一項の規定により審査若しくは仲裁の申立てがあつた事件又は前項の規定により行政官庁が審査若しくは仲裁を開始した事件について民事訴訟が提起されたときは、行政官庁は、当該事件については、審査又は仲裁をしない。

④ 行政官庁は、審査又は仲裁のために必要であると認める場合においては、医師に診断又は検案をさせることができる。

⑤ 第一項の規定による審査又は仲裁の申立て及び第二項の規定による審査又は仲裁の開始は、時効の完成猶予及び更新に関しては、これを裁判上の請求とみなす。

第八十六条 前条の規定による審査及び仲裁の結果に不服のある者は、労働者災害補償保険審査官の審査又は仲裁を申し立てることができる。

② 前条第三項の規定は、前項の規定により審査又は仲裁の申立てがあつた場合に、これを準用する。

（請負事業に関する例外）

第八十七条 厚生労働省令で定める事業が数次の請負によつて行われる場合においては、災害補償については、その元請負人を使用者とみなす。

② 前項の場合、元請負人が書面による契約で下請負人に補償を引き受けさせた場合においては、その下請負人もまた使用者とする。但し、二以上の下請負人に、同一の事業について重複して補償を引き受けさせてはならない。

③ 前項の場合、元請負人が補償の請求を受けた場合においては、補償を引き受けた下請負人に対して、まず催告すべきことを請求することができる。ただし、その下請負人が破産手続開始の決定を受け、又は行方が知れない場合においては、この限りでない。

（補償に関する細目）

第八十八条　この章に定めるものの外、補償に関する細目は、厚生労働省令で定める。

第九章　就業規則

（作成及び届出の義務）
第八十九条　常時十人以上の労働者を使用する使用者は、次に掲げる事項について就業規則を作成し、行政官庁に届け出なければならない。次に掲げる事項を変更した場合においても、同様とする。
一　始業及び終業の時刻、休憩時間、休日、休暇並びに労働者を二組以上に分けて交替に就業させる場合においては就業時転換に関する事項
二　賃金（臨時の賃金等を除く。以下この号において同じ。）の決定、計算及び支払の方法、賃金の締切り及び支払の時期並びに昇給に関する事項
三　退職に関する事項（解雇の事由を含む。）
三の二　退職手当の定めをする場合においては、適用される労働者の範囲、退職手当の決定、計算及び支払の方法並びに退職手当の支払の時期に関する事項
四　臨時の賃金等（退職手当を除く。）及び最低賃金額の定めをする場合においては、これに関する事項
五　労働者に食費、作業用品その他の負担をさせる定めをする場合においては、これに関する事項
六　安全及び衛生に関する定めをする場合においては、これに関する事項
七　職業訓練に関する定めをする場合においては、これに関する事項
八　災害補償及び業務外の傷病扶助に関する定めをする場合においては、これに関する事項
九　表彰及び制裁の定めをする場合においては、その種類及び程度に関する事項
十　前各号に掲げるもののほか、当該事業場の労働者のすべてに適用される定めをする場合においては、これに関する事項

（作成の手続）
第九十条　使用者は、就業規則の作成又は変更について、当該事業場に、労働者の過半数で組織する労働組合がある場合においてはその労働組合、労働者の過半数で組織する労働組合がない場合においては労働者の過半数を代表する者の意見を聴かなければならない。
②　使用者は、前条の規定により届出をなすについて、前項の意見を記した書面を添付しなければならない。

（制裁規定の制限）
第九十一条　就業規則で、労働者に対して減給の制裁を定める場合においては、その減給は、一回の額が平均賃金の一日分の半額を超え、総額が一賃金支払期における賃金の総額の十分の一を超えてはならない。

（法令及び労働協約との関係）
第九十二条　就業規則は、法令又は当該事業場について適用される労働協約に反してはならない。
②　行政官庁は、法令又は労働協約に牴触する就業規則の変更を命ずることができる。

（労働契約との関係）
第九十三条　労働契約と就業規則との関係については、労働契約法（平成十九年法律第百二十八号）第十二条の定めるところによる。

第十章　寄宿舎

（寄宿舎生活の自治）
第九十四条　使用者は、事業の附属寄宿舎に寄宿する労働者の私生活の自由を侵してはならない。
②　使用者は、寮長、室長その他寄宿舎生活の自治に必要な役員の選任に干渉してはならない。

（寄宿舎生活の秩序）
第九十五条　事業の附属寄宿舎に労働者を寄宿させる使用者は、左の事項について寄宿舎規則を作成し、行政官庁に届け出なければならない。これを変更した場合においても同様である。
一　起床、就寝、外出及び外泊に関する事項
二　行事に関する事項
三　食事に関する事項
四　安全及び衛生に関する事項
五　建設物及び設備の管理に関する事項
②　使用者は、前項第一号乃至第四号の事項に関する規定の作成又は変更については、寄宿舎に寄宿する労働者の過半数を代表する者の同意を得なければならない。
③　使用者は、第一項の規定により届出をなすについて、前項の同意を証明する書面を添附しなければならない。
④　使用者及び寄宿舎に寄宿する労働者は、寄宿舎規則を遵守しなければならない。

（寄宿舎の設備及び安全衛生）
第九十六条　使用者は、事業の附属寄宿舎について、換気、採光、照明、保温、防湿、清潔、避難、定員の収容、就寝に必要な措置その他労働者の健康、風紀及び生命の保持に必要な措置を講じなければならない。
②　使用者が前項の規定によつて講ずべき措置の基準は、厚生労働省令で定める。

（監督上の行政措置）

第九十六条の二　使用者は、常時十人以上の労働者を就業させる事業、厚生労働省令で定める危険な事業又は衛生上有害な事業の附属寄宿舎を設置し、移転し、又は変更しようとする場合においては、前条の規定に基づいて発する厚生労働省令で定める危害防止等に関する基準に従い定めた計画を、工事着手十四日前までに、行政官庁に届け出なければならない。

② 行政官庁は、労働者の安全及び衛生に必要であると認める場合においては、工事の着手を差し止め、又は計画の変更を命ずることができる。

第九十六条の三　労働者を就業させる事業の附属寄宿舎が、安全及び衛生に関し定められた基準に反する場合においては、行政官庁は、使用者に対して、その全部又は一部の使用の停止、変更その他必要な事項を命ずることができる。

② 前項の場合において行政官庁は、使用者に命じた事項について必要な事項を労働者に命ずることができる。

第十一章　監督機関

（監督機関の職員等）

第九十七条　労働基準主管局（厚生労働省の内部部局として置かれる局で労働条件及び労働者の保護に関する事務を所掌するものをいう。以下同じ。）、都道府県労働局及び労働基準監督署に労働基準監督官を置くほか、厚生労働省令で定める必要な職員を置くことができる。

② 労働基準主管局の局長（以下「労働基準主管局長」という。）、都道府県労働局長及び労働基準監督署長は、労働基準監督官をもつてこれに充てる。

③ 労働基準監督官の資格及び任免に関する事項は、政令で定める。

④ 厚生労働省に、政令で定めるところにより、労働基準監督官分限審議会を置くことができる。

⑤ 労働基準監督官を罷免するには、労働基準監督官分限審議会の同意を必要とする。

⑥ 前二項に定めるもののほか、労働基準監督官分限審議会の組織及び運営に関し必要な事項は、政令で定める。

第九十八条　削除

（労働基準主管局長等の権限）

第九十九条　労働基準主管局長は、厚生労働大臣の指揮監督を受けて、都道府県労働局長を指揮監督し、労働基準に関する法令の制定改廃、労働基準監督官の任免教養、監督方法についての規程の制定及び調整、監督年報の作成並びに労働政策審議会及び労働基準監督官分限審議会に関する事項（労働政策審議会に関する事項については、労働条件及び労働者の保護に関するものに限る。）その他この法律の施行に関する事項をつかさどり、所属の職員を指揮監督する。

② 都道府県労働局長は、労働基準主管局長の指揮監督を受けて、管内の労働基準監督署長を指揮監督し、監督方法の調整に関する事項その他この法律の施行に関する事項をつかさどり、所属の職員を指揮監督する。

③ 労働基準監督署長は、都道府県労働局長の指揮監督を受けて、この法律に基く臨検、尋問、許可、認定、審査、仲裁その他この法律の実施に関する事項をつかさどり、所属の職員を指揮監督する。

④ 労働基準主管局長及び都道府県労働局長は、下級官庁の権限を自ら行い、又は所属の労働基準監督官をして行わせることができる。

（女性主管局長の権限）

第百条　厚生労働省の女性主管局長（厚生労働省の内部部局として置かれる局で女性労働者の特性に係る労働問題に関する事務を所掌するものの局長をいう。以下同じ。）は、厚生労働大臣の指揮監督を受けて、この法律中女性に特殊の規定の制定、改廃及び解釈に関する事項をつかさどり、その施行に関する事項については、労働基準主管局長及びその下級の官庁の長に勧告を行うとともに、労働基準主管局長が、その下級の官庁に対して行う指揮監督について援助を与える。

② 女性主管局長は、自ら又はその指定する所属官吏をして、女性に関し労働基準主管局若しくはその下級の官庁又はその所属官吏の行つた監督その他に関する文書を閲覧し、又は閲覧せしめることができる。

③ 第百一条及び第百五条の規定は、女性主管局長又はその指定する所属官吏が、この法律中女性に特殊の規定の施行に関して行う調査の場合に、これを準用する。

（労働基準監督官の権限）

第百一条　労働基準監督官は、事業場、寄宿舎その他の附属建設物に臨検し、帳簿及び書類の提出を求め、又は使用者若しくは労働者に対して尋問を行うことができる。

② 前項の場合において、労働基準監督官は、その身分を証明する証票を携帯しなければならない。

第百二条　労働基準監督官は、この法律違反の罪について、刑事訴訟法に規定する司法警察官の職務を行う。

第百三条　労働者を就業させる事業の附属寄宿舎が、安全及び衛生に関して定められた基準に反し、且つ労働者に急迫した危険がある場合においては、労働基準監督官は、第九十六条の三の規定による行政官庁の権限を即時に行うことができる。

（監督機関に対する申告）

第百四条 事業場に、この法律又はこの法律に基いて発する命令に違反する事実がある場合においては、労働者は、その事実を行政官庁又は労働基準監督官に申告することができる。

② 使用者は、前項の申告をしたことを理由として、労働者に対して解雇その他不利益な取扱をしてはならない。

（報告等）

第百四条の二 行政官庁は、この法律を施行するため必要があると認めるときは、厚生労働省令で定めるところにより、使用者又は労働者に対し、必要な事項を報告させ、又は出頭を命ずることができる。

② 労働基準監督官は、この法律を施行するため必要があると認めるときは、使用者又は労働者に対し、必要な事項を報告させ、又は出頭を命ずることができる。

（労働基準監督官の義務）

第百五条 労働基準監督官は、職務上知り得た秘密を漏してはならない。労働基準監督官を退官した後においても同様である。

第十二章 雑則

（国の援助義務）

第百五条の二 厚生労働大臣又は都道府県労働局長は、この法律の目的を達成するために、労働者及び使用者に対して資料の提供その他必要な援助をしなければならない。

（法令等の周知義務）

第百六条 使用者は、この法律及びこれに基づく命令の要旨、就業規則、第十八条第二項、第二十四条第一項ただし書、第三十二条の二第一項、第三十二条の三第一項、第三十二条の四第一項、第三十二条の五第一項、第三十四条第二項ただし書、第三十六条第一項、第三十七条第三項、第三十八条の二第二項、第三十八条の三第一項並びに第三十九条第四項、第六項及び第九項ただし書に規定する協定並びに第三十八条の四第一項及び同条第五項（第四十一条の二第三項において準用する場合を含む。）並びに第四十一条の二第一項に規定する決議を、常時各作業場の見やすい場所へ掲示し、又は備え付けること、書面を交付することその他の厚生労働省令で定める方法によつて、労働者に周知させなければならない。

② 使用者は、この法律及びこの法律に基いて発する命令のうち、寄宿舎に関する規定及び寄宿舎規則を、寄宿舎の見易い場所に掲示し、又は備え付ける等の方法によつて、寄宿舎に寄宿する労働者に周知させなければならない。

（労働者名簿）

第百七条 使用者は、各事業場ごとに労働者名簿を、各労働者（日日雇い入れられる者を除く。）について調製し、労働者の氏名、生年月日、履歴その他厚生労働省令で定める事項を記入しなければならない。

② 前項の規定により記入すべき事項に変更があつた場合においては、遅滞なく訂正しなければならない。

（賃金台帳）

第百八条 使用者は、各事業場ごとに賃金台帳を調製し、賃金計算の基礎となる事項及び賃金の額その他厚生労働省令で定める事項を賃金支払の都度遅滞なく記入しなければならない。

（記録の保存）

第百九条 使用者は、労働者名簿、賃金台帳及び雇入れ、解雇、災害補償、賃金その他労働関係に関する重要な書類を五年間保存しなければならない。

第百十条 削除

（無料証明）

第百十一条 労働者及び労働者になろうとする者は、その戸籍に関して戸籍事務を掌る者又はその代理者に対して、無料で証明を請求することができる。使用者が、労働者及び労働者になろうとする者の戸籍に関して証明を請求する場合においても同様である。

（国及び公共団体についての適用）

第百十二条 この法律及びこの法律に基いて発する命令は、国、都道府県、市町村その他これに準ずべきものについても適用あるものとする。

（命令の制定）

第百十三条 この法律に基いて発する命令は、その草案について、公聴会で労働者を代表する者、使用者を代表する者及び公益を代表する者の意見を聴いて、これを制定する。

（付加金の支払）

第百十四条 裁判所は、第二十条、第二十六条若しくは第三十七条の規定に違反した使用者又は第三十九条第九項の規定による賃金を支払わなかつた使用者に対して、労働者の請求により、これらの規定により使用者が支払わなければならない金額についての未払金のほか、これと同一額の付加金の支払を命ずることができる。ただし、この請求は、違反のあつた時から五年以内にしなければならない。

（時効）

第百十五条　この法律の規定による賃金の請求権はこれを行使することができる時から五年間、この法律の規定による災害補償その他の請求権（賃金の請求権を除く。）はこれを行使することができる時から二年間行わない場合においては、時効によつて消滅する。

（経過措置）

第百十五条の二　この法律の規定に基づき命令を制定し、又は改廃するときは、その命令で、その制定又は改廃に伴い合理的に必要と判断される範囲内において、所要の経過措置（罰則に関する経過措置を含む。）を定めることができる。

（適用除外）

第百十六条　第一条から第十一条まで、次項、第百十七条から第百十九条まで及び第百二十一条の規定を除き、この法律は、船員法（昭和二十二年法律第百号）第一条第一項に規定する船員については、適用しない。

②　この法律は、同居の親族のみを使用する事業及び家事使用人については、適用しない。

第十三章　罰則

第百十七条　第五条の規定に違反した者は、一年以上十年以下の拘禁刑又は二十万円以上三百万円以下の罰金に処する。

第百十八条　第六条、第五十六条、第六十三条又は第六十四条の二の規定に違反した者は、一年以下の拘禁刑又は五十万円以下の罰金に処する。

②　第七十条の規定に基づいて発する厚生労働省令（第六十三条又は第六十四条の二の規定に係る部分に限る。）に違反した者についても前項の例による。

第百十九条　次の各号のいずれかに該当する者は、六月以下の拘禁刑又は三十万円以下の罰金に処する。

一　第三条、第四条、第七条、第十六条、第十七条、第十八条第一項、第十九条、第二十条、第二十二条第四項、第三十二条、第三十四条、第三十五条、第三十六条第六項、第三十七条、第三十九条（第七項を除く。）、第六十一条、第六十二条、第六十四条の三から第六十七条まで、第七十二条、第七十五条から第七十七条まで、第七十九条、第八十条、第九十四条第二項、第九十六条又は第百四条第二項の規定に違反した者

二　第三十三条第二項、第九十六条の二第二項又は第九十六条の三第一項の規定による命令に違反した者

三　第四十条の規定に基づいて発する厚生労働省令に違反した者

四　第七十条の規定に基づいて発する厚生労働省令（第六十二条又は第六十四条の三の規定に係る部分に限る。）に違反した者

第百二十条　次の各号のいずれかに該当する者は、三十万円以下の罰金に処する。

一　第十四条、第十五条第一項若しくは第三項、第十八条第七項、第二十二条第一項から第三項まで、第二十三条から第二十七条まで、第三十二条の二第二項（第三十二条の三第四項、第三十二条の四第四項及び第三十二条の五第三項において準用する場合を含む。）、第三十二条の五第二項、第三十三条第一項ただし書、第三十八条の二第三項（第三十八条の三第二項において準用する場合を含む。）、第三十九条第七項、第五十七条から第五十九条まで、第六十四条、第六十八条、第八十九条、第九十条第一項、第九十一条、第九十五条第一項若しくは第二項、第九十六条の二第一項、第百五条（第百条第三項において準用する場合を含む。）又は第百六条から第百九条までの規定に違反した者

二　第七十条の規定に基づいて発する厚生労働省令（第十四条の規定に係る部分に限る。）に違反した者

三　第九十二条第二項又は第九十六条の三第二項の規定による命令に違反した者

四　第百一条（第百条第三項において準用する場合を含む。）の規定による労働基準監督官又は女性主管局長若しくはその指定する所属官吏の臨検を拒み、妨げ、若しくは忌避し、その尋問に対して陳述をせず、若しくは虚偽の陳述をし、帳簿書類の提出をせず、又は虚偽の記載をした帳簿書類の提出をした者

五　第百四条の二の規定による報告をせず、若しくは虚偽の報告をし、又は出頭しなかつた者

第百二十一条　この法律の違反行為をした者が、当該事業の労働者に関する事項について、事業主のために行為した代理人、使用人その他の従業者である場合においては、事業主に対しても各本条の罰金刑を科する。ただし、事業主（事業主が法人である場合においてはその代表者、事業主が営業に関し成年者と同一の行為能力を有しない未成年者又は成年被後見人である場合においてはその法定代理人（法定代理人が法人であるときは、その代表者）を事業主とする。次項において同じ。）が違反の防止に必要な措置をした場合においては、この限りでない。

②　事業主が違反の計画を知りその防止に必要な措置を

講じなかつた場合、違反行為を知り、その是正に必要な措置を講じなかつた場合又は違反を教唆した場合においては、事業主も行為者として罰する。

附　則（抄）

第百二十二条　この法律施行の期日は、勅令で、これを定める。

第百二十三条　工場法、工業労働者最低年齢法、労働者災害扶助法、商店法、黄燐燐寸製造禁止法及び昭和十四年法律第八十七号は、これを廃止する。

第百二十九条　この法律施行前、労働者が業務上負傷し、疾病にかかり、又は死亡した場合における災害補償については、なお旧法の扶助に関する規定による。

第百三十一条　命令で定める規模以下の事業又は命令で定める業種の事業に係る第三十二条第一項（第六十条第二項の規定により読み替えて適用する場合を除く。）の規定の適用については、平成九年三月三十一日までの間は、第三十二条第一項中「四十時間」とあるのは、「四十時間を超え四十四時間以下の範囲内において命令で定める時間」とする。

② 前項の規定により読み替えて適用する第三十二条第一項の命令は、労働者の福祉、労働時間の動向その他の事情を考慮して定めるものとする。

③ 第一項の規定により読み替えて適用する第三十二条第一項の命令を制定し、又は改正する場合においては、当該命令で、一定の規模以下の事業又は一定の業種の事業については、一定の期間に限り、当該命令の制定前又は改正前の例による旨の経過措置（罰則に関する経過措置を含む。）を定めることができる。

④ 労働大臣は、第一項の規定により読み替えて適用する第三十二条第一項の命令の制定又は改正の立案をしようとするときは、あらかじめ、中央労働基準審議会の意見を聴かなければならない。

第百三十二条　前条第一項の規定が適用される間における同項に規定する事業に係る第三十二条の四第一項の規定の適用については、同項各号列記以外の部分中「次に掲げる事項を定めたときは、第三十二条の規定にかかわらず、その協定で」とあるのは「次に掲げる事項及び」と、「労働時間が四十時間」とあるのは「労働時間を四十時間（命令で定める規模以下の事業にあつては、四十時間を超え四十二時間以下の範囲内において命令で定める時間）以内とし、当該時間を超えて労働させたときはその超えた時間（第三十七条第一項の規定の適用を受ける時間を除く。）の労働について同条の規定の例により割増賃金を支払う定めをしたときは、第三十二条の規定にかかわらず、当該期間を平均し一週間当たりの労働時間が同条第一項の労働時間」と、「労働させることができる」とあるのは「労働させることができる。この場合において、使用者は、当該期間を平均し一週間当たり四十時間（前段の命令で定める規模以下の事業にあつては、前段の命令で定める時間）を超えて労働させたときは、その超えた時間（第三十七条第一項の規定の適用を受ける時間を除く。）の労働について、第三十七条の規定の例により割増賃金を支払わなければならない」と、同項第二号中「四十時間」とあるのは「第三十二条第一項の労働時間」とする。

② 前条第一項の規定が適用される間における同項に規定する事業に係る第三十二条の五第一項の規定の適用については、同項中「協定がある」とあるのは「協定により、一週間の労働時間を四十時間（命令で定める規模以下の事業にあつては、四十時間を超え四十二時間以下の範囲内において命令で定める時間）以内とし、当該時間を超えて労働させたときはその超えた時間（第三十七条第一項の規定の適用を受ける時間を除く。）の労働について同条の規定の例により割増賃金を支払う定めをした」と、「一日について」とあるのは「一週間について同条第一項の労働時間を超えない範囲内において、一日について」と、「労働させることができる」とあるのは「労働させることができる。この場合において、使用者は、一週間について四十時間（前段の命令で定める規模以下の事業にあつては、前段の命令で定める時間）を超えて労働させたときは、その超えた時間（第三十七条の規定の適用を受ける時間を除く。）の労働について、第三十七条の規定の例により割増賃金を支払わなければならない」とする。

③ 前条第四項の規定は、前二項の規定により読み替えて適用する第三十二条の四第一項及び第三十二条の五第一項（第二項の規定により読み替えた部分に限る。）の命令について準用する。

第百三十三条　厚生労働大臣は、第三十六条第二項の基準を定めるに当たつては、満十八歳以上の女性のうち雇用の分野における男女の均等な機会及び待遇の確保等のための労働省関係法律の整備に関する法律（平成九年法律第九十二号）第四条の規定による改正前の第六十四条の二第四項に規定する命令で定める者に該当しない者について平成十一年四月一日以後同条第一項及び第二項の規定が適用されなくなつたことにかんがみ、当該者のうち子の養育又は家族の介護を行う労働者（厚生労働省令で定める者に限る。以下この条において「特定労働者」という。）の職業生活の著しい変化がその家庭生活に及ぼす影響を考慮して、厚生労働省令で定める期間、特定労働者（その者に係る時間外労働を短いものとすることを使用者に申し出た者に限る。）に係る第三十六条第一項の協定で定める労働時間の延長の限度についての基準は、当該特定労働者以外の者に係る同項の協定で定める労働時間の延長の限度についての基準とは別に、これより短いものとして定めるものとする。この場合において、一年についての労働時間の延長の限度についての基準は、百五十時間を超えないものとしなければならない。

第百三十四条　常時三百人以下の労働者を使用する事業に係る第三十九条の規定の適用については、昭和六十六年三月三十一日までの間は同条第一項中「十労働日」とあるのは「六労働日」と、同年四月一日から昭和六十九年三月三十一日までの間は同項中「十労働日」とあるのは「八労働日」とする。

第百三十五条　六箇月経過日から起算した継続勤務年数が四年から八年までのいずれかの年数に達する日の翌日が平成十一年四月一日から平成十二年三月三十一日までの間にある労働者に関する第三十九条の規定の適用については、同日までの間は、次の表の上欄に掲げる当該六箇月経過日から起算した継続勤務年数の区分に応じ、同条第二項の表中次の表の中欄に掲げる字句は、同表の下欄に掲げる字句とする。

四年	六労働日	五労働日
五年	八労働日	六労働日
六年	十労働日	七労働日
七年	十労働日	八労働日
八年	十労働日	九労働日

② 六箇月経過日から起算した継続勤務年数が五年から七年までのいずれかの年数に達する日の翌日が平成十二年四月一日から平成十三年三月三十一日までの間にある労働者に関する第三十九条の規定の適用については、平成十二年四月一日から平成十三年三月三十一日までの間は、次の表の上欄に掲げる当該六箇月経過日から起算した継続勤務年数の区分に応じ、同条第二項の表中次の表の中欄に掲げる字句は、同表の下欄に掲げる字句とする。

五年	八労働日	七労働日
六年	十労働日	八労働日
七年	十労働日	九労働日

③ 前二項の規定は、第七十二条に規定する未成年者については、適用しない。

第百三十六条　使用者は、第三十九条第一項から第四項までの規定による有給休暇を取得した労働者に対して、賃金の減額その他不利益な取扱いをしないようにしなければならない。

第百三十七条　期間の定めのある労働契約（一定の事業の完了に必要な期間を定めるものを除き、その期間が一年を超えるものに限る。）を締結した労働者（第十四条第一項各号に規定する労働者を除く。）は、労働基準法の一部を改正する法律（平成十五年法律第百四号）附則第三条に規定する措置が講じられるまでの間、民法第六百二十八条の規定にかかわらず、当該労働契約の期間の初日から一年を経過した日以後においては、その使用者に申し出ることにより、いつでも退職することができる。

第百三十九条　工作物の建設の事業（災害時における復旧及び復興の事業に限る。）その他これに関連する事業として厚生労働省令で定める事業に関する第三十六条の規定の適用については、当分の間、同条第五項中「時間（第二項第四号に関して協定した時間を含め百時間未満の範囲内に限る。）」とあるのは「時間」と、「同号」とあるのは「第二項第四号」とし、同条第六項（第二号及び第三号に係る部分に限る。）の規定は適用しない。

② 前項の規定にかかわらず、工作物の建設の事業その他これに関連する事業として厚生労働省令で定める事業については、令和六年三月三十一日（同日及びその翌日を含む期間を定めている第三十六条第一項の協定に関しては、当該協定に定める期間の初日から起算して一年を経過する日）までの間、同条第二項第四号中「一箇月及び」とあるのは、「一日を超え三箇月以内の範囲で前項の協定をする使用者及び労働組合若しくは労働者の過半数を代表する者が定める期間並びに」とし、同条第三項から第五項まで及び第六項（第二号及び第三号に係る部分に限る。）の規定は適用しない。

第百四十条　一般乗用旅客自動車運送事業（道路運送法（昭和二十六年法律第百八十三号）第三条第一号ハに規定する一般乗用旅客自動車運送事業をいう。）の業務、貨物自動車運送事業（貨物自動車運送事業法（平成元年法律第八十三号）第二条第一項に規定する貨物

自動車運送事業をいう。）の業務その他の自動車の運転の業務として厚生労働省令で定める業務に関する第三十六条の規定の適用については、当分の間、同条第五項中「時間（第二項第四号に関して協定した時間を含め百時間未満の範囲内に限る。）並びに一年について労働時間を延長して労働させることができる時間（同号に関して協定した時間を含め七百二十時間を超えない範囲内に限る。）を定めることができる。この場合において、第一項の協定に、併せて第二項第二号の対象期間において労働時間を延長して労働させる時間が一箇月について四十五時間（第三十二条の四第一項第二号の対象期間として三箇月を超える期間を定めて同条の規定により労働させる場合にあつては、一箇月について四十二時間）を超えることができる月数（一年について六箇月以内に限る。）を定めなければならない」とあるのは、「時間並びに一年について労働時間を延長して労働させることができる時間（第二項第四号に関して協定した時間を含め九百六十時間を超えない範囲内に限る。）を定めることができる」とし、同条第六項（第二号及び第三号に係る部分に限る。）の規定は適用しない。

② 前項の規定にかかわらず、同項に規定する業務については、令和六年三月三十一日（同日及びその翌日を含む期間を定めている第三十六条第一項の協定に関しては、当該協定に定める期間の初日から起算して一年を経過する日）までの間、同条第二項第四号中「一箇月及び」とあるのは、「一日を超え三箇月以内の範囲で前項の協定をする使用者及び労働組合若しくは労働者の過半数を代表する者が定める期間並びに」とし、同条第三項から第五項まで及び第六項（第二号及び第三号に係る部分に限る。）の規定は適用しない。

第百四十一条　医業に従事する医師（医療提供体制の確保に必要な者として厚生労働省令で定める者に限る。）に関する第三十六条の規定の適用については、当分の間、同条第二項第四号中「における一日、一箇月及び一年のそれぞれの期間について」とあるのは「における」とし、同条第三項中「限度時間」とあるのは「限度時間並びに労働者の健康及び福祉を勘案して厚生労働省令で定める時間」とし、同条第五項及び第六項（第二号及び第三号に係る部分に限る。）の規定は適用しない。

② 前項の場合において、第三十六条第一項の協定に、同条第二項各号に掲げるもののほか、当該事業場における通常予見することのできない業務量の大幅な増加等に伴い臨時的に前項の規定により読み替えて適用する同条第三項の厚生労働省令で定める時間を超えて労働させる必要がある場合において、同条第二項第四号に関して協定した時間を超えて労働させることができる時間（同号に関して協定した時間を含め、同条第五項に定める時間及び月数並びに労働者の健康及び福祉を勘案して厚生労働省令で定める時間を超えない範囲内に限る。）その他厚生労働省令で定める事項を定めることができる。

③ 使用者は、第一項の場合において、第三十六条第一項の協定で定めるところによつて労働時間を延長して労働させ、又は休日において労働させる場合であつても、同条第六項に定める要件並びに労働者の健康及び福祉を勘案して厚生労働省令で定める時間を超えて労働させてはならない。

④ 前三項の規定にかかわらず、医業に従事する医師については、令和六年三月三十一日（同日及びその翌日を含む期間を定めている第三十六条第一項の協定に関しては、当該協定に定める期間の初日から起算して一年を経過する日）までの間、同条第二項第四号中「一箇月及び」とあるのは、「一日を超え三箇月以内の範囲で前項の協定をする使用者及び労働組合若しくは労働者の過半数を代表する者が定める期間並びに」とし、同条第三項から第五項まで及び第六項（第二号及び第三号に係る部分に限る。）の規定は適用しない。

⑤ 第三項の規定に違反した者は、六月以下の拘禁刑又は三十万円以下の罰金に処する。

第百四十二条　鹿児島県及び沖縄県における砂糖を製造する事業に関する第三十六条の規定の適用については、令和六年三月三十一日（同日及びその翌日を含む期間を定めている同条第一項の協定に関しては、当該協定に定める期間の初日から起算して一年を経過する日）までの間、同条第五項中「時間（第二項第四号に関して協定した時間を含め百時間未満の範囲内に限る。）」とあるのは「時間」と、「同号」とあるのは「第二項第四号」とし、同条第六項（第二号及び第三号に係る部分に限る。）の規定は適用しない。

第百四十三条　第百九条の規定の適用については、当分の間、同条中「五年間」とあるのは、「三年間」とする。

② 第百十四条の規定の適用については、当分の間、同条ただし書中「五年」とあるのは、「三年」とする。

③ 第百十五条の規定の適用については、当分の間、同条中「賃金の請求権はこれを行使することができる時から五年間」とあるのは、「退職手当の請求権はこれを行使することができる時から五年間、この法律の規

定による賃金（退職手当を除く。）の請求権はこれを行使することができる時から三年間」とする。

附 則（平一〇・九・三〇法一一二）（抄）

（施行期日）
第一条 この法律は、平成十一年四月一日から施行する。ただし、第百五条の二の次に一条を加える改正規定並びに附則第八条の規定〔中略〕は平成十年十月一日から、第三十八条の二の次に二条を加える改正規定（第三十八条の四に係る部分に限る。）、第五十六条第一項の改正規定、同条第二項の改正規定（「満十二才」を「満十三歳」に改める部分に限る。）、第六十条第三項の改正規定（同項第二号の改正規定を除く。）及び第百六条第一項の改正規定（第三十八条の四第一項及び第五項に規定する決議に係る部分に限る。）並びに附則第六条の規定、附則第十一条第一項の規定〔中略〕は平成十二年四月一日から施行する。

（退職時の証明に関する経過措置）
第二条 この法律による改正後の労働基準法（以下「新法」という。）第二十二条第一項の規定は、この法律の施行の日以後に退職した労働者について適用し、この法律の施行の日前に退職した労働者については、なお従前の例による。

（労働時間に関する経過措置）
第三条 この法律による改正前の労働基準法（以下「旧法」という。）第三十二条の四の規定は、同条第一項の協定（労働時間の短縮の促進に関する臨時措置法（平成四年法律第九十号）第七条に規定する労働時間短縮推進委員会の同項に規定する事項についての決議を含む。）であって、この法律の施行の際同項第二号の対象期間として平成十一年三月三十一日を含む期間を定めているものについては、なおその効力を有する。

（休憩に関する経過措置）
第四条 この法律の施行前にされた旧法第三十四条第二項ただし書の許可の申請であって、この法律の施行の際に許可又は不許可の処分がされていないものについての許可又は不許可の処分については、なお従前の例による。
2 この法律の施行前に旧法第三十四条第二項ただし書の規定による許可を受けた場合（前項の規定により同項の許可を受けた場合を含む。）における休憩時間については、なお従前の例による。

（年次有給休暇に関する経過措置）
第五条 この法律の施行の際四月一日以外の日が基準日（継続勤務した期間を新法第三十九条第二項に規定する六箇月経過日から一年ごとに区分した各期間（最後に一年未満の期間を生じたときは、当該期間）の初日をいう。以下この条において同じ。）である労働者に係る有給休暇については、この法律の施行の日後の最初の基準日の前日までの間は、同項及び新法第三十九条第三項の規定にかかわらず、なお従前の例による。
2 新法第百三十五条第一項に規定する労働者であって平成十二年四月一日において継続勤務するもののうち、同日において四月一日以外の日が基準日である労働者に係る有給休暇については、同年四月一日から同日後の最初の基準日の前日までの間は、同月一日前において同項の規定により読み替えて適用する新法第三十九条第二項及び第三項の規定の例による。
3 前項の規定は、新法第百三十五条第二項に規定する労働者であって平成十三年四月一日において継続勤務するものについて準用する。

（最低年齢に関する経過措置）
第六条 第五十六条第二項の改正規定（「満十二才」を「満十三歳」に改める部分に限る。以下この条において同じ。）の施行前にされた満十二歳の児童を使用する許可の申請（映画の製作又は演劇の事業に係る職業に係る申請を除く。）であって、第五十六条第二項の改正規定の施行の際に許可又は不許可の処分がされていないものについての許可又は不許可の処分については、なお従前の例による。
2 第五十六条第二項の改正規定の施行前に旧法第五十六条第二項の規定による許可を受けた場合（前項の規定により同項の許可を受けた場合を含む。）における児童の使用については、なお従前の例による。
3 新法第五十六条第二項に規定する職業のうち、満十二歳の児童の就労実態、当該児童の就労に係る事業の社会的必要性及び当該事業の代替要員の確保の困難性を考慮して厚生労働省令で定める職業については、厚生労働省令で定める日までに行政官庁の許可を受けたときは、満十二歳の児童をその者が満十三歳に達するまでの間、その者の修学時間外に使用することができる。この場合において、第五十七条第二項、第六十条第二項及び第六十一条第五項の規定の適用については、第五十七条第二項中「児童」とあるのは、「児童（労働基準法の一部を改正する法律（平成十年法律第百十二号）附則第六条第三項の規定により使用する児童を含む。第六十条第二項及び第六十一条第五項において同じ。）」とする。

（年少者の労働時間に関する経過措置）
第七条 この法律の施行の際旧法第六十条第三項に規定

する者を労働させることとしている使用者については、同項第二号の規定に基づき旧法第三十二条の四第一項第二号の規定の例による対象期間として定められている期間（平成十一年三月三十一日を含む期間に限る。）が終了するまでの間、新法第六十条第三項第二号中「第三十二条の四及び第三十二条の四の二の規定」とあるのは、「労働基準法の一部を改正する法律（平成十年法律第百十二号）による改正前の第三十二条の四の規定」として、同項の規定を適用する。

（紛争の解決の援助に関する経過措置）

第八条 平成十一年三月三十一日までの間は、新法第百五条の三第一項中「雇用の分野における男女の均等な機会及び待遇の確保等に関する法律（昭和四十七年法律第百十三号）第十二条第一項」とあるのは、「雇用の分野における男女の均等な機会及び待遇の確保等女性労働者の福祉の増進に関する法律（昭和四十七年法律第百十三号）第十四条」とする。

（罰則に関する経過措置）

第九条 この法律（附則第一条ただし書に規定する規定については、当該規定）の施行前にした行為並びに附則第二条及び第五条第一項の規定によりなお従前の例によることとされる事項並びに附則第三条の規定によりなお効力を有することとされる旧法第三十二条の四の規定に係る事項に係るこの法律の施行後にした行為に対する罰則の適用については、なお従前の例による。

（政令への委任）

第十条 附則第二条から前条までに定めるもののほか、この法律の施行に伴い必要な経過措置（罰則に関する経過措置を含む。）は、政令で定める。

（検討）

第十一条 政府は、第三十八条の二の次に二条を加える改正規定（第三十八条の四に係る部分に限る。）の施行後三年を経過した場合において、新法第三十八条の四の規定について、その施行の状況を勘案しつつ検討を加え、必要があると認めるときは、その結果に基づいて必要な措置を講ずるものとする。

2　政府は、新法第百三十三条の厚生労働省令で定める期間が終了するまでの間において、子の養育又は家族の介護を行う労働者の時間外労働の動向、育児休業、介護休業等育児又は家族介護を行う労働者の福祉に関する法律（平成三年法律第七十六号）の施行の状況等を勘案し、当該労働者の福祉の増進の観点から、時間外労働が長時間にわたる場合には当該労働者が時間外労働の免除を請求することができる制度に関し検討を加え、その結果に基づいて必要な措置を講ずるものとする。

（深夜業に関する自主的な努力の促進）

第十二条 国は、深夜業に従事する労働者の就業環境の改善、健康管理の推進等当該労働者の就業に関する条件の整備のための事業主、労働者その他の関係者の自主的な努力を促進するものとする。

附　則（平二〇・一二・一二法八九）（抄）

（施行期日）

第一条 この法律は、平成二十二年四月一日から施行する。

（罰則に関する経過措置）

第二条 この法律の施行前にした行為に対する罰則の適用については、なお従前の例による。

（検討）

第三条 政府は、この法律の施行後三年を経過した場合において、この法律による改正後の労働基準法（以下この条において「新法」という。）第三十七条第一項ただし書及び第百三十八条の規定の施行の状況、時間外労働の動向等を勘案し、これらの規定について検討を加え、その結果に基づいて必要な措置を講ずるものとする。

2　政府は、前項に定めるものを除くほか、この法律の施行後五年を経過した場合において、新法の施行の状況を勘案し、必要があると認めるときは、新法の規定について検討を加え、その結果に基づいて必要な措置を講ずるものとする。

附　則（平二九・六・二法四五）（抄）

この法律は、民法改正法の施行の日〔平三二・四・一〕から施行する。〔ただし書略〕

○民法の一部を改正する法律の施行に伴う関係法律の整備等に関する法律（平二九・六・二法四五）

（抄）

（労働基準法の一部改正に伴う経過措置）

第百六十五条 施行日前に前条の規定による改正前の労働基準法第八十五条第五項に規定する時効の中断の事由が生じた場合におけるその事由の効力については、なお従前の例による。

附　則（平三〇・七・六法七一）（抄）

改正　令二・三・三一法一四

（施行期日）

第一条　この法律は、平成三十一年四月一日から施行する。ただし、次の各号に掲げる規定は、当該各号に定める日から施行する。

一・二　〔略〕

三　第一条中労働基準法第百三十八条の改正規定　令和五年四月一日

（時間外及び休日の労働に係る協定に関する経過措置）

第二条　第一条の規定による改正後の労働基準法（以下「新労基法」という。）第三十六条の規定（新労基法第百三十九条第二項、第百四十条第二項、第百四十一条第四項及び第百四十二条の規定により読み替えて適用する場合を含む。）は、平成三十一年四月一日以後の期間のみを定めている協定について適用し、同年三月三十一日を含む期間を定めている協定については、当該協定に定める期間の初日から起算して一年を経過する日までの間については、なお従前の例による。

（中小事業主に関する経過措置）

第三条　中小事業主（その資本金の額又は出資の総額が三億円（小売業又はサービス業を主たる事業とする事業主については五千万円、卸売業を主たる事業とする事業主については一億円）以下である事業主及びその常時使用する労働者の数が三百人（小売業を主たる事業とする事業主については五十人、卸売業又はサービス業を主たる事業とする事業主については百人）以下である事業主をいう。第四項及び附則第十一条において同じ。）の事業に係る協定（新労基法第百三十九条第二項に規定する事業、第百四十条第二項に規定する業務、第百四十一条第四項に規定する者及び第百四十二条に規定する事業に係るものを除く。）についての前条の規定の適用については、「平成三十一年四月一日」とあるのは、「令和二年四月一日」とする。

2　前項の規定により読み替えられた前条の規定によりなお従前の例によることとされた協定をする使用者及び労働組合又は労働者の過半数を代表する者は、当該協定をするに当たり、新労基法第三十六条第一項から第五項までの規定により当該協定に定める労働時間を延長して労働させ、又は休日において労働させることができる時間数を勘案して協定をするように努めなければならない。

3　政府は、前項に規定する者に対し、同項の協定に関して、必要な情報の提供、助言その他の支援を行うものとする。

4　行政官庁は、当分の間、中小事業主に対し新労基法第三十六条第九項の助言及び指導を行うに当たっては、中小企業における労働時間の動向、人材の確保の状況、取引の実態その他の事情を踏まえて行うよう配慮するものとする。

（年次有給休暇に関する経過措置）

第四条　この法律の施行の際四月一日以外の日が基準日（継続勤務した期間を労働基準法第三十九条第二項に規定する六箇月経過日から一年ごとに区分した各期間（最後に一年未満の期間を生じたときは、当該期間をいう。以下この条において同じ。）の初日をいい、同法第三十九条第一項から第三項までの規定による有給休暇を当該有給休暇に係る当該各期間の初日より前の日から与えることとした場合はその日をいう。以下この条において同じ。）である労働者に係る有給休暇については、この法律の施行の日後の最初の基準日の前日までの間は、新労基法第三十九条第七項の規定にかかわらず、なお従前の例による。

（検討）

第十二条　政府は、この法律の施行後五年を経過した場合において、新労基法第三十六条の規定について、その施行の状況、労働時間の動向その他の事情を勘案しつつ検討を加え、必要があると認めるときは、その結果に基づいて所要の措置を講ずるものとする。

2　政府は、新労基法第百三十九条に規定する事業及び新労基法第百四十条に規定する業務に係る新労基法第三十六条の規定の特例の廃止について、この法律の施行後の労働時間の動向その他の事情を勘案しつつ引き続き検討するものとする。

3　政府は、前二項に定める事項のほか、この法律の施行後五年を目途として、この法律による改正後のそれぞれの法律（以下この項において「改正後の各法律」という。）の規定について、労働者と使用者の協議の促進等を通じて、仕事と生活の調和、労働条件の改善、雇用形態又は就業形態の異なる労働者の間の均衡のとれた待遇の確保その他の労働者の職業生活の充実を図る観点から、改正後の各法律の施行の状況等を勘案しつつ検討を加え、必要があると認めるときは、その結果に基づいて所要の措置を講ずるものとする。

附　則（令二・三・三一法一三）

（施行期日）

第一条　この法律は、民法の一部を改正する法律（平成二十九年法律第四十四号）の施行の日〔令二・四・一〕から施行する。

（付加金の支払及び時効に関する経過措置）

第二条　この法律による改正後の労働基準法（以下この条において「新法」という。）第百十四条及び第百四十三条第二項の規定は、この法律の施行の日（以下この条において「施行日」という。）以後に新法第百十四条に規定する違反がある場合における付加金の支払に係る請求について適用し、施行日前にこの法律による改正前の労働基準法第百十四条に規定する違反があった場合における付加金の支払に係る請求については、なお従前の例による。

２　新法第百十五条及び第百四十三条第三項の規定は、施行日以後に支払期日が到来する労働基準法の規定による賃金（退職手当を除く。以下この項において同じ。）の請求権の時効について適用し、施行日前に支払期日が到来した同法の規定による賃金の請求権の時効については、なお従前の例による。

（検討）

第三条　政府は、この法律の施行後五年を経過した場合において、この法律による改正後の規定について、その施行の状況を勘案しつつ検討を加え、必要があると認めるときは、その結果に基づいて必要な措置を講ずるものとする。

別表第一（第三十三条、第四十条、第四十一条、第五十六条、第六十一条関係）

一　物の製造、改造、加工、修理、洗浄、選別、包装、装飾、仕上げ、販売のためにする仕立て、破壊若しくは解体又は材料の変造の事業（電気、ガス又は各種動力の発生、変更若しくは伝導の事業及び水道の事業を含む。）

二　鉱業、石切り業その他土石又は鉱物採取の事業

三　土木、建築その他工作物の建設、改造、保存、修理、変更、破壊、解体又はその準備の事業

四　道路、鉄道、軌道、索道、船舶又は航空機による旅客又は貨物の運送の事業

五　ドック、船舶、岸壁、波止場、停車場又は倉庫における貨物の取扱いの事業

六　土地の耕作若しくは開墾又は植物の栽植、栽培、採取若しくは伐採の事業その他農林の事業

七　動物の飼育又は水産動植物の採捕若しくは養殖の事業その他の畜産、養蚕又は水産の事業

八　物品の販売、配給、保管若しくは賃貸又は理容の事業

九　金融、保険、媒介、周旋、集金、案内又は広告の事業

十　映画の製作又は映写、演劇その他興行の事業

十一　郵便、信書便又は電気通信の事業

十二　教育、研究又は調査の事業

十三　病者又は虚弱者の治療、看護その他保健衛生の事業

十四　旅館、料理店、飲食店、接客業又は娯楽場の事業

十五　焼却、清掃又はと畜場の事業

別表第二　身体障害等級及び災害補償表（第七十七条関係）

等級	災害補償
第一級	一三四〇日分
第二級	一一九〇日分
第三級	一〇五〇日分
第四級	九二〇日分
第五級	七九〇日分
第六級	六七〇日分
第七級	五六〇日分
第八級	四五〇日分
第九級	三五〇日分
第一〇級	二七〇日分
第一一級	二〇〇日分
第一二級	一四〇日分
第一三級	九〇日分
第一四級	五〇日分

別表第三 分割補償表（第八十二条関係）

種別	等級	災害補償
障害補償	第一級	二四〇日分
	第二級	二一三日分
	第三級	一八八日分
	第四級	一六四日分
	第五級	一四二日分
	第六級	一二〇日分
	第七級	一〇〇日分
	第八級	八〇日分
	第九級	六三日分
	第一〇級	四八日分
	第一一級	三六日分
	第一二級	二五日分
	第一三級	一六日分
	第一四級	九日分
遺族補償		一八〇日分

〇労働基準法施行規則（抄）

昭二二・八・三〇
厚生省令二三

最終改正 令六・三・一八厚労令四五

第二十三条 使用者は、宿直又は日直の勤務で断続的な業務について、様式第十号によつて、所轄労働基準監督署長の許可を受けた場合は、これに従事する労働者を、法第三十二条の規定にかかわらず、使用することができる。

第三十一条 法別表第一第四号、第八号、第九号、第十号、第十一号、第十三号及び第十四号に掲げる事業並びに官公署の事業（同表に掲げる事業を除く。）については、法第三十四条第二項の規定は、適用しない。

第三十三条 法第三十四条第三項の規定は、左の各号の一に該当する労働者については適用しない。

一 警察官、消防吏員、常勤の消防団員、准救急隊員及び児童自立支援施設に勤務する職員で児童と起居をともにする者

二 乳児院、児童養護施設及び障害児入所施設に勤務する職員で児童と起居をともにする者

三 児童福祉法（昭和二十二年法律第百六十四号）第六条の三第十一項に規定する居宅訪問型保育事業に使用される労働者のうち、家庭的保育者（同条第九項第一号に規定する家庭的保育者をいう。以下この号において同じ。）として保育を行う者（同一の居宅において、一の児童に対して複数の家庭的保育者が同時に保育を行う場合を除く。）

② 前項第二号に掲げる労働者を使用する使用者は、その員数、収容する児童数及び勤務の態様について、様式第十三号の五によつて、予め所轄労働基準監督署長の許可を受けなければならない。

○労働基準法解釈例規

〔休憩時間の意義〕

休憩時間とは単に作業に従事しない手待時間を含まず労働者が権利として労働から離れることを保障されている時間の意であって、その他の拘束時間は労働時間として取扱うこと。

〔一せい休憩の除外許可基準〕

第二項の許可は概ね次の基準によって取扱うこと。

㈠　交替制によって労働させる場合は許可すること。

㈡　石油コンビナート、原子力発電所等における計器監視その他危害防止上必要なものについては許可すること。

㈢　同一事業場内でも作業場を異にする場合で業務の運営上必要なものは許可すること。

〔自由利用の意義〕

休憩時間の利用について事業場の規律保持上必要な制限を加えることは、休憩の目的を害わない限り差し支えないこと。

〔監視に従事する者〕

監視に従事する者は、原則として、一定部署にあって監視するのを本来の業務とし、常態として身体又は精神的緊張の少ないものについて許可すること。したがって、次のようなものは許可しないこと。

イ　交通関係の監視、車両誘導を行う駐車場等の監視等精神的緊張の高い業務

ロ　プラント等における計器類を常態として監視する業務

ハ　危険又は有害な場所における業務

〔断続的労働に従事する者〕

断続的労働に従事する者とは、休憩時間は少ないが手待時間が多い者の意であり、その許可は概ね次の基準によって取り扱うこと。

㈠　修繕係等通常は業務閑散であるが、事故発生に備えて待機するものは許可すること。

㈡　寄宿舎の賄人等については、その者の勤務時間を基礎として作業時間と手待時間折半の程度まで許可すること。ただし、実労働時間の合計が八時間を超えるときは許可すべき限りではない。

㈢　鉄道踏切番等については、一日交通量十往復程度まで許可すること。

㈣　その他特に危険な業務に従事する者については許可しないこと。

〔断続的な宿直又は日直勤務の許可基準〕

規則第二十三条に基づく断続的な宿直又は日直勤務のもとに、労働基準法上の労働時間、休憩及び休日に関する規定を適用しないこととしたものであるから、その許可は、労働者保護の観点から、厳格な判断のもとに行われるべきものである。宿直又は日直の許可にあたっての基準は概ね次のとおりである。

一　勤務の態様

イ　常態として、ほとんど労働する必要のない勤務のみを認めるものであり、定時的巡視、緊急の文書又は電話の収受、非常事態に備えての待機等を目的とするものに限って許可するものであること。

ロ　原則として、通常の労働の継続は許可しないこと。したがって始業又は終業時刻に密着した時間帯に、顧客からの電話の収受又は盗難・火災防止を行うものについては、許可しないものであること。

二　宿日直手当

宿直又は日直の勤務に対して相当の手当が支給されることを要し、具体的には、次の基準によること。

イ　宿直勤務一回についての宿直手当（深夜割増賃金を含む。）又は日直勤務一回についての日直手当の最低額は、当該事業場において宿直又は日直の勤務に就くことの予定されている同種の労働者に対して支払われている賃金（法第三十七条の割増賃金の基礎となる賃金に限る。）の一人一日平均額の三分の一を下らないものであること。ただし、同一企業に属する数個の事業場について、一律の基準により宿直又は日直の手当額を定める必要がある場合には、当該事業場の属する企業の全事業場において宿直又は日直の勤務に就くことの予定されている同種の労働者についての一人一日平均額によることができるものであること。

ロ　宿直又は日直勤務の時間が通常の宿直又は日直の時間に比して著しく短いものその他所轄労働基準監督署長が右イの基準によることが著しく困難又は不適当と認めたものについては、その基準にかかわらず許可することができること。

三　宿日直の回数

許可の対象となる宿直又は日直の勤務回数については、宿直勤務については週一回、日直勤務については月一回を限度とすること。ただし、当該事業場に勤務する十八歳以上の者で法律上宿直又は日直を行いうるすべてのものに宿直又は日直をさせてもな

お不足でありかつ勤務の労働密度が薄い場合には、宿直又は日直業務の実態に応じて週一回を超える宿直、月一回を超える日直についても許可して差し支えないこと。

四　その他

宿直勤務については、相当の睡眠設備の設置を条件とするものであること。

○労働契約法

平一九・一二・五
法　一　二　八

最終改正　平三〇・七・六法七一

第一章　総則

（目的）

第一条　この法律は、労働者及び使用者の自主的な交渉の下で、労働契約が合意により成立し、又は変更されるという合意の原則その他労働契約に関する基本的事項を定めることにより、合理的な労働条件の決定又は変更が円滑に行われるようにすることを通じて、労働者の保護を図りつつ、個別の労働関係の安定に資することを目的とする。

（定義）

第二条　この法律において「労働者」とは、使用者に使用されて労働し、賃金を支払われる者をいう。

2　この法律において「使用者」とは、その使用する労働者に対して賃金を支払う者をいう。

（労働契約の原則）

第三条　労働契約は、労働者及び使用者が対等の立場における合意に基づいて締結し、又は変更すべきものとする。

2　労働契約は、労働者及び使用者が、就業の実態に応じて、均衡を考慮しつつ締結し、又は変更すべきものとする。

3　労働契約は、労働者及び使用者が仕事と生活の調和にも配慮しつつ締結し、又は変更すべきものとする。

4　労働者及び使用者は、労働契約を遵守するとともに、信義に従い誠実に、権利を行使し、及び義務を履行しなければならない。

5　労働者及び使用者は、労働契約に基づく権利の行使に当たっては、それを濫用することがあってはならない。

（労働契約の内容の理解の促進）

第四条　使用者は、労働者に提示する労働条件及び労働契約の内容について、労働者の理解を深めるようにするものとする。

2　労働者及び使用者は、労働契約の内容（期間の定めのある労働契約に関する事項を含む。）について、できる限り書面により確認するものとする。

（労働者の安全への配慮）

第五条　使用者は、労働契約に伴い、労働者がその生命、身体等の安全を確保しつつ労働することができるよう、必要な配慮をするものとする。

第二章　労働契約の成立及び変更

（労働契約の成立）

第六条　労働契約は、労働者が使用者に使用されて労働し、使用者がこれに対して賃金を支払うことについて、労働者及び使用者が合意することによって成立する。

第七条　労働者及び使用者が労働契約を締結する場合において、使用者が合理的な労働条件が定められている就業規則を労働者に周知させていた場合には、労働契約の内容は、その就業規則で定める労働条件によるものとする。ただし、労働契約において、労働者及び使用者が就業規則の内容と異なる労働条件を合意していた部分については、第十二条に該当する場合を除き、この限りでない。

（労働契約の内容の変更）

第八条　労働者及び使用者は、その合意により、労働契約の内容である労働条件を変更することができる。

（就業規則による労働契約の内容の変更）

第九条　使用者は、労働者と合意することなく、就業規則を変更することにより、労働者の不利益に労働契約の内容である労働条件を変更することはできない。ただし、次条の場合は、この限りでない。

第十条　使用者が就業規則の変更により労働条件を変更する場合において、変更後の就業規則を労働者に周知させ、かつ、就業規則の変更が、労働者の受ける不利益の程度、労働条件の変更の必要性、変更後の就業規則の内容の相当性、労働組合等との交渉の状況その他の就業規則の変更に係る事情に照らして合理的なものであるときは、労働契約の内容である労働条件は、当該変更後の就業規則に定めるところによるものとする。ただし、労働契約において、労働者及び使用者が就業規則の変更によっては変更されない労働条件として合意していた部分については、第十二条に該当する場合を除き、この限りでない。

（就業規則の変更に係る手続）

第十一条　就業規則の変更の手続に関しては、労働基準法（昭和二十二年法律第四十九号）第八十九条及び第九十条の定めるところによる。

（就業規則違反の労働契約）

第十二条　就業規則で定める基準に達しない労働条件を定める労働契約は、その部分については、無効とする。この場合において、無効となった部分は、就業規則で定める基準による。

（法令及び労働協約と就業規則との関係）

第十三条　就業規則が法令又は労働協約に反する場合には、当該反する部分については、第七条、第十条及び前条の規定は、当該法令又は労働協約の適用を受ける労働者との間の労働契約については、適用しない。

第三章　労働契約の継続及び終了

（出向）

第十四条　使用者が労働者に出向を命ずることができる場合において、当該出向の命令が、その必要性、対象労働者の選定に係る事情その他の事情に照らして、その権利を濫用したものと認められる場合には、当該命令は、無効とする。

（懲戒）

第十五条　使用者が労働者を懲戒することができる場合において、当該懲戒が、当該懲戒に係る労働者の行為の性質及び態様その他の事情に照らして、客観的に合理的な理由を欠き、社会通念上相当であると認められない場合は、その権利を濫用したものとして、当該懲戒は、無効とする。

（解雇）

第十六条　解雇は、客観的に合理的な理由を欠き、社会通念上相当であると認められない場合は、その権利を濫用したものとして、無効とする。

第四章　期間の定めのある労働契約

（契約期間中の解雇等）

第十七条　使用者は、期間の定めのある労働契約（以下この章において「有期労働契約」という。）について、やむを得ない事由がある場合でなければ、その契約期間が満了するまでの間において、労働者を解雇することができない。

２　使用者は、有期労働契約について、その有期労働契約により労働者を使用する目的に照らして、必要以上に短い期間を定めることにより、その有期労働契約を反復して更新することのないよう配慮しなければならない。

（有期労働契約の期間の定めのない労働契約への転換）

第十八条　同一の使用者との間で締結された二以上の有期労働契約（契約期間の始期の到来前のものを除く。以下この条において同じ。）の契約期間を通算した期間（次項において「通算契約期間」という。）が五年を超える労働者が、当該使用者に対し、現に締結している有期労働契約の契約期間が満了する日までの間に、当該満了する日の翌日から労務が提供される期間の定めのない労働契約の締結の申込みをしたときは、使用者は当該申込みを承諾したものとみなす。この場合において、当該申込みに係る期間の定めのない労働契約の内容である労働条件は、現に締結している有期労働契約の内容である労働条件（契約期間を除く。）と同一の労働条件（当該労働条件（契約期間を除く。）について別段の定めがある部分を除く。）とする。

２　当該使用者との間で締結された一の有期労働契約の契約期間が満了した日と当該使用者との間で締結されたその次の有期労働契約の契約期間の初日との間にこれらの契約期間のいずれにも含まれない期間（これらの契約期間が連続すると認められるものとして厚生労

働省令で定める基準に該当する場合の当該いずれにも含まれない期間を除く。以下この項において「空白期間」という。）があり、当該空白期間が六月（当該空白期間の直前に満了した一の有期労働契約の契約期間（当該一の有期労働契約を含む二以上の有期労働契約の契約期間の間に空白期間がないときは、当該二以上の有期労働契約の契約期間を通算した期間。以下この項において同じ。）が一年に満たない場合にあっては、当該一の有期労働契約の契約期間に二分の一を乗じて得た期間を基礎として厚生労働省令で定める期間）以上であるときは、当該空白期間前に満了した有期労働契約の契約期間は、通算契約期間に算入しない。

（有期労働契約の更新等）

第十九条　有期労働契約であって次の各号のいずれかに該当するものの契約期間が満了する日までの間に労働者が当該有期労働契約の更新の申込みをした場合又は当該契約期間の満了後遅滞なく有期労働契約の締結の申込みをした場合であって、使用者が当該申込みを拒絶することが、客観的に合理的な理由を欠き、社会通念上相当であると認められないときは、使用者は、従前の有期労働契約の内容である労働条件と同一の労働条件で当該申込みを承諾したものとみなす。

一　当該有期労働契約が過去に反復して更新されたことがあるものであって、その契約期間の満了時に当該有期労働契約を更新しないことにより当該有期労働契約を終了させることが、期間の定めのない労働契約を締結している労働者に解雇の意思表示をすることにより当該期間の定めのない労働契約を終了させることと社会通念上同視できると認められること。

二　当該労働者において当該有期労働契約の契約期間の満了時に当該有期労働契約が更新されるものと期待することについて合理的な理由があるものであると認められること。

第五章　雑則

（船員に関する特例）

第二十条　第十二条及び前章の規定は、船員法（昭和二十二年法律第百号）の適用を受ける船員（次項において「船員」という。）に関しては、適用しない。

2　船員に関しては、第七条中「第十二条」とあるのは「船員法（昭和二十二年法律第百号）第百条」と、第十条中「第十二条」とあるのは「船員法第百条」と、第十一条中「労働基準法（昭和二十二年法律第四十九号）第八十九条及び第九十条」とあるのは「船員法第九十七条及び第九十八条」と、第十三条中「前条」とあるのは「船員法第百条」とする。

（適用除外）

第二十一条　この法律は、国家公務員及び地方公務員については、適用しない。

2　この法律は、使用者が同居の親族のみを使用する場合の労働契約については、適用しない。

附　則（抄）

（施行期日）

第一条　この法律は、公布の日から起算して三月を超えない範囲内において政令で定める日〔平二〇・三・一〕から施行する。

〇女性の職業生活における活躍の推進に関する法律

平二七・九・四
法　六　四

最終改正　令四・六・一七法六八

第一章　総則

（目的）

第一条　この法律は、近年、自らの意思によって職業生活を営み、又は営もうとする女性がその個性と能力を十分に発揮して職業生活において活躍すること（以下「女性の職業生活における活躍」という。）が一層重要となっていることに鑑み、男女共同参画社会基本法（平成十一年法律第七十八号）の基本理念にのっとり、女性の職業生活における活躍の推進について、その基本原則を定め、並びに国、地方公共団体及び事業主の責務を明らかにするとともに、基本方針及び事業主の行動計画の策定、女性の職業生活における活躍を推進するための支援措置等について定めることにより、女性の職業生活における活躍を迅速かつ重点的に推進し、もって男女の人権が尊重され、かつ、急速な少子高齢化の進展、国民の需要の多様化その他の社会経済情勢の変化に対応できる豊かで活力ある社会を実現することを目的とする。

（基本原則）

第二条　女性の職業生活における活躍の推進は、職業生活における活躍に係る男女間の格差の実情を踏まえ、自らの意思によって職業生活を営み、又は営もうとする女性に対する採用、教育訓練、昇進、職種及び雇用形態の変更その他の職業生活に関する機会の積極的な提供及びその活用を通じ、かつ、性別による固定的な役割分担等を反映した職場における慣行が女性の職業生活における活躍に対して及ぼす影響に配慮して、その個性と能力が十分に発揮できるようにすることを旨として、行われなければならない。

2　女性の職業生活における活躍の推進は、職業生活を営む女性が結婚、妊娠、出産、育児、介護その他の家庭生活に関する事由によりやむを得ず退職することが多いことその他の家庭生活に関する事由が職業生活に与える影響を踏まえ、家族を構成する男女が、男女の別を問わず、相互の協力と社会の支援の下に、育児、介護その他の家庭生活における活動について家族の一員としての役割を円滑に果たしつつ職業生活における活動を行うために必要な環境の整備等により、男女の職業生活と家庭生活との円滑かつ継続的な両立が可能となることを旨として、行われなければならない。

3　女性の職業生活における活躍の推進に当たっては、女性の職業生活と家庭生活との両立に関し、本人の意思が尊重されるべきものであることに留意されなければならない。

（国及び地方公共団体の責務）

第三条　国及び地方公共団体は、前条に定める女性の職業生活における活躍の推進についての基本原則（次条及び第五条第一項において「基本原則」という。）にのっとり、女性の職業生活における活躍の推進に関して必要な施策を策定し、及びこれを実施しなければならない。

（事業主の責務）

第四条　事業主は、基本原則にのっとり、その雇用し、又は雇用しようとする女性労働者に対する職業生活に関する機会の積極的な提供、雇用する労働者の職業生活と家庭生活との両立に資する雇用環境の整備その他の女性の職業生活における活躍の推進に関する取組を自ら実施するよう努めるとともに、国又は地方公共団体が実施する女性の職業生活における活躍の推進に関する施策に協力しなければならない。

第二章　基本方針等

（基本方針）

第五条　政府は、基本原則にのっとり、女性の職業生活における活躍の推進に関する施策を総合的かつ一体的に実施するため、女性の職業生活における活躍の推進に関する基本方針（以下「基本方針」という。）を定めなければならない。

2　基本方針においては、次に掲げる事項を定めるものとする。

一　女性の職業生活における活躍の推進に関する基本的な方向

二　事業主が実施すべき女性の職業生活における活躍の推進に関する取組に関する基本的な事項

三　女性の職業生活における活躍の推進に関する施策に関する次に掲げる事項

イ　女性の職業生活における活躍を推進するための支援措置に関する事項

ロ　職業生活と家庭生活との両立を図るために必要な環境の整備に関する事項

ハ　その他女性の職業生活における活躍の推進に関する施策に関する重要事項

四　前三号に掲げるもののほか、女性の職業生活における活躍を推進するために必要な事項

3　内閣総理大臣は、基本方針の案を作成し、閣議の決定を求めなければならない。

4　内閣総理大臣は、前項の規定による閣議の決定があったときは、遅滞なく、基本方針を公表しなければならない。

5　前二項の規定は、基本方針の変更について準用する。

（都道府県推進計画等）

第六条　都道府県は、基本方針を勘案して、当該都道府県の区域内における女性の職業生活における活躍の推進に関する施策についての計画（以下この条において「都道府県推進計画」という。）を定めるよう努めるものとする。

2　市町村は、基本方針（都道府県推進計画が定められているときは、基本方針及び都道府県推進計画）を勘案して、当該市町村の区域内における女性の職業生活における活躍の推進に関する施策についての計画（次項において「市町村推進計画」という。）を定めるよう努めるものとする。

3　都道府県又は市町村は、都道府県推進計画又は市町村推進計画を定め、又は変更したときは、遅滞なく、これを公表しなければならない。

第三章　事業主行動計画等

第一節　事業主行動計画策定指針

第七条　内閣総理大臣、厚生労働大臣及び総務大臣は、事業主が女性の職業生活における活躍の推進に関する

取組を総合的かつ効果的に実施することができるよう、基本方針に即して、次条第一項に規定する一般事業主行動計画及び第十九条第一項に規定する特定事業主行動計画（次項において「事業主行動計画」と総称する。）の策定に関する指針（以下「事業主行動計画策定指針」という。）を定めなければならない。

2 事業主行動計画策定指針においては、次に掲げる事項につき、事業主行動計画の指針となるべきものを定めるものとする。

一 事業主行動計画の策定に関する基本的な事項

二 女性の職業生活における活躍の推進に関する取組の内容に関する事項

三 その他女性の職業生活における活躍の推進に関する取組に関する重要事項

3 内閣総理大臣、厚生労働大臣及び総務大臣は、事業主行動計画策定指針を定め、又は変更したときは、遅滞なく、これを公表しなければならない。

第二節 一般事業主行動計画等

（一般事業主行動計画の策定等）

第八条 国及び地方公共団体以外の事業主（以下「一般事業主」という。）であって、常時雇用する労働者の数が百人を超えるものは、事業主行動計画策定指針に即して、一般事業主行動計画（一般事業主が実施する女性の職業生活における活躍の推進に関する取組に関する計画をいう。以下同じ。）を定め、厚生労働省令で定めるところにより、厚生労働大臣に届け出なければならない。これを変更したときも、同様とする。

2 一般事業主行動計画においては、次に掲げる事項を定めるものとする。

一 計画期間

二 女性の職業生活における活躍の推進に関する取組の実施により達成しようとする目標

三 実施しようとする女性の職業生活における活躍の推進に関する取組の内容及びその実施時期

3 第一項に規定する一般事業主は、一般事業主行動計画を定め、又は変更しようとするときは、厚生労働省令で定めるところにより、採用した労働者に占める女性労働者の割合、男女の継続勤務年数の差異、労働時間の状況、管理的地位にある労働者に占める女性労働者の割合その他のその事業における女性の職業生活における活躍に関する状況を把握し、女性の職業生活における活躍を推進するために改善すべき事情について分析した上で、その結果を勘案して、これを定めなければならない。この場合において、前項第二号の目標については、採用する労働者に占める女性労働者の割合、男女の継続勤務年数の差異の縮小の割合、労働時間、管理的地位にある労働者に占める女性労働者の割合その他の数値を用いて定量的に定めなければならない。

4 第一項に規定する一般事業主は、一般事業主行動計画を定め、又は変更したときは、厚生労働省令で定めるところにより、これを労働者に周知させるための措置を講じなければならない。

5 第一項に規定する一般事業主は、一般事業主行動計画を定め、又は変更したときは、厚生労働省令で定めるところにより、これを公表しなければならない。

6 第一項に規定する一般事業主は、一般事業主行動計画に基づく取組を実施するとともに、一般事業主行動計画に定められた目標を達成するよう努めなければならない。

7 一般事業主であって、常時雇用する労働者の数が百人以下のものは、事業主行動計画策定指針に即して、一般事業主行動計画を定め、厚生労働省令で定めるところにより、厚生労働大臣に届け出るよう努めなければならない。これを変更したときも、同様とする。

8 第三項の規定は前項に規定する一般事業主が一般事業主行動計画を定め、又は変更しようとする場合について、第四項から第六項までの規定は前項に規定する一般事業主が一般事業主行動計画を定め、又は変更した場合について、それぞれ準用する。

（基準に適合する一般事業主の認定）

第九条 厚生労働大臣は、前条第一項又は第七項の規定による届出をした一般事業主からの申請に基づき、厚生労働省令で定めるところにより、当該事業主について、女性の職業生活における活躍の推進に関する取組に関し、当該取組の実施の状況が優良なものであることその他の厚生労働省令で定める基準に適合するものである旨の認定を行うことができる。

（認定一般事業主の表示等）

第十条 前条の認定を受けた一般事業主（以下「認定一般事業主」という。）は、商品、役務の提供の用に供する物、商品又は役務の広告又は取引に用いる書類若しくは通信その他の厚生労働省令で定めるもの（次項及び第十四条第一項において「商品等」という。）に厚生労働大臣の定める表示を付することができる。

2 何人も、前項の規定による場合を除くほか、商品等に同項の表示又はこれと紛らわしい表示を付してはならない。

（認定の取消し）

第十一条 厚生労働大臣は、認定一般事業主が次の各号のいずれかに該当するときは、第九条の認定を取り消すことができる。

一 第九条に規定する基準に適合しなくなったと認めるとき。

二 この法律又はこの法律に基づく命令に違反したとき。

三 不正の手段により第九条の認定を受けたとき。

（基準に適合する認定一般事業主の認定）

第十二条 厚生労働大臣は、認定一般事業主からの申請に基づき、厚生労働省令で定めるところにより、当該事業主について、女性の職業生活における活躍の推進に関する取組に関し、当該事業主の策定した一般事業主行動計画に基づく取組を実施し、当該一般事業主行動計画に定められた目標を達成したこと、雇用の分野における男女の均等な機会及び待遇の確保等に関する法律（昭和四十七年法律第百十三号）第十三条の二に規定する業務を担当する者及び育児休業、介護休業等育児又は家族介護を行う労働者の福祉に関する法律（平成三年法律第七十六号）第二十九条に規定する業務を担当する者を選任していること、当該女性の職業生活における活躍の推進に関する取組の実施の状況が特に優良なものであることその他の厚生労働省令で定める基準に適合するものである旨の認定を行うことができる。

（特例認定一般事業主の特例等）

第十三条 前条の認定を受けた一般事業主（以下「特例認定一般事業主」という。）については、第八条第一項及び第七項の規定は、適用しない。

2 特例認定一般事業主は、厚生労働省令で定めるところにより、毎年少なくとも一回、女性の職業生活における活躍の推進に関する取組の実施の状況を公表しなければならない。

（特例認定一般事業主の表示等）

第十四条 特例認定一般事業主は、商品等に厚生労働大臣の定める表示を付することができる。

2 第十条第二項の規定は、前項の表示について準用する。

（特例認定一般事業主の認定の取消し）

第十五条 厚生労働大臣は、特例認定一般事業主が次の各号のいずれかに該当するときは、第十二条の認定を取り消すことができる。

一 第十一条の規定により第九条の認定を取り消すとき。

二 第十二条に規定する基準に適合しなくなったと認めるとき。

三 第十三条第二項の規定による公表をせず、又は虚偽の公表をしたとき。

四 前号に掲げる場合のほか、この法律又はこの法律に基づく命令に違反したとき。

五 不正の手段により第十二条の認定を受けたとき。

（委託募集の特例等）

第十六条 承認中小事業主団体の構成員である中小事業主（一般事業主であって、常時雇用する労働者の数が三百人以下のものをいう。以下この項及び次項において同じ。）が、当該承認中小事業主団体をして女性の職業生活における活躍の推進に関する取組の実施に関し必要な労働者の募集を行わせようとする場合において、当該承認中小事業主団体が当該募集に従事しようとするときは、職業安定法（昭和二十二年法律第百四十一号）第三十六条第一項及び第三項の規定は、当該構成員である中小事業主については、適用しない。

2 この条及び次条において「承認中小事業主団体」とは、事業協同組合、協同組合連合会その他の特別の法律により設立された組合若しくはその連合会であって厚生労働省令で定めるもの又は一般社団法人で中小事業主を直接又は間接の構成員とするもの（厚生労働省令で定める要件に該当するものに限る。）のうち、その構成員である中小事業主に対して女性の職業生活における活躍の推進に関する取組を実施するための人材確保に関する相談及び援助を行うものであって、その申請に基づいて、厚生労働大臣が、当該相談及び援助を適切に行うための厚生労働省令で定める基準に適合する旨の承認を行ったものをいう。

3 厚生労働大臣は、承認中小事業主団体が前項に規定する基準に適合しなくなったと認めるときは、同項の承認を取り消すことができる。

4 承認中小事業主団体は、第一項に規定する募集に従事しようとするときは、厚生労働省令で定めるところにより、募集時期、募集人員、募集地域その他の労働者の募集に関する事項で厚生労働省令で定めるものを厚生労働大臣に届け出なければならない。

5 職業安定法第三十七条第二項の規定は前項の規定による届出があった場合について、同法第五条の三第一項及び第四項、第五条の四第一項及び第二項、第五条の五、第三十九条、第四十一条第二項、第四十二条、第四十八条の三第一項、第四十八条の四、第五十条第一項及び第二項並びに第五十一条の規定は前項の規定による届出をして労働者の募集に従事する者について、同法第四十条の規定は同項の規定による届出をして労働者の募集に従事する者に対する報酬の供与について、同法第五十条第三項及び第四項の規定はこの項において準用する同条第二項に規定する職権を行う場合について、それぞれ準用する。この場合において、同法第三十七条第二項中「労働者の募集を行おうとする者」とあるのは「女性の職業生活における活躍の推進に関する法律第十六条第四項の規定による届出をして労働者の募集に従事しようとする者」と、同法第四十一条第二項中「当該労働者の募集の業務の廃止を命じ、又は期間」とあるのは「期間」と読み替えるものとする。

6　職業安定法第三十六条第二項及び第四十二条の二の規定の適用については、同法第三十六条第二項中「前項の」とあるのは「被用者以外の者をして労働者の募集に従事させようとする者がその被用者以外の者に与えようとする」と、同法第四十二条の二中「第三十九条に規定する募集受託者」とあるのは「女性の職業生活における活躍の推進に関する法律（平成二十七年法律第六十四号）第十六条第四項の規定による届出をして労働者の募集に従事する者」と、「同項に」とあるのは「次項に」とする。

7　厚生労働大臣は、承認中小事業主団体に対し、第二項の相談及び援助の実施状況について報告を求めることができる。

第十七条　公共職業安定所は、前条第四項の規定による届出をして労働者の募集に従事する承認中小事業主団体に対して、雇用情報及び職業に関する調査研究の成果を提供し、かつ、これらに基づき当該募集の内容又は方法について指導することにより、当該募集の効果的かつ適切な実施を図るものとする。

（一般事業主に対する国の援助）

第十八条　国は、第八条第一項若しくは第七項の規定により一般事業主行動計画を策定しようとする一般事業主又はこれらの規定による届出をした一般事業主に対して、一般事業主行動計画の策定、労働者への周知若しくは公表又は一般事業主行動計画に基づく措置が円滑に実施されるように相談その他の援助の実施に努めるものとする。

第三節　特定事業主行動計画

第十九条　国及び地方公共団体の機関、それらの長又はそれらの職員で政令で定めるもの（以下「特定事業主」という。）は、政令で定めるところにより、事業主行動計画策定指針に即して、特定事業主行動計画（特定事業主が実施する女性の職業生活における活躍の推進に関する取組に関する計画をいう。以下この条において同じ。）を定めなければならない。

2　特定事業主行動計画においては、次に掲げる事項を定めるものとする。

一　計画期間

二　女性の職業生活における活躍の推進に関する取組の実施により達成しようとする目標

三　実施しようとする女性の職業生活における活躍の推進に関する取組の内容及びその実施時期

3　特定事業主は、特定事業主行動計画を定め、又は変更しようとするときは、内閣府令で定めるところにより、採用した職員に占める女性職員の割合、男女の継続勤務年数の差異、勤務時間の状況、管理的地位にある職員に占める女性職員の割合その他のその事務及び事業における女性の職業生活における活躍に関する状況を把握し、女性の職業生活における活躍を推進するために改善すべき事情について分析した上で、その結果を勘案して、これを定めなければならない。この場合において、前項第二号の目標については、採用する職員に占める女性職員の割合、男女の継続勤務年数の差異の縮小の割合、勤務時間、管理的地位にある職員に占める女性職員の割合その他の数値を用いて定量的に定めなければならない。

4　特定事業主は、特定事業主行動計画を定め、又は変更したときは、遅滞なく、これを職員に周知させるための措置を講じなければならない。

5　特定事業主は、特定事業主行動計画を定め、又は変更したときは、遅滞なく、これを公表しなければならない。

6　特定事業主は、毎年少なくとも一回、特定事業主行動計画に基づく取組の実施の状況を公表しなければならない。

7　特定事業主は、特定事業主行動計画に基づく取組を実施するとともに、特定事業主行動計画に定められた目標を達成するよう努めなければならない。

第四節　女性の職業選択に資する情報の公表

（一般事業主による女性の職業選択に資する情報の公表）

第二十条　第八条第一項に規定する一般事業主（常時雇用する労働者の数が三百人を超えるものに限る。）は、厚生労働省令で定めるところにより、職業生活を営み、又は営もうとする女性の職業選択に資するよう、その事業における女性の職業生活における活躍に関する次に掲げる情報を定期的に公表しなければならない。

一　その雇用し、又は雇用しようとする女性労働者に対する職業生活に関する機会の提供に関する実績

二　その雇用する労働者の職業生活と家庭生活との両立に資する雇用環境の整備に関する実績

2　第八条第一項に規定する一般事業主（前項に規定する一般事業主を除く。）は、厚生労働省令で定めるところにより、職業生活を営み、又は営もうとする女性の職業選択に資するよう、その事業における女性の職業生活における活躍に関する前項各号に掲げる情報の少なくともいずれか一方を定期的に公表しなければならない。

3　第八条第七項に規定する一般事業主は、厚生労働省令で定めるところにより、職業生活を営み、又は営もうとする女性の職業選択に資するよう、その事業における女性の職業生活における活躍に関する第一項各号に掲げる情報の少なくともいずれか一方を定期的に公表するよう努めなければならない。

（特定事業主による女性の職業選択に資する情報の公表）

第二十一条　特定事業主は、内閣府令で定めるところにより、職業生活を営み、又は営もうとする女性の職業選択に資するよう、その事務及び事業における女性の職業生活における活躍に関する次に掲げる情報を定期的に公表しなければならない。

一　その任用し、又は任用しようとする女性に対する職業生活に関する機会の提供に関する実績

二　その任用する職員の職業生活と家庭生活との両立に資する勤務環境の整備に関する実績

第四章　女性の職業生活における活躍を推進するための支援措置

（職業指導等の措置等）

第二十二条　国は、女性の職業生活における活躍を推進するため、職業指導、職業紹介、職業訓練、創業の支援その他の必要な措置を講ずるよう努めるものとする。

2　地方公共団体は、女性の職業生活における活躍を推進するため、前項の措置と相まって、職業生活を営み、又は営もうとする女性及びその家族その他の関係者からの相談に応じ、関係機関の紹介その他の情報の提供、助言その他の必要な措置を講ずるよう努めるものとする。

3　地方公共団体は、前項に規定する業務に係る事務の一部を、その事務を適切に実施することができるものとして内閣府令で定める基準に適合する者に委託することができる。

4　前項の規定による委託に係る事務に従事する者又は当該事務に従事していた者は、正当な理由なく、当該事務に関して知り得た秘密を漏らしてはならない。

（財政上の措置等）

第二十三条　国は、女性の職業生活における活躍の推進に関する地方公共団体の施策を支援するために必要な財政上の措置その他の措置を講ずるよう努めるものとする。

（国等からの受注機会の増大）

第二十四条　国は、女性の職業生活における活躍の推進に資するため、国及び公庫等（沖縄振興開発金融公庫その他の特別の法律によって設立された法人であって政令で定めるものをいう。）の役務又は物件の調達に関し、予算の適正な使用に留意しつつ、認定一般事業主、特例認定一般事業主その他の女性の職業生活における活躍に関する状況又は女性の職業生活における活躍の推進に関する取組の実施の状況が優良な一般事業主（次項において「認定一般事業主等」という。）の受注の機会の増大その他の必要な施策を実施するものとする。

2　地方公共団体は、国の施策に準じて、認定一般事業主等の受注の機会の増大その他の必要な施策を実施するように努めるものとする。

（啓発活動）

第二十五条　国及び地方公共団体は、女性の職業生活における活躍の推進について、国民の関心と理解を深め、かつ、その協力を得るとともに、必要な啓発活動を行うものとする。

（情報の収集、整理及び提供）

第二十六条　国は、女性の職業生活における活躍の推進に関する取組に資するよう、国内外における女性の職業生活における活躍の状況及び当該取組に関する情報の収集、整理及び提供を行うものとする。

（協議会）

第二十七条　当該地方公共団体の区域において女性の職業生活における活躍の推進に関する事務及び事業を行う国及び地方公共団体の機関（以下この条において「関係機関」という。）は、第二十二条第一項の規定により国が講ずる措置及び同条第二項の規定により地方公共団体が講ずる措置に係る事例その他の女性の職業生活における活躍の推進に有用な情報を活用することにより、当該区域において女性の職業生活における活躍の推進に関する取組が効果的かつ円滑に実施されるようにするため、関係機関により構成される協議会（以下「協議会」という。）を組織することができる。

2　協議会を組織する関係機関は、当該地方公共団体の

区域内において第二十二条第三項の規定による事務の委託がされている場合には、当該委託を受けた者を協議会の構成員として加えるものとする。

3　協議会を組織する関係機関は、必要があると認めるときは、協議会に次に掲げる者を構成員として加えることができる。

一　一般事業主の団体又はその連合団体

二　学識経験者

三　その他当該関係機関が必要と認める者

4　協議会は、関係機関及び前二項の構成員（以下この項において「関係機関等」という。）が相互の連絡を図ることにより、女性の職業生活における活躍の推進に有用な情報を共有し、関係機関等の連携の緊密化を図るとともに、地域の実情に応じた女性の職業生活における活躍の推進に関する取組について協議を行うものとする。

5　協議会が組織されたときは、当該地方公共団体は、内閣府令で定めるところにより、その旨を公表しなければならない。

（秘密保持義務）

第二十八条　協議会の事務に従事する者又は協議会の事務に従事していた者は、正当な理由なく、協議会の事務に関して知り得た秘密を漏らしてはならない。

（協議会の定める事項）

第二十九条　前二条に定めるもののほか、協議会の組織及び運営に関し必要な事項は、協議会が定める。

第五章　雑則

（報告の徴収並びに助言、指導及び勧告）

第三十条　厚生労働大臣は、この法律の施行に関し必要があると認めるときは、第八条第一項に規定する一般事業主又は認定一般事業主若しくは特例認定一般事業主である同条第七項に規定する一般事業主に対して、報告を求め、又は助言、指導若しくは勧告をすることができる。

（公表）

第三十一条　厚生労働大臣は、第二十条第一項若しくは第二項の規定による公表をせず、若しくは虚偽の公表をした第八条第一項に規定する一般事業主又は第二十条第三項に規定する情報に関し虚偽の公表をした認定一般事業主若しくは特例認定一般事業主である第八条第七項に規定する一般事業主に対し、前条の規定による勧告をした場合において、当該勧告を受けた者がこれに従わなかったときは、その旨を公表することができる。

（権限の委任）

第三十二条　第八条、第九条、第十一条、第十二条、第十五条、第十六条、第三十条及び前条に規定する厚生労働大臣の権限は、厚生労働省令で定めるところにより、その一部を都道府県労働局長に委任することができる。

（政令への委任）

第三十三条　この法律に定めるもののほか、この法律の実施のため必要な事項は、政令で定める。

第六章　罰則

第三十四条　第十六条第五項において準用する職業安定法第四十一条第二項の規定による業務の停止の命令に違反して、労働者の募集に従事した者は、一年以下の拘禁刑又は百万円以下の罰金に処する。

第三十五条　次の各号のいずれかに該当する者は、一年以下の拘禁刑又は五十万円以下の罰金に処する。

一　第二十二条第四項の規定に違反して秘密を漏らした者

二　第二十八条の規定に違反して秘密を漏らした者

第三十六条　次の各号のいずれかに該当する者は、六月以下の拘禁刑又は三十万円以下の罰金に処する。

一　第十六条第四項の規定による届出をしないで、労働者の募集に従事した者

二　第十六条第五項において準用する職業安定法第三十七条第二項の規定による指示に従わなかった者

三　第十六条第五項において準用する職業安定法第三十九条又は第四十条の規定に違反した者

第三十七条　次の各号のいずれかに該当する者は、三十万円以下の罰金に処する。

一　第十条第二項（第十四条第二項において準用する場合を含む。）の規定に違反した者

二　第十六条第五項において準用する職業安定法第五十条第一項の規定による報告をせず、又は虚偽の報告をした者

三　第十六条第五項において準用する職業安定法第五十条第二項の規定による立入り若しくは検査を拒み、妨げ、若しくは忌避し、又は質問に対して答弁をせず、若しくは虚偽の陳述をした者

四　第十六条第五項において準用する職業安定法第五十一条第一項の規定に違反して秘密を漏らした者

第三十八条　法人の代表者又は法人若しくは人の代理人、使用人その他の従業者が、その法人又は人の業務に関し、第三十四条、第三十六条又は前条の違反行為をしたときは、行為者を罰するほか、その法人又は人

に対しても、各本条の罰金刑を科する。

第三十九条　第三十条の規定による報告をせず、又は虚偽の報告をした者は、二十万円以下の過料に処する。

附　則（抄）

（施行期日）

第一条　この法律は、公布の日から施行する。ただし、第三章（第七条を除く。）、第五章（第二十八条を除く。）及び第六章（第三十条を除く。）の規定〔中略〕は、平成二十八年四月一日から施行する。

（この法律の失効）

第二条　この法律は、平成三十八年三月三十一日限り、その効力を失う。

2　第二十二条第三項の規定による委託に係る事務に従事していた者の当該事務に関して知り得た秘密については、同条第四項の規定（同項に係る罰則を含む。）は、前項の規定にかかわらず、同項に規定する日後も、なおその効力を有する。

3　協議会の事務に従事していた者の当該事務に関して知り得た秘密については、第二十八条の規定（同条に係る罰則を含む。）は、第一項の規定にかかわらず、同項に規定する日後も、なおその効力を有する。

4　この法律の失効前にした行為に対する罰則の適用については、この法律は、第一項の規定にかかわらず、同項に規定する日後も、なおその効力を有する。

（政令への委任）

第三条　前条第二項から第四項までに規定するもののほか、この法律の施行に伴い必要な経過措置は、政令で定める。

（検討）

第四条　政府は、この法律の施行後三年を経過した場合において、この法律の施行の状況を勘案し、必要があると認めるときは、この法律の規定について検討を加え、その結果に基づいて必要な措置を講ずるものとする。

附　則（令四・六・一七法六八）（抄）

（施行期日）

1　この法律は、刑法等一部改正法施行日〔令七・六・一〕から施行する。〔ただし書略〕

○女性の職業生活における活躍の推進に関する法律施行令

平二七・九・四
政令三一八

最終改正　令四・六・一六政令二一八

（特定事業主等）

第一条　女性の職業生活における活躍の推進に関する法律（以下「法」という。）第十九条第一項の国及び地方公共団体の機関、それらの長又はそれらの職員で政令で定めるものは、次の表の上欄に掲げるものとし、それぞれ同表の下欄に掲げる職員についての特定事業主行動計画を定めるものとする。

各議院事務局の事務総長	各議院事務局の職員
各議院法制局の法制局長	各議院法制局の職員
国立国会図書館長	国立国会図書館の職員
裁判官弾劾裁判所事務局長	裁判官弾劾裁判所事務局の職員
裁判官訴追委	裁判官訴追委員会事務局の職員

員会事務局の事務局長	
内閣総理大臣	内閣官房、内閣府本府及びデジタル庁の職員
内閣法制局長官	内閣法制局の職員
各省大臣	各省の職員（中央労働委員会以外の各外局の職員を除く。）
会計検査院長	会計検査院の職員
人事院総裁	人事院の職員
宮内庁長官	宮内庁の職員
国家公安委員会及び中央労働委員会以外の各外局の長	国家公安委員会及び中央労働委員会以外の各外局の職員
警察庁長官	警察庁の職員
最高裁判所事務総長	裁判所の職員
地方公共団体の教育委員会	地方公共団体の教育委員会が任命する職員
警視総監又は道府県警察本部長	都道府県警察の職員

2　前項に規定するもののほか、法第十九条第一項の地方公共団体の機関、その長又はその職員で政令で定めるものは、当該地方公共団体の規則で定めるものとし、それぞれ当該地方公共団体の規則で定める職員についての特定事業主行動計画を定めるものとする。

（法第二十四条第一項の政令で定める法人）

第二条　法第二十四条第一項の政令で定める法人は、沖縄振興開発金融公庫のほか、次に掲げる法人とする。

一　独立行政法人通則法（平成十一年法律第百三号）第二条第一項に規定する独立行政法人

二　国立大学法人法（平成十五年法律第百十二号）第二条第一項に規定する国立大学法人及び同条第三項に規定する大学共同利用機関法人

三　日本司法支援センター

四　日本私立学校振興・共済事業団

五　日本中央競馬会、日本年金機構及び福島国際研究教育機構

附　則（抄）

（施行期日）

第一条　この政令は、公布の日から施行する。ただし、第一条の規定〔中略〕は、平成二十八年四月一日から施行する。

○女性の職業生活における活躍の推進に関する法律施行規則

平二七・九・四
内閣府令五一

改正　令元・一二・二七内閣府令五一

（法第二十二条第三項の内閣府令で定める者）

第一条　女性の職業生活における活躍の推進に関する法律（以下「法」という。）第二十二条第三項の内閣府令で定める者は、同条第二項に規定する業務に係る事務を適切、公正かつ中立に実施することができる法人であって、女性の職業生活における活躍の推進に資する活動を行っている一般社団法人若しくは一般財団法人又は特定非営利活動促進法（平成十年法律第七号）第二条第二項の規定に基づき設立された特定非営利活動法人その他地方公共団体が適当と認めるものとする。

（協議会の公表）

第二条　法第二十七条第五項の規定による公表は、協議会の名称及び構成員の氏名又は名称について行うものとする。

2　前項の規定による公表は、地方公共団体の公報への掲載、インターネットの利用その他の適切な方法により行うものとする。

附　則

この府令は、公布の日から施行する。

○女性の職業生活における活躍の推進に関する法律に基づく特定事業主行動計画の策定等に係る内閣府令

平二七・一一・九
内閣府令六一

最終改正　令四・一二・二二内閣府令六六

（対象範囲）

第一条　特定事業主は、女性の職業生活における活躍の推進に関する法律（以下「法」という。）第十九条第三項及び第二十一条の規定により女性の職業生活における活躍に関する状況の把握、分析及び情報の公表（以下「把握分析等」という。）を行うに当たっては、次に掲げる国の職員については、これをその対象に含まないものとする。

一　国家公務員法（昭和二十二年法律第百二十号）第二条第三項各号（第十三号、第十四号及び第十六号を除く。）に掲げる職員

二　委員、顧問、参与又はこれらの者に準ずる者の職にある職員で常勤を要しないもの

三　給与又は報酬が支給されないことが法令で定められている職にある職員

2　特定事業主は、把握分析等を行うに当たっては、地方公務員法（昭和二十五年法律第二百六十一号）第三条第三項第一号及び第六号に掲げる職員については、これをその対象に含まないものとする。

3　特定事業主は、把握分析等を行うに当たっては、次に掲げる地方公共団体の職員については、これをその対象に含まないものとすることができる。

一　地方公務員法第三条第三項第一号の二から第五号までに掲げる職員

二　給与又は報酬が支給されないことが法令又は条例で定められている職にある職員

（女性の職業生活における活躍に関する状況の把握）

第二条　特定事業主が、特定事業主行動計画を定め、又は変更しようとするときは、当該計画を定め、又は変更しようとするときから遡っておおむね二年以内の一年間におけるその事務及び事業における女性の職業生活における活躍に関する状況に関し、第一号から第八号まで及び第二十三号に掲げる事項を把握するとともに、必要に応じて第九号から第二十二号までに掲げる事項を把握するものとする。ただし、第二号に掲げる事項の把握は、職員（任期の定めのない職員に限る。第二号並びに第六条第一項ただし書及び第二号イ並びに第三項第二号において同じ。）の平均した継続勤務年数の男女の差異の把握をもってこれに代えることができる。

一　採用した職員（再採用（職員であった者を選考により再び採用することをいう。第二十号において同じ。）により採用された者を除く。第六条第一項第一号イにおいて同じ。）に占める女性職員の割合

二　当該年度に在職する職員に対する当該年度に退職（自己都合による退職に限る。以下同じ。）した職員の割合の男女の差異及び当該年度に退職した職員の年齢区分別の男女別の割合

三　職員の勤務時間の状況に関する次に掲げる事項

イ　国の行政機関の内部部局、地方公共団体の機関（地方自治法（昭和二十二年法律第六十七号）第百五十五条及び第百五十六条の規定により設置された行政機関を除く。）その他国又は地方公共団体のこれらに類する機関（以下「内部部局等」という。）に勤務する職員のうち、管理的地位にある職員とそれ以外の職員それぞれの一人当たりの各月ごとの正規の勤務時間（一般職の職員の勤務時間、休暇等に関する法律（平成六年法律第三十三号。以下「勤務時間法」という。）第十三条第一項に規定する正規の勤務時間、地方公務員法第二十四条第五項に基づき条例で定める正規の勤務時間その他これらに類する勤務時間であって法令で定めるものをいう。以下同じ。）を超えて命じられて勤務した時間及び超過勤務を命じることができる上限（人事院規則一五―一四（職員の勤務時間、休日及び休暇）第十六条の二の二第一項に規定する上限、地方公務員法第二十四条第五項に基づき条例で定める上限その他これらに類する上限であって法令で定めるものをいう。以下同じ。）を超えて命じられて勤務した職員数

ロ　内部部局等以外に勤務する職員のうち、管理的地位にある職員とそれ以外の職員それぞれの一人当たりの各月ごとの正規の勤務時間を超えて命じられて勤務した時間及び超過勤務を命じることができる上限を超えて命じられて勤務した職員数

四　管理的地位にある職員に占める女性職員の割合

五　各役職段階にある職員に占める女性職員の割合及びその伸び率

六　女性職員であって出産した者の数に対する当該女性職員であって育児休業（国家公務員の育児休業等に関する法律（平成三年法律第百九号）第三条第一項に定める育児休業、地方公務員の育児休業等に関する法律（平成三年法律第百十号）第二条第一項に定める育児休業その他これらに類する休業であって法令で定めるものをいう。以下同じ。）をした者の数の割合及び男性職員であって配偶者が出産した者の数に対する当該男性職員であって育児休業をした者の数の割合（第六条第一項第二号ロにおいて「男女別の育児休業取得率」という。）並びに男女別の育児休業の取得期間の分布状況

七　男性職員であって配偶者が出産した者の数に対する当該男性職員であって配偶者出産休暇又は育児参加のための休暇（人事院規則一五―一四第二十二条第一項第九号若しくは第十号に規定する休暇その他これらに類する休暇であって法令又は地方公務員法第二十四条第五項に基づき条例で定めるものをいう。以下同じ。）を取得した者の数の割合（第六条第一項第二号ハにおいて「男性職員の配偶者出産休暇及び育児参加のための休暇取得率」という。）及びそれぞれの休暇の合計取得日数の分布状況

八　セクシュアル・ハラスメント等対策の整備状況

九　採用試験の受験者の総数に占める女性の割合

十　職員に占める女性職員の割合及びその指揮命令の下に労働させる派遣労働者（労働者派遣事業の適正な運営の確保及び派遣労働者の保護等に関する法律（昭和六十年法律第八十八号）第二条第二号に規定する派遣労働者をいう。以下同じ。）に占める女性労働者の割合

十一　職員の配置の男女別の状況

十二　職員の人材育成を目的とした教育訓練の男女別の受講の状況

十三　管理的地位にある職員、男性職員（管理的地位にある職員を除く。）及び女性職員（管理的地位にある職員を除く。）のそれらの職場における職員の配置、育成、評価、昇任及び性別による固定的な役割分担その他の職場風土等に関する意識（以下本号において「職場風土等に関する意識」という。）並びにその指揮命令の下に労働させる男女の派遣労働者のその職場における職場風土等に関する意識（性別による固定的な役割分担その他の職場風土等に関するものに限る。）

十四　職員の職業生活と家庭生活との両立を支援するための制度（育児休業並びに配偶者出産休暇及び育児参加のための休暇を除く。）の男女別の利用実績

十五　職員の在宅勤務、情報通信技術を活用した勤務その他の柔軟な働き方に資する制度の男女別の利用実績

十六　管理的地位にある職員以外の職員一人当たりの各月ごとの部署ごとの正規の勤務時間を超えて命じられて勤務した時間、部署ごとの超過勤務を命じることができる上限を超えて命じられて勤務した職員数並びにその指揮命令の下に労働させる派遣労働者一人当たりの各月ごとの時間外労働及び休日労働の合計時間

十七　職員の年次休暇等（勤務時間法第十七条に規定する年次休暇、地方公務員法第二十四条第五項に基づき条例で定める年次有給休暇その他これらに類する休暇であって法令で定めるものをいう。以下同じ。）の取得日数の状況

十八　前年度の開始の日における各役職段階の職員の数に対する当該役職段階から一つ上の各役職段階に当該年度の開始の日までに昇任した職員の数の男女別の割合

十九　職員の人事評価の結果における男女の差異

二十　民間企業における実務の経験その他これに類する経験を有する者の採用（再採用を除く。）又は妊娠、出産、育児若しくは介護等を理由として退職した職員であった者の採用の男女別の実績

二十一　前号に規定する採用（以下「中途採用」という。）をした者を管理的地位にある職員に任用した男女別の実績

二十二　非常勤職員又は臨時的に任用された職員の研修の男女別の受講の状況

二十三　職員の給与の男女の差異

2　特定事業主は、前項に掲げる事項を把握するに当たっては、同項ただし書、第一号、第二号、第六号、第九号から第十四号まで、第十六号、第十七号、第十九号、第二十号及び第二十二号に掲げる事項は、職員のまとまり（職種、資格、任用形態、勤務形態その他の要素に基づき、特定の職員のまとまりごとに人事の事務を行うことを予定している場合、それぞれの職員のまとまりをいう。以下同じ。）ごとの状況を、同項第二十三号に掲げる事項は、その任用する全ての職員に係る状況及び職員のまとまりごとの状況を、それぞれ把握しなければならない。

（法第十九条第二項第二号の目標）

第三条　特定事業主は、法第十九条第二項第二号の目標を同条第三項の規定により定量的に定めるに当たって

は、次の各号に掲げる区分ごとに当該各号に定める事項のうち一以上の事項を選択し、当該事項に関連する目標を定めるものとする。

一　その任用し、又は任用しようとする女性に対する職業生活に関する機会の提供　前条第一項第一号、第四号、第五号、第八号から第十三号まで及び第十八号から第二十三号までに掲げる事項

二　その任用する職員の職業生活と家庭生活との両立に資する勤務環境の整備　前条第一項第二号、第三号、第六号、第七号及び第十四号から第十七号までに掲げる事項

（把握項目の分析）

第四条　特定事業主行動計画を定め、又は変更しようとするときは、第二条により把握した事項について、それぞれ法第七条第一項に定める事業主行動計画策定指針を踏まえ、適切な方法により分析しなければならない。

（法第十九条第六項の実施状況の公表）

第五条　法第十九条第六項の規定による特定事業主行動計画に基づく取組の実施状況の公表は、特定事業主行動計画において同条第三項の規定により定量的に定めた同条第二項第二号の目標を設定した事項の当該計画期間における経年での進捗状況及び取組実績を公表することにより行うものとする。

（法第二十一条の情報の公表）

第六条　法第二十一条の規定による情報の公表は、次の各号に掲げる情報の区分ごとに第一号イからへまで及び第二号に定める事項のうち、特定事業主が女性の職業選択に資するものとして適切と認めるものをそれぞれ一以上公表するとともに、原則として第一号トに定める事項を公表することにより行うものとする。ただし、第二号イに掲げる事項の公表は、職員の平均した継続勤務年数の男女の差異の公表をもってこれに代えることができる。

一　その任用し、又は任用しようとする女性に対する職業生活に関する機会の提供に関する実績　次のいずれかの事項

イ　採用した職員に占める女性職員の割合

ロ　採用試験の受験者の総数に占める女性の割合

ハ　職員に占める女性職員の割合及びその指揮命令の下に労働させる派遣労働者に占める女性労働者の割合

ニ　管理的地位にある職員に占める女性職員の割合

ホ　各役職段階にある職員に占める女性職員の割合

ヘ　中途採用の男女別の実績

ト　職員の給与の男女の差異

二　その任用する職員の職業生活と家庭生活との両立に資する勤務環境の整備に関する実績　次のいずれかの事項

イ　当該年度に在職する職員に対する当該年度に退職した職員の割合の男女の差異

ロ　男女別の育児休業取得率及び男女別の育児休業の取得期間の分布状況

ハ　男性職員の配偶者出産休暇及び育児参加のための休暇取得率並びにそれぞれの休暇の合計取得日数の分布状況

ニ　職員（非常勤職員及び臨時的に任用された職員を除く。）の勤務時間の状況に関する次の一以上の事項

(1)　内部部局等に勤務する職員のうち、管理的地位にある職員とそれ以外の職員の双方又は一方の、一人当たりの一月当たりの正規の勤務時間を超えて命じられて勤務した時間

(2)　内部部局等に勤務する職員のうち、管理的地位にある職員とそれ以外の職員の双方又は一方の、超過勤務を命じることができる上限を超えて命じられて勤務した職員数

ホ　管理的地位にある職員以外の職員の勤務時間の状況に関する次の一以上の事項

(1)　職員一人当たりの一月当たりの正規の勤務時間を超えて命じられて勤務した時間並びにその指揮命令の下に労働させる派遣労働者一人当たりの一月当たりの時間外労働及び休日労働の合計時間

(2)　超過勤務を命じることができる上限を超えて命じられて勤務した職員数

ヘ　職員の年次休暇等の取得日数の状況

ト　職員のまとまりごとの年次休暇等の取得日数の状況

2　特定事業主は、前項に掲げる事項を公表するに当たっては、同項第一号イからハまで並びに第二号ロ、ホ及びトに掲げる事項は、職員のまとまりごとの実績を、同項第一号トに掲げる事項は、その任用する全ての職員に係る実績及び職員のまとまりごとの実績を、それぞれ公表するものとする。この場合において、同一の職員のまとまりに属する職員の数が職員の総数の十分の一に満たない職員のまとまりがある場合は、勤務形態が異なる場合を除き、職務の内容等に照らし、類似の職員のまとまりと合わせて一の職員のまとまりとして公表することができるものとする。

3　特定事業主は、次の各号に掲げる事項の公表に併せて、当該各号に定める事項の公表に努めるものとする。

一　第一項第一号ホに掲げる事項　各役職段階にある職員に占める女性職員の割合の伸び率

二　第一項第二号イに掲げる事項　当該年度に退職した職員の年齢区分別の男女別の割合

三　第一項第二号ニに掲げる事項　内部局等以外に勤務する職員に係る同様の事項

4　特定事業主は、第一項各号に定める事項のほか、次に掲げる事項の公表に努めるものとする。

一　その任用し、又は任用しようとする女性に対する職業生活に関する機会の提供に資する制度の概要

二　その任用する職員の職業生活と家庭生活との両立に資する勤務環境の整備に関する制度の概要

5　特定事業主は、第一項、第三項及び第四項に掲げる事項を公表するに当たっては、おおむね一年に一回以上、公表した日を明らかにして、インターネットの利用その他の方法により、女性の求職者等が常に容易に閲覧できるよう公表しなければならない。

附　則

この内閣府令は、平成二十八年四月一日から施行する。

附　則（令元・一二・二七内閣府令五一）（抄）

（施行期日）

第一条　この内閣府令は、令和二年四月一日から施行する。ただし、第二条〔中略〕の規定は、令和二年六月一日から施行する。

（経過措置）

第二条　第一条の規定による改正後の女性の職業生活における活躍の推進に関する法律に基づく特定事業主行動計画の策定等に係る内閣府令第二条及び第三条の規定は、この内閣府令の施行の日前に計画期間が開始した特定事業主行動計画については、適用しない。

附　則（令四・一二・二一内閣府令六六）

（施行期日）

第一条　この府令は、令和五年四月一日から施行する。

（特定事業主行動計画の策定等に関する経過措置）

第二条　この府令による改正後の女性の職業生活における活躍の推進に関する法律に基づく特定事業主行動計画の策定等に係る内閣府令（以下「新令」という。）第二条の規定は、新令第六条第一項及び第二項の規定による情報の公表を行った女性の職業生活における活躍の推進に関する法律第十九条第一項に規定する特定事業主（令和五年度中に新令第六条第一項及び第二項の規定による情報の公表を行わなかったものを含む。）による同法第十九条第三項の規定に基づく特定事業主行動計画（同条第一項に規定する特定事業主行動計画をいう。以下この条において同じ。）の策定又は変更について適用し、その他の同条第一項に規定する特定事業主による特定事業主行動計画の策定又は変更については、なお従前の例による。

○次世代育成支援対策推進法（抄）

平一五・七・一六
法　一　二　〇

最終改正　令六・五・三一法四二

第十九条　国及び地方公共団体の機関、それらの長又はそれらの職員で政令で定めるもの（以下「特定事業主」という。）は、政令で定めるところにより、行動計画策定指針に即して、特定事業主行動計画（特定事業主が実施する次世代育成支援対策に関する計画をいう。以下この条において同じ。）を策定するものとする。

2　特定事業主行動計画においては、次に掲げる事項を定めるものとする。

一　計画期間

二　次世代育成支援対策の実施により達成しようとする目標

三　実施しようとする次世代育成支援対策の内容及びその実施時期

3　特定事業主は、特定事業主行動計画を策定し、又は変更しようとするときは、内閣府令で定めるところにより、職員の育児休業等（国会職員の育児休業等に関する法律（平成三年法律第百八号）第三条第一項、国家公務員の育児休業等に関する法律（平成三年法律第百九号）第三条第一項（同法第二十七条第一項及び裁判所職員臨時措置法（昭和二十六年法律第二百九十九号）において準用する場合を含む。）若しくは地方公

務員の育児休業等に関する法律（平成三年法律第百十号）第二条第一項の規定による育児休業又は裁判官の育児休業に関する法律（平成三年法律第百十一号）第二条第一項に規定する育児休業その他これらに準ずるものとして内閣府令で定めるものをいう。以下この項において同じ。）の取得の状況及び勤務時間の状況を把握し、職員の職業生活と家庭生活との両立が図られるようにするために改善すべき事情について分析した上で、その結果を勘案して、これを定めなければならない。この場合において、前項第二号に掲げる目標については、職員の育児休業等の取得の状況及び勤務時間の状況に係る数値を用いて定量的に定めなければならない。

4　特定事業主は、特定事業主行動計画を策定し、又は変更したときは、遅滞なく、これを公表しなければならない。

5　特定事業主は、特定事業主行動計画を策定し、又は変更したときは、遅滞なく、これを職員に周知させるための措置を講じなければならない。

6　特定事業主は、毎年少なくとも一回、特定事業主行動計画に基づく措置の実施の状況を公表しなければならない。

7　特定事業主は、特定事業主行動計画に基づく措置を実施するとともに、特定事業主行動計画に定められた目標を達成するよう努めなければならない。

○障害者の雇用の促進等に関する法律（抄）

昭三五・七・二五
法　一　二　三

最終改正　令五・五・八法二一

第一章　総則

（目的）

第一条　この法律は、障害者の雇用義務等に基づく雇用の促進等のための措置、雇用の分野における障害者と障害者でない者との均等な機会及び待遇の確保並びに障害者がその有する能力を有効に発揮することができるようにするための措置、職業リハビリテーションの措置その他障害者がその能力に適合する職業に就くこと等を通じてその職業生活において自立することを促進するための措置を総合的に講じ、もつて障害者の職業の安定を図ることを目的とする。

（用語の意義）

第二条　この法律において、次の各号に掲げる用語の意義は、当該各号に定めるところによる。

一　障害者　身体障害、知的障害、精神障害（発達障害を含む。第六号において同じ。）その他の心身の機能の障害（以下「障害」と総称する。）があるため、長期にわたり、職業生活に相当の制限を受け、又は職業生活を営むことが著しく困難な者をいう。

二　身体障害者　障害者のうち、身体障害がある者であつて別表に掲げる障害があるものをいう。

三　重度身体障害者　身体障害者のうち、身体障害の程度が重い者であつて厚生労働省令で定めるものをいう。

四　知的障害者　障害者のうち、知的障害がある者であつて厚生労働省令で定めるものをいう。

五　重度知的障害者　知的障害者のうち、知的障害の程度が重い者であつて厚生労働省令で定めるものをいう。

六　精神障害者　障害者のうち、精神障害がある者であつて厚生労働省令で定めるものをいう。

七　職業リハビリテーション　障害者に対して職業指導、職業訓練、職業紹介その他この法律に定める措置を講じ、その職業生活における自立を図ることをいう。

（基本的理念）

第三条　障害者である労働者は、経済社会を構成する労働者の一員として、職業生活においてその能力を発揮する機会を与えられるものとする。

第四条　障害者である労働者は、職業に従事する者としての自覚を持ち、自ら進んで、その能力の開発及び向上を図り、有為な職業人として自立するように努めなければならない。

（事業主の責務）

第五条　全て事業主は、障害者の雇用に関し、社会連帯の理念に基づき、障害者である労働者が有為な職業人として自立しようとする努力に対して協力する責務を有するものであつて、その有する能力を正当に評価し、適当な雇用の場を与えるとともに適正な雇用管理並びに職業能力の開発及び向上に関する措置を行うことによりその雇用の安定を図るように努めなければならない。

（国及び地方公共団体の責務）

第六条　国及び地方公共団体は、自ら率先して障害者を雇用するとともに、障害者の雇用について事業主その他国民一般の理解を高めるほか、事業主、障害者その他の関係者に対する援助の措置及び障害者の特性に配慮した職業リハビリテーションの措置を講ずる等障害者の雇用の促進及びその職業の安定を図るために必要な施策を、障害者の福祉に関する施策との有機的な連携を図りつつ総合的かつ効果的に推進するように努めなければならない。

（障害者雇用対策基本方針）

第七条　厚生労働大臣は、障害者の雇用の促進及びその職業の安定に関する施策の基本となるべき方針（以下「障害者雇用対策基本方針」という。）を策定するものとする。

2　障害者雇用対策基本方針に定める事項は、次のとおりとする。

一　障害者の就業の動向に関する事項

二　職業リハビリテーションの措置の総合的かつ効果的な実施を図るため講じようとする施策の基本となるべき事項

三　前二号に掲げるもののほか、障害者の雇用の促進及びその職業の安定を図るため講じようとする施策の基本となるべき事項

3　厚生労働大臣は、障害者雇用対策基本方針を定めるに当たつては、あらかじめ、労働政策審議会の意見を聴くほか、都道府県知事の意見を求めるものとする。

4　厚生労働大臣は、障害者雇用対策基本方針を定めたときは、遅滞なく、その概要を公表しなければならない。

5　前二項の規定は、障害者雇用対策基本方針の変更について準用する。

（障害者活躍推進計画作成指針）

第七条の二　厚生労働大臣は、国及び地方公共団体が障害者である職員がその有する能力を有効に発揮して職業生活において活躍することの推進（次項、次条及び第七十八条第一項第二号において「障害者である職員の職業生活における活躍の推進」という。）に関する取組を総合的かつ効果的に実施することができるよう、障害者雇用対策基本方針に基づき、次条第一項に規定する障害者活躍推進計画（次項において「障害者活躍推進計画」という。）の作成に関する指針（以下この条及び次条第一項において「障害者活躍推進計画作成指針」という。）を定めるものとする。

2　障害者活躍推進計画作成指針においては、次に掲げる事項につき、障害者活躍推進計画の指針となるべきものを定めるものとする。

一　障害者活躍推進計画の作成に関する基本的な事項

二　障害者である職員の職業生活における活躍の推進に関する取組の内容に関する事項

三　その他障害者である職員の職業生活における活躍の推進に関する取組に関する重要事項

3　厚生労働大臣は、障害者活躍推進計画作成指針を定め、又は変更したときは、遅滞なく、これを公表しなければならない。

（障害者活躍推進計画の作成等）

第七条の三　国及び地方公共団体の任命権者（委任を受けて任命権を行う者を除く。以下同じ。）は、障害者活躍推進計画作成指針に即して、当該機関（当該任命権者の委任を受けて任命権を行う者に係る機関を含む。）が実施する障害者である職員の職業生活における活躍の推進に関する取組に関する計画（以下この条及び第七十八条第一項第二号において「障害者活躍推進計画」という。）を作成しなければならない。

2　障害者活躍推進計画においては、次に掲げる事項を定めるものとする。

一　計画期間

二　障害者である職員の職業生活における活躍の推進に関する取組の実施により達成しようとする目標

三　実施しようとする障害者である職員の職業生活における活躍の推進に関する取組の内容及びその実施時期

3　厚生労働大臣は、国又は地方公共団体の任命権者の求めに応じ、障害者活躍推進計画の作成に関し必要な助言を行うことができる。

4　国及び地方公共団体の任命権者は、障害者活躍推進計画を作成し、又は変更したときは、遅滞なく、これを職員に周知させるための措置を講じなければならない。

5　国及び地方公共団体の任命権者は、障害者活躍推進計画を作成し、又は変更したときは、遅滞なく、これを公表しなければならない。

6　国及び地方公共団体の任命権者は、毎年少なくとも一回、障害者活躍推進計画に基づく取組の実施の状況を公表しなければならない。

7　国及び地方公共団体の任命権者は、障害者活躍推進計画に基づく取組を実施するとともに、障害者活躍推進計画に定められた目標を達成するように努めなければならない。

第三章　対象障害者の雇用義務等に基づく雇用の促進等

第一節　対象障害者の雇用義務等

（対象障害者の雇用に関する事業主の責務）

第三十七条　全て事業主は、対象障害者の雇用に関し、社会連帯の理念に基づき、適当な雇用の場を与える共同の責務を有するものであつて、進んで対象障害者の雇入れに努めなければならない。

2　この章、第八十六条第二号及び附則第三条から第六条までにおいて「対象障害者」とは、身体障害者、知的障害者又は精神障害者（精神保健及び精神障害者福祉に関する法律（昭和二十五年法律第百二十三号）第四十五条第二項の規定により精神障害者保健福祉手帳の交付を受けているものに限る。第四節及び第七十九条第一項を除き、以下同じ。）をいう。

（雇用に関する国及び地方公共団体の義務）

第三十八条　国及び地方公共団体の任命権者は、職員（当該機関（当該任命権者の委任を受けて任命権を行う者に係る機関を含む。以下同じ。）に常時勤務する職員であつて、警察官、自衛官その他の政令で定める職員以外のものに限る。第七十九条第一項及び第八十一条第二項を除き、以下同じ。）の採用について、当該機関に勤務する対象障害者である職員の数が、当該機関の職員の総数に、第四十三条第二項に規定する障害者雇用率を下回らない率であつて政令で定めるものを乗じて得た数（その数に一人未満の端数があるときは、その端数は、切り捨てる。）未満である場合には、対象障害者である職員の数がその率を乗じて得た数以上となるようにするため、政令で定めるところにより、対象障害者の採用に関する計画を作成しなければならない。

2　前項の職員の総数の算定に当たつては、短時間勤務職員（一週間の勤務時間が、当該機関に勤務する通常の職員の一週間の勤務時間に比し短く、かつ、第四十三条第三項の厚生労働大臣の定める時間数未満である常時勤務する職員をいう。以下同じ。）は、その一人をもつて、厚生労働省令で定める数の職員に相当するものとみなす。

3　第一項の対象障害者である職員の数の算定に当たつては、対象障害者である短時間勤務職員は、その一人をもつて、厚生労働省令で定める数の対象障害者である職員に相当するものとみなす。

4　第一項の対象障害者である職員の数の算定に当たつては、重度身体障害者又は重度知的障害者である職員（短時間勤務職員を除く。）は、その一人をもつて、政令で定める数の対象障害者である職員に相当するものとみなす。

5　第一項の対象障害者である職員の数の算定に当たつては、第三項の規定にかかわらず、重度身体障害者又は重度知的障害者である短時間勤務職員は、その一人をもつて、前項の政令で定める数に満たない範囲内において厚生労働省令で定める数の対象障害者である職員に相当するものとみなす。

6　当該機関に勤務する職員が対象障害者であるかどうかの確認は、厚生労働省令で定める書類により行うものとする。

7　厚生労働大臣は、必要があると認めるときは、国及び地方公共団体の任命権者に対して、前項の規定による確認の適正な実施に関し、勧告をすることができる。

（採用状況の通報等）

第三十九条　国及び地方公共団体の任命権者は、政令で定めるところにより、厚生労働大臣に、前条第一項の計画及びその実施状況を通報しなければならない。

2　厚生労働大臣は、特に必要があると認めるときは、前条第一項の計画を作成した国及び地方公共団体の任命権者に対して、その適正な実施に関し、勧告をすることができる。

（任免に関する状況の通報等）

第四十条　国及び地方公共団体の任命権者は、毎年一回、政令で定めるところにより、当該機関における対象障害者である職員の任免に関する状況を厚生労働大臣に通報しなければならない。

2　国及び地方公共団体の任命権者は、厚生労働省令で定めるところにより、前項の規定により厚生労働大臣に通報した内容を公表しなければならない。

（国に勤務する職員に関する特例）

第四十一条　省庁（内閣府設置法（平成十一年法律第八十九号）第四十九条第一項に規定する機関又は国家行政組織法（昭和二十三年法律第百二十号）第三条第二項に規定する省若しくは庁をいう。以下同じ。）で、当該省庁の任命権者及び当該省庁に置かれる外局等（内閣府設置法第四十九条第二項に規定する機関、国家行政組織法第三条第二項に規定する委員会若しくは庁又は同法第八条の三に規定する特別の機関をいう。以下同じ。）の任命権者の申請に基づいて、一体として対象障害者である職員の採用の促進を図ることができるものとして厚生労働大臣の承認を受けたもの（以下「承認省庁」という。）に係る第三十八条第一項及び前条の規定の適用については、当該外局等に勤務する職員は当該承認省庁のみに勤務する職員と、当該外局等は当該承認省庁とみなす。

2　厚生労働大臣は、前項の規定による承認をした後において、承認省庁若しくは外局等が廃止されたとき、又は承認省庁若しくは外局等における対象障害者である職員の採用の促進を図ることができなくなつたと認めるときは、当該承認を取り消すことができる。

（地方公共団体に勤務する職員に関する特例）

第四十二条　地方公共団体の機関で、当該機関の任命権者及び当該機関以外の地方公共団体の機関（以下「その他機関」という。）の任命権者の申請に基づいて当該機関及び当該その他機関について次に掲げる基準に適合する旨の厚生労働大臣の認定を受けたもの（以下「認定地方機関」という。）に係る第三十八条第一項及び第四十条の規定の適用については、当該その他機関に勤務する職員は当該認定地方機関のみに勤務する職員と、当該その他機関は当該認定地方機関とみなす。

一　当該認定地方機関と当該その他機関との人的関係が緊密であること。

二　当該認定地方機関及び当該その他機関において、対象障害者である職員の採用の促進が確実に達成されると認められること。

2　厚生労働大臣は、前項の規定による認定をした後において、認定地方機関若しくはその他機関が廃止されたとき、又は前項各号に掲げる基準に適合しなくなつたと認めるときは、当該認定を取り消すことができる。

（特定身体障害者）

第四十八条　国及び地方公共団体の任命権者は、特定職種（労働能力はあるが、別表に掲げる障害の程度が重いため通常の職業に就くことが特に困難である身体障害者の能力にも適合すると認められる職種で政令で定めるものをいう。以下この条において同じ。）の職員（短時間勤務職員を除く。以下この項、第三項及び第四項において同じ。）の採用について、当該機関に勤務する特定身体障害者（身体障害者のうち特定職種ごとに政令で定める者に該当する者をいう。以下この条において同じ。）である当該職種の職員の数が、当該機関に勤務する当該職種の職員の総数に、職種に応じて政令で定める特定身体障害者雇用率を乗じて得た数（その数に一人未満の端数があるときは、その端数は、切り捨てる。）未満である場合には、特定身体障害者である当該職種の職員の数がその特定身体障害者雇用率を乗じて得た数以上となるようにするため、政令で定めるところにより、特定身体障害者の採用に関する計画を作成しなければならない。

2　第三十九条の規定は、前項の計画について準用する。

3　承認省庁又は認定地方機関に係る第一項の規定の適用については、当該外局等又は当該その他機関に勤務する職員は、当該承認省庁又は当該認定地方機関のみに勤務する職員とみなす。

4　当該機関に勤務する職員が特定身体障害者であるかどうかの確認は、厚生労働省令で定める書類により行うものとする。

5　厚生労働大臣は、必要があると認めるときは、国及び地方公共団体の任命権者に対して、前項の規定による確認の適正な実施に関し、勧告をすることができる。

6　事業主は、特定職種の労働者（短時間労働者を除く。以下この項、次項及び第九項において同じ。）の雇入れについては、その雇用する特定身体障害者である当該職種の労働者の数が、その雇用する当該職種の労働者の総数に、職種に応じて厚生労働省令で定める特定身体障害者雇用率を乗じて得た数（その数に一人未満の端数があるときは、その端数は、切り捨てる。）以上であるように努めなければならない。

7　厚生労働大臣は、特定身体障害者の雇用を促進するため特に必要があると認める場合には、その雇用する特定身体障害者である特定職種の労働者の数が前項の規定により算定した数未満であり、かつ、その数を増加するのに著しい困難を伴わないと認められる事業主（その雇用する当該職種の労働者の数が職種に応じて厚生労働省令で定める数以上であるものに限る。）に対して、特定身体障害者である当該職種の労働者の数が同項の規定により算定した数以上となるようにするため、厚生労働省令で定めるところにより、特定身体障害者の雇入れに関する計画の作成を命ずることができる。

8　親事業主、関係親事業主又は特定組合等に係る前二項の規定の適用については、当該子会社及び当該関係会社が雇用する労働者は当該親事業主のみが雇用する労働者と、当該関係子会社が雇用する労働者は当該関係親事業主のみが雇用する労働者と、当該特定事業主が雇用する労働者は当該特定組合等のみが雇用する労働者とみなす。

9　当該事業主が雇用する労働者が特定身体障害者であるかどうかの確認は、厚生労働省令で定める書類により行うものとする。

10　第四十六条第四項及び第五項の規定は、第七項の計画について準用する。

別表　障害の範囲（第二条、第四十八条関係）

一　次に掲げる視覚障害で永続するもの
イ　両眼の視力（万国式試視力表によつて測つたものをいい、屈折異状がある者については、矯正視力について測つたものをいう。以下同じ。）がそれぞれ〇・一以下のもの
ロ　一眼の視力が〇・〇二以下、他眼の視力が〇・六以下のもの
ハ　両眼の視野がそれぞれ一〇度以内のもの
ニ　両眼による視野の二分の一以上が欠けているもの
二　次に掲げる聴覚又は平衡機能の障害で永続するもの
イ　両耳の聴力レベルがそれぞれ七〇デシベル以上のもの
ロ　一耳の聴力レベルが九〇デシベル以上、他耳の聴力レベルが五〇デシベル以上のもの
ハ　両耳による普通話声の最良の語音明瞭度が五〇パーセント以下のもの
ニ　平衡機能の著しい障害
三　次に掲げる音声機能、言語機能又はそしやく機能の障害
イ　音声機能、言語機能又はそしやく機能の喪失
ロ　音声機能、言語機能又はそしやく機能の著しい障害で、永続するもの
四　次に掲げる肢体不自由
イ　一上肢、一下肢又は体幹の機能の著しい障害で永続するもの
ロ　一上肢のおや指を指骨間関節以上で欠くもの又はひとさし指を含めて一上肢の二指以上をそれぞれ第一指骨間関節以上で欠くもの
ハ　一下肢をリスフラン関節以上で欠くもの
ニ　一上肢のおや指の機能の著しい障害又はひとさし指を含めて一上肢の三指以上の機能の著しい障害で、永続するもの
ホ　両下肢のすべての指を欠くもの
ヘ　イからホまでに掲げるもののほか、その程度がイからホまでに掲げる障害の程度以上であると認められる障害
五　心臓、じん臓又は呼吸器の機能の障害その他政令で定める障害で、永続し、かつ、日常生活が著しい制限を受ける程度であると認められるもの

○障害者の雇用の促進等に関する法律施行令（抄）

昭三五・一二・一
政令二九二

最終改正 令五・七・七政令二三九

（除外職員）

第一条 障害者の雇用の促進等に関する法律（以下「法」という。）第三十八条第一項の政令で定める職員は、別表第一のとおりとする。

（法第三十八条第一項の政令で定める率）

第二条 法第三十八条第一項の政令で定める率は、百分の三とする。ただし、都道府県に置かれる教育委員会その他厚生労働大臣の指定する教育委員会にあつては、百分の二・九とする。

（対象障害者の採用に関する計画の作成）

第三条 法第三十八条第一項の対象障害者の採用に関する計画（以下第六条までにおいて「計画」という。）には、次の事項を含むものとする。

一 計画の始期及び終期

二 採用を予定する法第三十八条第一項に規定する職員（次号において「職員」という。）の数及びそのうちの法第三十七条第二項に規定する対象障害者（同号において「対象障害者」という。）の数

三 計画の終期及び各会計年度末において見込まれる職員の総数及びそのうちの対象障害者の数

2 計画の始期及び終期については、厚生労働大臣が定める基準によるものとする。

3 第一項第二号に掲げる事項は、各会計年度別に、かつ、国の機関の任命権者（国会及び裁判所の任命権者を除く。）にあつては厚生労働大臣と協議して定める組織別に、区分するものとする。

（協議等）

第四条 国の機関の任命権者（国会及び裁判所の任命権者を除く。）は、計画の作成については、あらかじめ、厚生労働大臣に協議するものとする。

2 国会及び裁判所並びに地方公共団体の任命権者は、計画の作成については、計画の決定の予定日の一月前までにその案を厚生労働大臣（市町村及び特別区その他の厚生労働省令で定める特別地方公共団体の任命権者にあつては、都道府県労働局長。第六条第三項において同じ。）に通知するものとする。この場合において、厚生労働大臣又は都道府県労働局長は、当該計画について意見を述べることができる。

3 前二項の規定は、計画の変更について準用する。

（法第三十八条第四項の政令で定める数）

第五条 法第三十八条第四項の政令で定める数は、二人とする。

（計画の通報）

第六条 法第三十九条第一項の規定による通報は、厚生労働大臣の定める様式により行うものとする。

2 法第三十九条第一項の規定による計画の実施状況の通報は、毎年一回、六月一日現在について行うものとする。

3 厚生労働大臣は、前項に定めるもののほか、国及び地方公共団体の任命権者に対し、随時、計画の実施状況の通報を求めることができる。

（任免に関する状況の通報）

第八条 法第四十条第一項の規定による通報は、厚生労働大臣の定める様式により、六月一日現在について行うものとする。

（特定身体障害者等）

第十一条 法第四十八条第一項の特定職種並びにこれに係る特定身体障害者の範囲及び特定身体障害者雇用率は、次の表のとおりとする。

特定職種	特定身体障害者の範囲	特定身体障害者雇用率
あん摩マッサージ指圧師（主として、中欄に掲げる者では行うことができないと認められる厚生労働大臣が指定する業務に係るものを除く。）	次に掲げる視覚障害で永続するものがある者 一 両眼の視力がそれぞれ〇・〇七以下の視覚障害 二 一眼の視力が〇・〇八、他眼の視力が手動弁以下の視覚障害 三 ゴールドマン型視野計による測定の結果、両眼のI／四視標による周辺視野角度の和がそれぞれ八〇度以下かつI／二	百分の七十

	視標による両眼中心視野角度が五六度以下の視覚障害 四　自動視野計による測定の結果、両眼開放視認点数が七〇点以下かつ両眼中心視野視認点数が四〇点以下の視覚障害	

（特定身体障害者の採用に関する計画の作成等）
第十二条　第三条、第四条及び第六条の規定は、法第四十八条第一項の特定身体障害者の採用に関する計画について準用する。この場合において、第三条第一項第二号中「法第三十八条第一項に規定する職員」とあるのは「法第四十八条第一項の特定職種ごとの法第三十八条第一項に規定する職員」と、「法第三十七条第二項に規定する対象障害者（同号において「対象障害者」という。）」とあるのは「法第四十八条第一項の特定身体障害者」と、同項第三号中「職員」とあるのは「法第四十八条第一項の特定職種ごとの職員」と、「対象障害者」とあるのは「同項の特定身体障害者」と、第六条第一項及び第二項中「法第三十九条第一項」とあるのは「法第四十八条第二項において準用する法第三十九条第一項」と読み替えるものとする。

別表第一（第一条、附則第二項関係）

一　警察官
二　次に掲げる職員
イ　皇宮護衛官
ロ　自衛官、防衛大学校及び防衛医科大学校の学生（防衛省設置法（昭和二十九年法律第百六十四号）第十六条第一項第三号の教育訓練を受けている者を除く。）並びに陸上自衛隊高等工科学校の生徒
ハ　刑務官及び入国警備官
ニ　密輸出入の取締りを職務とする者
ホ　麻薬取締官及び麻薬取締員
ヘ　海上保安官、海上保安官補並びに海上保安大学校及び海上保安学校の学生及び生徒
ト　消防吏員及び消防団員
三　前二号に掲げる者に準ずる者であつて、労働政策審議会の意見を聴いて厚生労働大臣が指定するもの

別表第二〜四〔略〕

〇障害者の雇用の促進等に関する法律施行規則（抄）

昭五一・九・三〇
労働省令三八

最終改正　令六・三・二九厚労令七四

第一章　総則

（重度身体障害者）
第一条　障害者の雇用の促進等に関する法律（以下「法」という。）第二条第三号の厚生労働省令で定める身体障害の程度が重い者は、別表第一に掲げる身体障害がある者とする。

（知的障害者）
第一条の二　法第二条第四号の厚生労働省令で定める知的障害がある者（以下「知的障害者」という。）は、児童相談所、知的障害者福祉法（昭和三十五年法律第三十七号）第九条第六項に規定する知的障害者更生相談所、精神保健及び精神障害者福祉に関する法律（昭和二十五年法律第百二十三号。以下「精神保健福祉法」という。）第六条第一項に規定する精神保健福祉センター、精神保健指定医又は法第十九条の障害者職業センター（次条及び第四条の十五第二号において「知的障害者判定機関」という。）により知的障害があると判定された者とする。

（重度知的障害者）
第一条の三　法第二条第五号の厚生労働省令で定める知的障害の程度が重い者は、知的障害者判定機関により

知的障害の程度が重いと判定された者とする。

（精神障害者）

第一条の四 法第二条第六号の厚生労働省令で定める精神障害がある者（以下「精神障害者」という。）は、次に掲げる者であつて、症状が安定し、就労が可能な状態にあるものとする。

一 精神保健福祉法第四十五条第二項の規定により精神障害者保健福祉手帳の交付を受けている者

二 統合失調症、そううつ病（そう病及びうつ病を含む。）又はてんかんにかかつている者（前号に掲げる者に該当する者を除く。）

別表第一（第一条、第十九条の二、第二十条の三、第二十一条の二関係）

一 次に掲げる視覚障害で永続するもの

イ 視力の良い方の眼の視力（万国式試視力表によつて測つたものをいい、屈折異常がある者については、矯正視力によつて測つたものをいう。）が〇・〇三以下のもの又は視力の良い方の眼の視力が〇・〇四かつ他方の眼の視力が手動弁以下のもの

ロ 周辺視野角度（Ⅰ／四視標による。）の総和が左右眼それぞれ八〇度以下かつ両眼中心視野角度（Ⅰ／二視標による。）が二八度以下のもの

ハ 両眼開放視認点数が七〇点以下かつ両眼中心視野視認点数が二〇点以下のもの

二 次に掲げる聴覚の障害で永続するもの

両耳の聴力レベルがそれぞれ一〇〇デシベル以上のもの

三 次に掲げる肢体不自由

イ 両上肢の機能の著しい障害で永続するもの

ロ 両上肢のすべての指を欠くもの

ハ 一上肢を上腕の二分の一以上で欠くもの

ニ 一上肢の機能を全廃したもの

ホ 両下肢の機能の著しい障害で永続するもの

ヘ 両下肢を下腿《たい》の二分の一以上で欠くもの

ト 体幹の機能の障害で永続するものにより坐位又は起立位を保つことが困難なもの

チ 体幹の機能の障害で永続するものにより立ち上がることが困難なもの

リ 乳幼児期以前の非進行性の脳病変による上肢の機能の障害で、不随意運動・失調等により上肢を使用する日常生活動作が極度に制限されるもの

ヌ 乳幼児期以前の非進行性の脳病変による移動機能の障害で、不随意運動・失調等により歩行が極度に制限されるもの

四 心臓、じん臓、呼吸器、ぼうこう若しくは直腸若しくは小腸の機能の障害で、永続し、かつ、自己の身辺の日常生活活動が極度に制限されるもの、ヒト免疫不全ウイルスによる免疫の機能の障害で、永続し、かつ、日常生活が極度に制限されるもの又は肝臓の機能の障害で、永続し、かつ、日常生活活動が極度に制限されるもの

五 前各号に掲げるもののほか、その程度が前各号に掲げる身体障害の程度以上であると認められる身体障害

別表第二 削除

別表第三・四〔略〕

○武力攻撃事態等における国民の保護のための措置に関する法律（抄）

平一六・六・一八
法　一　一　二

最終改正　令五・五・二六法三六

（職員の派遣の要請）

第百五十一条　地方公共団体の長等は、国民の保護のための措置の実施のため必要があるときは、政令で定めるところにより、指定行政機関の長若しくは指定地方行政機関の長又は特定指定公共機関（指定公共機関である行政執行法人（独立行政法人通則法（平成十一年法律第百三号）第二条第四項の行政執行法人をいう。）をいう。以下この項及び第百五十三条において同じ。）に対し、当該指定行政機関若しくは指定地方行政機関又は特定指定公共機関の職員の派遣を要請することができる。

2　地方公共団体の委員会及び委員は、前項の規定により職員の派遣を要請しようとするときは、あらかじめ、当該地方公共団体の長に協議しなければならない。

3　市町村長等が第一項の規定による職員の派遣を要請するときは、都道府県知事等を経由してするものとする。ただし、人命の救助等のために特に緊急を要する場合については、この限りでない。

（職員の派遣のあっせん）

第百五十二条　都道府県知事等又は市町村長等は、政令で定めるところにより、総務大臣又は都道府県知事に対し、前条第一項の職員の派遣について、あっせんを求めることができる。

2　都道府県知事等又は市町村長等は、国民の保護のための措置の実施のため必要があるときは、政令で定めるところにより、総務大臣又は都道府県知事に対し、都道府県知事等にあっては地方自治法第二百五十二条の十七第一項の職員の派遣について、市町村長等にあっては同項の職員又は地方独立行政法人法第百二十四条第一項の職員（指定地方公共機関である同法第二条第二項の特定地方独立行政法人（次条において「特定指定地方公共機関」という。）の職員に限る。）の派遣について、あっせんを求めることができる。

3　前条第二項及び第三項の規定は、前二項の規定によりあっせんを求める場合について準用する。

（職員の派遣義務）

第百五十三条　指定行政機関の長及び指定地方行政機関の長、地方公共団体の長等並びに特定指定公共機関及び特定指定地方公共機関は、前二条の規定による要請又はあっせんがあったときは、その所掌事務又は業務の遂行に著しい支障のない限り、適任と認める職員を派遣しなければならない。

（職員の身分取扱い）

第百五十四条　災害対策基本法第三十二条の規定は、前条又は他の法律の規定により国民の保護のための措置の実施のため派遣された職員の身分取扱いについて準用する。この場合において、同法第三十二条第一項中「災害派遣手当」とあるのは、「武力攻撃災害等派遣手当」と読み替えるものとする。

第二編

人事記録・人事統計報告

○人事記録の記載事項等に関する政令

昭四一・二・一〇
政令一一
最終改正　平二六・五・二九政令一九五

（作成者）
第一条　人事記録は、任命権者（国家公務員法第五十五条第二項の規定により任命権の委任を受けた国家公務員がある場合にあつては、当該国家公務員。以下同じ。）が作成するものとする。ただし、併任に係る官職の任命権者については、この限りでない。

（記載事項等）
第二条　人事記録には、次に掲げる事項を記載しなければならない。
一　氏名及び生年月日
二　学歴に関する事項
三　採用試験及び資格に関する事項
四　勤務の記録に関する事項
五　前各号に掲げるもののほか、内閣官房令で定める事項
2　人事記録の様式及び作成方法に関し必要な事項は、内閣官房令で定める。

（保管）
第三条　人事記録は、任命権者が保管する。
第四条　任命権者（内閣官房令で定める場合にあつては、内閣官房令で定める者）は、職員が提出した履歴書その他の内閣官房令で定める書類を人事記録の附属書類として保管しなければならない。

（検査）
第五条　内閣総理大臣は、内閣官房令で定める職員をして、人事記録の作成並びに人事記録及びその附属書類の保管の状況について、実地に検査させることができる。

（内閣官房令への委任）
第六条　この政令に定めるもののほか、人事記録に関し必要な事項は、内閣官房令で定める。

附　則
この政令は、昭和四十一年二月十九日から施行する。

○人事記録の記載事項等に関する内閣官房令

昭四一・二・一〇
総理府令二
最終改正　令五・三・三一内閣官房令二

（記載事項）
第一条　人事記録の記載事項等に関する政令（昭和四十一年政令第十一号。以下「令」という。）第二条第一項第二号に規定する学歴に関する事項は、次に掲げるものとする。
一　義務教育後の学歴を有する者　当該学歴
二　前号に掲げる者以外の者　最終学歴
2　令第二条第一項第三号に規定する採用試験及び資格に関する事項は、次に掲げるものとする。
一　採用試験の名称及び合格年月日
二　免許、検定その他の資格で任命権者が必要と認めるものの名称及び取得年月日
3　令第二条第一項第四号に規定する勤務の記録に関する事項は、次に掲げるものとする。
一　人事院規則八—一二（職員の任免）第五十三条各号（第四号を除く。）若しくは第五十四条各号に掲げる場合、人事院規則一一—八（職員の定年）第十条各号に掲げる場合、人事院規則一一—一〇（職員の降給）第七条に規定する場合、人事院規則一八—〇（職員の国際機関等への派遣）第六条に規定する場合、人事院規則一九—〇（職員の育児休業等）第十二条各号若しくは第二十四条各号に掲げる場合、

人事院規則二一―〇（国と民間企業との間の人事交流）第三十九条各号に掲げる場合、人事院規則二四―〇（検察官その他の職員の法科大学院への派遣）第十六条各号に掲げる場合、人事院規則二五―〇（職員の自己啓発等休業）第十一条各号に掲げる場合、人事院規則二六―〇（職員の配偶者同行休業）第十二条各号に掲げる場合、人事院規則一―六四（職員の公益財団法人東京オリンピック・パラリンピック競技大会組織委員会への派遣）第九条各号に掲げる場合、人事院規則一―六五（職員の公益財団法人ラグビーワールドカップ二千十九組織委員会への派遣）第九条各号に掲げる場合、人事院規則一―六九（職員の公益社団法人福島相双復興推進機構への派遣）第九条各号に掲げる場合、人事院規則一―七二（職員の令和七年国際博覧会特措法第十四条第一項の規定により指定された博覧会協会への派遣）第九条各号に掲げる場合、人事院規則一―七四（職員の公益財団法人福島イノベーション・コースト構想推進機構への派遣）第九条各号に掲げる場合又は人事院規則一―八〇（職員の令和九年国際園芸博覧会特措法第二条第一項の規定により指定された国際園芸博覧会協会への派遣）第九条各号に掲げる場合に該当する異動の内容（人事院規則八―一二第五十三条第二号若しくは第六号又は第五十五条第一号に掲げる場合に係るもので任命権者が記載することを要しないと認めるものを除く。）

二　人事院規則一二―〇（職員の懲戒）第五条第一項の文書に記載すべき懲戒処分の内容

三　俸給の決定に関する事項及び俸給以外の給与の決定に関する事項で任命権者が必要と認めるもの

四　専従許可（国家公務員法（昭和二十二年法律第百二十号）第百八条の六第一項ただし書の許可をいう。）に関する事項

五　退職手当の支給に関する事項

六　幹部候補育成課程に関する事項

4　令第二条第一項第五号に規定する内閣官房令で定める事項は、次に掲げるものとする。

一　本籍

二　性別

三　二十時間若しくは三日を超えて行われた研修又は国家公務員法第六十一条の九第二項第三号及び第四号に掲げる研修並びに任命権者が必要と認めるその他の研修の名称及び期間

四　職務に関して受けた表彰に関する事項

五　公務災害に関する事項で次に掲げるもの

イ　傷病名及び災害発生年月日

ロ　治ゆ又は死亡に関する事項

六　前各号に掲げるもののほか、任命権者が必要と認める事項

（様式）

第二条　令第二条第二項の人事記録の様式は、別記様式(甲)及び(乙)とする。

（作成方法）

第三条　人事記録は、職員ごとに作成する。

2　人事記録に記載された事項の修正は、訂正、消除又はそう入の方法により、法令又は修正すべき事実を証明する文書に基づいて行なわなければならない。

（附属書類）

第四条　令第四条に規定する内閣官房令で定める書類は、次に掲げるものとする。

一　職員が提出した履歴書

二　学校の卒業、修業又は在学の証明書で任命権者が必要と認めるもの

三　免許、検定その他の資格を取得したことを証する証明書で任命権者が必要と認めるもの

四　職員の採用時の健康診断及び人事院規則一一―四（職員の身分保障）第七条第三項の規定により行なわれた診断の結果の記録並びに任命権者が必要と認めるその他の健康診断の記録

五　人事評価の記録で任命権者が必要と認めるもの

六　表彰に関する記録で任命権者が必要と認めるもの

七　職員が提出した辞職の申出の書面

八　職員の意に反する処分に関して交付された説明書の写し

九　職員が署名した服務の宣誓書

十　前各号に掲げるもののほか、任命権者が必要と認める書類

2　前項各号に掲げる書類は、職員ごとに一括して保管しなければならない。ただし、同項第四号から第六号まで及び第十号に掲げる書類については、任命権者の定める方法により保管することができる。

（保管期間）

第五条　人事記録及び附属書類（以下「人事記録等」という。）は、永久に保管しなければならない。ただし、職員が死亡した場合において、退職年金に関する手続その他人事管理上の事務について保管の必要がなくなったと認められるときは、その時以降保管することを要しない。

（離職職員等の人事記録等の保管）

第六条　離職し、又は死亡した職員の人事記録等は、当

該職員が離職又は死亡の際ついていた官職の任命権者が保管する。

（人事記録等の移管等）

第七条 職員が任命権者を異にして昇任させられ、若しくは降任させられ、又は転任させられたときは、旧任命権者は、遅滞なく、当該職員の人事記録を新任命権者に移管しなければならない。

2 職員が離職後再び採用された場合において、新任命権者の請求があつたときは、旧任命権者は、遅滞なく、当該職員の人事記録等を新任命権者に移管しなければならない。

第八条 旧任命権者は、前条第一項の場合において、新任命権者の請求があつたときは、遅滞なく、当該人事記録の附属書類を新任命権者に移管しなければならない。

2 令第四条に規定する内閣官房令で定める場合は、新任命権者が前項の請求をせず、旧任命権者が当該附属書類の移管をしなかつた場合とし、同条に規定する内閣官房令で定める者は、旧任命権者とする。

（非常勤職員及び臨時的職員についての特例）

第九条 非常勤職員及び臨時的職員の人事記録の記載事項及び様式並びにその附属書類の範囲並びに人事記録等の保管期間については、第一条、第二条、第四条第一項及び第五条の規定にかかわらず、任命権者が定める。

第十条 削除

（検査）

第十一条 令第五条に規定する内閣官房令で定める職員は、内閣官房内閣人事局の職員とする。

附 則

（施行期日）

1 この府令は、昭和四十一年二月十九日から施行する。

（経過規定）

2 人事記録の様式については、第二条の規定にかかわらず、当分の間、なお従前の例によることができる。

3 国家公務員法の一部を改正する法律（昭和四十年法律第六十九号）附則第二条第七項の規定により政令としての効力を有する人事院規則二一―五（人事記録）第三条第二号から第十号まで及び第十二号に掲げる記録は、令第四条の規定の適用については、同条の人事記録の附属書類とする。

別記様式（甲）

○ 人 事 記 録（甲）	(ふりがな) 氏　　名	No.

本籍		性別		改姓後の氏名及び改姓年月日	(ふりがな)	年　月　日
					(ふりがな)	年　月　日
				年　月　日　生		

学歴	学校名・学部科名	修　学　期　間	卒・修・中退の別
		・　〜　・	第　　学年
		・　〜　・	第　　学年
		・　〜　・	第　　学年
		・　〜　・	第　　学年
		・　〜　・	第　　学年

試験・資格		
研修		
表彰		
公務災害		
備考		

別記様式（乙）

<table>
<tr><td rowspan="3">○ 人 事 記 録（乙）</td><td colspan="2">(ふりがな)
氏　　名</td><td>No.</td></tr>
<tr><td rowspan="2">改姓後の氏名</td><td>(ふりがな)</td><td rowspan="2"></td></tr>
<tr><td>(ふりがな)</td></tr>
</table>

年	月	日	勤　務　記　録　事　項			発　令　者

○人事記録の作成、保管等について

昭四一・二・一一
総人局九二

最終改正　令二・六・一七閣人人―三七九

人事記録の作成、保管等については、人事記録の記載事項等に関する政令（昭和四十一年政令第十一号。以下「政令」という。）及び人事記録の記載事項等に関する内閣官房令（昭和四十一年総理府令第二号。以下「内閣官房令」という。）の定めるところですので、その取扱いについては、下記事項に御留意のうえ、その適正な運用を図られるようお願いします。

記

第一　政令及び内閣官房令上留意すべき事項

1　職員が転任させられた場合等においては、旧任命権者は、人事記録のみを新任命権者に移管し、その附属書類は、新任命権者の請求があった場合に限り移管すること。なお、新任命権者に移管されなかった附属書類は、旧任命権者が保管しなければならないこと。

2　政令及び内閣官房令制定以前の勤務記録カード及びその他の種類の人事記録は、それぞれ政令及び内閣官房令による人事記録並びにその附属書類として扱うこと。

3　退職手当の支給に関する事項については、国家公務員退職手当法等の一部を改正する法律（平成二十年法律第九十五号）が施行されたことに伴い、処分等の状況に応じた支給、不支給等の事実を正確に記載すること。

4　幹部候補育成課程に関する事項については、国家公務員法等の一部を改正する法律（平成二十六年法律第二十二号。以下「改正法」という。）が施行されたことに伴い、幹部候補育成課程対象者としての選定状況、研修の受講等に関し、正確に記載すること。

5　内閣官房令第一条第四項第三号に掲げる研修に関する事項は、改正法が施行されたことに伴い、国家公務員法第六十一条の九第二項第四号に掲げる研修以外の内閣総理大臣が実施する研修についても、記載要件に該当するものは記載対象となること。

第二　人事記録の記入の要領については、別記「人事記録記入要領」によられたいこと。

第三　職員の任用、給与、勤務能率その他の人事面において、人事記録等を積極的に活用されたいこと。

別記

「人事記録記入要領」

記載事項の記入の要領は、次による。

1　人事記録様式（甲）関係

(1)

イ　学歴に関する事項　「学歴」欄に当該学歴を年代順に記入する。

ロ　採用試験及び資格に関する事項　「試験・資格」欄に採用試験及び資格に関する事項を年代順に記入する。

ハ　研修に関する事項　「研修」欄に内閣官房令第一条第四項第三号に掲げる研修に関する事項を年代順に記入し、必要と認める場合は、その時間数を付記する。国家公務員法第六十一条の九第二項第三号及び第四号に掲げる研修については、幹部候補育成課程に関する研修であることを併せて記入する。

ニ　表彰に関する事項　「表彰」欄に内閣官房令第一条第四項第四号に掲げる表彰の名称及び表彰を受けた年月日を記入する。

ホ　公務災害に関する事項　「公務災害」欄に内閣官房令第一条第四項第五号に掲げる公務災害に関する事項及び認定年月日を記入する。

ヘ　その他必要と認める事項　「備考」欄に記入する。

(2)　人事記録様式（乙）関係

イ　一般的事項　内閣官房令第一条第三項各号に掲げる事項（採用前の経歴でこれに相当するものを含む。）を年代順に記入する。この場合において、「年月日」欄には、同条同項第一号、第二号及び第四号に掲げる事項については、その効力の生じた年月日を、同条同項第三号、第五号及び第六号に掲げる事項については、当該事項に係る年月日をそれぞれ記入し、「勤務記録事項」欄には、内閣官房令第一条第三項第一号、第四号及び第六号に掲げる事項は冒頭から、同条同項第二号に掲げる事項は二字おいた箇所から、同条同項第三号及び第五号に掲げる事項は一字おいた箇所から記入し、「発令者」欄には、当該事項に係る任命権者その他の発令者（幹部候補育成課程については決定権者）の職名を記入する。

なお、内閣官房令第一条第三項第一号中人事院規則八―一二（職員の任免）第五十四条第二

号により記載する際には、国家公務員法第七十九条第一号による休職のうち、公務災害に起因する傷病による休職、通勤災害に起因する傷病による休職又は結核性疾患による休職の場合にはその旨を、人事院規則一一―四（職員の身分保障）第三条第一項第五号による休職のうち、原因となった災害が公務上又は通勤上による災害の場合にはその旨を併せて記入する。

ロ　専従許可に関する事項　内閣官房令第一条第三項第四号に掲げる事項の「勤務記録事項」欄の記入は、次による。

　専従を許可した場合――「国家公務員法第百八条の六第一項ただし書の規定により専従を許可する。許可の有効期間は　年　月　日から　年　月　日までとする。（同期間中休職）」

　専従許可の有効期間を更新した場合――「専従許可の有効期間を　年　月　日まで更新する。」

　専従許可を取り消した場合――「専従許可を　年　月　日限り取り消す。」

　専従許可の有効期間が満了した場合――「専従許可の有効期間が満了した。」

ハ　退職手当の支給に関する事項　内閣官房令第一条第三項第五号に掲げる事項の「勤務記録事項」欄の記入は、次による。

　退職手当を支給した場合――「退職手当として金　円を支給した。（適用法令条項）」

　退職手当を支給しなかった場合――「退職手当を支給しない。（適用法令条項）」

　退職手当の全部又は一部を支給しないこととする処分を行った場合――「退職手当としての金　円のうち金　円を支給しないこととした。（適用法令条項）」

　退職手当の支払を差し止める処分を行った場合――「退職手当の支払を差し止める。（適用法令条項）」

　退職手当の支払を差し止める処分を取り消した場合――「退職手当の支払を差し止める処分を取り消し（適用法令条項）、退職手当として金　円を支給した。（適用法令条項）」

　退職手当の全部又は一部の返納を命ずる処分を行った場合――「退職手当として支給した金　円のうち金　円の返納を命じた。（適用法令条項）」

　退職手当の全部又は一部に相当する額の納付を命ずる処分を行った場合――「退職手当として支給した金　円に相当する金　円の納付を命じた。（適用法令条項）」

ニ　幹部候補育成課程に関する事項　内閣官房令第一条第三項第六号に掲げる事項の「勤務記録事項」欄の記入は、次による。

　幹部候補育成課程の対象者として選定した場合――「幹部候補育成課程の対象者とした。」

　引き続き幹部候補育成課程の対象者としないこととした場合――「幹部候補育成課程の対象としないこととした。」

　幹部候補育成課程を終了した場合――「幹部候補育成課程の育成を終了した。」

　また、別記様式（甲）の備考欄に、幹部候補育成課程の対象者となった期間を次により記載する。

　幹部候補育成課程（　年　月　日～　年　月　日）

2　内閣官房令第三条第一項に規定する人事記録に記載された事項の修正の方法は、次による。

(1)　訂正は、修正すべき部分に複線を引き、当該部分に新たな事項を記入して行い、（訂正）と付記する。

(2)　消除は、修正すべき部分に複線を引いて行い、（消除）と付記する。

(3)　そう入は、修正すべき部分に新たな事項を記入して行い、（そう入）と付記する。

(4)　勤務の記録に関する事項を法令に基づいて修正した場合は、当該箇所に「（令和　年法律第　号による。）」等と記入する。ただし、修正により、根拠法令が明らかな場合は、当該記入を省略することができる。

(5)　誤記等の軽微な誤りの修正については、この例によらないことができる。

○昭和天皇の崩御に伴う国家公務員等の懲戒免除に関する政令の施行に伴う人事記録の記載について

平元・二・一三
総　人　五　八

標記について、将来に向かつて懲戒免除された職員について、その旨を人事記録に記載するものとする。この場合の記載は、下記により行われたい。

記

年	月	日	勤務記録事項	発令者
元年	2	24	昭和天皇の崩御に伴う国家公務員等の懲戒免除に関する政令（平成元年政令第29号）により、昭和64年1月7日前の行為について受けた国家公務員法第82条の規定による減給処分（又は戒告処分）は、将来に向かつて免除された。	

○省庁再編に伴う人事記録の記載について

平一三・一・六
総人恩総二六

標記について、中央省庁等改革のための国の行政組織関係法律の整備等に関する法律（平成十一年法律第百二号）附則第三条の規定が適用される職員の人事記録の記載については、下記により行われたい。

記

年	月	日	勤務記録事項	発令者
13	1	6	中央省庁等改革のための国の行政組織関係法律の整備等に関する法律（平成11年法律第102号）附則第3条により、○○省（府または庁）の職員となる	

○人事統計報告に関する政令

昭四一・二・一〇
政令一二
最終改正　令四・二・二八政令五四

（人事統計報告の作成及び保管）
第一条　任命権者は、職員の人事管理に役立たせるため、職員の在職関係に関する統計報告（以下「人事統計報告」という。）を作成し、三年間保管しなければならない。

（人事統計報告の種類）
第二条　人事統計報告は、次に掲げる統計報告とする。
一　常勤職員在職状況統計報告
二　休職状況統計報告
三　検察官在職状況統計報告
四　非常勤職員在職状況統計報告
五　前各号に掲げるもののほか、内閣官房令で定める統計報告

（内閣官房令への委任）
第三条　前二条に定めるもののほか、人事統計報告に関し必要な事項は、内閣官房令で定める。

附　則（抄）
1　この政令は、昭和四十一年二月十九日から施行する。

○人事統計報告に関する内閣官房令

昭四一・二・一〇
総理府令三
最終改正　令五・三・三一内閣官房令二

（常勤職員在職状況統計報告）
第一条　常勤職員在職状況統計報告は、七月一日現在における常時勤務を要する官職を占める職員（国家公務員法（昭和二十二年法律第百二十号。以下「法」という。）第六十条の二第一項の規定により採用された職員（以下「定年前再任用短時間勤務職員」という。）、国家公務員法等の一部を改正する法律（令和三年法律第六十一号。以下「令和三年国家公務員法等改正法」という。）附則第四条第一項又は第二項の規定により採用された職員（以下「暫定再任用職員」という。）、令和三年国家公務員法等改正法附則第五条第一項又は第二項の規定により採用された職員（以下「暫定再任用短時間勤務職員」という。）、国の一般会計又は特別会計（財政法（昭和二十二年法律第三十四号）第十三条に定める会計をいう。以下同じ。）の歳出予算の常勤職員給与の目から俸給が支給される職員（以下「常勤労務者等」という。）、検察官及び次条各号のいずれかに該当する職員を除く。）の在職状況について、一般職の職員の給与に関する法律（昭和二十五年法律第九十五号。以下「給与法」という。）第八条第一項及び第二項の規定に基づいて級別定数を設定する際に単位となつた部局ごとに、次の各号に掲げる現在員数を、それぞれ調査集計し、第一号にあつては別記様式第一―一により、第二号にあつては別記様式第一―二により、それぞれ八月三十一日までに作成するものとする。
一　給与法第六条第一項各号に掲げる俸給表のいずれかの適用を受ける職員にあつては、職務の級別（指定職俸給表の適用を受ける職員にあつては、号俸別）の現在員数、一般職の任期付職員の採用及び給与の特例に関する法律（平成十二年法律第百二十五号。以下「任期付職員法」という。）第七条第一項の俸給表の適用を受ける職員及び一般職の任期付研究員の採用、給与及び勤務時間の特例に関する法律（平成九年法律第六十五号。以下「任期付研究員法」という。）第六条第一項又は第二項の俸給表の適用を受ける職員にあつては、適用を受ける俸給表の号俸別の現在員数
二　給与法第六条第一項各号に掲げる俸給表のいずれかの適用を受ける職員、任期付職員法第七条第一項の俸給表の適用を受ける職員及び任期付研究員法第六条第一項又は第二項の俸給表の適用を受ける職員について、適用を受ける俸給表別の年齢区分別（翌年四月一日時点の満年齢により、十九歳以下、二十歳以上二十四歳以下、二十五歳以上二十九歳以下、三十歳以上三十四歳以下、三十五歳以上三十九歳以下、四十歳以上四十四歳以下、四十五歳以上四十九歳以下、五十歳以上五十四歳以下、五十五歳以上五十九歳以下、六十歳以上六十四歳以下、六十五歳以上六十九歳以下、七十歳以上の十二区分とする。）の現在員数

（休職状況統計報告）

第二条　休職状況統計報告は、七月一日現在における職員（常勤労務者等を除く。）の休職、派遣及び休業の状況について、次の各号に掲げる職員数を調査集計し、別記様式第二により、八月三十一日までに作成するものとする。
一　法第七十九条の規定により休職にされている職員及び第百八条の六第一項ただし書の許可を受けている職員
二　国際機関等に派遣される一般職の国家公務員の処遇等に関する法律（昭和四十五年法律第百十七号）第二条第一項の規定により派遣されている職員
三　国と民間企業との間の人事交流に関する法律（平成十一年法律第二百二十四号）第八条第二項に規定する交流派遣職員
四　法科大学院への裁判官及び検察官その他の一般職の国家公務員の派遣に関する法律（平成十五年法律第四十号）第十一条第一項の規定により派遣されている職員
五　判事補及び検事の弁護士職務経験に関する法律（平成十六年法律第百二十一号）第二条第四項の規定により弁護士となつてその職務を行う職員
六　福島復興再生特別措置法（平成二十四年法律第二十五号）第四十八条の三第一項又は第八十九条の三第一項の規定により派遣されている職員
七　令和七年に開催される国際博覧会の準備及び運営のために必要な特別措置に関する法律（平成三十一年法律第十八号）第二十五条第一項の規定により派遣されている職員
八　令和九年に開催される国際園芸博覧会の準備及び運営のために必要な特別措置に関する法律（令和四年法律第十五号）第十五条第一項の規定により派遣されている職員
九　国家公務員の育児休業等に関する法律（平成三年法律第百九号）第三条の規定により育児休業をしている職員
十　国家公務員の自己啓発等休業に関する法律（平成十九年法律第四十五号）第二条第五項に規定する自己啓発等休業をしている職員
十一　国家公務員の配偶者同行休業に関する法律（平成二十五年法律第七十八号）第二条第四項に規定する配偶者同行休業をしている職員

（検察官在職状況統計報告）
第三条　検察官在職状況統計報告は、七月一日現在における検察官（前条各号のいずれかに該当する職員を除く。）の在職状況について、検察官の俸給等に関する法律（昭和二十三年法律第七十六号）第二条に定める俸給月額別に現在員数を調査集計し、別記様式第三により、八月三十一日までに作成するものとする。

（非常勤職員在職状況統計報告）
第四条　非常勤職員在職状況統計報告は、七月一日現在における常時勤務を要しない官職を占める職員（定年前再任用短時間勤務職員、暫定再任用短時間勤務職員及び第二条各号のいずれかに該当する職員を除く。）の在職状況について、職名別に現在員数を調査集計し、別記様式第四により、八月三十一日までに作成するものとする。

（内閣官房令で定める統計報告）
第五条　人事統計報告に関する政令第二条第五号の内閣官房令で定める人事統計報告は、再任用職員在職状況統計報告とする。
2　再任用職員在職状況統計報告は、七月一日現在における定年前再任用短時間勤務職員、暫定再任用職員及び暫定再任用短時間勤務職員（第二条各号のいずれかに該当する職員を除く。）の在職状況について、制度別の現在員数を調査集計し、別記様式第五により、八月三十一日までに作成するものとする。

（人事統計報告の送付）
第六条　法第五十五条第一項に定める任命権者は、その任命権に係る職員に関する人事統計報告を集計し、これを人事統計報告の作成期限後十五日以内に内閣総理大臣に送付するものとする。

附　則

この府令は、昭和四十一年二月十九日から施行する。

附　則（平一〇・四・一総理府令一二）

1　この府令は、公布の日から施行する。
2　この府令による改正後の人事統計報告に関する総理府令第六条第十二号の規定は平成九年四月一日から、同条第二十一号から第二十三号までの規定は同年六月四日から、同条第十七号の規定は平成十年一月一日から適用する。
3　平成九年四月から同年十二月までの間に常勤職員に支給した人事院規則九―五九（沖縄の復帰に伴う特別措置に関する法律の規定による特別の手当）第一条の医師暫定手当の額及びその支給を受けた職員数についての調査集計及び給与支払状況統計報告の作成については、なお従前の例による。
4　平成十年四月において調査集計し、同月二十日までに作成するものとされている給与支払状況統計報告においては、国家公務員退職手当法等の一部を改正する法律（平成九年法律第六十六号）第二条の規定による改正前の給与法（以下この項において「旧法」という。）第十九条の五の規定により支払われた勤勉手当は国家公務員退職手当法等の一部を改正する法律第二条の規定による改正後の給与法第十九条の七の規定により支払われた勤勉手当と、旧法第十九条の六の規定により支払われた義務教育等教員特別手当及び一般職の職員の給与に関する法律及び一般職の任期付研究員の採用、給与及び勤務時間の特例に関する法律の一部を改正する法律（平成九年法律第百十二号）の規定による改正前の給与法第十九条の八の規定により支払われた義務教育等教員特別手当は一般職の職員の給与に関する法律及び一般職の任期付研究員の採用、給与及び勤務時間の特例に関する法律の一部を改正する法律の規定による改正後の給与法第十九条の九の規定により支払われた義務教育等教員特別手当とみなす。

附　則（平一六・一二・六内閣府令九四）

1　この府令は、公布の日から施行する。

2　平成十七年四月において調査集計し、同月二十日までに作成するものとされている給与支払状況統計報告においては、一般職の職員の給与に関する法律等の一部を改正する法律（平成十六年法律第百三十六号）第一条の規定による改正前の一般職の職員の給与に関する法律（昭和二十五年法律第九十五号）第十三条の三の規定により支払われた特地勤務手当に準ずる手当は一般職の職員の給与に関する法律等の一部を改正する法律第一条の規定による改正後の一般職の職員の給与に関する法律第十四条の規定により支払われた特地勤務手当に準ずる手当とみなす。

（別記）

様式第１－１

常勤職員在職状況統計報告（職務の級別）

部局名		官署名		年７月１日現在	作成責任者官職氏名

俸給表名		職務の級（号）											計	備考
		1	2	3	4	5	6	7	8	9	10	11		
	計													
	うち女性													
	計													
	うち女性													
	計													
	うち女性													
総計														
うち女性　計														

様式第１－２

常勤職員在職状況統計報告（年齢区分別）

部局名		官署名		年７月１日現在	作成責任者官職氏名

俸給表名		年齢区分												計	備考
		～19歳	20～24歳	25～29歳	30～34歳	35～39歳	40～44歳	45～49歳	50～54歳	55～59歳	60～64歳	65～69歳	70歳～		
	計														
	うち女性														
	計														
	うち女性														
	計														
	うち女性														
総計															
うち女性　計															

備考　年齢計算基準日は翌年４月１日現在とする。

様式第2

休 職 状 況 統 計 報 告

官署名		年 7 月 1 日現在	作成責任者官職氏名

事 由		職員数	備 考
休 職			
派 遣（計）			
	国 際 機 関 派 遣		
	交 流 派 遣		
	法 科 大 学 院 派 遣		
	弁 護 士 職 務 経 験		
	福島相双復興推進機構派遣		
	福島イノベーション・コースト構想推進機構派遣		
	国 際 博 覧 会 協 会 派 遣		
	国際園芸博覧会協会派遣		
休 業（計）			
	育 児 休 業		
	自 己 啓 発 等 休 業		
	配 偶 者 同 行 休 業		
総 計			

様式第3

検 察 官 在 職 状 況 統 計 報 告

官署名		年 7 月 1 日現在	作成責任者官職氏名

																							備 考
検 事 総 長																							
次 長 検 事																							
東京高等検察庁検事長																							
その他の検事長																							
検事	号	1	2	3	4	5	6	7	8	9	10	11	12	13	14	15	16	17	18	19	20	計	
	検 事 正																						
	その他の検事																						
	計																						
副検事	号	特	1	2	3	4	5	6	7	8	9	10	11	12	13	14	15	16	17	計			
	副 検 事																						
総 計																							

様式第４

非常勤職員在職状況統計報告

官署名		年７月１日現在	作成責任者官職氏名		

職名	現在員数				備考
	A		B	計	
	イ	ロ			
事務補助職員					
技術補助職員					
技能職員					
労務職員					
医療職員					
教育職員					
専門職員					
統計調査職員					
委員顧問参与等職員					
その他の職員					
計					

備考

1　「現在員数Ａ」の欄　人事院規則八―一二（職員の任免）第四条第十三号の期間業務職員について、次のイ及びロの区分ごとに、それぞれの現在員数を記入すること。

イ　常勤職員について定められている勤務時間以上勤務した日が十八日（一月間の日数（行政機関の休日に関する法律（昭和六十三年法律第九十一号）第一条第一項各号に掲げる日の日数は、算入しない。）が二十日に満たない日数の場合にあっては、十八日から二十日と当該日数との差に相当する日数を減じた日数。）以上ある月が引き続いて六月を超える職員（その職員に定められている任期が六月を超える場合を含む。）

ロ　イ以外の職員

2　「現在員数Ｂ」の欄　期間業務職員以外の非常勤職員について、現在員数を記入すること。

様式第5

再 任 用 職 員 在 職 状 況 統 計 報 告

官署名		年7月1日現在	作成責任者官職氏名

制度	現在員数	備考
定年前再任用短時間勤務		
暫定再任用		
暫定再任用短時間勤務		
総計		

備考
1 「定年前再任用短時間勤務」には、定年前再任用短時間勤務職員の現在員数を記入すること。
2 「暫定再任用」には、暫定再任用職員の現在員数を記入すること。
3 「暫定再任用短時間勤務」には、暫定再任用短時間勤務職員の現在員数を記入すること。

○人事統計報告の作成、保管等の取扱いについて

昭四一・二・二一
総人局七七

最終改正 令五・三・二閣人人一一四七

人事統計報告の作成、保管等の取扱いについては、人事統計報告に関する政令（昭和四十一年政令第十二号）及び人事統計報告に関する内閣官房令（昭和四十一年総理府令第三号。以下「内閣官房令」という。）の定めるところにより、適切に対応されたい。

なお、内閣官房令所定の様式の記入に際しては、内閣官房令によるほか、別紙「人事統計報告の様式の記入要領」によられたい。

また、内閣官房令第六条に基づく内閣総理大臣への人事統計報告の送付に当たっては、国家公務員法（昭和二十二年法律第百二十号。以下「法」という。）第五十五条第一項に定める各任命権者は、前述により作成された人事統計報告を府省等ごとに集計し、別途提示する集計様式により内閣官房内閣人事局人事政策統括官あて送付するものとする（該当するものがない場合はその旨を報告すること。）。

別紙

人事統計報告の様式の記入要領

1 別記様式第一―一（常勤職員在職状況統計報告（職務の級別））は、次の要領により記入する。

(1) 「部局名」の欄 一般職の職員の給与に関する法律（昭和二十五年法律第九十五号。以下「給与法」という。）第八条第一項及び第二項の規定に基づいて級別定数を設定する際に単位となった部局の名称を記入する。

(2) 「官署名」の欄 上段にその人事統計報告の作成単位となった官署（以下「当該官署」という。）の所属する府省等の名称を記入し、下段に当該官署の名称を記入する。

(3) 「作成責任者官職氏名」の欄 事務担当者として現実に人事統計報告の内容について責任を負う者が、自ら官職氏名を記入する。

(4) 「俸給表名」の欄 その人事統計報告の作成の対象となった職員に適用される俸給表名を記入する。

(5) 「職務の級（号）」の欄 各俸給表の職務の級（指定職、任期付職員、任期付研究員にあっては号俸）に対応する職員数の計及びその内数である女性職員数を記入する。

(6) 「計」の欄 俸給表ごとの計（横計）並びに部局の総計及びその内数である女性職員数を記入する。

2 別記様式第一―二（常勤職員在職状況統計報告（年齢区分別））は、次の要領により記入する。

(1) 「部局名」、「官署名」、「作成責任者官職氏名」及び「俸給表名」の欄 1(1)、1(2)、1(3)及び1(4)に同じ。

(2) 「年齢区分」の欄 各俸給表の年齢区分に対応する職員数の計及びその内数である女性職員数並びに年齢区分に対応する部局の総計及びその内数である女性職員数を記入する。

(3) 「計」の欄 俸給表ごとの計（横計）並びに部局の総計及びその内数である女性職員数を記入する。

3 別記様式第二（休職状況統計報告）は、次の要領により記入する。

(1) 「官署名」及び「作成責任者官職氏名」の欄 1(2)及び1(3)に同じ。

(2) 「休職」の欄 内閣官房令第二条第一号に規定する休職者数を記入する。

(3) 「国際機関派遣」の欄 内閣官房令第二条第二号に規定する派遣職員数を記入する。

(4) 「交流派遣」の欄 内閣官房令第二条第三号に規定する交流派遣職員数を記入する。

(5) 「法科大学院派遣」の欄 内閣官房令第二条第四号に規定する法科大学院派遣職員数を記入する。

(6) 「弁護士職務経験」の欄 内閣官房令第二条第五号に規定する弁護士となってその職務を行う職員数を記入する。

(7) 「福島相双復興推進機構派遣」及び「福島イノベーション・コースト構想推進機構」の欄 内閣官房令第二条第六号に規定する派遣職員数を記入する。

(8) 「国際博覧会協会派遣」の欄 内閣官房令第二条第七号に規定する派遣職員数を記入する。

(9) 「国際園芸博覧会協会派遣」の欄 内閣官房令第二条第八号に規定する派遣職員数を記入する。

(10) 「育児休業」の欄 内閣官房令第二条第九号に規定する育児休業をしている職員数を記入する。

(11) 「自己啓発等休業」の欄 内閣官房令第二条第十号に規定する自己啓発等休業をしている職員数を記入する。

(12) 「配偶者同行休業」の欄 内閣官房令第二条第十一号に規定する配偶者同行休業をしている職員数を

記入する。

⒀「派遣（計）」の欄　(3)～(9)の計を記入する。

⒁「休業（計）」の欄　(10)～(12)の計を記入する。

⒂「総計」の欄　休職、派遣、休業の総計を記入する。

⒃「備考」の欄　検察官、常時勤務を要しない官職を占める職員、法第六十条の二第一項の規定により採用された職員（以下「定年前再任用短時間勤務職員」という。）、国家公務員法等の一部を改正する法律（令和三年法律第六十一号）附則第四条第一項又は第二項の規定により採用された職員（以下「暫定再任用職員」という。）及び附則第五条第一項又は第二項の規定により採用された職員（以下「暫定再任用短時間勤務職員」という。）で内閣官房令第二条各号のいずれかの事由に該当する場合は、事由ごとに、その職員の区分及び職員数を内数として記入する。

職員の区分の記入例：検察官、非常勤職員、再任用職員

4　別記様式第三（検察官在職状況統計報告）は、次の要領により記入する。

(1)「官署名」及び「作成責任者官職氏名」の欄　1の(2)及び1(3)に同じ。

(2)「計」の欄　検事にあっては、号ごとの計及び検事正、その他の検事ごとの計を記入する。副検事にあっては、その計を記入する。

(3)「総計」の欄　検察官の総計を記入する。

5　別記様式第四（非常勤職員在職状況統計報告）は、次の要領により記入する。

(1)「官署名」及び「作成責任者官職氏名」の欄　1の(2)及び1(3)に同じ。

(2)「事務補助職員」の欄　事務補佐員等事務的業務を補助する職員の現在員数を記入する。

(3)「技術補助職員」の欄　技術補佐員、検査補助員、研究補助員等技術的業務を補助する職員の現在員数を記入する。

(4)「技能職員」の欄　大工、電工、自動車運転手、電話交換手、調理師、理容師、溶接工、船員、機械操作手、印刷工等肉体労働と関連ある特殊の技能経験を必要とする職務に従事する職員の現在員数を記入する。

(5)「労務職員」の欄　守衛、巡視、用務員、給仕、宿舎管理人、労務作業員、土木作業員、雑役作業員、清掃員、炊事人等いわゆる単純な労務に服する職員の現在員数を記入する。

(6)「医療職員」の欄　医師、歯科医師、薬剤師、看護師、保健師、助産師、看護助手、診療放射線技師、診療エツクス線技師、病理細菌技術職員、歯科技工士、歯科衛生士等医療業務に従事する職員の現在員数を記入する。

(7)「教育職員」の欄　講師、指導員、客員教授等学校その他において教育、研究、指導等に従事する職員の現在員数を記入する。

(8)「専門職員」の欄　調査員、研究員、翻訳人、通訳人等やや高度の専門的業務に従事する職員で(6)及び(7)に掲げる職員以外のものの現在員数を記入する。

(9)「統計調査職員」の欄　統計調査員、統計指導員等統計調査的業務に従事する職員の現在員数を記入する。

(10)「委員顧問参与等職員」の欄　委員、専門委員、調査委員、試験委員、審査委員、調停委員、顧問、参与、評議員その他これらに準ずる職員の現在員数を記入する。

(11)「その他の職員」の欄　(2)から(10)までのいずれの分類にも属さない職員の現在員数を記入する。この場合、現に用いられている職名及び現在員数を別記様式第四に準じた様式により別葉にて作成する。

(12)「現在員数A」の欄　人事院規則八―一二（職員の任免）第四条第十三号の期間業務職員について、次のイ及びロの区分ごとに、それぞれの現在員数を記入する。

イ　常勤職員について定められている勤務時間以上勤務した日が十八日（一月間の日数（行政機関の休日に関する法律（昭和六十三年法律第九十一号）第一条第一項各号に掲げる日の日数は、算入しない。）が二十日に満たない日数の場合にあっては、十八日から二十日と当該日数との差に相当する日数を減じた日数。）以上ある月が引き続いて六月を超える職員（その職員に定められている任期が六月を超える場合を含む。）

ロ　イ以外の職員

(13)「現在員数B」の欄　期間業務職員以外の非常勤職員（常時勤務を要しない官職を占める職員をいう。定年前再任用短時間勤務職員、暫定再任用短時間勤務職員及び国家公務員の育児休業等に関する法律（平成三年法律第百九号）第二十三条第一項の規定により任用された育児短時間勤務に伴う任期付短時間勤務職員（以下「任期付短時間勤務職員」という。）を除く。）について、現在員数を記入する。

(14)　「計」の欄　職名ごとの計及び現在員数Aにあっては、イ、ロごとの計、現在員数Bにあっては、その計を記入する。

(15)　「備考」の欄　任期付短時間勤務職員がいる場合は、その旨とその職員数を記入する。

また、人事院規則一一―四（職員の身分保障）第十一条に該当する専従休職者がいる場合は、その旨とその職員数を記入する。

(16)　(2)から(11)までに属する職員については、当該欄に女性の数を内数として括弧書きにより併せて記入する。(11)に属する職員がいる場合は、別記様式第四に準じた様式を作成する際、当該欄に女性の数を内数として括弧書きにより併せて記入する。

6　別記様式第五（再任用職員在職状況統計報告）は、次の要領により記入する。

(1)　「官署名」及び「作成責任者官職氏名」の欄　1(2)及び1(3)に同じ。

(2)　「定年前再任用短時間勤務」の欄　定年前再任用短時間勤務職員の現在員数を記入する。

(3)　「暫定再任用」の欄　暫定再任用職員の現在員数を記入する。

(4)　「暫定再任用短時間勤務」の欄　暫定再任用短時間勤務職員の現在員数を記入する。

(5)　「総計」の欄　(2)から(4)までの計を記入する。

第三編

採用試験・任免、人材交流

第一 採用試験・任免

○採用昇任等基本方針

平二六・六・二四
閣議決定

最終改正 令二・一二・二五

1 国家公務員の採用、昇任等に関する基本的な考え方

我が国の社会経済情勢や行政を取り巻く環境が刻々と変化する中で、政府には、複雑・高度化する行政課題を的確に処理することが求められている。また、職員には、企画立案能力、迅速かつ正確な業務処理能力等の業務遂行能力を発揮・研鑽《さん》するとともに、幅広い視野に立ち、高い気概、使命感及び倫理感を持って職務に全力を傾注することが求められている。

このため、多様で有為な人材を確保した上で、人事評価制度及び任用制度を一層的確に運用するとともに、新たに導入された幹部職員人事の一元管理、管理職員への任用に関する運用の管理、幹部候補育成課程の適切な実施等を通じて、これまでの人事慣行から脱却し、能力及び実績に基づく適材適所の人材配置を図る。また、女性職員の採用・登用の拡大、仕事と生活の調和を図るための取組の推進、人事交流の推進等を進める。

2 採用に関する指針

(1) 採用候補者名簿による採用

「採用試験の対象官職及び種類並びに採用試験により確保すべき人材に関する政令」(平成二十六年政令第百九十二号)に規定する確保すべき人材に関する事項を活用するとともに、職務の特殊性等を踏まえつつ、特定の専門区分や特定の大学・学部出身者に偏ることなく、多様な能力及び経験を持つ人材を採用する。また、「第五次男女共同参画基本計画」(令和二年十二月二十五日閣議決定。以下「男女基本計画」という。)の定める目標の達成に向けて女性職員の採用を図る。

(2) 職員の選考による採用及び公募

行政課題が複雑・高度化しつつある中、多様かつ専門的な能力及び経験を有する人材を登用するため、選考採用を活用する。選考に当たっては、求める人材像をあらかじめ明らかにするよう努めるとともに、職務の特殊性等を踏まえつつ、採用する官職、当該官職に求められる標準職務遂行能力及び専門的知識・技術、能力の実証の方法等を十分な時間的余裕を持って明らかにして公募を行うことを原則とする。その際、公務内外を通じ、広く募集することに努めるものとする。

また、幹部職員等の公募による任用の推進を規定した国家公務員制度改革基本法(平成二十年法律第六十八号)を踏まえつつ、同法の成立以降の公募の実態に係る議論等にも留意の上、段階的な検証を経ながら取組を進めていくものとする。

(3) 採用に当たっての留意点

公務に従事するに足る意欲や倫理感を有しているか、採用後の職務経験を通じて能力の研鑽《さん》を図ることができる素質を有するか等もできる限り把握するよう留意するものとする。

注1 男女基本計画においては、女性職員の採用について、毎年度、政府全体として、国家公務員採用試験からの採用者の女性割合を三五%以上とすることを目標とし、これに加えて、毎年度、国家公務員採用総合職試験からの採用者に占める女性の割合を政府全体で三五%以上、二〇二五年度までに国家公務員採用試験(技術系区分)からの採用者に占める女性の割合を政府全体で三〇%とすることも併せて目標としている。

女性職員の登用については、二〇二五年度末までに政府全体として、将来指導的地位へ成長していく人材の確保に向けて係長相当職(本省)に占める女性の割合を三〇%、このうち新たに係長相当職(本省)に昇任した職員に占める女性の割合を三五%とするとともに、地方機関課長・本省課長補佐相当職に占める女性の割合を一七%、本省課室長相当職に占める女性の割合を一〇%、指定職相当に占める女性の割合を八%とすることを目標とし、女性職員の登用を積極的に進めることとしている。

3 昇任及び転任に関する指針

(1) 基本的な考え方

職員の昇任及び転任を行うに当たっては、人事評価(人事評価が行われない場合には、その他の能力の実証。以下同じ。)に基づき、適材適所の人事運

用を徹底する。

また、職員の育成とモチベーションの向上等の観点から、個々の職員のキャリアプランに関する意向の把握や必要な専門的知識・技術の習得の支援、専門スタッフ職の活用や人事交流の推進など職員の専門的知識・技術や経験を公務内外で活用する機会の確保等に配慮する。

なお、幹部職員、管理職員を含め、採用年次、採用試験の種類等にとらわれた人事運用を行ってはならない。

(2) 昇任に関する指針

人事評価に基づき、能力及び実績に基づく人事管理を徹底する。その際、極めて優れた能力を有すると認められる職員については、速やかに昇任させることとし、特に必要と認める場合には、二段階以上上位の官職に昇任させるなどの運用も考慮する。

(3) 転任に関する指針

転任については、多様な勤務機会の付与、多岐にわたる行政課題や業務の繁閑への的確な対応、同一官職に長期間就けることに伴う弊害の防止等を勘案しつつ行う。

4 幹部職及び管理職への任用に関する指針

(1) 幹部職への任用に関する指針

内閣の重要政策に応じた戦略的人材配置を実現し、縦割り行政の弊害を排除して各府省一体となった行政運営を確保できるよう、幹部職員人事の一元管理が導入されたことを踏まえ、政策課題への取組方針とその実現のための人事配置との関係を明確にし、適材適所の任用を行うものとする。その際、例えば、重要政策課題に対しては、より優秀な人材の配置を可能とするため、担務の弾力化等を活用するなど、組織の機能が最大限に発揮できる体制を整えるものとする。

また、幹部職の任用に当たっても、能力・実績主義の人事管理の下、男女基本計画の定める目標の達成に向けて、女性職員の登用を図るとともに、府省間人事交流を推進し、各府省等において、内閣官房、他府省、在外公館等、地方公共団体、民間企業等への出向といった多様な経験の有無を勘案の上、政府全体の課題に積極的に取り組むことのできる人材を適切に登用するものとする。

なお、適切な人材登用の前提として、幹部職にとどまらず、行政のスリム化、自主的な事業の改善、働き方の改革など、時代に即した合理的かつ効率的な行政を実現する取組の成果等を適切に評価するよう努めるものとする。

(2) 管理職への任用に関する指針

本府省等課長級に関しては、能力・実績主義の人事管理の下、人事院規則の定める公正な任用の確保のための基準を満たす者の中から、以下の基準にも配慮して、優れた人材の育成、活用に資する適切な任用を行うものとする。また、本府省等室長級についてもこれに準ずるものとする。

ア　能力・実績主義を徹底し、採用年次、採用試験の種類及び幹部候補育成課程経験の有無にとらわれず、人事評価に基づき、能力及び適性を有する者を選定すること

イ　女性の能力を一層活用する観点から、男女基本計画に定める目標の達成に向けて、女性職員の能力及び適性を的確に把握した上で登用を図ること

ウ　縦割り行政の弊害を排し、内閣の重要政策等の推進等を図るため、また、「省庁間人事交流の推進について」(平成六年十二月二十二日閣議決定)も踏まえ、内閣官房、他府省、在外公館等、地方公共団体、民間企業等への出向経験、内閣人事局、人事院等が行う研修のうち、省益にとらわれることなく府省横断的に課題を解決するのに資するものの受講経験を有するなど、多様な経験を通じて幅広い視野を有し、政府全体の立場に立って判断ができる者を選定すること

エ　国民全体の奉仕者として、服務規律を遵守し、政府全体の観点から、公正に職務を遂行することができる者を選定すること

オ　効率的な行政を推進していく観点から、事業や予算について不断の検証、見直しを行い、コスト意識を持って効率的な業務を進めることができる者を選定すること

カ　職員の士気を確保し、公務の能率的な運営を実現する観点から、適切な業務配分の下で、部下の指導・育成を行うことができ、部下の仕事と生活の調和にも十分配慮できる者を選定すること

5 女性職員の採用・登用の拡大及び職員の仕事と生活の調和を図るための指針

(1) 基本的な姿勢

男女共同参画社会の実現はもとより、我が国の経済社会の持続的な発展のためには女性の力を最大限発揮させることが重要であることから、国が率先して女性職員の採用・登用の拡大に積極的に取り組むこととし、職員の仕事と生活の調和も一体的に推進する。

(2) 女性職員の採用・登用の拡大

女性の職業生活における活躍の推進に関する法律（平成二十七年法律第六十四号）及び男女基本計画を踏まえ、以下の取組を推進する。

ア 女性職員の採用の拡大

能力の実証に基づき、優れた人材（中途退職した有為の者を含む。）の中途採用等を行うことを含め、女性職員の採用拡大に積極的に取り組む。これに資するため、女性職員の職域拡大や多様で実効性のある募集・啓発活動を推進する。

イ 女性職員の登用の拡大

これまで女性職員の登用を阻害していた要因を把握・分析・除去するとともに、職員の仕事と生活の調和を推進することにより、女性職員の登用拡大に積極的に取り組む。

このため、能力及び実績に基づく人事管理を前提としつつ、従来の人事慣行を見直し、女性職員に職域拡大等により多様な職務機会を付与するとともに、研修等の必要な支援を行うことにより、職務経験の蓄積を通じたキャリア形成を支援する。育児休業を取得する職員等についても、積極的な登用に向けて、キャリア形成の支援や適切なキャリアパスの提示を行う。また、女性職員の相談に乗り助言するメンター制度の導入を推進する。

さらに、各府省等は、女性職員の配置や研修受講状況等について、出先機関等も含めて全省的に把握し、潜在的な人材の発掘・抜擢等に努める。幹部候補育成課程の運用においても、高い意欲と能力を有する女性職員の育成を積極的に行う。

(3) 職員の仕事と生活の調和の推進

職員の健康維持、優秀な人材の確保、継続的勤務の促進等の観点から、男女基本計画等を踏まえつつ、以下の取組を推進し、公務の能率的な運営の確保を図る。

ア 職員の状況に応じた働き方の推進

子の養育、家族の介護等を行う職員の状況を考慮した適切な配置に努めるとともに、多様なキャリアパスの選択肢を職員に提示すること等により、職員の状況に配慮した人事運用を行う。

また、育児短時間勤務やテレワーク等の職員の状況に応じた柔軟な働き方を推進するとともに、育児休業、介護休暇等の仕事と家庭の両立支援制度について、休業する職員等の代替要員の確保、円滑な職務復帰の支援、休業中の職員に対する業務に関する情報提供・能力開発等を行うことにより、利用しやすい環境の整備を図る。

この際、特に、男性職員が育児に関わりやすい環境を整備し、母親の負担緩和にも資する観点から、男性職員の育児休業の取得等を促進する。

さらに、職員のニーズも踏まえつつ、保育施設の確保など育児を行う職員の支援方策の充実を図る。

イ 健康で豊かな生活のための時間の確保等に向けた取組

これまでの労働時間短縮対策を更に進め、計画的な年次休暇の取得促進と超過勤務の縮減に一層積極的に取り組むなど、健康で豊かな生活のための時間の確保に向けた取組を推進する。

このため、業務配分等についてよりきめ細かに改善策を講じること等により、適切な業務管理及び業務の効率化の徹底等を一層推進するとともに、職場の特性に応じた業務の進め方に関する工夫を不断に行う。

また、メンタルヘルス対策など、職員の健康管理対策に適切に取り組む。

(4) 女性職員の採用・登用の拡大及び職員の仕事と生活の調和の推進に向けた体制の整備等

政府は、関係行政機関相互の緊密な連携を確保しつつ、女性職員の採用・登用の拡大及び職員の仕事と生活の調和の推進を図るため、女性職員活躍・ワークライフバランス推進協議会を設置し、具体的な施策等を盛り込んだ取組指針を定めるとともに、これを総合的に推進する。

各府省等は、府省等の長等のリーダーシップの下、人事担当部局が中心となって、各職場、各世代の男女の声も広くくみ上げることができるような全省的な体制を整備し、各府省等や各部局等の実情を踏まえた目標を設定しつつ、府省等ごとに取組計画を策定、公表することにより、積極的な取組を行う。

また、職員の仕事と生活の調和について、制度の周知、職員からの相談対応等の業務を担う担当官を本府省、管区機関等に設置し、制度及び施策の普及を促進する。さらに、仕事と生活の調和の推進に資するような効率的な業務運営や良好な職場環境づくりに向けてとられた行動については、人事評価において適切に評価を行う。

内閣総理大臣は、各府省等における取組の検討、具体化のために必要な支援を行うとともに、各府省等の具体的な取組のフォローアップを行う。あわせて、職員の状況に応じた柔軟な働き方の推進等のために必要な制度や仕組みの見直しについても、必要に応じて、人事院に要請を行う。

また、法令等協議関係業務、国会関係業務、予算関係業務、国際関係業務等による超過勤務の縮減については、各府省等の枠を越えた対応が必要であり、政府として、業務の合理化に係る取組の推進、関係府省等間の調整についてのルールの徹底、弾力的な勤務時間の割振りなど、一層の取組を図るとともに、関係機関の理解と協力も得ながら、より効果的に取組を進める。

6　人事交流等の推進

(1)　府省間人事交流に関する指針

複雑・高度化する行政課題に対応するためには、行政が総合的かつ一体的に遂行されることが必要であることから、各府省等における様々な府省等の出身者の登用など政府全体での適材適所の人事を推進するとともに、府省等間の連携の強化と広い視野に立った人材の育成の観点から府省間人事交流を一層推進する。

このため、各省庁人事担当課長会議の場等を活用して、府省間人事交流に資する情報提供、情報交換に努めるものとする。あわせて、内閣総理大臣は、府省間人事交流の円滑な実施に資するよう、任命権者に対する情報提供、任命権者相互間の情報交換の促進その他の必要な調整を行うものとする。

(2)　地方公共団体との人事交流等に関する指針

相互理解の促進及び広い視野を有する人材の育成の観点から、相互・対等交流を原則として、交流ポストの固定化による弊害の排除に配慮しつつ、地方公共団体との人事交流を進める。

また、国際社会の中で国益を全うし得る人材を育成するため、国際機関等への派遣、在外公館勤務、海外への留学等の機会の拡充に努める。

(3)　官民の人材交流に関する指針

官民を超えた有為な人材の登用、職員の意識改革、人材の育成、行政運営の活性化等の観点とともに、公務部門で培ってきた知識経験の民間等他の分野での活用等の観点から、官民人事交流制度、休職制度等を積極的に活用し、幅広い分野における多様な人材について、「官から民」、「民から官」の双方向の交流の拡充を図る。

内閣府官民人材交流センターは、官民の人材交流の円滑な実施のための支援として、関係機関と密接に連携して、官民の人材交流の実施に関する情報提供等や関連する制度等に関する広報・啓発活動を行うものとする。

ア　官から民への交流

多様な勤務の経験を通じて自らの視野及び知識経験の幅を広げることが重要であるとの観点から、幹部候補育成課程対象者をはじめとする行政運営における重要な役割を担うことが期待される職員を中心に、多様で有為な人材を交流の対象とするものとする。

また、公務部門で培ってきた知識経験を民間等他の分野で活用するという観点からは、民間のニーズ等も踏まえ、適切な職員を交流の対象とするものとする。

イ　民から官への交流

複雑・専門化する行政課題への対応、行政運営の活性化等を図る観点から、積極的に交流を行うものとする。この際、民間から採用した職員の知識経験を十全に活用できるよう、適切な配置及び処遇に努めるものとする。

ウ　適切な運用の確保

官民の人材交流に当たっては、職務の特殊性等を踏まえ、官民癒着等の懸念が生じないよう、制度を的確に運用するものとする。

また、民間の知見を幅広く公務に取り入れる観点から、人材交流の対象の多様化に努めるものとする。

7　その他職員の採用、昇任、降任及び転任に関する制度の適切かつ効果的な運用を確保するために必要な事項

(1)　研修その他職員の能力開発の推進

職務遂行に求められる多様な知識・技能の習得、能力・資質の向上などの人材育成を人事評価結果も一層活用しながら計画的に推進するとともに、長期的な人材の育成や職員にとって働きがいのある職場の環境整備を図る観点から、執務を通じての研修（ＯＪＴ）、執務を離れての研修（ＯＦＦ－ＪＴ）及び職務付与を相互に効果的に組み合わせることにより、職員のキャリア形成や中長期的な能力向上の支援に努める。

このため、各府省等独自のＯＪＴを含めた研修等の機会を職員に適切に付与するとともに、政府横断的な研修にも職員を積極的に参加させるよう努める。特に、幹部候補育成課程対象者については、内閣総理大臣が定める基準に従い、適切に人材配置を

行うとともに、必要な研修等の機会を付与するものとする。

加えて、超過勤務の縮減に向けた取組、自己啓発等休業を取得しやすい環境づくり等を通じ、個々の職員が自発的な能力開発に取り組みやすくなるよう努める。

(2)　勤務実績がよくない場合の措置

厳正な人事評価を行った結果、全体評語が最も下位のものであった者その他勤務実績がよくないと考えられる者に対しては、適切な指導、助言等の措置を講じ、その改善を図る。これらの措置を講じてもなお改善が見られない場合には、公正な一定の手続に従い、降給、降任又は免職の措置を厳正に行う。

(3)　政府全体としての適切な運用の確保等

本方針の適切な運用を確保するため、任命権者は、毎年、内閣総理大臣が定めるところにより任用の状況について公表するとともに、内閣総理大臣に対する報告を行う。内閣総理大臣は、これを取りまとめ、国民に分かりやすい形で公表する。あわせて、内閣総理大臣は、幹部職員人事の一元管理、管理職員の任用に関する運用の管理、幹部候補育成課程の実施等のため、必要に応じ人事院とも連携して、任用に関する調査を行う。

内閣総理大臣は、各任命権者からの報告を通じて任用に関する制度の運用状況を把握し、制度の運用に係る総合調整を行う。さらに、任命権者は、個々の人事異動が昇任、降任又は転任のいずれに該当するのかを職員があらかじめ認識でき、また、官職ごとに発揮することが求められる標準職務遂行能力が明確になるよう、当該各府省等に置かれる各官職がいずれの職制上の段階に属するかを訓令、通達等により明らかにし、内閣総理大臣に報告する（官職の新設・改廃が行われた場合も同様とする。）。

また、任命権者を補佐する立場にある人事管理官は、人事管理官会議の場等を活用し、相互に連携を図る。

〇国家公務員の女性活躍とワークライフバランス推進のための取組指針

平二六・一〇・一七
女性職員活躍・ワークライフバランス推進協議会決定

最終改正　令六・一・一六

I.　基本的な考え方

少子高齢化等に伴い社会構造が大きく変化する中で、国家公務員においても女性職員や共働きの職員が増加し、仕事や生活の在り方に関する職員の意識の変化も指摘されている。このような状況の中、性別や年代、時間等制約の有無にかかわらず、あらゆる職員が活躍できる職場環境の整備が急務である。

また、一人一人がその個性と多様性を尊重され、それぞれの能力や経験を最大限発揮できる機会を提供することで、イノベーションを生み出し、価値の創造につなげていくダイバーシティ経営の視点は、多様化する国民のニーズを把握し、的確に政策対応すべき公務を担う職場においても不可欠である。

一方、現状では、国家公務員の志望者数の減少傾向や二十代の若手職員の早期離職傾向が顕著である。内閣官房内閣人事局（以下単に「内閣人事局」という。）が令和元年度に行った職員アンケート調査の結果（以下「令和元年度職員アンケート調査結果」という。）によると、早期離職意向を持つ職員の相当数が長時間労働や自己成長の感じられない業務をその理由に挙げており、このような状況を放置すれば、有為な人材の確保や職員のエンゲージメント（自発的な貢献意欲）の維持が困難となり、将来にわたる公務のサステナビリティ（持続可能性）の危機に陥ることとなる。また、令和二年四月から五月にかけて発令された新型コロナウイルス感染症に係る緊急事態宣言下において、多くの職員がテレワークを実施したが、その際の課題等について内閣人事局が令和二年度（令和二年七月）に行った職員アンケート調査の結果（以下「令和二年度職員アンケート調査結果」という。）によると、生産性の低下を感じた職員が多いことが明らかとなった。同感染症は依然として収束しておらず、このような感染症拡大時や災害時等における業務の継続や行政機能の質の維持は喫緊の課題である。

　これらの課題に共通する要因は、業務の見直しや効率化、デジタル技術の活用等の不足による時間生産性の向上の不十分さと、職員の勤務実態に応じた的確な業務及び勤務時間の管理、部下のやりがい確保や部下の育成及びそのキャリア形成を意識したマネジメントの不十分さであると考えられ、抜本的な対策が急務である。

　徹底した業務の見直しや効率化、デジタル化の推進、及びマネジメント改革を今後の働き方改革の主軸に据えることにより、長時間労働の是正、働く場所や時間の柔軟化による効率的な業務遂行が可能となるとともに、あらゆる職員が最大限に能力を発揮し、充実感ある仕事と生活を両立できることとなり、真のワークライフバランス（仕事と生活の調和）が実現される。また、それにより、公務のサステナビリティを確保でき、いかなる状況にあっても政策や行政サービスの質を維持・向上させ、国民への貢献を果たすことが可能となる。

　女性活躍に関しても、女性職員の採用・登用の拡大や男性職員による育児に伴う休暇・休業の取得促進等、一定の前進は見られるが、社会全体において固定的な性別役割分担意識や無意識の思い込み（アンコンシャス・バイアス）（以下「固定的な性別役割分担意識等」という。）の存在が指摘され、公務においても性別による職域固定化の解消、女性職員の育成等が十分に進んでいるとはいえない。その背景には、長時間労働等の働く環境の問題もあることから、誰もが性別を意識することなく活躍できるよう、ワークライフバランスを促進する働き方改革を不可欠なものとして、女性職員の育成や登用に対する管理職の意識改革や個々の職員に応じた計画的な育成等、息の長い取組の継続・拡充が必要である。

　この指針は、採用昇任等基本方針（平成二十六年六月二十四日閣議決定。令和二年十二月二十五日一部変更）に基づき、以上の考えに沿って、令和七年度末までの取組内容を定めるものである。また、この指針の内容は、女性の職業生活における活躍の推進に関する法律（平成二十七年法律第六十四号）及び第五次男女共同参画基本計画（令和二年十二月二十五日閣議決定）を踏まえたものである。

　この指針及びこの指針に基づき各府省等が定める「女性職員活躍と職員のワークライフバランスのための取組計画」（以下「取組計画」という。）に基づき、全ての職員が責任と誇りを持って生き生きと働ける職場環境作りに、政府一丸となって取り組んでいく。

Ⅱ．ワークライフバランスの推進のための働き方改革

　働き方改革は、全ての職員がその能力を最大限に発揮し、限られた時間で効率良く高い成果を上げることにより、政策や行政サービスの質を向上させ、職員のワークライフバランスも実現させることを究極の目的としている。

　令和元年度職員アンケート調査結果によると、管理職の約七割が「働き方改革が進んでいる」と感じている一方、依然として約半数の非管理職が「働き方改革が進んでいない」と感じており、管理職の認識との間にギャップがあることが判明した。また、不要業務の見直しやＲＰＡ（Robotic Process Automation）等の新技術の活用、オフィス改革といった効率良く業務の成果を上げるための具体的な取組の進捗が十分ではないと認識されていること、職場におけるコミュニケーション活性化への職員の期待が高いことも判明した。

　これらの状況を改善し、全ての職員が高い貢献意欲を持って生き生きと働ける職場環境を作っていくため、次の取組を加速する。

１．業務効率化・デジタル化の推進

　令和元年度職員アンケート調査結果によると、過半数の職員が、働き方改革が進まない原因として「非効率・不要な業務」が多いことを挙げている。また、若手職員が勤務時間の多くを定型業務に割かれ、やりがいや自己成長を感じられていないことも指摘されている。これらの状況を改善するため、業務の廃止を断行した上で、業務効率化を進めることが急務である。

　また、新型コロナウイルス感染症の感染拡大に際して多くの職員がテレワークや在宅勤務を実施したが、

令和二年度職員アンケート調査結果によると、テレワーク実施のための職場環境の整備が不十分であることなどにより、多くの職員が生産性低下を感じたことが明らかとなった。こうした非常時においても業務を滞りなく継続できるよう、テレワークを進めるに当たってのボトルネック等の課題を分析し、ハード環境（業務用端末及び回線。以下同じ）の整備はもちろんのこと、テレワークにより完結できる業務プロセスを構築することが必要である。

(1) 業務の廃止を含めた業務見直し・効率化

新たな政策の立案のみならず、日々の業務マネジメントにおいて現場業務の実態を把握し、業務の廃止を含めた既存業務やその業務プロセス自体の見直しによる課題解決を図ることも幹部・管理職の職責である。業務見直しは、個別業務に即し実際に「まずやってみる」ことから気づきや発見を得て、更なる見直しにつながる取組であり、一部の業務を廃止することでその活動を終えることなく、不断に続けることが重要である。各府省等は、幹部・管理職の職責として業務の廃止を含めた業務見直し・効率化を進めることを位置付け、人事評価においてその取組の成果を反映する。

また、各府省等は、単独では改善できない共通的な業務等に関する課題について、内閣官房（業務の抜本見直し推進チーム、内閣人事局）に対して具体的な意見・要望及び情報提供を行うものとし、内閣官房は、当該情報を基に関係行政機関と連携して府省横断的な課題に対応する。

① 廃止を含めた業務の棚卸し

・ 各府省等は、職場ごとに業務の棚卸しを行い、必要性の低下した業務については業務自体を廃止するなど、積極的な業務見直しを行う。その際、単に業務の廃止や継続だけではなく、たとえ必要な業務があったとしても、その業務には不要な業務プロセスが含まれる場合があり、そうしたプロセスも含めた改善等の選択肢を持つことが重要である。［各府省等］

② 業務見直し

・ 各府省等は、全ての課長級が業務見直しを経験し、成功体験を通じ自主的に改善に挑戦し続ける人材を育成することで、自ら業務を見直す組織文化を定着させることを目的として、「本来業務」自体にスポットを当てて、その業務のやり方、業務プロセスについて、政策の大目的に照らしつつ、「業務見直しの進め方」（令和元年十二月業務の抜本見直し推進チーム）を踏まえた業務見直しを推進する。［各府省等］

・ 内閣官房（業務の抜本見直し推進チーム）は、各府省等と取組状況についての意見交換を行いつつ、助言の実施、取組のチェック及び政府横断的な課題への対応や必要な支援等を行う。また、各府省等で行う業務見直しの取組について、例えば、会議、調査、検査及び報告聴取等の比較的汎用的に各府省等が実施している業務の現状（又は現状認識）と見直しの方向性に関する事例を分析、整理した上で、各府省等に情報提供を行う。［内閣官房、総務省］

③ 定型業務の効率化

・ 各府省等は、押印・書面・対面業務等の見直しを行うとともに、AI、RPA等ICTを活用した業務の効率化を行う。また、これらの取組を加速するため、ICTに知見のある外部専門家の活用・配置を検討し、実施する。［各府省等］

・ 各府省等は、可能なものについては外部委託を実施する。［各府省等］

④ 府省横断的な業務の効率化

・ 各府省等は、複数省庁又は府省等内の複数部局にまたがる業務（法令等協議関係業務、査定・審査業務、調査・照会業務、法案等作成業務等）について、協議ルールの遵守徹底やICTの活用等により、徹底した効率化を行う。特に、他府省等に作業依頼を行う府省等は、できる限り対象府省等の作業が軽減され、勤務時間外の対応が発生しないよう、作業依頼の必要性や内容、タイミング等をよく精査するとともに、作業様式の工夫等を行う。（詳細は別添参照）［各府省等］

⑤ 効率的に働ける職場環境の整備

・ 各府省等は、上司・同僚等との意思疎通の齟齬《そ》による業務の手戻り等の非効率を防ぐため、部署としての目標や目標を達成するための戦略の共有等、職場におけるコミュニケーション活性化のための工夫を行う。

・ 各府省等は、職場での情報共有を効率的に行うため、ポータルサイト、共用フォルダの活用等、情報を必要とする職員がアクセスしやすい効率的な環境整備を行う。［各府省等］

・ 各府省等は、業務の特性等に応じて効率的に業務遂行できるようオフィス環境の整備（例え

ばフリーアドレスの導入等）を行う。［各府省等］

(2) テレワークの推進

テレワークを活用した柔軟な働き方の推進は、非常時における業務継続の観点に加え、育児、介護等のために時間制約がある職員、障害等のために日常生活・社会生活上の制約がある職員の能力発揮にも資するものであり、ワークライフバランスの観点からも重要である。

政府としては、次の取組を着実に推進し、令和七年度までに、テレワークを活用することで、「新しい日常」に対応し、いかなる環境下においても必要な公務サービスを提供できる体制を整備する。

各府省等は、この指針を踏まえて今年度改正される「国家公務員テレワーク・ロードマップ」（平成二十七年一月二十一日各府省情報化統括責任者（ＣＩＯ）連絡会議決定）に基づき、本省のみならず地方支分部局等も対象に具体的な目標を設定した「テレワーク推進計画」を策定し、それぞれの取組を推進する。

① 本省・地方支分部局等のハード環境整備

・各府省等は、本省、地方支分部局等ともに、いかなる環境下においても生産性を保ち、必要な行政機能を維持する観点から、必要なテレワークのハード環境を整備する。［各府省等］

・ＩＴ総合戦略室（デジタル庁の設置後はデジタル庁。以下同じ。）は、セキュリティを確保しつつ、業務用端末を用いて府省等間や外部とのウェブ会議等がスムーズに行われるよう、政府のネットワーク環境の整理・再構築に向けた実証等を進める。［ＩＴ総合戦略室］

② 行政文書の電磁記録化などテレワーク実施環境の整備

・各府省等は、本省、地方支分部局等ともに、働き方改革に加え、いかなる環境下においても必要な行政機能を維持する観点から、業務の特性を踏まえ、原則としてテレワークにおいて完結できるように業務プロセスを見直す。［各府省等］

・各府省等は、テレワーク中の生産性の改善に向けて、行政文書の電磁記録化を進めるとともに、テレワーク中に共用フォルダにアクセスして行政文書を編集できる機能の導入、ウェブ会議機能、チャット機能の充実や職員の私物携帯電話端末による業務上の通話料について、職員の自己負担を求めない仕組み（モバイルアプリを含む。）等の環境整備などを推進する。［各府省等］

③ テレワークに対応したマネジメント改革の推進

・各府省等は、テレワーク中の職員と出勤した職員の業務分担の適正化、テレワーク実施職員のメンタルヘルスの確保、幹部説明のオンライン化などコミュニケーション手法の見直し等を推進する。内閣人事局は、これらテレワークに係るマネジメント上の留意点を整理し、各府省等に展開した上で、各府省等において徹底を図る。［内閣人事局、各府省等］

④ サテライトオフィスの整備等

・令和元年度職員アンケート調査結果によると、自宅でのテレワーク環境が不十分とした職員が三割を超え、サテライトオフィスの設置要望も強いことを踏まえ、内閣人事局は各府省等と連携し、サテライトオフィスを試行的に設置する。［内閣人事局、各府省等］

・各府省等は、自府省等の職員のテレワーク時の執務環境や単身赴任等の実態を踏まえて、サテライトオフィスの設置を推進する。［各府省等］

・民間企業におけるテレワークに対する経費の負担の状況を研究し、テレワークに関する国家公務員の経費の負担等の在り方を検討する。［内閣人事局、人事院］

(3) 国会関係業務の効率化

令和元年度職員アンケート調査結果によると、働き方改革の観点で国会関係業務の効率化を求める本府省等職員が約四割に達することや、国会会期中の勤務時間が長時間に及ぶ職員も存在することを踏まえ、国会関係業務の改善に向けて、次の取組を推進する。

① 各府省等の先進事例の横展開

・内閣人事局は、各府省等における国会関係業務の効率化を促進するため、各府省等の先進的な取組事例を取りまとめた上で、各府省等に共有する。［内閣人事局］

② テレワークの効果的活用等を通じた国会対応の合理化

・各府省等は、国会開会中の勤務時間の見通しを立てやすくするために、輪番制の導入等、各部署の各日の定時後の態勢を工夫するとともに、テレワークを効果的に活用するなど、国会

対応の合理化を図る。[各府省等]

③　国会答弁作成プロセスの効率化

・各府省等は、ＩＣＴを活用して国会関係情報の円滑な共有を図るとともに、答弁作成に係る府省間割り振り調整の合理化に加え、府省内における問登録や割り振り調整に係る制限時間の設定、答弁案の了解先や合議先の数の見直しや電子メールを活用した内部了解方法の簡略化等を通じ、答弁作成プロセスの効率化を推進する。[各府省等]

2. 勤務時間管理のシステム化と勤務時間管理の徹底

職員の心身の健康確保及び仕事と生活の両立には、長時間労働の是正が必要であることは論を待たない。そのためには、まず職員の勤務時間を「見える化」し、その実態を正確に把握した上で、適切な勤務時間管理を行うことが必須である。この観点から、令和二年秋に、本府省等職員の在庁時間（職員が正規の勤務時間外に在庁した時間）を把握するための調査（以下「在庁時間調査」という。）を行ったところであるが、今後は、各府省等において、職員の勤務実態を的確に把握し、業務そのものの効率化や業務分担の見直し等の対策を速やかに講じる体制を構築することが不可欠である。

このため、各府省等において「勤務時間管理システム」の導入等により勤務時間管理をシステム化し、職員の勤務時間を「見える化」した上で、必要な改善方策に取り組む。

なお、勤務時間管理のシステム化は、フレックスタイム制及び早出遅出勤務（以下「フレックスタイム制等」という。）の活用に必要な申請等手続を簡素化し、「柔軟な働き方」の実現をも促進するものであり、この観点からも、早期のシステム化が重要である。

(1)　勤務時間管理のシステム化

・各府省等は、本府省等においては、早期に、①出勤簿、休暇簿、フレックスタイム割振簿等の電磁記録化により、定時までに出勤したことを記録するとともに、これら相互の整合性の確認を自動化し、申請から承認までの手続をオンラインで行う機能、②職員の勤務時間を正確に把握することを目的に、客観的な方法により取得したデータを活用する機能、③管理職が部下の超過勤務の状況及び理由をリアルタイムで把握できる機能等を備えた勤務時間管理のシステム化を実現する。また、システム化するまでの間も、業務端末の使用時間の記録を利用する等、客観的な方法による職員の勤務時間の把握を進めるとともに、管理職は部下の勤務時間並びに超過勤務の状況及び理由をリアルタイムで把握する。地方支分部局等においても、業務に応じた勤務形態の多様性に配慮しつつ、早期に実現を図る。[各府省等]

・ＩＴ総合戦略室、人事院及び内閣人事局は、今後、人事管理分野におけるシステムの導入を検討する。その際、内閣人事局は、人事行政に関する専門的見地から、「勤務時間管理システム」に関する知見の提供などの協力を行う。[ＩＴ総合戦略室、内閣人事局、人事院、各府省等]

・内閣人事局は、これらの検討状況を踏まえつつ、当面の措置として、各府省等との連絡調整の場を通じ、「勤務時間管理システム」の導入を希望する府省等への導入の支援を行う。[内閣人事局、各府省等]

(2)　的確な勤務時間管理による超過勤務縮減と勤務間インターバルの確保等

・各府省等の管理職は、「国家公務員の労働時間短縮対策について」（平成四年十二月九日人事管理運営協議会決定）に基づき、超過勤務を実施する際にその理由、見込み時間等を事前に把握するとともに、「勤務時間管理システム」の活用等により部下職員の勤務時間を正確に把握する。[各府省等]

・各府省等の管理職は、部下職員の勤務時間等も含めた業務状況を適切に把握した上で、業務の進め方についての指導、適切かつ柔軟な業務分担や業務の優先順位付け等、超過勤務縮減に向けた改善方策に取り組む。[各府省等]

・各府省等は、フレックスタイム制等の活用等により、職員の心身の疲労回復や健康維持のために必要な時間（勤務間インターバル）の確保に組織的に取り組む。[各府省等]

・各府省等は、業務の特性等に応じて実効性のある取組（一定時刻での庁舎の消灯・施錠の励行等）を行う。[各府省等]

(3)　超過勤務の上限等に関する制度の適切な運用

・各府省等は、超過勤務の上限等に関する制度について、他律的業務の比重の高い部署の指定や、上限を超えて超過勤務を命ずることができる特例業務の取扱いについて、人事院規則一五―一四（職員の勤務時間、休日及び休暇）等に沿って厳格に行うとともに、上限を超えて超過勤務を命じた場合には、要因の整理・分析及び検証を着実に

行い、改善を図る。人事院は、制度の実施状況について各府省等から報告を求め、必要な指導等を行う。［人事院、各府省等］

(4)　人員配置等

・各府省等は、長時間労働の要因を分析した上で、その要因に対応した業務効率化やマネジメント改革等の取組を行い、なお既存定員でカバーできない業務量であれば、必要な定員の確保に努める。［各府省等］

・各府省等は、長時間労働の要因を分析した上で、業務の徹底した効率化、的確な勤務時間管理等による超過勤務の削減に取り組み、各府省等内での適正配分を行った上で、必要な超過勤務手当予算の確保に努める。［各府省等］

3．マネジメント改革

行政が国民の負託に答え、複雑多様化する行政ニーズに的確に対応した政策立案や、質の高い行政サービスの提供を実現するためには、行政組織の運営の要となる幹部・管理職による適切なマネジメントが必要不可欠である。

幹部・管理職は、日々の業務において、部下職員を活《い》かし、適切な組織運営を行って成果を上げるとともに、限りあるリソースを真に必要な業務に傾注できるよう、業務見直しの徹底や業務の効率化に取り組むことが本来の役割として求められているが、令和元年度職員アンケート調査結果によれば、こうしたマネジメントが必ずしも十分に行われていないと認識されており、その改善が求められている。

特に、職員が自分の仕事にやりがいを感じることは、意欲的な業務への取組や成長を促し、ひいては公務のパフォーマンスの向上につながるものである。しかしながら、やりがいや成長を感じられないことが、若手の早期離職傾向の要因の一つと考えられることからも、部下のやりがいを高め、育成する観点からのマネジメントの実施が喫緊の課題として幹部・管理職に強く求められている。

さらに、職員自身が自ら成長する意識を持つことも重要であり、職員に主体的にキャリアをデザインする意識を持たせるとともに、上司と人事当局がそれを支援し、組織全体として人材の質を高めていくことが重要である。

このため、職員のやりがい向上や成長促進も含めた管理職のマネジメント能力の向上、マネジメントにおける幹部職の役割の強化、人事当局による支援の強化等に取り組むこととし、これを着実に実施していくため、幹部・管理職のマネジメントや職員及び職場の状況を把握し、改善につなげていく仕組みを構築する。

(1)　職員のやりがい向上も踏まえた管理職のマネジメント向上

①　管理職が実施すべきマネジメント行動

ア　業務・組織マネジメントの実施

・方向性の提示や適切な判断・調整など日々の業務マネジメントを適切に行うだけではなく、部下職員の超過勤務時間や時間の使い方も含めた業務の実態を把握し、業務の廃止を含めた既存業務の見直し、業務分担等の業務実施体制の見直しを実施することが、幹部職及び管理職のマネジメント行動の重要な要素である。また、管理職は、部下職員の勤務時間等も含めた業務状況を適切に把握し、適切かつ柔軟な業務分担や業務の優先順位付け等のコスト意識を持って組織運営に取り組む。［各府省等］

イ　部下職員の主体的な業務遂行の促進

・管理職は、部下職員が日々の業務の中でやりがいを感じて意欲的に業務に取り組み、また成長していくことで公務のパフォーマンスを高められるよう、必要な業務の実施を確保しつつ、組織の目標や業務の意義の説明により業務への納得感を高めること、権限や裁量を付与すること、挑戦的な業務の機会を付与すること、さらには現場や外部の有識者との交流など幅広い経験をさせること等により、職員の主体的な働き方を促進する。その際、管理職は、日常的な業務上のやりとりに加え、人事評価の期首・期末面談、期中における１ｏｎ１ミーティング（上司と部下との間で行う一対一の対話）等を活用し、部下職員と積極的なコミュニケーションを図ることにより、部下職員の業務状況を把握し、適切なフォローを行う。また、強みを伸ばすために褒めたり、弱みを克服するために助言や指導したりする等のフィードバックを行い、部下職員の成長を積極的に促す。［各府省等］

ウ　部下職員の人材育成・キャリア支援の実施

・管理職は、日頃のコミュニケーションを通じて把握した能力や希望、部下職員が作成した「キャリアシート（仮称）」（下記3.(2)①参照）等の情報を基に、部下職員の中長期的なキャリア形成にも留意した上で、１ｏｎ１ミーティングや期末面談等の場を活用し、年一回以上、キャリア形成に係る助言等を行う。［各府省等］

エ 管理職が実施すべきマネジメント行動に係る整理・検討

・ 内閣人事局は、上記ア～ウを実施するため、管理職のマネジメントに必要な能力や具体的手法について整理し、その成果を各府省等に共有する。その際、勤務時間の多様化も踏まえた管理、テレワークの普及、多様な人材の活用といった観点からのマネジメントの在り方も含めて検討する。［内閣人事局］

② 管理職のマネジメント能力の向上

上記①を達成するため、次の取組を行う。

ア 管理職に対するマネジメント研修の充実

・ 全ての管理職に、管理職に昇任する前後にマネジメント能力の向上に向けた研修を受講させることとし、内閣人事局は、人事院の協力を得つつ、当該研修の対象者、研修実施方法等の在り方について検討を行い、内閣人事局、人事院及び各府省等が研修を実施する。［内閣人事局、人事院、各府省等］

・ 内閣人事局は、上記①エを踏まえ、令和三年度から新任管理者セミナー、幹部候補育成課程中央研修（課長補佐級、係長級）において、管理職のマネジメント能力の向上及び具体的手法の体得のための研修を実施する。［内閣人事局］

・ 内閣人事局及び人事院は、各府省等において上記①エを踏まえた研修を実施する場合に必要となる教材の提供などの支援を行う。［内閣人事局、人事院］

イ 管理職のマネジメント能力向上に向けた環境整備

・ 内閣人事局は、管理職に係る人事評価において業務・組織運営や人材育成など、マネジメントが適切に実施されているかに重点を置いて評価する仕組みを検討し、実施する。［内閣人事局］

・ 各府省等は、各管理職によるマネジメントの実施状況について、多面観察などにより、フォローアップとフィードバックを実施し、マネジメントの改善を促す。［各府省等］

・ 各府省等は、幹部職が、部下である管理職によるマネジメント状況を把握し、適切に評価するとともに、例えば人事評価の面談や多面観察の結果等を活用し、積極的に助言や指導を行うよう取り組む。内閣人事局は、幹部職に対し、新任幹部セミナー等において管理職への助言や指導能力向上に資する研修を実施する。［内閣人事局、各府省等］

・ 幹部職自身のマネジメントも重要であることから、各府省等は、幹部職への多面観察の実施等について検討する。［各府省等］

ウ その他

・ 管理職の行動は部下を始め周囲の職員のエンゲージメントに大きな影響を与えることから、各府省等は、管理職への任用について、必要なマネジメント行動を取ることができる職員を充てるものとする。管理職として求められる行動を取らない、又は不適切な行動を取る職員がいる場合には、改善を促すこととし、なお管理職としての適性がみられない職員に対しては他の職に充てる等の厳正な対応を行う。［各府省等］

(2) 人材育成のための人事当局の役割

① 人事異動を通じた人材育成・キャリア形成

・ 内閣人事局は、若手職員が自らキャリアデザイン（ライフイベント等も考慮した中長期的なこと等）に取り組み、その上司である管理職が部下のキャリアを主体的に考え、能力開発に取り組むキャリア形成を支援するために活用できるツールとして、「キャリアシート（仮称）」を作成し、各府省等に提供する。［内閣人事局］

・ 各府省等の人事当局は、若手職員に対して、キャリアデザインやその内容を「キャリアシート（仮称）」等に記載して上司や人事当局と共有することの重要性について、各種研修や人事当局からのメッセージ等を通じて理解を促進する。［各府省等］

・ 各府省等の人事当局は、適切な公務運営に配慮しつつ、職員の人事異動に際しては、当該職員の能力やスキル、職歴等のほか、「キャリアシート（仮称）」、身上調書、面談等を通じて把握した当該職員の中長期的なキャリアに関する要望等を考慮する。また、人事当局又は当該職員の上司となる管理職から当該職員に対して、期待や成長課題等について説明を行うなど、納得感の向上に努める。［各府省等］

・ 各府省等の人事当局は、職員の育成に必要となる職務経験の付与につながるよう、当該職員の上司となる管理職に対して、当該職員の異動期等の機会を活用し、「キャリアシート（仮称）」や身上調書等に記載された当該職員の能力開発、キャリアに関する要望等や人事当局と

しての中長期的な育成方針等を的確に伝達するなどの方法により、管理職と協力して当該職員の人材育成に取り組む。［各府省等］

② 自己成長の機会提供

・各府省等の人事当局は、若手職員が自身のキャリアデザインを実現するために必要な知識やスキル、職務経験を蓄積できるよう、省内外公募制、官民交流、留学、出向等の自主的に挑戦できる機会の周知、拡大等に取り組むとともに、他部署や外部組織との協働、いわゆる出前講座等、職員が上司又は人事当局の承諾を得て勤務時間内において担当業務以外の政策の企画立案や能力開発、役割発揮等に従事できる仕組み等を検討する。［各府省等］

(3) 職員・職場の状況を把握・活用する仕組み

① タレントマネジメント推進に向けた情報の整備と活用

・各府省等は、職員の属性や人事異動履歴等の情報に留まらず、職員の有する能力やスキル、評価、キャリアに関する要望等の情報を把握し、活用に必要な整備を行う。これらの情報を活用することで、職員の人事についての納得感を向上させるとともに、戦略的な人材配置や人材育成等を行うタレントマネジメントを推進する。［各府省等］

② 職員調査の継続的実施とこれを踏まえた対策

・各府省等は、職員・職場の状況を把握し、Ⅱ．3．「マネジメント改革」等に係る取組の効果を測るとともに、課題の発見や取組の改善につなげるため、職員のエンゲージメントや職場環境調査等を実施する。こうした調査結果については、例えば、部局等の単位で職員にフィードバックするなどにより、管理職のマネジメント、職場の改善、各府省等で行う研修に反映する。［各府省等］

・内閣人事局は、各府省等が行う調査に必要となる項目等を検討し、各府省等に情報提供する。［内閣人事局］

4．仕事と生活の両立支援

共働き世帯、単独・未婚世帯の増加、少子高齢化等に伴い社会構造が変化する中、多様な人材の活躍を推進する観点からは、職員が仕事との両立を図る対象についても幅広く捉えていくことが必要と考えられる。そのため、今後は、仕事との両立の対象を、「家庭生活（家事、育児、介護等）」のほか、病気治療、不妊治療、自己成長に向けた能力開発等も含めて広く職員個人の「生活」全般と捉え、あらゆる職員の仕事と生活の両立が進むよう取組を推進していく。

(1) 男性の育児への参画促進

・男性職員の家庭生活への参画促進は、男性職員の仕事と生活の両立のみならず、女性の活躍促進、ひいては少子化対策の観点からも極めて重要である。そのため、各府省等は、令和五年十二月二十二日に策定された「こども未来戦略」に定める目標も踏まえた男性職員の育児休業取得率の目標及び男性職員の配偶者出産休暇、育児参加のための休暇についての目標を設定（全ての男性職員が両休暇合計五日以上取得することを目指す）するとともに、全ての男性職員が一か月以上を目途に育児に伴う休暇・休業を取得できるよう、「国家公務員の男性職員による育児に伴う休暇・休業の取得促進に関する方針」（令和元年十二月二十七日女性職員活躍・ワークライフバランス推進協議会決定。以下「取得促進方針」という。）に基づく取組を推進する。［各府省等］

・取得促進方針に定める標準的な取組、すなわち①管理職による本人の意向に沿った取得計画の作成、取得中の業務運営の確保、②幹部職のリーダーシップ発揮、人事当局の積極的な関与、③人事評価への反映等については、組織の実情を踏まえて必要な工夫も加えつつ、取得を促進する。［各府省等］

・内閣人事局は、各府省等の事務負担の軽減と取得した休暇・休業をより効果的なものとする観点から、各種様式例やハンドブック等の周知・啓発のためのツールを作成して提供する。［内閣人事局］

(2) 仕事と生活を両立しながら活躍できる環境づくり

① 働く時間の柔軟化

・各府省等は、フレックスタイム制等について、適切な公務運営に配慮しつつ、希望する職員には可能な限り適用する。特に、上記2．(2)のとおり、職員の心身の健康確保のために必要な場合はフレックスタイム制等の活用を積極的に推奨するとともに、育児や介護等を行う職員の希望については、できる限り希望どおり対応するよう配慮する。［各府省等］

・各府省等は、フレックスタイム制等の活用に係る手続の簡素化・柔軟化を進める。また、当該手続に係る庶務負担を軽減する観点からも、

勤務時間管理のシステム化（上記２.⑴参照）を進める。［各府省等］

・内閣人事局及び人事院は、必要に応じ、フレックスタイム制等の制度面・運用面の改善点について検討を行う。［内閣人事局、人事院］

② 代替要員の確保

・各府省等は、一定期間以上育児休業を取得する職員の代替要員には可能な限り常勤職員を配置することとし、代替要員の配置に当たって省内全体を見渡した効率的な人事運用の実施、一定の産前・産後休暇や育児休業の取得者数が生じることを踏まえた採用方針の策定等、代替要員の確保に向けた人事運用面の対応を行う。［各府省等］

・各府省等は、産前・産後休暇、配偶者出産休暇、育児参加のための休暇及び介護休暇等の休暇や、育児短時間勤務、育児時間等の実態に応じて措置された定員（いわゆる「ワークライフバランス定員」）を積極的に活用する。［各府省等］

・内閣人事局は、取得促進方針や、両立支援制度及びワークライフバランス定員の活用状況も踏まえながら、引き続き今後の措置を検討する。［内閣人事局］

③ 転勤に関する配慮等

・転居を伴う人事異動は、対象となる職員の生活環境に大きな変化を生じさせるものであるため、各府省等は、転勤に関して定期的に本人の意向を確認したり、可能な限り早期に内示を実施したりするなど、職員に対する十分な配慮を行う。［各府省等］

・管理職への登用に当たり、転勤や本府省における勤務経験が事実上の要件とされている場合があり、育児、介護等の事情により転勤ができない職員の登用の支障となっているケースが見られる。このため、各府省等は、キャリアパスにおける転勤の必要性についての再検討を行い、必要な転勤について、特に育児、介護等による時間制約のある職員に対しては、職員本人の希望を踏まえて、転勤を所属の管区内等で行うことや、育児、介護等以外の時期に転勤等をさせて必要な職務経験を積ませ、登用に向けた育成を行うなど、育児、介護等がキャリアパスの支障にならないよう配慮を行う。［各府省等］

・各府省等は、職員の引越に係る負担軽減のため、例年引越が集中する年度末・年度初めにかけての転居を伴う人事異動については、国家公務員の引越が四月期、特に四月一日の前後に集中している状況（二〇二〇年実績）も踏まえ、いわゆる「赴任期間」の更なる活用を推奨するほか、人事異動時期の分散も含め転勤に伴う引越時期の分散に向けた取組を引き続き進める。［各府省等］

・内閣人事局は、転勤に関する各府省等における人事上の取組の工夫について共有するなど、転勤の負担軽減に向けた取組を推進する。［内閣人事局］

④ 休暇の取得促進

・各府省等は、年次休暇の取得促進について、職員による年間の取得目標の設定や計画表の活用に取り組む。また、法律案や予算案の作成、行事の準備等一定程度繁忙な期間が継続するプロジェクトに従事した職員に対しては、当該プロジェクトの終了後に、連続休暇の取得を促す等、取得促進の取組を行う。［各府省等］

・各府省等は、家族の記念日や子供の学校行事等の職員のプライベートの予定等に合わせた年次休暇を取得しやすい環境を整備する。［各府省等］

⑤ 安心して公務に専念できる環境の整備（保育の確保等）

ア 庁内保育施設の整備

・各府省等は、職場の実態及び職員の利用のニーズを把握し、必要に応じて、庁内保育施設の整備を行う。［各府省等］

・各府省等は、庁内保育施設の利用を促進するため、職員に対して当該施設の入所募集状況等の情報提供を行う。また、他府省等の職員による共同利用も促進させるため、府省間の情報共有を行う。［内閣人事局、各府省等］

イ 育児関連支援サービスの充実等

・各府省等は、職員が利用できるシッターサービス等の育児関連支援サービスのメニューを充実させ、職員への情報提供を行う。［各府省等］

⑶ 両立支援制度の利用と育児休業取得中・復職後の支援

・各府省等は、管理職等への研修等を通じた両立支援制度に対する理解の醸成、制度を利用する職員の業務情報の共有等により、職員が両立支援制度を利用しながら職務経験の蓄積を通じてキャリ

ア形成ができる環境を整備する。［各府省等］

・各府省等は、「育児シート」「育児に伴う休暇・休業の取得計画」等を活用し、男女ともに育児等に係る状況（出産予定日、配偶者の状況、保育の状況等）や両立支援制度の利用についての意向を把握する仕組みを通じ、管理職や人事当局がきめ細かく職員の状況を把握する。［各府省等］

・各府省等は、育児休業や育児短時間勤務等の両立支援制度を利用したことのみにより昇任や昇格に不利益とならないようにするとともに、それを職員に周知する。例えば、育児休業を取得した期間が昇任や昇格の要件に直接影響するような人事管理（要件となる在級年数から育児休業期間の全部又は一部を除算する等）を行うことなく、また、育児休業を取得した期間にかかわらず、能力・実績に基づき昇任や昇格の判断を行う。［各府省等］

・両立支援制度の利用促進のみに偏るのではなく、職員の育児休業等からの円滑な復帰を図り、職員が育児や介護を行いながら仕事で活躍できるようにするため、各府省等は、育児休業からの復帰直後や育児期の働き方等についての意識の共有や、育児休業の取得中又は復帰直後から育児期、介護休暇の取得時期等における、本人のキャリアプランに関する意向確認及び上司や人事当局からのキャリアに関する助言を目的とした面談を実施する。［各府省等］

・各府省等は、管理職となるために必要な職務の経験について、例えば、出産・育児期等の前後、又は育児期で時間制約があるような場合でも本人の意向を考慮して働く場所や時間の柔軟化を活用するなどして、重要なポストを経験させたり、必要な研修の機会を付与したりするなど、柔軟な人事管理を行う。［各府省等］

・各府省等は、育児休業取得職員に対して、人事当局や所属先の管理職など連絡担当者を決めて定期的なコミュニケーションやメールマガジンなどによる情報提供等を行うとともに、セキュリティ要件等を踏まえつつも、本人の希望に応じて業務用端末の継続利用や各省庁のネットワークにアクセスできる権限の付与等を行う。［各府省等］

・各府省等は、育児休業後の具体的なキャリアデザイン形成や育児中の共働き世帯の両立支援等を目的に、先輩職員の経験談や外部講師からの講演等を内容とするセミナーや交流会等を実施する。［各府省等］

・内閣人事局は、在職期間が一年以上である等の一定の要件を満たす非常勤職員についても、育児休業、育児時間、介護休暇等の両立支援制度を利用できることについて周知する。［内閣人事局］

Ⅲ．女性の活躍推進のための改革

男女共同参画社会の実現に向けて、「第五次男女共同参画基本計画」に定める政府全体の目標を踏まえた女性職員の採用・登用を拡大するとともに、女性職員が十分に能力を発揮して活躍できるための取組を推進する。

また、女性職員が活躍できる職場とすることは、ダイバーシティ経営の視点でも、多様な人材を受け入れて新しい価値を生み出し、あらゆる職員が活躍できる職場につながるものである。

現状、社会全体における固定的な性別役割分担意識等に加えて、公務を担う職場においても、性別による業務配置や職域の固定化の解消、女性職員の育成等が十分に進んでいないことを再認識し、職種、採用区分にかかわらず、能力のある女性職員が活躍できるよう、各府省等の実情や課題等を踏まえながら、様々な取組を継続していくことが重要となる。

1．女性の採用の拡大

女性の採用について、各府省等は、「第五次男女共同参画基本計画」に定める政府全体の目標を踏まえ、取組計画において目標数値を定め、設定した目標の確実な達成に向けて取り組む。

その際、技術系区分の採用目標を念頭に置きつつ、国家公務員採用試験の女性志望者数の拡大に向けた取組を進める。

（1）実効性のある広報活動等の推進

・内閣人事局、人事院及び各府省等は、公務に期待される能力を有する多くの優秀な女性を幅広く採用できるよう、技術系区分を含む国家公務員採用試験の女性志望者数の拡大に向け、広報活動等において有機的に連携・協力する。広報活動等については、理系、高校生や大学一～二年生の早期段階の学生、地方大学の学生など、幅広い層の女性に公務の魅力を伝えるため、ＳＮＳ（Social Networking Service）やオンライン配信等を積極的に活用して様々な広報活動を実施する。［内閣人事局、人事院、各府省等］

（2）女性職員の中途採用

・内閣人事局は、多様な能力及び経験を持つ優れた人材を幅広く採用できるよう、国家公務員における中途採用の女性志望者数の拡大に向け、より幅広い人材に中途採用情報を提供することに加え、転職希望者の利便性向上を図るため、SNSやオンライン配信等を積極的に活用した府省横断的な広報活動を行う。各府省等は、経験者採用試験等の積極的な活用、管理職以上の官職も含めた外部女性人材の採用・登用に取り組む。［内閣人事局、各府省等］

(3) 中途退職した職員が再度公務において活躍できるための取組

・ 各府省等は、個人情報の取扱いに注意しつつ、中途退職者の連絡先の把握及び中途採用情報の提供に努める。また、これらの取組状況を内閣人事局に報告する。内閣人事局は、他府省等への中途採用を希望する者の情報提供等を行う。これらの取組を通じて、育児等を理由に中途退職した女性も再度活躍できる機会を創出する。［内閣人事局、各府省等］

2. 女性の登用目標達成に向けた計画的育成

女性職員の登用の拡大について、各府省等は、「第五次男女共同参画基本計画」に定める政府全体の目標を踏まえ、取組計画において目標数値を定め、設定した目標の確実な達成に向けて、計画的に取り組む。

令和元年度職員アンケート調査結果によると、女性職員は男性職員に比して昇任意欲が低い傾向にあるものの、女性職員が昇任に消極的になる理由には、長時間労働等で仕事と家庭を両立できない職場環境、育児期間等によるキャリアの中断や職務経験の不足等が挙げられている。よって、昇任意欲を個人の意識の問題とするのではなく、このような外的要因が大きく影響を及ぼしていることも考慮して、組織・職場における環境整備や昇任意欲の維持・向上のための支援を進める必要がある。

女性職員の活躍を阻害する要因は、組織や職種により実態が異なると考えられることから、人事管理を行っている単位ごとに登用の実態やその阻害要因を把握・分析し、各府省等の実情に沿った取組を進めることが効果的と考えられるが、取組の対象が特定の人事管理区分に偏ることがないよう、留意が必要である。

これらを踏まえ、職種、採用区分にかかわらず、全ての女性職員が十分に能力を発揮して活躍できるよう、次の取組を推進する。

(1) 人事管理の見直し

① 女性の登用の実態やその阻害要因の把握

・ 各府省等は、人事管理を行っている単位ごとに、職員数の男女比と管理職を含む各役職段階に登用されている者の男女比を比較し、大きな差がある場合にはその理由を把握・分析し、改善に向けた必要な対応を行う。［各府省等］

② 女性職員の職域拡大、人事管理の柔軟化等を通じた女性職員の計画的育成

・ 各府省等は、女性職員の職域の拡大を一層積極的に行う。その際、特定の業務に女性職員が多く配置されている、男性職員のみが配置されてきた業務があるなど、職域が固定化していないか把握・分析し、固定化を解消する。［各府省等］

・ 各府省等は、管理職となるために必要な職務の経験について、例えば、出産・育児期等の前後又は育児期で時間制約があるような場合でも本人の意向を考慮して働く場所や時間の柔軟化を活用するなどして、重要なポストを経験させたり、必要な研修の機会を付与したりするなど、柔軟な人事管理を行う。〈Ⅱ.4.(3)再掲〉［各府省等］

・ 各府省等は、管理職の候補となり得るような女性職員については個別に育成方針を立てるなど、各府省等における女性職員の登用目標の達成に向けた計画的な育成を行う。その際、特に本府省及び地方支分部局等における一般職(旧Ⅱ・Ⅲ種試験)や専門職の試験採用の女性職員のうち優秀と見込まれる者については、必要な職務機会の付与や研修等の支援を通じて積極的に育成する。［各府省等］

③ 幹部候補育成課程における管理職への登用に向けた育成

・ 内閣人事局及び各府省等は、幹部候補育成課程において、高い意欲と能力を有する女性職員の管理職への登用に向け、積極的かつ計画的な育成の観点から、女性の課程対象者を対象として、出産・子育て期等後において管理職に登用されるための意欲の維持及び管理職に必要となるマネジメント能力の向上に資する研修を実施する。［内閣人事局、各府省等］

(2) 管理職の意識改革

・ 女性職員の登用の拡大に向けた管理職向けの啓発活動を実施し、管理職の意識改革を進める。特に、社会全体において固定的な性別役割分担意識等が存在していること、自府省等における女性登用の課題や取組等への理解を促進する。［内閣人

事局、人事院、各府省等〕

(3)　女性職員のキャリア形成支援

・　女性職員については、ロールモデル事例が少ないこと等を踏まえて、上記Ⅱ．3．「マネジメント改革」の(1)①ウ「部下職員の人材育成・キャリア支援の実施」の取組に加えて、女性職員のキャリアイメージ形成支援や能力向上を目的とした研修等の実施、活躍する女性職員のキャリアパス事例や経験談等の共有等を行う。〔内閣人事局、人事院、各府省等〕

・　各府省等は、管理職となるために必要な職務の経験について、例えば、出産・育児期等の前後又は育児期で時間制約があるような場合でも本人の意向を考慮して働く場所や時間の柔軟化を活用するなどして、重要なポストを経験させたり、必要な研修の機会を付与したりするなど、柔軟な人事管理を行う。〈Ⅱ．4．(3)再掲〉〔各府省等〕

・　各府省等は、育児期等に昇任を希望しなかった等の理由により結果として昇任が遅れている職員についても、多様な職務機会の付与や研修等の必要な支援を積極的に行い、意欲、スキル等を高め、優れた能力を持つ職員の昇任スピードを加速する。〔各府省等〕

(4)　女性職員が抱える悩みや心配の相談ができる体制づくり

・　各府省等は、仕事と家庭の両立や将来のキャリアに悩む女性職員が、同様の境遇を経験してきた先輩職員に気軽に相談できるよう、相談窓口の設置や先輩職員の紹介といった体制を整備する。あわせて、ロールモデルとなる女性職員が少ない府省等においても、女性職員に適切な相談の機会が確保されるよう、府省横断的な女性職員向けの研修への参加等を通じた府省横断的な人的ネットワークの形成を促進する。〔内閣人事局、人事院、各府省等〕

Ⅳ．推進体制等

(1)　各府省等における取組の推進

①　取組計画の策定

・　各府省等は、この指針を踏まえて、ワークライフバランス推進のための働き方改革、女性の活躍推進のための改革を実行するための取組計画を策定する（注1、注2）。取組計画には、各府省等がそれぞれの実情を踏まえて創意工夫した実効的な取組内容及び実施時期を盛り込む。〔各府省等〕

②　大臣、事務次官等のリーダーシップの発揮と推進体制

・　各府省等は、大臣、事務次官等の強力なリーダーシップの下、全府省的な推進体制（事務次官級又は官房長級以上の幹部職員を中心とした体制）を整備し、繰り返し職員に対して取組計画の周知徹底を行うとともに、種々の取組を着実に実行する。特に、業務の廃止を含めた業務の見直し・効率化を進めることは幹部・管理職の職責であることを理解し、幹部・管理職が率先して取り組む。〔各府省等〕

・　各府省等は、引き続き本府省にこの指針の推進に関する事務の中核となる担当官を設置し、地方支分部局等においても、その実情に合わせて担当者を置くなど推進体制を整備する。〔各府省等〕

③　職員の声の把握、エンゲージメント調査等の実施

・　各府省等は、各職場・各世代の男女の声を広く汲み上げるよう努めるとともに、意欲ある職員が業務見直しを始めとする働き方改革に関する議論と情報共有を行うことができる場を設け、その提言等を可能な限り自府省等における取組に反映する。〔各府省等〕

・　各府省等は、職員と職場の状況を把握し、上記Ⅱ．3．「マネジメント改革」等に係る取組の効果を測るとともに、課題の発見や取組の改善につなげるため、職員のエンゲージメントや職場環境などについての調査を定期的に実施する。〔各府省等〕

④　公表、フォローアップ等の実施

・　各府省等は、取組計画を公表するとともに、取組計画に基づく取組状況をフォローアップし、毎年度一回公表する（注2）。〔各府省等〕

・　内閣人事局は、各府省等による取組状況の公表のためのひな型（様式例）を作成し、提供する。また、各府省等の取組状況を定期的に取りまとめ、好事例等の参考となる事例については、各府省等と共有する。〔内閣人事局〕

(2)　内閣人事局による各府省等の取組の支援等

①　働き方改革の加速、女性職員の活躍促進のための取組

・　府省横断的な連携を促進するため、内閣人事局は、各府省等の意欲ある職員と働き方改革に関する議論と情報共有を定期的に行い、当該議論の成果を女性職員活躍・ワークライフバラン

ス推進協議会等を通じて各府省等に情報提供し、可能なものから逐次実施することを促す。また、各府省等における働き方改革担当者相互の日常的な情報共有を促進するための仕組み（有志職員によるメーリングリスト等）を構築し、必要に応じてその改善を行う。［内閣人事局］

・内閣人事局は、働き方改革に関する意識啓発のため、全府省等（外局、地方支分部局等を含む。）の職場を対象として、他の職場の参考となる優れた取組を表彰し、好事例の横展開を図る。［内閣人事局］

・内閣人事局は、育児休業取得職員の復職後の具体的なキャリアデザイン、育児中職員の両立支援、女性職員のキャリア形成支援や意欲向上等を目的とした研修を行う。また、女性職員のロールモデル事例を収集し、共有する。［内閣人事局］

② 公表、フォローアップの実施

・内閣人事局は、各府省等の取組状況を取りまとめるとともに（上記(1)④参照）、その実態や職員の意識等を横断的に把握又は検証するため、職員に対してアンケート調査を行う。調査結果等については、各府省等による状況把握と課題分析に資するよう、女性職員活躍・ワークライフバランス推進協議会等を通じて各府省等に共有するとともに公表する。［内閣人事局］

・内閣人事局は、在庁時間調査等の結果を踏まえた各府省等における長時間労働の是正の取組を促すとともに、各府省等の改善状況を定期的に把握する。［内閣人事局］

・内閣人事局は、各府省等の女性職員の採用・登用状況及び男性職員の育児休業、「男の産休」等男性職員の育児に伴う休暇・休業の取得状況を毎年度一回取りまとめ、公表する。［内閣人事局］

(3) 国家公務員の女性活躍とワークライフバランス推進のための取組指針の改正

・この指針は、必要に応じて改正することとする。

（注1）取組計画は、次世代育成支援対策推進法（平成十五年法律第百二十号）及び女性の職業生活における活躍の推進に関する法律に基づく特定事業主行動計画を一体的に策定することも可能とする。その場合、女性の職業生活における活躍の推進に関する法律に基づく特定事業主行動計画の策定等に係る内閣府令（平成二十七年内閣府令第六十一号）に定められている項目を中心に、項目に応じて非常勤職員を含む人事管理を行っている単位ごとの状況把握と課題分析を行うこと。

（注2）取組計画においては「こども未来戦略」等における政府目標等を踏まえ、自府省等における女性職員の採用・登用に関する目標数値、男性職員の育児休業取得率及び「男の産休」五日以上使用率の目標数値を定めること。また、目標数値の状況は、取組状況とともに公表すること。

別添

Ⅱ．1．(1)④に記載の「府省横断的な業務の効率化」については、次の事項についても留意されたい。

(1) 協議ルールの遵守徹底

・法令協議及びそれ以外の府省間協議（政府としての重要方針や複数の府省等にまたがる計画等の政策調整に係るもの。以下「協議」という。）について、協議を行う府省等は、協議先府省等が勤務時間外に作業せざるを得ないことにならないよう、協議事案に応じて、協議先府省等における判断のプロセスも考慮した適切な期限（四十八時間以上）を設定する。また、府省内の部局横断的協議（以下「省内協議」という。）についても、必要に応じて省内協議ルールを設定し、その遵守徹底を促す。［協議を行う府省等］

② 査定・審査業務の効率化

・予算や機構・定員等の審査・査定業務を行う府省等は、ヒアリング等を勤務時間内に行うことを原則とする。また、資料作成の依頼については必要最小限にとどめるよう可能な限り配慮するとともに、作業量に応じた適切な作業期間を設け、超過勤務を前提とするような依頼は原則として行わないものとする。［審査・査定業務を行う府省等］

・審査・査定業務を行う府省等は、各府省等からのヒアリング等についてウェブ会議等を活用することにより非対面でも実施できるよう検討し、可能なものから順次活用する。［審査・査定業務を行う府省等］

③　調査・照会業務の効率化

・　複数の府省等を対象とする調査や相当の作業量を伴う照会（以下「調査等」という。）を行う府省等は、その必要性について十分な吟味を行った上で、計画的かつ効率的な実施を徹底する。また、調査等の対象となる府省等が勤務時間外に作業せざるを得ないような作業依頼は原則として行わないものとし、作業量に応じた適切な作業期間を設けるものとする。［調査等を行う府省等］

・　調査等を行う府省等は、調査等の効率化のため、調査等の対象府省等が作業しやすい様式の工夫等について具体的に検討し、実施する。［調査等を行う府省等］

④　法案等作成業務の効率化

・　内閣法制局及び各府省等は、法案等審査業務におけるヒアリング等については、特段の事情がある場合を除き、勤務時間内に行うことを原則とする。また、資料作成の依頼については、必要最小限にとどめるよう可能な限り配慮するとともに、特段の事情がある場合を除き、作業量に応じた適切な作業期間を設け、超過勤務を前提とするような依頼は原則として行わないものとする。［内閣法制局、各府省等］

・　総務省は、「法制執務業務支援システム（e-LAWS）」について、各府省等の担当者の負担軽減を図るための機能改善に取り組む。［総務省（デジタル庁の設置後はデジタル庁）］

・　各府省等は、法案等担当者の育成及び各府省等内の法案等作成業務の効率化に資するため、必要な知識・ノウハウ等を積極的に共有する。［各府省等］

○国家公務員の男性職員による育児に伴う休暇・休業の取得促進に関する方針

令元・一二・二七
女性職員活躍・ワークライフバランス推進協議会決定

改正　令六・一・一六

全世代型の社会保障を確立する中で、子育てしやすい家庭環境づくりは重要な課題である。男性の育児に伴う休暇・休業の取得の促進は、その実現のための重要な施策であり、政府として強力に進めていくことが必要である。

男性の家庭生活への参画促進は、男性自身の仕事と家庭生活の両立のみならず、女性の活躍促進、ひいては、少子化対策の観点からも極めて重要である。我が国全体の育児休業等の取得率向上を図るためにも、国家公務員が率先して、男性職員の育児に伴う休暇・休業の取得について、思い切った取組を進めることが必要である。

特に、子の出生後間もない時期は、一般的に、出産により女性に心身両面で大きな負担が掛かり、産後うつの発症のリスクが高いと考えられており、また、この時期に男性がともに育児を行うことはその後の積極的な育児への参画にもつながると言われていることから、この時期の取得を促進する必要性が高いと考えられる。

国家公務員における男性職員の両立支援制度の活用については、これまで「国家公務員の女性活躍とワークライフバランス推進のための取組指針」（平成二十六年十月十七日女性職員活躍・ワークライフバランス推進協議会決定。以下「取組指針」という。）等に基づき取組を進めてきた結果、育児休業取得率及び「男の産休」（配偶者出産休暇及び育児参加休暇）の五日以上使用率のいずれもここ数年毎年増加を続けているが、取組指針等で掲げる目標には未だ達していない。男性職員が取得をためらう要因として、収入面の懸念のほか、業務の多忙さや、職場の雰囲気を挙げる意見も多く、職場全体として環境の整備を進めていくことが重要である。

職員の休暇・休業の取得は、適切に対応することができれば、特定の職員に頼らない、チームとして柔軟・効率的に機能する職場となるきっかけともなり得るものであり、さらに、多様な人が働きやすい魅力ある職場として優秀な人材の確保にもつながることが期待されるなど、職場にとっても意義のあるものである。

そのため、男性職員が育児に参画する時間をきちんと確保し、民間部門も含めた我が国全体の育児休業等の取得率向上につなげていくためにも、民間の先進事例も参考に、令和二年度から、子供が生まれた全ての男性職員が一か月以上を目途に育児に伴う休暇・休業を取得できることを目指すとともに、令和五年十二月二十二日に策定された「こども未来戦略」において、国・地方の公務員（一般職・一般行政部門常勤）に係る男性の育児休業取得率の政府目標について、令和七年までに一週間以上の取得率を八五％、令和十二年までに二週間以上の取得率を八五％に引き上げたことを踏まえ、政府一丸となって、取組を進めることとする。

なお、本方針は、取組指針のうち、「Ⅱ．4．仕事と生活の両立支援」について、現行の取組に加えて行うものとして、取りまとめたものであり、これは、男性職員の育児に伴う休暇・休業の取得率が低く、期間も短期間にとどまっていることを踏まえ、子供が生まれた全ての男性職員の一か月以上の取得を目途として取組を進めるものであって、当然のことながら、一か月を超える休暇・休業の取得をとどまらせるような運用をしてはならないことに留意することが必要である。取組指針における他の取組と合わせて進めることにより、全体として高い効果を上げることが期待されるものであり、また、女性職員についても、本方針を参考に、職場全体の意識の変革や、休暇・休業中の業務運営の確保など、育児に関する両立支援制度のより円滑な活用につながるような環境の整備をさらに進めていくことが求められる。

1　男性職員の育児に伴う休暇・休業の取得を促進するための取組

各府省等においては、以下に記載するものを標準的な取組として、それぞれの組織の実情を踏まえて必要な工夫も加えつつ、男性職員の育児に伴う休暇・休業の取得を促進するものとする。なお、取得を促進するに当たっては、休暇・休業の取得は当該職員の判断によるものであることに留意する。

内閣人事局は、各府省等が取組を進めるに当たって参考となるよう、本方針で示している標準的な取組をもととした実施方法の例を作成し、各府省等に周知する。また、各府省等における事務負担の軽減と、取得した休暇・休業をより効果的なものとする観点から、取得計画の作成等に当たって活用できる様式例や、休暇・休業の取得の意義や必要な知識等に関する周知・啓発のためのハンドブック等を作成し、各府省等に提供する。

(1)　職場全体の意識の変革

・　取得を積極的に進める雰囲気を醸成するため、幹部職員（本省は審議官級以上。地方機関は原則としてその長。以下同じ。）は、職場全体に対して、取得の意義、男性職員の育児参画がもたらす効果などを含め、取得促進に向けた強いメッセージを定期的に発出する。また、組織における取組の状況を確認し、必要に応じて対策を実施する。

・　人事担当課（地方機関の人事担当課も含む。以下同じ。）は、常日頃から、会議等の場を通じて、全職員に対して、育児に伴う休暇・休業の取得の意義、男性の育児参画がもたらす効果などを伝え、取得促進の取組に対する理解を促すとともに、育児に伴う休暇・休業の取得により不利益な取扱いがなされてはならないものであることを、管理職員（課室長級（地方機関等を含む。）。以下同じ。）をはじめとして、職員全体に徹底する。また、制度・運用についての質問や相談を受け付ける窓口を設置する。

(2)　対象職員の把握

・　管理職員及び人事担当課は、常日頃より職員からの相談を受けやすい雰囲気の醸成に努めるとともに、個人のプライバシーに配慮しつつ、子の出生が見込まれることとなった場合にはできるだけその旨を上司に伝えるよう積極的に周知するなど、適切な機会・手段を通じて、子の出生が見込まれる男性職員（以下「対象職員」という。）の確実な把握に努める。

(3)　取得計画の作成

・　管理職員は、対象職員を把握した場合、当該職員に対し、取得の意義や、父親として必要な知識や注意すべき事項等についての情報の提供を行い、育児に伴う休暇・休業の合計一か月以上の取得を勧奨した上で、取得に関する本人の意向に基づき、取得計画を作成する。

・取得の勧奨に当たっては、家庭や本人の状況による多様なニーズに対応した効果的な取得ができるよう、「男の産休」、育児休業のほか、育児時間や年次休暇など、育児への参画のために取得・活用できる休暇・休業を幅広く対象として行う。

・取得勧奨を行うに当たり、休暇・休業の取得時期については、基本的に本人の判断によるものであるが、計画の対象期間は、子の出生後早い時期から育児に参画することが効果的と言われていること、また、計画の実効性の担保の観点からはあまり長期間にわたることは適当でないことから、出生一年後以降に休暇・休業を取得する具体的計画があるなど合理的な理由がある場合を除き、原則として子の出生一年後までとする。また、出産後すぐの時期は心身両面で女性の負担が大きいことなどを踏まえ、配偶者の出産の日後八週間を経過する日までに、一定期間まとめて休暇・休業を取得することを推奨する。

・人事担当課は、管理職員からの報告により対象職員の取得予定を確認し、取得意向がない又は期間が一か月に満たないといった場合には、管理職員又は当該職員に対し、理由の確認や勧奨を行う。

(4)　休暇・休業中の業務運営の確保

・対象職員が安心して育児に伴う休暇・休業を申請・取得できるよう、管理職員は、あらかじめ休暇・休業中の体制の準備や業務分担の見直し等を行うなど、業務面における環境整備を行う。環境整備に当たり、代替要員が必要と考えられる場合などには、人事担当課や部局の総括課（以下「人事担当課等」という。）に協議し、人事担当課等は、業務遂行をサポートするため、高齢・ワークライフバランス定員も活用しながら、必要な職員の確保に努める。

(5)　計画に沿った取得の促進

・管理職員は、子の出生後、対象職員による育児に伴う休暇・休業の取得状況について、当該職員の報告等に基づき把握し、取得計画に沿った取得が行われていない等の場合には、その理由と本人の意向を確認の上、取得計画の見直しを検討する。

・人事担当課は、管理職員からの報告等により取得状況を確認し、取得計画との間に大きな乖離が生じている等の場合には、管理職員又は当該職員に対し、理由の確認や取得計画の見直しの要請を行う。

(6)　人事評価への反映

幹部職員、管理職員、人事担当課の職員等の人事評価において、当該職員の男性職員の育児に伴う休暇・休業の取得を促進するための取組を適切に反映することとし、内閣人事局は、これに係る考え方・方法・目標設定例等について、各府省等に通知する。

・幹部職員については、男性職員の育児に伴う休暇・休業の取得促進に向けた強いメッセージの発出、組織における取組の状況の確認や必要な対策の実施等を評価対象とする。

・管理職員その他直属の上司については、適切な機会・手段を通じた対象職員の確実な把握、対象職員に対する育児に伴う休暇・休業の取得に係る情報提供及び取得の勧奨、取得計画の作成、取得状況の確認、取得期間中の体制の準備や業務分担の見直し等の業務面における環境整備等を評価対象とする。

・人事担当課の職員については、全職員に対する取得促進の取組に対する理解促進のための取組、適切な機会・手段を通じた対象職員の確実な把握、管理職員や対象職員に対する状況の確認や勧奨の実施等を評価対象とする。

・なお、これらの者に限らず、対象職員が休暇・休業を取得するに当たって、対象職員の業務を分担したり、業務の実施方法について工夫したりする等により、対象職員の休暇・休業中の業務の円滑な遂行に貢献した職員については、当該貢献を人事評価においても適切に評価することとする。

2　フォローアップの実施

内閣人事局は、男性職員の育児に伴う休暇・休業の取得状況など、各府省等における取組状況を取りまとめ、公表する。取りまとめに当たっては、人事院等の関係者と調整を図るなど、各府省等における事務負担の軽減に努めることとする。

また、各府省等における効果的・積極的な取組等の把握に努め、女性職員活躍・ワークライフバランス推進協議会等の場を活用し、積極的に共有を図る。

3　定員面での支援の検討

内閣人事局は、高齢・ワークライフバランス定員の活用状況も踏まえながら、令和二年度に拡充が予定されている同定員について、引き続き今後の措置を検討する。

4　**更なる環境整備の検討**

育児に伴う休暇・休業に関する各種制度及びその運用の在り方について、男性職員の育児への参画を促進するため、より休暇・休業を取得しやすい環境を整備する観点から、人事院、内閣人事局などの関係府省等において、引き続き検討を行う。

○人事院規則一―七（政府若しくはその機関又は行政執行法人と外国人との間の勤務の契約）

昭二四・八・一五公布
昭二四・八・一五施行
最終改正　平二七・三・一八規則一―六三

1　政府若しくはその機関又は行政執行法人は、法第二条第七項に規定する個人的基礎においてなされる勤務の契約による場合には、日本の国籍を有しない者を雇用することができる。

2　前項の契約は、当該職の職務がその資格要件に適合する者を日本の国籍を有する者の中から得ることが極めて困難若しくは不可能な性質のものと認められる場合、又は当該職に充てられる者に必要な資格要件がそれに適合する者を日本の国籍を有する者の中から得ることが極めて困難若しくは不可能な特殊かつ異例の性質のものと認められる場合に限り、政府若しくはその機関又は行政執行法人と日本の国籍を有しない者との間において締結することができる。

3　第一項の契約には、服務に関し日本国政府に対する忠誠の宣誓を求めることを定めてはならない。

4　日本の国籍を有しない者を雇用しようとするときは、その者が自国の法令の定により、その雇用によつてその国籍を失うこととなるかどうかを自らの責任において明らかにしなければならないことを、あらかじめ文書をもつてその者に注意しなければならない。日本の国籍と外国の国籍とをあわせ有する者を官職に任命しようとするときにおいてもまた同様とする。

○幹部職員の任用等に関する政令

平二六・五・二九
政令一九一

最終改正　令五・三・三〇政令一二六

（定義）

第一条　この政令において「官職」、「職員」、「人事評価」、「標準職務遂行能力」、「幹部職員」、「幹部職」、「管理職員」、「管理職」、「標準的な官職」、「適格性審査」、「幹部候補者名簿」、「採用等」、「内閣の直属機関」、「各大臣等」、「幹部候補育成課程」又は「課程対象者」とは、それぞれ国家公務員法（以下「法」という。）第二条第四項、第十八条の二第一項、第三十四条第一項第五号から第七号まで若しくは第二項、第六十一条の二第一項若しくは第二項、第六十一条の四第一項、第六十一条の八第一項又は第六十一条の九第一項若しくは第二項第二号に規定する官職、職員、人事評価、標準職務遂行能力、幹部職員、幹部職、管理職員、管理職、標準的な官職、適格性審査、幹部候補者名簿、採用等、内閣の直属機関、各大臣等、幹部候補育成課程又は課程対象者をいう。

２　この政令において「任命権者」とは、法第五十五条第一項に規定する任命権者及び法律で別に定められた任命権者並びにその委任を受けた者をいう。

（事務次官、局長又は部長の官職及び課長又は室長の官職に準ずる官職）

第二条　法第三十四条第一項第六号の政令で定める官職は、次に掲げる機関に属する官職（内閣府設置法（平成十一年法律第八十九号）第五十条及び国家行政組織法（昭和二十三年法律第百二十号）第六条に規定する長官、同法第十八条第一項に規定する事務次官並びに同法第二十一条第一項に規定する局長及び部長の官職並びに行政の特定の分野における高度の専門的な知識経験に基づく調査、研究、情報の分析等を行うことによる政策の企画及び立案等の支援に関する事務をつかさどる官職（当該官職に準ずる官職として内閣官房令で定めるものを含む。次項において同じ。）を除く。）であって、標準的な官職を定める政令（平成二十一年政令第三十号）本則の表一の項第二欄第一号に掲げる部局若しくは機関等に存する同項第三欄第一号、第二号若しくは第三号に掲げる職制上の段階又はこれらと同等の職制上の段階（職制上の段階のうち、上位の職制上の段階及び下位の職制上の段階以外のものをいう。以下同じ。）に属するものとする。

一　法律の規定に基づき内閣に置かれる機関（内閣府及びデジタル庁を除く。）又は内閣の所轄の下に置かれる機関（人事院に置かれる公務員研修所、地方事務局及び沖縄事務所を除く。）

二　内閣府（内閣府設置法第三十七条、第三十九条、第四十条及び第四十三条に規定する機関を除く。）、宮内庁（宮内庁法（昭和二十二年法律第七十号）第十六条及び第十七条第一項に規定する機関並びに同法第十八条第一項において準用する内閣府設置法第五十六条及び第五十七条に規定する機関を除く。）又は内閣府設置法第四十九条第一項若しくは第二項に規定する機関（同法第五十四条から第五十七条までに規定する機関及び私的独占の禁止及び公正取引の確保に関する法律（昭和二十二年法律第五十四号）第三十五条の二第一項に規定する機関を除く。）

三　内閣府地方創生推進事務局

四　内閣府知的財産戦略推進事務局

五　内閣府科学技術・イノベーション推進事務局

六　内閣府健康・医療戦略推進事務局

七　内閣府宇宙開発戦略推進事務局

八　内閣府北方対策本部

九　内閣府総合海洋政策推進事務局

十　内閣府国際平和協力本部

十一　警察庁（警察大学校、科学警察研究所、皇宮警察本部、管区警察局、東京都警察情報通信部及び北海道警察情報通信部を除く。）

十二　デジタル庁

十三　国家行政組織法第三条第二項に規定する機関（同法第八条から第九条までに規定する機関及び労働組合法（昭和二十四年法律第百七十四号）第十九条の十一第二項に規定する機関を除く。）

十四　検察庁（高等検察庁、地方検察庁及び区検察庁を除く。）

十五　厚生労働省死因究明等推進本部

十六　会計検査院（会計検査院法（昭和二十二年法律第七十三号）第十九条に規定する機関を除く。）

２　法第三十四条第一項第七号の政令で定める官職は、前項各号に掲げる機関に属する官職（国家行政組織法第二十一条第一項に規定する課長及び室長の官職並びに行政の特定の分野における高度の専門的な知識経験に基づく調査、研究、情報の分析等を行うことによる政策の企画及び立案等の支援に関する事務をつかさどる官職を除く。）であって、標準的な官職を定める政令本則の表一の項第二欄第一号に掲げる部局若しくは機関等に存する同項第三欄第四号若しくは第五号に掲げる職制上の段階又はこれらと同等の職制上の段階に属するものとする。

（適格性審査の実施）

第三条　適格性審査においては、人事評価（自衛隊法（昭和二十九年法律第百六十五号）第三十一条第三項に規定する人事評価を含む。第三項において同じ。）その他の任命権者（同条第一項の規定により同法第二条第五項に規定する隊員（次条第二項第二号において「自衛隊員」という。）の任免について権限を有する者を含む。第五条並びに第六条第二項及び第三項において同じ。）から提出された標準職務遂行能力（同法第三十条の二第一項第五号に規定する標準職務遂行能力を含む。以下この項及び次条において同じ。）を有することの確認に資する情報又は必要に応じて行う調査その他の適当な方法により得られた標準職務遂行能力を有することの確認に資する情報に基づき、内閣官房長官が定めるところにより、幹部職（同法第三十条の二第一項第六号に規定する幹部職を含む。第十条第三項において同じ。）に属する官職（同法第三十条の二第一項第二号に規定する自衛官以外の隊員が占める職を含む。）に係る標準職務遂行能力を有することを確認するものとする。

２　内閣官房長官は、前項の定めをするに当たっては、人事院の意見を聴くものとする。

３　内閣官房長官は、人事評価が行われていない者のうち内閣官房長官が定める者に対して適格性審査を行う場合において、国家公務員としての職務又はこれに類する職務以外の職務の経歴を参酌する場合その他国家公務員としての職務又はこれに類する職務を遂行するに当たり発揮した能力又は挙げた業績に関する情報以外の情報を参酌する場合であって、適格性審査の公正な実施を確保するために必要があると認めるときは、人事行政に関し高度の知見又は豊富な経験を有し、客観的かつ中立公正な判断をすることができる者の意見を聴くものとする。

４　内閣の直属機関、人事院、検察庁、会計検査院又は警察庁（以下この項及び第十条第三項において「内閣直属機関等」という。）の官職（当該官職が内閣の直属機関に属するものであって、その任命権者が内閣の委任を受けて任命権を行う者であるものを除く。）のうち幹部職を占める職員に対する適格性審査は、当該職員の任命権者が当該職員を内閣直属機関等以外の機関の幹部職員（自衛隊法第三十条の二第一項第六号に規定する幹部隊員を含む。第十条第三項及び第十五条において同じ。）の候補者として内閣総理大臣に推薦した場合に限り行うものとする。

（幹部候補者名簿の作成）

第四条　幹部候補者名簿は、次の各号に掲げる職制上の段階ごとに、適格性審査の結果、当該各号に掲げる職制上の段階の標準的な官職（自衛隊法第三十条の二第二項の標準的な官職を含む。次項第三号において同じ。）に係る標準職務遂行能力を有することが確認された者の氏名及び次項各号に掲げる事項を記載した名簿とする。

一　標準的な官職を定める政令本則の表一の項第二欄第一号に掲げる部局又は機関等に存する同項第三欄第一号に掲げる職制上の段階及びこれと同等の職制上の段階（幹部職が属するものに限る。）並びに防衛省の事務次官の属する職制上の段階

二　標準的な官職を定める政令本則の表一の項第二欄第二号に掲げる部局又は機関等に存する同項第三欄第二号に掲げる職制上の段階及びこれと同等の職制上の段階（幹部職が属するものに限る。）並びに防衛省の局長の属する職制上の段階

三　標準的な官職を定める政令本則の表一の項第二欄第一号に掲げる部局又は機関等に存する同項第三欄第三号に掲げる職制上の段階及びこれと同等の職制上の段階（幹部職が属するものに限る。）並びに防衛省の次長の属する職制上の段階

２　法第六十一条の二第二項の政令で定める事項は、次に掲げる事項とする。

一　生年月日

二　職員（自衛隊員（自衛官を除く。）を含む。次条第一号及び第六条第三項において同じ。）にあっては、その官職（自衛隊員（自衛官を除く。）が占める職を含む。次条第一号及び第六条第三項において同じ。）

三　有することが確認された標準職務遂行能力に係る標準的な官職に係る職制上の段階

四　その他内閣官房長官が定める事項

（幹部候補者名簿の提示）

第五条　法第六十一条の二第三項の規定による幹部候補者名簿の提示は、任命権者に対し、次に掲げる者に係る事項を提示することにより行うものとする。

一　当該任命権者が任命権を有する官職を占める職員

二　当該任命権者から提示の求めがあった者であって内閣官房長官が必要と認めるもの

（幹部候補者名簿の更新）

第六条　法第六十一条の二第四項の規定による定期的な適格性審査の実施及びその結果に基づく幹部候補者名簿の更新は、毎年一回行うものとする。

2　内閣官房長官は、前項の規定によるほか、任命権者の求めがある場合その他必要があると認める場合には、随時、適格性審査を行い、その結果に基づき幹部候補者名簿を更新するものとする。

3　内閣官房長官は、任命権者から幹部候補者名簿に記載されている事項のうち当該任命権者が任命権を有する官職を占める職員に係る事項に関し削除の求めがあった場合において、当該職員の職務の特殊性に配慮する観点から必要があると認めるときは、当該事項を削除することにより幹部候補者名簿を更新するものとする。

（採用等の協議等の対象となる退職）

第七条　法第六十一条の四第一項の政令で定める退職は、職員からの申出による退職とする。

（採用等の協議等の方法）

第八条　法第六十一条の四第一項又は第三項の規定による協議は、採用等をしようとする者又は採用等をされた者の氏名、当該採用等の内容その他の内閣総理大臣が定める事項を記載した書面により行うものとする。

2　法第六十一条の八第二項の規定により読み替えて適用する法第六十一条の四第一項又は第三項の規定による通知は、採用等をしようとする者又は採用等をされた者の氏名、当該採用等の内容、当該採用等に係る幹部職に係る標準職務遂行能力を有するか否かの観点から意見を述べるために必要な事項その他の内閣総理大臣が定める事項を記載した書面により行うものとする。

（管理職への任用の状況の報告）

第九条　法第六十一条の五第一項の規定による定期的な報告は、内閣総理大臣が定める事項について、毎年一回行うものとする。

2　任命権者は、内閣総理大臣から管理職への任用の状況に関し法第六十一条の五第一項の規定により報告の求めがあったときは、内閣総理大臣が定める事項を報告するものとする。

（人事に関する情報の管理）

第十条　内閣総理大臣が、内閣府、デジタル庁、各省その他の機関に対し、法第六十一条の七第一項の規定により人事に関する情報の提供を求める場合には、書面をもって行うものとする。

2　法第六十一条の七第一項の政令で定める職員は、幹部職員、管理職員及び課程対象者以外の職員であって、次に掲げるものとする。

一　標準的な官職を定める政令本則の表一の項第二欄第一号に掲げる部局若しくは機関等に存する同項第三欄第一号から第五号までに掲げる職制上の段階又はこれらと同等の職制上の段階に属する官職を占める職員

二　前号に掲げる職員のほか、幹部候補者名簿に記載されている職員

三　前二号に掲げる職員のほか、幹部職又は管理職に任用されたことがある職員、課程対象者として選定されたことがある職員その他幹部職員、管理職員又は課程対象者に準ずる職員として内閣総理大臣が定めるもの

3　法第六十一条の八第一項又は第二項の規定により読み替えて適用する法第六十一条の七第一項の政令で定める場合は、内閣直属機関等の官職（当該官職が内閣の直属機関に属するものであって、その任命権者が内閣の委任を受けて任命権を行う者であるものを除く。）を占める職員について、内閣直属機関等以外の機関の幹部職員の候補者として適格性審査が行われる場合及び内閣直属機関等以外の機関の幹部職への任命に関して協議が行われる場合とする。

4　内閣総理大臣は、法第六十一条の七第一項の規定により提供された情報を取り扱う者を指定するとともに、その他の者が当該情報を閲覧ができないようにするために必要な措置を講じなければならない。

（採用等の協議の特例が適用されない外局として置かれる委員会）

第十一条　法第六十一条の八第三項の政令で定める外局として置かれる委員会は、中央労働委員会とする。

（幹部職への併任）

第十二条　職員の幹部職への併任は、法第六十一条の三第二項及び第四項の規定並びに法第六十一条の四の規定（同条第一項及び第三項の規定にあっては法第六十一条の八第二項又は第三項の規定により読み替えて適用する場合を、法第六十一条の四第二項の規定にあっては法第六十一条の八第二項の規定により読み替えて適用する場合を含む。次項において同じ。）の適用については、職員の転任であって幹部職への任命に該当するものとみなす。

2　職員の幹部職の併任の解除は、法第六十一条の四の規定の適用については、幹部職員の幹部職以外の官職への転任とみなす。

（政令で定める機関の長）

第十三条　法第六十一条の九第一項の政令で定める機関

の長は、次のとおりとする。
一　宮内庁長官
二　公正取引委員会委員長
三　警察庁長官
四　カジノ管理委員会委員長
五　金融庁長官
六　消費者庁長官
七　こども家庭庁長官

（運用の状況の報告）
第十四条　法第六十一条の十第一項の規定による定期的な報告は、毎年度、次に掲げる事項について行うものとする。
一　前年度における幹部候補育成課程における育成の対象となるべき者の選定の実施状況
二　前年度における課程対象者について引き続き課程対象者とするかどうかの判定の実施状況
三　前年度の末日において課程対象者としている者の状況
四　前年度における法第六十一条の九第二項第三号の研修の実施、同項第四号の研修の受講及び同項第五号の機会の付与の状況
五　前各号に掲げるもののほか、内閣総理大臣が必要と認める事項

2　各大臣等（会計検査院長及び人事院総裁を除く。）は、内閣総理大臣から幹部候補育成課程の運用の状況に関し法第六十一条の十第一項の規定により報告の求めがあったときは、内閣総理大臣が必要と認める事項を報告するものとする。

（内閣官房令への委任）
第十五条　この政令に定めるもののほか、幹部職員の任用等に係る特例に関し必要な事項（自衛隊法第三十条の二第一項第六号に規定する幹部隊員にあっては適格性審査及び幹部候補者名簿に関し必要な事項に限り、同項第七号に規定する管理職にあっては法第六十一条の六の規定に基づく調整に関し必要な事項に限る。）及び幹部候補育成課程に関し必要な事項は、内閣官房令で定める。

附　則

（施行期日）
1　この政令は、国家公務員法等の一部を改正する法律（平成二十六年法律第二十二号。以下「改正法」という。）の施行の日（平成二十六年五月三十日）から施行する。ただし、次の各号に掲げる規定は、当該各号に定める日から施行する。
一　次項の規定　公布の日
二　第十三条及び第十四条の規定　改正法附則第一条第二号に定める日（平成二十六年八月二十九日）

（準備行為）
2　内閣官房長官は、第三条第一項の定めをするときは、この政令の施行の日（次項において「施行日」という。）前においても、人事院の意見を聴くことができる。

（経過措置）
3　施行日から改正法附則第一条第二号に定める日の前日までの間における第一条第一項、第十条第二項及び第十五条の規定の適用については、第一条第一項中「、「内閣の直属機関」、「各大臣等」、「幹部候補育成課程」又は「課程対象者」とあるのは「又は「内閣の直属機関」と、「、第六十一条の八第一項又は第六十一条の九第一項若しくは第二項第二号」とあるのは「又は第六十一条の八第一項」と「、内閣の直属機関、各大臣等、幹部候補育成課程又は課程対象者」とあるのは「又は内閣の直属機関」と、第十条第二項中「、管理職員及び課程対象者」とあるのは「及び管理職員」と、同項第三号中「、課程対象者として選定されたことがある職員その他」とあるのは「その他」と、「、管理職員又は課程対象者」とあるのは「又は管理職員」と、第十五条中「に限る。）及び幹部候補育成課程に関し必要な事項」とあるのは「に限る。）」とする。

附　則（令五・三・三〇政令一二六）（抄）

（施行期日）
第一条　この政令は、令和五年四月一日から施行する。

○幹部職員の任用等に関する政令第二条第一項の官職を定める内閣官房令

平二六・五・三〇
内閣官房令一

改正　平二九・三・七内閣官房令一

幹部職員の任用等に関する政令第二条第一項の内閣官房令で定める官職は、行政の特定の分野における高度の専門的な知識経験に基づく調査、研究、情報の分析等を行うことにより、政策の企画及び立案、他国又は国際機関との交渉等の支援に関する事務をつかさどる官職とする。

附　則

この内閣官房令は、公布の日から施行する。

○幹部候補育成課程の運用の基準

平二六・八・二九
内閣官房告一

最終改正　令四・三・二二内閣官房告一

第一　運用全般に関する基準

１　本基準の趣旨

国家公務員一人一人が国民全体の奉仕者として、国民の立場に立ち、責任を自覚し、誇りを持って職務を遂行することが求められており、特に管理職員、ひいては幹部職員については、行政の専門家としての能力を有するとともに、府省横断的な行政課題に対し、縦割り行政の弊害を排して、政府全体の立場に立って判断し得る高い見識と幅広い視野を有する人材であることが求められている。各大臣等は、このような観点から、将来において幹部職員の候補となり得る管理職員としての職責を担うにふさわしい能力及び経験を有する職員を総合的かつ計画的に育成するため、国家公務員法（昭和二十二年法律第百二十号。以下「法」という。）の規定に基づき幹部候補育成課程（以下「課程」という。）を設け、本基準の定めるところに従い運用するものとする。

２　各大臣等の責務

(1)　各大臣等は、各府省等（内閣府、デジタル庁、各省、会計検査院及び人事院その他幹部候補育成課程が設けられる機関をいう。以下同じ。）における課程の運用に当たっては、高い見識と幅広い視野、所管行政に係る専門性、政策の企画立案及び業務の管理に係る能力並びに倫理観等を備えた人材の育成が喫緊の課題であることに鑑み、高い意欲と能力を有する職員を適切に選定した上で、管理職員に求められる職務遂行能力の修得に必要な研修を受講する機会及び勤務を経験する機会を集中的に付与することにより、課程対象者の総合的かつ計画的な育成を図るものとする。この際、高い意欲と能力を有する女性職員についても課程対象者として選定し積極的な育成を行うものとする。

(2)　各大臣等は、各府省等における課程の運用に当たっては、全ての課程対象者が、国民全体の奉仕者としての強い自覚と責任感の下、全力を挙げて自らの職務を遂行するとともに、積極的かつ主体的に自らの能力の開発及び向上を図ることができるよう、環境整備等に努めなければならない。

(3)　各大臣等は、各府省等における課程の運用に当たっては、職員の採用年次及び合格した採用試験の種類にとらわれてはならない。

(4)　各大臣等は、各府省等における課程の運用に当たり、仕事と生活の調和を図る観点から、課程対象者が妊娠、出産若しくは育児又は介護等のため配慮が必要となる場合は、弾力的な運用を行うものとする。

(5)　各大臣等は、職員が課程対象者であることや課程対象者であったことにとらわれて、管理職への昇任その他の人事管理を行ってはならない。

３　実施規程の整備

(1)　各大臣等は、法の規定及び本基準に基づき課程の実施に関する規程（以下「実施規程」という。）を定め、各府省等における課程を運用するものとする。

(2) 各大臣等（会計検査院長及び人事院総裁を除く。）は、実施規程を定めようとするとき、又は変更しようとするときは、あらかじめその案について、内閣総理大臣に届け出なければならないものとする。

(3) 会計検査院長及び人事院総裁は、実施規程を定めたとき、又は変更したときは、内閣総理大臣からの要請に基づき、内閣総理大臣に届け出る。

第二 課程対象者の選定の基準

1 選定の基準

(1) 各大臣等は、次に定める要件をいずれも満たす職員の中から、課程における育成の対象となるべき者を随時選定するものとする。

ア 採用後、三年以上勤務しており、かつ、勤務している期間が十年を下回らない範囲で各大臣等が実施規程に定める年数を超えていないこと。

イ 課程における育成の対象となることを希望していること。

ウ 選定しようとする日以前における直近二回の能力評価の全体評語のいずれかが「優良」の段階以上であり、かつ、もう一方が「やや不十分」の段階以下でないこと。

エ 選定しようとする日以前における直近四回の業績評価の全体評語のいずれかが「優良」の段階以上であり、かつ、他の業績評価の全体評語が「良好」の段階以上であること。

(2) (1)の選定に当たっては、次に掲げる事項を考慮した上で、ふさわしい者を選定するものとする。

ア 課程の適切な運用が可能となるような規模

イ 課程における育成の対象となることを希望している職員（下記2の機会により課程に限るものとし、以下「希望者」という。）の監督者（所属する課の長その他の実施規程で定める監督者をいう。以下同じ。）の意見

(3) 各大臣等は、(2)に掲げる事項のほか、(1)の選定に当たり、課程の効果的な運用のために必要な事項として実施規程に定める事項を考慮することができる。

2 希望表明の機会

各大臣等は、実施規程で定めるところにより、原則として1(1)の要件（1(1)イの要件を除くものとし、1(3)により実施規程に必要な事項を定めた場合は当該事項を含む。）を満たし得る全ての職員が課程における育成の対象となることの希望を表明できる機会を設けるものとする。

3 課程対象者として選定した職員等への通知等

(1) 各大臣等は、課程対象者を選定した場合は、実施規程で定めるところにより、新たに課程対象者として選定された職員及び当該職員の監督者に対しその旨を通知するものとする。

(2) 各大臣等は、希望者のうち、課程対象者として選定されていないことについて説明を求める職員に対し、当該職員の監督者その他の適当と認める職員を通じて、選定されていない理由を説明するものとする。

4 課程対象者の選定の規模

各府省等において各年度に新たに選定する課程対象者の数については、各年度における平均的な管理職への新規昇任数及び採用人数並びに課程対象者に対する多様な勤務を経験する機会の付与の見込みその他の考慮することが適当と認められる事項を勘案し、その人材育成方針に基づいた適切な運用が可能となるような規模にするものとする。

第三 引き続き課程対象者とするかどうかの判定の基準

1 定期的な判定の基準

(1) 各大臣等は、半年ごとに、次に定める要件のいずれかに該当する者を、特段の事情がない限り、引き続き課程対象者としないことを決定するものとする。

ア 直近の能力評価の全体評語が「やや不十分」の段階以下であること。

イ 直近二回の業績評価の全体評語がいずれも「やや不十分」の段階以下であること。

(2) 各大臣等は、(1)のほか、実施規程で定める場合には、半年ごとに、次に定める要件のいずれにも該当する者についても、引き続き課程対象者としないことを決定することができる。

ア 直近の能力評価の全体評語が「良好」の段階であること、又は直近二回の業績評価の全体評語のいずれかが「やや不十分」の段階以下であってももう一方が「良好」の段階であること。

イ 課程の適切な運用が可能となるような課程対象者の全体数の規模を勘案した場合に、他の課程対象者と比して勤務実績が劣っていると認められる当該者を引き続き課程対象者としないことが適当であること。

2 随時の判定に係る基準

各大臣等は、随時に、次に定める要件のいずれかに

該当する者を、引き続き課程対象者としないことを決定するものとする。

ア　課程対象者であることを希望しなくなったこと。

イ　引き続き課程対象者とすることが不適当と判断される状態にあること。

3　引き続き課程対象者としないこととした職員への説明等

各大臣等は、課程対象者としないことを決定した場合には、実施規程で定めるところにより、当該決定の対象職員及び当該職員の監督者にその旨を通知するとともに、2ア以外が理由のときは、当該職員に対して、当該職員の監督者その他の適当と認める職員を通じて、課程対象者としないことを決定した理由を説明するものとする。

第四　課程の期間に関する基準

1　課程の期間に関する基準

課程の標準的な期間は選定から十五年程度の期間とし、具体的には各大臣等が各府省等における任用の実情等を踏まえ、実施規程において課程の期間を定めるものとする。

2　課程を終了した職員等への通知

各大臣等は、課程対象者として選定された後に課程に在籍した期間が1により実施規程で定めた期間を経過した課程対象者については、課程を終了させるものとし、実施規程で定めるところにより、当該課程対象者及び当該課程対象者の監督者に対しその旨を通知するものとする。

第五　課程の内容に関する基準

1　課程対象者の配置に関する基本的な基準

各大臣等は、課程対象者が、その職務の遂行等を通じて、所管行政に係る専門性、政策の企画立案及び業務の管理に係る能力等の職務遂行能力を効果的かつ効率的に修得できるよう、計画的な人事配置方針の下、適時適切な業務等に従事させるものとする。

2　多様な勤務を経験する機会等の付与に関する基準

各大臣等は、課程対象者に対し、幅広い視野、民間企業の効率的な業務手法、国際社会の中で国益を全うできる能力、所管行政において求められる専門性等を修得させるため、他府省等、民間企業又は国際機関等における勤務その他の多様な勤務を経験する機会等を重点的に付与するものとし、各課程対象者に対し、課程に属する期間中、原則として二回以上その機会等を付与するよう努めるものとする。

3　地方での勤務を経験する機会等の付与

各大臣等は、課程対象者に対し、地方の実情に関する理解を深め、国民のニーズや行政の国民生活への影響を感得できる現場に近い機関で勤務することによって、幅広い視野を修得するとともに、政策の企画立案に係る能力の向上等を図る観点から、地方公共団体、地方支分部局その他の地方に所在する機関での勤務を経験する機会等についても付与するよう努めるものとする。

4　内閣総理大臣が実施する研修

各大臣等は、課程対象者に対し、政府全体を通ずるものとして管理職員に求められる政策の企画立案及び業務の管理に係る能力の向上等を目的として内閣総理大臣が実施する研修を計画的に受講させるものとする。

5　各府省等が実施する研修

(1)　各大臣等は、課程対象者に対し、管理職員に求められる政策の企画立案及び業務の管理に係る能力並びに所管行政に係る専門性の向上等を目的とした研修（4に掲げるものを除く。）を実施するものとする。

(2)　各大臣等は、(1)の研修の概要を実施規程に定めるものとする。

6　自己啓発機会の確保

各大臣等は、課程対象者の職業能力の開発及び向上のため、自己啓発の機会を確保できるよう、環境整備等に努めるものとする。

第六　基準の特例

1　経験者採用試験に合格し採用された職員等の選定の特例

各大臣等は、経験者採用試験に合格し採用された職員及び選考により採用された職員（職制上の段階が各府省等の内部部局の課長補佐又は係長に相当する官職に採用された者に限るものとし、以下「中途採用職員」という。）については、条件付採用期間を経過しており、かつ、人事評価以外の能力の実証により課程対象者とすることが適当と認められる場合には、第二の1(1)ア、ウ及びエにかかわらず、課程における育成の対象となるべき者として選定することができるものとする。

2　中途採用職員及び相当の勤務経験を有する職員の育成の特例

各大臣等は、課程対象者のうち、中途採用職員及び相当の勤務経験を有する職員に対しては、その職員の勤務経験、知識及び資格等を考慮し、相当と認める場合に限り、第五の2及び3の機会等を付与し、又は第五の4及び5の研修を受講させれば足りるものとし、第四の1により実施規程で定める期間の経過前であっても、相当と認める場合には課程を終了させることができるものとする。

第七 その他

1 内閣総理大臣に対する報告等

(1) 各大臣等は、実施規程を定めた場合、又は変更した場合は、これを公表するものとする。

(2) 各大臣等（会計検査院長及び人事院総裁を除く。）は、法第六十一条の十第一項及び幹部職員の任用等に関する政令（平成二十六年政令第百九十一号）第十四条第一項の規定に基づき、毎年度、内閣総理大臣に対して課程の運用の状況を報告するものとし、内閣総理大臣は、課程の運用の状況を取りまとめ、公表するものとする。

(3) 会計検査院長及び人事院総裁は、内閣総理大臣からの要請に基づき、それぞれでまとめた課程の運用の状況を公表する。

2 課程の管理体制

(1) 各大臣等は、各府省等における課程の適切かつ着実な運用を確保するため、その職員の中から課程管理者を選任するものとする。

(2) 課程管理者は、各大臣等を補佐して、課程対象者の育成が効率的かつ効果的に行われるよう、各府省等における課程の運用に関し必要な連絡調整等を行うものとする。

3 育成記録

各大臣等は、任命権者（法第五十五条第二項の規定により任命権の委任を受けた国家公務員がある場合にあっては、当該国家公務員）による人事記録への記載その他の適切な方法により、課程対象者の育成に関し必要な事項を記録するものとする。

4 人事評価以外の能力の実証

民間企業に派遣されていたこと等の事情により、人事評価が行われなかった期間のある職員についての第二の1の選定又は第三の1の判定については、第二の1(1)ウ及びエ並びに第三の1(1)及び(2)アにかかわらず、人事評価以外の能力の実証に基づき判断して行うことができるものとする。

○人事院規則八—一二（職員の任免）

平二一・三・一八全改
平二一・四・一施行
最終改正　令五・三・一五規則八—一二—一〇

第一章　総則

（趣旨）

第一条 職員の任免は、官職の職務と責任の特殊性に基づいて法附則第四条の規定により法律又は規則をもって別段の定めをした場合を除き、この規則の定めるところによる。

（任免の基本原則等）

第二条 いかなる場合においても、法第二十七条に定める平等取扱の原則、法第二十七条の二に定める人事管理の原則及び法第三十三条に定める任免の根本基準並びに法第五十五条第三項及び法第百八条の七の規定に違反して職員の任免を行ってはならない。

2 職員の任免は、情実人事を求める圧力又は働きかけその他の不当な影響を受けて行ってはならず、公正に行わなければならない。

第三条 任命権者は、国における政策の立案及び決定に男女が共同して参画する機会が確保されるよう、性別にかかわりなく人材の確保、育成及び活用を行うよう努めなければならない。

（定義）

第四条 この規則において、次の各号に掲げる用語の意義は、当該各号に定めるところによる。
一　採用　法第三十四条第一項第一号に規定する採用をいう。
二　昇任　法第三十四条第一項第二号に規定する昇任をいう。
三　降任　法第三十四条第一項第三号に規定する降任をいう。
四　転任　法第三十四条第一項第四号に規定する転任（次号に該当するものを除く。）をいう。
五　配置換　職員をその職員が現に任命されている官職と任命権者を同じくする他の官職（その存する標準的な官職を定める政令（平成二十一年政令第三十号）に規定する部局又は機関等（これらに準ずるものとして人事院が定めるものを含む。第二十六条第三項において「部局又は機関等」という。）及び職制上の段階を同じくするものに限る。）に任命することをいう。
六　併任　採用、昇任、降任、転任又は配置換の方法により現に官職に任命されている職員を、その官職を占めさせたまま、他の官職に任命することをいう。
七　離職　職員が職員としての身分を失うことをいう。
八　失職　職員が欠格条項に該当することによって当然離職することをいう。
九　退職　失職の場合及び懲戒免職の場合を除いて、職員が離職することをいう。
十　免職　職員をその意に反して退職させることをいう。
十一　辞職　職員がその意により退職することをいう。
十二　任命権者　法第五十五条第一項又はその他の法律の規定により任命権を有する者をいい、同条第二項の規定によりその任命権が委任されている場合は、その委任を受けた者をいう。
十三　期間業務職員　相当の期間任用される職員を就けるべき官職以外の官職である非常勤官職であって、一会計年度内に限って臨時的に置かれるもの（法第六十条の二第一項に規定する短時間勤務の官職その他人事院が定める官職を除く。）に就けるために任用される職員

（任命権の委任）
第五条　法第五十五条第二項の規定による任命権の委任（以下この条において「任命権の委任」という。）を行うに当たっては、一の官職について二以上の任命権者が同時に存在しないようにしなければならない。
2　任命権の委任を行う場合には、委任を受ける国家公務員の占める職の組織上の名称、勤務場所及びその権限の及ぶ官職の範囲を記入した書面を、その委任の効力が発生する日の前に、人事院に提示しなければならない。
3　任命権の委任を受けた職員は、委任された任命権を更に他の職員に委任することはできない。

第二章　任用

第一節　通則

（欠員補充の方法）
第六条　任命権者は、採用、昇任、降任、転任又は配置換のいずれかの方法により、職員を官職に任命することができる。
2　前項に定める方法のほか、特別の事情がある場合には、任命権者は、併任又は臨時的任用により職員を官職に任命することができる。
3　任命権者を異にする官職に職員を昇任させ、降任させ、転任させ、又は併任する場合には、当該職員が現に任命されている官職の任命権者の同意を得なければならない。

（特定官職への任命）
第七条　任命権者は、本省の課長以上の官職等の公正な任命の確保が特に必要と認められる官職（以下この章において「特定官職」という。）への任命に当たっては、性別その他任命される者の属性を基準とすることなく、及び情実人事を求める圧力又は働きかけその他の不当な影響を受けることなく、任命される者について、補充しようとする官職の職務遂行に必要とされる知識、経験及び管理的又は監督的能力その他当該官職の職務を良好に遂行する能力の有無を、経歴評定、人事評価の結果その他客観的な判定方法により公正に検証しなければならない。
2　特定官職は、職務の複雑と責任の度に応じて四段階に区分することとし、それぞれの段階の区分及び当該段階に属する官職は、人事院が定めるものとする。

第二節　採用

第一款　試験採用

（標準的な官職が係員である職制上の段階に属する官職に準ずる官職）
第七条の二　法第三十六条の標準的な官職が係員である職制上の段階に属する官職に準ずる官職として人事院規則で定める官職は、次に掲げる官職とする。
一　法第三十四条第二項に規定する標準的な官職（次

号及び第十九条において単に「標準的な官職」という。）が、標準的な官職を定める政令本則の表二の項第三欄第三十一号、同表五の項第三欄第一号及び第二号、同表十八の項第三欄並びに同表二十五の項第三欄第二号から第五号までに規定する内閣官房令で定める職制上の段階のうち人事院が定める職制上の段階に属する官職

二　行政執行法人の職員の占める官職のうち、標準的な官職が係員である職制上の段階に属する官職に相当する官職

2　人事院は、前項第一号の規定により職制上の段階を定めた場合には、その職制上の段階を官報により告知しなければならない。

（採用試験による職員の採用）

第八条　職員の採用は、法第三十六条又はこの規則第十八条第一項の規定により選考によることが認められている場合を除き、補充しようとする官職を対象として行われた採用試験（職員を採用するための競争試験をいう。以下同じ。）の結果に基づいて作成された法第五十条に規定する採用候補者名簿（以下「名簿」という。）に記載された者の中から、法第五十六条に規定する面接（以下この款において「面接」という。）を行い、その結果を考慮して行うものとする。

2　任命権者は、面接を行うに当たっては、法第二十七条に規定する平等取扱の原則その他の第二条及び第三条に規定する任免の基本原則等に留意して、公正に行わなければならない。

（名簿からの採用の方法の特例）

第九条　任命権者は、補充しようとする官職と職務の内容が十分類似し、かつ、職務の複雑と責任の度が上位の官職への名簿がある場合には、前条第一項の規定にかかわらず、その名簿に記載されている者の中から面接を行い、その結果を考慮して採用することができる。

2　任命権者は、補充しようとする官職に係る名簿がない場合又は当該官職に係る名簿において、当該官職を志望すると認められる採用候補者が五人に満たない場合には、前条第一項の規定にかかわらず、人事院が定める基準に従い、他の名簿に記載されている者の中から面接を行い、その結果を考慮して採用することができる。

3　任命権者は、補充しようとする官職に係る名簿に記載されている者をもって当該官職を補充することが困難であると人事院が認めたときは、前条第一項及び前項の規定にかかわらず、補充しようとする官職と職務の内容が十分類似し、かつ、職務の複雑と責任の度が同等の官職を対象とする当該名簿以外の名簿で人事院が指定するものに記載されている者であって、補充しようとする官職を対象として行われた採用試験の合格点に相当する点以上の得点のものの中から面接を行い、その結果を考慮して採用することができる。

4　任命権者は、規則八―一八（採用試験）第三条第二項第一号に掲げる採用試験のうち、同規則第四条第一項の規定により区分された行政の採用試験であって、同規則第五条第一項の規定により区分されたもの（以下この項において「一般職大卒程度行政地域試験」という。）の対象となる本省庁（会計検査院、人事院、内閣官房、内閣法制局、内閣府、宮内庁、内閣府設置法（平成十一年法律第八十九号）第四十九条第一項及び第二項に規定する機関、デジタル庁並びに国家行政組織法（昭和二十三年法律第百二十号）第三条に規定する国の行政機関に置かれる組織のうち、内部部局又はこれに準ずる組織として人事院が定めるものをいう。以下この項において同じ。）に属する官職について、当該官職を対象とする名簿に記載されている者のみでは本省庁に属する官職に求められる適性等を有する者を十分に得ることができないと見込まれるときは、前条第一項及び前二項の規定にかかわらず、当該名簿以外の一般職大卒程度行政地域試験の結果に基づいて作成された名簿に記載されている者で本省庁に属する官職に求められる適性等を有すると認めるものの中から面接を行い、その結果を考慮して採用することができる。

5　任命権者は、補充しようとする官職に係る名簿及び第一項の名簿以外の名簿に記載されている採用候補者についてやむを得ない事情がある場合において、試験機関（規則八―一八第十一条第一項に規定する試験機関をいう。以下同じ。）がその者の得点等を考慮して適当と認めるときは、前条第一項及び前各項の規定にかかわらず、その者について面接を行い、その結果を考慮して採用することができる。

6　任命権者は、採用候補者が現に常勤官職に任命されているときは、前条第一項の規定にかかわらず、その者について面接を行い、その結果を考慮して、昇任させ、転任させ、配置換し、又はその者の同意を得て降任させることができる。

★読替え―人事院規則一―五七により四項の「デジタル庁」を「デジタル庁、復興庁」に読み替える。

（名簿の作成）

第十条　試験機関は、規則八―一八第二十四条の規定に

より採用試験の最終の合格者を決定した後、直ちに、同規則第三条第一項から第三項までに定められた名称又は同条第四項の規定に基づき定められた名称の採用試験（同規則第四条第一項若しくは第二項又は第五条第一項の規定により区分されている場合には、それぞれ同規則第四条第三項に規定する区分試験又は同規則第五条第二項に規定する地域試験）ごとに名簿を作成する。

2　名簿には、規則八―一八第二十四条に規定する最終の合格者の氏名及び得点を、その得点順に記載するものとする。

3　名簿は、試験機関が規則八―一八第二十四条に規定する最終の合格者を発表した日から、効力を生ずる。

（名簿の管理等）

第十一条　試験機関の長は、名簿管理者として、その機関が作成する名簿に関することを管理する。

2　前項の権限は、部内の職員に委任することができる。この場合においては、その委任を受けた者を名簿管理者とする。

3　名簿管理者は、任命権者の求めに応じ、任命権者が採用を行うに当たり必要な範囲で、採用候補者に関する情報を提供することができる。

4　名簿管理者は、採用試験による職員の採用が公正に行われるよう、名簿を適正に管理しなければならない。

5　名簿管理者は、第三項の規定に基づき任命権者に情報を提供する場合又は第十五条の規定に基づき名簿を閲覧に供する場合には、正確な内容を適切な範囲で提供し、又は開示しなければならない。

（採用候補者の削除）

第十二条　名簿管理者は、採用候補者が次の各号のいずれかに該当する場合には、当該採用候補者を名簿から削除しなければならない。

一　当該名簿から任命された場合

二　当該名簿から任命される意思のないことを名簿管理者又は関係の任命権者に申し出た場合

三　前号に掲げる場合のほか、任命に関する再三の照会に応答しないこと等の事由により当該名簿から任命される意思がないと認められる場合

四　試験機関の調査の結果、心身の故障のため当該名簿の対象となる官職の職務の遂行に支障があり、又はこれに堪えないことが明らかとなった場合

五　試験機関の調査の結果、前号に掲げる場合のほか、当該名簿の対象となる官職に必要な適格性を欠くことが明らかとなった場合

六　試験機関の調査の結果、当該名簿の対象となる官職に係る採用試験を受ける資格が欠けていたことが明らかとなった場合

七　試験機関の調査の結果、当該名簿の対象となる官職に係る採用試験の受験の申込み又は当該採用試験において、主要な事実について虚偽又は不正の行為をしたことが明らかとなった場合

八　死亡した場合

2　任命権者は、採用候補者が前項第一号から第三号までに掲げる場合に該当すると認めたときは、その旨を名簿管理者に速やかに通知しなければならない。

3　名簿管理者は、第一項の規定により採用候補者を名簿から削除したとき（同項第一号、第二号又は第八号に掲げる場合に該当して削除したときを除く。）は、その旨を本人に通知しなければならない。

（採用候補者の復活）

第十三条　名簿管理者は、前条第一項第二号から第五号までに掲げる場合のいずれかに該当して名簿から削除された採用候補者から当該名簿への復活の申出があった場合において、相当の理由があると認めるときは、当該採用候補者を当該名簿に復活することができる。

2　名簿管理者は、前項の規定により採用候補者を名簿に復活し、又は復活しなかったときは、その旨を本人に通知しなければならない。

（名簿の有効期間）

第十四条　名簿の有効期間は、名簿の効力が発生した日から一年（規則八―一八第三条第一項、第二項第一号並びに第三項第七号、第八号及び第十一号に掲げる採用試験（同条第一項第二号に掲げる採用試験のうち、同規則第四条第一項の規定により区分された教養の採用試験（以下この項において「教養区分試験」という。）を除く。）に係る名簿にあっては五年、同規則第三条第一項第二号に掲げる採用試験（教養区分試験に限る。）に係る名簿にあっては六年六月、同条第三項第十二号に掲げる採用試験に係る名簿にあっては一年二月）とする。

2　名簿管理者は、災害その他特別の事情により、前項の規定により難いと認める場合には、同項の規定にかかわらず、必要と認める期間、当該名簿の有効期間を延長することができる。この場合において、名簿管理者は、その旨を官報により告知しなければならない。

3　名簿管理者は、採用候補者が第一項に定める名簿の有効期間内において採用される時期についての希望を書面で申し出た場合には、その申出の内容を関係の任命権者に通知しなければならない。

（名簿の閲覧）
第十五条　名簿管理者は、受験者、任命権者その他の関係者の請求に応じて、その執務時間中、名簿を閲覧に供しなければならない。

（名簿に関するその他の事項）
第十六条　第十条から前条までに定めるもののほか、名簿の作成又は名簿の管理に関し必要な事項は人事院が定める。

（任命しようとする者の通知）
第十七条　任命権者は、第八条又は第九条の規定に基づき名簿に記載されている者の中から任命しようとする者を選択した場合には、その者の氏名その他人事院が定める事項を速やかに名簿管理者に通知するものとする。

2　名簿管理者は、一人の採用候補者について複数の任命権者から前項の通知を受けた場合等であって必要と認めるときは、当該採用候補者の名簿からの任命について調整を行うものとする。

第二款　選考採用

（選考による職員の採用）
第十八条　法第三十六条に規定する選考の方法によることを妨げない場合として人事院規則で定める場合は、職員を同条に規定する係員の官職のうち次に掲げる官職に採用しようとする場合とする。

一　特別職に属する職、地方公務員の職、行政執行法人以外の独立行政法人（国立大学法人法（平成十五年法律第百十二号）第二条第一項に規定する国立大学法人及び同条第三項に規定する大学共同利用機関法人を含む。第七号及び第三十二条第一号において同じ。）に属する職、沖縄振興開発金融公庫に属する職その他これらに準ずる職に現に正式に就いている者をもって補充しようとする官職でその者が現に就いている職と同等以下と認められるもの

二　かつて職員であった者をもって補充しようとする官職でその者がかつて正式に任命されていた官職と職務の複雑と責任の度が同等以下と認められるもの

三　採用試験を行っても十分な競争者が得られないことが予想される官職又は職務と責任の特殊性により職務の遂行能力について職員の順位の判定が困難な官職で、選考による採用について人事院が定める基準を満たすもの（次号に規定する人事院が定める官職を除く。）

四　特別の知識、技術又はその他の能力を必要とする官職で、当該特別の知識、技術又はその他の能力に照らして採用試験によることが不適当であると認められるものとして人事院が定めるもの

五　庁舎の監視その他の庁務等を職務の内容とする官職で、当該職務の内容に照らして採用試験によることが不適当であると認められるものとして人事院が定めるもの

六　補充しようとする官職に係る名簿がない官職又は補充しようとする官職に係る名簿において、当該官職を志望すると認められる採用候補者が五人に満たない官職で選考による採用について人事院の承認を得たもの

七　次に掲げる者をもって補充しようとする官職（第一号及び第二号に掲げる官職を除く。）

イ　かつて職員であった者で、任命権者の要請に応じ、引き続き特別職に属する職、地方公務員の職、行政執行法人以外の独立行政法人に属する職、沖縄振興開発金融公庫に属する職その他これらに準ずる職に就き、引き続いてこれらの職に就いているもの（これらの職のうち一の職から他の職に一回以上引き続いて異動した者を含む。）又は港湾法（昭和二十五年法律第二百十八号）第四十三条の二十九第一項若しくは民間資金等の活用による公共施設等の整備等の促進に関する法律（平成十一年法律第百十七号）第七十八条第一項に規定する国派遣職員（第三十二条第一号において単に「国派遣職員」という。）

ロ　特別職に属する職、地方公務員の職、行政執行法人以外の独立行政法人に属する職、沖縄振興開発金融公庫に属する職その他これらに準ずる職に就いている者で、採用後一定期間を経過した後に退職し、これらの職に復帰することが前提とされているもの

八　育児休業法第七条第一項又は第二十三条第一項の規定により任期を定めて採用された者をもって補充しようとする官職

九　配偶者同行休業法第七条第一項の規定により任期を定めて採用された者をもって補充しようとする官職

九の二　第四十二条第二項の規定により任期を定めて採用された者をもって補充しようとする同項第三号に掲げる官職

十　その他採用試験によることが不適当であると認められる官職で選考による採用について人事院の承認を得たもの

2　人事院は、前項第四号又は第五号の規定により官職を定めた場合には、その官職を官報により告知しなけ

れぱならない。
3　任命権者は、選考により職員を特定官職（特定幹部職（法第三十四条第一項第六号に規定する幹部職（第二十五条第三号及び第三十条第一項において「幹部職」という。）で、人事院、検察庁、会計検査院又は警察庁に属するもの以外のものをいう。以下同じ。）に該当する官職を除く。）に採用しようとする場合には、人事院と協議しなければならない。

（選考の目的）
第十九条　選考は、選考される者が、補充しようとする官職の属する職制上の段階の標準的な官職に係る法第三十四条第一項第五号に規定する標準職務遂行能力及び当該補充しようとする官職についての適性（以下「官職に係る能力及び適性」という。）を有するかどうかを判定することを目的とする。

（選考に関する権限）
第二十条　任命権者は、選考に関し次に掲げる権限及び責務を有する。
一　選考を実施すること。
二　選考の実施に必要な事項について調査を行うこと。
三　その他法及び規則によりその権限に属させられた事項
2　前項の権限は、部内の職員に委任することができる。
3　人事院は、任命権者（前項の規定により第一項の権限が委任されている場合には、その委任を受けた者）の委任を受けて、第一項に掲げる権限の一部を行うことができる。

（選考の方法）
第二十一条　選考は、選考される者が、官職に係る能力及び適性を有するかどうかを、経歴、知識又は資格を有すること等を要件とする任命権者が定める基準に適合しているかどうかに基づいて判定するものとし、その判定は、人事院が定めるところにより、任命権者が次に掲げる方法により行うものとする。
一　一般的な知識及び知能若しくは専門的な知識、技術等についての筆記試験若しくは文章による表現力若しくは課題に関する理解力等についての論文試験若しくは作文試験又はこれらに代わる適当な方法
二　人柄、性向等についての人物試験、技能等の有無についての実地試験又は過去の経歴の有効性についての経歴評定
三　補充しようとする官職の特性に応じ、身体検査、身体測定若しくは体力検査又はこれらに代わる適当な方法

（選考の手続）
第二十二条　任命権者は、選考に当たっては、官職に係る能力及び適性にかかわらず、インターネットの利用、公共職業安定所への求人の申込み等による告知を行い、できる限り広く募集を行うものとする。ただし、次の各号のいずれかに該当する場合は、この限りでない。
一　官職に必要とされる知識、経験等の性質が特殊である等の事情から公募により難い場合
二　第十八条第一項第一号又は第七号に掲げる官職に採用しようとする場合
三　第四十二条第二項の規定により同項第三号に掲げる官職に任期を定めて採用された職員を、その任期の満了後に引き続いて育児休業法第七条第一項の規定により任期を定めて採用しようとする同項に規定する業務に当該職員の同号に規定する業務と同一である場合に限る。）
2　前項の告知の内容は、次に掲げる事項とする。
一　選考に係る官職についての職務と責任の概要
二　選考の結果に基づいて採用された場合の初任給その他の給与
三　応募資格
四　選考の実施時期及び場所
五　応募の受付期間及び方法その他必要な手続
六　選考の方法の概要
七　その他必要と認める事項

（選考の監査）
第二十三条　人事院は、任命権者が行う選考の状況及び結果を随時監査し、法及び規則に違反していると認めた場合においては、その是正を指示することができる。

（選考による採用の報告）
第二十四条　任命権者は、選考により職員を第十八条第一項第三号若しくは第八号から第九号の二までに掲げる官職又は特定幹部職に採用した場合には、その旨を人事院に報告しなければならない。

第三節　昇任、降任、転任及び配置換

（昇任）
第二十五条　任命権者は、職員を特定幹部職に昇任させる場合を除き、次の各号に掲げる官職の区分に応じ、当該各号に定める要件を満たす職員のうち、人事評価の結果に基づき官職に係る能力及び適性を有すると認められる者（第三号に掲げる官職に昇任させる場合に

あっては、国の行政及び所管行政の全般について、高度な知識及び優れた識見を有し、指導力を有すると認められる者に限る。）の中から、人事の計画その他の事情を考慮した上で、最も適任と認められる者を昇任させることができる。

一　次号及び第三号に掲げる官職以外の官職　次に掲げる要件

イ　昇任させようとする日以前における直近の連続した二回の能力評価のうち、一の能力評価の全体評語が「優良」の段階以上であり、かつ、他の能力評価の全体評語が「良好」の段階以上であること（本省の係長の官職その他の人事院が定める官職に昇任させる場合にあっては、この要件に準ずるものとして人事院が定める要件を含む。）。

ロ　昇任させようとする日以前における直近の連続した四回の業績評価のうち、一の業績評価の全体評語が「優良」の段階以上であり、かつ、他の業績評価の全体評語が「良好」の段階以上であること（本省の係長の官職その他の人事院が定める官職に昇任させる場合にあっては、この要件に準ずるものとして人事院が定める要件を含む。）。

ハ　昇任させようとする日以前一年以内に、法第八十二条の規定に基づく懲戒処分又はこれに相当する処分（以下「懲戒処分等」という。）を受けていないこと及び同日において職員から聴取した事項又は調査により判明した事実に基づき懲戒処分等を受けることが相当とされる行為をしていないこと。

二　本省の課長の官職その他の人事院が定める官職（次号に掲げる官職を除く。）　次に掲げる要件

イ　昇任させようとする日以前における直近の連続した二回の能力評価のうち、一の能力評価の全体評語が「非常に優秀」の段階以上であり、かつ、他の能力評価の全体評語が「良好」の段階以上であること。

ロ　昇任させようとする日以前における直近の連続した四回の業績評価のうち、一の業績評価の全体評語が「優良」の段階以上であり、かつ、他の業績評価の全体評語が「良好」の段階以上であること。

ハ　昇任させようとする日以前二年以内で懲戒処分等の種類別に人事院が定める期間において懲戒処分等を受けていないこと及び同日において職員から聴取した事項又は調査により判明した事実に基づき懲戒処分等を受けることが相当とされる行為をしていないこと。

三　特定幹部職以外の幹部職その他の人事院が定める官職　次に掲げる要件

イ　昇任させようとする日以前における直近の連続した二回の能力評価のうち、一の能力評価の全体評語が「非常に優秀」の段階以上であり、かつ、他の能力評価の全体評語が「優良」の段階以上であること（本号に掲げる官職又は特定幹部職に該当する官職を占める職員を昇任させる場合にあっては、人事院が定める要件を満たすこと。）。

ロ　昇任させようとする日以前における直近の連続した四回の業績評価のうち、一の業績評価の全体評語が「非常に優秀」の段階以上であり、かつ、他の業績評価の全体評語が「良好」の段階以上であること（本号に掲げる官職又は特定幹部職に該当する官職を占める職員を昇任させる場合にあっては、人事院が定める要件を満たすこと。）。

ハ　前号ハに掲げる要件

（転任）

第二十六条　任命権者は、職員を特定幹部職に転任させる場合を除き、人事評価の結果に基づき官職に係る能力及び適性を有すると認められる者の中から、人事の計画その他の事情を考慮した上で、最も適任と認められる者を転任させることができる。

2　本省の室長の官職その他の人事院が定める官職又は前条第二号若しくは第三号に規定する官職への転任（人事院が定めるものに限る。）については、前項の規定にかかわらず、同条の規定を準用する。この場合において、同条第一号中「次号及び第三号に掲げる官職以外の」とあるのは、「本省の室長の官職その他の人事院が定める」と読み替えるものとする。

3　任命権者は、降任された場合、職員の同意を得た場合その他特別の事情がある場合を除き、職員がかつて属していた部局又は機関等で占めていた官職より当該部局又は機関等の下位の職制上の段階に属する官職に転任させることとならないようにしなければならない。

（配置換）

第二十七条　任命権者は、職員を特定幹部職に配置換しようとする場合を除き、人事評価の結果に基づき配置換しようとする官職についての適性を有すると認められる者の中から、人事の計画その他の事情を考慮した上で、最も適任と認められる者を配置換することができる。ただし、配置換しようとする日以前における直近の能力評価又は業績評価の全体評語が下位又は「不

十分」の段階である職員を配置換しようとする場合には、当該職員の人事評価の結果に基づき官職に係る能力及び適性を有するか否かを確認するものとする。

（昇任、転任又は配置換の特例）

第二十八条　任命権者は、職員が国際機関又は民間企業に派遣されていたこと等の事情により、第二十五条第一号イ及びロ、第二号イ及びロ若しくは第三号イ及びロ（これらの規定を第二十六条第二項において準用する場合を含む。）又は前条ただし書に規定する全体評語の全部又は一部がない場合には、これらの規定にかかわらず、人事院が定めるところにより、当該職員の人事評価の結果又は勤務の状況、派遣されていた国際機関又は民間企業の業務への取組状況等を総合的に勘案して官職に係る能力及び適性の有無を判断するとともに、人事の計画その他の事情を考慮した上で、当該職員を昇任させ、転任させ、又は配置換することができる。

（降任）

第二十九条　任命権者は、職員を降任させる場合（特定幹部職に降任させる場合を除く。）には、当該職員の人事評価の結果又は勤務の状況に基づき官職に係る能力及び適性を有すると認められる官職に、当該職員についての人事の計画への影響等を考慮して、行うものとする。

2　任命権者は、職員から書面による同意を得て、前項、法第六十一条の三第三項若しくは第四項又は法第六十一条の八第一項の規定により読み替えられた法第五十八条第二項若しくは第三項の規定により、降任させることができる。

（特定官職への昇任、降任、転任又は配置換の特例）

第三十条　職員を特定官職（特定幹部職に該当する官職を除く。）に昇任させ、降任させ、転任させ、又は配置換する場合（昇任させ、降任させ、転任させ、又は配置換しようとする（以下この項において「昇任等させようとする」という。）者について昇任等させようとする官職の属する第七条第二項に規定する段階（以下この項において「職務の段階」という。）と同一の職務の段階又は当該職務の段階より上位の職務の段階に属する官職を占めていたことがある場合を除く。）には、第二十五条から前条まで、規則一一―四（職員の身分保障）第七条、第八条及び第十条並びに規則一一―一一（管理監督職勤務上限年齢による降任等）第五条、第六条及び第十四条の規定によるほか、次に掲げる要件（昇任等させようとする官職が特定幹部職以外の幹部職又は法第三十四条第一項第七号に規定する管理職である場合にあっては、第二号及び第三号に掲げる要件）を満たさなければならない。

一　昇任等させようとする官職が職務の段階のうち最下位の職務の段階に属する官職の場合（当該職務の段階に属する官職に就いていたことがない場合にあっては、当該職務の段階より上位の職務の段階に属する官職へ最初に昇任等させようとする場合）にあっては、昇任等させようとする者がその在職している府省等（会計検査院、人事院、内閣官房、内閣法制局、各府省及びデジタル庁並びに宮内庁及び内閣府設置法第四十九条第一項に規定する各機関並びに各行政執行法人をいう。以下この号において同じ。）以外の府省等、在外公館、地方公共団体、民間企業等での勤務の経験又は人事院が定める研修の受講の経験を有しており、管理的又は監督的地位にある者にふさわしい幅広い能力及び柔軟な発想力を有していると認められること。

二　昇任等させようとする日以前二年以内において法第七十九条第二号の規定に基づく休職又はこれに相当する処分を受けていないこと。

三　昇任等させようとする日において、刑事事件に関して、起訴されていないこと及び職員から聴取した事項又は調査により判明した事実に基づき犯罪があると思料するに至った行為をしていないこと。

2　任命権者は、特定官職に職員を昇任させ、降任させ、転任させ、又は配置換した場合（次条の規定による場合を除く。）には、その旨を人事院に報告するものとする。

★読替え―人事院規則一―五七により一項一号の「及びデジタル庁」を「、デジタル庁及び復興庁」に読み替える。

（第二十五条又は前条第一項の規定についての別段の定め）

第三十一条　任命権者は、特別の事情により、第二十五条各号（第二十六条第二項において準用する場合を含む。）又は前条第一項各号の規定によることができない場合又は適当ではない場合には、あらかじめ人事院と協議して、別段の定めをすることができる。この場合において、当該別段の定めは、任免の公正の確保その他の第二条及び第三条に規定する任免の基本原則等に則したものでなければならない。

第四節　条件付任用

（条件付任用としない者）

第三十二条　法第五十九条第一項の人事院規則で定める者は、次に掲げる者とする。

一　かつて職員として正式に採用されていた者で引き

続き特別職に属する職、地方公務員の職、行政執行法人以外の独立行政法人に属する職、沖縄振興開発金融公庫に属する職その他これらに準ずる職に就いたもののうち、引き続きこれらの職に現に正式に就いている者（これらの職のうち、一の職から他の職に一回以上引き続いて異動した者を含む。）又は国派遣職員

二 法第六十条の二第一項に規定する年齢六十年以上退職者（同項の規定により採用される者に限る。）

三 前二号に掲げるもののほか、人事院が定める者

（条件付任用の終了）

第三十二条の二 条件付任用期間の終了前に任命権者が別段の措置をしない限り、その期間が終了した日の翌日において、職員の採用及び昇任は、正式のものとなる。

（条件付任用期間の継続）

第三十三条 条件付任用期間中の職員を他の官職に任命した場合においては、新たに条件付任用期間が開始する場合を除き、その条件付任用期間が引き続くものとする。

（条件付採用期間の延長）

第三十四条 条件付採用期間の開始後六月間において実際に勤務した日数が九十日に満たない職員については、その日数が九十日に達するまで条件付採用期間は引き続くものとする。ただし、条件付採用期間は、当該条件付採用期間の開始後一年を超えないものとする。

第五節 併任

（併任ができる場合）

第三十五条 任命権者は、次の各号のいずれかに該当する場合においては、併任を行うことができる。

一 法令の規定により、併任が認められている場合

二 現に任命されている官職と勤務時間が重ならない他の官職に併任する場合

三 併任の期間が三月を超えない場合

四 前三号に掲げる場合のほか、併任によって当該職員の職務遂行に著しい支障がないと認められる場合

（併任の方法）

第三十六条 任命権者は、職員を特定幹部職に併任する場合を除き、人事評価の結果その他の能力の実証に基づき官職に係る能力及び適性を有すると認められる者の中から、人事の計画その他の事情を考慮した上で、最も適任と認められる者を併任することができる。

（併任の解除及び終了）

第三十七条 任命権者は、いつでも併任を解除することができる。

2 任命権者は、併任を必要とする事由が消滅した場合においては、速やかに当該併任を解除しなければならない。

3 次の各号のいずれかに該当する場合においては、併任は、当然終了するものとする。

一 併任の期間が定められている場合において、その期間が満了したとき。

二 併任されている官職が廃止された場合

三 職員が離職した場合

四 職員が休職又は停職にされた場合

五 職員が派遣法第二条第一項の規定により派遣された場合

六 職員が育児休業法第三条の規定による育児休業の承認を受けた場合

七 職員が官民人事交流法第二条第三項に規定する交流派遣をされた場合

八 職員が法科大学院派遣法第十一条第一項の規定により派遣された場合

九 職員が自己啓発等休業法第二条第五項に規定する自己啓発等休業の承認を受けた場合

十 職員が福島復興再生特別措置法（平成二十四年法律第二十五号）第四十八条の三第一項又は第八十九条の三第一項の規定により派遣された場合

十一 職員が配偶者同行休業法第二条第四項に規定する配偶者同行休業の承認を受けた場合

十二 職員が令和七年国際博覧会特措法第二十五条第一項の規定により派遣された場合

十三 職員が令和九年国際園芸博覧会特措法第十五条第一項の規定により派遣された場合

十四 職員が判事補及び検事の弁護士職務経験に関する法律（平成十六年法律第百二十一号）第二条第四項の規定により弁護士となってその職務を経験することを開始した場合

（法第百一条との関係）

第三十八条 併任の場合において、勤務時間の重ならない部分に対しては、法第百一条第一項後段の規定は、何らの影響を及ぼすものではない。

第六節 臨時的任用

（臨時的任用）

第三十九条 任命権者は、常勤官職に欠員を生じた場合において、次の各号のいずれかに該当するときは、現に職員でない者を臨時的に任用することができる。この場合において、第一号又は第二号に該当するときは、法第六十条第一項前段の人事院の承認があったも

のとみなす。
一　当該官職に採用、昇任、降任、転任又は配置換の方法により職員を任命するまでの間欠員にしておくことができない緊急の場合
二　当該官職が臨時的任用を行う日から一年に満たない期間内に廃止されることが予想される臨時のものである場合
三　当該官職に係る名簿がない場合又は当該官職に係る名簿において、当該官職を志望すると認められる採用候補者が五人に満たない場合
2　任命権者は、臨時的任用を行うに当たっては、第二十一条の規定に準じて官職に係る能力及び適性を有するかどうかの判定を行うとともに、できる限り広く募集を行うよう努めるものとする。
3　前項の募集を行うに当たっては、第二十二条第一項の規定に準じて行うものとする。
4　任命権者は、第一項第一号又は第二号の規定により臨時的任用を行った場合には、その旨を人事院に報告しなければならない。

（臨時的任用の期間）
第四十条　臨時的任用の期間は、その任用を行った日から六月を超えることができない。
2　前条第一項第二号又は第三号の場合における臨時的任用は、六月を限って更新することができる。この場合において、同項第二号に掲げる場合の臨時的任用の更新については、法第六十条第一項後段の人事院の承認があったものとみなす。
3　臨時的任用は、いかなる場合においても、再度更新することができない。

（臨時的任用に関するその他の事項）
第四十一条　法第六十条第一項の規定による臨時的任用及びその更新に関する承認（第三十九条第一項後段及び前条第二項後段に規定するものを除く。）の権限は、部内の他の職員に委任することができる。
2　行政執行法人における臨時的任用については、第三十九条第一項後段及び第四項並びに前条第二項後段の規定は、適用しない。

第三章　任期

（任期を定めた任命）
第四十二条　任命権者は、臨時的任用及び併任の場合を除き、恒常的に置く必要がある官職に充てるべき常勤の職員を任期を定めて任命してはならない。
2　任命権者は、次の各号に掲げる官職については、前項の規定にかかわらず、当該各号に定める期間を超えない範囲内の任期で職員を採用することができる。ただし、第二号に掲げる官職への採用について任期を定める場合には、人事院が定める基準に従わなければならない。
一　三年以内に廃止される予定の官職（次号及び第三号に掲げる官職を除く。）　その廃止されるまでの期間
二　特別の計画に基づき実施される研究事業に係る五年以内に終了する予定の科学技術に関する高度の専門的知識、技術等を必要とする研究業務であって、当該研究事業の能率的運営に特に必要であると認められるものに従事することを職務内容とする官職のうち、昇任、降任、転任及び配置換（以下「昇任等」という。）の方法により補充することが困難である官職　当該業務が終了するまでの期間
三　規則一五—一四（職員の勤務時間、休日及び休暇）第二十二条第一項第六号及び第七号の休暇を取得する職員の業務を処理することを職務内容とする官職のうち、昇任等の方法により補充することが困難である官職　当該職員の出産予定日（当該職員の出産の日以後に当該官職に採用しようとする場合にあっては、出産の日）の翌日から八週間を経過する日までの期間
3　任命権者は、前項の規定により任期を定めて職員を採用する場合には、当該職員にその任期を明示しなければならない。

（任期の更新）
第四十三条　任命権者は、前条第二項第一号又は第二号に掲げる官職への採用について定めた任期がそれぞれ三年又は五年に満たない場合においては、それぞれ採用した日から引き続き三年又は五年を超えない範囲内において、同項第三号に掲げる官職への採用について定めた任期の末日が同号に規定する職員の出産の日（当該職員が出産前である場合にあっては、出産予定日）の翌日から八週間を経過する日前である場合においては、採用した日から当該経過する日までの期間を超えない範囲内において、任期を更新することができる。ただし、同項第二号に掲げる官職に採用された職員の任期を更新する場合には、人事院が定める基準に従わなければならない。
2　前条第三項の規定は、前項の規定により職員の任期を更新する場合について準用する。

（任期の解消）
第四十四条　第四十二条第二項の規定により任期を定めて採用された職員が同項各号に掲げる官職以外の常勤

官職（同項第二号の官職と同一の研究業務を行うことを職務内容とする常勤官職を除く。）に昇任等の方法により任命された場合には、任期の定めのない職員となったものとする。

（任期を定めた採用等の報告）

第四十五条　任命権者は、第四十二条第二項の規定により同項第二号に掲げる官職に職員を採用した場合又は第四十三条第一項の規定により当該職員の任期を更新した場合には、その旨を人事院に報告しなければならない。

第四章　非常勤職員の特例

（非常勤職員の採用の方法）

第四十六条　非常勤職員（法第六十条の二第一項に規定する短時間勤務の官職を占める職員を除く。以下同じ。）の採用は、第二章第二節の規定にかかわらず、面接、経歴評定その他の適宜の方法による能力の実証を経て行うことができる。ただし、期間業務職員を採用する場合におけるこの項の規定の適用については、「、経歴評定」とあるのは、「及び経歴評定」とする。

2　任命権者は、非常勤職員の採用に当たっては、インターネットの利用、公共職業安定所への求人の申込み等による告知を行い、できる限り広く募集を行うものとする。ただし、次の各号のいずれかに該当する場合は、この限りでない。

一　官職に必要とされる知識、経験、技能等の内容、官署の所在地が離島その他のへき地である等の勤務環境、任期、採用の緊急性等の事情から公募により難い場合

二　期間業務職員を採用する場合において、前項に定める能力の実証を面接及び期間業務職員としての従前の勤務実績に基づき行うことができる場合であって公募による必要がないときとして人事院が定めるとき。

（非常勤職員の任期）

第四十六条の二　期間業務職員を採用する場合は、当該採用の日から同日の属する会計年度の末日までの期間の範囲内で任期を定めるものとする。

2　任命権者は、特別の事情により期間業務職員をその任期満了後も引き続き期間業務職員の職務に従事させる必要が生じた場合には、前項に規定する期間の範囲内において、その任期を更新することができる。

3　任命権者は、期間業務職員の採用又は任期の更新に当たっては、業務の遂行に必要かつ十分な任期を定めるものとし、必要以上に短い任期を定めることにより、採用又は任期の更新を反復して行うことのないよう配慮しなければならない。

4　期間業務職員以外の非常勤職員について任期を定める場合においては、前項の規定を準用する。

5　第四十二条第三項の規定は、非常勤職員の任期を定めた採用及び任期の更新について準用する。

（非常勤職員の昇任等の方法）

第四十七条　非常勤職員の常勤官職への昇任等は、第二章第三節の規定によらないで行うことができる。この場合においては、第二十一条の規定に準じて官職に係る能力及び適性を有するかどうかの判定を行うとともに、第二十二条第一項の規定に準じて募集を行うものとする。

2　任命権者は、前項の規定により補充しようとする官職が法第四十五条の二第一項各号に掲げる官職である場合にあっては、異動させようとする職員（当該職員は、当該官職に係る名簿又は当該補充しようとする官職と職務の内容が十分類似する他の官職に係る名簿に記載されている者でなければならない。）について面接を行い、その結果を考慮して昇任等を行うものとする。

3　非常勤職員の他の非常勤官職（法第六十条の二第一項に規定する短時間勤務の官職を除く。以下同じ。）への昇任等は、第二章第二節の規定によらないで行うことができる。この場合においては、第四十六条第一項の規定に準じて、必要な能力の実証を行うものとする。

（条件付任用の特例）

第四十八条　内閣府設置法第十八条の重要政策に関する会議又は同法第三十七条若しくは第五十四条の審議会等、宮内庁法（昭和二十二年法律第七十号）第十六条第一項の機関若しくは国家行政組織法第八条の審議会等の非常勤官職又はこれらに準ずる非常勤官職（以下この条及び次条において「審議会等の非常勤官職」という。）に採用し、審議会等の非常勤官職以外の非常勤官職に第四十六条の規定により若しくは一年を超えない任期を定めて採用し、又は非常勤官職に昇任させる場合には、これらの採用又は昇任は、条件付のものとしない。

2　前項の規定にかかわらず、一月を超える任期を定めた期間業務職員の採用は、その採用の日から起算して一月間条件付のものとし、その間その職務を良好な成績で遂行したときは、その期間の終了前に任命権者が別段の措置をしない限り、その期間が終了した日の翌日において、当該期間業務職員の採用は正式のものと

なる。

3　第三十三条及び第三十四条の規定は、前項の規定による条件付採用期間について準用する。この場合において、同条中「六月間」とあるのは「一月間」と、「九十日」とあるのは「十五日」と、「当該条件付採用期間の開始後一年」とあるのは「当該職員の任期」と読み替えるものとする。

★読替え—人事院規則一—五七により一項の「機関」を「機関、復興庁設置法（平成二十三年法律第百二十五号）第十五条第一項の復興推進委員会」に読み替える。

（併任ができる場合の特例）

第四十九条　任命権者は、職員を審議会等の非常勤官職に併任し、又は非常勤職員を非常勤官職に併任することができる。

第五章　離職等

（法第六十一条の任命権者）

第五十条　法第六十一条に規定する任命権者には、併任に係る官職の任命権者を含まないものとする。

（辞職）

第五十一条　任命権者は、職員から書面をもって辞職の申出があったときは、特に支障のない限り、これを承認するものとする。

（免職及び辞職以外の退職）

第五十二条　次の各号のいずれかに該当する場合においてその任期が更新されないときは、職員は、当然退職するものとする。法第六十条第三項の規定により臨時的任用が取り消されたときも、同様とする。

一　臨時的任用の期間が満了した場合

二　法令により任期が定められている場合において、その任期が満了したとき。

三　前号に掲げる場合のほか、任期を定めて採用された場合において、その任期が満了したとき。

第六章　任免の手続

（通知書の交付）

第五十三条　任命権者は、次の各号のいずれかに該当する場合には、職員に人事異動通知書（以下「通知書」という。）を交付しなければならない。

一　職員を採用し、昇任させ、転任させ、若しくは配置換し、又は任期を更新した場合

二　職員を他の任命権者が昇任させ、降任させ、転任させ、又は併任することについて同意を与えた場合

三　任期を定めて採用された職員が任期の定めのない職員となった場合

四　臨時的任用を行った場合又は臨時的任用を更新した場合

五　併任を行った場合又は併任を解除した場合

六　併任が終了した場合

七　職員を復職させた場合

八　職員が復職した場合

九　職員が失職した場合

十　職員の辞職を承認した場合

十一　職員が退職した場合（免職又は辞職の場合を除く。）

第五十四条　任命権者は、次の各号のいずれかに該当する場合には、職員に通知書を交付して行わなければならない。

一　職員を降任させる場合

二　職員を休職にし、又はその期間を更新する場合

三　職員を免職する場合

（通知書の交付を要しない場合）

第五十五条　次の各号のいずれかに該当する場合においては、前二条の規定にかかわらず、通知書に代わる文書の交付その他適当な方法をもって通知書の交付に代えることができる。

一　次に掲げる組織の単位内で職員を配置換した場合

イ　会計検査院、人事院、内閣法制局並びに内閣府、宮内庁並びに内閣府設置法第四十九条第一項及び第二項に規定する機関並びに国家行政組織法第三条に規定する国の行政機関の課

ロ　内閣府設置法第三十七条、第三十九条、第四十条、第四十三条及び第五十四条から第五十七条まで（宮内庁法第十八条第一項において準用する場合を含む。）並びに宮内庁法第十六条及び第十七条第一項並びに国家行政組織法第八条から第九条までに規定する機関の組織のうち規模、所掌事務の範囲等がイに掲げる組織と同等と認められる組織

ハ　行政執行法人の組織のうち規模、所掌事務の範囲等がイに掲げる組織に準ずる組織

二　法令の改廃による組織の変更等に伴い、職員を転任させ、又は配置換した場合

三　非常勤官職に職員を転任させ、配置換し、又は併任し、若しくはその併任を解除した場合（任期の更新を伴う場合を除く。）

四　第五十三条第二号、第六号及び第十一号に掲げる場合で通知書の交付によらないことを適当と認めるとき。

五　前条各号に掲げる場合であって、通知書の交付に

よることができない緊急のとき。

第五十六条　第五十四条の規定による通知書の交付は、これを受けるべき者の所在を知ることができない場合においては、その内容を官報に掲載することをもってこれに代えることができるものとし、掲載された日から二週間を経過した時に通知書の交付があったものとみなす。

（他の任命権者に対する通知）

第五十七条　任命権者を異にする官職に併任されている職員について、第五十三条各号又は第五十四条各号に掲げる場合に該当する事実が生じた場合においては、当該事実に係る任命権者は、他の任命権者にその旨を通知しなければならない。

（通知書の様式等）

第五十八条　通知書の様式は、人事院が定める。

2　通知書には、職員の氏名、異動の内容その他人事院が定める事項を記載しなければならない。

3　前二項に定めるもののほか、通知書に関し必要な事項は、人事院が定める。

第七章　雑則

第五十九条　この規則に定めるもののほか、職員の任免に関し必要な事項は、人事院が定める。

附　則

この規則は、平成二十一年四月一日から施行する。

附　則（令三・一二・二四規則八―一二―一七）

改正　令四・一二・一規則八―一二―一九

（施行期日）

第一条　この規則は、令和四年十月一日から施行する。

（経過措置）

第二条　職員を昇任させようとする日以前における直近の連続した二回の能力評価及び四回の業績評価の全体評語の全部が、令和四年九月三十日までのいずれかの評価期間（人事評価政令第五条第三項又は第四項に規定する評価期間をいう。以下同じ。）に係る能力評価又は業績評価の全体評語となる間における職員の昇任及び転任の要件については、なお従前の例による。

第三条　職員を昇任させようとする日以前における直近の連続した二回の能力評価及び四回の業績評価の全体評語の一部が、令和四年九月三十日までのいずれかの評価期間に係る能力評価又は業績評価の全体評語となる間におけるこの規則による改正後の規則八―一二第二十五条（第二十六条第二項において準用する場合を含む。）の規定の適用については、同規則第二十五条第一号イ及び第三号イ中「「優良」」とあるのは「上位の段階又は「優良」」と、同条第一号イ、第二号イ及び第三号ロ中「「良好」」とあるのは「上位若しくは中位の段階又は「良好」」と、同条第一号ロ及び第二号ロ中「四回の業績評価のうち、一の業績評価の全体評語が「優良」の段階以上であり、かつ、他の業績評価」とあるのは「三回の業績評価（令和四年九月三十日までのいずれかの評価期間に係る業績評価を含む場合は、当該業績評価の回数を除いた回数の単独の又は連続した業績評価）」と、同条第一号ロ中「こと（本省の係長の官職その他の人事院が定める官職に昇任させる場合にあっては、この要件に準ずるものとして人事院が定める要件を含む。）」とあるのは「こと」と、同条第二号イ及び第三号ロ中「「非常に優秀」」とあるのは「上位の段階又は「非常に優秀」」と、同条第二号イ中「こと」とあるのは「こと（直近の能力評価が令和四年九月三十日までの評価期間に係るものとなる場合にあっては、直近の能力評価の全体評語が上位の段階又は中位の段階であり、かつ、他の能力評価の全体評語が上位又は中位の段階であること。）」と、同条第三号イ中「「非常に優秀」」と、同号イ及びロ中「こと（本号に掲げる官職又は特定幹部職に該当する官職を占める職員を昇任させる場合にあっては、人事院が定める要件を満たすこと。）」とあるのは「上位の段階以上」とあるのは「こと」とする。

第四条　職員を配置換させようとする日以前における直近の能力評価又は業績評価の全体評語が、令和四年九月三十日までの評価期間に係る能力評価又は業績評価の全体評語となる間におけるこの規則による改正後の規則八―一二第二十七条ただし書の規定の適用については、なお従前の例による。

附　則（令四・二・一八規則一―七九）（抄）

（施行期日）

第一条　この規則は、令和五年四月一日から施行する。

（定義）

第二条　この附則において、次の各号に掲げる用語の意義は、それぞれ当該各号に定めるところによる。

一　令和三年改正法　国家公務員法等の一部を改正する法律（令和三年法律第六十一号）をいう。

二〜七　〔略〕

（改正後の人事院規則八―一二における暫定再任用職員に関する経過措置）

第五条　令和三年改正法附則第四条第一項各号（第四号を除く。）又は第二項各号（第五号を除く。）に掲げる者を同条第一項若しくは第二項又は附則第五条第一項若しくは第二項の規定により採用する場合には、これらの採用は、条件付のものとしない。

附　則（令四・六・二四規則一―八一）

この規則は、公布の日から施行する。

附　則（令四・七・一規則八―一二―一八）

この規則は、公布の日から施行する。

附　則（令四・一二・一規則八―一二―一九）（抄）

（施行期日）

第一条　この規則は、令和五年四月一日から施行する。ただし、第二十五条の改正規定及び附則第三条の規定は、公布の日から施行する。

（経過措置）

第二条　この規則の施行前に効力が発生した規則八―一八第三条第一項、第二項第一号並びに第三項第七号、第八号及び第十一号に掲げる採用試験に係る採用候補者名簿の有効期間については、この規則による改正後の規則八―一二第十四条第一項の規定にかかわらず、なお従前の例による。

附　則（令五・三・一五規則八―一二―二〇）

この規則は、公布の日から施行する。

★人事院規則一―五七（復興庁設置法の施行に伴う関係人事院規則の適用の特例等に関する人事院規則）（平二四・二・一〇規則一―五七）（抄）

改正　令三・九・一規則一―七七

（復興庁が廃止されるまでの間における人事院規則の適用の特例）

第一条　復興庁が廃止されるまでの間における次の表の第一欄に掲げる規則の規定の適用については、同欄に掲げる規則の同表の第二欄に掲げる規定中同表の第三欄に掲げる字句は、それぞれ同表の第四欄に掲げる字句とする。

規則八―一二（職員の任免）	第九条第四項	デジタル庁	デジタル庁、復興庁
	第三十条第一項第一号	及びデジタル庁	、デジタル庁及び復興庁
	第四十八条第一項	機関	機関、復興庁設置法（平成二十三年法律第百二十五号）第十五条第一項の復興推進委員会
〔略〕			

2～4　〔略〕

附　則

この規則は、公布の日から施行する。

○人事院規則八―一二（職員の任免）の運用について

平二二・三・一八
人企―五三二

最終改正　令五・三・一五人企―一二九

第一条関係

この条の「別段の定めをした場合」とは、検察庁法（昭和二十二年法律第六十一号）、外務公務員法（昭和二十七年法律第四十一号）等において職員の任免の特例が定められている場合をいう。

第四条関係

1　この条の第五号の「人事院が定めるもの」は、外務職員の標準的な官職を定める省令（平成二十一年外務省令第四号）に規定する部局又は機関とする。

2　この条の第十三号の「人事院が定める官職」は、その官職を占める職員の一週間当たりの勤務時間が、一般職の職員の勤務時間、休暇等に関する法律（平成六年法律第三十三号。以下「勤務時間法」という。）第五条第一項に規定する勤務時間の四分の三を超えない時間であるものとする。

第五条関係

1　この条の第一項の規定により、例えば、一の官職に対して採用についての権限を有する任命権者と昇任についての権限を有する任命権者が同時に存在してはならない。

2　委任された任命権の全部又は一部を取り消した場合は、この条の第二項に準じて通知するものとする。

3　任命権の委任を受けた国家公務員の占める職が法令の改廃等により廃止され、又は改称された場合は、その旨を通知するものとする。

第七条関係

1　この条の第一項に規定する特定官職（以下「特定官職」という。）は、人事院規則一―四―二一（人事院規則一―四（現行の法律、命令及び規則の廃止）の一部を改正する人事院規則）による廃止前の人事院規則八―二〇（本省庁の課長等に任用する場合の選考の基準等）第二条第一項に定めていた官職と同様のものである。

2　特定官職は、内部部局の課長等の官職（会計検査院、人事院、内閣官房、内閣法制局、内閣府、宮内庁、内閣府設置法（平成十一年法律第八十九号）第四十九条第一項及び第二項に規定する機関、デジタル庁、復興庁並びに国家行政組織法（昭和二十三年法律第百二十号）第三条に規定する国の行政機関の課長又はこれと同等以上の官職をいう。以下この項において同じ。）、内閣府設置法第十八条、第三十七条、第三十九条、第四十条、第四十三条及び第五十四条から第五十七条まで（宮内庁法（昭和二十二年法律第七十号）第十八条第一項において準用する場合を含む。）、宮内庁法第十六条及び第十七条第一項、デジタル庁設置法（令和三年法律第三十六号）第十四条第一項、復興庁設置法（平成二十三年法律第百二十五号）第十三条第一項、第十五条第一項及び第十七条第一項並びに国家行政組織法第八条から第九条までに規定する機関等の官職であって内部部局の課長等の官職と同等のもの並びに行政執行法人（独立行政法人通則法（平成十一年法律第百三号）第二条第四項に規定する行政執行法人をいう。以下同じ。）の官職であって内部部局の課長等の官職とその職務と責任が類似すると認められるもののうち、次項に規定する段階の区分に応じ、人事院事務総長が指定するものとする。

3　この条の第二項の段階の区分は、職務の複雑と責任の度に応じたⅠ段階からⅣ段階までの四段階の区分とし、それぞれの段階に属する代表的な官職は、段階の区分に応じ、次の表に掲げるものとする。

段階	代表的な官職
Ⅰ段階	事務次官及び外局の長官
Ⅱ段階	本府省の局長
Ⅲ段階	本府省の部長、審議官及び局次長
Ⅳ段階	本府省の課長

第八条関係

1　採用試験（この条の第一項に規定する採用試験をいう。以下同じ。）については、国家公務員法（昭和二十二年法律第百二十号。以下「法」という。）及び法に基づく命令の定めるところによる。

2　任命権者は、この条の第一項に規定する面接を行うに当たっては、例えば、複数回行うこと、志望者間で公正に取り扱うこと等適正な実施に留意しなければならない。

第九条関係

1　この条の第二項の「当該官職を志望すると認められる採用候補者」であるかどうかは、補充しようとする官職を対象とする第八条第一項に規定する名簿（以下「名簿」という。）に記載されている採用候補者の意向を適宜の方法で確認して判断するものとする。

2　補充しようとする官職を対象とする名簿に、補充しようとする官職を志望すると認められる採用候補者がいない場合にあっては、任命権者は、この条の第二項の規定により、当該官職を対象とする採用試験（以下「対象試験」という。）が、人事院規則八―一八（採用試験）（以下「規則八―一八」という。）第三条第二項及び第三項第三号に掲げる採用試験の区分試験（規則八―一八第四条第三項に規定する区分試験をいう。以下同じ。）、規則八―一八第三条第三項第九号に掲げる採用試験並びに経験者採用試験である採用試験（規則八―一八第四条第二項の規定により区分された場合にあっては、区分試験）を区分した規則八―一八第五条第二項に規定する地域試験（以下「地域試験」という。）である場合において、当該採用試験を区分した対象試験以外の地域試験の結果に基づいて作成された名簿（当該名簿の対象となっている官職の全てについて当該名簿からの採用が見込まれていることその他の事情により、当該名簿からの新たな採用予定者の決定が見込まれないと認められるものに限る。）から、当該名簿に記載されている者を採用することができる。

3　前項の規定による場合以外の場合には、この条の第二項の規定により、試験機関（第九条第五項に規定する試験機関をいう。以下同じ。）（次の各号に掲げる採用試験にあっては、当該各号に定める者とする。以下この項において同じ。）が適当と認める他の名簿に記載されている者を採用することができる。この場合において、試験機関は、任命権者が補充しようとする官職と職務の複雑と責任の度が同等で職務内容が十分類似している官職を対象とする名簿（対象試験と異なる種類の規則八―一八第三条に掲げる採用試験（同条第四項に掲げるものにあっては、経験者採用試験である採用試験）及び異なる区分の区分試験の結果に基づき作成された名簿を含む。）を適当な名簿として認めるものとする。

一　規則八―一八第三条に掲げる採用試験（同条第四項に掲げるものにあっては経験者採用試験である採用試験とし、同条第一項及び第三項第六号に掲げるもの並びに次号に掲げるものを除く。）　人事院事務総長

二　規則八―一八第三条第二項第一号に掲げる採用試験のうち行政の区分試験、同項第二号に掲げる採用試験のうち事務、事務（社会人）、技術及び技術（社会人）の区分試験並びに同条第三項第三号及び第九号に掲げる採用試験　人事院地方事務局長又は人事院沖縄事務所長

4　前項の規定による他の名簿の認定の申請手続は、「任用関係の承認申請等の手続について（平成二十一年三月十八日人企―五三七）」第一項に規定する手続による。

5　この条の第四項の「人事院が定めるもの」は、会計検査院、人事院、内閣官房、内閣法制局、内閣府、宮内庁、内閣府設置法第四十九条第一項及び第二項に規定する機関、デジタル庁、復興庁並びに国家行政組織法第三条に規定する国の行政機関に置かれる組織のうち、次に掲げるもの以外のものとする。

（1）内閣府設置法第三十九条及び第五十五条並びに宮内庁法第十六条第二項の機関、国家行政組織法第八条の二の施設等機関並びに人事院事務総局に置かれるこれらに類する組織

（2）内閣府設置法第四十条及び第五十六条（宮内庁法第十八条第一項において準用する場合を含む。）並びに国家行政組織法第八条の三の特別の機関（警察庁の内部部局を除く。）、デジタル庁設置法第十四条第一項のデジタル社会推進会議並びに復興庁設置法第十三条第一項の復興推進会議

（3）内閣府設置法第四十三条及び第五十七条（宮内庁法第十八条第一項において準用する場合を含む。）、宮内庁法第十七条第一項並びに国家行政組織法第九条の地方支分部局、復興庁設置法第十七条第一項の地方機関並びに人事院事務総局に置かれるこれらに類する組織

6　この条の第五項の「やむを得ない事情」とは、転入学、転居等による地域的移動をいう。

7　この条の第五項の規定により試験機関が適当と認めるに当たっては、次の要件を満たしていることを必要とする。

（1）当該名簿の対象官職とその採用候補者が記載されている名簿の対象官職とがその職務の複雑と責任の度において同等であり、かつ、職務内容が類似していること。

（2）その者の得点から考慮して、当該名簿が作成された採用試験を受けたならば合格点以上を得たであろうと認められること。

8　この条の第六項の規定の趣旨は、名簿からの任命は、本来採用の方法によるべきものとされているが、現に常勤官職に任命されている職員（臨時的職員を除く。）であるときには、その者が辞職することなく、昇任させ、転任させ、配置換し、又はその者の同意を得て降任させることができることとするものである。なお、同項の規定に基づいて条件付採用期間中の職員を昇任させ、転任させ、配置換し、又はその者の同意を得て降任させるに当たっては、条件付採用期間が設けられている趣旨に反しないよう留意しなければならない。

第十二条関係

この条の第二項の規定により採用候補者の任命の結果について通知する場合の手続は、「任用関係の承認申請等の手続について」第二項に規定する手続による。

第十三条関係

この条の第一項の規定による復活は、次の各号に掲げる者については、それぞれ当該各号に定める場合に行うものとする。

一　第十二条第一項第二号又は第三号に該当して名簿から削除された採用候補者　当該名簿から採用される意思があると明らかに認められる場合

二　第十二条第一項第四号又は第五号に該当して削除された採用候補者　その事由が消滅したと認められる場合

第十五条関係

この条の規定による閲覧に当たっては、名簿管理者は、名簿に記載されている事項に個人情報の保護に関する法律（平成十五年法律第五十七号）第二条第一項

に規定する個人情報が含まれることを踏まえ、受験者、任命権者その他の関係者に応じて、閲覧の範囲を適当な範囲に限るものとする。

第十六条関係

1 名簿の有効期間内に当該名簿の対象となる官職につき新たな名簿が作成されたときは、試験機関は、新旧両名簿を統合して名簿を作成することができる。

2 名簿の訂正又は変更は、第十二条第一項又は第十三条第一項の規定による場合のほか、名簿の作成の過程における漏れ、書き損じその他の事務上の誤り及び採用候補者の氏名その他の名簿の記載事項についての変更があったことを確認した場合に限り、行うことができる。

第十七条関係

この条の第一項の「人事院が定める事項」は、名簿の名称、試験区分、採用予定年月日その他名簿管理者が必要と認める事項とする。

第十八条関係

1 この条の第一項第一号及び第七号の「これらに準ずる職」とは、人事院規則一二―〇（職員の懲戒）第九条各号に掲げる法人（行政執行法人以外の独立行政法人通則法第二条第一項に規定する独立行政法人、国立大学法人法（平成十五年法律第百十二号）第二条第一項に規定する国立大学法人及び同条第三項に規定する大学共同利用機関法人を除く。）（この条の第一項第七号ロにあっては、株式会社であるものを除く。）に属する職をいう。

2 この条の第一項第一号の「正式に就いている者」とあるのは、条件付任用期間中の者及びこれに類する者、臨時的に任用されている者並びに非常勤の者を除く趣旨である。

なお、同号の適用について、同号に規定する職に現に正式に就いている者をもって補充しようとする官職がその者が現に就いている職と同等以下であるかどうかについて疑義のある場合には、人事院と協議するものとする。

3 この条の第一項第二号の「正式に任命されていた官職」には、条件付任用期間中に任命されていた官職（条件付任用期間の終了後任命されていたものを除く。）、臨時的に任用されていた官職及び非常勤官職（第四十七条第三項に規定する非常勤官職をいう。以下同じ。）は含まれない。

なお、同号の適用について、かつて職員であった者をもって補充しようとする官職がその者がかつて正式に任命されていた官職と職務の複雑と責任の度が同等以下であるかどうかについて疑義のある場合には、人事院と協議するものとする。

4 選考により職員をこの条の第一項第三号に掲げる官職に採用する場合には、次に掲げる基準を満たさなければならない。ただし、特別の事情により次に掲げる基準により難い場合には、あらかじめ選考による採用について人事院事務総長の承認を得て、同号の規定により職員を選考により採用することができる。

一 当該採用が、法第三十四条第二項に規定する標準的な官職（以下「標準的な官職」という。）が標準的な官職を定める政令に規定する内閣官房令で定める標準的な官職等を定める内閣官房令（平成二十一年内閣府令第二号）第五条第一項若しくは第二項の表の下欄に掲げる研究官である職制上の段階に属する官職又は当該官職に相当する行政執行法人の官職に、補充しようとする官職の職務内容と関連する学問を専攻し、大学院設置基準（昭和四十九年文部省令第二十八号）に規定する大学院修士課程の修了要件を満たした者で高度の研究業績を有するもの又は大学院設置基準に規定する大学院博士課程の修了要件を満たした者若しくは外国の大学院博士課程において修業し、当該修了要件と同等と認められる要件を満たした者をもって補充するものであること。

二 当該選考の対象者の募集に当たって、インターネットの利用、公共職業安定所への求人の申込み等による告知を行うなどできる限り広く募集が行われていること。この場合において、任命権者は、十分な期間を設けて周知するとともに、できる限り多様な方法によるよう努めなければならない。

三 当該選考が、採用しようとする官職の職務遂行の能力の有無を的確に判定し得る複数の者によって構成される選考委員会の審査を経て行われていること。

5 前項ただし書並びにこの条の第一項第六号及び第十号の規定による承認の申請手続は、「任用関係の承認申請等の手続について」第三項に規定する手続による。

6 障害者の雇用の促進等に関する法律（昭和三十五年法律第百二十三号）第七条の三に規定する障害者活躍推進計画に基づき職員を採用する官職であり、採用試験によることが不適当であると認められるものについて、この条の第一項第十号に規定する人事院の承認を得て選考により職員を採用しようとする場合において、採用しようとする者が同法第三十七条第二項に規定する対象障害者であるときは、あらかじめ同号に規定する人事院の承認を得たものとみなす。

7　任命権者は、前項の規定を適用して採用を行った場合には、遅滞なく、次に掲げる事項を記載した文書により人事院事務総長に報告するものとする。

一　採用官職（職務の級及び所属部課名）
二　職務の内容その他官職の特殊性
三　採用試験によることが不適当であると認める理由
四　選考の方法及び選考結果の概要
五　採用者の氏名
六　採用年月日

8　この条の第三項の協議は、「任用関係の承認申請等の手続について」第四項に規定する手続により、任命権者がその採用の決定を行う前に協議手続が終了するよう十分な余裕をもって行うものとする。

9　この条の第三項の協議は、次の各号のいずれかに掲げる場合であって、第二十五条各号に定める要件及び第三十条第一項各号に掲げる要件を満たしている者と同等と認められる者（第二十五条各号に定める要件並びに同項第二号及び第三号に掲げる要件を満たしている者と同等と認められる者であって、同項第一号に掲げる要件を満たしている者と同等と認められないものにあっては、第十九条に規定する官職に係る能力及び適性（以下「官職に係る能力及び適性」という。）の有無を的確に判定し得る複数の者によって構成される選考委員会が第三十一条関係第三項各号に掲げる要件を満たすと認める者）を採用するときには要しないものとする。

一　特別職に属する職、地方公務員の職、沖縄振興開発金融公庫に属する職若しくは人事院規則一二—〇第九条各号に掲げる法人に属する職（第二十五条関係第四項において「特別職に属する職等」という。）に現に正式に就いている者又は港湾法（昭和二十五年法律第二百十八号）第四十三条の二十九第一項若しくは民間資金等の活用による公共施設等の整備等の促進に関する法律（平成十一年法律第百十七号）第七十八条第一項に規定する国派遣職員（第二十五条関係第四項において単に「国派遣職員」という。）を採用する場合
二　法第六十条の二第一項に規定する年齢六十年以上退職者を同項の規定により採用する場合

10　任命権者は、前項の規定により採用を行った場合（同項に規定する選考委員会によらない場合に限る。）には、その旨を報告するものとする。

11　前項の報告は、「任用関係の承認申請等の手続について」第五項に規定する手続により、採用後、原則として一週間以内に行うものとする。

12　任命権者は、第九項の規定により採用を行った場合（第十項に規定する場合を除く。）には、次に掲げる事項を記載した文書により人事院に報告するものとする。

一　採用された官職及びその職務の内容
二　採用された者の氏名
三　採用された者が有する顕著な業績等
四　採用年月日
五　採用に当たっての基準、第九項に規定する選考委員会の構成及び結果の概要
六　その他参考となる事項

第二十一条関係

1　任命権者は、この条の各号に掲げる能力実証方法の中から三以上（第一号に掲げる方法及び第二号に掲げる方法の中からそれぞれ少なくとも一以上）選択するものとする。

2　前項の規定にかかわらず、第二十二条第一項第三号に該当して同項ただし書の規定により同項に規定する募集を行わない場合における能力実証方法については、任命権者は、この条の第二号に掲げる方法の中から一以上選択すれば足りるものとする。この場合において、同号の「過去の経歴の有効性についての経歴評定」には、第四十二条第二項の規定により同項第三号に掲げる官職に任期を定めて採用された職員としての従前の勤務実績の評価が含まれる。

第二十二条関係

この条の規定により募集を行う場合には、十分な期間を設けて周知するよう努めるとともに、できる限り多様な方法によるよう努めなければならない。

第二十四条関係

1　第十八条第一項第三号に掲げる官職への選考による採用に係るこの条の規定による報告は、前年度における状況について、毎年五月三十一日までに、次に掲げる事項を記載した文書により行うものとする。

なお、第十八条関係第四項ただし書の規定によりあらかじめ人事院事務総長の承認を得た場合には、当該報告を要しないものとする。

(1) 採用官職（職務の級及び所属部課名）
(2) 当該官職に係る職務の内容
(3) 採用試験を行っても十分な競争者が得られないことが予想される理由又は職務と責任の特殊性により職務遂行の能力について職員の順位の判定が困難である理由
(4) 採用者の氏名
(5) 採用年月日
(6) 採用者の有する学位、資格、実務の経験等の内容
(7) 募集の時期、公募等の方法及び範囲
(8) 同項第三号に規定する選考委員会の構成及び選考の経緯
(9) その他参考となる事項

2　第十八条第一項第八号から第九号の二までに掲げる官職への選考による採用に係るこの条の規定による報告は、前年度における状況について、毎年五月三十一日までに、次に掲げる事項を記載した文書により行うものとする。
(1) 採用官職（職務の級及び所属部課名）
(2) 採用者の氏名
(3) 任期
(4) 用いた選考の方法

3　特定幹部職（第十八条第三項に規定する特定幹部職をいう。以下同じ。）への選考による採用に係るこの条の規定による報告は、「任用関係の承認申請等の手続について」第五項に規定する手続により、採用後、原則として三十日以内に行うものとする。
　なお、当該採用が官民人事交流法第十九条の規定による交流採用に係る認定を受けたものである場合又は任期付職員法第三条の規定による任期を定めた採用に係る承認を得たものである場合には、当該報告があったものとみなす。

第二十五条関係

1　この条の第一号イ及びロの「人事院が定める官職」は、標準的な官職が係員又は標準的な官職を定める政令に規定する内閣官房令で定める標準的な官職等を定める内閣官房令に規定する飛行員、航海士補、研究補助員、教育補助員、甲板員又は審査官補である職制上の段階の直近上位の職制上の段階に属する官職（当該官職が属する職制上の段階が最上位の職制上の段階である場合の当該官職を除く。）とする。

2　この条の第一号イの「人事院が定める要件」は、昇任させようとする日以前における直近の連続した二回の能力評価の全体評語がいずれも「良好」の段階であって、直近の能力評価の人事評価の基準、方法等に関する政令（平成二十一年政令第三十一号。以下「人事評価政令」という。）第五条第三項に規定する評価期間において職員が職務遂行の中でとった行動について人事評価政令第四条第三項に規定する評価項目に照らして優れた行動がみられ、かつ、その他の行動は当該職員に求められる能力の発揮の程度に達していること等同号イ（括弧書を除く。）に掲げる要件を満たした場合に準ずると認められることとする。

3　この条の第一号ロの「人事院が定める要件」は、昇任させようとする日以前における直近の連続した四回の業績評価の全体評語がいずれも「良好」の段階であって、直近の業績評価の人事評価政令第五条第四項に規定する評価期間において職員が挙げた業績について人事評価政令第四条第四項に規定する果たすべき役割に照らして優れた業績がみられ、かつ、その他の業績は当該職員に求められる当該役割を果たした程度に達していること等同号ロ（括弧書を除く。）に掲げる要件を満たした場合に準ずると認められることとする。

4　この条の第一号ハの「これに相当する処分」とは、昇任させようとする者が特別職に属する職等に在職していた期間又は国派遣職員であった期間中の法第八十二条の規定に基づく懲戒処分に相当する処分のことをいう。

5　この条の第二号の「人事院が定める官職」は、標準的な官職が本省（標準的な官職を定める政令本則の表一の項第二欄第一号に掲げる部局又は機関等及び同表二の項第二欄第一号に掲げる部局又は機関等をいう。第七項及び第二十六条関係第一項において同じ。）の室長である職制上の段階より上位の職制上の段階に属する官職（第七項に定める官職及び特定幹部職に該当する官職を除く。）とする。

6　この条の第二号ハの「人事院が定める期間」は、次の各号に掲げる懲戒処分等（第二十五条第一号ハに規定する懲戒処分等をいう。）の種類の区分に応じて、当該各号に定める期間とする。
一　停職又はこれに相当する処分　二年
二　減給又はこれに相当する処分　一年六月
三　戒告又はこれに相当する処分　一年

7　この条の第三号の「人事院が定める官職」は、標準的な官職が本省の課長である職制上の段階より上位の職制上の段階に属する官職（特定幹部職に該当

する官職を除く。）とする。

8　この条の第三号イの「人事院が定める要件」は、次の各号に掲げる場合の区分に応じ、当該各号に定める要件とする。

一　昇任させようとする日以前における直近の連続した二回の能力評価の全体評語の全部が人事評価政令第六条第二項第二号に定める段階で付されたものである場合　当該全体評語がいずれも上位の段階であること。

二　昇任させようとする日以前における直近の連続した二回の能力評価の全体評語の全部又は一部が人事評価政令第六条第二項第三号に定める段階で付されたものである場合　当該連続した二回の能力評価のうち、一の能力評価の全体評語が上位の段階又は「非常に優秀」の段階以上であり、かつ、他の能力評価の全体評語が「優良」の段階以上であること。

9　この条の第三号ロの「人事院が定める要件」は、次の各号に掲げる場合の区分に応じ、当該各号に定める要件とする。

一　昇任させようとする日以前における直近の連続した四回の業績評価の全体評語の全部が人事評価政令第六条第二項第二号に定める段階で付されたものである場合　当該連続した四回の業績評価のうち、一の業績評価の全体評語が上位の段階であり、かつ、他の業績評価の全体評語が上位又は中位の段階であること。

二　昇任させようとする日以前における直近の連続した四回の業績評価の全体評語の全部又は一部が人事評価政令第六条第二項第三号に定める段階で付されたものである場合　当該連続した四回の業績評価のうち、一の業績評価の全体評語が上位の段階又は「非常に優秀」の段階以上であり、かつ、他の業績評価の全体評語が上位若しくは中位の段階又は「良好」の段階以上であること。

第二十六条関係

1　この条の第二項の「人事院が定める官職」は、標準的な官職が本省の課長補佐である職制上の段階より上位の職制上の段階に属する官職（第二十五条関係第五項及び第七項に定める官職並びに特定幹部職に該当する官職を除く。）とする。

2　この条の第二項の「人事院が定めるもの」は、第二十五条関係第五項若しくは第七項又は前項に定める官職への転任（次に掲げる職員の転任を除く。）とする。

一　第二十五条関係第五項若しくは第七項又は前項に定める官職へ転任させようとする職員であって、それぞれの官職に就いていたことがあるもの

二　特定幹部職に該当する官職に現に就いている職員であって、転任させようとする日以前における直近の能力評価の全体評語及び直近の連続した二回の業績評価の全体評語が上位若しくは中位の段階又は「良好」の段階以上であるもの

第二十八条関係

1　この条の「国際機関又は民間企業に派遣されていたこと等の事情」には、国際機関又は民間企業に派遣されていたことのほか、例えば、国家公務員の育児休業等に関する法律（平成三年法律第百九号）第三条の規定による育児休業（以下「育児休業」という。）をしていたこと、休職にされていたことが含まれる。

2　この条の「人事評価の結果又は勤務の状況」とは、国際機関、民間企業等への派遣、育児休業、休職等の前後の人事評価の結果又は勤務の状況（国際機関、民間企業等への派遣、育児休業又は研究所等の業務に従事することによる休職から職務に復帰した場合であって、当該派遣等の後の人事評価の結果又は勤務の状況がないときには、当該派遣等の前の人事評価の結果又は勤務の状況）をいう。

3　任命権者は、この条の「派遣されていた国際機関又は民間企業の業務への取組状況」の把握に努めなければならない。

4　任命権者は、この条の規定により職員を昇任させ、転任させ、又は配置換しようとする場合には、当該職員の人事評価の結果又は勤務の状況、派遣されていた国際機関又は民間企業の業務への取組状況等を総合的に勘案して第二十五条第一号イ及びロ、第二号イ及びロ若しくは第三号イ及びロ（これらの規定を第二十六条第二項において準用する場合を含む。）に掲げる要件を満たす職員又は第二十七条ただし書に規定する職員に相当すると認められる職員を当該要件を満たす職員又は同条ただし書に規定する職員とみなして、第二十五条、第二十六条第二項又は第二十七条ただし書の規定を適用するものとする。

5　任命権者は、特別の事情により、前項の規定によることができない場合又は適当でない場合には、あらかじめ人事院事務総長と協議して、別段の定めをすることができる。

第三十条関係

1　この条の第一項第一号の「勤務の経験」には、国会、裁判所、国際機関等での勤務の経験を含むものとし、「人事院が定める研修」は、複数の府省の職員を対象として、職務の遂行に必要とされる行政的視野の拡大及び管理的能力、社会的識見等の向上に資するものとして実施される研修で人事院事務総長が指定するものとする。

2　この条の第二項の人事院に対する報告は、「任用関係の承認申請等の手続について」第五項に規定する手続により、特定官職に職員を昇任させ、降任させ、転任させ、又は配置換した後、原則として三十日以内に行うものとする。

第三十一条関係

1　この条の協議は、「任用関係の承認申請等の手続について」第六項に規定する手続により、任命権者がこの条の別段の定めを行う前に協議手続が終了するよう十分な余裕をもって行うものとする。

2　任命権者は、平成十年五月一日前に本府省の課に置かれる室長、課長補佐及びこれらの官職と職務の複雑と責任の度が同等の官職に昇任した者が、第三十条第一項第一号に規定する経験を有していない場合には、次に掲げる経験を同号に規定する経験とみなすことについて、あらかじめ人事院と協議したものとして取り扱うことができる。

一　行政官長期在外研究員等としての留学の経験

二　外局（法律で国務大臣をもってその長に充てることと定められている庁を除く。以下同じ。）に採用された者の本府省又は当該本府省に置かれる他の外局での勤務の経験

三　管区機関（複数の都府県の地域又は北海道を管轄区域とする相当の規模を有する地方支分部局をいう。）又はこれに準ずる郵政民営化法（平成十七年法律第九十七号）第百六十六条第一項の規定による解散前の日本郵政公社の事務所における管理的若しくは監督的地位での勤務の経験

四　本府省に採用された者の外局での勤務の経験

3　特定官職（特定幹部職に該当する官職を除く。）に昇任させ、降任させ、転任させ、又は配置換しようとする（以下この項において「昇任等させようとする」という。）場合において、第二十五条第一号イ若しくはロ、第二号イ若しくはロ若しくは第三号イ若しくはロ（これらの規定を第二十六条第二項において準用する場合を含む。）又は第三十条第一項第一号に掲げる要件を満たさないときにおけるこの条の協議について、任命権者は、官職に係る能力及び適性の有無を的確に判定し得る複数の者によって構成される選考委員会が次に掲げる要件を満たすと認めることをこれらの規定に掲げる要件を満たすこととみなすことについて、人事院と協議したものとして取り扱うことができる。

一　顕著な業績等に基づき補充しようとする官職の職務を遂行する十分な能力を有していると認められること。

二　補充しようとする官職が第三十条に規定する職務の段階（以下この号において「職務の段階」という。）のうち最下位の職務の段階に属する官職の場合（当該職務の段階に属する官職に就いていたことがない場合にあっては、当該職務の段階より上位の職務の段階に属する官職へ最初に昇任等させようとする場合）にあっては、顕著な業績等に基づき管理的又は監督的地位にある者にふさわしい幅広い能力及び柔軟な発想力を有していると認められること。

4　任命権者は、前項の規定を適用して、職員を昇任させ、降任させ、転任させ、又は配置換した場合には、遅滞なく、次に掲げる事項を記載した文書により人事院に報告するものとする。

一　任命された官職及びその職務の内容

二　任命された者の氏名

三　当該任命された者が有する顕著な業績等

四　任命年月日

五　前項に規定する選考委員会の構成及び結果の概要

六　その他参考となる事項

第三十二条関係

1　この条の第一号の「これらに準ずる職」とは、人事院規則一二—〇第九条各号に掲げる法人（行政執行法人以外の独立行政法人通則法第二条第一項に規定する独立行政法人を除く。）に属する職をいう。

2　この条の第三号の「人事院が定める者」は、都道府県警察の職に現に正式に就いている地方警察職員（警察庁の職員又は警察法（昭和二十九年法律第百六十二号）第五十六条第一項に規定する地方警務官として採用される者に限る。）とする。

3　法第六十条の二第一項に規定する自衛隊法による年齢六十年以上退職者の同項の規定による採用は、条件付のものとなる。

第三十四条関係

「実際に勤務した日数」には、勤務時間法第六条第一項に規定する週休日、勤務時間法第十四条に規定す

る休日、勤務時間法第十六条に規定する休暇等で実際に勤務しなかった日は算入しない。

第三十五条関係

1　この条の第一号に該当する場合としては、例えば、法務省設置法（平成十一年法律第九十三号）附則第三項の規定に基づき法務省に属する官職（検察庁に属する官職を除く。）に検事をもって充てるときがある。

2　この条の第四号に該当する場合としては、例えば、次のような場合であって、その者の職務遂行に著しい支障がないと認められるときがある。

(1)　内閣官房等における政府全体として取り組むべき重要又は緊急な政策課題へ対応する場合

(2)　併任先部局等との業務上の連携を強化する必要がある場合

(3)　事業を新たに実施するため又は事業を終了するための業務を支援する場合

(4)　臨時に又は一定の期間業務が特に繁忙となる部局等に対して応援を行う場合

(5)　急に欠員が生じた場合であって、採用、昇任、転任等では対応ができないとき。

3　任命権者は、前項に掲げる場合においても、当該併任される職員の現に任命されている官職の職務遂行、当該職員の処遇等への影響にかんがみ、併任を必要とする事情、期間等を十分にしん酌し、適切に行うよう努めなければならない。

4　この条の第一項第四号の規定に基づいて遠隔地の官署に属する官職へ併任する場合には、真にやむを得ないものに限るものとする。

第三十八条関係

この条の規定は、併任の場合において勤務時間が重ならない部分に対しては兼ねる官職について給与を受けることができるという趣旨である。

第三十九条関係

1　この条の臨時的任用により現に官職に任命されている職員を昇任させ、降任させ、転任させ、配置換し、又は併任することはできない。

2　この条の第一項第一号に該当する場合には、例えば、事故、災害等により突発的に生じた欠員を緊急に補充する必要がある場合で、採用、昇任、降任、転任、配置換又は併任の方法による補充が直ちには行えない客観的な事情があるときが含まれる。

3　この条の第一項第二号に該当する場合には、例えば、勤務時間法第二十条に規定する介護休暇（一日を単位とするものに限る。）又は人事院規則一五—一四（職員の勤務時間、休日及び休暇）第二十二条第一項第六号若しくは第七号に規定する特別休暇の承認を受けた職員の業務を処理することを職務とする官職で当該承認に係る期間を限度として置かれる臨時のものに臨時的任用を行う場合が含まれる。

4　この条の第一項第三号に該当する場合の臨時的任用及びその更新の承認の申請手続は、「任用関係の承認申請等の手続について」第七項に規定する手続による。

5　この条の第四項の規定による報告は、前年度におけるこの条の第一項第一号又は第二号に該当する場合の臨時的任用の実施状況について、毎年五月三十一日までに、次に掲げる事項を記載した文書により行うものとする。

(1)　臨時的任用官職

(2)　臨時的任用の期間

(3)　臨時的任用を必要とする理由

(4)　その他参考となる事項

第四十二条関係

1　この条の第一項の「恒常的に置く必要がある官職に充てるべき常勤の職員」とは、行政機関の職員の定員に関する法律（昭和四十四年法律第三十三号）の規定による定員規制の対象となる職員及びこれに相当する会計検査院若しくは人事院又は行政執行法人の職員をいう。

2　この条の第二項第一号の「三年以内に廃止される予定の官職」には、新たに設置される官職のほか、従前から設置されている官職も含まれる。

3　この条の第二項の規定により職員を採用する場合は、任期を定めて採用されることを承諾した文書を職員に提出させるものとする。

4　任期を定めて採用する職員の任免についての法及び規則の規定の適用については、任期の定めのない職員の場合と異なるところはない。

5　この条の第二項第二号に掲げる官職への採用について任期を定める場合には、次に掲げる基準に従わなければならない。

(1)　採用予定官職が、特別の計画に基づき実施される研究事業に係る五年以内に終了する予定の科学技術に関する高度の専門的知識、技術等を必要とする研究業務であって、当該研究事業の能率的運営に特に必要であると認められるものに従事することを職務内容とする官職であることが、研究計画において明らかであること。

(2)　採用予定者が、従事する研究業務の遂行に必要な高度の専門的知識、技術等を有していることが採用予定者の研究論文、特許その他国内外の大学、研究所等における研究業績等により明らかであること。

(3) 任用予定期間が従事する研究業務の遂行に必要な期間であることが、研究計画において明らかであること。

(4) 特別の事情により(1)から(3)までに規定する基準により難い場合には、あらかじめ人事院事務総長の承認を得ること。

6 前項(4)の規定による承認の申請手続は、「任用関係の承認申請等の手続について」第八項に規定する手続による。

7 この条の第二項第三号の「出産」とは、妊娠満十二週以後の分べんをいう。

第四十三条関係

1 任期を定めて採用された職員について、その任期が更新されることとなる場合には、当該職員の同意を得るものとする。

2 第四十二条第二項第二号に掲げる官職に採用された職員の任期を更新する場合には、次に掲げる基準に従わなければならない。

(1) 任期の更新後に当該職員が従事する研究業務の内容及び研究事業における当該研究業務の位置付けに変更がないことが、新たな研究計画において明らかであること。

(2) 任期を定めて採用された職員が任期満了後も引き続きその研究業務に従事することが研究事業の能率的運営に特に必要であることが、新たな研究計画において明らかであること。

(3) 更新後の任期が、当該職員の採用の日から五年以内であり、かつ、従事する研究業務の遂行に必要な期間であることが、新たな研究計画において明らかであること。

(4) 任期の更新について当該職員の同意を書面により得ていること。

(5) 特別の事情により(1)から(3)までに規定する基準により難い場合には、あらかじめ人事院事務総長の承認を得ること。

3 前項(5)の規定による承認の申請手続は、「任用関係の承認申請等の手続について」第九項に規定する手続による。

4 この条の第一項の「出産」とは、妊娠満十二週以後の分べんをいう。

第四十四条関係

1 第四十二条第二項各号に掲げる官職以外の常勤官職から同項第二号の官職と同一の研究業務を行うことを職務内容とする常勤官職を除く趣旨は、任期を定めて採用された職員を法令の改廃による組織の変更等に伴い他の常勤官職に異動させる場合において、異動後の官職が異動前の官職と同一の研究業務を行うことを職務内容とする官職であるときは、任期の定めのない職員とはならないということである。

2 任期を定めて採用された職員について、任期の定めがなくなることとなる場合には、当該職員の同意を得るものとする。

第四十五条関係

この条の規定による報告は、採用又は任期の更新を行った後遅滞なく、次の各号に掲げる区分に応じ、当該各号に掲げる事項を記載した文書により行うものとする。

なお、第四十二条関係第五項(4)又は第四十三条関係第二項(5)の規定によりあらかじめ人事院事務総長の承認を得た場合には、当該報告を要しないものとする。

一 第四十二条第二項第一号に掲げる官職への採用

(1) 任期を定めて採用された職員の官職（職務の級及び所属部課名）

(2) 当該官職に係る職務の内容

(3) 任期を定めて採用された職員の氏名

(4) 任期

(5) 研究計画

(6) 任期を定めて採用された職員の研究業績

(7) その他参考となる事項

二 第四十二条第二項第二号に掲げる官職に採用された職員の任期の更新

(1) 任期を定めて採用された職員の官職（職務の級及び所属部課名）

(2) 任期を定めて採用された職員の氏名

(3) 更新後の任期

(4) 新たな研究計画

(5) 任期の更新を必要とする理由

(6) その他参考となる事項

第四十六条関係

1 この条の第一項の「適宜の方法」には、例えば、作文試験、体力検査、健康状態の確認が含まれる。

2 この条の第二項の規定により募集を行う場合には、十分な期間を設けて周知するよう努めるとともに、できる限り多様な方法によるよう努めなければならない。

3　この条の第二項第二号の「人事院が定めるとき」は、前年度において設置されていた官職で、補充しようとする官職と職務の内容が類似するもの（補充しようとする官職の任命権者が任命権を有していたものに限る。）に就いていた者を採用する場合において、面接及び当該職務の内容が類似する官職におけるその者の勤務実績に基づき、この条の第一項に規定する能力の実証を行うことができると明らかに認められる場合であって、面接及び当該勤務実績に基づき当該能力の実証を行うときとする。

第四十六条の二関係

任期を定めて採用された非常勤職員について、その任期が更新されることとなる場合には、当該非常勤職員の同意を得るものとする。

第四十七条関係

1　この条の第二項の規定は、第十八条第一項の規定に基づき、補充しようとする官職に選考により採用することができる場合には、適用しない。

2　この条の第二項の「他の官職に係る名簿」には、補充しようとする官職と職務の複雑と責任の度が同等と認められる官職を対象とする名簿及び職務の複雑と責任の度が上位又は下位の官職を対象とする名簿が含まれる。

3　この条の第二項の規定に基づいて行われた昇任等は、採用試験の結果に基づく採用とはならない。

第四十八条関係

1　この条の第一項の「これらに準ずる非常勤官職」とは、内閣府設置法第十八条の重要政策に関する会議又は同法第三十七条若しくは第五十四条の審議会等、宮内庁法第十六条第一項の機関、復興庁設置法第十五条第一項の復興推進委員会若しくは国家行政組織法第八条の審議会等の非常勤官職とその性格、職務の内容、勤務条件等が極めて類似している諮問的又は調査的な非常勤官職をいう。

2　この条の第一項の規定は、非常勤官職への採用（この条の第二項に規定する一月を超える任期を定めた期間業務職員の採用を除く。）又は昇任のうちこの条の第一項に規定する審議会等の非常勤官職以外の非常勤官職に採用する場合であって、法第三十六条ただし書の規定に基づく選考により、かつ、一年を超える任期を定めて非常勤官職に採用するときは、条件付のものとなるという趣旨である。

3　この条の第二項の「その職務を良好な成績で遂行した」か否かの判断は、期間業務職員の勤務の状況を示す事実に基づき、官職に求められる職務遂行の程度に照らして行うものとする。

4　条件付採用期間中の期間業務職員の勤務実績がよくないと認められる場合の取扱いについては、人事院規則一一—四（職員の身分保障）第十条の定めるところによる。

第五十条関係

この条の規定は、併任に係る官職の任命権者は併任の解除はできるが、職員を休職にし、復職させ、免職し、又は職員の辞職を承認することはできないという趣旨である。

第五十三条関係

この条の各号に掲げる異動で発令を要するものについては、その異動を発令した時にその効力が発生する。この場合においても、職員がその異動を了知するまでの間は、当該職員の不利益になるように取り扱うことは許されない。

第五十四条関係

この条の各号に掲げる異動は、第五十三条に規定する通知書（以下「通知書」という。）を交付した時（第五十五条第五号に該当する場合には、通知書の交付に代わる方法による通知が到達した時）にその効力が発生する。

第五十五条関係

この条の第二号は、法令の改廃による組織の新設、変更、廃止等に伴うこれらの組織間における職員の転任又は配置換については、通知書に代わる文書の交付その他適当な方法をもって通知書の交付に代えることができるという趣旨である。

第五十八条関係

1　通知書の様式、記載事項及び記入要領は、「人事異動通知書の様式及び記載事項等について（昭和二十七年六月一日一三—七九九）」による。

2　非常勤官職への採用に当たっては、第五十三条第一号の規定にかかわらず、任期が極めて短い場合、同時期に多数の者を採用する場合その他特別の事情がある場合には、通知書に代わる文書をもって通知書に代えることができる。

その他の事項

外務公務員法第二条第五項に規定する外務職員として人事評価が実施された職員に対する第二章第三節の規定の適用については、外務職員の人事評価の基準、方法等に関する省令（平成二十一年外務省令第六号）第六条第一項に規定する全体評語を第二章第三節に規定する全体評語とみなす。

以　上

○人事院規則一—七九（国家公務員法等の一部を改正する法律の施行に伴う関係人事院規則の整備等に関する人事院規則）及び「国家公務員法等の一部を改正する法律の施行に伴う関係人事院事務総長通知の一部改正について」の施行に伴う経過措置について（抄）

令四・二・一八
事企法—三八

人事院規則一—七九（国家公務員法等の一部を改正する法律の施行に伴う関係人事院規則の整備等に関する人事院規則）及び「国家公務員法等の一部を改正する法律の施行に伴う関係人事院事務総長通知の一部改正について（令和四年二月十八日事企法—三七）」の施行に伴い、下記の〔中略〕第三項〔中略〕に掲げる人事院事務総長通知の経過措置について下記のとおり定めたので、令和五年四月一日以降は、これによってください。

記

1　この通知において、次の各号に掲げる用語の意義は、それぞれ当該各号に定めるところによる。

一　令和三年改正法　国家公務員法等の一部を改正する法律（令和三年法律第六十一号）をいう。

二　令和四年事企法—三七　「国家公務員法等の一部を改正する法律の施行に伴う関係人事院事務総長通知の一部改正について（令和四年二月十八日事企法—三七）」をいう。

三〜五　〔略〕

3　人事院規則八—一二（職員の任免）の運用について

（平成二十一年三月十八日人企—五三二）

令和三年改正法附則第四条第一項各号（第四号を除く。）又は第二項各号（第五号を除く。）に掲げる者の同条第一項若しくは第二項又は附則第五条第一項若しくは第二項の規定による採用は、令和四年事企法—三七第八項の規定による改正後の「人事院規則八—一二（職員の任免）の運用について」第十八条関係第九項第二号に規定する採用とみなして、同項の規定を適用する。

以　上

〔参考〕

法務省設置法（抄）

附　則

（職員の特例）

3　当分の間、特に必要があるときは、法務省の職員（検察庁の職員を除く。）のうち、百三十三人は、検事をもってこれに充てることができる。

検察官適格審査会令（抄）

第一条　検察官適格審査会（以下「審査会」という。）の委員のうち、衆議院議員又は参議院議員たる委員以外の者は、次に掲げる者につき、法務大臣がこれを任命する。

一　最高裁判所判事　一人

二　日本弁護士連合会の会長

三　日本学士院会員　一人

四　司法制度に関し学識経験を有する者　二人

2　前項第一号及び第三号の委員は、それぞれ最高裁判所判事及び日本学士院会員の互選による。

○人事院規則一—二四（公務の活性化のために民間の人材を採用する場合の特例）

平一〇・三・二六公布
平一〇・四・一施行
最終改正　平二七・三・一八規則一—六三

（趣旨）
第一条　この規則は、公務の活性化のために民間の人材を採用する場合（任期を定めて採用する場合を除く。）の任用及び給与の特例に関し必要な事項を定めるものとする。

（採用の方法等）
第二条　任命権者は、次に掲げる場合には、人事院の定める基準に従い、選考により、職員（給与法第六条第一項に規定する行政職俸給表㈠、専門行政職俸給表、税務職俸給表、公安職俸給表㈠又は公安職俸給表㈡の適用を受ける職員（以下この項において「行政職俸給表㈠等適用職員」という。）及び行政執行法人の職員のうち行政職俸給表㈠等適用職員の職務とその種類が類似する職務に従事する職員に限る。）を採用することができる。
一　公務外における専門的な実務の経験等により高度の専門的な知識経験を有すると認められる者を採用する場合で、採用以外の任用の方法により当該知識経験を必要とする職務に従事させる人材を確保することが困難であるとき。
二　前号に掲げる場合のほか、次のいずれかに該当する場合
イ　行政の新たな需要に対応するため、公務外における実務の経験等を通じて公務に有用な資質等を有すると認められる者を採用する場合で、採用以外の任用の方法により当該需要に対応するための職務に従事させる人材を確保することが困難であるとき、又は十分に得ることができないとき。
ロ　公務と異なる分野における多様な活動、経験等を通じて公務に有用な資質等を有すると認められる者を採用する場合で、その者を職務に従事させることが公務の能率的運営に資すると認められるとき。
2　任命権者は、前項の規定により採用を行った場合には、その旨を人事院に報告しなければならない。

（規則九—八第四章から第六章までの規定の適用の特例）
第三条　前条第一項の規定により採用された職員に対する規則九—八（初任給、昇格、昇給等の基準）第四章から第六章までの規定の適用については、規則八—一八（採用試験）第三条第四項に規定する経験者採用試験の結果に基づいて職員となった者として取り扱うものとする。

（雑則）
第四条　この規則に定めるもののほか、公務の活性化のために民間の人材を採用する場合の特例に関し必要な事項は、人事院が定める。

附　則
この規則は、平成十年四月一日から施行する。

○人事院規則一—二四（公務の活性化のために民間の人材を採用する場合の特例）の運用について

平一〇・三・二六
管総—一二八〇
最終改正　平二六・五・二九事企法—二七七

第二条関係
1　この条の第一項の規定により採用を行う場合には、次に掲げる基準に従わなければならない。
一　選考の対象者の募集が、公募又はこれに準ずる方法により行われていること。
二　選考が、人事院規則八—一二（職員の任免）第十九条に規定する官職に係る能力及び適性の有無を的確に判定し得る複数の者によって構成される選考委員会の審査を経て行われていること。
2　前項第一号の公募を行う場合には、十分な期間を設けて周知するとともに、可能な限り多様な方法によるよう努めなければならない。
3　この条の第二項の規定による報告は、採用を行った後遅滞なく、次に掲げる事項を掲載した文書により行うものとする。
一　採用官職（職務の級及び所属部課名）
二　当該官職に係る職務の内容
三　採用者の氏名
四　採用者の資格、実務の経験等の内容

五　採用年月日
六　募集の時期、公募等の方法及び範囲
七　選考委員会の構成及び選考の経緯
八　その他参考となる事項
4　この条の規定による採用について人事院規則八―一二第十八条第三項の規定による協議を要する場合にあっては、当該協議に係る「任用関係の承認申請等の手続について（平成二十一年三月十八日人企―五三七）」第四項の特定官職への採用協議書に、人事院規則一―二四に基づく採用である旨並びに前項第六号及び第七号に掲げる事項を併せて記載することにより、この条の第二項の規定による報告を省略することができる。

○期間業務職員の適切な採用について

平二二・八・一〇
人企―九七二

期間業務職員の採用は、人事院規則八―一二（職員の任免）第四十六条の規定に基づき、面接及び経歴評定その他の適宜の方法による能力の実証を経て行うとともに、採用に当たっては原則として公募を行う必要があるとされているところですが、今般、下記のとおり、制度の運用に当たっての留意点等について整理しましたので、平成二十二年十月一日以降、下記の事項に留意の上、制度の適正な運用を図ってください。

記

1　任命権者は、期間業務職員を採用する場合において、人事院規則八―一二（以下「規則」という。）第四十六条第二項第二号及び人事院規則八―一二（職員の任免）の運用について（平成二十一年三月十八日人企―五三二。以下「運用通知」という。）第四十六条関係第三項に規定する場合には公募によらないことができるとされているが、国家公務員法（昭和二十二年法律第百二十号）に定める平等取扱の原則及び任免の根本基準（成績主義の原則）を踏まえ、任命権者は、これらの規定による公募によらない採用は、同一の者について連続二回を限度とするよう努めるものとすること。
2　規則第四十六条第二項第二号に掲げる場合に該当するものとして公募を行わない場合には、同号及び運用通知第四十六条関係第三項に定める場合に該当することについて、任命権者が厳正に判断すること。
3　任命権者は、規則第四十六条第二項第二号及び運用通知第四十六条関係第三項の規定により公募によらない採用を行う場合であっても、面接及び従前の勤務実績に基づき、補充しようとする官職に必要とされる能力の実証を適切に行う必要があること。
4　任命権者は、期間業務職員の円滑な人事管理を確保するため、任期満了に際し、期間業務職員に対して規則第四十六条第二項第二号及び運用通知第四十六条関係第三項の規定による公募によらない採用の有無など必要な情報を適切に提供するよう努めるものとすること。

以上

○併任制度の適正な運用について

平二一・三・一八
人企—五七五
給　三—二八

改正　平三〇・三・一人企—一四三、給三—二五

今般、併任制度の運用の適正化及び併任に係る諸手当の取扱いについて、次の規則及び運用通知の整備を行いました。

○人事院規則八—一二（職員の任免）
○人事院規則八—一二（職員の任免）の運用について（平成二十一年三月十八日人企—五三二）
○給実甲第一八〇号（初任給調整手当の運用について）
○給実甲第三五一号（特地勤務手当等の運用について）
○給実甲第七九七号（研究員調整手当の運用について）
○給実甲第一〇一九号（地域手当の運用について）
○給実甲第一〇三三号（広域異動手当の運用について）
○給実甲第一〇七八号（本府省業務調整手当の運用について）

ついては、平成二十一年四月一日以降、下記の事項に留意のうえ、適正な運用を図ってください。

記

一　併任
　併任は、人事院規則八—一二第三十五条及び第四十九条に定める場合に行うことができるものです。人事院規則八—一二（職員の任免）の運用について第三十五条関係第三項及び第四項に規定するとおり、本務官署から遠隔地にある官署（本務官署からおおむね六十キロメートル以上離れた官署をいう。）に属する官職への併任については真にやむを得ないものに限るようにするなど適正な運用に努めてください。

二　手当の取扱い
　本府省業務調整手当、地域手当、広域異動手当等に関し、併任されている官職の業務に引き続き一箇月以上専ら従事（広域異動手当にあっては六箇月を超えて専ら従事）することが予定されている職員については、これらの職員の職務従事の実態に鑑み、当該併任官職に基づきこれらの手当を支給することとしたところですが、この取扱いは職員に不利益のないよう行うものであり、各府省におかれては、引き続き長期にわたって併任官職の業務に専ら従事させるような形態の併任をできる限り解消していくよう努めてください。

三　報告
　併任される官職の業務に引き続き三箇月を超えて専ら従事することが予定される職員について、年度ごとに、当該職員に係る任用状況を別紙様式により当該専ら従事することとなった日の属する年度の翌年度の五月末日までに、企画課長宛て報告ください。

以上

別紙　〔略〕

○人事異動通知書の様式及び記載事項等について

昭二七・六・一
一三—七九九

最終改正　令三・三・三一人企—四五七

（通知書の様式）
1　人事院規則八—一二（職員の任免）（以下「規則」という。）第五十三条に規定する通知書（以下「通知書」という。）は、次の各号に掲げる場合の区分に応じ、当該各号に定める様式によるものとする。
一　次号に掲げる場合以外の場合　別紙第一
二　規則第五十四条各号に掲げる場合及び人事院規則一一—一〇（職員の降給）第七条本文に規定する場合　別紙第一の二

（通知書の記載事項及び記入要領）
2　通知書の記載事項及び記入要領については、次の各号に定めるところによる。ただし、これによっては特に支障のある場合には、これによらないことができる。
一　「氏名」欄には、規則第五十三条各号又は第五十四条各号に掲げる場合に該当する事実（以下「異動」という。）に係る者の氏名を記入する。
二　「現官職」欄には、職員である者について異動が生ずる際にその者の占めている官職の組織上の名称及び当該官職の属する所属部課（所属部課の表示の単位は任命権者が定めるものとする。以下同じ。）を記入する。

三　「異動内容」欄には、異動の内容を別紙第二により記入する。
四　「日付及び任命権者」の欄には、異動を発令した年月日又は異動が発生した年月日（以下「発令日」という。）並びに任命権者（任命権の委任が行われた場合には、その委任を受けた者とする。以下同じ。）の職の組織上の名称及び氏名を記入する。

（規則第五十五条第五号の規定による場合の事後処理）

3　規則第五十五条第五号の規定による場合において必要と認めるときは、発令後更に通知書を交付することができる。

（二以上の異動に係る通知書）

4　一の職員に係る発令日を同じくする二以上の異動については、一の通知書によることができる。この場合には、これらの異動の内容を「異動内容」欄に併せて記入するものとし、規則第五十四条各号に掲げる場合に該当する事実を含むときは、別紙第一の二に掲げる様式によるものとする。

（俸給の決定についての通知）

5　各庁の長（権限の委任が行われた場合には、その委任を受けた者とする。以下同じ。）が、給実甲第三二六号（人事院規則九―八（初任給、昇格、昇給等の基準）の運用について）その他の事項第一項又は給実甲第六〇九号（俸給の調整額の運用について）その他の事項第一項の規定により職員の俸給の決定に関する事項を通知する場合の通知書の記載事項及び記入要領は、第二項の規定に準ずるものとする。この場合において、同項第三号中「別紙第二」とあるのは、「別紙第三」とする。

6　任命権者たる各庁の長が職員についての異動の発令日において、当該職員の俸給の決定に関する事項を通知する場合には、当該異動に係る通知書を用いることができる。この場合、俸給の決定に関する事項は前項の場合に準じて「異動内容」欄に記入するものとする。

（退職手当についての通知）

7　職員が退職した場合における国家公務員退職手当法（昭和二十八年法律第百八十二号）による退職手当の支給に関する事項の通知は、通知書により行うものとする。この場合の記載事項及び記入要領については第二項に準ずるものとするが、「異動内容」欄には、「退職手当として金　円を支給する（根拠法令の条項）」と記入し、退職手当を支給しない場合においては「退職手当は支給しない（根拠法令の条項）」と記入するものとする。

以　上

別紙第1

人　事　異　動　通　知　書

(氏名)	(現官職)
(異動内容)	
年　月　日 任 命 権 者	

A 4

別紙第1の2

文書番号

人　事　異　動　通　知　書

(氏名)	(現官職)
(異動内容)	
年　月　日 任 命 権 者	

A 4

別紙第2

「異動内容」欄記入要領

「異動内容」欄の記載事項及び記入要領については、次の各号による。

一　採用する場合（次号に該当する場合を除く。）
「アに採用する」と記入する。

二　任期を定めて採用する場合
「アに採用する（イによる）
任期は　年　月　日までとする」と記入する。

三　昇任させる場合
「アに昇任させる」と記入する。

四　降任させる場合
「イによりアに降任させる」と記入する。ただし、職員をその意により降任させる場合には、「イにより」の記入は要しない。

五　転任させる場合
「アに転任させる」と記入する。

六　配置換する場合
「アに配置換する」と記入する。

七　職員を他の任命権者が昇任させ、降任させ、転任させ、又は併任することに同意を与えた場合
「ウに出向させる」と記入する。ただし、他の任命権者が併任することに同意を与えた場合には、「（併任）」を末尾に加える。

八　併任を行う場合
「アに併任する」と記入し、併任の期間を定める場合には、「併任の期間は　年　月　日までとする」と併記する。

九　併任を解除する場合
「アの併任を解除する」と記入する。

十　併任が終了した場合
「アの併任は終了した」と記入する。

十一　臨時的任用を行う場合
「アに臨時的に任用する。
任期は　年　月　日までとする」と記入する。

十二　臨時的任用を更新する場合
「臨時的任用を更新する。
任期は　年　月　日までとする」と記入する。

十三　任期を更新する場合
「任期を　年　月　日まで更新する」と記入する。

十四　任期を定めて採用された職員が任期の定めのない職員となる場合
「人事院規則八―一二第四十四条の規定により任期の定めのない職員となる」と記入する。

十五　休職にする場合
「イにより休職にする。
休職の期間は　年　月　日までとする」と記入する。ただし、国家公務員法（昭和二十二年法律第百二十号）第七十九条第二号又は人事院規則一一―四（職員の身分保障）第三条第二項の規定により休職にする場合には、「休職の期間は　年　月　日までとする」の記入は要しない。

十六　休職の期間を更新する場合
「休職の期間を　年　月　日まで更新する」と記入する。

十七　復職させる場合
「アに復職させる」と記入する。

十八　職員が復職した場合
「アに復職した」と記入する。

十九　職員が失職した場合
「エに該当して失職した」と記入する。

二十　免職する場合
「イにより免職する」と記入する。

二十一　辞職を承認する場合
「辞職を承認する」と記入する。

二十二　職員が退職した場合（第二十号、前号又は次号に該当する場合を除く。）
「退職した」と記入する。

二十三　任期の満了により職員が当然に退職した場合
「任期の満了により　年　月　日限り退職した」と記入する。

注1　「ア」の記号をもって表示する事項は、官職の組織上の名称（期間業務職員である場合は、その旨を含む。）及び当該官職の属する所属部課とする。

2　「イ」の記号をもって表示する事項は、根拠法令の条項とする。

3　「ウ」の記号をもって表示する事項は、異動に係る官職の属する機関の名称とする。

4　「エ」の記号をもって表示する事項は、失職となった事由を掲げる法令の条項とする。

別紙第3

「異動内容」欄記入要領（俸給の決定関係）

職員の俸給の決定に関する事項を通知する場合の「異動内容」欄の記載事項及び記入要領については、次の各号による。

一　次号から第四号までに該当する場合以外の場合で俸給の決定を行うとき

「アイを給する㋒」と記入する。

二　昇格させる場合

「アに昇格させる。イを給する」と記入する。

三　人事院規則九―八（初任給、昇格、昇給等の基準）第二十四条の規定により降格させる場合

「アに降格させる。イを給する」と記入する。

四　一般職の職員の給与に関する法律（昭和二十五年法律第九十五号。以下「給与法」という。）第十条の規定により俸給の調整を行う場合

「エを給する」と記入する。

注1　「ア」の記号をもって表示する事項は、給与法に規定する職務の級とする。この場合には、「職務の級」の表示は「○○俸給表○級」とする。

2　「イ」の記号をもって表示する事項は、給与法に規定する号俸とする。この場合には、「号俸」の表示は「○号俸」とする。

3　「ウ」の記号をもって表示する事項は、その根拠となる条項とする。ただし、当該根拠が明らかである場合には、省略することができる。

4　指定職俸給表の適用を受ける職員等にあっては、「ア」及び「イ」の記号をもって表示する事項は、1及び2の規定の例によるものとする。

5　「エ」の記号をもって表示する事項は、給与法の規定による俸給の調整額とする。この場合には、「俸給の調整額」の表示は「調整数○の俸給の調整額」又は「俸給の調整額○○円」とする。

○任用関係の承認申請等の手続について

平二一・三・一八
人企―五三七

最終改正 令四・一一・二五人企―一三六六

任用関係の承認申請等は次の各項に掲げる申請等の場合に応じ、当該各項(2)に定める申請先等に提出して行うものとする。

1 人事院規則八―一二（職員の任免）の運用について（平成二十一年三月十八日人企―五三二。以下「規則八―一二運用通知」という。）第九条関係第三項の規定に基づく他名簿の認定申請の場合

(1) 提出書類

他名簿認定申請書（別紙一の様式による。）

(2) 申請先

ア 当該名簿が人事院規則八―一八（採用試験）（以下「規則八―一八」という。）第三条第二項第一号に掲げる採用試験のうち行政の区分試験（規則八―一八第四条第三項に規定する区分試験をいう。以下同じ。）、規則八―一八第三条第二項第二号に掲げる採用試験のうち事務、事務（社会人）、技術及び技術（社会人）の区分試験並びに同条第三項第三号及び第九号に掲げる採用試験の結果に基づいて作成された名簿以外の名簿の場合

人事院事務総長

イ ア以外で名簿のある場合

人事院地方事務局長又は人事院沖縄事務所長

2 人事院規則八―一二（職員の任免）（以下「規則八―一二」という。）第十二条第二項の規定に基づく任命結果の通知の場合

(1) 提出書類

ア 任命結果通知書（別紙二の様式による。）

イ その他参考となる資料（規則八―一二運用通知第九条関係第二項の規定により採用した場合には、同項に規定する名簿からの任命であることを証明する書類を含む。）

(2) 通知先

ア 当該名簿が規則八―一八第三条第二項第一号に掲げる採用試験のうち行政の区分試験、同項第二号に掲げる採用試験のうち事務、事務（社会人）、技術及び技術（社会人）の区分試験並びに同条第三項第三号及び第九号に掲げる採用試験の結果に基づいて作成された名簿以外の名簿の場合

人事院事務総長

イ ア以外の場合

人事院地方事務局長又は人事院沖縄事務所長

3 規則八―一二第十八条第一項第六号若しくは第十号又は規則八―一二運用通知第十八条関係第四項ただし書の規定に基づく選考による採用の承認申請の場合

(1) 提出書類

ア 選考採用承認申請書（別紙三の一から別紙三の三までの様式による。）

イ 採用予定者の履歴書

ウ その他参考となる資料

(2) 申請先

人事院事務総長。ただし、規則八―一二第十八条第一項第六号の規定に基づき、規則八―一八別表第一国家公務員採用一般職試験（大卒程度試験）の項第一号、同表国家公務員採用一般職試験（高卒程度試験）の項第一号及び第二号並びに同表刑務官採用試験の項第一号から第四号までに掲げる官職へ選考により採用する場合については、人事院地方事務局長又は人事院沖縄事務所長とする。

4 規則八―一二第十八条第三項の規定に基づく特定官職への採用の協議の場合

(1) 提出書類

ア 特定官職への採用協議書（別紙四の一の様式による。ただし、規則八―一二運用通知第十八条関係第九項各号に掲げる採用についての協議の場合には、別紙四の二の様式による。）

イ 採用予定者の履歴書（別紙四の二の様式による場合には、採用予定者の履歴書及びかつてその者が職員であったときはその時の人事記録の写し）

ウ その他参考となる資料

(2) 協議先

人事院事務総長

5 規則八―一二運用通知第十八条関係第十項の規定に基づく特定官職への選考による採用の報告及び規則八―一二第二十四条の規定に基づく特定幹部職への選考による採用の報告並びに規則八―一二第三十条第二項の規定に基づく特定官職への昇任、降任、転任又は配置換の報告の場合（規則八―一二第三十一条の規定に基づきあらかじめ人事院と協議をした別段の定めによる任命の場合を除く。）

(1) 提出書類

ア 特定官職への任命結果報告書（別紙五の様式による。）

イ　任命された者の人事記録の写し（採用についての報告の場合には、採用された者の履歴書及びかつてその者が職員であったときはその時の人事記録の写し）
ウ　人事異動図
（注）人事異動図に、別紙五の記の部分の内容を付記して提出するときは、特定官職への任命結果報告書の提出に代えて、当該人事異動図を添付する文書により、人事院に報告することができる。
(2)　報告先
人事院事務総長

6　規則八—一二第三十一条の規定に基づく別段の定めをすることについての協議の場合
(1)　提出書類
ア　別段の定めについての協議書（別紙六の様式による。）
イ　任命予定者の人事記録の写し
ウ　その他参考となる資料
(2)　協議先
人事院事務総長

7　規則八—一二第三十九条第一項第三号に該当する場合の臨時的任用又はその更新の承認申請の場合
(1)　提出書類
ア　臨時的任用承認申請書（別紙七の一の様式による。）又は臨時的任用更新承認申請書（別紙七の二の様式による。）
イ　任用予定者の履歴書又は任用更新予定者の人事記録の写し
ウ　その他参考となる資料
(2)　申請先
ア　国家公務員法（昭和二十二年法律第百二十号）第四十五条の二第一項第一号及び採用試験の対象官職及び種類並びに採用試験により確保すべき人材に関する政令（平成二十六年政令第百九十二号）第一条第二項第十一号、第十二号、第十四号及び第十五号に規定する官職の場合
人事院総裁
イ　アの官職以外の官職の場合
人事院事務総長。ただし、規則八—一八別表第一国家公務員採用一般職試験（大卒程度試験）の項第一号、同表国家公務員採用一般職試験（高卒程度試験）の項第一号及び第二号並びに同表刑務官採用試験の項第一号から第四号までに掲げる官職の場合については、人事院地方事務局長又は人事院沖縄事務所長とする。

8　規則八—一二運用通知第四十二条関係第五項(4)の規定に基づく任期を定めた採用の承認申請（以下「任期付採用の承認申請」という。）
(1)　提出書類
ア　任期付採用承認申請書（別紙八の様式による。）
イ　研究計画書
ウ　採用予定者の履歴書
エ　採用予定者が任期を定めて採用されることを承諾した文書の写し
オ　その他参考となる資料
(2)　申請先
人事院事務総長
（注）選考採用の承認申請と同時にこの任期付採用の承認申請を行う場合には、選考採用承認申請書と重複する記載事項の記入及び添付資料の提出は省略することができる。

9　規則八—一二運用通知第四十三条関係第二項(5)の規定に基づく任期の更新の承認申請の場合
(1)　提出書類
ア　任期付任用更新承認申請書（別紙九の様式による。）
イ　研究計画書
ウ　職員が任期を更新されることについて同意した文書の写し
エ　その他参考となる資料
(2)　申請先
人事院事務総長

以　上

別紙１

他 名 簿 認 定 申 請 書

文書番号
令和　年　月　日

人 事 院 事 務 総 長
人 事 院 ＿＿事 務 局 長　殿
人事院沖縄事務所長

申請者＿＿＿＿＿＿

「人事院規則８－12（職員の任免）の運用について」第９条関係第３項の規定に基づき、試験機関が適当と認める他の名簿について、下記のとおり申請します。

記

１　名簿の名称
２　採用予定官職（職務の級及び職務内容）及び官職数
３　当該官職を志望する者が５人未満である事情その他申請を必要とする事情
４　採用予定時期

別紙２

任 命 結 果 通 知 書

文書番号
令和　年　月　日

人 事 院 事 務 総 長
人事院______事務局長　　殿
人事院沖縄事務所長

通知者__________________

人事院規則８－12第12条第２項の規定に基づき、職員の任命について、下記のとおり通知します。

記

名簿名	整理番号	氏名	任命方法	任用年月日	俸給表級	所属部局

(注)　１　「整理番号」欄には、採用候補者一覧表の採用候補者に付してある整理番号等を記入する。
２　「任命方法」欄には、「採用」、「昇任」、「降任」、「転任」又は「配置換」の別を記入する。規則８－12第９条各項の規定による場合には、その根拠条項を併せて記載する。

別紙３の１

選　考　採　用　承　認　申　請　書

文書番号
令和　年　月　日

人事院事務総長　殿

申請者＿＿＿＿＿＿＿＿

人事院規則８－12第18条第１項第６号の規定に基づき、選考による職員の採用について下記のとおり申請します。

記

1　採用予定官職（職務の級及び所属部課名）
2　職務内容
3　補充しようとする官職に係る名簿がない事情又は当該官職を志望する採用候補者が５人未満である事情
4　選考の方法及び選考結果の概要
5　採用予定者の氏名
6　採用予定時期

別紙３の２

選考採用承認申請書

文書番号
令和　年　月　日

人事院事務総長 殿

申請者＿＿＿＿＿＿＿＿＿＿

人事院規則８－12第18条第１項第10号の規定に基づき、選考による職員の採用について下記のとおり申請します。

記

1 採用予定官職（職務の級及び所属部課名）
2 職務内容その他官職の特殊性
3 採用試験によることが不適当であると認める理由
4 選考の方法及び選考結果の概要
5 採用予定者の氏名
6 採用予定時期

別紙３の３

選 考 採 用 承 認 申 請 書

文書番号
令和　年　月　日

人 事 院 事 務 総 長
人 事 院 __ 事 務 局 長　殿
人事院沖縄事務所長

申請者 ------------------

「人事院規則８－12（職員の任免）の運用について」第18条関係第４項ただし書の規定に基づき、選考による職員の採用について下記のとおり申請します。

記

1　採用予定官職（職務の級及び所属部課名）
2　職務内容その他官職の特殊性
3　採用試験を行っても十分な競争者が得られないことが予想される理由又は職務と責任の特殊性により、職務の遂行能力について職員の順位の判定が困難である理由
4　選考の方法及び選考結果の概要
5　採用予定者の氏名
6　採用予定時期

別紙４の１

特定官職への採用協議書

文書番号
令和　年　月　日

人事院事務総長　殿

協議者＿＿＿＿＿＿＿＿＿＿

人事院規則８－12第18条第３項の規定に基づき、選考による職員の採用（「人事院規則８－12（職員の任免）の運用について」第18条関係第９項各号に掲げる採用の場合を除く。）について、下記のとおり協議します。

記

1　採用予定官職（職務の級及び所属部課名）
2　当該官職に係る職務の内容
3　選考の方法及び選考結果の概要
4　採用予定者の資格、経歴、実務経験等の内容
5　採用予定日及び採用前２年以内の期間における刑事事件に関する起訴の有無
6　採用予定者の氏名
7　採用予定時期
8　選考の手続の内容（公募の方法等）

別紙４の２

特定官職への採用協議書

文書番号
令和　年　月　日

人事院事務総長　殿

協議者＿＿＿＿＿＿

「人事院規則８－12（職員の任免）の運用について」第18条関係第９項各号に掲げる採用について、下記のとおり協議します。

記

1　採用しようとする官職（職務の級及び所属部課名）
2　当該官職に係る職務の内容
3　人事院規則８－12第25条各号に定める要件又は第30条第１項各号に掲げる要件を満たしている者と同等と認められないにもかかわらず採用することができる理由
4　採用予定者氏名、現官職又は就いている職
5　採用予定時期

別紙５

特定官職への任命結果報告書

文書番号
令和　年　月　日

人事院事務総長　殿

報告者＿＿＿＿＿＿＿

「人事院規則８－12（職員の任免）の運用について」第18条関係第10項並びに人事院規則８－12第24条及び第30条第２項の規定に基づき、下記のとおり報告します。

記

任用年月日	任命方法	氏名	任命官職	任命前官職	採用年及び月（採用試験の種類）

（注）１　人事異動図に、記の部分の内容を付記して提出するときは、本報告書の提出に代えて、当該人事異動図を添付する文書により、人事院に報告することができる。
２　「任命方法」欄には、「採用」、「昇任」、「降任」、「転任」又は「配置換」の別を記入する。

別紙６

別段の定めについての協議書

文書番号
令和　年　月　日

人事院事務総長　殿

協議者 ---------------

人事院規則８－12第31条の規定に基づく別段の定めについて、下記のとおり協議します。

記

1　任命予定官職（職務の級及び所属部課名）
2　当該官職に係る職務の内容
3　任命方法（「昇任」、「降任」、「転任」又は「配置換」の別を記入すること。）
4　別段の定めの内容及び別段の定めを必要とすると認められる理由
5　任命予定者氏名、現官職
6　任命予定時期

別紙７の１

臨 時 的 任 用 承 認 申 請 書

文書番号
令和　年　月　日

人　事　院　総　裁
人 事 院 事 務 総 長
人事院＿＿事務局長　　殿
人事院沖縄事務所長

申請者＿＿＿＿＿＿＿＿

人事院規則８－12第39条第１項第３号の規定に基づき、臨時的任用について下記のとおり申請します。

記

1　任用予定官職（職務の級及び所属部課名）
2　職務内容
3　任用予定者の氏名
4　臨時的任用の予定期間
5　臨時的任用を必要とする理由
6　当該官職に係る名簿がない事情又は当該官職を志望する採用候補者が５人未満である事情

別紙７の２

臨時的任用更新承認申請書

文書番号
令和　年　月　日

人　事　院　総　裁
人事院事務総長
人事院＿＿事務局長　　殿
人事院沖縄事務所長

申請者＿＿＿＿＿＿＿＿

人事院規則８－12第39条第１項第３号の規定に基づき、臨時的任用の更新について下記のとおり申請します。

記

1　官職名（職務の級及び所属部課名）
2　更新に係る職員の氏名
3　臨時的任用の年月日
4　更新する臨時的任用の予定期間
5　臨時的任用の更新を必要とする理由

別紙８

任期付採用承認申請書

文書番号
令和　年　月　日

人事院事務総長　殿

申請者＿＿＿＿＿＿＿＿

「人事院規則８－12（職員の任免）の運用について」第42条関係第５項(4)の規定に基づき、任期を定めた採用について下記のとおり申請します。

記

1　任期付採用予定官職（職務の級及び所属部課名）
2　当該官職に係る研究業務の内容及び期間
3　研究事業の概要及び同事業において当該官職に係る研究業務が特に必要な理由
4　採用以外の任命方法により補充することが困難な理由
5　任期を定めることが必要な理由
6　任期付採用予定者の氏名
7　任期付採用予定者の任期満了後の雇用予定
8　任用予定期間

別紙９

任期付任用更新承認申請書

文書番号
令和　年　月　日

人事院事務総長　殿

申請者 -----------------

「人事院規則８－12（職員の任免）の運用について」第43条関係第２項(5)の規定に基づき、任期の更新について下記のとおり申請します。

記

1　任期を定めて採用された職員の氏名及び官職名（職務の級及び所属部課名）
2　更新を必要とする理由
3　現に従事している研究業務の内容
4　採用年月日
5　更新予定期間

○定員外職員の常勤化の防止について

昭三六・二・二八
閣議決定

新しい定員規制制度において、今後なお定員外職員として残るものについては三十六年度中に検討の上定員規制の対象とするか否かを確定するため、定員外職員の実態を調査するとともに、今後定員規制の対象職員と同種又は類似の職員が定員規制の外に発生することを防止するため、次の措置を行うものとする。

1 昭和三十六年二月二十八日以後においては、歳出予算の「常勤職員給与」の目から俸給が支給される職員（以下「常勤労務者」という。）を新規に任命しないものとする。

上記にかかわらず、業務遂行上常勤労務者を特に新規に任命する必要があるときは、行政管理庁に協議するものとする。

2 各省庁においては、昭和三十六年二月二十八日現在に在職する常勤労務者及び1により特に認められて新規に任命された常勤労務者については、行政管理庁に報告するものとする。

3 昭和三十六年二月二十八日以後においては、非常勤職員のうち、継続して日日雇い入れることを予定する職員の雇用にあたつては、その常勤化を防止するため、次のとおり実施するものとする。

(1) 継続して日日雇い入れることを予定する職員については、必ず発令日の属する会計年度の範囲内で任用予定期間を定めること。

(2) 被雇用希望者に対しては、任用条件特に任用予定期間を示し、確認させること。

(3) 採用の際交付する人事異動通知書には、(2)の任用条件を明記するとともに、任用予定期間が終了した後には自動更新をしない旨をも明記すること。

(4) 採用の際は、必ず人事異動通知書を交付すること。

ただし、任用予定期間が一月をこえない職員の任用にあたつては、人事異動通知書に代る文書の交付その他適当な方法をもつて行うことができるものとする。

(5) 任用予定期間が終了したときには、その者に対して引き続き勤務させないよう措置すること。

4 昭和三十六年二月二十八日現在において日日雇用の職員で、任用予定期間を定めず更新して雇用しているものであつて、昭和三十六年に引続いて雇用するものについては、昭和三十六年四月一日に3の(1)及び(4)の措置をとるものとし、これらの者で特に必要があるものについては、行政管理庁に報告するものとすること。

なお、上記昭和三十六年四月一日に3の(1)の措置をとつたものについては従前の処遇を維持するものとし、雇用予定期間が終了した場合には更新できるものとすること。

（備考） 昭和三十五年三月二十五日付閣議了解「行政機関職員定員法の取扱について」は、廃止する。

○昭和三十七年度の定員外職員の定員繰入れに伴う措置について

昭三七・一・一〇
閣議決定

1 昭和三十六年二月二十八日閣議決定「定員外職員の常勤化の防止について」に基づき、行政管理庁で実施した定員外職員の実態調査の結果、国家行政組織法第十九条の定員に該当するものは、昭和三十七年度の定員に繰り入れることとし、これにより定員繰入れの措置は終了したものとする。

2 上記閣議決定の2及び4に基づき、行政管理庁に報告された者で、今回の定員繰入れより除かれたものの取扱いについては、その者が国家公務員としてその職を保有している間は、なお、従前の処遇によるものとし、これらの者に支払われる俸給は、歳出予算の「常勤職員給与」の目から支給されるものとする。

3 2以外の者で定員規制から除かれた者の取扱いについては、上記閣議決定の3の(5)により必らず措置するものとする。

○標準的な官職を定める政令

平二一・三・六
政令三〇

最終改正　令三・一二・二四政令三四一

国家公務員法第三十四条第二項の標準的な官職は、次の表の第一欄に掲げる職務の種類及び同表の第二欄に掲げる部局又は機関等に存する同表の第三欄に掲げる職制上の段階に応じ、それぞれ同表の第四欄に掲げるとおりとする。

職務の種類	部局又は機関等	職制上の段階	標準的な官職
一　二の項から三十の項までに掲げる職務以外の職務	一　法律の規定に基づき内閣に置かれる各機関、内閣の統轄の下に行政事務をつかさどる機関として置かれる各機関及び内閣の所轄の下に置かれる機関並びに会計検査院（以下「行政機関」という。）のうち、次号から第七号までに掲げる部局又は機関等を除いたもの	一　内閣審議官のうち内閣官房令で定めるもの、内閣法制次長、内閣府の事務次官、デジタル審議官、国家行政組織法（昭和二十三年法律第百二十号）第十八条第一項に規定する事務次官、人事院の事務総長及び会計検査院の事務総長の属する職制上の段階 **★読替え―復興庁組織令（平二四政令二二）により同欄の「デジタル審議官」を「デジタル審議官、復興庁の事務次官」に読み替える。**	事務次官
		二　内閣官房組織令（昭和三十二年政令第二百十九号）第四条の三第三項に規定する所長、内閣法制局設置法（昭和二十七年法律第二百五十二号）第五条第五項の規定に基づき部長に充てられた内閣法制局参事官、内閣府設置法（平成十一年法律第八十九号）第十七条第五項に規定する局長、デジタル庁組織令（令和三年政令第百九十二号）第一条第一項に規定する統括官、国家行政組織法第二十一条第一項に規定する局長、人事院の事務総局に置かれる局長及び会計検査院の事務総局に置かれる局長の属する	局長

職制上の段階 ★読替え―復興庁組織令（平二四政令二二）により同欄の「統括官」を「統括官、復興庁組織令（平成二十四年政令第二十二号）第一条第一項に規定する統括官」に読み替える。	三　内閣官房組織令第四条の三第一項に規定する内閣衛星情報センターの所掌事務を分掌する部の長、内閣法制局設置法施行令（昭和二十七年政令第二百九十号）第六条第一項の規定に基づき総務主幹に充てられた内閣法制局事務官、内閣府設置法第十七条第五項に規定する部長、デジタル庁組織令第二条第一項に規定する審議官、国家行政組織法第二十一条	部長
第一項に規定する部長、人事院の事務総局に置かれる審議官及び会計検査院の事務総局に置かれる審議官の属する職制上の段階 ★読替え―復興庁組織令（平二四政令二二）により同欄の「第二条第一項に規定する審議官」を「第二条第一項に規定する審議官、復興庁組織令第二条第一項に規定する審議官」に読み替える。	四　内閣参事官、内閣法制局参事官（内閣法制局設置法第五条第五項の規定に基づき部長に充てられた場合を除く。）、内閣府設置法第十七条第五項に規定する課長、デジタル庁組織令第三条第一項に規定する参事	課長

		官、国家行政組織法第二十一条第一項に規定する課長、人事院の事務総局の局に置かれる課長及び会計検査院の事務総局の局に置かれる課長の属する職制上の段階 **★読替え—復興庁組織令（平二四政令二二）により同欄の「第三条第一項に規定する参事官」を「第三条第一項に規定する参事官、復興庁組織令第三条第一項に規定する参事官」に読み替える。**	
		五　前号に規定する官職の指揮監督を受け、課の所掌事務を分掌する室の長の属する職制上の段階	室長
		六　第四号又は前号に規定する官職を補佐し、次号又は	課長補佐

		第八号に規定する官職のつかさどる事務を整理する官職の属する職制上の段階	
		七　課の所掌事務を分掌する係の長の属する職制上の段階	係長
		八　前号に規定する官職の指揮監督を受ける官職の属する職制上の段階	係員
	二　内閣府設置法第三十九条及び第五十五条、宮内庁法（昭和二十二年法律第七十号）第十六条第二項並びに国家行政組織法第八条の二に規定する機関、人事院の事務総局に置かれる公務員研修所並びに農林水産技術会議の事務局（内閣官房令で定める部局又は機関等に限る。）	九　この項第二欄第二号に掲げる部局又は機関等（以下「施設等機関等」という。）の長の属する職制上の段階	所長
		十　前号に掲げる職制上の段階より下位の職制上の段階として内閣官房令で定めるもの	この項第三欄第十号の内閣官房令で定める職制上の段階に応じ、内閣官房令で定める標準的な官職
	三　国土地理院（支所を除く。）	十一　国土地理院の長の属する職制上の段階	院長

	十二　前号に掲げる職制上の段階より下位の職制上の段階として内閣官房令で定めるもの	この項第三欄第十二号の内閣官房令で定める職制上の段階に応じ、内閣官房令で定める標準的な官職
四　国家行政組織法第九条に規定する地方支分部局（法律又は政令で定める管轄区域が一の都府県の区域を超え又は道の区域であり、及び部が置かれ、又は政令の規定により当該地方支分部局の長を助け、当該地方支分部局の事務を整理する官職が置かれるものに限る。）、沖縄総合事務局、地方更生保護委員会、北海道開発局、航空交通管制部、管区気象台及び管区海上保安本部（これらの地方支分部局の所掌事務を分掌する地方支分部局（内閣官房令で定めるものを除く。）を	十三　この項第二欄第四号に掲げる部局又は機関等（以下「部等設置広域管轄機関」という。）の長の属する職制上の段階	局長
	十四　部等設置広域管轄機関の部長及び部等設置広域管轄機関の長を助け、部等設置広域管轄機関の事務を整理する官職の属する職制上の段階	部長
	十五　部等設置広域管轄機関の部の所掌事務を分掌する課の長の属する職制上の段階	課長
	十六　部等設置広域管轄機関の課の長を補佐し、次号又は第十八号に規定する官職のつかさどる事務を整理す	課長補佐

除く。） **★読替え―復興庁組織令（平二四政令二二）により同欄の「、沖縄総合事務局」を「、沖縄総合事務局、復興局」に読み替える。**	る官職の属する職制上の段階	
	十七　部等設置広域管轄機関の課の所掌事務を分掌する係の長の属する職制上の段階	係長
	十八　前号に規定する官職の指揮監督を受ける官職の属する職制上の段階	係員
五　国家行政組織法第九条に規定する地方支分部局（法律又は政令で定める管轄区域が一の都府県の区域を超え又は道の区域であり、及び部が置かれず、かつ、政令の規定により当該地方支分部局の長を助け、当該地方支分部局の事務を整理する官職が置かれないものに限る。）及び宮内庁の京都事務所並びに人事院の事務総局の地方事務局、公正取引委員会の事務総局の地	十九　この項第二欄第五号に掲げる部局又は機関等（以下「広域管轄機関」という。）の長の属する職制上の段階	所長
	二十　広域管轄機関の長を助け、広域管轄機関の事務を整理する官職の属する職制上の段階	次長
	二十一　広域管轄機関の所掌事務を分掌する課の長の属する職制上の段階	課長
	二十二　広域管轄機関の課の長を補佐し、次号又は第二十四号に規定する	課長補佐

	方事務所、中央労働委員会の事務局の地方事務所及び地方海難審判所（次号の内閣官房令で定める部局又は機関等を除く。）	官職のつかさどる事務を整理する官職の属する職制上の段階	
		二十三　広域管轄機関の課の所掌事務を分掌する係の長の属する職制上の段階	係長
		二十四　前号に規定する官職の指揮監督を受ける官職の属する職制上の段階	係員
	六　国家行政組織法第九条に規定する地方支分部局（法律又は政令で定める管轄区域が一の都府県の区域であるものに限り、運輸監理部の貨物利用運送事業の発達、改善及び調整等に関する事務をつかさどる部に置かれる内部組織並びに運輸支局の所掌事務を分掌する内部組織を除く。）、公安調査事務所、北海道農政	二十五　この項第二欄第六号に掲げる部局又は機関等（以下「都府県管轄機関」という。）の長の属する職制上の段階	所長
		二十六　都府県管轄機関の所掌事務を分掌する部の長の属する職制上の段階	部長
		二十七　都府県管轄機関の部の所掌事務を分掌する課の長の属する職制上の段階	課長

	事務所、沖縄気象台及び地方気象台並びに内閣府令又は各省の内閣府令又は省令で所要の地に置かれる地方支分部局であって、部が置かれるもの（これらの地方支分部局の所掌事務を分掌する地方支分部局を除く。）並びに人事院の事務総局の沖縄事務所、小笠原総合事務所及び地方海難審判所（内閣官房令で定める部局又は機関等に限る。）	二十八　都府県管轄機関の課の長を補佐し、次号又は第三十号に規定する官職のつかさどる事務を整理する官職の属する職制上の段階	課長補佐
		二十九　都府県管轄機関の課の所掌事務を分掌する係の長の属する職制上の段階	係長
		三十　前号に規定する官職の指揮監督を受ける官職の属する職制上の段階	係員
	七　国家行政組織法第九条に規定する地方支分部局（前三号に掲げるものを除く。）及び沖縄総合事務局の事務所並びに国土地理院の支所	三十一　内閣官房令で定める職制上の段階	この項第三欄第三十一号の内閣官房令で定める職制上の段階に応じ、内閣官房令で定める標準的な官職
二　警察職員の行う事務、公安調査官の行う事務、検察事務官若しくは検察技官の行う事	一　警察庁並びに公安調査庁及び最高検察庁並びに海上保安庁（次号から第八号まで及び第	一　警察庁長官及び公安調査庁長官の属する職制上の段階	長官
		二　警察法（昭和二	局長

務、海上保安官若しくは海上保安官補の行う事務（警備救難に関するものその他の内閣官房令で定めるものに限る。）、懲役、禁錮若しくは拘留の刑の執行のため拘置される者等の収容若しくは被収容者等に対する処遇、矯正教育、鑑別、補導若しくは送還に関する事務、入国警備官の行う事務又は麻薬取締官の行う事務をつかさどる官職の職務（五の項から十一の項まで、十五の項及び十七の項に掲げる職務を除く。）	十号に掲げる部局又は機関等を除く。）	十九年法律第百六十二号）第二十条第一項に規定する局長及び公安調査庁の次長の属する職制上の段階	
		三 警察法第二十条第三項に規定する部長、公安調査庁の部長及び最高検察庁の事務局の長の属する職制上の段階	部長
		四 警察法第二十六条第二項に規定する課長、公安調査庁の課長及び最高検察庁の事務局の所掌事務を分掌する課の長の属する職制上の段階	課長
		五 前号に規定する官職の指揮監督を受け、課の所掌事務を分掌する室の長の属する職制上の段階	室長
		六 第四号又は前号に規定する官職を補佐し、次号又は第八号に規定する	課長補佐

		官職のつかさどる事務を整理する官職の属する職制上の段階	
		七 課の所掌事務を分掌する係の長の属する職制上の段階	係長
		八 前号に規定する官職の指揮監督を受ける官職の属する職制上の段階	係員
	二 矯正収容施設	九 矯正収容施設の長の属する職制上の段階	所長
		十 前号に掲げる職制上の段階より下位の職制上の段階として内閣官房令で定めるもの	この項第三欄第十号の内閣官房令で定める職制上の段階に応じ、内閣官房令で定める標準的な官職
	三 地方出入国在留管理局、公安調査局、地方厚生局及び地方厚生支局並びに管区海上保安本部（これらの所掌事務を分掌する地方支分部局を除く。）並びに管区警察局（その所掌事務を分掌し、所	十一 この項第二欄第三号に掲げる部局又は機関等（以下「広域管轄公安機関」という。）の長の属する職制上の段階	局長
		十二 広域管轄公安機関の部長の属する職制上の段階	部長
		十三 広域管轄公安	課長

要の地に置かれ、内閣官房令で定める部局又は機関等を除く。）及び高等検察庁	機関の部の所掌事務を分掌する課の長の属する職制上の段階	
	十四　広域管轄公安機関の課の長を補佐し、次号又は第十六号に規定する官職のつかさどる事務を整理する官職の属する職制上の段階	課長補佐
	十五　広域管轄公安機関の課の所掌事務を分掌する係の長の属する職制上の段階	係長
	十六　前号に規定する官職の指揮監督を受ける官職の属する職制上の段階	係員
四　地方出入国在留管理局の支局、公安調査事務所及び地方麻薬取締支所（これらの所掌事務を分掌する地方支分部局を除く。）並びに東京都警察情報通信部及び北海道警察情報通信	十七　この項第二欄第四号に掲げる部局又は機関等（以下「都府県管轄公安機関」という。）の長の属する職制上の段階	所長
	十八　都府県管轄公安機関の長を助け、都府県管轄公	次長
部（これらの所掌事務を分掌し、所要の地に置かれ、内閣官房令で定める部局又は機関等を除く。）並びに地方検察庁	安機関の事務を整理する官職の属する職制上の段階	
	十九　都府県管轄公安機関の所掌事務を分掌する課の長の属する職制上の段階	課長
	二十　都府県管轄公安機関の課の長を補佐し、次号又は第二十二号に規定する官職のつかさどる事務を整理する官職の属する職制上の段階	課長補佐
	二十一　都府県管轄公安機関の課の所掌事務を分掌する係の長の属する職制上の段階	係長
	二十二　前号に規定する官職の指揮監督を受ける官職の属する職制上の段階	係員
五　国家行政組織法第九条に規定する地方支分部局（前二号に掲げるものを除く。）並びに	二十三　内閣官房令で定める職制上の段階	この項第三欄第二十三号の内閣官房令で定める職制上の段階に応じ、内閣官房令で定める標準的な官

	管区警察局、東京都警察情報通信部及び北海道警察情報通信部（前二号の内閣官房令で定める部局又は機関等に限る。）並びに区検察庁		職
	六 警察大学校、科学警察研究所及び皇宮警察本部（皇宮警察学校を除く。）	二十四 警察大学校の長の属する職制上の段階	所長
		二十五 前号に掲げる職制上の段階より下位の職制上の段階として内閣官房令で定めるもの	この項第三欄第二十五号の内閣官房令で定める職制上の段階に応じ、内閣官房令で定める標準的な官職
	七 皇宮警察学校	二十六 皇宮警察学校の長の属する職制上の段階	校長
		二十七 前号に掲げる職制上の段階より下位の職制上の段階として内閣官房令で定めるもの	この項第三欄第二十七号の内閣官房令で定める職制上の段階に応じ、内閣官房令で定める標準的な官職
	八 管区警察学校	二十八 管区警察学校の長の属する職制上の段階	校長
		二十九 前号に掲げる職制上の段階よ	この項第三欄第二十九号の内閣官房令で

		り下位の職制上の段階として内閣官房令で定めるもの	定める職制上の段階に応じ、内閣官房令で定める標準的な官職
	九 都道府県警察（内閣官房令で定める部局又は機関等に限る。）	三十 内閣官房令で定める職制上の段階	この項第三欄第三十号の内閣官房令で定める職制上の段階に応じ、内閣官房令で定める標準的な官職
	十 船舶	三十一 内閣官房令で定める職制上の段階	この項第三欄第三十一号の内閣官房令で定める職制上の段階に応じ、内閣官房令で定める標準的な官職
三 内国税の賦課若しくは徴収、酒類業の発達又は税理士業務の運営に関する事務をつかさどる官職の職務（四の項から十一の項まで、十五の項及び十七の項に掲げる職務を除く。）	一 国税庁及び国税不服審判所（次号から第五号までに掲げる部局又は機関等を除く。）	一 国税庁長官の属する職制上の段階	長官
		二 国家行政組織法第二十一条第一項に規定する部長の属する職制上の段階	部長
		三 国家行政組織法第二十一条第一項に規定する課長の属する職制上の段階	課長
		四 前号に規定する官職の指揮監督を受け、課の所掌事務を分掌する室の	室長

		長の属する職制上の段階	
		五　第三号又は前号に規定する官職を補佐し、次号又は第七号に規定する官職のつかさどる事務を整理する官職の属する職制上の段階	課長補佐
		六　課の所掌事務を分掌する係の長の属する職制上の段階	係長
		七　前号に規定する官職の指揮監督を受ける官職の属する職制上の段階	係員
	二　税務大学校	八　税務大学校の長の属する職制上の段階	校長
		九　前号に掲げる職制上の段階より下位の職制上の段階として内閣官房令で定めるもの	この項第三欄第九号の内閣官房令で定める職制上の段階に応じ、内閣官房令で定める標準的な官職
	三　国税局（その所掌事務を分掌する地方支分部局を除く。）及び国税不服審判所の支部	十　国税局の長の属する職制上の段階	局長
		十一　国税局の部長の属する職制上の段階	部長

	（沖縄県を管轄区域とするものを除く。）	十二　前二号に掲げる職制上の段階より下位の職制上の段階として内閣官房令で定めるもの	この項第三欄第十二号の内閣官房令で定める職制上の段階に応じ、内閣官房令で定める標準的な官職
	四　沖縄国税事務所（その所掌事務を分掌する地方支分部局を除く。）及び国税不服審判所の支部（沖縄県を管轄区域とするものに限る。）	十三　沖縄国税事務所の長の属する職制上の段階	所長
		十四　前号に掲げる職制上の段階より下位の職制上の段階として内閣官房令で定めるもの	この項第三欄第十四号の内閣官房令で定める職制上の段階に応じ、内閣官房令で定める標準的な官職
	五　税務署	十五　内閣官房令で定める職制上の段階	この項第三欄第十五号の内閣官房令で定める職制上の段階に応じ、内閣官房令で定める標準的な官職
四　国税不服審判所長に対してされた審査請求に係る事件の調査又は審理に関する事務をつかさどる官職の職務	国税不服審判所	一　国税不服審判所の長の属する職制上の段階	所長
		二　国税不服審判所組織令（昭和四十五年政令第五十号）第一条第一項の規定に基づき次長に充てられた国税審判官の属する職制上の段階	次長
		三　前二号に掲げる	この項第三欄第三号

		職制上の段階より下位の職制上の段階として内閣官房令で定めるもの	の内閣官房令で定める職制上の段階に応じ、内閣官房令で定める標準的な官職
五　調査、試験又は研究に関する事務をつかさどる官職の職務	一　行政機関（次号に掲げる部局又は機関等を除く。）	一　内閣官房令で定める職制上の段階	この項第三欄第一号の内閣官房令で定める職制上の段階に応じ、内閣官房令で定める標準的な官職
	二　施設等機関等、警察大学校、科学警察研究所及び国土地理院	二　内閣官房令で定める職制上の段階	この項第三欄第二号の内閣官房令で定める職制上の段階に応じ、内閣官房令で定める標準的な官職
六　研修又は教育に関する事務をつかさどる官職の職務（十三の項及び十四の項に掲げる職務を除く。）	一　施設等機関等、警察大学校及び科学警察研究所	一　内閣官房令で定める職制上の段階	この項第三欄第一号の内閣官房令で定める職制上の段階に応じ、内閣官房令で定める標準的な官職
	二　皇宮警察学校及び管区警察学校	二　内閣官房令で定める職制上の段階	この項第三欄第二号の内閣官房令で定める職制上の段階に応じ、内閣官房令で定める標準的な官職
七　医療業務をつかさどる官職の職務（八の項から十一の項までに掲げる職務を除く。）	一　行政機関（矯正収容施設を除く。）	一　内閣官房令で定める職制上の段階	この項第三欄第一号の内閣官房令で定める職制上の段階に応じ、内閣官房令で定める標準的な官職
	二　矯正収容施設	二　矯正収容施設の長の属する職制上の段階	所長
		三　前号に掲げる職制上の段階より下位の職制上の段階として内閣官房令で定めるもの	この項第三欄第三号の内閣官房令で定める職制上の段階に応じ、内閣官房令で定める標準的な官職
八　調剤に関する事務をつかさどる官職の職務	行政機関	内閣官房令で定める職制上の段階	この項第三欄の内閣官房令で定める職制上の段階に応じ、内閣官房令で定める標準的な官職
九　栄養管理に関する事務をつかさどる官職の職務	行政機関	内閣官房令で定める職制上の段階	この項第三欄の内閣官房令で定める職制上の段階に応じ、内閣官房令で定める標準的な官職
十　診療放射線技師、診療エックス線技師、あん摩マッサージ指圧師、歯科衛生士、歯科技工士等の行う医療技術に関する事務をつかさどる官職の職務（八の項及び九の項に掲げる職務を除く。）	行政機関	内閣官房令で定める職制上の段階	この項第三欄の内閣官房令で定める職制上の段階に応じ、内閣官房令で定める標準的な官職
十一　保健指導又は療養上の世話若しくは診療の補助に関する事務をつか	行政機関	内閣官房令で定める職制上の段階	この項第三欄の内閣官房令で定める職制上の段階に応じ、内閣官房令で定める標

さどる官職の職務			準的な官職
十二　障害者支援施設、児童福祉施設等の入所者等の指導、保育、介護、判定又は援助に関する事務をつかさどる官職の職務	医療更生施設	内閣官房令で定める職制上の段階	この項第三欄の内閣官房令で定める職制上の段階に応じ、内閣官房令で定める標準的な官職
十三　視覚障害者に対するあん摩マッサージ指圧師、はり師又はきゅう師となるのに必要な知識又は技能等の指導に関する事務をつかさどる官職の職務	医療更生施設	内閣官房令で定める職制上の段階	この項第三欄の内閣官房令で定める職制上の段階に応じ、内閣官房令で定める標準的な官職
十四　保健師養成所、助産師養成所、看護師養成所若しくは准看護師養成所の教員の養成若しくは研修又は看護に関する養成若しくは研修に関する事務をつかさどる官職の職務	一　厚生労働省医政局	一　内閣官房令で定める職制上の段階	この項第三欄第一号の内閣官房令で定める職制上の段階に応じ、内閣官房令で定める標準的な官職
	二　医療更生施設	二　内閣官房令で定める職制上の段階	この項第三欄第二号の内閣官房令で定める職制上の段階に応じ、内閣官房令で定める標準的な官職
十五　機器の運転操作、庁舎の監視その他の庁務、船舶（用途、航行する海域及び大きさを勘案し、内閣官房令で定めるものに限る。）の航行その他の内閣官房令で定める事務をつかさどる官職の職務	行政機関及び船舶	内閣官房令で定める職制上の段階	この項第三欄の内閣官房令で定める職制上の段階に応じ、内閣官房令で定める標準的な官職
十六　船舶に乗り組んで行うことが必要な事務をつかさどる官職の職務（一の項及び十五の項に掲げる職務を除く。）	船舶	内閣官房令で定める職制上の段階	この項第三欄の内閣官房令で定める職制上の段階に応じ、内閣官房令で定める標準的な官職
十七　行政の特定の分野における高度の専門的な知識経験に基づく調査、研究、情報の分析等を行うことによる政策の企画及び立案等の支援に関する事務をつかさどる官職の職務	行政機関	内閣官房令で定める職制上の段階	この項第三欄の内閣官房令で定める職制上の段階に応じ、内閣官房令で定める標準的な官職
十八　特許法（昭和三十四年法律第百二十一号）第四十七条第一項に規定する審査官の行う事務をつかさどる官職の職務	特許庁	内閣官房令で定める職制上の段階	この項第三欄の内閣官房令で定める職制上の段階に応じ、内閣官房令で定める標準的な官職

十九 特許法第百三十六条第一項に規定する審判官の行う事務をつかさどる官職の職務	特許庁	内閣官房令で定める職制上の段階	この項第三欄の内閣官房令で定める職制上の段階に応じ、内閣官房令で定める標準的な官職
二十 仮釈放、仮出場、仮退院若しくは少年院からの退院の許可、仮釈放若しくは仮退院の取消し、少年院への戻し収容の申請、不定期刑の終了の処分若しくは保護観察の仮解除若しくは仮解除の取消しに関する事務、保護観察、調査、生活環境の調整その他犯罪をした者及び非行のある少年の更生保護若しくは犯罪の予防に関する事務又は心神喪失等の状態で重大な他害行為を行った者の生活環境の調査、退院後の生活環境の調整、精神保健観察の実施若しくは処遇の実施計画に関する関係機関相互間の連携の確保に関する事務	一 地方更生保護委員会	一 内閣官房令で定める職制上の段階	この項第三欄第一号の内閣官房令で定める職制上の段階に応じ、内閣官房令で定める標準的な官職
	二 保護観察所	二 内閣官房令で定める職制上の段階	この項第三欄第二号の内閣官房令で定める職制上の段階に応じ、内閣官房令で定める標準的な官職
二十一 検疫官の行う事務又は食品衛生監視員の行う事務をつかさどる官職の職務	一 検疫所（支所又は出張所を除く。）	一 検疫所の長の属する職制上の段階	所長
		二 前号に掲げる職制上の段階より下位の職制上の段階として内閣官房令で定めるもの	この項第三欄第二号の内閣官房令で定める職制上の段階に応じ、内閣官房令で定める標準的な官職
	二 検疫所の支所	三 内閣官房令で定める職制上の段階	この項第三欄第三号の内閣官房令で定める職制上の段階に応じ、内閣官房令で定める標準的な官職
	三 検疫所の出張所	四 内閣官房令で定める職制上の段階	この項第三欄第四号の内閣官房令で定める職制上の段階に応じ、内閣官房令で定める標準的な官職
	四 地方厚生局	五 内閣官房令で定める職制上の段階	この項第三欄第五号の内閣官房令で定める職制上の段階に応じ、内閣官房令で定める標準的な官職
二十二 植物防疫官の行う事務をつかさどる官職の職務	一 植物防疫所（支所又は出張所を除く。）及び那覇植物防疫事務所（出張所を除く。）	一 植物防疫所の長の属する職制上の段階	所長
		二 前号に掲げる職制上の段階より下位の職制上の段階として内閣官房令	この項第三欄第二号の内閣官房令で定める職制上の段階に応じ、内閣官房令で定

		で定めるもの	める標準的な官職
	二　植物防疫所の支所（出張所を除く。）	三　内閣官房令で定める職制上の段階	この項第三欄第三号の内閣官房令で定める職制上の段階に応じ、内閣官房令で定める標準的な官職
	三　植物防疫所及び那覇植物防疫事務所の出張所	四　内閣官房令で定める職制上の段階	この項第三欄第四号の内閣官房令で定める職制上の段階に応じ、内閣官房令で定める標準的な官職
二十三　家畜防疫官の行う事務をつかさどる官職の職務	一　動物検疫所（支所又は出張所を除く。）	一　動物検疫所の長の属する職制上の段階	所長
		二　前号に掲げる職制上の段階より下位の職制上の段階として内閣官房令で定めるもの	この項第三欄第二号の内閣官房令で定める職制上の段階に応じ、内閣官房令で定める標準的な官職
	二　動物検疫所の支所（出張所を除く。）	三　内閣官房令で定める職制上の段階	この項第三欄第三号の内閣官房令で定める職制上の段階に応じ、内閣官房令で定める標準的な官職
	三　動物検疫所の出張所	四　内閣官房令で定める職制上の段階	この項第三欄第四号の内閣官房令で定める職制上の段階に応じ、内閣官房令で定める標準的な官職
二十四　自動車登録官の行う事務又は自動車検査官の行う事務をつかさどる官職の職務	一　運輸監理部及び運輸支局（事務所を除く。）	一　内閣官房令で定める職制上の段階	この項第三欄第一号の内閣官房令で定める職制上の段階に応じ、内閣官房令で定める標準的な官職
	二　沖縄総合事務局の事務所及び地方運輸局、運輸監理部又は運輸支局の事務所	二　内閣官房令で定める職制上の段階	この項第三欄第二号の内閣官房令で定める職制上の段階に応じ、内閣官房令で定める標準的な官職
二十五　船舶検査の執行、船舶若しくは物件の型式承認の執行、型式承認を受けた船舶若しくは物件の検定の執行、危険物その他の特殊貨物の積付けの検査の執行、船舶に設置される原動機からの窒素酸化物の放出量確認、原動機取扱手引書の承認、二酸化炭素放出抑制航行手引書の承認、二酸化炭素放出抑制指標に係る確認、海洋汚染防止設備等、海洋汚染防止緊急措置手引書等、大気汚染防止検査対象設備若しくは揮発性物	一　国土交通省海事局	一　内閣官房令で定める職制上の段階	この項第三欄第一号の内閣官房令で定める職制上の段階に応じ、内閣官房令で定める標準的な官職
	二　沖縄総合事務局及び地方運輸局（次号から第五号までに掲げる地方支分部局を除く。）	二　内閣官房令で定める職制上の段階	この項第三欄第二号の内閣官房令で定める職制上の段階に応じ、内閣官房令で定める標準的な官職
	三　運輸監理部（次号及び第五号に掲げる地方支分部局を除く。）	三　内閣官房令で定める職制上の段階	この項第三欄第三号の内閣官房令で定める職制上の段階に応じ、内閣官房令で定める標準的な官職
	四　運輸支局（次号に掲げる地方支分部局を除く。）	四　内閣官房令で定める職制上の段階	この項第三欄第四号の内閣官房令で定める職制上の段階に応じ、内閣官房令で定める標準的な官職
	五　地方運輸局、運輸監理部又は運輸支局の事務所	五　内閣官房令で定める職制上の段階	この項第三欄第五号の内閣官房令で定める職制上の段階に応

質放出防止措置手引書の検査の執行、船舶のトン数の測度の執行、船舶のトン数に係る証書等の作成、船舶保安規程の承認、有害物質一覧表等の確認若しくは特定日本船舶等の譲渡し等の承認に関する事務、外国船舶に対する船舶の航行の安全の確保、船舶の再資源化解体の適正な実施の確保若しくは海洋汚染等の防止に係る監督に係る検査の執行若しくはトン数に係る証書の検査に関する事務、船級協会の行う船舶の検査若しくは船舶保安規程の審査の事務の審査に関する事務若しくは水上運送事業に係るエネルギーの使用の合理化に関する報告の徴収若しくは立入検査（船舶の施設に関するものに限る。）に関する事務又は船員の資格の認定のための試験、水先人試験、海技士国家試験、締約国資格証明書の受有者の承認のための試験若しくは小型船舶操縦士国家試験の試験問題の作成若しくは試験の執行に関する事務をつかさどる官職の職務			じ、内閣官房令で定める標準的な官職
二十六 耐空証明、耐空検査員の認定、型式証明、修理改造検査、予備品証明、事業場の認定、業務規程の認可若しくは整備規程の認可に関する事務、航空従事者技能証明、航空従事者の養成施設において技能の審査に従事する者の認定、航空英語能力証明、本邦航空運送事業者において英語能力の判定に従事する者の認	一 国土交通省航空局	一 内閣官房令で定める職制上の段階	この項第三欄第一号の内閣官房令で定める職制上の段階に応じ、内閣官房令で定める標準的な官職
	二 地方航空局	二 内閣官房令で定める職制上の段階	この項第三欄第二号の内閣官房令で定める職制上の段階に応じ、内閣官房令で定める標準的な官職

定、計器飛行証明、操縦教育証明、運航管理者技能検定若しくは運航管理者の養成施設において技能の審査に従事する者の認定に係る試験の試験問題の作成若しくは試験の執行に関する事務、機長の認定若しくは査察操縦士（航空法（昭和二十七年法律第二百三十一号）第七十二条第九項の指名を受けた者をいう。）の指名に関する事務又は航空運送事業若しくは航空機使用事業若しくは航空機の航行の安全の確保に係る外国航空機の監督に関する事務をつかさどる官職の職務			
二十七　国土交通省航空局の所掌事務を遂行するために使用する航空機の運用又は整備に関する事務をつかさ	国土交通省航空局	内閣官房令で定める職制上の段階	この項第三欄の内閣官房令で定める職制上の段階に応じ、内閣官房令で定める標準的な官職

どる官職の職務			
二十八　航空交通管制に関する事務をつかさどる官職の職務	一　国土交通省航空局	一　内閣官房令で定める職制上の段階	この項第三欄第一号の内閣官房令で定める職制上の段階に応じ、内閣官房令で定める標準的な官職
	二　航空交通管制部	二　内閣官房令で定める職制上の段階	この項第三欄第二号の内閣官房令で定める職制上の段階に応じ、内閣官房令で定める標準的な官職
	三　地方航空局の事務所	三　内閣官房令で定める職制上の段階	この項第三欄第三号の内閣官房令で定める職制上の段階に応じ、内閣官房令で定める標準的な官職
二十九　航空事故等、鉄道事故等若しくは船舶事故等の原因を究明するための調査に関する事務又は事故に伴い発生した被害の原因を究明するための調査に関する事務をつかさどる官職の職務	運輸安全委員会の事務局	内閣官房令で定める職制上の段階	この項第三欄の内閣官房令で定める職制上の段階に応じ、内閣官房令で定める標準的な官職
三十　国際平和協力業務の実施に関する事務又は国際平和協力業務実施要	国際平和協力本部に置かれる国際平和協力隊	内閣官房令で定める職制上の段階	この項第三欄の内閣官房令で定める職制上の段階に応じ、内閣官房令で定める標

領の変更を適正に行うための、派遣先国において実施される必要のある国際平和協力業務の具体的内容を把握するための調査、実施した国際平和協力業務の効果の測定若しくは分析若しくは派遣先国における国際連合の職員その他の者との連絡に関する事務をつかさどる官職の職務			準的な官職

附　則（抄）

（施行期日）

第一条　この政令は、国家公務員法等の一部を改正する法律（平成十九年法律第百八号）附則第一条第三号に掲げる規定の施行の日（平成二十一年四月一日）から施行する。

★復興庁組織令（平二四・二・一政令二二）（抄）

最終改正　令三・七・二政令一九五

附　則（抄）

（施行期日）

第一条　この政令は、復興庁設置法の施行の日（平成二十四年二月十日）から施行する。

（他の政令の適用の特例）

第七条　復興庁が廃止されるまでの間における次の表の第一欄に掲げる政令の規定の適用については、同欄に掲げる政令の同表の第二欄に掲げる規定中同表の第三欄に掲げる字句は、それぞれ同表の第四欄に掲げる字句とする。

〔略〕			
標準的な官職を定める政令（平成二十一年政令第三十号）	表一の項	デジタル審議官	デジタル審議官、復興庁の事務次官
		統括官	統括官、復興庁組織令（平成二十四年政令第二十二号）第一条第一項に規定する統括官
		第二条第一項に規定する審議官	第二条第一項に規定する審議官、復興庁組織令第二条第一項に規定する審議官
		第三条第一項に規定する参事官	第三条第一項に規定する参事官、復興庁組織令第三条第一項に規定する参事官
		、沖縄総合事務局	、沖縄総合事務局、復興局
〔略〕			

2・3　〔略〕

○標準的な官職を定める政令に規定する内閣官房令で定める標準的な官職等を定める内閣官房令

平二一・三・六
内閣府令二

最終改正　令六・四・一内閣官房令三

（表一の項関係）

第一条　標準的な官職を定める政令本則の表（以下「表」という。）一の項第二欄第二号の内閣官房令で定める部局又は機関等は、農林水産技術会議の事務局の筑波産学連携支援センターとする。

2　表一の項第二欄第四号の内閣官房令で定める地方支分部局は、経済産業局の支局とする。

3　表一の項第二欄第六号の内閣官房令で定める部局又は機関等は、地方海難審判所の支所とする。

4　表一の項第三欄第一号の内閣官房令で定める内閣審議官は、次の各号に掲げるとおりとする。

一　郵政民営化推進本部に関する事務等を掌理するもの

二　拉致問題の解決のための戦略的取組及び総合的対策を推進するための本部に関する事務を掌理するもの

三　TPP（環太平洋パートナーシップ）に関する主要閣僚会議及び幹事会に係る事務を処理し、また、TPP協定交渉等に関する方針等の企画及び立案並びに総合調整を行うための本部に置かれ、交渉チームを統括するもの

四　前号の本部に置かれ、分野別チームを統括するもの

五　内閣官房副長官を助け、国土強靱《じん》化推進本部に関する事務を整理するもの

六　デジタル田園都市国家構想実現会議及びまち・ひと・しごと創生本部に関する事務を掌理するもの

七　特定複合観光施設区域の整備の推進に係る企画及び立案並びに総合調整に関する事務を掌理するもの

八　命を受けて内閣感染症危機管理統括庁の事務のうち重要事項に係るものに参画し、及び関係事務を総括整理するほか、内閣感染症危機管理監、内閣感染症危機管理監補及び内閣感染症危機管理対策官を助け、内閣感染症危機管理統括庁の事務の整理に関する事務を処理するもの

九　国際博覧会推進本部に関する事務を掌理するもの

十　内閣府科学技術・イノベーション推進事務局との連携を図り、内閣官房副長官補の掌理する事務のうち、科学技術・イノベーション政策と連携したスタートアップの創業促進及び支援等に関する施策の推進に係る企画及び立案並びに総合調整について、内閣官房副長官補を補佐するもの

十一　デジタル行財政改革会議に関する事務を掌理するもの

十二　内閣官房副長官補の掌理する事務のうち、令和六年能登半島地震により被害を受けた地域の復旧及び復興の支援に関する施策の推進に係る企画及び立案並びに総合調整について、内閣官房副長官補を補佐するもの

5　表一の項第三欄第十号の内閣官房令で定める職制上の段階及び当該職制上の段階に応じ、同項第四欄の内閣官房令で定める標準的な官職は、次の表のとおりとする。

職制上の段階	標準的な官職
一　施設等機関等（表一の項第三欄第九号に規定する施設等機関等をいう。以下同じ。）の部長の属する職制上の段階	部長
二　施設等機関等の課長の属する職制上の段階	課長
三　施設等機関等の課長を補佐し、次号又は第五号に規定する官職のつかさどる事務を整理する官職の属する職制上の段階	課長補佐
四　施設等機関等の課の所掌事務を分掌する係の長の属する職制上の段階	係長
五　前号に規定する官職の指揮監督を受ける官職の属する職制上の段階	係員

6　表一の項第三欄第十二号の内閣官房令で定める職制上の段階及び当該職制上の段階に応じ、同項第四欄の内閣官房令で定める標準的な官職は、次の表のとおりとする。

職制上の段階	標準的な官職
一 国土地理院（支所を除く。以下この項において同じ。）の参事官の属する職制上の段階	参事官
二 国土地理院の部長の属する職制上の段階	部長
三 国土地理院の課長の属する職制上の段階	課長
四 国土地理院の課長を補佐し、次号又は第六号に規定する官職のつかさどる事務を整理する官職の属する職制上の段階	課長補佐
五 国土地理院の課の所掌事務を分掌する係の長の属する職制上の段階	係長
六 前号に規定する官職の指揮監督を受ける官職の属する職制上の段階	係員

7 表一の項第三欄第三十一号の内閣官房令で定める職制上の段階及び当該職制上の段階に応じ、同項第四欄の内閣官房令で定める標準的な官職は、次の各号に掲げるとおりとする。

一 表一の項第二欄第七号に掲げる部局又は機関等（次号に掲げるものを除く。）に存する職制上の段階及び標準的な官職は、イからホまでに掲げるとおりとする。

イ ロからホまでに掲げる部局又は機関等以外の部局又は機関等（以下「内閣官房令第一条第七項第一号イ機関」という。）に存する職制上の段階及び標準的な官職は、次の表のとおりとする。

職制上の段階	標準的な官職
一 内閣官房令第一条第七項第一号イ機関の長の属する職制上の段階	所長
二 内閣官房令第一条第七項第一号イ機関の次長の属する職制上の段階	次長
三 内閣官房令第一条第七項第一号イ機関の課長の属する職制上の段階	課長
四 内閣官房令第一条第七項第一号イ機関の課長を補佐し、次号又は第六号に規定する官職のつかさどる事務を整理する官職の属する職制上の段階	課長補佐
五 内閣官房令第一条第七項第一号イ機関の課の所掌事務を分掌する係の長の属する職制上の段階	係長
六 前号に規定する官職の指揮監督を受ける官職の属する職制上の段階	係員

ロ 地方運輸局、運輸監理部又は運輸支局の事務所（以下「内閣官房令第一条第七項第一号ロ機関」という。）に存する職制上の段階及び標準的な官職は、次の表のとおりとする。

職制上の段階	標準的な官職
一 内閣官房令第一条第七項第一号ロ機関の長の属する職制上の段階	所長
二 内閣官房令第一条第七項第一号ロ機関の次長の属する職制上の段階	次長
三 内閣官房令第一条第七項第一号ロ機関の首席運輸企画専門官に指名された運輸企画専門官の属する職制上の段階	首席運輸企画専門官
四 内閣官房令第一条第七項第一号ロ機関の運輸企画専門官（前号に規定する官職に指名されたものを除く。）の属する職制上の段階	運輸企画専門官
五 前号に規定する官職の指揮監督を受ける官職の属する職制上の段階	係員

ハ 産業保安監督署に存する職制上の段階及び標準的な官職は、次の表のとおりとする。

職制上の段階	標準的な

	官職
一　産業保安監督署の長の属する職制上の段階	署長
二　産業保安監督署の長を補佐し、次号又は第四号に規定する官職のつかさどる事務を整理する官職の属する職制上の段階	署長補佐
三　産業保安監督署の所掌事務を分掌する係の長の属する職制上の段階	係長
四　前号に規定する官職の指揮監督を受ける官職の属する職制上の段階	係員

ニ　沖縄総合事務局の財務出張所、法務局又は地方法務局の支局（統括登記官の置かれていないものに限る。）、税関の支署及び出張所（これらの所掌事務を分掌する課の置かれていないものに限る。ホにおいて同じ。）並びに監視署のうち三段階の職制上の段階の存するもの並びに経済産業局のアルコール事務所（以下「内閣官房令第一条第七項第一号ニ機関」という。）に存する職制上の段階及び標準的な官職は、次の表のとおりとする。

職制上の段階	標準的な官職
一　内閣官房令第一条第七項第一号ニ機関の長の属する職制上の段階	所長
二　内閣官房令第一条第七項第一号ニ機関の所掌事務を分掌する係の長の属する職制上の段階	係長
三　前号に規定する官職の指揮監督を受ける官職の属する職制上の段階	係員

ホ　税関の支署及び出張所並びに監視署のうち、ニに掲げるもの以外のもの（以下「内閣官房令第一条第七項第一号ホ機関」という。）に存する職制上の段階及び標準的な官職は、次の表のとおりとする。

職制上の段階	標準的な官職
一　内閣官房令第一条第七項第一号ホ機関の長の属する職制上の段階	所長
二　前号に規定する官職の指揮監督を受ける官職の属する職制上の段階	係員

二　表一の項第二欄第七号に掲げる部局又は機関等のうち、運輸監理部の貨物利用運送事業の発達、改善及び調整等に関する事務をつかさどる部に置かれる内部組織並びに運輸支局の所掌事務を分掌する内部組織に存する職制上の段階及び標準的な官職は、次の表のとおりとする。

職制上の段階	標準的な官職
一　運輸監理部兵庫陸運部及び運輸支局（以下「運輸監理部等」という。）の首席運輸企画専門官に指名された運輸企画専門官の属する職制上の段階	首席運輸企画専門官
二　運輸監理部等の運輸企画専門官（前号に規定する官職に指名されたものを除く。）の属する職制上の段階	運輸企画専門官
三　前号に規定する官職の指揮監督を受ける官職の属する職制上の段階	係員

（表二の項関係）

第二条　表二の項第一欄の内閣官房令で定める事務は、海上保安庁本庁及び管区海上保安本部における警備救難業務の実施、船舶交通の障害の除去の実施等に関する事務並びに管区海上保安本部の事務所のつかさどる事務とする。

2　表二の項第二欄第三号の内閣官房令で定める部局又は機関等は、管区警察局の府県情報通信部及び四国警察支局の県情報通信部とする。

3　表二の項第二欄第四号の内閣官房令で定める部局又は機関等は、東京都警察情報通信部の多摩通信支部及び北海道警察情報通信部の方面情報通信部とする。

4　表二の項第二欄第九号の内閣官房令で定める部局又は機関等は、次に掲げる部局又は機関等とする。

一　警視庁（第三号及び第四号に掲げる部局又は機関等を除く。以下同じ。）
二　都警察の警察署
三　警視庁警察学校
四　都警察の管轄区域の特定の区域における警察の事務の連絡調整その他の事務を行わせるため、当該区域ごとに置かれる部局又は機関等（以下「警視庁方面本部」という。）
五　道府県警察本部（次号、第七号、第九号及び第十号に掲げる部局又は機関等を除く。以下同じ。）
六　警察法（昭和二十九年法律第百六十二号）第五十一条第一項に規定する方面本部（以下「道警察方面本部」という。）
七　市警察部
八　道府県警察の警察署
九　道府県警察学校
十　大阪府警察の管轄区域の特定の区域における警察の事務の連絡調整その他の事務を行わせるため、当該区域ごとに置かれる部局又は機関等（以下「大阪府警察方面本部」という。）

5　表二の項第三欄第十号の内閣官房令で定める職制上の段階及び当該職制上の段階に応じ、同項第四欄の内閣官房令で定める標準的な官職は、次の表のとおりとする。

職制上の段階	標準的な官職
一　矯正収容施設の部長の属する職制上の段階	部長
二　矯正収容施設の課長の属する職制上の段階	課長
三　矯正収容施設の課長を補佐し、次号又は第五号に規定する官職のつかさどる事務を整理する官職の属する職制上の段階	課長補佐
四　矯正収容施設の課の所掌事務を分掌する係の長の属する職制上の段階	係長
五　前号に規定する官職の指揮監督を受ける官職の属する職制上の段階	係員

6　表二の項第三欄第二十三号の内閣官房令で定める職制上の段階及び当該職制上の段階に応じ、同項第四欄の内閣官房令で定める標準的な官職は、次の各号に掲げるとおりとする。

一　表二の項第二欄第五号に掲げる部局又は機関等（次号に掲げるものを除く。以下「内閣官房令第二条第六項第一号機関」という。）に存する職制上の段階及び標準的な官職は、次の表のとおりとする。

職制上の段階	標準的な官職
一　内閣官房令第二条第六項第一号機関の長の属する職制上の段階	所長
二　内閣官房令第二条第六項第一号機関の長を助け、内閣官房令第二条第六項第一号機関の事務を整理する官職の属する職制上の段階	次長
三　内閣官房令第二条第六項第一号機関の所掌事務を分掌する課の長の属する職制上の段階	課長
四　内閣官房令第二条第六項第一号機関の課の長を補佐し、次号又は第六号に規定する官職のつかさどる事務を整理する官職の属する職制上の段階	課長補佐
五　内閣官房令第二条第六項第一号機関の課の所掌事務を分掌する係の長の属する職制上の段階	係長
六　前号に規定する官職の指揮監督を受ける官職の属する職制上の段階	係員

二　表二の項第二欄第五号に掲げる部局又は機関等のうち、管区海上保安本部の海上保安航空基地及び航空基地（以下「航空基地等」という。）の航空機の運航に必要な事務を分掌する内部組織に存する職制上の段階及び標準的な官職は、次の表のとおりとする。

職制上の段階	標準的な官職
一　航空基地等の航空機の運航に必要な事務を分掌する官職の属する職制上の段階	飛行長

二　前号に規定する官職の指揮監督を受け、航空基地等の所掌事務を分掌する官職の属する職制上の段階	主任飛行士
三　前号に規定する官職の指揮監督を受ける官職の属する職制上の段階	飛行士
四　前号に規定する官職を補佐する官職の属する職制上の段階	飛行員

7　表二の項第三欄第二十五号の内閣官房令で定める職制上の段階及び当該職制上の段階に応じ、同項第四欄の内閣官房令で定める標準的な官職は、次の各号に掲げるとおりとする。

一　表二の項第二欄第六号に掲げる部局又は機関等（次号に掲げるものを除く。以下「警察庁の附属機関」という。）に存する職制上の段階及び標準的な官職は、次の表のとおりとする。

職制上の段階	標準的な官職
一　警察庁の附属機関の部長の属する職制上の段階	部長
二　警察庁の附属機関の部の所掌事務を分掌する課の長の属する職制上の段階	課長
三　警察庁の附属機関の課の長を補佐し、次号又は第五号に規定する官職のつかさどる事務を整理する官職の属する職制上の段階	課長補佐
四　警察庁の附属機関の課の所掌事務を分掌する係の長の属する職制上の段階	係長
五　前号に規定する官職の指揮監督を受ける官職の属する職制上の段階	係員

二　表二の項第二欄第六号に掲げる部局又は機関等のうち、皇宮警察本部の護衛署（以下「護衛署」という。）に存する職制上の段階及び標準的な官職は、次の表のとおりとする。

職制上の段階	標準的な官職
一　護衛署の長の属する職制上の段階	署長
二　護衛署の長を助け、護衛署の事務を整理する官職の属する職制上の段階	副署長
三　護衛署の所掌事務を分掌する課の長の属する職制上の段階	課長
四　護衛署の課の長を補佐し、次号又は第六号に規定する官職のつかさどる事務を整理する官職の属する職制上の段階	課長補佐
五　護衛署の課の所掌事務を分掌する係の長の属する職制上の段階	係長
六　前号に規定する官職の指揮監督を受ける官職の属する職制上の段階	係員

8　表二の項第三欄第二十七号の内閣官房令で定める職制上の段階及び当該職制上の段階に応じ、同項第四欄の内閣官房令で定める標準的な官職は、次の表のとおりとする。

職制上の段階	標準的な官職
皇宮警察学校の長を助け、皇宮警察学校の事務を整理する官職の属する職制上の段階	教頭

9　表二の項第三欄第二十九号の内閣官房令で定める職制上の段階及び当該職制上の段階に応じ、同項第四欄の内閣官房令で定める標準的な官職は、次の表のとおりとする。

職制上の段階	標準的な官職
一　管区警察学校の部長の属する職制上の段階	部長
二　管区警察学校の部の所掌事務を分掌する課の長の属する職制上の段階	課長
三　管区警察学校の課の長を補佐し、次号又は第五号に規定する官職のつかさどる事務を整理する官職の属する職制上の段階	課長補佐

四　管区警察学校の課の所掌事務を分掌する係の長の属する職制上の段階	係長
五　前号に規定する官職の指揮監督を受ける官職の属する職制上の段階	係員

10　表二の項第三欄第三十号の内閣官房令で定める職制上の段階及び当該職制上の段階に応じ、同項第四欄の内閣官房令で定める標準的な官職は、次の各号に掲げるとおりとする。

一　警視庁に存する職制上の段階及び標準的な官職は、次の表のとおりとする。

職制上の段階	標準的な官職
一　警視庁の長の属する職制上の段階	警視総監
二　警視庁の長を助け、警視庁の事務を整理する官職の属する職制上の段階	副総監
三　警視庁の所掌事務を分掌する部の長の属する職制上の段階	部長
四　警視庁の部の所掌事務を分掌する課の長の属する職制上の段階	課長

二　都警察の警察署に存する職制上の段階及び標準的な官職は、次の表のとおりとする。

職制上の段階	標準的な官職
都警察の警察署の長の属する職制上の段階	署長

三　警視庁警察学校に存する職制上の段階及び標準的な官職は、次の表のとおりとする。

職制上の段階	標準的な官職
警視庁警察学校の長の属する職制上の段階	校長

四　警視庁方面本部に存する職制上の段階及び標準的な官職は、次の表のとおりとする。

職制上の段階	標準的な官職
警視庁方面本部の長の属する職制上の段階	方面本部長

五　道府県警察本部に存する職制上の段階及び標準的な官職は、次の表のとおりとする。

職制上の段階	標準的な官職
一　道府県警察本部の長の属する職制上の段階	道府県警察本部長
二　道府県警察本部の所掌事務を分掌する部の長の属する職制上の段階	部長
三　道府県警察本部の部の所掌事務を分掌する課の長の属する職制上の段階	課長

六　道警察方面本部に存する職制上の段階及び標準的な官職は、次の表のとおりとする。

職制上の段階	標準的な官職
一　道警察方面本部の長の属する職制上の段階	方面本部長
二　道警察方面本部の所掌事務に関する重要事項に係るものを総括整理する官職の属する職制上の段階	参事官

七　市警察部に存する職制上の段階及び標準的な官職は、次の表のとおりとする。

職制上の段階	標準的な官職
市警察部の長の属する職制上の段階	部長

八　道府県警察の警察署に存する職制上の段階及び標準的な官職は、次の表のとおりとする。

職制上の段階	標準的な官職
道府県警察の警察署の長の属する職制上の段階	署長

九　道府県警察学校に存する職制上の段階及び標準的な官職は、次の表のとおりとする。

職制上の段階	標準的な官職
道府県警察学校の長の属する職制上の段階	校長

十　大阪府警察方面本部に存する職制上の段階及び標準的な官職は、次の表のとおりとする。

職制上の段階	標準的な官職
大阪府警察方面本部の長の属する職制上の段階	方面本部長

11　表二の項第三欄第三十一号の内閣官房令で定める職制上の段階及び当該職制上の段階に応じ、同項第四欄の内閣官房令で定める標準的な官職は、次の各号に掲げるとおりとする。

一　大型船（総トン数六百トン以上の船舶（消防船を除く。以下この項において同じ。）をいう。以下同じ。）に存する職制上の段階及び標準的な官職は、次の表のとおりとする。

職制上の段階	標準的な官職
一　大型船の船長の属する職制上の段階	船長
二　大型船の航海長の属する職制上の段階	航海長
三　大型船の首席航海士の属する職制上の段階	首席航海士
四　大型船の主任航海士の属する職制上の段階	主任航海士
五　大型船の航海士の属する職制上の段階	航海士
六　前号に規定する官職の指揮監督を受ける官職の属する職制上の段階	航海士補

二　中型船（総トン数二百三十トン以上六百トン未満の船舶をいう。以下同じ。）に存する職制上の段階及び標準的な官職は、次の表のとおりとする。

職制上の段階	標準的な官職
一　中型船の船長の属する職制上の段階	船長
二　中型船の航海長の属する職制上の段階	航海長
三　中型船の首席航海士の属する職制上の段階	首席航海士
四　中型船の主任航海士の属する職制上の段階	主任航海士
五　中型船の航海士の属する職制上の段階	航海士
六　前号に規定する官職の指揮監督を受ける官職の属する職制上の段階	航海士補

三　小型船（総トン数百七十トン以上二百三十トン未満の船舶及び消防船をいう。以下同じ。）に存する職制上の段階及び標準的な官職は、次の表のとおりとする。

職制上の段階	標準的な官職
一　小型船の船長の属する職制上の段階	船長
二　小型船の航海長の属する職制上の段階	航海長
三　小型船の主任航海士の属する職制上の段階	主任航海士
四　小型船の航海士の属する職制上の段階	航海士
五　前号に規定する官職の指揮監督を受ける官職の属する職制上の段階	航海士補

四　大型艇（総トン数四十トン以上百七十トン未満の船舶をいう。以下同じ。）に存する職制上の段階及び標準的な官職は、次の表のとおりとする。

職制上の段階	標準的な官職
一 大型艇の船長の属する職制上の段階	船長
二 大型艇の主任航海士の属する職制上の段階	主任航海士
三 大型艇の航海士の属する職制上の段階	航海士
四 前号に規定する官職の指揮監督を受ける官職の属する職制上の段階	航海士補

五 中小型艇（総トン数四十トン未満の船舶をいう。以下同じ。）に存する職制上の段階及び標準的な官職は、次の表のとおりとする。

職制上の段階	標準的な官職
一 中小型艇の船長の属する職制上の段階	船長
二 中小型艇の主任航海士の属する職制上の段階	主任航海士
三 中小型艇の航海士の属する職制上の段階	航海士
四 前号に規定する官職の指揮監督を受ける官職の属する職制上の段階	航海士補

（表三の項関係）

第三条 表三の項第三欄第九号の内閣官房令で定める職制上の段階及び当該職制上の段階に応じ、同項第四欄の内閣官房令で定める標準的な官職は、次の表のとおりとする。

職制上の段階	標準的な官職
一 税務大学校の部長の属する職制上の段階	部長
二 税務大学校の課長の属する職制上の段階	課長
三 税務大学校の課長を補佐し、次号又は第五号に規定する官職のつかさどる事務を整理する官職の属する職制上の段階	課長補佐
四 税務大学校の課の所掌事務を分掌する係の長の属する職制上の段階	係長
五 前号に規定する官職の指揮監督を受ける官職の属する職制上の段階	係員

2 表三の項第三欄第十二号の内閣官房令で定める職制上の段階及び当該職制上の段階に応じ、同項第四欄の内閣官房令で定める標準的な官職は、次の表のとおりとする。

職制上の段階	標準的な官職
一 表三の項第二欄第三号に掲げる部局又は機関等（以下「国税局等」という。）の課長の属する職制上の段階	課長
二 国税局等の主査に充てられた官職の属する職制上の段階	主査
三 国税局等の国税実査官の属する職制上の段階	国税実査官
四 前号に規定する官職の指揮監督を受ける官職の属する職制上の段階	係員

3 表三の項第三欄第十四号の内閣官房令で定める職制上の段階及び当該職制上の段階に応じ、同項第四欄の内閣官房令で定める標準的な官職は、次の表のとおりとする。

職制上の段階	標準的な官職
一 表三の項第二欄第四号に掲げる部局又は機関等（以下「沖縄国税事務所等」という。）の次長の属する職制上の段階	次長
二 沖縄国税事務所等の課長の属する職制上の段階	課長
三 沖縄国税事務所等の主査に充てられた官職の属する職制上の段階	主査
四 沖縄国税事務所等の国税実査官の属	国税実査

する職制上の段階	官
五　前号に規定する官職の指揮監督を受ける官職の属する職制上の段階	係員

4　表三の項第三欄第十五号の内閣官房令で定める職制上の段階及び当該職制上の段階に応じ、同項第四欄の内閣官房令で定める標準的な官職は、次の表のとおりとする。

職制上の段階	標準的な官職
一　税務署の長の属する職制上の段階	署長
二　税務署の副署長の属する職制上の段階	副署長
三　税務署の統括国税調査官の属する職制上の段階	統括国税調査官
四　税務署の上席国税調査官の属する職制上の段階	上席国税調査官
五　税務署の国税調査官の属する職制上の段階	国税調査官
六　前号に規定する官職の指揮監督を受ける官職の属する職制上の段階	係員

（表四の項関係）

第四条　表四の項第三欄第三号の内閣官房令で定める職制上の段階及び当該職制上の段階に応じ、同項第四欄の内閣官房令で定める標準的な官職は、次の表のとおりとする。

職制上の段階	標準的な官職
一　国税不服審判所の国税審判官の分掌する事務を総括する官職に充てられた国税審判官の属する職制上の段階	部長審判官
二　国税不服審判所の国税審判官（表四の項第三欄第二号に規定するもの及び前号に規定する官職に充てられたものを除く。）の属する職制上の段階	国税審判官
三　国税不服審判所の国税審査官の属する職制上の段階	国税審査官

（表五の項関係）

第五条　表五の項第三欄第一号の内閣官房令で定める職制上の段階及び当該職制上の段階に応じ、同項第四欄の内閣官房令で定める標準的な官職は、次の表のとおりとする。

職制上の段階	標準的な官職
一　内部部局の課の所掌事務を分掌する室の長並びに内部部局及び表五の項第二欄第二号に掲げる部局又は機関等（以下「試験研究機関等」という。）以外の部局又は機関等のこれに準ずる官職の属する職制上の段階	室長
二　内部部局の前号に規定する官職の指揮監督を受け、次号に規定する官職の事務を整理し、及びこれに係る研究指導をつかさどる官職並びに内部部局及び試験研究機関等以外の部局又は機関等のこれに準ずる官職の属する職制上の段階	主任研究官
三　内部部局の課の所掌に係る研究を行う官職並びに内部部局及び試験研究機関等以外の部局又は機関等のこれに準ずる官職の属する職制上の段階	研究官

2　表五の項第三欄第二号の内閣官房令で定める職制上の段階及び当該職制上の段階に応じ、同項第四欄の内閣官房令で定める標準的な官職は、次の表のとおりとする。

職制上の段階	標準的な官職
一　試験研究機関等の所掌に係る研究に関する事務を整理する官職の属する職制上の段階	総括研究官
二　試験研究機関等の部長の属する職制上の段階	部長
三　試験研究機関等の部の所掌事務を分掌する室の長の属する職制上の段階	室長
四　前号に規定する官職の指揮監督を受	主任研究

け、次号に規定する官職の事務を整理し、及びこれに係る研究指導をつかさどる官職の属する職制上の段階	官
五 前号に規定する官職の指揮監督を受け、次号に規定する官職の事務を整理し、及び室の所掌に係る研究を行う官職の属する職制上の段階	研究官
六 前号に規定する官職を助け、補助的研究を行う官職の属する職制上の段階	研究補助員

第六条（表六の項関係）表六の項第三欄第一号の内閣官房令で定める職制上の段階及び当該職制上の段階に応じ、同項第四欄の内閣官房令で定める標準的な官職は、次の表のとおりとする。

職制上の段階	標準的な官職
一 表六の項第二欄第一号に掲げる部局又は機関等の部長の属する職制上の段階	部長
二 前号に規定する官職を助け、研修、教授等を行う官職の属する職制上の段階	教授
三 前号に規定する官職の指揮監督を受け、研修、教授等を行う官職の属する職制上の段階	教官
四 前号に規定する官職の行う研修、教授等を補佐する官職の属する職制上の段階	教育補助員

2 表六の項第三欄第二号の内閣官房令で定める職制上の段階及び当該職制上の段階に応じ、同項第四欄の内閣官房令で定める標準的な官職は、次の表のとおりとする。

職制上の段階	標準的な官職
一 表六の項第二欄第二号に掲げる部局又は機関等の部長の属する職制上の段階	部長
二 前号に規定する官職を助け、研修、教授等を行う官職の属する職制上の段階	教授
三 前号に規定する官職の指揮監督を受け、研修、教授等を行う官職の属する職制上の段階	教官

第七条（表七の項関係）表七の項第三欄第一号の内閣官房令で定める職制上の段階及び当該職制上の段階に応じ、同項第四欄の内閣官房令で定める標準的な官職は、次の表のとおりとする。

職制上の段階	標準的な官職
一 医療更生施設の部長並びに医療更生施設及び矯正収容施設以外のこれに準ずる官職の属する職制上の段階	部長
二 医療更生施設の課長並びに医療更生施設及び矯正収容施設以外のこれに準ずる官職の属する職制上の段階	課長
三 医療更生施設の前号に規定する官職の指揮監督を受け、次号に規定する官職の事務を整理する官職並びに医療更生施設及び矯正収容施設以外のこれに準ずる官職の属する職制上の段階	医長
四 医療更生施設の前号に規定する官職の指揮監督を受ける官職並びに医療更生施設及び矯正収容施設以外のこれに準ずる官職の属する職制上の段階	医師

2 表七の項第三欄第二号の内閣官房令で定める職制上の段階及び当該職制上の段階に応じ、同項第四欄の内閣官房令で定める標準的な官職は、次の表のとおりとする。

職制上の段階	標準的な官職
一 矯正収容施設の部長の属する職制上の段階	部長
二 矯正収容施設の課長の属する職制上の段階	課長

三　前号に規定する官職の指揮監督を受ける官職の属する職制上の段階	医師

（表八の項関係）

第八条　表八の項第三欄の内閣官房令で定める職制上の段階及び当該職制上の段階に応じ、同項第四欄の内閣官房令で定める標準的な官職は、次の表のとおりとする。

職制上の段階	標準的な官職
一　医療更生施設の部長及び医療更生施設以外のこれに準ずる官職の属する職制上の段階	部長
二　医療更生施設の前号に規定する官職を助け、部の事務を整理する官職及び医療更生施設以外のこれに準ずる官職の属する職制上の段階	副部長
三　医療更生施設の前号に規定する官職の指揮監督を受け、部の所掌事務を分掌する官職及び医療更生施設以外のこれに準ずる官職の属する職制上の段階	主任薬剤師
四　医療更生施設の前号に規定する官職の指揮監督を受ける官職及び医療更生施設以外のこれに準ずる官職の属する職制上の段階	薬剤師

（表九の項関係）

第九条　表九の項第三欄の内閣官房令で定める職制上の段階及び当該職制上の段階に応じ、同項第四欄の内閣官房令で定める標準的な官職は、次の表のとおりとする。

職制上の段階	標準的な官職
一　医療更生施設の課の所掌事務を分掌する室の長及び医療更生施設以外のこれに準ずる官職の属する職制上の段階	室長
二　医療更生施設の課の所掌事務を分掌する係の長及び医療更生施設以外のこれに準ずる官職の属する職制上の段階	係長
三　医療更生施設の前号に規定する官職を助け、係の事務を整理する官職及び医療更生施設以外のこれに準ずる官職の属する職制上の段階	主任栄養士
四　医療更生施設の前号に規定する官職の指揮監督を受ける官職及び医療更生施設以外のこれに準ずる官職の属する職制上の段階	栄養士

（表十の項関係）

第十条　表十の項第三欄の内閣官房令で定める職制上の段階及び当該職制上の段階に応じ、同項第四欄の内閣官房令で定める標準的な官職は、次の表のとおりとする。

職制上の段階	標準的な官職
一　医療更生施設の表十の項第一欄の事務をつかさどる官職及び医療更生施設以外のこれに準ずる官職の属する職制上の段階	技師長
二　医療更生施設の前号に規定する官職を助け、そのつかさどる事務を整理する官職及び医療更生施設以外のこれに準ずる官職の属する職制上の段階	副技師長
三　医療更生施設の前号に規定する官職の指揮監督を受け、表十の項第一欄の事務を分掌する官職及び医療更生施設以外のこれに準ずる官職の属する職制上の段階	主任技師
四　医療更生施設の前号に規定する官職の指揮監督を受ける官職及び医療更生施設以外のこれに準ずる官職の属する職制上の段階	技師

（表十一の項関係）

第十一条　表十一の項第三欄の内閣官房令で定める職制上の段階及び当該職制上の段階に応じ、同項第四欄の内閣官房令で定める標準的な官職は、次の表のとおりとする。

職制上の段階	標準的な官職

職制上の段階	標準的な官職
一 医療更生施設の部長及び医療更生施設以外のこれに準ずる官職の属する職制上の段階	部長
二 医療更生施設の前号に規定する官職を助け、部の事務を整理する官職及び医療更生施設以外のこれに準ずる官職の属する職制上の段階	副部長
三 医療更生施設の前号に規定する官職の指揮監督を受け、部の所掌事務を分掌する官職及び医療更生施設以外のこれに準ずる官職の属する職制上の段階	看護師長
四 医療更生施設の前号に規定する官職を助け、そのつかさどる事務を整理する官職及び医療更生施設以外のこれに準ずる官職の属する職制上の段階	副看護師長
五 医療更生施設の前号に規定する官職の指揮監督を受ける官職及び医療更生施設以外のこれに準ずる官職の属する職制上の段階	看護師

（表十二の項関係）

第十二条 表十二の項第三欄の内閣官房令で定める職制上の段階及び当該職制上の段階に応じ、同項第四欄の内閣官房令で定める標準的な官職は、次の表のとおりとする。

職制上の段階	標準的な官職
一 医療更生施設の課長の属する職制上の段階	課長
二 医療更生施設の課の事務を分掌する室の長の属する職制上の段階	室長
三 前号に規定する官職の指揮監督を受け、次号に規定する官職のつかさどる事務を整理する官職の属する職制上の段階	主任専門職
四 前号に規定する官職の指揮監督を受ける官職の属する職制上の段階	専門職

（表十三の項関係）

第十三条 表十三の項第三欄の内閣官房令で定める職制上の段階及び当該職制上の段階に応じ、同項第四欄の内閣官房令で定める標準的な官職は、次の表のとおりとする。

職制上の段階	標準的な官職
一 医療更生施設の部の重要事項の企画及び立案並びに調整に関する事務をつかさどる官職の属する職制上の段階	教務統括官
二 医療更生施設の課長の属する職制上の段階	課長
三 前号に規定する官職の指揮監督を受け、次号に規定する官職のつかさどる事務を整理する官職の属する職制上の段階	主任教官
四 前号に規定する官職の指揮監督を受ける官職の属する職制上の段階	教官

（表十四の項関係）

第十四条 表十四の項第三欄第一号の内閣官房令で定める職制上の段階及び当該職制上の段階に応じ、同項第四欄の内閣官房令で定める標準的な官職は、次の表のとおりとする。

職制上の段階	標準的な官職
一 厚生労働省医政局に置かれる看護研修研究センターの主任教官の属する職制上の段階	主任教官
二 前号に規定する官職の指揮監督を受ける官職の属する職制上の段階	教官

2 表十四の項第三欄第一号の内閣官房令で定める職制上の段階及び当該職制上の段階に応じ、同項第四欄の内閣官房令で定める標準的な官職は、次の表のとおりとする。

職制上の段階	標準的な官職
一 医療更生施設の部長の属する職制上の段階	部長
二 前号に規定する官職を助け、研修、	教育主事

教授等を行う官職の属する職制上の段階	
三　前号に規定する官職の行う研修、教授等を補佐する官職の属する職制上の段階	教官

（表十五の項関係）

第十五条　表十五の項第一欄の内閣官房令で定める船舶は、島に置かれる行政機関の職員の移動等又は港湾工事のための調査、油回収等に用いられ、専ら平水区域又は沿海区域を航行する総トン数（国際トン数証書又は国際トン数確認書の交付を受けている船舶にあっては、国際総トン数をいう。以下同じ。）二百トン未満の船舶とする。

2　表十五の項第一欄の内閣官房令で定める事務は、次の各号に掲げるとおりとする。

一　守衛、巡視等が従事する監視、警備等の事務
二　用務員、労務作業員等が従事する庁務又は労務に関する事務
三　自動車運転手、車庫長等が従事する事務
四　機械工作工、電工、大工、石工、印刷工、製図工、ガラス工、皮革工等が従事する製作、修理、加工等の事務
五　建設機械操作手、ボイラー技士等が従事する機器の運転、操作、保守等の事務
六　電話交換手が従事する事務
七　理容師、美容師、調理師、裁縫手等が従事する家政的事務
八　前項に規定する船舶の航行に関する事務
九　前各号に準ずる技能的な事務

3　表十五の項第三欄の内閣官房令で定める職制上の段階及び当該職制上の段階に応じ、同項第四欄の内閣官房令で定める標準的な官職は、次の表のとおりとする。

職制上の段階	標準的な官職
一　他の官職を指揮監督する官職の属する職制上の段階	職長
二　前号に規定する官職の指揮監督を受け、事務を行う官職の属する職制上の段階	係員

（表十六の項関係）

第十六条　表十六の項第三欄の内閣官房令で定める職制上の段階及び当該職制上の段階に応じ、同項第四欄の内閣官房令で定める標準的な官職は、次の各号に掲げるとおりとする。

一　大型船舶（遠洋区域を航行区域とする総トン数五百トン以上の船舶又は近海区域を航行区域とする総トン数千六百トン以上の船舶をいう。以下同じ。）に存する職制上の段階及び標準的な官職は、次の表のとおりとする。

職制上の段階	標準的な官職
一　大型船舶の船長の属する職制上の段階	船長
二　大型船舶の一等航海士の属する職制上の段階	一等航海士
三　大型船舶の二等航海士の属する職制上の段階	二等航海士
四　大型船舶の航海士の属する職制上の段階	航海士
五　大型船舶の甲板長の属する職制上の段階	甲板長
六　大型船舶の甲板次長の属する職制上の段階	甲板次長
七　大型船舶の甲板員の属する職制上の段階	甲板員

二　中型船舶（遠洋区域を航行区域とする総トン数五百トン未満の船舶又は近海区域を航行区域とする総トン数二十トン以上千六百トン未満の船舶をいう。以下同じ。）に存する職制上の段階及び標準的な官職は、次の表のとおりとする。

職制上の段階	標準的な官職
一　中型船舶の船長の属する職制上の段階	船長
二　中型船舶の一等航海士の属する職制上の段階	一等航海士

三　中型船舶の二等航海士の属する職制上の段階	二等航海士
四　中型船舶の航海士の属する職制上の段階	航海士
五　中型船舶の甲板長の属する職制上の段階	甲板長
六　中型船舶の甲板次長の属する職制上の段階	甲板次長
七　中型船舶の甲板員の属する職制上の段階	甲板員

三　小型船舶（近海区域を航行区域とする総トン数二十トン未満の船舶又は沿海区域若しくは平水区域を航行区域とする船舶をいう。以下同じ。）に存する職制上の段階及び標準的な官職は、次の表のとおりとする。

職制上の段階	標準的な官職
一　小型船舶の船長の属する職制上の段階	船長
二　小型船舶の甲板長の属する職制上の段階	甲板長
三　小型船舶の甲板員の属する職制上の段階	甲板員

（表十七の項関係）

第十七条　表十七の項第三欄の内閣官房令で定める職制上の段階及び当該職制上の段階に応じ、同項第四欄の内閣官房令で定める標準的な官職は、次の表のとおりとする。

職制上の段階	標準的な官職
一　行政の特定の分野における高度の専門的な知識経験に基づく調査、研究、情報の分析、重要な関係にある者との調整等を行うことにより、部局を横断する重要課題に係る政策の企画及び立案等を支援する業務に従事する官職の属する職制上の段階	高度分析交渉官
二　行政の特定の分野における高度の専門的な知識経験に基づく調査、研究、情報の分析等を行うことにより、政策の企画及び立案等を支援する業務に従事する官職の属する職制上の段階	分析官

（表十八の項関係）

第十八条　表十八の項第三欄の内閣官房令で定める職制上の段階及び当該職制上の段階に応じ、同項第四欄の内閣官房令で定める標準的な官職は、次の表のとおりとする。

職制上の段階	標準的な官職
一　特許庁の審査長の属する職制上の段階	審査長
二　特許庁の審査監理官の属する職制上の段階	審査監理官
三　特許庁長官に指名された特許庁の審査官をもって充てられ、他の審査官のつかさどる事務を整理する官職の属する職制上の段階	上席審査官
四　特許庁の審査官（前号に規定する官職に充てられたものを除く。）の属する職制上の段階	審査官
五　特許庁の審査官補の属する職制上の段階	審査官補

（表十九の項関係）

第十九条　表十九の項第三欄の内閣官房令で定める職制上の段階及び当該職制上の段階に応じ、同項第四欄の内閣官房令で定める標準的な官職は、次の表のとおりとする。

職制上の段階	標準的な官職
一　特許庁の審判長の属する職制上の段階	審判長
二　特許庁長官に指名された特許庁の審判官をもって充てられ、他の審判官のつかさどる事務を整理する官職の属する職制上の段階	上級審判官

職制上の段階	標準的な官職
三　特許庁の審判官（前号に規定する官職に充てられたものを除く。）の属する職制上の段階	審判官

（表二十の項関係）

第二十条　表二十の項第三欄第一号の内閣官房令で定める職制上の段階及び当該職制上の段階に応じ、同項第四欄の内閣官房令で定める標準的な官職は、次の表のとおりとする。

職制上の段階	標準的な官職
一　地方更生保護委員会の委員の属する職制上の段階	委員
二　地方更生保護委員会の事務局の統括審査官の属する職制上の段階	統括審査官
三　地方更生保護委員会の事務局の保護観察官の属する職制上の段階	保護観察官

2　表二十の項第三欄第二号の内閣官房令で定める職制上の段階及び当該職制上の段階に応じ、同項第四欄の内閣官房令で定める標準的な官職は、次の表のとおりとする。

職制上の段階	標準的な官職
一　保護観察所の統括保護観察官の属する職制上の段階	統括保護観察官
二　保護観察所の保護観察官の属する職制上の段階	保護観察官

（表二十一の項関係）

第二十一条　表二十一の項第三欄第二号の内閣官房令で定める職制上の段階及び当該職制上の段階に応じ、同項第四欄の内閣官房令で定める標準的な官職は、次の表のとおりとする。

職制上の段階	標準的な官職
一　検疫所（支所又は出張所を除く。以下この項において同じ。）の企画調整官の属する職制上の段階	企画調整官
二　検疫所の課長の属する職制上の段階	課長
三　前号に規定する官職の指揮監督を受け、専門的事務を処理する官職の属する職制上の段階	専門官
四　検疫所の課の所掌事務を分掌する係の長の属する職制上の段階	係長
五　前号に規定する官職の指揮監督を受ける官職の属する職制上の段階	係員

2　表二十一の項第三欄第三号の内閣官房令で定める職制上の段階及び当該職制上の段階に応じ、同項第四欄の内閣官房令で定める標準的な官職は、次の表のとおりとする。

職制上の段階	標準的な官職
一　検疫所の支所の長の属する職制上の段階	支所長
二　検疫所の支所の課長の属する職制上の段階	課長
三　前号に規定する官職の指揮監督を受け、専門的事務を処理する官職の属する職制上の段階	専門官
四　検疫所の支所の課の所掌事務を分掌する係の長の属する職制上の段階	係長
五　前号に規定する官職の指揮監督を受ける官職の属する職制上の段階	係員

3　表二十一の項第三欄第四号の内閣官房令で定める職制上の段階及び当該職制上の段階に応じ、同項第四欄の内閣官房令で定める標準的な官職は、次の表のとおりとする。

職制上の段階	標準的な官職
一　検疫所の出張所の長の属する職制上の段階	出張所長
二　検疫所の出張所の所掌事務を分掌する係の長の属する職制上の段階	係長

三　前号に規定する官職の指揮監督を受ける官職の属する職制上の段階	係員

4　表二十一の項第三欄第五号の内閣官房令で定める職制上の段階及び当該職制上の段階に応じ、同項第四欄の内閣官房令で定める標準的な官職は、次の表のとおりとする。

職制上の段階	標準的な官職
一　地方厚生局の課長の属する職制上の段階	課長
二　前号に規定する官職の指揮監督を受け、専門的事務を処理し、次号又は第四号に規定する官職のつかさどる事務を整理する官職の属する職制上の段階	専門官
三　地方厚生局の課の所掌事務を分掌する官職の属する職制上の段階	専門職
四　前号に規定する官職の指揮監督を受ける官職の属する職制上の段階	係員

（表二十二の項関係）

第二十二条　表二十二の項第三欄第一号の内閣官房令で定める職制上の段階及び当該職制上の段階に応じ、同項第四欄の内閣官房令で定める標準的な官職は、次の表のとおりとする。

職制上の段階	標準的な官職
一　植物防疫所（支所又は出張所を除く。以下この項において同じ。）及び那覇植物防疫事務所（出張所を除く。以下この項において同じ。）の部長の属する職制上の段階	部長
二　植物防疫所及び那覇植物防疫事務所の統括植物検疫官の属する職制上の段階	統括植物検疫官
三　前号に規定する官職の指揮監督を受け、そのつかさどる事務を整理する官職の属する職制上の段階	次席植物検疫官
四　第二号に規定する官職の所掌事務を分掌する官職の属する職制上の段階	植物検疫官
五　前号に規定する官職の指揮監督を受ける官職の属する職制上の段階	係員

2　表二十二の項第三欄第二号の内閣官房令で定める職制上の段階及び当該職制上の段階に応じ、同項第四欄の内閣官房令で定める標準的な官職は、次の表のとおりとする。

職制上の段階	標準的な官職
一　植物防疫所の支所（出張所を除く。以下この項において同じ。）の長の属する職制上の段階	支所長
二　植物防疫所の支所の長を助け、支所の事務を整理する官職の属する職制上の段階	次長
三　植物防疫所の支所の統括植物検疫官の属する職制上の段階	統括植物検疫官
四　前号に規定する官職の指揮監督を受け、そのつかさどる事務を整理する官職の属する職制上の段階	次席植物検疫官
五　第三号に規定する官職の所掌事務を分掌する官職の属する職制上の段階	植物検疫官
六　前号に規定する官職の指揮監督を受ける官職の属する職制上の段階	係員

3　表二十二の項第三欄第四号の内閣官房令で定める職制上の段階及び当該職制上の段階に応じ、同項第四欄の内閣官房令で定める標準的な官職は、次の表のとおりとする。

職制上の段階	標準的な官職
一　植物防疫所及び那覇植物防疫事務所の出張所の長の属する職制上の段階	出張所長
二　植物防疫所及び那覇植物防疫事務所の出張所の長の指揮監督を受け、そのつかさどる事務を整理する官職の属する職制上の段階	次席植物検疫官

三　植物防疫所及び那覇植物防疫事務所の出張所の所掌事務を分掌する官職の属する職制上の段階	植物検疫官
四　前号に規定する官職の指揮監督を受ける官職の属する職制上の段階	係員

（表二十三の項関係）
第二十三条　表二十三の項第三欄第二号の内閣官房令で定める職制上の段階及び当該職制上の段階に応じ、同項第四欄の内閣官房令で定める標準的な官職は、次の表のとおりとする。

職制上の段階	標準的な官職
一　動物検疫所（支所又は出張所を除く。以下この項において同じ。）の部長の属する職制上の段階	部長
二　動物検疫所の課長の属する職制上の段階	課長
三　動物検疫所の課の所掌事務を整理する官職の属する職制上の段階	主任検疫官
四　動物検疫所の課の所掌事務を分掌する係の長の属する職制上の段階	係長
五　前号に規定する官職の指揮監督を受ける官職の属する職制上の段階	係員

2　表二十三の項第三欄第三号の内閣官房令で定める職制上の段階及び当該職制上の段階に応じ、同項第四欄の内閣官房令で定める標準的な官職は、次の表のとおりとする。

職制上の段階	標準的な官職
一　動物検疫所の支所（出張所を除く。以下この項において同じ。）の長の属する職制上の段階	支所長
二　動物検疫所の支所の長を助け、支所の事務を整理する官職の属する職制上の段階	次長
三　動物検疫所の支所の課長の属する職制上の段階	課長
四　動物検疫所の支所の課の所掌事務を整理する官職の属する職制上の段階	主任検疫官
五　動物検疫所の支所の課の所掌事務を分掌する係の長の属する職制上の段階	係長
六　前号に規定する官職の指揮監督を受ける官職の属する職制上の段階	係員

3　表二十三の項第三欄第四号の内閣官房令で定める職制上の段階及び当該職制上の段階に応じ、同項第四欄の内閣官房令で定める標準的な官職は、次の表のとおりとする。

職制上の段階	標準的な官職
一　動物検疫所の出張所の長の属する職制上の段階	出張所長
二　動物検疫所の出張所の事務を整理する官職の属する職制上の段階	主任検疫官
三　動物検疫所の出張所の所掌事務を分掌する官職の属する職制上の段階	係長
四　前号に規定する官職の指揮監督を受ける官職の属する職制上の段階	係員

（表二十四の項関係）
第二十四条　表二十四の項第三欄第一号の内閣官房令で定める職制上の段階及び当該職制上の段階に応じ、同項第四欄の内閣官房令で定める標準的な官職は、次の表のとおりとする。

職制上の段階	標準的な官職
一　運輸監理部及び運輸支局（事務所を除く。以下この項において同じ。）の首席運輸企画専門官に指名された運輸企画専門官の属する職制上の段階	首席運輸企画専門官
二　運輸監理部及び運輸支局の上席自動車登録官に命じられた運輸企画専門官の属する職制上の段階	上席自動車登録官
三　運輸監理部及び運輸支局の自動車登	自動車登

録官に命じられた運輸企画専門官の属する職制上の段階	録官
四 前号に規定する官職の指揮監督を受ける官職の属する職制上の段階	係員

2 表二十四の項第三欄第二号の内閣官房令で定める職制上の段階及び当該職制上の段階に応じ、同項第四欄の内閣官房令で定める標準的な官職は、次の表のとおりとする。

職制上の段階	標準的な官職
一 沖縄総合事務局の事務所及び地方運輸局、運輸監理部又は運輸支局の事務所の首席運輸企画専門官に指名された運輸企画専門官の属する職制上の段階	首席運輸企画専門官
二 沖縄総合事務局の事務所及び地方運輸局、運輸監理部又は運輸支局の事務所の上席自動車登録官に命じられた運輸企画専門官の属する職制上の段階	上席自動車登録官
三 沖縄総合事務局の事務所及び地方運輸局、運輸監理部又は運輸支局の事務所の自動車登録官に命じられた運輸企画専門官の属する職制上の段階	自動車登録官
四 前号に規定する官職の指揮監督を受ける官職の属する職制上の段階	係員

（表二十五の項関係）

第二十五条 表二十五の項第三欄第一号の内閣官房令で定める職制上の段階及び当該職制上の段階に応じ、同項第四欄の内閣官房令で定める標準的な官職は、次の表のとおりとする。

職制上の段階	標準的な官職
一 国土交通省海事局の首席海技試験官に指名された海技試験官の属する職制上の段階	首席海技試験官
二 国土交通省海事局の次席海技試験官に指名された海技試験官の属する職制上の段階	次席海技試験官
三 国土交通省海事局の海技試験官（前二号に規定する官職に指名されたものを除く。）の属する職制上の段階	海技試験官

2 表二十五の項第三欄第二号の内閣官房令で定める職制上の段階及び当該職制上の段階に応じ、同項第四欄の内閣官房令で定める標準的な官職は、次の表のとおりとする。

職制上の段階	標準的な官職
一 沖縄総合事務局及び地方運輸局の本局（表二十五の項第二欄第二号に掲げる部局又は機関等をいう。以下この項において同じ。）の首席海事技術専門官に指名された海事技術専門官の属する職制上の段階	首席海事技術専門官
二 沖縄総合事務局及び地方運輸局の本局の次席海事技術専門官に指名された海事技術専門官の属する職制上の段階	次席海事技術専門官
三 沖縄総合事務局及び地方運輸局の本局の海事技術専門官（前二号に規定する官職に指名されたものを除く。）の属する職制上の段階	海事技術専門官

3 表二十五の項第三欄第三号の内閣官房令で定める職制上の段階及び当該職制上の段階に応じ、同項第四欄の内閣官房令で定める標準的な官職は、次の表のとおりとする。

職制上の段階	標準的な官職
一 運輸監理部の本部（表二十五の項第二欄第三号に掲げる部局又は機関等をいう。以下この項において同じ。）の首席海事技術専門官に指名された海事技術専門官の属する職制上の段階	首席海事技術専門官
二 運輸監理部の本部の次席海事技術専門官に指名された海事技術専門官の属する職制上の段階	次席海事技術専門官
三 運輸監理部の本部の海事技術専門官（前二号に規定する官職に指名されたものを除く。）の属する職制上の段階	海事技術専門官

4　表二十五の項第三欄第四号の内閣官房令で定める職制上の段階及び当該職制上の段階に応じ、同項第四欄の内閣官房令で定める標準的な官職は、次の表のとおりとする。

職制上の段階	標準的な官職
一　運輸支局の本局（表二十五の項第二欄第四号に掲げる部局又は機関等をいう。以下この項において同じ。）の首席海事技術専門官に指名された海事技術専門官の属する職制上の段階	首席海事技術専門官
二　運輸支局の本局の次席海事技術専門官に指名された海事技術専門官の属する職制上の段階	次席海事技術専門官
三　運輸支局の本局の海事技術専門官（前二号に規定する官職に指名されたものを除く。）の属する職制上の段階	海事技術専門官

5　表二十五の項第三欄第五号の内閣官房令で定める職制上の段階及び当該職制上の段階に応じ、同項第四欄の内閣官房令で定める標準的な官職は、次の表のとおりとする。

職制上の段階	標準的な官職
一　地方運輸局、運輸監理部又は運輸支局の事務所の首席海事技術専門官に指名された海事技術専門官の属する職制上の段階	首席海事技術専門官
二　地方運輸局、運輸監理部又は運輸支局の事務所の次席海事技術専門官に指名された海事技術専門官の属する職制上の段階	次席海事技術専門官
三　地方運輸局、運輸監理部又は運輸支局の事務所の海事技術専門官（前二号に規定する官職に指名されたものを除く。）の属する職制上の段階	海事技術専門官

第二十六条　（表二十六の項関係）　表二十六の項第三欄第一号の内閣官房令で定める職制上の段階及び当該職制上の段階に応じ、同項第四欄の内閣官房令で定める標準的な官職は、次の表のとおりとする。

職制上の段階	標準的な官職
一　国土交通省航空局の首席航空機検査官に指名された航空機検査官の属する職制上の段階	首席航空機検査官
二　国土交通省航空局の航空機検査官（前号に規定する官職に指名されたものを除く。）の属する職制上の段階	航空機検査官
三　前号に規定する官職の指揮監督を受ける官職の属する職制上の段階	係員

2　表二十六の項第三欄第二号の内閣官房令で定める職制上の段階及び当該職制上の段階に応じ、同項第四欄の内閣官房令で定める標準的な官職は、次の表のとおりとする。

職制上の段階	標準的な官職
一　地方航空局の先任航空機検査官に指名された航空機検査官の属する職制上の段階	先任航空機検査官
二　地方航空局の次席航空機検査官に指名された航空機検査官の属する職制上の段階	次席航空機検査官
三　地方航空局の航空機検査官（前二号に規定する官職に指名されたものを除く。）の属する職制上の段階	航空機検査官
四　前号に規定する官職の指揮監督を受ける官職の属する職制上の段階	係員

第二十七条　（表二十七の項関係）　表二十七の項第三欄の内閣官房令で定める職制上の段階及び当該職制上の段階に応じ、同項第四欄の内閣官房令で定める標準的な官職は、次の表のとおりとする。

職制上の段階	標準的な官職
一　国土交通省航空局の首席飛行検査官に指名された飛行検査官の属する職制	首席飛行検査官

上の段階	
二 国土交通省航空局の次席飛行検査官に指名された飛行検査官の属する職制上の段階	次席飛行検査官
三 国土交通省航空局の飛行検査官（前二号に規定する官職に指名されたものを除く。）の属する職制上の段階	飛行検査官
四 前号に規定する官職の指揮監督を受ける官職の属する職制上の段階	係員

（表二十八の項関係）

第二十八条 表二十八の項第三欄第一号の内閣官房令で定める職制上の段階及び当該職制上の段階に応じ、同項第四欄の内閣官房令で定める標準的な官職は、次の表のとおりとする。

職制上の段階	標準的な官職
一 国土交通省航空局の先任航空情報管理管制運航情報官に指名された航空情報管理管制運航情報官の属する職制上の段階	先任航空交通管制官
二 国土交通省航空局の次席航空情報管理管制運航情報官に指名された航空情報管理管制運航情報官の属する職制上の段階	次席航空交通管制官
三 国土交通省航空局の主幹航空情報管理管制運航情報官（次号に規定する官職の所掌事務の整理及び監督に関することをつかさどるものをいう。）に指名された航空情報管理管制運航情報官の属する職制上の段階	主幹航空交通管制官
四 国土交通省航空局の航空情報管理管制運航情報官（前三号に規定する官職に指名されたものを除く。）の属する職制上の段階	航空交通管制官

2 表二十八の項第三欄第二号の内閣官房令で定める職制上の段階及び当該職制上の段階に応じ、同項第四欄の内閣官房令で定める標準的な官職は、次の表のとおりとする。

職制上の段階	標準的な官職
一 航空交通管制部の先任航空交通管理管制運航情報官に指名された航空交通管理管制運航情報官の属する職制上の段階	先任航空交通管制官
二 航空交通管制部の次席航空交通管理管制運航情報官に指名された航空交通管理管制運航情報官の属する職制上の段階	次席航空交通管制官
三 航空交通管制部の主幹航空交通管理管制運航情報官（次号に規定する官職の所掌事務の整理及び監督に関することをつかさどるものをいう。）に指名された航空交通管理管制運航情報官の属する職制上の段階	主幹航空交通管制官
四 航空交通管制部の航空交通管理管制運航情報官（前三号に規定する官職に指名されたものを除く。）の属する職制上の段階	航空交通管制官

3 表二十八の項第三欄第三号の内閣官房令で定める職制上の段階及び当該職制上の段階に応じ、同項第四欄の内閣官房令で定める標準的な官職は、次の表のとおりとする。

職制上の段階	標準的な官職
一 地方航空局の事務所の先任航空管制運航情報官に指名された航空管制運航情報官の属する職制上の段階	先任航空交通管制官
二 地方航空局の事務所の次席航空管制運航情報官に指名された航空管制運航情報官の属する職制上の段階	次席航空交通管制官
三 地方航空局の事務所の主幹航空管制運航情報官（次号に規定する官職の所掌事務の整理及び監督に関することをつかさどるものをいう。）に指名された航空管制運航情報官の属する職制上の段階	主幹航空交通管制官
四 地方航空局の事務所の航空管制運航	航空交通

情報官（前三号に規定する官職に指名されたものを除く。）の属する職制上の段階	管制官

（表二十九の項関係）

第二十九条　表二十九の項第三欄の内閣官房令で定める職制上の段階及び当該職制上の段階に応じ、同項第四欄の内閣官房令で定める標準的な官職は、次の表のとおりとする。

職制上の段階	標準的な官職
一　運輸安全委員会の事務局の首席航空事故調査官の属する職制上の段階	首席事故調査官
二　運輸安全委員会の事務局の次席航空事故調査官の属する職制上の段階	次席事故調査官
三　運輸安全委員会の事務局の統括航空事故調査官の属する職制上の段階	統括事故調査官
四　運輸安全委員会の事務局の航空事故調査官（運輸安全委員会の事務局の事故調査官のうち、航空事故等の調査を担当するもの（前三号に規定するものを除く。）をいう。）の属する職制上の段階	事故調査官

（表三十の項関係）

第三十条　表三十の項第三欄の内閣官房令で定める職制上の段階及び当該職制上の段階に応じ、同項第四欄の内閣官房令で定める標準的な官職は、次の表のとおりとする。

職制上の段階	標準的な官職
一　国際平和協力本部に置かれる国際平和協力隊の隊長に指名された隊員の属する職制上の段階	隊長
二　国際平和協力本部に置かれる国際平和協力隊の隊員（前号に規定する官職に指名されたものを除く。）の属する職制上の段階	隊員

附　則

この府令は、国家公務員法等の一部を改正する法律（平成十九年法律第百八号）附則第一条第三号に掲げる規定の施行の日（平成二十一年四月一日）から施行する。

〇標準職務遂行能力について（抄）

平二一・三・六
内閣総理大臣決定

最終改正　平二九・三・七

（定義）

第一条　この決定において「令」とは、標準的な官職を定める政令（平成二十一年政令第三十号）をいう。

2　この決定において「内閣官房令」とは、標準的な官職を定める政令に規定する内閣官房令で定める標準的な官職等を定める内閣官房令（平成二十一年内閣府令第二号）をいう。

3　この決定において「全標準的な官職」とは、それぞれの部局又は機関等（令又は内閣官房令の定めるところにより明らかにされる部局又は機関等をいう。）に存する職制上の段階の標準的な官職の全体をいう。

（令本則の表一の項関係）

第二条　令本則の表一の項第二欄第一号に掲げる部局又は機関等に係る全標準的な官職の標準職務遂行能力は、別表第一の一の上欄に掲げる標準的な官職ごとに、同表の下欄に掲げるとおりとする。

2　令本則の表一の項第二欄第二号に掲げる部局又は機関等に係る全標準的な官職の標準職務遂行能力は、別表第一の二の上欄に掲げる標準的な官職ごとに、同表の下欄に掲げるとおりとする。

3　〔略〕

4　令本則の表一の項第二欄第四号に掲げる部局又は機

関等に係る全標準的な官職の標準職務遂行能力は、別表第一の四の上欄に掲げる標準的な官職ごとに、同表の下欄に掲げるとおりとする。

5 令本則の表一の項第二欄第五号に掲げる部局又は機関等に係る全標準的な官職の標準職務遂行能力は、別表第一の五の上欄に掲げる標準的な官職ごとに、同表の下欄に掲げるとおりとする。

6 令本則の表一の項第二欄第六号に掲げる部局又は機関等に係る全標準的な官職の標準職務遂行能力は、別表第一の六の上欄に掲げる標準的な官職ごとに、同表の下欄に掲げるとおりとする。

7 令本則の表一の項第二欄第七号に掲げる部局又は機関等に係る全標準的な官職の標準職務遂行能力は、次の各号に掲げるとおりとする。

一 内閣官房令第一条第七項第一号イに掲げる部局又は機関等に係る全標準的な官職の標準職務遂行能力は、別表第一の七の上欄に掲げる標準的な官職ごとに、同表の下欄に掲げるとおりとする。

二～六 〔略〕

（令本則の表二の項関係）

第三条 令本則の表二の項第二欄第一号に掲げる部局又は機関等に係る全標準的な官職の標準職務遂行能力は、別表第二の一の上欄に掲げる標準的な官職ごとに、同表の下欄に掲げるとおりとする。

2 令本則の表二の項第二欄第二号に掲げる部局又は機関等に係る全標準的な官職の標準職務遂行能力は、別表第二の二の上欄に掲げる標準的な官職ごとに、同表の下欄に掲げるとおりとする。

3 令本則の表二の項第二欄第三号に掲げる部局又は機関等に係る全標準的な官職の標準職務遂行能力は、別表第二の三の上欄に掲げる標準的な官職ごとに、同表の下欄に掲げるとおりとする。

4 令本則の表二の項第二欄第四号に掲げる部局又は機関等に係る全標準的な官職の標準職務遂行能力は、別表第二の四の上欄に掲げる標準的な官職ごとに、同表の下欄に掲げるとおりとする。

5 令本則の表二の項第二欄第五号に掲げる部局又は機関等に係る全標準的な官職の標準職務遂行能力は、次の各号に掲げるとおりとする。

一 内閣官房令第二条第六項第一号に掲げる部局又は機関等に係る全標準的な官職の標準職務遂行能力は、別表第二の五の上欄に掲げる標準的な官職ごとに、同表の下欄に掲げるとおりとする。

二 内閣官房令第二条第六項第二号に掲げる部局又は機関等に係る全標準的な官職の標準職務遂行能力は、別表第二の六の上欄に掲げる標準的な官職ごとに、同表の下欄に掲げるとおりとする。

6～10 〔略〕

（令本則の表三の項関係）

第四条 令本則の表三の項第二欄第一号に掲げる部局又は機関等に係る全標準的な官職の標準職務遂行能力は、別表第三の一の上欄に掲げる標準的な官職ごとに、同表の下欄に掲げるとおりとする。

2 〔略〕

3 令本則の表三の項第二欄第三号に掲げる部局又は機関等に係る全標準的な官職の標準職務遂行能力は、別表第三の三の上欄に掲げる標準的な官職ごとに、同表の下欄に掲げるとおりとする。

4 令本則の表三の項第二欄第四号に掲げる部局又は機関等に係る全標準的な官職の標準職務遂行能力は、別表第三の四の上欄に掲げる標準的な官職ごとに、同表の下欄に掲げるとおりとする。

5 令本則の表三の項第二欄第五号に掲げる部局又は機関等に係る全標準的な官職の標準職務遂行能力は、別表第三の五の上欄に掲げる標準的な官職ごとに、同表の下欄に掲げるとおりとする。

（令本則の表四の項関係）

第五条 〔略〕

（令本則の表五の項関係）

第六条 令本則の表五の項第二欄第一号に掲げる部局又は機関等に係る全標準的な官職の標準職務遂行能力は、別表第五の一の上欄に掲げる標準的な官職ごとに、同表の下欄に掲げるとおりとする。

2 令本則の表五の項第二欄第二号に掲げる部局又は機関等に係る全標準的な官職の標準職務遂行能力は、別表第五の二の上欄に掲げる標準的な官職ごとに、同表の下欄に掲げるとおりとする。

（令本則の表六の項関係）

第七条 令本則の表六の項第二欄第一号に掲げる部局又は機関等に係る全標準的な官職の標準職務遂行能力は、別表第六の一の上欄に掲げる標準的な官職ごとに、同表の下欄に掲げるとおりとする。

2 〔略〕

（令本則の表七の項関係）

第八条 令本則の表七の項第二欄第一号に掲げる部局又は機関等に係る全標準的な官職の標準職務遂行能力は、別表第七の一の上欄に掲げる標準的な官職ごとに、同表の下欄に掲げるとおりとする。

2 〔略〕

（令本則の表八の項関係）

第九条　令本則の表八の項第二欄に掲げる部局又は機関等に係る全標準的な官職の標準職務遂行能力は、別表第八の上欄に掲げる標準的な官職ごとに、同表の下欄に掲げるとおりとする。

（令本則の表九の項関係）

第十条　令本則の表九の項第二欄に掲げる部局又は機関等に係る全標準的な官職の標準職務遂行能力は、別表第九の上欄に掲げる標準的な官職ごとに、同表の下欄に掲げるとおりとする。

（令本則の表十の項関係）

第十一条　令本則の表十の項第二欄に掲げる部局又は機関等に係る全標準的な官職の標準職務遂行能力は、別表第十の上欄に掲げる標準的な官職ごとに、同表の下欄に掲げるとおりとする。

（令本則の表十一の項関係）

第十二条　令本則の表十一の項第二欄に掲げる部局又は機関等に係る全標準的な官職の標準職務遂行能力は、別表第十一の上欄に掲げる標準的な官職ごとに、同表の下欄に掲げるとおりとする。

第十三条～第十五条　〔略〕

（令本則の表十五の項関係）

第十六条　令本則の表十五の項第二欄に掲げる部局又は機関等に係る全標準的な官職の標準職務遂行能力は、別表第十五の上欄に掲げる標準的な官職ごとに、同表の下欄に掲げるとおりとする。

（令本則の表十六の項関係）

第十七条　令本則の表十六の項に掲げる部局又は機関等に係る全標準的な官職の標準職務遂行能力は、次の各号に掲げるとおりとする。

一　内閣官房令第十六条第一号に掲げる部局又は機関等に係る全標準的な官職の標準職務遂行能力は、別表第十六の一の上欄に掲げる標準的な官職ごとに、同表の下欄に掲げるとおりとする。

二・三　〔略〕

（令本則の表十七の項関係）

第十八条　令本則の表十七の項第二欄に掲げる部局又は機関等に係る全標準的な官職の標準職務遂行能力は、別表第十七の上欄に掲げる標準的な官職ごとに、同表の下欄に掲げるとおりとする。

第十九条～第三十一条　〔略〕

附　則

この決定は、国家公務員法等の一部を改正する法律（平成十九年法律第百八号）附則第一条第三号に掲げる規定の施行の日（平成二十一年四月一日）から施行する。

別表第一の一（第二条第一項関係）

標準的な官職	標準職務遂行能力	
一　事務次官	一　倫理	国民全体の奉仕者として、高い倫理感を有し、部局を横断する課題や府省の重要課題に責任を持って取り組むとともに、服務規律を遵守し、公正に職務を遂行することができる。
	二　構想	大局的な視野と将来的な展望に立って、所管行政を推進することができる。
	三　判断	部局を横断する課題や府省の重要課題について、豊富な知識・経験及び情報に基づき、冷静かつ迅速な判断を行うことができる。
	四　説明・調整	所管行政について適切な説明を行うとともに、組織方針の実現に向け、特に重要な課題について、高次元の調整を行い、合意を形成することができる。
	五　業務運営	国民の視点に立ち、不断の業務見直しを府省内に徹底することができる。
	六　組織統率	強い指導力を発揮し、

	部局及び機関の統率を行い、成果を挙げることができる。

二 局長

一 倫理	国民全体の奉仕者として、高い倫理感を有し、局の重要課題に責任を持って取り組むとともに、服務規律を遵守し、公正に職務を遂行することができる。
二 構想	所管行政を取り巻く状況を的確に把握し、先々を見通しつつ、国民の視点に立って、局の重要課題について基本的な方向性を示すことができる。
三 判断	局の責任者として、その重要課題について、豊富な知識・経験及び情報に基づき、冷静かつ迅速な判断を行うことができる。
四 説明・調整	所管行政について適切な説明を行うとともに、組織方針の実現に向け、困難な調整を行い、合意を形成することができる。
五 業務運営	国民の視点に立ち、不断の業務見直しに率先して取り組むことができる。
六 組織統率	指導力を発揮し、部下の志気を高め、組織を牽引し、成果を挙げることができる。

三 部長

一 倫理	国民全体の奉仕者として、高い倫理感を有し、担当分野の重要課題に責任を持って取り組むとともに、服務規律を遵守し、公正に職務を遂行することができる。
二 構想	所管行政を取り巻く状況を的確に把握し、先々を見通しつつ、国民の視点に立って、担当分野の重要課題について基本的な方針を示すことができる。
三 判断	担当分野の責任者として、その重要課題について、豊富な知識・経験及び情報に基づき、冷静かつ迅速な判断を行うことができる。
四 説明・調整	所管行政について適切な説明を行うとともに、組織方針の実現に向け、局長を助け、困難な調整を行い、合意を形成することができる。
五 業務運営	国民の視点に立ち、不断の業務見直しに率先して取り組むことができる。
六 組織統率	指導力を発揮し、部下の統率を行い、成果を挙げることができる。

四 課長

一 倫理	国民全体の奉仕者として、高い倫理感を有し、課の課題に責任を持って取り組むとともに、服務規律を遵守し、公正に職務を遂行することができる。
二 構想	所管行政を取り巻く状況を的確に把握し、国民の視点に立って、行政課題に対応するための方針を示すことができる。
三 判断	課の責任者として、適切な判断を行うことができる。
四 説明・調整	所管行政について適切な説明を行うとともに、組織方針の実現に向け、関係者と調整を行い、合意を形成することができる。
五 業務運営	コスト意識を持って効率的に業務を進めることができる。
六 組織統率・人材育成	適切に業務を配分した上、進捗管理及び的確な指示を行い、成果を挙げるとともに、部下

		の指導・育成を行うことができる。
五　室長	一　倫理	国民全体の奉仕者として、担当業務の課題に責任を持って取り組むとともに、服務規律を遵守し、公正に職務を遂行することができる。
	二　企画・立案	組織方針に基づき、行政ニーズを踏まえ、課題を的確に把握し、施策の企画・立案を行うことができる。
	三　判断	担当業務の責任者として、適切な判断を行うことができる。
	四　説明・調整	担当する事案について適切な説明を行うとともに、関係者と調整を行い、合意を形成することができる。
	五　業務運営	コスト意識を持って効率的に業務を進めることができる。
	六　組織統率・人材育成	適切に業務を配分した上、進捗管理及び的確な指示を行い、成果を挙げるとともに、部下の指導・育成を行うことができる。
六　課長補佐	一　倫理	国民全体の奉仕者として、担当業務の第一線において責任を持って課題に取り組むとともに、服務規律を遵守し、公正に職務を遂行することができる。
	二　企画・立案、事務事業の実施	組織や上司の方針に基づいて、施策の企画・立案や事務事業の実施の実務の中核を担うことができる。
	三　判断	自ら処理すべき事案について、適切な判断を行うことができる。
	四　説明・調整	担当する事案について論理的な説明を行うとともに、関係者と粘り強く調整を行うことができる。
	五　業務遂行	段取りや手順を整え、効率的に業務を進めることができる。
	六　部下の育成・活用	部下の指導、育成及び活用を行うことができる。
七　係長	一　倫理	国民全体の奉仕者として、責任を持って業務に取り組むとともに、服務規律を遵守し、公正に職務を遂行することができる。
	二　課題対応	担当業務に必要な専門的知識・技術を習得し、問題点を的確に把握し、課題に対応することができる。
	三　協調性	上司・部下等と協力的な関係を構築することができる。
	四　説明	担当する事案について分かりやすい説明を行うことができる。
	五　業務遂行	計画的に業務を進め、担当業務全体のチェックを行い、確実に業務を遂行することができる。
八　係員	一　倫理	国民全体の奉仕者として、責任を持って業務に取り組むとともに、服務規律を遵守し、公正に職務を遂行することができる。
	二　知識・技術	業務に必要な知識・技術を習得することができる。
	三　コミュニケーション	上司・同僚等と円滑かつ適切なコミュニケーションをとることができる。
	四　業務遂行	意欲的に業務に取り組むことができる。

別表第一の二（第二条第二項関係）

標準的な官職	標準職務遂行能力	
一　所長	一　倫理	国民全体の奉仕者とし

		て、高い倫理感を有し、機関の課題に責任を持って取り組むとともに、服務規律を遵守し、公正に職務を遂行することができる。
	二 構想	本府省の方針に基づき、行政ニーズを踏まえ、業務運営の基本的な方針を示すことができる。
	三 判断	機関の責任者として、豊富な知識・経験に基づき、適切な判断を行うことができる。
	四 説明・調整	機関の業務について適切な説明を行うとともに、組織方針の実現に向け、対外的に機関を代表し、調整を行い、合意を形成することができる。
	五 業務運営	不断の業務見直しに率先して取り組むことができる。
	六 組織統率	指導力を発揮し、組織統率を行い、成果を挙げることができる。
二 部長	一 倫理	国民全体の奉仕者として、高い倫理感を有し、担当分野の課題に責任を持って取り組むとともに、服務規律を遵守し、公正に職務を遂行することができる。
	二 構想	本府省等の方針に基づき、行政ニーズを踏まえ、業務運営の方針を示すことができる。
	三 判断	担当分野の責任者として、適切な判断を行うことができる。
	四 説明・調整	担当分野の業務について適切な説明を行うとともに、組織方針の実現に向け、所長を助け、関係者と調整を行い、合意を形成することができる。
	五 業務運営	コスト意識を持って効率的に業務を進めることができる。
	六 組織統率	組織の業務運営に関し、的確な指示を行うとともに、部下を統率し、成果を挙げることができる。
三 課長	一 倫理	国民全体の奉仕者として、所管する業務の課題に責任を持って取り組むとともに、服務規律を遵守し、公正に職務を遂行することができる。
	二 実施施策の立案	組織方針に基づき、行政ニーズを踏まえた実施施策を立案することができる。
	三 判断	所管する事案について、適切な判断を行うことができる。
	四 説明　調整	所管する事案について適切な説明を行うとともに、関係者と調整を行い、合意を形成することができる。
	五 業務運営	コスト意識を持って効率的に業務を進めることができる。
	六 組織統率・人材育成	適切に業務を配分した上、進捗管理を行い、成果を挙げるとともに、部下の指導・育成を行うことができる。
四 課長補佐	一 倫理	国民全体の奉仕者として、担当業務の第一線において責任を持って課題に取り組むとともに、服務規律を遵守し、公正に職務を遂行することができる。
	二 方策・計画の立案、事務事業の実施	組織や上司の方針に基づいて、具体的な方策・計画を立案し、又は事務事業を実施することができる。
	三 判断	自ら処理すべき事案について、適切な判断を行うことができる。

	四　説明・調整	担当する事案について論理的な説明を行うとともに、関係者と調整を行うことができる。
	五　業務遂行	段取りや手順を整え、効率的に業務を進めることができる。
	六　部下の育成・活用	部下の指導、育成及び活用を行うことができる。
五　係長	一　倫理	国民全体の奉仕者として、責任を持って業務に取り組むとともに、服務規律を遵守し、公正に職務を遂行することができる。
	二　課題対応	担当業務に必要な専門的知識・技術を習得し、課題に対応することができる。
	三　協調性	上司・部下等と協力的な関係を構築することができる。
	四　説明	担当する事案について分かりやすい説明を行うことができる。
	五　業務遂行	計画的に業務を進め、担当業務全体のチェックを行い、確実に業務を遂行することができる。
六　係員	一　倫理	国民全体の奉仕者として、責任を持って業務に取り組むとともに、服務規律を遵守し、公正に職務を遂行することができる。
	二　知識・技術	業務に必要な知識・技術を習得することができる。
	三　コミュニケーション	上司・同僚等と円滑かつ適切なコミュニケーションをとることができる。
	四　業務遂行	意欲的に業務に取り組むことができる。

別表第一の三（第二条第三項関係）〔略〕

別表第一の四（第二条第四項関係）

標準的な官職	標準職務遂行能力	
一　局長	一　倫理	国民全体の奉仕者として、高い倫理感を有し、機関の重要課題に責任を持って取り組むとともに、服務規律を遵守し、公正に職務を遂行することができる。
	二　構想	本府省の方針に基づき、地域情勢を踏まえ、業務運営の基本的な方向性を示すことができる。
	三　判断	機関の責任者として、その重要課題について、豊富な知識・経験及び情報に基づき、冷静かつ迅速な判断を行うことができる。
	四　説明・調整	機関の業務について適切な説明を行うとともに、組織方針の実現に向け、対外的に機関を代表し、困難な調整を行い、合意を形成することができる。
	五　業務運営	国民の視点に立ち、不断の業務見直しに率先して取り組むことができる。
	六　組織統率	指導力を発揮し、組織統率を行い、成果を挙げることができる。
二　部長	一　倫理	国民全体の奉仕者として、高い倫理感を有し、部の課題に責任を持って取り組むとともに、服務規律を遵守し、公正に職務を遂行することができる。
	二　構想	本府省等の方針に基づき、地域情勢を踏まえ、業務運営の方針を示すことができる。
	三　判断	部の責任者として、適切な判断を行うことができる。

	四 説明・調整	部の業務について適切な説明を行うとともに、組織方針の実現に向け、局長を助け、関係者と調整を行い、合意を形成することができる。
	五 業務運営	コスト意識を持って効率的に業務を進めることができる。
	六 組織統率	管轄する組織の業務運営に関し、的確な指示を行うとともに、部下を統率し、成果を挙げることができる。
三 課長	一 倫理	国民全体の奉仕者として、所管する業務の課題に責任を持って取り組むとともに、服務規律を遵守し、公正に職務を遂行することができる。
	二 実施施策の立案	組織方針に基づき、地域の行政ニーズを踏まえた実施施策を立案することができる。
	三 判断	所管する事案について、適切な判断を行うことができる。
	四 説明・調整	所管する事案について適切な説明を行うとともに、関係者と調整を行い、合意を形成することができる。
	五 業務運営	コスト意識を持って効率的に業務を進めることができる。
	六 組織統率・人材育成	適切に業務を配分した上、進捗管理を行い、成果を挙げるとともに、部下の指導・育成を行うことができる。
四 課長補佐	一 倫理	国民全体の奉仕者として、担当業務の第一線において責任を持って課題に取り組むとともに、服務規律を遵守し、公正に職務を遂行することができる。
	二 方策・計画の立案、事務事業の実施	組織や上司の方針に基づいて、具体的な方策・計画を立案し、又は事務事業を実施することができる。
	三 判断	自ら処理すべき事案について、適切な判断を行うことができる。
	四 説明・調整	担当する事案について論理的な説明を行うとともに、関係者と調整を行うことができる。
	五 業務遂行	段取りや手順を整え、効率的に業務を進めることができる。
	六 部下の育成・活用	部下の指導、育成及び活用を行うことができる。
五 係長	一 倫理	国民全体の奉仕者として、責任を持って業務に取り組むとともに、服務規律を遵守し、公正に職務を遂行することができる。
	二 課題対応	担当業務に必要な専門的知識・技術を習得し、課題に対応することができる。
	三 協調性	上司・部下等と協力的な関係を構築することができる。
	四 説明	担当する事案について分かりやすい説明を行うことができる。
	五 業務遂行	計画的に業務を進め、担当業務全体のチェックを行い、確実に業務を遂行することができる。
六 係員	一 倫理	国民全体の奉仕者として、責任を持って業務に取り組むとともに、服務規律を遵守し、公正に職務を遂行することができる。
	二 知識・技術	業務に必要な知識・技術を習得することができる。
	三 コミュニケーション	上司・同僚等と円滑かつ適切なコミュニケーションをとることがで

		きる。
	四　業務遂行	意欲的に業務に取り組むことができる。

別表第一の五（第二条第五項関係）

標準的な官職	標準職務遂行能力	
一　所長	一　倫理	国民全体の奉仕者として、高い倫理感を有し、機関の課題に責任を持って取り組むとともに、服務規律を遵守し、公正に職務を遂行することができる。
	二　構想	本府省の方針に基づき、地域情勢を踏まえ、業務運営の基本的な方針を示すことができる。
	三　判断	機関の責任者として、適切な判断を行うことができる。
	四　説明・調整	機関の業務について適切な説明を行うとともに、組織方針の実現に向け、対外的に機関を代表し、調整を行い、合意を形成することができる。
	五　業務運営	不断の業務見直しに率先して取り組むことができる。
	六　組織統率	組織統率を行い、成果を挙げることができる。
二　次長	一　倫理	国民全体の奉仕者として、機関の課題に責任を持って取り組むとともに、服務規律を遵守し、公正に職務を遂行することができる。
	二　構想	組織方針に基づき、地域情勢を踏まえた実施施策の大枠を示すことができる。
	三　判断	所長を助ける者として、適切な判断を行うことができる。
	四　説明・調整	機関の業務について適切な説明を行うとともに、組織方針の実現に向け、所長を助け、関係者と調整を行い、合意を形成することができる。
	五　業務運営	コスト意識を持って効率的に業務を進めることができる。
	六　組織統率	組織の業務運営に関し、所長を助け、的確な指示を行い、成果を挙げることができる。
三　課長	一　倫理	国民全体の奉仕者として、所管する業務の課題に責任を持って取り組むとともに、服務規律を遵守し、公正に職務を遂行することができる。
	二　実施施策の立案	組織方針に基づき、地域の行政ニーズを踏まえた実施施策を立案することができる。
	三　判断	所管する事案について、適切な判断を行うことができる。
	四　説明・調整	所管する事案について適切な説明を行うとともに、関係者と調整を行い、合意を形成することができる。
	五　業務運営	コスト意識を持って効率的に業務を進めることができる。
	六　組織統率・人材育成	適切に業務を配分した上、進捗管理を行い、成果を挙げるとともに、部下の指導・育成を行うことができる。
四　課長補佐	一　倫理	国民全体の奉仕者として、担当業務の第一線において責任を持って課題に取り組むとともに、服務規律を遵守し、公正に職務を遂行することができる。
	二　方策・計画の立案、事務	組織や上司の方針に基づいて、具体的な方

	事業の実施	策・計画を立案し、又は事務事業を実施することができる。
	三　判断	自ら処理すべき事案について、適切な判断を行うことができる。
	四　説明・調整	担当する事案について論理的な説明を行うとともに、関係者と調整を行うことができる。
	五　業務遂行	段取りや手順を整え、効率的に業務を進めることができる。
	六　部下の育成・活用	部下の指導、育成及び活用を行うことができる。
五　係長	一　倫理	国民全体の奉仕者として、責任を持って業務に取り組むとともに、服務規律を遵守し、公正に職務を遂行することができる。
	二　課題対応	担当業務に必要な専門的知識・技術を習得し、課題に対応することができる。
	三　協調性	上司・部下等と協力的な関係を構築することができる。
	四　説明	担当する事案について分かりやすい説明を行うことができる。
	五　業務遂行	計画的に業務を進め、担当業務全体のチェックを行い、確実に業務を遂行することができる。
六　係員	一　倫理	国民全体の奉仕者として、責任を持って業務に取り組むとともに、服務規律を遵守し、公正に職務を遂行することができる。
	二　知識・技術	業務に必要な知識・技術を習得することができる。
	三　コミュニケーション	上司・同僚等と円滑かつ適切なコミュニケーションをとることができる。
	四　業務遂行	意欲的に業務に取り組むことができる。

別表第一の六（第二条第六項関係）

標準的な官職	標準職務遂行能力	
一　所長	一　倫理	国民全体の奉仕者として、高い倫理感を有し、機関の課題に責任を持って取り組むとともに、服務規律を遵守し、公正に職務を遂行することができる。
	二　構想	本府省等の方針に基づき、地域情勢を踏まえ、業務運営の基本的な方針を示すことができる。
	三　判断	機関の責任者として、適切な判断を行うことができる。
	四　説明　調整	機関の業務について適切な説明を行うとともに、組織方針の実現に向け、対外的に機関を代表し、調整を行い、合意を形成することができる。
	五　業務運営	不断の業務見直しに率先して取り組むことができる。
	六　組織統率	組織統率を行い、成果を挙げることができる。
二　部長	一　倫理	国民全体の奉仕者として、担当分野の課題に責任を持って取り組むとともに、服務規律を遵守し、公正に職務を遂行することができる。
	二　実施方針の立案	本府省等の方針に基づき、地域情勢を踏まえた実施方針を示すことができる。
	三　判断	担当分野の責任者として、適切な判断を行うことができる。
	四　説明・調整	担当分野の業務について適切な説明を行うと

		ともに、組織方針の実現に向け、所長を助け、関係者と調整を行い、合意を形成することができる。
	五　業務運営	コスト意識を持って効率的に業務を進めることができる。
	六　組織統率	業務の進捗管理及び的確な指示を行い、成果を挙げることができる。
三　課長	一　倫理	国民全体の奉仕者として、所管する業務の課題に責任を持って取り組むとともに、服務規律を遵守し、公正に職務を遂行することができる。
	二　実施計画の立案	組織方針に基づき、地域の行政ニーズを踏まえた実施計画を立案することができる。
	三　判断	所管する事案について、適切な判断を行うことができる。
	四　説明・調整	所管する事案について適切な説明を行うとともに、関係者と調整を行い、合意を形成することができる。
	五　業務運営	コスト意識を持って効率的に業務を進めるこ
		とができる。
	六　組織統率・人材育成	適切に業務を配分した上、進捗管理を行い、成果を挙げるとともに、部下の指導・育成を行うことができる。
四　課長補佐	一　倫理	国民全体の奉仕者として、担当業務の第一線において責任を持って課題に取り組むとともに、服務規律を遵守し、公正に職務を遂行することができる。
	二　方策・計画の立案、事務事業の実施	組織や上司の方針に基づいて、具体的な方策・計画を立案し、又は事務事業を実施することができる。
	三　判断	自ら処理すべき事案について、適切な判断を行うことができる。
	四　説明・調整	担当する事案について論理的な説明を行うとともに、関係者と調整を行うことができる。
	五　業務遂行	段取りや手順を整え、効率的に業務を進めることができる。
	六　部下の育成・活用	部下の指導、育成及び活用を行うことができる。
五　係長	一　倫理	国民全体の奉仕者として、責任を持って業務
		に取り組むとともに、服務規律を遵守し、公正に職務を遂行することができる。
	二　課題対応	担当業務に必要な専門的知識・技術を習得し、課題に対応することができる。
	三　協調性	上司・部下等と協力的な関係を構築することができる。
	四　説明	担当する事案について分かりやすい説明を行うことができる。
	五　業務遂行	計画的に業務を進め、担当業務全体のチェックを行い、確実に業務を遂行することができる。
六　係員	一　倫理	国民全体の奉仕者として、責任を持って業務に取り組むとともに、服務規律を遵守し、公正に職務を遂行することができる。
	二　知識・技術	業務に必要な知識・技術を習得することができる。
	三　コミュニケーション	上司・同僚等と円滑かつ適切なコミュニケーションをとることができる。
	四　業務遂行	意欲的に業務に取り組

標準的な官職	標準職務遂行能力	
		むことができる。

別表第一の七（第二条第七項第一号関係）

標準的な官職	標準職務遂行能力	
一 所長	一 倫理	国民全体の奉仕者として、機関の課題に責任を持って取り組むとともに、服務規律を遵守し、公正に職務を遂行することができる。
	二 執行方針の立案	本府省等の方針に基づき、的確な状況認識の下、業務の執行方針を示すことができる。
	三 判断	機関の責任者として、適切な判断を行うことができる。
	四 説明・調整	機関の業務について適切な説明を行うとともに、対外的に機関を代表し、調整を行い、合意を形成することができる。
	五 業務運営	不断の業務見直しに率先して取り組むことができる。
	六 組織統率	組織統率を行い、成果を挙げることができる。
二 次長	一 倫理	国民全体の奉仕者として、機関の課題に責任を持って取り組むとともに、服務規律を遵守し、公正に職務を遂行することができる。
	二 執行方針の立案	本府省等の方針に基づき、的確な状況認識の下、所長を助け、業務の執行方針を示すことができる。
	三 判断	所長を助ける者として、適切な判断を行うことができる。
	四 説明・調整	機関の業務について適切な説明を行うとともに、所長を助け、関係者と調整を行い、合意を形成することができる。
	五 業務運営	コスト意識を持って効率的に業務を進めることができる。
	六 組織統率	業務の進捗管理及び的確な指示を行い、成果を挙げることができる。
三 課長	一 倫理	国民全体の奉仕者として、所管する業務の課題に責任を持って取り組むとともに、服務規律を遵守し、公正に職務を遂行することができる。
	二 事案対応	的確に状況を把握し、困難な事案に適切に対応することができる。
	三 判断	所管する業務の執行において、適切な判断を行うことができる。
	四 説明・調整	所管する業務の執行において適切な説明を行うとともに、関係者と調整を行い、合意を形成することができる。
	五 業務運営	コスト意識を持って効率的に業務を進めることができる。
	六 組織統率・人材育成	業務の執行方針を徹底し、進捗管理を行い、成果を挙げるとともに、部下の指導・育成を行うことができる。
四 課長補佐	一 倫理	国民全体の奉仕者として、担当業務の第一線において責任を持って課題に取り組むとともに、服務規律を遵守し、公正に職務を遂行することができる。
	二 事案対応	十分な知識・技術及び経験に基づき、担当する事案に適切に対応することができる。
	三 判断	自ら進めるべき業務の執行において、適切な判断を行うことができ

		る。
	四　説明・調整	担当する業務の執行において論理的な説明を行うとともに、関係者と調整を行うことができる。
	五　業務遂行	段取りや手順を整え、効率的に業務を進めることができる。
	六　部下の育成・活用	部下の指導、育成及び活用を行うことができる。
五　係長	一　倫理	国民全体の奉仕者として、責任を持って業務に取り組むとともに、服務規律を遵守し、公正に職務を遂行することができる。
	二　事案対応	担当業務についての知識・技術に基づき、事案に適切に対応することができる。
	三　協調性	上司・部下等と協力的な関係を構築することができる。
	四　説明	担当する業務の執行において分かりやすい説明を行うことができる。
	五　業務遂行	計画的に業務を進め、担当業務全体のチェックを行い、確実に業務を遂行することができる。
六　係員	一　倫理	国民全体の奉仕者として、責任を持って業務に取り組むとともに、服務規律を遵守し、公正に職務を遂行することができる。
	二　知識・技術	業務に必要な知識・技術を習得することができる。
	三　コミュニケーション	上司・同僚等と円滑かつ適切なコミュニケーションをとることができる。
	四　業務遂行	意欲的に業務に取り組むことができる。

別表第一の八（第二条第七項第二号関係）**～別表第一の十二**（第二条第七項第六号関係）〔略〕

別表第二の一（第三条第一項関係）

標準的な官職	標準職務遂行能力	
一　長官	一　倫理	国民全体の奉仕者として、高い倫理感を有し、部局を横断する課題や庁の重要課題に責任を持って取り組むとともに、服務規律を遵守し、公正に職務を遂行することができる。
	二　構想	大局的な視野と将来的な展望に立って、所管行政を推進することができる。
	三　判断	部局を横断する課題、庁の重要課題や問題が発生した場合の対応について、豊富な知識・経験及び情報に基づき、冷静かつ迅速な判断を行うことができる。
	四　説明・調整	所管行政について適切な説明を行うとともに、組織方針の実現に向け、特に重要な課題について、高次元の調整を行い、合意を形成することができる。
	五　業務運営	国民の視点に立ち、不断の業務見直しを庁内に徹底することができる。
	六　組織統率	強い指導力を発揮し、部局及び機関の統率を行い、成果を挙げることができる。
二　局長	一　倫理	国民全体の奉仕者として、高い倫理感を有し、局の重要課題に責任を持って取り組むとともに、服務規律を遵守し、公正に職務を遂行することができる。
	二　構想	所管行政を取り巻く状況を的確に把握し、先々を見通しつつ、国

民の視点に立って、局の重要課題について基本的な方向性を示すことができる。

三　判断
局の責任者として、その重要課題や問題が発生した場合の対応について、豊富な知識・経験及び情報に基づき、冷静かつ迅速な判断を行うことができる。

四　説明・調整
所管行政について適切な説明を行うとともに、組織方針の実現に向け、困難な調整を行い、合意を形成することができる。

五　業務運営
国民の視点に立ち、不断の業務見直しに率先して取り組むことができる。

六　組織統率
指導力を発揮し、部下の志気を高め、組織を牽引するとともに、組織の一体性を確保し、成果を挙げることができる。

三　部長

一　倫理
国民全体の奉仕者として、高い倫理感を有し、担当分野の重要課題に責任を持って取り組むとともに、服務規律を遵守し、公正に職務を遂行することができる。

二　構想
所管行政を取り巻く状況を的確に把握し、先々を見通しつつ、国民の視点に立って、担当分野の重要課題について基本的な方針を示すことができる。

三　判断
担当分野の責任者として、その重要課題や問題が発生した場合の対応について、豊富な知識・経験及び情報に基づき、冷静かつ迅速な判断を行うことができる。

四　説明・調整
所管行政について適切な説明を行うとともに、組織方針の実現に向け、局長を助け、困難な調整を行い、合意を形成することができる。

五　業務運営
国民の視点に立ち、不断の業務見直しに率先して取り組むことができる。

六　組織統率
指導力を発揮し、部下の指揮・統率を行うとともに、組織の一体性を確保し、成果を挙げることができる。

四　課長

一　倫理
国民全体の奉仕者として、高い倫理感を有し、課の課題に責任を持って取り組むとともに、服務規律を遵守し、公正に職務を遂行することができる。

二　構想
所管行政を取り巻く状況を的確に把握し、国民の視点に立って、行政課題に対応するための方針を示すことができる。

三　判断
課の責任者として、状況に応じて適切な判断を行うとともに、問題が発生した場合に早期対応を適切に行うことができる。

四　説明・調整
所管行政について適切な説明を行うとともに、組織方針の実現に向け、関係者と調整を行い、合意を形成することができる。

五　業務運営
コスト意識を持って効率的に業務を進めることができる。

六　組織統率・人材育成
適切に業務を配分した上、進捗管理及び的確な指示を行い、成果を挙げるとともに、部下の指導・育成を行うことができる。

五　室長

一　倫理
国民全体の奉仕者として、担当業務の課題に

官職	標準職務遂行能力	
		責任を持って取り組むとともに、服務規律を遵守し、公正に職務を遂行することができる。
	二　企画・立案	組織方針に基づき、行政ニーズを踏まえ、課題を的確に把握し、施策の企画・立案を行うことができる。
	三　判断	担当業務の責任者として、状況に応じて適切な判断を行うとともに、問題が発生した場合に早期対応を適切に行うことができる。
	四　説明・調整	担当する事案について適切な説明を行うとともに、関係者と調整を行い、合意を形成することができる。
	五　業務運営	コスト意識を持って効率的に業務を進めることができる。
	六　組織統率・人材育成	適切に業務を配分した上、進捗管理及び的確な指示を行い、成果を挙げるとともに、部下の指導・育成を行うことができる。
六　課長補佐	一　倫理	国民全体の奉仕者として、担当業務の第一線において責任を持って課題に取り組むととも

官職	標準職務遂行能力	
		に、服務規律を遵守し、公正に職務を遂行することができる。
	二　企画・立案、事務事業の実施	組織や上司の方針に基づいて、施策の企画・立案や事務事業の実施の実務の中核を担うことができる。
	三　判断	自ら処理すべき事案について、状況に応じて適切な判断を行うことができる。
	四　説明・調整	担当する事案について論理的な説明を行うとともに、関係者と粘り強く調整を行うことができる。
	五　業務遂行	段取りや手順を整え、効率的に業務を進めることができる。
	六　部下の育成・活用	部下の指導、育成及び活用を行うことができる。
七　係長	一　倫理	国民全体の奉仕者として、責任を持って業務に取り組むとともに、服務規律を遵守し、公正に職務を遂行することができる。
	二　課題対応	担当業務に必要な専門的知識・技術を習得し、問題点を的確に把握し、課題に対応する

官職	標準職務遂行能力	
		ことができる。
	三　協調性、報告・連絡	上司・部下等と協力的な関係を構築し、適切な状況報告、連絡等を行うとともに、上司の指示を部下に徹底することができる。
	四　説明	担当する事案について分かりやすい説明を行うことができる。
	五　業務遂行	計画的に業務を進め、担当業務全体のチェックを行い、確実に業務を遂行することができる。
八　係員	一　倫理	国民全体の奉仕者として、責任を持って業務に取り組むとともに、服務規律を遵守し、公正に職務を遂行することができる。
	二　知識・技術	業務に必要な知識・技術を習得することができる。
	三　コミュニケーション	上司・同僚等と円滑かつ適切なコミュニケーションをとり、適切な状況報告、連絡等を行うことができる。
	四　業務遂行	意欲的に業務に取り組むことができる。

別表第二の二（第三条第二項関係）

標準的な官職	標準職務遂行能力	
一 所長	一 倫理	国民全体の奉仕者として、高い倫理感を有し、機関の課題に責任を持って取り組むとともに、服務規律を遵守し、公正に職務を遂行することができる。
	二 構想	本省等の方針に基づき、行政ニーズを踏まえ、業務運営の基本的な方針を示すことができる。
	三 判断	機関の責任者として、豊富な知識・経験に基づき、現場の状況に応じて適切な判断を行うとともに、問題が発生した場合に早期対応を適切に行うことができる。
	四 連携の確保	対外的に機関を代表し、関係者と連携して円滑に業務を進めることができるよう、信頼関係を構築することができる。
	五 業務運営	不断の業務見直しに率先して取り組むことができる。
	六 組織統率	指導力を発揮し、組織統率を行い、成果を挙げることができる。
二 部長	一 倫理	国民全体の奉仕者として、高い倫理感を有し、担当分野の課題に責任を持って取り組むとともに、服務規律を遵守し、公正に職務を遂行することができる。
	二 構想	本省等の方針に基づき、行政ニーズを踏まえ、業務運営の方針を示すことができる。
	三 判断	担当分野の責任者として、現場の状況に応じて適切な判断を行うとともに、問題が発生した場合に早期対応を適切に行うことができる。
	四 連携の確保	所長を助け、関係者との信頼関係を構築し、連携して業務を進めることができる。
	五 業務運営	コスト意識を持って効率的に業務を進めることができる。
	六 組織統率	組織の業務運営に関し、的確な指示を行うとともに、部下を統率し、成果を挙げることができる。
三 課長	一 倫理	国民全体の奉仕者として、所管する業務の課題に責任を持って取り組むとともに、服務規律を遵守し、公正に職務を遂行することができる。
	二 方策の立案	的確に状況を把握し、困難な事案に適切に対応するための方策を立てることができる。
	三 判断	現場の状況に応じ、所管する業務の執行において適切な判断を行うとともに、問題が発生した場合に早期対応を適切に行うことができる。
	四 連携の確保	関係者との信頼関係を構築し、連携して事案に対応することができる。
	五 業務運営	コスト意識を持って効率的に業務を進めることができる。
	六 組織統率・人材育成	適切に業務を配分した上、部下の指揮・統率を行い、成果を挙げるとともに、部下の指導・育成を行うことができる。
四 課長補佐	一 倫理	国民全体の奉仕者として、担当業務の第一線において責任を持って課題に取り組むととも

		に、服務規律を遵守し、公正に職務を遂行することができる。
	二　入所者対応	十分な知識・技術及び経験に基づき、入所者に関する情報を的確に収集・把握し、適切に指導を行うことができる。
	三　判断	現場の状況に応じ、自ら進めるべき業務の執行において適切な判断を行うことができる。
	四　信頼関係の構築	上司・部下・関係部署等との信頼関係を構築することができる。
	五　業務遂行	部下に対する指揮・命令を行い、的確に業務を進めることができる。
	六　部下の育成・活用	部下の指導、育成及び活用を行うことができる。
五　係長	一　倫理	国民全体の奉仕者として、責任を持って業務に取り組むとともに、服務規律を遵守し、公正に職務を遂行することができる。
	二　入所者対応	担当業務に必要な専門的知識・技術を習得し、入所者に関する情報を的確に収集・把握し、適切に指導を行うことができる。
	三　報告・連絡	上司との間で適切な状況報告・連絡等を行うとともに、上司の指示を部下に徹底することができる。
	四　業務遂行	計画的に業務を進め、担当業務全体のチェックを行い、確実に業務を遂行することができる。
六　係員	一　倫理	国民全体の奉仕者として、責任を持って業務に取り組むとともに、服務規律を遵守し、公正に職務を遂行することができる。
	二　知識・技術	業務に必要な知識・技術を習得することができる。
	三　コミュニケーション	上司・同僚等との間で適切な状況報告、連絡等を行うとともに、入所者との円滑かつ適切なコミュニケーションをとることができる。
	四　業務遂行	意欲的に業務に取り組むことができる。

別表第二の三（第三条第三項関係）

標準的な官職	標準職務遂行能力	
一　局長	一　倫理	国民全体の奉仕者として、高い倫理感を有し、機関の重要課題に責任を持って取り組むとともに、服務規律を遵守し、公正に職務を遂行することができる。
	二　構想	本省庁の方針に基づき、地域情勢を踏まえ、業務運営の基本的な方向性を示すことができる。
	三　判断	機関の責任者として、その重要課題や問題が発生した場合の対応について、豊富な知識・経験及び情報に基づき、冷静かつ迅速な判断を行うことができる。
	四　説明・調整	機関の業務について適切な説明を行うとともに、組織方針の実現に向け、対外的に機関を代表し、困難な調整を行い、合意を形成することができる。
	五　業務運営	国民の視点に立ち、不断の業務見直しに率先して取り組むことがで

		きる。
	六 組織統率	指導力を発揮し、組織統率を行い、成果を挙げることができる。
二 部長	一 倫理	国民全体の奉仕者として、高い倫理感を有し、部の課題に責任を持って取り組むとともに、服務規律を遵守し、公正に職務を遂行することができる。
	二 構想	本省庁等の方針に基づき、地域情勢を踏まえ、業務運営の方針を示すことができる。
	三 判断	部の責任者として、状況に応じて適切な判断を行うとともに、問題が発生した場合に早期対応を適切に行うことができる。
	四 説明・調整	部の業務について適切な説明を行うとともに、組織方針の実現に向け、局長を助け、関係者と調整を行い、合意を形成することができる。
	五 業務運営	コスト意識を持って効率的に業務を進めることができる。
	六 組織統率	管轄する組織の業務運営に関し、的確な指示を行うとともに、部下を統率し、成果を挙げることができる。
三 課長	一 倫理	国民全体の奉仕者として、所管する業務の課題に責任を持って取り組むとともに、服務規律を遵守し、公正に職務を遂行することができる。
	二 方策の立案	的確に状況を把握し、所管する事案に適切に対応するための方策を立てることができる。
	三 判断	所管する業務の実施において、状況に応じて適切な判断を行うとともに、問題が発生した場合に早期対応を適切に行うことができる。
	四 説明・調整	所管する業務の実施において適切な説明を行うとともに、関係者と調整を行い、合意を形成することができる。
	五 業務運営	コスト意識を持って効率的に業務を進めることができる。
	六 組織統率・人材育成	適切に業務を配分した上、進捗管理及び部下の指揮を行い、成果を挙げるとともに、部下の指導・育成を行うことができる。
四 課長補佐	一 倫理	国民全体の奉仕者として、担当業務の第一線において責任を持って課題に取り組むとともに、服務規律を遵守し、公正に職務を遂行することができる。
	二 事案対応	十分な知識・技術及び経験に基づき、困難な事案に適切に対応することができる。
	三 判断	自ら進めるべき業務の実施において、状況に応じて適切な判断を行うことができる。
	四 説明・調整	担当する業務の実施において論理的な説明を行うとともに、関係者と調整を行うことができる。
	五 業務遂行	段取りや手順を整え、効率的に業務を進めることができる。
	六 部下の育成・活用	部下の指導、育成及び活用を行うことができる。
五 係長	一 倫理	国民全体の奉仕者として、責任を持って業務に取り組むとともに、服務規律を遵守し、公正に職務を遂行することができる。
	二 事案対応	担当業務に必要な専門

		的知識・技術を習得し、事案に適切に対応することができる。
	三　協調性、報告・連絡	上司・部下等と協力的な関係を構築し、適切な状況報告、連絡等を行うとともに、上司の指示を部下に徹底することができる。
	四　説明	担当する業務の実施において分かりやすい説明を行うことができる。
	五　業務遂行	計画的に業務を進め、担当業務全体のチェックを行い、確実に業務を遂行することができる。
六　係員	一　倫理	国民全体の奉仕者として、責任を持って業務に取り組むとともに、服務規律を遵守し、公正に職務を遂行することができる。
	二　知識・技術	業務に必要な知識・技術を習得することができる。
	三　コミュニケーション	上司・同僚等と円滑かつ適切なコミュニケーションをとり、適切な状況報告、連絡等を行うことができる。
	四　業務遂行	意欲的に業務に取り組むことができる。

別表第二の四（第三条第四項関係）

標準的な官職	標準職務遂行能力	
一　所長	一　倫理	国民全体の奉仕者として、高い倫理感を有し、機関の課題に責任を持って取り組むとともに、服務規律を遵守し、公正に職務を遂行することができる。
	二　構想	本省庁等の方針に基づき、地域情勢を踏まえ、業務運営の基本的な方針を示すことができる。
	三　判断	機関の責任者として、状況に応じて適切な判断を行うとともに、問題が発生した場合に早期対応を適切に行うことができる。
	四　説明・調整	機関の業務について適切な説明を行うとともに、組織方針の実現に向け、対外的に機関を代表し、調整を行い、合意を形成することができる。
	五　業務運営	不断の業務見直しに率先して取り組むことができる。
	六　組織統率	組織統率を行い、成果を挙げることができる。
二　次長	一　倫理	国民全体の奉仕者として、担当分野の課題に責任を持って取り組むとともに、服務規律を遵守し、公正に職務を遂行することができる。
	二　実施方針の立案	本省庁等の方針に基づき、地域情勢を踏まえた実施方針を示すことができる。
	三　判断	担当分野の責任者として、状況に応じて適切な判断を行うとともに、問題が発生した場合に早期対応を適切に行うことができる。
	四　説明・調整	担当分野の業務について適切な説明を行うとともに、組織方針の実現に向け、所長を助け、関係者と調整を行い、合意を形成することができる。
	五　業務運営	コスト意識を持って効率的に業務を進めることができる。
	六　組織統率	業務の進捗管理及び的確な指示を行い、成果を挙げることができる。

三 課長	一 倫理	国民全体の奉仕者として、所管する業務の課題に責任を持って取り組むとともに、服務規律を遵守し、公正に職務を遂行することができる。
	二 方策の立案	的確に状況を把握し、所管する事案に適切に対応するための方策を立てることができる。
	三 判断	所管する業務の実施において、状況に応じて適切な判断を行うとともに、問題が発生した場合に早期対応を適切に行うことができる。
	四 説明・調整	所管する業務の実施において適切な説明を行うとともに、関係者と調整を行い、合意を形成することができる。
	五 業務運営	コスト意識を持って効率的に業務を進めることができる。
	六 組織統率・人材育成	適切に業務を配分した上、進捗管理及び部下の指揮を行い、成果を挙げるとともに、部下の指導・育成を行うことができる。
四 課長補佐	一 倫理	国民全体の奉仕者として、担当業務の第一線において責任を持って課題に取り組むとともに、服務規律を遵守し、公正に職務を遂行することができる。
	二 事案対応	十分な知識・技術及び経験に基づき、困難な事案に適切に対応することができる。
	三 判断	自ら進めるべき業務の実施において、状況に応じて適切な判断を行うことができる。
	四 説明・調整	担当する業務の実施において論理的な説明を行うとともに、関係者と調整を行うことができる。
	五 業務遂行	段取りや手順を整え、効率的に業務を進めることができる。
	六 部下の育成・活用	部下の指導、育成及び活用を行うことができる。
五 係長	一 倫理	国民全体の奉仕者として、責任を持って業務に取り組むとともに、服務規律を遵守し、公正に職務を遂行することができる。
	二 事案対応	担当業務に必要な専門的知識・技術を習得し、事案に適切に対応することができる。
	三 協調性、報告・連絡	上司・部下等と協力的な関係を構築し、適切な状況報告、連絡等を行うとともに、上司の指示を部下に徹底することができる。
	四 説明	担当する業務の実施において分かりやすい説明を行うことができる。
	五 業務遂行	計画的に業務を進め、担当業務全体のチェックを行い、確実に業務を遂行することができる。
六 係員	一 倫理	国民全体の奉仕者として、責任を持って業務に取り組むとともに、服務規律を遵守し、公正に職務を遂行することができる。
	二 知識・技術	業務に必要な知識・技術を習得することができる。
	三 コミュニケーション	上司・同僚等と円滑かつ適切なコミュニケーションをとり、適切な状況報告、連絡等を行うことができる。
	四 業務遂行	意欲的に業務に取り組むことができる。

別表第二の五（第三条第五項第一号関係）

標準的な官職	標準職務遂行能力	
一　所長	一　倫理	国民全体の奉仕者として、機関の課題に責任を持って取り組むとともに、服務規律を遵守し、公正に職務を遂行することができる。
	二　執行方針の立案	本省庁等の方針に基づき、的確な状況認識の下、業務の執行方針を示すことができる。
	三　判断	機関の責任者として、状況に応じて適切な判断を行うとともに、問題が発生した場合に早期対応を適切に行うことができる。
	四　説明・調整	機関の業務について適切な説明を行うとともに、対外的に機関を代表し、調整を行い、合意を形成することができる。
	五　業務運営	不断の業務見直しに率先して取り組むことができる。
	六　組織統率	組織統率を行い、成果を挙げることができる。
二　次長	一　倫理	国民全体の奉仕者として、機関の課題に責任を持って取り組むとともに、服務規律を遵守し、公正に職務を遂行することができる。
	二　課題対応・執行方針の立案	問題点を的確に把握し、困難な事案に適切に対応するとともに、本省庁等の方針に基づき、所長を助け、業務の執行方針を示すことができる。
	三　判断	所長を助ける者として、状況に応じて適切な判断を行うとともに、問題が発生した場合に早期対応を適切に行うことができる。
	四　説明・調整	機関の業務について適切な説明を行うとともに、所長を助け、関係者と調整を行い、合意を形成することができる。
	五　業務運営	コスト意識を持って効率的に業務を進めることができる。
	六　組織統率	業務の進捗管理及び的確な指示を行い、成果を挙げることができる。
三　課長	一　倫理	国民全体の奉仕者として、所管する業務の課題に責任を持って取り組むとともに、服務規律を遵守し、公正に職務を遂行することができる。
	二　事案対応	的確に状況を把握し、困難な事案に適切に対応することができる。
	三　判断	所管する業務の執行において、状況に応じて適切な判断を行うことができる。
	四　説明・調整	所管する業務の執行において適切な説明を行うとともに、関係者と調整を行い、合意を形成することができる。
	五　業務運営	コスト意識を持って効率的に業務を進めることができる。
	六　組織統率・人材育成	業務の執行方針を徹底し、部下の指揮を行い、成果を挙げるとともに、部下の指導・育成を行うことができる。
四　課長補佐	一　倫理	国民全体の奉仕者として、担当業務の第一線において責任を持って課題に取り組むとともに、服務規律を遵守し、公正に職務を遂行することができる。
	二　事案対応	十分な知識・技術及び経験に基づき、担当する事案に適切に対応す

		ることができる。
	三 判断	自ら進めるべき業務の執行において、状況に応じて適切な判断を行うことができる。
	四 説明・調整	担当する業務の執行において論理的な説明を行うとともに、関係者と調整を行うことができる。
	五 業務遂行	段取りや手順を整え、効率的に業務を進めることができる。
	六 部下の育成・活用	部下の指導、育成及び活用を行うことができる。
五 係長	一 倫理	国民全体の奉仕者として、責任を持って業務に取り組むとともに、服務規律を遵守し、公正に職務を遂行することができる。
	二 事案対応	担当業務についての知識・技術に基づき、事案に適切に対応することができる。
	三 協調性、報告・連絡	上司・部下等と協力的な関係を構築し、適切な状況報告、連絡等を行うとともに、上司の指示を部下に徹底することができる。
	四 説明	担当する業務の執行において分かりやすい説明を行うことができる。
	五 業務遂行	計画的に業務を進め、担当業務全体のチェックを行い、確実に業務を遂行することができる。
六 係員	一 倫理	国民全体の奉仕者として、責任を持って業務に取り組むとともに、服務規律を遵守し、公正に職務を遂行することができる。
	二 知識・技術	業務に必要な知識・技術を習得することができる。
	三 コミュニケーション	上司・同僚等と円滑かつ適切なコミュニケーションをとり、適切な状況報告、連絡等を行うことができる。
	四 業務遂行	意欲的に業務に取り組むことができる。

別表第二の六（第三条第五項第二号関係）

標準的な官職	標準職務遂行能力	
一 飛行長	一 倫理	国民全体の奉仕者として、所管する業務の課題に責任を持って取り組むとともに、服務規律を遵守し、公正に職務を遂行することができる。
	二 知識・技術・判断	担当業務についての十分な専門的知識・技術及び経験に基づき、所管する事案について、現場の状況に応じて適切な判断を行うとともに、問題が発生した場合に早期対応を適切に行うことができる。
	三 連携の確保	関係者との信頼関係を構築し、連携して事案に対応することができる。
	四 業務運営	コスト意識を持って効率的に業務を進めることができる。
	五 組織統率・人材育成	業務の執行方針を徹底し、部下の指揮を行い、成果を挙げるとともに、部下の指導・育成を行うことができる。
二 主任飛行士	一 倫理	国民全体の奉仕者として、責任を持って業務に取り組むとともに、服務規律を遵守し、公正に職務を遂行することができる。
	二 知識・技術・判断	担当業務についての専門的知識・技術及び経験に基づき、困難な事案について、現場の状

		況に応じて適切な判断を行うことができる。
	三　信頼関係の構築	上司・部下・関係部署等との信頼関係を構築することができる。
	四　業務遂行	迅速かつ的確に担当業務を遂行することができる。
	五　部下の育成・活用	部下の指導、育成及び活用を行うことができる。
三　飛行士	一　倫理	国民全体の奉仕者として、責任を持って業務に取り組むとともに、服務規律を遵守し、公正に職務を遂行することができる。
	二　知識・技術・判断	担当業務についての専門的知識・技術に基づき、現場の状況に応じて適切な判断を行うことができる。
	三　報告・連絡	上司等との間で適切な状況報告、連絡等を行うとともに、上司の指示を部下に徹底することができる。
	四　業務遂行	的確に担当業務を遂行することができる。
四　飛行員	一　倫理	国民全体の奉仕者として、責任を持って業務に取り組むとともに、服務規律を遵守し、公正に職務を遂行することができる。
	二　知識・技術・状況把握	業務に必要な知識・技術を習得し、的確に状況を把握することができる。
	三　報告・連絡	上司、同僚等との間で適切な状況報告、連絡等を行うことができる。
	四　業務遂行	意欲的に業務に取り組むことができる。

別表第二の七（第三条第六項第一号関係）～**別表第二の二十五**（第三条第十項第五号関係）〔略〕

別表第三の一（第四条第一項関係）

標準的な官職	標準職務遂行能力	
一　長官	一　倫理	国民全体の奉仕者として、高い倫理感を有し、国税庁の重要課題に責任を持って取り組むとともに、守秘義務や服務規律を遵守し、公正に職務を遂行することができる。
	二　構想	税務行政を取り巻く状況を的確に把握し、先々を見通しつつ、納税者の視点に立って、国税庁の重要課題について基本的な方向性を示すことができる。
	三　判断	国税庁の責任者として、その重要課題について、豊富な知識・経験及び情報に基づき、冷静かつ迅速な判断を行うことができる。
	四　説明・理解の確保	税務行政について適切な説明を行うとともに、対外的に機関を代表し、税務行政への理解と信頼を得ることができる。
	五　業務運営	納税者の視点に立ち、不断の業務見直しに率先して取り組むことができる。
	六　組織統率	指導力を発揮し、部下の志気を高め、組織を牽引し、組織目標の実現を図ることができる。
二　部長	一　倫理	国民全体の奉仕者として、高い倫理感を有し、担当分野の重要課題に責任を持って取り組むとともに、守秘義務や服務規律を遵守し、公正に職務を遂行することができる。
	二　構想	税務行政を取り巻く状況を的確に把握し、先々を見通しつつ、納

		税者の視点に立って、担当分野の重要課題について基本的な方針を示すことができる。
	三　判断	担当分野の責任者として、その重要課題について、豊富な知識・経験及び情報に基づき、冷静かつ迅速な判断を行うことができる。
	四　説明・調整	税務行政について適切な説明を行うとともに、組織方針の実現に向け、長官を助け、困難な調整を行い、合意を形成することができる。
	五　業務運営	納税者の視点に立ち、不断の業務見直しに率先して取り組むことができる。
	六　組織統率	指導力を発揮し、部下の統率を行い、組織目標の実現を図ることができる。
三　課長	一　倫理	国民全体の奉仕者として、高い倫理感を有し、課の課題に責任を持って取り組むとともに、守秘義務や服務規律を遵守し、公正に職務を遂行することができる。
	二　構想	税務行政を取り巻く状況を的確に把握し、納税者の視点に立って、行政課題に対応するための方針を示すことができる。
	三　判断	課の責任者として、適切な判断を行うことができる。
	四　説明・調整	税務行政について適切な説明を行うとともに、組織方針の実現に向け、関係者と調整を行い、合意を形成することができる。
	五　業務運営	コスト意識を持って効率的に業務を進めることができる。
	六　組織統率・人材育成	適切に業務を配分した上、進捗管理及び的確な指示を行い、組織目標の実現を図るとともに、部下の指導・育成を行うことができる。
四　室長	一　倫理	国民全体の奉仕者として、担当業務の課題に責任を持って取り組むとともに、守秘義務や服務規律を遵守し、公正に職務を遂行することができる。
	二　企画・立案	組織方針に基づき、税務行政に対するニーズ等を踏まえ、課題を的確に把握し、施策の企画・立案を行うことができる。
	三　判断	担当業務の責任者として、適切な判断を行うことができる。
	四　説明・調整	担当する事案について適切な説明を行うとともに、関係者と調整を行い、合意を形成することができる。
	五　業務運営	コスト意識を持って効率的に業務を進めることができる。
	六　組織統率・人材育成	適切に業務を配分した上、進捗管理及び的確な指示を行い、組織目標の実現を図るとともに、部下の指導・育成を行うことができる。
五　課長補佐	一　倫理	国民全体の奉仕者として、担当業務の第一線において責任を持って課題に取り組むとともに、守秘義務や服務規律を遵守し、公正に職務を遂行することができる。
	二　企画・立案、事務事業の実施	組織や上司の方針に基づいて、施策の企画・立案や事務事業の実施の実務の中核を担うことができる。
	三　判断	自ら処理すべき事案に

		ついて、適切な判断を行うことができる。
	四　説明・調整・指導	担当する事案について論理的な説明を行い、関係者と粘り強く調整を行うとともに、国税局・国税不服審判所支部に対し本庁・本部の方針の徹底を図ることができる。
	五　業務遂行	段取りや手順を整え、効率的に業務を進めることができる。
	六　部下の育成・活用	部下に対し、組織目標や業務執行方針を徹底し、部下の指導、育成及び活用を行うことができる。
六　係長	一　倫理	国民全体の奉仕者として、責任を持って業務に取り組むとともに、守秘義務や服務規律を遵守し、公正に職務を遂行することができる。
	二　課題対応	国税関係業務についての十分な専門的知識・技術・判断力に基づき、問題点を的確に把握し、課題に対応することができる。
	三　協調性	上司・部下や関係部署の担当者と協力的な関係を構築することがで

		きる。
	四　説明・指導	担当する事案について分かりやすい説明を行うとともに、国税局・国税不服審判所支部の職員に対し的確な指示や助言を行うことができる。
	五　業務遂行	計画的に粘り強く業務を進め、担当業務全体のチェックを行い、確実に業務を遂行することができる。
七　係員	一　倫理	国民全体の奉仕者として、責任を持って業務に取り組むとともに、守秘義務や服務規律を遵守し、公正に職務を遂行することができる。
	二　知識・技術	国税関係業務に必要な知識・技術を習得することができる。
	三　コミュニケーション	上司・同僚や関係部署の担当者と円滑かつ適切なコミュニケーションをとることができる。
	四　業務遂行	意欲的に粘り強く業務に取り組むことができる。

別表第三の二（第四条第二項関係）〔略〕

別表第三の三（第四条第三項関係）

標準的な官職	標準職務遂行能力	
一　局長	一　倫理	国民全体の奉仕者として、高い倫理感を有し、機関の重要課題に責任を持って取り組むとともに、守秘義務や服務規律を遵守し、公正に職務を遂行することができる。
	二　構想	本庁の方針に基づき、地域情勢を踏まえ、業務運営の基本的な方向性を示すことができる。
	三　判断	機関の責任者として、その重要課題について、豊富な知識・経験及び情報に基づき、冷静かつ迅速な判断を行うことができる。
	四　説明・理解の確保	機関の業務について適切な説明を行うとともに、組織方針の実現に向け、対外的に機関を代表し、困難な調整を行い、税務行政への理解と協力を得ることができる。
	五　業務運営	納税者の視点に立ち、不断の業務見直しに率

		先して取り組むことができる。
	六 組織統率	指導力を発揮し、組織統率を行い、組織目標の実現を図ることができる。
二 部長	一 倫理	国民全体の奉仕者として、高い倫理感を有し、部の課題に責任を持って取り組むとともに、守秘義務や服務規律を遵守し、公正に職務を遂行することができる。
	二 構想	本庁等の方針に基づき、地域情勢を踏まえ、業務運営の方針を示すことができる。
	三 判断	部の責任者として、適切な判断を行うことができる。
	四 説明・理解の確保	部の業務について適切な説明を行うとともに、組織方針の実現に向け、局長を助け、関係者と調整を行い、税務行政への理解と協力を得ることができる。
	五 業務運営	コスト意識を持って効率的に業務を進めることができる。
	六 組織統率	管轄する組織の業務運営に関し、的確な指示を行うとともに、部下を統率し、組織目標の実現を図ることができる。
三 課長	一 倫理	国民全体の奉仕者として、所管する業務の課題に責任を持って取り組むとともに、守秘義務や服務規律を遵守し、公正に職務を遂行することができる。
	二 組織目標の明示	組織方針に基づき、地域の実情や税務行政に対するニーズ等を踏まえた課の具体的な目標を示すことができる。
	三 判断	所管する事案について、適切な判断を行うことができる。
	四 説明・理解の確保	所管する事案について適切な説明を行うとともに、関係者の理解を得ることができる。
	五 業務運営	コスト意識を持って効率的に業務を進めることができる。
	六 組織統率・人材育成	適切に業務を配分した上、進捗管理を行い、組織目標の実現に貢献するとともに、部下の指導・育成を行うことができる。
四 主査	一 倫理	国民全体の奉仕者として、担当業務の第一線において責任を持って課題に取り組むとともに、守秘義務や服務規律を遵守し、公正に職務を遂行することができる。
	二 方策 計画の立案、事案対応	組織や上司の方針に基づいて、具体的な方策・計画を立案し、又は国税関係業務についての十分な知識・技術や高い分析力に基づき、困難な事案に適切に対応することができる。
	三 判断	自ら処理すべき事案について、適切な判断を行うことができる。
	四 説明・調整・指導	担当する事案について論理的な説明や関係者との調整を行い、又は納税者に対して関係法令等を基に的確な説明・指導を行うとともに、税務署の職員に対し、的確な指示や助言を行うことができる。
	五 業務遂行	段取りや手順を整え、効率的に業務を進めることができる。
	六 部下の育成・活用	部下の指導、育成及び活用を行うことができる。

五　国税実査官	一　倫理	国民全体の奉仕者として、責任を持って業務に取り組むとともに、守秘義務や服務規律を遵守し、公正に職務を遂行することができる。
	二　課題対応	国税関係業務についての専門的知識・技術・分析力に基づき、課題に対応することができる。
	三　協調性	上司・部下や関係部署の担当者と協力的な関係を構築することができる。
	四　説明・指導	担当する事案について納税者に対して関係法令等を基に分かりやすい説明・指導を行うとともに、税務署の職員に対し、的確な指示や助言を行うことができる。
	五　業務遂行	計画的に粘り強く業務を進め、確実に業務を遂行することができる。
六　係員	一　倫理	国民全体の奉仕者として、責任を持って業務に取り組むとともに、守秘義務や服務規律を遵守し、公正に職務を遂行することができる。
	二　知識・技術	国税関係業務に必要な知識・技術を習得することができる。
	三　コミュニケーション	上司・同僚等と円滑かつ適切なコミュニケーションをとるとともに、納税者に対して誠実に対応することができる。
	四　業務遂行	意欲的に業務に取り組むことができる。

別表第三の四（第四条第四項関係）

標準的な官職	標準職務遂行能力	
一　所長	一　倫理	国民全体の奉仕者として、高い倫理感を有し、機関の課題に責任を持って取り組むとともに、守秘義務や服務規律を遵守し、公正に職務を遂行することができる。
	二　構想	本庁の方針に基づき、地域情勢を踏まえ、業務運営の基本的な方針を示すことができる。
	三　判断	機関の責任者として、適切な判断を行うことができる。
	四　説明・理解の確保	機関の業務について適切な説明を行うとともに、組織方針の実現に向け、対外的に機関を代表し、調整を行い、税務行政への理解と協力を得ることができる。
	五　業務運営	不断の業務見直しに率先して取り組むことができる。
	六　組織統率	組織統率を行い、組織目標の実現を図ることができる。
二　次長	一　倫理	国民全体の奉仕者として、担当分野の課題に責任を持って取り組むとともに、守秘義務や服務規律を遵守し、公正に職務を遂行することができる。
	二　構想	本庁等の方針に基づき、地域情勢を踏まえた実施方針を示すことができる。
	三　判断	所長を助ける者として、適切な判断を行うことができる。
	四　説明・理解の確保	担当分野の業務について適切な説明を行うとともに、組織方針の実現に向け、所長を助け、関係者と調整を行い、税務行政への理解と協力を得ることができる。

	五 業務運営	コスト意識を持って効率的に業務を進めることができる。
	六 組織統率	管轄する組織の業務運営に関し、的確な指示を行うとともに、部下を統率し、組織目標の実現を図ることができる。
三 課長	一 倫理	国民全体の奉仕者として、所管する業務の課題に責任を持って取り組むとともに、守秘義務や服務規律を遵守し、公正に職務を遂行することができる。
	二 組織目標の明示	組織方針に基づき、地域の実情や税務行政に対するニーズ等を踏まえた課の具体的な目標を示すことができる。
	三 判断	所管する事案について、適切な判断を行うことができる。
	四 説明・理解の確保	所管する事案について適切な説明を行うとともに、関係者の理解を得ることができる。
	五 業務運営	コスト意識を持って効率的に業務を進めることができる。
	六 組織統率・人材育成	適切に業務を配分した上、進捗管理を行い、

		組織目標の実現に貢献するとともに、部下の指導・育成を行うことができる。
四 主査	一 倫理	国民全体の奉仕者として、担当業務の第一線において責任を持って課題に取り組むとともに、守秘義務や服務規律を遵守し、公正に職務を遂行することができる。
	二 方策・計画の立案、事案対応	組織や上司の方針に基づいて、具体的な方策・計画を立案し、又は国税関係業務についての十分な知識・技術や高い分析力に基づき、困難な事案に適切に対応することができる。
	三 判断	自ら処理すべき事案について、適切な判断を行うことができる。
	四 説明・調整・指導	担当する事案について論理的な説明や関係者との調整を行い、又は納税者に対して関係法令等を基に的確な説明・指導を行うとともに、税務署の職員に対し、的確な指示や助言を行うことができる。
	五 業務遂行	段取りや手順を整え、

		効率的に業務を進めることができる。
	六 部下の育成・活用	部下の指導、育成及び活用を行うことができる。
五 国税実査官	一 倫理	国民全体の奉仕者として、責任を持って業務に取り組むとともに、守秘義務や服務規律を遵守し、公正に職務を遂行することができる。
	二 課題対応	国税関係業務についての専門的知識・技術・分析力に基づき、課題に対応することができる。
	三 協調性	上司・部下や関係部署の担当者と協力的な関係を構築することができる。
	四 説明・指導	担当する事案について納税者に対して関係法令等を基に分かりやすい説明・指導を行うとともに、税務署の職員に対し、的確な指示や助言を行うことができる。
	五 業務遂行	計画的に粘り強く業務を進め、確実に業務を遂行することができる。

六　係員	一　倫理	国民全体の奉仕者として、責任を持って業務に取り組むとともに、守秘義務や服務規律を遵守し、公正に職務を遂行することができる。
	二　知識・技術	国税関係業務に必要な知識・技術を習得することができる。
	三　コミュニケーション	上司・同僚等と円滑かつ適切なコミュニケーションをとるとともに、納税者に対して誠実に対応することができる。
	四　業務遂行	意欲的に業務に取り組むことができる。

別表第三の五（第四条第五項関係）

標準的な官職	標準職務遂行能力	
一　署長	一　倫理	国民全体の奉仕者として、機関の課題に責任を持って取り組むとともに、守秘義務や服務規律を遵守し、公正に職務を遂行することができる。
	二　執行方針の立案	本庁等の方針に基づき、的確な状況認識の下、業務の執行方針を示すことができる。
	三　判断	機関の責任者として、適切な判断を行うことができる。
	四　説明・理解の確保	機関の業務について適切な説明を行うとともに、対外的に機関を代表し、関係機関・関係団体等と信頼関係を構築し、税務行政への理解を得ることができる。
	五　業務運営	不断の業務見直しに率先して取り組むことができる。
	六　組織統率	組織統率を行い、組織目標の実現を図ることができる。
二　副署長	一　倫理	国民全体の奉仕者として、機関の課題に責任を持って取り組むとともに、守秘義務や服務規律を遵守し、公正に職務を遂行することができる。
	二　執行方針の立案	本庁等の方針に基づき、的確な状況認識の下、署長を助け、業務の執行方針を示すことができる。
	三　判断	署長を助ける者として、適切な判断を行うことができる。
	四　説明・理解の確保	機関の業務について適切な説明を行うとともに、署長を助け、関係機関・関係団体等と信頼関係を構築し、税務行政への理解を得ることができる。
	五　業務運営	コスト意識を持って効率的に業務を進めることができる。
	六　組織統率・人材育成	業務の進捗管理を行い、的確な指示をし、組織目標の実現を図るとともに、部下の指導・育成を行うことができる。
三　統括国税調査官	一　倫理	国民全体の奉仕者として、所管する業務の課題に責任を持って取り組むとともに、守秘義務や服務規律を遵守し、公正に職務を遂行することができる。
	二　方策・計画の立案、事案対応	組織や上司の方針に基づいて、具体的な方策・計画を立案するとともに、的確に状況を把握し、困難な事案に適切に対応することができる。
	三　判断	所管する業務の執行において、適切な判断を行うことができる。
	四　説明・理解の確保	納税者に対して適切な説明・指導を行うとともに、関係機関・関係

標準的な官職	標準職務遂行能力	
		団体の担当者等との信頼関係を構築することができる。
	五 業務運営	コスト意識を持って効率的に業務を進めることができる。
	六 組織統率・人材育成	業務の執行方針を徹底し、業務の管理を行うとともに、部下の指導・育成を行うことができる。
四 上席国税調査官	一 倫理	国民全体の奉仕者として、担当業務の第一線において責任を持って課題に取り組むとともに、守秘義務や服務規律を遵守し、公正に職務を遂行することができる。
	二 事案対応	国税関係業務についての十分な知識・技術及び分析力に基づき、担当する事案に適切に対応することができる。
	三 判断	自ら進めるべき業務の執行において、適切な判断を行うことができる。
	四 説明・指導	担当する業務の執行において納税者に対して関係法令等を基に論理的な説明・指導を行うことができる。
	五 業務遂行	段取りや手順を整え、粘り強く業務を進めることができる。
	六 部下の育成	部下等の指導及び育成を行うことができる。
五 国税調査官	一 倫理	国民全体の奉仕者として、責任を持って業務に取り組むとともに、守秘義務や服務規律を遵守し、公正に職務を遂行することができる。
	二 事案対応	国税関係業務についての知識・技術に基づき、事案に適切に対応することができる。
	三 協調性	上司・同僚等と協力的な関係を構築することができる。
	四 説明	担当する業務の執行において納税者に対して関係法令等を基に分かりやすい説明を行うことができる。
	五 業務遂行	法令、執行方針等に基づき、粘り強くかつ積極的に業務を遂行することができる。
六 係員	一 倫理	国民全体の奉仕者として、責任を持って業務に取り組むとともに、守秘義務や服務規律を遵守し、公正に職務を遂行することができる。
	二 知識・技術	国税関係業務に必要な知識・技術を習得することができる。
	三 コミュニケーション	上司・同僚等と円滑かつ適切なコミュニケーションをとるとともに、納税者に対して誠実に対応することができる。
	四 業務遂行	意欲的に業務に取り組むことができる。

別表第四（第五条関係）〔略〕

別表第五の一（第六条第一項関係）

標準的な官職	標準職務遂行能力	
一 室長	一 倫理	国民全体の奉仕者として、所管する業務の課題に責任を持って取り組むとともに、服務規律を遵守し、公正に職務を遂行することができる。
	二 構想	組織方針に基づき、行政ニーズを踏まえ、重点的に取り組むべき研究課題を示すことができる。
	三 知識・技術・説明	高度な専門的知識・技術や豊富な経験に基づき、困難な研究に関し

		合理的な分析・解釈及び論理的な説明を行うことができる。
	四 調整	円滑に業務が遂行できるよう関係者と調整を行い、合意を形成することができる。
	五 業務運営	コスト意識を持って効率的に業務を進めることができる。
	六 組織統率・人材育成	適切に業務を配分した上、進捗管理及び的確な指示を行い、成果を挙げるとともに、部下の指導・育成を行うことができる。
二 主任研究官	一 倫理	国民全体の奉仕者として、責任を持って課題に取り組むとともに、服務規律を遵守し、公正に職務を遂行することができる。
	二 企画・立案、研究の実施	組織や上司の方針に基づいて、取り組むべき研究に関する企画・立案を行うとともに、自ら業務の中核を担うことができる。
	三 知識・技術・説明	高度な専門的知識・技術に基づき、担当する研究に関し合理的な分析・解釈及び論理的な説明を行うことができる。
	四 調整	円滑に業務が遂行できるよう関係者と調整を行うことができる。
	五 業務遂行	段取りや手順を整え、効率的に業務を進めることができる。
	六 部下等の指導	部下等の指導を行うことができる。
三 研究官	一 倫理	国民全体の奉仕者として、責任を持って業務に取り組むとともに、服務規律を遵守し、公正に職務を遂行することができる。
	二 知識・技術、情報収集	担当業務に必要な専門的知識・技術を習得するとともに、業務に関係する情報を収集・整理することができる。
	三 解釈・説明	情報及びデータを合理的に分析・解釈するとともに、分かりやすい説明を行うことができる。
	四 協調性	上司・同僚等と協力的な関係を構築することができる。
	五 業務遂行	計画的に業務を進め、確実に業務を遂行することができる。

別表第五の二（第六条第二項関係）

標準的な官職	標準職務遂行能力	
一 総括研究官	一 倫理	国民全体の奉仕者として、高い倫理感を有し、研究部門の重要課題に責任を持って取り組むとともに、服務規律を遵守し、公正に職務を遂行することができる。
	二 構想	本府省等の方針及び行政ニーズを踏まえ、研究部門の業務運営の基本的な方針を示すことができる。
	三 知識・技術・統括・説明	高度な専門的知識・技術や豊富な経験に基づき、広範囲にわたる研究を統括し、合理的な分析・解釈及び論理的な説明を行うことができる。
	四 調整	対外的に研究部門を代表し、調整を行い、合意を形成することができる。
	五 業務運営	不断の業務見直しに率先して取り組むことができる。
	六 組織統率	指導力を発揮し、研究部門の統率を行い、成果を挙げることができる。

職	能力	標準職務遂行能力
二 部長	一 倫理	国民全体の奉仕者として、高い倫理感を有し、担当分野の課題に責任を持って取り組むとともに、服務規律を遵守し、公正に職務を遂行することができる。
	二 構想	本府省等の方針及び行政ニーズを踏まえ、重点的に取り組むべき研究課題を示すことができる。
	三 知識・技術・説明	高度な専門的知識・技術や豊富な経験に基づき、困難な研究に関し合理的な分析・解釈及び論理的な説明を行うことができる。
	四 調整	円滑に業務が遂行できるよう関係者と調整を行い、合意を形成することができる。
	五 業務運営	コスト意識を持って効率的に業務を進めることができる。
	六 組織統率・人材育成	組織の業務運営に関し、的確な指示を行い、成果を挙げるとともに、部下の指導・育成を行うことができる。
三 室長	一 倫理	国民全体の奉仕者として、所管する業務の課題に責任を持って取り組むとともに、服務規律を遵守し、公正に職務を遂行することができる。
	二 企画・立案	組織方針に基づき、取り組むべき研究に関する企画・立案を行うことができる。
	三 知識・技術・説明	高度な専門的知識・技術及び経験に基づき、所管する研究に関し合理的な分析・解釈及び論理的な説明を行うことができる。
	四 調整	円滑に業務が遂行できるよう関係者と調整を行い、合意を形成することができる。
	五 業務運営	コスト意識を持って効率的に業務を進めることができる。
	六 組織統率・人材育成	適切に業務を配分した上、進捗管理を行い、成果を挙げるとともに、部下の指導・育成を行うことができる。
四 主任研究官	一 倫理	国民全体の奉仕者として、責任を持って課題に取り組むとともに、服務規律を遵守し、公正に職務を遂行することができる。
	二 方策・計画の立案、研究の実施	組織や上司の方針に基づいて、具体的な方策・計画を立案するとともに、自ら業務の中核を担うことができる。
	三 知識・技術・説明	専門的知識・技術に基づき、担当する研究に関し合理的な分析・解釈及び論理的な説明を行うことができる。
	四 調整	円滑に業務が遂行できるよう関係者と調整を行うことができる。
	五 業務遂行	段取りや手順を整え、効率的に業務を進めることができる。
	六 部下等の指導	部下等の指導を行うことができる。
五 研究官	一 倫理	国民全体の奉仕者として、責任を持って業務に取り組むとともに、服務規律を遵守し、公正に職務を遂行することができる。
	二 知識・技術、情報収集	担当業務に必要な専門的知識・技術を習得するとともに、業務に関係する情報を収集・整理することができる。
	三 解釈・説明	情報及びデータを合理的に分析・解釈するとともに、分かりやすい

		説明を行うことができる。
	四 協調性	上司・部下等と協力的な関係を構築することができる。
	五 業務遂行	計画的に業務を進め、確実に業務を遂行することができる。
六 研究補助員	一 倫理	国民全体の奉仕者として、責任を持って業務に取り組むとともに、服務規律を遵守し、公正に職務を遂行することができる。
	二 知識・技術、情報収集	業務に必要な知識・技術を習得するとともに、業務に関係する情報を収集・整理することができる。
	三 コミュニケーション	上司・同僚等と円滑かつ適切なコミュニケーションをとることができる。
	四 業務遂行	意欲的に業務に取り組むことができる。

別表第六の一（第七条第一項関係）

標準的な官職	標準職務遂行能力	
一 部長	一 倫理	国民全体の奉仕者として、高い倫理感を有し、担当分野の課題に責任を持って取り組むとともに、服務規律を遵守し、公正に職務を遂行することができる。
	二 講義・指導、企画・立案	担当科目の講義・指導に必要な知識・技術及び豊富な経験に基づき、講義計画を立案し、適切に講義・指導を行うとともに、本府省等の方針及び業務に対するニーズを踏まえ、研修・教育カリキュラムを編成することができる。
	三 判断	担当分野の責任者として、適切な判断を行うことができる。
	四 調整	円滑に業務が遂行できるよう関係者と調整を行い、合意を形成することができる。
	五 業務運営	コスト意識を持って効率的に業務を進めることができる。
	六 組織統率・人材育成	適切に業務を配分した上、進捗管理及び的確な指示を行い、成果を挙げるとともに、部下の指導・育成を行うことができる。
二 教授	一 倫理	国民全体の奉仕者として、所管する業務の課題に責任を持って取り組むとともに、服務規律を遵守し、公正に職務を遂行することができる。
	二 講義・指導、企画・立案	担当科目の講義・指導に必要な知識・技術及び経験に基づき、講義計画を立案し、適切に講義・指導を行うとともに、研修・教育カリキュラムを立案することができる。
	三 判断	所管する事案について、適切な判断を行うことができる。
	四 調整	円滑に業務が遂行できるよう関係者と調整を行うことができる。
	五 業務運営	コスト意識を持って効率的に業務を進めることができる。
	六 部下の育成・活用	部下の指導、育成及び活用を行うことができる。
三 教官	一 倫理	国民全体の奉仕者として、責任を持って業務に取り組むとともに、服務規律を遵守し、公正に職務を遂行することができる。
	二 講義・指導	担当科目の講義・指導に必要な知識・技術に基づき、講義計画を立

		案し、適切に講義・指導を行うことができる。
	三 コミュニケーション	上司・同僚等と円滑かつ適切なコミュニケーションをとることができる。
	四 業務遂行	段取りや手順を整え、効率的に業務を進めることができる。
四 教育補助員	一 倫理	国民全体の奉仕者として、責任を持って業務に取り組むとともに、服務規律を遵守し、公正に職務を遂行することができる。
	二 講義・指導	担当業務に必要な知識・技術を習得し、教官を助け、適切に講義・指導を行うことができる。
	三 コミュニケーション	上司・同僚等と円滑かつ適切なコミュニケーションをとることができる。
	四 業務遂行	意欲的に業務に取り組むことができる。

別表第六の二（第七条第二項関係）〔略〕

別表第七の一（第八条第一項関係）

標準的な官職	標準職務遂行能力	
一 部長	一 倫理	医師としての責任を自覚しつつ、高い倫理感を有し、部の課題に責任を持って取り組むとともに、服務規律を遵守し、国民全体の奉仕者として、公正に職務を遂行することができる。
	二 構想	本省等の方針に基づき、業務に対するニーズを踏まえ、業務運営の方針を示すことができる。
	三 知識・技術・診療	高度な医学的知識・技術及び豊富な経験に基づき、困難な症例について、適切な診療を行うことができる。
	四 判断	部の責任者として、適切な判断を行うことができる。
	五 調整	円滑に診療業務を遂行できるよう関係者と調整を行い、合意を形成することができる。
	六 組織統率	医療業務の運営に関し、的確な指示を行い、成果を挙げるとともに、部下の指導・育成を行うことができる。
二 課長	一 倫理	医師としての責任を自覚しつつ、所管する業務の課題に責任を持って取り組むとともに、服務規律を遵守し、国民全体の奉仕者として、公正に職務を遂行することができる。
	二 知識・技術・診療	高度な医学的知識・技術及び経験に基づき、困難な症例について、適切な診療を行うことができる。
	三 判断	所管する事案について、適切な判断を行うことができる。
	四 調整	円滑に診療業務を遂行できるよう関係者と調整を行い、合意を形成することができる。
	五 組織統率・人材育成	適切に業務を配分した上、業務の実施状況を管理し、成果を挙げるとともに、部下の指導・育成を行うことができる。
三 医長	一 倫理	医師としての責任を自覚しつつ業務に取り組むとともに、服務規律を遵守し、国民全体の奉仕者として、公正に職務を遂行することができる。
	二 知識・技術・診療	医学的知識・技術及び経験に基づき、困難な症例について、適切な

		診療を行うことができる。
	三　信頼関係の構築	上司・部下・関係部署等との信頼関係を構築することができる。
	四　患者等への説明・指導	患者やその家族等と円滑かつ適切なコミュニケーションをとり、分かりやすい説明・指導を行うことができる。
	五　部下の育成・活用	部下の指導、育成及び活用を行うことができる。
四　医師	一　倫理	医師としての責任を自覚しつつ業務に取り組むとともに、服務規律を遵守し、国民全体の奉仕者として、公正に職務を遂行することができる。
	二　知識・技術・診療	医学的知識・技術に基づき、適切な診療を行うことができる。
	三　協調性	上司・同僚等と協力的な関係を構築することができる。
	四　患者等への説明・指導	患者やその家族等と円滑かつ適切なコミュニケーションをとり、分かりやすい説明・指導を行うことができる。

別表第七の二（第八条第二項関係）〔略〕

別表第八（第九条関係）

標準的な官職	標準職務遂行能力	
一　部長	一　倫理	薬剤師としての責任を自覚しつつ、高い倫理感を有し、部の課題に責任を持って取り組むとともに、服務規律を遵守し、国民全体の奉仕者として、公正に職務を遂行することができる。
	二　構想	本省等の方針に基づき、業務に対するニーズを踏まえ、業務運営の方針を示すことができる。
	三　知識・技術・業務遂行	薬剤に関する業務についての十分な専門的知識・技術及び豊富な経験に基づき、迅速かつ適切に業務を行うことができる。
	四　判断	部の責任者として、適切な判断を行うことができる。
	五　調整	円滑に業務を遂行できるよう関係者と調整を行い、合意を形成することができる。
	六　組織統率	業務の運営に関し、的確な指示を行い、成果を挙げるとともに、部下の指導・育成を行うことができる。
二　副部長	一　倫理	薬剤師としての責任を自覚しつつ、部の課題に責任を持って取り組むとともに、服務規律を遵守し、国民全体の奉仕者として、公正に職務を遂行することができる。
	二　知識・技術・業務遂行	薬剤に関する業務についての十分な専門的知識・技術及び経験に基づき、部長を助け、迅速かつ適切に業務を行うことができる。
	三　判断	部長を助ける者として、適切な判断を行うことができる。
	四　連携の確保	関係者との信頼関係を構築し、連携して事案に対応することができる。
	五　組織統率・人材育成	適切に業務を配分した上、業務の実施状況を管理し、成果を挙げるとともに、部下の指導・育成を行うことができる。
三　主任薬剤師	一　倫理	薬剤師としての責任を自覚しつつ業務に取り組むとともに、服務規律を遵守し、国民全体の奉仕者として、公正に職務を遂行すること

		ができる。
	二 知識・技術・業務遂行	薬剤に関する業務についての専門的知識・技術に基づき、迅速かつ適切に業務を行うことができる。
	三 協調性	上司・部下等と協力的な関係を構築することができる。
	四 患者等への説明・指導	患者やその家族等と円滑かつ適切なコミュニケーションをとり、分かりやすい説明・指導を行うことができる。
	五 部下の育成・活用	部下の指導、育成及び活用を行うことができる。
四 薬剤師	一 倫理	薬剤師としての責任を自覚しつつ業務に取り組むとともに、服務規律を遵守し、国民全体の奉仕者として、公正に職務を遂行することができる。
	二 知識・技術・業務遂行	薬剤に関する業務についての専門的知識・技術に基づき、適切に業務を行うことができる。
	三 コミュニケーション	上司・同僚等と円滑かつ適切なコミュニケーションをとることができる。
	四 患者等への説明・指導	患者やその家族等と円滑かつ適切なコミュニケーションをとり、説明・指導を行うことができる。

別表第九（第十条関係）

標準的な官職	標準職務遂行能力	
一 室長	一 倫理	栄養士としての責任を自覚しつつ、所管する業務の課題に責任を持って取り組むとともに、服務規律を遵守し、国民全体の奉仕者として、公正に職務を遂行することができる。
	二 知識・技術・業務遂行	栄養に関する業務についての十分な専門的知識・技術及び豊富な経験に基づき、迅速かつ適切に業務を行うことができる。
	三 判断	所管する事案について、適切な判断を行うことができる。
	四 調整	円滑に業務を遂行できるよう関係者と調整を行い、合意を形成することができる。
	五 組織統率・人材育成	適切に業務を配分した上、業務の実施状況を管理し、成果を挙げるとともに、部下の指導・育成を行うことができる。
二 係長	一 倫理	栄養士としての責任を自覚しつつ業務に取り組むとともに、服務規律を遵守し、国民全体の奉仕者として、公正に職務を遂行することができる。
	二 知識・技術・業務遂行	栄養に関する業務についての専門的知識・技術及び経験に基づき、室長を助け、迅速かつ適切に業務を行うことができる。
	三 信頼関係の構築	上司・部下・関係部署等との信頼関係を構築することができる。
	四 患者等への説明・指導	患者やその家族等と円滑かつ適切なコミュニケーションをとり、分かりやすい説明・指導を行うことができる。
	五 部下の育成・活用	部下の指導・育成及び活用を行うことができる。
三 主任栄養士	一 倫理	栄養士としての責任を自覚しつつ業務に取り組むとともに、服務規律を遵守し、国民全体の奉仕者として、公正に職務を遂行すること

		ができる。
	二　知識・技術・業務遂行	栄養に関する業務についての専門的知識・技術に基づき、迅速かつ適切に業務を行うことができる。
	三　協調性	上司・部下等と協力的な関係を構築することができる。
	四　患者等への説明・指導	患者やその家族等と円滑かつ適切なコミュニケーションをとり、分かりやすい説明・指導を行うことができる。
	五　部下の育成	部下の指導・育成を行うことができる。
四　栄養士	一　倫理	栄養士としての責任を自覚しつつ業務に取り組むとともに、服務規律を遵守し、国民全体の奉仕者として、公正に職務を遂行することができる。
	二　知識・技術・業務遂行	栄養に関する業務についての専門的知識・技術に基づき、適切に業務を行うことができる。
	三　コミュニケーション	上司・同僚等と円滑かつ適切なコミュニケーションをとることができる。
	四　患者等への説明・指導	患者やその家族等と円滑かつ適切なコミュニケーションをとり、説明・指導を行うことができる。

別表第十（第十一条関係）

標準的な官職	標準職務遂行能力	
一　技師長	一　倫理	医療技術に関する業務に従事する者としての責任を自覚しつつ、所管する業務の課題に責任を持って取り組むとともに、服務規律を遵守し、国民全体の奉仕者として、公正に職務を遂行することができる。
	二　知識・技術・業務遂行	医療技術に関する業務についての十分な専門的知識・技術及び豊富な経験に基づき、迅速かつ適切に業務を行うことができる。
	三　判断	所管する事案について、適切な判断を行うことができる。
	四　調整	円滑に業務を遂行できるよう関係者と調整を行い、合意を形成することができる。
	五　組織統率・人材育成	適切に業務を配分した上、業務の実施状況を管理し、成果を挙げるとともに、部下の指導・育成を行うことができる。
二　副技師長	一　倫理	医療技術に関する業務に従事する者としての責任を自覚しつつ業務に取り組むとともに、服務規律を遵守し、国民全体の奉仕者として、公正に職務を遂行することができる。
	二　知識・技術・業務遂行	医療技術に関する業務についての専門的知識・技術及び経験に基づき、技師長を助け、迅速かつ適切に業務を行うことができる。
	三　信頼関係の構築	上司・部下・関係部署等との信頼関係を構築することができる。
	四　患者等への説明・指導	患者やその家族等と円滑かつ適切なコミュニケーションをとり、分かりやすい説明・指導を行うことができる。
	五　部下の育成・活用	部下の指導、育成及び活用を行うことができる。
三　主任技師	一　倫理	医療技術に関する業務に従事する者としての責任を自覚しつつ業務に取り組むとともに、服務規律を遵守し、国

		民全体の奉仕者として、公正に職務を遂行することができる。
	二　知識・技術・業務遂行	医療技術に関する業務についての専門的知識・技術に基づき、迅速かつ適切に業務を行うことができる。
	三　協調性	上司・部下等と協力的な関係を構築することができる。
	四　患者等への説明・指導	患者やその家族等と円滑かつ適切なコミュニケーションをとり、分かりやすい説明・指導を行うことができる。
	五　部下の育成	部下の指導・育成を行うことができる。
四　技師	一　倫理	医療技術に関する業務に従事する者としての責任を自覚しつつ業務に取り組むとともに、服務規律を遵守し、国民全体の奉仕者として、公正に職務を遂行することができる。
	二　知識・技術・業務遂行	医療技術に関する業務についての専門的知識・技術に基づき、適切に業務を行うことができる。
	三　コミュニケーション	上司・同僚等と円滑かつ適切なコミュニケーションをとることができる。
	四　患者等への説明・指導	患者やその家族等と円滑かつ適切なコミュニケーションをとり、説明・指導を行うことができる。

別表第十一（第十二条関係）

標準的な官職	標準職務遂行能力	
一　部長	一　倫理	看護に関する業務に従事する者としての責任を自覚しつつ、高い倫理感を有し、部の課題に責任を持って取り組むとともに、服務規律を遵守し、国民全体の奉仕者として、公正に職務を遂行することができる。
	二　構想	本省等の方針に基づき、業務に対するニーズを踏まえ、業務運営の方針を示すことができる。
	三　知識・技術・業務遂行	看護に関する業務についての十分な専門的知識・技術及び豊富な経験に基づき、迅速かつ適切に業務を行うことができる。
	四　判断	部の責任者として、適切な判断を行うことができる。
	五　調整	円滑に業務を遂行できるよう関係者と調整を行い、合意を形成することができる。
	六　組織統率	看護業務の運営に関し、的確な指示を行い、成果を挙げるとともに、部下の指導・育成を行うことができる。
二　副部長	一　倫理	看護に関する業務に従事する者としての責任を自覚しつつ、部の課題に責任を持って取り組むとともに、服務規律を遵守し、国民全体の奉仕者として、公正に職務を遂行することができる。
	二　知識・技術・業務遂行	看護に関する業務についての十分な専門的知識・技術及び経験に基づき、部長を助け、迅速かつ適切に業務を行うことができる。
	三　判断	部長を助ける者として、適切な判断を行うことができる。
	四　連携の確保	関係者との信頼関係を構築し、連携して事案に対応することができる。

	五 組織統率・人材育成	適切に業務を配分した上、業務の実施状況を管理し、成果を挙げるとともに、部下の指導・育成を行うことができる。
三 看護師長	一 倫理	看護に関する業務に従事する者としての責任を自覚しつつ業務に取り組むとともに、服務規律を遵守し、国民全体の奉仕者として、公正に職務を遂行することができる。
	二 知識・技術・業務遂行	看護に関する業務についての専門的知識・技術及び経験に基づき、迅速かつ適切に業務を行うことができる。
	三 信頼関係の構築	上司・部下・関係部署等との信頼関係を構築し、連携して事案に対応することができる。
	四 患者等への説明・指導	患者やその家族等と円滑かつ適切なコミュニケーションをとり、分かりやすい説明・指導を行うことができる。
	五 部下の育成・活用	部下の指導、育成及び活用を行うことができる。
四 副看護師長	一 倫理	看護に関する業務に従事する者としての責任を自覚しつつ業務に取り組むとともに、服務規律を遵守し、国民全体の奉仕者として、公正に職務を遂行することができる。
	二 知識・技術・業務遂行	看護に関する業務についての専門的知識・技術に基づき、迅速かつ適切に業務を行うことができる。
	三 協調性	上司・部下等と協力的な関係を構築することができる。
	四 患者等への説明・指導	患者やその家族等と円滑かつ適切なコミュニケーションをとり、分かりやすい説明・指導を行うことができる。
	五 部下の育成	部下の指導・育成を行うことができる。
五 看護師	一 倫理	看護に関する業務に従事する者としての責任を自覚しつつ業務に取り組むとともに、服務規律を遵守し、国民全体の奉仕者として、公正に職務を遂行することができる。
	二 知識・技術・業務遂行	看護に関する業務についての専門的知識・技術に基づき、適切に業務を行うことができる。
	三 コミュニケーション	上司・同僚等と円滑かつ適切なコミュニケーションをとることができる。
	四 患者等への説明・指導	患者やその家族等と円滑かつ適切なコミュニケーションをとり、説明・指導を行うことができる。

別表第十二（第十三条関係）～**別表第十四の二**（第十五条第二項関係）〔略〕

別表第十五（第十六条関係）

標準的な官職	標準職務遂行能力	
一 職長	一 倫理	国民全体の奉仕者として、責任を持って業務に取り組むとともに、服務規律を遵守し、公正に職務を遂行することができる。
	二 知識・技能・業務遂行	担当業務についての知識・技能及び経験に基づき、的確に業務を遂行することができる。
	三 協調性	部下等と協力的な関係を構築することができる。
	四 業務管理	適切に作業の割り振りを行い、効率的に業務を進めるとともに、部下等に対する指導又は

二 係員		関係者との適切な連絡調整を行うことができる。
	一 倫理	国民全体の奉仕者として、責任を持って業務に取り組むとともに、服務規律を遵守し、公正に職務を遂行することができる。
	二 知識・技能	業務に必要な知識・技能を習得することができる。
	三 コミュニケーション	上司・同僚等と円滑かつ適切なコミュニケーションをとることができる。
	四 業務遂行	意欲的に業務に取り組むことができる。

別表第十六の一（第十七条第一号関係）

標準的な官職	標準職務遂行能力	
一 船長	一 倫理	国民全体の奉仕者として、担当業務の課題に責任を持って取り組むとともに、服務規律を遵守し、公正に職務を遂行することができる。
	二 執行方針の立案	本省等の方針に基づき、的確な状況認識の下、業務の執行方針を示すことができる。
	三 知識・技術・判断・指示	十分な専門的知識・技術及び豊富な経験に基づき、組織の責任者として、現場の状況に応じ、適切な判断・指示を行うことができる。
	四 連携の確保	対外的に組織を代表して、関係者と連携して事案に対応することができるよう、信頼関係を構築することができる。
	五 業務運営	不断の業務見直しに率先して取り組むことができる。
	六 組織統率	組織統率を行い、成果を挙げることができる。
二 一等航海士	一 倫理	国民全体の奉仕者として、責任を持って業務に取り組むとともに、服務規律を遵守し、公正に職務を遂行することができる。
	二 知識・技術・状況把握	担当業務についての専門的知識・技術及び経験に基づき、的確に状況を把握することができる。
	三 連携の確保	船長を助け、関係者との信頼関係を構築し、連携して事案に対応することができる。
	四 業務運営	コスト意識を持って効率的に業務を進めることができる。
	五 組織統率・人材育成	業務の執行方針を徹底し、部下を指揮・統率して成果を挙げるとともに、部下の指導・育成を行うことができる。
三 二等航海士	一 倫理	国民全体の奉仕者として、責任を持って業務に取り組むとともに、服務規律を遵守し、公正に職務を遂行することができる。
	二 知識・技術・状況把握	担当業務についての専門的知識・技術に基づき、的確に状況を把握することができる。
	三 報告・連絡・説明	上司等との間で適切な状況報告・連絡等を行うとともに、上司の指示を部下に徹底することができ、関係者に対し、分かりやすい説明・指導を行うことができる。
	四 業務遂行	迅速かつ的確に担当業務を遂行することができる。
四 航海士	一 倫理	国民全体の奉仕者として、責任を持って業務に取り組むとともに、服務規律を遵守し、公

		正に職務を遂行することができる。
	二　知識・技術・状況把握	担当業務についての専門的知識・技術に基づき、的確に状況を把握することができる。
	三　報告・連絡	上司等との間で適切な状況報告・連絡等を行うとともに、上司の指示を部下に徹底することができる。
	四　業務遂行	的確に担当業務を遂行することができる。
五　甲板長	一　倫理	国民全体の奉仕者として、責任を持って業務に取り組むとともに、服務規律を遵守し、公正に職務を遂行することができる。
	二　知識・技能・業務遂行	担当業務についての知識・技能及び経験に基づき、的確に業務を遂行することができる。
	三　報告・連絡	上司等との間で適切な状況報告・連絡等を行うとともに、上司の指示を部下に徹底することができる。
	四　業務管理	適切に作業の割り振りを行い、効率的に業務を進めるとともに、部下の指導を行うことができる。

六　甲板次長	一　倫理	国民全体の奉仕者として、責任を持って業務に取り組むとともに、服務規律を遵守し、公正に職務を遂行することができる。
	二　知識・技能・業務遂行	担当業務についての知識・技能に基づき、的確に業務を遂行することができる。
	三　報告・連絡	上司等との間で適切な状況報告・連絡等を行うとともに、上司の指示を部下に徹底することができる。
	四　部下の指導	部下の指導を行うことができる。
七　甲板員	一　倫理	国民全体の奉仕者として、責任を持って業務に取り組むとともに、服務規律を遵守し、公正に職務を遂行することができる。
	二　知識・技能	業務に必要な知識・技能を習得することができる。
	三　報告・連絡	上司・同僚等との間で適切な状況報告・連絡等を行うことができる。
	四　業務遂行	意欲的に業務に取り組むことができる。

別表第十六の二（第十七条第二号関係）**・別表第十六の三**（第十七条第三号関係）〔略〕

別表第十七（第十八条関係）

標準的な官職	標準職務遂行能力	
一　高度分析交渉官	一　倫理	国民全体の奉仕者として、高い倫理感を有し、責任を持って重要課題に取り組むとともに、服務規律を遵守し、公正に職務を遂行することができる。
	二　情報の収集	組織方針の実現に向け、特定の行政分野において重要な関係にある者等との信頼関係を構築し、連携を確保した上で、質の高い情報を収集することができる。
	三　知識・技術	特定の行政分野の重要課題について、極めて高度な専門的知識及び豊富な経験等に基づき、困難な調査、研究、分析等を行うことができる。
	四　助言・提言・調整	特定の行政分野の重要課題について、的確な助言・提言や必要となる困難な調整等を行うことにより、部局を横断する重要課題等に係

		る政策の企画・立案等を支援することができる。
	五 業務遂行	コスト意識を持って効率的に業務を遂行することができる。
二 分析官	一 倫理	国民全体の奉仕者として、責任を持って課題に取り組むとともに、服務規律を遵守し、公正に職務を遂行することができる。
	二 知識・技術	特定の行政分野における高度な専門的知識及び経験に基づき、調査、研究、情報の収集及び分析等を行うことができる。
	三 助言・提言	調査、研究、情報の分析等の結果に基づき、適切な助言・提言等を行い、施策の企画・立案等を支援することができる。
	四 業務遂行	段取りや手順を整え、効率的に業務を遂行することができる。

別表第十八（第十九条関係）～**別表第三十**（第三十一条関係）〔略〕

○採用試験の対象官職及び種類並びに採用試験により確保すべき人材に関する政令

平二六・五・二九
政令一九二

最終改正 令四・七・二九政令二五七

（採用試験における対象官職）

第一条 国家公務員法（以下「法」という。）第四十五条の二第一項第一号の政令で定める官職は、法第三十六条に規定する係員の官職（次項において「係員の官職」という。）のうち、次に掲げるものとする。

一 専門的な知識又は技能に基づいて行う工業所有権に関する審査の事務をその職務の主たる内容とする官職

二 専門的な知識又は技能に基づいて行う海事に関する試験又は検査の事務をその職務の主たる内容とする官職

三 独立行政法人通則法（平成十一年法律第百三号）第二条第四項に規定する行政執行法人における印刷又は造幣に関する業務の運営又は管理の事務をその職務の主たる内容とする官職

2 法第四十五条の二第一項第三号の政令で定める官職は、係員の官職のうち、次に掲げるものとする。

一 天皇及び皇后、皇太子その他の皇族の護衛、皇居及び御所の警備その他の皇宮警察の分野に係る専門的な知識を必要とする事務をその職務の主たる内容とする官職

二 懲役、禁錮又は拘留の刑の執行のため拘置される者等の収容及び刑事施設（これに附置された労役場及び監置場を含む。）における被収容者等の処遇並びに刑事施設の警備の分野に係る専門的な知識を必要とする事務をその職務の主たる内容とする官職

三 次に掲げるいずれかの分野に係る専門的な知識を必要とする事務をその職務の主たる内容とする官職

イ 少年鑑別所における鑑別及び刑事施設における受刑者の資質の調査に関する分野

ロ 少年院における在院者の矯正教育その他の処遇、少年鑑別所における在所者の観護処遇並びに刑事施設における受刑者の改善指導及び教科指導に関する分野

ハ 保護観察、調査、生活環境の調整その他犯罪をした者及び非行のある少年の更生保護並びに犯罪の予防に関する分野

四 入国、上陸及び在留に関する違反事件の調査並びに収容令書及び退去強制令書の執行を受ける者の収容、護送及び送還の分野に係る専門的な知識を必要とする事務をその職務の主たる内容とする官職

五 外交領事事務（これと直接関連する業務を含む。別表外務省専門職員採用試験の項下欄第一号において同じ。）の分野に係る特定の国、地域又は業務についての専門的な知識及び特定の外国語の能力を必要とする事務をその職務の主たる内容とする官職

六 財務局及び沖縄総合事務局における国の予算の執行に関する実地監査、国有財産の管理及び処分並びに金融機関の検査その他の監督の分野に係る専門的な知識を必要とする事務をその職務の主たる内容と

する官職

七　内国税の賦課及び徴収、酒類業の発達並びに税理士業務の運営の分野に係る専門的な知識を必要とする事務をその職務の主たる内容とする官職

八　販売の用に供し、又は営業上使用する食品衛生法（昭和二十二年法律第二百三十三号）第四条第一項、第二項、第四項若しくは第五項に規定する食品、添加物、器具若しくは容器包装又は同法第六十八条第一項に規定するおもちゃの輸入に際して検疫所において行う検査及び指導の分野に係る専門的な知識を必要とする事務をその職務の主たる内容とする官職

九　労働基準法（昭和二十二年法律第四十九号）、労働安全衛生法（昭和四十七年法律第五十七号）その他の労働条件、産業安全、労働衛生及び労働者の保護に関する法令に基づいて行う検査その他の監督の分野に係る専門的な知識を必要とする事務をその職務の主たる内容とする官職

十　航空交通管制の分野に係る専門的な知識を必要とする事務をその職務の主たる内容とする官職

十一　航空保安大学校において航空保安業務の分野（航空交通管制の分野を除く。別表航空保安大学校学生採用試験の項下欄第一号及び第二号において同じ。）に係る業務を遂行するに必要な知識及び技能を修得するための専門的な知識を必要とする事務をその職務の主たる内容とする官職

十二　気象大学校において気象業務の分野に係る業務を遂行するに必要な知識及び技能を修得するための専門的な知識を必要とする事務をその職務の主たる内容とする官職

十三　海上保安業務の分野に係る専門的な知識を必要とする事務をその職務の主たる内容とする官職

十四　海上保安大学校において海上保安業務の分野に係る業務を遂行するに必要な知識及び技能を修得するための専門的な知識を必要とする事務をその職務の主たる内容とする官職

十五　海上保安学校において海上保安業務の分野に係る業務を遂行するに必要な知識及び技能を修得するための専門的な知識を必要とする事務をその職務の主たる内容とする官職

3　法第四十五条の二第一項第四号の政令で定める官職は、法第三十四条第二項に規定する標準的な官職が係長若しくは課長補佐である職制上の段階に属する官職又はこれらに準ずるものとして内閣官房令で定める官職のうち、民間企業における実務の経験その他これに類する経験を通じて効率的かつ機動的な業務遂行の手法その他の知識又は技能を体得している者を採用してその職務に従事させることにより行政運営の活性化その他公務の能率的運営に資することが期待されるものとして内閣官房令で定める官職（以下「実務経験等活用官職」という。）とする。

4　内閣総理大臣は、前項の内閣官房令を定めようとするときは、あらかじめ、関係する任命権者（法第五十五条第一項に規定する任命権者及び法律で別に定められた任命権者をいう。次条第五項において同じ。）と協議するものとする。

（一定の範囲の知識等を有する者）

第二条　法第四十五条の二第二項第一号の一定の範囲の知識、技術その他の能力（以下この条において「知識等」という。）を有する者として政令で定めるものは、次に掲げるそれぞれの者とする。

一　学校教育法（昭和二十二年法律第二十六号）に基づく大学院の課程を修了した者若しくは同法に基づく専門職大学院の課程を修了した者又はこれらの者と同程度の知識等を有する者（第四項及び別表総合職試験の項中欄において「院卒程度の者」という。）

二　学校教育法に基づく大学（短期大学を除く。）を卒業した者又はこれらの者と同程度の知識等を有する者（以下この条及び別表において「大卒程度の者」という。）

2　法第四十五条の二第二項第二号の一定の範囲の知識等を有する者として政令で定めるものは、次に掲げるそれぞれの者とする。

一　大卒程度の者

二　学校教育法に基づく高等学校を卒業した者又はこれらの者と同程度の知識等を有する者（次項及び別表において「高卒程度の者」という。）

3　法第四十五条の二第二項第三号の一定の範囲の知識等を有する者として政令で定めるものは、次の各号に掲げる行政分野に応じ、当該各号に定める者とする。

一　前条第二項第一号、第七号又は第十三号から第十五号までに規定する分野　次のイ又はロに掲げるそれぞれの者

イ　大卒程度の者

ロ　高卒程度の者

二　前条第二項第三号、第五号、第六号又は第八号から第十号までに規定する分野　大卒程度の者

三　前条第二項第二号、第四号、第十一号又は第十二号に規定する分野　高卒程度の者

4　法第四十五条の二第二項第四号の一定の範囲の知識等を有する者として政令で定めるものは、実務経験等

活用官職ごとに、次の各号に掲げる者のいずれかのうち内閣官房令で定めるものとする。
一 院卒程度の者
二 大卒程度の者
三 院卒程度の者又は大卒程度の者
5 内閣総理大臣は、前項の内閣官房令を定めようとするときは、あらかじめ、関係する任命権者と協議するものとする。

（採用試験により確保すべき人材）
第三条 採用試験（法第三十九条第二号に規定する採用試験をいう。以下この条及び別表において同じ。）においては、国民全体の奉仕者として、国民の立場に立ち、高い気概、使命感及び倫理感を持って、多様な知識及び経験に基づくとともに幅広い視野に立って行政課題に的確かつ柔軟に対応し、国民の信頼に足る民主的かつ能率的な行政の総合的な推進を担う職員となることができる知識及び技能、能力並びに資質を有する者を確保するものとし、かつ、別表の上欄に掲げる競争試験であって、同表の中欄に掲げる者ごとに行うそれぞれの採用試験においては、当該それぞれの採用試験に応じて同表の下欄に掲げる事項に該当する者を確保するものとする。

（人事院への意見聴取）
第四条 第一条第三項、第二条第四項及び別表実務経験等活用官職に係る経験者採用試験の項下欄の内閣官房令は、人事院の意見を聴いて定めるものとする。

附 則
この政令は、国家公務員法等の一部を改正する法律（平成二十六年法律第二十二号）の施行の日（平成二十六年五月三十日）から施行する。

別表（第三条関係）

総合職試験	院卒程度の者	一　人文科学、社会科学又は自然科学のいずれかの分野における特定の専門領域に関する知識又は技術及びその関連領域における知識を備えるとともに、これらに係る応用能力を備えていること。 二　困難な課題を解決できる論理的な思考力、判断力、表現力その他総合的かつ高度な能力並びに適切かつ効果的に説明及び討議を行う能力を備えていること。 三　前二号に掲げる事項の基盤となる基礎的な外国語の能力を備えていること。 四　採用後の研修又は職務経験を通じて第一号に規定する特定の専門領域に関する知識又は技術及びその関連領域における知識並びに前三号に規定する能力の向上が見込まれること。 五　前各号に掲げるもののほか、採用試験の種類の全てを通じて備えているべき知識、能力等を備えていること。
	大卒程度の者	一　人文科学、社会科学若しくは自然科学のいずれかの分野における特定の専門領域に関する知識若しくは技術及びその関連領域における知識又は幅広い教養を備えていること。 二　困難な課題を解決できる論理的な思考力、判断力、表現力その他総合的な能力又は適切かつ効果的に説明及び討議を行う能力を備えていること。 三　前二号に掲げる事項の基盤となる基礎的な外国語の能力を備えていること。 四　採用後の研修又は職務経験を通じて第一号に規定する特定の専門領域に関する知識若しくは技術及びその関連領域における知識又は同号に規定する教養並びに前二号に規定する能力の向上が見込まれること。 五　前各号に掲げるもののほか、採用試験の種類の全てを通じて備えているべき知識、能力等を備えていること。
一般職試験	大卒程度の者	一　人文科学、社会科学又は自然科学のいずれかの分野における特定の専門領域に関する知識又は技術及びその関連領域における知識を備えていること。 二　課題を解決できる論理的な思考力、判断力及び表現力を備えていること。 三　採用後の研修又は職務経験を通じて第一号に規定する特定の専門領域に関する知識又は技術及びその関連領域における知識並びに前号に規定する論理的な思考力、判断力及び表現力の向上が見込まれること。 四　前三号に掲げるもののほか、採用試験の種類の全てを通じて備えているべき知識、能力等を備えていること。
	高卒程度の者	一　自然科学の分野における特定の専門領域に関する基礎的な技術又は論理的な思考力及び表現力並びに基礎的な課題を正確かつ迅速に処理することができる能力を備えていること。 二　採用後の研修又は職務経験を通じて前号に規定する技術又は同号に規定する論理的な思考力及び表現力並びに基礎的な課題を正確かつ迅速に処理することができる能力の向上が見込まれること。 三　前二号に掲げるもののほか、採用試験の種類の全てを通じて備えているべき知識、能力等を備えていること。
皇宮護衛官採用試験	大卒程度の者	一　社会経済情勢に関する知識を備えていること。 二　状況に応じて課題を解決できる論理的な思考力、判断力及び表現力を備えていること。 三　採用後の研修又は職務経験を通じて第一号に規定する知識並びに前号に規定する論理的な思考力、判断力及び表現力の向上が見込まれること。 四　職務を適切に遂行することができる身体の状況にあること及び職務を遂行する上で求められる体力を備えていること。 五　前各号に掲げるもののほか、採用試験の種類の全てを通じて備えているべき知識、能力等を備えていること。
	高卒程度の者	一　論理的な思考力及び表現力を備えていること。 二　採用後の研修又は職務経験を通じて前号に規定する論理的な思考力及び表現力の向上が見込まれること。 三　職務を適切に遂行することができる身体の状況にあること及び職務を遂行する上で求められる体力を備えていること。 四　前三号に掲げるもののほか、採用試験の種類の全てを通じて備え

		ているべき知識、能力等を備えていること。
刑務官採用試験	高卒程度の者	一 論理的な思考力及び表現力を備えていること。 二 採用後の研修又は職務経験を通じて前号に規定する論理的な思考力及び表現力の向上が見込まれること。 三 職務を適切に遂行することができる身体の状況にあること及び職務を遂行する上で求められる体力又は武道の技術を備えていること。 四 前三号に掲げるもののほか、採用試験の種類の全てを通じて備えているべき知識、能力等を備えていること。
法務省専門職員採用試験	大卒程度の者	一 矯正処遇又は保護観察の分野における心理学、教育学又は社会学の知識を備えていること。 二 課題を解決できる論理的な思考力、判断力及び表現力を備えていること。 三 採用後の研修又は職務経験を通じて第一号に規定する知識並びに前号に規定する論理的な思考力、判断力及び表現力の向上が見込まれること。 四 第一条第二項第三号イ又はロに掲げる分野に係る専門的な知識を必要とする事務をその職務の主たる内容とする官職にあっては、職務を適切に遂行することができる身体の状況にあること。 五 前各号に掲げるもののほか、採用試験の種類の全てを通じて備えているべき知識、能力等を備えていること。
入国警備官採用試験	高卒程度の者	一 論理的な思考力及び表現力を備えていること。 二 採用後の研修又は職務経験を通じて前号に規定する論理的な思考力及び表現力の向上が見込まれること。 三 職務を適切に遂行することができる身体の状況にあること及び職務を遂行する上で求められる体力を備えていること。 四 前三号に掲げるもののほか、採用試験の種類の全てを通じて備えているべき知識、能力等を備えていること。
外務省専門職員採用試験	大卒程度の者	一 外交領事事務に関する分野における社会経済情勢に関する知識並びに国際法規に関する知識及びこれに関連する知識を備えていること。 二 特定の外国語の能力並びに課題を解決できる論理的な思考力、判断力及び表現力を備えていること。 三 採用後の研修又は職務経験を通じて第一号に規定する知識並びに前号に規定する特定の外国語の能力並びに課題を解決できる論理的な思考力、判断力及び表現力の向上が見込まれること。 四 第二号の特定の外国語以外の外国語の能力を必要に応じて習得する意欲を備えていること。 五 職務を適切に遂行することができる身体の状況にあること。 六 前各号に掲げるもののほか、採用試験の種類の全てを通じて備えているべき知識、能力等を備えていること。
財務専門官採用試験	大卒程度の者	一 財政又は金融に関する分野における知識及びその関連分野における知識を備えていること。 二 課題を解決できる論理的な思考力、判断力及び表現力を備えていること。 三 採用後の研修又は職務経験を通じて第一号に規定する知識並びに前号に規定する論理的な思考力、判断力及び表現力の向上が見込まれること。 四 前三号に掲げるもののほか、採用試験の種類の全てを通じて備えているべき知識、能力等を備えていること。
国税専門官採用試験	大卒程度の者	一 次のイ又はロに掲げる知識を備えていること。 イ 税務に関する分野における知識及びその関連分野における知識 ロ イに掲げる知識及び情報処理に関して必要な知識 二 課題を解決できる論理的な思考力、判断力及び表現力を備えていること。 三 採用後の研修又は職務経験を通じて第一号イ又はロに掲げる知識並びに前号に規定する論理的な思考力、判断力及び表現力の向上が見込まれること。 四 職務を適切に遂行することができる身体の状況にあること。 五 前各号に掲げるもののほか、採用試験の種類の全てを通じて備えているべき知識、能力等を備えていること。
税務職員採用試験	高卒程度の者	一 論理的な思考力及び表現力並びに基礎的な課題を正確かつ迅速に処理することができる能力を備えていること。

		二　採用後の研修又は職務経験を通じて前号に規定する論理的な思考力及び表現力並びに基礎的な課題を正確かつ迅速に処理することができる能力の向上が見込まれること。 三　職務を適切に遂行することができる身体の状況にあること。 四　前三号に掲げるもののほか、採用試験の種類の全てを通じて備えているべき知識、能力等を備えていること。
食品衛生監視員採用試験	大卒程度の者	一　食品衛生に関する分野における知識及びその関連分野における知識を備えていること。 二　課題を解決できる論理的な思考力、判断力及び表現力を備えていること。 三　採用後の研修又は職務経験を通じて第一号に規定する知識並びに前号に規定する論理的な思考力、判断力及び表現力の向上が見込まれること。 四　前三号に掲げるもののほか、採用試験の種類の全てを通じて備えているべき知識、能力等を備えていること。
労働基準監督官採用試験	大卒程度の者	一　労働行政に関する分野における知識及びその関連分野における知識を備えていること。 二　課題を解決できる論理的な思考力、判断力及び表現力を備えていること。 三　採用後の研修又は職務経験を通じて第一号に規定する知識並びに前号に規定する論理的な思考力、判断力及び表現力の向上が見込まれること。 四　職務を適切に遂行することができる身体の状況にあること。 五　前各号に掲げるもののほか、採用試験の種類の全てを通じて備えているべき知識、能力等を備えていること。
航空管制官採用試験	大卒程度の者	一　航空交通管制の分野に係る業務に求められる記憶力及び空間を把握する能力を備えるとともに、航空英語に関する知識及び能力の基礎となる英語の知識及び能力を備えていること。 二　採用後の研修又は職務経験を通じて、前号に規定する記憶力及び空間を把握する能力の向上が見込まれるとともに、同号に規定する航空英語に関する知識及び能力の習得及び向上が見込まれること。 三　職務を適切に遂行することができる身体の状況にあること。
		四　前三号に掲げるもののほか、採用試験の種類の全てを通じて備えているべき知識、能力等を備えていること。
航空保安大学校学生採用試験	高卒程度の者	一　航空保安業務の分野に係る業務を遂行するに必要な知識及び技能を修得する上で基礎となる知識として、次のイ又はロに掲げる知識を備えていること。 イ　数学及び物理の知識 ロ　数学及び英語の知識 二　採用後の研修又は職務経験を通じて、前号イ又はロに掲げる知識の向上が見込まれるとともに、航空保安業務の分野に係る業務を遂行するに必要な知識及び技能の修得及び向上が見込まれること。 三　職務を適切に遂行することができる身体の状況にあること。 四　前三号に掲げるもののほか、採用試験の種類の全てを通じて備えているべき知識、能力等を備えていること。
気象大学校学生採用試験	高卒程度の者	一　気象業務の分野に係る業務を遂行するに必要な知識及び技能を修得する上で基礎となる数学、物理及び英語の知識並びに論理的な思考力及び表現力を備えていること。 二　採用後の研修又は職務経験を通じて、前号に規定する数学、物理及び英語の知識並びに同号に規定する論理的な思考力及び表現力の向上が見込まれるとともに、気象業務の分野に係る業務を遂行するに必要な知識及び技能の修得及び向上が見込まれること。 三　職務を適切に遂行することができる身体の状況にあること。 四　前三号に掲げるもののほか、採用試験の種類の全てを通じて備えているべき知識、能力等を備えていること。
海上保安官採用試験	大卒程度の者	一　社会経済情勢に関する知識を備えていること。 二　状況に応じて課題を解決できる論理的な思考力、判断力及び表現力を備えていること。 三　採用後の研修又は職務経験を通じて第一号に規定する知識並びに前号に規定する論理的な思考力、判断力及び表現力の向上が見込まれること。 四　職務を適切に遂行することができる身体の状況にあること及び職務を遂行する上で求められる体力を備えていること。 五　前各号に掲げるもののほか、採用試験の種類の全てを通じて備え

		ているべき知識、能力等を備えていること。
海上保安大学校学生採用試験	高卒程度の者	一 海上保安業務の分野に係る業務を遂行するに必要な知識及び技能を修得する上で基礎となる数学及び英語の知識並びに論理的な思考力及び表現力を備えていること。 二 採用後の研修又は職務経験を通じて、前号に規定する数学及び英語の知識並びに同号に規定する論理的な思考力及び表現力の向上が見込まれるとともに、海上保安業務の分野に係る業務を遂行するに必要な知識及び技能の修得及び向上が見込まれること。 三 職務を適切に遂行することができる身体の状況にあること及び職務を遂行する上で求められる体力を備えていること。 四 前三号に掲げるもののほか、採用試験の種類の全てを通じて備えているべき知識、能力等を備えていること。
海上保安学校学生採用試験	高卒程度の者	一 海上保安業務の分野に係る業務を遂行するに必要な知識及び技能を修得する上で基礎となる知識又は能力として、次のイ、ロ又はハに掲げるものを備えていること。 イ 数学及び英語の知識 ロ 数学、物理及び英語の知識 ハ 論理的な思考力及び表現力 二 採用後の研修又は職務経験を通じて、前号イ若しくはロに掲げる知識又は同号ハに掲げる論理的な思考力及び表現力の向上が見込まれるとともに、海上保安業務の分野に係る業務を遂行するに必要な知識及び技能の修得及び向上が見込まれること。 三 職務を適切に遂行することができる身体の状況にあること及び職務を遂行する上で求められる体力を備えていること。 四 前三号に掲げるもののほか、採用試験の種類の全てを通じて備えているべき知識、能力等を備えていること。
実務経験等活用官職に係る経験者採用試験	第二条第四項の内閣官房令で定める者	一 経験者採用試験の種類ごとに内閣官房令で定める知識、能力等を備えていること。 二 前号に掲げるもののほか、採用試験の種類の全てを通じて備えているべき知識、能力等を備えていること。

備考

一 この表における次に掲げる用語の意義は、それぞれ次に定めるとおりとする。

イ 総合職試験 法第四十五条の二第一項第一号に掲げる官職への採用を目的とした競争試験

ロ 一般職試験 法第四十五条の二第一項第二号に掲げる官職への採用を目的とした競争試験

ハ 皇宮護衛官採用試験 専門職試験（法第四十五条の二第一項第三号に掲げる官職への採用を目的とした競争試験をいう。以下同じ。）のうち、第一条第二項第一号に掲げる官職への採用を目的としたもの

ニ 刑務官採用試験 専門職試験のうち、第一条第二項第二号に掲げる官職への採用を目的としたもの

ホ 法務省専門職員採用試験 専門職試験のうち、第一条第二項第三号に掲げる官職への採用を目的としたもの

ヘ 入国警備官採用試験 専門職試験のうち、第一条第二項第四号に掲げる官職への採用を目的としたもの

ト 外務省専門職員採用試験 専門職試験のうち、第一条第二項第五号に掲げる官職への採用を目的としたもの

チ 財務専門官採用試験 専門職試験のうち、第一条第二項第六号に掲げる官職への採用を目的としたもの

リ 国税専門官採用試験 専門職試験のうち、第一条第二項第七号に掲げる官職への採用を目的としたものであって、大卒程度の者が当該官職の属する職制上の段階の標準的な官職に係る標準職務遂行能力及び同号に掲げる官職についての適性を有するかどうかを判定することを目的として行うもの

ヌ 税務職員採用試験 専門職試験のうち、第一条第二項第七号に掲げる官職への採用を目的としたものであって、高卒程度の者が当該官職の属する職制上の段階の標準的な官職に係る標準職務遂行能力及び同号に掲げる官職についての適性を有するかどうかを判定することを目的として行うもの

ル 食品衛生監視員採用試験 専門職試験のうち、第一条第二項第八号に掲げる官職への採用を目的としたもの

ヲ 労働基準監督官採用試験 専門職試験のうち、第一条第二項第九号に掲げる官職への採用を目的としたもの

ワ 航空管制官採用試験 専門職試験のうち、第一条第二項第十号に掲げる官職への採用を目的としたもの

カ　航空保安大学校学生採用試験　専門職試験のうち、第一条第二項第十一号に掲げる官職への採用を目的としたもの
ヨ　気象大学校学生採用試験　専門職試験のうち、第一条第二項第十二号に掲げる官職への採用を目的としたもの
タ　海上保安官採用試験　専門職試験のうち、第一条第二項第十三号に掲げる官職への採用を目的としたもの
レ　海上保安大学校学生採用試験　専門職試験のうち、第一条第二項第十四号に掲げる官職への採用を目的としたもの
ソ　海上保安学校学生採用試験　専門職試験のうち、第一条第二項第十五号に掲げる官職への採用を目的としたもの
ツ　経験者採用試験　法第四十五条の二第一項第四号に掲げる官職への採用を目的とした競争試験
ネ　実務経験等活用官職に係る経験者採用試験　経験者採用試験のうち、それぞれの実務経験等活用官職への採用を目的としたもの
二　この表において「採用試験の種類の全てを通じて備えているべき知識、能力等」とは、次に掲げるものをいう。
イ　我が国の歴史及び文化その他の人文科学、社会科学及び自然科学の分野における基礎的な知識
ロ　基礎的な課題について十分に理解した上で、着実に取り組み、正確かつ迅速に処理し、その結果を踏まえた説明を適切に行うことができる基礎的な能力
ハ　公共の利益のために勤務することについての明確な自覚及び国際的かつ多角的な視点

○経験者採用試験の対象官職及び種類並びに採用試験の種類ごとに求められる知識及び能力等に関する内閣官房令

平二六・八・一
内閣官房令三

最終改正 令六・三・二九内閣官房令二

（係長又は課長補佐の官職に準ずる官職）

第一条 採用試験の対象官職及び種類並びに採用試験により確保すべき人材に関する政令（以下「令」という。）第一条第三項に規定する国家公務員法（昭和二十二年法律第百二十号）第三十四条第二項に規定する標準的な官職（以下「標準的な官職」という。）が係長又は課長補佐である職制上の段階に属する官職に準ずるものとして内閣官房令で定める官職は、次に掲げるものとする。

一 外務公務員法（昭和二十七年法律第四十一号）第二条第五項に規定する外務職員の官職であって、標準的な官職が書記官（外務職員の標準的な官職を定める省令（平成二十一年外務省令第四号）本則の表第四欄に掲げるものをいう。）である職制上の段階に属する官職又はその職務と責任がこれに相当する官職のうち、総領事館に置かれるもの（以下「書記官等の官職」という。）

二 標準的な官職が国税調査官（標準的な官職を定める政令に規定する内閣官房令で定める標準的な官職等を定める内閣官房令（平成二十一年内閣府令第二号）第三条第四項の表五の項下欄に掲げるものをいう。）である職制上の段階に属する官職（以下「国税調査官の官職」という。）

（実務経験等活用官職）

第二条 令第一条第三項に規定する実務経験等活用官職として内閣官房令で定める官職は、次に掲げるものとする。

一 標準的な官職が係長である職制上の段階に属する官職（以下「係長の官職」という。）のうち、政策の企画及び立案又は調査及び研究に関する事務をその職務とする官職であって、民間企業における実務の経験その他これに類する経験を活用することができるもの（第六号及び第七号ロに掲げるものを除く。）

二 会計検査院の係長の官職のうち、会計に関する知識を必要とする会計検査に関する事務をその職務の主たる内容とする官職であって、民間企業における実務の経験その他これに類する経験を活用することができるもの

三 総務省の係長の官職のうち、次に掲げる官職であって、民間企業における実務の経験その他これに類する経験を活用することができるもの

イ 総務省の所掌に係る事務の実施等の業務に従事することをその職務の主たる内容とする官職（ロに掲げるものを除く。）

ロ 総務省の所掌に係る事務の実施等の業務に主として技術的な知識を活用して従事することをその職務の主たる内容とする官職

四 外交領事事務（これと直接関連する業務を含む。別表において同じ。）に関する事務をその職務の主たる内容とする書記官等の官職であって、民間企業における実務の経験その他これに類する経験を活用することができるもの

五 内国税の賦課及び徴収、酒類業の発達並びに税理士業務の運営に関する事務をその職務の主たる内容とする国税調査官の官職であって、民間企業における実務の経験その他これに類する経験を活用することができるもの

六 農林水産省の係長の官職のうち、同省の所掌に係る政策の企画及び立案又は調査及び研究に関する事務に主として技術的な知識を活用して従事することをその職務とする官職であって、民間企業における実務の経験その他これに類する経験を活用することができるもの

七 国土交通省の係長の官職のうち、次に掲げる官職であって、民間企業における実務の経験その他これに類する経験を活用することができるもの（イにあってはハ並びに第八号及び第九号に掲げるものを、ハにあっては第八号及び第九号に掲げるものを除く。）

イ 国土交通省の所掌に係る事務の実施等の業務に従事することをその職務の主たる内容とする官職

ロ 国土交通省の所掌に係る政策の企画及び立案又は調査及び研究に関する事務に主として技術的な知識を活用して従事することをその職務とする官職

ハ 国土交通省の所掌に係る事務の実施等の業務に

主として技術的な知識を活用して従事することをその職務の主たる内容とする官職

八　観光庁の係長の官職のうち、同庁の所掌に係る事務の実施等の業務に従事することをその職務の主たる内容とする官職であって、民間企業における実務の経験その他これに類する経験を活用することができるもの

九　気象庁の係長の官職のうち、同庁の所掌に係る事務の実施等の業務に主として技術的な知識を活用して従事することをその職務の主たる内容とする官職であって、民間企業における実務の経験その他これに類する経験を活用することができるもの

（一定の範囲の知識等を有する者の定め）

第三条　令第二条第四項に規定する内閣官房令で定めるものは、前条各号に掲げるそれぞれの実務経験等活用官職について、大卒程度の者とする。

（経験者採用試験の種類ごとに内閣官房令で定める知識、能力等）

第四条　令別表実務経験等活用官職に係る経験者採用試験の項下欄の内閣官房令で定める知識、能力等は、別表の上欄に掲げる競争試験であって同表の中欄に掲げる者ごとに行うそれぞれの採用試験の種類に応じて、同表の下欄に掲げるものとする。

附　則

この内閣官房令は、公布の日から施行する。

別表（第四条関係）

経験者採用試験（係長級（事務））	大卒程度の者	一 困難な課題を解決できる論理的な思考力、判断力、表現力その他総合的な能力又は適切かつ効果的に説明及び討議を行う能力 二 前号に掲げる事項の基盤となる基礎的な外国語の能力 三 前二号に掲げるもののほか、民間企業における実務の経験その他これに類する経験を通じて体得した効率的かつ機動的な業務遂行の手法その他の知識及び能力 四 採用後の研修又は職務経験を通じて前各号の知識及び能力の向上が見込まれる資質
会計検査院経験者採用試験（係長級）	大卒程度の者	一 会計に関する分野における知識 二 課題を解決できる論理的な思考力、判断力及び表現力 三 前二号に掲げるもののほか、民間企業における実務の経験その他これに類する経験を通じて体得した効率的かつ機動的な業務遂行の手法その他の知識及び能力 四 採用後の研修又は職務経験を通じて前各号の知識及び能力の向上が見込まれる資質
総務省経験者採用試験（係長級（事務））	大卒程度の者	一 課題を解決できる論理的な思考力、判断力及び表現力 二 前号に掲げるもののほか、民間企業における実務の経験その他これに類する経験を通じて体得した効率的かつ機動的な業務遂行の手法その他の知識及び能力 三 採用後の研修又は職務経験を通じて前二号の知識及び能力の向上が見込まれる資質
総務省経験者採用試験（係長級（技術））	大卒程度の者	一 自然科学の分野における特定の専門領域に関する知識及びその関連領域における知識 二 課題を解決できる論理的な思考力、判断力及び表現力 三 前二号に掲げるもののほか、民間企業における実務の経験その他これに類する経験を通じて体得した効率的かつ機動的な業務遂行の手法その他の知識及び能力 四 採用後の研修又は職務経験を通じて前各号の知識及び能力の向上が見込まれる資質
外務省経験者採用試験（書記官級）	大卒程度の者	一 外交領事事務に関する分野における社会経済情勢に関する知識並びに国際法規に関する知識及びこれに関連する知識 二 特定の外国語の能力並びに課題を解決できる論理的な思考力、判断力及び表現力 三 前二号に掲げるもののほか、民間企業における実務の経験その他これに類する経験を通じて体得した効率的かつ機動的な業務遂行の手法その他の知識及び能力 四 採用後の研修又は職務経験を通じて前各号の知識及び能力の向上が見込まれる資質 五 第二号の特定の外国語以外の外国語の能力を必要に応じて習得する意欲
国税庁経験者採用試験（国税調査官級）	大卒程度の者	一 課題を解決できる論理的な思考力、判断力及び表現力 二 前号に掲げるもののほか、民間企業における実務の経験その他これに類する経験を通じて体得した効率的かつ機動的な業務遂行の手法その他の知識及び能力 三 採用後の研修又は職務経験を通じて前二号の知識及び能力の向上が見込まれる資質
農林水産省経験者採用試験（係長級（技術））	大卒程度の者	一 自然科学の分野における特定の専門領域に関する知識及びその関連領域における知識 二 困難な課題を解決できる論理的な思考力、判断力、表現力その他総合的な能力又は適切かつ効果的に説明及び討議を行う能力 三 前二号に掲げる事項の基盤となる基礎的な外国語の能力 四 前各号に掲げるもののほか、民間企業における実務の経験その他これに類する経験を通じて体得した効率的かつ機動的な業務遂行の手法その他の知識及び能力 五 採用後の研修又は職務経験を通じて前各号の知識及び能力の向上が見込まれる資質
国土交通省経験者採用試験（係長級（事務））	大卒程度の者	一 課題を解決できる論理的な思考力、判断力及び表現力 二 前号に掲げるもののほか、民間企業における実務の経験その他これに類する経験を通じて体得した効率的かつ機動的な業務遂行の手法その他の知識及び能力 三 採用後の研修又は職務経験を通じて前二号の知識及び能力の向上が見込まれる資質

		が見込まれる資質
国土交通省経験者採用試験（係長級（技術））	大卒程度の者	一　自然科学の分野における特定の専門領域に関する知識及びその関連領域における知識 二　第二条第七号ロの官職にあっては、次に掲げる能力 イ　困難な課題を解決できる論理的な思考力、判断力、表現力その他総合的な能力又は適切かつ効果的に説明及び討議を行う能力 ロ　前号及びイに掲げる事項の基盤となる基礎的な外国語の能力 三　第二条第七号ハの官職にあっては、課題を解決できる論理的な思考力、判断力及び表現力 四　前各号に掲げるもののほか、民間企業における実務の経験その他これに類する経験を通じて体得した効率的かつ機動的な業務遂行の手法その他の知識及び能力 五　採用後の研修又は職務経験を通じて前各号の知識及び能力の向上が見込まれる資質
観光庁経験者採用試験（係長級）	大卒程度の者	一　課題を解決できる論理的な思考力、判断力及び表現力 二　前号に掲げるもののほか、民間企業における実務の経験その他これに類する経験を通じて体得した効率的かつ機動的な業務遂行の手法その他の知識及び能力 三　採用後の研修又は職務経験を通じて前二号の知識及び能力の向上が見込まれる資質
気象庁経験者採用試験（係長級（技術））	大卒程度の者	一　自然科学の分野における特定の専門領域に関する知識及びその関連領域における知識 二　課題を解決できる論理的な思考力、判断力及び表現力 三　前二号に掲げるもののほか、民間企業における実務の経験その他これに類する経験を通じて体得した効率的かつ機動的な業務遂行の手法その他の知識及び能力 四　採用後の研修又は職務経験を通じて前各号の知識及び能力の向上が見込まれる資質

備考　この表における次に掲げる用語の意義は、それぞれ次に定めるとおりとする。

一　経験者採用試験（係長級（事務））　経験者採用試験のうち、第二条第一号に掲げる官職への採用を目的としたもの

二　会計検査院経験者採用試験（係長級）　経験者採用試験のうち、第二条第二号に掲げる官職への採用を目的としたもの

三　総務省経験者採用試験（係長級（事務））　経験者採用試験のうち、第二条第三号イに掲げる官職への採用を目的としたもの

四　総務省経験者採用試験（係長級（技術））　経験者採用試験のうち、第二条第三号ロに掲げる官職への採用を目的としたもの

五　外務省経験者採用試験（書記官級）　経験者採用試験のうち、第二条第四号に掲げる官職への採用を目的としたもの

六　国税庁経験者採用試験（国税調査官級）　経験者採用試験のうち、第二条第五号に掲げる官職への採用を目的としたもの

七　農林水産省経験者採用試験（係長級（技術））　経験者採用試験のうち、第二条第六号に掲げる官職への採用を目的としたもの

八　国土交通省経験者採用試験（係長級（事務））　経験者採用試験のうち、第二条第七号イに掲げる官職への採用を目的としたもの

九　国土交通省経験者採用試験（係長級（技術））　経験者採用試験のうち、第二条第七号ロ又はハに掲げる官職への採用を目的としたもの

十　観光庁経験者採用試験（係長級）　経験者採用試験のうち、第二条第八号に掲げる官職への採用を目的としたもの

十一　気象庁経験者採用試験（係長級（技術））　経験者採用試験のうち、第二条第九号に掲げる官職への採用を目的としたもの

〇人事院規則八—一八（採用試験）

平二三・四・一四全改
平二四・二・一施行
最終改正 令五・一一・三〇規則八—一八—三五

（総則）
第一条 職員を採用するための競争試験（以下「採用試験」という。）については、別に定める場合を除き、この規則の定めるところによる。
2 採用試験の企画、計画及び実施は、公正かつ適正に行われなければならない。

（採用試験の目的）
第二条 採用試験は、受験者が、当該採用試験に係る官職の属する職制上の段階の標準的な官職に係る法第三十四条第一項第五号に規定する標準職務遂行能力及び当該採用試験に係る官職についての適性（第六条第一項において「能力及び適性」という。）を有するかどうかを相対的に判定することを目的とする。

（採用試験の種類ごとの名称）
第三条 総合職試験（法第四十五条の二第二項第一号に規定する総合職試験をいう。以下同じ。）である採用試験の種類（同項に規定する採用試験の種類をいう。以下同じ。）ごとの名称は、次の各号に掲げる当該採用試験の種類に応じ、それぞれ当該各号に定める名称とする。
一 採用試験の対象官職及び種類並びに採用試験により確保すべき人材に関する政令（平成二十六年政令第百九十二号。以下「対象官職等政令」という。）第二条第一項第一号に規定する者に対して行う採用試験 国家公務員採用総合職試験（院卒者試験）
二 対象官職等政令第二条第一項第二号に規定する者に対して行う採用試験 国家公務員採用総合職試験（大卒程度試験）
2 一般職試験（法第四十五条の二第二項第二号に規定する一般職試験をいう。以下同じ。）である採用試験の種類ごとの名称は、次の各号に掲げる当該採用試験の種類に応じ、それぞれ当該各号に定める名称とする。
一 対象官職等政令第二条第二項第一号に規定する者に対して行う採用試験 国家公務員採用一般職試験（大卒程度試験）
二 対象官職等政令第二条第二項第二号に規定する者に対して行う採用試験 国家公務員採用一般職試験（高卒程度試験）
3 専門職試験（法第四十五条の二第二項第三号に規定する専門職試験をいう。以下同じ。）である採用試験の種類ごとの名称は、次の各号に掲げる当該採用試験の種類に応じ、それぞれ当該各号に定める名称とする。
一 対象官職等政令第一条第二項第一号に規定する官職を対象とし、対象官職等政令第二条第三項第一号イに規定する者に対して行う採用試験 皇宮護衛官採用試験（大卒程度試験）
二 対象官職等政令第一条第二項第一号に規定する官職を対象とし、対象官職等政令第二条第三項第一号ロに規定する者に対して行う採用試験 皇宮護衛官採用試験（高卒程度試験）
三 対象官職等政令第一条第二項第二号に規定する官職を対象とし、対象官職等政令第二条第三項第三号に規定する者に対して行う採用試験 刑務官採用試験
四 対象官職等政令第一条第二項第三号に規定する官職を対象とし、対象官職等政令第二条第三項第二号に規定する者に対して行う採用試験 法務省専門職員（人間科学）採用試験
五 対象官職等政令第一条第二項第四号に規定する官職を対象とし、対象官職等政令第二条第三項第三号に規定する者に対して行う採用試験 入国警備官採用試験
六 対象官職等政令第一条第二項第五号に規定する官職を対象とし、対象官職等政令第二条第三項第二号に規定する者に対して行う採用試験 外務省専門職員採用試験
七 対象官職等政令第一条第二項第六号に規定する官職を対象とし、対象官職等政令第二条第三項第二号に規定する者に対して行う採用試験 財務専門官採用試験
八 対象官職等政令第一条第二項第七号に規定する官職を対象とし、対象官職等政令第二条第三項第一号イに規定する者に対して行う採用試験 国税専門官採用試験
九 対象官職等政令第一条第二項第七号に規定する官職を対象とし、対象官職等政令第二条第三項第一号ロに規定する者に対して行う採用試験 税務職員採用試験
十 対象官職等政令第一条第二項第八号に規定する官職を対象とし、対象官職等政令第二条第三項第二号

に規定する者に対して行う採用試験　食品衛生監視員採用試験
十一　対象官職等政令第一条第二項第九号に規定する官職を対象とし、対象官職等政令第二条第三項第二号に規定する者に対して行う採用試験　労働基準監督官採用試験
十二　対象官職等政令第一条第二項第十号に規定する官職を対象とし、対象官職等政令第二条第三項第二号に規定する者に対して行う採用試験　航空管制官採用試験
十三　対象官職等政令第一条第二項第十一号に規定する官職を対象とし、対象官職等政令第二条第三項第三号に規定する者に対して行う採用試験　航空保安大学校学生採用試験
十四　対象官職等政令第一条第二項第十二号に規定する官職を対象とし、対象官職等政令第二条第三項第三号に規定する者に対して行う採用試験　気象大学校学生採用試験
十五　対象官職等政令第一条第二項第十三号に規定する官職を対象とし、対象官職等政令第二条第三項第一号イに規定する者に対して行う採用試験　海上保安官採用試験
十六　対象官職等政令第一条第二項第十四号に規定する官職を対象とし、対象官職等政令第二条第三項第一号ロに規定する者に対して行う採用試験　海上保安大学校学生採用試験
十七　対象官職等政令第一条第二項第十五号に規定する官職を対象とし、対象官職等政令第二条第三項第一号ロに規定する者に対して行う採用試験　海上保安学校学生採用試験

4　経験者採用試験（法第四十五条の二第二項第四号に規定する経験者採用試験をいう。以下同じ。）である採用試験の種類ごとの名称は、人事院が定める名称とする。

（採用試験の区分）
第四条　前条第一項及び第二項並びに第三項第二号から第五号まで、第八号、第十一号、第十三号及び第十七号に掲げる採用試験は、別表第一の区分試験欄に掲げる採用試験に区分する。
2　前項に掲げる採用試験のほか、経験者採用試験である採用試験は、人事院の定める採用試験に区分することができる。
3　前二項の規定により区分された採用試験（以下「区分試験」という。）の対象となる官職は、第一項に定める場合にあっては別表第一の区分試験の対象となる官職欄に掲げる官職とし、前項に定める場合にあっては人事院が定める官職とする。
第五条　試験機関は、必要と認めるときは、第三条第二項及び第三項第三号に掲げる採用試験の区分試験、同項第九号に掲げる採用試験並びに経験者採用試験である採用試験（前条第二項の規定により区分された場合にあっては、区分試験。次項、次条第一項、第八条第三項及び第十条第二項において同じ。）をこれらの採用試験ごとに特定の地域に所在する官署又は行政執行法人の事務所に属する官職の群に応じた採用試験に区分することができる。
2　試験機関は、前項の規定により採用試験を区分した場合には、区分された採用試験（以下「地域試験」という。）の名称及びその対象となる官職（第十条第二項の規定により経験者採用試験である採用試験の地域試験の名称及びその対象となる官職として告知されるものを除く。）を官報により告知しなければならない。

（試験種目）
第六条　採用試験による能力及び適性を有するかどうかの判定は、第三条第一項から第三項までに掲げる採用試験（第四条第一項に掲げる採用試験にあっては、区分試験）にあっては採用試験ごとに別表第二の試験種目欄に掲げる方法により行い、経験者採用試験である採用試験にあっては基礎能力試験、専門試験（記述式）、外国語試験（記述式）、外国語試験（面接）、総合事例研究試験、一般論文試験、政策論文試験、経験論文試験、政策課題討議試験、人物試験及び総合評価面接試験のうちから採用試験ごとに人事院が定める方法により行う。
2　別表第二の試験種目欄に掲げる方法及び前項の規定により人事院が定める方法（以下「試験種目」という。）のうち、次の各号に掲げる試験種目の出題分野又は内容は、それぞれ当該各号に定めるものとする。
一　専門試験（多肢選択式）、専門試験（記述式）、外国語試験（多肢選択式）、外国語試験（記述式）、外国語試験（面接）、外国語試験（聞き取り）、学科試験（多肢選択式）及び学科試験（記述式）　人文科学、社会科学、自然科学その他の分野から人事院が定める出題分野
二　英語試験　英語の能力の程度を検定するための試験機関以外の者が行う試験に関し人事院が定める内容
三　実技試験　技能その他の分野から人事院が定める内容
3　人事院は、前項の規定により定めた試験種目の出題

分野及び内容（第十条第一項の規定により経験者採用試験である採用試験の試験種目の出題分野として告知されるものを除く。）を官報により告知しなければならない。

（採用試験の実施方法）

第七条　採用試験は、第一次試験及び第二次試験又は第一次試験、第二次試験及び第三次試験に分けて実施するものとする。

（受験資格）

第八条　第三条第一項から第三項までに掲げる採用試験（第四条第一項に掲げる採用試験にあっては、区分試験）の受験資格は、別表第三に定める。

2　人事院は、別表第三に掲げる受験資格のうち、人事院の認定に係るものについて認定した場合には、当該認定した受験資格を官報により告知しなければならない。

3　経験者採用試験である採用試験の受験資格は、人事院が定める。

第九条　次の各号のいずれかに該当する者は、採用試験を受けることができない。

一　前条の受験資格を有しない者

二　法第三十八条の規定に該当する者

三　日本の国籍を有しない者

2　前項各号のいずれかに該当する者のほか、外国の国籍を有する者は、第三条第三項第六号に掲げる採用試験及び経験者採用試験のうちその対象となる官職が専ら外務公務員法第二条第五項に規定する外務職員で同項に規定する外交領事事務に従事するものの占める官職である採用試験を受けることができない。

（経験者採用試験の告知）

第十条　人事院は、経験者採用試験について、第三条第四項、第四条第二項及び第三項、第六条第一項及び第二項並びに第八条第三項の規定により名称、区分試験及びその対象となる官職、試験種目及びその出題分野並びに受験資格を定めた場合には、その内容を官報により告知しなければならない。

2　試験機関は、第五条第一項の規定により経験者採用試験である採用試験を区分した場合には、地域試験の名称及びその対象となる官職を官報により告知しなければならない。

（試験機関）

第十一条　試験機関は、人事院とする。ただし、人事院が定める採用試験についての試験機関は、国の機関のうち人事院の定める機関とする。

2　人事院は、前項ただし書の規定による定めをしたときは、その定めた採用試験及び試験機関を官報により告知しなければならない。

（試験機関の権限等）

第十二条　試験機関は、次に掲げる事務をつかさどる。

一　採用試験の実施に関する基本的な事項について計画を定めること。

二　採用試験を告知し、周知させること。

三　受験の申込みを受理すること。

四　採用試験を実施すること。

五　採用試験の結果に基づいて合格者を決定すること。

六　採用候補者名簿を作成すること。

七　採用試験の施行に必要な事項について調査すること。

八　前各号に掲げるもののほか、法及び規則によりその権限に属させられた事項その他採用試験の施行に関する事務を処理すること。

2　前項に規定する試験機関の権限は、その機関の長が行うものとする。

3　試験機関の長は、その権限の一部を部内の職員に委任することができる。

4　試験機関は、その事務の一部を他の機関（試験機関が人事院以外の機関である場合にあっては、人事院に限る。以下この項において同じ。）又は他の機関に属する者に委託することができる。

（試験機関の長等の行う調査）

第十三条　試験機関の長は、法第十七条第一項の規定により指名された者として、当該試験機関の行う採用試験について必要な調査を行うことができる。

2　前条第三項の規定により前項の調査を行う権限の委任を受けた者は、法第十七条第一項の規定により指名された者として、その委任に係る事項について必要な調査を行うことができる。

（採用試験に関する協議及び報告）

第十四条　第十一条第一項ただし書の規定により人事院が定めた試験機関（次項及び次条において「指定試験機関」という。）は、採用試験を行う場合には、募集方法、採用試験の日時及び場所、採点又は評定の方法、合格者予定数等についてあらかじめ人事院に協議しなければならない。

2　指定試験機関は、採用試験の施行後速やかにその結果について人事院に報告しなければならない。

（採用試験の監査）

第十五条　人事院は、指定試験機関の行う採用試験の状況及び結果を随時監査し、法及び規則に違反していると認めた場合には、その是正を指示することができる。

（採用試験に関する秘密）

第十六条 採用試験に関する事務に従事する者は、採用試験に関する秘密その他の職務上知ることのできた秘密を細心の注意をもって保持しなければならない。

（採用試験の施行）

第十七条 第三条第一項から第三項までに掲げる採用試験（区分試験（次項に掲げる区分試験を除く。）及び地域試験を含む。）は、それぞれ毎年一回以上行う。

2 第三条第二項第二号に掲げる採用試験の区分試験（別表第一の区分試験欄に掲げる事務（社会人）、技術（社会人）、農業（社会人）、農業土木（社会人）及び林業（社会人）の区分試験に限る。）及び経験者採用試験は、任命権者（法第五十五条第一項に規定する任命権者及び法律で別に定められた任命権者並びにその委任を受けた者をいう。）から当該採用試験を実施することの求めがあった場合において、人事院が必要と認めるときに、行う。

（採用試験、区分試験又は地域試験の取りやめ）

第十八条 前条第一項の規定にかかわらず、試験機関は、採用試験の対象となる官職に欠員の生ずることが予想されない等の事情が認められる場合には、当該採用試験又は当該採用試験の一部の区分試験若しくは地域試験を行わないことができる。この場合においては、試験機関は、その旨を官報により告知しなければならない。

（採用試験の告知）

第十九条 試験機関は、採用試験を行う場合には、あらかじめ官報により告知しなければならない。

2 前項の告知の内容は、次に掲げる事項とする。

一 第三条の採用試験の種類ごとの名称及び区分試験又は地域試験が行われる場合のその名称

二 採用試験の対象となる官職の職務と責任の概要

三 採用試験の結果に基づいて採用された場合の初任給その他の給与

四 受験資格

五 試験種目並びに出題分野及び内容

六 採用試験の実施時期及び試験地

七 合格者の発表の時期及び方法

八 採用候補者名簿の作成方法及び採用候補者名簿からの採用方法

九 受験申込用紙の入手及び受験申込書の提出の場所、時期及び手続その他必要な受験手続

十 前各号に掲げるもののほか、試験機関が必要と認める事項

（採用試験の周知）

第二十条 試験機関は、採用試験を行う場合には、前条の規定により告知するほか、新聞、放送、インターネットその他の適切な手段により、当該採用試験の受験資格を有する全ての者に同条第二項に掲げる事項を周知させるように努めなければならない。

（受験の申込み及び受験）

第二十一条 人事院及び試験機関は、採用試験を受けようとする者が受験の申込み及び受験をするについて必要な事項を定めることができる。この場合においては、官報その他の適切な方法により周知させるものとする。

2 採用試験を受けようとする者は、受験の申込み及び受験をするに当たっては、前項の規定による人事院又は試験機関の定めに従わなければならない。

（受験の拒否等）

第二十二条 試験機関は、次に掲げる者については、当該採用試験を受けさせず、若しくは当該採用試験の実施の場所から退場を命じ、又は既に受けた当該受験を無効とすることができる。

一 不正の手段により当該採用試験を受け、又は受けようとした者

二 人事院若しくは試験機関の定めに違反し、又は試験機関の指示に従わない者

三 前二号に掲げるもののほか、当該採用試験の適正な実施を妨げた者

（採用試験の再実施）

第二十三条 試験機関は、天災その他避けることのできない事故により採用試験の全部又は一部を受けることができなかった受験申込者がある場合には、当該受験申込者に対し、当該採用試験の全部又は一部を再実施することができる。答案等の判定資料の滅失等やむを得ない事情により合格者の適正な決定ができない場合の当該判定資料の滅失等に係る受験申込者に対しても、同様とする。

2 試験機関は、前項の規定により採用試験を再実施する場合には、その旨及び受験に必要な事項を官報により告知し、又は当該受験申込者に必要な事項を通知しなければならない。

（最終の合格者）

第二十四条 試験機関は、第三条に掲げる採用試験（同条第四項に掲げるものにあっては経験者採用試験である採用試験とし、区分試験又は地域試験が行われる場合にはそれぞれ区分試験又は地域試験）ごとに、各試

験種目の成績を総合して得られた結果により、当該採用試験による採用を予定している者の数等を勘案して必要と認められる数の最終の合格者を決定しなければならない。

（雑則）

第二十五条　この規則に定めるもののほか、採用試験の施行に関し必要な事項は、人事院が定める。

附　則

この規則は、平成二十四年二月一日から施行する。

附　則（令三・六・三〇規則八—一八—三〇）

（施行期日）

第一条　この規則は、令和三年十二月一日から施行する。ただし、附則第三条の規定は、公布の日から施行する。

（経過措置）

第二条　任命権者は、この規則の施行前に規則八—一八第十九条の規定に基づき告知された採用試験の結果に基づいて作成されたこの規則による改正前の規則八—一八別表第一国家公務員採用一般職試験（大卒程度試験）の項中電気・電子・情報の区分試験に係る採用候補者名簿でこの規則の施行の際現に有効なものに記載された者の中から、なお従前の例により職員を採用することができる。

（準備行為）

第三条　人事院及び試験機関は、この規則の施行の日前においても、この規則による改正後の規則八—一八別表第一国家公務員採用総合職試験（院卒者試験）の項中デジタルの区分試験、同表国家公務員採用総合職試験（大卒程度試験）の項中デジタルの区分試験及び同表国家公務員採用一般職試験（大卒程度試験）の項中デジタル・電気・電子の区分試験の実施に必要な準備行為をすることができる。

附　則（令四・七・二九規則八—一八—三二）

（施行期日）

1　この規則は、令和五年二月一日から施行する。ただし、次項の規定は、公布の日から施行する。

（準備行為）

2　人事院及び試験機関は、この規則の施行の日前においても、この規則による改正後の規則八—一八別表第一国税専門官採用試験の項に掲げる区分試験の実施に必要な準備行為をすることができる。

附　則（令五・三・一五規則八—一八—三四）

（施行期日）

1　この規則は、令和五年十二月一日から施行する。ただし、次項の規定は、公布の日から施行する。

（準備行為）

2　人事院及び試験機関は、この規則の施行の日前においても、この規則による改正後の規則八—一八別表第一国家公務員採用総合職試験（院卒者試験）の項中行政の区分試験及び同表国家公務員採用総合職試験（大卒程度試験）の項中政治・国際・人文の区分試験の実施に必要な準備行為をすることができる。

附　則（令五・一一・三〇規則八—一八—三五）

（施行期日）

第一条　この規則は、令和六年四月一日から施行する。ただし、附則第四条の規定は、公布の日から施行する。

（経過措置）

第二条　この規則の施行の際現に実施中の海上保安学校学生採用試験の区分試験及びその対象となる官職並びに試験種目については、なお従前の例による。

第三条　任命権者は、令和七年四月一日以降、人事院規則八—一二（職員の任免）第八条第一項の規定にかかわらず、この規則の施行前に規則八—一八第十九条の規定に基づき告知された採用試験の結果に基づいて作成されたこの規則による改正前の規則八—一八別表第一海上保安学校学生採用試験の項中船舶運航システム課程の区分試験に係る採用候補者名簿に記載された者の中から、職員を海上保安学校本科一般課程学生の官職に採用することができる。

（準備行為）

第四条　人事院及び試験機関は、この規則の施行の日前においても、この規則による改正後の規則八—一八別表第一海上保安学校学生採用試験の項中一般課程の区分試験の実施に必要な準備行為をすることができる。

別表第一　区分試験及び区分試験の対象となる官職（第四条関係）

採用試験の種類ごとの名称	区分試験	区分試験の対象となる官職
国家公務員採用総合職試験（院卒者試験）	行政	一　法第四十五条の二第一項第一号に規定する官職のうち、主として政治学、国際関係、哲学、歴史学、文学、法律及び経済に関する知識、技術又はその他の能力を必要とする業務に従事することを職務とする官職
	人間科学	二　法第四十五条の二第一項第一号に規定する官職のうち、主として心理学、教育学、福祉及び社会学に関する知識、技術又はその他の能力を必要とする業務に従事することを職務とする官職
	デジタル	三　法第四十五条の二第一項第一号に規定する官職のうち、主として情報科学及び情報工学に関する知識、技術又はその他の能力を必要とする業務に従事することを職務とする官職
	工学	四　法第四十五条の二第一項第一号に規定する官職のうち、主として計測、制御、電気、電子、通信、機械、航空、土木、建築、材料工学、原子力工学及び造船工学に関する知識、技術又はその他の能力を必要とする業務に従事することを職務とする官職
	数理科学・物理・地球科学	五　法第四十五条の二第一項第一号に規定する官職のうち、主として数学、情報科学、経営工学、物理及び地球科学に関する知識、技術又はその他の能力を必要とする業務に従事することを職務とする官職
	化学・生物・薬学	六　法第四十五条の二第一項第一号に規定する官職のうち、主として化学、生物学、薬学及び農芸化学に関する知識、技術又はその他の能力を必要とする業務に従事することを職務とする官職
	農業科学・水産	七　法第四十五条の二第一項第一号に規定する官職のうち、主として農学、農業経済、畜産及び水産に関する知識、技術又はその他の能力を必要とする業務に従事することを職務とする官職
	農業農村工学	八　法第四十五条の二第一項第一号に規定する官職のうち、主として農業農村工学に関する知識、技術又はその他の能力を必要とする業務に従事することを職務とする官職
	森林・自然環境	九　法第四十五条の二第一項第一号に規定する官職のうち、主として林学、砂防、造園及び林産に関する知識、技術又はその他の能力を必要とする業務に従事することを職務とする官職
	法務	十　法第四十五条の二第一項第一号に規定する官職のうち、主として法曹に必要な学識及び能力を必要とする業務に従事することを職務とする官職
国家公務員採用総合職試験（大卒程度試験）	政治・国際・人文	一　法第四十五条の二第一項第一号に規定する官職のうち、主として政治学、国際関係、哲学、歴史学及び文学に関する知識、技術又はその他の能力を必要とする業務に従事することを職務とする官職
	法律	二　法第四十五条の二第一項第一号に規定する官職のうち、主として法律に関する知識、技術又はその他の能力を必要とする業務に従事することを職務とする官職
	経済	三　法第四十五条の二第一項第一号に規定する官職のうち、主として経済に関する知識、技術又はその他の能力を必要とする業務に従事することを職務とする官職
	人間科学	四　国家公務員採用総合職試験（院卒者試験）の項第二号に掲げる官職と同一の官職
	デジタル	五　国家公務員採用総合職試験（院卒者試験）の項第三号に

		掲げる官職と同一の官職
	工学	六　国家公務員採用総合職試験（院卒者試験）の項第四号に掲げる官職と同一の官職
	数理科学・物理・地球科学	七　国家公務員採用総合職試験（院卒者試験）の項第五号に掲げる官職と同一の官職
	化学・生物・薬学	八　国家公務員採用総合職試験（院卒者試験）の項第六号に掲げる官職と同一の官職
	農業科学・水産	九　国家公務員採用総合職試験（院卒者試験）の項第七号に掲げる官職と同一の官職
	農業農村工学	十　国家公務員採用総合職試験（院卒者試験）の項第八号に掲げる官職と同一の官職
	森林・自然環境	十一　国家公務員採用総合職試験（院卒者試験）の項第九号に掲げる官職と同一の官職
	教養	十二　法第四十五条の二第一項第一号に規定する官職のうち、国家公務員採用総合職試験（院卒者試験）の項各号に掲げる官職及び前各号に掲げる官職を除く全ての官職
国家公務員採用一般職試験（大卒程度試験）	行政	一　法第四十五条の二第一項第二号に規定する官職のうち、主として政治学、国際関係、法律、経済、心理学、教育学及び社会学に関する知識、技術又はその他の能力を必要とする業務に従事することを職務とする官職
	デジタル・電気・電子	二　法第四十五条の二第一項第二号に規定する官職のうち、主として情報工学、通信、電気及び電子に関する知識、技術又はその他の能力を必要とする業務に従事することを職務とする官職
	機械	三　法第四十五条の二第一項第二号に規定する官職のうち、

		主として機械に関する知識、技術又はその他の能力を必要とする業務に従事することを職務とする官職
	土木	四　法第四十五条の二第一項第二号に規定する官職のうち、主として土木に関する知識、技術又はその他の能力を必要とする業務に従事することを職務とする官職
	建築	五　法第四十五条の二第一項第二号に規定する官職のうち、主として建築に関する知識、技術又はその他の能力を必要とする業務に従事することを職務とする官職
	物理	六　法第四十五条の二第一項第二号に規定する官職のうち、主として物理に関する知識、技術又はその他の能力を必要とする業務に従事することを職務とする官職
	化学	七　法第四十五条の二第一項第二号に規定する官職のうち、主として化学に関する知識、技術又はその他の能力を必要とする業務に従事することを職務とする官職
	農学	八　法第四十五条の二第一項第二号に規定する官職のうち、主として農学に関する知識、技術又はその他の能力を必要とする業務に従事することを職務とする官職
	農業農村工学	九　法第四十五条の二第一項第二号に規定する官職のうち、主として農業農村工学に関する知識、技術又はその他の能力を必要とする業務に従事することを職務とする官職
	林学	十　法第四十五条の二第一項第二号に規定する官職のうち、主として林学に関する知識、技術又はその他の能力を必要とする業務に従事することを職務とする官職
国家公務員採用一般職試験（高卒程度試験）	事務	一　法第四十五条の二第一項第二号に規定する官職のうち、国家公務員採用一般職試験（大卒程度試験）の項各号に掲げる官職及び次号から第五号までに掲げる官職を除く全ての官職
	事務（社会人）	

	技術	二　法第四十五条の二第一項第二号に規定する官職のうち、主として電気、電子、情報処理、機械、土木及び建築に関する知識、技術又はその他の能力を必要とする業務に従事することを職務とする官職
	技術（社会人）	
	農業	三　法第四十五条の二第一項第二号に規定する官職のうち、主として農業に関する知識、技術又はその他の能力を必要とする業務に従事することを職務とする官職
	農業（社会人）	
	農業土木	四　法第四十五条の二第一項第二号に規定する官職のうち、主として農業土木に関する知識、技術又はその他の能力を必要とする業務に従事することを職務とする官職
	農業土木（社会人）	
	林業	五　法第四十五条の二第一項第二号に規定する官職のうち、主として林業に関する知識、技術又はその他の能力を必要とする業務に従事することを職務とする官職
	林業（社会人）	
皇宮護衛官採用試験（高卒程度試験）	護衛官	対象官職等政令第一条第二項第一号に規定する官職
	護衛官（社会人）	
刑務官採用試験	刑務A	一　対象官職等政令第一条第二項第二号に規定する官職のうち、主として刑事施設における男子の被収容者の処遇の業務に従事することを職務とする官職
	刑務A（社会人）	
	刑務B	二　対象官職等政令第一条第二項第二号に規定する官職のうち、主として刑事施設における女子の被収容者の処遇の業務に従事することを職務とする官職
	刑務B（社会人）	
	刑務A（武道）	三　対象官職等政令第一条第二項第二号に規定する官職のうち、主として刑事施設における男子の被収容者の警備の業務に従事することを職務とする官職
	刑務B（武道）	四　対象官職等政令第一条第二項第二号に規定する官職のうち、主として刑事施設における女子の被収容者の警備の業務に従事することを職務とする官職
法務省専門職員（人間科学）採用試験	矯正心理専門職A	一　対象官職等政令第一条第二項第三号に規定する官職のうち、主として少年鑑別所における鑑別及び刑事施設における男子の受刑者の資質の調査に関する業務に従事することを職務とする官職
	矯正心理専門職B	二　対象官職等政令第一条第二項第三号に規定する官職のうち、主として少年鑑別所における鑑別及び刑事施設における女子の受刑者の資質の調査に関する業務に従事することを職務とする官職
	法務教官A	三　対象官職等政令第一条第二項第三号に規定する官職のうち、主として少年院における男子の在院者の矯正教育その他の処遇、少年鑑別所における在所者の観護処遇並びに刑事施設における男子の受刑者の改善指導及び教科指導に関する業務に従事することを職務とする官職
	法務教官A（社会人）	
	法務教官B	四　対象官職等政令第一条第二項第三号に規定する官職のうち、主として少年院における女子の在院者の矯正教育その他の処遇、少年鑑別所における在所者の観護処遇並びに刑事施設における女子の受刑者の改善指導及び教科指導に関する業務に従事することを職務とする官職
	法務教官B（社会人）	
	保護観察官	五　対象官職等政令第一条第二項第三号に規定する官職のうち、主として保護観察、調査、生活環境の調整その他犯罪をした者及び非行のある少年の更生保護並びに犯罪の予防に関する業務に従事することを職務とする官職
入国警備官採用試験	警備官	対象官職等政令第一条第二項第四号に規定する官職
	警備官（社	

	会人）	
国税専門官採用試験	国税専門A	一　対象官職等政令第一条第二項第七号に規定する官職のうち、次号に掲げる官職を除く全ての官職
	国税専門B	二　対象官職等政令第一条第二項第七号に規定する官職のうち、主として情報処理に関して必要な知識、技術又はその他の能力を必要とする業務に従事することを職務とする官職
労働基準監督官採用試験	労働基準監督A	一　対象官職等政令第一条第二項第九号に規定する官職のうち、次号に掲げる官職を除く全ての官職
	労働基準監督B	二　対象官職等政令第一条第二項第九号に規定する官職のうち、主として工学に関する知識、技術又はその他の能力を必要とする業務に従事することを職務とする官職
航空保安大学校学生採用試験	航空情報科	一　対象官職等政令第一条第二項第十一号に規定する官職のうち、航空保安大学校本科航空情報科学生の官職
	航空電子科	二　対象官職等政令第一条第二項第十一号に規定する官職のうち、航空保安大学校本科航空電子科学生の官職
海上保安学校学生採用試験	一般課程	一　対象官職等政令第一条第二項第十五号に規定する官職のうち、海上保安学校本科一般課程学生の官職
	航空課程	二　対象官職等政令第一条第二項第十五号に規定する官職のうち、海上保安学校本科航空課程学生の官職
	管制課程	三　対象官職等政令第一条第二項第十五号に規定する官職のうち、海上保安学校本科管制課程学生の官職
	海洋科学課程	四　対象官職等政令第一条第二項第十五号に規定する官職のうち、海上保安学校本科海洋科学課程学生の官職

別表第二　採用試験の試験種目（第六条関係）

採用試験の種類ごとの名称	区分試験	試験種目
国家公務員採用総合職試験（院卒者試験）	行政 人間科学 デジタル 工学 数理科学・物理・地球科学 化学・生物・薬学 農業科学・水産 農業農村工学 森林・自然環境	基礎能力試験、専門試験（多肢選択式）、専門試験（記述式）、政策課題討議試験、人物試験及び英語試験
	法務	基礎能力試験、政策課題討議試験、人物試験及び英語試験
国家公務員採用総合職試験（大卒程度試験）	政治・国際・人文 法律 経済 人間科学 デジタル 工学 数理科学・物理・地球科学 化学・生物・薬学 農業科学・水産 農業農村工学 森林・自然環境	基礎能力試験、専門試験（多肢選択式）、専門試験（記述式）、政策論文試験、人物試験及び英語試験
	教養	基礎能力試験、総合論文試験、政策課題討議試験、企画提案試験、人物試験及び英語試験
国家公務員採用一	行政	基礎能力試験、専門試験（多肢選択式）、

般職試験（大卒程度試験）		一般論文試験及び人物試験
	デジタル・電気・電子 機械 土木 建築 物理 化学 農学 農業農村工学 林学	基礎能力試験、専門試験（多肢選択式）、専門試験（記述式）及び人物試験
国家公務員採用一般職試験（高卒程度試験）	事務 事務（社会人）	基礎能力試験、適性試験、作文試験及び人物試験
	技術 農業 農業土木 林業 技術（社会人） 農業（社会人） 農業土木（社会人） 林業（社会人）	基礎能力試験、専門試験（多肢選択式）及び人物試験
皇宮護衛官採用試験（大卒程度試験）		基礎能力試験、課題論文試験、人物試験、身体検査、身体測定及び体力検査
皇宮護衛官採用試験（高卒程度試験）	全ての区分試験	基礎能力試験、作文試験、人物試験、身体検査、身体測定及び体力検査
刑務官採用試験	刑務A 刑務B 刑務A（社会人）	基礎能力試験、作文試験、人物試験、身体検査、身体測定及び体力検査
	刑務B（社会人）	
	刑務A（武道） 刑務B（武道）	基礎能力試験、作文試験、実技試験、人物試験、身体検査及び身体測定
法務省専門職員（人間科学）採用試験	矯正心理専門職A 矯正心理専門職B 法務教官A 法務教官B 法務教官A（社会人） 法務教官B（社会人）	基礎能力試験、専門試験（多肢選択式）、専門試験（記述式）、人物試験、身体検査及び身体測定
	保護観察官	基礎能力試験、専門試験（多肢選択式）、専門試験（記述式）及び人物試験
入国警備官採用試験	全ての区分試験	基礎能力試験、作文試験、人物試験、身体検査、身体測定及び体力検査
外務省専門職員採用試験		基礎能力試験、専門試験（記述式）、外国語試験（記述式）、外国語試験（面接）、時事論文試験、人物試験及び身体検査
財務専門官採用試験		基礎能力試験、専門試験（多肢選択式）、専門試験（記述式）及び人物試験
国税専門官採用試験	全ての区分試験	基礎能力試験、専門試験（多肢選択式）、専門試験（記述式）、人物試験及び身体検査
税務職員採用試験		基礎能力試験、適性試験、作文試験、人物試験及び身体検査
食品衛生監視員採用試験		基礎能力試験、専門試験（記述式）及び人物試験
労働基準監督官採	全ての区分試験	基礎能力試験、専門試験（多肢選択式）、

用試験		専門試験（記述式）、人物試験及び身体検査
航空管制官採用試験		基礎能力試験、適性試験、外国語試験（多肢選択式）、外国語試験（聞き取り）、外国語試験（面接）、人物試験、身体検査及び身体測定
航空保安大学校学生採用試験	全ての区分試験	基礎能力試験、学科試験（多肢選択式）、人物試験、身体検査及び身体測定
気象大学校学生採用試験		基礎能力試験、学科試験（多肢選択式）、学科試験（記述式）、作文試験、人物試験及び身体検査
海上保安官採用試験		基礎能力試験、課題論文試験、人物試験、身体検査、身体測定及び体力検査
海上保安大学校学生採用試験		基礎能力試験、学科試験（多肢選択式）、学科試験（記述式）、作文試験、人物試験、身体検査、身体測定及び体力検査
海上保安学校学生採用試験	一般課程	基礎能力試験、作文試験、人物試験、身体検査、身体測定及び体力検査
	航空課程	基礎能力試験、学科試験（多肢選択式）、人物試験、身体検査、身体測定、体力検査及び適性検査
	管制課程 海洋科学課程	基礎能力試験、学科試験（多肢選択式）、人物試験、身体検査、身体測定及び体力検査

別表第三 採用試験の受験資格（第八条関係）

採用試験の種類ごとの名称	区分試験	受験資格
国家公務員採用総合職試験（院卒者試験）	行政 人間科学 デジタル 工学 数理科学・物理・地球科学 化学・生物・薬学 農業科学・水産 農業農村工学 森林・自然環境	一 第十九条の規定により告知された当該採用試験の第二十四条に規定する最終の合格者を発表する日の属する年度（四月一日から翌年の三月三十一日までをいう。以下同じ。）（以下「試験年度」という。）の四月一日における年齢が三十歳未満の者で次に掲げるもの イ 大学院の修士課程又は専門職大学院の課程を修了した者及び試験年度の三月までに大学院の修士課程又は専門職大学院の課程を修了する見込みの者 ロ 人事院がイに掲げる者と同等の資格があると認める者
	法務	二 試験年度の四月一日における年齢が三十歳未満の者で次に掲げるもの イ 法科大学院（学校教育法（昭和二十二年法律第二十六号）第九十九条第二項に規定する専門職大学院であって、法曹に必要な学識及び能力を培うことを目的とするものをいう。）の課程を修了した者又は試験年度の三月までに当該課程を修了する見込みの者であって、司法試験に合格したもの ロ 人事院がイに掲げる者と同等の資格があると認める者
国家公務員採用総合職試験（大卒程度試験）	政治・国際・人文 法律	次に掲げる者 イ 試験年度の四月一日における年齢が二十一歳以上三十歳未満の者

	経済 人間科学 デジタル 工学 数理科学・物理・地球科学 化学・生物・薬学 農業科学・水産 農業農村工学 森林・自然環境 教養	ロ　試験年度の四月一日における年齢が二十一歳未満の者で次に掲げるもの (1)　大学を卒業した者及び試験年度の三月までに大学を卒業する見込みの者 (2)　人事院が(1)に掲げる者と同等の資格があると認める者 (3)　教養の区分試験にあっては、(1)及び(2)に掲げるもののほか、試験年度の四月一日における年齢が十九歳又は二十歳の者
国家公務員採用一般職試験（大卒程度試験）	全ての区分試験	次に掲げる者 イ　試験年度の四月一日における年齢が二十一歳以上三十歳未満の者 ロ　試験年度の四月一日における年齢が二十一歳未満の者で次に掲げるもの (1)　大学を卒業した者及び試験年度の三月までに大学を卒業する見込みの者並びに人事院がこれらの者と同等の資格があると認める者 (2)　学校教育法に基づく短期大学（以下単に「短期大学」という。）又は同法に基づく高等専門学校（以下単に「高等専門学校」という。）を卒業した者及び試験年度の三月までに短期大学又は高等専門学校を卒業する見込みの者並びに人事院がこれらの者と同等の資格があると認める者
国家公務員採用一般職試験（高卒程度試験）	事務 技術 農業 農業土木 林業	一　次に掲げる者 イ　試験年度の四月一日において高等学校又は学校教育法に基づく中等教育学校（以下単に「中等教育学校」という。）を卒業した日の翌日から起算して二年を経過していない者及び試験年度の三月までに高等学校又は中等教育学校を卒業する見込みの者 ロ　人事院がイに掲げる者に準ずると認める者
	事務（社会人） 技術（社会人） 農業（社会人） 農業土木（社会人） 林業（社会人）	二　試験年度の四月一日における年齢が四十歳未満の者（前号イに規定する期間が経過した者及び人事院が当該者に準ずると認める者に限る。）
皇宮護衛官採用試験（大卒程度試験）		次に掲げる者 イ　試験年度の四月一日における年齢が二十一歳以上三十歳未満の者 ロ　試験年度の四月一日における年齢が二十一歳未満の者で次に掲げるもの (1)　大学を卒業した者及び試験年度の三月までに大学を卒業する見込みの者並びに人事院がこれらの者と同等の資格があると認める者 (2)　短期大学又は高等専門学校を卒業した者及び試験年度の三月までに短期大学又は高等専門学校を卒業する見込みの者並びに人事院がこれらの者と同等の資格があると認める者
皇宮護衛官採用試験（高卒程度試験）	護衛官	一　次に掲げる者 イ　試験年度の四月一日において高等学校又は中等教育学校を卒業した日の翌日から起算して五年を経過していな

		い者及び試験年度の三月までに高等学校又は中等教育学校を卒業する見込みの者 ロ 人事院がイに掲げる者に準ずると認める者
	護衛官（社会人）	二 試験年度の四月一日における年齢が四十歳未満の者（前号イに規定する期間が経過した者及び人事院が当該者に準ずると認める者に限る。）
刑務官採用試験	刑務A（武道）	一 試験年度の四月一日における年齢が十七歳以上二十九歳未満の男子
	刑務B（武道）	二 試験年度の四月一日における年齢が十七歳以上二十九歳未満の女子
	刑務A（社会人）	三 試験年度の四月一日における年齢が四十歳未満の男子（第一号に規定する受験資格を有しなくなった者に限る。）
	刑務B（社会人）	四 試験年度の四月一日における年齢が四十歳未満の女子（第二号に規定する受験資格を有しなくなった者に限る。）
法務省専門職員（人間科学）採用試験	矯正心理専門職A	一 次に掲げる者 イ 試験年度の四月一日における年齢が二十一歳以上三十歳未満の男子 ロ 試験年度の四月一日における年齢が二十一歳未満の男子で次に掲げるもの (1) 大学を卒業した者及び試験年度の三月までに大学を卒業する見込みの者 (2) 人事院が(1)に掲げる者と同等の資格があると認める者
	矯正心理専門職B	二 次に掲げる者 イ 試験年度の四月一日における年齢が二十一歳以上三十歳未満の女子

		ロ 試験年度の四月一日における年齢が二十一歳未満の女子で次に掲げるもの (1) 大学を卒業した者及び試験年度の三月までに大学を卒業する見込みの者 (2) 人事院が(1)に掲げる者と同等の資格があると認める者
	法務教官A	三 次に掲げる者 イ 試験年度の四月一日における年齢が二十一歳以上三十歳未満の男子 ロ 試験年度の四月一日における年齢が二十一歳未満の男子で次に掲げるもの (1) 大学を卒業した者及び試験年度の三月までに大学を卒業する見込みの者並びに人事院がこれらの者と同等の資格があると認める者 (2) 短期大学又は高等専門学校を卒業した者及び試験年度の三月までに短期大学又は高等専門学校を卒業する見込みの者並びに人事院がこれらの者と同等の資格があると認める者
	法務教官B	四 次に掲げる者 イ 試験年度の四月一日における年齢が二十一歳以上三十歳未満の女子 ロ 試験年度の四月一日における年齢が二十一歳未満の女子で次に掲げるもの (1) 大学を卒業した者及び試験年度の三月までに大学を卒業する見込みの者並びに人事院がこれらの者と同等の資格があると認める者 (2) 短期大学又は高等専門学校を卒業した者及び試験年度の三月までに短期大学又は高等専門学校を卒業する見込みの者並びに人事院がこれらの者と同等の資格があると認める者
	法務教官A	五 試験年度の四月一日における年齢が四十歳未満の男子

	（社会人）	（第三号イに規定する受験資格を有しなくなった者に限る。）
	法務教官B（社会人）	六　試験年度の四月一日における年齢が四十歳未満の女子（第四号イに規定する受験資格を有しなくなった者に限る。）
	保護観察官	七　次に掲げる者 イ　試験年度の四月一日における年齢が二十一歳以上三十歳未満の者 ロ　試験年度の四月一日における年齢が二十一歳未満の者で次に掲げるもの (1)　大学を卒業した者及び試験年度の三月までに大学を卒業する見込みの者並びに人事院がこれらの者と同等の資格があると認める者 (2)　短期大学又は高等専門学校を卒業した者及び試験年度の三月までに短期大学又は高等専門学校を卒業する見込みの者並びに人事院がこれらの者と同等の資格があると認める者
入国警備官採用試験	警備官	一　次に掲げる者 イ　試験年度の四月一日において高等学校又は中等教育学校を卒業した日の翌日から起算して五年を経過していない者及び試験年度の三月までに高等学校又は中等教育学校を卒業する見込みの者 ロ　人事院がイに掲げる者に準ずると認める者
	警備官（社会人）	二　試験年度の四月一日における年齢が四十歳未満の者（前号イに規定する期間が経過した者及び人事院が当該者に準ずると認める者に限る。）
外務省専門職員採用試験		次に掲げる者 イ　試験年度の四月一日における年齢が二十一歳以上三十歳未満の者 ロ　試験年度の四月一日における年齢が二十一歳未満の者で次に掲げるもの (1)　大学を卒業した者及び試験年度の三月までに大学を卒業する見込みの者並びに人事院がこれらの者と同等の資格があると認める者 (2)　短期大学又は高等専門学校を卒業した者及び試験年度の三月までに短期大学又は高等専門学校を卒業する見込みの者並びに人事院がこれらの者と同等の資格があると認める者
財務専門官採用試験		次に掲げる者 イ　試験年度の四月一日における年齢が二十一歳以上三十歳未満の者 ロ　試験年度の四月一日における年齢が二十一歳未満の者で次に掲げるもの (1)　大学を卒業した者及び試験年度の三月までに大学を卒業する見込みの者並びに人事院がこれらの者と同等の資格があると認める者 (2)　短期大学又は高等専門学校を卒業した者及び試験年度の三月までに短期大学又は高等専門学校を卒業する見込みの者並びに人事院がこれらの者と同等の資格があると認める者
国税専門官採用試験	全ての区分試験	次に掲げる者 イ　試験年度の四月一日における年齢が二十一歳以上三十歳未満の者 ロ　試験年度の四月一日における年齢が二十一歳未満の者で次に掲げるもの (1)　大学を卒業した者及び試験年度の三月までに大学を卒業する見込みの者 (2)　人事院が(1)に掲げる者と同等の資格があると認める者
税務職員採用試験		次に掲げる者

		イ　試験年度の四月一日において高等学校又は中等教育学校を卒業した日の翌日から起算して三年を経過していない者及び試験年度の三月までに高等学校又は中等教育学校を卒業する見込みの者 ロ　人事院がイに掲げる者に準ずると認める者
食品衛生監視員採用試験		次に掲げる者 イ　試験年度の四月一日における年齢が二十一歳以上三十歳未満の者で次に掲げるもの (1)　大学において薬学、畜産学、水産学又は農芸化学の課程を修めて卒業した者及び試験年度の三月までに当該課程を修めて大学を卒業する見込みの者 (2)　都道府県知事の登録を受けた食品衛生監視員の養成施設において所定の課程を修了した者及び試験年度の三月までに当該課程を修了する見込みの者 ロ　試験年度の四月一日における年齢が二十一歳未満の者で次に掲げるもの (1)　イ(1)に掲げる者 (2)　都道府県知事の登録を受けた食品衛生監視員の養成施設において所定の課程を修了した者又は試験年度の三月までに当該課程を修了する見込みの者であって、大学を卒業したもの及び試験年度の三月までに大学を卒業する見込みのもの (3)　人事院が(1)又は(2)に掲げる者と同等の資格があると認める者
労働基準監督官採用試験	全ての区分試験	次に掲げる者 イ　試験年度の四月一日における年齢が二十一歳以上三十歳未満の者 ロ　試験年度の四月一日における年齢が二十一歳未満の者で次に掲げるもの (1)　大学を卒業した者及び試験年度の三月までに大学を卒業する見込みの者 (2)　人事院が(1)に掲げる者と同等の資格があると認める者
航空管制官採用試験		次に掲げる者 イ　試験年度の四月一日における年齢が二十一歳以上三十歳未満の者 ロ　試験年度の四月一日における年齢が二十一歳未満の者で次に掲げるもの (1)　大学を卒業した者及び試験年度の三月までに大学を卒業する見込みの者並びに人事院がこれらの者と同等の資格があると認める者 (2)　短期大学又は高等専門学校を卒業した者及び試験年度の三月までに短期大学又は高等専門学校を卒業する見込みの者並びに人事院がこれらの者と同等の資格があると認める者
航空保安大学校学生採用試験	全ての区分試験	次に掲げる者 イ　試験年度の四月一日において高等学校又は中等教育学校を卒業した日の翌日から起算して三年を経過していない者及び試験年度の三月までに高等学校又は中等教育学校を卒業する見込みの者 ロ　人事院がイに掲げる者と同等の資格があると認める者
気象大学校学生採用試験		次に掲げる者 イ　試験年度の四月一日において高等学校又は中等教育学校を卒業した日の翌日から起算して二年を経過していない者及び試験年度の三月までに高等学校又は中等教育学校を卒業する見込みの者 ロ　人事院がイに掲げる者と同等の資格があると認める者
海上保安官採用試験		試験年度の四月一日における年齢が三十歳未満の者で次に掲げるもの イ　大学を卒業した者及び試験年度の三月までに大学を卒業する見込みの者

		ロ　人事院がイに掲げる者と同等の資格があると認める者
海上保安大学校学生採用試験		次に掲げる者 イ　試験年度の四月一日において高等学校又は中等教育学校を卒業した日の翌日から起算して二年を経過していない者及び試験年度の三月までに高等学校又は中等教育学校を卒業する見込みの者 ロ　人事院がイに掲げる者と同等の資格があると認める者
海上保安学校学生採用試験	全ての区分試験	次に掲げる者 イ　試験年度の四月一日において高等学校又は中等教育学校を卒業した日の翌日から起算して十二年（採用試験が同一年度に二回行われる場合における初回の採用試験については、十三年）を経過していない者及び試験年度の三月（採用試験が同一年度に二回行われる場合における初回の採用試験については、九月）までに高等学校又は中等教育学校を卒業する見込みの者 ロ　人事院がイに掲げる者と同等の資格があると認める者

○経験者採用試験について

平二六・八・一
人事院公示二二

最終改正 令六・三・二九人事院公示九

人事院は、人事院規則八―一八（採用試験）第三条第四項、第四条第二項及び第三項、第六条第一項及び第二項第一号並びに第八条第三項の規定に基づき、経験者採用試験である採用試験の種類ごとの名称、区分試験及びその対象となる官職、試験種目及びその出題分野並びに受験資格に関し、次のとおり決定した。

1 人事院規則八―一八（採用試験）（以下「規則」という。）第三条第四項の人事院が定める名称は、次の各号に掲げる経験者採用試験である採用試験の種類（以下単に「種類」という。）に応じ、それぞれ当該各号に定める名称とする。

一 経験者採用試験の対象官職及び種類並びに採用試験の種類ごとに求められる知識及び能力等に関する内閣官房令（平成二十六年内閣官房令第三号。以下「内閣官房令」という。）第二条第一号に掲げる官職を対象とし、内閣官房令第三条に規定する大卒程度の者に対して行う採用試験 経験者採用試験（係長級（事務））

二 内閣官房令第二条第二号に掲げる官職を対象とし、内閣官房令第三条に規定する大卒程度の者に対して行う採用試験 会計検査院経験者採用試験（係長級（事務））

三 内閣官房令第二条第三号（同号イに係る部分に限る。）に掲げる官職を対象とし、内閣官房令第三条に規定する大卒程度の者に対して行う採用試験 総務省経験者採用試験（係長級（事務））

四 内閣官房令第二条第三号（同号ロに係る部分に限る。）に掲げる官職を対象とし、内閣官房令第三条に規定する大卒程度の者に対して行う採用試験 総務省経験者採用試験（係長級（技術））

五 内閣官房令第二条第四号に掲げる官職を対象とし、内閣官房令第三条に規定する大卒程度の者に対して行う採用試験 外務省経験者採用試験（書記官級）

六 内閣官房令第二条第五号に掲げる官職を対象とし、内閣官房令第三条に規定する大卒程度の者に対して行う採用試験 国税庁経験者採用試験（国税調査官級）

七 内閣官房令第二条第六号に掲げる官職を対象とし、内閣官房令第三条に規定する大卒程度の者に対して行う採用試験 農林水産省経験者採用試験（係長級（技術））

八 内閣官房令第二条第七号（同号イに係る部分に限る。）に掲げる官職を対象とし、内閣官房令第三条に規定する大卒程度の者に対して行う採用試験 国土交通省経験者採用試験（係長級（事務））

九 内閣官房令第二条第七号（同号ロ及びハに係る部分に限る。）に掲げる官職を対象とし、内閣官房令第三条に規定する大卒程度の者に対して行う採用試験 国土交通省経験者採用試験（係長級（技術））

十 内閣官房令第二条第八号に掲げる官職を対象とし、内閣官房令第三条に規定する大卒程度の者に対して行う採用試験 観光庁経験者採用試験（係長級（事務））

十一 内閣官房令第二条第九号に掲げる官職を対象とし、内閣官房令第三条に規定する大卒程度の者に対して行う採用試験 気象庁経験者採用試験（係長級（技術））

2 規則第四条第二項の規定に基づき、経験者採用試験である採用試験のうち別表第一の種類ごとの名称欄に掲げる採用試験を、同表の区分試験欄に掲げる採用試験に区分する。

3 規則第四条第三項の規定に基づき、前項の規定により区分された採用試験（以下「区分試験」という。）の対象となる官職は、別表第一の区分試験の対象となる官職欄に掲げるとおりとする。

4 規則第六条第一項の人事院が定める方法は、経験者採用試験である採用試験（第二項の規定により区分された採用試験にあっては、区分試験）ごとに別表第二の試験種目欄に掲げるとおりとする。

5 前項の規定により別表第二の試験種目欄に掲げられた試験種目のうち規則第六条第二項第一号に掲げる試験種目に係る同号の人事院が定める出題分野は、別表第三の出題分野欄に掲げるとおりとする。

6 規則第八条第三項の規定に基づき、経験者採用試験である採用試験の受験資格は、その採用試験（第二項の規定により区分された採用試験にあっては、区分試験）ごとに別表第四の受験資格欄に掲げるとおりとする。

7 この決定は、平成二十六年八月一日から効力を発生する。

別表第一

種類ごとの名称	区分試験	区分試験の対象となる官職
国土交通省経験者採用試験（係長級（技術））	本省	内閣官房令第二条第七号（同号ロに係る部分に限る。）に掲げる官職のうち、国土交通省の内部部局（本省に置かれる職を含む。）における主として都市計画及び都市計画事業、下水道、河川等の整備及び管理、砂防、道路の整備及び管理、住宅の供給、建築物の質の向上、道路運送車両の安全の確保及び道路運送車両に係る環境の保全、船舶の安全の確保、港湾等の整備及び管理、航空運送及び航空に関する事業の発達、改善及び調整、航空機の安全の確保、空港等の管理に関連する環境対策、官公庁施設の整備及び官公庁施設に関する指導等に関する事務に従事することを職務とする官職
	国土地理院	内閣官房令第二条第七号（同号ハに係る部分に限る。）に掲げる官職のうち、国土地理院における主として土地の測量及び地図の調製に関する事務に従事することを職務とする官職
	地方整備局・北海道開発局	内閣官房令第二条第七号（同号ハに係る部分に限る。）に掲げる官職のうち、地方整備局若しくは北海道開発局における主として河川等、道路若しくは港湾等の整備及び管理、官公庁施設の整備及び官公庁施設に関する指導等に関する事務又は北海道開発局における主として農地の保全等に関する事務に従事することを職務とする官職

別表第二

種類ごとの名称	区分試験	試験種目
経験者採用試験（係長級（事務））		基礎能力試験、経験論文試験、政策課題討議試験及び人物試験
会計検査院経験者採用試験（係長級（事務））		基礎能力試験、経験論文試験、政策課題討議試験、人物試験及び総合評価面接試験
総務省経験者採用試験（係長級（事務））		基礎能力試験、経験論文試験、人物試験及び総合評価面接試験
総務省経験者採用試験（係長級（技術））		基礎能力試験、経験論文試験、人物試験及び総合評価面接試験
外務省経験者採用試験（書記官級）		基礎能力試験、外国語試験（記述式）、外国語試験（面接）、経験論文試験、人物試験及び総合評価面接試験
国税庁経験者採用試験（国税調査官級）		基礎能力試験、経験論文試験、人物試験及び総合評価面接試験
農林水産省経験者採用試験（係長級（技術））		基礎能力試験、経験論文試験、政策課題討議試験、人物試験及び総合評価面接試験
国土交通省経験者採用試験（係長級（事務））		基礎能力試験、経験論文試験、人物試験及び総合評価面接試験
国土交通省経験者採用試験（係長級（技術））	本省	基礎能力試験、経験論文試験、政策課題討議試験、人物試験及び総合評価面接試験
	国土地理院	基礎能力試験、経験論文試験、人物試験及び総合評価面接試験
	地方整備局・北海道開発局	基礎能力試験、経験論文試験、人物試験及び総合評価面接試験

観光庁経験者採用試験（係長級（事務））		基礎能力試験、経験論文試験、人物試験及び総合評価面接試験
気象庁経験者採用試験（係長級（技術））		基礎能力試験、経験論文試験、人物試験及び総合評価面接試験

別表第三

種類ごとの名称	試験種目	出題分野
外務省経験者採用試験（書記官級）	外国語試験（記述式）	英語、フランス語、ドイツ語、ロシア語、スペイン語、ポルトガル語、アラビア語、トルコ語、タイ語、インドネシア語、中国語及び朝鮮語のうち、受験者の選択する一か国語
	外国語試験（面接）	英語、フランス語、ドイツ語、ロシア語、スペイン語、ポルトガル語、アラビア語、トルコ語、タイ語、インドネシア語、中国語及び朝鮮語のうち、受験者の選択する一か国語

別表第四

種類ごとの名称	区分試験	受験資格
経験者採用試験（係長級（事務））		規則第十九条の規定により告知された当該採用試験の規則第二十四条に規定する最終の合格者を発表する日の属する年度（四月一日から翌年の三月三十一日までをいう。）（以下「試験年度」という。）の四月一日において、学校教育法（昭和二十二年法律第二十六号）に基づく大学（短期大学を除き、同法第百四条第七項第二号の規定により大学に相当する教育を行うものとして認められた課程を置く教育施設を含む。）若しくはこれに相当する外国の大学（これに準ずる教育施設を含む。）（以下「大学等」という。）を卒業した日又は同法に基づく大学の大学院の課程（同号の規定により大学院の課程に相当する教育を行うものとして認められたものを含む。）若しくはこれに相当する外国の大学（これに準ずる教育施設を含む。）の課程（以下「大学院の課程等」という。）を修了した日のうち最も古い日から起算して二年を経過した者
会計検査院経験者採用試験（係長級（事務））		試験年度の四月一日において、大学等を卒業した日又は大学院の課程等を修了した日のうち最も古い日から起算して五年を経過した者で、平成十八年一月一日以降に公認会計士法（昭和二十三年法律第百三号）第三条に規定する公認会計士試験に合格したもの又は同日前に公認会計士法の一部を改正する法律（平成十五年法律第六十七号）の規定による改正前の公認会計士法の規定による公認会計士試験の第二次試験に合格したもの
総務省経験者採用試験（係長級（事務））		試験年度の四月一日において、大学等を卒業した日又は大学院の課程等を修了した日のうち最も古い日から起算して七年を経過した者
総務省経験者採用試験（係長級（技術））		試験年度の四月一日において、次の各号のいずれかに該当する日（二以上あるときは、当該日のうち最も古い日）から起算して十二年を経過した者で、学校教育法に基づく短期大学、高等専門学校、高等学校の専攻科の課程（同法第五十八条の二の文部科学大臣の定める基準を満たすものに限る。）若しくは専修学校の専門課程（同法第百三十二条の文部科学大臣の定める基準を満たすものに限る。）（以下「短期大学等」という。）、大学等、大学院の課程等、第一号、第四号、第五号、第七号、第九号若しくは第十号に規定する学校若しくは課程、職業能力開発促進法（昭和四十四年法律第六十四号）第十六条第一項若しくは第二項の規定に基づき国若しくは都道府県が設置した職業能力開発短期大学校の専門課程若

		しくは職業能力開発大学校の専門課程若しくは応用課程又は同法第二十七条に規定する職業能力開発総合大学校の特定専門課程若しくは特定応用課程に在学して電気、電子、通信、情報工学、機械、物理又は化学に関する課程を修めて卒業又は修了したもの 一　学校教育法に基づく高等学校又は中等教育学校を卒業した日 二　学校教育法に基づく高等専門学校の第三学年の課程を修了した日 三　学校教育法第九十条第二項の規定に基づき大学に入学した日 四　学校教育法施行規則（昭和二十二年文部省令第十一号）第百五十条第二号の規定に基づき文部科学大臣が高等学校の課程と同等の課程を有するものとして認定した在外教育施設の当該課程を修了した日 五　学校教育法に基づく専修学校の高等課程のうち、学校教育法施行規則第百五十条第三号の規定に基づき文部科学大臣が指定した課程を修了した日（同号の規定に基づき文部科学大臣が定める日以後に修了した場合に限る。） 六　高等学校卒業程度認定試験規則（平成十七年文部科学省令第一号）に規定する高等学校卒業程度認定試験の合格者となった日 七　外国において学校教育における十二年の課程を修了した日 八　昭和二十三年文部省告示第四十七号第二十号から第二十三号までに規定する資格を取得した日 九　昭和二十三年文部省告示第四十七号第二十四号に規定する教育施設又はこれに準ずるものに置かれる十二年の課程を修了した日 十　昭和五十六年文部省告示第百五十三号第一号に規定する検定に合格した日又は同告示第二号から第五号までに規定する課程を修了した日

外務省経験者採用試験（書記官級）		試験年度の四月一日において、大学等を卒業した日又は大学院の課程等を修了した日のうち最も古い日から起算して九年を経過した者
国税庁経験者採用試験（国税調査官級）		試験年度の四月一日において、大学等を卒業した日又は大学院の課程等を修了した日のうち最も古い日から起算して八年を経過した者
農林水産省経験者採用試験（係長級（技術））		試験年度の四月一日において、大学等を卒業した日又は大学院の課程等を修了した日のうち最も古い日から起算して四年を経過した者で、これらの大学等又は大学院の課程等に在学して情報工学、土木、造船工学、数学、物理、地球科学、化学、生物学、薬学、農芸化学、農学、農業経済、畜産、水産、農業農村工学、林学、砂防、造園又は林産に関する課程を修めて卒業又は修了したもの
国土交通省経験者採用試験（係長級（事務））		試験年度の四月一日において、大学等を卒業した日又は大学院の課程等を修了した日のうち最も古い日から起算して七年を経過した者
国土交通省経験者採用試験（係長級（技術））	本省	試験年度の四月一日において、大学等を卒業した日又は大学院の課程等を修了した日のうち最も古い日から起算して二年を経過した者で、これらの大学等又は大学院の課程等に在学して計測、制御、情報工学、電気、電子、通信、機械、航空、土木、建築、材料工学、造船工学、農業農村工学、林学、砂防又は造園に関する課程を修めて卒業又は修了したもの
	国土地理院	試験年度の四月一日において、大学等を卒業した日又は大学院の課程等を修了した日のうち最も古い日から起算して七年を経過した者で、これらの大学等又は大学院の課程等に在学して電気、電子、通信、情報工学、土木、物理、地球科学、農業農村工学又は林学に関する課程を修めて卒業又は修了し、かつ、測量法（昭和二十四年法律第百八十八号）第四

		十九条第一項に規定する測量士の登録を受けているもの
地方整備局・北海道開発局		試験年度の四月一日において、次の各号のいずれかに該当する日（二以上あるときは、当該日のうち最も古い日）から起算して十一年を経過した者で、短期大学等、大学等、大学院の課程等又は第一号、第四号、第五号、第七号、第九号若しくは第十号に規定する学校若しくは課程に在学して電気、機械、土木、建築又は農業農村工学に関する課程を修めて卒業又は修了したもの 一 学校教育法に基づく高等学校又は中等教育学校を卒業した日 二 学校教育法に基づく高等専門学校の第三学年の課程を修了した日 三 学校教育法第九十条第二項の規定に基づき大学に入学した日 四 学校教育法施行規則第百五十条第二号の規定に基づき文部科学大臣が高等学校の課程と同等の課程を有するものとして認定した在外教育施設の当該課程を修了した日 五 学校教育法に基づく専修学校の高等課程のうち、学校教育法施行規則第百五十条第三号の規定に基づき文部科学大臣が指定した課程を修了した日（同号の規定に基づき文部科学大臣が定める日以後に修了した場合に限る。） 六 高等学校卒業程度認定試験規則に規定する高等学校卒業程度認定試験の合格者となった日 七 外国において学校教育における十二年の課程を修了した日 八 昭和二十三年文部省告示第四十七号第二十号から第二十三号までに規定する資格を取得した日 九 昭和二十三年文部省告示第四十七号第二十四号に規定する教育施設又はこれに準ずるものに置かれる十二年の課程を修了した日 十 昭和五十六年文部省告示第百五十三号第一号に規定する検定に合格した日又は同告示第二号から第五号までに

		規定する課程を修了した日
観光庁経験者採用試験（係長級（事務））		試験年度の四月一日において、大学等を卒業した日又は大学院の課程等を修了した日のうち最も古い日から起算して七年を経過した者
気象庁経験者採用試験（係長級（技術））		試験年度の四月一日において、大学等を卒業した日又は大学院の課程等を修了した日のうち最も古い日から起算して八年を経過した者で、これらの大学等又は大学院の課程等に在学して電気、電子、通信 情報工学、土木、物理、地球科学又は化学に関する課程を修めて卒業又は修了したもの

○人事院規則八―一八（採用試験）第十一条第一項ただし書の規定に基づく採用試験及び採用試験の試験機関の指定について

平二四・二・一
人事院指令八―一

改正　平二六・五・二九人事院指令八―一

1　人事院は、人事院規則八―一八（採用試験）第十一条第一項ただし書の規定に基づき、人事院が定める採用試験として同規則第三条第三項第六号に掲げる採用試験を定め、この採用試験の試験機関として外務省を指定する。

2　昭和六十年人事院指令八―一は、廃止する。

○標準的な官職が係員である職制上の段階に属する官職に準ずる官職の属する職制上の段階及び選考の方法による採用を妨げない係員の官職について

平二六・五・二九
人事院公示一三

改正　平二七・四・一人事院公示一四

人事院は、人事院規則八―一二（職員の任免）第七条の二第一項第一号並びに第十八条第一項第四号及び第五号の規定に基づき、標準的な官職が係員である職制上の段階に属する官職に準ずる官職の属する職制上の段階及び選考の方法による採用を妨げない係員の官職に関し、次のとおり決定した。

1　人事院規則八―一二（職員の任免）（以下「規則」という。）第七条の二第一項第一号の人事院が定める職制上の段階は、国家公務員法（昭和二十二年法律第百二十号）第三十四条第二項に規定する標準的な官職（以下単に「標準的な官職」という。）が、標準的な官職を定める政令に規定する内閣官房令で定める標準的な官職等を定める内閣官房令（平成二十一年内閣府令第二号）第二条第十一項各号の表の下欄に掲げる航海士補、同令第五条第一項の表の下欄に掲げる研究官、同条第二項の表の下欄に掲げる研究補助員、同令第十八条の表の下欄に掲げる審査官補及び同令第二十五条第二項から第五項までの表の下欄に掲げる海事技術専門官である職制上の段階とする。

2　規則第十八条第一項第四号の特別の知識、技術又はその他の能力を必要とする官職で、当該特別の知識、技術又はその他の能力に照らして採用試験によることが不適当であると認められるものとして人事院が定めるものは、次のとおりとする。

一　主として政策の企画立案等の高度の知識、技術又は経験を必要とする業務に従事することを職務とする官職のうち、次に掲げる官職のいずれかに該当する官職

(1)　次に掲げるもののいずれか一に関する専門的知識又は技術を特に必要とする官職

日本史学、歯学、保健学、繊維学、獣医学、美術学、意匠学又は体育学

(2)　次に掲げるいずれか一の免許等を有する者をもって充てるべき官職

ア　電波法（昭和二十五年法律第百三十一号）による無線従事者の免許

イ　船舶職員及び小型船舶操縦者法（昭和二十六年法律第百四十九号）による海技士の免許

ウ　航空法（昭和二十七年法律第二百三十一号）による定期運送用操縦士、事業用操縦士、一等航空整備士又は二等航空整備士の資格についての航空従事者技能証明

二　主として事務処理等の定型的な業務に従事することを職務とする官職のうち、次に掲げる官職のいずれかに該当する官職

(1)　次に掲げるもののいずれか一に関する専門的知識又は技術を特に必要とする官職

生物学、薬学、原子力工学、造船工学、繊維学、畜産学、獣医学、水産学、美術学、意匠学又は体育学

(2)　次に掲げるいずれか一の免許等を有する者をもって充てるべき官職

ア　電波法による無線従事者の免許

イ　船舶職員及び小型船舶操縦者法による海技士の免許

ウ　航空法による定期運送用操縦士、事業用操縦士、一等航空整備士又は二等航空整備士の資格についての航空従事者技能証明

(3)　次に掲げる官職

ア　宮内庁の楽師の官職

イ　空港事務所及び空港出張所の飛行場の警務又は飛行場等における事故に関する消火及び救助を行うことを職務とする官職

ウ　独立行政法人国立印刷局の校正の作業を行うことを職務とする官職

三　主として少年院における在院者の矯正教育その他の処遇、少年鑑別所における在所者の観護処遇並びに刑事施設における受刑者の改善指導及び教科指導に関する業務に従事することを職務とする官職のうち、少年院の職業指導又は教科指導に従事する教官の官職

3　規則第十八条第一項第五号の庁舎の監視その他の庁務等を職務の内容とする官職で、当該職務の内容に照らして採用試験によることが不適当であると認められるものとして人事院が定めるものは、標準的な官職が、標準的な官職を定める政令に規定する内閣官房令で定める標準的な官職等を定める内閣官房令第十五条第三項の表の下欄に掲げる係員である職制上の段階に属する官職とする。

4　平成二十三年人事院公示第十五号は、廃止する。

5　この決定は、平成二十六年五月三十日から効力を発生する。

○人事院の認定に係る受験資格について

平二三・四・一四
人事院公示一八

最終改正　令五・三・一五人事院公示五

人事院は、人事院規則八―一八（採用試験）別表第三国家公務員採用総合職試験（院卒者試験）の項第一号ロ及び第二号ロ、同表国家公務員採用総合職試験（大卒程度試験）の項ロ(2)、同表国家公務員採用一般職試験（大卒程度試験）の項ロ(1)及び(2)、同表国家公務員採用一般職試験（高卒程度試験）の項第一号ロ及び第二号、同表皇宮護衛官採用試験（大卒程度試験）の項ロ(1)及び(2)、同表皇宮護衛官採用試験（高卒程度試験）の項第一号ロ及び第二号、同表法務省専門職員（人間科学）採用試験の項第一号ロ(2)、第二号ロ(2)、第三号ロ(1)及び(2)、第四号ロ(1)及び(2)並びに第七号ロ(1)及び(2)、同表入国警備官採用試験の項第一号ロ及び第二号、同表外務省専門職員採用試験の項ロ(1)及び(2)、同表財務専門官採用試験の項ロ(1)及び(2)、同表国税専門官採用試験の項ロ(2)、同表税務職員採用試験の項ロ、同表食品衛生監視員採用試験の項ロ(3)、同表労働基準監督官採用試験の項ロ(2)、同表航空管制官採用試験の項ロ(1)及び(2)、同表航空保安大学校学生採用試験の項ロ、同表気象大学校学生採用試験の項ロ、同表海上保安官採用試験の項ロ、同表海上保安大学校学生採用試験の項ロ並びに同表海上保安学校学生採用試験の項ロの規定に基づき、人事院の認定に係る受験資格に関し、次のとおり決定した。

1　院卒程度の者に行う採用試験関係

一　人事院規則八―一八（採用試験）（以下「規則」という。）別表第三国家公務員採用総合職試験（院卒者試験）の項第一号ロに規定する「人事院がイに掲げる者と同等の資格があると認める者」は、次に掲げる者とする。

イ　学校教育法（昭和二十二年法律第二十六号）に基づく大学において医学を履修する課程、歯学を履修する課程、薬学を履修する課程のうち臨床に係る実践的な能力を培うことを主たる目的とするもの又は獣医学を履修する課程を修了した者及び規則第十九条の規定に基づき告知された当該採用試験の規則第二十四条に規定する最終の合格者を発表する日の属する年度（四月一日から翌年三月三十一日までをいう。）（以下「試験年度」という。）の三月までにこれらの課程のいずれかを修了する見込みの者

ロ　学校教育法第百四条第七項第二号の規定に基づき大学院に相当する教育を行うと認められた課程を修了した者及び試験年度の三月までに当該課程を修了する見込みの者

ハ　学校教育法施行規則（昭和二十二年文部省令第十一号）第百五十五条第一項第二号から第四号までに規定する十八年の課程又は同項第四号の二に規定する修業年限が五年以上である課程を修了した者及び試験年度の三月までにこれらの課程のいずれかを修了する見込みの者

ニ　学校教育法施行規則第百五十六条第一号から第四号までの規定に基づき、修士の学位又は専門職学位に相当する学位を授与された者及び試験年度の三月までに修士の学位又は専門職学位に相当する学位を授与される見込みの者

ホ　防衛医科大学校の教育訓練を修了した者及び試験年度の三月までに当該教育訓練を修了する見込みの者

二　規則別表第三国家公務員採用総合職試験（院卒者試験）の項第二号ロに規定する「人事院がイに掲げる者と同等の資格があると認める者」は、司法試験予備試験に合格した者であって司法試験に合格したものとする。

2　大卒程度の者に行う採用試験関係

一　規則別表第三国家公務員採用総合職試験（大卒程度試験）の項ロ(2)、同表法務省専門職員（人間科学）採用試験の項第一号ロ(2)及び第二号ロ(2)、同表国税専門官採用試験の項ロ(2)並びに同表労働基準監督官採用試験の項ロ(2)に規定する「人事院が(1)に掲げる者と同等の資格があると認める者」、同表国家公務員採用一般職試験（大卒程度試験）の項ロ(1)、同表皇宮護衛官採用試験（大卒程度試験）の項ロ(1)、同表法務省専門職員（人間科学）採用試験の項第三号ロ(1)、第四号ロ(1)及び第七号ロ(1)、同表外務省専門職員採用試験の項ロ(1)、同表財務専門官採用試験の項ロ(1)並びに同表航空管制官採用試験の項ロ(1)に規定する「人事院がこれらの者と同等の資格があると認める者」並びに同表海上保安官採用試験の項ロに規定する「人事院がイに掲げる者と同等の資格があると認める者」は、次に掲げる者とする。

イ　学校教育法第百二条第二項の規定に基づき大学院に入学したことのある者

ロ　学校教育法第百四条第七項第一号の規定に基づき学士の学位を授与された者

ハ　学校教育法第百四条第七項第二号に規定する課程を修了した者及び試験年度の三月までに当該課程を修了する見込みの者

ニ　学校教育法施行規則第百五十五条第一項第二号から第四号の二までに規定する課程を修了した者及び試験年度の三月までに当該課程を修了する見込みの者

ホ　学校教育法に基づく専修学校の専門課程のうち、学校教育法施行規則第百五十五条第一項第五号の規定に基づき文部科学大臣が指定した課程を修了した者（同号の規定に基づき文部科学大臣が定める日以後に修了した者に限る。）及び試験年度の三月までに当該課程を修了する見込みの者

二　規則別表第三国家公務員採用一般職試験（大卒程度試験）の項ロ(2)、同表皇宮護衛官採用試験（大卒程度試験）の項ロ(2)及び同表財務専門官採用試験の項ロ(2)に規定する「人事院がこれらの者と同等の資格があると認める者」は、次に掲げる者とする。

イ　学校教育法に基づく高等学校の専攻科の課程のうち、同法第五十八条の二の文部科学大臣の定める基準を満たす課程を修了した者及び試験年度の三月までに当該課程を修了する見込みの者

ロ　学校教育法に基づく専門職大学の前期課程を修了した者及び試験年度の三月までに当該課程を修了する見込みの者

ハ　学校教育法に基づく専修学校の専門課程のうち、次に掲げるいずれかの課程を修了した者及び試験年度の三月までに当該課程を修了する見込みの者　(2)に掲げる課程に係るこれらの者にあって

は、当該課程への入学が平成二十九年四月一日前である者に限る。）

(1) 学校教育法第百三十二条の文部科学大臣の定める基準を満たす課程

(2) 修業年限が二年以上であり、かつ、一、六〇〇時間以上の授業の履修を義務付けている課程であって、当該履修の成果が授業科目の目標に達していることを筆記試験その他の方法により認められることを修了の要件とするもの

ニ 農業改良助長法（昭和二十三年法律第百六十五号）第七条第一項第五号に掲げる事業等を行う農業者研修教育施設（修業年限二年以上のものに限る。）の卒業者及び試験年度の三月までに当該農業者研修教育施設を卒業する見込みの者

ホ 職業能力開発促進法（昭和四十四年法律第六十四号）第十六条第一項若しくは第二項の規定に基づき国若しくは都道府県が設置した職業能力開発短期大学校若しくは職業能力開発大学校の専門課程（以下このホにおいて「短期大学校等の専門課程」という。）又は同法第二十七条に規定する職業能力開発総合大学校の特定専門課程を修了した者及び試験年度の三月までに短期大学校等の専門課程又は当該特定専門課程を修了する見込みの者

ヘ 森林法施行令（昭和二十六年政令第二百七十六号）第九条の規定に基づき農林水産大臣が指定する教育機関（修業年限二年以上のものに限る。）の卒業者及び試験年度の三月までに当該教育機関を卒業する見込みの者

ト 学校教育法施行規則第百五十五条第二項第五号から第七号までに規定する課程を修了した者及び試験年度の三月までに当該課程を修了する見込みの者

チ 国立研究開発法人農業・食品産業技術総合研究機構において、園芸又は茶業に必要な学理及び技術の修得を目的として行う長期研修の課程（研修期間二年以上のものに限る。）の卒業者及び試験年度の三月までに当該課程を卒業する見込みの者

リ 都道府県の条例等の規定に基づく農業講習所（修業年限二年以上のものに限る。）の卒業者及び試験年度の三月までに当該農業講習所を卒業する見込みの者

三 規則別表第三法務省専門職員（人間科学）採用試験の項第三号ロ(2)、第四号ロ(2)及び第七号ロ(2)に規定する「人事院がこれらの者と同等の資格があると認める者」は、前号イからハまで、ホ及びトに掲げる者とする。

四 規則別表第三外務省専門職員採用試験の項ロ(2)及び同表航空管制官採用試験の項ロ(2)に規定する「人事院がこれらの者と同等の資格があると認める者」は、第二号イからハまで及びトに掲げる者とする。

五 規則別表第三食品衛生監視員採用試験の項ロ(3)に規定する「人事院が(1)又は(2)に掲げる者と同等の資格があると認める者」は、都道府県知事の登録を受けた食品衛生監視員の養成施設（平成二十七年四月一日前に厚生労働大臣の登録を受けた食品衛生監視員の養成施設を含む。）において所定の課程を修了した者又は試験年度の三月までに当該課程を修了する見込みの者であって、国立研究開発法人水産研究・教育機構水産大学校を卒業したもの及び試験年度の三月までに国立研究開発法人水産研究・教育機構水産大学校を卒業する見込みのものとする。

3 高卒程度の者に行う採用試験関係

一 規則別表第三国家公務員採用一般職試験（高卒程度試験）の項第一号ロに規定する「人事院がイに掲げる者に準ずると認める者」は、次に掲げる者とする。

イ 試験年度の四月一日において、学校教育法に定める義務教育を終了した日から起算して二年以上五年未満の者であって、規則別表第三国家公務員採用一般職試験（高卒程度試験）の項第一号イに該当しないもの

ロ 試験年度の四月一日において、学校教育法に定める義務教育を終了した日から起算して五年を経過した者であって、次に掲げるもの

(1) 学校教育法に基づく高等専門学校の第三学年の課程を修了した者であって、試験年度の四月一日において、当該課程を修了した日の翌日から起算して一年を経過していないもの及び試験年度の三月までに当該課程を修了する見込みの者

(2) 学校教育法第九十条第二項の規定に基づき大学に入学したことのある者であって、試験年度の四月一日において、大学に入学した日の翌日から起算して二年を経過していないもの

(3) 学校教育法施行規則第百五十条第二号の規定に基づき文部科学大臣が高等学校の課程と同等の課程を有するものとして認定した在外教育施設の当該課程を修了した者であって、試験年度の四月一日において、当該課程を修了した日の翌日から起算して二年を経過していないもの及

び試験年度の三月までに当該課程を修了する見込みの者

(4) 学校教育法に基づく専修学校の高等課程のうち、学校教育法施行規則第百五十条第三号の規定に基づき文部科学大臣が指定した課程を修了した者（同号の規定に基づき文部科学大臣が定める日以後に修了した者に限る。）であって、試験年度の四月一日において、当該課程を修了した日の翌日から起算して二年を経過していないもの及び試験年度の三月までに当該課程を修了する見込みの者

(5) 独立行政法人海技教育機構の海技士教育科海技課程の本科の卒業者であって、試験年度の四月一日において、当該本科を卒業した日の翌日から起算して二年を経過していないもの及び試験年度の三月までに当該本科を卒業する見込みの者

ハ 高等学校卒業程度認定試験規則（平成十七年文部科学省令第一号）に規定する高等学校卒業程度認定試験に合格した者（同令第八条第一項ただし書の規定の適用を受ける者であって、試験年度の四月一日における年齢が十七歳以上のものを含む。）であって、試験年度の四月一日において、当該試験に合格した日（同項ただし書の規定の適用を受ける者にあっては、十八歳に達した日の翌日）の翌日から起算して二年を経過していないもの

ニ 外国において学校教育における十二年の課程を修了した者であって、試験年度の四月一日において、当該課程を修了した日の翌日から起算して二年を経過していないもの及び外国において試験年度の三月までに当該課程を修了する見込みの者

ホ 昭和二十三年文部省告示第四十七号第二十号から第二十三号までに規定する資格を有する者であって、試験年度の四月一日において、当該資格を取得した日の翌日から起算して二年を経過していないもの

ヘ 昭和二十三年文部省告示第四十七号第二十四号に規定する教育施設及びこれに準ずるものに置かれる十二年の課程を修了した者であって、試験年度の四月一日において、当該課程を修了した日の翌日から起算して二年を経過していないもの及び試験年度の三月までに当該課程を修了する見込みの者

ト 昭和五十六年文部省告示第百五十三号第一号に規定する検定に合格した者であって、試験年度の四月一日において、当該検定に合格した日の翌日から起算して二年を経過していないもの、同告示第二号から第五号までに規定する課程を修了した者であって、試験年度の四月一日において、当該課程を修了した日の翌日から起算して二年を経過していないもの及び試験年度の三月までに当該課程を修了する見込みの者

二 規則別表第三国家公務員採用一般職試験（高卒程度試験）の項第二号に規定する「人事院が当該者に準ずると認める者」は、学校教育法に定める義務教育を終了した日から起算して五年を経過した者（同項第一号イ又はロに該当する者を除く。）とする。

三 規則別表第三皇宮護衛官採用試験（高卒程度試験）の項第一号ロ及び同表入国警備官採用試験の項第一号ロに規定する「人事院がイに掲げる者に準ずると認める者」については、第一号の規定を準用する。この場合において、同号イ及びロ中「五年」とあるのは「八年」と、同号ロからトまでの規定中「二年を」とあるのは「五年を」と読み替えるものとする。

四 規則別表第三皇宮護衛官採用試験（高卒程度試験）の項第二号及び同表入国警備官採用試験の項第二号に規定する「人事院が当該者に準ずると認める者」については、第二号の規定を準用する。この場合において、同号中「五年」とあるのは「八年」と、「同項第一号イ又はロ」とあるのは「同表皇宮護衛官採用試験（高卒程度試験）の項第一号イ若しくはロ又は同表入国警備官採用試験の項第一号イ若しくはロ」と読み替えるものとする。

五 規則別表第三税務職員採用試験の項ロに規定する「人事院がイに掲げる者に準ずると認める者」については、第一号の規定を準用する。この場合において、同号イ及びロ中「五年」とあるのは「六年」と、同号ロからトまでの規定中「二年を」とあるのは「三年を」と読み替えるものとする。

六 規則別表第三航空保安大学校学生採用試験の項ロに規定する「人事院がイに掲げる者と同等の資格があると認める者」は、次に掲げる者とする。

イ 学校教育法に基づく高等専門学校の第三学年の課程を修了した者であって、試験年度の四月一日において、当該課程を修了した日の翌日から起算して三年を経過していないもの及び試験年度の三月までに当該課程を修了する見込みの者

ロ 学校教育法第九十条第二項の規定に基づき大学

に入学したことのある者であって、試験年度の四月一日において、大学に入学した日の翌日から起算して三年を経過していないもの

ハ　学校教育法施行規則第百五十条第二号の規定に基づき文部科学大臣が高等学校の課程と同等の課程を有するものとして認定した在外教育施設の当該課程を修了した者であって、試験年度の四月一日において、当該課程を修了した日の翌日から起算して三年を経過していないもの及び試験年度の三月までに当該課程を修了する見込みの者

ニ　学校教育法に基づく専修学校の高等課程のうち、学校教育法施行規則第百五十条第三号の規定に基づき文部科学大臣が指定した課程を修了した者（同号の規定に基づき文部科学大臣が定める日以後に修了した者に限る。）であって、試験年度の四月一日において、当該課程を修了した日の翌日から起算して三年を経過していないもの及び試験年度の三月までに当該課程を修了する見込みの者

ホ　高等学校卒業程度認定試験規則に規定する高等学校卒業程度認定試験に合格した者（同令第八条第一項ただし書の規定の適用を受ける者であって、試験年度の四月一日における年齢が十七歳以上のものを含む。）であって、試験年度の四月一日において、当該試験に合格した日（同項ただし書の規定の適用を受ける者にあっては、十八歳に達した日の翌日）の翌日から起算して三年を経過していないもの

ヘ　独立行政法人海技教育機構の海技士教育科海技課程の本科の卒業者であって、試験年度の四月一日において、当該本科を卒業した日の翌日から起算して三年を経過していないもの及び試験年度の三月までに当該本科を卒業する見込みの者

ト　外国において学校教育における十二年の課程を修了した者であって、試験年度の四月一日において、当該課程を修了した日の翌日から起算して三年を経過していないもの及び外国において試験年度の三月までに当該課程を修了する見込みの者

チ　昭和二十三年文部省告示第四十七号第二十号から第二十三号までに規定する資格を有する者であって、試験年度の四月一日において、当該資格を取得した日の翌日から起算して三年を経過していないもののうち、試験年度の四月一日における年齢が十七歳以上のもの

リ　昭和二十三年文部省告示第四十七号第二十四号に規定する教育施設及びこれに準ずるものに置かれる十二年の課程を修了した者であって、試験年度の四月一日において、当該課程を修了した日の翌日から起算して三年を経過していないもの又は試験年度の三月までに当該課程を修了する見込みの者のうち、試験年度の四月一日における年齢が十七歳以上のもの

ヌ　昭和五十六年文部省告示第百五十三号第一号に規定する検定に合格した者であって、試験年度の四月一日において、当該検定に合格した日の翌日から起算して三年を経過していないもの、同告示第二号から第五号までに規定する課程を修了した者であって、試験年度の四月一日において、当該課程を修了した日の翌日から起算して三年を経過していないもの又は試験年度の三月までに当該課程を修了する見込みの者のうち、試験年度の四月一日における年齢が十七歳以上のもの

七　規則別表第三気象大学校学生採用試験の項ロ及び同表海上保安大学校学生採用試験の項ロに規定する「人事院がイに掲げる者と同等の資格があると認める者」については、前号の規定を準用する。この場合において、同号イからヌまでの規定中「三年を」とあるのは、「二年を」と読み替えるものとする。

八　規則別表第三海上保安学校学生採用試験の項ロに規定する「人事院がイに掲げる者と同等の資格があると認める者」については、第六号の規定を準用する。この場合において、同号イからヌまでの規定中「三年を」とあるのは、「十二年を」と読み替えるものとする。

九　海上保安学校学生採用試験が同一年度に二回行われる場合における初回の当該採用試験について、規則別表第三海上保安学校学生採用試験の項ロに規定する「人事院がイに掲げる者と同等の資格があると認める者」は、前号の規定にかかわらず、次に掲げる者とする。

イ　学校教育法に基づく高等専門学校の第三学年の課程を修了した者であって、試験年度の四月一日において、当該課程を修了した日の翌日から起算して十三年を経過していないもの

ロ　学校教育法第九十条第二項の規定に基づき大学に入学したことのある者であって、試験年度の四月一日において、大学に入学した日の翌日から起算して十三年を経過していないもの

ハ　学校教育法施行規則第百五十条第二号の規定に基づき文部科学大臣が高等学校の課程と同等の課

程を有するものとして認定した在外教育施設の当該課程を修了した者であって、試験年度の四月一日において、当該課程を修了した日の翌日から起算して十三年を経過していないもの及び試験年度の九月までに当該課程を修了する見込みの者

ニ　学校教育法に基づく専修学校の高等課程のうち、学校教育法施行規則第百五十条第三号の規定に基づき文部科学大臣が指定した課程を修了した者（同号の規定に基づき文部科学大臣が定める日以後に修了した者に限る。）であって、試験年度の四月一日において、当該課程を修了した日の翌日から起算して十三年を経過していないもの及び試験年度の九月までに当該課程を修了する見込みの者

ホ　高等学校卒業程度認定試験規則に規定する高等学校卒業程度認定試験に合格した者（同令第八条第一項ただし書の規定の適用を受ける者であって、試験年度の十月一日における年齢が十八歳以上のものを含む。）であって、試験年度の四月一日において、当該試験に合格した日（同項ただし書の規定の適用を受ける者にあっては、十八歳に達した日の翌日）の翌日から起算して十三年を経過していないもの

ヘ　独立行政法人海技教育機構の海技士教育科海技課程の本科の卒業者であって、試験年度の四月一日において、当該本科を卒業した日の翌日から起算して十三年を経過していないもの

ト　外国において学校教育における十二年の課程を修了した者であって、試験年度の四月一日において、当該課程を修了した日の翌日から起算して十三年を経過していないもの及び外国において試験年度の九月までに当該課程を修了する見込みの者

チ　昭和二十三年文部省告示第四十七号第二十号から第二十三号までに規定する資格を有する者であって、試験年度の四月一日において、当該資格を取得した日の翌日から起算して十三年を経過していないもののうち、試験年度の十月一日における年齢が十八歳以上のもの

リ　昭和二十三年文部省告示第四十七号第二十四号に規定する教育施設及びこれに準ずるものに置かれる十二年の課程を修了した者であって、試験年度の四月一日において、当該課程を修了した日の翌日から起算して十三年を経過していないもの又は試験年度の九月までに当該課程を修了する見込みの者のうち、試験年度の十月一日における年齢が十八歳以上のもの

ヌ　昭和五十六年文部省告示第百五十三号第一号に規定する検定に合格した者であって、試験年度の四月一日において、当該検定に合格した日の翌日から起算して十三年を経過していないもの、同告示第二号から第五号までに規定する課程を修了した者であって、試験年度の四月一日において、当該課程を修了した日の翌日から起算して十三年を経過していないもの又は試験年度の九月までに当該課程を修了する見込みの者のうち、試験年度の十月一日における年齢が十八歳以上のもの

4　昭和五十九年人事院公示第六号は、廃止する。

5　この決定は、平成二十四年二月一日から効力を発生する。

○採用候補者名簿管理事務取扱規程（抄）

昭四三・一一・一五
達　乙　一　四

最終改正　令五・三・一六達乙五

（名簿の有効期間の満了日）

第八条　規則八―一二第十四条に規定する名簿の有効期間は、最後の月又は年においてその名簿作成日に応当する日の前日に満了する。

○女子教職員の出産に際しての補助教職員の確保に関する法律

昭三〇・八・五
法　一　二　五

最終改正　令三・六・一一法六三

（目的）

第一条　この法律は、公立の学校に勤務する女子教職員が出産する場合における当該学校の教職員の職務を補助させるための教職員の臨時的任用等に関し必要な事項を定め、もつて女子教職員の母体の保護を図りつつ、学校教育の正常な実施を確保すること等を目的とする。

（定義）

第二条　この法律において「学校」とは、幼稚園、小学校、中学校、義務教育学校、高等学校、中等教育学校、特別支援学校及び幼保連携型認定こども園をいう。

2　この法律において「教職員」とは、校長（園長を含む。以下同じ。）、副校長（副園長を含む。）、教頭、主幹教諭（幼保連携型認定こども園の主幹養護教諭及び主幹栄養教諭を含む。）、指導教諭、教諭、養護教諭、栄養教諭、主幹保育教諭、指導保育教諭、保育教諭、助教諭、養護助教諭、助保育教諭、講師（常時勤務の者及び地方公務員法（昭和二十五年法律第二百六十一号）第二十二条の四第一項に規定する短時間勤務の職を占める者に限る。）、実習助手、寄宿舎指導員、学校栄養職員（学校給食法（昭和二十九年法律第百六十号）第七条に規定する職員のうち栄養の指導及び管理をつかさどる主幹教諭並びに栄養教諭以外の者をいう。以下同じ。）及び事務職員をいう。

（公立の学校等における教職員の臨時的任用）

第三条　公立の学校に勤務する女子教職員が出産することとなる場合においては、任命権者は、出産予定日の六週間（多胎妊娠の場合にあつては、十四週間とし、条例でこれらの期間より長い産前の休業の期間を定めたときは、当該期間とする。）前の日から産後八週間（条例でこれより長い産後の休業の期間を定めたときは、当該期間）を経過する日までの期間又は当該女子教職員が産前の休業を始める日から、当該日から起算して十四週間（多胎妊娠の場合にあつては、二十二週間とし、条例でこれらの期間より長い産前産後の休業の期間を定めたときは、当該期間とする。）を経過する日までの期間のいずれかの期間を任用の期間として、当該学校の教職員の職務を補助させるため、校長以外の教職員を臨時的に任用するものとする。

2　女子教職員の出産に際しその勤務する学校の教職員の職務を補助させることができるような特別の教職員がある場合において、任命権者が、当該教職員に、前項に規定する期間、同項の学校の教職員の職務を補助させることとするときは、同項の臨時的任用は、行なうことを要しない。

3　前二項の規定は、公立の学校給食法第六条に規定する施設に勤務する学校栄養職員について準用する。この場合において、これらの項中「学校」とあるのは、「学校給食法第六条に規定する施設」と読み替えるものとする。

（適用除外）

第四条　前条の規定による臨時的任用については、地方公務員法第二十二条の二第一項から第四項までの規定は適用しない。

（公立学校以外の学校において講ずべき措置）

第五条　公立学校以外の学校に勤務する女子教職員が出産することとなる場合においては、当該学校の設置者は、出産予定日の六週間（多胎妊娠の場合にあつては、十四週間）前の日から産後八週間を経過する日までの期間又は当該女子教職員が産前の休業を始める日から、当該日から起算して十四週間（多胎妊娠の場合にあつては、二十二週間）を経過する日までの期間のいずれかの期間を任用の期間として、当該学校の教職員の職務を補助させるため、校長以外の教職員を任用するように努めなければならない。

附　則（抄）

1　この法律は、昭和三十一年四月一日から施行する。

第二　人材交流

○国と民間企業との間の人事交流に関する法律

平一一・一二・二二
法　二　二　四

最終改正　令三・五・一九法三六

（目的）

第一条　この法律は、行政運営における重要な役割を担うことが期待される職員について交流派遣をし、民間企業の実務を経験させることを通じて、効率的かつ機動的な業務遂行の手法を体得させ、かつ、民間企業の実情に関する理解を深めさせることにより、行政の課題に柔軟かつ的確に対応するために必要な知識及び能力を有する人材の育成を図るとともに、民間企業における実務の経験を通じて効率的かつ機動的な業務遂行の手法を体得している者について交流採用をして職務に従事させることにより行政運営の活性化を図るため、交流派遣及び交流採用（以下「人事交流」という。）に関し必要な措置を講じ、もって公務の能率的な運営に資することを目的とする。

（定義）

第二条　この法律において「職員」とは、第十四条第一項及び第二十四条を除き、国家公務員法（昭和二十二年法律第百二十号）第二条に規定する一般職に属する職員をいう。

2　この法律において「民間企業」とは、次に掲げる法人をいう。

一　株式会社、合名会社、合資会社及び合同会社

二　信用金庫

三　相互会社

四　前三号に掲げるもののほか、その事業の運営のために必要な経費の主たる財源をその事業の収益（法令の規定に基づく指定、認定その他これらに準ずる処分若しくは国若しくは地方公共団体からの委託を受けて実施する国若しくは地方公共団体の事務若しくは事業又はこれに類するものとして人事院規則で定めるものの実施による収益及び補助金等（補助金等に係る予算の執行の適正化に関する法律（昭和三十年法律第百七十九号）第二条第一項に規定する補助金等をいう。）を除く。）によって得ている本邦法人（次に掲げるものを除く。）のうち、前条の目的を達成するために適切であると認められる法人として人事院規則で定めるもの

イ　独立行政法人通則法（平成十一年法律第百三号）第二条第一項に規定する独立行政法人、国立大学法人法（平成十五年法律第百十二号）第二条第一項に規定する国立大学法人、同条第三項に規定する大学共同利用機関法人及び総合法律支援法（平成十六年法律第七十四号）第十三条に規定する日本司法支援センター

ロ　法律により直接に設立された法人又は特別の法律により特別の設立行為をもって設立された法人であって、総務省設置法（平成十一年法律第九十一号）第四条第一項第八号の規定の適用を受けるもの

ハ　地方独立行政法人法（平成十五年法律第百十八号）第二条第一項に規定する地方独立行政法人

ニ　イからハまでに掲げるもののほか、その資本金の全部又は大部分が国又は地方公共団体からの出資による法人

五　外国法人であって、前各号に掲げる法人に類するものとして人事院が指定するもの

3　この法律において「交流派遣」とは、期間を定めて、職員（法律により任期を定めて任用される職員、常時勤務を要しない官職を占める職員その他の人事院規則で定める職員を除く。）を、その身分を保有させたまま、当該職員と民間企業との間で締結した労働契約に基づく業務に従事させることをいう。

4　この法律において「交流採用」とは、選考により、次に掲げる者を任期を定めて常時勤務を要する官職を占める職員として採用することをいう。

一　民間企業に雇用されていた者であって、引き続いてこの法律の規定により採用された職員となるため退職したもの

二　民間企業に現に雇用されている者であって、この法律の規定により当該雇用関係を継続することができるもの

5　この法律において「任命権者」とは、国家公務員法第五十五条第一項に規定する任命権者及び法律で別に定められた任命権者並びにその委任を受けた者をいう。

（人事院の権限及び責務）

第三条 人事院は、この法律の実施に関し、次に掲げる権限及び責務を有する。

一 この法律（次条、第五条第二項、第十二条第四項、第十四条、第十五条、第十五条の二、第十七条、第二十二条及び第二十四条の規定を除く。次号において同じ。）の実施の責めに任ずること。

二 この法律の実施に関し必要な事項について、人事院規則を制定し、及び人事院指令を発すること。

三 人事交流の適正な実施を確保するため、人事交流の制度の運用状況に関し、職員、任命権者その他の関係者に報告を求め、又は調査をすること。

（内閣総理大臣の責務）

第四条 内閣総理大臣は、人事交流の制度の円滑かつ効果的な運用に資するため、その運用に関する基本方針を作成し、これに基づいて、各行政機関が行う人事交流に関し、その統一保持上必要な総合調整を行うものとする。

2 内閣総理大臣は、人事交流の制度の円滑かつ効果的な運用を確保するための方策について調査研究を行い、その結果に基づいて、必要な措置を講ずるものとする。

（交流基準）

第五条 任命権者その他の関係者は、人事交流の制度の運用に当たっては、次に掲げる事項に関し人事院規則で定める基準（以下「交流基準」という。）に従い、常にその適正な運用の確保に努めなければならない。

一 国の機関に置かれる部局等又は独立行政法人通則法第二条第四項に規定する行政執行法人（以下「行政執行法人」という。）であって民間企業に対する処分等（法令の規定に基づいてされる行政手続法（平成五年法律第八十八号）第二条第二号に規定する処分及び同条第六号に規定する行政指導をいう。第十三条第三項及び第二十条において同じ。）に関する事務を所掌するものと当該民間企業との間の人事交流の制限に関する事項

二 国又は行政執行法人と契約関係にある民間企業との間の人事交流の制限に関する事項

三 その他人事交流の制度の適正な運用のため必要な事項

2 内閣総理大臣は、必要があると認めるときは、交流基準に関し、人事院に意見を述べることができる。

3 人事院は、交流基準を定め、又はこれを変更しようとするときは、人事院規則の定めるところにより、行政運営に関し優れた識見を有する者の意見を聴かなければならない。

（民間企業の公募）

第六条 人事院は、人事院規則の定めるところにより、人事交流を希望する民間企業を公募するものとする。

2 人事院は、任命権者に対し、定期的に又はその求めに応じ、前項の規定に基づき応募した民間企業について、その名簿及びそれぞれの民間企業が示した人事交流に関する条件を提示するものとする。

（交流派遣）

第七条 任命権者は、前条第二項の規定により提示された名簿に記載のある民間企業に交流派遣をすることができる。

2 任命権者は、前項の規定による交流派遣をしようとするときは、あらかじめ、当該交流派遣に係る職員の同意を得た上で、人事院規則で定めるところにより、その実施に関する計画を記載した書類を提出して、当該計画がこの法律の規定及び交流基準に適合するものであることについて、人事院の認定を受けなければならない。

3 任命権者は、第一項の規定による交流派遣をするときは、当該交流派遣に係る民間企業（以下「派遣先企業」という。）との間において、前項の認定を受けた計画に従って、当該派遣先企業における当該交流派遣に係る職員の労働条件、当該職員が職務に復帰する場合における当該職員と当該派遣先企業との間の労働契約の終了その他交流派遣に当たって合意しておくべきものとして人事院規則で定める事項について取決めを締結しなければならない。この場合において、任命権者は、当該職員にその取決めの内容を明示しなければならない。

（交流派遣の期間）

第八条 交流派遣の期間は、三年を超えることができない。

2 前条第一項の規定により交流派遣をした任命権者は、当該派遣先企業から当該交流派遣の期間の延長を希望する旨の申出があり、かつ、その申出に理由があると認める場合には、当該交流派遣をされた職員（以下「交流派遣職員」という。）の同意及び人事院の承認を得て、当該交流派遣をした日から引き続き五年を超えない範囲内において、交流派遣の期間を延長することができる。

（労働契約の締結）

第九条 交流派遣職員は、第七条第三項の取決めに定められた内容に従って、派遣先企業との間で労働契約を締結し、その交流派遣の期間中、当該派遣先企業の業

務に従事するものとする。

（交流派遣職員の職務）

第十条　交流派遣職員は、その交流派遣の期間中、職務に従事することができない。

2　次に掲げる法律の規定は、交流派遣職員には適用しない。

一　国家公務員法第百一条の規定

二　一般職の職員の勤務時間、休暇等に関する法律（平成六年法律第三十三号）の規定

（交流派遣職員の給与）

第十一条　交流派遣職員には、その交流派遣の期間中、給与を支給しない。

（交流派遣職員の服務等）

第十二条　交流派遣職員は、派遣先企業において、その交流派遣前に在職していた国の機関及び行政執行法人に対してする申請（行政手続法第二条第三号に規定する申請をいう。）に関する業務その他の交流派遣職員が従事することが適当でないものとして人事院規則で定める業務に従事してはならない。

2　交流派遣職員は、派遣先企業における業務を行うに当たっては、職員たる地位を利用し、又はその交流派遣前において官職を占めていたことによる影響力を利用してはならない。

3　交流派遣職員は、任命権者から求められたときは、派遣先企業における労働条件及び業務の遂行の状況を報告しなければならない。

4　交流派遣職員の派遣先企業の業務への従事に関しては、国家公務員法第百四条の規定は、適用しない。

5　交流派遣職員に対する国家公務員法第八十二条の規定の適用については、同条第一項第一号中「若しくは国家公務員倫理法」とあるのは、「、国家公務員倫理法若しくは国と民間企業との間の人事交流に関する法律」とする。

（交流派遣職員の職務への復帰）

第十三条　任命権者は、交流派遣職員がその派遣先企業の地位を失った場合その他の人事院規則で定める場合であって、その交流派遣を継続することができないか又は適当でないと認めるときは、速やかに当該交流派遣に係る交流派遣職員を職務に復帰させなければならない。

2　交流派遣職員は、その交流派遣の期間が満了したときは、職務に復帰する。

3　交流派遣後職務に復帰した職員については、その復帰の日から起算して二年間は、任命権者は、当該職員の派遣先企業であった民間企業に対する処分等に関する事務をその職務とする官職その他の当該民間企業と密接な関係にあるものとして人事院規則で定める官職に就けてはならない。

（交流派遣職員に関する国家公務員共済組合法の特例）

第十四条　国家公務員共済組合法（昭和三十三年法律第百二十八号）第三十九条第二項の規定及び同法の短期給付に関する規定（同法第六十八条の三の規定を除く。以下この項において同じ。）は、交流派遣職員には適用しない。この場合において、同法の短期給付に関する規定の適用を受ける職員（同法第二条第一項第一号に規定する職員をいう。以下この項において同じ。）が交流派遣職員となったときは、同法の短期給付に関する規定の適用については、そのなった日の前日に退職（同法第二条第一項第四号に規定する退職をいう。）をしたものとみなし、交流派遣職員が同法の短期給付に関する規定の適用を受ける職員となったときは、同法の短期給付に関する規定の適用については、そのなった日に職員となったものとみなす。

2　交流派遣職員に対する国家公務員共済組合法の退職等年金給付に関する規定の適用については、派遣先企業の業務を公務とみなす。

3　交流派遣職員は、国家公務員共済組合法第九十八条第一項各号に掲げる福祉事業を利用することができない。

4　交流派遣職員に関する国家公務員共済組合法の規定の適用については、同法第二条第一項第五号及び第六号中「とし、その他の職員については、これらに準ずる給与として政令で定めるもの」とあるのは「に相当するものとして、次条第一項に規定する組合の運営規則で定めるもの」と、同法第九十九条第二項中「次の各号」とあるのは「第三号」と、「当該各号」とあるのは「同号」と、「及び国の負担金」とあるのは「及び国と民間企業との間の人事交流に関する法律（平成十一年法律第二百二十四号）第七条第三項に規定する派遣先企業（以下「派遣先企業」という。）の負担金」と、同項第三号中「国の負担金」とあるのは「派遣先企業の負担金」と、同法第百二条第一項中「各省各庁の長（環境大臣を含む。）、行政執行法人又は職員団体」とあり、及び「国、行政執行法人又は職員団体」とあるのは「派遣先企業及び国」と、「第九十九条第二項（同条第六項から第八項までの規定により読み替えて適用する場合を含む。）及び第五項（同条第七項及び第八項の規定により読み替えて適用する場合を含む。）」とあるのは「第九十九条第二項及び第五項」

と、同条第四項中「第九十九条第二項第三号及び第四号」とあるのは「第九十九条第二項第三号」と、「並びに同条第五項（同条第七項及び第八項の規定により読み替えて適用する場合を含む。以下この項において同じ。）」とあるのは「及び同条第五項」と、「（同条第五項」とあるのは「（同項」と、「国、行政執行法人又は職員団体」とあるのは「派遣先企業及び国」とする。

（交流派遣職員に関する子ども・子育て支援法の特例）

第十五条　交流派遣職員に関する子ども・子育て支援法（平成二十四年法律第六十五号）の規定の適用については、派遣先企業を同法第六十九条第一項第四号に規定する団体とみなす。

（交流派遣職員に関する地方公務員等共済組合法の適用関係等についての政令への委任）

第十五条の二　前二条に定めるもののほか、交流派遣職員に関する国家公務員共済組合法、地方公務員等共済組合法（昭和三十七年法律第百五十二号）、子ども・子育て支援法その他これらに類する法律の適用関係の調整を要する場合におけるその適用関係その他必要な事項は、政令で定める。

（職務に復帰した職員に関する一般職の職員の給与に関する法律の特例）

第十六条　交流派遣後職務に復帰した職員に関する一般職の職員の給与に関する法律（昭和二十五年法律第九十五号）第二十三条第一項及び附則第六項の規定の適用については、派遣先企業において就いていた業務（当該業務に係る労働者災害補償保険法（昭和二十二年法律第五十号）第七条第二項に規定する通勤（当該業務に係る就業の場所を国家公務員災害補償法（昭和二十六年法律第百九十一号）第一条の二第一項第一号及び第二号に規定する勤務場所とみなした場合に同条に規定する通勤に該当するものに限る。次条第一項において同じ。）を含む。）を公務とみなす。

（職務に復帰した職員等に関する国家公務員退職手当法の特例）

第十七条　交流派遣後職務に復帰した職員が退職した場合（交流派遣職員がその交流派遣の期間中に退職した場合を含む。）における国家公務員退職手当法（昭和二十八年法律第百八十二号）の規定の適用については、派遣先企業の業務に係る業務上の傷病又は死亡は同法第四条第二項、第五条第一項及び第六条の四第一項に規定する公務上の傷病又は死亡と、当該業務に係る労働者災害補償保険法第七条第二項に規定する通勤による傷病は国家公務員退職手当法第四条第二項、第五条第二項及び第六条の四第一項に規定する通勤による傷病とみなす。

2　交流派遣職員に関する国家公務員退職手当法第六条の四第一項及び第七条第四項の規定の適用については、交流派遣の期間は、同法第六条の四第一項に規定する現実に職務をとることを要しない期間には該当しないものとみなす。

3　前項の規定は、交流派遣職員が派遣先企業から所得税法（昭和四十年法律第三十三号）第三十条第一項に規定する退職手当等（同法第三十一条の規定により退職手当等とみなされるものを含む。）の支払を受けた場合には、適用しない。

4　交流派遣職員がその交流派遣の期間中に退職した場合に支給する国家公務員退職手当法の規定による退職手当の算定の基礎となる俸給月額については、部内の他の職員との権衡上必要があると認められるときは、次条第一項の規定の例により、その額を調整することができる。

（交流派遣職員の職務復帰時における処遇）

第十八条　交流派遣職員が職務に復帰した場合におけるその者の職務の級及び号俸については、部内の他の職員との権衡上必要と認められる範囲内において、人事院規則の定めるところにより、必要な調整を行うことができる。

2　前項に定めるもののほか、交流派遣職員が職務に復帰した場合における任用、給与等に関する処遇については、部内の他の職員との均衡を失することのないよう適切な配慮が加えられなければならない。

（交流採用）

第十九条　任命権者は、第六条第二項の規定により提示された名簿に記載のある民間企業に雇用されていた者又は現に雇用されている者について交流採用をすることができる。

2　任命権者は、前項の規定による交流採用をしようとするときは、あらかじめ、人事院規則の定めるところにより、その実施に関する計画を記載した書類を提出して、当該計画がこの法律の規定及び交流基準に適合するものであることについて、人事院の認定を受けなければならない。

3　任命権者は、第一項の規定により交流採用をするときは、同項の民間企業との間において、第二条第四項第一号に係る交流採用にあっては当該交流採用に係る任期が満了した場合における当該民間企業による再雇用に関する取決めを、同項第二号に係る交流採用にあっては当該交流採用に係る任期中における雇用及び任期が満了した場合における雇用に関する取決めを締結しておかなければならない。

4　第二条第四項第二号に係る交流採用についての前項の取決めにおいては、任期中における雇用に基づき賃金（労働基準法（昭和二十二年法律第四十九号）第十一条に規定する賃金をいう。以下この項において同じ。）の支払その他の給付（賃金の支払以外のものであって、人事院規則で定めるものを除く。）を行うことをその内容として定めてはならない。

5　交流採用に係る任期は、三年を超えない範囲内で任命権者が定める。ただし、任命権者がその所掌事務の遂行上特に必要があると認める場合には、人事院の承認を得て、交流採用をした日から引き続き五年を超えない範囲内において、これを更新することができる。

6　任命権者は、交流採用をする場合には、当該交流採用をされる者にその任期を明示しなければならない。これを更新する場合も、同様とする。

（官職の制限）

第二十条　任命権者は、前条第一項の規定により交流採用をされた職員（以下「交流採用職員」という。）を同項の民間企業（以下「交流元企業」という。）に対する処分等に関する事務をその職務とする官職その他の交流元企業と密接な関係にあるものとして人事院規則で定める官職に就けてはならない。

（交流採用職員の服務等）

第二十一条　交流採用職員は、その任期中、第二条第四項第二号に掲げる者である交流採用職員（以下「雇用継続交流採用職員」という。）が第十九条第三項の取決めに定められた内容に従って交流元企業の地位に就く場合を除き、交流元企業の地位に就いてはならない。

2　交流採用職員は、その任期中、いかなる場合においても、交流元企業の事業又は事務に従事してはならない。

3　第十二条第五項の規定は、交流採用職員について準用する。

（雇用継続交流採用職員に関する雇用保険法の特例）

第二十二条　雇用継続交流採用職員に関する雇用保険法（昭和四十九年法律第百十六号）第二十二条の規定の適用については、同条第三項中「とする。ただし、当該期間に」とあるのは、「とし、当該雇用された期間又は当該被保険者であった期間に国と民間企業との間の人事交流に関する法律（平成十一年法律第二百二十四号）第二十一条第一項に規定する雇用継続交流採用職員（以下この項において「雇用継続交流採用職員」という。）であった期間があるときは、雇用継続交流採用職員であった期間を除いて算定した期間とする。ただし、これらの期間に」とする。

（人事交流の制度の運用状況の報告）

第二十三条　任命権者は、毎年、人事院に対し、人事交流の制度の運用状況を報告しなければならない。

2　人事院は、毎年、国会及び内閣に対し、次に掲げる事項を報告しなければならない。

一　前年に交流派遣職員であった者が同年に占めていた派遣先企業における地位及び当該交流派遣職員がその交流派遣に係る第七条第二項の規定による書類の提出の時に占めていた官職

二　三年前の年の一月一日から前年の十二月三十一日までの間に交流派遣後職務に復帰した職員が前年（三年前の年に交流派遣後職務に復帰した場合にあっては、その復帰の日から起算して二年を経過する日までに限る。）に占めていた官職及び当該職員が当該復帰の日の直前に派遣先企業において占めていた地位

三　前年に交流採用職員であった者が同年に占めていた官職及び当該交流採用職員がその交流採用をされた日の直前に交流元企業において占めていた地位（第二条第四項第二号に係る交流採用にあっては、当該職員が交流元企業において占めている地位を含む。）

四　前三号に掲げるもののほか、人事交流の制度の運用状況の透明化を図るために必要な事項

（防衛省の職員への準用等）

第二十四条　この法律（第二条第一項及び第五項、第三条第一号及び第二号、第四条、第五条第二項及び第三項並びに第十条第二項を除く。）の規定は、国家公務員法第二条第三項第十六号に掲げる防衛省の職員の人事交流について準用する。この場合において、これらの規定中「人事院規則」とあるのは「政令」と、第二条第二項第五号、第三条、第六条第二項、第八条第二項、第十九条第五項及び前条第一項中「人事院」とあるのは「防衛大臣」と、第二条第三項中「職員、」とあるのは「職員、防衛省設置法（昭和二十九年法律第百六十四号）第十五条第一項又は第十六条第一項（第三号を除く。）の教育訓練を受けている者（以下「学生」という。）、自衛隊法（昭和二十九年法律第百六十五号）第二十五条第五項の教育訓練を受けている者（以下「生徒」という。）」と、同条第四項中「占める職員」とあるのは「占める職員（自衛官、自衛官候補

生、学生及び生徒を除く。）」と、第三条第三号中「任命権者」とあるのは「任命権者（自衛隊法第三十一条第一項の規定により同法第二条第五項に規定する隊員の任免について権限を有する者をいう。以下同じ。）」と、第六条第一項中「人事院は」とあるのは「防衛大臣は」と、第七条第二項中「人事院の」とあるのは「防衛大臣の」と、第十二条第四項中「国家公務員法第百四条」とあるのは「自衛隊法第六十三条」と、同条第五項中「国家公務員法第八十二条」とあるのは「自衛隊法第四十六条」と、「同条第一項第一号」とあるのは「同条第一項第三号」と、「国家公務員倫理法」とあるのは「自衛隊員倫理法（平成十一年法律第百三十号）」と、第十四条第四項中「とし、その他の職員については、これらに準ずる給与として」とあるのは「として」と、「に相当するもの」とあるのは「として政令で定めるものに相当するもの」と、第十六条中「一般職の職員の給与に関する法律（昭和二十五年法律第九十五号）第二十三条第一項及び附則第六項」とあるのは「防衛省の職員の給与等に関する法律（昭和二十七年法律第二百六十六号）第二十三条第一項」と、「国家公務員災害補償法」とあるのは「防衛省の職員の給与等に関する法律第二十七条第一項において準用する国家公務員災害補償法」と、第十八条第一項中「級」とあるのは「級又は階級」と、第十九条第二項中「人事院の」とあるのは「防衛大臣の」と、第二十二条中「）第二十一条第一項」とあるのは「）第二十四条第一項において準用する同法第二十一条第一項」と、前条第二項中「人事院は、毎年、国会及び内閣」とあるのは「内閣は、毎年、国会」と読み替えるものとする。

2　防衛大臣は、前項において準用する第七条第二項及び第十九条第二項の認定並びに前項において準用する第八条第二項及び第十九条第五項の承認を行う場合には、審議会等（国家行政組織法（昭和二十三年法律第百二十号）第八条に規定する機関をいう。）で政令で定めるものに付議し、その議決に基づいて行わなければならない。

3　自衛隊法（昭和二十九年法律第百六十五号）第六十条の規定は、第一項において準用する第七条第一項の規定により交流派遣をされた防衛省の職員には適用しない。

4　第一項において準用する第七条第一項の規定により交流派遣をされた自衛官（次項において「交流派遣自衛官」という。）に関する自衛隊法第九十八条第四項及び第九十九条第一項の規定の適用については、派遣先企業の業務を公務とみなす。

5　防衛省の職員の給与等に関する法律（昭和二十七年法律第二百六十六号）第二十二条の規定は、交流派遣自衛官には適用しない。

附　則

（施行期日）

1　この法律は、公布の日から起算して三月を超えない範囲内において政令で定める日〔平一二・三・二一〕から施行する。ただし、次項の規定は、公布の日から施行する。

（交流基準の制定のために必要な行為）

2　第五条の規定による交流基準の制定のため必要な手続その他の行為は、この法律の施行前においても、行うことができる。

（経過措置）

3　この法律の施行の日から平成十二年三月三十一日までの間における第十二条第四項及び第二十三条第一項の規定の適用については、第十二条第四項中「若しくは国家公務員倫理法」とあるのは「この法律又はこの」と、「、国家公務員倫理法若しくは国と民間企業との間の人事交流に関する法律」とあるのは「この法律若しくは国と民間企業との間の人事交流に関する法律又はこれらの」と、第二十三条第一項中「同条第一項第三号」と、「国家公務員倫理法」とあるのは「自衛隊員倫理法（平成十一年法律第百三十号）」と」とあるのは「同条第一項第三号」と」とする。

（平成二十二年度等における子ども手当の支給に関する法律により適用される旧児童手当法の特例）

4　平成二十二年度等における子ども手当の支給に関する法律（平成二十二年法律第十九号）の規定により子ども手当の支給がされる交流派遣職員に関しては、第十五条の規定を準用する。この場合において、同条の見出し中「子ども・子育て支援法」とあるのは「平成二十二年度等における子ども手当の支給に関する法律が適用される場合における旧児童手当法」と、同条中「子ども・子育て支援法（平成二十四年法律第六十五号）」とあるのは「平成二十二年度等における子ども手当の支給に関する法律（平成二十二年法律第十九号）第二十条第一項の規定による児童手当法の一部を改正する法律（平成二十四年法律第二十四号）附則第十一条の規定によりなおその効力を有するものとされた同法第一条の規定による改正前の児童手当法（昭和四十六年法律第七十三号）」と、「第六十九条第一項第四号」とあるのは「第二十条第一項第四号」と読み替えるものとする。

（平成二十三年度における子ども手当の支給等に関する特別措置法により適用される旧児童手当法の特例）

5　平成二十三年度における子ども手当の支給等に関する特別措置法（平成二十三年法律第百七号）の規定により子ども手当の支給がされる交流派遣職員に関しては、第十五条の規定を準用する。この場合において、同条の見出し中「子ども・子育て支援法」とあるのは「平成二十三年度における子ども手当の支給等に関する特別措置法が適用される場合における旧児童手当法」と、同条中「子ども・子育て支援法（平成二十四年法律第六十五号）」とあるのは「平成二十三年度における子ども手当の支給等に関する特別措置法（平成二十三年法律第百七号）第二十条第一項、第三項又は第五項の規定による児童手当法の一部を改正する法律（平成二十四年法律第二十四号）附則第十二条の規定によりなおその効力を有するものとされた同法第一条の規定による改正前の児童手当法（昭和四十六年法律第七十三号）」と、「第六十九条第一項第四号」とあるのは「第二十条第一項第四号」と読み替えるものとする。

附　則（平二六・四・一八法二二）（抄）

（施行期日）

第一条　この法律は、公布の日から起算して六月を超えない範囲内において、政令で定める日〔平二六・五・三〇〕から施行する。ただし、次の各号に掲げる規定は、当該各号に定める日から施行する。

一・二　〔略〕

三　〔前略〕第三条（国と民間企業との間の人事交流に関する法律第二十四条の改正規定（同条第四項中「第六項」を「次項」に改める部分、同条第五項を削る部分及び同条第六項を同条第五項とする部分に限る。）に限る。）〔中略〕の規定　公布の日から起算して一年六月を超えない範囲内において政令で定める日〔平二七・一〇・一〕

（国と民間企業との間の人事交流に関する法律の一部改正に伴う経過措置）

第四条　この法律の施行の際現に交流派遣（国と民間企業との間の人事交流に関する法律第二条第三項に規定する交流派遣をいう。以下この条において同じ。）をされている職員に係る第三条の規定による改正前の国と民間企業との間の人事交流に関する法律（以下この条において「旧官民人事交流法」という。）第七条第三項及び第四項の規定により人事院総裁が実施した交流派遣及び締結した取決めは、この法律の施行後は、同条第三項の規定により人事院事務総局に属する官職に任命される直前に当該職員が占めていた官職の任命権者が、第三条の規定による改正後の国と民間企業との間の人事交流に関する法律（第四項において「新官民人事交流法」という。）第七条第一項及び第三項の規定によりした交流派遣及び締結した取決めとみなす。

2　この法律の施行の際現に交流派遣をされている職員は、別に辞令を発せられない限り、施行日において、旧官民人事交流法第七条第三項の規定により人事院事務総局に属する官職に任命される直前に占めていた官職の属する機関の相当の職員となるものとする。

3　この法律の施行の際施行日の属する年における旧官民人事交流法第二十三条第三項の報告が国会及び内閣にされていない場合には、同年における同項の規定による国会及び内閣への報告については、なお従前の例による。

4　この法律の施行前に旧官民人事交流法第二十三条第三項の規定により施行日の属する年における同項の報告が国会及び内閣にされた場合又は前項の規定によりなお従前の例によるものとされた旧官民人事交流法第二十三条第三項の規定により同項の報告が国会及び内閣にされた場合には、これらの報告は、新官民人事交流法第二十三条第二項の規定により同年における同項の報告として国会及び内閣にされたものとみなす。

○国と民間企業との間の人事交流に関する法律施行令

平二六・五・二九
政令一九三

最終改正 令四・八・三政令二六七

（定義）

第一条 この政令において「交流派遣」、「派遣先企業」又は「交流派遣職員」とは、それぞれ国と民間企業との間の人事交流に関する法律第二条第三項、第七条第三項又は第八条第二項に規定する交流派遣、派遣先企業又は交流派遣職員をいう。

（交流派遣警察庁所属職員等に関する地方公務員等共済組合法の特例）

第二条 地方公務員等共済組合法（昭和三十七年法律第百五十二号）第四十二条第二項の規定及び同法の短期給付に関する規定（同法第七十条の三の規定を除く。以下この項において同じ。）は、交流派遣をされた警察庁の所属職員及び警察法（昭和二十九年法律第百六十二号）第五十六条第一項に規定する地方警務官である者（以下「交流派遣警察庁所属職員等」という。）には、適用しない。この場合において、地方公務員等共済組合法の短期給付に関する規定の適用を受ける国の職員（同法第百四十二条第一項に規定する国の職員をいう。以下この項において同じ。）が交流派遣警察庁所属職員等となったときは、同法の短期給付に関する規定の適用については、そのなった日の前日に退職（同法第二条第一項第四号に規定する退職をいう。）をしたものとみなし、交流派遣警察庁所属職員等が同法の短期給付に関する規定の適用を受ける国の職員となったときは、同法の短期給付に関する規定の適用については、そのなった日に同法第二条第一項第一号に規定する職員となったものとみなす。

2 交流派遣警察庁所属職員等に関する地方公務員等共済組合法の退職等年金給付に関する規定の適用については、派遣先企業の業務を公務とみなす。

3 交流派遣警察庁所属職員等は、地方公務員等共済組合法第五章に規定する福祉事業を利用することができない。

4 交流派遣警察庁所属職員等に関する地方公務員等共済組合法の規定の適用については、同法第百四十二条第二項の表第二条第一項第五号の項中「とし、その他の職員については、これらに準ずる給与として政令で定めるもの」とあるのは「に相当するものとして警察共済組合の運営規則で定めるもの」と、同表第二条第一項第六号の項中「準ずるもの」とあるのは「準ずるものとして政令で定めるもの」と、「とし、その他の職員については、これらに準ずる給与」とあるのは「に相当するものとして警察共済組合の運営規則で定めるもの」と、同表第百十三条第二項各号列記以外の部分の項中「地方公共団体」とあるのは「次の各号に掲げるものは、当該各号に掲げる割合により、組合員の掛金及び地方公共団体」と、「国の」とあるのは「第三号に掲げるものは、同号に掲げる割合により、組合員の掛金及び国と民間企業との間の人事交流に関する法律（平成十一年法律第二百二十四号）第七条第三項に規定する派遣先企業（以下「派遣先企業」という。）の」と、同表中

「

第百十三条第二項各号、第三項から第五項まで	地方公共団体	国

」

とあるのは

「

第百十三条第二項第三号	地方公共団体	派遣先企業
第百十三条第三項から第五項まで	地方公共団体	国

」

と、

「

第百十六条第一項	地方公共団体の機関	国の機関
	規定により地方公共団体	規定により国
	職員団体（第三項において「地方公共団体等」という。）	職員団体

」

とあるのは

「

第百十六条第一項	地方公共団体の機関、特定地方独立行政法人	派遣先企業

又は職員団体	
第八十二条第一項	第八十二条第五項の規定により読み替えられた同条第一項
地方公共団体、特定地方独立行政法人又は職員団体（第三項において「地方公共団体等」という。）	派遣先企業

」

とする。

（交流派遣警察庁所属職員等に関する子ども・子育て支援法の特例）

第三条　交流派遣警察庁所属職員等に関する子ども・子育て支援法（平成二十四年法律第六十五号）の規定の適用については、派遣先企業等を同法第六十九条第一項第三号に規定する団体とみなす。

（私立学校教職員共済法の特例）

第四条　私立学校教職員共済法（昭和二十八年法律第二百四十五号）の退職等年金給付に関する規定は、交流派遣職員には、適用しない。

2　交流派遣職員に関する私立学校教職員共済法の規定の適用については、同法第二十七条第一項中「掛金及び加入者保険料（厚生年金保険法（昭和二十九年法律第百十五号）第八十二条第一項の規定により加入者たる被保険者及び当該被保険者を使用する学校法人等が負担する厚生年金保険の保険料をいう。次項において同じ。）」とあり、同条第二項中「掛金及び加入者保険料（以下「掛金等」という。）」とあり、並びに同法第二十八条第二項から第五項まで、第二十九条第一項、第二十九条の二、第三十条第一項及び第三項から第六項まで、第三十一条第一項、第三十二条、第三十三条並びに第三十四条第二項中「掛金等」とあるのは「掛金」と、同法第二十九条第二項中「及び厚生年金保険法による標準報酬月額に係る掛金等」とあり、及び同条第三項中「及び厚生年金保険法による標準賞与額に係る掛金等」とあるのは「に係る掛金」とする。

3　第一項の規定により私立学校教職員共済法の退職等年金給付に関する規定を適用しないこととされた交流派遣職員の同法による掛金の標準報酬月額及び標準賞与額に対する割合は、私立学校教職員共済法施行令（昭和二十八年政令第四百二十五号）第十三条第三項に規定する範囲内において、共済規程（同法第四条第一項に規定する共済規程をいう。）で定める。

附　則

この政令は、国家公務員法等の一部を改正する法律（平成二十六年法律第二十二号）の施行の日（平成二十六年五月三十日）から施行する。

○国と民間企業との間の人事交流に関する基本方針

平一二・三・二一　人事管理官会議了承
平一二・三・二一　内閣総理大臣決定

最終改正　平二六・六・二四

国と民間企業との間の人事交流に関する法律（平成十一年法律第二百二十四号）第四条第一項の規定に基づき、国と民間企業との間の人事交流に関する基本方針を下記のとおり定める。

記

1　基本的事項

(1)　基本方針の目的

この基本方針は、各行政機関が行う国と民間企業との間の人事交流に関する法律に基づく人事交流（以下「人事交流」という。）の制度の運用に関し、指針となるべき事項を定めることにより、その円滑かつ効果的な運用を図ることを目的とする。

(2)　基本姿勢

複雑・高度化する行政課題に対し公務員の対応能力を高め、国民の負託に応えていくためには、幅広い分野における多様な人材について、「官から民」、「民から官」の双方向の交流のより一層の拡充を図ることが必要である。このような観点から、各行政機関においては、人事交流を一層幅広くかつ積極的に行うものとする。

また、人事交流は、国民の信頼を得られるものとなることはもちろん、国と民間企業の双方にとって、人材の育成及び活用、組織の運営の活性化、相互理解の促進等につながる有意義なものとならなければならないものであり、各行政機関は、人事交流に係る服務規律の確保に万全を期しつつ、民間企業と対等の立場に立って、人事交流に取り組むものとする。

2 **人事交流の制度の運用の重点**

(1) 交流派遣の対象

交流派遣は、幹部候補育成課程対象者を始めとする将来の行政の中核的要員と見込まれる職員その他の行政運営における重要な役割を担うことが期待される職員を対象とするものとし、交流派遣からの復帰後継続して公務部内で勤務し、交流派遣の成果を発揮することが見込まれる職員を選定することとする。

(2) 交流採用の対象

交流採用は、民間企業の実務経験を通じてその業務遂行手法を体得している者を対象に、各行政機関における効率的かつ機動的な業務遂行が求められる官職等その経験を行政運営の活性化のために効果的に活かすことが期待される官職について実施するものとする。

また、各行政機関は、従業員の育成等交流採用に係る民間企業の要望を踏まえつつ、これと十分に協議をした上で、交流採用をしようとする官職を決定するものとする。

3 **人事交流の制度の運用に伴う対応**

(1) 人事交流の意向の把握等

各行政機関は、希望する勤務地や業務等に関する自己申告等の機会を活用して、民間企業に交流派遣をされることを希望する職員を把握するなど、職員、部局等の人事交流に関する意向を把握して人事交流の実施に反映するとともに、交流派遣を行う職員の選定に当たっては、当該職員の適性、能力等を考慮するものとする。

(2) 関係者の連絡・連携の確保

内閣総理大臣は、人事交流の制度の円滑かつ効果的な運用に資するため、人事管理官会議を活用するほか、人事院及び関係民間団体の協力を得て、中央人事行政機関、内閣府官民人材交流センター、各行政機関及び関係民間団体の間の連絡・意見交換の機会を確保することとする。

また、各行政機関においては、人事交流が職員の育成及び行政運営の活性化を目的とするものであることにかんがみ、人事交流の実施に当たっては、任用担当と能率増進施策担当との間の密接な連携を確保するものとする。

(3) 人事交流の円滑な実施のための支援

内閣府官民人材交流センターは、人事交流の円滑な実施のための支援として、内閣総理大臣及び人事院並びに関係民間団体と密接に連携して、人事交流の実施に関し各行政機関及び民間企業に対する情報提供等を行うとともに、人事交流の制度及び運用状況に関する広報・啓発活動を行うものとする。

(4) 人事交流の制度及び運用に関する透明性の確保等

各行政機関は、民間企業との間の人的な交流を円滑かつ効果的に行うとともに、いやしくも国民の疑念等の問題を生じないよう、行政運営の活性化のために人的な交流を進めていくに当たっては、人事交流の制度を活用することを基本とし、さらに、職員のプライバシー等に配慮しつつ、その運用の透明化に努めるものとする。

また、内閣総理大臣は、民間企業その他各方面からの意見、要望等を聴取し、人事交流の制度の運用等に反映するよう努めるものとする。

4 **人事交流の制度の運用に当たっての留意事項**

(1) 多様な民間企業やその部門との間の人事交流

各行政機関は、民間企業における様々な業務遂行手法を公務部門に取り入れるとの観点から、国家公務員法等の一部を改正する法律(平成二十六年法律第二十二号)により人事交流の対象となる民間企業の範囲が拡大されたことも踏まえ、人事交流の相手方とする民間企業やその部門が多様なものとなるよう努めるものとする。

(2) 多様な人材についての人事交流

各行政機関は、その所掌事務に応じて、多様で有為な人材を育成し、又は活用するとの観点から、性別、事務系・技術系の別や採用試験区分の別にとらわれず、多様で有為な人材の交流派遣及び交流採用を積極的に行うものとする。

(3) 交流採用職員等の配置等

各行政機関は、交流採用職員について、その志気を高揚し、行政運営の活性化に資するため、その経験や実績を重視した適切な配置及び職務に応じた処遇を徹底するものとする。

また、交流派遣から復帰した職員については、交流派遣された民間企業における効率的かつ機動的な業務遂行の経験等による成果を活かすことが可能な人事配置に努めるものとする。

5　その他

(1)　実施状況のフォローアップ等

内閣総理大臣は、この基本方針について、必要に応じ、人事院、内閣府官民人材交流センター、各行政機関等の協力を得て、実施状況のフォローアップを行い、その結果を踏まえ、所要の見直しの検討を行うものとする。

(2)　内閣総理大臣の事務の処理

内閣総理大臣がこの基本方針を運用するに当たって必要となる事務は、内閣官房内閣人事局において処理する。

○国と民間企業との間の人事交流に関する基本方針２(1)及び４(3)の運用について

平二七・七・一〇
閣人人―五七六

国と民間企業との間の人事交流に関する基本方針（平成十二年三月二十二日内閣総理大臣決定）２(1)及び４(3)については、別紙のとおり運用するものとします。

（別紙）

1　交流派遣の対象とする職員の選定等に関する方針

交流派遣の対象とする職員の選定等に関する方針は、次のとおりとする。

(1)　幹部候補育成課程対象者（概ね三十代以下）については、課程に属する期間中、積極的に選定する。

(2)　幹部職員の候補となり得る管理職員等将来の行政の中核的要員と見込まれる職員（幹部候補育成課程対象者を除く。）（概ね四十代）については、将来昇任させるためには民間企業における勤務を経験する機会を付与することが必要と認められるものを中心に選定する。

(3)　幹部職員等行政の中核的要員（概ね五十代）については、定年までの期間が比較的短いこと等に鑑み、原則として交流派遣の対象としないが、例外として、交流派遣からの復帰後の人事配置の方針を具体的に計画しており、かつ、交流派遣からの復帰後に当該職員が担うことが期待される役割を果たすために体得すべき手法、知識等が具体的にある場合に限り選定する。

交流派遣からの復帰後、独立行政法人等への辞職出向や研究休職を繰り返すこと等をして、各行政機関に交流派遣の成果を還元することなく退職することとなるような人事運用は、行わない。

(4)　その他行政運営における重要な役割を担うことが期待される職員については、(1)から(3)までに掲げる方針に準じて選定する。

2　交流派遣をしようとする職員及び派遣先企業に対する説明の徹底

各行政機関は、交流派遣をしようとする場合には、あらかじめ、交流派遣をしようとする職員及び派遣先企業に対し、交流派遣の制度が行政運営における重要な役割を担うことが期待される職員を対象とする制度であり、当該職員に民間企業の業務遂行の手法を体得させ、交流派遣の成果を公務に活かすことをその目的とするものであることについて十分に説明するものとする。

3　交流派遣職員及び交流派遣から復帰した職員に対する説明の徹底

各行政機関は、交流派遣職員及び交流派遣から復帰した職員に対し、自らが交流派遣の成果を公務に活かすことが期待される立場にあることを自覚するよう十分に説明するものとする。

4　フォローアップ

内閣官房内閣人事局は、必要に応じ、1から3までに掲げる方針の実施状況についてフォローアップを行うものとする。

○人事院規則二一—〇（国と民間企業との間の人事交流）

平二六・五・二九公布
平二六・五・三〇施行
最終改正 令四・一二・一六規則二一—〇—一一

第一章 総則

（目的）
第一条 この規則は、適正な交流派遣及び交流採用（以下「人事交流」という。）の促進を図るため、官民人事交流法第五条第一項の規定に基づき、任命権者その他の関係者が従うべき基準を定めるとともに、官民人事交流法の実施等に関し必要な事項を定めることを目的とする。

（定義）
第二条 この規則において、「民間企業」、「交流派遣」、「交流採用」、「任命権者」、「派遣先企業」、「交流派遣職員」又は「交流採用職員」若しくは「交流元企業」とは、それぞれ官民人事交流法第二条第二項から第五項まで、第七条第三項、第八条第二項又は第二十条に規定する民間企業、交流派遣、交流採用、任命権者、派遣先企業、交流派遣職員又は交流採用職員若しくは交流元企業をいう。

２ この規則において、次の各号に掲げる用語の意義は、当該各号に定めるところによる。

一 所管関係 国の機関（会計検査院、内閣、人事院、内閣府、デジタル庁及び各省並びに宮内庁及び各外局をいう。以下同じ。）若しくは当該国の機関に置かれる部局等又は行政執行法人であって民間企業に対する官民人事交流法第五条第一項第一号に規定する処分等（以下単に「処分等」という。）で裁量の余地が少ない処分等又は軽微な処分等として人事院の定めるもの以外の処分等（第十二条及び第二十七条第二項において「特定処分等」という。）に関する事務を所掌するものと当該民間企業との関係をいう。

二 本省庁 国の機関に置かれる部局等のうち、内閣府設置法（平成十一年法律第八十九号）第三十七条、第三十九条、第四十条、第四十三条及び第五十四条から第五十七条まで（宮内庁法（昭和二十二年法律第七十号）第十八条第一項において準用する場合を含む。）並びに宮内庁法第十六条及び第十七条第一項、デジタル庁設置法（令和三年法律第三十六号）第十四条第一項並びに国家行政組織法（昭和二十三年法律第百二十号）第八条から第九条までに規定する部局等（国際平和協力本部、日本学術会議、警察庁、証券取引等監視委員会、最高検察庁、国税不服審判所、農林水産技術会議、国土地理院及び海難審判所を除く。）並びに人事院事務総局、公正取引委員会事務総局、警察庁、国税不服審判所、中央労働委員会事務局、国土地理院及び海難審判所に置かれるこれらに類する部局等以外のものをいう。

三 本省庁の局長等の官職 国家行政組織法第六条に規定する長官、同法第十八条第一項に規定する事務次官、同法第二十一条第一項に規定する事務局長及び局長並びに同条第二項に規定する官房の長（各省に置かれるものに限る。）並びに検事総長及び次長検事の官職並びにこれらに準ずる官職として人事院が定めるものをいう。

四 本省庁の部長等の官職 本省庁に属する官職のうち、指定職俸給表の適用を受ける職員及び検察官の俸給等に関する法律（昭和二十三年法律第七十六号）別表検事の項五号の俸給月額以上の俸給を受ける検事が占める官職で本省庁の局長等の官職以外のものをいう。

五 本省庁の局庁等 本省庁に置かれる組織のうち、国家行政組織法第三条第三項に規定する庁、同法第七条第一項に規定する官房及び局並びに同条第七項に規定する委員会の事務局並びにこれらに準ずる組織として人事院が定めるものをいう。

★読替え―人事院規則一―五七により第二項第一号の「デジタル庁」を「デジタル庁、復興庁」に、同項第二号の「第十四条第一項」を「第十四条第一項、復興庁設置法（平成二十三年法律第百二十五号）第十三条第一項、第十五条第一項及び第十七条第一項」に読み替える。

（国若しくは地方公共団体の事務又は事業に類する事務又は事業）
第三条 官民人事交流法第二条第二項第四号の人事院規則で定める同号に規定する事務又は事業に類するものは、次に掲げるものとする。

一 法令の規定に基づく指定、認定その他これらに準ずる処分（次号及び第十九条第一号において「指定等処分」という。）又は行政執行法人若しくは特定地方独立行政法人（地方独立行政法人法（平成十五年法律第百十八号）第二条第二項に規定する特定地方独立行政法人をいう。以下この条において同じ。）からの委託を受けて実施する行政執行法人若しくは特定地方独立行政法人の事務又は事業

二　指定等処分を受けて実施する試験、検査、検定その他これらに準ずる事務又は事業であって、国若しくは地方公共団体又は行政執行法人若しくは特定地方独立行政法人以外の者のもの

（官民人事交流法の対象とする法人）

第四条　官民人事交流法第二条第二項第四号の人事院規則で定める法人は、次に掲げる法人とする。

一　信用協同組合及び信用協同組合連合会
二　信用金庫連合会
三　労働金庫及び労働金庫連合会
四　農林中央金庫
五　監査法人
六　弁護士法人
七　損害保険料率算出団体
八　医療法人
九　学校法人
十　社会福祉法人
十一　日本赤十字社
十二　認可金融商品取引業協会
十三　自主規制法人
十四　消費生活協同組合及び消費生活協同組合連合会
十五　特定非営利活動促進法（平成十年法律第七号）第二条第二項に規定する特定非営利活動法人
十六　一般社団法人及び一般財団法人

（交流派遣の対象から除外する職員）

第五条　官民人事交流法第二条第三項の人事院規則で定める職員は、次に掲げる職員とする。

一　臨時的職員その他任期を限られた常勤職員
二　非常勤職員
三　条件付採用期間中の職員
四　法第八十一条の五第一項から第四項までの規定により異動期間（これらの規定により延長された期間を含む。）を延長された管理監督職を占める職員
五　勤務延長職員
六　休職者
七　停職者
八　派遣法第三条に規定する派遣職員
九　法科大学院派遣法第四条第三項又は第十一条第一項の規定により派遣されている職員
十　福島復興再生特別措置法（平成二十四年法律第二十五号）第四十八条の三第七項又は第八十九条の三第七項に規定する派遣職員
十一　令和七年国際博覧会特措法第二十五条第七項に規定する派遣職員
十二　令和九年国際園芸博覧会特措法第十五条第七項に規定する派遣職員
十三　判事補及び検事の弁護士職務経験に関する法律（平成十六年法律第百二十一号）第二条第四項の規定により弁護士となってその職務を行う職員

（交流基準に係る意見聴取）

第六条　官民人事交流法第五条第三項の規定による意見の聴取は、規則二一―一（交流審査会）の規定により設置した交流審査会（第二十七条第三項及び第二十八条第二項において単に「交流審査会」という。）から行うものとする。

第二章　交流基準

第一節　基本原則

（人事交流の対象とする民間企業）

第七条　人事交流は、その実務を経験することを通じて効率的かつ機動的な業務遂行の手法を体得することができる民間企業との間で行うものとする。ただし、民間企業が次に掲げる場合に該当するときは、当該民間企業との間の人事交流は行うことができない。

一　人事交流を行おうとする日前一年以内に、民間企業又はその役員若しくは役員であった者が、当該民間企業の業務に係る刑事事件に関し起訴された場合（無罪の判決又は公訴棄却の決定が確定した場合を除く。以下この号において同じ。）又は特定不利益処分（行政手続法（平成五年法律第八十八号）第二条第四号に規定する不利益処分のうち許認可等の取消しその他の民間企業の業務運営に重大な影響を及ぼすものとして人事院の定めるものをいう。以下同じ。）を受けた場合（同一の事実につき、起訴された場合又は特定不利益処分を受けた場合が合わせて二以上あることとなるときは、これらの場合のうち最初に起訴された場合又は特定不利益処分を受けた場合）

二　交流派遣職員に対し、特別の取扱い（その者の能力、資格等に照らして特別であると認められるその者の民間企業における地位、賃金その他の処遇に関する取扱いをいう。第十七条において同じ。）をした場合（当該特別の取扱いをした日から五年を経過している場合を除く。）

三　第二十六条第一号から第三号までに規定する事項についての合意に反した場合（当該合意に反することとなった日から五年を経過している場合を除く。）

第八条 人事交流は、特定の業種又は特定の民間企業に著しく偏ることのないように行うものとする。

第二節 交流派遣に係る基準

（交流派遣の対象とする職員）

第九条 交流派遣は、行政運営における重要な役割を担うことが期待される職員を対象として行うものとする。

（所管関係にある場合の交流派遣の制限）

第十条 交流派遣をしようとする日前二年以内に本省庁に属する官職を占めていた期間のある職員については、次の各号に掲げる当該職員の占めていた官職の区分に応じ、当該各号に定める民間企業への交流派遣及び当該民間企業の子会社（会社法（平成十七年法律第八十六号）第二条第三号に規定する子会社をいう。以下同じ。）への交流派遣をすることができない。

一 本省庁の局長等の官職 当該官職が属する国の機関と所管関係にある民間企業

二 本省庁の部長等の官職 当該官職が属する本省庁の局庁等（当該官職が本省庁の所掌事務の一部を総括整理する官職である場合にあっては、その総括整理する事務を所掌する本省庁の局庁等を含む。）と所管関係にある民間企業

三 本省庁に属する官職のうち課長及びこれと同等以上の官職（本省庁の局長等の官職及び本省庁の部長等の官職を除く。以下「本省庁の課長等の官職」という。） 当該官職が属する本省庁の局庁等に置かれる組織のうち課若しくはこれに準ずる組織又は本省庁の所掌事務の一部を総括整理する組織（以下「本省庁の課等」という。）と所管関係にある民間企業

四 本省庁に属する官職のうち本省庁の局長等の官職、本省庁の部長等の官職及び本省庁の課長等の官職以外のもの（第二十一条第一項第四号及び第二項第三号において「本省庁のその他の官職」という。） 当該官職が属する本省庁の課等に置かれる組織のうち最小単位のもの（府令、省令、訓令その他組織に関する定めにより設置されるものに限る。同条において「本省庁の最小組織」という。）と所管関係にある民間企業

2 管区機関（国家行政組織法第九条に規定する地方支分部局であって、法律又は政令で定める管轄区域が一の都府県の区域を超え又は道の区域であるものをいう。以下同じ。）の長の官職を占めていた期間のある職員の交流派遣については、当該管区機関を本省庁の局庁等と、当該官職を本省庁の部長等の官職とそれぞれみなして、前項の規定を準用する。

3 国の機関に置かれる本省庁以外の部局等又は行政執行法人に属する官職（管区機関の長の官職を除く。）を占めていた期間のある職員の交流派遣については、第一項の規定の例に準じて取り扱うものとする。

第十一条 交流派遣職員の交流派遣の期間中に、当該交流派遣に係る派遣先企業が、交流派遣をされた日の直前に当該交流派遣職員の占めていた官職以外の官職を占めていた期間のない職員について新たに交流派遣をするものとして前条の規定を適用した場合に交流派遣をすることができない民間企業に該当することとなったときは、当該交流派遣職員の交流派遣を継続することができない。

第十二条 第十条の規定にかかわらず、国の機関若しくは当該国の機関に置かれる部局等からのこれらと所管関係にある民間企業又は当該民間企業の子会社への交流派遣について、当該所管関係の基礎となる特定処分等が特許をすべき旨の査定その他の人事院が定める処分等である場合であって、かつ、交流派遣をしようとする日前二年以内において職員が当該所管関係にある民間企業に対する当該処分等に関する事務に従事したことがない場合（当該交流派遣により公務の公正性の確保に支障がないと認められる場合として人事院が定めるときに限る。）には、当該交流派遣を行うことができる。

第十三条 国の機関等（国の機関及び行政執行法人をいう。以下同じ。）と所管関係にある同一の民間企業に、連続して四回、当該民間企業と所管関係にある同一の本省庁の課相当部局等（国の機関、法律若しくは政令の規定により当該国の機関に置かれる部局等又は当該部局等との権衡を考慮して人事院が定める組織であって、当該民間企業と所管関係にあるもののうち、本省庁の課、これに相当する部局等その他の最小単位のものをいう。）又は行政執行法人（以下この条及び第二十二条において「同一部局等」という。）に勤務する職員（当該同一部局等との所管関係に係る事務をつかさどる上級の職員を含む。以下この条及び第二十二条において同じ。）の交流派遣をすることができない。この場合において、既にされた当該同一部局等に勤務する職員の当該民間企業への交流派遣の終了の日から二年を経過していないときは、当該交流派遣と新たにする交流派遣は連続しているものとみなす。

（特別契約関係がある場合の交流派遣の制限）

第十四条 交流派遣をしようとする日前五年間に係る年度のうちいずれかの年度において、国の機関等と民間企業との間に特別契約関係（一の年度において国の機

関等と民間企業との間に締結した契約の総額が二千万円以上であり、かつ、当該契約の総額のその年度における当該民間企業の売上額又は仕入額等の総額に占める割合が二十五パーセント（資本の額又は出資の総額が三億円以上であり、かつ、常時使用する従業員の数が三百人以上の民間企業にあっては十パーセント）以上であることをいう。次項及び第二十三条において同じ。）がある場合には、当該年度において当該国の機関等に在職していた職員については、当該民間企業及びその子会社への交流派遣をすることができない。

２　交流派遣職員の交流派遣の期間中に、交流派遣元機関（当該交流派遣職員が交流派遣をされた日の直前に在職していた国の機関等をいう。）と当該交流派遣に係る派遣先企業との間に特別契約関係があることとなった場合には、当該交流派遣を継続することができない。

（契約の締結に携わった職員等に係る交流派遣の制限）

第十五条　交流派遣をしようとする日前五年以内に、職員として在職していた国の機関等と民間企業との間の契約の締結又は履行に携わった期間のある職員については、当該民間企業及びその子会社への交流派遣をすることができない。

（派遣先企業の起訴等による交流派遣の制限）

第十六条　交流派遣の期間中に、派遣先企業又はその役員が、当該派遣先企業の業務に係る刑事事件に関し起訴された場合又は特定不利益処分を受けた場合（同一の事実につき、起訴された場合又は特定不利益処分を受けた場合が合わせて二以上あることとなるときは、これらの場合のうち最初に起訴された場合又は特定不利益処分を受けた場合に限る。）には、当該派遣先企業への交流派遣を継続することができない。

（職員に対する特別の取扱いによる交流派遣の制限）

第十七条　民間企業が、交流派遣予定職員（官民人事交流法第七条第二項の書類に記載された職員をいう。以下同じ。）に対し、特別の取扱いをしようとした場合には、当該交流派遣予定職員の当該民間企業への交流派遣をすることができない。

２　派遣先企業が、その交流派遣職員に対し、特別の取扱いをした場合には、当該派遣先企業への交流派遣を継続することができない。

（民間企業における業務内容による交流派遣の制限）

第十八条　交流派遣予定職員の派遣先予定企業（派遣先企業となる民間企業をいう。以下同じ。）における業務内容が、国の機関等（交流派遣をしようとする日前に当該交流派遣予定職員が職員として在職していた国の機関等に限る。）に対する折衝又は当該国の機関等からの情報の収集を主として行うものである場合には、当該交流派遣予定職員は、当該派遣先予定企業への交流派遣をすることができない。

２　交流派遣職員の派遣先企業における業務内容が、国の機関等（交流派遣をしようとする日前に当該交流派遣職員が職員として在職していた国の機関等に限る。）に対する折衝又は当該国の機関等からの情報の収集を主として行うものであることとなった場合には、当該交流派遣職員の交流派遣を継続することができない。

（民間企業の部門との交流派遣の制限）

第十九条　交流派遣をしようとする日前五年間に係る年度のうちいずれかの年度において、交流派遣予定職員の派遣先予定企業（第四条第五号から第十六号までに掲げる法人に限る。）に、その事業による収益の主たる部分を次に掲げるもの（第二十五条、第三十一条第二項第二号及び第三号並びに第四十二条第二項第二号及び第三号において「国等の事務又は事業の実施等」という。）によって得ている部門がある場合には、当該部門の業務に従事させるために当該派遣先予定企業への交流派遣をすることができない。

一　指定等処分又は国若しくは地方公共団体からの委託を受けて実施する国若しくは地方公共団体の事務又は事業の実施

二　第三条各号に掲げる事務又は事業の実施

三　補助金等に係る予算の執行の適正化に関する法律（昭和三十年法律第百七十九号）第二条第一項に規定する補助金等

第三節　交流採用に係る基準

（交流採用の対象とする者）

第二十条　交流採用は、民間企業における実務の経験を通じて効率的かつ機動的な業務遂行の手法を体得している者を対象として行うものとする。

（所管関係にある場合の交流採用の制限）

第二十一条　国の機関と所管関係にある民間企業に雇用されている者について、当該国の機関の本省庁に交流採用をする場合には、次に掲げる官職に就けることができない。当該民間企業の子会社に雇用されている者についても同様とする。

一　本省庁の局長等の官職

二　当該民間企業と所管関係にある本省庁の局庁等に属する本省庁の部長等の官職及び当該本省庁の局庁等の所掌事務の一部を総括整理する本省庁の部長等の官職

三　当該民間企業と所管関係にある本省庁の課等に属する本省庁の課長等の官職
四　当該民間企業と所管関係にある本省庁の最小組織に属する本省庁のその他の官職

2　任命権者は、本省庁の官職を占める交流採用職員に係る交流元企業が次に掲げる場合に該当することとなったときは、当該交流採用職員の配置について適切な措置を講じなければならない。
一　当該交流採用職員の占める官職が本省庁の部長等の官職である場合において、当該官職の属する本省庁の局庁等と所管関係にあることとなったとき（当該交流採用職員の占める官職が本省庁の所掌事務の一部を総括整理する官職である場合にあっては、その総括整理する事務を所掌する本省庁の局庁等と所管関係にあることとなったときを含む。）。
二　当該交流採用職員の占める官職が本省庁の課長等の官職である場合において、当該官職の属する本省庁の課等と所管関係にあることとなったとき。
三　当該交流採用職員の占める官職が本省庁のその他の官職である場合において、当該官職の属する本省庁の最小組織と所管関係にあることとなったとき。

3　管区機関と所管関係にある民間企業に雇用されている者を当該管区機関に交流採用をする場合（交流採用予定者（任命権者が交流採用をすることを予定している者をいう。以下同じ。）の占めることとなる官職又は交流採用職員の占める官職が当該管区機関の長の官職である場合に限る。）における当該交流採用については、当該管区機関を本省庁の局庁等と、これらの官職を本省庁の部長等の官職とそれぞれみなして、前二項の規定を準用する。

4　国の機関に置かれる本省庁以外の部局等又は行政執行法人と所管関係にある民間企業に雇用されている者を当該国の機関に置かれる本省庁以外の部局等又は行政執行法人に交流採用をする場合（交流採用予定者の占めることとなる官職又は交流採用職員の占める官職が管区機関の長の官職である場合を除く。）における当該交流採用については、第一項及び第二項の規定の例に準じて取り扱うものとする。

第二十二条　国の機関等と所管関係にある同一の民間企業に雇用されている者を、連続して四回、当該民間企業と所管関係にある同一部局等の職員として交流採用をすることができない。この場合において、既にされた当該民間企業に雇用されている者の当該同一部局等の職員としての交流採用の終了の日から二年を経過していないときは、当該交流採用と新たにする交流採用は連続しているものとみなす。

（特別契約関係がある場合の交流採用の制限）
第二十三条　交流採用をしようとする日前五年間に係る年度のうちいずれかの年度において国の機関等と民間企業との間に特別契約関係がある場合には、当該民間企業及びその子会社に雇用されている者については、当該国の機関等に交流採用をすることができない。

（契約の締結に携わった職員等に係る交流採用の制限）
第二十四条　交流採用をしようとする日前五年以内に、交流元企業となる民間企業と国の機関等との間の契約の締結又は履行に携わった期間のある者については、当該国の機関等に交流採用をすることができない。

（民間企業の部門との交流採用の制限）
第二十五条　交流採用をしようとする日前五年間に係る年度のうちいずれかの年度において、交流採用予定者の所属する民間企業（第四条第五号から第十六号までに掲げる法人に限る。）に、その事業による収益の主たる部分を国等の事務又は事業の実施等によって得ている部門がある場合には、当該年度において当該部門に所属したことがある当該交流採用予定者の交流採用をすることができない。

（民間企業との合意がない場合の交流採用の制限）
第二十六条　任命権者と民間企業との間で次に掲げる事項について合意がなされていない場合には、当該民間企業に雇用されている者の交流採用をすることができない。
一　当該民間企業は、当該交流採用に係る交流採用職員に対し、その任期中、金銭、物品その他の財産上の利益を贈与しないものとすること。
二　官民人事交流法第二条第四項第二号に係る交流採用にあっては、当該民間企業は、当該交流採用に係る交流採用職員の任期中の当該民間企業における地位、賃金その他の処遇について、交流採用の適正な運用が確保されるよう必要な措置を講ずる等適切な配慮を加えるものとすること。
三　当該民間企業は、当該交流採用に係る交流採用職員であった者の復帰（官民人事交流法第二条第四項第一号に係る交流採用にあっては再雇用されることをいい、同項第二号に係る交流採用にあっては当該交流採用の終了後引き続き雇用されていることをいう。次号において同じ。）の後、当該復帰の日から起算して二年間は、当該交流採用職員であった者を次に掲げる業務に従事させないものとすること。
イ　交流採用機関（交流採用職員であった者が在職

していた国の機関等をいう。以下この号において同じ。）に対する行政手続法第二条第三号に規定する申請に関する業務
ロ　交流採用機関との間の契約の締結又は履行に関する業務
ハ　交流採用機関の当該民間企業に対する法令の規定に基づく検査、臨検、捜索、差押えその他これらに類する行為に関する業務
ニ　交流採用機関に対する折衝又は交流採用機関からの情報の収集を主として行う業務
四　当該民間企業は、当該交流採用に係る交流採用職員であった者が復帰をしたときは、その者の当該民間企業における地位、賃金その他の処遇について、当該民間企業の他の従業員との均衡を失することのないよう適切な配慮を加えるものとすること。

第四節　雑則

（人事交流の特例）
第二十七条　第七条第一号、第十三条、第十六条、第十九条、第二十二条及び第二十五条の規定にかかわらず、公務の公正性の確保に支障がないと人事院が認めるときは、人事交流を行い、又は継続することができる。
2　第十条から第十二条まで及び第二十一条の規定にかかわらず、国の機関若しくは当該国の機関に置かれる部局等又は行政執行法人とこれらと所管関係にある民間企業又は当該民間企業の子会社との間の人事交流について、当該所管関係の基礎となる特定処分等が特定の業種の民間企業を対象とするものではない場合において、当該人事交流により公務の公正性の確保に支障がないと人事院が認めるときは、当該人事交流を行い、又は継続することができる。
3　前二項の場合において、人事院は必要に応じ交流審査会の意見を聴くものとする。
第二十八条　前条に規定するもののほか、国の機関等の組織の改廃が行われた場合、派遣先企業又は交流元企業における事業内容の変更が行われた場合その他の場合において、この規則により難い特別の事情があると人事院が認めるときは、別段の取扱いをすることができる。
2　前項の場合において、人事院は交流審査会の意見を聴かなければならない。

第三章　人事交流の実施

第一節　通則

（民間企業の公募）
第二十九条　官民人事交流法第六条第一項の規定により人事院が行う民間企業の公募は、官報への掲載により行うものとする。
2　人事院は、官民人事交流法第六条第一項の規定により、人事院が民間企業の公募を行う場合には、前項の規定により公募するほか、新聞、放送、インターネットその他の適切な手段により、民間企業に当該公募について周知させなければならない。
第三十条　官民人事交流法第六条第一項の規定に基づき応募しようとする民間企業は、次の各号に掲げる民間企業の区分に応じ当該各号に定める人事交流に関する条件を記載した書類を人事院に提出するものとする。
一　交流派遣に係る職員を受け入れることを希望する民間企業　次に掲げる交流派遣に関する条件
イ　交流派遣に係る職員の年齢及び必要な経験等
ロ　交流派遣に係る職員の当該民間企業における地位及び業務内容
ハ　労働契約の期間
ニ　交流派遣に係る職員の当該民間企業における賃金、労働時間その他の労働条件
ホ　イからニまでに掲げるもののほか、当該民間企業が必要と認める条件
二　その雇用する者が交流採用をされることを希望する民間企業　次に掲げる交流採用に関する条件
イ　交流採用が官民人事交流法第二条第四項第一号又は第二号のいずれに係るものであるかの別
ロ　交流採用に係る者の年齢及び経歴
ハ　交流採用に係る者の職務内容
ニ　任用期間
ホ　イからニまでに掲げるもののほか、当該民間企業が必要と認める条件

第二節　交流派遣の実施

（交流派遣の実施に関する計画の認定）
第三十一条　任命権者は、官民人事交流法第七条第一項の規定により交流派遣をしようとするときは、次に掲げる事項を定めた交流派遣の実施に関する計画を記載した書類（次項において「交流派遣に係る計画書類」という。）を人事院に提出して、その認定を受けなければならない。
一　交流派遣予定職員に関する次に掲げる事項
イ　氏名及び生年月日
ロ　交流派遣をしようとする日前二年以内に占めていた官職及びその職務内容
ハ　派遣先予定企業の名称、所在地及び事業内容
ニ　派遣先予定企業における地位及び業務内容

ホ　交流派遣の期間
ヘ　派遣先予定企業における賃金、労働時間その他の労働条件
ト　派遣先予定企業における福利厚生に関する事項
チ　交流派遣をしようとする日前五年以内において職員として在職していた国の機関等と派遣先予定企業との間の契約の締結又は履行に関する事務に従事したことの有無及びその内容
二　交流派遣をしようとする日前二年以内において交流派遣予定職員が職員として在職していた国の機関等の派遣先予定企業に対する処分等に関する事務の所掌の有無及びその内容
三　交流派遣をしようとする日前五年間に係るそれぞれの年度において交流派遣予定職員が職員として在職していた国の機関等と派遣先予定企業との間の契約関係の有無及びその内容
四　交流派遣をしようとする日前一年以内における派遣先予定企業（その役員又は役員であった者を含む。）に関する次に掲げる事項
イ　当該派遣先予定企業の業務に係る刑事事件に関し起訴されたことの有無及びその内容
ロ　当該派遣先予定企業の業務に係る特定不利益処分を受けたことの有無及びその内容
五　交流派遣予定職員の在職する国の機関等と派遣先予定企業との間の人事交流の実績
六　交流派遣予定職員（交流派遣をしようとする日前二年以内に指定職俸給表の適用を受ける職員、検事総長、次長検事、検事長若しくは検察官の俸給等に関する法律別表検事の項五号の俸給月額以上の俸給を受ける検事又は行政執行法人の職員であってその職務と責任が指定職俸給表の適用を受ける職員に相当するものとして人事院が定めるものであった職員に限る。）に係る当該交流派遣予定職員を交流派遣の期間の満了により職務に復帰した後継続して勤務させ、及び当該交流派遣予定職員の交流派遣による経験等を生かすための当該交流派遣予定職員の配置その他の人事等に関する方針
七　前各号に掲げるもののほか、人事院が必要と認める事項
2　任命権者は、第四条第五号から第十六号までに掲げる法人に交流派遣をしようとするときは、前項に掲げる事項のほか、次に掲げる事項を交流派遣に係る計画書類に記載しなければならない。
一　交流派遣予定職員が当該法人の実務を経験することを通じて効率的かつ機動的な業務遂行の手法を体得し、かつ、民間企業の実情に関する理解を深めることができると判断した理由
二　派遣先予定企業における事業の運営のために必要な経費の総額及び国等の事務又は事業の実施等から得ている収益の総額であって、交流派遣をしようとする日前五年間に係るそれぞれの年度におけるもの
三　交流派遣予定職員の所属することとなる部門の事業によって得ている収益の総額及び当該部門において国等の事務又は事業の実施等によって得ている収益の総額であって、交流派遣をしようとする日前五年間に係るそれぞれの年度におけるもの

（交流派遣予定職員の同意）
第三十二条　任命権者は、官民人事交流法第七条第二項に規定する職員の同意を得る場合には、当該職員に対してその交流派遣に係る前条第一項第一号ハからトまでに掲げる事項を明示しなければならない。

（交流派遣に係る取決め）
第三十三条　官民人事交流法第七条第三項の人事院規則で定める事項は、次に掲げる事項とする。
一　交流派遣予定職員の派遣先企業における業務の制限に関する事項
二　交流派遣予定職員の派遣先企業における福利厚生に関する事項
三　交流派遣予定職員の派遣先企業における業務の従事の状況の連絡に関する事項

（交流派遣の実施に関する計画の変更等）
第三十四条　任命権者は、交流派遣の期間中に当該交流派遣の実施に関する計画を変更する必要が生じたときは、人事院の認定を受けて当該計画を変更することができる。ただし、第三十一条第一項第一号ニからトまでに規定する事項に係る当該計画の変更は、派遣先企業からこれらの事項の変更を希望する旨の申出があった場合において、当該変更について、あらかじめ当該交流派遣に係る交流派遣職員の同意を得なければならない。
2　任命権者は、前項の規定により第三十一条第一項第一号ニからトまでに規定する事項について交流派遣の実施に関する計画を変更したときは、派遣先企業との間において、変更後の計画に従って、当該変更に係る取決めを締結しなければならない。この場合において、任命権者は当該交流派遣に係る交流派遣職員にその取決めの内容を明示しなければならない。
3　前項に規定する変更に係る取決めが締結されたときは、交流派遣職員は、その取決めの内容に従って、派遣先企業との間で労働契約を締結するものとする。

（交流派遣職員の保有する官職）

第三十五条　交流派遣職員は、交流派遣をされた時に占めていた官職又はその交流派遣の期間中に異動した官職を保有するものとする。ただし、併任に係る官職については、この限りでない。

２　前項の規定は、当該官職を他の職員をもって補充することを妨げるものではない。

（交流派遣職員の業務の制限）

第三十六条　官民人事交流法第十二条第一項の人事院規則で定める業務は、次に掲げる業務とする。

一　派遣前の機関（交流派遣職員がその交流派遣前に職員として在職していた国の機関等をいう。以下この条において同じ。）に対する行政手続法第二条第三号に規定する申請に関する業務

二　派遣前の機関との間の契約の締結又は履行に関する業務

三　派遣前の機関の派遣先企業に対する法令の規定に基づく検査、臨検、捜索、差押えその他これらに類する行為に関する業務

（交流派遣職員を職務に復帰させる場合）

第三十七条　官民人事交流法第十三条第一項の人事院規則で定める場合は、次に掲げる場合とする。

一　交流派遣職員がその派遣先企業の地位を失った場合

二　交流派遣職員が法第七十八条第二号又は第三号に該当することとなった場合

三　交流派遣職員が法第七十九条各号のいずれかに該当することとなった場合又は水難、火災その他の災害により生死不明若しくは所在不明となった場合

四　交流派遣職員が法第八十二条第一項各号（官民人事交流法第十二条第五項の規定により読み替えて適用する場合を含む。）のいずれかに該当することとなった場合

五　交流派遣職員の交流派遣が官民人事交流法の規定又は前章第一節若しくは第二節に規定する交流基準に適合しなくなった場合

六　交流派遣職員の交流派遣が当該交流派遣の実施に関する計画又は当該計画に従い締結された取決めに反することとなった場合

（交流派遣職員の職務復帰後の官職の制限）

第三十八条　官民人事交流法第十三条第三項の人事院規則で定める官職は、交流派遣後職務に復帰した職員の派遣先企業であった民間企業に対する処分等に関する事務又は当該民間企業との間における契約の締結若しくは履行に関する事務をその職務とする官職とする。

（交流派遣に係る人事異動通知書の交付）

第三十九条　任命権者は、次に掲げる場合には、職員に対して、規則八―一二（職員の任免）第五十八条の規定による人事異動通知書を交付しなければならない。

一　交流派遣をした場合

二　交流派遣職員の交流派遣の期間を延長した場合

三　交流派遣職員を職務に復帰させた場合

四　交流派遣の期間の満了により交流派遣職員が職務に復帰した場合

（交流派遣職員の職務復帰時における給与の取扱い）

第四十条　交流派遣職員が職務に復帰した場合において、部内の他の職員との均衡上特に必要があると認められるときは、規則九―八（初任給、昇格、昇給等の基準）第二十条の規定にかかわらず、人事院の定めるところにより、その職務に応じた職務の級に昇格させることができる。

第四十一条　交流派遣職員が職務に復帰した場合において、部内の他の職員との均衡上必要があると認められるときは、交流派遣の期間を百分の百以下の換算率により換算して得た期間を引き続き勤務したものとみなして、その職務に復帰した日、同日後における最初の昇給日（規則九―八第三十四条に規定する昇給日をいう。以下この項において同じ。）又はその次の昇給日に、昇給の場合に準じてその者の号俸を調整することができる。

２　交流派遣職員が職務に復帰した場合における号俸の調整について、前項の規定による場合には部内の他の職員との均衡を著しく失すると認められるときは、同項の規定にかかわらず、あらかじめ人事院と協議して、その者の号俸を調整することができる。

第三節　交流採用の実施

（交流採用の実施に関する計画の認定）

第四十二条　任命権者は、官民人事交流法第十九条第一項の規定により交流採用をしようとするときは、次に掲げる事項を定めた交流採用の実施に関する計画を記載した書類（次項において「交流採用に係る計画書類」という。）を人事院に提出して、その認定を受けなければならない。

一　交流採用予定者に関する次に掲げる事項

イ　官民人事交流法第二条第四項第一号又は第二号のいずれに該当するかの別

ロ　所属する民間企業（以下この条において「所属企業」という。）の名称及び事業内容

ハ　氏名及び生年月日

ニ　所属企業における地位及び業務内容（官民人事

交流法第二条第四項第二号に掲げる者にあっては、任期中に就くことを予定している所属企業における地位を含む。）

ホ　官職及びその職務内容

ヘ　選考基準及び選考結果の概要

ト　任期

チ　交流採用をしようとする日前五年以内において交流採用予定機関（交流採用をすることを予定している国の機関等をいう。以下この条において同じ。）と所属企業との間の契約の締結又は履行に関する事務に従事したことの有無及びその内容

二　交流採用予定機関の所属企業に対する処分等に関する事務の所掌の有無及びその内容

三　交流採用をしようとする日前五年間に係るそれぞれの年度における交流採用予定機関と所属企業との間の契約関係の有無及びその内容

四　交流採用をしようとする日前一年以内における所属企業（その役員又は役員であった者を含む。）に関する次に掲げる事項

イ　当該所属企業の業務に係る刑事事件に関し起訴されたことの有無及びその内容

ロ　当該所属企業の業務に係る特定不利益処分を受けたことの有無及びその内容

五　交流採用予定機関と所属企業との間の人事交流の実績

六　前各号に掲げるもののほか、人事院が必要と認める事項

2　任命権者は、第四条第五号から第十六号までに掲げる法人に所属する者の交流採用をしようとするときは、前項に掲げる事項のほか、次に掲げる事項を交流採用に係る計画書類に記載しなければならない。

一　交流採用予定者が交流採用予定機関の職務に従事することにより行政運営の活性化を図ることができると判断した理由

二　交流採用予定者の所属企業における事業の運営のために必要な経費の総額及び国等の事務又は事業の実施等から得ている収益の総額であって、交流採用をしようとする日前五年間に係るそれぞれの年度におけるもの

三　交流採用しようとする日前五年間に交流採用予定者の所属していた部門の事業によって得ている収益の総額及び当該五年間に当該部門において国等の事務又は事業の実施等によって得ている収益の総額であって、当該五年間において当該交流採用予定者が当該部門に所属していたそれぞれの年度に係るもの

（交流採用に係る取決めにおける賃金の支払以外の給付）

第四十三条　官民人事交流法第十九条第四項の人事院規則で定める給付は、交流元企業がその雇用する者の福利厚生の増進を図るために行う給付のうち、次に掲げる給付（第一号、第三号及び第四号に掲げる給付を任期中に新たに行う場合にあっては、当該任期中に終了するものを除く。）であって、公務の公正性の確保に支障がないと人事院が認めるものとする。

一　住宅資金、生活資金、教育資金その他の資金の貸付け

二　交流採用予定者の委託を受けて行うその貯蓄金の管理（任期中の新たな貯蓄金の受入れを除く。）

三　住宅の貸与

四　保健医療サービスその他の人事院の定めるサービスの提供

五　前各号に掲げる給付に準ずると認められるものとして人事院が指定する給付

（交流採用の実施に関する計画の変更）

第四十四条　任命権者は、交流採用に係る任期中に当該交流採用の実施に関する計画を変更する必要が生じたときは、当該変更に係る事項を記載した書類を人事院に提出して、その認定を受けなければならない。この場合において、当該変更に係る事項が任期の更新であるときは、任命権者は、あらかじめ当該交流採用に係る交流採用職員の同意を得なければならない。

（交流採用職員の官職の制限）

第四十五条　官民人事交流法第二十条の人事院規則で定める官職は、交流元企業に対する処分等に関する事務又は交流元企業との間における契約の締結若しくは履行に関する事務をその職務とする官職とする。

（交流採用に係る人事異動通知書の交付）

第四十六条　任命権者は、次に掲げる場合には、職員に対して、規則八―一二第五十八条の規定による人事異動通知書を交付しなければならない。

一　交流採用をした場合

二　交流採用職員の任期を更新した場合

三　任期の満了により交流採用職員が当然に退職した場合

（交流採用職員の規則九―八第四章から第六章までの規定の適用の特例）

第四十七条　交流採用職員に対する規則九―八第四章から第六章までの規定の適用については、規則八―一八（採用試験）第三条第四項に規定する経験者採用試験の結果に基づいて職員となった者として取り扱うこと

ができる。

附　則（抄）

（施行期日）

第一条　この規則は、国家公務員法等の一部を改正する法律（平成二十六年法律第二十二号）の施行の日〔平二六・五・三〇〕から施行する。

附　則（平二七・三・一八規則一—六三）（抄）

（施行期日）

第一条　この規則は、平成二十七年四月一日から施行する。

（人事院規則二一—〇の一部改正に伴う経過措置）

第七条　第五条の規定による改正後の規則二一—〇（次項において「改正後の規則二一—〇」という。）第二条第二項第一号、第十条第三項、第二十七条第二項及び第三十一条第一項第六号の規定の適用については、これらの規定に規定する行政執行法人には、特定独立行政法人を含むものとする。

2　改正後の規則二一—〇第十三条及び規則二一—〇第十四条第二項の規定の適用については、改正後の規則二一—〇第十三条中「及び行政執行法人」とあるのは「及び行政執行法人並びに独立行政法人通則法の一部を改正する法律（平成二十六年法律第六十六号）による改正前の独立行政法人通則法（平成十一年法律第百三号）第二条第二項に規定する特定独立行政法人」と、規則二一—〇第十四条第二項中「国の機関等」とあるのは「国の機関等（独立行政法人通則法の一部を改正する法律の施行に伴う関係法律の整備に関する法律（平成二十六年法律第六十七号）の施行の日の前日までの間における独立行政法人国立病院機構を除く。第十五条及び第三十一条を除き、以下同じ。）」とする。

3　規則二一—〇第十九条の規定の適用については、同条中「もの（」とあるのは、「もの（人事院規則一—六三（独立行政法人通則法の一部を改正する法律等の施行に伴う関係人事院規則の整備に関する人事院規則）第五条の規定による改正前の規則二一—〇第三条各号に掲げる事務又は事業の実施を含み、」とする。

附　則（令四・六・二四規則一—八一）

この規則は、公布の日から施行する。

附　則（令四・七・一規則二一—〇—一〇）

この規則は、公布の日から施行する。

附　則（令四・一二・一六規則二一—〇—一一）

（施行期日）

第一条　この規則は、令和五年一月一日から施行する。ただし、次条の規定は、公布の日から施行する。

（準備行為）

第二条　〔略〕

★人事院規則一—五七（復興庁設置法の施行に伴う関係人事院規則の適用の特例等に関する人事院規則）（平二四・二・一〇規則一—五七）（抄）

最終改正　令三・九・一規則一—七七

（復興庁が廃止されるまでの間における人事院規則の適用の特例）

第一条　復興庁が廃止されるまでの間における次の表の第一欄に掲げる規則の規定の適用については、同欄に掲げる規則の同表の第二欄に掲げる規定中同表の第三欄に掲げる字句は、それぞれ同表の第四欄に掲げる字句とする。

〔略〕			
規則二一—〇（国と民間企業との間の人事交流）	第二条第二項第一号	デジタル庁	デジタル庁、復興庁
	第二条第二項第二号	第十四条第一項	第十四条第一項、復興庁設置法（平成二十三年法律第百二十五号）第十三条第一項、第十五条第一項及び第十七条第一項
〔略〕			

2〜4　〔略〕

附　則

この規則は、公布の日から施行する。

○国と民間企業との間の人事交流に関する法律第二条第二項第五号の規定に基づく指定について

平一五・一〇・九
人事院指令二一—一

最終改正　平二三・一二・二二人事院指令二一—二

1　国と民間企業との間の人事交流に関する法律（平成十一年法律第二百二十四号）第二条第二項第五号の規定に基づき、次に掲げる外国法人を指定する。

一　ドイチェ・セキュリティーズ・リミテッド

二　マッキンゼー・アンド・カンパニー・インコーポレイテッド・ジャパン

三　アメリカンファミリーライフアシュアランスカンパニーオブコロンバス

2　この指令は、平成十五年十月九日から施行する。

○国と民間企業との間の人事交流の運用について

平二六・五・二九
人企—六六〇

最終改正　令五・八・三一人企—一〇一三

国と民間企業との間の人事交流に関する法律（平成十一年法律第二百二十四号。以下「官民人事交流法」という。）及び人事院規則二一—〇（国と民間企業との間の人事交流）（以下「規則」という。）の運用について下記のとおり定めたので、平成二十六年五月三十日以降は、これによってください。

なお、これに伴い、次に掲げる人事院事務総長通知は、廃止します。

(1)　国と民間企業との間の人事交流の運用について（平成十二年三月二十一日任企—八七）

(2)　交流基準の運用について（平成十二年三月二十一日任企—八八）

記

官民人事交流法第五条関係

この条の交流基準とは、規則で定める基準をいう。

官民人事交流法第七条関係

この条の第二項の規定による職員の同意は、文書により行うものとする。

官民人事交流法第八条関係

1　この条の第二項の規定による人事院の承認の申請は、次に掲げる事項を記載した書類を人事院事務総長に提出することにより行うものとする。

一　交流派遣職員の氏名並びに派遣先企業の名称及び派遣先企業における地位

二　延長を必要とする理由

三　現に従事している業務の内容

四　交流派遣の年月日

五　延長予定期間

2　この条の第二項の規定により交流派遣の期間を延長する場合において、当該期間を交流派遣をした日から引き続き三年を超えない範囲内で延長するときは、当該期間の延長について同項の規定による人事院の承認があったものとして取り扱うことができる。

3　任命権者は、前項の規定により交流派遣の期間の延長についてこの条の第二項の規定による人事院の承認があったものとして取り扱った場合には、遅滞なく、次に掲げる事項を記載した書類を人事院事務総長に提出するものとする。

一　交流派遣職員の氏名並びに派遣先企業の名称及び派遣先企業における地位

二　延長を必要とする理由

三　現に従事している業務の内容

四　交流派遣の年月日

五　延長予定期間

官民人事交流法第十九条関係

1　この条の第五項ただし書の規定による人事院の承認の申請は、次に掲げる事項を記載した書類を人事院事務総長に提出することにより行うものとする。

一　交流採用職員の氏名及び官職名（職務の級及び所属部課名）

二　更新を必要とする理由

三　現に従事している職務の内容
四　交流採用の年月日
五　更新予定期間
2　この条の第五項ただし書の規定により任期を更新する場合において、当該任期を交流採用をした日から引き続き三年を超えない範囲内で更新するときは、当該任期の更新について同項ただし書の規定による人事院の承認があったものとして取り扱うことができる。
3　任命権者は、前項の規定により交流採用に係る任期の更新についてこの条の第五項ただし書の規定による人事院の承認があったものとして取り扱った場合には、遅滞なく、次に掲げる事項を記載した書類を人事院事務総長に提出するものとする。
一　交流採用職員の氏名及び官職名（職務の級及び所属部課名）
二　更新を必要とする理由
三　現に従事している職務の内容
四　交流採用の年月日
五　更新期間

官民人事交流法第二十三条関係

この条の第一項の規定による人事院への報告は、毎年一月末日までに、次の各号に掲げる報告の区分に応じ、それぞれ当該各号に定める書類を人事院事務総長に提出することにより行うものとする。
一　前年に交流派遣職員であった者に関する報告　当該者ごとに次に掲げる事項を記載した書類
(1)　交流派遣に係る官民人事交流法第七条第二項の規定による書類の提出の時に占めていた官職（当該者が国際機関に派遣されていたこと等の事情によりその占めていた官職の職務に従事していなかった場合は、あわせて、派遣先の機関名等）
(2)　派遣先企業の名称
(3)　前年に占めていた派遣先企業における地位及び業務内容（前年に地位又は業務内容の変更があった場合は、占めていた期間ごとの地位及び業務内容）
(4)　交流派遣の期間
(5)　(1)から(4)までに掲げるもののほか、参考となる事項
二　三年前の年の一月一日から前年の十二月三十一日までの間に交流派遣から職務に復帰した職員に関する報告　当該者ごとに次に掲げる事項を記載した書類及び当該者の前年末における人事記録の写し
(1)　前年において当該者が国際機関に派遣されている等の事情によりその占める官職の職務に従事していない場合における派遣先等の機関名
(2)　前年において国家公務員退職手当法（昭和二十八年法律第百八十二号）第二十条の規定により退職手当の支給を受けずに退職した場合における退職後に就いた機関等の名称
(3)　派遣先企業の名称
(4)　復帰の日の直前に派遣先企業において占めていた地位及び業務内容
(5)　(1)から(4)までに掲げるもののほか、参考となる事項
三　前年に交流採用職員であった者に関する報告　当該者ごとに次に掲げる事項を記載した書類及び当該者の前年末における人事記録の写し
(1)　交流元企業の名称及び事業内容
(2)　交流採用をされた日の直前に交流元企業において占めていた地位（官民人事交流法第二条第四項第二号に係る交流採用にあっては、当該者が交流元企業において占めている地位）
(3)　前年に占めていた官職の職務内容
(4)　交流採用に係る任期（当初の交流採用に係る任期に変更があった場合にあっては、変更後の任期）
(5)　(1)から(4)までに掲げるもののほか、参考となる事項

規則第二条関係

1　この条の第二項第一号の人事院の定める処分等は、報告を命ずる処分、規格の表示の認定その他これらに類する処分等とする。
2　この条の第二項第一号の「事務」には、他の機関に委任した処分等の権限に関する事務を含む。
3　この条の第二項第三号の人事院が定める官職は、次に掲げるものとする。
一　国家行政組織法（昭和二十三年法律第百二十号）第十八条第四項に規定する職（各省に置かれるものに限る。）及び同法第二十条第一項に規定する職
二　会計検査院事務総長、会計検査院事務総局次長及び会計検査院事務総局の局長
三　内閣感染症危機管理対策官、内閣総務官及び人事政策統括官
四　内閣法制次長及び内閣法制局の部長
五　人事院事務総長及び人事院事務総局の局長
六　内閣府の事務次官、内閣府審議官、内閣府設置法（平成十一年法律第八十九号）第十七条第一項

に規定する職、同条第五項に規定する局長、同条第六項に規定する官房の長、同法第六十一条第一項に規定する次長、同条第二項に規定する職、同法第六十二条第一項に規定する職、同法第六十三条第一項に規定する事務局長及び局長並びに同条第二項に規定する官房の長並びに国際平和協力本部事務局長及び日本学術会議事務局長

七 宮内庁の次長及び部長

八 公正取引委員会事務総長及び公正取引委員会事務総局の局長

九 警察庁の長官、次長、官房長及び局長

十 金融庁の長官及び証券取引等監視委員会事務局長

十一 消費者庁長官

十二 こども家庭庁長官

十三 デジタル庁のデジタル審議官及び統括官

十四 復興庁の事務次官及び統括官

十五 国税不服審判所長

十六 農林水産技術会議事務局長

十七 国土地理院長及び海難審判所長

十八 原子力規制庁長官

十九 国家行政組織法第六条に規定する長官、同法第十八条第一項に規定する事務次官、同法第二十一条第一項に規定する事務局長及び局長並びに同条第二項に規定する官房の長（各省に置かれるものに限る。）並びに検事総長及び次長検事の官職並びに前各号に掲げる官職以外の官職で、これらと職務の複雑と責任の度が同等のもの

4 この条の第二項第五号の人事院が定める組織は、次に掲げるものとする。

一 国家行政組織法第二十条第一項に規定する職又は当該職のつかさどる職務の全部若しくは一部を助ける職に就いている職員で構成される組織

二 会計検査院事務総局の官房及び局

三 郵政民営化委員会事務局及び原子力防災会議事務局

四 内閣官房副長官補又は当該職を助ける職に就いている職員で構成される組織、内閣総務官室、内閣感染症危機管理統括庁、国家安全保障局、内閣広報室、内閣情報調査室及び内閣人事局並びに内閣総理大臣決定等に基づき内閣官房に置かれるその他の組織で本省庁の部長等の官職の属するもの

五 内閣法制局の部及び長官総務室

六 人事院事務総局（事務総局の局、公務員研修所、地方事務局及び沖縄事務所を除く。）、人事院事務総局の局及び国家公務員倫理審査会事務局

七 内閣府本府の官房、局、政策統括官又は当該職のつかさどる職務の全部若しくは一部を助ける職に就いている職員で構成される組織及び独立公文書管理監又は当該職のつかさどる職務の全部若しくは一部を助ける職に就いている職員で構成される組織並びに国際平和協力本部事務局及び日本学術会議事務局並びに内閣総理大臣決定等に基づき内閣府本府に置かれるその他の組織で本省庁の部長等の官職の属するもの

八 宮内庁の長官官房、侍従職、上皇職、東宮職、皇嗣職、式部職及び部

九 公正取引委員会事務総局の官房（私的独占の禁止及び公正取引の確保に関する法律（昭和二十二年法律第五十四号）第三十五条第七項に規定する審判官は当該官房に属するものとする。）及び局

十 警察庁の長官官房及び局

十一 個人情報保護委員会事務局

十二 カジノ管理委員会事務局

十三 金融庁の金融国際審議官又は当該職のつかさどる職務の全部若しくは一部を助ける職に就いている職員で構成される組織及び局並びに証券取引等監視委員会事務局

十四 消費者庁

十五 こども家庭庁の長官官房及び局

十六 デジタル庁の統括官又は当該職のつかさどる職務の全部若しくは一部を助ける職に就いている職員で構成される組織

十七 復興庁の統括官又は当該職のつかさどる職務の全部若しくは一部を助ける職に就いている職員で構成される組織

十八 最高検察庁

十九 国税不服審判所（支部を除く。）

二十 農林水産技術会議事務局

二十一 国土地理院（地方測量部及び沖縄支所を除く。）及び海難審判所（地方海難審判所を除く。）

規則第四条関係

この条の第十六号に掲げる「一般社団法人及び一般財団法人」には、公益社団法人及び公益財団法人の認定等に関する法律（平成十八年法律第四十九号）第二条第一号に定める公益社団法人及び同条第二号に定める公益財団法人が含まれる。

規則第五条関係

この条の第五号の「勤務延長職員」とは、国家公務員法（昭和二十二年法律第百二十号）第八十一条の七

第一項又は第二項の規定により定年退職日の翌日以降引き続いて勤務している職員をいう。

規則第七条関係

１　この条の第一号の「役員」とは、取締役、執行役、会計参与、監査役、業務を執行する社員、発起人その他これらに類するものをいう。

２　この条の第一号の人事院の定める不利益処分は、人事交流を行おうとする民間企業の業務に係る次に掲げる処分（第四号に掲げる処分については、交流派遣に係る職員が当該民間企業において従事することとなる事務が経理に関するものである場合及び交流採用に係る者が交流採用をしようとする日前一年以内に当該民間企業において従事していた事務が経理に関するものである場合に限る。）その他これらに類する処分とする。

一　許認可等の取消し

二　業務停止命令

三　役員の解任命令

四　重加算税の徴収

五　課徴金の納付命令

規則第八条関係

この条の規定は、国の機関等（会計検査院、内閣、人事院、内閣府、デジタル庁、復興庁及び各省並びに宮内庁及び各外局並びに各行政執行法人（独立行政法人通則法（平成十一年法律第百三号）第二条第四項に規定する行政執行法人をいう。以下同じ。）を単位として適用するものとする。

規則第十二条関係

１　この条の人事院が定める処分等は、特許、意匠登録又は商標登録をすべき旨の査定、これらの出願について拒絶をすべき旨の査定、これらを無効にすべき旨の審決その他これらに類する処分等とする。

２　この条の人事院が定める場合は、職員が交流派遣をしようとする日前二年以内において次のいずれにも該当しない場合とする。

一　特許庁長官の官職を占めていた期間があること。

二　特許庁の特許技監の官職を占めていた期間のうちに特許庁の他の職員が派遣先予定企業に対する第一項に規定する処分等に関する事務に従事した期間があること。

三　特許庁の部長の官職を占めていた期間のうちに当該官職の属する部の他の職員が派遣先予定企業に対する第一項に規定する処分等に関する事務に従事した期間があること。

四　特許庁の課長又はこれと同等以上の官職（長官、特許技監及び部長の官職を除く。）を占めていた期間のうちに当該官職の属する組織のうち課又はこれに準ずる組織の他の職員が派遣先予定企業に対する第一項に規定する処分等に関する事務に従事した期間があること。

五　特許庁の官職（課長又はこれと同等以上の官職を除く。）を占めていた期間のうちに担当する技術、物品又は商品若しくは役務の分野と同じ技術、物品又は商品若しくは役務の分野を担当する他の職員が派遣先予定企業に対する第一項に規定する処分等に関する事務（当該同じ技術、物品又は商品若しくは役務の分野に係るものに限る。）に従事した期間があること。

規則第十三条関係

１　この条の人事院が定める組織は、次に掲げるものとする。

一　会計検査院事務総局の課

二　人事院事務総局の局、課（公務員研修所、地方事務局又は沖縄事務所に置かれるものを除く。）、公務員研修所、地方事務局又は沖縄事務所

三　最高検察庁に置かれる部又は事務局

四　国家行政組織法第七条第五項に規定する実施庁又は原子力規制庁に政令の定める数の範囲内において置かれる部局等

五　国税不服審判所の支部

六　国土地理院の地方測量部又は沖縄支所

七　海難審判所の地方海難審判所

八　統括官、審議官、参事官その他の局長、部長若しくは課長に準ずる職又は当該職のつかさどる職務の全部若しくは一部を助ける職に就いている職員で構成される組織であって、法律又は政令の規定により国の機関に置かれる部局等に相当すると認められるもの

２　この条の「上級の職員」とは、例えば、この条の「本省庁の課相当部局等」を置く局の局長、部長等、当該局の所掌事務の一部を総括整理する職等をいう。

規則第十四条関係

この条の第一項の「交流派遣をしようとする日前五年間に係る年度」とは、交流派遣をしようとする日から五年遡った日の属する年度から当該交流派遣をしようとする日の前日の属する年度までの年度（同日の属する年度にあっては、当該年度の初日から同日までの期間に限る。）をいう。

規則第十五条関係

この条の「契約の締結又は履行に携わった期間」には、工事請負、国有財産売払い、物品納入等についての国の機関等と民間企業との間の契約に関し、職員が当該民間企業の推薦若しくは選考、工事等の予定価格の積算若しくは入札執行又は当該契約の締結若しくは履行についての監督若しくは検査に従事した期間を含む。

規則第十九条関係

この条の「交流派遣をしようとする日前五年間に係る年度」とは、規則第十四条関係に規定する年度と同様とする。

規則第二十三条及び第二十五条関係

これらの条の「交流採用をしようとする日前五年間に係る年度」とは、交流採用をしようとする日から五年遡った日の属する年度から当該交流採用をしようとする日の前日の属する年度までの年度（同日の属する年度にあっては、当該年度の初日から同日までの期間に限る。）をいう。

規則第三十一条関係

1　この条の第一項の規定により提出する書類には、次に掲げる資料を添付するものとする。

一　交流派遣予定職員の人事記録の写し

二　この条の第一項第一号ニ、ヘ及びト並びに第三号に掲げる事項に係る当該書類の記載内容を派遣先予定企業が確認したことを証する書面

三　前二号に掲げるもののほか、参考となる資料

2　この条の第一項第一号ニの「地位及び業務内容」には、交流派遣の期間中に派遣先予定企業において異動が予定されている場合における当該異動後の地位及び業務内容を含む。

3　この条の第一項第二号の「事務」には、他の機関に委任した処分等の権限に関する事務を含む。

4　この条の第一項第三号並びに第二項第二号及び第三号の「交流派遣をしようとする日前五年間に係るそれぞれの年度」とは、交流派遣をしようとする日から五年遡った日の属する年度から当該交流派遣をしようとする日の前日の属する年度までのそれぞれの年度（同日の属する年度にあっては、当該年度の初日から当該交流派遣をしようとする日の前日までの期間に限る。）をいう。

5　この条の第一項第六号の「人事等に関する方針」とは、人事等に関する基本的考え方、交流派遣から職務に復帰した後の職員の活用の方法（例えば、従事させることを想定している業務分野若しくは行政課題又は就けることを想定している職務の種類など）その他必要と認められる事項とする。

規則第三十四条関係

1　この条の第一項の規定による人事院の認定の申請は、同項に規定する計画の変更に係る事項を記載した書類の提出により行うものとする。この場合において、当該計画の変更が、交流派遣をした日から引き続き三年を超えるものとなる交流派遣の期間の延長に係るものであるときは、官民人事交流法第八条第二項の規定による承認の申請のための書類の提出をもって、この項に規定する書類の提出とみなす。

2　この条の第一項の規定により交流派遣の実施に関する計画を変更する場合において、当該計画の変更が、派遣先企業の名称の変更（新たに所管関係が生じないものに限る。）、派遣先企業における地位の変更（当該派遣先企業における業務内容の変更を伴うものを除く。）又は交流派遣の期間の変更（交流派遣をした日から引き続き三年を超えるものとなる交流派遣の期間の延長を除く。）に係るものであるときは、当該計画の変更についてこの条の第一項の規定による人事院の認定があったものとして取り扱うことができる。

3　任命権者は、前項の規定により交流派遣の実施に関する計画の変更についてこの条の第一項の規定による人事院の認定があったものとして取り扱った場合には、遅滞なく、当該計画の変更に係る事項を記載した書類を人事院事務総長に提出するものとする。この場合において、当該計画の変更が、交流派遣の期間の延長に係るものであるときは、官民人事交流法第八条関係第二項の規定により取り扱った場合における同条関係第三項の規定による書類の提出をもって、この項に規定する書類の提出とみなす。

4　この条の第一項ただし書の規定による交流派遣職員の同意は、文書により行うものとする。この場合において、任命権者は、遅滞なく、当該文書の写しを人事院事務総長に提出するものとする。

規則第三十八条関係

この条の「契約の締結若しくは履行に関する事務」には、工事請負、国有財産売払い、物品納入等についての交流派遣後職務に復帰した職員の在職する国の機関等と当該職員の派遣先企業であった民間企業との間における契約に関する当該民間企業の推薦若しくは選考、工事等の予定価格の積算若しくは入札執行又は当該契約の締結若しくは履行についての監督若しくは検査の事務を含む。

規則第三十九条関係

人事異動通知書の「異動内容」欄の記入要領は、次のとおりとする。

一　交流派遣をする場合

「ア(イ)に交流派遣をする
交流派遣の期間は　年　月　日から　年　月　日までとする」

と記入する。

注1　「ア」の記号をもって表示する事項は、派遣先企業の名称とする。

2　「イ」の記号をもって表示する事項は、派遣先企業の本店又は主たる事務所の所在地とする。

二　交流派遣職員の交流派遣の期間を延長する場合

「交流派遣の期間を　年　月　日まで延長する」

と記入する。

三　交流派遣職員を職務に復帰させる場合

「職務に復帰させる」

と記入する。

四　交流派遣の期間の満了により交流派遣職員が職務に復帰した場合

「職務に復帰した（　年　月　日）」

と記入する。

規則第四十条関係

交流派遣後職務に復帰した職員を昇格させる場合には、次の各号に掲げる職員の区分に応じ、当該各号に定める職務の級に昇格させることができる。ただし、特別の事情によりこれにより難い場合には、あらかじめ人事院事務総長に協議して、別段の取扱いをすることができる。

一　人事院規則九―八（初任給、昇格、昇給等の基準）（以下「規則九―八」という。）第十一条第三項の規定により職務の級を決定された職員以外の職員　昇格させようとする日に新たに職員となったものとした場合のその者の経験年数がその者を昇格させようとする職務の級をその者の属する職務の級とみなした場合の給実甲第三二六号（人事院規則九―八（初任給、昇格、昇給等の基準）の運用について）第十五条関係第五項に規定する最短昇格期間（ただし、規則九―八第二十条第四項後段の規定に該当するときは、当該最短昇格期間に百分の五十以上百分の百未満の割合を乗じて得た期間とすることができる。）以上となる当該昇格させようとする職務の級

二　規則九―八第十一条第三項の規定により職務の級を決定された職員　当該交流派遣がなく引き続き職務に従事したものとみなして、その者が当該交流派遣の直前に属していた職務の級を基礎として昇格等の規定を適用した場合に、その者を昇格させようとする日に属することとなる職務の級を超えない範囲内の職務の級

規則第四十一条関係

この条の規定の適用については、給実甲第一九二号（復職時等における号俸の調整の運用について）に定めるところによる。

規則第四十二条関係

1　この条の第一項の規定により提出する書類には、次に掲げる資料を添付するものとする。

一　この条の第一項第一号ロ、ハ、ニ及びチ並びに第三号に掲げる事項に係る当該書類の記載内容を所属企業が確認したことを証する書面

二　規則第二十六条各号に規定する事項に係る所属企業との合意を証明する文書

三　前二号に掲げるもののほか、参考となる資料

2　この条の第一項第一号ホの「官職及びその職務内容」には、任期中に異動が予定されている場合における当該異動後の官職及びその職務内容を含む。

3　この条の第一項第二号の「事務」には、他の機関に委任した処分等の権限に関する事務を含む。

4　この条の第一項第三号及び第二項第二号の「交流採用をしようとする日前五年間に係るそれぞれの年度」とは、交流採用をしようとする日から五年遡った日の属する年度から当該交流採用をしようとする日の前日の属する年度までのそれぞれの年度（同日の属する年度にあっては、当該年度の初日から当該交流採用をしようとする日の前日までの期間に限る。）をいう。

5　交流採用に係る官職が人事院規則八―一二（職員の任免）第十八条第三項に規定する特定官職である場合における同項の規定による協議は、「任用関係の承認申請等の手続について（平成二十一年三月十八日人企―五三七）」第四項の規定にかかわらず、この条の第一項の規定により提出する書類に、次に掲げる事項を併せて記載することにより行うものとする。

一　交流採用予定者の資格、経歴、実務経験等の内容

二　交流採用予定日前二年以内の期間における刑事事件に関する起訴の有無

6　この条の第二項第三号の「当該五年間において当該交流採用予定者が当該部門に所属していたそれぞ

れの年度」とは、交流採用をしようとする日から五年遡った日の属する年度から当該交流採用をしようとする日の前日の属する年度までの年度のうち、交流採用予定者の所属していた部門に当該交流採用予定者が所属していたそれぞれの年度（同日の属する年度にあっては、当該年度の初日から当該交流採用をしようとする日の前日までの期間に限る。）をいう。

規則第四十三条関係

1　この条の給付は、交流元企業が交流採用予定者に対して直接行う場合のほか、交流元企業が他の事業者等が行うこの条の給付を交流採用予定者に受けさせるための費用の全部又は一部を負担する場合を含む。

2　この条の人事院の認める給付は、それによって交流採用予定者が受ける経済的利益が社会一般の状況やその者の職務内容、交流元企業における地位等に照らして相当と認められる給付であって、給付基準や手続等についてあらかじめ定められた規程に従って行われるものとする。

3　この条の第四号の人事院の定めるサービスは、次に掲げるものとする。

一　交流採用予定者若しくはその配偶者（届出をしないが事実上婚姻関係と同様の事情にある者を含む。以下同じ。）又はそれらの親族（交流採用予定者又はその配偶者との間において事実上親族と同様の関係にあると認められる者を含む。以下同じ。）に対する保健医療サービス

二　交流採用予定者又はその配偶者の出産に係るサービス

三　交流採用予定者又はその配偶者の子（交流採用予定者又はその配偶者との間において事実上子と同様の関係にあると認められる者を含む。）の養育に係るサービス

四　交流採用予定者若しくはその配偶者又はそれらの親族の介護に係るサービス

五　交流採用予定者の自発的な職業能力の開発のための各種教育サービス

4　任命権者は、この条の第五号の人事院の指定を受けようとするときは、給付の内容、その必要性その他参考となる事項を記載した書類を事務総長に提出するものとし、当該書類には、交流元企業における福利厚生に関する規程その他参考となる資料を添付するものとする。

規則第四十四条関係

1　この条に規定する計画の変更のために同条の規定により書類を提出する場合において、当該計画の変更が、交流採用をした日から引き続き三年を超えるものとなる任期の更新に係るものであるときは、官民人事交流法第十九条第五項ただし書の規定による承認の申請のための書類の提出をもって、この条に規定する書類の提出とみなす。

2　この条の規定により交流採用の実施に関する計画を変更する場合において、当該計画の変更が、交流元企業の名称の変更（新たに所管関係が生じないものに限る。）、交流元企業における地位の変更、官職の名称の変更（官職の職務内容の変更を伴うものを除く。）、同一の国の機関等に属する他の官職への昇任、降任若しくは併任（職務内容の変更が極めて軽微でり、かつ、新たに所管関係が生じない場合に限る。）、併任の解除又は任期の変更（交流採用をした日から引き続き三年を超えるものとなる任期の更新を除く。）に係るものであるときは、当該計画の変更についてこの条の規定による人事院の認定があったものとして取り扱うことができる。

3　任命権者は、前項の規定により交流採用の実施に関する計画の変更についてこの条の規定による人事院の認定があったものとして取り扱った場合には、遅滞なく、当該計画の変更に係る事項を記載した書類を人事院事務総長に提出するものとする。この場合において、当該計画の変更が、任期の更新に係るものであるときは、第十九条関係第二項の規定により取り扱った場合における同条関係第三項の規定による書類の提出をもって、この条に規定する書類の提出とみなす。

4　この条の規定による交流採用職員の同意は、文書により行うものとする。この場合において、任命権者は、遅滞なく、当該文書の写しを人事院事務総長に提出するものとする。

規則第四十五条関係

この条の「契約の締結若しくは履行に関する事務」には、工事請負、国有財産売払い、物品納入等についての交流採用職員の在職する国の機関等と交流元企業との間における契約に関する当該交流元企業の推薦若しくは選考、工事等の予定価格の積算若しくは入札執行又は当該契約の締結若しくは履行についての監督若しくは検査の事務を含む。

規則第四十六条関係

人事異動通知書の「異動内容」欄の記入要領は、次のとおりとする。

一　交流採用をする場合

「アに採用する

任期は　年　月　日までとする」

と記入する。

注「ア」の記号をもって表示する事項は、官職の組織上の名称及び当該官職の属する所属部課（所属部課の表示の単位は任命権者が定めるものとする。）とする。

二　交流採用職員の任期を更新する場合

「任期を　年　月　日まで更新する」

と記入する。

三　任期の満了により交流採用職員が当然に退職する場合

「任期の満了により　年　月　日限り退職した」

と記入する。

以　上

○人事院規則一―七九（国家公務員法等の一部を改正する法律の施行に伴う関係人事院規則の整備等に関する人事院規則）及び「国家公務員法等の一部を改正する法律の施行に伴う関係人事院事務総長通知の一部改正について」の施行に伴う経過措置について（抄）

令四・二・一八
事企法―三八

人事院規則一―七九（国家公務員法等の一部を改正する法律の施行に伴う関係人事院規則の整備等に関する人事院規則）及び「国家公務員法等の一部を改正する法律の施行に伴う関係人事院事務総長通知の一部改正について（令和四年二月十八日事企法―三七）」の施行に伴い、下記の第二項各号に規定する人事院事務総長通知〔中略〕の経過措置について下記のとおり定めたので、令和五年四月一日以降は、これによってください。

記

1　この通知において、次の各号に掲げる用語の意義は、それぞれ当該各号に定めるところによる。

一　令和三年改正法　国家公務員法等の一部を改正する法律（令和三年法律第六十一号）をいう。

二　令和四年事企法―三七　「国家公務員法等の一部を改正する法律の施行に伴う関係人事院事務総長通知の一部改正について（令和四年二月十八日事企法―三七）」をいう。

三～五　〔略〕

2　令和三年改正法附則第三条第五項に規定する旧国家公務員法勤務延長職員に対する令和四年事企法―三七による改正後の次に掲げる人事院事務総長通知の規定の適用については、これらの規定中「第八十一条の七第一項又は第二項」とあるのは、「第八十一条の七第一項若しくは第二項又は国家公務員法等の一部を改正する法律（令和三年法律第六十一号）附則第三条第五項若しくは第六項」とする。

一～六　〔略〕

七　「国と民間企業との間の人事交流の運用について（平成二十六年五月二十九日人企―六六〇）」規則第五条関係

八～十　〔略〕

以　上

○省庁間人事交流の推進について

平六・一二・二二
閣議決定

最終改正　平二六・五・三〇

各省庁間の緊密な連携の強化と広い視野に立った人材の養成の観点から、次の方針に基づき、抜本的な省庁間人事交流を推進する。

1　将来の行政の中核的要員と見込まれる職員についての人事交流の推進

(1)　将来の行政の中核的要員と見込まれる職員については、本省庁課長職に就くまでの間に、広い視野に立った人材の養成の観点から、他省庁、国際機関等における勤務を原則として二回以上経験させることとする。また、その際、各省庁間の緊密な連携の強化の観点をも踏まえ、他省庁における勤務を一回以上経験させるよう努める。

これらの実現を図るため、概ね三年以内に交流ポストの用意等所要の措置を講ずる。

(2)　(1)に基づき、人事交流を推進するに当たっては、これまで人事交流実績のない省庁との交流を優先的に実施する。

(3)　(1)の基準は、今後、本省庁課長補佐相当職に昇任する職員から適用するものとする。

2　幹部職員についての人事交流の推進

各省庁の幹部職員については、これまで出向実績の少ない省庁への出向を中心に、人事交流を積極的に推進することとし、特に、各省庁（調整官庁等を除く。）間における人事交流を飛躍的に増加させるよう鋭意努力する。

3　その他

(1)　1及び2に基づき人事交流を推進するために必要な事項についての調整は、各省庁人事担当課長会議において行うこととし、その庶務は内閣官房が処理する。

(2)　内閣官房は、人事院及び各省庁の協力を得て、毎年人事交流の実施状況をフォローアップする。

(3)　人事交流の推進に当たっては、職員の勤務形態、職務内容等の特殊性に配慮するものとする。

○一般職の任期付職員の採用及び給与の特例に関する法律

平一二・一一・二七
法　一二五

最終改正　令五・一一・二四法七三

（趣旨）

第一条　この法律は、一般職の職員について、専門的な知識経験又は優れた識見を有する者の任期を定めた採用及び任期を定めて採用された職員の給与の特例に関する事項を定めるものとする。

（定義）

第二条　この法律において「職員」とは、国家公務員法（昭和二十二年法律第百二十号）第二条に規定する一般職に属する職員（法律により任期を定めて任用することとされている官職を占める職員及び常時勤務を要しない官職を占める職員を除く。）をいう。

2　この法律において「任命権者」とは、国家公務員法第五十五条第一項に規定する任命権者及び法律で別に定められた任命権者並びにその委任を受けた者をいう。

3　この法律において「各庁の長」とは、一般職の職員の給与に関する法律（昭和二十五年法律第九十五号。以下「給与法」という。）第七条に規定する各庁の長及びその委任を受けた者をいう。

（任期を定めた採用）

第三条　任命権者は、高度の専門的な知識経験又は優れた識見を有する者をその者が有する当該高度の専門的な知識経験又は優れた識見を一定の期間活用して遂行することが特に必要とされる業務に従事させる場合には、人事院の承認を得て、選考により、任期を定めて職員を採用することができる。

2　任命権者は、前項の規定によるほか、専門的な知識経験を有する者を当該専門的な知識経験が必要とされる業務に従事させる場合において、次の各号に掲げる場合のいずれかに該当するときであって、当該者を当該業務に期間を限って従事させることが公務の能率的運営を確保するために必要であるときは、人事院の承認を得て、選考により、任期を定めて職員を採用することができる。

一　当該専門的な知識経験を有する職員の育成に相当の期間を要するため、当該専門的な知識経験が必要とされる業務に従事させることが適任と認められる職員を部内で確保することが一定の期間困難である場合

二　当該専門的な知識経験が急速に進歩する技術に係るものであることその他当該専門的な知識経験の性質上、当該専門的な知識経験が必要とされる業務に当該者が有する当該専門的な知識経験を有効に活用することができる期間が一定の期間に限られる場合

三　前二号に掲げる場合に準ずる場合として人事院規則で定める場合

（任期）

第四条　前条各項の規定により採用される職員の任期は、五年を超えない範囲内で任命権者が定める。

2　任命権者は、前項の規定により任期を定めて職員を採用する場合には、当該職員にその任期を明示しなければならない。

第五条　任命権者は、第三条各項の規定により任期を定めて採用された職員（以下「任期付職員」という。）の任期が五年に満たない場合にあっては、人事院の承認を得て、採用した日から五年を超えない範囲内において、その任期を更新することができる。

2　前条第二項の規定は、前項の規定により任期を更新する場合について準用する。

（任用の制限）

第六条　任命権者は、任期付職員が採用時に占めていた官職においてその有する高度の専門的な知識経験又は優れた識見を活用して従事していた業務と同一の業務を行うことをその職務の主たる内容とする他の官職に任用する場合その他任期付職員を任期を定めて採用した趣旨に反しない場合に限り、人事院の承認を得て、任期付職員を、その任期中、他の官職に任用することができる。

（給与に関する特例）

第七条　第三条第一項の規定により任期を定めて採用された職員（以下「特定任期付職員」という。）には、次の俸給表を適用する。

号　俸	俸給月額
1	円 380,000
2	427,000
3	477,000
4	539,000
5	615,000
6	718,000
7	839,000

2　各庁の長は、特定任期付職員の号俸を、特定任期付職員が従事する業務に応じて人事院規則で定める基準に従い決定する。

3　各庁の長は、特定任期付職員について、特別の事情により第一項の俸給表に掲げる号俸により難いときは、前二項の規定にかかわらず、人事院の承認を得て、その俸給月額を同表に掲げる七号俸の俸給月額にその額と同表に掲げる六号俸の俸給月額との差額に一からの各整数を順次乗じて得られる額を加えた額のいずれかに相当する額（給与法の指定職俸給表八号俸の額未満の額に限る。）又は給与法の指定職俸給表八号俸の額に相当する額とすることができる。

4　各庁の長は、特定任期付職員のうち、特に顕著な業績を挙げたと認められる職員には、人事院規則で定めるところにより、その俸給月額に相当する額を特定任期付職員業績手当として支給することができる。

5　第二項の規定による号俸の決定、第三項の規定による俸給月額の決定及び前項の規定による特定任期付職員業績手当の支給は、予算の範囲内で行わなければならない。

（給与法の適用除外等）

第八条　給与法第六条、第八条、第十条から第十一条の二まで、第十一条の十及び第十九条の七の規定は、特定任期付職員には、適用しない。

2　特定任期付職員に対する給与法第三条第一項、第七条、第十一条の五、第十一条の九第一項、第十九条の三第一項、第十九条の四第二項、第二十条及び第二十一条第一項の規定の適用については、給与法第三条第一項中「この法律」とあるのは「この法律及び一般職の任期付職員の採用及び給与の特例に関する法律（平成十二年法律第百二十五号。以下「任期付職員法」と

いう。）第七条の規定」と、給与法第七条中「この法律」とあるのは「この法律及び任期付職員法第七条の規定」と、給与法第十一条の五中「指定職俸給表」とあるのは「指定職俸給表又は任期付職員法第七条第一項の俸給表」と、給与法第十一条の九第一項中「指定職俸給表」とあるのは「指定職俸給表又は任期付職員法第七条第一項の俸給表」と、給与法第十九条の三第一項中「以下「管理監督職員等」」とあるのは「任期付職員法第七条第一項の俸給表の適用を受ける職員を含む。以下「管理監督職員等」」と、給与法第十九条の四第二項中「百分の百二十二・五」とあるのは「百分の百七十」と、給与法第二十条中「第六条」とあるのは「任期付職員法第七条」と、給与法第二十一条第一項中「この法律」とあるのは「この法律及び任期付職員法第七条」とする。

（特定任期付職員に対する在外公館の名称及び位置並びに在外公館に勤務する外務公務員の給与に関する法律の規定の適用）

第九条　特定任期付職員に対する在外公館の名称及び位置並びに在外公館に勤務する外務公務員の給与に関する法律（昭和二十七年法律第九十三号）第二条第一項及び第三項、第三条並びに第四条第一項の規定の適用については、同法第二条第一項中「勤勉手当」とあるのは「勤勉手当、特定任期付職員業績手当」と、同条第三項中「及び勤勉手当」とあるのは「、勤勉手当及び特定任期付職員業績手当」と、「除く。」」とあるのは「除く。）及び一般職の任期付職員の採用及び給与の特例に関する法律（平成十二年法律第百二十五号）」と、同法第三条及び第四条第一項中「及び勤勉手当」とあるのは「、勤勉手当及び特定任期付職員業績手当」とする。

（人事院規則への委任）

第十条　この法律の実施に関し必要な事項は、人事院規則で定める。

（人事院の勧告等）

第十一条　人事院は、この法律に定める事項に関して調査研究を行い、その結果を国会及び内閣に同時に報告するとともに、必要に応じ、適当と認める改定を勧告することができる。

附　則（抄）

（施行期日）

第一条　この法律は、公布の日から施行する。

（平成二十一年六月に支給する期末手当に関する特例措置）

第二条　平成二十一年六月に支給する期末手当に関する第八条第二項の規定の適用については、同項中「百分の百六十」とあるのは、「百分の百四十五」とする。

附　則（令五・一一・二四法七三）（抄）

（施行期日等）

第一条　この法律は、公布の日から施行する。ただし、次の各号に掲げる規定は、当該各号に定める日から施行する。

一　〔前略〕第七条の規定〔中略〕　令和六年四月一日

二　〔略〕

2　〔前略〕第六条の規定（一般職の任期付職員の採用及び給与の特例に関する法律（以下「任期付職員法」という。）第八条第二項の改正規定を除く。附則第三条において同じ。）による改正後の任期付職員法（次条及び附則第三条において「改正後の任期付職員法」という。）の規定は、令和五年四月一日から適用する。

（特定任期付職員に係る最高の号俸を超える俸給月額の切替え）

第二条　令和五年四月一日（以下この条において「切替日」という。）の前日において任期付職員法第七条第三項の規定による俸給月額を受けていた職員の切替日における俸給月額は、改正後の任期付職員法第七条第一項に規定する俸給表に掲げる号俸の俸給月額及び改正後の給与法別表第十一に規定する指定職俸給表八号俸の額との権衡を考慮して人事院規則で定める。

（給与の内払）

第三条　〔前略〕改正後の任期付職員法の規定を適用する場合には、〔中略〕第六条の規定による改正前の任期付職員法の規定に基づいて支給された給与は、〔中略〕改正後の任期付職員法の規定による給与の内払とみなす。

（人事院規則への委任）

第四条　前二条に定めるもののほか、この法律の施行に関し必要な事項は、人事院規則で定める。

○人事院規則二三―〇（任期付職員の採用及び給与の特例）

平一二・一一・二七公布
平一二・一一・二七施行
最終改正　平二六・五・二九規則一―六二

（趣旨）
第一条　この規則は、任期付職員法に規定する任期付職員の採用及び給与の特例に関し必要な事項を定めるものとする。

（任期を定めた採用の公正の確保）
第二条　任命権者は、任期付職員法第三条各項の規定に基づき、選考により、任期を定めて職員を採用する場合には、性別その他選考される者の属性を基準とすることなく、及び情実人事を求める圧力又は働きかけその他の不当な影響を受けることなく、選考される者について従事させようとする業務に必要とされる専門的な知識経験又は優れた識見の有無をその者の資格、経歴、実務の経験等に基づき経歴評定その他客観的な判定方法により公正に検証しなければならないものとする。

2　人事院は、任期付職員法第三条各項の承認に当たっては、任期を定めた採用の公正を確保するため特に必要があると認めるときは、行政運営に関し優れた識見を有する者の意見を聴くものとする。

（任期付職員法第三条第二項第三号の人事院規則で定める場合）
第三条　任期付職員法第三条第二項第三号の規則で定める場合は、次に掲げる場合とする。
一　当該専門的な知識経験を有する職員を一定の期間他の業務に従事させる必要があるため、当該専門的な知識経験が必要とされる業務に従事させることが適任と認められる職員を部内で確保することが一定の期間困難である場合
二　当該業務が公務外における実務の経験を通じて得られる最新の専門的な知識経験を必要とするものであることにより、当該業務に当該者が有する当該専門的な知識経験を有効に活用することができる期間が一定の期間に限られる場合

（任期の更新）
第四条　任命権者は、任期付職員法第五条第一項の規定により任期を更新する場合には、あらかじめ任期付職員（任期付職員法第五条第一項に規定する任期付職員をいう。以下同じ。）の同意を得なければならない。

（人事異動通知書の交付）
第五条　任命権者は、次に掲げる場合には、職員に対して、規則八―一二（職員の任免）第五十八条の規定による人事異動通知書（以下この条において「人事異動通知書」という。）を交付しなければならない。ただし、第三号に掲げる場合のうち、人事異動通知書の交付によらないことを適当と認める場合は、人事異動通知書に代わる文書の交付その他適当な方法をもって人事異動通知書の交付に代えることができる。
一　任期付職員を採用した場合
二　任期付職員の任期を更新した場合
三　任期の満了により任期付職員が当然に退職した場合

（特定任期付職員の号俸の決定）
第六条　特定任期付職員（任期付職員法第七条第一項に規定する特定任期付職員をいう。以下同じ。）の同項の俸給表の号俸は、その者の専門的な知識経験又は識見の度並びにその者が従事する業務の困難及び重要の度に応じて決定するものとし、その決定の基準となるべき標準的な場合は次の各号に定めるとおりとする。
一　高度の専門的な知識経験を有する者がその知識経験を活用して業務に従事する場合　一号俸
二　高度の専門的な知識経験を有する者がその知識経験を活用して困難な業務に従事する場合　二号俸
三　高度の専門的な知識経験を有する者がその知識経験を活用して特に困難な業務に従事する場合　三号俸
四　特に高度の専門的な知識経験を有する者がその知識経験を活用して特に困難な業務に従事する場合　四号俸
五　特に高度の専門的な知識経験を有する者がその知識経験を活用して特に困難な業務で重要なものに従事する場合　五号俸
六　極めて高度の専門的な知識経験又は優れた識見を有する者がその知識経験等を活用して特に困難な業務で重要なものに従事する場合　六号俸
七　極めて高度の専門的な知識経験又は優れた識見を有する者がその知識経験等を活用して特に困難な業務で特に重要なものに従事する場合　七号俸

（特定任期付職員業績手当）
第七条　任期付職員法第七条第四項の特に顕著な業績を挙げたかどうかは、同条第二項又は第三項の規定によ

り特定任期付職員の俸給月額が決定された際に期待された業績に照らして判断するものとする。

第八条　特定任期付職員業績手当は、十二月一日（以下「基準日」という。）に在職する特定任期付職員のうち、特定任期付職員として採用された日から当該基準日までの間（特定任期付職員業績手当の支給を受けたことのある者にあっては、支給を受けた直近の当該手当に係る基準日の翌日から直近の基準日までの間）にその者の特定任期付職員としての業務に関し特に顕著な業績を挙げたと認められる特定任期付職員に対し、当該基準日の属する月の規則九―四〇（期末手当及び勤勉手当）第十四条に規定する期末手当の支給日に支給することができるものとする。

（任期付職員法第三条第二項の規定により任期を定めて採用された職員の規則九―八第四章から第六章までの規定の適用の特例）

第九条　任期付職員法第三条第二項の規定により任期を定めて採用された職員に対する規則九―八（初任給、昇格、昇給等の基準）第四章から第六章までの規定の適用については、規則八―一八（採用試験）第三条第四項に規定する経験者採用試験の結果に基づいて職員となった者として取り扱うことができる。

（雑則）

第十条　この規則の定めるもののほか、任期付職員の採用及び給与の特例に関し必要な事項は、人事院が定める。

附　則

この規則は、公布の日から施行する。

○任期付職員の適正な採用について

平一二・一一・二七
任企―五九一

平成十二年十一月二十七日に、一般職の任期付職員の採用及び給与の特例に関する法律（平成十二年法律第百二十五号）が施行されましたが、同法第三条各項の規定による任期を定めた職員の採用に当たっては、人事院規則二三―〇（任期付職員の採用及び給与の特例）第二条及び任期付職員の採用及び給与の特例の運用について（平成十二年十一月二十七日任企―五九〇）任期付職員法第三条及び規則第二条関係の規定を踏まえ、下記の事項に留意しつつ、適正に行ってください。

記

1　任期を定めた職員の採用は、従事させようとする業務からみてふさわしい専門的な知識経験又は優れた識見を有している者について、期間を限って採用し、その者の有する専門的な知識経験又は優れた識見を活用する業務に一定の期間従事させる必要がある場合に行うこと。

2　任期は、任期付職員の身分の安定、人生設計その他身分保障に関わる事項に十分配慮しつつ、従事させようとする業務の遂行のために真に必要な期間を考慮して、適切な期間を定めること。任期を更新する場合も同様とすること。

3　採用は、業務に必要とされる専門的な知識経験又は優れた識見の性質、当該人材を緊急に必要とする事情等により幅広く人材を求めることが困難な場合を除き、公募等により幅広く人材を求めるものとし、情実人事を求める圧力又は働きかけその他の不当な影響を受けることなく、厳正な選考によって採用者を決定すること。

4　営利企業に雇用されている者を採用する場合には、任期付職員の退職後の再就職等にも配慮しつつ、当該営利企業との関係で公務の公正な執行に疑念を招くことのないよう、当該任期付職員の配置、従事する業務等について適切な配慮をすること。また、業務に必要とされる専門的な知識経験又は優れた識見の性質等により特定の営利企業に雇用されている者を採用することがやむを得ない場合を除き、同一の営利企業に雇用されている者を継続的に採用することのないようにすること。

○任期付職員の採用及び給与の特例の運用について

平一二・一一・二七
任企―五九〇

最終改正　令四・一一・一八給三―一七二

標記について下記のとおり定めたので、通知します。

記

任期付職員法第三条及び規則第二条関係

1　任命権者は、一般職の任期付職員の採用及び給与の特例に関する法律（平成十二年法律第百二十五号。以下「任期付職員法」という。）第三条各項の規定により職員を採用しようとする場合には、任期を定めて職員を採用することの必要性をしん酌した上で、選考に当たって、可能な限り公募等により幅広く人材を求めるよう努めるとともに、公務の公正性を確保しつつこの制度の適正かつ円滑な運用を図るため、任期付職員（任期付職員法第五条第一項に規定する任期付職員をいう。以下同じ。）の採用前の雇用関係その他の事情に応じて、当該任期付職員の配置、従事する業務等について適切な配慮をするものとする。

2　任期付職員法第三条第一項の「高度の専門的な知識経験」とは、例えば、弁護士又は公認会計士がその実務を通じて得た高度の専門的な知識経験、大学の教員又は研究所の研究員で特定の分野において高く評価される実績を挙げた者が有する当該分野の高度の専門的な知識経験を、「優れた識見」とは、例えば、民間における幅広い分野で活躍し、広く社会的にも高く評価される実績を挙げ、創造性、先見性等を有すると認められる者が有する幅広い知識経験をいう。

3　任命権者は、任期付職員法第三条第一項の規定による承認を得ようとする場合には、次に掲げる書類を人事院事務総長に提出するものとする。

一　次に掲げる事項を記載した承認申請書

(1)　採用予定官職（号俸又は俸給月額及び所属部課名）

(2)　当該官職に係る業務の内容（採用予定者に期待する業績の内容を含む。）

(3)　採用予定者の氏名

(4)　採用予定者の高度の専門的な知識経験又は優れた識見の内容（資格、経歴、実務の経験等）

(5)　任用予定期間

(6)　採用予定者を当該業務に当該期間を限って従事させる必要性

(7)　選考基準、選考方法及び選考結果の概要

(8)　任期付職員法第七条第三項の規定により承認を求める場合は、予定する俸給月額に決定しようとする理由

二　その他参考となる資料

4　任期付職員法第三条第一項の規定により任期を定めた採用を行う場合で、次の各号のいずれにも該当するときは、当該採用について同項の規定による人事院の承認があったものとして取り扱うことができる。この場合において、当該採用に係る官職が人事院規則八―一二（職員の任免）（以下「規則八―一二」という。）第十八条第三項に規定する特定官職であるときは、当該採用に係る選考について同項の規定による人事院との協議が成立したものとして取り扱うことができる。

一　採用予定者が、次のいずれかに該当すること。

(1)　弁護士又は公認会計士でその実務を通じて得た高度の専門的な知識経験を有するものであり、かつ、その従事する業務に必要な高度の専門的な知識経験を有していることが、その者の弁護士又は公認会計士の資格を有するものとしての実績により明らかであること。

(2)　大学の教員又は研究所の研究員で特定の分野において高く評価される実績を挙げたものであり、かつ、その従事する業務に必要な高度の専門的な知識経験を有していることが、その者の大学の教員又は研究所の研究員としての論文、学会発表等を含む国内外の大学、研究所等における活動実績により明らかであること。

(3)　次のいずれかに該当すること。

イ　情報システム又はサイバーセキュリティに関する業務に従事していた者であり、かつ、その従事する業務に必要な高度の専門的な知識経験を有していることが、独立行政法人情報処理推進機構のＩＴスキル標準においてレベル四以上と評価されることにより明らかであること。

ロ　情報システムの実務を通じて得た高度の専門的な知識経験を有する者であって、情報システムの構築又は運用のプロジェクト（十人以上の組織で実施されるものに限る。）の責任者の業務に三年以上従事した経歴を有しているものであること。

ハ　CEH (International Council of E-Commerce Consultantsが認定するCertified Ethical Hackerをいう。)、CISSP (International

Information Systems Security Certification Consortiumが認定するCertified Information Systems Security Professionalをいう。)、CISA(Information Systems Audit and Control Associationが認定するCertified Information Systems Auditorをいう。)、CISM(Information Systems Audit and Control Associationが認定するCertified Information Security Managerをいう。)若しくは特定非営利活動法人日本セキュリティ監査協会が認定する公認情報セキュリティ監査人(公認情報セキュリティ主任監査人又は公認情報セキュリティ監査人に限る。)の資格を有し、又は情報処理の促進に関する法律(昭和四十五年法律第九十号)第九条第一項に規定する情報処理安全確保支援士試験若しくは情報処理の促進に関する法律施行規則(平成二十八年経済産業省令第百二号)第三条第二項第三号に規定する高度試験のいずれかに合格している者であって、サイバーセキュリティに関する業務に三年以上従事した経歴を有しているものであること。

二　採用予定者をその有する高度の専門的な知識経験を一定の期間活用して遂行することを特に必要とする業務に従事させる必要があること。

三　採用予定者を従事させる業務に、採用予定日前三月以内の期間にその者が所属していた企業に対する処分等(法令の規定に基づいてされる行政手続法(平成五年法律第八十八号)第二条第二号に規定する処分及び同条第六号に規定する行政指導をいう。第七項第四号において同じ。)に関する事務及び当該企業との間における契約の締結、履行等に関する事務が含まれていないこと。

四　任用予定期間が、従事する業務の遂行に必要な期間であって、その業務の内容及び採用予定者に期待する業績の内容に応じたものであること。

五　選考の対象者の募集が、公募又はこれに準ずる方法により行われていること。

六　選考が、規則八―一二第十九条に規定する官職に係る能力及び適性(当該採用に係る官職が本省の課長の職制上の段階(国家公務員法(昭和二十二年法律第百二十号)第三十四条第二項に規定する標準的な官職が、標準的な官職を定める政令(平成二十一年政令第三十号)本則の表一の項第二欄第一号に掲げる部局又は機関等に存する同項第三欄第四号に掲げる職制上の段階又はこれと同等の職制上の段階をいう。第七項第一号及び第七号において同じ。)又はこれより上位の職制上の段階に属するものである場合にあっては、当該採用に係る官職の職務遂行に必要とされる管理的又は監督的能力を含む。)の有無を的確に判定し得る複数の者によって構成される選考委員会の審査を経て行われていること。

七　規則八―一二第七条第一項に規定する特定官職への採用の場合には、当該採用の予定日前二年以内の期間において採用予定者が刑事事件に関し起訴されていないこと。

5　任命権者は、前項の規定により任期を定めた採用について任期付職員法第三条第一項の規定による人事院の承認があったものとして取り扱った場合には、遅滞なく、次に掲げる事項を記載した実施状況報告書を人事院事務総長に提出するものとする。

一　採用官職(号俸又は俸給月額及び所属部課名)
二　当該官職に係る業務の内容
三　任期付職員の氏名
四　任期付職員の高度の専門的な知識経験の内容(資格、経歴、実務の経験等)
五　採用年月日及び任期
六　任期付職員を当該業務に当該期間を限って従事させる必要性
七　募集の時期並びに公募等の方法及び範囲
八　選考委員会の構成及び選考の経緯
九　当該官職が規則八―一二第七条第一項に規定する特定官職である場合は、採用前二年以内の期間における刑事事件に関する起訴の有無

6　任命権者は、任期付職員法第三条第二項の規定による承認を得ようとする場合には、次に掲げる書類を人事院事務総長に提出するものとする。

一　次に掲げる事項を記載した承認申請書
(1)　採用予定官職(職務の級及び所属部課名)
(2)　当該官職に係る業務の内容
(3)　採用予定者の氏名
(4)　採用予定者の専門的な知識経験の内容(資格、経歴、実務の経験等)
(5)　任用予定期間
(6)　採用予定者を当該業務に当該期間を限って従事させる必要性(任期付採用の根拠規定)
(7)　選考基準、選考方法及び選考結果の概要
二　その他参考となる資料

7　任期付職員法第三条第二項の規定により任期を定めた採用を行う場合で、次の各号のいずれにも該当するときは、当該採用について同項の規定による人事院の

承認があったものとして取り扱うことができる。この場合において、当該採用に係る官職が規則八－一二第十八条第三項に規定する特定官職であるときは、当該採用に係る選考について同項の規定による人事院との協議が成立したものとして取り扱うことができる。

一　当該採用に係る官職が本省の課長の職制上の段階より上位の職制上の段階に属するものでないこと。

二　採用予定者が、その従事する業務に必要な専門的な知識経験を有していることがその者の資格、経歴、実務の経験等により明らかであるもののうち、当該専門的な知識経験を必要とする業務に四年以上従事した経歴（我が国が加盟している国際機関における業務に従事することにより得られる専門的な知識経験が特に必要とされる業務に従事させる場合にあっては、当該国際機関における業務に通算して三年以上従事した経歴）を有しているものであること。

三　採用予定者をその有する専門的な知識経験が必要とされる業務に従事させる必要がある場合であって、任期付職員法第三条第二項各号に掲げるいずれかに該当して、その者を当該業務に期間を限って従事させることが公務の能率的運営を確保するために必要であるときであること。

四　採用予定者を従事させる業務に、採用予定日前三月以内の期間にその者が所属していた企業に対する処分等に関する事務及び当該企業との間における契約の締結、履行等に関する事務が含まれていないこと。

五　任用予定期間が、従事する業務の遂行に必要な期間であって、その業務の内容に応じたものであること。

六　選考の対象者の募集が、公募又はこれに準ずる方法により行われていること。

七　選考が、規則八－一二第十九条に規定する官職に係る能力及び適性（当該採用に係る官職が本省の課長の職制上の段階に属するものである場合にあっては、当該採用に係る官職の職務遂行に必要とされる管理的又は監督的能力を含む。）の有無を的確に判定し得る複数の者によって構成される選考委員会の審査を経て行われていること。

八　規則八－一二第七条第一項に規定する特定官職への採用の場合には、当該採用の予定日前二年以内の期間において採用予定者が刑事事件に関し起訴されていないこと。

8　任命権者は、前項の規定により任期を定めた採用について任期付職員法第三条第二項の規定による人事院の承認があったものとして取り扱った場合には、遅滞なく、次に掲げる事項を記載した実施状況報告書を人事院事務総長に提出するものとする。

一　採用官職（職務の級及び所属部課名）

二　当該官職に係る業務の内容

三　任期付職員の氏名

四　任期付職員の専門的な知識経験の内容（資格、経歴、実務の経験等）

五　採用年月日及び任期

六　任期付職員を当該業務に当該期間を限って従事させる必要性（任期付採用の根拠規定）

七　募集の時期並びに公募等の方法及び範囲

八　選考委員会の構成及び選考の経緯

九　当該官職が規則八－一二第七条第一項に規定する特定官職である場合は、採用前二年以内の期間における刑事事件に関する起訴の有無

9　任期付職員が採用により占めることとなる官職が規則八－一二第十八条第三項に規定する特定官職である場合における同項の規定による協議は、「任用関係の承認申請等の手続について（平成二十一年三月十八日人企－五三七）」第四項の規定にかかわらず、第三項第一号又は第六項第一号に規定する承認申請書に、規則八－一二第十八条第三項の規定による協議を行う旨及び採用予定日前二年以内の期間における刑事事件に関する起訴の有無を併せて記載することにより行うものとする。

10　任命権者は、任期付職員法第三条各項の規定により職員を採用しようとする場合は、任期を定めて採用されること及びその任期について承諾した文書を職員となる者に提出させるものとする。

任期付職員法第四条第一項及び第五条第一項関係

1　任期付職員法第四条第一項の規定に基づき任期を定める場合には、任期付職員の身分保障に十分配慮しつつ、任期付職員に従事させようとする業務の遂行のために必要な期間を考慮して定めるものとする。任期付職員法第五条第一項の規定に基づき任期を更新する場合も同様とする。

2　任命権者は、任期付職員法第五条第一項の規定による承認を得ようとする場合には、次に掲げる事項を記載した承認申請書を人事院事務総長に提出するものとする。

一　任期付職員の氏名及び官職（職務の級（特定任期付職員（任期付職員法第三条第一項の規定により任期を定めて採用された職員をいう。以下同じ。）に

あっては、号俸又は俸給月額。以下「職務の級等」という。）及び所属部課名）
二　当該任期付職員が現に従事している業務の内容
三　更新を必要とする理由
四　当該任期付職員の採用年月日
五　更新予定期間
3　任期付職員法第五条第一項の規定により任期を更新する場合で、次のいずれにも該当することが任期付職員の業務の遂行の現況により明らかであるときは、当該任期の更新について同項の規定による人事院の承認があったものとして取り扱うことができる。
一　採用又は任期の更新の時に予見し難い事情により採用した日から五年を超えない範囲内で当該採用に係る業務に引き続き従事させる必要があること。
二　更新後の任期が、任期付職員の業務の遂行に必要な期間であること。
4　任命権者は、前項の規定により任期の更新について任期付職員法第五条第一項の規定による人事院の承認があったものとして取り扱った場合には、遅滞なく、次に掲げる事項を記載した実施状況報告書を人事院事務総長に提出するものとする。
一　任期付職員の氏名及び官職（職務の級等及び所属部課名）
二　当該任期付職員が現に従事している業務の内容
三　更新を必要とする理由
四　当該任期付職員の採用年月日
五　更新期間

任期付職員法第六条関係

1　任命権者は、任期付職員法第六条の規定による承認を得ようとする場合には、次に掲げる事項を記載した承認申請書を人事院事務総長に提出するものとする。
一　任期付職員の氏名及び官職（職務の級等及び所属部課名）
二　採用時の官職（職務の級等及び所属部課名）及び当該官職に係る業務の内容等（他の官職に任用しようとする者が特定任期付職員である場合にあっては、期待する業績の内容を含む。次号並びに第三項第二号及び第三号において同じ。）
三　任用予定官職（職務の級等及び所属部課名）及び当該官職に係る業務の内容等
四　当該任期付職員を他の官職に任用する必要性
五　当該任期付職員の採用年月日及び任期
2　任期付職員法第六条の規定により他の官職に任用する場合において、次に掲げる場合のいずれかに該当するときは、当該任用について同条の規定による人事院の承認があったものとして取り扱うことができる。
一　規則八―一二第三十五条第一号若しくは第二号の規定による併任又は規則八―一二第四十九条の規定による規則八―一二第四十八条第一項に規定する審議会等の非常勤官職への併任を行うとき。
二　法令の改廃による組織の変更等に伴い任用する場合であって、その者が占めていた官職においてその有する専門的な知識経験又は優れた識見を活用して従事していた業務と同一の業務を行うことをその職務の主たる内容とする他の官職に任用するとき。
三　任期付職員法第三条及び規則第二条関係第四項の規定によりその採用について任期付職員法第三条第一項の規定による人事院の承認があったものとして取り扱った者を、その者が占めていた官職においてその有する高度の専門的な知識経験を活用して従事していた業務と同一又は類似の業務（当該知識経験を活用して遂行することを特に必要とする業務に限る。）を行うことをその職務の主たる内容とする他の官職に任用するとき（前号に掲げるときを除く。）。
四　任期付職員法第三条及び規則第二条関係第七項の規定によりその採用について任期付職員法第三条第二項の規定による人事院の承認があったものとして取り扱った者を、その者が占めていた官職においてその有する専門的な知識経験を活用して従事していた業務と同一又は類似の業務（その者を当該業務に従事させる場合であって、同項各号に掲げるいずれかに該当して、期間を限って従事させることが公務の能率的運営を確保するために必要であるときのものに限る。）を行うことをその職務の主たる内容とする他の官職に任用するとき（第二号に掲げるときを除く。）
3　任命権者は、前項の規定により他の官職への任用について任期付職員法第六条の規定による人事院の承認があったものとして取り扱った場合には、遅滞なく、次に掲げる事項を記載した実施状況報告書を人事院事務総長に提出するものとする。
一　任期付職員の氏名及び官職（職務の級等及び所属部課名）
二　採用時の官職（職務の級等及び所属部課名）及び当該官職に係る業務の内容等
三　任用官職（職務の級等及び所属部課名）及び当該官職に係る業務の内容等
四　当該任期付職員を他の官職に任用する必要性
五　当該任期付職員の採用年月日及び任期

任期付職員法第七条第二項及び第三項並びに規則第六条関係

1 任期付職員法第七条第二項及び人事院規則二三―〇（任期付職員の採用及び給与の特例）（以下「規則」という。）第六条の規定による号俸の決定に当たっては、例えば、採用予定者の有する、弁護士、公認会計士等の資格、免許等を保持する者としての実績、論文、学会発表等を含む国内外の大学、研究所等における活動実績、専門的な知識経験等に基づく民間企業での実績等に対する社会における一般的な報酬、給与等の評価額、採用予定官職に係る業務の内容、職責等を考慮するものとする。

2 各庁の長は、任期付職員法第七条第三項の規定による承認を得ようとする場合には、任期付職員法第三条及び規則第二条関係第三項第一号に規定する承認申請書を人事院事務総長に提出するものとする。

3 任期付職員法第七条第二項及び第三項並びに規則第六条の規定による号俸及び俸給月額（以下この項において「号俸等」という。）の決定には、特定任期付職員の任期の中途においてその者の専門的な知識経験若しくは識見の度又はその者が従事する業務の困難及び重要の度がより高度なものとなることに伴い、これらの規定により新たに号俸等を決定することが必要であると認められる場合における号俸等の決定が含まれる。

なお、各庁の長は、特定任期付職員の任期の中途において新たにその者の号俸を決定した場合には、遅滞なく、その号俸を人事院事務総長に報告するものとする。

任期付職員法第七条第四項及び規則第八条関係

1 特定任期付職員業績手当の支給額は、規則第八条に規定する基準日（以下「基準日」という。）現在において特定任期付職員が受けるべき俸給月額に相当する額とする。

2 特定任期付職員に特定任期付職員業績手当を支給する場合には、次の各号に掲げる要件のいずれにも該当する者について、その者の業績を的確に判定し得る者によって構成される委員会、審査会等の合議体が、任期付職員法第七条第二項又は第三項の規定によりその者の号俸又は俸給月額が決定された際に期待された業績に照らして特に顕著な業績を挙げたかどうかの認定を行うものとする。ただし、特別の事情によりこれにより難い場合には、各庁の長は、あらかじめ人事院事務総長と協議して、別段の取扱いをすることができる。

一 次に掲げる職員の区分に応じ、それぞれ次に定める要件を満たすこと。

(1) 人事評価の基準、方法等に関する政令（平成二十一年政令第三十一号）第六条第二項第一号に掲げる職員　基準日以前における直近の連続した二回の業績評価（同令第四条第一項に規定する業績評価をいう。以下同じ。）の全体評語（同令第十四条において準用する同令第九条第三項に規定する確認が行われた同令第六条第一項に規定する全体評語をいう。以下同じ。）が上位の段階であること（当該二回の業績評価の全体評語の一部がない場合にあっては、一の全体評語が上位の段階であること。）。

(2) 人事評価の基準、方法等に関する政令第六条第二項第二号に掲げる職員　基準日以前における直近の連続した二回の業績評価の全体評語のうち、一の全体評語が上位又は中位の段階であり、かつ、他の全体評語が上位の段階であること（当該二回の業績評価の全体評語の一部がない場合にあっては、一の全体評語が上位の段階であること。）。

(3) 人事評価の基準、方法等に関する政令第六条第二項第三号に掲げる職員　基準日以前における直近の連続した二回の業績評価の全体評語のうち、一の全体評語が人事院規則一〇―一二（用語の定義）第三十五号に規定する「非常に優秀」の段階以上であり、かつ、他の全体評語が同規則第三十七号に規定する「良好」の段階以上であること（当該二回の業績評価の全体評語の一部がない場合にあっては、一の全体評語が同規則第三十五号に規定する「非常に優秀」の段階以上であること。）。

二 基準日以前一年以内の期間において、次に掲げる場合のいずれにも該当したことがないこと。

(1) 懲戒処分を受けた場合

(2) 訓告その他の矯正措置の対象となる事実があった場合

(3) 懲戒処分の対象となる事実があった場合

3 前項の「任期付職員法第七条第二項又は第三項の規定によりその者の号俸又は俸給月額が決定された際に期待された業績に照らして特に顕著な業績」には、例えば、次のような業績が該当する。

一 採用当初に設定した数値目標を著しく超える成果を得たこと。

二 採用当初の予定よりも極めて短い期間で成果を得たこと。

三 採用当初の予定よりも著しく広い範囲に貢献をも

たらす成果を得たこと。

4　各庁の長は、特定任期付職員に特定任期付職員業績手当を支給した場合（第二項ただし書の規定により支給した場合を除く。）には、遅滞なく、次に掲げる事項を記載した支給状況報告書を人事院事務総長に提出するものとする。

一　特定任期付職員の氏名及び官職（号俸又は俸給月額及び所属部課名）

二　当該特定任期付職員が現に従事している業務の内容

三　採用年月日及び任期

四　第二項第一号(1)から(3)までのいずれかに定める要件を満たしたとする当該特定任期付職員の業績評価の全体評語

五　基準日以前一年以内の期間における懲戒処分及び訓告その他の矯正措置又は懲戒処分の対象となる事実の有無

六　第二項に規定する合議体の名称及び構成員

七　第二項に規定する合議体における業績の認定結果の概要

規則第四条関係

任命権者は、この条の規定により職員の同意を得る場合には、当該職員に任期を更新すること及びその更新する期間について承諾した文書を提出させるものとする。

規則第五条関係

人事異動通知書の「異動内容」欄の記入要領は、次のとおりとする。

一　任期付職員を採用する場合

「アに採用する（イ）

任期は　年　月　日までとする」

と記入する。

注1　「ア」の記号をもって表示する事項は、官職の組織上の名称及び当該官職の属する所属部課（所属部課の表示の単位は任命権者が定めるものとする。）とする。

2　「イ」の記号をもって表示する事項は、特定任期付職員にあっては「一般職の任期付職員の採用及び給与の特例に関する法律第三条第一項による」とし、特定任期付職員以外の任期付職員にあっては「一般職の任期付職員の採用及び給与の特例に関する法律第三条第二項による」とする。

二　任期付職員の任期を更新する場合

「任期を　年　月　日まで更新する」

と記入する。

三　任期の満了により任期付職員が当然に退職する場合

「任期の満了により　年　月　日限り退職した」

と記入する。

以　上

○一般職の任期付研究員の採用、給与及び勤務時間の特例に関する法律

平九・六・四
法　六　五

最終改正　令五・一一・二四法七三

（趣旨）

第一条　この法律は、試験研究機関等の研究業務に従事する一般職の職員について、任期を定めた採用並びに任期を定めて採用された職員の給与の特例及び裁量による勤務に関する事項について定めるものとする。

（定義）

第二条　この法律において、次の各号に掲げる用語の意義は、当該各号に定めるところによる。

一　試験研究機関等　次に掲げる機関であって、試験研究に関する業務を行うものをいう。

イ　内閣府設置法（平成十一年法律第八十九号）第三十九条及び第五十五条並びに宮内庁法（昭和二十二年法律第七十号）第十六条第二項並びに国家行政組織法（昭和二十三年法律第百二十号）第八条の二に規定する機関

ロ　内閣府設置法第四十条及び第五十六条並びに国家行政組織法第八条の三に規定する特別の機関又は当該機関に置かれる試験所、研究所その他これらに類する機関

ハ　内閣府設置法第四十三条及び第五十七条（宮内

庁法第十八条第一項において準用する場合を含む。）並びに宮内庁法第十七条第一項並びに国家行政組織法第九条に規定する地方支分部局に置かれる試験所、研究所その他これらに類する機関

二　独立行政法人通則法（平成十一年法律第百三号）第二条第四項に規定する行政執行法人

二　研究業務　試験研究機関等の試験研究に関する業務をいう。

三　職員　国家公務員法（昭和二十二年法律第百二十号）第二条に規定する一般職に属する職員（試験研究機関等の長その他の人事院規則で定める官職を占める職員及び常時勤務を要しない官職を占める職員を除く。）をいう。

（任期を定めた採用）

第三条　任命権者（国家公務員法第五十五条第一項に規定する任命権者及び法律で別に定められた任命権者並びにその委任を受けた者をいう。以下同じ。）は、次に掲げる場合には、選考により、任期を定めて職員を採用することができる。

一　研究業績等により当該研究分野において特に優れた研究者と認められている者を招へいして、当該研究分野に係る高度の専門的な知識経験を必要とする研究業務に従事させる場合

二　独立して研究する能力があり、研究者として高い資質を有すると認められる者（この号の規定又は自衛隊法（昭和二十九年法律第百六十五号）第三十六条の六第一項第二号の規定によりかつて任期を定めて採用されたことがある者を除く。）を、当該研究分野における先導的役割を担う有為な研究者となるために必要な能力のかん養に資する研究業務に従事させる場合

2　任命権者は、前項第一号の規定により任期を定めた採用を行う場合には、人事院の承認を得なければならない。

3　任命権者は、第一項第二号の規定により任期を定めた採用を行う場合には、人事院と協議して定めた採用計画に基づいてしなければならない。この場合において、当該採用計画には、その対象となる研究業務及び選考の手続を定めるものとする。

（任期）

第四条　前条第一項第一号に規定する場合における任期は、五年を超えない範囲内で任命権者が定める。ただし、特に五年を超える任期を定める必要があると認める場合には、人事院の承認を得て、七年（特別の計画に基づき期間を定めて実施される研究業務に従事させる場合にあっては、十年）を超えない範囲内で任期を定めることができる。

2　前条第一項第二号に規定する場合における任期は、三年（研究業務の性質上特に必要がある場合で、人事院の承認を得たときは、五年）を超えない範囲内で任命権者が定める。

3　任命権者は、前二項の規定により任期を定めて職員を採用する場合には、当該職員にその任期を明示しなければならない。

第五条　任命権者は、第三条第一項第一号の規定により任期を定めて採用された職員（以下「第一号任期付研究員」という。）の任期が五年に満たない場合にあっては採用した日から五年、同項第二号の規定により任期を定めて採用された職員（以下「第二号任期付研究員」という。）の任期が三年に満たない場合（前条第二項の人事院の承認を得て任期が定められた場合を除く。）にあっては採用した日から三年、第二号任期付研究員のうち同項の人事院の承認を得て任期が定められた職員の任期が五年に満たない場合にあっては採用した日から五年を超えない範囲内において、その任期を更新することができる。

2　前条第三項の規定は、前項の規定により任期を更新する場合について準用する。

（給与に関する特例）

第六条　第一号任期付研究員には、次の俸給表を適用する。

号　俸	俸給月額
	円
1	402,000
2	461,000
3	522,000
4	603,000
5	701,000
6	800,000

2　第二号任期付研究員には、次の俸給表を適用する。

号　俸	俸給月額
	円
1	336,000
2	371,000
3	398,000

3　各庁の長（一般職の職員の給与に関する法律（昭和二十五年法律第九十五号。次項及び次条において「給与法」という。）第七条に規定する各庁の長及びその委任を受けた者をいう。同項及び第五項において同

じ。）は、第一号任期付研究員及び第二号任期付研究員の号俸を、その者が従事する研究業務に応じて人事院規則で定める基準に従い決定する。

4　各庁の長は、第一号任期付研究員について、特別の事情により第一項の俸給表に掲げる号俸により難いときは、同項及び前項の規定にかかわらず、人事院の承認を得て、その俸給月額を同表に掲げる六号俸の俸給月額にその額と同表に掲げる五号俸の俸給月額との差額に一からの各整数を順次乗じて得られる額を加えた額のいずれかに相当する額（給与法の指定職俸給表八号俸の額未満の額に限る。）又は給与法の指定職俸給表八号俸の額に相当する額とすることができる。

5　各庁の長は、第一号任期付研究員又は第二号任期付研究員のうち、特に顕著な研究業績を挙げたと認められる職員には、人事院規則で定めるところにより、その俸給月額に相当する額を任期付研究員業績手当として支給することができる。

6　第三項の規定による号俸の決定、第四項の規定による俸給月額の決定及び前項の規定による任期付研究員業績手当の支給は、予算の範囲内で行わなければならない。

（給与法の適用除外等）

第七条　給与法第六条、第八条、第十条から第十一条の二まで、第十一条の十及び第十九条の七の規定は、第一号任期付研究員及び第二号任期付研究員には、適用しない。

2　第一号任期付研究員及び第二号任期付研究員に対する給与法第三条第一項、第十九条の三第一項、第七条、第十一条の九第一項、第十九条の四第二項、第二十条及び第二十一条第一項の規定の適用については、給与法第三条第一項中「この法律」とあるのは「この法律及び一般職の任期付研究員の採用、給与及び勤務時間の特例に関する法律（平成九年法律第六十五号。以下「任期付研究員法」という。）第六条の規定」と、給与法第七条中「この法律」とあるのは「この法律及び任期付研究員法第六条の規定」と、給与法第十一条の九第一項中「限る。）」とあるのは「限る。）並びに任期付研究員法第三条第一項の規定により任期を定めて採用された職員」と、給与法第十九条の三第一項中「以下「管理監督職員等」」とあるのは「任期付研究員法第三条第一項第一号の規定により任期を定めて採用された職員を含む。以下「管理監督職員等」」と、給与法第十九条の四第二項中「百分の百二十二・五」とあるのは「百分の百七十」と、給与法第二十条中「第六条」とあるのは「任期付研究員法第六条」と、給与法第二十一条第一項中「この法律」とあるのは「この法律及び任期付研究員法第六条」とする。

（職員の裁量による勤務）

第八条　各省各庁の長（一般職の職員の勤務時間、休暇等に関する法律（平成六年法律第三十三号。以下「勤務時間法」という。）第三条に規定する各省各庁の長及びその委任を受けた者をいう。以下同じ。）は、第一号任期付研究員の職務につき、その職務の性質上時間配分の決定その他の職務遂行の方法を大幅に当該第一号任期付研究員の裁量にゆだねることが当該第一号任期付研究員に係る研究業務の能率的な遂行のため必要であると認める場合には、当該第一号任期付研究員を、人事院規則の定めるところにより、勤務時間法の規定による勤務時間の割振りを行わないで、その職務に従事させることができる。この場合において、当該第一号任期付研究員は、人事院規則の定めるところにより、その勤務の状況について各省各庁の長に報告しなければならない。

2　前項の場合における第一号任期付研究員については、月曜日から金曜日までの五日間において、人事院規則で定める時間帯について勤務時間法第六条第二項の規定により一日につき七時間四十五分の勤務時間を割り振られたものとみなし、国民の祝日に関する法律（昭和二十三年法律第百七十八号）に規定する休日その他の人事院規則で定める日を除き、当該勤務時間を勤務したものとみなす。

3　勤務時間法第六条第二項及び第三項、第七条から第十二条まで、第十三条の二並びに第十五条の規定は、前項の第一号任期付研究員には、適用しない。

（特定の職員についての適用除外）

第九条　前三条の規定は、第二条第一号ニに掲げる試験研究機関等の研究業務に従事する第一号任期付研究員及び第二号任期付研究員には、適用しない。

（一般職の任期付職員の採用及び給与の特例に関する法律の適用除外）

第十条　一般職の任期付職員の採用及び給与の特例に関する法律（平成十二年法律第百二十五号）の規定は、研究業務に従事する職員には適用しない。

（人事院規則への委任）

第十一条　この法律の実施に関し必要な事項は、人事院規則で定める。

（人事院の勧告等）

第十二条　人事院は、この法律に定める事項に関して調査研究を行い、その結果を国会及び内閣に同時に報告するとともに、必要に応じ、適当と認める改定を勧告することができる。

附　則（抄）

（施行期日）

1　この法律は、公布の日から施行する。

（平成二十一年六月に支給する期末手当に関する特例措置）

2　平成二十一年六月に支給する期末手当に関する第七条第二項の規定の適用については、同項中「百分の百六十」とあるのは、「百分の百四十五」とする。

附　則（令五・一一・二四法七三）（抄）

（施行期日等）

第一条　この法律は、公布の日から施行する。ただし、次の各号に掲げる規定は、当該各号に定める日から施行する。

一　〔前略〕第五条中一般職の任期付研究員の採用、給与及び勤務時間の特例に関する法律（次項及び附則第三条において「任期付研究員法」という。）第七条第二項の改正規定〔中略〕　令和六年四月一日

二　〔前略〕第五条（同号に掲げる改正規定を除く。）の規定〔中略〕　令和七年四月一日

2　〔前略〕第四条の規定（任期付研究員法第七条第二項の改正規定を除く。附則第三条において同じ。）による改正後の任期付研究員法（附則第三条において「改正後の任期付研究員法」という。）の規定〔中略〕は、令和五年四月一日から適用する。

（給与の内払）

第三条　〔前略〕改正後の任期付研究員法〔中略〕の規定を適用する場合には、〔中略〕第四条の規定による改正前の任期付研究員法〔中略〕の規定に基づいて支給された給与は、〔中略〕改正後の任期付研究員法〔中略〕の規定による給与の内払とみなす。

（人事院規則への委任）

第四条　前二条に定めるもののほか、この法律の施行に関し必要な事項は、人事院規則で定める。

〇人事院規則二〇―〇（任期付研究員の採用、給与及び勤務時間の特例）

平九・六・四公布
平九・六・四施行

最終改正　平二一・五・二九規則一―五四

（趣旨）

第一条　この規則は、任期付研究員法に規定する任期付研究員の採用、給与及び勤務時間の特例に関し必要な事項を定めるものとする。

（適用除外官職）

第二条　任期付研究員法第二条第三号の人事院規則で定める官職は、次に掲げる官職とする。

一　任期付研究員法第二条第一号に規定する試験研究機関等（以下この条において「試験研究機関等」という。）の長の官職

二　試験研究機関等の長を助け、当該試験研究機関等の業務を整理する次長、副所長等の官職

三　試験研究機関等に置かれる支所、支場等の長の官職

（任期の更新）

第三条　任命権者は、任期付研究員法第五条第一項の規定により任期を更新する場合には、あらかじめ職員の同意を得なければならない。

（異動の制限）

第四条　任命権者は、任期付研究員法第三条第一項の規

定により任期を定めて採用された職員（以下「任期付研究員」という。）を、その任期中、当該任期付研究員が現に占めている官職と同一の研究業務を行うことを職務内容とする官職に異動させる場合その他任期を定めた採用の趣旨に反しない場合に限り、異動させることができる。

（人事異動通知書の交付）

第五条 任命権者は、次に掲げる場合には、職員に対して、規則八―一二（職員の任免）第五十八条の規定による人事異動通知書（以下この条において「人事異動通知書」という。）を交付しなければならない。ただし、第三号に掲げる場合のうち、人事異動通知書の交付によらないことを適当と認める場合は、人事異動通知書に代わる文書の交付その他適当な方法をもって人事異動通知書の交付に代えることができる。

一 任期付研究員を採用する場合

二 任期付研究員の任期を更新する場合

三 任期の満了により任期付研究員が当然に退職する場合

（号俸の決定）

第六条 第一号任期付研究員（任期付研究員法第五条第一項に規定する第一号任期付研究員をいう。以下同じ。）の任期付研究員法第六条第一項の俸給表の号俸は、その者の知識経験等の度、その者が従事する研究業務の困難及び重要の度等に応じて、次の各号に定める号俸に決定するものとする。

一 高度の専門的な知識経験を有し、研究業績等により当該研究分野において特に優れた研究者と認められている者がその知識経験等に基づき困難な研究を独立して行う研究員の職務に従事する場合 一号俸

二 高度の専門的な知識経験を有し、研究業績等により当該研究分野において特に優れた研究者と認められている者がその知識経験等に基づき特に困難な研究を独立して行う研究員の職務に従事する場合 二号俸

三 特に高度の専門的な知識経験を有し、研究業績等により当該研究分野において特に優れた研究者と認められている者がその知識経験等に基づき特に困難な研究を独立して行う研究員の職務又はその知識経験等に基づき研究について相当の範囲にわたり調整、指導等を行う職務に従事する場合 三号俸

四 特に高度の専門的な知識経験を有し、研究業績等により当該研究分野において特に優れた研究者と認められている者がその知識経験等に基づき特に困難な研究で重要なものを独立して行う研究員の職務又はその知識経験等に基づき重要な研究について相当の範囲にわたり調整、指導等を行う職務に従事する場合 四号俸

五 極めて高度の専門的な知識経験を有し、研究業績等により当該研究分野において特に優れた研究者と認められている者がその知識経験等に基づき特に困難な研究で重要なものを独立して行う研究員の職務又はその知識経験等に基づき重要な研究について広範囲にわたり統括、調整等を行う職務に従事する場合 五号俸

六 極めて高度の専門的な知識経験を有し、研究業績等により当該研究分野において極めて優れた研究者と認められている者がその知識経験等に基づき特に困難な研究で特に重要なものを独立して行う研究員の職務又はその知識経験等に基づき特に重要な研究について広範囲にわたり統括、調整等を行う職務に従事する場合 六号俸

2 第二号任期付研究員（任期付研究員法第五条第一項に規定する第二号任期付研究員をいう。以下同じ。）の任期付研究員法第六条第二項の俸給表の号俸は、次の各号に掲げる場合の区分に応じ、当該各号に定める号俸に決定するものとする。

一 博士課程修了直後の者の有する程度の専門的な知識経験を有する者が当該知識経験に基づき研究を独立して行う研究員の職務に従事する場合 一号俸

二 博士課程修了後、特別研究員制度（特別の法律により設立された法人等によって運営され、主として博士課程を修了した優れた研究者に国立試験研究機関等において研究する機会を提供することを内容とする制度をいう。）等により数年にわたり研究に従事したことのある者の有する程度の専門的な知識経験を有する者が当該知識経験に基づき研究を独立して行う研究員の職務に従事する場合 二号俸

三 博士課程修了後、相当の期間にわたり研究に従事したことのある者の有する程度の専門的な知識経験を有する者が当該知識経験に基づき困難な研究を独立して行う研究員の職務に従事する場合 三号俸

（任期付研究員業績手当）

第七条 任期付研究員法第六条第五項の特に顕著な研究業績とは、同条第三項又は第四項の規定により任期付研究員の俸給月額が決定された際に期待された研究成果、研究活動等に照らして特に顕著であると認められる研究業績をいう。

第八条 任期付研究員業績手当は、十二月一日（以下「基準日」という。）に在職する任期付研究員のうち、

任期付研究員として採用された日から当該基準日までの間（任期付研究員業績手当の支給を受けたことのある者にあっては、支給を受けた直近の当該手当に係る基準日の翌日から直近の基準日までの間）にその者の任期付研究員としての研究業務に関し特に顕著な研究業績を挙げたと認められる任期付研究員に対し、当該基準日の属する月の規則九—四〇（期末手当及び勤勉手当）第十四条に規定する期末手当の支給日に支給することができるものとする。

（裁量勤務の手続等）

第九条　任期付研究員法第八条第一項の規定による職員の裁量による勤務（以下「裁量勤務」という。）に従事させることができる第一号任期付研究員は、休職者及び停職者を除く第一号任期付研究員のうち、その職務遂行の方法を大幅に当該第一号任期付研究員の裁量にゆだねた場合に、自己の判断により研究業務を能率的に遂行することができると認められる者に限るものとする。

2　各省各庁の長（任期付研究員法第八条第一項に規定する各省各庁の長をいう。以下同じ。）は、第一号任期付研究員を裁量勤務に従事させる場合には、あらかじめ当該第一号任期付研究員の同意を得なければならない。

3　各省各庁の長は、裁量勤務に従事している第一号任期付研究員（以下「裁量勤務研究員」という。）が裁量勤務を継続しないことを希望する旨申し出た場合又は裁量勤務研究員を裁量勤務に従事させることが当該裁量勤務研究員に係る研究業務の能率的な遂行のため必要であると認められなくなった場合には、速やかに裁量勤務に従事させることをやめなければならない。

4　各省各庁の長は、第一号任期付研究員を裁量勤務に従事させ、又は従事させることをやめる場合には、人事院の定めるところにより、当該第一号任期付研究員に対し速やかに通知するものとする。

（勤務場所等）

第十条　裁量勤務研究員は、その勤務官署以外の場所においてその日の勤務のすべてを行う場合で各省各庁の長が必要であると認めるときには、その場所及び勤務内容等各省各庁の長が必要と認める事項についてあらかじめ各省各庁の長に申し出なければならない。

2　各省各庁の長は、裁量勤務研究員に、特定の時間帯にその勤務官署において勤務することその他の特定の方法による職務遂行を命ずる場合には、当該裁量勤務研究員にあらかじめその内容を通知しなければならない。

（勤務の状況についての報告）

第十一条　裁量勤務研究員は、研究業務の遂行状況その他の勤務の状況について、各省各庁の長が定める期間ごとに報告しなければならない。

（勤務時間を割り振られたものとみなす時間帯等）

第十二条　任期付研究員法第八条第二項の人事院規則で定める時間帯は、午前八時三十分から午後五時十五分まで（午後零時から午後一時までを除く。）の時間帯とする。

2　育児休業法第十八条の規定により読み替えられた任期付研究員法第八条第二項の人事院規則で定める時間帯は、育児休業法第十二条第三項の規定により承認を受けた同条第一項に規定する育児短時間勤務の内容に従った時間帯（勤務時間法第九条の規定に基づき休憩時間を置かなければならない場合にあっては、当該休憩時間の時間帯を除く。）とする。

第十三条　任期付研究員法第八条第二項の人事院規則で定める日は、次に掲げる日とする。

一　国民の祝日に関する法律（昭和二十三年法律第百七十八号）に規定する休日

二　勤務時間法第十四条に規定する年末年始の休日

三　全日にわたり勤務時間法第十六条に定める休暇が承認された日

四　前三号に掲げるもののほか、全日にわたり勤務しないことにつき特に承認があった日

（雑則）

第十四条　この規則に定めるもののほか、任期付研究員の採用、給与及び勤務時間の特例に関し必要な事項は、人事院が定める。

附　則

この規則は、公布の日から施行する。

○法科大学院への裁判官及び検察官その他の一般職の国家公務員の派遣に関する法律

平一五・五・九
法　四　〇

最終改正　令三・六・一一法六六

（目的）
第一条　この法律は、法科大学院における教育が、司法修習生の修習との有機的連携の下に法曹としての実務に関する教育の一部を担うものであり、かつ、法曹の養成に関係する機関の密接な連携及び相互の協力の下に将来の法曹としての実務に必要な法律に関する理論的かつ実践的な能力（各種の専門的な法分野における高度の能力を含む。）を備えた多数の法曹の養成を実現すべきものであることにかんがみ、法科大学院の教育と司法試験等との連携等に関する法律（平成十四年法律第百三十九号）第三条の規定の趣旨にのっとり、国の責務として、裁判官及び検察官その他の一般職の国家公務員が法科大学院において教授、准教授その他の教員としての業務を行うための派遣に関し必要な事項について定めることにより、法科大学院における法曹としての実務に関する教育の実効性の確保を図り、もって同条第一項に規定する法曹養成の基本理念に則した法科大学院における教育の充実に資することを目的とする。

（定義）
第二条　この法律において「法科大学院」とは、学校教育法（昭和二十二年法律第二十六号）第九十九条第二項に規定する専門職大学院であって、法曹に必要な学識及び能力を培うことを目的とするものをいう。

２　この法律において「検察官等」とは、検察官その他の国家公務員法（昭和二十二年法律第百二十号）第二条に規定する一般職に属する職員（法律により任期を定めて任用される職員、常時勤務を要しない官職を占める職員、独立行政法人通則法（平成十一年法律第百三号）第二条第四項に規定する行政執行法人の職員その他人事院規則で定める職員を除く。）をいう。

３　この法律において「任命権者」とは、国家公務員法第五十五条第一項に規定する任命権者及び法律で別に定められた任命権者並びにその委任を受けた者をいう。

（法科大学院設置者による派遣の要請）
第三条　法科大学院設置者（法科大学院を置き若しくは置こうとする大学の設置者又は法科大学院を置く大学を設置しようとする者をいう。以下同じ。）は、当該法科大学院において将来の法曹としての実務に必要な法律に関する理論的かつ実践的な能力（各種の専門的な法分野における高度の能力を含む。）を涵《かん》養するための教育を実効的に行うため、裁判官又は検察官等を教授、准教授その他の教員（以下「教授等」という。）として必要とするときは、その必要とする事由を明らかにして、裁判官については最高裁判所に対し、検察官等については任命権者に対し、その派遣を要請することができる。

２　前項の要請の手続は、最高裁判所に対するものについては最高裁判所規則で、任命権者に対するものについては人事院規則で定める。

（職務とともに教授等の業務を行うための派遣）
第四条　最高裁判所は、前条第一項の要請があった場合において、その要請に係る派遣の必要性、派遣に伴う事務の支障その他の事情を勘案して、相当と認めるときは、これに応じ、裁判官の同意を得て、当該法科大学院設置者との間の取決めに基づき、期間を定めて、当該裁判官が職務とともに当該法科大学院において教授等の業務を行うものとすることができる。

２　最高裁判所は、前項の同意を得るに当たっては、あらかじめ、当該裁判官に同項の取決めの内容を明示しなければならない。

３　任命権者は、前条第一項の要請があった場合において、その要請に係る派遣の必要性、派遣に伴う事務の支障その他の事情を勘案して、相当と認めるときは、これに応じ、検察官等の同意（検察官については、検察庁法（昭和二十二年法律第六十一号）第二十五条の俸給の減額に係る同意を含む。以下同じ。）を得て、当該法科大学院設置者との間の取決めに基づき、期間を定めて、職務とともに当該法科大学院における教授等の業務を行うものとして当該検察官等を当該法科大学院を置く大学に派遣することができる。

４　任命権者は、前項の同意を得るに当たっては、あらかじめ、当該検察官等に同項の取決めの内容及び当該派遣の期間中における給与の支給に関する事項を明示しなければならない。

５　第一項又は第三項の取決めにおいては、当該法科大学院における勤務時間その他の勤務条件（検察官等については、教授等の業務に係る報酬等（報酬、賃金、給料、俸給、手当、賞与その他いかなる名称であるかを問わず、教授等の業務の対償として受けるすべてのものをいう。以下同じ。）を含む。）及び教授等の業務の内容、派遣の期間、派遣の終了に関する事項その他第一項又は第三項の規定による派遣の実施に当たって合意しておくべきものとして裁判官については最高裁判所規則で、検察官等については人事院規則で定める事項を定めるものとする。

6 最高裁判所又は任命権者は、第一項又は第三項の取決めの内容を変更しようとするときは、当該裁判官又は検察官等の同意を得なければならない。この場合においては、第二項又は第四項の規定を準用する。

7 第一項又は第三項の規定による派遣の期間は、三年を超えることができない。ただし、当該法科大学院設置者からその期間の延長を希望する旨の申出があり、かつ、特に必要があると認めるときは、最高裁判所又は任命権者は、当該裁判官又は検察官等の同意を得て、当該派遣の日から引き続き五年を超えない範囲内で、これを延長することができる。

8 第一項又は第三項の規定により法科大学院において教授等の業務を行う裁判官又は検察官等は、その派遣の期間中、その同意に係る第一項又は第三項の取決めに定められた内容に従って、当該法科大学院において教授等の業務を行うものとする。

9 第三項の規定により派遣された検察官等は、その正規の勤務時間（一般職の職員の勤務時間、休暇等に関する法律（平成六年法律第三十三号）第十三条第一項に規定する正規の勤務時間をいう。第七条第二項において同じ。）のうち当該法科大学院において教授等の業務を行うため必要であると任命権者が認める時間においては、勤務しない。

10 第三項の規定による検察官等の教授等の業務への従事については、国家公務員法第百四条の規定は、適用しない。

（派遣の終了）

第五条 前条第一項又は第三項の規定による派遣の期間が満了したときは、当該教授等の業務は終了するものとする。

2 最高裁判所は、前条第一項の規定により法科大学院において教授等の業務を行う裁判官が当該法科大学院における教授等の地位を失った場合その他の最高裁判所規則で定める場合であって、その教授等の業務を継続することができないか又は適当でないと認めるときは、速やかに、当該裁判官が当該教授等の業務を行うことを終了するものとしなければならない。

3 任命権者は、前条第三項の規定により派遣された検察官等が当該法科大学院における教授等の地位を失った場合その他の人事院規則で定める場合であって、その教授等の業務を継続することができないか又は適当でないと認めるときは、速やかに、当該検察官等の派遣を終了させなければならない。

（派遣期間中の裁判官の報酬及び国庫納付金の納付）

第六条 第四条第一項の規定により法科大学院において教授等の業務を行う裁判官は、その教授等の業務に係る報酬等の支払を受けないものとし、教授等の業務を行ったことを理由として、裁判官として受ける報酬その他の給与について減額をされないものとする。

2 第四条第一項の規定により裁判官が法科大学院において教授等の業務を行った場合においては、当該法科大学院設置者は、その教授等の業務の対償に相当するものとして政令で定める金額を、国庫に納付しなければならない。

3 前項の規定による納付金の納付の手続については、政令で定める。

（派遣期間中の検察官等の給与等）

第七条 任命権者は、法科大学院設置者との間で第四条第三項の取決めをするに当たっては、同項の規定により派遣される検察官等が当該法科大学院設置者から受ける教授等の業務に係る報酬等について、当該検察官等が従事している職務及び当該法科大学院において行う教授等の業務の内容に応じた相当の額が確保されるよう努めなければならない。

2 第四条第三項の規定により派遣された検察官等がその正規の勤務時間において当該法科大学院において教授等の業務を行うため勤務しない場合には、一般職の職員の給与に関する法律（昭和二十五年法律第九十五号）第十五条の規定にかかわらず、その勤務しない一時間につき、同法第十九条に規定する勤務一時間当たりの給与額を減額して支給する。ただし、当該法科大学院において第三条第一項に規定する教育が実効的に行われることを確保するため特に必要があると認められるときは、当該検察官等には、その派遣の期間中、当該法科大学院設置者から受ける教授等の業務に係る報酬等の額に照らして必要と認められる範囲内で、その給与の減額分の百分の五十以内を支給することができる。

3 前項ただし書の規定による給与の支給に関し必要な事項は、人事院規則（第四条第三項の規定により派遣された検察官等が検察官の俸給等に関する法律（昭和二十三年法律第七十六号）の適用を受ける者である場合にあっては、同法第三条第一項に規定する準則）で定める。

（国家公務員共済組合法の特例）

第八条 第四条第一項又は第三項の規定により法科大学院において教授等の業務を行う裁判官又は検察官等に関する国家公務員共済組合法（昭和三十三年法律第百二十八号。以下この条及び第十四条において「国共済法」という。）の規定の適用については、当該法科大学院における教授等の業務を公務とみなす。

2 第四条第三項の規定により派遣された検察官等に関する国共済法の規定の適用については、国共済法第二条第一項第五号及び第六号中「とし、その他の職員」とあるのは「並びにこれらに相当するものとして次条第一項に規定する組合の運営規則で定めるものとし、その他の職員」と、国共済法第九十九条第二項中「及び国の負担金」とあるのは「、法科大学院への裁判官及び検察官その他の一般職の国家公務員の派遣に関する法律（平成十五年法律第四十号）第三条第一項に規定する法科大学院設置者（以下「法科大学院設置者」という。）の負担金及び国の負担金」と、同項各号中「国の負担金」とあるのは「法科大学院設置者の負担金及び国の負担金」と、国共済法第百二条第一項中「各省各庁の長（環境大臣を含む。）、行政執行法人又は職員団体」とあり、及び「国、行政執行法人又は職員団体」とあるのは「法科大学院設置者及び国」と、「第九十九条第二項（同条第六項から第八項までの規定により読み替えて適用する場合を含む。）及び第五項（同条第七項及び第八項の規定により読み替えて適用する場合を含む。）」とあるのは「第九十九条第二項及び第五項」と、同条第四項中「同条第五項（同条第七項及び第八項の規定により読み替えて適用する場合を含む。以下この項において同じ。）」とあるのは「同条第五項」と、「（同条第五項」とあるのは「（同項」と、「国、行政執行法人又は職員団体」とあるのは「法科大学院設置者及び国」とする。

3 前項の場合において法科大学院設置者及び国が同項の規定により読み替えられた国共済法第九十九条第二項の規定により負担すべき金額その他必要な事項は、政令で定める。

（一般職の職員の給与に関する法律の特例）

第九条 第四条第三項の規定による派遣の期間中又はその期間の満了後における当該検察官等に関する一般職の職員の給与に関する法律第二十三条第一項及び附則第六項の規定の適用については、当該法科大学院における教授等の業務（当該教授等の業務に係る労働者災害補償保険法（昭和二十二年法律第五十号）第七条第二項に規定する通勤（当該教授等の業務に係る就業の場所を国家公務員災害補償法（昭和二十六年法律第百九十一号）第一条の二第一項第一号及び第二号に規定する勤務場所とみなした場合に同条に規定する通勤に該当するものに限る。次条において同じ。）を含む。）を公務とみなす。

（国家公務員退職手当法の特例）

第十条 第四条第三項の規定による派遣の期間中又はその期間の満了後に当該検察官等が退職した場合における国家公務員退職手当法（昭和二十八年法律第百八十二号）の規定の適用については、当該法科大学院における教授等の業務に係る業務上の傷病又は死亡は同法第四条第二項、第五条第一項及び第六条の四第一項に規定する公務上の傷病又は死亡と、当該教授等の業務に係る労働者災害補償保険法第七条第二項に規定する通勤による傷病は国家公務員退職手当法第四条第二項、第五条第二項及び第六条の四第一項に規定する通勤による傷病とみなす。

（専ら教授等の業務を行うための派遣）

第十一条 任命権者は、第三条第一項の要請があった場合において、その要請に係る派遣の必要性、派遣に伴う事務の支障その他の事情を勘案して、相当と認めるときは、これに応じ、検察官等の同意を得て、当該法科大学院設置者との間の取決めに基づき、期間を定めて、専ら当該法科大学院における教授等の業務を行うものとして当該検察官等を当該法科大学院を置く大学に派遣することができる。

2 任命権者は、前項の同意を得るに当たっては、あらかじめ、当該検察官等に同項の取決めの内容及び当該派遣の期間中における給与の支給に関する事項を明示しなければならない。

3 第一項の取決めにおいては、当該法科大学院における勤務時間、教授等の業務に係る報酬等その他の勤務条件及び教授等の業務の内容、派遣の期間、職務への復帰に関する事項その他同項の規定による派遣の実施に当たって合意しておくべきものとして人事院規則で定める事項を定めるものとする。

4 第四条第六項から第八項まで及び第十項の規定は、第一項の規定による派遣について準用する。

5 第一項の規定により派遣された検察官等は、その派遣の期間中、検察官等としての身分を保有するが、職務に従事しない。

（職務への復帰）

第十二条 前条第一項の規定により派遣された検察官等

は、その派遣の期間が満了したときは、職務に復帰するものとする。

2　任命権者は、前条第一項の規定により派遣された検察官等が当該法科大学院における教授等の地位を失った場合その他の人事院規則で定める場合であって、その派遣を継続することができないか又は適当でないと認めるときは、速やかに、当該検察官等を職務に復帰させなければならない。

（派遣期間中の給与等）

第十三条　任命権者は、法科大学院設置者との間で第十一条第一項の取決めをするに当たっては、同項の規定により派遣される検察官等が当該法科大学院設置者から受ける教授等の業務に係る報酬等について、当該検察官等がその派遣前に従事していた職務及び当該法科大学院において行う教授等の業務の内容に応じた相当の額が確保されるよう努めなければならない。

2　第十一条第一項の規定により派遣された検察官等には、その派遣の期間中、給与を支給しない。ただし、当該法科大学院において第三条第一項に規定する教育が実効的に行われることを確保するため特に必要があると認められるときは、当該検察官等には、その派遣の期間中、当該法科大学院設置者から受ける教授等の業務に係る報酬等の額に照らして必要と認められる範囲内で、俸給、扶養手当、地域手当、広域異動手当、研究員調整手当、住居手当及び期末手当のそれぞれ百分の五十以内を支給することができる。

3　前項ただし書の規定による給与の支給に関し必要な事項は、人事院規則（第十一条第一項の規定により派遣された検察官等が検察官の俸給等に関する法律の適用を受ける者である場合にあっては、同法第三条第一項に規定する準則）で定める。

（国家公務員共済組合法の特例）

第十三条の二　第八条の規定は、第十一条第一項の規定により法科大学院を置く国立大学（国立大学法人法（平成十五年法律第百十二号）第二条第二項に規定する国立大学をいう。）に派遣された検察官等について準用する。

第十四条　国共済法第三十九条第二項の規定及び国共済法の短期給付に関する規定（国共済法第六十八条の三の規定を除く。以下この項において同じ。）は、第十一条第一項の規定により法科大学院を置く私立大学（学校教育法第二条第二項に規定する私立学校である大学をいう。）に派遣された検察官等（以下「私立大学派遣検察官等」という。）には、適用しない。この場合において、国共済法の短期給付に関する規定の適用を受ける職員（国共済法第二条第一項第一号に規定する職員をいう。以下この項において同じ。）が私立大学派遣検察官等となったときは、国共済法の短期給付に関する規定の適用については、そのなった日の前日に退職（国共済法第二条第一項第四号に規定する退職をいう。）をしたものとみなし、私立大学派遣検察官等が国共済法の短期給付に関する規定の適用を受ける職員となったときは、国共済法の短期給付に関する規定の適用については、そのなった日に職員となったものとみなす。

2　私立大学派遣検察官等に関する国共済法の退職等年金給付に関する規定の適用については、当該法科大学院における教授等の業務を公務とみなす。

3　私立大学派遣検察官等は、国共済法第九十八条第一項各号に掲げる福祉事業を利用することができない。

4　私立大学派遣検察官等に関する国共済法の規定の適用については、国共済法第二条第一項第五号及び第六号中「とし、その他の職員」とあるのは「並びにこれらに相当するものとして次条第一項に規定する組合の運営規則で定めるものとし、その他の職員」と、国共済法第九十九条第二項中「次の各号」とあるのは「第三号」と、「当該各号」とあるのは「同号」と、「及び国の負担金」とあるのは「、法科大学院への裁判官及び検察官その他の一般職の国家公務員の派遣に関する法律（平成十五年法律第四十号）第三条第一項に規定する法科大学院設置者（以下「法科大学院設置者」という。）の負担金及び国の負担金」と、同項第三号中「国の負担金」とあるのは「法科大学院設置者の負担金及び国の負担金」と、国共済法第百二条第一項中「各省各庁の長（環境大臣を含む。）、行政執行法人又は職員団体」とあり、及び「国、行政執行法人又は職員団体」とあるのは「法科大学院設置者及び国」と、「第九十九条第二項（同条第六項から第八項までの規定により読み替えて適用する場合を含む。）及び第五項（同条第七項及び第八項の規定により読み替えて適用する場合を含む。）」とあるのは「第九十九条第二項及び第五項」と、同条第四項中「第九十九条第二項第三号及び第四号」とあるのは「第九十九条第二項第三号」と、「並びに同条第五項（同条第七項及び第八項の規定により読み替えて適用する場合を含む。以下この項において同じ。）」とあるのは「及び同条第五項」と、「（同条第五項」とあるのは「（同項」と、「国、行政執行法人又は職員団体」とあるのは「法科大学院設置者及び国」とする。

5　前項の場合において法科大学院設置者及び国が同項

の規定により読み替えられた国共済法第九十九条第二項及び厚生年金保険法（昭和二十九年法律第百十五号）第八十二条第一項の規定により負担すべき金額その他必要な事項は、政令で定める。

（地方公務員等共済組合法の特例）

第十五条　第十一条第一項の規定により法科大学院を置く公立大学（学校教育法第二条第二項に規定する公立学校である大学をいう。第十八条及び第十九条第一項において同じ。）に派遣された検察官等のうち第十三条第二項ただし書の規定による給与の支給を受ける者に関する地方公務員等共済組合法（昭和三十七年法律第百五十二号）の規定の適用については、同法第百十三条第二項各号列記以外の部分中「及び地方公共団体」とあるのは「、地方公共団体」と、「の負担金」とあるのは「の負担金及び国の負担金」と、同項各号中「の負担金」とあるのは「及び国の負担金」と、同法第百十五条第二項中「相当する手当」とあるのは「相当する手当及び国家公務員退職手当法（昭和二十八年法律第百八十二号）に基づく退職手当又はこれに相当する手当」と、同法第百十六条第一項中「の機関、特定地方独立行政法人又は職員団体」とあるのは「及び国の機関」と、「第百十三条第二項（同条第六項の規定により読み替えて適用する場合を含む。）」とあるのは「第百十三条第二項」と、「地方公共団体、特定地方独立行政法人又は職員団体」とあるのは「地方公共団体及び国」と、同法第百四十四条の三十一（見出しを含む。）中「地方公共団体又は特定地方独立行政法人」とあるのは「地方公共団体及び国」とする。

2　前項の場合において地方公共団体及び国が同項の規定により読み替えられた地方公務員等共済組合法第百十三条第二項の規定により負担すべき金額その他必要な事項は、政令で定める。

（私立学校教職員共済法の特例）

第十六条　私立学校教職員共済法（昭和二十八年法律第二百四十五号）の退職等年金給付に関する規定は、私立大学派遣検察官等には、適用しない。

2　私立大学派遣検察官等に関する私立学校教職員共済法の規定の適用については、同法第二十七条第一項中「掛金及び加入者保険料（厚生年金保険法（昭和二十九年法律第百十五号）第八十二条第一項の規定により加入者たる被保険者及び当該被保険者を使用する学校法人等が負担する厚生年金保険の保険料をいう。次項において同じ。）」とあり、同条第二項中「掛金及び加入者保険料（以下「掛金等」という。）」とあり、並びに同法第二十八条第二項、第三項、第五項及び第六項、第二十九条第一項、第二十九条の二、第三十条第一項及び第三項から第六項まで、第三十一条第一項、第三十二条、第三十三条並びに第三十四条第三項中「掛金等」とあるのは「掛金」と、同法第二十九条第二項中「及び厚生年金保険法による標準報酬月額に係る掛金等」とあり、及び同条第三項中「及び厚生年金保険法による標準賞与額に係る掛金等」とあるのは「に係る掛金」とする。

3　私立大学派遣検察官等のうち第十三条第二項ただし書の規定による給与の支給を受ける者に関する私立学校教職員共済法の規定の適用については、同法第二十一条第一項中「準ずるもの」とあるのは「準ずるもの（法科大学院への裁判官及び検察官その他の一般職の国家公務員の派遣に関する法律（平成十五年法律第四十号）第十三条第二項ただし書の規定により国から支給される給与であつて共済規程で定めるもの（次条において「私立大学派遣検察官等に対する国の給与」という。）を含む。）」と、同法第二十二条第五項及び第十項中「報酬の総額」とあるのは「報酬（当該期間における私立大学派遣検察官等に対する国の給与を含む。）の総額」と、同法第二十八条第一項中「及び」とあるのは「並びに」と、「学校法人等」とあるのは「学校法人等及び国」と、同条第三項及び第六項中「当該学校法人等」とあるのは「当該学校法人等及び国」と、同法第二十九条第一項から第三項までの規定中「学校法人等」とあるのは「学校法人等及び国」とする。

4　前項の場合において学校法人等及び国が同項の規定により読み替えられた私立学校教職員共済法第二十八条第一項の規定により負担すべき掛金の額その他必要な事項は、政令で定める。

（子ども・子育て支援法の特例）

第十七条　私立大学派遣検察官等に関する子ども・子育て支援法（平成二十四年法律第六十五号）の規定の適用については、当該法科大学院設置者を同法第六十九条第一項第四号に規定する団体とみなす。

（一般職の職員の給与に関する法律の特例）

第十八条　第九条の規定は、第十一条第一項の規定により派遣された検察官等について準用する。この場合において、当該検察官等が法科大学院を置く公立大学に派遣されたものであるときは、第九条中「労働者災害補償保険法（昭和二十二年法律第五十号）第七条第二項」とあるのは、「地方公務員災害補償法（昭和四十二年法律第百二十一号）第二条第二項」とする。

（国家公務員退職手当法の特例）

第十九条　第十一条第一項の規定によ

り派遣された検察官等について準用する。この場合において、当該検察官等が法科大学院を置く公立大学に派遣されたものであるときは、第十条中「労働者災害補償保険法第七条第二項」とあるのは、「地方公務員災害補償法第二条第二項」とする。

2　第十一条第一項の規定により派遣された検察官等に関する国家公務員退職手当法第六条の四第一項及び第七条第四項の規定の適用については、第十一条第一項の規定による派遣の期間は、同法第六条の四第一項に規定する現実に職務をとることを要しない期間には該当しないものとみなす。

3　前項の規定は、第十一条第一項の規定により派遣された検察官等が当該法科大学院設置者から所得税法（昭和四十年法律第三十三号）第三十条第一項に規定する退職手当等（同法第三十一条の規定により退職手当等とみなされるものを含む。）の支払を受けた場合には、適用しない。

4　第十一条第一項の規定により派遣された検察官等がその派遣の期間中に退職した場合に支給する国家公務員退職手当法の規定による退職手当の算定の基礎となる俸給月額については、部内の他の職員との権衡上必要があると認められるときは、次条第一項の規定の例により、その額を調整することができる。

（派遣後の職務への復帰に伴う措置）

第二十条　第十一条第一項の規定により派遣された検察官等が職務に復帰した場合におけるその者の職務の級及び号俸については、部内の他の職員との権衡上必要と認められる範囲内において、人事院規則の定めるところにより、必要な調整を行うことができる。

2　前項に定めるもののほか、第十一条第一項の規定により派遣された検察官等が職務に復帰した場合における任用、給与等に関する処遇については、部内の他の職員との均衡を失することのないよう適切な配慮が加えられなければならない。

（社会保険関係法の適用関係等についての政令への委任）

第二十一条　この法律に定めるもののほか、検察官等が二以上の法科大学院において教授等の業務を行うものとして派遣された場合その他第四条第三項又は第十一条第一項の規定により派遣された検察官等に関する社会保険関係法（厚生年金保険法、国家公務員共済組合法、地方公務員等共済組合法、私立学校教職員共済法及び健康保険法（大正十一年法律第七十号）をいう。）の適用関係の調整を要する場合におけるその適用関係その他必要な事項は、政令で定める。

（最高裁判所規則及び人事院規則への委任）

第二十二条　この法律に定めるもののほか、法科大学院において裁判官が教授等の業務を行うための派遣に関し必要な事項は、最高裁判所規則で定める。

2　この法律に定めるもののほか、法科大学院において検察官等が教授等の業務を行うための派遣に関し必要な事項は、人事院規則で定める。

附　則（抄）

（施行期日）

1　この法律は、平成十六年四月一日から施行する。ただし、第三条、次項及び附則第三項の規定は、平成十五年十月一日から施行する。

（準備行為）

2　最高裁判所又は任命権者は、この法律の施行の日前に第三条第一項の要請があった場合においては、この法律の施行の日前においても、当該法科大学院設置者との間で第四条第一項若しくは第三項又は第十一条第一項の取決めをし、裁判官又は検察官等からこれらの規定の同意を得、その他当該法科大学院において裁判官又は検察官等が教授等の業務を行うための派遣に必要な準備行為をすることができる。

3　この法律の施行の日前においては、国立大学法人法第二条第二項に規定する国立大学に置かれる法科大学院に係る第三条第一項の要請は、同法附則第二条第一項の規定により指名された当該国立大学を設置する国立大学法人の学長となるべき者がするものとする。この場合において、前項の規定の適用については、同項中「当該法科大学院設置者」とあるのは、「当該国立大学法人の学長となるべき者」とする。

4　前項後段の規定により読み替えて適用される附則第二項の規定により最高裁判所又は任命権者と当該国立大学法人の学長となるべき者との間でされた取決めは、この法律の施行の日以後は、最高裁判所又は任命権者と当該国立大学法人との間でされた第四条第一項若しくは第三項又は第十一条第一項の取決めとしての効力を有するものとする。

（平成二十二年度等における子ども手当の支給に関する法律により適用される旧児童手当法の特例）

6　平成二十二年度等における子ども手当の支給に関する法律（平成二十二年法律第十九号）の規定により子ども手当の支給がされる私立大学派遣検察官等に関しては、第十七条の規定を準用する。この場合において、同条の見出し中「子ども・子育て支援法」とあるのは「平成二十二年度等における子ども手当の支給に関する法律が適用される場合における旧児童手当法」

と、同条中「子ども・子育て支援法（平成二十四年法律第六十五号）」とあるのは「平成二十二年度等における子ども手当の支給に関する法律（平成二十二年法律第十九号）第二十条第一項の規定による児童手当法の一部を改正する法律（平成二十四年法律第二十四号）附則第十一条の規定によりなおその効力を有するものとされた同法第一条の規定による改正前の児童手当法（昭和四十六年法律第七十三号）」と、「第六十九条第一項第四号」とあるのは「第二十条第一項第四号」と読み替えるものとする。

（平成二十三年度における子ども手当の支給等に関する特別措置法により適用される旧児童手当法の特例）

7 平成二十三年度における子ども手当の支給等に関する特別措置法（平成二十三年法律第百七号）の規定により子ども手当の支給がされる私立大学派遣検察官等に関しては、第十七条の規定を準用する。この場合において、同条の見出し中「子ども・子育て支援法」とあるのは「平成二十三年度における子ども手当の支給等に関する特別措置法が適用される場合における旧児童手当法」と、同条中「子ども・子育て支援法（平成二十四年法律第六十五号）」とあるのは「平成二十三年度における子ども手当の支給等に関する特別措置法（平成二十三年法律第百七号）第二十条第一項、第三項又は第五項の規定による児童手当法の一部を改正する法律（平成二十四年法律第二十四号）附則第十二条の規定によりなおその効力を有するものとされた同法第一条の規定による改正前の児童手当法（昭和四十六年法律第七十三号）」と、「第六十九条第一項第四号」とあるのは「第二十条第一項第四号」と読み替えるものとする。

○法科大学院への裁判官及び検察官その他の一般職の国家公務員の派遣に関する法律施行令

平一五・一二・二五
政令五四六

最終改正 令四・八・三政令二六七

（定義）

第一条 この政令において「法科大学院」、「検察官等」、「法科大学院設置者」、「教授等」、「私立大学」、「私立大学派遣検察官等」又は「公立大学」とは、それぞれ法科大学院への裁判官及び検察官その他の一般職の国家公務員の派遣に関する法律（以下「法」という。）第二条第一項若しくは第二項、第三条第一項、第十四条第一項又は第十五条第一項に規定する法科大学院、検察官等、法科大学院設置者、教授等、私立大学、私立大学派遣検察官等又は公立大学をいう。

（法科大学院において裁判官が行う教授等の業務に係る国庫納付金の金額及び納付の手続）

第二条 法第六条第二項に規定する政令で定める金額は、各年度（毎年四月一日から翌年三月三十一日までをいう。以下この条において同じ。）ごとに、五万円（当該裁判官が判事補である場合にあっては、三万円。以下この項において「基準額」という。）に、法第四条第一項の規定により当該裁判官が当該法科大学院において教授等の業務を行った日数を乗じて得た金額とする。ただし、同項の取決めにおいて当該法科大学院における教授等の業務が一日未満の単位で定められている場合にあっては、基準額に、当該年度において当該裁判官が当該法科大学院において教授等の業務を行った時間数を八時間を一日として日に換算して得た日数（一日未満の端数があるときは、これを四捨五入して得た日数）を乗じて得た金額とする。

2 法第六条第二項の規定による納付金は、会計法（昭和二十二年法律第三十五号）第四条の二に規定する歳入徴収官の発する納入告知書によって、当該裁判官が当該法科大学院において教授等の業務を行った年度の翌年度の六月十五日までに国庫に納付しなければならない。

（法科大学院に派遣された検察官等に関する国家公務員共済組合法の特例に係る負担金の金額）

第三条 法第八条第二項の規定により読み替えられた国家公務員共済組合法（昭和三十三年法律第百二十八号。以下この項において「読替え後の国共済法」という。）第九十九条第二項の規定により法科大学院設置者及び国が負担すべき金額は、各月ごとに、次の各号に掲げる者の区分に応じ、それぞれ当該各号に定める金額とする。

一 法科大学院設置者 当該検察官等に係る読替え後の国共済法第九十九条第二項の規定によりその月に全ての法科大学院設置者及び国が負担すべき金額の合計額に、法科大学院設置者が当該検察官等に支給した報酬（読替え後の国共済法第二条第一項第五号に規定する報酬をいう。）の額を基礎として報酬月額の算定に係る国家公務員共済組合法（以下「国共済法」という。）第四十条第五項、第八項、第十項、第十二項若しくは第十四項又は同条第十六項の規定の例により算定した額とその月に当該法科大学院設置者が当該検察官等に支給した期末手当等（読替え後の国共済法第二条第一項第六号に規定する期末手当等をいう。以下この号において同じ。）の額との合計額を当該検察官等の標準報酬の月額（国共済法第四十条第一項（同条第二項において読み替えて適用する場合を含む。）に規定する標準報酬の月額をいう。）の基礎となった報酬月額とその月に当該検察官等が受けた期末手当等の額との合計額で除して得た数を乗じて得た金額

二　国　当該検察官等に係る全ての法科大学院設置者及び国が負担すべき金額の合計額から全ての法科大学院設置者に係る前号に定める金額を控除した金額

2　前項の規定は、法第十四条第四項の規定により読み替えられた国共済法第九十九条第二項の規定により法科大学院設置者及び国が負担すべき金額について準用する。この場合において、前項第一号中「第九十九条第二項」とあるのは「第九十九条第二項第三号」と、「第四十条第一項（同条第二項において読み替えて適用する場合を含む。）」とあるのは「第四十条第一項」と読み替えるものとする。

（法科大学院に派遣された検察官等に関する厚生年金保険法による保険料の額）

第三条の二　厚生年金保険法施行令（昭和二十九年政令第百十号）第四条の二第二項第三号の規定により法科大学院設置者及び国が負担すべき保険料の額は、各月ごとに、次の各号に掲げる者の区分に応じ、それぞれ当該各号に定める額とする。

一　法科大学院設置者　当該検察官等である第二号厚生年金被保険者（厚生年金保険法（昭和二十九年法律第百十五号）第二条の五第一項第二号に規定する第二号厚生年金被保険者をいう。次号において同じ。）に係る同法第八十二条第四項の規定により読み替えて適用する同条第一項の規定によりその月に全ての法科大学院設置者及び国が負担すべき保険料の額の合計額に、法科大学院設置者が当該検察官等に支給した報酬（同法第三条第一項第三号に規定する報酬をいう。）の額を基礎として報酬月額の算定に係る同法第二十一条第一項、第二十二条第一項、第二十三条第一項、第二十三条の二第一項若しくは第二十三条の三第一項又は第二十四条の規定の例により算定した額とその月に当該法科大学院設置者が当該検察官等に支給した賞与（同法第三条第一項第四号に規定する賞与をいう。以下この号において同じ。）の額との合計額を当該検察官等の標準報酬月額（同法第二十条第一項に規定する標準報酬月額をいう。）の基礎となった報酬月額とその月に当該検察官等が受けた賞与の額との合計額で除して得た数を乗じて得た額

二　国　当該検察官等である第二号厚生年金被保険者に係る全ての法科大学院設置者及び国が負担すべき保険料の額の合計額から全ての法科大学院設置者に係る前号に定める額を控除した額

（法科大学院に派遣された検察官等に関する地方公務員等共済組合法等の特例）

第四条　法第十一条第一項の規定により法科大学院を置く公立大学に派遣された検察官等のうち法第十三条第二項ただし書の規定による給与の支給を受ける者に関する地方公務員等共済組合法（昭和三十七年法律第百五十二号。以下「地共済法」という。）第二条第一項及び第百十六条第一項並びに地方公務員等共済組合法施行令（昭和三十七年政令第三百五十二号。以下「地共済令」という。）第六十八条第二項の規定の適用については、地共済法第二条第一項第五号中「とし、その他の職員については、これらの給料及び手当に準ずるものとして政令で定めるもの」とあるのは「並びに法科大学院への裁判官及び検察官その他の一般職の国家公務員の派遣に関する法律（平成十五年法律第四十号）第十三条第二項ただし書の規定により支給される給与であつて、一般職の職員の給与に関する法律（昭和二十五年法律第九十五号）又は検察官の俸給等に関する法律（昭和二十三年法律第七十六号）の規定に基づく給与のうちこれらに相当するものとして公立学校共済組合の運営規則で定めるもの」と、同項第六号中「とし、その他の職員については、これらの手当に準ずるものとして政令で定めるもの」とあるのは「及び法科大学院への裁判官及び検察官その他の一般職の国家公務員の派遣に関する法律第十三条第二項ただし書の規定により支給される給与であつて、一般職の職員の給与に関する法律又は検察官の俸給等に関する法律の規定に基づく給与（報酬に該当しない給与に限る。）のうちこれらに相当するものとして公立学校共済組合の運営規則で定めるもの」と、地共済法第百十六条第一項中「第八十二条第一項」とあるのは「第八十二条第五項の規定により読み替えられた同条第一項」と、地共済令第六十八条第二項中「国の職員」とあるのは「法科大学院への裁判官及び検察官その他の一般職の国家公務員の派遣に関する法律第十一条第一項の規定により派遣された者」と、「地方公共団体」とあるの

は「地方公共団体又は特定地方独立行政法人」と、「国」とあるのは「地方公共団体及び国」とする。

2　法第十五条第一項の規定により読み替えられた地共済法（以下この項において「読替え後の地共済法」という。）第百十三条第二項の規定により地方公共団体及び国が負担すべき金額は、各月ごとに、次の各号に掲げる者の区分に応じ、それぞれ当該各号に定める金額とする。

一　地方公共団体　当該検察官等に係る読替え後の地共済法第百十三条第二項の規定によりその月に地方公共団体及び国が負担すべき金額の合計額に、当該地方公共団体が当該検察官等に支給した報酬（前項の規定により読み替えられた地共済法第二条第一項第五号に規定する報酬をいう。）の額を基礎として報酬月額の算定に係る地共済法第四十三条第五項、第八項、第十項、第十二項若しくは第十四項又は同条第十六項の規定の例により算定した額とその月に当該地方公共団体が当該検察官等に支給した期末手当等（前項の規定により読み替えられた地共済法第二条第一項第六号に規定する期末手当等をいう。以下この号において同じ。）の額との合計額を当該検察官等の標準報酬の月額（地共済法第五十四条の二に規定する標準報酬の月額をいう。以下同じ。）の基礎となった報酬月額とその月に当該検察官等が受けた期末手当等の額との合計額で除して得た数を乗じて得た金額

二　国　当該検察官等に係る当該地方公共団体及び国が負担すべき金額の合計額から前号に定める金額を控除した金額

3　厚生年金保険法施行令第四条の二第四項第六号イの規定により地方公共団体及び国が負担すべき保険料の額は、各月ごとに、次の各号に掲げる者の区分に応じ、それぞれ当該各号に定める額とする。

一　地方公共団体　当該検察官等である第三号厚生年金被保険者（厚生年金保険法第二条の五第一項第三号に規定する第三号厚生年金被保険者をいう。以下同じ。）に係る同法第八十二条第五項の規定により読み替えて適用する同条第一項の規定によりその月に地方公共団体及び国が負担すべき保険料の額の合計額に、当該地方公共団体が当該検察官等に支給した報酬（同法第三条第一項第三号に規定する報酬をいう。）の額を基礎として報酬月額の算定に係る同法第二十一条第一項、第二十二条第一項、第二十三条第一項、第二十三条の二第一項若しくは第二十三条の三第一項又は第二十四条の規定の例により算定した額とその月に当該地方公共団体が当該検察官等に支給した賞与（同法第三条第一項第四号に規定する賞与をいう。以下この号において同じ。）の額との合計額を当該検察官等の標準報酬月額（同法第二十条第一項に規定する標準報酬月額をいう。）の基礎となった報酬月額とその月に当該検察官等が受けた賞与の額との合計額で除して得た数を乗じて得た額

二　国　当該検察官等である第三号厚生年金被保険者に係る当該地方公共団体及び国が負担すべき保険料の額の合計額から前号に定める額を控除した額

（法科大学院に派遣された検察官等に関する私立学校教職員共済法等の特例に係る掛金の額等）

第五条　法第十六条第三項の規定により読み替えられた私立学校教職員共済法（昭和二十八年法律第二百四十五号。以下この条において「読替え後の私学共済法」という。）第二十八条第一項の規定により学校法人等（私立学校教職員共済法（以下「私学共済法」という。）第十四条第一項に規定する学校法人等をいう。以下この条及び第九条第三項において同じ。）及び国が負担すべき私立大学派遣検察官等の標準報酬月額（私学共済法第二十二条第一項に規定する標準報酬月額をいう。以下この条において同じ。）に係る掛金の額は、次の各号に掲げる者の区分に応じ、それぞれ当該各号に定める額とする。

一　学校法人等　当該私立大学派遣検察官等の標準報酬月額に係る掛金の半額に、当該学校法人等が当該私立大学派遣検察官等に支給した報酬（読替え後の私学共済法第二十二条第一項に規定する報酬をいう。）の額を基礎として報酬月額の算定に係る私学共済法第二十二条第五項、第八項若しくは第十項又は同条第十六項の規定の例により算定した額を当該私立大学派遣検察官等の標準報酬月額の基礎となった報酬月額で除して得た数を乗じて得た額

二　国　当該私立大学派遣検察官等の標準報酬月額に係る掛金の半額から前号に定める額を控除した額

2　読替え後の私学共済法第二十八条第一項の規定により学校法人等及び国が負担すべき私立大学派遣検察官等の標準賞与額（私学共済法第二十三条第一項に規定する標準賞与額をいう。以下この条において同じ。）に係る掛金の額は、次の各号に掲げる者の区分に応じ、それぞれ当該各号に定める額とする。

一　学校法人等　当該私立大学派遣検察官等の標準賞与額に係る掛金の半額に、その月に当該学校法人等が当該私立大学派遣検察官等に支給した賞与（私学

共済法第二十一条第二項に規定する賞与をいう。以下この号において同じ。）の額をその月に当該私立大学派遣検察官等が受けた賞与の額で除して得た数を乗じて得た額

二　国　当該私立大学派遣検察官等の標準賞与額に係る掛金の半額から前号に定める額を控除した額

3　読替え後の私学共済法第二十九条第一項の規定により学校法人等及び国がそれぞれ納付すべき掛金は、前二項の規定により学校法人等及び国がそれぞれ負担すべき掛金並びにこれに応ずる当該私立大学派遣検察官等が負担すべき掛金とする。

4　私立大学派遣検察官等に係る掛金の標準報酬月額及び標準賞与額に対する割合に関する私立学校教職員共済法施行令（昭和二十八年政令第四百二十五号）第二十九条の規定の適用については、同条中「千分の三十から千分の百四十五までの」とあるのは、「第十三条第三項に規定する」とする。

（職員引継一般地方独立行政法人である公立大学法人が設置する公立大学の法科大学院に派遣された検察官等に関する地方公務員等共済組合法等の特例）

第六条　法第十一条第一項の規定により法科大学院を置く公立大学（職員引継一般地方独立行政法人（地共済法第百四十一条の二に規定する職員引継一般地方独立行政法人をいう。以下同じ。）である公立大学法人（地方独立行政法人法（平成十五年法律第百十八号）第六十八条第一項に規定する公立大学法人をいう。以下同じ。）が設置するものに限る。）に派遣された検察官等のうち法第十三条第二項ただし書の規定による給与の支給を受ける者に関する地共済法第二条第一項及び第百四十一条の二並びに地共済令第六十八条第二項の規定の適用については、法第十五条第一項の規定にかかわらず、地共済法第二条第一項第五号中「とし、その他の職員については、これらの給料及び手当に準ずるものとして政令で定めるもの」とあるのは「並びに法科大学院への裁判官及び検察官その他の一般職の国家公務員の派遣に関する法律（平成十五年法律第四十号）第十三条第二項ただし書の規定により支給される給与であつて、一般職の職員の給与に関する法律（昭和二十五年法律第九十五号）又は検察官の俸給等に関する法律（昭和二十三年法律第七十六号）の規定に基づく給与のうちこれらに相当するものとして公立学校共済組合の運営規則で定めるもの」と、同項第六号中「とし、その他の職員については、これらの手当に準ずるものとして政令で定めるもの」とあるのは「及び法科大学院への裁判官及び検察官その他の一般職の国家公務員の派遣に関する法律第十三条第二項ただし書の規定により支給される給与であつて、一般職の職員の給与に関する法律又は検察官の俸給等に関する法律の規定に基づく給与（報酬に該当しない給与に限る。）のうちこれらに相当するものとして公立学校共済組合の運営規則で定めるもの」と、地共済法第百四十一条の二中「第六章、第百三十八条及び第百四十四条の三十一（見出しを含む。）中「特定地方独立行政法人」とあるのは「職員引継一般地方独立行政法人」とあるのは「第百十三条第六項中「特定地方独立行政法人の職員」とあるのは「職員引継一般地方独立行政法人の職員」と、「第六項に規定する職員団体又は特定地方独立行政法人」とあるのは「職員引継一般地方独立行政法人の負担金及び国」と、第百十五条第二項中「相当する手当」とあるのは「相当する手当及び国家公務員退職手当法（昭和二十八年法律第百八十二号）に基づく退職手当又はこれに相当する手当」と、第百十六条第一項中「地方公共団体の機関、特定地方独立行政法人又は職員団体」とあるのは「職員引継一般地方独立行政法人及び国の機関」と、「第八十二条第一項」とあるのは「第八十二条第五項の規定により読み替えられた同条第一項」と、「地方公共団体、特定地方独立行政法人又は職員団体」とあるのは「職員引継一般地方独立行政法人及び国」と、第百三十八条中「特定地方独立行政法人」とあるのは「職員引継一般地方独立行政法人」と、第百四十四条の三十一（見出しを含む。）中「地方公共団体又は特定地方独立行政法人」とあるのは「職員引継一般地方独立行政法人及び国」と、地共済令第六十八条第二項中「国の職員」とあるのは「法科大学院への裁判官及び検察官その他の一般職の国家公務員の派遣に関する法律第十一条第一項の規定により派遣された者」と、「地方公共団体」とあるのは「地方公共団体又は特定地方独立行政法人」と、「「国」とあるのは「「職員引継一般地方独立行政法人及び国」とする。

2　前項の規定により読み替えられた地共済法第百四十一条の二の規定により読み替えられた地共済法（以下この項において「読替え後の地共済法」という。）第百十三条第六項の規定により読み替えられた同条第二項の規定により職員引継一般地方独立行政法人及び国が負担すべき金額は、各月ごとに、次の各号に掲げる者の区分に応じ、それぞれ当該各号に定める金額とする。

一　職員引継一般地方独立行政法人　当該検察官等に係る読替え後の地共済法第百十三条第六項の規定に

より読み替えられた同条第二項の規定によりその月に職員引継一般地方独立行政法人及び国が負担すべき金額の合計額に、当該職員引継一般地方独立行政法人が当該検察官等に支給した給与のうち報酬（前項の規定により読み替えられた地共済法第二条第一項第五号に規定する報酬をいう。）に相当するものの額を基礎として報酬月額の算定に係る地共済法第四十三条第五項、第八項、第十項、第十二項若しくは第十四項又は同条第十六項の規定の例により算定した額とその月に当該職員引継一般地方独立行政法人が当該検察官等に支給した給与のうち期末手当等（前項の規定により読み替えられた地共済法第二条第一項第六号に規定する期末手当等をいう。以下この号において同じ。）に相当するものの額との合計額を当該検察官等の標準報酬の月額の基礎となった報酬月額とその月に当該検察官等が受けた期末手当等に相当するものの額との合計額で除して得た数を乗じて得た金額

二　国　当該検察官等に係る当該職員引継一般地方独立行政法人及び国が負担すべき金額の合計額から前号に定める金額を控除した金額

3　厚生年金保険法施行令第四条の二第四項第六号ロの規定により職員引継一般地方独立行政法人及び国が負担すべき保険料の額は、各月ごとに、次の各号に掲げる者の区分に応じ、それぞれ当該各号に定める額とする。

一　職員引継一般地方独立行政法人　当該検察官等である第三号厚生年金被保険者に係る厚生年金保険法第八十二条第五項の規定により読み替えて適用する同条第一項の規定によりその月に職員引継一般地方独立行政法人及び国が負担すべき保険料の額の合計額に、当該職員引継一般地方独立行政法人が当該検察官等に支給した報酬（同法第三条第一項第三号に規定する報酬をいう。次条第三項第一号、第七条第三項第一号及び第十条第四項第一号において同じ。）の額を基礎として報酬月額の算定に係る同法第二十一条第一項、第二十二条第一項、第二十三条第一項、第二十三条の二第一項若しくは第二十三条の三第一項又は第二十四条の規定の例により算定した額とその月に当該職員引継一般地方独立行政法人が当該検察官等に支給した賞与（同法第三条第一項第四号に規定する賞与をいう。以下同じ。）の額との合計額を当該検察官等の標準報酬月額（同法第二十条第一項に規定する標準報酬月額をいう。以下同じ。）の基礎となった報酬月額とその月に当該検察官等が受けた賞与の額との合計額で除して得た数を乗じて得た額

二　国　当該検察官等である第三号厚生年金被保険者に係る当該職員引継一般地方独立行政法人及び国が負担すべき保険料の額の合計額から前号に定める額を控除した額

（職員引継等合併一般地方独立行政法人である公立大学法人が設置する公立大学の法科大学院に派遣された検察官等に関する地方公務員等共済組合法等の特例）

第六条の二　法第十一条第一項の規定により法科大学院を置く公立大学（職員引継等合併一般地方独立行政法人（地共済法第百四十一条の四に規定する職員引継等合併一般地方独立行政法人をいう。以下同じ。）である公立大学法人が設置するものに限る。）に派遣された検察官等のうち法第十三条第二項ただし書の規定による給与の支給を受ける者に関する地共済法第二条第一項及び第百四十一条の四並びに地共済令第六十八条第二項の規定の適用については、法第十五条第一項の規定にかかわらず、地共済法第二条第一項第五号中「とし、その他の職員については、これらの給料及び手当に準ずるものとして政令で定めるもの」とあるのは「並びに法科大学院への裁判官及び検察官その他の一般職の国家公務員の派遣に関する法律（平成十五年法律第四十号）第十三条第二項ただし書の規定により支給される給与であつて、一般職の職員の給与に関する法律（昭和二十五年法律第九十五号）又は検察官の俸給等に関する法律（昭和二十三年法律第七十六号）の規定に基づく給与のうちこれらに相当するものとして公立学校共済組合の運営規則で定めるもの」と、同項第六号中「とし、その他の職員については、これらの手当に準ずるものとして政令で定めるもの」とあるのは「及び法科大学院への裁判官及び検察官その他の一般職の国家公務員の派遣に関する法律第十三条第二項ただし書の規定により支給される給与であつて、一般職の職員の給与に関する法律又は検察官の俸給等に関する法律の規定に基づく給与（報酬に該当しない給与に限る。）のうちこれらに相当するものとして公立学校共済組合の運営規則で定めるもの」と、地共済法第百四十一条の四中「第六章、第百三十八条及び第百四十四条の三十一（見出しを含む。）中「特定地方独立行政法人」とあるのは「職員引継等合併一般地方独立行政法人」と」とあるのは「第百十三条第六項中「特定地方独立行政法人の職員」とあるのは「職員引継等合併一般地方独立行政法人の職員」と、「第六項に規定する職員団体又は特定地方独立行政法人」とあるの

は「職員引継等合併一般地方独立行政法人の負担金及び国」と、第百十五条第二項中「相当する手当」とあるのは「相当する手当及び国家公務員退職手当法（昭和二十八年法律第百八十二号）に基づく退職手当又はこれに相当する手当」と、第百十六条第一項中「地方公共団体の機関、特定地方独立行政法人又は職員団体」とあるのは「職員引継等合併一般地方独立行政法人及び国の機関」と、「第八十二条第一項」とあるのは「第八十二条第五項の規定により読み替えられた同条第一項」と、「地方公共団体、特定地方独立行政法人又は職員団体」とあるのは「職員引継等合併一般地方独立行政法人及び国」と、第百三十八条中「特定地方独立行政法人」とあるのは「職員引継等合併一般地方独立行政法人」と、第百四十四条の三十一（見出しを含む。）中「地方公共団体又は特定地方独立行政法人」とあるのは「職員引継等合併一般地方独立行政法人及び国」」と、地共済令第六十八条第二項中「国の職員」とあるのは「法科大学院への裁判官及び検察官その他の一般職の国家公務員の派遣に関する法律第十一条第一項の規定により派遣された者」と、「地方公共団体」とあるのは「地方公共団体又は特定地方独立行政法人」と、「国」とあるのは「職員引継等合併一般地方独立行政法人及び国」とする。

2　前項の規定により読み替えられた地共済法第百四十一条の四の規定により読み替えられた地共済法（以下この項において「読替え後の地共済法」という。）第百十三条第六項の規定により読み替えられた同条第二項の規定により職員引継等合併一般地方独立行政法人及び国が負担すべき金額は、各月ごとに、次の各号に掲げる者の区分に応じ、それぞれ当該各号に定める金額とする。

一　職員引継等合併一般地方独立行政法人　当該検察官等に係る読替え後の地共済法第百十三条第六項の規定により読み替えられた同条第二項の規定によりその月に職員引継等合併一般地方独立行政法人及び国が負担すべき金額の合計額に、当該職員引継等合併一般地方独立行政法人が当該検察官等に支給した給与のうち報酬（前項の規定により読み替えられた地共済法第二条第一項第五号に規定する報酬をいう。）に相当するものの額を基礎として報酬月額の算定に係る地共済法第四十三条第五項、第八項、第十項、第十二項若しくは第十四項又は同条第十六項の規定の例により算定した額とその月に当該職員引継等合併一般地方独立行政法人が該当検察官等に支給した給与のうち期末手当等（前項の規定により読み替えられた地共済法第二条第一項第六号に規定する期末手当等をいう。以下この号において同じ。）に相当するものの額との合計額を当該検察官等の標準報酬の月額の基礎となった報酬月額とその月に当該検察官等が受けた期末手当等に相当するものの額との合計額で除して得た数を乗じて得た金額

二　国　当該検察官等に係る当該職員引継等合併一般地方独立行政法人及び国が負担すべき金額の合計額から前号に定める金額を控除した金額

3　厚生年金保険法施行令第四条の二第四項第六号ハの規定により職員引継等合併一般地方独立行政法人及び国が負担すべき保険料の額は、各月ごとに、次の各号に掲げる者の区分に応じ、それぞれ当該各号に定める額とする。

一　職員引継等合併一般地方独立行政法人　当該検察官等である第三号厚生年金被保険者に係る厚生年金保険法第八十二条第五項の規定により読み替えて適用する同条第一項の規定によりその月に職員引継等合併一般地方独立行政法人及び国が負担すべき保険料の額の合計額に、当該職員引継等合併一般地方独立行政法人が当該検察官等に支給した報酬の額を基礎として報酬月額の算定に係る同法第二十一条第一項、第二十二条第一項、第二十三条第一項、第二十三条の二第一項若しくは第二十三条の三第一項又は第二十四条の規定の例により算定した額とその月に当該職員引継等合併一般地方独立行政法人が当該検察官等に支給した賞与の額との合計額を当該検察官等の標準報酬月額の基礎となった報酬月額とその月に当該検察官等が受けた賞与の額との合計額で除して得た数を乗じて得た額

二　国　当該検察官等である第三号厚生年金被保険者に係る当該職員引継等合併一般地方独立行政法人及び国が負担すべき保険料の額の合計額から前号に定める額を控除した額

（職員引継一般地方独立行政法人及び職員引継等合併一般地方独立行政法人以外の公立大学法人が設置する公立大学の法科大学院に派遣された検察官等に関する地方公務員等共済組合法等の特例）

第七条　法第十一条第一項の規定により法科大学院を置く公立大学（職員引継一般地方独立行政法人及び職員引継等合併一般地方独立行政法人以外の公立大学法人が設置するものに限る。）に派遣された検察官等のうち法第十三条第二項ただし書の規定による給与の支給を受ける者に関する地共済法第百四十四条の三第二項、第百四十四条の十二及び第百四十四条の三十一の

規定の適用については、法第十五条第一項の規定にかかわらず、地共済法第百四十四条の三第二項の表第二条第一項第五号の項中「相当するもの」とあるのは「相当するもの並びに法科大学院への裁判官及び検察官その他の一般職の国家公務員の派遣に関する法律（平成十五年法律第四十号）第十三条第二項ただし書の規定により支給される給与であつて、一般職の職員の給与に関する法律（昭和二十五年法律第九十五号）又は検察官の俸給等に関する法律（昭和二十三年法律第七十六号）の規定に基づく給与のうちこれらに相当するものとして地方職員共済組合の運営規則で定めるもの」と、同表第二条第一項第六号の項中「相当するもの」とあるのは「相当するもの及び法科大学院への裁判官及び検察官その他の一般職の国家公務員の派遣に関する法律第十三条第二項ただし書の規定により支給される給与であつて、一般職の職員の給与に関する法律又は検察官の俸給等に関する法律の規定に基づく給与（報酬に該当しない給与に限る。）のうちこれらに相当するものとして地方職員共済組合の運営規則で定めるもの」と、同表第百十三条第二項各号列記以外の部分の項の下欄中「団体（第百四十四条の三第一項に規定する団体をいう。以下この条において同じ。）」とあるのは「団体（第百四十四条の三第一項に規定する団体をいう。以下この条において同じ。）の負担金及び国」と、同表中

「

第百十三条第二項第三号及び第四号	地方公共団体	団体

」とあるのは

「

第百十三条第二項第三号及び第四号	地方公共団体	団体及び国
第百十五条第二項	相当する手当	相当する手当及び国家公務員退職手当法（昭和二十八年法律第百八十二号）に基づく退職手当又はこれに相当する手当

」と、地共済法第百四十四条の十二第一項中「団体は、その使用する団体組合員」とあるのは「団体及び国は、団体組合員」と、同条第二項から第五項までの規定中「団体は」とあるのは「団体及び国は」と、地共済法第百四十四条の三十一の見出し中「地方公共団体又は特定地方独立行政法人」とあるのは「国」と、同条中「地方公共団体又は特定地方独立行政法人」とあるのは「国」と、「組合員」とあるのは「団体組合員」と、「組合に」とあるのは「地方職員共済組合に」と、「組合の」とあるのは「地方職員共済組合の」とする。

2 前項の規定により読み替えられた地共済法第百四十四条の三第二項の規定により読み替えられた地共済法（以下この項において「読替え後の地共済法」という。）第百十三条第二項の規定により団体（地共済法第百四十四条の三第一項に規定する団体をいう。以下この項において同じ。）及び国が負担すべき金額は、各月ごとに、次の各号に掲げる者の区分に応じ、それぞれ当該各号に定める金額とする。

一 団体 当該検察官等に係る読替え後の地共済法第百十三条第二項（第一号及び第二号を除く。）の規定によりその月に団体及び国が負担すべき金額の合計額に、当該団体が当該検察官等に支給した報酬（読替え後の地共済法第二条第一項第五号に規定する報酬をいう。）の額を基礎として報酬月額の算定に係る地共済法第四十三条第五項、第八項、第十項、第十二項若しくは第十四項又は同条第十六項の規定の例により算定した額とその月に当該団体が当該検察官等に支給した期末手当等（読替え後の地共済法第二条第一項第六号に規定する期末手当等をいう。以下この号において同じ。）の額との合計額を当該検察官等の標準報酬の月額の基礎となつた報酬月額とその月に当該検察官等が受けた期末手当等の額との合計額で除して得た数を乗じて得た金額

二 国 当該検察官等に係る当該団体及び国が負担すべき金額の合計額から前号に定める金額を控除した金額

3 厚生年金保険法施行令第四条の二第四項第六号ニの規定により団体及び国が負担すべき保険料の額は、各月ごとに、次の各号に掲げる者の区分に応じ、それぞれ当該各号に定める額とする。

一 団体 当該検察官等である第三号厚生年金被保険者に係る厚生年金保険法第八十二条第五項の規定により読み替えて適用する同条第一項の規定によりその月に団体及び国が負担すべき保険料の額の合計額に、当該団体が当該検察官等に支給した報酬の額を基礎として報酬月額の算定に係る同法第二十一条第一項、第二十二条第一項、第二十三条第一項、第二十三条の二第一項若しくは第二十三条の三第一項又は第二十四条の規定の例により算定した額とその月

に当該団体が当該検察官等に支給した賞与の額との合計額を当該検察官等の標準報酬月額の基礎となった報酬月額とその月に当該検察官等が受けた賞与の額との合計額で除して得た数を乗じて得た額

二　国　当該検察官等である第三号厚生年金被保険者に係る当該団体及び国が負担すべき保険料の額の合計額から前号に定める額を控除した額

（二以上の法科大学院において教授等の業務を行うものとして派遣された検察官等に関する国家公務員共済組合法等の特例）

第八条　国共済法第三十九条第二項の規定及び国共済法の短期給付に関する規定（国共済法第六十八条の三の規定を除く。以下この項において同じ。）は、法第十一条第一項の規定により二以上の法科大学院において教授等の業務を行うものとして派遣された検察官等（以下この条及び次条において「複数校派遣検察官等」という。）のうち当該派遣に係る法科大学院のいずれかが私立大学等（私立大学又は公立大学をいう。以下この項及び第十一条第一項において同じ。）に置かれたものである者（当該派遣に係る法科大学院の置かれた私立大学に係る私学共済法の規定による私立学校教職員共済制度の加入者（次条第二項及び第三項並びに第十一条第一項において「私学共済制度の加入者」という。）となった者又は当該派遣に係る法科大学院の置かれた私立大学等に係る健康保険組合の組合員である被保険者となった者に限る。以下この条において「私立大学等複数校派遣検察官等」という。）には、適用しない。この場合において、国共済法の短期給付に関する規定の適用を受ける職員（国共済法第二条第一項第一号に規定する職員をいう。以下この項において同じ。）が私立大学等複数校派遣検察官等となったときは、国共済法の短期給付に関する規定の適用については、そのなった日の前日に退職（国共済法第二条第一項第四号に規定する退職をいう。）をしたものとみなし、私立大学等複数校派遣検察官等が国共済法の短期給付に関する規定の適用を受ける職員となったときは、国共済法の短期給付に関する規定の適用については、そのなった日に職員となったものとみなす。

２　複数校派遣検察官等に関する国共済法の規定（私立大学等複数校派遣検察官等に関しては、国共済法の長期給付に関する規定に限る。）の適用については、当該派遣に係る法科大学院における教授等の業務を公務とみなす。

３　私立大学等複数校派遣検察官等は、国共済法第九十八条第一項各号に掲げる福祉事業を利用することができない。

４　法第八条第二項の規定並びに第三条第一項及び第三条の二の規定は、複数校派遣検察官等（私立大学等複数校派遣検察官等を除く。）について準用する。

５　法第十四条第四項の規定並びに第三条第二項において準用する同条第一項の規定及び第三条の二の規定は、私立大学等複数校派遣検察官等について準用する。

６　複数校派遣検察官等に関する子ども・子育て支援法（平成二十四年法律第六十五号）の規定の適用については、当該派遣に係る法科大学院設置者（地方公共団体及び国立大学法人（国立大学法人法（平成十五年法律第百十二号）第二条第一項に規定する国立大学法人をいう。）を除く。）を子ども・子育て支援法第六十九条第一項第四号に規定する団体とみなす。

（二以上の法科大学院において教授等の業務を行うものとして派遣された検察官等に関する私立学校教職員共済法等の特例）

第九条　私学共済法の退職等年金給付に関する規定は、複数校派遣検察官等には、適用しない。

２　法第十六条第三項の規定は、複数校派遣検察官等のうち当該派遣に係る法科大学院のいずれかが私立大学に置かれたものである者（私学共済制度の加入者となった者に限る。）について準用する。

３　第五条第一項及び第二項の規定は前項において読み替えて準用する法第十六条第三項の規定により読み替えられた私学共済法（以下この項において「読替え後の私学共済法」という。）第二十八条第一項の規定により学校法人等及び国が負担すべき掛金の額について、第五条第三項の規定は読替え後の私学共済法第二十九条第一項の規定により学校法人等及び国が納付すべき掛金について、第五条第四項の規定は複数校派遣検察官等のうち当該派遣に係る法科大学院のいずれかが私立大学に置かれたものである者（私学共済制度の加入者となった者に限る。）に係る私立学校教職員共済法施行令第二十九条の規定による掛金の割合について、それぞれ準用する。

（職務とともに教授等の業務を行う警察庁所属職員等に関する地方公務員等共済組合法等の特例）

第十条　法第四条第三項の規定により派遣された警察庁の所属職員及び警察法（昭和二十九年法律第百六十二号）第五十六条第一項に規定する地方警務官である者（以下「警察庁所属職員等」という。）に関する地共済法の規定の適用については、当該法科大学院における教授等の業務を公務とみなす。

2　法第四条第三項の規定により派遣された警察庁所属職員等に関する地共済法の規定の適用については、地共済法第百四十二条第二項の表第二条第一項第五号の項中「とし、その他の職員については、これらに準ずる給与として政令で定めるもの」とあるのは「並びにこれらに相当するものとして警察共済組合の運営規則で定めるもの」と、同表第二条第一項第六号の項中「準ずるもの」とあるのは「準ずるものとして政令で定めるもの」と、「とし、その他の職員については、これらに準ずる給与」とあるのは「並びにこれらに相当するものとして警察共済組合の運営規則で定めるもの」と、同表第百十三条第二項各号列記以外の部分の項中「地方公共団体」とあるのは「次の各号に掲げるものは、当該各号に掲げる割合により、組合員の掛金及び地方公共団体」と、「国の」とあるのは「第三号に掲げるものは、同号に掲げる割合により、組合員の掛金並びに法科大学院への裁判官及び検察官その他の一般職の国家公務員の派遣に関する法律（平成十五年法律第四十号）第三条第一項に規定する法科大学院設置者（以下「法科大学院設置者」という。）及び国の」と、同表中

「

第百十三条第二項各号から第三項まで	地方公共団体	国

」

とあるのは

「

第百十三条第二項各号	地方公共団体	法科大学院設置者及び国
第百十三条第三項から第五項まで	地方公共団体	国

」

と、

「

第百十六条第一項	地方公共団体の機関	国の機関
	規定により地方公共団体	規定により国
	職員団体（第三項において「地方公共団体等」という。）	職員団体

」

とあるのは

「

第百十六条第一項	地方公共団体の機関、特定地方独立行政法人又は職員団体	法科大学院設置者及び国の機関
	第八十二条第一項	第八十二条第五項の規定により読み替えられた同条第一項
	地方公共団体、特定地方独立行政法人又は職員団体（第三項において「地方公共団体等」という。）	法科大学院設置者及び国

」

とする。

3　前項の規定により読み替えられた地共済法第百四十二条第二項の規定により読み替えられた地共済法（以下この項において「読替え後の地共済法」という。）第百十三条第二項の規定により法科大学院設置者及び国が負担すべき金額は、各月ごとに、次の各号に掲げる者の区分に応じ、それぞれ当該各号に定める金額とする。

一　法科大学院設置者　当該国の職員（地共済法第百四十二条第一項に規定する国の職員をいう。以下この条及び次条第一項において同じ。）に係る読替え後の地共済法第百十三条第二項の規定によりその月に全ての法科大学院設置者及び国が負担すべき金額の合計額に、当該法科大学院設置者が当該国の職員に支給した報酬（読替え後の地共済法第二条第一項第五号に規定する報酬をいう。）の額を基礎として報酬月額の算定に係る地共済法第四十三条第五項、第八項、第十項、第十二項若しくは第十四項又は同条第十六項の規定の例により算定した額とその月に当該法科大学院設置者が当該国の職員に支給した期末手当等（読替え後の地共済法第二条第一項第六号に規定する期末手当等をいう。以下この号において同じ。）の額との合計額を当該国の職員の標準報酬の月額の基礎となった報酬月額とその月に当該国の職員が受けた期末手当等の額との合計額で除して得た数を乗じて得た金額

二　国　当該国の職員に係る全ての法科大学院設置者

及び国が負担すべき金額の合計額から全ての法科大学院設置者に係る前号に定める金額を控除した金額

4 厚生年金保険法施行令第四条の二第四項第五号の規定により法科大学院設置者及び国が負担すべき保険料の額は、各月ごとに、次の各号に掲げる者の区分に応じ、それぞれ当該各号に定める額とする。

一 法科大学院設置者 当該国の職員である第三号厚生年金被保険者に係る厚生年金保険法第八十二条第五項の規定により読み替えて適用する同条第一項の規定によりその月に全ての法科大学院設置者及び国が負担すべき保険料の額の合計額に、当該法科大学院設置者が当該国の職員に支給した報酬の額を基礎として報酬月額の算定に係る同法第二十一条第一項、第二十二条第一項、第二十三条第一項、第二十三条の二第一項若しくは第二十三条の三第一項又は第二十四条の規定の例により算定した額とその月に当該法科大学院設置者が当該国の職員に支給した賞与の額との合計額を当該国の職員の標準報酬月額の基礎となった報酬月額とその月に当該国の職員が受けた賞与の額との合計額で除して得た数を乗じて得た額

二 国 当該国の職員である第三号厚生年金被保険者に係る全ての法科大学院設置者及び国が負担すべき保険料の額の合計額から全ての法科大学院設置者に係る前号に定める額を控除した額

（専ら教授等の業務を行う警察庁所属職員等に関する地方公務員等共済組合法等の特例）

第十一条 地共済法第四十二条第二項の規定及び地共済法の短期給付に関する規定（地共済法第七十条の三の規定を除く。以下この項において同じ。）は、法第十一条第一項の規定により法科大学院を置く私立大学等に派遣された警察庁所属職員等（当該派遣に係る法科大学院の置かれた私立大学に係る私学共済制度の加入者又は当該派遣に係る法科大学院の置かれた私立大学等に係る健康保険組合の組合員である被保険者となった者（地共済法第百四十四条の三第一項に規定する団体職員となった者を除く。）に限る。以下この条及び次条第一項において「私立大学等派遣警察庁所属職員等」という。）には、適用しない。この場合において、地共済法の短期給付に関する規定の適用を受ける国の職員が私立大学等派遣警察庁所属職員等となったときは、地共済法の短期給付に関する規定の適用については、そのなった日の前日に退職（地共済法第二条第一項第四号に規定する退職をいう。）をしたものとみなし、私立大学等派遣警察庁所属職員等が地共済法の短期給付に関する規定の適用を受ける国の職員となったときは、地共済法の短期給付に関する規定の適用については、そのなった日に地共済法第二条第一項第一号に規定する職員となったものとみなす。

2 私立大学等派遣警察庁所属職員等に関する地共済法の退職等年金給付に関する規定の適用については、当該派遣に係る法科大学院における教授等の業務を公務とみなす。

3 私立大学等派遣警察庁所属職員等は、地共済法第五章に規定する福祉事業を利用することができない。

4 私立大学等派遣警察庁所属職員等に関する地共済法の規定の適用については、地共済法第百四十二条第二項の表第二条第一項第五号の項中「とし、その他の職員については、これらに準ずる給与として政令で定めるもの」とあるのは「並びにこれらに相当するものとして警察共済組合の運営規則で定めるもの」と、同表第二条第一項第六号の項中「準ずるもの」とあるのは「準ずるものとして政令で定めるもの」と、「とし、その他の職員については、これらに準ずる給与」とあるのは「並びにこれらに相当するものとして警察共済組合の運営規則で定めるもの」と、同表第百十三条第二項各号列記以外の部分の項中「地方公共団体」とあるのは「次の各号に掲げるものは、当該各号に掲げる割合により、組合員の掛金及び地方公共団体」と、「国の」とあるのは「第三号に掲げるものは、同号に掲げる割合により、組合員の掛金並びに法科大学院への裁判官及び検察官その他の一般職の国家公務員の派遣に関する法律（平成十五年法律第四十号）第三条第一項に規定する法科大学院設置者（以下「法科大学院設置者」という。）及び国の」と、同表中

「

第百十三条第二項各号、第三項から第五項まで	地方公共団体	国

」

とあるのは

「

第百十三条第二項第三号	地方公共団体	法科大学院設置者及び国
第百十三条第三項から第五項まで	地方公共団体	国

」

と、

「

第百十六条	地方公共団体	国の機関

第一項	体の機関	
	規定により地方公共団体	規定により国
	職員団体（第三項において「地方公共団体等」という。）	職員団体

」とあるのは

「

第百十六条第一項	地方公共団体の機関、特定地方独立行政法人又は職員団体	法科大学院設置者及び国の機関
	第八十二条第一項	第八十二条第五項の規定により読み替えられた同条第一項
	地方公共団体、特定地方独立行政法人又は職員団体（第三項において「地方公共団体等」という。）	法科大学院設置者及び国

」とする。

5　前条第三項の規定は、前項の規定により読み替えられた地共済法第百四十二条第二項の規定により読み替えられた地共済法第百十三条第二項の規定により法科大学院設置者及び国が負担すべき金額について準用する。この場合において、前条第三項第一号中「第百十三条第二項」とあるのは、「第百十三条第二項（第三号に係る部分に限る。）」と読み替えるものとする。

6　前条第四項の規定は、第四項の規定により読み替えられた地共済法第百四十二条第二項の規定により読み替えられた地共済法第百十六条第一項の規定により法科大学院設置者及び国が負担すべき保険料の額について準用する。

7　私立大学等派遣警察庁所属職員等に関する子ども・子育て支援法の規定の適用については、当該派遣に係る法科大学院設置者（地方公共団体及び公立大学法人を除く。）を同法第六十九条第一項第三号に規定する団体とみなす。

（二以上の法科大学院において教授等の業務を行うものとして派遣された警察庁所属職員等に関する地方公務員等共済組合法等の特例）

第十二条　法第十一条第一項の規定により二以上の法科大学院において教授等の業務を行うものとして派遣された警察庁所属職員等（私立大学等派遣警察庁所属職員等である者を除く。以下この条において「複数校派遣警察庁所属職員等」という。）に関する地共済法の規定の適用については、当該派遣に係る法科大学院における教授等の業務を公務とみなす。

2　第十条第二項から第四項までの規定は、複数校派遣警察庁所属職員等について準用する。

3　複数校派遣警察庁所属職員等に関する子ども・子育て支援法の規定の適用については、当該派遣に係る法科大学院設置者（地方公共団体及び公立大学法人を除く。）を同法第六十九条第一項第三号に規定する団体とみなす。

附　則（抄）

（施行期日）

1　この政令は、法の施行の日（平成十六年四月一日）から施行する。

（子ども・子育て支援法及び就学前の子どもに関する教育、保育等の総合的な提供の推進に関する法律の一部を改正する法律の施行に伴う関係法律の整備等に関する法律によりなお従前の例によることとされた改正前の児童手当法に係る特例）

2　子ども・子育て支援法及び就学前の子どもに関する教育、保育等の総合的な提供の推進に関する法律の一部を改正する法律の施行に伴う関係法律の整備等に関する法律（平成二十四年法律第六十七号）第三十八条の規定によりその徴収についてなお従前の例によることとされた同法第三十六条の規定による改正前の児童手当法（昭和四十六年法律第七十三号）第二十条の拠出金に関する規定が適用される場合における第八条、第十一条及び第十二条の規定の適用については、第八条第六項中「子ども・子育て支援法（平成二十四年法律第六十五号）」とあるのは「子ども・子育て支援法及び就学前の子どもに関する教育、保育等の総合的な提供の推進に関する法律の一部を改正する法律の施行に伴う関係法律の整備等に関する法律（平成二十四年法律第六十七号）第三十八条の規定によりその徴収についてなお従前の例によることとされた第三十六条の規定による改正前の児童手当法（昭和四十六年法律第七十三号。以下「旧児童手当法」という。）」と、「子ども・子育て支援法第六十九条第一項第四号」とあるのは「旧児童手当法第二十条第一項第四号」と、第十一条第六項及び第十二条第三項中「子ども・子育て支援法」とあるのは「子ども・子育て支援法及び就学前の子どもに関する教育、保育等の総合的な提供の推進に関する法律の一部を改正する法律の施行に伴う関係法律の整備等に関する法律第三十八条の規定によりその徴収についてなお従前の例によることとされた旧児童手当法」と、「同法第六十九条第一項第三号」とあるのは「旧児童手当法第二十条第一項第三号」とする。

3　（平成二十二年度等における子ども手当の支給に関する法律により適用される旧児童手当法に係る特例）

平成二十二年度等における子ども手当の支給に関する法律（平成二十二年法律第十九号）の規定が適用される場合における第八条、第十一条及び第十二条の規定の適用については、第八条第六項中「子ども・子育て支援法（平成二十四年法律第六十五号）」とあるのは「平成二十二年度等における子ども手当の支給に関する法律（平成二十二年法律第十九号。以下「平成二十二年度子ども手当支給法」という。）第二十条第一項の規定による児童手当法の一部を改正する法律（平成二十四年法律第二十四号）附則第十一条の規定によりなおその効力を有するものとされた同法第一条の規定による改正前の児童手当法（昭和四十六年法律第七十三号。以下「旧児童手当法」という。）」と、「子ども・子育て支援法第六十九条第一項第四号」とあるのは「旧児童手当法第二十条第一項第四号」と、第十一条第六項及び第十二条第三項中「子ども・子育て支援法」とあるのは「平成二十二年度子ども手当支給法第二十条第一項の規定による児童手当法の一部を改正する法律附則第十一条の規定によりなおその効力を有するものとされた旧児童手当法」と、「同法第六十九条第一項第三号」とあるのは「旧児童手当法第二十条第一項第三号」とする。

4　（平成二十三年度における子ども手当の支給等に関する特別措置法により適用される旧児童手当法に係る特例）

平成二十三年度における子ども手当の支給等に関する特別措置法（平成二十三年法律第百七号）の規定が適用される場合における第八条、第十一条及び第十二条の規定の適用については、第八条第六項中「子ども・子育て支援法（平成二十四年法律第六十五号）」とあるのは「平成二十三年度における子ども手当の支給等に関する特別措置法（平成二十三年法律第百七号。以下「平成二十三年度子ども手当支給特別措置法」という。）第二十条第一項、第三項又は第五項の規定による児童手当法の一部を改正する法律（平成二十四年法律第二十四号）附則第十二条の規定によりなおその効力を有するものとされた同法第一条の規定による改正前の児童手当法（昭和四十六年法律第七十三号。以下「旧児童手当法」という。）」と、「子ども・子育て支援法第六十九条第一項第四号」とあるのは「旧児童手当法第二十条第一項第四号」と、第十一条第六項及び第十二条第三項中「子ども・子育て支援法」とあるのは「平成二十三年度子ども手当支給特別措置法第二十条第一項、第三項又は第五項の規定による児童手当法の一部を改正する法律附則第十二条の規定によりなおその効力を有するものとされた旧児童手当法」と、「同法第六十九条第一項第三号」とあるのは「旧児童手当法第二十条第一項第三号」とする。

5　（国庫納付金の金額の算定の基準額に関する検討）

第二条第一項に規定する基準額については、法科大学院における教授等の業務に係る報酬等（報酬、賃金、給料、俸給、手当、賞与その他いかなる名称であるかを問わず、教授等の業務の対償として受けるすべてのものをいう。）の実情等を勘案し、適宜、当該額の見直しその他の措置について検討を加え、必要があると認めるときは、その結果に基づいて所要の措置を講ずるものとする。

○人事院規則二四―〇（検察官その他の職員の法科大学院への派遣）

平一五・一〇・一公布
平一六・四・一施行
最終改正　令六・一・二三規則九―一五一

（趣旨）
第一条　この規則は、法科大学院派遣法に規定する検察官等の法科大学院への派遣に関し必要な事項を定めるものとする。

（定義）
第二条　この規則において、「法科大学院」、「検察官等」、「任命権者」、「法科大学院設置者」又は「教授等」とは、それぞれ法科大学院派遣法第二条各項又は第三条第一項に規定する法科大学院、検察官等、任命権者、法科大学院設置者又は教授等をいう。

2　この規則において、次の各号に掲げる用語の意義は、当該各号に定めるところによる。
一　第四条派遣検察官等　法科大学院派遣法第四条第三項の規定により派遣された検察官等をいう。
二　第十一条派遣検察官等　法科大学院派遣法第十一条第一項の規定により派遣された検察官等をいう。
三　派遣先法科大学院　第四条派遣検察官等又は第十一条派遣検察官等が教授等の業務を行う法科大学院をいう。

（派遣除外職員）
第三条　法科大学院派遣法第二条第二項の人事院規則で定める職員は、次に掲げる職員とする。
一　条件付採用期間中の職員
二　法第八十一条の五第一項から第四項までの規定により異動期間（これらの規定により延長された期間を含む。）を延長された管理監督職を占める職員
三　勤務延長職員
四　休職者
五　停職者
六　派遣法第三条に規定する派遣職員
七　官民人事交流法第八条第二項に規定する交流派遣職員
八　福島復興再生特別措置法（平成二十四年法律第二十五号）第四十八条の三第七項又は第八十九条の三第七項に規定する派遣職員
九　令和七年国際博覧会特措法第二十五条第七項に規定する派遣職員
十　令和九年国際園芸博覧会特措法第十五条第七項に規定する派遣職員
十一　判事補及び検事の弁護士職務経験に関する法律（平成十六年法律第百二十一号）第二条第四項の規定により弁護士となってその職務を行う職員
十二　規則八―一二（職員の任免）第四十二条第二項の規定により任期を定めて採用された職員その他任期を限られた職員

（任命権者）
第四条　法科大学院派遣法第二条第三項の任命権者には、併任に係る官職の任命権者は含まれないものとする。

（派遣の要請）
第五条　法科大学院派遣法第三条第一項の規定に基づき検察官等の派遣を要請しようとする法科大学院設置者は、当該派遣を必要とする事由及び次に掲げる当該派遣に関して希望する条件を記載した書類を任命権者に提出するものとする。
一　派遣に係る検察官等に必要な専門的な知識経験等
二　派遣に係る検察官等の当該法科大学院における教授等の地位及び業務内容
三　派遣の形態
四　派遣の期間
五　派遣に係る検察官等の当該法科大学院における勤務時間、教授等の業務に係る報酬等（報酬、賃金、給料、俸給、手当、賞与その他いかなる名称であるかを問わず、教授等の業務の対償として受けるすべてのものをいう。第十七条第二項において同じ。）その他の勤務条件
六　前各号に掲げるもののほか、当該法科大学院設置者が必要と認める条件

（職務とともに教授等の業務を行うための派遣に係る取決め）
第六条　法科大学院派遣法第四条第五項の人事院規則で定める事項は、次に掲げる事項とする。
一　法科大学院派遣法第四条第三項の規定により派遣される検察官等（以下この条において「派遣予定検察官等」という。）の派遣先法科大学院となる法科大学院（以下この条において「派遣先予定法科大学院」という。）における服務に関する事項
二　派遣予定検察官等の派遣先予定法科大学院における福利厚生に関する事項
三　派遣予定検察官等の派遣先予定法科大学院におけ

る教授等の業務の従事の状況の連絡に関する事項

四　派遣予定検察官等に係る派遣の期間の変更その他の取決めの内容の変更に関する事項

五　派遣予定検察官等に係る取決めに疑義が生じた場合及び当該取決めに定めのない事項が生じた場合の取扱いに関する事項

（第四条派遣検察官等の派遣の終了）

第七条　法科大学院派遣法第五条第三項の人事院規則で定める場合は、次に掲げる場合とする。

一　第四条派遣検察官等がその派遣先法科大学院における教授等の地位を失った場合

二　第四条派遣検察官等が法第七十八条第一号から第三号までのいずれかに該当することとなった場合

三　第四条派遣検察官等が法第七十九条各号のいずれかに該当することとなった場合又は水難、火災その他の災害により生死不明若しくは所在不明となった場合

四　第四条派遣検察官等が法第八十二条第一項各号のいずれかに該当することとなった場合

五　第四条派遣検察官等の派遣が当該派遣に係る取決めに反することとなった場合

（第四条派遣職員の特定給与）

第八条　第四条派遣検察官等のうち検察官以外の者（以下この条及び附則第二条第一項において「第四条派遣職員」という。）には、派遣先法科大学院の法科大学院設置者から受ける教授等の業務に係る報酬等（報酬、賃金、給料、俸給、手当、賞与その他いかなる名称であるかを問わず、教授等の業務の対償として受ける全てのものをいい、通勤手当、在宅勤務等手当、特殊勤務手当、超過勤務手当、休日給、夜勤手当、宿日直手当及び管理職員特別勤務手当（第十三条第一項において「通勤手当等」という。）に相当するものを除く。同項において同じ。）のうち正規の勤務時間（勤務時間法第十三条第一項に規定する正規の勤務時間をいう。）において行われる教授等の業務（法科大学院派遣法第四条第九項に規定する任命権者が認める時間における当該業務を行うために必要な移動等を含む。）に係るもの（以下この条において「正規の勤務時間内派遣先報酬等」という。）の年額が、第四条派遣職員に係る派遣の期間の初日における給与法第十九条に規定する勤務一時間当たりの給与額を基礎として算定した法科大学院派遣法第七条第二項本文の規定による給与の減額分（以下この項及び次項において「給与減額分」という。）の年額（給与法第八条第六項の規定により標準号俸数（同条第七項に規定する人事院規則で定める基準において当該職員に係る標準となる号俸数をいう。第十三条第一項において同じ。）を昇給するものとして算定した額とする。以下この条において「給与減額分の年額」という。）に満たない場合であって、法科大学院において特定の専門的な法分野に関する教育を行う教授等の確保が困難であるとき、地理的条件等により法科大学院の所在する地域において教授等の確保が困難であるとき等において、法科大学院の要請に応じて安定的かつ継続的な派遣が行われること及び法科大学院において法科大学院派遣法第三条第一項に規定する教育が実効的に行われることを確保するため特に必要があると認められるときは、当該派遣の期間中、給与減額分の百分の五十以内を支給することができる。

2　第四条派遣職員がその派遣の期間中に前項に規定する場合に該当することとなった場合においても、当該該当することとなった日以後の当該派遣の期間中、給与減額分の百分の五十以内を支給することができる。

3　前二項の規定により支給される給与（以下この条、次条及び附則第二条において「特定給与」という。）の支給割合を決定するに当たっては、決定された支給割合により支給されることとなる特定給与の年額が、給与減額分の年額から正規の勤務時間内派遣先報酬等の年額を減じた額を超えてはならない。

4　特定給与の支給及び支給割合は、第四条派遣職員に係る派遣の期間の初日（第二項の規定により特定給与を支給されることとなった場合にあっては、当該支給されることとなった日）から起算して一年ごとに見直すものとし、特定給与の年額が給与減額分の年額から正規の勤務時間内派遣先報酬等の年額を減じた額を超える場合その他特に必要があると認められる場合には、第一項及び前項の規定の例により、特定給与の支給割合を変更し、又は特定給与を支給しないものとする。

5　特定給与の支給及び支給割合は、前項に規定する場合のほか、正規の勤務時間内派遣先報酬等の額又は給与法第十九条に規定する勤務一時間当たりの給与額の変動があった場合において、特定給与の年額が給与減額分の年額から正規の勤務時間内派遣先報酬等の年額を減じた額を超えるときその他特に必要があると認められるときは、第一項及び第三項の規定の例により、特定給与の支給割合を変更し、又は特定給与を支給しないものとする。

6　前項の規定により特定給与の支給割合を変更した場合における第四項の規定の適用については、「第四条

派遣職員に係る派遣の期間の初日（第二項の規定により特定給与を支給されることとなった場合にあっては、当該支給されることとなった日）」とあるのは、「正規の勤務時間内派遣先報酬等の額又は給与法第十九条に規定する勤務一時間当たりの給与額の変動があった日」とする。

第九条 特定給与は、一の給与期間（規則九―七（俸給等の支給）第二条に規定する給与期間をいう。以下この項において同じ。）の分を次の給与期間における俸給の支給定日に支給する。

２ 規則九―七第十二条の規定は、特定給与の支給について準用する。

（専ら教授等の業務を行うための派遣に係る取決め）

第十条 法科大学院派遣法第十一条第三項の人事院規則で定める事項については、第六条の規定を準用する。この場合において、同条第一号中「第四条第三項」とあるのは、「第十一条第一項」と読み替えるものとする。

（第十一条派遣検察官等の保有する官職）

第十一条 第十一条派遣検察官等は、派遣された時に占めていた官職又はその派遣の期間中に異動した官職を保有するものとする。ただし、併任に係る官職についてはこの限りではない。

２ 前項の規定は、当該官職を他の職員をもって補充することを妨げるものではない。

（第十一条派遣検察官等の職務への復帰）

第十二条 法科大学院派遣法第十二条第二項の人事院規則で定める場合については、第七条の規定を準用する。この場合において、同条中「第四条派遣検察官等」とあるのは「第十一条派遣検察官等」と、同条第一号中「派遣先法科大学院」とあるのは「派遣先法科大学院（二以上の法科大学院において教授等の業務を行う第十一条派遣検察官等（第五号において「複数校派遣検察官等」という。）にあっては、いずれかの派遣先法科大学院）」と、同条第二号中「第七十八条第一号から第三号までのいずれか」とあるのは「第七十八条第二号又は第三号」と、同条第五号中「取決め」とあるのは「取決め（複数校派遣検察官等にあっては、いずれかの法科大学院設置者との間の当該派遣に係る取決め）」と読み替えるものとする。

（第十一条派遣職員の給与）

第十三条 第十一条派遣検察官等のうち検察官以外の者（以下この条から第十五条まで及び附則第三条第一項において「第十一条派遣職員」という。）には、派遣先法科大学院の法科大学院設置者から受ける教授等の業務に係る報酬等（以下この条において「派遣先報酬等」という。）の年額が、第十一条派遣職員に係る派遣の期間の初日の前日における給与の額を基礎とし、給与法第八条第六項の規定により標準号俸数を昇給するものとして算定した給与（通勤手当等を除く。）の年額（当該年額が部内の他の職員との均衡を著しく失すると認められる場合にあっては、人事院の定めるところにより算定した額。以下この条において「派遣前給与の年額」という。）に満たない場合であって、法科大学院において特定の専門的な法分野に関する教育を行う教授等の確保が困難であるとき、地理的条件等により法科大学院の所在する地域において教授等の確保が困難であるとき等において、法科大学院の要請に応じて安定的かつ継続的な派遣が行われること及び法科大学院において法科大学院派遣法第三条第一項に規定する教育が実効的に行われることを確保するため特に必要があると認められるときは、当該派遣の期間中、俸給、扶養手当、地域手当、広域異動手当、研究員調整手当、住居手当及び期末手当（以下この条及び附則第三条において「俸給等」という。）のそれぞれ百分の五十以内を支給することができる。

２ 第十一条派遣職員がその派遣の期間中に前項に規定する場合に該当することとなった場合においても、当該該当することとなった日以後の当該派遣の期間中、俸給等のそれぞれ百分の五十以内を支給することができる。

３ 前二項の規定により支給される俸給等の支給割合を決定するに当たっては、決定された支給割合により支給されることとなる俸給等の年額が、派遣前給与の年額から派遣先報酬等の年額を減じた額を超えてはならない。

４ 俸給等の支給及び支給割合は、第十一条派遣職員に係る派遣の期間の初日（第二項の規定により俸給等を支給されることとなった場合にあっては、当該支給されることとなった日）から起算して一年ごとに見直すものとし、俸給等の年額が派遣前給与の年額から派遣先報酬等の年額を減じた額を超える場合その他特に必要があると認められる場合には、第一項及び前項の規定の例により、俸給等の支給割合を変更し、又は俸給等を支給しないものとする。

５ 俸給等の支給及び支給割合は、前項に規定する場合のほか、派遣先報酬等の額又は俸給等の額の変動があった場合において、俸給等の年額が派遣前給与の年額から派遣先報酬等の年額を減じた額を超えるときその他特に必要があると認められるときは、第一項及び第三項の規定の例により、俸給等の支給割合を変更し、又は俸給等を支給しないものとする。

6　前項の規定により俸給等の支給割合を変更した場合における第四項の規定の適用については、「第十一条派遣職員に係る派遣の期間の初日（第二項の規定により俸給等を支給されることとなった場合にあっては、当該支給されることとなった日）」とあるのは、「派遣先報酬等の額又は俸給等の額の変動があった日」とする。

（第十一条派遣職員の職務復帰時における給与の取扱い）

第十四条　第十一条派遣職員が職務に復帰した場合において、部内の他の職員との均衡上特に必要があると認められるときは、規則九—八（初任給、昇格、昇給等の基準）第二十条の規定にかかわらず、人事院の定めるところにより、その職務に応じた職務の級に昇格させることができる。

第十五条　第十一条派遣職員が職務に復帰した場合において、部内の他の職員との均衡上必要があると認められるときは、その派遣の期間を百分の百以下の換算率により換算して得た期間を引き続き勤務したものとみなして、その職務に復帰した日、同日後における最初の昇給日（規則九—八第三十四条に規定する昇給日をいう。以下この項において同じ。）又はその次の昇給日に、昇給の場合に準じてその者の号俸を調整することができる。

2　第十一条派遣職員が職務に復帰した場合における号俸の調整について、前項の規定による場合には部内の他の職員との均衡を著しく失すると認められるときは、同項の規定にかかわらず、あらかじめ人事院と協議して、その者の号俸を調整することができる。

（派遣に係る人事異動通知書の交付）

第十六条　任命権者は、次に掲げる場合には、検察官等に対して、規則八—一二第五十八条の規定による人事異動通知書を交付しなければならない。

一　法科大学院派遣法第四条第三項又は第十一条第一項の規定により検察官等を派遣した場合

二　第四条派遣検察官等又は第十一条派遣検察官等に係る派遣の期間を延長した場合

三　派遣の期間の満了により第四条派遣検察官等の派遣が終了した場合又は第十一条派遣検察官等が職務に復帰した場合

四　第四条派遣検察官等の派遣を終了させた場合又は第十一条派遣検察官等を職務に復帰させた場合

（報告）

第十七条　第四条派遣検察官等及び第十一条派遣検察官等は、任命権者から求められたときは、派遣先法科大学院における勤務条件及び業務の遂行の状況について報告しなければならない。

2　任命権者は、人事院の定めるところにより、毎年五月末日までに、前年の四月一日に始まる年度内において法科大学院派遣法第四条第三項又は第十一条第一項の規定により派遣されている期間のある検察官等の派遣先法科大学院、派遣の期間並びに派遣先法科大学院における地位、業務内容及び教授等の業務に係る報酬等の月額等の状況並びに同項の規定による派遣から当該年度内に職務に復帰した検察官等の当該復帰後の処遇等に関する状況について、人事院に報告しなければならない。

附　則

（施行期日）

第一条　この規則は、平成十六年四月一日から施行する。ただし、第五条、第六条及び第十条並びに次項の規定は、公布の日から施行する。

（給与法附則第八項の規定の適用を受ける第四条派遣職員の特定給与）

第二条　第四条派遣職員が給与法附則第八項の規定の適用を受ける職員となった場合には、当分の間、同項の規定の適用を受ける職員となった日を第四条派遣職員に係る派遣の期間の初日とみなして、第八条第一項及び第三項の規定の例により、特定給与の支給割合を決定し、又は特定給与を支給しないものとする。

2　前項の規定により、特定給与の支給割合を決定し、又は特定給与を支給しないものとした場合における第八条の規定の適用については、同条第一項中「派遣の期間の初日」とあるのは「給与法附則第八項の規定の適用を受ける職員となった日」と、同条第二項中「前項」とあるのは「附則第二条第二項の規定により読み替えられた前項」と、同条第三項中「前二項」とあるのは「附則第二条第二項の規定により読み替えられた前二項」と、同条第四項中「派遣の期間の初日（」とあるのは「給与法附則第八項の規定の適用を受ける職員となった日（附則第二条第二項の規定により読み替えられた」と、「第一項」とあるのは「同条第二項の規定により読み替えられた第一項」と、同条第五項中「前項」とあるのは「附則第二条第二項の規定により読み替えられた前項」と、「第一項」とあるのは「附則第二条第二項の規定により読み替えられた第一項」と、同条第六項中「前項」とあるのは「附則第二条第二項の規定により読み替えられた前項」と、「第四項」

とあるのは「同条第二項の規定により読み替えられた第四項」と、「派遣の期間の初日（」とあるのは「給与法附則第八項の規定の適用を受ける職員となった日（附則第二条第二項の規定により読み替えられた」とする。

（給与法附則第八項の規定の適用を受ける第十一条派遣職員の給与）

第三条 第十一条派遣職員が給与法附則第八項の規定の適用を受ける職員となった場合には、当分の間、同項の規定の適用を受ける職員となった日を第十一条派遣職員に係る派遣の期間の初日の前日とみなして、第十三条第一項及び第三項の規定の例により、俸給等の支給割合を決定し、又は俸給等を支給しないものとする。

2 前項の規定により、俸給等の支給割合を決定し、又は俸給等を支給しないものとした場合における第十三条の規定の適用については、同条第一項中「派遣の期間の初日の前日」とあるのは「給与法附則第八項の規定の適用を受ける職員となった日」と、同条第二項中「前項」とあるのは「附則第三条第二項の規定により読み替えられた前項」と、同条第三項中「前二項」とあるのは「附則第三条第二項の規定により読み替えられた前二項」と、同条第四項中「派遣の期間の初日（」とあるのは「給与法附則第八項の規定の適用を受ける職員となった日（附則第三条第二項の規定により読み替えられた」と、「第一項」とあるのは「同条第二項の規定により読み替えられた第一項」と、同条第五項中「前項」とあるのは「附則第三条第二項の規定により読み替えられた前項」と、「第一項」とあるのは「同条第二項の規定により読み替えられた第一項」と、同条第六項中「前項」とあるのは「附則第三条第二項の規定により読み替えられた前項」と、「第四項」とあるのは「同条第二項の規定により読み替えられた第四項」と、「派遣の期間の初日（」とあるのは「給与法附則第八項の規定の適用を受ける職員となった日（附則第三条第二項の規定により読み替えられた」とする。

○検察官その他の職員の法科大学院への派遣の運用について

平一五・一〇・一
人企―八二五

最終改正 令六・ ・二三給二―六

法科大学院への裁判官及び検察官その他の一般職の国家公務員の派遣に関する法律（平成十五年法律第四十号。以下「法科大学院派遣法」という。）及び人事院規則二四―〇（検察官その他の職員の法科大学院への派遣）（以下「規則」という。）の運用について下記のとおり定めたので、平成十六年四月一日（法科大学院派遣法第四条及び第十一条関係並びに規則第五条関係については、平成十五年十月一日）以降は、これによってください。

記

法科大学院派遣法第四条及び第十一条関係

1 法科大学院派遣法第四条第三項及び第十一条第一項の「その他の事情」には、検察官等（法科大学院派遣法第二条第二項に規定する検察官等をいう。以下同じ。）を派遣した場合の当該検察官等の健康及び福祉への配慮等が含まれる。

2 法科大学院派遣法第四条第三項、同条第六項及び第七項（これらの規定を法科大学院派遣法第十一条第四項において準用する場合を含む。）並びに第十一条第一項の規定による検察官等の同意は、文書により行うものとする。

3　法科大学院派遣法第四条第三項及び第十一条第一項の規定による取決めにおいて、法科大学院（法科大学院派遣法第二条第一項に規定する法科大学院をいう。以下同じ。）における勤務時間を定めるに当たっては、法科大学院派遣法第四条第三項又は第十一条第一項の規定により派遣される検察官等が派遣先法科大学院（規則第二条第二項第三号に規定する派遣先法科大学院をいう。以下同じ。）となる法科大学院において法科大学院派遣法第三条第一項に規定する教育を実効的に行うために十分な時間となるよう当該法科大学院における講義及び演習等の準備に要する時間をも考慮するものとする。

4　法科大学院派遣法第四条第九項の「任命権者が認める時間」を任命権者（法科大学院派遣法第二条第三項に規定する任命権者をいう。以下同じ。）が認めるに当たっては、第四条派遣検察官等（規則第二条第二項第一号に規定する第四条派遣検察官等をいう。以下同じ。）がその派遣先法科大学院と勤務官署等との間の移動に要する時間をも考慮するものとする。また、派遣先法科大学院において教授等（法科大学院派遣法第三条第一項に規定する教授等をいう。以下同じ。）の業務を行うため臨時又は緊急の必要がある場合に、法科大学院設置者（法科大学院派遣法第三条第一項に規定する法科大学院設置者をいう。以下同じ。）が法科大学院派遣法第四条第三項の取決めにおいて定められた勤務時間（規則第八条関係第一項において「派遣先勤務時間」という。）以外の時間に業務を命ずることができると当該取決めにおいて定められたときは、法科大学院設置者が当該業務を命じたときに必要となる時間についても同様に考慮するものとする。

法科大学院派遣法第七条第二項関係

この項に規定する給与の減額方法については、給実甲第二八号（一般職の職員の給与に関する法律の運用方針）第十五条関係第二項及び第三項の規定の例による。

規則第三条関係

この条の第三号の「勤務延長職員」とは、国家公務員法（昭和二十二年法律第百二十号）第八十一条の七第一項又は第二項の規定により定年退職日の翌日以降引き続いて勤務している職員をいう。

規則第五条関係

1　この条の第二号の「教授等の地位」には、専任教員（専門職大学院設置基準（平成十五年文部科学省令第十六号）第五条第一項に規定する専任教員をいう。）であるかどうかの別及び常勤であるかどうかの別が含まれる。

2　この条の第三号の「派遣の形態」とは、法科大学院派遣法第四条第三項又は第十一条第一項の規定に基づく派遣をいう。

規則第八条関係

1　この条の第一項に規定する正規の勤務時間内派遣先報酬等の年額は、派遣先法科大学院の法科大学院設置者から受ける教授等の業務に係る報酬等（報酬、賃金、給料、俸給、手当、賞与その他いかなる名称であるかを問わず、教授等の業務の対償として受ける全てのものをいい、通勤手当、在宅勤務等手当、特殊勤務手当、超過勤務手当、休日給、夜勤手当、宿日直手当及び管理職員特別勤務手当に相当するものを除く。規則第十三条関係第一項において同じ。）の年額に、法科大学院派遣法第四条第九項に規定する任命権者が認める時間（派遣先法科大学院において教授等の業務を行うため臨時又は緊急の必要がある場合において、法科大学院設置者が派遣先勤務時間以外の時間において当該業務を命じたときに必要であると任命権者が認める時間を除く。以下この項及び規則第十六条関係において「勤務時間内第四条派遣時間」という。）の一年間の時間数を、当該時間数及び派遣先勤務時間（派遣先勤務時間が勤務時間内第四条派遣時間に含まれる場合においては、その勤務時間内第四条派遣時間に含まれる時間を除く。）の一年間の時間数を合算した時間数で除して得た割合を乗じることにより算定する。

2　この条の規定による特定給与（この条の第三項に規定する特定給与をいう。以下同じ。）の支給割合の決定等については、その過程を明確にして行うとともに、その内容を適切に把握しておくものとする。

規則第十三条関係

1　二以上の法科大学院において教授等の業務を行う第十一条派遣職員（この条の第一項に規定する第十一条派遣職員をいう。以下同じ。）のこの条の第一項に規定する派遣先報酬等の額については、それぞれの派遣先法科大学院の法科大学院設置者から受ける教授等の業務に係る報酬等の額の合計額とする。

2　この条の第一項の「当該年額が部内の他の職員との均衡を著しく失すると認められる場合」において、同項に規定する派遣前給与の年額を算定するときは、あらかじめ個別に事務総長に協議するものとする。

3　この条の第一項に規定する派遣前給与の年額の算定における勤勉手当の額は、第十一条派遣職員を人事院規則九―四〇（期末手当及び勤勉手当）第十三条第一項第一号ハ（専門スタッフ職俸給表の適用を受ける職員にあっては同項第二号ハ、指定職俸給表の適用を受ける職員にあっては同項第三号ロ）に掲げる職員であるものとした場合の同項の規定による成績率により算定した額によるものとする。

4　この条の規定による給与の支給割合の決定等については、その過程を明確にして行うとともに、その内容を適切に把握しておくものとする。

規則第十四条関係

法科大学院派遣法第十一条第一項の規定による派遣後職務に復帰した職員を昇格させる場合には、次の各号に掲げる職員の区分に応じ、当該各号に定める職務の級に昇格させることができる。ただし、特別の事情によりこれにより難い場合には、あらかじめ事務総長に協議して、別段の取扱いをすることができる。

一　人事院規則九―八（初任給、昇格、昇給等の基準）（以下「規則九―八」という。）第十一条第三項の規定により職務の級を決定された職員以外の職員

昇格させようとする日に新たに職員となったものとした場合のその者の経験年数がその者を昇格させようとする職務の級をその者の属する職務の級とみなした場合の給実甲第三二六号（人事院規則九―八（初任給、昇格、昇給等の基準）の運用について）第十五条関係第五項に規定する最短昇格期間（以下「最短昇格期間」という。）（ただし、規則九―八第二十条第四項後段の規定に該当するときは、当該最短昇格期間に一〇〇分の五〇以上一〇〇分の一〇〇未満の割合を乗じて得た期間とすることができる。）以上となる当該昇格させようとする職務の級

二　規則九―八第十一条第三項の規定により職務の級を決定された職員　当該派遣がなく引き続き職務に従事したものとみなして、その者が当該派遣の直前に属していた職務の級を基礎として昇格等の規定を適用した場合に、その者を昇格させようとする日に属することとなる職務の級を超えない範囲内の職務の級

規則第十五条関係

この条の規定の適用については、給実甲第一九二号（復職時等における号俸の調整の運用について）に定めるところによる。

規則第十六条関係

人事異動通知書の「異動内容」欄の記入要領は、次のとおりとする。

一　法科大学院派遣法第四条第三項の規定により検察官等を派遣する場合

「法科大学院派遣法第四条第三項の規定によりア（イ）に派遣する派遣の期間は　年　月　日から　年　月　日までとする

正規の勤務時間のうち教授等の業務を行うために必要であると認める時間はウとする

派遣の期間中、給与の減額分の一〇〇分の　を支給する（又は「派遣の期間中、給与の減額分に係る給与は支給しない」）」

と記入する。

注1　「ア」の記号をもって表示する事項は、派遣先法科大学院の名称とする。次号において同じ。

2　「イ」の記号をもって表示する事項は、派遣先法科大学院の所在地とする。次号において同じ。

3　「ウ」の記号をもって表示する事項は、勤務時間内第四条派遣時間とする。以下同じ。

4　検察官の派遣の期間中の給与については、上記の例に準じて記入する。以下同じ。

二　法科大学院派遣法第十一条第一項の規定により検察官等を派遣する場合

「法科大学院派遣法第十一条第一項の規定によりア（イ）に派遣する

派遣の期間は　年　月　日から　年　月　日までとする

派遣の期間中、俸給、扶養手当、地域手当、広域異動手当、研究員調整手当、住居手当及び期末手当のそれぞれ一〇〇分の　を支給する（又は「派遣の期間中、給与は支給しない」）」

と記入する。

三　第四条派遣検察官等の派遣の期間を延長する場合

「派遣の期間を　年　月　日まで延長する

正規の勤務時間のうち教授等の業務を行うために必要であると認める時間はウとする

延長に係る期間中、給与の減額分の一〇〇分の　を支給する（又は「延長に係る期間中、給与の減額分に係る給与は支給しない」）」

と記入する。

四　第十一条派遣検察官等（規則第二条第二項第二号に規定する第十一条派遣検察官等をいう。以下同じ。）の派遣の期間を延長する場合

「派遣の期間を　年　月　日まで延長する

延長に係る期間中、俸給、扶養手当、地域手当、広域異動手当、研究員調整手当、住居手当及び期末手当のそれぞれ一〇〇分の　を支給する（又は「延長に係る期間中、給与は支給しない」）」

と記入する。

五　派遣の期間の満了により第四条派遣検察官等の派遣が終了した場合
「派遣の期間が満了した（　年　月　日）」

と記入する。

六　派遣の期間の満了により第十一条派遣検察官等が職務に復帰した場合
「職務に復帰した（　年　月　日）」

と記入する。

七　第四条派遣検察官等の派遣を終了させる場合
「派遣を終了させる」

と記入する。

八　第十一条派遣検察官等を職務に復帰させる場合
「職務に復帰させる」

と記入する。

九　第四条派遣検察官等の勤務時間内第四条派遣時間の変更に人事異動通知書を用いる場合
「正規の勤務時間のうち教授等の業務を行うために必要であると認める時間をウに変更する」

と記入する。

十　第四条派遣職員（規則第八条第一項に規定する第四条派遣職員をいう。次号及び規則附則第二条関係第一項において同じ。）について、その派遣の期間中に特定給与を支給することとなったことに人事異動通知書を用いる場合
「　年　月　日以後、派遣の期間中、給与の減額分の一〇〇分の　を支給する」

と記入する。

十一　第四条派遣職員について、その派遣の期間中に特定給与の支給割合を変更すること又は特定給与を支給しないものとすることに人事異動通知書を用いる場合
「　年　月　日以後、派遣の期間中、給与の減額分に係る給与の支給割合を一〇〇分の　とする（又は「　年　月　日以後、派遣の期間中、給与の減額分に係る給与は支給しない」）」

と記入する。

十二　第十一条派遣職員について、その派遣の期間中に俸給等（規則第十三条第一項に規定する俸給等をいう。次号及び規則附則第三条関係第一項において同じ。）を支給することとなったことに人事異動通知書を用いる場合
「　年　月　日以後、派遣の期間中、俸給、扶養手当、地域手当、広域異動手当、研究員調整手当、住居手当及び期末手当のそれぞれ一〇〇分の　を支給する」

と記入する。

十三　第十一条派遣職員について、その派遣の期間中に俸給等の支給割合を変更すること又は俸給等を支給しないものとすることに人事異動通知書を用いる場合
「　年　月　日以後、派遣の期間中、俸給、扶養手当、地域手当、広域異動手当、研究員調整手当、住居手当及び期末手当の支給割合をそれぞれ一〇〇分の　とする（又は「　年　月　日以後、派遣の期間中、給与は支給しない」）」

と記入する。

規則第十七条関係

この条の第二項の規定による人事院への報告は、別紙様式の報告書により行うものとする。

規則附則第二条関係

1　この条の第一項の規定により、特定給与の支給割合を決定し、又は特定給与を支給しないものとすることとなった第四条派遣職員（同項の規定により特定給与の支給割合を決定し、又は特定給与を支給しないものとすることとなった日において、派遣の期間を延長され、規則第十六条第二号に掲げる場合に同条の規定により人事異動通知書が交付される第四条派遣職員を除く。）に対しては、人事異動通知書又はこれに代わる文書（以下「通知書等」という。）により特定給与の支給割合又は特定給与を支給しない旨を通知するものとする。ただし、通知書等の交付によらないことを適当と認める場合には、適当な方法をもって通知書等の交付に代えることができる。

2　前項の規定による通知において、人事異動通知書を用いる場合の「異動内容」欄の記入要領は、規則第十六条関係第十一号の規定の例によるものとする。

規則附則第三条関係

1　この条の第一項の規定により、俸給等の支給割合を決定し、又は俸給等を支給しないものとすることとなった第十一条派遣職員（同項の規定により俸給等の支給割合を決定し、又は俸給等を支給しないものとすることとなった日において、派遣の期間を延

長され、規則第十六条第二号に掲げる場合に同条の規定により人事異動通知書が交付される第十一条派遣職員を除く。）に対しては、通知書等により俸給等の支給割合又は俸給等を支給しない旨を通知するものとする。ただし、通知書等の交付によらないことを適当と認める場合には、適当な方法をもって通知書等の交付に代えることができる。

2 前項の規定による通知において、人事異動通知書を用いる場合の「異動内容」欄の記入要領は、規則第十六条関係第十三号の規定の例によるものとする。

以　上

別紙

法科大学院派遣に関する状況報告書

（　枚のうち　枚目）

令和　年度分

1　派遣の状況

府省名

氏名	派遣時の状況		派遣先法科大学院		派遣の期間	派遣の形態	給与支給割合(%)	派遣先法科大学院における職員の状況			備考
	所属部課・官職	級号俸	名称	所在地				地位	業務内容	報酬等の月額	
①	②	③	④	⑤	⑥	⑦	⑧	⑨	⑩	⑪	⑫
		( ) −									
		( ) −									
		( ) −									
		( ) −									
		( ) −									
		( ) −									
		( ) −									
		( ) −									
		( ) −									
		( ) −									

A 4

2 派遣及び復帰の状況

（ 枚のうち 枚目）

氏名	派遣時の状況		派遣先法科大学院		派遣の期間	派遣の形態	給与支給割合（%）	派遣先法科大学院における職員の状況			職務復帰後における職員の状況		備考
	所属部課・官職	級号俸	名称	所在地				地位	業務内容	報酬等の月額	所属部課・官職	給与上の処遇	
⑬	⑭	⑮	⑯	⑰	⑱	⑲	⑳	㉑	㉒	㉓	㉔	㉕	㉖
		（ ）－											
		（ ）－											
		（ ）－											
		（ ）－											
		（ ）－											
		（ ）－											
		（ ）－											
		（ ）－											
		（ ）－											

3 令和　年度末現在派遣職員総数　名（うち第４条派遣検察官等　名、第11条派遣検察官等　名）

作成者官職・氏名

A４

（記入要領）
1　前年度において、法科大学院へ派遣されている期間のある検察官等（2に規定する検察官等を除く。）については、「1　派遣の状況」に派遣された年度ごとにまとめて記入するものとする。
2　前年度内に職務に復帰した検察官等については、「2　派遣及び復帰の状況」に記入するものとする。
3　2以上の法科大学院へ派遣されていた検察官等については、派遣先法科大学院ごとに記入するものとする。
4　③欄及び⑮欄には、「行(一)7—5」のように記入する。
5　⑤欄及び⑰欄には、派遣先法科大学院の所在地の都道府県名及び市区町村名を記入し、勤務地が派遣先法科大学院の所在地と異なるときは、勤務地について記入する。
6　⑥欄及び⑱欄には、「平成二十九年四月一日～令和元年九月三十日（二年六月）」のように記入する。
7　⑦欄及び⑲欄には、法科大学院派遣法第四条第三項の規定による派遣の場合は「四条派遣」と、法科大学院派遣法第十一条第一項の規定による派遣の場合は「十一条派遣」と記入する。
8　⑨欄及び㉑欄には、「教授」、「准教授」等と記入する。
9　⑩欄及び㉒欄には、「民法」、「刑法」、「知的財産権法」又は「租税法」のように教育を行う専門的な法分野を具体的に記入する。
10　⑪欄及び㉓欄には、教授等の業務に係る報酬等（報酬、賃金、給料、俸給、手当、賞与その他いかなる名称であるかを問わず、教授等の業務の対償として受けるすべてのものをいう。）の月額（月額によらない場合は月額に換算したもの）を記入する。
11　㉔欄及び㉕欄は、法科大学院派遣法第十一条第一項の規定による派遣の場合のみ記入する。
12　㉔欄には、職務復帰後の所属部課・官職（前年度において職務復帰後に異動があった場合には、最初の異動後の所属部課・官職）を記入する。
13　㉕欄には、職務復帰後において昇格、昇給等の措置を行った場合、その措置の内容を「復職時調整（7—8）」等と記入する。この場合において、規則第十四条関係第一号の規定により最短昇格期間に一〇〇分の五〇以上一〇〇分の一〇〇未満の割合を乗じて得た期間をもって当該最短昇格期間として昇格させたときは、併せて当該割合を「一〇〇分の五〇」等と記入する。
14　派遣の期間中に一般職の職員の給与に関する法律（昭和二十五年法律第九十五号）附則第八項の規定の適用を受けることとなった職員については、⑫欄又は㉖欄に「　年　月　日給与法附則第八項適用」等と記入する。

○人事院規則一—七九（国家公務員法等の一部を改正する法律の施行に伴う関係人事院規則の整備等に関する人事院規則）及び「国家公務員法等の一部を改正する法律の施行に伴う関係人事院事務総長通知の一部改正について」の施行に伴う経過措置について（抄）

令四・二・一八
事企法—三八

人事院規則一—七九（国家公務員法等の一部を改正する法律の施行に伴う関係人事院規則の整備等に関する人事院規則）及び「国家公務員法等の一部を改正する法律の施行に伴う関係人事院事務総長通知の一部改正について（令和四年二月十八日事企法—三七）」の施行に伴い、下記の第二項各号に規定する人事院事務総長通知〔中略〕の経過措置について下記のとおり定めたので、令和五年四月一日以降は、これによってください。

記

1　この通知において、次の各号に掲げる用語の意義は、それぞれ当該各号に定めるところによる。
一　令和三年改正法　国家公務員法等の一部を改正する法律（令和三年法律第六十一号）をいう。
二　令和四年事企法—三七　「国家公務員法等の一部を改正する法律の施行に伴う関係人事院事務総長通知の一部改正について（令和四年二月十八日事企法—三七）」をいう。
三～五　〔略〕
2　令和三年改正法附則第三条第五項に規定する旧国家公務員法勤務延長職員に対する令和四年事企法—三七による改正後の次に掲げる人事院事務総長通知の規定の適用については、これらの規定中「第八十一条の七第一項又は第二項」とあるのは、「第八十一条の七第一項若しくは第二項又は国家公務員法等の一部を改正する法律（令和三年法律第六十一号）附則第三条第五項若しくは第六項」とする。

一～七 〔略〕

八 「検察官その他の職員の法科大学院への派遣の運用について（平成十五年十月一日人企―八二五）」規則第三条関係

九～十 〔略〕

以　上

○判事補及び検事の弁護士職務経験に関する法律

平一六・六・一八
法　一　二　一

最終改正　令二・五・二九法三三

（目的）

第一条 この法律は、内外の社会経済情勢の変化に伴い、司法の果たすべき役割がより重要なものとなり、司法に対する多様かつ広範な国民の要請にこたえることのできる広くかつ高い識見を備えた裁判官及び検察官が求められていることにかんがみ、判事補及び検事（司法修習生の修習を終えた者であって、その最初に検事に任命された日から十年を経過していないものに限る。第七条第五項、第十一条第四項及び第十二条を除き、以下同じ。）について、その経験多様化（裁判官又は検察官としての能力及び資質の向上並びにその職務の充実に資する他の職務経験その他の多様な経験をすることをいう。次条第一項及び第四項において同じ。）のための方策の一環として、一定期間その官を離れ、弁護士となってその職務を経験するために必要な措置を講ずることにより、判事補及び検事が弁護士としての職務を経験することを通じて、裁判官及び検察官としての能力及び資質の一層の向上並びにその職務の一層の充実を図ることを目的とする。

（弁護士職務経験）

第二条 最高裁判所は、判事補が経験多様化の一環として一定期間弁護士となってその職務を経験することの必要性、これに伴う事務の支障その他の事情を勘案して、相当と認めるときは、当該判事補の同意（第三項に規定する事項に係る同意を含む。）を得て、第七項に規定する雇用契約を締結しようとする弁護士法人若しくは弁護士・外国法事務弁護士共同法人又は弁護士との間の取決めに基づき、期間を定めて、当該判事補が弁護士となってその職務を行うものとすることができる。

2 最高裁判所は、前項の同意を得るに当たっては、あらかじめ、当該判事補に同項の取決めの内容を明示しなければならない。

3 第一項の場合においては、最高裁判所は、当該判事補を裁判所事務官に任命するものとし、当該判事補は、その任命の時にその官を失うものとする。

4 法務大臣は、検事が経験多様化の一環として一定期間弁護士となってその職務を経験することの必要性、これに伴う事務の支障その他の事情を勘案して、相当と認めるときは、当該検事の同意（第六項に規定する事項に係る同意を含む。）を得て、第七項に規定する雇用契約を締結しようとする弁護士法人若しくは弁護士・外国法事務弁護士共同法人又は弁護士との間の取決めに基づき、期間を定めて、当該検事に弁護士となってその職務を行わせることができる。

5 法務大臣は、前項の同意を得るに当たっては、あらかじめ、当該検事に同項の取決めの内容を明示しなければならない。

6 第四項の場合においては、法務大臣は、当該検事を法務省（検察庁を除く。以下同じ。）に属する官職に任命するものとし、当該検事は、その任命の時にその官を失うものとする。

7　第一項又は第四項の取決めにおいては、第三項又は前項の規定により裁判所事務官又は法務省に属する官職に任命されて第一項又は第四項の規定により弁護士となってその職務を行う者（以下「弁護士職務従事職員」という。）と弁護士職務従事職員を雇用する弁護士法人若しくは弁護士・外国法事務弁護士共同法人又は弁護士（以下「受入先弁護士法人等」という。）との間の雇用契約（第四条第二項ただし書に規定する承認に係る事項の定めを含む。）の締結、当該受入先弁護士法人等における勤務条件、第一項又は第四項の規定により弁護士となってその職務を行う期間（以下「弁護士職務従事期間」という。）、これらの規定により弁護士となってその職務を経験すること（以下「弁護士職務経験」という。）の終了に関する事項その他これらの規定により弁護士となってその職務を行うものとし又は行わせるに当たって合意しておくべきものとして判事補については最高裁判所規則で、検事については法務省令で定める事項を定めるものとする。

8　最高裁判所又は法務大臣は、第一項又は第四項の取決めの内容を変更しようとするときは、当該判事補若しくは検事又は当該弁護士職務従事職員の同意を得なければならない。この場合においては、第二項又は第五項の規定を準用する。

（弁護士職務従事期間）

第三条　弁護士職務従事期間は、二年を超えることができない。ただし、特に必要があると認めるときは、最高裁判所又は法務大臣は、当該弁護士職務従事職員及び当該受入先弁護士法人等の同意を得て、当該弁護士職務経験を開始した日から引き続き三年を超えない範囲内で、これを延長することができる。

（弁護士の業務への従事）

第四条　弁護士職務従事職員は、第二条第一項又は第四項の取決めに定められた内容に従って、受入先弁護士法人等との間で雇用契約（次項ただし書に規定する承認に係る事項の定めを含む。）を締結し、弁護士法（昭和二十四年法律第二百五号）の定めるところにより弁護士登録（同法第八条に規定する登録をいう。第七条第四項及び第五項において同じ。）を受け、その弁護士職務従事期間中、当該雇用契約に基づいて弁護士の業務に従事するものとする。

2　弁護士職務従事職員は、前項の規定により従事する弁護士の業務のうち当事者その他関係人から依頼を受けて行う事務については、当該受入先弁護士法人等が弁護士法人又は弁護士・外国法事務弁護士共同法人である場合にあっては当該弁護士法人又は当該弁護士・外国法事務弁護士共同法人が当事者その他関係人から委託を受けた事務を行い、当該受入先弁護士法人等が弁護士である場合にあっては当該弁護士と共同して当事者その他関係人から依頼を受けてその事務を行うものとする。ただし、当該受入先弁護士法人等が個別に承認した事務については、同項の雇用契約に基づいて、単独で当事者その他関係人から依頼を受けてその事務を行うことができる。

（弁護士職務従事職員の職務及び給与）

第五条　弁護士職務従事職員は、その弁護士職務従事期間中、裁判所事務官又は法務省職員（法務省に属する官職を占める者をいう。以下同じ。）としての身分を保有するが、その職務に従事しない。

2　弁護士職務従事職員には、その弁護士職務従事期間中、給与を支給しない。

3　一般職の職員の給与に関する法律（昭和二十五年法律第九十五号。裁判所職員臨時措置法（昭和二十六年法律第二百九十九号）において準用する場合を含む。第十条において同じ。）の規定は、弁護士職務従事職員には、その弁護士職務従事期間中、適用しない。

（弁護士職務従事職員の服務等）

第六条　弁護士職務従事職員は、第四条の規定により弁護士の業務を行うに当たっては、裁判所事務官若しくは法務省職員たる地位を利用し、又はその弁護士職務経験の前において判事補若しくは検事であったことによる影響力を利用してはならない。

2　弁護士職務従事職員の第四条の規定による弁護士の業務への従事に関しては、国家公務員法（昭和二十二年法律第百二十号）第百四条（裁判所職員臨時措置法において準用する場合を含む。）の規定は、適用しない。

3　最高裁判所又は法務大臣は、必要があると認めるときは、当該弁護士職務従事職員に対し、当該受入先弁護士法人等における勤務条件及び第四条の規定による弁護士の業務への従事の状況（弁護士法第二十三条に規定する職務上知り得た秘密に該当する事項を除く。）について、報告を求めることができる。

4　弁護士職務従事職員に関する国家公務員倫理法（平成十一年法律第百二十九号。裁判所職員臨時措置法において準用する場合を含む。以下この項において同じ。）の規定の適用については、当該弁護士職務従事職員（第二条第三項又は第六項の規定により裁判所事務官又は法務省に属する官職に任命された日の前日において裁判官の報酬等に関する法律（昭和二十三年法律第七十五号）別表判事補の項八号の報酬月額以上の報酬又は検察官の俸給等に関する法律（昭和二十三年法律第七十六号）別表検事の項十六号の俸給月額以上の俸給を受けていた者に限る。）は、国家公務員倫理法第二条第二項に規定する本省課長補佐級以上の職員とみなす。

5　弁護士職務従事職員に関する国家公務員法第八十二条（裁判所職員臨時措置法において準用する場合を含む。以下この項において同じ。）の規定の適用については、同条第一項第一号中「若しくは国家公務員倫理法」とあるのは、「、国家公務員倫理法（判事補及び検事の弁護士職務経験に関する法律（平成十六年法律第百二十一号）第六条第四項の規定によりみなして適用される場合を含む。）若しくは判事補及び検事の弁護士職務経験に関する法律」とする。

（弁護士職務経験の終了等）

第七条　弁護士職務従事期間が満了したときは、当該弁護士職務経験は終了するものとする。

2　最高裁判所は、裁判所事務官である弁護士職務従事職員が当該受入先弁護士法人等との間の第四条第一項の雇用契約上の地位を失った場合その他の最高裁判所規則で定める場合であって、その弁護士職務経験を継続することができないか又は適当でないと認めるときは、速やかに、当該弁護士職務経験を終了するものとしなければならない。

3　法務大臣は、法務省職員である弁護士職務従事職員が当該受入先弁護士法人等との間の第四条第一項の雇用契約上の地位を失った場合その他の法務省令で定める場合であって、その弁護士職務経験を継続することができないか又は適当でないと認めるときは、速やかに、当該弁護士職務経験を終了するものとしなければならない。

4　第一項又は第二項の規定により裁判所事務官である弁護士職務従事職員の弁護士職務経験が終了するときは、当該弁護士職務従事職員は、弁護士法の定めるところによりその弁護士登録の取消しを受けるものとし、最高裁判所は、当該弁護士職務従事職員について判事補又は判事への任命に関し必要な手続をとらなければならない。ただし、その任命を不相当と認めるべき事由があるときは、この限りでない。

5　第一項又は第三項の規定により法務省職員である弁護士職務従事職員の弁護士職務経験が終了するときは、当該弁護士職務従事職員は、弁護士法の定めるところによりその弁護士登録の取消しを受けるものとし、法務大臣は、当該弁護士職務従事職員について検事への任命に関し必要な措置をとらなければならない。この場合においては、前項ただし書の規定を準用する。

（国家公務員共済組合法の特例）

第八条　国家公務員共済組合法（昭和三十三年法律第百二十八号）第三十九条第二項の規定及び同法の短期給付に関する規定（同法第六十八条の三の規定を除く。以下この項において同じ。）は、弁護士職務従事職員には、適用しない。この場合において、同法の短期給付に関する規定の適用を受ける職員（同法第二条第一項第一号に規定する職員をいう。以下この項において同じ。）が弁護士職務従事職員となったときは、同法の短期給付に関する規定の適用については、そのなった日の前日に退職（同法第二条第一項第四号に規定する退職をいう。）をしたものとみなし、弁護士職務従事職員が同法の短期給付に関する規定の適用を受ける職員となったときは、同法の短期給付に関する規定の適用については、そのなった日に職員となったものとみなす。

2　弁護士職務従事職員に関する国家公務員共済組合法の退職等年金給付に関する規定の適用については、第四条第一項に規定する弁護士の業務を公務とみなす。

3　弁護士職務従事職員は、国家公務員共済組合法第九十八条第一項各号に掲げる福祉事業を利用することができない。

4　弁護士職務従事職員に関する国家公務員共済組合法の規定の適用については、同法第二条第一項第五号及び第六号中「準ずる給与として政令で定めるもの」とあるのは「相当するものとして次条第一項に規定する組合の運営規則で定めるもの」と、同法第九十九条第二項中「次の各号」とあるのは「第三号」と、「当該各号」とあるのは「同号」と、「及び国の負担金」とあるのは「及び判事補及び検事の弁護士職務経験に関する法律（平成十六年法律第百二十一号）第二条第七項に規定する受入先弁護士法人等（以下「受入先弁護士法人等」という。）の負担金」と、同項第三号中「国の負担金」とあるのは「受入先弁護士法人等の負担金」と、同法第百二条第一項中「各省各庁の長（環境大臣を含む。）、行政執行法人又は職員団体」とあり、及び「国、行政執行法人又は職員団体」とあるのは「受入先弁護士法人等及び国」と、「第九十九条第二項（同条第六項から第八項までの規定により読み替えて適用する場合を含む。）及び第五項（同条第七項及び第八項の規定により読み替えて適用する場合を含む。）」とあるのは「第九十九条第二項及び第五項」と、同条第四項中「第九十九条第二項第三号及び第四号」とあるのは「第九十九条第二項第三号」と、「並びに同条第五項（同条第七項及び第八項の規定により読み替えて適用する場合を含む。以下この項において同じ。）」とあるのは「及び同条第五項」と、「（同条第五項」とあるのは「（同項」と、「国、行政執行法人又は職員団体」とあるのは「受入先弁護士法人等及び国」とする。

（子ども・子育て支援法の特例）

第九条　弁護士職務従事職員に関する子ども・子育て支援法（平成二十四年法律第六十五号）の規定の適用については、受入先弁護士法人等を同法第六十九条第一項第四号に規定する団体とみなす。

（一般職の職員の給与に関する法律の特例）

第十条　弁護士職務従事職員であった者に関する一般職の職員の給与に関する法律第二十三条第一項及び附則第六項の規定の適用については、第四条第一項に規定する弁護士の業務（当該弁護士の業務に係る労働者災害補償保険法（昭和二十二年法律第五十号）第七条第二項に規定する通勤（当該弁護士の業務に係る就業の場所を国家公務員災害補償法（昭和二十六年法律第百九十一号）第一条の二第一項第一号及び第二号に規定する勤務場所とみなした場合に同条に規定する通勤に該当するものに限る。次条第一項において同じ。）を含む。）を公務とみなす。

２　弁護士職務従事職員であった者に関する一般職の職員の給与に関する法律第十一条の七第三項、第十一条の八第三項、第十二条第四項、第十二条の二第三項及び第十四条第二項の規定の適用については、弁護士職務従事職員は、同法第十一条の七第三項に規定する行政執行法人職員等とみなす。

（国家公務員退職手当法の特例）

第十一条　弁護士職務従事職員又は弁護士職務従事職員であった者が退職した場合における国家公務員退職手当法（昭和二十八年法律第百八十二号）の規定の適用については、第四条第一項に規定する弁護士の業務に係る業務上の傷病又は死亡は同法第四条第二項、第五条第一項及び第六条の四第一項に規定する公務上の傷病又は死亡と、当該弁護士の業務に係る労働者災害補償保険法第七条第二項に規定する通勤による傷病は国家公務員退職手当法第四条第二項、第五条第二項及び第六条の四第一項に規定する通勤による傷病とみなす。

２　弁護士職務従事職員又は弁護士職務従事職員であった者に関する国家公務員退職手当法第六条の四第一項及び第七条第四項の規定の適用については、弁護士職務従事期間は、同法第六条の四第一項に規定する現実に職務をとることを要しない期間には該当しないものとみなす。

３　前項の規定は、弁護士職務従事職員又は弁護士職務従事職員であった者が当該受入先弁護士法人等から所得税法（昭和四十年法律第三十三号）第三十条第一項に規定する退職手当等（同法第三十一条の規定により退職手当等とみなされるものを含む。）の支払を受けた場合には、適用しない。

４　弁護士職務従事職員がその弁護士職務従事期間中に退職した場合に支給する国家公務員退職手当法の規定による退職手当の算定の基礎となる俸給若しくは扶養手当又はこれらに対する地域手当若しくは広域異動手当（以下この項において「俸給等」という。）の月額については、当該弁護士職務従事職員が第二条第三項又は第六項の規定により裁判所事務官又は法務省に属する官職に任命された日の前日において受けていた俸給等の月額をもって、当該弁護士職務従事職員の俸給等の月額とする。ただし、必要があると認められるときは、他の判事補若しくは判事又は検事との均衡を考慮し、必要な措置を講ずることができる。

５　弁護士職務従事職員又は弁護士職務従事職員であった者が退職した場合における国家公務員退職手当法第六条の四の規定の適用については、これらの者は、その弁護士職務従事期間中、第二条第三項又は第六項の規定により裁判所事務官又は法務省に属する官職に任命された日の前日において従事していた職務に従事していたものとみなす。

（判事補等又は検事への復帰時における処遇）

第十二条　裁判所事務官である弁護士職務従事職員がその弁護士職務経験の終了後に判事補又は判事に任命された場合及び法務省職員である弁護士職務従事職員がその弁護士職務経験の終了後に検事に任命された場合における処遇については、他の判事補若しくは判事又は検事との権衡上必要と認められる範囲内において、適切な配慮が加えられなければならない。

（最高裁判所及び法務大臣の責務）

第十三条　最高裁判所及び法務大臣は、この法律の運用に当たっては、裁判官、検察官及び弁護士のそれぞれの職務の性質に配慮しつつ、その適正な運用の確保に努めなければならない。

（最高裁判所規則及び法務省令への委任）

第十四条　この法律に定めるもののほか、判事補に係るこの法律の実施に関し必要な事項は、最高裁判所規則で定める。

2　この法律に定めるもののほか、検事に係るこの法律の実施に関し必要な事項は、法務省令で定める。

3　法務大臣は、第二条第七項又は第七条第三項の法務省令を制定し、又は改廃しようとするときは、人事院の意見を聴かなければならない。前項の法務省令であって人事院の所掌に係る事項を定めるものを制定し、又は改廃しようとするときも、同様とする。

附　則

（施行期日）

1　この法律は、公布の日から起算して一年を超えない範囲内において政令で定める日〔平一七・四・一〕から施行する。ただし、次の各号に掲げる規定は、それぞれ当該各号に定める日から施行する。

一　附則第三項の規定　公布の日

二　次項の規定　公布の日から起算して九月を超えない範囲内において政令で定める日〔平一七・一・一〕

（準備行為）

2　最高裁判所又は法務大臣は、この法律の施行の日前においても、第二条第七項に規定する雇用契約を締結しようとする弁護士法人又は弁護士との間で同条第一項又は第四項の取決めをし、判事補又は検事からこれらの規定の同意を得、その他この法律の実施のために必要な準備行為をすることができる。

3　法務大臣は、第二条第七項、第七条第三項又は第十四条第三項後段の法務省令を制定しようとするときは、この法律の施行の日前においても、人事院の意見を聴くことができる。

（健康増進法による国家公務員共済組合法の一部改正に伴う経過措置）

4　この法律の施行の日が健康増進法（平成十四年法律第百三号）附則第十条の規定の施行の日前である場合には、同条の規定の施行の日の前日までの間における第八条第三項の規定の適用については、同項中「第九十八条第一項各号」とあるのは、「第九十八条各号」とする。

（国家公務員共済組合法等の一部を改正する法律による国家公務員共済組合法の一部改正に伴う経過措置）

5　この法律の施行の日が国家公務員共済組合法等の一部を改正する法律（平成十六年法律第百三十号）第二条の規定の施行の日前である場合には、同条の規定の施行の日の前日までの間における第八条第一項及び第四項の規定の適用については、同条第一項中「第六十八条の二第一項ただし書、第二項及び第三項並びに」とあるのは「第六十八条の二第一項ただし書及び」と、同条第四項中「特定独立行政法人」とあるのは「独立行政法人、国立大学法人等」とする。

（平成二十二年度等における子ども手当の支給に関する法律により適用される旧児童手当法の特例）

6　平成二十二年度等における子ども手当の支給に関する法律（平成二十二年法律第十九号）の規定により子ども手当の支給がされる弁護士職務従事職員に関しては、第九条の規定を準用する。この場合において、同条の見出し中「子ども・子育て支援法」とあるのは「平成二十二年度等における子ども手当の支給に関する法律が適用される場合における旧児童手当法」と、同条中「子ども・子育て支援法（平成二十四年法律第六十五号）」とあるのは「平成二十二年度等における子ども手当の支給に関する法律（平成二十二年法律第十九号）第二十条第一項の規定による児童手当法の一部を改正する法律（平成二十四年法律第二十四号）附則第十一条の規定によりなおその効力を有するものとされた同法第一条の規定による改正前の児童手当法（昭和四十六年法律第七十三号）」と、「第六十九条第一項第四号」とあるのは「第二十条第一項第四号」と読み替えるものとする。

（平成二十三年度における子ども手当の支給等に関する特別措置法により適用される旧児童手当法の特例）

7　平成二十三年度における子ども手当の支給等に関する特別措置法（平成二十三年法律第百七号）の規定により子ども手当の支給等がされる弁護士職務従事職員に関しては、第九条の規定を準用する。この場合において、同条の見出し中「子ども・子育て支援法」とあるのは「平成二十三年度における子ども手当の支給等に関する特別措置法が適用される場合における旧児童手当法」と、同条中「子ども・子育て支援法（平成二十四年法律第六十五号）」とあるのは「平成二十三年度における子ども手当の支給等に関する特別措置法（平成二十三年法律第百七号）第二十条第一項、第三項又は第五項の規定による児童手当法の一部を改正する法律（平成二十四年法律第二十四号）附則第十二条の規定によりなおその効力を有するものとされた同法第一条の規定による改正前の児童手当法（昭和四十六年法律第七十三号）」と、「第六十九条第一項第四号」とあるのは「第二十条第一項第四号」と読み替えるものとする。

○福島復興再生特別措置法（抄）

平二四・三・三一
法　　　二　　五

最終改正　令五・六・九法四九

第三章　避難解除等区域の復興及び再生のための特別の措置

第七節　公益社団法人福島相双復興推進機構への国の職員の派遣等

（公益社団法人福島相双復興推進機構による派遣の要請）

第四十八条の二　避難指示・解除区域市町村の復興及び再生を推進することを目的とする公益社団法人福島相双復興推進機構（平成二十七年八月十二日に一般社団法人福島相双復興準備機構という名称で設立された法人をいう。以下この節において「機構」という。）は、避難指示・解除区域市町村の復興及び再生の推進に関する業務のうち、特定事業者（避難指示・解除区域市町村の区域内に平成二十三年三月十一日においてその事業所が所在していた個人事業者又は法人をいう。以下この項において同じ。）の経営に関する診断及び助言、特定事業者の事業の再生を図るための方策の企画及び立案、国の行政機関その他の関係機関との連絡調整その他国の事務又は事業との密接な連携の下で実施する必要があるもの（以下この節において「特定業務」という。）を円滑かつ効果的に行うため、国の職員（国家公務員法（昭和二十二年法律第百二十号）第二条に規定する一般職に属する職員（法律により任期を定めて任用される職員、常時勤務を要しない官職を占める職員、独立行政法人通則法（平成十一年法律第百三号）第二条第四項に規定する行政執行法人の職員その他人事院規則で定める職員を除く。）をいう。以下同じ。）を機構の職員として必要とするときは、その必要とする事由を明らかにして、任命権者（国家公務員法第五十五条第一項に規定する任命権者及び法律で別に定められた任命権者並びにその委任を受けた者をいう。以下同じ。）に対し、その派遣を要請することができる。

2　前項の規定による要請の手続は、人事院規則で定める。

（国の職員の派遣）

第四十八条の三　任命権者は、前条第一項の規定による要請があった場合において、原子力災害からの福島の復興及び再生の推進その他の国の責務を踏まえ、その要請に係る派遣の必要性、派遣に伴う事務の支障その他の事情を勘案して、国の事務又は事業との密接な連携を確保するために相当と認めるときは、これに応じ、国の職員の同意を得て、機構との間の取決めに基づき、期間を定めて、専ら機構における特定業務を行うものとして当該国の職員を機構に派遣することができる。

2　任命権者は、前項の同意を得るに当たっては、あらかじめ、当該国の職員に同項の取決めの内容及び当該派遣の期間中における給与の支給に関する事項を明示しなければならない。

3　第一項の取決めにおいては、機構における勤務時間、特定業務に係る報酬等（報酬、賃金、給料、俸給、手当、賞与その他いかなる名称であるかを問わず、特定業務の対償として受ける全てのものをいう。第四十八条の五第一項及び第二項において同じ。）その他の勤務条件及び特定業務の内容、派遣の期間、職務への復帰に関する事項その他第一項の規定による派遣の実施に当たって合意しておくべきものとして人事院規則で定める事項を定めるものとする。

4　任命権者は、第一項の取決めの内容を変更しようとするときは、当該国の職員の同意を得なければならない。この場合においては、第二項の規定を準用する。

5　第一項の規定による派遣の期間は、三年を超えることができない。ただし、機構からその期間の延長を希望する旨の申出があり、かつ、特に必要があると認めるときは、任命権者は、当該国の職員の同意を得て、当該派遣の日から引き続き五年を超えない範囲内で、これを延長することができる。

6　第一項の規定により機構において特定業務を行う国の職員は、その派遣の期間中、その同意に係る同項の取決めに定められた内容に従って、機構において特定業務を行うものとする。

7　第一項の規定により派遣された国の職員（以下この節において「派遣職員」という。）は、その派遣の期間中、国の職員としての身分を保有するが、職務に従事しない。

8　第一項の規定による国の職員の特定業務への従事については、国家公務員法第百四条の規定は、適用しない。

（職務への復帰）

第四十八条の四　派遣職員は、その派遣の期間が満了したときは、職務に復帰するものとする。

２　任命権者は、派遣職員が機構における職員の地位を失った場合その他の人事院規則で定める場合であって、その派遣を継続することができないか又は適当でないと認めるときは、速やかに、当該派遣職員を職務に復帰させなければならない。

（派遣期間中の給与等）

第四十八条の五　任命権者は、機構との間で第四十八条の三第一項の取決めをするに当たっては、同項の規定により派遣される国の職員が機構から受ける特定業務に係る報酬等について、当該国の職員がその派遣前に従事していた職務及び機構において行う特定業務の内容に応じた相当の額が確保されるよう努めなければならない。

２　派遣職員には、その派遣の期間中、給与を支給しない。ただし、機構において特定業務が円滑かつ効果的に行われることを確保するため特に必要があると認められるときは、当該派遣職員には、その派遣の期間中、機構から受ける特定業務に係る報酬等の額に照らして必要と認められる範囲内で、俸給、扶養手当、地域手当、広域異動手当、研究員調整手当、住居手当及び期末手当のそれぞれ百分の百以内を支給することができる。

３　前項ただし書の規定による給与の支給に関し必要な事項は、人事院規則（派遣職員が検察官の俸給等に関する法律（昭和二十三年法律第七十六号）の適用を受ける者である場合にあっては、同法第三条第一項に規定する準則。第八十九条の五第三項において同じ。）で定める。

（国家公務員共済組合法の特例）

第四十八条の六　国家公務員共済組合法（昭和三十三年法律第百二十八号。以下「国共済法」という。）第三十九条第二項の規定及び国共済法の短期給付に関する規定（国共済法第六十八条の三の規定を除く。以下この項及び第八十九条の六第一項において同じ。）は、派遣職員には、適用しない。この場合において、国共済法の短期給付に関する規定の適用を受ける職員（国共済法第二条第一項第一号に規定する職員をいう。以下この項及び第八十九条の六第一項において同じ。）が派遣職員となったときは、国共済法の短期給付に関する規定の適用については、そのなった日の前日に退職（国共済法第二条第一項第四号に規定する退職をいう。第八十九条の六第一項において同じ。）をしたものとみなし、派遣職員が国共済法の短期給付に関する規定の適用を受ける職員となったときは、国共済法の短期給付に関する規定の適用については、そのなった日に職員となったものとみなす。

２　派遣職員に関する国共済法の退職等年金給付に関する規定の適用については、機構における特定業務を公務とみなす。

３　派遣職員は、国共済法第九十八条第一項各号に掲げる福祉事業を利用することができない。

４　派遣職員に関する国共済法の規定の適用については、国共済法第二条第一項第五号及び第六号中「とし、その他の職員」とあるのは「並びにこれらに相当するものとして次条第一項に規定する組合の運営規則で定めるものとし、その他の職員」と、国共済法第九十九条第二項中「次の各号」とあるのは「第三号」と、「当該各号」とあるのは「同号」と、「及び国の負担金」とあるのは「、福島復興再生特別措置法（平成二十四年法律第二十五号）第四十八条の二第一項に規定する機構（以下「機構」という。）の負担金及び国の負担金」と、同項第三号中「国の負担金」とあるのは「機構の負担金及び国の負担金」と、国共済法第百二条第一項中「各省各庁の長（環境大臣を含む。）、行政執行法人又は職員団体」とあり、及び「国、行政執行法人又は職員団体」とあるのは「機構及び国」と、「第九十九条第二項（同条第六項から第八項までの規定により読み替えて適用する場合を含む。）及び第五項（同条第七項及び第八項の規定により読み替えて適用する場合を含む。）」とあるのは「第九十九条第二項第三号及び第四号」と、「並びに同条第五項（同条第七項及び第八項の規定により読み替えて適用する場合を含む。以下この項において同じ。）」とあるのは「及び同条第五項」と、「（同条第五項」とあるのは「（同項」と、「国、行政執行法人又は職員団体」とあるのは「機構及び国」とする。

５　前項の場合において機構及び国が同項の規定により読み替えられた国共済法第九十九条第二項及び厚生年金保険法（昭和二十九年法律第百十五号）第八十二条第一項の規定により負担すべき金額その他必要な事項は、政令で定める。

（子ども・子育て支援法の特例）

第四十八条の七　派遣職員に関する子ども・子育て支援法（平成二十四年法律第六十五号）の規定の適用については、機構を同法第六十九条第一項第四号に規定する団体とみなす。

（国共済法等の適用関係等についての政令への委任）

第四十八条の八　この節に定めるもののほか、派遣職員に関する国共済法、地方公務員等共済組合法（昭和三十七年法律第百五十二号）、子ども・子育て支援法その他これらに類する法律の適用関係の調整を要する場合におけるその適用関係その他必要な事項は、政令で定める。

（一般職の職員の給与に関する法律の特例）

第四十八条の九　第四十八条の三第一項の規定による派遣の期間中又はその期間の満了後における当該国の職員に関する一般職の職員の給与に関する法律（昭和二十五年法律第九十五号）第二十三条第一項及び附則第六項の規定の適用については、機構における特定業務（当該特定業務に係る労働者災害補償保険法（昭和二十二年法律第五十号）第七条第二項に規定する通勤（当該特定業務に係る就業の場所を国家公務員災害補償法（昭和二十六年法律第百九十一号）第一条の二第一項第一号及び第二号に規定する勤務場所とみなした場合に同条に規定する通勤に該当するものに限る。次条第一項において同じ。）を含む。）を公務とみなす。

（国家公務員退職手当法の特例）

第四十八条の十　第四十八条の三第一項の規定による派遣の期間中又はその期間の満了後に当該国の職員が退職した場合における国家公務員退職手当法（昭和二十八年法律第百八十二号）の規定の適用については、機構における特定業務に係る業務上の傷病又は死亡は同法第四条第二項、第五条第一項及び第六条の四第一項に規定する公務上の傷病又は死亡と、当該特定業務に係る労働者災害補償保険法第七条第二項に規定する通勤による傷病は国家公務員退職手当法第四条第二項、第五条第二項及び第六条の四第一項に規定する通勤による傷病とみなす。

2　派遣職員に関する国家公務員退職手当法第六条の四第一項及び第七条第四項の規定の適用については、第四十八条の三第一項の規定による派遣の期間は、同法第六条の四第一項に規定する現実に職務をとることを要しない期間には該当しないものとみなす。

3　前項の規定は、派遣職員が機構から所得税法（昭和四十年法律第三十三号）第三十条第一項に規定する退職手当等（同法第三十一条の規定により退職手当等とみなされるものを含む。第八十九条の十第三項において同じ。）の支払を受けた場合には、適用しない。

4　派遣職員がその派遣の期間中に退職した場合に支給する国家公務員退職手当法の規定による退職手当の算定の基礎となる俸給月額については、部内の他の職員との権衡上必要があると認められるときは、次条第一項の規定の例により、その額を調整することができる。

（派遣後の職務への復帰に伴う措置）

第四十八条の十一　派遣職員が職務に復帰した場合におけるその者の職務の級及び号俸については、部内の他の職員との権衡上必要と認められる範囲内において、人事院規則の定めるところにより、必要な調整を行うことができる。

2　前項に定めるもののほか、派遣職員が職務に復帰した場合における任用、給与等に関する処遇については、部内の他の職員との均衡を失することのないよう適切な配慮が加えられなければならない。

（人事院規則への委任）

第四十八条の十二　この節に定めるもののほか、機構において国の職員が特定業務を行うための派遣に関し必要な事項は、人事院規則で定める。

（機構の役員及び職員の地位）

第四十八条の十三　機構の役員及び職員は、刑法（明治四十年法律第四十五号）その他の罰則の適用については、法令により公務に従事する職員とみなす。

第六章　新たな産業の創出等に寄与する取組の重点的な推進のための特別な措置

第四節　公益財団法人福島イノベーション・コースト構想推進機構への国の職員の派遣等

（公益財団法人福島イノベーション・コースト構想推進機構による派遣の要請）

第八十九条の二　福島国際研究産業都市区域における新たな産業の創出及び産業の国際競争力の強化に寄与する取組を重点的に推進することを目的とする公益財団法人福島イノベーション・コースト構想推進機構（平成二十九年七月二十五日に一般財団法人福島イノベーション・コースト構想推進機構という名称で設立された法人をいう。以下この節において「機構」という。）は、当該取組の推進に関する業務のうち、産業集積の形成及び活性化に資する事業の創出の促進、国、地方公共団体、研究機関、事業者、金融機関その他の関係者相互間の連絡調整及び連携の促進、産業集積の形成及び活性化を図るための方策の企画及び立案その他国の事務又は事業との密接な連携の下で実施する必要があるもの（以下この節において「特定業務」という。）を円滑かつ効果的に行うため、国の職員を機構の職員として必要とするときは、その必要とする事由を明らかにして、任命権者に対し、その派遣を要請することができる。
2 前項の規定による要請の手続は、人事院規則で定める。

（国の職員の派遣）

第八十九条の三 任命権者は、前条第一項の規定による要請があった場合において、原子力災害からの福島の復興及び再生の推進その他の国の責務を踏まえ、その要請に係る派遣の必要性、派遣に伴う事務の支障その他の事情を勘案して、国の事務又は事業との密接な連携を確保するために相当と認めるときは、これに応じ、国の職員の同意を得て、機構との間の取決めに基づき、期間を定めて、専ら機構における特定業務を行うものとして当該国の職員を機構に派遣することができる。
2 任命権者は、前項の同意を得るに当たっては、あらかじめ、当該国の職員に同項の取決めの内容及び当該派遣の期間中における給与の支給に関する事項を明示しなければならない。
3 第一項の取決めにおいては、機構における勤務時間、特定業務に係る報酬等（報酬、賃金、給料、俸給、手当、賞与その他いかなる名称であるかを問わず、特定業務の対償として受ける全てのものをいう。第八十九条の五第一項及び第二項において同じ。）その他の勤務条件及び特定業務の内容、派遣の期間、職務への復帰に関する事項その他第一項の規定による派遣の実施に当たって合意しておくべきものとして人事院規則で定める事項を定めるものとする。
4 任命権者は、第一項の取決めの内容を変更しようとするときは、当該国の職員の同意を得なければならない。この場合においては、第二項の規定を準用する。
5 第一項の規定による派遣の期間は、三年を超えることができない。ただし、機構からその期間の延長を希望する旨の申出があり、かつ、特に必要があると認めるときは、任命権者は、当該国の職員の同意を得て、当該派遣の日から引き続き五年を超えない範囲内で、これを延長することができる。
6 第一項の規定により機構において特定業務を行う国の職員は、その派遣の期間中、その同意に係る同項の取決めに定められた内容に従って、機構において特定業務を行うものとする。
7 第一項の規定により派遣された国の職員（以下この節において「派遣職員」という。）は、その派遣の期間中、国の職員としての身分を保有するが、職務に従事しない。
8 第一項の規定による国の職員の特定業務への従事については、国家公務員法第百四条の規定は、適用しない。

（職務への復帰）

第八十九条の四 派遣職員は、その派遣の期間が満了したときは、職務に復帰するものとする。
2 任命権者は、派遣職員が機構における職員の地位を失った場合その他の人事院規則で定める場合であって、その派遣を継続することができないか又は適当でないと認めるときは、速やかに、当該派遣職員を職務に復帰させなければならない。

（派遣期間中の給与等）

第八十九条の五 任命権者は、機構との間で第八十九条の三第一項の取決めをするに当たっては、同項の規定により派遣される国の職員が機構から受ける特定業務に係る報酬等について、当該国の職員がその派遣前に従事していた職務及び機構において行う特定業務の内容に応じた相当の額が確保されるよう努めなければならない。
2 派遣職員には、その派遣の期間中、給与を支給しない。ただし、機構において特定業務が円滑かつ効果的に行われることを確保するため特に必要があると認められるときは、当該派遣職員には、その派遣の期間中、機構から受ける特定業務に係る報酬等の額に照らして必要と認められる範囲内で、俸給、扶養手当、地域手当、広域異動手当、研究員調整手当、住居手当及び期末手当のそれぞれ百分の百以内を支給することができる。
3 前項ただし書の規定による給与の支給に関し必要な事項は、人事院規則で定める。

（国共済法の特例）

第八十九条の六 国共済法第三十九条第二項の規定及び国共済法の短期給付に関する規定は、派遣職員には、適用しない。この場合において、国共済法の短期給付に関する規定の適用を受ける職員が派遣職員となったときは、国共済法の短期給付に関する規定の適用については、そのなった日の前日に退職をしたものとみなし、派遣職員が国共済法の短期給付に関する規定の適用を受ける職員となったときは、国共済法の短期給付に関する規定の適用については、そのなった日に職員となったものとみなす。
2 派遣職員に関する国共済法の退職等年金給付に関する規定の適用については、機構における特定業務を公務とみなす。
3 派遣職員は、国共済法第九十八条第一項各号に掲げる福祉事業を利用することができない。

4　派遣職員に関する国共済法の規定の適用については、国共済法第二条第一項第五号及び第六号中「とし、その他の職員」とあるのは「並びにこれらに相当するものとして次条第一項に規定する組合の運営規則で定めるものとし、その他の職員」と、国共済法第九十九条第二項中「次の各号」とあるのは「第三号」と、「当該各号」とあるのは「同号」と、「及び国の負担金」とあるのは「、福島復興再生特別措置法（平成二十四年法律第二十五号）第八十九条の二第一項に規定する機構（以下「機構」という。）の負担金及び国の負担金」と、同項第三号中「国の負担金」とあるのは「機構の負担金及び国の負担金」と、国共済法第百二条第一項中「各省各庁の長（環境大臣を含む。）、行政執行法人又は職員団体」とあり、及び「国、行政執行法人又は職員団体」とあるのは「機構及び国」と、「第九十九条第二項（同条第六項から第八項までの規定により読み替えて適用する場合を含む。）及び第五項（同条第七項及び第八項の規定により読み替えて適用する場合を含む。）」とあるのは「第九十九条第二項第三号及び第五項」と、同条第四項中「第九十九条第二項第三号及び第四号」とあるのは「第九十九条第二項第三号」と、「並びに同条第五項（同条第七項及び第八項の規定により読み替えて適用する場合を含む。以下この項において同じ。）」とあるのは「及び同条第五項」と、「（同条第五項」とあるのは「（同項」と、「国、行政執行法人又は職員団体」とあるのは「機構及び国」とする。

5　前項の場合において機構及び国が同項の規定により読み替えられた国共済法第九十九条第二項及び厚生年金保険法第八十二条第一項の規定により負担すべき金額その他必要な事項は、政令で定める。

（子ども・子育て支援法の特例）

第八十九条の七　派遣職員に関する子ども・子育て支援法の規定の適用については、機構を同法第六十九条第一項第四号に規定する団体とみなす。

（国共済法等の適用関係等についての政令への委任）

第八十九条の八　この節に定めるもののほか、派遣職員に関する国共済法、地方公務員等共済組合法、子ども・子育て支援法その他これらに類する法律の適用関係の調整を要する場合におけるその適用関係その他必要な事項は、政令で定める。

（一般職の職員の給与に関する法律の特例）

第八十九条の九　第八十九条の三第一項の規定による派遣の期間中又はその期間の満了後における当該国の職員に関する一般職の職員の給与に関する法律第二十三条第一項及び附則第六項の規定の適用については、機構における特定業務（当該特定業務に係る労働者災害補償保険法第七条第二項に規定する通勤（当該特定業務に係る就業の場所を国家公務員災害補償法第一条の二第一項第一号及び第二号に規定する勤務場所とみなした場合に同条に規定する通勤に該当するものに限る。次条第一項において同じ。）を含む。）を公務とみなす。

（国家公務員退職手当法の特例）

第八十九条の十　第八十九条の三第一項の規定による派遣の期間中又はその期間の満了後に当該国の職員が退職した場合における国家公務員退職手当法の規定の適用については、機構における特定業務に係る業務上の傷病又は死亡は同法第四条第二項、第五条第一項及び第六条の四第一項に規定する公務上の傷病又は死亡と、当該特定業務に係る通勤による傷病は国家公務員退職手当法第四条第二項、第五条第二項及び第六条の四第一項に規定する通勤による傷病とみなす。

2　派遣職員に関する国家公務員退職手当法第六条の四第一項及び第七条第四項の規定の適用については、第八十九条の三第一項の規定による派遣の期間は、同法第六条の四第一項に規定する現実に職務をとることを要しない期間には該当しないものとみなす。

3　前項の規定は、派遣職員が機構から所得税法第三十条第一項に規定する退職手当等の支払を受けた場合には、適用しない。

4　派遣職員がその派遣の期間中に退職した場合に支給する国家公務員退職手当法の規定による退職手当の算定の基礎となる俸給月額については、部内の他の職員との権衡上必要があると認められるときは、次条第一項の規定の例により、その額を調整することができる。

（派遣後の職務への復帰に伴う措置）

第八十九条の十一　派遣職員が職務に復帰した場合におけるその者の職務の級及び号俸については、部内の他の職員との権衡上必要と認められる範囲内において、人事院規則の定めるところにより、必要な調整を行うことができる。

2　前項に定めるもののほか、派遣職員が職務に復帰した場合における任用、給与等に関する処遇については、部内の他の職員との均衡を失することのないよう適切な配慮が加えられなければならない。

（人事院規則への委任）

第八十九条の十二　この節に定めるもののほか、機構において国の職員が特定業務を行うための派遣に関し必要な事項は、人事院規則で定める。

（機構の役員及び職員の地位）

第八十九条の十三　機構の役員及び職員は、刑法その他の罰則の適用については、法令により公務に従事する職員とみなす。

○人事院規則一―六九（職員の公益社団法人福島相双復興推進機構への派遣）

平二九・五・一九公布
平二九・五・一九施行

最終改正　令六・一・二三規則九―一五一

（趣旨）

第一条　この規則は、福島復興再生特別措置法（平成二十四年法律第二十五号）に規定する職員の公益社団法人福島相双復興推進機構（平成二十七年八月十二日に一般社団法人福島相双復興準備機構という名称で設立された法人をいう。以下「機構」という。）への派遣に関し必要な事項を定めるものとする。

（定義）

第二条　この規則において、「特定業務」、「任命権者」又は「派遣職員」とは、それぞれ福島復興再生特別措置法第四十八条の二第一項又は第四十八条の三第七項に規定する特定業務、任命権者又は派遣職員をいう。

（派遣除外職員）

第三条　福島復興再生特別措置法第四十八条の三第一項の規定による派遣の場合における同法第四十八条の二第一項の人事院規則で定める職員は、次に掲げる職員とする。

一　条件付採用期間中の職員

二　法第八十一条の五第一項から第四項までの規定により異動期間（これらの規定により延長された期間を含む。）を延長された管理監督職を占める職員

三　勤務延長職員

四　休職者

五　停職者

六　派遣法第二条第一項の規定により派遣されている職員

七　官民人事交流法第八条第二項に規定する交流派遣職員

八　法科大学院派遣法第四条第三項又は第十一条第一項の規定により派遣されている職員

九　福島復興再生特別措置法第八十九条の三第一項の規定により派遣されている職員

十　令和七年国際博覧会特措法第二十五条第一項の規定により派遣されている職員

十一　令和九年国際園芸博覧会特措法第十五条第一項の規定により派遣されている職員

十二　判事補及び検事の弁護士職務経験に関する法律（平成十六年法律第百二十一号）第二条第四項の規定により弁護士となってその職務を行う職員

十三　規則八―一二（職員の任免）第四十二条第二項の規定により任期を定めて採用された職員その他任期を限られた職員

（任命権者）

第四条　福島復興再生特別措置法第四十八条の三第一項の規定による派遣の場合における同法第四十八条の二第一項の任命権者には、併任に係る官職の任命権者は含まれないものとする。

（派遣の要請）

第五条　機構は、福島復興再生特別措置法第四十八条の二第一項の規定に基づき職員の派遣を要請しようとす

るときは、当該派遣を必要とする事由及び次に掲げる当該派遣に関して希望する条件を記載した書類を任命権者に提出するものとする。
一　派遣に係る職員に必要な専門的な知識経験等
二　派遣に係る職員の機構における地位及び業務内容
三　派遣の期間
四　派遣に係る職員の機構における勤務時間、特定業務に係る報酬等（報酬、賃金、給料、俸給、手当、賞与その他いかなる名称であるかを問わず、特定業務の対償として受ける全てのものをいう。以下同じ。）その他の勤務条件
五　前各号に掲げるもののほか、機構が必要と認める条件

（派遣に係る取決め）
第六条　福島復興再生特別措置法第四十八条の三第三項の人事院規則で定める事項は、次に掲げる事項とする。
一　福島復興再生特別措置法第四十八条の三第一項の規定により派遣される職員（以下この条において「派遣予定職員」という。）の機構における職務に係る倫理その他の服務に関する事項
二　派遣予定職員の機構における福利厚生に関する事項
三　派遣予定職員の機構における特定業務の従事の状況の連絡に関する事項
四　派遣予定職員に係る派遣の期間の変更その他の取決めの内容の変更に関する事項
五　派遣予定職員に係る取決めに疑義が生じた場合及び当該取決めに定めのない事項が生じた場合の取扱いに関する事項

（派遣職員の保有する官職）
第七条　派遣職員は、派遣された時に占めていた官職又はその派遣の期間中に異動した官職を保有するものとする。ただし、併任に係る官職についてはこの限りではない。
2　前項の規定は、当該官職を他の職員をもって補充することを妨げるものではない。

（派遣職員の職務への復帰）
第八条　福島復興再生特別措置法第四十八条の四第二項の人事院規則で定める場合は、次に掲げる場合とする。
一　派遣職員が機構における地位を失った場合
二　派遣職員が法第七十八条第二号又は第三号に該当することとなった場合
三　派遣職員が法第七十九条各号のいずれかに該当することとなった場合又は水難、火災その他の災害により生死不明若しくは所在不明となった場合
四　派遣職員が法第八十二条第一項各号のいずれかに該当することとなった場合
五　派遣職員の派遣が当該派遣に係る取決めに反することとなった場合

（派遣に係る人事異動通知書の交付）
第九条　任命権者は、次に掲げる場合には、職員に対して、規則八―一二第五十八条の規定による人事異動通知書を交付しなければならない。
一　福島復興再生特別措置法第四十八条の三第一項の規定により職員を派遣した場合
二　派遣職員に係る派遣の期間を延長した場合
三　派遣の期間の満了により派遣職員が職務に復帰した場合
四　派遣職員を職務に復帰させた場合

（派遣職員の給与）
第十条　派遣職員には、機構から受ける特定業務に係る報酬等（通勤手当、在宅勤務等手当、特殊勤務手当、超過勤務手当、休日給、夜勤手当、宿日直手当及び管理職員特別勤務手当（以下この項において「通勤手当等」という。）に相当するものを除く。以下この条において「派遣先報酬等」という。）の年額が、派遣職員に係る派遣の期間の初日の前日における給与の額を基礎とし、給与法第八条第六項の規定により標準号俸数（同条第七項に規定する人事院規則で定める基準において当該職員に係る標準となる号俸数をいう。）を昇給するものとして算定した給与（通勤手当等を除く。）の年額（当該年額が部内の他の職員との均衡を著しく失すると認められる場合にあっては、人事院の定めるところにより算定した額。以下この条において「派遣前給与の年額」という。）に満たない場合であって、機構において特定業務が円滑かつ効果的に行われることを確保するため特に必要があると認められるときは、当該派遣の期間中、俸給、扶養手当、地域手当、広域異動手当、研究員調整手当、住居手当及び期末手当（以下この条並びに附則第二項及び第三項において「俸給等」という。）のそれぞれ百分の百以内を支給することができる。
2　派遣職員がその派遣の期間中に前項に規定する場合に該当することとなった場合においても、当該該当することとなった日以後の当該派遣の期間中、俸給等のそれぞれ百分の百以内を支給することができる。
3　前二項の規定により支給される俸給等の支給割合を決定するに当たっては、決定された支給割合により支

給されることとなる俸給等の年額が、派遣前給与の年額から派遣先報酬等の年額を減じた額を超えてはならない。

4 俸給等の支給及び支給割合は、派遣職員に係る派遣の期間の初日（第二項の規定により俸給等を支給されることとなった場合にあっては、当該支給されることとなった日）から起算して一年ごとに見直すものとし、俸給等の年額が派遣前給与の年額から派遣先報酬等の年額を減じた額を超える場合その他特に必要があると認められる場合には、第一項及び前項の規定の例により、俸給等の支給割合を変更し、又は俸給等を支給しないものとする。

5 俸給等の支給及び支給割合は、前項に規定する場合のほか、派遣先報酬等の額又は俸給等の額の変動があった場合において、俸給等の年額が派遣前給与の年額から派遣先報酬等の年額を減じた額を超えるときその他特に必要があると認められるときは、第一項及び第三項の規定の例により、俸給等の支給割合を変更し、又は俸給等を支給しないものとする。

6 前項の規定により俸給等の支給割合を変更した場合における第四項の規定の適用については、「派遣職員に係る派遣の期間の初日（第二項の規定により俸給等を支給されることとなった場合にあっては、当該支給されることとなった日）」とあるのは、「派遣先報酬等の額又は俸給等の額の変動があった日」とする。

（派遣職員の職務復帰時における給与の取扱い）

第十一条 派遣職員が職務に復帰した場合において、部内の他の職員との均衡上特に必要があると認められるときは、規則九—八（初任給、昇格、昇給等の基準）第二十条の規定にかかわらず、人事院の定めるところにより、その職務に応じた職務の級に昇格させることができる。

第十二条 派遣職員が職務に復帰した場合において、部内の他の職員との均衡上必要があると認められるときは、その派遣の期間を百分の百以下の換算率により換算して得た期間を引き続き勤務したものとみなして、その職務に復帰した日、同日後における最初の昇給日（規則九—八第三十四条に規定する昇給日をいう。以下この項において同じ。）又はその次の昇給日に、昇給の場合に準じてその者の号俸を調整することができる。

2 派遣職員が職務に復帰した場合における号俸の調整について、前項の規定による場合には部内の他の職員との均衡を著しく失すると認められるときは、同項の規定にかかわらず、あらかじめ人事院と協議して、その者の号俸を調整することができる。

（報告）

第十三条 派遣職員は、任命権者から求められたときは、機構における勤務条件及び業務の遂行の状況について報告しなければならない。

2 任命権者は、人事院の定めるところにより、毎年五月末日までに、前年の四月一日に始まる年度内において福島復興再生特別措置法第四十八条の三第一項の規定により派遣されている期間のある職員の派遣の期間並びに機構における地位、業務内容及び特定業務に係る報酬等の月額等の状況並びに同項の規定による派遣から当該年度内に職務に復帰した職員の当該復帰後の処遇等に関する状況について、人事院に報告しなければならない。

附 則

（施行期日）

1 この規則は、公布の日から施行する。

（給与法附則第八項の規定の適用を受ける派遣職員の給与）

2 派遣職員が給与法附則第八項の規定の適用を受ける職員となった場合には、当分の間、同項の規定の適用を受ける職員となった日を派遣の期間の初日の前日とみなして、第十条第一項及び第三項の規定の例により、俸給等の支給割合を決定し、又は俸給等を支給しないものとする。

3 前項の規定により、俸給等の支給割合を決定し、又は俸給等を支給しないものとした場合における第十条の規定の適用については、同条第一項中「派遣の期間の初日の前日」とあるのは「給与法附則第八項の規定の適用を受ける職員となった日」と、同条第二項中「前項」とあるのは「附則第三項の規定により読み替えられた前項」と、同条第三項中「前二項」とあるのは「附則第三項の規定により読み替えられた前二項」と、同条第四項中「派遣の期間の初日（」とあるのは「給与法附則第八項の規定の適用を受ける職員となった日（附則第三項の規定により読み替えられた」と、「第一項」とあるのは「附則第三項の規定により読み替えられた第一項」と、同条第五項中「前項」とあるのは「附則第三項の規定により読み替えられた前項」と、「第一項」とあるのは「附則第三項の規定により読み替えられた第一項」と、同条第六項中「前項」とあるのは「附則第三項の規定により読み替えられた前項」と、「第四項」とあるのは「附則第三項の規定により読み替えられた第四項」と、「派遣の期間の初日（」とあるのは「給与法附則第八項の規定の適用を受ける職員となった日（附則第三項の規定により読み替えられた」とする。

○職員の公益社団法人福島相双復興推進機構への派遣の運用について

平二九・五・一九
人企―四九六

最終改正　令四・二・一八事企法―三七

福島復興再生特別措置法（平成二十四年法律第二十五号）及び人事院規則一―六九（職員の公益社団法人福島相双復興推進機構への派遣）（以下「規則」という。）の運用について下記のとおり定めたので、平成二十九年五月十九日以降は、これによってください。

記

福島復興再生特別措置法第四十八条の三関係

この条の第一項、第四項及び第五項の規定による職員の同意は、文書により行うものとする。

規則第三条関係

この条の第三号の「勤務延長職員」とは、国家公務員法（昭和二十二年法律第百二十号）第八十一条の七第一項又は第二項の規定により定年退職日の翌日以降引き続いて勤務している職員をいう。

規則第九条関係

人事異動通知書の「異動内容」欄の記入要領は、次のとおりとする。

一　福島復興再生特別措置法第四十八条の三第一項の規定により職員を派遣する場合

「公益社団法人福島相双復興推進機構に派遣する
派遣の期間は　年　月　日から　年　月　日までとする
派遣の期間中、俸給、扶養手当、地域手当、広域異動手当、研究員調整手当、住居手当及び期末手当のそれぞれ百分の　を支給する（又は「派遣の期間中、給与は支給しない」）」

と記入する。

二　派遣職員（福島復興再生特別措置法第四十八条の三第七項に規定する派遣職員をいう。以下同じ。）の派遣の期間を延長する場合

「派遣の期間を　年　月　日まで延長する
延長に係る期間中、俸給、扶養手当、地域手当、広域異動手当、研究員調整手当、住居手当及び期末手当のそれぞれ百分の　を支給する（又は「延長に係る期間中、給与は支給しない」）」

と記入する。

三　派遣の期間の満了により派遣職員が職務に復帰した場合

「職務に復帰した（　年　月　日）」

と記入する。

四　派遣職員を職務に復帰させる場合

「職務に復帰させる」

と記入する。

五　派遣の期間中に俸給等（規則第十条第一項に規定する俸給等をいう。次号及び規則附則第二項関係において同じ。）を支給することとなったことに人事異動通知書を用いる場合

「　年　月　日以後、派遣の期間中、俸給、扶養

手当、地域手当、広域異動手当、研究員調整手当、住居手当及び期末手当のそれぞれ百分の
を支給する」
と記入する。

六 派遣の期間中に俸給等の支給割合を変更すること又は俸給等を支給しないものとすることに人事異動通知書を用いる場合

「 年 月 日以後、派遣の期間中、俸給、扶養手当、地域手当、広域異動手当、研究員調整手当、住居手当及び期末手当の支給割合をそれぞれ百分の とする（又は「 年 月 日以後、派遣の期間中、給与は支給しない」）」

と記入する。

規則第十条関係

1 この条の第一項の「当該年額が部内の他の職員との均衡を著しく失すると認められる場合」において、同項に規定する派遣前給与の年額を算定するときは、あらかじめ個別に事務総長に協議するものとする。

2 この条の第一項に規定する派遣前給与の年額の算定における勤勉手当の額は、派遣職員を人事院規則九―四〇（期末手当及び勤勉手当）第十三条第一項第一号ハ（専門スタッフ職俸給表の適用を受ける職員にあっては同項第二号ハ、指定職俸給表の適用を受ける職員にあっては同項第三号ロ）に掲げる職員であるものとした場合の同項の規定による成績率により算定した額によるものとする。

3 この条の規定による給与の支給割合の決定等については、その過程を明確にして行うとともに、その内容を適切に把握しておくものとする。

規則第十一条関係

福島復興再生特別措置法第四十八条の三第一項の規定による派遣後職務に復帰した職員を昇格させる場合には、次の各号に掲げる職員の区分に応じ、当該各号に定める職務の級に昇格させることができる。ただし、特別の事情によりこれにより難い場合には、あらかじめ事務総長に協議して、別段の取扱いをすることができる。

一 人事院規則九―八（初任給、昇格、昇給等の基準）第十一条第三項の規定により職務の級を決定された職員以外の職員 昇格させようとする日に新たに職員となったものとした場合のその者の経験年数がその者を昇格させようとする職務の級をその者の属する職務の級とみなした場合の給実甲第三二六号（人事院規則九―八（初任給、昇格、昇給等の基準）の運用について）第十五条関係第五項に規定する最短昇格期間（以下「最短昇格期間」という。）（ただし、人事院規則九―八第二十条第四項後段の規定に該当するときは、当該最短昇格期間に百分の五十以上百分の百未満の割合を乗じて得た期間とすることができる。）以上となる当該昇格させようとする職務の級

二 人事院規則九―八第十一条第三項の規定により職務の級を決定された職員 当該派遣がなく引き続き職務に従事したものとみなして、その者が当該派遣の直前に属していた職務の級を基礎として昇格等の規定を適用した場合に、その者を昇格させようとする日に属することとなる職務の級を超えない範囲内の職務の級

規則第十二条関係

この条の規定の適用については、給実甲第一九二号（復職時等における号俸の調整の運用について）に定めるところによる。

規則第十三条関係

この条の第二項の規定による人事院への報告は、別紙様式の報告書により行うものとする。

規則附則第二項関係

1 この項の規定により、俸給等の支給割合を決定し、又は俸給等を支給しないものとすることとなった職員（同項の規定により俸給等の支給割合を決定し、又は俸給等を支給しないものとすることとなった日において、派遣の期間を延長され、規則第九条第二号に掲げる場合に同条の規定により人事異動通知書が交付される職員を除く。）に対しては、人事異動通知書又はこれに代わる文書（以下「通知書等」という。）により俸給等の支給割合又は俸給等を支給しない旨を通知するものとする。ただし、通知書等の交付によらないことを適当と認める場合には、適当な方法をもって通知書等の交付に代えることができる。

2 前項の規定による通知において、人事異動通知書を用いる場合の「異動内容」欄の記入要領は、規則第九条関係第六号の規定の例によるものとする。

以上

○人事院規則一―七九（国家公務員法等の一部を改正する法律の施行に伴う関係人事院規則の整備等に関する人事院規則）及び「国家公務員法等の一部を改正する法律の施行に伴う関係人事院事務総長通知の一部改正について」の施行に伴う経過措置について（抄）

令四・二・一八
事企法―三八

人事院規則一―七九（国家公務員法等の一部を改正する法律の施行に伴う関係人事院規則の整備等に関する人事院規則）及び「国家公務員法等の一部を改正する法律の施行に伴う関係人事院事務総長通知の一部改正について（令和四年二月十八日事企法―三七）」の施行に伴い、下記の第二項各号に規定する人事院事務総長通知〔中略〕の経過措置について下記のとおり定めたので、令和五年四月一日以降は、これによってください。

記

1　この通知において、次の各号に掲げる用語の意義は、それぞれ当該各号に定めるところによる。

一　令和三年改正法　国家公務員法等の一部を改正する法律（令和三年法律第六十一号）をいう。

二　令和四年事企法―三七　「国家公務員法等の一部を改正する法律の施行に伴う関係人事院事務総長通知の一部改正について（令和四年二月十八日事企法―三七）」をいう。

三～五　〔略〕

2　令和三年改正法附則第三条第五項に規定する旧国家公務員法勤務延長職員に対する令和四年事企法―三七による改正後の次に掲げる人事院事務総長通知の規定の適用については、これらの規定中「第八十一条の七第一項又は第二項」とあるのは、「第八十一条の七第一項若しくは第二項又は国家公務員法等の一部を改正する法律（令和三年法律第六十一号）附則第三条第五項若しくは第六項」とする。

一　〔略〕

二　「職員の公益社団法人福島相双復興推進機構への派遣の運用について（平成二十九年五月十九日人企―四九六）」規則第三条関係

三～十　〔略〕

以　上

○人事院規則一―七四（職員の公益財団法人福島イノベーション・コースト構想推進機構への派遣）

令二・六・一二公布
令二・六・一二施行

最終改正　令六・一・二三規則九―一五一

（趣旨）

第一条　この規則は、福島復興再生特別措置法（平成二十四年法律第二十五号）に規定する職員の公益財団法人福島イノベーション・コースト構想推進機構（平成二十九年七月二十五日に一般財団法人福島イノベーション・コースト構想推進機構という名称で設立された法人をいう。以下「機構」という。）への派遣に関し必要な事項を定めるものとする。

（定義）

第二条　この規則において、「任命権者」、「特定業務」又は「派遣職員」とは、それぞれ福島復興再生特別措置法第四十八条の二第一項、第八十九条の二第一項又は第八十九条の三第七項に規定する任命権者、特定業務又は派遣職員をいう。

（派遣除外職員）

第三条　福島復興再生特別措置法第八十九条の三第一項の規定による派遣の場合における同法第四十八条の二第一項の人事院規則で定める職員は、次に掲げる職員とする。

一　条件付採用期間中の職員
二　法第八十一条の五第一項から第四項までの規定により異動期間（これらの規定により延長された期間を含む。）を延長された管理監督職を占める職員
三　勤務延長職員
四　休職者
五　停職者
六　派遣法第二条第一項の規定により派遣されている職員
七　官民人事交流法第八条第二項に規定する交流派遣職員
八　法科大学院派遣法第四条第三項又は第十一条第一項の規定により派遣されている職員
九　福島復興再生特別措置法第四十八条の三第一項の規定により派遣されている職員
十　令和七年国際博覧会特措法第二十五条第一項の規定により派遣されている職員
十一　令和九年国際園芸博覧会特措法第十五条第一項の規定により派遣されている職員
十二　判事補及び検事の弁護士職務経験に関する法律（平成十六年法律第百二十一号）第二条第四項の規定により弁護士となってその職務を行う職員
十三　規則八―一二（職員の任免）第四十二条第二項の規定により任期を定めて採用された職員その他任期を限られた職員

（任命権者）
第四条　福島復興再生特別措置法第八十九条の三第一項の規定による派遣の場合における同法第四十八条の二第一項の任命権者には、併任に係る官職の任命権者は含まれないものとする。

（派遣の要請）
第五条　機構は、福島復興再生特別措置法第八十九条の二第一項の規定に基づき職員の派遣を要請しようとするときは、当該派遣を必要とする事由及び次に掲げる当該派遣に関して希望する条件を記載した書類を任命権者に提出するものとする。
一　派遣に係る職員に必要な専門的な知識経験等
二　派遣に係る職員の機構における地位及び業務内容
三　派遣の期間
四　派遣に係る職員の機構における勤務時間、特定業務に係る報酬等（報酬、賃金、給料、俸給、手当、賞与その他いかなる名称であるかを問わず、特定業務の対償として受ける全てのものをいう。以下同じ。）その他の勤務条件
五　前各号に掲げるもののほか、機構が必要と認める条件

（派遣に係る取決め）
第六条　福島復興再生特別措置法第八十九条の三第三項の人事院規則で定める事項は、次に掲げる事項とする。
一　福島復興再生特別措置法第八十九条の三第一項の規定により派遣される職員（以下この条において「派遣予定職員」という。）の機構における職務に係る倫理その他の服務に関する事項
二　派遣予定職員の機構における福利厚生に関する事項
三　派遣予定職員の機構における特定業務の従事の状況の連絡に関する事項
四　派遣予定職員に係る派遣の期間の変更その他の取決めの内容の変更に関する事項
五　派遣予定職員に係る取決めに疑義が生じた場合及び当該取決めに定めのない事項が生じた場合の取扱いに関する事項

（派遣職員の保有する官職）
第七条　派遣職員は、派遣された時に占めていた官職又はその派遣の期間中に異動した官職を保有するものとする。ただし、併任に係る官職についてはこの限りではない。
2　前項の規定は、当該官職を他の職員をもって補充することを妨げるものではない。

（派遣職員の職務への復帰）
第八条　福島復興再生特別措置法第八十九条の四第二項の人事院規則で定める場合は、次に掲げる場合とする。
一　派遣職員が機構における地位を失った場合
二　派遣職員が法第七十八条第二号又は第三号に該当することとなった場合
三　派遣職員が法第七十九条各号のいずれかに該当することとなった場合又は水難、火災その他の災害により生死不明若しくは所在不明となった場合
四　派遣職員が法第八十二条第一項各号のいずれかに該当することとなった場合
五　派遣職員の派遣が当該派遣に係る取決めに反することとなった場合

（派遣に係る人事異動通知書の交付）
第九条　任命権者は、次に掲げる場合には、職員に対して、規則八―一二第五十八条の規定による人事異動通知書を交付しなければならない。
一　福島復興再生特別措置法第八十九条の三第一項の規定により職員を派遣した場合

二　派遣職員に係る派遣の期間を延長した場合
三　派遣の期間の満了により派遣職員が職務に復帰した場合
四　派遣職員を職務に復帰させた場合
（派遣職員の給与）
第十条　派遣職員には、機構から受ける特定業務に係る報酬等（通勤手当、在宅勤務等手当、特殊勤務手当、超過勤務手当、休日給、夜勤手当、宿日直手当及び管理職員特別勤務手当（以下この項において「通勤手当等」という。）に相当するものを除く。以下この条において「派遣先報酬等」という。）の年額が、派遣職員に係る派遣の期間の初日の前日における給与の額を基礎とし、給与法第八条第六項の規定により標準号俸数（同条第七項に規定する人事院規則で定める基準において当該職員に係る標準となる号俸数をいう。）を昇給するものとして算定した給与（通勤手当等を除く。）の年額（当該年額が部内の他の職員との均衡を著しく失すると認められる場合にあっては、人事院の定めるところにより算定した額。以下この条において「派遣前給与の年額」という。）に満たない場合であって、機構において特定業務が円滑かつ効果的に行われることを確保するため特に必要があると認められるときは、当該派遣の期間中、俸給、扶養手当、地域手当、広域異動手当、研究員調整手当、住居手当及び期末手当（以下この条並びに附則第二項及び第三項において「俸給等」という。）のそれぞれ百分の百以内を支給することができる。
２　派遣職員がその派遣の期間中に前項に規定する場合に該当することとなった場合においても、当該該当することとなった日以後の当該派遣の期間中、俸給等のそれぞれ百分の百以内を支給することができる。
３　前二項の規定により支給される俸給等の支給割合を決定するに当たっては、決定された支給割合により支給されることとなる俸給等の年額が、派遣前給与の年額から派遣先報酬等の年額を減じた額を超えてはならない。
４　俸給等の支給及び支給割合は、派遣職員に係る派遣の期間の初日（第二項の規定により俸給等を支給されることとなった場合にあっては、当該支給されることとなった日）から起算して一年ごとに見直すものとし、俸給等の年額が派遣前給与の年額から派遣先報酬等の年額を減じた額を超える場合その他特に必要があると認められる場合には、第一項及び前項の規定の例により、俸給等の支給割合を変更し、又は俸給等を支給しないものとする。
５　俸給等の支給及び支給割合は、前項に規定する場合のほか、派遣先報酬等の額又は俸給等の額の変動があった場合において、俸給等の年額が派遣前給与の年額から派遣先報酬等の年額を減じた額を超えるときその他特に必要があると認められるときは、第一項及び第三項の規定の例により、俸給等の支給割合を変更し、又は俸給等を支給しないものとする。
６　前項の規定により俸給等の支給割合を変更した場合における第四項の規定の適用については、「派遣職員に係る派遣の期間の初日（第二項の規定により俸給等を支給されることとなった場合にあっては、当該支給されることとなった日）」とあるのは、「派遣先報酬等の額又は俸給等の額の変動があった日」とする。
（派遣職員の職務復帰時における給与の取扱い）
第十一条　派遣職員が職務に復帰した場合において、部内の他の職員との均衡上特に必要があると認められるときは、規則九―八（初任給、昇格、昇給等の基準）第二十条の規定にかかわらず、人事院の定めるところにより、その職務に応じた職務の級に昇格させることができる。
第十二条　派遣職員が職務に復帰した場合において、部内の他の職員との均衡上必要があると認められるときは、その派遣の期間を百分の百以下の換算率により換算して得た期間を引き続き勤務したものとみなして、その職務に復帰した日、同日後における最初の昇給日（規則九―八第三十四条に規定する昇給日をいう。以下この項において同じ。）又はその次の昇給日に、昇給の場合に準じてその者の号俸を調整することができる。
２　派遣職員が職務に復帰した場合における号俸の調整について、前項の規定による場合には部内の他の職員との均衡を著しく失すると認められるときは、同項の規定にかかわらず、あらかじめ人事院と協議して、その者の号俸を調整することができる。
（報告）
第十三条　派遣職員は、任命権者から求められたときは、機構における勤務条件及び業務の遂行の状況について報告しなければならない。
２　任命権者は、人事院の定めるところにより、毎年五月末日までに、前年の四月一日に始まる年度内において福島復興再生特別措置法第八十九条の三第一項の規定により派遣されている期間のある職員の派遣の期間並びに機構における地位、業務内容及び特定業務に係る報酬等の月額等の状況並びに同項の規定による派遣から当該年度内に職務に復帰した職員の当該復帰後の処遇等に関する状況について、人事院に報告しなければならない。

附　則

（施行期日）

1　この規則は、公布の日から施行する。

（給与法附則第八項の規定の適用を受ける派遣職員の給与）

2　派遣職員が給与法附則第八項の規定の適用を受ける職員となった場合には、当分の間、同項の規定の適用を受ける職員となった日を派遣の期間の初日の前日とみなして、第十条第一項及び第三項の規定の例により、俸給等の支給割合を決定し、又は俸給等を支給しないものとする。

3　前項の規定により、俸給等の支給割合を決定し、又は俸給等を支給しないものとした場合における第十条の規定の適用については、同条第一項中「派遣の期間の初日の前日」とあるのは「給与法附則第八項の規定の適用を受ける職員となった日」と、同条第二項中「前項」とあるのは「附則第三項の規定により読み替えられた前項」と、同条第三項中「前二項」とあるのは「附則第三項の規定により読み替えられた前二項」と、同条第四項中「派遣の期間の初日（」とあるのは「給与法附則第八項の規定の適用を受ける職員となった日（附則第三項の規定により読み替えられた」と、「第一項」とあるのは「附則第三項の規定により読み替えられた第一項」と、同条第五項中「前項」とあるのは「附則第三項の規定により読み替えられた前項」と、「第一項」とあるのは「附則第三項の規定により読み替えられた第一項」と、同条第六項中「前項」とあるのは「附則第三項の規定により読み替えられた前項」と、「第四項」とあるのは「附則第三項の規定により読み替えられた第四項」と、「派遣の期間の初日（」とあるのは「給与法附則第八項の規定の適用を受ける職員となった日（附則第三項の規定により読み替えられた」とする。

○職員の公益財団法人福島イノベーション・コースト構想推進機構への派遣の運用について

令二・六・一二
人企五九七

改正　令四・二・八事企法—三七

福島復興再生特別措置法（平成二十四年法律第二十五号）及び人事院規則一—七四（職員の公益財団法人福島イノベーション・コースト構想推進機構への派遣）（以下「規則」という。）の運用について下記のとおり定めたので、令和二年六月十二日以降は、これによってください。

記

福島復興再生特別措置法第八十九条の三関係

この条の第一項、第四項及び第五項の規定による職員の同意は、文書により行うものとする。

規則第三条関係

この条の第三号の「勤務延長職員」とは、国家公務員法（昭和二十二年法律第百二十号）第八十一条の七第一項又は第二項の規定により定年退職日の翌日以降引き続いて勤務している職員をいう。

規則第九条関係

人事異動通知書の「異動内容」欄の記入要領は、次のとおりとする。

一　福島復興再生特別措置法第八十九条の三第一項の規定により職員を派遣する場合
「公益財団法人福島イノベーション・コースト構想推進機構に派遣する
派遣の期間は　年　月　日から　年　月　日までとする
派遣の期間中、俸給、扶養手当、地域手当、広域異動手当、研究員調整手当、住居手当及び期末手当のそれぞれ百分の　を支給する（又は「派遣の期間中、給与は支給しない」）」
と記入する。

二　派遣職員（福島復興再生特別措置法第八十九条の三第七項に規定する派遣職員をいう。以下同じ。）の派遣の期間を延長する場合
「派遣の期間を　年　月　日まで延長する
延長に係る期間中、俸給、扶養手当、地域手当、広域異動手当、研究員調整手当、住居手当及び期末手当のそれぞれ百分の　を支給する（又は「延長に係る期間中、給与は支給しない」）」
と記入する。

三　派遣の期間の満了により派遣職員が職務に復帰した場合
「職務に復帰した（　年　月　日）」

と記入する。

四　派遣職員を職務に復帰させる場合
「職務に復帰させる」

と記入する。

五　派遣の期間中に俸給等（規則第十条第一項に規定する俸給等をいう。次号及び規則附則第二項関係において同じ。）を支給することとなったことに人事異動通知書を用いる場合
「　年　月　日以後、派遣の期間中、俸給、扶養手当、地域手当、広域異動手当、研究員調整手当、住居手当及び期末手当のそれぞれ百分の　を支給する」

と記入する。

六　派遣の期間中に俸給等の支給割合を変更すること又は俸給等を支給しないものとすることに人事異動通知書を用いる場合
「　年　月　日以後、派遣の期間中、俸給、扶養手当、地域手当、広域異動手当、研究員調整手当、住居手当及び期末手当の支給割合をそれぞれ百分の　とする（又は「　年　月　日以後、派遣の期間中、給与は支給しない」）」

と記入する。

規則第十条関係

1　この条の第一項の「当該年額が部内の他の職員との均衡を著しく失すると認められる場合」において、同項に規定する派遣前給与の年額を算定するときは、あらかじめ個別に事務総長に協議するものとする。

2　この条の第一項に規定する派遣前給与の年額の算定における勤勉手当の額は、派遣職員を人事院規則九―四〇（期末手当及び勤勉手当）第十三条第一項第一号ハ（専門スタッフ職俸給表の適用を受ける職員にあっては同項第二号ハ、指定職俸給表の適用を受ける職員にあっては同項第三号ロ）に掲げる職員であるものとした場合の同項の規定による成績率により算定した額によるものとする。

3　この条の規定による給与の支給割合の決定等については、その過程を明確にして行うとともに、その内容を適切に把握しておくものとする。

規則第十一条関係

福島復興再生特別措置法第八十九条の三第一項の規定による派遣後職務に復帰した職員を昇格させる場合には、次の各号に掲げる職員の区分に応じ、当該各号に定める職務の級に昇格させることができる。ただし、特別の事情によりこれにより難い場合には、あらかじめ事務総長に協議して、別段の取扱いをすることができる。

一　人事院規則九―八（初任給、昇格、昇給等の基準）第十一条第三項の規定により職務の級を決定された職員以外の職員　昇格させようとする日に新たに職員となったものとした場合のその者の経験年数がその者を昇格させようとする職務の級をその者の属する職務の級とみなした場合の給実甲第三二六号（人事院規則九―八（初任給、昇格、昇給等の基準）の運用について）第十五条関係第五項に規定する最短昇格期間（ただし、同規則第二十条第四項後段の規定に該当するときは、当該最短昇格期間に百分の五十以上百分の百未満の割合を乗じて得た期間とすることができる。）以上となる当該昇格させようとする職務の級

二　人事院規則九―八第十一条第三項の規定により職務の級を決定された職員　当該派遣がなく引き続き職務に従事したものとみなして、その者が当該派遣の直前に属していた職務の級を基礎として昇格等の規定を適用した場合に、その者を昇格させようとする日に属することとなる職務の級を超えない範囲内

の職務の級

規則第十二条関係

この条の規定の適用については、給実甲第一九二号（復職時等における号俸の調整の運用について）に定めるところによる。

規則第十三条関係

この条の第二項の規定による人事院への報告は、別紙様式の報告書により行うものとする。

規則附則第二項関係

1　この項の規定により、俸給等の支給割合を決定し、又は俸給等を支給しないものとすることとなった職員（同項の規定により俸給等の支給割合を決定し、又は俸給等を支給しないものとすることとなった日において、派遣の期間を延長され、規則第九条第二号に掲げる場合に同条の規定により人事異動通知書が交付される職員を除く。）に対しては、人事異動通知書又はこれに代わる文書（以下「通知書等」という。）により俸給等の支給割合又は俸給等を支給しない旨を通知するものとする。ただし、通知書等の交付によらないことを適当と認める場合には、適当な方法をもって通知書等の交付に代えることができる。

2　前項の規定による通知において、人事異動通知書を用いる場合の「異動内容」欄の記入要領は、規則第九条関係第六号の規定の例によるものとする。

以　上

別紙

公益財団法人福島イノベーション・コースト構想推進機構への派遣に関する状況報告書

（　枚のうち　枚目）

令和　年度分

府省名

1 派遣の状況

氏名	派遣時の状況		派遣の期間	給与支給割合（%）	福島イノベーション・コースト構想推進機構における職員の状況			備考
	所属部課・官職	級号俸			地位	業務内容	報酬等の月額	
①	②	③	④	⑤	⑥	⑦	⑧	⑨
		－	～	%			円	
		－	～	%			円	
		－	～	%			円	
		－	～	%			円	
		－	～	%			円	
		－	～	%			円	
		－	～	%			円	
		－	～	%			円	
		－	～	%			円	
		－	～	%			円	
		－	～	%			円	
		－	～	%			円	
		－	～	%			円	
		－	～	%			円	
		－	～	%			円	
		－	～	%			円	
		－	～	%			円	

A4

（　枚のうち　枚目）

2 派遣及び復帰の状況

氏名	派遣時の状況		派遣の期間	給与支給割合（%）	福島イノベーション・コースト構想推進機構における職員の状況			職務復帰後における職員の状況		備考
	所属部課・官職	級号俸			地位	業務内容	報酬等の月額	所属部課・官職	給与上の処遇	
⑩	⑪	⑫	⑬	⑭	⑮	⑯	⑰	⑱	⑲	⑳
		-	～	%			円			
		-	～	%			円			
		-	～	%			円			
		-	～	%			円			
		-	～	%			円			
		-	～	%			円			
		-	～	%			円			
		-	～	%			円			
		-	～	%			円			
		-	～	%			円			
		-	～	%			円			
		-	～	%			円			
		-	～	%			円			
		-	～	%			円			
		-	～	%			円			
		-	～	%			円			
		-	～	%			円			

3 令和　年度末現在派遣職員総数　　名

作成者官職・氏名

A4

（記入要領）

1　前年度において、福島イノベーション・コースト構想推進機構へ派遣されている期間のある職員（2に規定する職員を除く。）については、「1　派遣の状況」に派遣された年度ごとにまとめて記入するものとする。
2　前年度内に復帰した職員については、「2　派遣及び復帰の状況」に記入するものとする。
3　③欄及び⑫欄には、「行（一）6−40」のように記入する。
4　④欄及び⑬欄には、「令和2年10月1日〜令和4年9月30日（2年0月）」のように記入する。
5　⑥欄及び⑮欄には、「○○部○○課長」等と記入する。
6　⑧欄及び⑰欄には、特定業務に係る報酬等（報酬、賃金、給料、俸給、手当、賞与その他いかなる名称であるかを問わず、特定業務の対償として受ける全てのものをいう。）の月額（月額によらない場合は、月額に換算したもの）を記入する。
7　⑱欄には、職務復帰後の所属部課・官職（前年度において職務復帰後に異動があった場合には、最初の異動後の所属部課・官職）を記入する。
8　⑲欄には、職務復帰後において昇格、昇給等の措置を行った場合、その措置の内容を「復職時調整（6−52）」等と記入する。
9　派遣の期間中に一般職の職員の給与に関する法律（昭和２５年法律第９５号）附則第8項の規定の適用を受けることとなった職員については、⑨欄又は⑳欄に「　年　月　日給与法附則第8項適用」等と記入する。

○人事院規則一—一七九（国家公務員法等の一部を改正する法律の施行に伴う関係人事院規則の整備等に関する人事院規則）及び「国家公務員法等の一部を改正する法律の施行に伴う関係人事院事務総長通知の一部改正について」の施行に伴う経過措置について（抄）

令四・二・一八
事企法—三八

人事院規則一—一七九（国家公務員法等の一部を改正する法律の施行に伴う関係人事院規則の整備等に関する人事院規則）及び「国家公務員法等の一部を改正する法律の施行に伴う関係人事院事務総長通知の一部改正について（令和四年二月十八日事企法—三七）」の施行に伴い、下記の第二項各号に規定する人事院事務総長通知（中略）の経過措置について下記のとおり定めたので、令和五年四月一日以降は、これによってください。

記

1 この通知において、次の各号に掲げる用語の意義は、それぞれ当該各号に定めるところによる。
一 令和三年改正法 国家公務員法等の一部を改正する法律（令和三年法律第六十一号）をいう。
二 令和四年事企法—三七 「国家公務員法等の一部を改正する法律の施行に伴う関係人事院事務総長通知の一部改正について（令和四年二月十八日事企法—三七）」をいう。
三〜五 〔略〕

2 令和三年改正法附則第三条第五項に規定する旧国家公務員法勤務延長職員に対する令和四年事企法—三七による改正後の次に掲げる人事院事務総長通知の規定の適用については、これらの規定中「第八十一条の七第一項又は第二項」とあるのは、「第八十一条の七第一項若しくは第二項又は国家公務員法等の一部を改正する法律（令和三年法律第六十一号）附則第三条第五項若しくは第六項」とする。
一〜三 〔略〕
四 「職員の公益財団法人福島イノベーション・コースト構想推進機構への派遣の運用について（令和二年六月十二日人企—五九七）」規則第三条関係
五〜十 〔略〕

以　上

○令和七年に開催される国際博覧会の準備及び運営のために必要な特別措置に関する法律

平三一・四・二六
法　一八

改正 令三・五・一九法三六

第一章 総則

（趣旨）

第一条 この法律は、令和七年に開催される国際博覧会（以下「博覧会」という。）が国家的に特に重要な意義を有することに鑑み、博覧会の円滑な準備及び運営に資するため、国際博覧会推進本部の設置及び基本方針の策定並びに博覧会協会の指定等について定めるとともに、国の補助、寄附金付郵便葉書等の発行の特例等の特別の措置を講ずるものとする。

第二章 国際博覧会推進本部

（設置）

第二条 博覧会の円滑な準備及び運営に関する施策を総合的かつ集中的に推進するため、内閣に、国際博覧会推進本部（以下「本部」という。）を置く。

（所掌事務）

第三条 本部は、次に掲げる事務をつかさどる。
一 第十三条第一項に規定する基本方針（次号におい

て単に「基本方針」という。）の案の作成に関すること。
二　基本方針の実施を推進すること。
三　前二号に掲げるもののほか、博覧会の円滑な準備及び運営に関する施策で重要なものの企画及び立案並びに総合調整に関すること。

（組織）
第四条　本部は、国際博覧会推進本部長、国際博覧会推進副本部長及び国際博覧会推進本部員をもって組織する。

（国際博覧会推進本部長）
第五条　本部の長は、国際博覧会推進本部長（以下「本部長」という。）とし、内閣総理大臣をもって充てる。
２　本部長は、本部の事務を総括し、所部の職員を指揮監督する。

（国際博覧会推進副本部長）
第六条　本部に、国際博覧会推進副本部長（次項及び次条第二項において「副本部長」という。）を置き、内閣官房長官及び国際博覧会担当大臣（内閣総理大臣の命を受けて、博覧会の円滑な準備及び運営に関する施策の総合的かつ集中的な推進に関し内閣総理大臣を助けることをその職務とする国務大臣をいう。）をもって充てる。
２　副本部長は、本部長の職務を助ける。

（国際博覧会推進本部員）
第七条　本部に、国際博覧会推進本部員（次項において「本部員」という。）を置く。
２　本部員は、本部長及び副本部長以外の全ての国務大臣をもって充てる。

（資料の提出その他の協力）
第八条　本部は、その所掌事務を遂行するため必要があると認めるときは、関係行政機関、地方公共団体、独立行政法人（独立行政法人通則法（平成十一年法律第百三号）第二条第一項に規定する独立行政法人をいう。）及び地方独立行政法人（地方独立行政法人法（平成十五年法律第百十八号）第二条第一項に規定する地方独立行政法人をいう。）の長並びに特殊法人（法律により直接に設立された法人又は特別の法律により特別の設立行為をもって設立された法人であって、総務省設置法（平成十一年法律第九十一号）第四条第一項第八号の規定の適用を受けるものをいう。）及び第十四条第一項に規定する博覧会協会の代表者に対して、資料の提出、意見の表明、説明その他必要な協力を求めることができる。
２　本部は、その所掌事務を遂行するため特に必要があると認めるときは、前項に規定する者以外の者に対しても、必要な協力を依頼することができる。

（事務）
第九条　本部に関する事務は、内閣官房において処理し、命を受けて内閣官房副長官補が掌理する。

（設置期限）
第十条　本部は、令和八年三月三十一日まで置かれるものとする。

（主任の大臣）
第十一条　本部に係る事項については、内閣法（昭和二十二年法律第五号）にいう主任の大臣は、内閣総理大臣とする。

（政令への委任）
第十二条　この法律に定めるもののほか、本部に関し必要な事項は、政令で定める。

第三章　基本方針

第十三条　内閣総理大臣は、博覧会の円滑な準備及び運営に関する施策の総合的かつ集中的な推進を図るための基本的な方針（以下この条において「基本方針」という。）の案を作成し、閣議の決定を求めるものとする。
２　基本方針には、次に掲げる事項を定めるものとする。
一　博覧会の円滑な準備及び運営の推進の意義に関する事項
二　博覧会の円滑な準備及び運営の推進のために政府が実施すべき施策に関する基本的な方針
三　博覧会の円滑な準備及び運営の推進に関し政府が講ずべき措置に関する事項
四　前三号に掲げるもののほか、博覧会の円滑な準備及び運営の推進に関し必要な事項
３　内閣総理大臣は、第一項の規定による閣議の決定があったときは、遅滞なく、基本方針を公表するものとする。
４　第一項及び前項の規定は、基本方針の変更について準用する。

第四章　博覧会協会

（指定等）
第十四条　経済産業大臣は、一般社団法人又は一般財団法人であって、第十六条に規定する業務を適正かつ確実に行うことができると認められるものを、その申請により、全国を通じて一個に限り、博覧会協会として指定することができる。

２　経済産業大臣は、前項の規定による指定をしたときは、博覧会協会の名称、住所及び事務所の所在地を公示するものとする。
３　博覧会協会は、その名称、住所又は事務所の所在地を変更しようとするときは、あらかじめ、その旨を経済産業大臣に届け出なければならない。
４　経済産業大臣は、前項の規定による届出があったときは、当該届出に係る事項を公示するものとする。

（指定の有効期間）
第十五条　前条第一項の規定による指定（第二十一条において単に「指定」という。）は、令和十年三月三十一日までの間に限り、その効力を有する。

（業務）
第十六条　博覧会協会は、次に掲げる業務を行うものとする。
一　博覧会の準備及び運営を行うこと。
二　前号に掲げる業務に附帯する業務を行うこと。

（事業計画等）
第十七条　博覧会協会は、毎事業年度、前条各号に掲げる業務（以下「博覧会業務」という。）に係る事業計画書及び収支予算書を作成し、当該事業年度の開始前に（指定を受けた日の属する事業年度にあっては、その指定を受けた後遅滞なく）、経済産業大臣に提出しなければならない。これを変更しようとするときも、同様とする。
２　博覧会協会は、毎事業年度、博覧会業務に係る事業報告書及び収支決算書を作成し、当該事業年度経過後三月以内に、経済産業大臣に提出しなければならない。

（役員の選任及び解任）
第十八条　博覧会協会は、役員を選任し、又は解任したときは、遅滞なく、その旨を経済産業大臣に届け出なければならない。

（報告及び検査）
第十九条　経済産業大臣は、博覧会業務の適正かつ確実な実施を確保するために必要な限度において、博覧会協会に対し、博覧会業務若しくは資産の状況に関し必要な報告をさせ、又はその職員に、博覧会協会の事務所、博覧会の会場その他の必要な場所に立ち入り、博覧会業務の状況若しくは帳簿書類その他の物件を検査させることができる。
２　前項の規定により立入検査をする職員は、その身分を示す証明書を携帯し、関係者に提示しなければならない。
３　第一項の規定による立入検査の権限は、犯罪捜査のために認められたものと解釈してはならない。

（監督命令）
第二十条　経済産業大臣は、この章の規定を施行するために必要な限度において、博覧会協会に対し、博覧会業務に関し監督上必要な命令をすることができる。

（指定の取消し等）
第二十一条　経済産業大臣は、博覧会協会が次の各号のいずれかに該当するときは、指定を取り消すことができる。
一　博覧会業務を適正かつ確実に実施することができないと認められるとき。
二　指定に関し不正の行為があったとき。
三　この章の規定又は当該規定に基づく命令若しくは処分に違反したとき。
２　経済産業大臣は、前項の規定により指定を取り消したときは、その旨を公示するものとする。
３　第一項の規定により指定を取り消された場合における博覧会業務の引継ぎその他の必要な事項は、経済産業省令で定める。

第五章　博覧会の円滑な準備及び運営のための支援措置等

第一節　国の補助

第二十二条　国は、博覧会協会に対し、博覧会の準備又は運営に要する経費について、予算の範囲内において、その一部を補助することができる。

第二節　寄附金付郵便葉書等の発行の特例

第二十三条　お年玉付郵便葉書等に関する法律（昭和二十四年法律第二百二十四号）第五条第一項に規定する寄附金付郵便葉書等は、同条第二項に規定するもののほか、博覧会協会が調達する博覧会の準備及び運営に必要な資金に充てることを寄附目的として発行することができる。この場合においては、博覧会協会を同項の団体とみなして、同法の規定を適用する。

第三節　博覧会協会への国の職員の派遣等

（博覧会協会による派遣の要請）
第二十四条　博覧会協会は、博覧会業務のうち、国際博覧会に関する外国の行政機関その他の関係機関との連絡調整、博覧会の会場その他の施設の警備に関する計画及び博覧会への参加者その他の関係者の輸送に関する計画の作成、海外からの賓客の接遇その他国の事務又は事業との密接な連携の下で実施する必要があるもの（以下「特定業務」という。）を円滑かつ効果的に行うため、国の職員（国家公務員法（昭和二十二年法律第百二十号）第二条に規定する一般職に属する職員

（法律により任期を定めて任用される職員、常時勤務を要しない官職を占める職員、独立行政法人通則法第二条第四項に規定する行政執行法人の職員その他人事院規則で定める職員を除く。）をいう。以下同じ。）を博覧会協会の職員として必要とするときは、その必要とする事由を明らかにして、任命権者（国家公務員法第五十五条第一項に規定する任命権者及び法律で別に定められた任命権者並びにその委任を受けた者をいう。以下同じ。）に対し、その派遣を要請することができる。

2　前項の規定による要請の手続は、人事院規則で定める。

（国の職員の派遣）

第二十五条　任命権者は、前条第一項の規定による要請があった場合において、経済及び産業の発展、公共の安全と秩序の維持、交通の機能の確保及び向上、外交政策の推進その他の国の責務を踏まえ、その要請に係る派遣の必要性、派遣に伴う事務の支障その他の事情を勘案して、国の事務又は事業との密接な連携を確保するために相当と認めるときは、これに応じ、国の職員の同意を得て、博覧会協会との間の取決めに基づき、期間を定めて、専ら博覧会協会における特定業務を行うものとして当該国の職員を博覧会協会に派遣することができる。

2　任命権者は、前項の同意を得るに当たっては、あらかじめ、当該国の職員に同項の取決めの内容及び当該派遣の期間中における給与の支給に関する事項を明示しなければならない。

3　第一項の取決めにおいては、博覧会協会における勤務時間、特定業務に係る報酬等（報酬、賃金、給料、俸給、手当、賞与その他いかなる名称であるかを問わず、特定業務の対償として受ける全てのものをいう。第二十七条第一項及び第二項ただし書において同じ。）その他の勤務条件及び特定業務の内容、派遣の期間、職務への復帰に関する事項その他第一項の規定による派遣の実施に当たって合意しておくべきものとして人事院規則で定める事項を定めるものとする。

4　任命権者は、第一項の取決めの内容を変更しようとするときは、当該国の職員の同意を得なければならない。この場合においては、第二項の規定を準用する。

5　第一項の規定による派遣の期間は、三年を超えることができない。ただし、博覧会協会からその期間の延長を希望する旨の申出があり、かつ、特に必要があると認めるときは、任命権者は、当該国の職員の同意を得て、当該派遣の日から引き続き五年を超えない範囲内で、これを延長することができる。

6　第一項の規定により博覧会協会において特定業務を行う国の職員は、その派遣の期間中、その同意に係る同項の取決めに定められた内容に従って、博覧会協会において特定業務を行うものとする。

7　第一項の規定により派遣された国の職員（以下「派遣職員」という。）は、その派遣の期間中、国の職員としての身分を保有するが、職務に従事しない。

8　第一項の規定による国の職員の特定業務への従事については、国家公務員法第百四条の規定は、適用しない。

（職務への復帰）

第二十六条　派遣職員は、その派遣の期間が満了したときは、職務に復帰するものとする。

2　任命権者は、派遣職員が博覧会協会における職員の地位を失った場合その他の人事院規則で定める場合であって、その派遣を継続することができないか又は適当でないと認めるときは、速やかに、当該派遣職員を職務に復帰させなければならない。

（派遣期間中の給与等）

第二十七条　任命権者は、博覧会協会との間で第二十五条第一項の取決めをするに当たっては、同項の規定により派遣される国の職員が博覧会協会から受ける特定業務に係る報酬等について、当該国の職員がその派遣前に従事していた職務及び博覧会協会において行う特定業務の内容に応じた相当の額が確保されるよう努めなければならない。

2　派遣職員には、その派遣の期間中、給与を支給しない。ただし、博覧会協会において特定業務が円滑かつ効果的に行われることを確保するため特に必要があると認められるときは、当該派遣職員には、その派遣の期間中、博覧会協会から受ける特定業務に係る報酬等の額に照らして必要と認められる範囲内で、俸給、扶養手当、地域手当、広域異動手当、研究員調整手当、住居手当及び期末手当のそれぞれ百分の百以内を支給することができる。

3　前項ただし書の規定による給与の支給に関し必要な事項は、人事院規則（派遣職員が検察官の俸給等に関する法律（昭和二十三年法律第七十六号）の適用を受ける者である場合にあっては、同法第三条第一項に規定する準則）で定める。

（国家公務員共済組合法の特例）

第二十八条　国家公務員共済組合法（昭和三十三年法律第百二十八号。以下この条において「国共済法」という。）第三十九条第二項の規定及び国共済法の短期給付に関する規定（国共済法第六十八条の三の規定を除く。以下この項において同じ。）は、派遣職員には、適用しない。この場合において、国共済法の短期給付に関する規定の適用を受ける職員（国共済法第二条第一項第一号に規定する職員をいう。以下この項において同じ。）が派遣職員となったときは、国共済法の短期給付に関する規定の適用については、そのなった日の前日に退職（国共済法第二条第一項第四号に規定する退職をいう。）をしたものとみなし、派遣職員が国共済法の短期給付に関する規定の適用を受ける職員となったときは、国共済法の短期給付に関する規定の適用については、そのなった日に職員となったものとみなす。

2　派遣職員に関する国共済法の退職等年金給付に関する規定の適用については、博覧会協会における特定業務を公務とみなす。

3　派遣職員は、国共済法第九十八条第一項各号に掲げる福祉事業を利用することができない。

4　派遣職員に関する国共済法の規定の適用については、国共済法第二条第一項第五号及び第六号中「とし、その他の職員」とあるのは「並びにこれらに相当するものとして次条第一項に規定する組合の運営規則で定めるものとし、その他の職員」と、国共済法第九十九条第二項中「次の各号」とあるのは「第三号」と、「当該各号」とあるのは「同号」と、「及び国の負担金」とあるのは「、令和七年に開催される国際博覧会の準備及び運営のために必要な特別措置に関する法律（平成三十一年法律第十八号）第十四条第一項に規定する博覧会協会（以下「博覧会協会」という。）の負担金及び国の負担金」と、同項第三号中「国の負担金」とあるのは「博覧会協会の負担金及び国の負担金」と、国共済法第百二条第一項中「各省各庁の長（環境大臣を含む。）、行政執行法人又は職員団体」とあり、及び「国、行政執行法人又は職員団体」とあるのは「博覧会協会及び国」と、「第九十九条第二項（同条第六項から第八項までの規定により読み替えて適用する場合を含む。）及び第五項（同条第七項及び第八項の規定により読み替えて適用する場合を含む。）」とあるのは「第九十九条第二項及び第五項」と、同条第四項中「第九十九条第二項第三号及び第四号」とあるのは「第九十九条第二項第三号」と、「並びに同条第五項（同条第七項及び第八項の規定により読み替えて適用する場合を含む。以下この項において同じ。）」とあるのは「及び同条第五項」と、「（同条第五項」とあるのは「（同項」と、「国、行政執行法人又は職員団体」とあるのは「博覧会協会及び国」とする。

5　前項の場合において博覧会協会及び国が同項の規定により読み替えられた国共済法第九十九条第二項及び厚生年金保険法（昭和二十九年法律第百十五号）第八十二条第一項の規定により負担すべき金額その他必要な事項は、政令で定める。

（子ども・子育て支援法の特例）

第二十九条　派遣職員に関する子ども・子育て支援法（平成二十四年法律第六十五号）の規定の適用については、博覧会協会を同法第六十九条第一項第四号に規定する団体とみなす。

（国家公務員共済組合法等の適用関係等についての政令への委任）

第三十条　この法律に定めるもののほか、派遣職員に関する国家公務員共済組合法、地方公務員等共済組合法（昭和三十七年法律第百五十二号）、子ども・子育て支援法その他これらに類する法律の適用関係の調整を要する場合におけるその適用関係その他必要な事項は、政令で定める。

（一般職の職員の給与に関する法律の特例）

第三十一条　第二十五条第一項の規定による派遣の期間中又はその期間の満了後における当該国の職員に関する一般職の職員の給与に関する法律（昭和二十五年法律第九十五号）第二十三条第一項及び附則第六項の規定の適用については、博覧会協会における特定業務（当該特定業務に係る労働者災害補償保険法（昭和二十二年法律第五十号）第七条第二項に規定する通勤（当該特定業務に係る就業の場所を国家公務員災害補償法（昭和二十六年法律第百九十一号）第一条の二第一項第一号及び第二号に規定する勤務場所とみなした場合に同条に規定する通勤に該当するものに限る。次条第一項において同じ。）を含む。）を公務とみなす。

（国家公務員退職手当法の特例）

第三十二条　第二十五条第一項の規定による派遣の期間中又はその期間の満了後に当該国の職員が退職した場合における国家公務員退職手当法（昭和二十八年法律第百八十二号）の規定の適用については、博覧会協会における特定業務に係る業務上の傷病又は死亡は同法第四条第二項、第五条第一項及び第六条の四第一項に規定する公務上の傷病又は死亡と、当該特定業務に係る労働者災害補償保険法第七条第二項に規定する通勤による傷病は国家公務員退職手当法第四条第二項、第五条第二項及び第六条の四第一項に規定する通勤による傷病とみなす。

２　派遣職員に関する国家公務員退職手当法第六条の四第一項及び第七条第四項の規定の適用については、第二十五条第一項の規定による派遣の期間は、同法第六条の四第一項に規定する現実に職務をとることを要しない期間には該当しないものとみなす。

３　前項の規定は、派遣職員が博覧会協会から所得税法（昭和四十年法律第三十三号）第三十条第一項に規定する退職手当等（同法第三十一条の規定により退職手当等とみなされるものを含む。）の支払を受けた場合には、適用しない。

４　派遣職員がその派遣の期間中に退職した場合に支給する国家公務員退職手当法の規定による退職手当の算定の基礎となる俸給月額については、部内の他の職員との権衡上必要があると認められるときは、次条第一項の規定の例により、その額を調整することができる。

（派遣後の職務への復帰に伴う措置）

第三十三条　派遣職員が職務に復帰した場合におけるその者の職務の級及び号俸については、部内の他の職員との権衡上必要と認められる範囲内において、人事院規則の定めるところにより、必要な調整を行うことができる。

２　前項に定めるもののほか、派遣職員が職務に復帰した場合における任用、給与等に関する処遇については、部内の他の職員との均衡を失することのないよう適切な配慮が加えられなければならない。

（人事院規則への委任）

第三十四条　この法律に定めるもののほか、博覧会協会において国の職員が特定業務を行うための派遣に関し必要な事項は、人事院規則で定める。

（防衛省の職員への準用等）

第三十五条　第二十四条から前条までの規定は、国家公務員法第二条第三項第十六号に掲げる防衛省の職員（法律により任期を定めて任用される職員、常時勤務を要しない官職を占める職員その他政令で定める職員を除く。）の派遣について準用する。この場合において、第二十四条第一項中「国家公務員法第五十五条第一項に規定する任命権者及び法律で別に定められた任命権者並びにその委任を受けた者」とあるのは「自衛隊法（昭和二十九年法律第百六十五号）第三十一条第一項の規定により同法第二条第五項に規定する隊員の任免について権限を有する者」と、同条第二項、第二十五条第三項、第二十六条第二項、第三十三条第一項及び前条（見出しを含む。）中「人事院規則」とあり、並びに第二十七条第三項中「人事院規則（派遣職員が検察官の俸給等に関する法律（昭和二十三年法律第七十六号）の適用を受ける者である場合にあっては、同法第三条第一項に規定する準則）」とあるのは「政令」と、第二十五条第八項中「国家公務員法第百四条」とあるのは「自衛隊法第六十三条」と、第二十七条第二項ただし書中「研究員調整手当、住居手当」とあるのは「住居手当、営外手当」と、第三十一条中「一般職の職員の給与に関する法律（昭和二十五年法律第九十五号）第二十三条第一項及び附則第六項」とあるのは「防衛省の職員の給与等に関する法律（昭和二十七年法律第二百六十六号）第二十三条第一項」と、「国家公務員災害補償法」とあるのは「防衛省の職員の給与等に関する法律第二十七条第一項において準用する国家公務員災害補償法」と、第三十三条第一項中「職務の級」とあるのは「職務の級又は階級」と読み替えるものとする。

２　前項において準用する第二十五条第一項の規定により派遣された自衛官（次項において「派遣自衛官」という。）に関する自衛隊法（昭和二十九年法律第百六十五号）第九十八条第四項及び第九十九条第一項の規定の適用については、博覧会協会における特定業務を公務とみなす。

３　防衛省の職員の給与等に関する法律（昭和二十七年法律第二百六十六号）第二十二条の規定は、派遣自衛官には、適用しない。

（博覧会協会の役員及び職員の地位）

第三十六条　博覧会協会の役員及び職員は、刑法（明治四十年法律第四十五号）その他の罰則の適用については、法令により公務に従事する職員とみなす。

第六章　罰則

第三十七条　第十九条第一項の規定による報告をせず、若しくは虚偽の報告をし、又は同項の規定による検査を拒み、妨げ、若しくは忌避した場合には、その違反行為をした博覧会協会の役員又は職員は、三十万円以下の罰金に処する。

附　則（抄）

（施行期日）

１　この法律は、公布の日から起算して一月を超えない範囲内において政令で定める日〔令元・五・二三〕から施行する。ただし、第二章及び第三章並びに附則第三項の規定は、公布の日から起算して二年を超えない範囲内において政令で定める日から施行する。

（博覧会協会の事業報告等に関する経過措置）

２　博覧会協会の令和九年度の事業報告書及び収支決算

書については、なお従前の例による。

○人事院規則一—七二（職員の令和七年国際博覧会特措法第十四条第一項の規定により指定された博覧会協会への派遣）

令元・五・二三公布
令元・五・二三施行

最終改正　令六・一・二三規則九—一五一

（趣旨）

第一条　この規則は、平成三十七年国際博覧会特措法に規定する職員の博覧会協会（令和七年国際博覧会特措法第十四条第一項の規定により指定された博覧会協会をいう。以下同じ。）への派遣に関し必要な事項を定めるものとする。

（定義）

第二条　この規則において、「特定業務」、「任命権者」又は「派遣職員」とは、それぞれ令和七年国際博覧会特措法第二十四条第一項又は第二十五条第七項に規定する特定業務、任命権者又は派遣職員をいう。

（派遣除外職員）

第三条　令和七年国際博覧会特措法第二十四条第一項の人事院規則で定める職員は、次に掲げる職員とする。

一　条件付採用期間中の職員
二　法第八十一条の五第一項から第四項までの規定により異動期間（これらの規定により延長された期間を含む。）を延長された管理監督職を占める職員
三　勤務延長職員
四　休職者
五　停職者
六　派遣法第二条第一項の規定により派遣されている職員
七　官民人事交流法第八条第二項に規定する交流派遣職員
八　法科大学院派遣法第四条第三項又は第十一条第一項の規定により派遣されている職員
九　福島復興再生特別措置法（平成二十四年法律第二十五号）第四十八条の三第一項又は第八十九条の三第一項の規定により派遣されている職員
十　令和九年国際園芸博覧会特措法第十五条第一項の規定により派遣されている職員
十一　判事補及び検事の弁護士職務経験に関する法律（平成十六年法律第百二十一号）第二条第四項の規定により弁護士となってその職務を行う職員
十二　規則八—一二（職員の任免）第四十二条第二項の規定により任期を定めて採用された職員その他任期を限られた職員

（任命権者）

第四条　令和七年国際博覧会特措法第二十四条第一項の任命権者には、併任に係る官職の任命権者は含まれないものとする。

（派遣の要請）

第五条　博覧会協会は、令和七年国際博覧会特措法第二十四条第一項の規定に基づき職員の派遣を要請しようとするときは、当該派遣を必要とする事由及び次に掲

げる当該派遣に関して希望する条件を記載した書類を任命権者に提出するものとする。
一　派遣に係る職員に必要な専門的な知識経験等
二　派遣に係る職員の博覧会協会における地位及び業務内容
三　派遣の期間
四　派遣に係る職員の博覧会協会における勤務時間、特定業務に係る報酬等（報酬、賃金、給料、俸給、手当、賞与その他いかなる名称であるかを問わず、特定業務の対償として受ける全てのものをいう。以下同じ。）その他の勤務条件
五　前各号に掲げるもののほか、博覧会協会が必要と認める条件

（派遣に係る取決め）
第六条　令和七年国際博覧会特措法第二十五条第三項の人事院規則で定める事項は、次に掲げる事項とする。
一　令和七年国際博覧会特措法第二十五条第一項の規定により派遣される職員（以下この条において「派遣予定職員」という。）の博覧会協会における職務に係る倫理その他の服務に関する事項
二　派遣予定職員の博覧会協会における福利厚生に関する事項
三　派遣予定職員の博覧会協会における特定業務の従事の状況の連絡に関する事項
四　派遣予定職員に係る派遣の期間の変更その他の取決めの内容の変更に関する事項
五　派遣予定職員に係る取決めに疑義が生じた場合及び当該取決めに定めのない事項が生じた場合の取扱いに関する事項

（派遣職員の保有する官職）
第七条　派遣職員は、派遣された時に占めていた官職又はその派遣の期間中に異動した官職を保有するものとする。ただし、併任に係る官職についてはこの限りではない。
2　前項の規定は、当該官職を他の職員をもって補充することを妨げるものではない。

（派遣職員の職務への復帰）
第八条　令和七年国際博覧会特措法第二十六条第二項の人事院規則で定める場合は、次に掲げる場合とする。
一　派遣職員が博覧会協会における地位を失った場合
二　派遣職員が法第七十八条第二号又は第三号に該当することとなった場合
三　派遣職員が法第七十九条各号のいずれかに該当することとなった場合又は水難、火災その他の災害により生死不明若しくは所在不明となった場合
四　派遣職員が法第八十二条第一項各号のいずれかに該当することとなった場合
五　派遣職員の派遣が当該派遣に係る取決めに反することとなった場合

（派遣に係る人事異動通知書の交付）
第九条　任命権者は、次に掲げる場合には、職員に対して、規則八―一二第五十八条の規定による人事異動通知書を交付しなければならない。
一　令和七年国際博覧会特措法第二十五条第一項の規定により職員を派遣した場合
二　派遣職員に係る派遣の期間を延長した場合
三　派遣の期間の満了により派遣職員が職務に復帰した場合
四　派遣職員を職務に復帰させた場合

（派遣職員の給与）
第十条　派遣職員には、博覧会協会から受ける特定業務に係る報酬等（通勤手当、在宅勤務等手当、特殊勤務手当、超過勤務手当、休日給、夜勤手当、宿日直手当及び管理職員特別勤務手当（以下この項において「通勤手当等」という。）に相当するものを除く。以下この条において「派遣先報酬等」という。）の年額が、派遣職員に係る派遣の期間の初日の前日における給与の額を基礎とし、給与法第八条第六項の規定により標準号俸数（同条第七項に規定する人事院規則で定める基準において当該職員に係る標準となる号俸数をいう。）を昇給するものとして算定した給与（通勤手当等を除く。）の年額（当該年額が部内の他の職員との均衡を著しく失すると認められる場合にあっては、人事院の定めるところにより算定した額。以下この条において「派遣前給与の年額」という。）に満たない場合であって、博覧会協会において特定業務が円滑かつ効果的に行われることを確保するため特に必要があると認められるときは、当該派遣の期間中、俸給、扶養手当、地域手当、広域異動手当、研究員調整手当、住居手当及び期末手当（以下この条並びに附則第二項及び第三項において「俸給等」という。）のそれぞれ百分の百以内を支給することができる。
2　派遣職員がその派遣の期間中に前項に規定する場合に該当することとなった場合においても、当該該当することとなった日以後の当該派遣の期間中、俸給等のそれぞれ百分の百以内を支給することができる。
3　前二項の規定により支給される俸給等の支給割合を決定するに当たっては、決定された支給割合により支給されることとなる俸給等の年額が、派遣前給与の年額から派遣先報酬等の年額を減じた額を超えてはなら

ない。

4　俸給等の支給及び支給割合は、派遣職員に係る派遣の期間の初日（第二項の規定により俸給等を支給されることとなった場合にあっては、当該支給されることとなった日）から起算して一年ごとに見直すものとし、俸給等の年額が派遣前給与の年額から派遣先報酬等の年額を減じた額を超える場合その他特に必要があると認められる場合には、第一項及び前項の規定の例により、俸給等の支給割合を変更し、又は俸給等を支給しないものとする。

5　俸給等の支給及び支給割合は、前項に規定する場合のほか、派遣先報酬等の額又は俸給等の額の変動があった場合において、俸給等の年額が派遣前給与の年額から派遣先報酬等の年額を減じた額を超えるときその他特に必要があると認められるときは、第一項及び第三項の規定の例により、俸給等の支給割合を変更し、又は俸給等を支給しないものとする。

6　前項の規定により俸給等の支給割合を変更した場合における第四項の規定の適用については、「派遣職員に係る派遣の期間の初日（第二項の規定により俸給等を支給されることとなった場合にあっては、当該支給されることとなった日）」とあるのは、「派遣先報酬等の額又は俸給等の額の変動があった日」とする。

（派遣職員の職務復帰時における給与の取扱い）

第十一条　派遣職員が職務に復帰した場合において、部内の他の職員との均衡上特に必要があると認められるときは、規則九―八（初任給、昇格、昇給等の基準）第二十条の規定にかかわらず、人事院の定めるところにより、その職務に応じた職務の級に昇格させることができる。

第十二条　派遣職員が職務に復帰した場合において、部内の他の職員との均衡上必要があると認められるときは、その派遣の期間を百分の百以下の換算率により換算して得た期間を引き続き勤務したものとみなして、その職務に復帰した日、同日後における最初の昇給日（規則九―八第三十四条に規定する昇給日をいう。以下この項において同じ。）又はその次の昇給日に、昇給の場合に準じてその者の号俸を調整することができる。

2　派遣職員が職務に復帰した場合における号俸の調整について、前項の規定による場合には部内の他の職員との均衡を著しく失すると認められるときは、同項の規定にかかわらず、あらかじめ人事院と協議して、その者の号俸を調整することができる。

（報告）

第十三条　派遣職員は、任命権者から求められたときは、博覧会協会における勤務条件及び業務の遂行の状況について報告しなければならない。

2　任命権者は、人事院の定めるところにより、毎年五月末日までに、前年の四月一日に始まる年度内において令和七年国際博覧会特措法第二十五条第一項の規定により派遣されている期間のある職員の派遣の期間並びに博覧会協会における地位、業務内容及び特定業務に係る報酬等の月額等の状況並びに同項の規定による派遣から当該年度内に職務に復帰した職員の当該復帰後の処遇等に関する状況について、人事院に報告しなければならない。

附　則

（施行期日）

1　この規則は、公布の日から施行する。

（給与法附則第八項の規定の適用を受ける派遣職員の給与）

2　派遣職員が給与法附則第八項の規定の適用を受ける職員となった場合には、当分の間、同項の規定の適用を受ける職員となった日を派遣の期間の初日の前日とみなして、第十条第一項及び第三項の規定の例により、俸給等の支給割合を決定し、又は俸給等を支給しないものとする。

3　前項の規定により、俸給等の支給割合を決定し、又は俸給等を支給しないものとした場合における第十条の規定の適用については、同条第一項中「派遣の期間の初日の前日」とあるのは「給与法附則第八項の規定の適用を受ける職員となった日」と、同条第二項中「前項」とあるのは「附則第三項の規定により読み替えられた前項」と、同条第三項中「前二項」とあるのは「附則第三項の規定により読み替えられた前二項」と、同条第四項中「派遣の期間の初日（」とあるのは「給与法附則第八項の規定の適用を受ける職員となった日（附則第三項の規定により読み替えられた」と、「第一項」とあるのは「附則第三項の規定により読み替えられた第一項」と、同条第五項中「前項」とあるのは「附則第三項の規定により読み替えられた前項」と、「第一項」とあるのは「附則第三項の規定により読み替えられた第一項」と、同条第六項中「前項」とあるのは「附則第三項の規定により読み替えられた前項」と、「第四項」とあるのは「附則第三項の規定により読み替えられた第四項」と、「派遣の期間の初日（」とあるのは「給与法附則第八項の規定の適用を受ける職員となった日（附則第三項の規定により読み替えられた」とする。

○令和九年に開催される国際園芸博覧会の準備及び運営のために必要な特別措置に関する法律

令四・三・三一
法　一五

第一章　総則

（趣旨）

第一条　この法律は、令和九年に開催される国際園芸博覧会（以下「博覧会」という。）が国家的に重要な意義を有することに鑑み、博覧会の円滑な準備及び運営に資するため、国際園芸博覧会協会の指定等について定めるとともに、国の補助、国有財産の無償使用、寄附金付郵便葉書等の発行の特例等の特別の措置を講ずるものとする。

第二章　国際園芸博覧会協会

（指定等）

第二条　主務大臣は、主務省令で定めるところにより、一般社団法人又は一般財団法人であって、第四条に規定する業務を適正かつ確実に行うことができると認められるものを、その申請により、全国を通じて一個に限り、国際園芸博覧会協会（以下「博覧会協会」という。）として指定することができる。

2　主務大臣は、前項の規定による指定をしたときは、博覧会協会の名称、住所及び事務所の所在地を公示するものとする。

3　博覧会協会は、その名称、住所又は事務所の所在地を変更するときは、主務省令で定めるところにより、あらかじめ、その旨を主務大臣に届け出なければならない。

4　主務大臣は、前項の規定による届出があったときは、当該届出に係る事項を公示するものとする。

（指定の有効期間）

第三条　前条第一項の規定による指定（第五条第一項及び第十条において「指定」という。）は、令和十二年三月三十一日までの間に限り、その効力を有する。

（業務）

第四条　博覧会協会は、次に掲げる業務を行うものとする。

一　博覧会の準備及び運営を行うこと。

二　前号に掲げる業務に附帯する業務を行うこと。

（事業計画等）

第五条　博覧会協会は、毎事業年度、主務省令で定めるところにより、前条各号に掲げる業務（以下「博覧会業務」という。）に係る事業計画書及び収支予算書を作成し、当該事業年度の開始前に（指定を受けた日の属する事業年度にあっては、その指定を受けた後遅滞なく）、主務大臣に提出しなければならない。

2　博覧会協会は、前項の事業計画書又は収支予算書を変更するときは、主務省令で定めるところにより、当該変更に係る事業の開始又は予算の執行の日までに、変更後の事業計画書又は収支予算書を主務大臣に提出しなければならない。

3　博覧会協会は、毎事業年度、主務省令で定めるところにより、博覧会業務に係る事業報告書及び収支決算書を作成し、当該事業年度経過後三月以内に、主務大臣に提出しなければならない。

（役員の選任及び解任）

第六条　博覧会協会は、役員を選任し、又は解任したときは、主務省令で定めるところにより、遅滞なく、その旨を主務大臣に届け出なければならない。

（博覧会協会の役員及び職員の地位）

第七条　博覧会協会の役員及び職員は、刑法（明治四十年法律第四十五号）その他の罰則の適用については、法令により公務に従事する職員とみなす。

（報告及び検査）

第八条　主務大臣は、博覧会業務の適正かつ確実な実施を確保するために必要な限度において、博覧会協会に対し、博覧会業務若しくは資産の状況に関し必要な報告をさせ、又はその職員に、博覧会協会の事務所、博覧会の会場その他の必要な場所に立ち入り、博覧会業務の状況若しくは帳簿書類その他の物件を検査させることができる。

2　前項の規定により立入検査をする職員は、その身分を示す証明書を携帯し、関係者に提示しなければならない。

3　第一項の規定による立入検査の権限は、犯罪捜査のために認められたものと解釈してはならない。

（監督命令）

第九条　主務大臣は、この章の規定を施行するために必要な限度において、博覧会協会に対し、博覧会業務に関し監督上必要な命令をすることができる。

（指定の取消し等）

第十条　主務大臣は、博覧会協会が次の各号のいずれかに該当するときは、その指定を取り消すことができる。
一　博覧会業務を適正かつ確実に実施することができないと認められるとき。
二　指定に関し不正の行為があったとき。
三　この章の規定又は当該規定に基づく命令若しくは処分に違反したとき。
2　主務大臣は、前項の規定により指定を取り消したときは、その旨を公示するものとする。
3　第一項の規定により指定を取り消された場合における博覧会業務の引継ぎその他の必要な事項は、主務省令で定める。

第三章　博覧会の円滑な準備及び運営のための支援措置

第一節　国の補助

第十一条　国は、博覧会協会に対し、博覧会の準備又は運営に要する経費について、予算の範囲内において、その一部を補助することができる。

第二節　国有財産の無償使用

第十二条　国は、政令で定めるところにより、博覧会協会が博覧会の準備又は運営のために使用する施設の用に供される国有財産法（昭和二十三年法律第七十三号）第二条に規定する国有財産を、博覧会協会に対し、無償で使用させることができる。

第三節　寄附金付郵便葉書等の発行の特例

第十三条　お年玉付郵便葉書等に関する法律（昭和二十四年法律第二百二十四号）第五条第一項に規定する寄附金付郵便葉書等は、同条第二項に規定するもののほか、博覧会協会が調達する博覧会の準備及び運営に必要な資金に充てることを寄附目的として発行することができる。この場合においては、博覧会協会を同項の団体とみなして、同法の規定を適用する。

第四節　博覧会協会への国の職員の派遣

（博覧会協会による派遣の要請）
第十四条　博覧会協会は、博覧会業務のうち、国際博覧会に関する外国の行政機関その他の関係機関との連絡調整、博覧会の会場その他の施設の警備に関する計画及び博覧会への参加者その他の関係者の輸送に関する計画の作成、海外からの賓客の接遇その他国の事務又は事業との密接な連携の下で実施する必要があるもの（以下「特定業務」という。）を円滑かつ効果的に行うため、国の職員（国家公務員法（昭和二十二年法律第百二十号）第二条に規定する一般職に属する職員（法律により任期を定めて任用される職員、常時勤務を要しない官職を占める職員、独立行政法人通則法（平成十一年法律第百三号）第二条第四項に規定する行政執行法人の職員その他人事院規則で定める職員を除く。）をいう。以下同じ。）を博覧会協会の職員として必要とするときは、その必要とする事由を明らかにして、任命権者（国家公務員法第五十五条第一項に規定する任命権者及び法律で別に定められた任命権者並びにその委任を受けた者をいう。以下同じ。）に対し、その派遣を要請することができる。
2　前項の規定による要請の手続は、人事院規則で定める。

（国の職員の派遣）
第十五条　任命権者は、前条第一項の規定による要請があった場合において、都市における自然的環境の整備、公共の安全と秩序の維持、交通の機能の確保及び向上、外交政策の推進その他の国の責務を踏まえ、その要請に係る派遣の必要性、派遣に伴う事務の支障その他の事情を勘案して、国の事務又は事業との密接な連携を確保するために相当と認めるときは、これに応じ、国の職員の同意を得て、博覧会協会との間の取決めに基づき、期間を定めて、専ら博覧会協会における特定業務を行うものとして当該国の職員を博覧会協会に派遣することができる。
2　任命権者は、前項の同意を得るに当たっては、あらかじめ、当該国の職員に同項の取決めの内容及び当該派遣の期間中における給与の支給に関する事項を明示しなければならない。
3　第一項の取決めにおいては、博覧会協会における勤務時間、特定業務に係る報酬等（報酬、賃金、給料、俸給、手当、賞与その他いかなる名称であるかを問わず、特定業務の対償として受ける全てのものをいう。第十七条第一項及び第二項ただし書において同じ。）その他の勤務条件及び特定業務の内容、派遣の期間、職務への復帰に関する事項その他第一項の規定による派遣の実施に当たって合意しておくべきものとして人事院規則で定める事項を定めるものとする。
4　任命権者は、第一項の取決めの内容を変更しようとするときは、当該国の職員の同意を得なければならない。この場合においては、第二項の規定を準用する。
5　第一項の規定による派遣の期間は、三年を超えることができない。ただし、博覧会協会からその期間の延長を希望する旨の申出があり、かつ、特に必要があると認めるときは、任命権者は、当該国の職員の同意を得て、当該派遣の日から引き続き五年を超えない範囲内で、これを延長することができる。
6　第一項の規定により博覧会協会において特定業務を

行う国の職員は、その派遣の期間中、その同意に係る同項の取決めに定められた内容に従って、博覧会協会において特定業務を行うものとする。

7　第一項の規定により派遣された国の職員（以下「派遣職員」という。）は、その派遣の期間中、国の職員としての身分を保有するが、その職務に従事しない。

8　第一項の規定による国の職員の特定業務への従事については、国家公務員法第百四条の規定は、適用しない。

（職務への復帰）

第十六条　派遣職員は、その派遣の期間が満了したときは、職務に復帰するものとする。

2　任命権者は、派遣職員が博覧会協会における職員の地位を失った場合その他の人事院規則で定める場合であって、その派遣を継続することができない又は適当でないと認めるときは、速やかに、当該派遣職員を職務に復帰させなければならない。

（派遣期間中の給与等）

第十七条　任命権者は、博覧会協会との間で第十五条第一項の取決めをするに当たっては、同項の規定により派遣される国の職員が博覧会協会から受ける特定業務に係る報酬等について、当該国の職員がその派遣前に従事していた職務及び博覧会協会において行う特定業務の内容に応じた相当の額が確保されるよう努めなければならない。

2　派遣職員には、その派遣の期間中、給与を支給しない。ただし、博覧会協会において特定業務が円滑かつ効果的に行われることを確保するため特に必要があると認められるときは、当該派遣職員には、その派遣の期間中、博覧会協会から受ける特定業務に係る報酬等の額に照らして必要と認められる範囲内で、俸給、扶養手当、地域手当、広域異動手当、研究員調整手当、住居手当及び期末手当のそれぞれ百分の百以内を支給することができる。

3　前項ただし書の規定による給与の支給に関し必要な事項は、人事院規則（派遣職員が検察官の俸給等に関する法律（昭和二十三年法律第七十六号）の適用を受ける者である場合にあっては、同法第三条第一項に規定する準則）で定める。

（国家公務員共済組合法の特例）

第十八条　国家公務員共済組合法（昭和三十三年法律第百二十八号。以下この条において「国共済法」という。）第三十九条第二項の規定及び国共済法の短期給付に関する規定（国共済法第六十八条の三の規定を除く。以下この項において同じ。）は、派遣職員には、適用しない。この場合において、国共済法の短期給付に関する規定の適用を受ける職員（国共済法第二条第一項第一号に規定する職員をいう。以下この項において同じ。）が派遣職員となったときは、国共済法の短期給付に関する規定の適用については、そのなった日の前日に退職（国共済法第二条第一項第四号に規定する退職をいう。）をしたものとみなし、派遣職員が国共済法の短期給付に関する規定の適用を受ける職員となったときは、国共済法の短期給付に関する規定の適用については、そのなった日に職員となったものとみなす。

2　派遣職員に関する国共済法の退職等年金給付に関する規定の適用については、博覧会協会における特定業務を公務とみなす。

3　派遣職員は、国共済法第九十八条第一項各号に掲げる福祉事業を利用することができない。

4　派遣職員に関する国共済法の規定の適用については、国共済法第二条第一項第五号及び第六号中「とし、その他の職員」とあるのは「並びにこれらに相当するものとして次条第一項に規定する組合の運営規則で定めるものとし、その他の職員」と、国共済法第九十九条第二項中「次の各号」とあるのは「第三号」と、「当該各号」とあるのは「同号」と、「及び国の負担金」とあるのは「、令和九年に開催される国際園芸博覧会の準備及び運営のために必要な特別措置に関する法律（令和四年法律第十五号）第二条第一項に規定する博覧会協会（以下「博覧会協会」という。）の負担金及び国の負担金」と、同項第三号中「国の負担金」とあるのは「博覧会協会の負担金及び国の負担金」と、国共済法第百二条第一項中「各省各庁の長（環境大臣を含む。）、行政執行法人又は職員団体」とあり、及び「国、行政執行法人又は職員団体」とあるのは「博覧会協会及び国」と、「第九十九条第二項（同条第六項から第八項までの規定により読み替えて適用する場合を含む。）及び第五項（同条第七項及び第八項の規定により読み替えて適用する場合を含む。）」とあるのは「第九十九条第二項及び第五項」と、同条第四項中「第九十九条第二項第三号及び第四号」とあるのは「第九十九条第二項第三号」と、「並びに同条第五項（同条第七項及び第八項の規定により読み替えて適用する場合を含む。以下この項において同じ。）」とあるのは「及び同条第五項」と、「（同条第五項」とあるのは「（同項」と、「国、行政執行法人又は職員団体」とあるのは「博覧会協会及び国」とする。

5　前項の場合において博覧会協会及び国が同項の規定により読み替えられた国共済法第九十九条第二項及び厚生年金保険法（昭和二十九年法律第百十五号）第八十二条第一項の規定により負担すべき金額その他必要な事項は、政令で定める。

（子ども・子育て支援法の特例）

第十九条　派遣職員に関する子ども・子育て支援法（平成二十四年法律第六十五号）の規定の適用については、博覧会協会を同法第六十九条第一項第四号に規定する団体とみなす。

（国家公務員共済組合法等の適用関係等についての政令への委任）

第二十条　この法律に定めるもののほか、派遣職員に関して国家公務員共済組合法、地方公務員等共済組合法（昭和三十七年法律第百五十二号）、子ども・子育て支援法その他これらに類する法律の適用関係の調整を要する場合におけるその適用関係その他必要な事項は、政令で定める。

（一般職の職員の給与に関する法律の特例）

第二十一条　第十五条第一項の規定による派遣の期間中又はその期間の満了後における当該国の職員に関する一般職の職員の給与に関する法律（昭和二十五年法律第九十五号）第二十三条第一項及び附則第六項の規定の適用については、博覧会協会における特定業務（当該特定業務に係る労働者災害補償保険法（昭和二十二年法律第五十号）第七条第二項に規定する通勤（当該特定業務に係る就業の場所を国家公務員災害補償法（昭和二十六年法律第百九十一号）第一条の二第一項第一号及び第二号に規定する勤務場所とみなした場合に同条に規定する通勤に該当するものに限る。次条第一項において同じ。）を含む。）を公務とみなす。

（国家公務員退職手当法の特例）

第二十二条　第十五条第一項の規定による派遣の期間中又はその期間の満了後に当該国の職員が退職した場合における国家公務員退職手当法（昭和二十八年法律第百八十二号）の規定の適用については、博覧会協会における特定業務に係る業務上の傷病又は死亡は同法第四条第二項、第五条第一項第四号及び第六条の四第一項に規定する公務上の傷病又は死亡と、当該特定業務に係る労働者災害補償保険法第七条第二項に規定する通勤による傷病は国家公務員退職手当法第四条第二項、第五条第二項及び第六条の四第一項に規定する通勤による傷病とみなす。

2　派遣職員に関する国家公務員退職手当法第六条の四第一項及び第七条第四項の規定の適用については、第十五条第一項の規定による派遣の期間は、同法第六条の四第一項に規定する現実に職務をとることを要しない期間には該当しないものとみなす。

3　前項の規定は、派遣職員が博覧会協会から所得税法（昭和四十年法律第三十三号）第三十条第一項に規定する退職手当等（同法第三十一条の規定により退職手当等とみなされるものを含む。）の支払を受けた場合には、適用しない。

4　派遣職員がその派遣の期間中に退職した場合に支給する国家公務員退職手当法の規定による退職手当の算定の基礎となる俸給月額については、部内の他の職員との権衡上必要があると認められるときは、次条第一項の規定の例により、その額を調整することができる。

（派遣後の職務への復帰に伴う措置）

第二十三条　派遣職員が職務に復帰した場合におけるその者の職務の級及び号俸については、部内の他の職員との権衡上必要と認められる範囲内において、人事院規則の定めるところにより、必要な調整を行うことができる。

2　前項に定めるもののほか、派遣職員が職務に復帰した場合における任用、給与等に関する処遇については、部内の他の職員との均衡を失することのないよう適切な配慮が加えられなければならない。

（人事院規則への委任）

第二十四条　この法律に定めるもののほか、博覧会協会において国の職員が特定業務を行うための派遣に関し必要な事項は、人事院規則で定める。

（防衛省の職員への準用等）

第二十五条　第十四条から前条までの規定は、国家公務員法第二条第三項第十六号に掲げる防衛省の職員（法律により任期を定めて任用される職員、常時勤務を要しない官職を占める職員その他政令で定める職員を除く。）の派遣について準用する。この場合において、第十四条第一項中「国家公務員法第五十五条第一項に規定する任命権者及び法律で別に定められた任命権者並びにその委任を受けた者」とあるのは「自衛隊法（昭和二十九年法律第百六十五号）第三十一条第一項の規定により同法第二条第五項に規定する隊員の任免について権限を有する者」と、同条第二項、第十五条第三項、第十六条第二項、第二十三条第一項及び前条（見出しを含む。）中「人事院規則」とあり、並びに第十七条第三項中「人事院規則（派遣職員が検察官の俸給等に関する法律（昭和二十三年法律第七十六号）の適用を受ける者である場合にあっては、同法第三条第一項に規定する準則」とあるのは「政令」と、第十五条第八項中「国家公務員法第百四条」とあるのは「自衛隊法第六十三条」と、第十七条第二項ただし書中「研究員調整手当、住居手当」とあるのは「住居手当、営外手当」と、第二十一条中「一般職の職員の給与に関する法律（昭和二十五年法律第九十五号）第二十三条第一項及び附則第六項」とあるのは「防衛省の職員の給与等に関する法律（昭和二十七年法律第二百六十六号）第二十三条第一項」と、「国家公務員災害補償法」とあるのは「防衛省の職員の給与等に関する法律第二十七条第一項において準用する国家公務員災害補償法」と、第二十三条第一項中「職務の級」とあるのは「職務の級又は階級」と読み替えるものとする。

２　前項において準用する第十五条第一項の規定により派遣された自衛官（次項において「派遣自衛官」という。）に関する自衛隊法（昭和二十九年法律第百六十五号）第九十八条第四項及び第九十九条第一項の規定の適用については、博覧会協会における特定業務を公務とみなす。

３　防衛省の職員の給与等に関する法律（昭和二十七年法律第二百六十六号）第二十二条の規定は、派遣自衛官には、適用しない。

第四章　主務大臣等

第二十六条　この法律における主務大臣は、国土交通大臣、農林水産大臣及び経済産業大臣とする。

２　この法律における主務省令は、主務大臣が共同で発する命令とする。

第五章　罰則

第二十七条　第八条第一項の規定による報告をせず、若しくは虚偽の報告をし、又は同項の規定による検査を拒み、妨げ、若しくは忌避したときは、その違反行為をした博覧会協会の役員又は職員は、三十万円以下の罰金に処する。

附　則

（施行期日）

１　この法律は、公布の日から施行する。ただし、第三章第二節及び第四節の規定は、公布の日から起算して六月を超えない範囲内において政令で定める日〔令四・六・二四〕から施行する。

（博覧会協会の事業報告書等に関する経過措置）

２　令和十一年度の事業報告書及び収支決算書に係る第五条第三項の規定の適用については、同項中「博覧会協会は、毎事業年度」とあるのは「博覧会協会であった一般社団法人又は一般財団法人は」と、「博覧会業務」とあるのは「令和十一年度の事業年度の博覧会業務」とする。

○人事院規則一—八〇（職員の令和九年国際園芸博覧会特措法第二条第一項の規定により指定された国際園芸博覧会協会への派遣）

令四・六・二四公布
令四・六・二四施行

改正　令六・一・二三規則九—一五一

（趣旨）

第一条　この規則は、令和九年国際園芸博覧会特措法に規定する職員の令和九年国際園芸博覧会特措法第二条第一項の規定により指定された国際園芸博覧会協会（以下「博覧会協会」という。）への派遣に関し必要な事項を定めるものとする。

（定義）

第二条　この規則において、「特定業務」、「任命権者」又は「派遣職員」とは、それぞれ令和九年国際園芸博覧会特措法第十四条第一項又は第十五条第七項に規定する特定業務、任命権者又は派遣職員をいう。

（派遣除外職員）

第三条　令和九年国際園芸博覧会特措法第十四条第一項の人事院規則で定める職員は、次に掲げる職員とする。

一　条件付採用期間中の職員

二　法第八十一条の五第一項から第四項までの規定に

より異動期間（これらの規定により延長された期間を含む。）を延長された管理監督職を占める職員
三 勤務延長職員
四 休職者
五 停職者
六 派遣法第二条第一項の規定により派遣されている職員
七 官民人事交流法第八条第二項に規定する交流派遣職員
八 法科大学院派遣法第四条第三項又は第十一条第一項の規定により派遣されている職員
九 福島復興再生特別措置法（平成二十四年法律第二十五号）第四十八条の三第一項又は第八十九条の三第一項の規定により派遣されている職員
十 令和七年国際博覧会特措法第二十五条第一項の規定により派遣されている職員
十一 判事補及び検事の弁護士職務経験に関する法律（平成十六年法律第百二十一号）第二条第四項の規定により弁護士となってその職務を行う職員
十二 規則八―一二（職員の任免）第四十二条第二項の規定により任期を定めて採用された職員その他任期を限られた職員

（任命権者）
第四条 令和九年国際園芸博覧会特措法第十四条第一項の任命権者には、併任に係る官職の任命権者は含まれないものとする。

（派遣の要請）
第五条 博覧会協会は、令和九年国際園芸博覧会特措法第十四条第一項の規定に基づき職員の派遣を要請しようとするときは、当該派遣を必要とする事由及び次に掲げる当該派遣に関して希望する条件を記載した書類を任命権者に提出するものとする。
一 派遣に係る職員に必要な専門的な知識経験等
二 派遣に係る職員の博覧会協会における地位及び業務内容
三 派遣の期間
四 派遣に係る職員の博覧会協会における勤務時間、特定業務に係る報酬等（報酬、賃金、給料、俸給、手当、賞与その他いかなる名称であるかを問わず、特定業務の対償として受ける全てのものをいう。以下同じ。）その他の勤務条件
五 前各号に掲げるもののほか、博覧会協会が必要と認める条件

（派遣に係る取決め）
第六条 令和九年国際園芸博覧会特措法第十五条第三項の人事院規則で定める事項は、次に掲げる事項とする。
一 令和九年国際園芸博覧会特措法第十五条第一項の規定により派遣される職員（以下この条において「派遣予定職員」という。）の博覧会協会における職務に係る倫理その他の服務に関する事項
二 派遣予定職員の博覧会協会における福利厚生に関する事項
三 派遣予定職員の博覧会協会における特定業務の従事の状況の連絡に関する事項
四 派遣予定職員に係る派遣の期間の変更その他の取決めの内容の変更に関する事項
五 派遣予定職員に係る取決めに疑義が生じた場合及び当該取決めに定めのない事項が生じた場合の取扱いに関する事項

（派遣職員の保有する官職）
第七条 派遣職員は、派遣された時に占めていた官職又はその派遣の期間中に異動した官職を保有するものとする。ただし、併任に係る官職についてはこの限りではない。
２ 前項の規定は、当該官職を他の職員をもって補充することを妨げるものではない。

（派遣職員の職務への復帰）
第八条 令和九年国際園芸博覧会特措法第十六条第二項の人事院規則で定める場合は、次に掲げる場合とする。
一 派遣職員が博覧会協会における地位を失った場合
二 派遣職員が法第七十八条第二号又は第三号に該当することとなった場合
三 派遣職員が法第七十九条各号のいずれかに該当することとなった場合又は水難、火災その他の災害により生死不明若しくは所在不明となった場合
四 派遣職員が法第八十二条第一項各号のいずれかに該当することとなった場合
五 派遣職員の派遣が当該派遣に係る取決めに反することとなった場合

（派遣に係る人事異動通知書の交付）
第九条 任命権者は、次に掲げる場合には、職員に対して、規則八―一二第五十八条の規定による人事異動通知書を交付しなければならない。
一 令和九年国際園芸博覧会特措法第十五条第一項の規定により職員を派遣した場合
二 派遣職員に係る派遣の期間を延長した場合
三 派遣の期間の満了により派遣職員が職務に復帰した場合

四　派遣職員を職務に復帰させた場合

（派遣職員の給与）

第十条　派遣職員には、博覧会協会から受ける特定業務に係る報酬等（通勤手当、在宅勤務等手当、特殊勤務手当、超過勤務手当、休日給、夜勤手当、宿日直手当及び管理職員特別勤務手当（以下この項において「通勤手当等」という。）に相当するものを除く。以下この条において「派遣先報酬等」という。）の年額が、派遣職員に係る派遣の期間の初日の前日における給与の額を基礎とし、給与法第八条第六項の規定により標準号俸数（同条第七項に規定する人事院規則で定める基準において当該職員に係る標準となる号俸数をいう。）を昇給するものとして算定した給与（通勤手当等を除く。）の年額（当該年額が部内の他の職員との均衡を著しく失すると認められる場合にあっては、人事院の定めるところにより算定した額。以下この条において「派遣前給与の年額」という。）に満たない場合であって、博覧会協会において特定業務が円滑かつ効果的に行われることを確保するため特に必要があると認められるときは、当該派遣の期間中、俸給、扶養手当、地域手当、広域異動手当、研究員調整手当、住居手当及び期末手当（以下この条並びに附則第二項及び第三項において「俸給等」という。）のそれぞれ百分の百以内を支給することができる。

２　派遣職員がその派遣の期間中に前項に規定する場合に該当することとなった場合においても、当該該当することとなった日以後の当該派遣の期間中、俸給等のそれぞれ百分の百以内を支給することができる。

３　前二項の規定により支給される俸給等の支給割合を決定するに当たっては、決定された支給割合により支給されることとなる俸給等の年額が、派遣前給与の年額から派遣先報酬等の年額を減じた額を超えてはならない。

４　俸給等の支給及び支給割合は、派遣職員に係る派遣の期間の初日（第二項の規定により俸給等を支給されることとなった場合にあっては、当該支給されることとなった日）から起算して一年ごとに見直すものとし、俸給等の年額が派遣前給与の年額から派遣先報酬等の年額を減じた額を超える場合その他特に必要があると認められる場合には、第一項及び前項の規定の例により、俸給等の支給割合を変更し、又は俸給等を支給しないものとする。

５　俸給等の支給及び支給割合は、前項に規定する場合のほか、派遣先報酬等の額又は俸給等の額の変動があった場合において、俸給等の年額が派遣前給与の年額から派遣先報酬等の年額を減じた額を超えるときその他特に必要があると認められるときは、第一項及び第三項の規定の例により、俸給等の支給割合を変更し、又は俸給等を支給しないものとする。

６　前項の規定により俸給等の支給割合を変更した場合における第四項の規定の適用については、「派遣職員に係る派遣の期間の初日（第二項の規定により俸給等を支給されることとなった場合にあっては、当該支給されることとなった日）」とあるのは、「派遣先報酬等の額又は俸給等の額の変動があった日」とする。

（派遣職員の職務復帰時における給与の取扱い）

第十一条　派遣職員が職務に復帰した場合において、部内の他の職員との均衡上特に必要があると認められるときは、規則九―八（初任給、昇格、昇給等の基準）第二十条の規定にかかわらず、人事院の定めるところにより、その職務に応じた職務の級に昇格させることができる。

第十二条　派遣職員が職務に復帰した場合において、部内の他の職員との均衡上必要があると認められるときは、その派遣の期間を百分の百以下の換算率により換算して得た期間を引き続き勤務したものとみなして、その職務に復帰した日、同日後における最初の昇給日（規則九―八第三十四条に規定する昇給日をいう。以下この項において同じ。）又はその次の昇給日に、昇給の場合に準じてその者の号俸を調整することができる。

２　派遣職員が職務に復帰した場合における号俸の調整について、前項の規定による場合には部内の他の職員との均衡を著しく失すると認められるときは、同項の規定にかかわらず、あらかじめ人事院と協議して、その者の号俸を調整することができる。

（報告）

第十三条　派遣職員は、任命権者から求められたときは、博覧会協会における勤務条件及び業務の遂行の状況について報告しなければならない。

２　任命権者は、人事院の定めるところにより、毎年五月末日までに、前年の四月一日に始まる年度内において令和九年国際園芸博覧会特措法第十五条第一項の規定により派遣されている期間のある職員の派遣の期間並びに博覧会協会における地位、業務内容及び特定業務に係る報酬等の月額等の状況並びに同項の規定による派遣から当該年度内に職務に復帰した職員の当該復帰後の処遇等に関する状況について、人事院に報告しなければならない。

附　則

（施行期日）

1　この規則は、公布の日から施行する。ただし、第三条（第二号に係る部分に限る。）、第十条第一項（次項及び附則第三項に関する部分に限る。）、次項及び附則第三項の規定は、令和五年四月一日から施行する。

（給与法附則第八項の規定の適用を受ける派遣職員の給与）

2　派遣職員が給与法附則第八項の規定の適用を受ける職員となった場合には、当分の間、同項の規定の適用を受ける職員となった日を派遣の期間の初日の前日とみなして、第十条第一項及び第三項の規定の例により、俸給等の支給割合を決定し、又は俸給等を支給しないものとする。

3　前項の規定により、俸給等の支給割合を決定し、又は俸給等を支給しないものとした場合における第十条の規定の適用については、同条第一項中「派遣の期間の初日の前日」とあるのは「給与法附則第八項の規定の適用を受ける職員となった日」と、同条第二項中「前項」とあるのは「附則第三項の規定により読み替えられた前項」と、同条第三項中「前二項」とあるのは「附則第三項の規定により読み替えられた前二項」と、同条第四項中「派遣の期間の初日（」とあるのは「給与法附則第八項の規定の適用を受ける職員となった日（附則第三項の規定により読み替えられた」と、「第一項」とあるのは「附則第三項の規定により読み替えられた第一項」と、同条第五項中「前項」とあるのは「附則第三項の規定により読み替えられた前項」と、「第一項」とあるのは「附則第三項の規定により読み替えられた第一項」と、同条第六項中「前項」とあるのは「附則第三項の規定により読み替えられた前項」と、「第四項」とあるのは「附則第三項の規定により読み替えられた第四項」と、「派遣の期間の初日（」とあるのは「給与法附則第八項の規定の適用を受ける職員となった日（附則第三項の規定により読み替えられた」とする。

附　則（令四・七・一規則一―八〇―一）

この規則は、公布の日から施行する。

○職員の令和九年国際園芸博覧会特措法第二条第一項の規定により指定された国際園芸博覧会協会への派遣の運用について

令四・六・二四
人企―七九一

令和九年に開催される国際園芸博覧会の準備及び運営のために必要な特別措置に関する法律（令和四年法律第十五号。以下「令和九年国際園芸博覧会特措法」という。）及び人事院規則一―八〇（職員の令和九年国際園芸博覧会特措法第二条第一項の規定により指定された国際園芸博覧会協会への派遣）（以下「規則」という。）の運用について下記のとおり定めたので、令和四年六月二十四日（規則第九条関係第五号（規則附則第二項関係に関する部分に限る。）及び規則附則第二項関係については、令和五年四月一日）以降は、これによってください。

なお、この通知の施行に伴う経過措置については、次に定めるところによってください。

一　令和五年三月三十一日までの間における規則第三条関係の規定の適用については、同条関係中「第八十一条の七第　項又は第二項」とあるのは、「第八十一条の三第　項」とする。

二　国家公務員法等の一部を改正する法律（令和三年

法律第六十一号）附則第三条第五項に規定する旧国家公務員法勤務延長職員に対する規則第三条関係の規定の適用については、同条関係中「第八十一条の七第一項又は第二項」とあるのは、「第八十一条の七第一項若しくは第二項又は国家公務員法等の一部を改正する法律（令和三年法律第六十一号）附則第三条第五項若しくは第六項」とする。

記

令和九年国際園芸博覧会特措法第十五条関係

　この条の第一項、第四項及び第五項の規定による職員の同意は、文書により行うものとする。

規則第三条関係

　この条の第三号の「勤務延長職員」とは、国家公務員法（昭和二十二年法律第百二十号）第八十一条の七第一項又は第二項の規定により定年退職日の翌日以降引き続いて勤務している職員をいう。

規則第九条関係

　人事異動通知書の「異動内容」欄の記入要領は、次のとおりとする。

一　令和九年国際園芸博覧会特措法第十五条第一項の規定により職員を派遣する場合
　「令和九年に開催される国際園芸博覧会の準備及び運営のために必要な特別措置に関する法律第二条第一項の規定により指定された国際園芸博覧会協会に派遣する
　派遣の期間は　年　月　日から　年　月　日までとする
　派遣の期間中、俸給、扶養手当、地域手当、広域異動手当、研究員調整手当、住居手当及び期末手当のそれぞれ百分の　を支給する（又は「派遣の期間中、給与は支給しない」）」
と記入する。

二　派遣職員（令和九年国際園芸博覧会特措法第十五条第七項に規定する派遣職員をいう。以下同じ。）の派遣の期間を延長する場合
　「派遣の期間を　年　月　日まで延長する
　延長に係る期間中、俸給、扶養手当、地域手当、広域異動手当、研究員調整手当、住居手当及び期末手当のそれぞれ百分の　を支給する（又は「延長に係る期間中、給与は支給しない」）」
と記入する。

三　派遣の期間の満了により派遣職員が職務に復帰した場合
　「職務に復帰した（　年　月　日）」
と記入する。

四　派遣職員を職務に復帰させる場合
　「職務に復帰させる」
と記入する。

五　派遣の期間中に俸給等（規則第十条第一項に規定する俸給等をいう。次号及び規則附則第二項関係において同じ。）を支給することとなったことに人事異動通知書を用いる場合
　「　年　月　日以後、派遣の期間中、俸給、扶養手当、地域手当、広域異動手当、研究員調整手当、住居手当及び期末手当のそれぞれ百分の　を支給する」
と記入する。

六　派遣の期間中に俸給等の支給割合を変更すること又は俸給等を支給しないものとすることに人事異動通知書を用いる場合
　「　年　月　日以後、派遣の期間中、俸給、扶養手当、地域手当、広域異動手当、研究員調整手当、住居手当及び期末手当の支給割合をそれぞれ百分の　とする（又は「　年　月　日以後、派遣の期間中、給与は支給しない」）」
と記入する。

規則第十条関係

１　この条の第一項の「当該年額が部内の他の職員との均衡を著しく失すると認められる場合」において、同項に規定する派遣前給与の年額を算定するときは、あらかじめ個別に事務総長に協議するものとする。

２　この条の第一項に規定する派遣前給与の年額の算定における勤勉手当の額は、派遣職員を人事院規則九―四〇（期末手当及び勤勉手当）第十三条第一項第一号ハ（専門スタッフ職俸給表の適用を受ける職員にあっては同項第二号ハ、指定職俸給表の適用を受ける職員にあっては同項第三号ロ）に掲げる職員であるものとした場合の同項の規定による成績率により算定した額によるものとする。

３　この条の規定による給与の支給割合の決定等については、その過程を明確にして行うとともに、その内容を適切に把握しておくものとする。

規則第十一条関係

　令和九年国際園芸博覧会特措法第十五条第一項の規定による派遣後職務に復帰した職員を昇格させる場合には、次の各号に掲げる職員の区分に応じ、当該各号に定める職務の級に昇格させることができる。ただし、特別の事情によりこれにより難い場合には、あら

かじめ事務総長に協議して、別段の取扱いをすることができる。

一　人事院規則九―八（初任給、昇格、昇給等の基準）第十一条第三項の規定により職務の級を決定された職員以外の職員　昇格させようとする日に新たに職員となったものとした場合のその者の経験年数がその者を昇格させようとする職務の級をその者の属する職務の級とみなした場合の給実甲第三二六号（人事院規則九―八（初任給、昇格、昇給等の基準）の運用について）第十五条関係第五項に規定する最短昇格期間（ただし、人事院規則九―八第二十条第四項後段の規定に該当するときは、当該最短昇格期間に百分の五十以上百分の百未満の割合を乗じて得た期間とすることができる。）以上となる当該昇格させようとする職務の級

二　人事院規則九―八第十一条第三項の規定により職務の級を決定された職員　当該派遣がなく引き続き職務に従事したものとみなして、その者が当該派遣の直前に属していた職務の級を基礎として昇格等の規定を適用した場合に、その者を昇格させようとする日に属することとなる職務の級を超えない範囲内の職務の級

規則第十二条関係

この条の規定の適用については、給実甲第一九二号（復職時等における号俸の調整の運用について）に定めるところによる。

規則第十三条関係

この条の第二項の規定による人事院への報告は、別紙様式の報告書により行うものとする。

規則附則第二項関係

1　この項の規定により、俸給等の支給割合を決定し、又は俸給等を支給しないものとすることとなった職員（同項の規定により俸給等の支給割合を決定し、又は俸給等を支給しないものとすることとなった日において、派遣の期間を延長され、規則第九条第二号に掲げる場合に同条の規定により人事異動通知書が交付される職員を除く。）に対しては、人事異動通知書又はこれに代わる文書（以下「通知書等」という。）により俸給等の支給割合又は俸給等を支給しない旨を通知するものとする。ただし、通知書等の交付によらないことを適当と認める場合には、適当な方法をもって通知書等の交付に代えることができる。

2　前項の規定による通知において、人事異動通知書を用いる場合の「異動内容」欄の記入要領は、規則第九条関係第六号の規定の例によるものとする。

以　上

別紙

国際園芸博覧会協会への派遣に関する状況報告書

（　枚のうち　枚目）

令和　年度分

府省名

1 派遣の状況

氏名	派遣時の状況		派遣の期間	給与支給割合（%）	国際園芸博覧会協会における職員の状況			備考
	所属部課・官職	級号俸			地位	業務内容	報酬等の月額	
①	②	③	④	⑤	⑥	⑦	⑧	⑨
		−	～	%			円	
		−	～	%			円	
		−	～	%			円	
		−	～	%			円	
		−	～	%			円	
		−	～	%			円	
		−	～	%			円	
		−	～	%			円	
		−	～	%			円	
		−	～	%			円	
		−	～	%			円	
		−	～	%			円	
		−	～	%			円	
		−	～	%			円	
		−	～	%			円	
		−	～	%			円	
		−	～	%			円	

A4

（　枚のうち　枚目）

2 派遣及び復帰の状況

氏名	派遣時の状況		派遣の期間	給与支給割合（%）	国際園芸博覧会協会における職員の状況			職務復帰後における職員の状況		備考
	所属部課・官職	級号俸			地位	業務内容	報酬等の月額	所属部課・官職	給与上の処遇	
⑩	⑪	⑫	⑬	⑭	⑮	⑯	⑰	⑱	⑲	⑳
		-	～	%			円			
		-	～	%			円			
		-	～	%			円			
		-	～	%			円			
		-	～	%			円			
		-	～	%			円			
		-	～	%			円			
		-	～	%			円			
		-	～	%			円			
		-	～	%			円			
		-	～	%			円			
		-	～	%			円			
		-	～	%			円			
		-	～	%			円			
		-	～	%			円			
		-	～	%			円			
		-	～	%			円			

3 令和　年度末現在派遣職員総数　　名

作成者官職・氏名

A4

（記入要領）

1　前年度において、国際園芸博覧会協会へ派遣されている期間のある職員（2に規定する職員を除く。）については、「1　派遣の状況」に派遣された年度ごとにまとめて記入するものとする。
2　前年度内に復帰した職員については、「2　派遣及び復帰の状況」に記入するものとする。
3　③欄及び⑫欄には、「行（一）6－40」のように記入する。
4　④欄及び⑬欄には、「令和4年10月1日～令和6年9月30日(2年0月)」のように記入する。
5　⑥欄及び⑮欄には、「○○部○○課長」等と記入する。
6　⑧欄及び⑰欄には、特定業務に係る報酬等（報酬、賃金、給料、俸給、手当、賞与その他いかなる名称であるかを問わず、特定業務の対償として受ける全てのものをいう。）の月額（月額によらない場合は、月額に換算したもの）を記入する。
7　⑱欄には、職務復帰後の所属部課・官職（前年度において職務復帰後に異動があった場合には、最初の異動後の所属部課・官職）を記入する。
8　⑲欄には、職務復帰後において昇格、昇給等の措置を行った場合、その措置の内容を「復職時調整（6－52）」等と記入する。
9　派遣の期間中に一般職の職員の給与に関する法律（昭和25年法律第95号）附則第8項の規定の適用を受けることとなった職員については、⑨欄又は⑳欄に「　年　月　日給与法附則第8項適用」等と記入する。

○国際機関等に派遣される一般職の国家公務員の処遇等に関する法律

昭四五・一二・一七
法 一 一 七

最終改正 平二一・五・二九法四一

（趣旨）

第一条 この法律は、国際協力等の目的で、国際機関、外国政府の機関等に派遣される職員（国家公務員法（昭和二十二年法律第百二十号）第二条に規定する一般職に属する職員をいう。以下同じ。）の処遇等について定めるものとする。

（職員の派遣）

第二条 任命権者（国家公務員法第五十五条第一項に規定する任命権者及び法律で別に定められた任命権者をいう。以下同じ。）は、条約その他の国際約束若しくはこれに準ずるものに基づき又は次に掲げる機関の要請に応じ、これらの機関の業務に従事させるため、部内の職員（人事院規則で定める職員を除く。）を派遣することができる。

一 わが国が加盟している国際機関

二 外国政府の機関

三 前二号に準ずる機関で、人事院規則で定めるもの

2 任命権者は、前項の規定により職員を派遣する場合には、当該職員の同意を得なければならない。

（派遣職員の身分）

第三条 前条第一項の規定により派遣された職員（以下「派遣職員」という。）は、その派遣の期間中、職員としての身分を保有するが、職務に従事しない。

第四条 任命権者は、派遣職員についてその派遣の必要がなくなつたときは、すみやかに当該職員を職務に復帰させなければならない。

2 派遣職員は、その派遣の期間が満了したときは、職務に復帰するものとする。

（派遣職員の給与）

第五条 派遣職員には、その派遣の期間中、俸給、扶養手当、地域手当、広域異動手当、研究員調整手当、住居手当及び期末手当のそれぞれ百分の百以内を支給することができる。

2 前項の規定による給与の支給に関し必要な事項は、人事院規則（派遣職員が検察官の俸給等に関する法律（昭和二十三年法律第七十六号）の適用を受ける職員である場合にあつては、同法第三条第一項に規定する準則）で定める。

（派遣職員の業務上の災害に対する補償等）

第六条 派遣職員に関する国家公務員災害補償法（昭和二十六年法律第百九十一号）の規定の適用については、派遣先の機関の業務を公務とみなす。

2 派遣職員の派遣先の業務上の災害又は通勤による災害に対する補償に係る国家公務員災害補償法の規定による平均給与額については、同法第四条の規定にかかわらず、人事院規則で定める。

3 派遣職員の派遣先の業務上の災害又は通勤による災害に対し国家公務員災害補償法の規定による補償を行なう場合において、補償を受けるべき者が派遣先の機関等から同一の事由について当該災害に対する補償を受けたときは、国は、その価額の限度において、同法の規定による補償を行なわない。

第七条 派遣職員に関する国家公務員共済組合法（昭和三十三年法律第百二十八号）又は地方公務員等共済組合法（昭和三十七年法律第百五十二号）の規定の適用については、それぞれ派遣先の機関の業務を公務とみなす。

2 派遣職員に関する国家公務員共済組合法又は地方公務員等共済組合法の規定の適用については、派遣職員の派遣先の業務上の災害又は通勤による災害に対して派遣先の機関等から補償が行なわれることとなつたため、前条第三項の規定により、当該災害に対する国家公務員災害補償法の規定による補償が行なわれないこととなつた場合における当該派遣先の機関等からの補償を同法の規定による補償に相当する補償とみなす。

第八条 派遣職員に関する一般職の職員の給与に関する法律（昭和二十五年法律第九十五号）第二十三条第一項又は附則第六項の規定の適用については、派遣先の機関の業務を公務とみなす。

（派遣職員に関する国家公務員退職手当法の特例）

第九条 派遣職員に関する国家公務員退職手当法（昭和二十八年法律第百八十二号）第五条第一項の規定の適用については、派遣先の機関の業務を公務とみなす。

2 派遣職員に関する国家公務員退職手当法第六条の四第一項及び第七条第四項の規定の適用については、派遣の期間は、同法第六条の四第一項に規定する現実に職務をとることを要しない期間には該当しないものとみなす。

（派遣職員に対する旅費の支給）

第十条 派遣職員には、特に必要があると認められると

きは、国家公務員等の旅費に関する法律（昭和二十五年法律第百十四号）に定める赴任の例に準じ旅費を支給することができる。

（派遣職員の復帰時における処遇）

第十一条　派遣職員が職務に復帰した場合における任用、給与等に関する処遇については、部内職員との均衡を失することのないよう適切な配慮が加えられなければならない。

（人事院規則への委任）

第十二条　第二条から第四条まで及び第六条の規定の実施に関し必要な事項は、人事院規則で定める。

附　則（抄）

（施行期日）

1　この法律は、公布の日から起算して三十日を経過した日から施行する。

（経過措置）

2　この法律の施行の際現に国家公務員法第七十九条の規定に基づく人事院規則の定めるところにより休職にされ、第二条第一項各号に掲げる機関（次項及び附則第四項において「国際機関等」という。）の業務に従事している職員のうち、人事院規則で定めるものは、この法律の施行の日（以下「施行日」という。）に派遣職員となるものとする。

3　施行日前に国家公務員法第七十九条の規定に基づく人事院規則の定めるところにより休職にされ、国際機関等の業務に従事していた期間を有する者のうち、引き続き施行日において職員として在職しているもの及びこれに準ずる者で政令で定めるもの並びに次項に規定する者に該当するものの当該休職の期間（政令で定める期間に限る。）については、国家公務員退職手当法第七条第四項の規定は、適用しない。

4　施行日前に国際機関等の業務に従事するため職員を退職し、かつ、引き続き当該国際機関等の業務に従事した後、引き続いて再び職員となつた者で、政令で定めるものの国家公務員退職手当法第七条第一項の規定による在職期間の計算については、先の職員としての在職期間は、後の職員としての在職期間に引き続いたものとみなす。この場合において、施行日以後の退職による退職手当の額の計算について必要な事項は、政令で定める。

○人事院規則一八―〇（職員の国際機関等への派遣）

昭四五・一二・二五公布
昭四六・一・一六施行
最終改正　令四・七・一規則一八―〇―八

（派遣除外職員）

第一条　派遣法第二条第一項に規定する規則で定める職員は、次に掲げる職員とする。

一　非常勤職員
二　臨時的職員その他任期を限られた常勤職員
三　条件付採用期間中の職員
四　法第八十一条の五第一項から第四項までの規定により異動期間（これらの規定により延長された期間を含む。）を延長された管理監督職を占める職員
五　勤務延長職員
六　休職者
七　停職者
八　官民人事交流法第八条第二項に規定する交流派遣職員
九　法科大学院派遣法第四条第三項又は第十一条第一項の規定により派遣されている職員
十　福島復興再生特別措置法（平成二十四年法律第二十五号）第四十八条の三第七項又は第八十九条の三第七項に規定する派遣職員
十一　令和七年国際博覧会特措法第二十五条第七項に規定する派遣職員
十二　令和九年国際園芸博覧会特措法第十五条第七項

に規定する派遣職員

十三 判事補及び検事の弁護士職務経験に関する法律（平成十六年法律第百二十一号）第二条第四項の規定により弁護士となつてその職務を行う職員

（派遣先機関）

第二条 派遣法第二条第一項第三号に規定する規則で定める機関は、次に掲げる機関とする。

一 外国の州又は自治体の機関

二 外国の学校、研究所又は病院

三 前二号に掲げるもののほか、指令で定める機関

（任命権者）

第三条 派遣法第二条第一項の規定により職員を派遣することができる任命権者（以下「任命権者」という。）には、併任に係る官職の任命権者は含まれないものとする。

（派遣期間）

第四条 任命権者は、五年を超える期間を定めて職員を派遣するときは、人事院に協議しなければならない。

2 派遣の期間は、職員の同意を得て、これを更新することができる。

3 第一項の規定は、派遣の期間を更新する場合において、派遣の期間が引き続き五年を超えることとなるとき及び引き続き五年を超えて派遣されている職員の派遣の期間を更新する場合に準用する。ただし、派遣の期間が五年を経過する際に、後任者への事務引継、派遣法第二条第一項の規定により派遣された職員が従事する事業の終了の遅延等の事由により、引き続き五年を超えて派遣の期間を更新する必要がある場合であつて、当該更新によつても派遣の期間が引き続き五年三月を超えないこととなるときは、この限りでない。

（派遣職員の保有する官職）

第五条 派遣法第二条第一項の規定により派遣された職員（第十条第一項の職員を含む。以下「派遣職員」という。）は、派遣された時（第十条第一項の職員にあつては、派遣職員となつた時）占めていた官職又はその派遣の期間中に異動した官職を保有するものとする。ただし、併任に係る官職については、この限りでない。

2 前項の規定は、当該官職を他の職員をもつて補充することを妨げるものではない。

（人事異動通知書の交付）

第六条 任命権者は、派遣法第二条第一項の規定により職員を派遣する場合、派遣職員の派遣の期間を更新する場合、派遣職員を職務に復帰させる場合又は派遣職員が派遣の期間の満了によつて職務に復帰した場合には、当該職員に規則八—一二（職員の任免）第五十八条の規定による人事異動通知書（以下「人事異動通知書」という。）を交付しなければならない。

（派遣職員の給与）

第七条 派遣職員には、人事院の定めるところにより、その派遣先の勤務に対して報酬が支給されないとき、又は当該勤務に対して支給される報酬の額が低いと認められるときは、その派遣の期間中、俸給、扶養手当、地域手当、広域異動手当、研究員調整手当、住居手当及び期末手当のそれぞれ百分の百以内を支給する。

2 派遣先の機関の特殊事情により、給与を支給することが著しく不適当であると人事院が認めるときは、前項の規定にかかわらず、派遣職員には給与を支給しない。

3 第一項の規定による給与は、あらかじめ職員の指定する者に対して支払うことができる。

（平均給与額）

第八条 派遣法第六条第二項に規定する平均給与額は、派遣の期間（第十条第一項の職員にあつては、従前の休職の期間）の初日の属する月の前月の末日から起算して過去三月間にその職員に対して支払われた給与の総額を、その期間の総日数で除して得た金額とする。

2 前項に規定する給与の種類については、補償法第四条第二項（国際平和協力手当及びイラク人道復興支援等手当に係る部分を除く。）並びに規則一六—〇（職員の災害補償）第八条の一、第九条及び第十一条に定めるところによる。この場合において、同規則第八条の二中「補償法第四条第一項に規定する期間の」とあるのは「規則一八—〇（職員の国際機関等への派遣）第八条第一項に規定する平均給与額の算定の基礎となる期間（以下「算定基礎期間」という。）の」と、「同規則」とあるのは「規則九—一二四」と、「事故発生日（負傷若しくは死亡の原因である事故の発生の日又は診断によつて疾病の発生が確定した日をいう。以下同じ。）」とあるのは「派遣法第二条第一項の規定による派遣の期間の初日の前日（以下「派遣等の前日」という。）」と、「補償法第四条第一項に規定する期間に」とあるのは「算定基礎期間に」と、「同項」とあるのは「規則一八—〇第八条第一項」と、同規則第九条中「事故発生日」とあるのは「派遣等の前日」とする。

3 前二項の規定によつてもなお平均給与額を計算することができない場合又はこれらの規定によつて計算した平均給与額が公正を欠く場合は、実施機関が人事院の承認を得て、別に平均給与額を定めるものとする。

ただし、当該承認を得ていない場合において、規則一六―四（補償及び福祉事業の実施）第六条第二項（同規則第十一条の四又は第十三条において準用する場合を含む。）、同規則第十一条第二項（同規則第十一条の四において準用する場合を含む。）又は同規則第二十三条の二第三項の規定に基づく承認を得たときは、当該承認により平均給与額とされた額を平均給与額とする。

4　前三項の規定によつて計算した平均給与額に一円未満の端数を生じたときは、これを一円に切り上げるものとする。

（平均給与額の特例）

第八条の二　平成二十六年四月以降の分として支給される補償法第一条に規定する補償（以下この条において「補償」という。）及び補償法第二十二条第一項に規定する福祉事業（以下この条において「福祉事業」という。）に係る平均給与額であつて、国家公務員の給与の改定及び臨時特例に関する法律（平成二十四年法律第二号）第三章の規定により減ぜられた給与を基に計算するものについては、同章の規定の適用がないものとした場合の給与を前条第一項の支払われた給与とみなして同項及び同条第二項の規定を適用して計算した額とする。

2　前項の規定は、検察官に対する補償及び福祉事業に係る平均給与額について準用する。この場合において、同項中「国家公務員の給与の改定及び臨時特例に関する法律（平成二十四年法律第二号）第三章」とあるのは「検察官の俸給等に関する法律（昭和二十三年法律第七十六号）附則第四条第一項及び同法第一条第一項の規定によりその例によることとされる国家公務員の給与の改定及び臨時特例に関する法律（平成二十四年法律第二号）第九条第二項」と、「同章」とあるのは「検察官の俸給等に関する法律附則第四条第一項及び同法第一条第一項の規定によりその例によることとされる国家公務員の給与の改定及び臨時特例に関する法律第九条第二項」と読み替えるものとする。

（報告）

第九条　派遣職員は、任命権者から求められたときは、派遣先の機関における勤務条件等について報告しなければならない。

2　任命権者は、毎年五月末日までに、前年の四月一日に始まる年度内において派遣法第二条第一項の規定により派遣した職員の派遣先機関、派遣期間及び派遣先機関における処遇等の状況並びに派遣職員で当該年度内に職務に復帰したものの復帰後の処遇等の状況を人事院に報告するものとする。

（経過措置）

第十条　派遣法附則第二項に規定する規則で定める職員は、昭和四十六年一月十五日における規則一一―四（職員の身分保障）第三条第一項第一号又は第二号に掲げる事由に該当して休職にされた職員で、条約その他の国際約束若しくはこれに準ずるものに基づく必要により、又は同法第二条第一項各号に掲げる機関の要請に応じ、国際協力のため、これらの機関の業務に従事しているものとする。

2　前項の職員の派遣の期間は、従前の休職の期間の残余の期間とする。

3　任命権者は、第一項の職員に対し、人事異動通知書により、派遣職員となつた旨をすみやかに通知しなければならない。

附　則（抄）

この規則は、公布の日から施行する。〔ただし書略〕

附　則（平二二・七・二七規則一八―〇―五）（抄）

（施行期日）

第一条　この規則は、平成二十二年十月一日から施行する。

（経過措置）

第二条　この規則の施行の日（以下「施行日」という。）の前日から引き続き派遣されている職員（人事院が定める職員を除く。）に係る施行日における改正後の規則一八―〇第七条第一項の規定による給与の支給割合（以下この条において「新支給割合」という。）が、施行日の前日における改正前の規則一八―〇第七条第一項又は第二項の規定による給与の支給割合（以下この条において「旧支給割合」という。）に達しないときは、旧支給割合から新支給割合を減じた割合に次の各号に掲げる期間の区分に応じ当該各号に定める割合を乗じて得た割合を新支給割合に加えた割合を、当該職員に係る改正後の規則一八―〇第七条第一項の規定による給与の支給割合とする。

一　施行日から平成二十三年九月三十日まで　百分の百

二　平成二十三年十月一日から平成二十四年九月三十日まで　百分の七十

三　平成二十四年十月一日から平成二十五年九月三十日まで　百分の四十

第三条　施行日から平成二十三年三月三十一日までの間に、新たに派遣され、又は派遣の期間が更新された職員（人事院が定める職員を除く。）に係る当該新たに派遣され、又は派遣の期間が更新された日における改正後の規則一八―〇第七条第一項の規定による給与の支給割合（以下この条において「新支給割合」という。）が、これらの日において改正前の規則一八―〇第七条第一項又は第二項の規定を適用したとした場合におけるこれらの規定による給与の支給割合（以下この条において「旧支給割合」という。）に達しないときは、旧支給割合から新支給割合を減じた割合に次の各号に掲げる期間の区分に応じ当該各号に定める割合を乗じて得た割合を新支給割合に加えた割合を、当該職員に係る改正後の規則一八―〇第七条第一項の規定による給与の支給割合とする。

一　施行日から平成二十三年九月三十日まで　百分の百

二　平成二十三年十月一日から平成二十四年九月三十日まで　百分の七十

三　平成二十四年十月一日から平成二十五年九月三十日まで　百分の四十

○国際機関等に派遣される一般職の国家公務員の処遇等に関する法律および人事院規則一八―〇（職員の国際機関等への派遣）の運用について（抄）

昭四五・一二・二五
任企―八八七

最終改正　令四・二・一八事企法―三七

（派遣法関係）

第二条関係

1　この条は、国際協力等のため条約、協定、交換公文、覚書等に基づき、または国際機関等からの要請に応じて職員を派遣する場合について定めるものである。したがつて、単に職員が知識の習得、資格の取得等を目的として調査、研究のため海外に赴くような場合は、この条の第一項各号に掲げる機関の業務に従事する場合であつても、派遣の対象とはならない。

2　この条の第一項の「条約その他の国際約束若しくはこれに準ずるもの」には、条約、協定、交換公文、覚書等のほか各省各庁の長又は行政執行法人（独立行政法人通則法（平成十一年法律第百三号）第二条第四項に規定する行政執行法人をいう。以下同じ。）の長と国際機関等を代表する者との間の合意も含まれる。

3　この条の第一項の「これらの機関の業務に従事させる」には、職員が同項各号に掲げる機関の組織上の地位を占めて業務を行う場合のほか、業務の遂行について所属庁又は所属する行政執行法人からの指揮監督を受けない限り、これらの機関の組織上の地位を占めることなくその業務についての助言、指導等に当たる場合も含まれる。

4　この条の第一項の規定に基づき、職員を派遣する権限は、委任することができない。

第六条関係

派遣先の機関等から同一の事由について補償を受けた場合における国家公務員災害補償法（昭和二十六年法律第百九十一号）の規定による補償については、派遣先の機関等から受けた補償を第三者から受けた損害賠償とみなして、同法第六条第二項の規定の例により取り扱うものとする。ただし、これにより難い場合は、そのつど人事院事務総長に協議して別段の取り扱いをすることができる。

別紙

派　遣　状　況　報　告　書

（　　枚のうち　　枚目）

令和　　年度分

機関名＿＿＿＿＿＿＿＿

1　派遣の状況

氏名	派遣時の状況		派遣先機関			派遣期間	給与支給率（%）	派遣先機関における職員の状況			JICA経由の有・無	備考
	所属部課・官職	級号俸	名称	種類	所在地			職務内容及び地位	報酬の年額	単身・家族同伴の別		
①	②	③	④	⑤	⑥	⑦	⑧	⑨	⑩	⑪	⑫	⑬
		( ) —										
		( ) —										
		( ) —										
		( ) —										
		( ) —										
		( ) —										
		( ) —										
		( ) —										
		( ) —										
		( ) —										

A4

（　　枚のうち　　枚目）

2　復帰の状況

氏名	派遣時の状況		派遣先機関の名称	派遣期間	給与支給率(%)	派遣先機関における地位及び職務内容	職務復帰後の状況			備考
	所属部課 官職	級号俸					職務復帰時の官職	異動後の官職	職務復帰後の給与上の処遇	
⑭	⑮	⑯	⑰	⑱	⑲	⑳	㉑	㉒	㉓	㉔
		( ) —								
		( ) —								
		( ) —								
		( ) —								
		( ) —								
		( ) —								
		( ) —								
		( ) —								
		( ) —								
		( ) —								

3　令和　　年度末現在派遣職員総数　　　名

作成者官職・氏名

A4

（記入要領）

1　報告に係る年度内に派遣した職員については「1　派遣の状況」に、当該年度内に職務に復帰した職員については「2　復帰の状況」に、それぞれ記入するものとする。

2　③欄及び⑯欄には、「行(一)3—5」のように記入する。

3　④欄及び⑰欄には、派遣先機関から外国政府等に派遣されているような場合には、「ＦＡＯ（タイ国政府）」等と記入する。

4　⑤欄には、派遣先機関が派遣法第二条第一項第一号若しくは第二号又は規則一八—〇第二条各号のいずれかに該当するものであるかについて、「法1号」、「規2号」等と記入する。

5　⑥欄には、派遣先機関の所在地の国名及び都市名を記入し、勤務地が派遣先機関の所在地と異なるときは、勤務地について記入する。

6　⑨欄及び⑳欄には、「〇〇所長」、「〇〇官」等と記入し、併せて主たる業務内容について略記する。

7　⑩欄には、報酬の年額を、支給されている通貨を単位として記入する。

8　⑪欄には、単身の場合は「単身」と、家族一部同伴の場合は「一部（妻・子一人）」等と、家族全員同伴の場合は「全部（妻・子二人）」等と記入する。

9　㉒欄には、職務復帰後最初に異動した場合の異動後の官職の名称及び異動年月日を記入する。

10　㉓欄には、職務復帰後において昇格、昇給等の措置を行った場合、その措置の内容を「復職時調整（3—8）」等と記入する。

11　派遣の期間中に一般職の職員の給与に関する法律附則第八項の規定の適用を受けることとなった職員については、⑬欄又は㉔欄に「　年　月　日給与法附則第八項適用」等と記入する。

〇国際連合平和維持活動等に対する協力に関する法律（抄）

平四・六・一九
法　七　九

最終改正　令六・六・七法四六

第一章　総則

（目的）

第一条　この法律は、国際連合平和維持活動、国際連携平和安全活動、人道的な国際救援活動及び国際的な選挙監視活動に対し適切かつ迅速な協力を行うため、国際平和協力業務実施計画及び国際平和協力業務実施要領の策定手続、国際平和協力隊の設置等について定めることにより、国際平和協力業務の実施体制を整備するとともに、これらの活動に対する物資協力のための措置等を講じ、もって我が国が国際連合を中心とした国際平和のための努力に積極的に寄与することを目的とする。

（国際連合平和維持活動等に対する協力の基本原則）

第二条　政府は、この法律に基づく国際平和協力業務の実施、物資協力、これらについての国以外の者の協力等（以下「国際平和協力業務の実施等」という。）を適切に組み合わせるとともに、国際平和協力業務の実施等に携わる者の創意と知見を活用することにより、国際連合平和維持活動、国際連携平和安全活動、人道的な国際救援活動及び国際的な選挙監視活動に効果的に協力するものとする。

2　国際平和協力業務の実施等は、武力による威嚇又は武力の行使に当たるものであってはならない。
3　内閣総理大臣は、国際平和協力業務の実施等に当たり、国際平和協力業務実施計画に基づいて、内閣を代表して行政各部を指揮監督する。
4　関係行政機関の長は、前条の目的を達成するため、国際平和協力業務の実施等に関し、国際平和協力本部長に協力するものとする。

（定義）
第三条　この法律において、次の各号に掲げる用語の意義は、それぞれ当該各号に定めるところによる。
一　国際連合平和維持活動　国際連合の総会又は安全保障理事会が行う決議に基づき、武力紛争の当事者（以下「紛争当事者」という。）間の武力紛争の再発の防止に関する合意の遵守の確保、紛争による混乱に伴う切迫した暴力の脅威からの住民の保護、武力紛争の終了後に行われる民主的な手段による統治組織の設立及び再建の援助その他紛争に対処して国際の平和及び安全を維持することを目的として、国際連合の統括の下に行われる活動であって、国際連合事務総長（以下「事務総長」という。）の要請に基づき参加する二以上の国及び国際連合によって実施されるもののうち、次に掲げるものをいう。
イ　武力紛争の停止及びこれを維持するとの紛争当事者間の合意があり、かつ、当該活動が行われる地域の属する国（当該国において国際連合の総会又は安全保障理事会が行う決議に従って施政を行う機関がある場合にあっては、当該機関。以下同じ。）及び紛争当事者の当該活動が行われることについての同意がある場合に、いずれの紛争当事者にも偏ることなく実施される活動
ロ　武力紛争が終了して紛争当事者が当該活動が行われる地域に存在しなくなった場合において、当該活動が行われる地域の属する国の当該活動が行われることについての同意がある場合に実施される活動
ハ　武力紛争がいまだ発生していない場合において、当該活動が行われる地域の属する国の当該活動が行われることについての同意がある場合に、武力紛争の発生を未然に防止することを主要な目的として、特定の立場に偏ることなく実施される活動
二　国際連携平和安全活動　国際連合の総会、安全保障理事会若しくは経済社会理事会が行う決議、別表第一に掲げる国際機関が行う要請又は当該活動が行われる地域の属する国の要請（国際連合憲章第七条1に規定する国際連合の主要機関のいずれかの支持を受けたものに限る。）に基づき、紛争当事者間の武力紛争の再発の防止に関する合意の遵守の確保、紛争による混乱に伴う切迫した暴力の脅威からの住民の保護、武力紛争の終了後に行われる民主的な手段による統治組織の設立及び再建の援助その他紛争に対処して国際の平和及び安全を維持することを目的として行われる活動であって、二以上の国の連携により実施されるもののうち、次に掲げるもの（国際連合平和維持活動として実施される活動を除く。）をいう。
イ　武力紛争の停止及びこれを維持するとの紛争当事者間の合意があり、かつ、当該活動が行われる地域の属する国及び紛争当事者の当該活動が行われることについての同意がある場合に、いずれの紛争当事者にも偏ることなく実施される活動
ロ　武力紛争が終了して紛争当事者が当該活動が行われる地域に存在しなくなった場合において、当該活動が行われる地域の属する国の当該活動が行われることについての同意がある場合に実施される活動
ハ　武力紛争がいまだ発生していない場合において、当該活動が行われる地域の属する国の当該活動が行われることについての同意がある場合に、武力紛争の発生を未然に防止することを主要な目的として、特定の立場に偏ることなく実施される活動
三　人道的な国際救援活動　国際連合の総会、安全保障理事会若しくは経済社会理事会が行う決議又は別表第二に掲げる国際機関が行う要請に基づき、国際の平和及び安全の維持を危うくするおそれのある紛争（以下単に「紛争」という。）によって被害を受け若しくは受けるおそれがある住民その他の者（以下「被災民」という。）の救援のために又は紛争によって生じた被害の復旧のために人道的精神に基づいて行われる活動であって、当該活動が行われる地域の属する国の当該活動が行われることについての同意があり、かつ、当該活動が行われる地域の属する国が紛争当事者である場合においては武力紛争の停止及びこれを維持するとの紛争当事者間の合意がある場合に、国際連合その他の国際機関又は国際連合加盟国その他の国（次号及び第六号において「国際連合等」という。）によって実施されるもの（国際連合平和維持活動として実施される活動及び国際

連携平和安全活動として実施される活動を除く。）をいう。

四　国際的な選挙監視活動　国際連合の総会若しくは安全保障理事会が行う決議又は別表第三に掲げる国際機関が行う要請に基づき、紛争によって混乱を生じた地域において民主的な手段により統治組織を設立しその他その混乱を解消する過程で行われる選挙又は投票の公正な執行を確保するために行われる活動であって、当該活動が行われる地域の属する国の当該活動が行われることについての同意があり、かつ、当該活動が行われる地域の属する国が紛争当事者である場合においては武力紛争の停止及びこれを維持するとの紛争当事者間の合意がある場合に、国際連合等によって実施されるもの（国際連合平和維持活動として実施される活動及び国際連携平和安全活動として実施される活動を除く。）をいう。

五　国際平和協力業務　国際連合平和維持活動のために実施される業務で次に掲げるもの、国際連携平和安全活動のために実施される業務で次に掲げるもの、人道的な国際救援活動のために実施される業務で次のワからツまで、ナ及びラに掲げるもの並びに国際的な選挙監視活動のために実施される業務で次のチ及びナに掲げるもの（これらの業務にそれぞれ附帯する業務を含む。以下同じ。）であって、海外で行われるものをいう。

イ　武力紛争の停止の遵守状況の監視又は紛争当事者間で合意された軍隊の再配置若しくは撤退若しくは武装解除の履行の監視

ロ　緩衝地帯その他の武力紛争の発生の防止のために設けられた地域における駐留及び巡回

ハ　車両その他の運搬手段又は通行人による武器（武器の部品及び弾薬を含む。ニにおいて同じ。）の搬入又は搬出の有無の検査又は確認

ニ　放棄された武器の収集、保管又は処分

ホ　紛争当事者が行う停戦線その他これに類する境界線の設定の援助

ヘ　紛争当事者間の捕虜の交換の援助

ト　防護を必要とする住民、被災民その他の者の生命、身体及び財産に対する危害の防止及び抑止その他特定の区域の保安のための監視、駐留、巡回、検問及び警護

チ　議会の議員の選挙、住民投票その他これらに類する選挙若しくは投票の公正な執行の監視又はこれらの管理

リ　警察行政事務に関する助言若しくは指導又は警察行政事務の監視

ヌ　矯正行政事務に関する助言若しくは指導又は矯正行政事務の監視

ル　リ及びヌに掲げるもののほか、立法、行政（ヲに規定する組織に係るものを除く。）又は司法に関する事務に関する助言又は指導

ヲ　国の防衛に関する組織その他のイからトまで又はワからネまでに掲げるものと同種の業務を行う組織の設立又は再建を援助するための次に掲げる業務

(1)　イからトまで又はワからネまでに掲げるものと同種の業務に関する助言又は指導

(2)　(1)に規定する業務の実施に必要な基礎的な知識及び技能を修得させるための教育訓練

ワ　医療（防疫上の措置を含む。）

カ　被災民の捜索若しくは救出又は帰還の援助

ヨ　被災民に対する食糧、衣料、医薬品その他の生活関連物資の配布

タ　被災民を収容するための施設又は設備の設置

レ　紛争によって被害を受けた施設又は設備であって被災民の生活上必要なものの復旧又は整備のための措置

ソ　紛争によって汚染その他の被害を受けた自然環境の復旧のための措置

ツ　イからソまでに掲げるもののほか、輸送、保管（備蓄を含む。）、通信、建設、機械器具の据付け、検査若しくは修理又は補給（武器の提供を行う補給を除く。）

ネ　国際連合平和維持活動又は国際連携平和安全活動を統括し、又は調整する組織において行うイからツまでに掲げる業務の実施に必要な企画及び立案並びに調整又は情報の収集整理

ナ　イからネまでに掲げる業務に類するものとして政令で定める業務

ラ　ヲからネまでに掲げる業務又はこれらの業務に類するものとしてナの政令で定める業務を行う場合であって、国際連合平和維持活動、国際連携平和安全活動若しくは人道的な国際救援活動に従事する者又はこれらの活動を支援する者（以下このラ及び第二十六条第二項において「活動関係者」という。）の生命又は身体に対する不測の侵害又は危難が生じ、又は生ずるおそれがある場合に、緊急の要請に対応して行う当該活動関係者の生命及び身体の保護

六　物資協力　次に掲げる活動を行っている国際連合

等に対して、その活動に必要な物品を無償又は時価よりも低い対価で譲渡することをいう。
イ　国際連合平和維持活動
ロ　国際連携平和安全活動
ハ　人道的な国際救援活動（別表第四に掲げる国際機関によって実施される場合にあっては、第三号に規定する決議若しくは要請又は合意が存在しない場合における同号に規定する活動を含むものとする。第三十条第一項及び第三項において同じ。）
ニ　国際的な選挙監視活動
七　海外　我が国以外の領域（公海を含む。）をいう。
八　派遣先国　国際平和協力業務が行われる外国（公海を除く。）をいう。
九　関係行政機関　次に掲げる機関で政令で定めるものをいう。
イ　内閣府並びに内閣府設置法（平成十一年法律第八十九号）第四十九条第一項及び第二項に規定する機関、デジタル庁並びに国家行政組織法（昭和二十三年法律第百二十号）第三条第二項に規定する機関
ロ　内閣府設置法第四十条及び第五十六条並びに国家行政組織法第八条の三に規定する特別の機関

★読替え―復興庁設置法（平二三法一二五）により九号イの「デジタル庁」を「デジタル庁、復興庁」に読み替える。

（組織）
第五条　本部の長は、国際平和協力本部長（以下「本部長」という。）とし、内閣総理大臣をもって充てる。
2　本部長は、本部の事務を総括し、所部の職員を指揮監督する。
3　本部に、国際平和協力副本部長（次項において「副本部長」という。）を置き、内閣官房長官をもって充てる。
4　副本部長は、本部長の職務を助ける。
5　本部に、国際平和協力本部員（以下この条において「本部員」という。）を置く。
6　本部員は、内閣法（昭和二十二年法律第五号）第九条の規定によりあらかじめ指定された国務大臣、関係行政機関の長、内閣府設置法第九条第一項に規定する特命担当大臣及びデジタル大臣のうちから、内閣総理大臣が任命する。
7　本部員は、本部長に対し、本部の事務に関し意見を述べることができる。
8　本部に、政令で定めるところにより、実施計画ごとに、期間を定めて、自ら国際平和協力業務を行うとともに海外において前条第二項第三号に掲げる事務を行う組織として、協力隊を置くことができる。
9　本部に、本部の事務（協力隊の行うものを除く。）を処理させるため、事務局を置く。
10　事務局に、事務局長その他の職員を置く。
11　事務局長は、本部長の命を受け、局務を掌理する。
12　前各項に定めるもののほか、本部の組織に関し必要な事項は、政令で定める。

★読替え―復興庁設置法（平二三法一二五）により六項の「及びデジタル大臣」を「、デジタル大臣及び復興大臣」に読み替える。

第三章　国際平和協力業務等

第一節　国際平和協力業務

（実施計画）
第六条　内閣総理大臣は、我が国として国際平和協力業務を実施することが適当であると認める場合であって、次に掲げる同意があるとき（国際連合平和維持活動又は国際連携平和安全活動のために実施する国際平和協力業務であって第三条第五号トに掲げるもの若しくはこれに類するものとして同号ナの政令で定めるもの又は同号ラに掲げるものを実施する場合にあっては、同条第一号イからハまで又は第二号イからハまでに規定する同意及び第一号又は第二号に掲げる同意が当該活動及び当該業務が行われる期間を通じて安定的に維持されると認められるときに限り、人道的な国際救援活動のために実施する国際平和協力業務であって同条第五号ラに掲げるものを実施する場合にあっては、同条第三号に規定する同意及び第三号に掲げる同意が当該活動及び当該業務が行われる期間を通じて安定的に維持され、並びに当該活動が行われる地域の属する国が紛争当事者であるときは、紛争当事者の当該活動及び当該業務が行われることについての同意があり、かつ、その同意が当該活動及び当該業務が行われる期間を通じて安定的に維持されると認められるときに限る。）は、国際平和協力業務を実施すること及び実施計画の案につき閣議の決定を求めなければならない。
一　国際連合平和維持活動のために実施する国際平和協力業務については、紛争当事者及び当該活動が行われる地域の属する国の当該業務の実施についての同意（第三条第一号ロ又はハに該当する活動にあっては、当該活動が行われる地域の属する国の当該業務の実施についての同意（同号ハに該当する活動にあっては、当該地域において当該業務の実施に支障

となる明確な反対の意思を示す者がいない場合に限る。））

二　国際連携平和安全活動のために実施する国際平和協力業務については、紛争当事者及び当該活動が行われる地域の属する国の当該業務の実施についての同意（第三条第二号ロ又はハに該当する活動にあっては、当該活動が行われる地域の属する国の当該業務の実施についての同意（同号ハに該当する活動にあっては、当該地域において当該業務の実施に支障となる明確な反対の意思を示す者がいない場合に限る。））

三　人道的な国際救援活動のために実施する国際平和協力業務については、当該活動が行われる地域の属する国の当該業務の実施についての同意

四　国際的な選挙監視活動のために実施する国際平和協力業務については、当該活動が行われる地域の属する国の当該業務の実施についての同意

2　実施計画に定める事項は、次のとおりとする。

一　当該国際平和協力業務の実施に関する基本方針

二　協力隊の設置その他当該国際平和協力業務の実施に関する次に掲げる事項

イ　実施すべき国際平和協力業務の種類及び内容

ロ　派遣先国及び国際平和協力業務を行うべき期間

ハ　協力隊の規模及び構成並びに装備

ニ　海上保安庁の船舶又は航空機を用いて当該国際平和協力業務を行う場合における次に掲げる事項

(1)　海上保安庁の船舶又は航空機を用いて行う国際平和協力業務の種類及び内容

(2)　国際平和協力業務を行う海上保安庁の職員の規模及び構成並びに装備

ホ　自衛隊の部隊等（自衛隊法（昭和二十九年法律第百六十五号）第八条に規定する部隊等をいう。以下同じ。）が当該国際平和協力業務を行う場合における次に掲げる事項

(1)　自衛隊の部隊等が行う国際平和協力業務の種類及び内容

(2)　国際平和協力業務を行う自衛隊の部隊等の規模及び構成並びに装備

ヘ　第二十一条第一項の規定に基づき海上保安庁長官又は防衛大臣に委託することができる輸送の範囲

ト　関係行政機関の協力に関する重要事項

チ　その他当該国際平和協力業務の実施に関する重要事項

3　外務大臣は、国際平和協力業務を実施することが適当であると認めるときは、内閣総理大臣に対し、第一項の閣議の決定を求めるよう要請することができる。

4　第二項第二号に掲げる装備は、第二条第二項及び第三条第一号から第四号までの規定の趣旨に照らし、この節の規定を実施するのに必要な範囲内で実施計画に定めるものとする。この場合において、国際連合平和維持活動のために実施する国際平和協力業務に係る装備は、事務総長が必要と認める限度で定めるものとする。

5　海上保安庁の船舶又は航空機を用いて行われる国際平和協力業務は、第三条第五号リ若しくはルに掲げる業務（海上保安庁法（昭和二十三年法律第二十八号）第五条に規定する事務に係るものに限る。）、同号ワからツまでに掲げる業務又はこれらの業務に類するものとして同号ナの政令で定める業務であって、同法第二十五条の趣旨に鑑み海上保安庁の船舶又は航空機を用いて行うことが適当であると認められるもののうちから、海上保安庁の任務遂行に支障を生じない限度において、実施計画に定めるものとする。

6　自衛隊の部隊等が行う国際平和協力業務は、第三条第五号イからトまでに掲げる業務、同号ヲからネまでに掲げる業務、これらの業務に類するものとして同号ナの政令で定める業務又は同号ラに掲げる業務であって自衛隊の部隊等が行うことが適当であると認められるもののうちから、自衛隊の主たる任務の遂行に支障を生じない限度において、実施計画に定めるものとする。

7　自衛隊の部隊等が行う国際連合平和維持活動又は国際連携平和安全活動のために実施される国際平和協力業務であって第三条第五号イからトまでに掲げるもの又はこれらの業務に類するものとして同号ナの政令で定めるものについては、内閣総理大臣は、当該国際平和協力業務に従事する自衛隊の部隊等の海外への派遣の開始前に、我が国として国際連合平和維持隊に参加し、又は他国と連携して国際連携平和安全活動を実施するに際しての基本的な五つの原則（第三条第一号及び第二号、本条第一項（第三号及び第四号を除く。）及び第十三項（第一号から第六号まで、第九号及び第十号に係る部分に限る。）、第八条第一項第六号及び第七号、第二十五条並びに第二十六条の規定の趣旨をいう。）及びこの法律の目的に照らし、当該国際平和協力業務を実施することにつき、実施計画を添えて国会の承認を得なければならない。ただし、国会が閉会中の場合又は衆議院が解散されている場合には、当該国際平和協力業務に従事する自衛隊の部隊等の海外への

派遣の開始後最初に召集される国会において、遅滞なく、その承認を求めなければならない。

8　前項本文の規定により内閣総理大臣から国会の承認を求められた場合には、先議の議院にあっては内閣総理大臣が国会の承認を求めた後国会の休会中の期間を除いて七日以内に、後議の議院にあっては先議の議院から議案の送付があった後国会の休会中の期間を除いて七日以内に、それぞれ議決するよう努めなければならない。

9　政府は、第七項ただし書の場合において不承認の議決があったときは、遅滞なく、同項の国際平和協力業務を終了させなければならない。

10　第七項の国際平和協力業務については、同項の規定による国会の承認を得た日から二年を経過する日を超えて引き続きこれを行おうとするときは、内閣総理大臣は、当該日の三十日前の日から当該日までの間に、当該国際平和協力業務を引き続き行うことにつき、実施計画を添えて国会に付議して、その承認を求めなければならない。ただし、国会が閉会中の場合又は衆議院が解散されている場合には、その後最初に召集される国会においてその承認を求めなければならない。

11　政府は、前項の場合において不承認の議決があったときは、遅滞なく、第七項の国際平和協力業務を終了させなければならない。

12　前二項の規定は、国会の承認を得て第七項の国際平和協力業務を継続した後、更に二年を超えて当該国際平和協力業務を引き続き行おうとする場合について準用する。

13　内閣総理大臣は、実施計画の変更（第一号から第八号までに掲げる場合に行うべき国際平和協力業務に従事する者の海外への派遣の終了及び第九号から第十一号までに掲げる場合に行うべき当該各号に規定する業務の終了に係る変更を含む。次項において同じ。）をすることが必要であると認めるとき、又は適当であると認めるときは、実施計画の変更の案につき閣議の決定を求めなければならない。

一　国際連合平和維持活動（第三条第一号イに該当するものに限る。）のために実施する国際平和協力業務については、同号イに規定する合意若しくは同意若しくは第一項第一号に掲げる同意が存在しなくなったと認められる場合又は当該活動がいずれの紛争当事者にも偏ることなく実施されなくなったと認められる場合

二　国際連合平和維持活動（第三条第一号ロに該当するものに限る。）のために実施する国際平和協力業務については、同号ロに規定する同意若しくは第一項第一号に掲げる同意が存在しなくなったと認められる場合又は紛争当事者が当該活動が行われる地域に存在すると認められる場合

三　国際連合平和維持活動（第三条第一号ハに該当するものに限る。）のために実施する国際平和協力業務については、同号ハに規定する同意若しくは第一項第一号に掲げる同意が存在しなくなったと認められる場合、当該活動が特定の立場に偏ることなく実施されなくなったと認められる場合又は武力紛争の発生を防止することが困難となった場合

四　国際連携平和安全活動（第三条第二号イに該当するものに限る。）のために実施する国際平和協力業務については、同号イに規定する合意若しくは同意若しくは第一項第二号に掲げる同意が存在しなくなったと認められる場合又は当該活動がいずれの紛争当事者にも偏ることなく実施されなくなったと認められる場合

五　国際連携平和安全活動（第三条第二号ロに該当するものに限る。）のために実施する国際平和協力業務については、同号ロに規定する同意若しくは第一項第二号に掲げる同意が存在しなくなったと認められる場合又は紛争当事者が当該活動が行われる地域に存在すると認められる場合

六　国際連携平和安全活動（第三条第二号ハに該当するものに限る。）のために実施する国際平和協力業務については、同号ハに規定する同意若しくは第一項第二号に掲げる同意が存在しなくなったと認められる場合、当該活動が特定の立場に偏ることなく実施されなくなったと認められる場合又は武力紛争の発生を防止することが困難となった場合

七　人道的な国際救援活動のために実施する国際平和協力業務については、第三条第三号に規定する同意若しくは合意又は第一項第三号に掲げる同意が存在しなくなったと認められる場合

八　国際的な選挙監視活動のために実施する国際平和協力業務については、第三条第四号に規定する同意若しくは合意又は第一項第四号に掲げる同意が存在しなくなったと認められる場合

九　国際連合平和維持活動のために実施する国際平和協力業務であって第三条第五号トに掲げるもの若しくはこれに類するものとして同号ナの政令で定めるもの又は同号ラに掲げるものについては、同条第一号イに規定する合意の遵守の状況その他の事情を勘案して、同号イからハまでに規定する同意又は第一

項第一号に掲げる同意が当該活動及び当該業務が行われる期間を通じて安定的に維持されると認められなくなった場合

十　国際連携平和安全活動のために実施する国際平和協力業務であって第三条第五号トに掲げるもの若しくはこれに類するものとして同号ナの政令で定めるもの又は同号ラに掲げるものについては、同条第二号イに規定する合意の遵守の状況その他の事情を勘案して、同号イからハまでに規定する同意又は第一項第二号に掲げる同意が当該活動及び当該業務が行われる期間を通じて安定的に維持されると認められなくなった場合

十一　人道的な国際救援活動のために実施する国際平和協力業務であって第三条第五号ラに掲げるものについては、同条第三号に規定する合意がある場合におけるその遵守の状況その他の事情を勘案して、同号に規定する同意若しくは第一項第三号に掲げる同意又は当該活動が行われる地域の属する国が紛争当事者である場合における紛争当事者の当該活動若しくは当該業務が行われることについての同意が当該活動及び当該業務が行われる期間を通じて安定的に維持されると認められなくなった場合

14　外務大臣は、実施計画の変更をすることが必要であると認めるとき、又は適当であると認めるときは、内閣総理大臣に対し、前項の閣議の決定を求めるよう要請することができる。

（隊員の安全の確保等）

第十条　本部長は、国際平和協力業務の実施に当たっては、その円滑かつ効果的な推進に努めるとともに、協力隊の隊員（以下「隊員」という。）の安全の確保に配慮しなければならない。

（隊員の任免）

第十一条　本部長は、隊員の任免を行う。

（隊員の採用）

第十二条　本部長は、第三条第五号ニ若しくはチからネまでに掲げる業務又はこれらの業務に類するものとして同号ナの政令で定める業務に係る国際平和協力業務に従事させるため、当該国際平和協力業務に従事することを志望する者のうちから、選考により、任期を定めて隊員を採用することができる。

2　本部長は、前項の規定による採用に当たり、関係行政機関若しくは地方公共団体又は民間の団体の協力を得て、広く人材の確保に努めるものとする。

（関係行政機関の職員の協力隊への派遣）

第十三条　本部長は、関係行政機関の長に対し、実施計画に従い、国際平和協力業務（第三条第五号ラに掲げる業務を除く。）であって協力隊が行うものを実施するため必要な技術、能力等を有する職員（国家公務員法（昭和二十二年法律第百二十号）第二条第三項各号（第十六号を除く。）に掲げる者を除く。）を協力隊に派遣するよう要請することができる。ただし、第三条第五号イからハまで及びホからトまでに掲げる業務並びにこれらの業務に類するものとして同号ナの政令で定める業務に係る国際平和協力業務については自衛隊員以外の者の派遣を要請することはできず、同号チに掲げる業務及びこれに類するものとして同号ナの政令で定める業務に係る国際平和協力業務については自衛隊員の派遣を要請することはできない。

2　関係行政機関の長は、前項の規定による要請があったときは、その所掌事務に支障を生じない限度において、同項の職員に該当する職員を期間を定めて協力隊に派遣するものとする。

3　前項の規定により派遣された職員のうち自衛隊員以外の者は、従前の官職を保有したまま、同項の期間を任期として隊員に任用されるものとする。

4　第二項の規定により派遣された自衛隊員は、同項の期間を任期として隊員に任用されるものとし、隊員の身分及び自衛隊員の身分を併せ有することとなるものとする。

5　第三項の規定により従前の官職を保有したまま隊員に任用される者又は前項の規定により隊員の身分及び自衛隊員の身分を併せ有する者は、本部長の指揮監督の下に国際平和協力業務に従事する。

6　本部長は、第二項の規定に基づき防衛大臣により派遣された隊員（以下この条において「自衛隊派遣隊員」という。）についてその派遣の必要がなくなった場合その他政令で定める場合には、当該自衛隊派遣隊員の隊員としての身分を失わせるものとする。この場合には、当該自衛隊員は、自衛隊に復帰するものとする。

7　自衛隊派遣隊員は、自衛隊員の身分を失ったときは、同時に隊員の身分を失うものとする。

8　第四項の規定により隊員の身分及び自衛隊員の身分を併せ有することとなる者に対する給与等（第十七条に規定する国際平和協力手当以外の給与、災害補償及び退職手当並びに共済組合の制度をいう。）に関する法令の適用については、その者は、自衛隊のみに所属するものとみなす。

9　第四項から前項までに定めるもののほか、同項に規定する者の身分取扱いに関し必要な事項は、政令で定

める。

第十四条 海上保安庁長官は、第九条第三項の規定に基づき同項の海上保安庁の職員に国際平和協力業務を行わせるときは、当該職員を、期間を定めて協力隊に派遣するものとする。この場合において、派遣された海上保安庁の職員は、従前の官職を保有したまま当該期間を任期として隊員に任用されるものとし、隊員として第四条第二項第三号に掲げる事務に従事する。

2 防衛大臣は、第九条第四項の規定に基づき自衛隊の部隊等に国際平和協力業務を行わせるときは、当該自衛隊の部隊等に所属する自衛隊員を、期間を定めて協力隊に派遣するものとする。この場合において、派遣された自衛隊員は、当該期間を任期として隊員に任用され、自衛隊員の身分及び隊員の身分を併せ有することとなるものとし、隊員として第四条第二項第三号に掲げる事務に従事する。

3 前項に定めるもののほか、同項の規定により自衛隊員の身分及び隊員の身分を併せ有することとなる者の身分取扱いについては、前条第六項から第九項までの規定を準用する。

（国家公務員法の適用除外）

第十五条 第十二条第一項の規定により採用される隊員については、隊員になる前に、国家公務員法第百三条第一項に規定する営利企業（以下この条において「営利企業」という。）を営むことを目的とする団体の役員、顧問若しくは評議員（以下この条において「役員等」という。）の職に就き、若しくは自ら営利企業を営み、又は報酬を得て、営利企業以外の事業の団体の役員等の職に就き、若しくは事業に従事し、若しくは事務を行っていた場合においても、同項及び同法第百四条の規定は、適用しない。

（研修）

第十六条 隊員は、本部長の定めるところにより行われる国際平和協力業務の適切かつ効果的な実施のための研修を受けなければならない。

（国際平和協力手当）

第十七条 国際平和協力業務に従事する者には、国際平和協力業務が行われる派遣先国の勤務環境及び国際平和協力業務の特質に鑑み、国際平和協力手当を支給することができる。

2 前項の国際平和協力手当に関し必要な事項は、政令で定める。

3 内閣総理大臣は、前項の政令の制定又は改廃に際しては、人事院の意見を聴かなければならない。

（服制等）

第十八条 隊員の服制は、政令で定める。

2 隊員には、政令で定めるところにより、その職務遂行上必要な被服を支給し、又は貸与することができる。

第二十六条 前条第三項（同条第七項の規定により読み替えて適用する場合を含む。）に規定するもののほか、第九条第五項の規定により派遣先国において国際平和協力業務であって第三条第五号トに掲げるもの又はこれに類するものとして同号ナの政令で定めるものに従事する自衛官は、その業務を行うに際し、自己若しくは他人の生命、身体若しくは財産を防護し、又はその業務を妨害する行為を排除するためやむを得ない必要があると認める相当の理由がある場合には、その事態に応じ合理的に必要と判断される限度で、第六条第二項第二号ホ(2)及び第四項の規定により実施計画に定める装備である武器を使用することができる。

2 前条第三項（同条第七項の規定により読み替えて適用する場合を含む。）に規定するもののほか、第九条第五項の規定により派遣先国において国際平和協力業務であって第三条第五号ラに掲げるものに従事する自衛官は、その業務を行うに際し、自己又はその保護しようとする活動関係者の生命又は身体を防護するためやむを得ない必要があると認める相当の理由がある場合には、その事態に応じ合理的に必要と判断される限度で、第六条第二項第二号ホ(2)及び第四項の規定により実施計画に定める装備である武器を使用することができる。

3 前二項の規定による武器の使用に際しては、刑法第三十六条又は第三十七条の規定に該当する場合を除いては、人に危害を与えてはならない。

4 自衛隊法第八十九条第二項の規定は、第一項又は第二項の規定により自衛官が武器を使用する場合について準用する。

第二節 自衛官の国際連合への派遣

（自衛官の派遣）

第二十七条 防衛大臣は、国際連合の要請に応じ、国際連合の業務であって、国際連合平和維持活動に参加する自衛隊の部隊等又は外国の軍隊の部隊により実施される業務の統括に関するものに従事させるため、内閣総理大臣の同意を得て、自衛官を派遣することができる。

2 内閣総理大臣は、前項の規定により派遣される自衛官が従事することとなる業務に係る国際連合平和維持活動が行われることについての第三条第一号イからハまでに規定する同意が当該派遣の期間を通じて安定的に維持されると認められ、かつ、当該派遣を中断する事情が生ずる見込みがないと認められる場合に限り、当該派遣について同項の同意をするものとする。
3　防衛大臣は、第一項の規定により自衛官を派遣する場合には、当該自衛官の同意を得なければならない。

（身分及び処遇）
第二十八条　前条第一項の規定により派遣された自衛官の身分及び処遇については、国際機関等に派遣される防衛省の職員の処遇等に関する法律（平成七年法律第百二十二号）第三条から第十四条までの規定を準用する。

（小型武器の無償貸付け）
第二十九条　防衛大臣又はその委任を受けた者は、第二十七条第一項の規定により派遣された自衛官の活動の用に供するため、国際連合から小型武器の無償貸付けを求める旨の申出があった場合において、当該活動の円滑な実施に必要であると認めるときは、当該申出に係る小型武器を国際連合に対し無償で貸し付けることができる。

第五章　雑則

（請求権の放棄）
第三十二条　政府は、国際連合平和維持活動、国際連携平和安全活動、人道的な国際救援活動又は国際的な選挙監視活動に参加するに際して、国際連合若しくは別表第一から別表第三までに掲げる国際機関又はこれらの活動に参加する国際連合加盟国その他の国（以下この条において「活動参加国等」という。）から、これらの活動に起因する損害についての請求権を相互に放棄することを約することを求められた場合において、我が国がこれらの活動に参加する上でこれに応じることが必要と認めるときは、これらの活動に起因する損害についての活動参加国等及びその要員に対する我が国の請求権を放棄することを約することができる。

★復興庁設置法（平二三・一二・一六法一二五）（抄）

最終改正　令三・五・一九法三六

附　則（抄）

（施行期日）
第一条　この法律は、公布の日から起算して四月を超えない範囲内において政令で定める日〔平二四・二・一〇〕から施行する。〔ただし書略〕

（他の法律の適用の特例）
第三条　復興庁が廃止されるまでの間における次の表の第一欄に掲げる法律の規定の適用については、同欄に掲げる法律の同表の第二欄に掲げる規定中同表の第三欄に掲げる字句は、それぞれ同表の第四欄に掲げる字句とする。

〔略〕			
国際連合平和維持活動等に対する協力に関する法律（平成四年法律第七十九号）	第三条第九号イ	デジタル庁	デジタル庁、復興庁
	第五条第六項	及びデジタル大臣	、デジタル大臣及び復興大臣
〔略〕			

2・3　〔略〕

第四編　給与

第一 俸給等

○一般職の職員の給与に関する法律

昭二五・四・三
法 九五

最終改正 令五・一一・二四法七三

（この法律の目的及び効力）

第一条 この法律は、別に法律で定めるものを除き、国家公務員法（昭和二十二年法律第百二十号）第六十四条第一項に規定する給与に関する法律として、国家公務員法第二条に規定する一般職に属する職員（以下「職員」という。）の給与に関する事項を定めることを目的とする。

2 この法律の規定は、国家公務員法のいかなる条項をも廃止し、若しくは修正し、又はこれに代わるものではない。この法律の規定が国家公務員法の規定に矛盾する場合においては、その規定は、当然その効力を失う。

（人事院の権限）

第二条 人事院は、この法律の施行に関し、次に掲げる権限を有する。

一 この法律（第六条の二第一項及び第八条第一項を除く。第七号において同じ。）の実施及びその技術的解釈に必要な人事院規則を制定し、及び人事院指令を発すること。

二 第六条に規定する俸給表の適用範囲を決定すること。

三 職員の給与額を研究して、その適当と認める改定を国会及び内閣に同時に勧告すること、この法律の実施及びその実際の結果に関するすべての事項について調査するとともに、その調査に基づいて調整を命ずること並びに必要に応じ、この法律の目的達成のため適当と認める勧告を付してその研究調査の結果を国会及び内閣に同時に報告すること。

四 新たに職員となつた場合及び職員が一の職務の級から他の職務の級に移つた場合の俸給並びに同一級内における昇給の基準に関し人事院規則を制定し、及び人事院指令を発すること。

五 給与を決定する諸条件の地域差に対応する給与に関する適当と認める措置を国会及び内閣に同時に勧告するため、全国の各地における生計費等の調査研究を行うこと。

六 第二十一条の規定による職員の苦情の申立てを受理し、及びこれを審査すること。

七 この法律の完全な実施を確保し、その責めに任ずること。

（給与の支払）

第三条 この法律に基く給与は、第五条第二項に規定する場合を除く外、現金で支払わなければならない。

2 いかなる給与も、法律又は人事院規則に基かずに職員に対して支払い、又は支給してはならない。

3 公務について生じた実費の弁償は、給与には含まれない。

（俸給）

第四条 各職員の受ける俸給は、その職務の複雑、困難及び責任の度に基き、且つ、勤労の強度、勤務時間、勤労環境その他の勤務条件を考慮したものでなければならない。

第五条 俸給は、一般職の職員の勤務時間、休暇等に関する法律（平成六年法律第三十三号。以下「勤務時間法」という。）第十三条第一項に規定する正規の勤務時間（以下単に「正規の勤務時間」という。）による勤務に対する報酬であつて、この法律に定める俸給の特別調整額、本府省業務調整手当、初任給調整手当、専門スタッフ職調整手当、扶養手当、地域手当、広域異動手当、研究員調整手当、住居手当、通勤手当、単身赴任手当、在宅勤務等手当、特殊勤務手当、特地勤務手当（第十四条の規定による手当を含む。第十九条の九において同じ。）、超過勤務手当、休日給、夜勤手当、宿日直手当、管理職員特別勤務手当、期末手当及び勤勉手当を除いた全額とする。

2 宿舎、食事、制服その他これらに類する有価物が職員に支給され、又は無料で貸与される場合においては、これを給与の一部とし、別に法律で定めるところにより、その職員の俸給額を調整する。但し、この調整は、国家公務員宿舎法（昭和二十四年法律第百十七号）に定める公邸及び無料宿舎については行わない。

第六条 俸給表の種類は、次に掲げるとおりとし、各俸給表の適用範囲は、それぞれ当該俸給表に定めるところによる。

一 行政職俸給表（別表第一）

イ　行政職俸給表㈠
ロ　行政職俸給表㈡
二　専門行政職俸給表（別表第二）
三　税務職俸給表（別表第三）
四　公安職俸給表（別表第四）
イ　公安職俸給表㈠
ロ　公安職俸給表㈡
五　海事職俸給表（別表第五）
イ　海事職俸給表㈠
ロ　海事職俸給表㈡
六　教育職俸給表（別表第六）
イ　教育職俸給表㈠
ロ　教育職俸給表㈡
七　研究職俸給表（別表第七）
八　医療職俸給表（別表第八）
イ　医療職俸給表㈠
ロ　医療職俸給表㈡
ハ　医療職俸給表㈢
九　福祉職俸給表（別表第九）
十　専門スタッフ職俸給表（別表第十）
十一　指定職俸給表（別表第十一）

2　前項の俸給表（以下単に「俸給表」という。）は、第二十二条及び附則第三項に規定する職員以外のすべての職員に適用するものとする。

3　職員の職務は、その複雑、困難及び責任の度に基づきこれを俸給表に定める職務の級（指定職俸給表の適用を受ける職員にあつては、同表に定める号俸）に分類するものとし、その分類の基準となるべき標準的な職務の内容は、人事院が定める。

第六条の二　指定職俸給表の適用を受ける職員（会計検査院及び人事院の職員を除く。）の号俸は、国家行政組織に関する法令の趣旨に従い、及び前条第三項の規定に基づく分類の基準に適合するように、かつ、予算の範囲内で、及び人事院の意見を聴いて内閣総理大臣の定めるところにより、決定する。この場合において、内閣総理大臣は、職員の適正な勤務条件の確保の観点からする人事院の意見については、十分に尊重するものとする。

2　会計検査院及び人事院の指定職俸給表の適用を受ける職員の号俸は、国家行政組織に関する法令の趣旨に従い、及び前条第三項の規定に基づく分類の基準に適合するように、かつ、予算の範囲内で、及び人事院の定めるところにより、決定する。

第七条　内閣総理大臣、各省大臣、会計検査院長若しくは人事院総裁（以下各庁の長という。）又は各庁の長の委任を受けた者は、人事院の定めるところに従い、それぞれその所属の職員が、その毎月の俸給の支給を受けるよう、この法律を適用しなければならない。

第八条　内閣総理大臣は、国家行政組織に関する法令の趣旨に従い、及び第六条第三項の規定に基づく分類の基準に適合するように、かつ、予算の範囲内で、及び人事院の意見を聴いて、職務の級の定数（会計検査院及び人事院の職員の職務の級の定数を除く。）を設定し、又は改定することができる。この場合において、内閣総理大臣は、職員の適正な勤務条件の確保の観点からする人事院の意見については、十分に尊重するものとする。

2　人事院は、国家行政組織に関する法令の趣旨に従い、及び第六条第三項の規定に基づく分類の基準に適合するように、かつ、予算の範囲内で、会計検査院及び人事院の職員の職務の級の定数を設定し、又は改定することができる。

3　職員の職務の級は、前二項の職員の職務の級ごとの定数の範囲内で、かつ、人事院規則で定める基準に従い決定する。

4　新たに俸給表（指定職俸給表を除く。）の適用を受ける職員となつた者の号俸は、人事院規則で定める初任給の基準に従い決定する。

5　職員が一の職務の級から他の職務の級に移つた場合（指定職俸給表の適用を受ける職員が他の俸給表の適用を受けることとなつた場合を含む。）又は一の官職から同じ職務の級の初任給の基準を異にする他の官職に移つた場合における号俸は、人事院規則で定めるところにより決定する。

6　職員（指定職俸給表の適用を受ける職員を除く。）の昇給は、人事院規則で定める日に、同日前において人事院規則で定める日以前一年間における当該職員の勤務成績に応じて、行うものとする。この場合において、同日の翌日から昇給を行う日の前日までの間に当該職員が国家公務員法第八十二条の規定による懲戒処分を受けたことその他これに準ずるものとして人事院規則で定める事由に該当したときは、これらの事由を併せて考慮するものとする。

7　前項の規定により職員（次項各号に掲げる職員を除く。以下この項において同じ。）を昇給させるか否か及び昇給させる場合の昇給の号俸数は、前項前段に規定する期間の全部を良好な成績で勤務し、かつ、同項後段の規定の適用を受けない職員の昇給の号俸数を四号俸（行政職俸給表㈠の適用を受ける職員でその職務の級が七級以上であるもの並びに同表及び専門スタッフ職俸給表以外の各俸給表の適用を受ける職員でその職務の級がこれに相当するものとして人事院規則で定める職員にあつては三号俸、専門スタッフ職俸給表の適用を受ける職員でその職務の級が二級であるものにあつては一号俸）とすることを標準として人事院規則で定める基準に従い決定するものとする。

8　次の各号に掲げる職員の第六項の規定による昇給は、当該各号に掲げる職員の区分に応じ同項前段に規定する期間における当該職員の勤務成績が当該各号に定める場合に該当し、かつ、同項後段の規定の適用を受けない場合に限り行うものとし、昇給させる場合の昇給の号俸数は、勤務成績に応じて人事院規則で定める基準に従い決定するものとする。

一　五十五歳（人事院規則で定める職員にあつては、五十六歳以上の年齢で人事院規則で定めるもの）を超える職員（専門スタッフ職俸給表の適用を受ける職員でその職務の級が二級以上であるものを除く。）　特に良好である場合

二　専門スタッフ職俸給表の適用を受ける職員でその職務の級が三級又は四級であるもの　次に掲げる職員の職務の級の区分に応じ、それぞれ次に定める場合

イ　三級　特に良好である場合

ロ　四級　極めて良好である場合

9　職員の昇給は、その属する職務の級における最高の号俸を超えて行うことができない。

10　職員の昇給は、予算の範囲内で行わなければならない。

11　第六項から前項までに規定するもののほか、職員の昇給に関し必要な事項は、人事院規則で定める。

12　国家公務員法第六十条の二第二項に規定する定年前再任用短時間勤務職員（以下「定年前再任用短時間勤務職員」という。）の俸給月額は、当該定年前再任用短時間勤務職員に適用される俸給表の定年前再任用短時間勤務職員の欄に掲げる基準俸給月額のうち、第三項の規定により当該定年前再任用短時間勤務職員の属する職務の級に応じた額に、勤務時間法第五条第二項の規定により定められた当該定年前再任用短時間勤務職員の勤務時間を同条第一項に規定する勤務時間で除して得た数を乗じて得た額とする。

（俸給の支給）

第九条　俸給は、毎月一回、その月の十五日以後の日のうち人事院規則で定める日に、その月の月額の全額を支給する。ただし、人事院規則の定めるところにより、特に必要と認められる場合には、月の一日から十五日まで及び月の十六日から末日までの各期間内の日に、その月の月額の半額ずつを支給することができる。

第九条の二　新たに職員となつた者には、その日から俸給を支給し、昇給、降給等により俸給額に異動を生じた者には、その日から新たに定められた俸給を支給する。但し、離職した国家公務員が即日職員になつたときは、その日の翌日から俸給を支給する。

2　職員が離職したときは、その日まで俸給を支給する。

3　職員が死亡したときは、その月まで俸給を支給する。

4　第一項又は第二項の規定により俸給を支給する場合であつて、月若しくは前条ただし書に規定する各期間（以下この項において「期間」という。）の初日から支給するとき以外のとき、又はその期間の末日まで支給するとき以外のときは、その俸給額は、その期間の現日数から勤務時間法第六条第一項、第七条及び第八条第一項の規定に基づく週休日並びに勤務時間法第六条第三項及び勤務時間法第八条第二項において読み替えて準用する同条第一項の規定に基づく勤務時間を割り振らない日の日数の合計日数を差し引いた日数を基礎として日割りによつて計算する。

（俸給の調整額）

第十条　人事院は、俸給月額が、職務の複雑、困難若しくは責任の度又は勤労の強度、勤務時間、勤労環境その他の勤労条件が同じ職務の級に属する他の官職に比して著しく特殊な官職に対し適当でないと認めるときは、その特殊性に基づき、俸給月額につき適正な調整額表を定めることができる。

2　前項の調整額表に定める俸給月額の調整額は、調整前における俸給月額の百分の二十五をこえてはならない。

（俸給の特別調整額）

第十条の二　人事院は、管理又は監督の地位にある職員の官職のうち人事院規則で指定するものについて、その特殊性に基き、俸給月額につき適正な特別調整額表を定めることができる。

2　前項の特別調整額表に定める俸給月額の特別調整額は、同項に規定する官職を占める職員（以下「管理監督職員」という。）の属する職務の級における最高の号俸の俸給月額の百分の二十五を超えてはならない。

（本府省業務調整手当）

第十条の三　行政職俸給表㈠、専門行政職俸給表、税務職俸給表、公安職俸給表㈠、公安職俸給表㈡又は研究

職俸給表の適用を受ける職員（管理監督職員を除く。）が次に掲げる業務に従事する場合は、当該職員には、本府省業務調整手当を支給する。
一　国の行政機関の内部部局として人事院規則で定めるもの（以下この項において「内部部局」という。）の業務（当該内部部局が置かれる機関の長がその職務を行うために使用する庁舎が所在する地域以外の地域に所在する官署における業務であつて、当該庁舎における内部部局の業務と同様な業務の特殊性及び困難性並びに職員の確保の困難性があると認められないものとして人事院規則で定めるものを除く。）
二　内部部局以外の組織の業務であつて、前号に掲げる業務と同様な業務の特殊性及び困難性並びに職員の確保の困難性があると認められるものとして人事院規則で定めるもの
2　本府省業務調整手当の月額は、行政職俸給表㈠の適用を受ける職員にあつては当該職員の属する職務の級、専門行政職俸給表、税務職俸給表、公安職俸給表㈠、公安職俸給表㈡又は研究職俸給表の適用を受ける職員にあつては当該職員の属する職務の級に相当すると認められる行政職俸給表㈠の職務の級であつて人事院規則で定めるものにおける最高の号俸の俸給月額に百分の十を乗じて得た額を超えない範囲内で人事院規則で定める額とする。
3　前二項に規定するもののほか、本府省業務調整手当の支給に関し必要な事項は、人事院規則で定める。

（初任給調整手当）
第十条の四　次の各号に掲げる官職に新たに採用された職員には、当該各号に定める額を超えない範囲内の額を、第一号及び第二号に掲げる官職に係るものにあつては採用の日から三十五年以内、第三号に掲げる官職に係るものにあつては採用の日から十年以内、第四号に掲げる官職に係るものにあつては採用の日から五年以内の期間、採用の日（第一号から第三号までに掲げる官職に係るものにあつては、採用後人事院規則で定める期間を経過した日）から一年を経過するごとにその額を減じて、初任給調整手当として支給する。
一　医療職俸給表㈠の適用を受ける職員の官職のうち採用による欠員の補充が困難であると認められる官職で人事院規則で定めるもの　月額四十一万五千六百円
二　医学又は歯学に関する専門的知識を必要とし、かつ、採用による欠員の補充が困難であると認められる官職（前号に掲げる官職を除く。）で人事院規則で定めるもの　月額五万千百円
三　科学技術に関する高度な専門的知識を必要とし、かつ、採用による欠員の補充が著しく困難であると認められる官職（前二号に掲げる官職を除く。）で人事院規則で定めるもの　月額十万円
四　前三号に掲げる官職以外の官職のうち特殊な専門的知識を必要とし、かつ、採用による欠員の補充について特別の事情があると認められる官職で人事院規則で定めるもの　月額二千五百円
2　前項の官職に在職する職員のうち、同項の規定により初任給調整手当を支給される職員との権衡上必要があると認められる職員には、同項の規定に準じて、初任給調整手当を支給する。
3　前二項の規定により初任給調整手当を支給される職員の範囲、初任給調整手当の支給期間及び支給額その他初任給調整手当の支給に関し必要な事項は、人事院規則で定める。

（専門スタッフ職調整手当）
第十条の五　専門スタッフ職俸給表の適用を受ける職員でその職務の級が三級であるものが極めて高度の専門的な知識経験及び識見を活用して遂行することが必要とされる業務で重要度及び困難度が特に高いものとして人事院規則で定める業務に従事することを命ぜられた場合は、当該職員には、当該業務に従事する間、専門スタッフ職調整手当を支給する。
2　専門スタッフ職調整手当の月額は、俸給月額に百分の十を乗じて得た額とする。
3　前二項に規定するもののほか、専門スタッフ職調整手当の支給に関し必要な事項は、人事院規則で定める。

（扶養手当）
第十一条　扶養手当は、扶養親族のある職員に対して支給する。ただし、次項第一号及び第三号から第六号までのいずれかに該当する扶養親族（以下「扶養親族たる配偶者、父母等」という。）に係る扶養手当は、行政職俸給表㈠の適用を受ける職員でその職務の級が九級以上であるもの及び同表以外の各俸給表の適用を受ける職員でその職務の級がこれに相当するものとして人事院規則で定める職員（以下「行㈠九級以上職員等」という。）に対しては、支給しない。
2　扶養手当の支給については、次に掲げる者で他に生計の途がなく主としてその職員の扶養を受けているものを扶養親族とする。
一　配偶者（届出をしないが事実上婚姻関係と同様の事情にある者を含む。以下同じ。）
二　満二十二歳に達する日以後の最初の三月三十一日

までの間にある子
三　満二十二歳に達する日以後の最初の三月三十一日までの間にある孫
四　満六十歳以上の父母及び祖父母
五　満二十二歳に達する日以後の最初の三月三十一日までの間にある弟妹
六　重度心身障害者
3　扶養手当の月額は、扶養親族たる配偶者、父母等については一人につき六千五百円（行政職俸給表㈠の適用を受ける職員でその職務の級が八級であるもの及び同表以外の各俸給表の適用を受ける職員でその職務の級がこれに相当するものとして人事院規則で定める職員（以下「行㈠八級職員等」という。）にあつては、三千五百円）、前項第二号に該当する扶養親族（以下「扶養親族たる子」という。）については一人につき一万円とする。
4　扶養親族たる子のうちに満十五歳に達する日後の最初の四月一日から満二十二歳に達する日以後の最初の三月三十一日までの間（以下「特定期間」という。）にある子がいる場合における扶養手当の月額は、前項の規定にかかわらず、五千円に特定期間にある当該扶養親族たる子の数を乗じて得た額を同項の規定による額に加算した額とする。
第十一条の二　新たに職員となつた者に扶養親族（行㈠九級以上職員等にあつては、扶養親族たる子に限る。）がある場合、行㈠九級以上職員等から行㈠九級以上職員等以外の職員となつた職員に扶養親族たる配偶者、父母等がある場合又は職員に次の各号のいずれかに掲げる事実が生じた場合においては、その職員は、直ちにその旨を各庁の長又はその委任を受けた者に届け出なければならない。
一　新たに扶養親族たる要件を具備するに至つた者がある場合（行㈠九級以上職員等に扶養親族たる配偶者、父母等たる要件を具備するに至つた者がある場合を除く。）
二　扶養親族たる要件を欠くに至つた者がある場合（扶養親族たる子又は前条第二項第三号若しくは第五号に該当する扶養親族が、満二十二歳に達した日以後の最初の三月三十一日の経過により、扶養親族たる要件を欠くに至つた場合及び行㈠九級以上職員等に扶養親族たる配偶者、父母等たる要件を欠くに至つた者がある場合を除く。）
2　扶養手当の支給は、新たに職員となつた者に扶養親族（行㈠九級以上職員等にあつては、扶養親族たる子に限る。）がある場合においてはその者が職員となつた日、行㈠九級以上職員等から行㈠九級以上職員等以外の職員となつた職員に扶養親族たる配偶者、父母等がある場合においてその職員に扶養親族たる子で前項の規定による届出に係るものがないときはその職員が行㈠九級以上職員等以外の職員となつた日、職員に扶養親族（行㈠九級以上職員等にあつては、扶養親族たる子に限る。）で同項の規定による届出に係るものがない場合においてその職員に同項第一号に掲げる事実が生じたときはその事実が生じた日の属する月の翌月（これらの日が月の初日であるときは、その日の属する月）から開始し、扶養手当を受けている職員が離職し、又は死亡した場合においてはそれぞれその者が離職し、又は死亡した日、行㈠九級以上職員等以外の職員から行㈠九級以上職員等となつた職員に扶養親族たる配偶者、父母等で同項の規定による届出に係るものがある場合においてその職員に扶養親族たる子で同項の規定による届出に係るものがないときはその職員が行㈠九級以上職員等となつた日、扶養手当を受けている職員の扶養親族（行㈠九級以上職員等にあつては、扶養親族たる子に限る。）で同項の規定による届出に係るものの全てが扶養親族たる要件を欠くに至つた場合においてはその事実が生じた日の属する月（これらの日が月の初日であるときは、その日の属する月の前月）をもつて終わる。ただし、扶養手当の支給の開始については、同項の規定による届出が、これに係る事実の生じた日から十五日を経過した後にされたときは、その届出を受理した日の属する月の翌月（その日が月の初日であるときは、その日の属する月）から行うものとする。
3　扶養手当は、次の各号のいずれかに掲げる事実が生じた場合においては、その事実が生じた日の属する月の翌月（その日が月の初日であるときは、その日の属する月）からその支給額を改定する。前項ただし書の規定は、第一号又は第二号に掲げる事実が生じた場合における扶養手当の支給額の改定について準用する。
一　扶養手当を受けている職員に更に第一項第一号に掲げる事実が生じた場合
二　扶養手当を受けている職員の扶養親族（行㈠九級以上職員等にあつては、扶養親族たる子に限る。）で第一項の規定による届出に係るものの一部が扶養親族たる要件を欠くに至つた場合
三　扶養親族たる配偶者、父母等及び扶養親族たる子で第一項の規定による届出に係るものがある行㈠九級以上職員等が行㈠九級以上職員等以外の職員となつた場合

四　扶養親族たる配偶者、父母等で第一項の規定による届出に係るものがある行㈠八級職員等が行㈠八級職員等及び行㈠九級以上職員等以外の職員となつた場合
五　扶養親族たる配偶者、父母等で第一項の規定による届出に係るもの及び扶養親族たる子で同項の規定による届出に係るものがある職員で行㈠九級以上職員等以外のものが行㈠九級以上職員等となつた場合
六　扶養親族たる配偶者、父母等で第一項の規定による届出に係るものがある職員で行㈠八級職員等及び行㈠九級以上職員等以外のものが行㈠八級職員等となつた場合
七　職員の扶養親族たる子で第一項の規定による届出に係るもののうち特定期間にある子でなかつた者が特定期間にある子となつた場合

（地域手当）
第十一条の三　地域手当は、当該地域における民間の賃金水準を基礎とし、当該地域における物価等を考慮して人事院規則で定める地域に在勤する職員に支給する。当該地域に近接する地域のうち民間の賃金水準及び物価等に関する事情が当該地域に準ずる地域に所在する官署で人事院規則で定めるものに在勤する職員についても、同様とする。
2　地域手当の月額は、俸給、俸給の特別調整額、専門スタッフ職調整手当及び扶養手当の月額の合計額に、次の各号に掲げる地域手当の級地の区分に応じて、当該各号に定める割合を乗じて得た額とする。
一　一級地　百分の二十
二　二級地　百分の十六
三　三級地　百分の十五
四　四級地　百分の十二
五　五級地　百分の十
六　六級地　百分の六
七　七級地　百分の三
3　前項の地域手当の級地は、人事院規則で定める。

第十一条の四　その設置に特別の事情がある大規模な空港の区域であつて、当該区域内における民間の事業所の設置状況、当該民間の事業所の従業員の賃金等に特別の事情があると認められるものとして人事院規則で定めるものに在勤する職員には、前条の規定によりこの条の規定による地域手当の支給割合以上の支給割合による地域手当を支給される場合を除き、前条の規定にかかわらず、俸給、俸給の特別調整額、専門スタッフ職調整手当及び扶養手当の月額の合計額に百分の十六を超えない範囲内で人事院規則で定める割合を乗じて得た月額の地域手当を支給する。

第十一条の五　医療職俸給表㈠の適用を受ける職員及び指定職俸給表の適用を受ける職員（医療業務に従事する職員で人事院の定めるものに限る。）には、前二条の規定によりこの条の規定による地域手当の支給割合以上の支給割合による地域手当を支給される場合を除き、当分の間、前二条の規定にかかわらず、俸給、俸給の特別調整額及び扶養手当の月額の合計額に百分の十六を乗じて得た月額の地域手当を支給する。

第十一条の六　第十一条の三第一項の人事院規則で定める地域に所在する官署又は同項の人事院規則で定める官署（以下「地域手当支給官署」という。）が特別の法律に基づく官署の移転に関する計画その他の特別の事情による移転（人事院規則で定める移転に限る。）をした場合において、当該移転の直後の官署の所在する地域若しくは官署に係る地域手当の支給割合（同条第二項各号に定める割合をいう。）が当該移転の日の前日の官署の所在していた地域若しくは官署に係る地域手当の支給割合（同条第二項各号に定める割合をいう。以下「移転前の支給割合」という。）に達しないこととなるとき、又は当該移転の直後の官署の所在する地域若しくは官署が同条第一項の人事院規則で定める地域若しくは官署に該当しないこととなるときは、当該移転をした官署で人事院規則で定めるもの（以下「特別移転官署」という。）に在勤する職員（人事院規則で定める職員を除く。）には、前二条の規定により当該官署に係るこの項の規定による地域手当の支給割合以上の支給割合による地域手当を支給される期間を除き、前三条の規定にかかわらず、人事院規則の定めるところにより、一定の期間、俸給、俸給の特別調整額、専門スタッフ職調整手当及び扶養手当の月額の合計額に次の各号に掲げる特別移転官署の区分に応じ当該各号に定める割合で人事院規則で定めるものを乗じて得た月額の地域手当を支給する。
一　地域手当支給官署である特別移転官署　移転前の支給割合を当該官署の所在する地域又は当該官署に係る第十一条の三第二項各号に定める割合に至るまで段階的に引き下げた割合
二　前号に掲げるもの以外の特別移転官署　移転前の支給割合を段階的に引き下げた割合
2　新たに設置された官署で特別移転官署の移転と同様の事情により設置されたものとして人事院規則で定める官署に在勤する職員（人事院規則で定める職員を除く。）には、前二条の規定により当該官署に係るこの項の規定による地域手当の支給割合以上の支給割合に

よる地域手当を支給される期間を除き、前三条の規定にかかわらず、当該官署の設置に関する事情、当該官署の設置に伴う職員の異動の状況等を考慮して人事院規則の定めるところにより、一定の期間、俸給、俸給の特別調整額、専門スタッフ職調整手当及び扶養手当の月額の合計額に前項各号の規定に準じて人事院規則で定める割合を乗じて得た月額の地域手当を支給する。

3　地域手当支給官署が第一項に規定する特別の事情に準ずると認められる事情による移転（人事院規則で定める移転に限る。）をした場合において、当該移転の直後の官署の所在する地域若しくは官署に係る地域手当の支給割合（第十一条の三第二項各号に定める割合をいう。）が当該移転の日の前日の官署の所在していた地域若しくは官署に係る地域手当の支給割合（同条第二項各号に定める割合をいう。）に達しないこととなるとき、又は当該移転の直後の官署の所在する地域若しくは官署が同条第一項の人事院規則で定める地域若しくは官署に該当しないこととなるときは、当該移転をした官署で人事院規則で定めるもの（以下「準特別移転官署」という。）に在勤する職員（当該移転の日前から引き続き準特別移転官署に在勤する職員その他これらの職員との権衡上必要があると認められるものとして人事院規則で定める職員（以下「移転職員等」という。）に限る。）には、人事院規則の定めるところにより、第一項の規定に準じて、地域手当を支給する。新たに設置された官署で準特別移転官署の移転と同様の事情により設置されたものとして人事院規則で定める官署に在勤する職員（人事院規則で定める職員に限る。）についても、当該官署の設置に関する事情、当該官署の設置に伴う職員の異動の状況等を考慮して人事院規則の定めるところにより、前項の規定に準じて、地域手当を支給する。

第十一条の七　第十一条の三第一項の人事院規則で定める地域若しくは官署若しくは第十一条の四の人事院規則で定める空港の区域に在勤する職員がその在勤する地域、官署若しくは空港の区域を異にして異動した場合又はこれらの職員の在勤する官署が移転した場合（これらの職員が当該異動又は移転の日の前日に在勤していた地域、官署又は空港の区域に引き続き六箇月を超えて在勤していた場合その他当該場合との権衡上必要があると認められる場合として人事院規則で定める場合に限る。）において、当該異動若しくは移転（以下この項において「異動等」という。）の直後に在勤する地域、官署若しくは空港の区域に係る地域手当の支給割合（第十一条の三第二項各号に定める割合又は第十一条の四の人事院規則で定める割合をいう。以下この項において「異動等後の支給割合」という。）が当該異動等の日の前日に在勤していた地域、官署若しくは空港の区域に係る地域手当の支給割合（第十一条の三第二項各号に定める割合又は第十一条の四の人事院規則で定める割合をいい、人事院規則で定める場合には、当該支給割合を超えない範囲内で人事院規則で定める割合とする。以下この項において「異動等前の支給割合」という。）に達しないこととなるとき、又は当該異動等の直後に在勤する地域、官署若しくは空港の区域が第十一条の三第一項の人事院規則で定める地域若しくは官署若しくは第十一条の四の人事院規則で定める空港の区域に該当しないこととなるときは、異動等の円滑を図るため、当該職員には、前二条の規定により当該異動等に係るこの項本文の規定による地域手当の支給割合以上の支給割合による地域手当を支給される期間を除き、第十一条の三から前条までの規定にかかわらず、当該異動等の日から二年を経過するまでの間（次の各号に掲げる期間において当該各号に定める割合が異動等後の支給割合（異動等後の支給割合が当該異動等の後に改定された場合にあつては、当該改定後の異動等後の支給割合）以下となるときは、その以下となる日の前日までの間。以下この項において同じ。）、俸給、俸給の特別調整額、専門スタッフ職調整手当及び扶養手当の月額の合計額に次の各号に掲げる期間の区分に応じ当該各号に定める割合を乗じて得た月額の地域手当を支給する。ただし、当該職員が当該異動等の日から二年を経過するまでの間に更に在勤する地域、官署又は空港の区域を異にして異動した場合その他人事院の定める場合における当該職員に対する地域手当の支給については、人事院の定めるところによる。

一　当該異動等の日から同日以後一年を経過する日までの期間　異動等前の支給割合（異動等前の支給割合が当該異動等の後に改定された場合にあつては、当該異動等の日の前日の異動等前の支給割合。次号において同じ。）

二　当該異動等の日から同日以後二年を経過する日までの期間（前号に掲げる期間を除く。）　異動等前の支給割合に百分の八十を乗じて得た割合

2　前条第一項若しくは第二項の人事院規則で定める官署に在勤する職員（これらの規定の人事院規則で定める職員を除く。）若しくは同条第三項の人事院規則で定める官署に在勤する職員（移転職員等及び同項後段

の人事院規則で定める職員に限る。）がその在勤する官署を異にして異動した場合又はこれらの職員の在勤する官署が移転した場合（これらの職員が当該異動又は移転の日の前日に在勤していた官署に引き続き六箇月を超えて在勤していた場合その他当該場合との権衡上必要があると認められる場合として人事院規則で定める場合に限る。）において、当該異動若しくは移転（以下この項において「異動等」という。）の直後に在勤する地域、官署若しくは空港の区域に係る地域手当の支給割合（第十一条の三第二項各号に定める割合又は第十一条の四の人事院規則で定める割合をいう。以下この項において「異動等後の支給割合」という。）が当該異動等の日の前日に在勤していた官署に引き続き在勤するものとした場合における当該官署に係る前条の規定による当該異動等の日の地域手当の支給割合に達しないこととなるとき、又は当該異動等の直後に在勤する地域、官署若しくは空港の区域が第十一条の三第一項の人事院規則で定める地域若しくは官署若しくは第十一条の四の人事院規則で定める空港の区域に該当しないこととなるときは、当該職員には、前二条又は前項ただし書若しくは次項の規定により当該異動等に係るこの項本文の規定による地域手当の支給割合以上の支給割合による地域手当を支給される期間を除き、第十一条の三から前条まで又は前項若しくは次項の規定にかかわらず、当該異動等の日から二年を経過するまでの間（次の各号に掲げる期間において当該各号に定める割合が異動等後の支給割合以下となるときは、その以下となる日の前日までの間。以下この項において同じ。）、俸給、俸給の特別調整額、専門スタッフ職調整手当及び扶養手当の月額の合計額に当該各号に掲げる期間の区分に応じ当該各号に定める割合を乗じて得た月額の地域手当を支給する。ただし、当該職員が当該異動等の日から二年を経過するまでの間に更に在勤する地域、官署又は空港の区域を異にして異動した場合その他人事院の定める場合における当該職員に対する地域手当の支給については、人事院の定めるところによる。

一　当該異動等の日から同日以後一年を経過する日までの期間　当該異動等の日の前日に在勤していた官署に引き続き在勤するものとした場合における当該官署に係る前条の規定による地域手当の支給割合（次号において「みなし特例支給割合」という。）

二　当該異動等の日から同日以後二年を経過する日までの期間（前号に掲げる期間を除く。）　みなし特例支給割合に百分の八十を乗じて得た割合

3　検察官であつた者又は独立行政法人通則法（平成十一年法律第百三号）第二条第四項に規定する行政執行法人の職員、特別職に属する国家公務員、地方公務員若しくは沖縄振興開発金融公庫その他その業務が国の事務若しくは事業と密接な関連を有する法人のうち人事院規則で定めるものに使用される者（以下「行政執行法人職員等」という。）であつた者が、引き続き俸給表の適用を受ける職員となり、第十一条の三第二項第一号の一級地に係る地域及び官署以外の地域又は官署に在勤することとなつた場合において、任用の事情、当該在勤することとなつた日の前日における勤務地等を考慮して前二項の規定による地域手当を支給される職員との権衡上必要があると認められるときは、当該職員には、人事院規則の定めるところにより、これらの規定に準じて、地域手当を支給する。

（広域異動手当）

第十一条の八　職員がその在勤する官署を異にして異動した場合又は職員の在勤する官署が移転した場合において、当該異動又は移転（以下この条において「異動等」という。）につき人事院規則で定めるところにより算定した官署間の距離（異動等の日の前日に在勤していた官署の所在地と当該異動等の直後に在勤する官署の所在地との間の距離をいう。以下この項において同じ。）及び住居と官署との間の距離（異動等の直前の住居と当該異動等の直後に在勤する官署の所在地との間の距離をいう。以下この項において同じ。）がいずれも六十キロメートル以上であるとき（当該住居と官署との間の距離が六十キロメートル未満である場合であつて、通勤に要する時間等を考慮して当該住居と官署との間の距離が六十キロメートル以上である場合に相当すると認められる場合として人事院規則で定める場合を含む。）は、当該職員には、当該異動等の日から三年を経過する日までの間、俸給、俸給の特別調整額、専門スタッフ職調整手当及び扶養手当の月額の合計額に当該異動等に係る官署間の距離の次の各号に掲げる区分に応じ当該各号に定める割合を乗じて得た月額の広域異動手当を支給する。ただし、当該異動等に当たり一定の期間内に当該異動等の日の前日に在勤していた官署への異動等が予定されている場合その他の広域異動手当を支給することが適当と認められない場合として人事院規則で定める場合は、この限りでない。

一　三百キロメートル以上　百分の十

二　六十キロメートル以上三百キロメートル未満　百分の五

2　前項の規定により広域異動手当を支給されることとなる職員のうち、当該支給に係る異動等（以下この項において「当初広域異動等」という。）の日から三年を経過する日までの間の異動等（以下この項において「再異動等」という。）により前項の規定により更に広域異動手当が支給されることとなるものについては、当該再異動等に係る広域異動手当の支給割合が当初広域異動等に係る広域異動手当の支給割合を上回るとき又は当初広域異動等に係る広域異動手当の支給割合と同一の割合となるときにあつては当該再異動等の日以後は当初広域異動等に係る広域異動手当を支給せず、当該再異動等に係る広域異動手当の支給割合が当初広域異動等に係る広域異動手当の支給割合を下回るときにあつては当初広域異動等に係る広域異動手当が支給されることとなる期間は当該再異動等に係る広域異動手当を支給しない。

3　検察官であつた者、行政執行法人職員等であつた者その他の人事院規則で定める者から引き続き俸給表の適用を受ける職員となつた者（任用の事情等を考慮して人事院規則で定める者に限る。）又は異動等に準ずるものとして人事院規則で定めるものがあつた職員であつて、これらに伴い勤務場所に変更があつたものには、人事院規則の定めるところにより、前二項の規定に準じて、広域異動手当を支給する。

4　前三項の規定により広域異動手当を支給されることとなる職員が、第十一条の三から前条までの規定により地域手当を支給される職員である場合における広域異動手当の支給割合は、前三項の規定による広域異動手当の支給割合から当該地域手当の支給割合を減じた割合とする。この場合において、前三項の規定による広域異動手当の支給割合が当該地域手当の支給割合以下であるときは、広域異動手当は、支給しない。

5　前各項に規定するもののほか、広域異動手当の支給に関し必要な事項は、人事院規則で定める。

（研究員調整手当）

第十一条の九　科学技術に関する試験研究を行う機関のうち、研究活動の状況、研究員（研究職俸給表の適用を受ける職員（人事院規則で定める職員を除く。）及び指定職俸給表の適用を受ける職員（試験研究に関する業務に従事する職員に限る。）をいう。以下同じ。）の採用の状況等からみて人材の確保等を図る特別の事情があると認められる機関（地域手当支給官署であつて、当該官署の所在する地域又は当該官署に係る第十一条の三の規定による地域手当の支給割合が百分の十以上であるものを除く。）で人事院規則で定めるものに勤務する研究員には、研究員調整手当を支給する。

2　研究員調整手当の月額は、俸給、俸給の特別調整額及び扶養手当の月額の合計額に百分の十（次の各号に掲げる職員にあつては、その割合からそれぞれ当該各号に定める割合を減じた割合）を乗じて得た額とする。

一　地域手当支給官署に在勤する職員　当該官署の所在する地域又は当該官署に係る第十一条の三の規定による地域手当の支給割合

二　前条の規定により広域異動手当が支給される職員　当該職員に係る同条の規定による広域異動手当の支給割合

3　前二項に規定するもののほか、研究員調整手当の支給に関し必要な事項は、人事院規則で定める。

4　第一項の規定により研究員調整手当を支給される職員が第十一条の四、第十一条の六又は第十一条の七の規定により地域手当を支給されることとなる職員である場合における研究員調整手当とこれらの規定による地域手当との調整に関し必要な事項は、人事院規則で定める。

（住居手当）

第十一条の十　住居手当は、次の各号のいずれかに該当する職員に支給する。

一　自ら居住するため住宅（貸間を含む。次号において同じ。）を借り受け、月額一万六千円を超える家賃（使用料を含む。以下同じ。）を支払つている職員（国家公務員宿舎法第十三条の規定による有料宿舎を貸与され、使用料を支払つている職員その他人事院規則で定める職員を除く。）

二　第十一条の二第一項又は第三項の規定により単身赴任手当を支給される職員で、配偶者が居住するための住宅（国家公務員宿舎法第十三条の規定による有料宿舎その他人事院規則で定める住宅を除く。）を借り受け、月額一万六千円を超える家賃を支払つているもの又はこれらのものとの権衡上必要があると認められるものとして人事院規則で定めるもの

2　住居手当の月額は、次の各号に掲げる職員の区分に応じて、当該各号に定める額（当該各号のいずれにも該当する職員にあつては、当該各号に定める額の合計額）とする。

一　前項第一号に掲げる職員　次に掲げる職員の区分に応じて、それぞれ次に定める額（その額に百円未満の端数を生じたときは、これを切り捨てた額）に相当する額

イ　月額二万七千円以下の家賃を支払つている職員

家賃の月額から一万六千円を控除した額

ロ　月額二万七千円を超える家賃を支払つている職員　家賃の月額から二万七千円を控除した額の二分の一（その控除した額の二分の一が一万七千円を超えるときは、一万七千円）を一万千円に加算した額

二　前項第二号に掲げる職員　前号の規定の例により算出した額の二分の一に相当する額（その額に百円未満の端数を生じたときは、これを切り捨てた額）

3　前二項に規定するもののほか、住居手当の支給に関し必要な事項は、人事院規則で定める。

（通勤手当）

第十二条　通勤手当は、次に掲げる職員に支給する。

一　通勤のため交通機関又は有料の道路（以下この項から第三項までにおいて「交通機関等」という。）を利用してその運賃又は料金（以下この項から第三項までにおいて「運賃等」という。）を負担することを常例とする職員（交通機関等を利用しなければ通勤することが著しく困難である職員以外の職員であつて交通機関等を利用しないで徒歩により通勤するものとした場合の通勤距離が片道二キロメートル未満であるもの及び第三号に掲げる職員を除く。）

二　通勤のため自動車その他の交通の用具で人事院規則で定めるもの（以下この条において「自動車等」という。）を使用することを常例とする職員（自動車等を使用しなければ通勤することが著しく困難である職員以外の職員であつて自動車等を使用しないで徒歩により通勤するものとした場合の通勤距離が片道二キロメートル未満であるもの及び次号に掲げる職員を除く。）

三　通勤のため交通機関等を利用してその運賃等を負担し、かつ、自動車等を使用することを常例とする職員（交通機関等を利用し、又は自動車等を使用しなければ通勤することが著しく困難である職員以外の職員であつて、交通機関等を利用せず、かつ、自動車等を使用しないで徒歩により通勤するものとした場合の通勤距離が片道二キロメートル未満であるものを除く。）

2　通勤手当の額は、次の各号に掲げる職員の区分に応じ、当該各号に定める額とする。

一　前項第一号に掲げる職員　支給単位期間につき、人事院規則で定めるところにより算出した当該職員の支給単位期間の通勤に要する運賃等の額に相当する額（以下この号及び次項において「運賃等相当額」という。）。ただし、運賃等相当額を支給単位期間の月数で除して得た額（以下この号及び第三号において「一箇月当たりの運賃等相当額」という。）が五万五千円を超えるときは、支給単位期間につき、五万五千円に支給単位期間の月数を乗じて得た額（当該職員が二以上の交通機関等を利用するものとして当該運賃等の額を算出する場合において、一箇月当たりの運賃等相当額の合計額が五万五千円を超えるときは、当該職員の通勤手当に係る支給単位期間のうち最も長い支給単位期間につき、五万五千円に当該支給単位期間の月数を乗じて得た額）

二　前項第二号に掲げる職員　次に掲げる職員の区分に応じ、支給単位期間につき、それぞれ次に定める額（第十二条の三第一項の規定により在宅勤務等手当を支給される職員及び定年前再任用短時間勤務職員（支給単位期間当たりの通勤回数を考慮して人事院規則で定める職員に限る。）にあつては、その額から、その額に人事院規則で定める割合を乗じて得た額を減じた額）

イ　自動車等の使用距離（以下この号において「使用距離」という。）が片道五キロメートル未満である職員　二千円

ロ　使用距離が片道五キロメートル以上十キロメートル未満である職員　四千二百円

ハ　使用距離が片道十キロメートル以上十五キロメートル未満である職員　七千百円

ニ　使用距離が片道十五キロメートル以上二十キロメートル未満である職員　一万円

ホ　使用距離が片道二十キロメートル以上二十五キロメートル未満である職員　一万二千九百円

ヘ　使用距離が片道二十五キロメートル以上三十キロメートル未満である職員　一万五千八百円

ト　使用距離が片道三十キロメートル以上三十五キロメートル未満である職員　一万八千七百円

チ　使用距離が片道三十五キロメートル以上四十キロメートル未満である職員　二万千六百円

リ　使用距離が片道四十キロメートル以上四十五キロメートル未満である職員　二万四千四百円

ヌ　使用距離が片道四十五キロメートル以上五十キロメートル未満である職員　二万六千二百円

ル　使用距離が片道五十キロメートル以上五十五キロメートル未満である職員　二万八千円

ヲ　使用距離が片道五十五キロメートル以上六十キロメートル未満である職員　二万九千八百円

ワ　使用距離が片道六十キロメートル以上である職員　三万千六百円

三　前項第三号に掲げる職員　交通機関等を利用せず、かつ、自動車等を使用しないで徒歩により通勤するものとした場合の通勤距離、交通機関等の利用距離、自動車等の使用距離等の事情を考慮して人事院規則で定める区分に応じ、前二号に定める額（一箇月当たりの運賃等相当額及び前号に定める額の合計額が五万五千円を超えるときは、当該職員の通勤手当に係る支給単位期間のうち最も長い支給単位期間につき、五万五千円に当該支給単位期間の月数を乗じて得た額）、第一号に定める額又は前号に定める額

3　官署を異にする異動又は在勤する官署の移転に伴い、所在する地域を異にする官署に在勤することとなつたことにより、通勤の実情に変更を生ずることとなつた職員で人事院規則で定めるもののうち、第一項第一号又は第三号に掲げる職員で、当該異動又は官署の移転の直前の住居（当該住居に相当するものとして人事院規則で定める住居を含む。）からの通勤のため、新幹線鉄道等の特別急行列車、高速自動車国道その他の交通機関等（第一号及び次項において「新幹線鉄道等」という。）でその利用が人事院規則で定める基準に照らして通勤事情の改善に相当程度資するものであると認められるものを利用し、その利用に係る特別料金等（その利用に係る運賃等の額から運賃等相当額の算出の基礎となる運賃等に相当する額を減じた額をいう。第一号及び次項において同じ。）を負担することを常例とするものの通勤手当の額は、前項の規定にかかわらず、次の各号に掲げる通勤手当の区分に応じ、当該各号に定める額とする。

一　新幹線鉄道等に係る通勤手当　支給単位期間につき、人事院規則で定めるところにより算出した当該職員の支給単位期間の通勤に要する特別料金等の額の二分の一に相当する額。ただし、当該額を支給単位期間の月数で除して得た額（以下この号において「一箇月当たりの特別料金等二分の一相当額」という。）が二万円を超えるときは、支給単位期間につき、二万円に支給単位期間の月数を乗じて得た額（当該職員が二以上の新幹線鉄道等を利用するものとして当該特別料金等の額を算出する場合において、一箇月当たりの特別料金等二分の一相当額の合計額が二万円を超えるときは、当該職員の新幹線鉄道等に係る通勤手当に係る支給単位期間のうち最も長い支給単位期間につき、二万円に当該支給単位期間の月数を乗じて得た額）

二　前号に掲げる通勤手当以外の通勤手当　前項の規定による額

4　前項の規定は、検察官であつた者又は行政執行法人職員等であつた者から引き続き俸給表の適用を受ける職員となつた者のうち、第一項第一号又は第三号に掲げる職員で、当該適用の直前の住居（当該住居に相当するものとして人事院規則で定める住居を含む。）からの通勤のため、新幹線鉄道等でその利用が人事院規則で定める基準に照らして通勤事情の改善に相当程度資するものであると認められるものを利用し、その利用に係る特別料金等を負担することを常例とするもの（任用の事情等を考慮して人事院規則で定める職員に限る。）その他前項の規定による通勤手当を支給される職員との権衡上必要があると認められるものとして人事院規則で定める職員の通勤手当の額の算出について準用する。

5　第一項第一号又は第三号に掲げる職員のうち、住居を得ることが著しく困難である島その他これに準ずる区域（以下この項において「島等」という。）に所在する官署で人事院規則で定めるものへの通勤のため、当該島等への交通に橋、トンネルその他の施設（以下この項において「橋等」という。）を利用し、当該橋等の利用に係る通常の運賃に加算される運賃又は料金（第一号において「特別運賃等」という。）を負担することを常例とする職員（人事院規則で定める職員を除く。）の通勤手当の額は、前三項の規定にかかわらず、次の各号に掲げる通勤手当の区分に応じ、当該各号に定める額とする。

一　橋等に係る通勤手当　支給単位期間につき、人事院規則で定めるところにより算出した当該職員の支給単位期間の通勤に要する特別運賃等の額に相当する額

二　前号に掲げる通勤手当以外の通勤手当　同号に定める額を負担しないものとした場合における前三項の規定による額

6　通勤手当は、支給単位期間（人事院規則で定める通勤手当にあつては、人事院規則で定める期間）に係る最初の月の人事院規則で定める日に支給する。

7　通勤手当を支給される職員につき、離職その他の人事院規則で定める事由が生じた場合には、当該職員に、支給単位期間のうちこれらの事由が生じた後の期間を考慮して人事院規則で定める額を返納させるものとする。

8　この条において「支給単位期間」とは、通勤手当の支給の単位となる期間として六箇月を超えない範囲内で一箇月を単位として人事院規則で定める期間（自動

車等に係る通勤手当にあつては、一箇月）をいう。
9　前各項に規定するもののほか、通勤の実情の変更に伴う支給額の改定その他通勤手当の支給及び返納に関し必要な事項は、人事院規則で定める。

（単身赴任手当）
第十二条の二　官署を異にする異動又は在勤する官署の移転に伴い、住居を移転し、父母の疾病その他の人事院規則で定めるやむを得ない事情により、同居していた配偶者と別居することとなつた職員で、当該異動又は官署の移転の直前の住居から当該異動又は官署の移転の直後に在勤する官署に通勤することが通勤距離等を考慮して人事院規則で定める基準に照らして困難であると認められるもののうち、単身で生活することを常況とする職員には、単身赴任手当を支給する。ただし、配偶者の住居から在勤する官署に通勤することが、通勤距離等を考慮して人事院規則で定める基準に照らして困難であると認められない場合は、この限りでない。
2　単身赴任手当の月額は、三万円（人事院規則で定めるところにより算定した職員の住居と配偶者の住居との間の交通距離（以下単に「交通距離」という。）が人事院規則で定める距離以上である職員にあつては、その額に、七万円を超えない範囲内で交通距離の区分に応じて人事院規則で定める額を加算した額）とする。
3　検察官であつた者又は行政執行法人職員等であつた者から引き続き俸給表の適用を受ける職員となり、これに伴い、住居を移転し、父母の疾病その他の人事院規則で定めるやむを得ない事情により、同居していた配偶者と別居することとなつた職員で、当該適用の直前の住居から当該適用の直後に在勤する官署に通勤することが通勤距離等を考慮して人事院規則で定める基準に照らして困難であると認められるもののうち、単身で生活することを常況とする職員（任用の事情等を考慮して人事院規則で定める職員に限る。）その他第一項の規定による単身赴任手当を支給される職員との権衡上必要があると認められるものとして人事院規則で定める職員には、前二項の規定に準じて、単身赴任手当を支給する。
4　前三項に規定するもののほか、単身赴任手当の支給の調整に関する事項その他単身赴任手当の支給に関し必要な事項は、人事院規則で定める。

（在宅勤務等手当）
第十二条の三　住居その他これに準ずるものとして人事院規則で定める場所において、正規の勤務時間（休暇により勤務しない時間その他人事院規則で定める時間を除く。）の全部を勤務することを、人事院規則で定める期間以上の期間について一箇月当たり平均十日を超えて命ぜられた職員には、在宅勤務等手当を支給する。
2　在宅勤務等手当の月額は、三千円とする。
3　前二項に規定するもののほか、在宅勤務等手当の支給に関し必要な事項は、人事院規則で定める。

（特殊勤務手当）
第十三条　著しく危険、不快、不健康又は困難な勤務その他の著しく特殊な勤務で、給与上特別の考慮を必要とし、かつ、その特殊性を俸給で考慮することが適当でないと認められるものに従事する職員には、その勤務の特殊性に応じて特殊勤務手当を支給する。
2　特殊勤務手当の種類、支給される職員の範囲、支給額その他特殊勤務手当の支給に関し必要な事項は、人事院規則で定める。

（特地勤務手当等）
第十三条の二　離島その他の生活の著しく不便な地に所在する官署として人事院規則で定めるもの（以下「特地官署」という。）に勤務する職員には、特地勤務手当を支給する。
2　特地勤務手当の月額は、俸給及び扶養手当の月額の合計額の百分の二十五をこえない範囲内で人事院規則で定める。
3　特地官署が第十一条の三第一項の人事院規則で定める地域に所在する場合における特地勤務手当と地域手当その他の給与との調整等に関し必要な事項は、人事院規則で定める。
第十四条　職員が官署を異にして異動し、当該異動に伴つて住居を移転した場合又は職員の在勤する官署が移転し、当該移転に伴つて職員が住居を移転した場合において、当該異動の直後に在勤する官署又はその移転した官署が特地官署又は人事院が指定するこれらに準ずる官署（以下「準特地官署」という。）に該当するときは、当該職員には、人事院規則で定めるところにより、当該異動又は官署の移転の日から三年以内の期間（当該異動又は官署の移転の日から起算して三年を経過する際人事院の定める条件に該当する者にあつては、更に三年以内の期間）、俸給及び扶養手当の月額の合計額の百分の六を超えない範囲内の月額の特地勤務手当に準ずる手当を支給する。
2　検察官であつた者又は行政執行法人職員等であつた者から引き続き俸給表の適用を受ける職員となつて特地官署又は準特地官署に在勤することとなつたことに

伴つて住居を移転した職員（任用の事情等を考慮して人事院規則で定める職員に限る。）、新たに特地官署又は準特地官署に該当することとなつた官署に在勤する職員でその特地官署又は準特地官署に該当することとなつた日前三年以内に当該官署に異動し、当該異動に伴つて住居を移転したものその他前項の規定による手当を支給される職員との権衡上必要があると認められるものとして人事院規則で定める職員には、人事院規則の定めるところにより、同項の規定に準じて、特地勤務手当に準ずる手当を支給する。

3 前二項の規定により特地勤務手当に準ずる手当を支給される職員が第十一条の八の規定により広域異動手当を支給されることとなる職員である場合における特地勤務手当に準ずる手当と広域異動手当との調整に関し必要な事項は、人事院規則で定める。

（給与の減額）

第十五条 職員が勤務しないときは、勤務時間法第十三条の二第一項に規定する超勤代休時間、勤務時間法第十四条に規定する祝日法による休日（勤務時間法第十五条第一項の規定により代休日を指定されて、当該休日に割り振られた勤務時間の全部を勤務した職員にあつては、当該休日に代わる代休日。以下「祝日法による休日等」という。）又は勤務時間法第十四条に規定する年末年始の休日（勤務時間法第十五条第一項の規定により代休日を指定されて、当該休日に割り振られた勤務時間の全部を勤務した職員にあつては、当該休日に代わる代休日。以下「年末年始の休日等」という。）である場合、休暇による場合その他その勤務しないことにつき特に承認のあつた場合を除き、その勤務しない一時間につき、第十九条に規定する勤務一時間当たりの給与額を減額して給与を支給する。

（超過勤務手当）

第十六条 正規の勤務時間を超えて勤務することを命ぜられた職員には、正規の勤務時間を超えて勤務した全時間に対して、勤務一時間につき、第十九条に規定する勤務一時間当たりの給与額に正規の勤務時間を超えてした次に掲げる勤務の区分に応じてそれぞれ百分の百二十五から百分の百五十までの範囲内で人事院規則で定める割合（その勤務が午後十時から翌日の午前五時までの間である場合には、その割合に百分の二十五を加算した割合）を乗じて得た額を超過勤務手当として支給する。

一 正規の勤務時間が割り振られた日（次条の規定により正規の勤務時間中に勤務した職員に休日給が支給されることとなる日を除く。次項において同じ。）における勤務

二 前号に掲げる勤務以外の勤務

2 定年前再任用短時間勤務職員が、正規の勤務時間が割り振られた日において、正規の勤務時間を超えてした勤務のうち、その勤務の時間とその勤務をした日における正規の勤務時間との合計が七時間四十五分に達するまでの間の勤務に対する前項の規定の適用については、同項中「正規の勤務時間を超えてした次に掲げる勤務の区分に応じてそれぞれ百分の百二十五から百分の百五十までの範囲内で人事院規則で定める割合」とあるのは、「百分の百」とする。

3 正規の勤務時間を超えて勤務することを命ぜられ、正規の勤務時間を超えてした勤務（勤務時間法第六条第一項、第七条及び第八条第一項の規定に基づく週休日又は勤務時間法第六条第三項及び勤務時間法第八条第二項において読み替えて準用する同条第一項の規定に基づく勤務時間を割り振らない日における勤務のうち人事院規則で定めるものを除く。）の時間が一箇月について六十時間を超えた職員には、その六十時間を超えて勤務した全時間に対して、第一項の規定にかかわらず、勤務一時間につき、第十九条に規定する勤務一時間当たりの給与額に百分の百五十（その勤務が午後十時から翌日の午前五時までの間である場合には、百分の百七十五）を乗じて得た額を超過勤務手当として支給する。

4 勤務時間法第十三条の二第一項に規定する超勤代休時間を指定された場合において、当該超勤代休時間に職員が勤務しなかつたときは、前項に規定する六十時間を超えて勤務した全時間のうち当該超勤代休時間の指定に代えられた超過勤務手当の支給に係る時間に対しては、当該時間一時間につき、第十九条に規定する勤務一時間当たりの給与額に百分の百五十（その時間が午後十時から翌日の午前五時までの間である場合には、百分の百七十五）から第一項に規定する人事院規則で定める割合（その時間が午後十時から翌日の午前五時までの間である場合には、その割合に百分の二十五を加算した割合）を減じた割合を乗じて得た額の超過勤務手当を支給することを要しない。

5 第二項に規定する七時間四十五分に達するまでの間の勤務に係る時間について前二項の規定の適用がある場合における当該時間に対する前項の規定の適用については、同項中「第一項に規定する人事院規則で定める割合」とあるのは、「百分の百」とする。

（休日給）

第十七条 祝日法による休日等（勤務時間法第六条第一

項又は第七条の規定に基づき毎日曜日を週休日と定められている職員以外の職員にあつては、勤務時間法第十四条に規定する祝日法による休日が勤務時間法第七条及び第八条第一項の規定に基づく週休日に当たるときは、人事院規則で定める日）及び年末年始の休日等において、正規の勤務時間中に勤務することを命ぜられた職員には、正規の勤務時間中に勤務した全時間に対して、勤務一時間につき、第十九条に規定する勤務一時間当たりの給与額に百分の百二十五から百分の百五十までの範囲内で人事院規則で定める割合を乗じて得た額を休日給として支給する。これらの日に準ずるものとして人事院規則で定める日において勤務した職員についても、同様とする。

（夜勤手当）

第十八条　正規の勤務時間として午後十時から翌日の午前五時までの間に勤務することを命ぜられた職員には、その間に勤務した全時間に対して、勤務一時間につき、第十九条に規定する勤務一時間当りの給与額の百分の二十五を夜勤手当として支給する。

（端数計算）

第十八条の二　第十五条に規定する勤務一時間当たりの給与額及び第十六条から前条までの規定により勤務一時間につき支給する超過勤務手当、休日給又は夜勤手当の額を算定する場合において、当該額に、五十銭未満の端数を生じたときはこれを切り捨て、五十銭以上一円未満の端数を生じたときはこれを一円に切り上げるものとする。

（勤務一時間当たりの給与額の算出）

第十九条　第十五条から第十八条までに規定する勤務一時間当たりの給与額は、俸給の月額並びにこれに対する地域手当、広域異動手当及び研究員調整手当の月額の合計額に十二を乗じ、その額を一週間当たりの勤務時間に五十二を乗じたもので除して得た額とする。

（宿日直手当）

第十九条の二　宿日直勤務（次項の勤務を除く。）を命ぜられた職員には、その勤務一回につき、四千四百円（入院患者の病状の急変等に対処するための医師又は歯科医師の宿日直勤務にあつては二万千円、人事院規則で定めるその他の特殊な業務を主として行う宿日直勤務にあつては七千四百円）を超えない範囲内において人事院規則で定める額を宿日直手当として支給する。ただし、執務が行われる時間が執務が通常行われる日の執務時間の二分の一に相当する時間である日で人事院規則で定めるものに退庁時から引き続いて行われる宿直勤務にあつては、その額は、六千六百円（入院患者の病状の急変等に対処するための医師又は歯科医師の宿直勤務にあつては三万千五百円、人事院規則で定めるその他の特殊な業務を主として行う宿直勤務にあつては一万千百円）を超えない範囲内において人事院規則で定める額とする。

2　宿日直勤務のうち常直的なものを命ぜられた職員には、その勤務に対して、二万二千円を超えない範囲内において人事院規則で定める月額の宿日直手当を支給する。

3　前二項の勤務は、第十六条から第十八条までの勤務には含まれないものとする。

（管理職員特別勤務手当）

第十九条の三　管理監督職員若しくは専門スタッフ職俸給表の適用を受ける職員でその職務の級が二級以上であるもの（以下「管理監督職員等」という。）又は指定職俸給表の適用を受ける職員が臨時又は緊急の必要その他の公務の運営の必要により勤務時間法第六条第一項、第七条及び第八条第一項の規定に基づく週休日若しくは勤務時間法第六条第三項及び勤務時間法第八条第二項において読み替えて準用する同条第一項の規定に基づく勤務時間を割り振らない日又は祝日法による休日等若しくは年末年始の休日等（次項において「週休日等」という。）に勤務した場合は、当該職員には、管理職員特別勤務手当を支給する。

2　前項に規定する場合のほか、管理監督職員が災害への対処その他の臨時又は緊急の必要により週休日等以外の日の午前零時から午前五時までの間であつて正規の勤務時間以外の時間に勤務した場合は、当該職員には、管理職員特別勤務手当を支給する。

3　管理職員特別勤務手当の額は、次の各号に掲げる場合の区分に応じ、当該各号に定める額とする。

一　第一項に規定する場合　次に掲げる職員の区分に応じ、同項の勤務一回につき、それぞれ次に定める額（当該勤務に従事する時間等を考慮して人事院規則で定める勤務をした職員にあつては、それぞれその額に百分の百五十を乗じて得た額）

イ　管理監督職員等　一万二千円を超えない範囲内において人事院規則で定める額

ロ　指定職俸給表の適用を受ける職員　イの人事院規則で定める額のうち最高のものに百分の百五十を乗じて得た額

二　前項に規定する場合　同項の勤務一回につき、六千円を超えない範囲内において人事院規則で定める額

4　前三項に定めるもののほか、管理職員特別勤務手当

の支給に関し必要な事項は、人事院規則で定める。

（期末手当）

第十九条の四　期末手当は、六月一日及び十二月一日（以下この条から第十九条の六までにおいてこれらの日を「基準日」という。）にそれぞれ在職する職員に対して、それぞれ基準日の属する月の人事院規則で定める日（次条及び第十九条の六第一項においてこれらの日を「支給日」という。）に支給する。これらの基準日前一箇月以内に退職し、又は死亡した職員（第二十三条第七項の規定の適用を受ける職員及び人事院規則で定める職員を除く。）についても、同様とする。

2　期末手当の額は、期末手当基礎額に百分の百二十二・五（行政職俸給表(一)の適用を受ける職員でその職務の級が七級以上であるもの並びに同表及び指定職俸給表以外の各俸給表の適用を受ける職員でその職務の複雑、困難及び責任の度等がこれに相当するもの（これらの職員のうち、人事院規則で定める職員を除く。第十九条の七第二項第一号イ及び第二号において「特定管理職員」という。）にあつては百分の百二・五、指定職俸給表の適用を受ける職員にあつては百分の六十五）を乗じて得た額に、基準日以前六箇月以内の期間における当該職員の在職期間の次の各号に掲げる区分に応じ、当該各号に定める割合を乗じて得た額とする。

一　六箇月　百分の百

二　五箇月以上六箇月未満　百分の八十

三　三箇月以上五箇月未満　百分の六十

四　三箇月未満　百分の三十

3　定年前再任用短時間勤務職員に対する前項の規定の適用については、同項中「百分の百二十二・五」とあるのは「百分の六十八・七五」と、「百分の百二・五」とあるのは「百分の五十八・七五」とする。

4　第二項の期末手当基礎額は、それぞれその基準日現在（退職し、又は死亡した職員にあつては、退職し、又は死亡した日現在）において職員が受けるべき俸給、専門スタッフ職調整手当及び扶養手当の月額並びにこれらに対する地域手当及び広域異動手当の月額並びに俸給及び扶養手当の月額に対する研究員調整手当の月額の合計額とする。

5　行政職俸給表(一)の適用を受ける職員でその職務の級が三級以上であるもの、同表及び指定職俸給表以外の各俸給表の適用を受ける職員で職務の複雑、困難及び責任の度等を考慮してこれに相当する職員として当該各俸給表につき人事院規則で定めるもの並びに指定職俸給表の適用を受ける職員については、前項の規定にかかわらず、同項に規定する合計額に、俸給及び専門スタッフ職調整手当の月額並びにこれらに対する地域手当及び広域異動手当の月額並びに俸給の月額に対する研究員調整手当の月額の合計額に官職の職制上の段階、職務の級等を考慮して人事院規則で定める職員の区分に応じて百分の二十を超えない範囲内で人事院規則で定める割合を乗じて得た額（人事院規則で定める管理又は監督の地位にある職員にあつては、その額に俸給月額に百分の二十五を超えない範囲内で人事院規則で定める割合を乗じて得た額を加算した額）を加算した額を第二項の期末手当基礎額とする。

6　第二項に規定する在職期間の算定に関し必要な事項は、人事院規則で定める。

第十九条の五　次の各号のいずれかに該当する者には、前条第一項の規定にかかわらず、当該各号の基準日に係る期末手当（第四号に掲げる者にあつては、その支給を一時差し止めた期末手当）は、支給しない。

一　基準日から当該基準日に対応する支給日の前日までの間に国家公務員法第八十二条の規定による懲戒免職の処分を受けた職員

二　基準日から当該基準日に対応する支給日の前日までの間に国家公務員法第七十六条の規定により失職した職員

三　基準日前一箇月以内又は基準日から当該基準日に対応する支給日の前日までの間に離職した職員（前二号に掲げる者を除く。）で、その離職した日から当該支給日の前日までの間に拘禁刑以上の刑に処せられたもの

四　次条第一項の規定により期末手当の支給を一時差し止める処分を受けた者（当該処分を取り消された者を除く。）で、その者の在職期間中の行為に係る刑事事件に関し拘禁刑以上の刑に処せられたもの

第十九条の六　各庁の長又はその委任を受けた者は、支給日に期末手当を支給することとされていた職員で当該支給日の前日までに離職したものが次の各号のいずれかに該当する場合は、当該期末手当の支給を一時差し止めることができる。

一　離職した日から当該支給日の前日までの間に、その者の在職期間中の行為に係る刑事事件に関して、その者が起訴（当該起訴に係る犯罪について拘禁刑以上の刑が定められているものに限り、刑事訴訟法（昭和二十三年法律第百三十一号）第六編に規定する略式手続によるものを除く。第三項において同じ。）をされ、その判決が確定していない場合

二　離職した日から当該支給日の前日までの間に、そ

の者の在職期間中の行為に係る刑事事件に関して、その者が逮捕された場合又はその者から聴取した事項若しくは調査により判明した事実に基づきその者に犯罪があると思料するに至つた場合であつて、その者に対し期末手当を支給することが、公務に対する国民の信頼を確保し、期末手当に関する制度の適正かつ円滑な実施を維持する上で重大な支障を生ずると認めるとき。

2　前項の規定による期末手当の支給を一時差し止める処分（以下「一時差止処分」という。）を受けた者は、国家公務員法第九十条の二に規定する処分説明書を受領した日から起算すべき期間が経過した後においては、当該一時差止処分後の事情の変化を理由に、当該一時差止処分をした者に対し、その取消しを申し立てることができる。

3　各庁の長又はその委任を受けた者は、一時差止処分について、次の各号のいずれかに該当するに至つた場合には、速やかに当該一時差止処分を取り消さなければならない。ただし、第三号に該当する場合において、一時差止処分を受けた者がその者の在職期間中の行為に係る刑事事件に関し現に逮捕されているときその他これを取り消すことが一時差止処分の目的に明らかに反すると認めるときは、この限りでない。

一　一時差止処分を受けた者が当該一時差止処分の理由となつた行為に係る刑事事件に関し拘禁刑以上の刑に処せられなかつた場合

二　一時差止処分を受けた者について、当該一時差止処分の理由となつた行為に係る刑事事件につき公訴を提起しない処分があつた場合

三　一時差止処分を受けた者がその者の在職期間中の行為に係る刑事事件に関し起訴をされることなく当該一時差止処分に係る期末手当の基準日から起算して一年を経過した場合

4　前項の規定は、各庁の長又はその委任を受けた者が、一時差止処分後に判明した事実又は生じた事情に基づき、期末手当の支給を差し止める必要がなくなつたとして当該一時差止処分を取り消すことを妨げるものではない。

5　各庁の長又はその委任を受けた者は、一時差止処分を行う場合は、当該一時差止処分を受けるべき者に対し、当該一時差止処分の際、一時差止処分の事由を記載した説明書を交付しなければならない。

6　一時差止処分に対する審査請求については、一時差止処分は国家公務員法第八十九条第一項に規定する処分と、一時差止処分を受けた者は同法第九十条第一項に規定する職員と、前項の説明書は同法第八十九条第一項の処分説明書とそれぞれみなして、同法第九十条から第九十二条の二までの規定を適用する。

7　前各項に規定するもののほか、一時差止処分に関し必要な事項は、人事院規則で定める。

（勤勉手当）

第十九条の七　勤勉手当は、六月一日及び十二月一日（以下この項から第三項までにおいてこれらの日を「基準日」という。）にそれぞれ在職する職員に対し、当該職員の基準日以前における直近の人事評価の結果及び基準日以前六箇月以内の期間における勤務の状況に応じて、それぞれ基準日の属する月の人事院規則で定める日に支給する。これらの基準日前一箇月以内に退職し、又は死亡した職員（人事院規則で定める職員を除く。）についても、同様とする。

2　勤勉手当の額は、勤勉手当基礎額に、各庁の長又はその委任を受けた者が人事院規則で定める基準に従つて定める割合を乗じて得た額とする。この場合において、各庁の長又はその委任を受けた者が支給する勤勉手当の額の、その者に所属する次の各号に掲げる職員の区分ごとの総額は、それぞれ当該各号に定める額を超えてはならない。

一　前項の職員のうち定年前再任用短時間勤務職員以外の職員　次に掲げる職員の区分に応じ、それぞれ次に定める額

イ　ロに掲げる職員以外の職員　当該職員の勤勉手当基礎額に当該職員がそれぞれその基準日現在（退職し、又は死亡した職員にあつては、退職し、又は死亡した日現在。次項において同じ。）において受けるべき扶養手当の月額並びにこれに対する地域手当、広域異動手当及び研究員調整手当の月額の合計額を加算した額に百分の百二・五（特定管理職員にあつては、百分の百二十二・五）を乗じて得た額の総額

ロ　指定職俸給表の適用を受ける職員　当該職員の勤勉手当基礎額に百分の百五を乗じて得た額の総額

二　前項の職員のうち定年前再任用短時間勤務職員　当該定年前再任用短時間勤務職員の勤勉手当基礎額に百分の四十八・七五（特定管理職員にあつては、百分の五十八・七五）を乗じて得た額の総額

3　前項の勤勉手当基礎額は、それぞれその基準日現在において職員が受けるべき俸給及び専門スタッフ職調整手当の月額並びにこれらに対する地域手当及び広域異動手当の月額並びに俸給の月額に対する研究員調整

手当の月額の合計額とする。

4 第十九条の四第五項の規定は、第二項の勤勉手当基礎額について準用する。この場合において、同条第五項中「前項」とあるのは、「第十九条の七第三項」と読み替えるものとする。

5 前二条の規定は、第一項の規定による勤勉手当の支給について準用する。この場合において、第十九条の五中「前条第一項」とあるのは「第十九条の七第一項」と、同条第一号中「基準日から」とあるのは「基準日（第十九条の七第一項に規定する基準日をいう。以下この条及び次条第三項第三号において同じ。）から」と、「支給日」とあるのは「支給日（第十九条の七第一項に規定する人事院規則で定める日をいう。以下この条及び次条第一項において同じ。）」と読み替えるものとする。

（特定の職員についての適用除外）

第十九条の八 第十条から第十一条の二まで、第十一条の十、第十三条、第十六条から第十八条まで及び第十九条の二の規定は、指定職俸給表の適用を受ける職員には適用しない。

2 第十六条から第十八条までの規定は、管理監督職員等には適用しない。

3 第八条第四項から第十一項まで、第十条の四、第十一条、第十一条の二、第十一条の五から第十一条の七まで、第十一条の九、第十一条の十、第十三条の二及び第十四条の規定は、定年前再任用短時間勤務職員には適用しない。

（俸給の特別調整額、扶養手当等の支給方法）

第十九条の九 俸給の特別調整額、扶養手当、地域手当、特地勤務手当、超過勤務手当、休日給、夜勤手当、宿日直手当、期末手当及び勤勉手当の支給方法に関し必要な事項は、人事院規則で定める。

（俸給の更正決定）

第二十条 人事院は、各庁の長又はその委任を受けた者が決定した職員の俸給が第六条の規定に合致しないと認めたときは、その俸給を更正し又はその俸給の更正を命ずることができる。

（審査の申立て）

第二十一条 この法律の規定による給与の決定（前条の規定による俸給の更正決定を含む。）に関して苦情のある職員は、人事院に対し審査を申し立てることができる。

2 前項の申立てがあつたときは、人事院は、前条に準じて、これに関する決定をなし、これを本人及び関係各庁に通知しなければならない。

（非常勤職員の給与）

第二十二条 委員、顧問若しくは参与の職にある者又は人事院が指定するこれらに準ずる職にある者で、常勤を要しない職員（定年前再任用短時間勤務職員を除く。次項において同じ。）については、勤務一日につき、三万四千三百円（その額により難い特別の事情があるものとして人事院規則で定める場合には、十万円）を超えない範囲内において、各庁の長が人事院の承認を得て手当を支給することができる。

2 前項に定める職員以外の常勤を要しない職員については、各庁の長は、常勤の職員の給与との権衡を考慮し、予算の範囲内で、給与を支給する。

3 前二項の常勤を要しない職員には、他の法律に別段の定めがない限り、これらの規定に定める給与を除くほか、他のいかなる給与も支給しない。

（休職者の給与）

第二十三条 職員が公務上負傷し、若しくは疾病にかかり、又は通勤（国家公務員災害補償法（昭和二十六年法律第百九十一号）第　条の二に規定する通勤をいう。以下同じ。）により負傷し、若しくは疾病にかかり、国家公務員法第七十九条第一号に掲げる事由に該当して休職にされたときは、その休職の期間中、これに給与の全額を支給する。

2 職員が結核性疾患にかかり国家公務員法第七十九条第一号に掲げる事由に該当して休職にされたときは、その休職の期間が満一年に達するまでは、これに俸給、扶養手当、地域手当、広域異動手当、研究員調整手当、住居手当及び期末手当のそれぞれ百分の八十を支給することができる。

3 職員が前二項以外の心身の故障により国家公務員法第七十九条第一号に掲げる事由に該当して休職にされたときは、その休職の期間が満一年に達するまでは、これに俸給、扶養手当、地域手当、広域異動手当、研究員調整手当、住居手当及び期末手当のそれぞれ百分の八十を支給することができる。

4 職員が国家公務員法第七十九条第二号に掲げる事由に該当して休職にされたときは、その休職の期間中、これに俸給、扶養手当、地域手当、広域異動手当、研究員調整手当及び住居手当のそれぞれ百分の六十以内を支給することができる。

5 職員が国家公務員法第七十九条の人事院規則で定める場合に該当して休職にされたときは、その休職の期間中、人事院規則で定めるところにより、これに俸給、扶養手当、地域手当、広域異動手当、研究員調整手当、住居手当及び期末手当のそれぞれ百分の百以内を支給することができる。

6 国家公務員法第七十九条の規定により休職にされた職員には、他の法律に別段の定めがない限り、前各項に定める給与を除くほか、他のいかなる給与も支給しない。

7 第二項、第三項又は第五項に規定する職員が、これらの規定に規定する期間内で第十九条の四第一項に規定する基準日前一箇月以内に退職し、又は死亡したときは、同項の規定により人事院規則で定める日に、それぞれ第二項、第三項又は第五項の規定の例による額の期末手当を支給することができる。ただし、人事院規則で定める職員については、この限りでない。

8 前項の規定の適用を受ける職員の期末手当の支給については、第十九条の五及び第十九条の六の規定を準用する。この場合において、第十九条の五中「前条第一項」とあるのは、「第二十三条第七項」と読み替えるものとする。

（給与の額及び割合の検討）

第二十四条 国会は、給与の額又は割合の改定が必要であるかどうかを決定するために、この法律の制定又は改正の基礎とされた経済的諸要素の変化を考慮して、人事院の行つた調査に基づき、定期的に給与の額及び割合の検討を行うものとする。この目的のために、人事院は、総務省、厚生労働省その他の政府機関から提供を受けた正確適切な統計資料を利用して、事実の調査を行い、給与に関する勧告を作成する。

（罰則）

第二十五条 この法律の規定に違反して給与を支払い、若しくはその支払を拒み、又はこれらの行為を故意に容認した者は、一年以下の拘禁刑又は三万円以下の罰金に処する。

附　則

1 この法律は、公布の日から施行し、昭和二十五年四月一日から適用する。

2 政府職員の新給与実施に関する法律（昭和二十三年法律第四十六号）の規定に基づいて行われた給与に関する決定その他の手続は、この法律の規定に基づいて行われたものとみなす。

3 未帰還職員の給与の取扱いについては、この法律の規定にかかわらず、なお従前の例による。ただし、当該未帰還職員が帰還するまでの間は、給与を支給しない。

4 労働基準法等の施行に伴う政府職員に係る給与の応急措置に関する法律（昭和二十二年法律第百六十七号）及び大正十一年閣令第六号（官庁執務時間並休暇に関する件）の規定中この法律に抵触する部分は、その効力を失う。

5 政府職員の新給与実施に関する法律の規定に基づく政令、人事院規則その他の命令は、この法律に基づく命令とみなす。

6 当分の間、第十五条の規定にかかわらず、職員が負傷（公務上の負傷及び通勤による負傷を除く。）若しくは疾病（公務上の疾病及び通勤による疾病を除く。以下この項において同じ。）に係る療養のため、又は疾病に係る就業禁止の措置（人事院規則で定める措置に限る。）により、当該療養のための病気休暇又は当該措置の開始の日から起算して九十日（人事院規則で定める場合には、一年）を超えて引き続き勤務しないときは、その期間経過後の当該病気休暇又は当該措置に係る日につき、俸給の半額を減ずる。ただし、人事院規則で定める手当の算定については、当該職員の俸給の半減前の額をその算定の基礎となる俸給の額とする。

7 前項に規定するもののほか、同項の勤務しない期間の範囲、俸給の計算その他俸給の半減に関し必要な事項は、人事院規則で定める。

8 当分の間、職員の俸給月額は、当該職員が六十歳（次の各号に掲げる職員にあつては、当該各号に定める年齢）に達した日後における最初の四月一日（附則第十項において「特定日」という。）以後、当該職員に適用される俸給表の俸給月額のうち、第八条第三項の規定により当該職員の属する職務の級並びに同条第四項、第五項、第七項及び第八項の規定により当該職員の受ける号俸に応じた額に百分の七十を乗じて得た額（当該額に、五十円未満の端数を生じたときはこれを切り捨て、五十円以上百円未満の端数を生じたときはこれを百円に切り上げるものとする。）とする。

一 国家公務員法等の一部を改正する法律（令和三年法律第六十一号）第一条の規定による改正前の国家公務員法（次号及び次項第二号において「令和五年旧国家公務員法」という。）第八十一条の二第二項第二号に掲げる職員に相当する職員として人事院規則で定める職員 六十三歳

二 令和五年旧国家公務員法第八十一条の二第二項第三号に掲げる職員に相当する職員のうち、人事院規則で定める職員 六十歳を超え六十四歳を超えない範囲内で人事院規則で定める年齢

9 前項の規定は、次に掲げる職員には適用しない。

一 臨時的職員その他の法律により任期を定めて任用される職員及び常勤を要しない職員

二 令和五年旧国家公務員法第八十一条の二第二項第一号に掲げる職員に相当する職員として人事院規則で定める職員及び同項第三号に掲げる職員に相当する職員のうち人事院規則で定める職員
三 国家公務員法第八十一条の五第一項又は第二項の規定により同法第八十一条の二第一項に規定する異動期間（同法第八十一条の五第一項又は第二項の規定により延長された期間を含む。）を延長された同法第八十一条の二第一項に規定する管理監督職を占める職員
四 国家公務員法第八十一条の六第二項ただし書に規定する職員
五 国家公務員法第八十一条の七第一項又は第二項の規定により勤務している職員（同法第八十一条の六第一項に規定する定年退職日において前項の規定が適用されていた職員を除く。）
10 国家公務員法第八十一条の二第三項に規定する他の官職への降任等をされた職員であつて、当該他の官職への降任等をされた日（以下この項及び附則第十二項において「異動日」という。）の前日から引き続き同一の俸給表の適用を受ける職員のうち、特定日に附則第八項の規定により当該職員の受ける俸給月額（以下この項において「特定日俸給月額」という。）が異動日の前日に当該職員が受けていた俸給月額に百分の七十を乗じて得た額（当該額に、五十円未満の端数を生じたときはこれを切り捨て、五十円以上百円未満の端数を生じたときはこれを百円に切り上げるものとする。以下この項において「基礎俸給月額」という。）に達しないこととなる職員（人事院規則で定める職員を除く。）には、当分の間、特定日以後、附則第八項の規定により当該職員の受ける俸給月額のほか、基礎俸給月額と特定日俸給月額との差額に相当する額を俸給として支給する。
11 前項の規定による俸給の額と当該俸給を支給される職員の受ける俸給月額との合計額が第八条第三項の規定により当該職員の属する職務の級における最高の号俸の俸給月額を超える場合における前項の規定の適用については、同項中「基礎俸給月額と特定日俸給月額」とあるのは、「第八条第三項の規定により当該職員の属する職務の級における最高の号俸の俸給月額と当該職員の受ける俸給月額」とする。
12 異動日の前日から引き続き俸給表の適用を受ける職員（附則第八項の規定の適用を受ける職員に限り、附則第十項に規定する職員を除く。）であつて、同項の規定による俸給を支給される職員との権衡上必要があると認められる職員には、当分の間、当該職員の受ける俸給月額のほか、人事院規則で定めるところにより、前二項の規定に準じて算出した額を俸給として支給する。
13 附則第十項又は前項の規定による俸給を支給される職員以外の附則第八項の規定の適用を受ける職員であつて、任用の事情を考慮して当該俸給を支給される職員との権衡上必要があると認められる職員には、当分の間、当該職員の受ける俸給月額のほか、人事院規則で定めるところにより、前三項の規定に準じて算出した額を俸給として支給する。
14 附則第十項又は前二項の規定による俸給を支給される職員に対する第十条の五第二項及び第十九条の四第五項（第十九条の七第四項において準用する場合を含む。）の規定の適用については、これらの規定中「俸給月額」とあるのは、「俸給月額と附則第十項、第十二項又は第十三項の規定による俸給の額との合計額」とする。
15 附則第八項の規定の適用を受ける職員に対する国家公務員法第七十五条第二項及び第八十九条第一項の規定の適用については、同法第七十五条第二項中「この法律」とあるのは「この法律若しくは一般職の職員の給与に関する法律附則第八項」と、同法第八十九条第一項中「伴う降給」とあるのは「伴う降給及び一般職の職員の給与に関する法律附則第八項の規定による降給」とする。
16 附則第八項から前項までに定めるもののほか、附則第八項の規定による俸給月額、附則第十項の規定による俸給その他附則第八項から前項までの規定の施行に関し必要な事項は、人事院規則で定める。

別表第一　行政職俸給表（第六条関係）

イ　行政職俸給表(一)

職員の区分	職務の級	1 級	2 級	3 級	4 級	5 級	6 級	7 級	8 級	9 級	10 級
	号俸	俸給月額	俸給月額	俸給月額	俸給月額	俸給月額	俸給月額	俸給月額	俸給月額	俸給月額	俸給月額
		円	円	円	円	円	円	円	円	円	円
	1	162,100	208,000	240,900	271,600	295,400	323,100	365,500	410,300	459,900	523,100
	2	163,200	209,700	242,400	273,200	297,500	325,300	368,100	412,700	463,000	526,000
	3	164,400	211,400	243,800	274,700	299,500	327,500	370,500	415,200	466,000	529,100
	4	165,500	212,900	245,200	276,300	301,400	329,500	372,900	417,600	469,000	532,200
	5	166,600	214,400	246,400	277,800	303,200	331,500	374,800	419,500	472,000	535,300
	6	167,700	216,200	248,000	279,500	305,000	333,500	377,300	421,600	475,000	537,600
	7	168,800	217,900	249,500	281,300	306,600	335,400	379,600	423,700	478,000	540,100
	8	169,900	219,600	250,900	283,100	308,200	337,300	382,100	425,900	481,100	542,500
	9	170,900	221,100	252,000	284,800	309,800	339,200	384,500	427,800	483,800	544,900
	10	172,300	222,600	253,400	286,700	312,000	341,200	387,100	429,900	486,900	546,700
	11	173,600	224,100	254,900	288,500	314,200	343,200	389,700	432,000	489,900	548,500
	12	174,900	225,600	256,200	290,300	316,200	345,200	392,300	433,900	493,000	550,400
	13	176,100	226,800	257,500	292,100	318,200	347,000	394,600	435,600	495,700	552,100
	14	177,600	228,200	258,700	293,700	320,200	349,000	396,900	437,400	498,000	553,500
	15	179,100	229,600	259,900	295,100	322,100	350,900	399,100	439,300	500,300	554,800
	16	180,700	231,000	261,100	296,500	324,000	352,800	401,400	441,200	502,600	555,900
	17	181,800	232,400	262,300	298,000	325,900	354,500	403,200	443,000	504,600	557,200
	18	183,200	234,000	263,600	300,000	327,900	356,500	405,100	444,800	506,000	558,200
	19	184,600	235,500	264,900	302,000	329,800	358,300	407,000	446,600	507,500	559,100
	20	186,000	236,900	266,200	303,800	331,700	360,200	408,800	448,300	508,900	560,000
	21	187,300	238,100	267,600	305,500	333,400	362,100	410,600	450,100	510,100	560,900
	22	189,600	239,700	269,100	307,400	335,400	364,000	412,400	451,600	511,500	
	23	191,800	241,200	270,700	309,300	337,400	365,900	414,200	453,000	513,000	
	24	194,000	242,600	272,200	311,100	339,300	367,800	416,000	454,500	514,500	
	25	196,200	243,600	273,800	312,800	340,700	369,700	417,600	455,900	515,600	
	26	197,900	245,100	275,500	314,800	342,600	371,600	419,100	457,200	516,700	
	27	199,400	246,400	277,100	316,800	344,500	373,500	420,600	458,500	517,900	
	28	200,900	247,600	278,700	318,700	346,400	375,400	422,100	459,700	519,100	
	29	202,400	248,700	280,300	320,400	348,000	376,900	423,600	460,700	520,100	
	30	203,800	249,700	281,800	322,400	349,900	378,700	424,900	461,400	521,000	
	31	205,200	250,600	283,300	324,400	351,700	380,500	426,200	462,200	521,900	
	32	206,600	251,500	284,800	326,400	353,500	382,100	427,400	462,900	522,800	
	33	208,000	252,400	285,900	327,600	355,300	383,800	428,600	463,600	523,600	
	34	209,300	253,300	287,500	329,600	357,100	385,200	429,900	464,400	524,500	
	35	210,600	254,100	289,000	331,500	358,800	386,600	431,200	465,100	525,200	
	36	211,900	254,900	290,500	333,500	360,500	388,000	432,400	465,700	525,700	
	37	213,200	255,600	291,900	335,400	361,900	389,400	433,600	466,200	526,400	
	38	214,400	256,700	293,500	337,300	363,200	390,600	434,400	466,800	527,000	
	39	215,600	257,900	295,100	339,200	364,500	391,800	435,200	467,400	527,800	
	40	216,700	259,000	296,700	341,100	365,900	392,800	436,000	468,000	528,400	

職員の区分	号俸	（1 級）	（2 級）	（3 級）	（4 級）	（5 級）	（6 級）	（7 級）	（8 級）	（9 級）	（10 級）
定年前再任用短時間勤務職員以外の職員	41	217,800	260,200	298,200	342,900	367,000	393,900	436,600	468,500	528,900	
	42	218,900	261,400	299,800	344,800	367,900	395,100	437,300	469,000		
	43	219,900	262,500	301,300	346,600	368,900	396,200	438,000	469,400		
	44	220,900	263,600	302,800	348,400	370,000	397,300	438,700	469,700		
	45	221,800	264,700	304,400	349,900	370,800	398,000	439,500	470,000		
	46	222,700	265,800	306,000	351,300	371,700	398,700	440,300			
	47	223,600	266,900	307,600	352,700	372,600	399,400	440,700			
	48	224,500	267,900	309,100	354,200	373,400	400,100	441,400			
	49	225,400	268,900	310,000	355,700	374,200	400,700	441,900			
	50	226,300	269,900	311,500	356,500	375,000	401,300	442,300			
	51	227,200	270,900	313,000	357,500	375,800	401,800	442,700			
	52	228,100	271,800	314,600	358,500	376,500	402,200	443,100			
	53	228,900	272,700	316,200	359,400	377,200	402,600	443,500			
	54	229,800	273,600	317,800	360,500	377,900	402,900	443,900			
	55	230,700	274,500	319,300	361,400	378,600	403,200	444,300			
	56	231,500	275,400	320,800	362,400	379,300	403,500	444,600			
	57	231,800	276,300	322,200	363,300	379,800	403,800	444,900			
	58	232,600	277,200	323,400	364,000	380,400	404,100	445,300			
	59	233,300	278,100	324,500	364,700	381,000	404,400	445,600			
	60	233,900	279,000	325,600	365,300	381,700	404,700	445,900			
	61	234,500	280,000	326,300	365,700	382,100	405,000	446,200			
	62	235,200	281,000	327,200	366,300	382,800	405,300				
	63	235,800	281,900	328,000	367,000	383,400	405,600				
	64	236,300	282,800	328,800	367,700	384,000	405,900				
	65	236,800	283,300	329,600	368,000	384,400	406,200				
	66	237,300	284,000	330,000	368,700	385,000	406,500				
	67	237,800	284,700	330,600	369,400	385,600	406,800				
	68	238,400	285,600	331,300	370,000	386,200	407,100				
	69	238,900	286,600	332,100	370,300	386,600	407,300				
	70	239,400	287,400	332,800	370,900	387,100	407,600				
	71	239,900	288,200	333,500	371,600	387,600	407,900				
	72	240,400	289,000	334,100	372,200	388,200	408,100				
	73	240,900	289,700	334,600	372,500	388,500	408,300				
	74	241,400	290,200	335,200	373,100	388,900	408,600				
	75	241,800	290,600	335,700	373,800	389,300	408,900				
	76	242,300	291,000	336,300	374,400	389,700	409,100				
	77	242,800	291,200	336,600	374,800	390,000	409,300				
	78	243,300	291,500	337,100	375,300	390,300	409,600				
	79	243,800	291,700	337,500	375,900	390,600	409,900				
	80	244,300	292,000	[illegible]	376,400	390,800	410,100				
	81	244,700	292,200	338,300	376,900	391,000	410,300				
	82	245,200	292,400	338,800	377,500	391,300	410,600				
	83	245,600	292,700	339,300	378,000	391,600	410,900				
	84	246,000	292,900	339,800	378,300	391,800	411,100				
	85	246,400	293,200	340,100	378,700	392,000	411,300				
	86	246,800	293,500	340,500	379,200	392,300					
	87	247,200	293,800	341,000	379,600	392,600					
	88	247,600	294,100	341,400	380,000	392,800					

		(1 級)	(2 級)	(3 級)	(4 級)	(5 級)	(6 級)	(7 級)	(8 級)	(9 級)	(10 級)
	89	248,000	294,400	341,700	380,400	393,000					
	90	248,500	294,800	342,100	380,900	393,300					
	91	248,800	295,100	342,600	381,300	393,600					
	92	249,100	295,500	343,000	381,700	393,800					
	93	249,400	295,700	343,200	382,000	394,000					
	94		295,900	343,600							
	95		296,200	344,100							
	96		296,600	344,500							
	97		296,800	344,700							
	98		297,100	345,100							
	99		297,500	345,500							
	100		297,900	345,800							
	101		298,100	346,100							
	102		298,400	346,500							
	103		298,800	346,900							
	104		299,100	347,300							
	105		299,300	347,800							
	106		299,600	348,200							
	107		300,000	348,600							
	108		300,300	349,000							
	109		300,500	349,500							
	110		300,900	349,900							
	111		301,300	350,200							
	112		301,600	350,500							
	113		301,800	351,000							
	114		302,000								
	115		302,300								
	116		302,700								
	117		302,900								
	118		303,100								
	119		303,400								
	120		303,700								
	121		304,100								
	122		304,300								
	123		304,600								
	124		304,900								
	125		305,200								
定年前再任用短時間勤務職員		基準俸給月額	基準俸給月額	基準俸給月額	基準俸給月額	基準俸給月額	基準俸給月額	基準俸給月額	基準俸給月額	基準俸給月額	基準俸給月額
		円 188,700	円 216,200	円 256,200	円 275,600	円 290,700	円 316,200	円 358,000	円 391,200	円 442,400	円 522,800

備考(一)　この表は、他の俸給表の適用を受けない全ての職員に適用する。ただし、第二十二条及び附則第三項に規定する職員を除く。

(二)　２級の１号俸を受ける職員のうち、新たにこの表の適用を受けることとなつた職員で人事院規則で定めるものの俸給月額は、この表の額にかかわらず、200,700円とする。

ロ 行政職俸給表(二)

職員の区分	職務の級	1 級	2 級	3 級	4 級	5 級
	号俸	俸給月額	俸給月額	俸給月額	俸給月額	俸給月額
		円	円	円	円	円
	1	147,100	200,200	219,900	260,200	285,500
	2	148,100	201,200	221,000	261,400	287,300
	3	149,100	202,200	221,900	262,400	288,900
	4	150,100	203,000	222,800	263,500	290,500
	5	151,200	203,700	223,800	264,200	292,100
	6	152,300	205,200	225,100	265,200	293,400
	7	153,400	206,500	226,300	266,100	294,500
	8	154,400	207,600	227,400	267,000	295,700
	9	155,300	208,900	228,700	267,600	296,900
	10	156,400	209,600	230,300	268,300	298,600
	11	157,500	210,400	231,800	269,100	300,300
	12	158,600	211,100	233,000	269,900	301,800
	13	159,500	212,200	234,100	270,700	303,100
	14	160,600	213,100	235,300	271,500	304,600
	15	161,800	214,000	236,500	272,300	306,000
	16	162,900	214,800	237,400	273,100	307,300
	17	164,000	215,700	238,000	273,800	308,800
	18	165,400	216,700	238,400	274,800	310,300
	19	166,700	217,600	238,800	275,700	311,900
	20	167,900	218,500	239,300	276,500	313,500
	21	169,000	219,200	239,800	277,400	314,500
	22	170,200	220,000	241,100	278,000	315,900
	23	171,400	220,800	242,300	278,700	317,200
	24	172,600	221,400	243,200	279,400	318,500
	25	173,700	222,100	244,300	279,900	319,600
	26	175,200	222,600	245,500	280,600	321,000
	27	176,700	223,000	246,700	281,400	322,400
	28	178,200	223,500	247,900	282,100	323,800
	29	179,600	224,100	248,700	282,900	325,300
	30	181,000	225,100	249,800	283,800	326,500
	31	182,500	226,000	251,000	284,600	327,800
	32	184,000	226,600	252,100	285,400	329,000
	33	185,400	227,100	253,200	286,100	330,000
	34	187,100	228,100	254,100	287,000	330,900
	35	188,800	229,100	255,000	287,900	332,000
	36	190,500	230,100	256,000	288,800	333,100
	37	192,200	230,600	257,000	289,400	334,200
	38	193,300	231,700	257,800	290,200	335,200
	39	194,700	232,800	258,600	291,000	336,200
	40	195,800	233,800	259,500	291,800	337,200

		（1 級）	（2 級）	（3 級）	（4 級）	（5 級）
	41	196,800	234,500	260,400	292,400	338,100
	42	198,200	235,500	261,300	293,400	339,000
	43	199,400	236,400	262,200	294,400	339,900
	44	200,600	237,200	263,200	295,300	340,800
	45	202,100	238,000	263,800	296,000	341,700
	46	203,100	238,800	264,700	296,900	342,700
	47	204,000	239,500	265,700	297,800	343,700
	48	205,100	240,100	266,600	298,600	344,600
	49	206,200	240,700	267,600	299,200	345,500
	50	207,200	241,600	268,400	299,800	346,400
	51	208,100	242,500	269,200	300,400	347,300
	52	209,100	243,300	269,900	301,100	348,100
	53	210,200	244,200	270,500	301,700	348,900
	54	211,200	245,100	271,300	302,500	349,700
	55	212,100	245,700	272,100	303,200	350,500
	56	213,000	246,400	272,900	303,900	351,200
	57	213,900	247,200	273,500	304,500	351,900
	58	214,500	247,900	274,400	305,200	352,700
	59	215,200	248,600	275,300	305,900	353,500
	60	216,000	249,200	276,200	306,500	354,100
	61	216,800	249,800	277,100	307,100	354,800
	62	217,300	250,600	278,100	307,800	355,500
	63	217,800	251,400	278,900	308,500	356,200
	64	218,300	252,000	279,800	309,100	356,900
	65	218,800	252,600	280,600	309,600	357,500
定年前再任用短時間勤務職員以外の職員	66	219,400	253,100	281,400	310,100	358,000
	67	220,000	253,500	282,200	310,700	358,500
	68	220,500	253,900	282,900	311,300	359,000
	69	220,800	254,600	283,500	311,900	359,400
	70	221,100	255,100	284,300	312,300	
	71	221,400	255,500	285,100	312,800	
	72	221,700	255,800	285,800	313,300	
	73	221,900	256,000	286,500	313,600	
	74	222,300	256,300	287,200	314,100	
	75	222,600	256,700	287,900	314,600	
	76	223,000	257,100	288,700	315,000	
	77	223,200	257,400	289,200	315,200	
	78	223,700	257,800	289,700	315,500	
	79	224,000	258,200	290,100	315,800	
	80	224,300	258,600	290,500	316,100	
	81	224,600	258,900	290,900	316,400	
	82	224,900	259,200	291,300	316,700	
	83	225,200	259,500	291,800	317,000	
	84	225,500	259,700	292,300	317,300	
	85	225,800	259,900	292,600	317,500	
	86	226,100	260,100	293,100	317,900	
	87	226,400	260,400	293,700	318,200	
	88	226,700	260,700	294,200	318,400	

	(1 級)	(2 級)	(3 級)	(4 級)	(5 級)
89	227,000	260,900	294,500	318,600	
90	227,400	261,100	295,000	318,900	
91	227,700	261,400	295,500	319,200	
92	228,000	261,600	295,800	319,500	
93	228,200	261,900	296,200	319,700	
94	228,500	262,200	296,700	320,000	
95	228,800	262,500	297,200	320,300	
96	229,100	262,700	297,700	320,500	
97	229,300	262,900	298,000	320,700	
98	229,600	263,200	298,400	321,000	
99	229,800	263,400	298,900	321,300	
100	230,100	263,700	299,400	321,500	
101	230,400	264,000	299,800	321,700	
102	230,600	264,200	300,200		
103	230,900	264,500	300,500		
104	231,200	264,800	300,800		
105	231,500	265,000	301,100		
106	232,000	265,200	301,500		
107	232,300	265,500	301,900		
108	232,600	265,700	302,300		
109	232,800	266,000	302,600		
110	233,200	266,300	303,000		
111	233,600	266,600	303,400		
112	233,900	266,800	303,700		
113	234,100	267,000	303,900		
114	234,600	267,300	304,200		
115	235,100	267,500	304,500		
116	235,600	267,700	304,700		
117	235,900	268,000	304,900		
118	236,300	268,300	305,200		
119	236,700	268,600	305,500		
120	237,000	268,900	305,700		
121	237,400	269,100	305,900		
122		269,300	306,200		
123		269,600	306,500		
124		269,900	306,700		
125		270,100	306,900		
126		270,300	307,200		
127		270,600	307,500		
128		270,900	307,700		
129		271,100	307,900		
130		271,300	308,200		
131		271,600	308,500		
132		271,900	308,700		
133		272,100	308,900		
134		272,300			
135		272,600			
136		272,900			

		(1 級)	(2 級)	(3 級)	(4 級)	(5 級)
	137		273,100			
定年前再任用短時間勤務職員		基準俸給月額	基準俸給月額	基準俸給月額	基準俸給月額	基準俸給月額
		円 194,600	円 205,700	円 224,200	円 245,000	円 275,700

備考　この表は、機器の運転操作、庁舎の監視その他の庁務及びこれらに準ずる業務に従事する職員で人事院規則で定めるものに適用する。

別表第二 専門行政職俸給表（第六条関係）

職員の区分	職務の級 / 号俸	1 級	2 級	3 級	4 級	5 級	6 級	7 級	8 級
		俸給月額	俸給月額	俸給月額	俸給月額	俸給月額	俸給月額	俸給月額	俸給月額
		円	円	円	円	円	円	円	円
	1	182,900	245,100	286,600	323,400	365,500	410,300	459,900	523,100
	2	184,400	247,000	288,800	325,600	368,100	412,700	463,000	526,000
	3	186,000	248,900	291,000	327,800	370,500	415,200	466,000	529,100
	4	187,600	250,400	293,200	329,800	372,900	417,600	469,000	532,200
	5	189,100	252,300	295,200	331,800	374,800	419,500	472,000	535,300
	6	191,200	254,400	297,500	333,800	377,300	421,600	475,000	537,600
	7	193,200	256,200	299,900	335,700	379,600	423,700	478,000	540,100
	8	195,200	258,000	302,200	337,600	382,100	425,900	481,100	542,500
	9	196,800	259,900	303,800	339,400	384,500	427,800	483,800	544,900
	10	198,500	261,500	306,300	341,300	387,100	429,900	486,900	546,700
	11	200,000	263,000	308,300	343,200	389,700	432,000	489,900	548,500
	12	201,500	264,400	310,500	345,100	392,300	433,900	493,000	550,400
	13	203,200	265,700	312,800	347,100	394,600	435,600	495,700	552,100
	14	204,600	267,400	314,600	349,100	396,900	437,400	498,000	553,500
	15	206,000	269,200	316,100	351,100	399,100	439,300	500,300	554,800
	16	207,400	270,800	317,700	352,900	401,400	441,200	502,600	555,900
	17	209,200	272,200	319,300	354,700	403,200	443,000	504,600	557,200
	18	210,900	273,800	321,300	356,600	405,100	444,800	506,000	558,200
	19	212,600	275,400	323,500	358,500	407,000	446,600	507,500	559,100
	20	214,000	277,200	325,300	360,500	408,800	448,300	508,900	560,000
	21	215,500	279,200	327,000	362,200	410,600	450,100	510,100	560,900
	22	217,300	281,200	328,900	364,000	412,400	451,600	511,500	
	23	219,100	283,100	330,700	365,900	414,200	453,000	513,000	
	24	220,700	285,200	332,500	367,800	416,000	454,500	514,500	
	25	222,200	286,800	334,200	369,700	417,600	455,900	515,600	
	26	223,700	288,900	336,200	371,600	419,100	457,200	516,700	
	27	225,300	290,700	338,100	373,500	420,600	458,500	517,900	
	28	226,700	292,600	340,000	375,400	422,100	459,700	519,100	
	29	228,000	294,700	341,700	377,300	423,600	460,700	520,100	
	30	229,400	296,100	343,600	379,200	424,900	461,400	521,000	
	31	230,700	297,700	345,400	381,100	426,200	462,200	521,900	
	32	232,100	299,300	347,100	382,800	427,400	462,900	522,800	
	33	233,400	300,700	348,300	384,000	428,600	463,600	523,600	
	34	234,900	302,100	350,100	385,600	429,900	464,400	524,500	
	35	236,500	303,500	352,000	387,100	431,200	465,100	525,200	
	36	237,800	304,700	353,900	388,600	432,400	465,700	525,700	
	37	239,000	305,900	355,600	390,100	433,600	466,200	526,400	
	38	240,500	307,300	357,400	391,000	434,400	466,800	527,000	
	39	241,900	308,600	359,200	392,000	435,200	467,400	527,800	
	40	243,200	310,000	360,900	392,900	436,000	468,000	528,400	

		（1 級）	（2 級）	（3 級）	（4 級）	（5 級）	（6 級）	（7 級）	（8 級）
定年前再任用短時間勤務職員以外の職員	41	244,100	311,400	362,600	393,900	436,600	468,500	528,900	
	42	245,500	312,800	364,000	395,100	437,300	469,000		
	43	246,500	314,200	365,400	396,200	438,000	469,400		
	44	247,900	315,700	366,800	397,300	438,700	469,700		
	45	249,100	317,200	367,800	398,200	439,500	470,000		
	46	250,100	318,700	368,900	398,900	440,300			
	47	251,000	320,200	369,900	399,600	440,700			
	48	252,000	321,500	370,900	400,300	441,400			
	49	253,000	322,500	371,600	400,800	441,900			
	50	253,800	323,700	371,900	401,300	442,300			
	51	254,600	324,900	372,400	401,800	442,700			
	52	255,400	326,100	372,900	402,200	443,100			
	53	256,200	327,100	373,300	402,600	443,500			
	54	257,300	328,100	373,800	402,900	443,900			
	55	258,400	329,000	374,400	403,200	444,300			
	56	259,500	329,900	374,900	403,500	444,600			
	57	260,700	330,600	375,400	403,800	444,900			
	58	261,900	331,300	376,000	404,100	445,300			
	59	263,000	332,000	376,600	404,400	445,600			
	60	264,100	332,800	377,100	404,700	445,900			
	61	265,100	333,400	377,500	405,000	446,200			
	62	266,100	333,900	378,000	405,300				
	63	267,100	334,500	378,600	405,600				
	64	268,000	335,000	379,200	405,900				
	65	268,900	335,400	379,700	406,200				
	66	269,900	335,600	380,300	406,500				
	67	270,800	336,000	380,600	406,800				
	68	271,700	336,500	381,100	407,100				
	69	272,700	336,800	381,700	407,300				
	70	273,600	337,300	382,200	407,600				
	71	274,500	337,700	382,700	407,900				
	72	275,400	338,100	383,200	408,100				
	73	276,300	338,600	383,700	408,300				
	74	277,200	339,100	384,200	408,600				
	75	278,100	339,600	384,700	408,900				
	76	279,000	340,000	385,100	409,100				
	77	280,000	340,200	385,500	409,300				
	78	281,000	340,600	385,800					
	79	281,800	341,100	386,100					
	80	282,700	341,500	386,300					
	81	283,200	341,800	386,500					
	82	284,000		386,800					
	83	284,800		387,100					
	84	285,700		387,300					
	85	286,600		387,500					
	86	287,400		387,800					
	87	288,200		388,100					
	88	289,000		388,300					

		(1 級)	(2 級)	(3 級)	(4 級)	(5 級)	(6 級)	(7 級)	(8 級)
	89	289,700		388,500					
	90	290,200							
	91	290,600							
	92	291,000							
	93	291,400							
定年前再任用短時間勤務職員		基準俸給月額	基準俸給月額	基準俸給月額	基準俸給月額	基準俸給月額	基準俸給月額	基準俸給月額	基準俸給月額
		円 211,100	円 241,800	円 284,300	円 316,500	円 358,000	円 391,200	円 442,400	円 522,800

備考(一)　この表は、植物防疫官、家畜防疫官、特許庁の審査官及び審判官、船舶検査官並びに航空交通管制の業務その他の専門的な知識、技術等を必要とする業務に従事する職員で人事院規則で定めるものに適用する。

(二)　1級の17号俸を受ける職員のうち、新たにこの表の適用を受けることとなつた職員で人事院規則で定めるものの俸給月額は、この表の額にかかわらず、201,800円とする。

別表第三　税務職俸給表（第六条関係）

職員の区分	職務の級 / 号俸	1 級	2 級	3 級	4 級	5 級	6 級	7 級	8 級	9 級	10 級
		俸給月額	俸給月額	俸給月額	俸給月額	俸給月額	俸給月額	俸給月額	俸給月額	俸給月額	俸給月額
		円	円	円	円	円	円	円	円	円	円
	1	180,300	239,200	272,500	302,500	326,500	351,800	384,600	425,000	459,900	523,100
	2	181,800	241,000	274,000	304,300	328,600	354,000	386,800	426,800	463,000	526,000
	3	183,500	242,800	275,400	306,000	330,600	356,200	388,700	428,700	466,000	529,100
	4	185,100	244,400	276,800	307,800	332,600	358,100	390,600	430,600	469,000	532,200
	5	186,800	246,200	278,200	309,300	334,600	360,000	392,300	432,000	472,000	535,300
	6	188,600	248,000	279,800	311,100	336,100	362,000	394,300	433,600	475,000	537,600
	7	190,400	249,700	281,400	313,000	337,600	364,000	396,100	435,200	478,000	540,100
	8	192,300	251,400	282,700	314,900	339,100	365,800	397,900	436,700	481,100	542,500
	9	194,100	252,700	283,700	316,500	340,600	367,500	399,600	438,100	483,800	544,900
	10	196,000	254,200	285,100	318,500	342,800	369,500	401,500	439,800	486,900	546,700
	11	198,000	255,700	286,400	320,500	345,000	371,500	403,500	441,400	489,900	548,500
	12	200,000	257,100	287,700	322,500	347,000	373,500	405,500	442,800	493,000	550,400
	13	201,600	258,500	288,700	324,400	348,800	375,300	407,100	443,700	495,700	552,100
	14	203,200	259,600	289,900	326,000	350,800	377,300	409,200	445,300	498,000	553,500
	15	205,000	260,600	291,000	327,500	352,700	379,300	411,200	447,100	500,300	554,800
	16	206,600	261,600	292,100	329,000	354,600	381,300	413,300	448,900	502,600	555,900
	17	208,300	262,800	293,100	330,500	356,500	382,900	415,000	450,400	504,600	557,200
	18	212,100	264,100	294,500	332,700	358,500	384,900	416,600	452,200	506,000	558,200
	19	215,900	265,300	296,000	334,800	360,400	386,800	418,200	454,000	507,500	559,100
	20	219,600	266,300	297,500	336,900	362,400	388,800	419,800	455,700	508,900	560,000
	21	222,900	267,500	299,100	338,600	364,100	390,500	421,300	457,300	510,100	560,900
	22	224,700	268,700	300,500	340,400	366,000	392,600	422,900	459,000	511,500	
	23	226,300	269,900	302,100	342,200	367,800	394,600	424,300	460,600	513,000	
	24	227,800	271,000	303,700	344,000	369,700	396,600	425,700	462,400	514,500	
	25	229,600	272,000	305,200	345,900	371,400	398,100	426,800	463,900	515,600	
	26	230,900	273,100	307,000	347,900	373,400	400,100	428,200	465,300	516,700	
	27	232,100	273,900	308,700	349,800	375,400	402,100	429,700	466,800	517,900	
	28	233,400	274,700	310,200	351,600	377,400	404,200	431,200	468,100	519,100	
	29	234,700	275,400	311,700	353,400	379,200	405,700	432,500	469,300	520,100	
	30	235,900	276,000	313,200	355,500	381,300	407,500	434,200	470,000	521,000	
	31	237,100	276,600	314,700	357,300	383,300	409,100	435,800	470,700	521,900	
	32	238,100	277,300	316,200	359,200	385,300	410,800	437,400	471,400	522,800	
	33	239,400	277,900	317,600	360,600	387,100	412,400	438,800	471,900	523,600	
	34	240,500	278,400	319,100	362,600	389,200	413,900	440,500	472,700	524,500	
	35	241,500	278,900	320,600	364,500	391,200	415,400	442,200	473,400	525,200	
	36	242,500	279,400	322,100	366,500	393,100	416,800	443,800	474,000	525,700	
	37	243,200	279,900	323,600	368,400	394,800	418,000	445,200	474,300	526,400	
	38	244,000	280,700	325,200	370,500	396,200	419,500	445,900	474,900	527,000	
	39	244,900	281,600	326,700	372,400	397,500	421,000	446,600	475,400	527,800	
	40	245,700	282,600	328,200	374,400	398,800	422,400	447,300	475,900	528,400	

		(1 級)	(2 級)	(3 級)	(4 級)	(5 級)	(6 級)	(7 級)	(8 級)	(9 級)	(10 級)
定年前再任用短時間勤務職員以外の職員	41	246,500	283,600	329,700	376,300	399,800	423,900	447,700	476,400	528,900	
	42	247,300	284,700	331,000	378,400	400,900	425,200	448,300	476,800		
	43	248,000	285,600	332,200	380,400	401,900	426,400	449,000	477,200		
	44	248,700	286,700	333,500	382,400	402,900	427,600	449,600	477,600		
	45	249,400	287,600	334,400	384,100	404,000	428,600	450,400	477,900		
	46	249,900	288,300	335,700	385,800	405,200	429,300	451,100			
	47	250,300	289,100	337,000	387,400	406,300	430,100	451,600			
	48	250,700	289,700	338,200	389,000	407,400	430,900	452,100			
	49	251,000	290,300	338,800	390,200	408,600	431,400	452,600			
	50	251,300	291,200	340,000	391,200	409,400	431,800	452,900			
	51	251,600	292,000	341,100	392,200	410,200	432,200	453,200			
	52	251,800	292,400	342,200	393,200	410,800	432,500	453,600			
	53	252,000	292,900	343,300	394,300	411,300	432,800	454,000			
	54	252,300	293,400	344,400	395,400	412,000	433,200	454,200			
	55	252,600	293,900	345,500	396,500	412,700	433,500	454,500			
	56	252,800	294,300	346,600	397,600	413,300	433,800	454,700			
	57	253,000	294,800	347,600	398,900	414,000	434,100	455,100			
	58	253,300	295,500	348,700	399,700	414,400	434,400	455,300			
	59	253,600	296,000	349,700	400,500	415,000	434,700	455,500			
	60	253,800	296,600	350,700	401,100	415,600	435,000	455,700			
	61	254,000	297,200	351,300	401,600	416,000	435,300	456,100			
	62	254,300	297,700	352,100	402,300	416,600	435,600				
	63	254,600	298,200	352,900	403,000	417,100	435,900				
	64	254,800	298,500	353,700	403,700	417,600	436,200				
	65	255,000	298,800	354,100	404,000	418,100	436,500				
	66	255,300		354,600	404,700	418,700	436,800				
	67	255,600		355,100	405,400	419,100	437,100				
	68	255,800		355,600	405,900	419,600	437,400				
	69	256,000		356,100	406,300	420,000	437,600				
	70	256,300		356,800	406,800	420,300	437,900				
	71	256,600		357,500	407,400	420,600	438,200				
	72	256,800		358,100	407,900	420,900	438,400				
	73	257,000		358,600	408,400	421,200	438,600				
	74			359,100	408,800	421,500	438,900				
	75			359,700	409,300	421,800	439,200				
	76			360,300	409,800	422,100	439,500				
	77			360,800	410,300	422,300	439,700				
	78			361,300	410,800	422,600	440,000				
	79			361,600	411,400	422,900	440,300				
	80			362,000	411,900	423,100	440,600				
	81			362,200	412,300	423,300	440,800				
	82			362,700	412,900	423,600	441,100				
	83			363,200	413,400	423,900	441,400				
	84			363,700	413,600	424,100	441,700				
	85			363,900	413,900	424,300	441,900				
	86				414,400	424,600					
	87				414,700	424,900					
	88				415,000	425,100					

		(1 級)	(2 級)	(3 級)	(4 級)	(5 級)	(6 級)	(7 級)	(8 級)	(9 級)	(10 級)
	89				415,300	425,300					
	90				415,700	425,600					
	91				416,100	425,900					
	92				416,500	426,100					
	93				416,800	426,300					
定年前再任用短時間勤務職員		基準俸給月額	基準俸給月額	基準俸給月額	基準俸給月額	基準俸給月額	基準俸給月額	基準俸給月額	基準俸給月額	基準俸給月額	基準俸給月額
		円 206,700	円 232,700	円 280,400	円 306,200	円 320,300	円 343,900	円 379,200	円 410,900	円 453,100	円 522,800

備考(一)　この表は、国税庁に勤務し、租税の賦課及び徴収に関する事務等に従事する職員で人事院規則で定めるものに適用する。

(二)　２級の１号俸を受ける職員のうち、新たにこの表の適用を受けることとなつた職員で人事院規則で定めるものの俸給月額は、この表の額にかかわらず、230,400円とする。

別表第四 公安職俸給表（第六条関係）

イ 公安職俸給表㈠

職員の区分	職務の級 / 号俸	1 級	2 級	3 級	4 級	5 級	6 級	7 級	8 級	9 級	10 級	11 級
		俸給月額	俸給月額	俸給月額	俸給月額	俸給月額	俸給月額	俸給月額	俸給月額	俸給月額	俸給月額	俸給月額
		円	円	円	円	円	円	円	円	円	円	円
	1	188,100	204,100	227,900	265,300	302,500	326,500	351,800	384,600	425,000	459,900	523,100
	2	189,900	205,800	229,900	266,800	304,300	328,600	354,000	386,800	426,800	463,000	526,000
	3	191,800	207,600	231,700	268,200	306,000	330,600	356,200	388,700	428,700	466,000	529,100
	4	193,500	209,400	233,500	269,600	307,800	332,600	358,100	390,600	430,600	469,000	532,200
	5	194,900	211,300	235,500	271,100	309,300	334,600	360,000	392,300	432,000	472,000	535,300
	6	196,800	213,400	237,000	272,400	311,100	336,100	362,000	394,300	433,600	475,000	537,600
	7	198,600	215,700	238,500	273,600	313,000	337,600	364,000	396,100	435,200	478,000	540,100
	8	200,500	217,900	240,100	274,800	314,900	339,100	365,800	397,900	436,700	481,100	542,500
	9	202,100	219,800	242,000	275,800	316,500	340,600	367,500	399,600	438,100	483,800	544,900
	10	203,800	221,900	243,600	277,000	318,500	342,800	369,500	401,500	439,800	486,900	546,700
	11	205,500	224,000	245,300	278,200	320,500	345,000	371,500	403,500	441,400	489,900	548,500
	12	207,200	225,800	246,800	279,300	322,500	347,000	373,500	405,500	442,800	493,000	550,400
	13	208,900	227,600	248,500	280,400	324,400	348,800	375,300	407,100	443,700	495,700	552,100
	14	210,900	229,400	250,400	281,700	326,000	350,800	377,300	409,200	445,300	498,000	553,500
	15	213,000	231,100	252,200	282,700	327,500	352,700	379,300	411,200	447,100	500,300	554,800
	16	215,000	232,700	254,000	283,700	329,000	354,600	381,300	413,300	448,900	502,600	555,900
	17	217,100	234,600	255,300	284,400	330,500	356,500	382,900	415,000	450,400	504,600	557,200
	18	218,900	236,000	256,800	285,800	332,700	358,500	384,900	416,600	452,200	506,000	558,200
	19	220,800	237,400	258,300	287,100	334,800	360,400	386,800	418,200	454,000	507,500	559,100
	20	222,700	238,800	259,700	288,400	336,900	362,400	388,800	419,800	455,700	508,900	560,000
	21	224,600	240,400	261,100	289,400	338,600	364,100	390,500	421,300	457,300	510,100	560,900
	22	226,400	241,900	261,900	290,400	340,400	366,000	392,600	422,900	459,000	511,500	
	23	228,000	243,500	262,700	291,600	342,200	367,800	394,600	424,300	460,600	513,000	
	24	229,500	245,100	263,600	292,700	344,000	369,700	396,600	425,700	462,400	514,500	
	25	231,400	246,700	264,500	293,600	345,900	371,400	398,100	426,800	463,900	515,600	
	26	232,800	248,300	265,600	295,100	347,900	373,100	400,100	428,200	465,300	516,700	
	27	234,100	249,900	266,700	296,700	349,800	375,400	402,100	429,700	466,800	517,900	
	28	235,500	251,400	267,600	298,200	351,600	377,400	404,200	431,200	468,100	519,100	
	29	237,200	252,400	268,400	299,800	353,400	379,200	405,700	432,500	469,300	520,100	
	30	238,900	253,900	269,400	301,500	355,500	381,300	407,500	434,200	470,000	521,000	
	31	240,500	255,400	270,500	303,200	357,300	383,300	409,100	435,800	470,700	521,900	
	32	242,000	256,800	271,400	304,900	359,200	385,300	410,800	437,400	471,400	522,800	
	33	243,500	258,000	271,900	306,200	360,600	387,100	412,400	438,800	471,900	523,600	
	34	245,200	259,000	273,100	307,800	362,600	389,200	413,900	440,500	472,700	524,500	
	35	246,800	259,900	274,100	309,500	364,500	391,200	415,400	442,200	473,400	525,200	
	36	248,400	260,800	275,100	311,100	366,500	393,100	416,800	443,800	474,000	525,700	
	37	249,400	261,800	275,700	312,700	368,400	394,800	418,000	445,200	474,300	526,400	
	38	250,900	263,000	276,600	314,100	370,500	396,200	419,500	445,900	474,900	527,000	
	39	252,400	264,100	277,400	315,600	372,400	397,500	421,000	446,600	475,400	527,800	
	40	253,800	264,900	278,200	317,100	374,400	398,800	422,400	447,300	475,900	528,400	

		（1 級）	（2 級）	（3 級）	（4 級）	（5 級）	（6 級）	（7 級）	（8 級）	（9 級）	（10 級）	（11 級）
	41	255,000	265,800	279,000	318,400	376,300	399,800	423,900	447,700	476,400	528,900	
	42	255,900	266,800	280,000	319,900	378,400	400,900	425,200	448,300	476,800		
	43	256,800	267,800	280,900	321,400	380,400	401,900	426,400	449,000	477,200		
	44	257,600	268,600	281,700	322,900	382,400	402,900	427,600	449,600	477,600		
	45	258,400	269,200	282,500	324,400	384,100	404,000	428,600	450,400	477,900		
	46	259,400	270,300	283,700	326,100	385,800	405,200	429,300	451,100			
	47	260,300	271,200	284,900	327,800	387,400	406,300	430,100	451,600			
	48	260,900	272,300	286,200	329,400	389,000	407,400	430,900	452,100			
	49	261,500	273,000	287,600	330,800	390,200	408,600	431,400	452,600			
	50	262,400	273,900	289,200	332,200	391,200	409,400	431,800	452,900			
	51	263,300	274,800	290,500	333,600	392,200	410,200	432,200	453,200			
	52	264,200	275,600	291,800	335,200	393,200	410,800	432,500	453,600			
	53	264,700	276,400	293,200	336,700	394,300	411,300	432,800	454,000			
	54	265,900	277,100	294,700	338,300	395,400	412,000	433,200	454,200			
	55	266,700	277,900	296,100	339,900	396,500	412,700	433,500	454,500			
	56	267,800	278,700	297,500	341,500	397,600	413,300	433,800	454,700			
	57	268,500	279,400	298,700	342,400	398,900	414,000	434,100	455,100			
	58	269,300	280,700	300,300	344,100	399,700	414,400	434,400	455,300			
	59	270,000	281,900	301,900	345,700	400,500	415,000	434,700	455,500			
	60	270,700	283,200	303,200	347,300	401,100	415,600	435,000	455,700			
	61	271,300	284,500	304,500	348,900	401,600	416,000	435,300	456,100			
	62	271,900	285,900	306,000	350,600	402,300	416,600	435,600				
	63	272,500	287,100	307,400	352,200	403,000	417,100	435,900				
	64	273,100	288,500	308,700	353,900	403,700	417,600	436,200				
	65	273,800	289,800	310,000	355,400	404,000	418,100	436,500				
	66	274,800	290,900	311,600	357,000	404,700	418,700	436,800				
	67	275,800	292,000	313,000	358,500	405,400	419,100	437,100				
	68	276,600	293,100	314,400	360,000	405,900	419,600	437,400				
	69	277,500	294,500	315,700	361,200	406,300	420,000	437,600				
定年前再任用短時間勤務職員以外の職員	70	278,700	295,900	317,100	362,600	406,800	420,300	437,900				
	71	279,800	297,200	318,400	363,900	407,400	420,600	438,200				
	72	281,000	298,300	319,800	365,300	407,900	420,900	438,400				
	73	282,000	299,400	320,500	366,400	408,400	421,200	438,600				
	74	283,000	300,500	322,000	367,600	408,800	421,500	438,900				
	75	284,000	301,600	323,500	368,800	409,300	421,800	439,200				
	76	285,000	302,700	325,200	370,000	409,800	422,100	439,500				
	77	286,000	303,600	327,000	371,300	410,300	422,300	439,700				
	78	287,100	305,000	328,700	372,500	410,800	422,600	440,000				
	79	288,100	306,200	330,300	373,700	411,400	422,900	440,300				
	80	288,700	307,500	331,900	374,800	411,900	423,100	440,600				
	81	289,600	308,700	333,500	375,900	412,300	423,300	440,800				
	82	290,600	310,100	335,100	377,100	412,900	423,600	441,100				
	83	291,500	311,200	336,700	378,200	413,400	423,900	441,400				
	84	292,300	312,500	338,300	379,400	413,600	424,100	441,700				
	85	293,400	313,400	339,700	380,500	413,900	424,300	441,900				
	86	294,500	314,700	341,200	381,100	414,400	424,600					
	87	295,400	316,000	342,700	381,600	414,700	424,900					
	88	296,400	317,500	344,100	382,100	415,000	425,100					

	(1 級)	(2 級)	(3 級)	(4 級)	(5 級)	(6 級)	(7 級)	(8 級)	(9 級)	(10 級)	(11 級)
89	297,400	319,000	345,400	382,700	415,300	425,300					
90	298,500	320,500	346,600	383,300	415,700	425,600					
91	299,600	321,900	347,800	383,900	416,100	425,900					
92	300,700	323,400	349,100	384,500	416,500	426,100					
93	301,200	324,600	350,400	384,800	416,800	426,300					
94	302,300	325,900	351,900	385,300							
95	303,400	327,200	353,400	385,900							
96	304,700	328,500	354,800	386,400							
97	305,800	329,700	356,100	386,800							
98	307,000	331,000	357,300	387,200							
99	308,200	332,200	358,400	387,800							
100	309,400	333,400	359,600	388,300							
101	310,500	334,800	360,700	388,700							
102	311,500	335,700	361,800	389,200							
103	312,500	336,700	362,900	389,800							
104	313,500	337,800	364,000	390,300							
105	314,300	338,900	365,200	390,600							
106	314,900	340,000	365,700	391,000							
107	315,500	341,000	366,300	391,500							
108	316,100	342,000	366,900	391,800							
109	316,600	343,200	367,500	392,100							
110	317,100	344,200	368,000	392,600							
111	317,500	345,200	368,500	393,100							
112	318,000	346,100	369,000	393,600							
113	318,800	347,000	369,400	393,900							
114	319,500	347,900	369,800	394,400							
115	320,200	348,900	370,400	394,900							
116	320,800	349,900	370,900	395,400							
117	321,400	350,900	371,300	395,700							
118	322,200	351,300	371,800	396,200							
119	322,900	351,900	372,400	396,700							
120	323,700	352,500	372,900	397,200							
121	324,300	352,800	373,100	397,600							
122	324,600	353,200	373,600	398,100							
123	325,100	353,700	374,100	398,500							
124	325,600	354,100	374,500	399,000							
125	325,900	354,500	375,000	399,400							
126		354,900	375,500								
127		355,400	376,000								
128		355,800	376,500								
129		[illegible]	376,800								
130		356,600	377,300								
131		357,000	377,800								
132		357,400	378,300								
133		357,600	378,600								
134		358,100	379,100								
135		358,500	379,500								
136		358,800	379,900								

		(1 級)	(2 級)	(3 級)	(4 級)	(5 級)	(6 級)	(7 級)	(8 級)	(9 級)	(10 級)	(11 級)
	137		359,100	380,200								
	138		359,500	380,700								
	139		360,000	381,200								
	140		360,500	381,700								
	141		360,800	382,000								
	142		361,300									
	143		361,800									
	144		362,300									
	145		362,600									
定年前再任用短時間勤務職員		基準俸給月額	基準俸給月額	基準俸給月額	基準俸給月額	基準俸給月額	基準俸給月額	基準俸給月額	基準俸給月額	基準俸給月額	基準俸給月額	基準俸給月額
		円 242,500	円 254,200	円 258,300	円 289,600	円 306,200	円 320,300	円 343,900	円 379,200	円 410,900	円 453,100	円 522,800

備考(一)　この表は、警察官、皇宮護衛官、入国警備官及び刑務所等に勤務する職員で人事院規則で定めるものに適用する。

(二)　３級の５号俸を受ける職員のうち、新たにこの表の適用を受けることとなつた職員で人事院規則で定めるものの俸給月額は、この表の額にかかわらず、230,400円とする。

ロ 公安職俸給表(二)

職員の区分	職務の級 / 号俸	1 級	2 級	3 級	4 級	5 級	6 級	7 級	8 級	9 級	10 級
		俸給月額	俸給月額	俸給月額	俸給月額	俸給月額	俸給月額	俸給月額	俸給月額	俸給月額	俸給月額
		円	円	円	円	円	円	円	円	円	円
	1	180,300	239,200	272,500	302,500	326,500	351,800	384,600	425,000	459,900	523,100
	2	181,900	241,000	274,000	304,300	328,600	354,000	386,800	426,800	463,000	526,000
	3	183,700	242,800	275,400	306,000	330,600	356,200	388,700	428,700	466,000	529,100
	4	185,400	244,400	276,800	307,800	332,600	358,100	390,600	430,600	469,000	532,200
	5	187,100	246,200	278,200	309,300	334,600	360,000	392,300	432,000	472,000	535,300
	6	189,000	248,000	279,800	311,100	336,100	362,000	394,300	433,600	475,000	537,600
	7	190,900	249,700	281,400	313,000	337,600	364,000	396,100	435,200	478,000	540,100
	8	193,000	251,400	282,700	314,900	339,100	365,800	397,900	436,700	481,100	542,500
	9	195,000	252,700	283,700	316,500	340,600	367,500	399,600	438,100	483,800	544,900
	10	197,000	254,200	285,100	318,500	342,800	369,500	401,500	439,800	486,900	546,700
	11	199,000	255,700	286,400	320,500	345,000	371,500	403,500	441,400	489,900	548,500
	12	201,100	257,100	287,700	322,500	347,000	373,500	405,500	442,800	493,000	550,400
	13	202,800	258,500	288,800	324,400	348,800	375,300	407,100	443,700	495,700	552,100
	14	204,700	259,600	289,900	326,000	350,800	377,300	409,200	445,300	498,000	553,500
	15	206,600	260,600	291,000	327,500	352,700	379,300	411,200	447,100	500,300	554,800
	16	208,400	261,600	292,100	329,000	354,600	381,300	413,300	448,900	502,600	555,900
	17	210,200	262,800	293,100	330,500	356,500	382,900	415,000	450,400	504,600	557,200
	18	213,600	264,100	294,500	332,700	358,500	384,900	416,600	452,200	506,000	558,200
	19	216,900	265,300	296,000	334,800	360,400	386,800	418,200	454,000	507,500	559,100
	20	219,900	266,300	297,500	336,900	362,400	388,800	419,800	455,700	508,900	560,000
	21	222,900	267,500	299,100	338,600	364,100	390,500	421,300	457,300	510,100	560,900
	22	224,700	268,700	300,500	340,400	366,000	392,600	422,900	459,000	511,500	
	23	226,300	269,900	302,100	342,200	367,800	394,600	424,300	460,600	513,000	
	24	227,800	271,000	303,700	344,000	369,700	396,600	425,700	462,400	514,500	
	25	229,600	272,000	305,200	345,900	371,400	398,100	426,800	463,900	515,600	
	26	230,900	273,300	307,000	347,900	373,400	400,100	428,200	465,300	516,700	
	27	232,100	274,200	308,700	349,800	375,400	402,100	429,700	466,800	517,900	
	28	233,400	275,300	310,200	351,600	377,400	404,200	431,200	468,100	519,100	
	29	234,700	276,200	311,700	353,400	379,200	405,700	432,500	469,300	520,100	
	30	235,900	277,100	313,200	355,500	381,300	407,500	434,200	470,000	521,000	
	31	237,100	278,000	314,700	357,300	383,300	409,100	435,800	470,700	521,900	
	32	238,100	278,800	316,200	359,200	385,300	410,800	437,400	471,400	522,800	
	33	239,400	279,500	317,600	360,600	387,100	412,400	438,800	471,900	523,600	
	34	240,600	280,400	319,100	362,600	389,200	413,900	440,500	472,700	524,500	
	35	241,900	281,000	320,600	364,500	391,200	415,400	442,200	473,400	525,200	
	36	243,100	281,600	322,100	366,500	393,100	416,800	443,800	474,000	525,700	
	37	244,200	282,400	323,600	368,400	394,800	418,000	445,200	474,300	526,400	
	38	245,300	283,400	325,200	370,500	396,200	419,500	445,900	474,900	527,000	
	39	246,400	284,400	326,700	372,400	397,500	421,000	446,600	475,400	527,800	
	40	247,400	285,400	328,200	374,400	398,800	422,400	447,300	475,900	528,400	

		(1 級)	(2 級)	(3 級)	(4 級)	(5 級)	(6 級)	(7 級)	(8 級)	(9 級)	(10 級)
定年前再任用短時間勤務職員以外の職員	41	248,400	286,700	329,700	376,300	399,800	423,900	447,700	476,400	528,900	
	42	249,100	287,900	331,100	378,400	400,900	425,200	448,300	476,800		
	43	249,800	289,000	332,500	380,400	401,900	426,400	449,000	477,200		
	44	250,500	290,000	334,100	382,400	402,900	427,600	449,600	477,600		
	45	251,400	291,100	335,500	384,100	404,000	428,600	450,400	477,900		
	46	252,300	292,100	337,100	385,800	405,200	429,300	451,100			
	47	253,200	293,100	338,500	387,400	406,300	430,100	451,600			
	48	254,100	294,100	340,000	389,000	407,400	430,900	452,100			
	49	254,800	295,000	340,900	390,200	408,600	431,400	452,600			
	50	255,500	296,200	342,400	391,200	409,400	431,800	452,900			
	51	256,300	297,200	343,900	392,200	410,200	432,200	453,200			
	52	257,100	298,100	345,500	393,200	410,800	432,500	453,600			
	53	257,500	299,100	346,900	394,300	411,300	432,800	454,000			
	54	258,300	300,100	348,500	395,400	412,000	433,200	454,200			
	55	259,000	301,100	350,000	396,500	412,700	433,500	454,500			
	56	259,800	302,100	351,500	397,600	413,300	433,800	454,700			
	57	260,300	303,000	352,900	398,900	414,000	434,100	455,100			
	58	261,100	304,000	354,200	399,700	414,400	434,400	455,300			
	59	261,700	304,900	355,400	400,500	415,000	434,700	455,500			
	60	262,300	305,800	356,500	401,100	415,600	435,000	455,700			
	61	263,100	306,600	357,700	401,600	416,000	435,300	456,100			
	62	263,700	307,500	358,700	402,300	416,600	435,600				
	63	264,400	308,500	359,700	403,000	417,100	435,900				
	64	265,100	309,500	360,700	403,700	417,600	436,200				
	65	265,800	310,000	361,100	404,000	418,100	436,500				
	66	266,700	310,900	361,800	404,700	418,700	436,800				
	67	267,500	311,700	362,500	405,400	419,100	437,100				
	68	268,400	312,700	363,300	405,900	419,600	437,400				
	69	269,200	313,800	364,000	406,300	420,000	437,600				
	70	270,200	314,600	364,700	406,800	420,300	437,900				
	71	271,100	315,400	365,400	407,400	420,600	438,200				
	72	272,000	316,100	365,900	407,900	420,900	438,400				
	73	272,800	316,800	366,600	408,400	421,200	438,600				
	74	273,400	317,300	367,200	408,800	421,500	438,900				
	75	274,100	317,700	367,800	409,300	421,800	439,200				
	76	274,800	318,100	368,400	409,800	422,100	439,500				
	77	275,300	318,300	368,900	410,300	422,300	439,700				
	78	276,000	318,600	369,500	410,800	422,600	440,000				
	79	276,600	318,900	370,000	411,400	422,900	440,300				
	80	277,200	319,100	370,500	411,900	423,100	440,600				
	81	277,600	319,300	370,800	412,300	423,300	440,800				
	82	278,000	319,500	371,300	412,900	423,600	441,100				
	83	278,600	319,800	371,800	413,400	423,900	441,400				
	84	279,200	320,100	372,300	413,600	424,100	441,700				
	85	279,900	320,300	372,800	413,900	424,300	441,900				
	86	280,300	320,500	373,200	414,400	424,600					
	87	280,500	320,700	373,700	414,700	424,900					
	88	280,800	321,100	374,100	415,000	425,100					

		(1 級)	(2 級)	(3 級)	(4 級)	(5 級)	(6 級)	(7 級)	(8 級)	(9 級)	(10 級)
	89	281,100	321,300	374,300	415,300	425,300					
	90		321,500	374,600	415,700	425,600					
	91		321,700	375,100	416,100	425,900					
	92		322,000	375,400	416,500	426,100					
	93		322,300	375,600	416,800	426,300					
	94		322,500	376,000							
	95		322,800	376,500							
	96		323,100	376,800							
	97		323,400	377,000							
	98		323,600	377,400							
	99		323,900	377,900							
	100		324,200	378,200							
	101		324,500	378,500							
定年前再任用短時間勤務職員		基準俸給月額	基準俸給月額	基準俸給月額	基準俸給月額	基準俸給月額	基準俸給月額	基準俸給月額	基準俸給月額	基準俸給月額	基準俸給月額
		円 213,700	円 240,900	円 283,300	円 306,200	円 320,300	円 343,900	円 379,200	円 410,900	円 453,100	円 522,800

備考(一) この表は、検察庁、公安調査庁、少年院、海上保安庁等に勤務する職員で人事院規則で定めるものに適用する。

(二) 2級の1号俸を受ける職員のうち、新たにこの表の適用を受けることとなつた職員で人事院規則で定めるものの俸給月額は、この表の額にかかわらず、230,400円とする。

別表第五　海事職俸給表（第六条関係）

イ　海事職俸給表㈠

職員の区分	職務の級 / 号俸	1 級	2 級	3 級	4 級	5 級	6 級	7 級
		俸給月額	俸給月額	俸給月額	俸給月額	俸給月額	俸給月額	俸給月額
		円	円	円	円	円	円	円
	1	193,900	246,100	287,500	332,200	365,600	420,700	490,400
	2	196,300	248,300	288,900	334,100	367,700	423,000	492,200
	3	198,900	250,200	290,300	336,100	369,800	425,300	494,000
	4	201,300	252,000	291,700	338,100	371,900	427,500	495,800
	5	203,700	254,000	292,800	340,100	373,500	429,700	497,500
	6	206,200	255,600	294,100	341,600	376,300	432,000	498,900
	7	208,700	257,200	295,400	343,000	379,100	434,300	500,300
	8	211,400	259,000	296,700	344,400	381,900	436,500	501,600
	9	213,800	260,900	297,700	345,400	384,500	438,200	502,800
	10	216,200	262,700	299,800	347,100	386,900	440,300	504,100
	11	218,600	264,400	301,900	349,100	389,200	442,400	505,400
	12	221,200	265,900	303,900	351,100	391,400	444,400	506,700
	13	223,600	267,500	306,000	352,600	393,800	446,100	508,000
	14	226,100	269,300	308,400	354,600	396,500	448,300	509,100
	15	228,800	271,000	310,600	356,700	399,100	450,400	510,200
	16	231,300	272,700	312,800	358,800	401,600	452,600	511,200
	17	233,600	274,200	315,000	360,800	404,100	454,700	512,200
	18	235,800	275,700	317,200	363,000	406,100	456,900	513,300
	19	238,000	277,300	319,300	365,100	407,800	459,100	514,500
	20	240,200	278,700	321,200	367,300	409,400	461,300	515,500
	21	242,000	280,000	323,000	369,400	410,900	463,300	516,500
	22	243,600	281,100	323,900	371,200	412,500	465,100	517,400
	23	245,100	282,200	324,700	372,600	414,300	466,800	518,300
	24	246,400	283,200	325,600	374,100	416,100	468,400	519,100
	25	247,900	284,200	326,500	375,900	417,600	469,800	519,800
	26	248,900	285,600	327,600	378,200	419,100	471,000	520,400
	27	249,800	286,900	328,600	380,500	420,700	472,200	521,000
	28	250,700	288,000	329,800	382,600	422,200	473,300	521,600
	29	252,000	289,100	330,800	384,300	423,200	474,300	522,200
	30	252,600	290,300	332,000	386,200	424,800	475,300	
	31	253,400	291,600	333,400	388,100	426,300	476,300	
	32	254,200	292,600	334,800	389,900	427,900	477,300	
	33	255,300	293,300	336,000	391,600	429,400	477,600	
	34	256,100	294,700	337,100	393,100	430,700	478,600	
	35	256,900	295,700	338,100	394,700	431,900	479,500	
	36	257,500	296,800	339,500	396,400	433,100	480,400	
	37	258,000	297,600	340,900	397,900	434,100	481,300	
	38	258,400	298,300	341,900	399,200	435,100	482,200	
	39	258,900	299,000	343,000	400,600	436,000	483,100	
	40	259,400	299,700	344,100	401,900	436,900	484,000	

		(1 級)	(2 級)	(3 級)	(4 級)	(5 級)	(6 級)	(7 級)
定年前再任用短時間勤務職員以外の職員	41	259,900	300,300	344,900	402,400	437,300	484,800	
	42	260,300	300,800	345,900	403,700	437,900	485,500	
	43	260,700	301,300	347,000	404,900	438,500	486,200	
	44	261,100	301,800	348,100	406,200	439,200	486,900	
	45	261,700	302,300	349,200	407,600	439,700	487,400	
	46	262,300	303,000	350,400	409,000	440,000	488,000	
	47	262,800	303,900	351,600	410,300	440,500	488,600	
	48	263,200	304,800	352,800	411,600	441,000	489,200	
	49	263,600	305,800	353,600	412,800	441,300	489,500	
	50	263,900	306,700	354,800	413,700	441,900	490,100	
	51	264,200	307,500	356,100	414,600	442,500	490,800	
	52	264,400	308,300	357,400	415,300	443,100	491,300	
	53	264,600	309,000	358,700	415,500	443,700	491,800	
	54	264,900	309,700	360,000	415,900	444,400	492,500	
	55	265,200	310,400	361,300	416,300	445,000	492,800	
	56	265,400	311,100	362,400	416,800	445,600	493,400	
	57	265,600	311,900	363,000	417,100	445,900	493,900	
	58	265,900	312,800	364,200	417,300	446,600		
	59	266,200	313,600	365,300	417,700	447,300		
	60	266,400	314,200	366,600	418,100	448,000		
	61	266,600	314,700	367,700	418,400	448,400		
	62	266,900	315,100	368,300	418,900	448,700		
	63	267,200	315,500	368,800	419,500	449,000		
	64	267,400	315,900	369,300	420,000	449,300		
	65	267,600	316,200	369,600	420,600	449,500		
	66	267,800	316,700	370,000	421,200	449,800		
	67	268,000	317,200	370,400	421,700	450,100		
	68	268,300	317,700	370,800	422,200	450,400		
	69	268,600	318,300	371,000	422,800	450,600		
	70			371,300	423,300	450,900		
	71			371,700	423,900	451,200		
	72			372,000	424,500	451,400		
	73			372,400	425,000	451,600		
	74			372,600	425,600			
	75			373,000	426,100			
	76			373,300	426,700			
	77			373,600	427,200			
	78			374,100	427,800			
	79			374,600	428,500			
	80			375,000	429,100			
	81			375,400	429,400			
	82			375,800	430,000			
	83			376,300	430,600			
	84			376,800	431,200			
	85			377,200	431,600			
	86			377,700	432,100			
	87			378,100	432,800			
	88			378,500	433,500			

		(1 級)	(2 級)	(3 級)	(4 級)	(5 級)	(6 級)	(7 級)
	89			379,000	433,700			
	90			379,500				
	91			380,000				
	92			380,500				
	93			380,800				
	94			381,200				
	95			381,700				
	96			382,100				
	97			382,600				
	98			382,900				
	99			383,400				
	100			383,800				
	101			384,400				
定年前再任用短時間勤務職員		基準俸給月額	基準俸給月額	基準俸給月額	基準俸給月額	基準俸給月額	基準俸給月額	基準俸給月額
		円 221,300	円 251,300	円 280,700	円 321,500	円 350,400	円 397,000	円 465,100

備考　この表は、遠洋区域又は近海区域を航行区域とする船舶その他人事院の指定する船舶に乗り組む船長、航海士、機関長、機関士等で人事院規則で定めるものに適用する。

ロ　海事職俸給表(二)

職員の区分	職務の級	1 級	2 級	3 級	4 級	5 級	6 級
	号俸	俸給月額	俸給月額	俸給月額	俸給月額	俸給月額	俸給月額
		円	円	円	円	円	円
	1	166,600	213,500	248,700	278,400	307,700	331,600
	2	167,800	215,900	249,900	279,600	308,500	333,200
	3	169,000	218,300	250,900	280,900	309,400	334,500
	4	170,100	220,700	251,500	282,200	310,200	335,800
	5	171,200	222,900	252,100	283,600	310,900	336,800
	6	172,600	224,700	253,700	285,400	312,000	338,000
	7	174,000	226,700	255,300	287,100	313,000	339,200
	8	175,400	228,600	256,500	288,300	314,000	340,300
	9	176,600	230,300	257,900	289,200	315,000	341,600
	10	178,200	231,800	259,100	290,600	316,000	342,700
	11	180,000	233,300	260,300	292,000	317,000	344,100
	12	181,700	234,700	261,500	293,200	318,000	345,300
	13	183,100	236,000	262,900	294,200	318,700	346,600
	14	184,600	237,000	264,500	295,200	319,600	347,900
	15	186,300	237,800	266,100	296,200	320,300	349,100
	16	187,900	238,500	267,400	297,200	321,100	350,400
	17	189,400	239,000	268,800	298,100	321,800	351,600
	18	191,100	240,300	270,600	299,200	322,400	352,600
	19	192,900	241,500	272,500	300,300	322,900	353,500
	20	194,600	242,500	273,900	301,400	323,400	354,400
	21	196,200	243,300	275,200	302,400	323,900	355,300
	22	198,200	244,300	276,200	303,600	324,400	356,800
	23	200,100	245,200	277,400	304,900	324,800	358,300
	24	202,000	246,100	278,600	306,200	325,200	359,600
	25	203,700	247,200	280,100	307,200	325,600	360,600
	26	205,300	248,300	281,200	308,400	326,100	362,000
	27	207,200	249,400	282,400	309,500	326,600	363,300
	28	209,000	250,500	283,500	310,700	327,100	364,500
	29	210,500	251,500	284,400	311,600	327,600	365,800
	30	212,400	252,900	285,900	312,300	328,100	367,100
	31	214,500	254,200	287,300	313,200	328,600	368,400
	32	216,400	255,400	288,500	314,000	329,100	369,800
	33	218,200	256,100	289,800	314,700	329,700	370,700
	34	219,500	256,700	291,100	315,200	330,200	371,700
	35	221,100	257,200	292,400	315,700	330,600	372,700
	36	222,300	257,700	293,700	316,200	331,000	373,700
	37	223,400	258,200	294,900	316,800	331,300	374,600
	38	225,000	258,900	296,100	317,500	331,700	375,600
	39	226,400	259,600	297,100	318,200	332,100	376,600
	40	227,700	260,300	298,200	318,900	332,500	377,500

		（1 級）	（2 級）	（3 級）	（4 級）	（5 級）	（6 級）
定年前再任用短時間勤務職員以外の職員	41	229,100	260,900	299,600	319,400	332,900	378,400
	42	230,300	262,000	300,600	319,900	333,600	379,400
	43	231,400	263,100	301,700	320,500	334,200	380,300
	44	232,600	264,100	302,800	321,200	334,800	381,200
	45	233,800	264,900	303,800	322,000	335,400	382,100
	46	234,800	266,100	304,700	322,400	336,100	382,900
	47	235,800	267,300	305,500	322,800	336,800	383,800
	48	236,800	268,300	306,300	323,200	337,500	384,600
	49	238,200	269,100	307,100	323,500	338,000	385,400
	50	239,300	270,400	307,900	323,900	338,400	386,400
	51	240,200	271,700	308,600	324,200	338,800	387,200
	52	241,100	273,000	309,500	324,500	339,200	387,900
	53	242,200	273,800	310,400	324,800	339,500	388,700
	54	243,100	274,900	311,200	325,400	339,900	389,500
	55	244,000	275,900	312,000	326,000	340,500	390,200
	56	244,900	276,800	312,800	326,500	341,100	390,900
	57	245,700	277,500	313,500	326,800	341,400	391,800
	58	246,500	278,500	314,200	327,200	341,900	392,600
	59	247,300	279,300	314,800	327,700	342,400	393,400
	60	248,100	280,100	315,400	328,200	342,800	394,100
	61	248,900	280,900	316,000	328,700	343,000	394,600
	62	249,700	281,700	316,600	329,100	343,400	395,300
	63	250,600	282,500	317,200	329,600	343,700	395,900
	64	251,400	283,400	317,700	329,800	344,100	396,600
	65	251,900	284,300	318,200	330,000	344,300	397,200
	66	252,700	285,200	319,000	330,300	344,700	397,700
	67	253,400	286,000	319,600	330,900	345,100	398,100
	68	254,100	286,800	320,200	331,400	345,500	398,500
	69	254,800	287,600	320,900	331,700	345,900	399,200
	70	255,300	288,200	321,500	332,000	346,300	
	71	255,800	288,700	322,000	332,300	346,600	
	72	256,300	289,300	322,600	332,500	347,100	
	73	256,700	289,800	322,800	332,700	347,600	
	74	257,000	290,300	323,200	332,900	348,100	
	75	257,300	290,800	323,500	333,100	348,600	
	76	257,500	291,100	323,800	333,300	348,800	
	77	257,700	291,300	324,100	333,700	349,100	
	78	258,000	291,600	324,400	333,900	349,500	
	79	258,300	291,900	325,000	334,200	349,900	
	80	258,500	292,100	325,500	334,500	350,300	
	81	258,700	292,400	326,100	334,800	350,700	
	82	259,000	293,000	326,500	335,100	351,000	
	83	259,200	293,300	326,800	335,400	351,400	
	84	259,400	293,600	327,000	335,700	351,700	
	85	259,700	293,900	327,200	336,000	352,100	
	86		294,200	327,500	336,300	352,500	
	87		294,500	327,700	336,600	352,900	
	88		294,700	327,900	336,900	353,300	

		(1 級)	(2 級)	(3 級)	(4 級)	(5 級)	(6 級)
	89		294,900	328,200	337,100	353,700	
	90		295,100	328,500	337,400		
	91		295,400	328,700	337,700		
	92		295,700	329,000	338,100		
	93		295,900	329,200	338,500		
	94		296,200	329,400	338,700		
	95		296,500	329,700	339,000		
	96		296,700	330,000	339,200		
	97		296,900	330,200	339,500		
	98		297,100	330,500	339,800		
	99		297,300	330,700	340,100		
	100		297,600	331,000	340,400		
	101		297,900	331,200	340,600		
	102		298,200	331,400	340,900		
	103		298,400	331,600	341,200		
	104		298,600	331,800	341,500		
	105		298,900	332,200	341,700		
	106			332,400	342,100		
	107			332,600	342,300		
	108			332,900	342,500		
	109			333,200	342,800		
	110			333,400			
	111			333,700			
	112			334,000			
	113			334,200			
定年前再任用短時間勤務職員		基準俸給月額	基準俸給月額	基準俸給月額	基準俸給月額	基準俸給月額	基準俸給月額
		円 216,100	円 230,600	円 232,600	円 254,700	円 283,200	円 313,100

備考　この表は、船舶に乗り組む職員（海事職俸給表(一)の適用を受ける者を除く。）で人事院規則で定めるものに適用する。

別表第六　教育職俸給表（第六条関係）

イ　教育職俸給表㈠

職員の区分	職務の級 / 号俸	1 級	2 級	3 級	4 級	5 級
		俸給月額	俸給月額	俸給月額	俸給月額	俸給月額
		円	円	円	円	円
	1	233,100	290,700	335,600	410,200	535,900
	2	235,400	293,300	338,500	412,500	538,900
	3	237,600	295,700	341,500	414,600	542,000
	4	239,600	298,000	344,500	416,700	545,100
	5	241,700	300,300	347,400	418,600	548,100
	6	243,400	302,600	349,800	421,000	550,500
	7	245,100	304,700	352,300	423,200	553,000
	8	246,900	306,900	354,700	425,500	555,400
	9	249,000	309,200	357,200	427,200	557,700
	10	251,300	311,600	359,800	429,700	559,500
	11	253,600	314,000	362,400	431,900	561,400
	12	255,600	316,400	365,200	434,100	563,300
	13	257,700	318,700	367,800	435,500	565,000
	14	260,100	320,700	369,500	437,700	566,400
	15	262,400	322,700	371,700	439,900	567,700
	16	264,700	324,400	373,900	442,200	568,900
	17	266,600	326,400	375,600	444,300	570,200
	18	269,400	328,200	377,600	446,600	571,000
	19	272,200	330,000	379,600	448,800	571,700
	20	274,900	331,700	381,400	451,100	572,400
	21	277,600	333,100	383,200	453,100	573,200
	22	280,200	335,500	384,700	455,400	
	23	282,700	337,600	385,900	457,800	
	24	285,100	339,800	387,100	460,100	
	25	287,500	341,600	388,200	462,100	
	26	290,000	343,500	389,900	464,200	
	27	292,400	345,600	391,600	466,300	
	28	294,900	347,700	393,300	468,400	
	29	297,300	349,600	395,000	470,400	
	30	299,600	351,500	396,600	472,700	
	31	301,800	353,300	398,000	474,900	
	32	304,000	355,000	399,300	476,800	
	33	306,200	356,900	400,900	478,700	
	34	308,400	358,500	402,500	480,800	
	35	310,900	360,000	404,000	483,000	
	36	313,100	361,400	405,700	485,000	
	37	315,400	362,800	406,800	487,100	
	38	316,700	364,800	408,300	489,100	
	39	318,300	366,700	409,800	491,000	
	40	319,700	368,400	411,000	492,900	

	号俸	（1 級）	（2 級）	（3 級）	（4 級）	（5 級）
	41	321,100	370,100	411,900	494,900	
	42	321,500	371,900	413,500	496,800	
	43	321,900	373,500	415,000	498,500	
	44	322,300	374,900	416,600	500,400	
	45	322,900	376,600	417,900	502,300	
	46	323,400	378,300	419,400	504,100	
	47	324,200	379,800	420,800	505,900	
	48	325,000	381,300	422,300	507,700	
	49	325,600	382,800	423,600	509,400	
	50	326,300	384,400	424,800	511,100	
	51	327,000	385,900	426,100	512,900	
	52	327,700	387,500	427,300	514,800	
	53	328,700	388,600	428,000	516,300	
	54	329,400	390,100	428,900	517,900	
	55	329,800	391,500	429,800	519,600	
	56	330,400	393,100	430,700	521,200	
	57	330,800	394,400	431,500	522,800	
	58	331,500	395,800	432,400	524,100	
	59	332,200	397,100	433,300	525,400	
	60	332,800	398,400	434,100	526,600	
	61	333,500	399,600	434,800	527,800	
定年前再任用短時間勤務職員以外の職員	62	334,400	401,000	435,700	528,800	
	63	335,300	402,400	436,700	529,800	
	64	336,100	403,800	437,600	530,800	
	65	336,800	404,800	438,500	531,400	
	66	337,800	405,900	439,400	532,300	
	67	338,500	406,900	440,400	533,200	
	68	339,500	408,000	441,300	534,100	
	69	340,100	408,900	442,300	535,000	
	70	341,000	409,700	443,300	535,800	
	71	341,900	410,500	444,200	536,500	
	72	342,800	411,200	445,200	537,000	
	73	343,100	411,900	446,200	537,700	
	74	344,100	412,800	447,100	538,200	
	75	345,100	413,600	448,000	539,000	
	76	346,100	414,300	449,000	539,600	
	77	347,100	414,900	449,800	540,100	
	78	348,000	415,300	450,300		
	79	348,900	415,600	451,000		
	80	349,800	415,900	451,600		
	81	350,700	416,200	452,400		
	82	351,600	416,500	453,100		
	83	352,500	416,700	453,400		
	84	353,400	417,000	454,000		
	85	354,000	417,200	454,400		
	86	354,600	417,500	454,700		
	87	355,200	417,800	455,000		
	88	355,800	418,100	455,300		

		(1 級)	(2 級)	(3 級)	(4 級)	(5 級)
	89	356,300	418,300	455,600		
	90	356,700	418,600			
	91	357,100	418,900			
	92	357,500	419,200			
	93	357,900	419,400			
	94	358,300	419,700			
	95	358,800	420,000			
	96	359,200	420,300			
	97	359,800	420,500			
	98	360,300	420,800			
	99	360,700	421,100			
	100	361,200	421,300			
	101	361,600	421,500			
	102	362,100	421,800			
	103	362,400	422,100			
	104	362,800	422,300			
	105	363,300	422,500			
	106	363,700				
	107	364,200				
	108	364,700				
	109	365,100				
	110	365,600				
	111	366,100				
	112	366,500				
	113	366,900				
	114	367,300				
	115	367,800				
	116	368,200				
	117	368,600				
	118	369,000				
	119	369,500				
	120	369,900				
	121	370,200				
	122	370,600				
	123	371,100				
	124	371,400				
	125	371,800				
	126	372,300				
	127	372,800				
	128	373,200				
	129	373,600				
定年前再任用短時間勤務職員		基準俸給月額	基準俸給月額	基準俸給月額	基準俸給月額	基準俸給月額
		円 283,800	円 294,800	円 316,800	円 401,000	円 535,500

備考　この表は、大学に準ずる教育施設で人事院の指定するものに勤務し、学生の教育、学生の研究の指導及び研究に係る業務に従事する職員その他の職員で人事院規則で定めるものに適用する。

ロ　教育職俸給表(二)

職員の区分	職務の級 / 号俸	1級 俸給月額	2級 俸給月額	3級 俸給月額
		円	円	円
	1	201,700	234,600	290,700
	2	204,200	236,700	293,300
	3	206,900	238,600	295,700
	4	209,500	240,500	298,000
	5	212,300	242,400	300,300
	6	215,100	244,100	302,600
	7	217,900	245,700	304,900
	8	220,700	247,300	307,100
	9	223,500	249,300	309,200
	10	226,000	251,600	311,700
	11	228,600	253,900	314,100
	12	230,900	255,900	316,500
	13	233,100	257,900	318,700
	14	234,700	260,200	320,700
	15	236,400	262,400	322,700
	16	237,900	264,600	324,400
	17	239,600	266,700	326,600
	18	240,900	269,500	328,800
	19	242,100	272,300	331,000
	20	243,300	275,000	333,200
	21	245,000	277,600	335,100
	22	246,800	280,200	337,600
	23	248,600	282,700	339,900
	24	250,300	285,100	342,500
	25	251,900	287,500	344,900
	26	253,700	290,000	347,400
	27	255,600	292,400	350,000
	28	257,400	294,900	352,600
	29	259,000	297,300	354,900
	30	260,600	299,400	357,200
	31	262,200	301,400	359,400
	32	263,800	303,400	361,600
	33	265,400	305,200	363,800
	34	267,000	307,300	365,500
	35	268,500	309,400	366,900
	36	269,800	311,300	368,300
	37	270,800	313,100	370,000
	38	272,200	314,700	372,100
	39	273,600	316,200	374,100
	40	275,000	317,600	376,100

		(1 級)	(2 級)	(3 級)
定年前再任用短時間勤務職員以外の職員	41	276,300	318,800	378,100
	42	277,400	320,700	380,000
	43	278,300	322,300	381,800
	44	279,100	324,300	383,600
	45	280,000	326,000	385,100
	46	280,800	327,900	386,800
	47	281,400	330,000	388,600
	48	282,100	332,000	390,500
	49	282,800	334,000	391,400
	50	283,300	336,100	393,100
	51	283,700	338,100	394,700
	52	284,200	340,100	396,300
	53	284,700	342,100	397,300
	54	285,200	343,300	398,900
	55	285,700	344,500	400,400
	56	286,200	345,700	402,100
	57	286,700	347,100	403,400
	58	287,600	348,900	405,000
	59	288,500	350,600	406,600
	60	289,500	352,300	408,100
	61	290,400	353,900	409,300
	62	291,600	355,600	410,900
	63	292,600	357,200	412,400
	64	293,600	358,800	413,900
	65	294,500	360,500	415,300
	66	295,400	362,200	416,200
	67	296,300	363,900	417,100
	68	297,300	365,400	418,000
	69	298,000	366,900	418,900
	70	298,700	368,600	419,900
	71	299,400	370,200	420,900
	72	300,100	371,800	421,700
	73	300,800	373,100	422,400
	74	301,700	374,700	423,200
	75	302,600	376,100	424,100
	76	303,400	377,700	425,000
	77	304,100	379,300	426,000
	78	304,900	381,000	427,000
	79	305,700	382,500	427,900
	80	306,500	384,100	428,800
	81	307,200	385,500	429,500
	82	308,000	386,900	430,400
	83	308,800	388,400	431,300
	84	309,600	389,900	432,100
	85	310,000	390,900	433,000
	86	310,700	392,200	433,800
	87	311,400	393,600	434,600
	88	312,300	395,000	435,500

	(1 級)	(2 級)	(3 級)
89	313,200	396,100	436,200
90	314,000	397,200	436,700
91	314,700	398,200	437,300
92	315,400	399,300	437,700
93	316,000	400,100	438,200
94	316,700	401,200	438,700
95	317,300	402,300	439,100
96	317,900	403,200	439,500
97	318,300	404,100	439,700
98	318,700	405,000	440,100
99	319,100	405,900	440,400
100	319,400	406,800	440,700
101	319,700	407,600	441,000
102	320,000	408,600	
103	320,300	409,600	
104	320,600	410,600	
105	321,000	411,200	
106	321,500	411,900	
107	322,000	412,600	
108	322,400	413,200	
109	322,800	413,700	
110	323,300	414,100	
111	323,700	414,400	
112	324,200	414,700	
113	324,500	414,900	
114	325,000	415,200	
115	325,400	415,500	
116	325,800	415,800	
117	326,100	416,000	
118	326,500	416,300	
119	327,000	416,600	
120	327,500	416,800	
121	327,700	417,000	
122	328,100	417,300	
123	328,600	417,600	
124	328,900	417,800	
125	329,100	418,000	
126	329,400		
127	329,900		
128	330,300		
129	330,500		
130	330,900		
131	331,400		
132	331,800		
133	332,000		
134	332,400		
135	332,900		
136	333,200		

		(1 級)	(2 級)	(3 級)
	137	333,500		
	138	333,900		
	139	334,300		
	140	334,700		
	141	335,100		
定年前再任用短時間勤務職員		基準俸給月額	基準俸給月額	基準俸給月額
		円 248,600	円 294,200	円 311,800

備考　この表は、高等専門学校に準ずる教育施設で人事院の指定するものに勤務し、職業に必要な技術の教授を行う職員その他の職員で人事院規則で定めるものに適用する。

別表第七 研究職俸給表（第六条関係）

職員の区分	職務の級 号俸	1 級 俸給月額	2 級 俸給月額	3 級 俸給月額	4 級 俸給月額	5 級 俸給月額	6 級 俸給月額
		円	円	円	円	円	円
	1	162,500	210,100	291,600	338,900	391,500	524,700
	2	163,600	213,200	294,000	341,000	394,300	527,800
	3	164,800	215,900	296,300	342,900	396,900	530,900
	4	165,900	218,400	298,600	344,600	399,600	534,000
	5	167,000	220,900	300,700	346,300	401,700	537,100
	6	168,300	222,600	302,600	347,800	404,400	539,500
	7	169,600	224,300	304,400	349,200	407,100	541,900
	8	170,900	226,200	306,100	350,400	409,800	544,300
	9	171,900	228,100	307,800	351,900	412,300	546,700
	10	173,600	230,300	310,100	353,800	414,900	548,400
	11	175,200	232,700	312,300	355,800	417,600	550,300
	12	176,900	234,700	314,700	357,500	420,200	552,200
	13	178,300	236,700	316,500	359,300	422,800	553,900
	14	180,200	239,100	318,800	361,100	425,500	555,200
	15	182,100	241,600	321,200	362,700	428,300	556,400
	16	184,100	243,900	323,500	364,200	431,000	557,400
	17	185,800	246,100	325,700	365,700	433,500	558,500
	18	187,900	248,500	327,900	367,600	436,000	559,200
	19	190,100	251,100	329,800	369,300	438,500	559,800
	20	192,100	253,600	331,700	371,200	440,900	560,400
	21	194,100	256,000	333,700	372,700	443,300	561,100
	22	196,100	258,300	335,100	374,600	445,900	
	23	198,100	260,500	336,300	376,300	448,500	
	24	199,900	262,700	337,700	378,000	450,800	
	25	201,700	265,000	339,300	379,400	453,000	
	26	203,900	267,300	341,000	381,100	455,300	
	27	206,000	269,500	342,800	383,000	457,000	
	28	208,100	271,600	344,400	384,900	460,200	
	29	210,200	273,900	346,000	386,600	462,700	
	30	211,300	276,000	347,600	388,400	465,200	
	31	212,600	277,900	349,000	390,300	467,700	
	32	213,900	279,700	350,300	392,100	470,100	
	33	215,600	281,400	351,500	393,600	472,400	
	34	217,300	283,400	352,900	395,400	474,800	
	35	219,100	285,400	354,200	397,000	477,200	
	36	220,700	287,200	355,500	398,700	479,700	
	37	222,200	288,900	356,700	399,900	482,100	
	38	224,100	290,000	357,900	401,300	484,600	
	39	226,000	291,100	359,100	402,700	487,000	
	40	227,700	292,200	360,300	404,100	489,500	

		(1 級)	(2 級)	(3 級)	(4 級)	(5 級)	(6 級)
定年前再任用短時間勤務職員以外の職員	41	229,400	293,200	361,000	405,400	491,800	
	42	231,000	293,900	362,100	406,700	494,000	
	43	232,700	294,400	363,300	408,200	496,200	
	44	234,200	294,900	364,400	409,700	498,400	
	45	235,700	295,400	365,500	410,900	500,000	
	46	237,200	296,300	366,700	412,100	501,500	
	47	238,700	297,300	367,900	413,700	503,100	
	48	240,100	298,200	369,000	415,200	504,600	
	49	241,500	299,200	370,000	416,500	506,300	
	50	243,200	300,200	371,300	417,900	507,700	
	51	244,800	301,100	372,600	419,300	509,100	
	52	246,200	302,000	373,800	420,700	510,600	
	53	247,400	303,000	374,500	422,100	511,700	
	54	249,000	303,900	375,500	423,500	512,900	
	55	250,600	304,700	376,400	424,900	514,100	
	56	252,000	305,500	377,200	426,300	515,300	
	57	253,200	305,900	377,900	427,400	516,200	
	58	254,400	306,600	378,600	428,700	517,200	
	59	255,300	307,500	379,300	430,100	518,200	
	60	256,200	308,200	380,000	431,400	519,200	
	61	257,100	308,900	380,600	432,200	520,300	
	62	257,900	309,900	381,300	433,100	521,200	
	63	258,700	310,800	382,100	434,100	521,900	
	64	259,500	311,700	382,900	435,000	522,600	
	65	260,300	312,500	383,500	435,900	523,400	
	66	261,100	313,400	384,300	436,700	524,200	
	67	261,800	314,300	385,000	437,300	525,000	
	68	262,400	315,200	385,700	438,100	525,800	
	69	263,000	316,100	386,300	438,500	526,500	
	70	264,000	317,100	387,000	439,100	527,300	
	71	265,200	318,100	387,700	439,600	528,100	
	72	266,200	319,100	388,400	440,100	528,900	
	73	267,400	319,600	389,100	440,600	529,600	
	74	268,600	320,600	389,700			
	75	269,600	321,700	390,300			
	76	270,600	322,700	391,000			
	77	271,600	323,800	391,700			
	78	272,600	324,800	392,300			
	79	273,600	325,700	392,900			
	80	274,500	326,600	393,500			
	81	275,500	327,500	394,100			
	82	276,600	328,300	394,700			
	83	277,700	329,000	395,300			
	84	278,600	329,600	395,900			
	85	279,500	330,100	396,400			
	86	280,400	330,600	396,900			
	87	281,300	331,100	397,400			
	88	282,000	331,500	398,100			

		(1 級)	(2 級)	(3 級)	(4 級)	(5 級)	(6 級)
	89	282,800	331,800	398,500			
	90	283,900	332,300				
	91	284,900	332,800				
	92	285,900	333,200				
	93	286,800	333,500				
	94	287,700	333,900				
	95	288,700	334,300				
	96	289,600	334,700				
	97	289,900	335,200				
	98	290,800	335,700				
	99	291,500	336,200				
	100	292,400	336,700				
	101	293,300	337,200				
	102	293,900	337,700				
	103	294,600	338,200				
	104	295,300	338,700				
	105	295,800	339,100				
	106	296,300	339,500				
	107	296,800	340,000				
	108	297,200	340,400				
	109	297,400	340,900				
	110	297,800	341,300				
	111	298,100	341,800				
	112	298,300	342,200				
	113	298,600	342,700				
	114	298,900	343,100				
	115	299,200	343,600				
	116	299,500	344,000				
	117	299,800	344,500				
	118	300,100	344,900				
	119	300,300	345,300				
	120	300,600	345,700				
	121	300,900	346,100				
定年前再任用短時間勤務職員		基準俸給月額	基準俸給月額	基準俸給月額	基準俸給月額	基準俸給月額	基準俸給月額
		円 218,500	円 259,700	円 284,500	円 327,000	円 385,700	円 524,500

備考　この表は、試験所、研究所等で人事院の指定するものに勤務し、試験研究又は調査研究業務に従事する職員で人事院規則で定めるものに適用する。

別表第八　医療職俸給表（第六条関係）

イ　医療職俸給表(一)

職員の区分	職務の級	1 級	2 級	3 級	4 級	5 級
	号俸	俸給月額	俸給月額	俸給月額	俸給月額	俸給月額
		円	円	円	円	円
	1	264,700	346,600	406,900	474,700	568,100
	2	267,200	349,600	409,600	477,000	571,200
	3	269,600	352,400	412,100	479,200	574,300
	4	272,000	355,300	414,700	481,500	577,400
	5	274,100	357,800	417,100	483,700	580,300
	6	277,600	360,800	419,100	485,800	582,700
	7	281,100	363,800	420,900	488,000	585,100
	8	284,500	366,600	422,800	490,000	587,500
	9	288,100	368,700	424,600	491,900	589,700
	10	291,600	371,200	427,300	494,000	591,200
	11	295,200	373,900	429,800	496,100	592,700
	12	298,700	376,400	432,200	498,200	594,200
	13	302,200	379,100	434,400	500,300	595,700
	14	306,100	382,500	436,900	502,200	596,800
	15	310,000	385,500	438,900	504,300	597,900
	16	313,600	388,800	441,000	506,400	598,800
	17	317,200	391,800	443,000	508,300	600,000
	18	320,700	394,400	445,200	510,300	601,000
	19	324,200	396,800	447,400	512,300	602,000
	20	327,700	399,300	449,500	514,100	603,000
	21	331,300	401,900	450,900	515,900	604,000
	22	335,000	403,900	453,300	517,700	
	23	338,400	405,500	455,600	519,500	
	24	341,700	407,100	457,800	521,300	
	25	345,000	408,800	459,800	522,900	
	26	347,500	411,000	462,100	524,700	
	27	350,000	413,100	464,300	526,500	
	28	352,300	415,100	466,600	528,300	
	29	354,400	417,200	468,700	529,900	
	30	356,100	419,300	470,900	531,700	
	31	357,800	420,900	473,200	533,500	
	32	359,600	422,600	475,300	535,300	
	33	361,500	424,500	477,100	536,900	
	34	363,700	426,000	479,200	538,700	
	35	365,800	427,800	481,300	540,400	
	36	367,800	429,600	483,300	542,100	
	37	369,700	431,500	485,400	543,700	
	38	371,900	433,500	487,100	545,300	
	39	374,000	435,300	488,900	546,700	
	40	376,000	437,200	490,700	548,300	

		（1 級）	（2 級）	（3 級）	（4 級）	（5 級）
定年前再任用短時間勤務職員以外の職員	41	378,000	439,000	492,300	549,800	
	42	378,700	440,700	494,100	551,200	
	43	379,300	442,400	495,900	552,600	
	44	380,000	444,200	497,500	553,900	
	45	380,900	446,000	498,900	555,100	
	46	382,200	447,800	500,600	556,100	
	47	383,500	449,500	502,400	557,100	
	48	384,800	451,200	504,100	558,100	
	49	385,600	452,800	505,600	559,100	
	50	386,400	454,500	506,900	560,000	
	51	387,200	456,200	508,200	560,900	
	52	387,700	457,900	509,500	561,800	
	53	388,500	459,800	510,500	562,600	
	54	389,300	461,000	511,800	563,500	
	55	390,000	462,200	513,100	564,400	
	56	390,700	463,400	514,400	565,300	
	57	391,400	464,400	515,400	566,200	
	58	392,300	465,400	516,200	567,100	
	59	393,000	466,300	517,000	568,000	
	60	393,600	467,100	517,800	568,700	
	61	394,100	467,900	518,700	569,600	
	62	394,600	468,600	519,500	570,500	
	63	395,000	469,300	520,400	571,400	
	64	395,400	469,900	521,200	572,300	
	65	395,700	470,600	522,100	573,200	
	66		471,300	523,000		
	67		471,900	523,700		
	68		472,500	524,600		
	69		472,800	525,500		
	70		473,400	526,300		
	71		474,100	527,200		
	72		474,800	528,100		
	73		475,200	528,900		
	74		475,800	529,800		
	75		476,500	530,700		
	76		477,200	531,400		
	77		477,600	532,200		
	78		478,200	533,100		
	79		478,800	534,000		
	80		479,300	534,900		
	81		479,900	535,700		
	82		480,400	536,600		
	83		480,900	537,500		
	84		481,400	538,400		
	85		481,800	539,200		
	86		482,400	540,100		
	87		482,800	541,000		
	88		483,300	541,900		

		(1 級)	(2 級)	(3 級)	(4 級)	(5 級)
	89		483,800	542,700		
	90		484,400			
	91		485,000			
	92		485,400			
	93		485,900			
	94		486,500			
	95		487,100			
	96		487,600			
	97		488,100			
定年前再任用短時間勤務職員		基準俸給月額	基準俸給月額	基準俸給月額	基準俸給月額	基準俸給月額
		円 297,300	円 339,700	円 394,300	円 467,400	円 567,400

備考　この表は、病院、療養所、診療所等に勤務する医師及び歯科医師で人事院規則で定めるものに適用する。

ロ 医療職俸給表(二)

職員の区分	職務の級 / 号俸	1 級	2 級	3 級	4 級	5 級	6 級	7 級	8 級
		俸給月額	俸給月額	俸給月額	俸給月額	俸給月額	俸給月額	俸給月額	俸給月額
		円	円	円	円	円	円	円	円
	1	167,200	202,800	236,100	258,800	287,400	330,400	373,400	438,600
	2	168,600	204,400	237,400	259,900	289,200	332,400	376,000	441,200
	3	170,000	205,900	238,700	261,100	291,200	334,300	378,600	443,700
	4	171,400	207,300	239,900	262,200	293,100	336,200	381,200	446,300
	5	172,700	208,800	241,100	263,400	294,900	338,000	383,500	448,700
	6	174,500	210,000	242,300	264,600	296,900	340,000	386,200	451,200
	7	176,200	211,200	243,400	265,700	298,700	342,000	388,800	453,700
	8	177,800	212,400	244,500	266,700	300,600	344,000	391,500	456,200
	9	179,400	213,800	245,400	267,800	302,400	345,800	393,600	458,600
	10	181,100	215,300	246,500	268,500	304,000	347,900	395,800	461,000
	11	182,700	216,800	247,800	269,200	305,500	349,900	398,000	463,600
	12	184,600	218,300	248,900	270,000	307,100	351,900	400,200	466,000
	13	186,000	219,700	250,200	271,000	308,800	353,400	402,200	468,500
	14	187,800	221,200	251,400	272,000	310,700	355,400	404,200	470,000
	15	189,800	222,700	252,600	273,000	312,700	357,300	406,200	471,300
	16	191,600	224,200	253,800	274,100	314,500	359,300	408,200	472,600
	17	193,500	225,500	254,600	275,300	316,300	361,100	410,000	473,800
	18	194,700	226,800	255,800	276,800	318,200	363,100	411,900	475,100
	19	196,200	228,200	256,900	278,400	320,100	365,100	413,800	476,400
	20	197,600	229,500	258,000	280,000	321,900	367,000	415,600	477,700
	21	198,800	230,600	259,200	281,500	323,700	368,700	417,400	478,900
	22	200,300	231,700	260,000	283,100	325,600	370,700	419,000	480,300
	23	201,700	232,800	260,800	284,700	327,400	372,700	420,600	481,700
	24	203,000	233,900	261,600	286,300	329,300	374,700	422,100	482,900
	25	204,600	235,000	262,500	287,900	331,000	376,100	423,600	484,300
	26	205,600	236,200	263,500	289,400	332,900	377,900	424,900	485,600
	27	206,700	237,400	264,500	290,900	334,800	379,700	426,200	487,000
	28	207,800	238,500	265,500	292,500	336,600	381,400	427,500	488,400
	29	209,000	239,500	266,700	293,800	337,900	383,100	428,800	489,800
	30	210,100	240,800	268,200	295,300	339,700	384,600	430,000	490,900
	31	211,200	242,200	269,700	296,800	341,400	386,100	431,200	492,000
	32	212,300	243,400	271,000	298,300	343,200	387,600	432,300	493,100
	33	213,700	244,400	272,200	299,800	344,900	388,900	433,500	494,200
	34	215,000	245,700	273,800	301,400	346,700	390,200	434,700	495,100
	35	216,300	246,600	275,300	303,000	348,500	391,500	435,900	496,000
	36	217,500	247,800	276,800	304,600	350,300	392,600	437,100	496,900
	37	218,500	249,000	278,100	305,900	351,900	393,700	438,400	497,900
	38	219,500	250,100	279,500	307,500	353,600	394,800	439,200	
	39	220,500	251,100	280,800	309,000	355,200	395,900	439,600	
	40	221,500	252,100	282,100	310,500	356,800	397,000	440,300	

		(1 級)	(2 級)	(3 級)	(4 級)	(5 級)	(6 級)	(7 級)	(8 級)
定年前再任用短時間勤務職員以外の職員	41	222,400	253,000	283,200	312,100	358,000	397,800	440,800	
	42	223,200	253,800	284,600	313,700	359,100	398,600	441,200	
	43	224,000	254,600	286,000	315,300	360,300	399,400	441,600	
	44	224,900	255,400	287,300	316,800	361,500	400,200	442,000	
	45	225,800	256,200	288,600	317,700	362,500	400,600	442,400	
	46	226,700	257,400	290,200	319,100	363,300	401,200	442,800	
	47	227,600	258,600	291,700	320,600	364,300	401,700	443,200	
	48	228,500	259,700	293,100	322,200	365,400	402,100	443,500	
	49	229,200	261,000	294,300	323,600	366,400	402,500	443,800	
	50	230,100	262,300	295,800	324,900	367,400	402,800	444,200	
	51	231,000	263,400	297,100	326,100	368,400	403,100	444,500	
	52	231,800	264,400	298,600	327,300	369,300	403,400	444,800	
	53	232,100	265,400	299,900	328,300	370,100	403,700	445,100	
	54	232,900	266,500	301,300	329,300	370,900	404,000		
	55	233,500	267,600	302,700	330,300	371,800	404,300		
	56	234,200	268,700	304,000	331,200	372,600	404,600		
	57	234,800	269,400	305,000	331,700	373,100	404,900		
	58	235,400	270,500	306,200	332,600	373,900	405,200		
	59	235,900	271,600	307,400	333,400	374,700	405,500		
	60	236,400	272,500	308,800	334,300	375,500	405,900		
	61	237,000	273,300	310,100	335,000	375,900	406,100		
	62	237,500	274,300	311,300	335,300	376,600	406,400		
	63	238,000	275,200	312,500	335,800	377,300	406,700		
	64	238,600	276,100	313,700	336,400	377,900	407,000		
	65	239,100	276,900	315,000	337,000	378,300	407,200		
	66	239,600	277,900	315,800	337,700	378,900			
	67	240,200	278,800	316,500	338,400	379,600			
	68	240,700	279,700	317,200	339,000	380,200			
	69	241,200	280,600	317,800	339,700	380,600			
	70	241,700	281,600	318,500	340,200	381,100			
	71	242,100	282,700	319,200	340,800	381,600			
	72	242,600	283,700	319,800	341,400	382,100			
	73	243,100	284,300	320,400	341,700	382,700			
	74	243,600	284,800	320,600	342,300	383,200			
	75	244,100	285,300	321,100	342,800	383,800			
	76	244,600	286,100	321,600	343,300	384,400			
	77	244,900	286,900	322,200	343,800	384,900			
	78	245,200	287,500	322,700	344,300	385,400			
	79	245,500	288,100	323,200	344,800	385,900			
	80	245,700	288,600	323,600	345,200	386,400			
	81	245,900	289,100	324,200	345,500	386,700			
	82	246,200	289,600	324,700	345,800	387,200			
	83	246,500	290,000	325,100	346,200	387,600			
	84	246,700	290,300	325,600	346,500	388,000			
	85	246,900	290,500	326,100	347,000	388,400			
	86		290,700	326,500	347,300				
	87		290,900	326,700	347,600				
	88		291,100	327,000	347,900				

		(1 級)	(2 級)	(3 級)	(4 級)	(5 級)	(6 級)	(7 級)	(8 級)
	89		291,500	327,400	348,300				
	90		291,700	327,800	348,600				
	91		291,900	328,200	349,000				
	92		292,100	328,600	349,300				
	93		292,500	328,900	349,700				
	94		292,700	329,100	350,000				
	95		292,900	329,500	350,300				
	96		293,200	329,800	350,600				
	97		293,500	330,000	350,900				
	98		293,700	330,300	351,300				
	99		293,900	330,600	351,700				
	100		294,200	330,900	352,100				
	101		294,500	331,100	352,600				
	102		294,700	331,400	353,000				
	103		294,900	331,800	353,400				
	104		295,200	332,000	353,800				
	105		295,500	332,200	354,300				
	106			332,400					
	107			332,800					
	108			333,000					
	109			333,200					
	110			333,600					
	111			334,000					
	112			334,400					
	113			334,600					
定年前再任用短時間勤務職員		基準俸給月額	基準俸給月額	基準俸給月額	基準俸給月額	基準俸給月額	基準俸給月額	基準俸給月額	基準俸給月額
		円 189,700	円 216,300	円 244,500	円 257,900	円 283,100	円 323,900	円 366,200	円 427,900

備考 この表は、病院、療養所、診療所等に勤務する薬剤師、栄養士その他の職員で人事院規則で定めるものに適用する。

ハ　医療職俸給表(三)

職員の区分	職務の級 号俸	1 級	2 級	3 級	4 級	5 級	6 級	7 級
		俸給月額	俸給月額	俸給月額	俸給月額	俸給月額	俸給月額	俸給月額
		円	円	円	円	円	円	円
	1	183,500	211,000	253,600	272,400	293,800	332,800	376,100
	2	184,900	212,900	255,000	273,300	295,300	334,800	378,700
	3	186,400	214,900	256,500	274,100	296,900	336,800	381,400
	4	187,800	216,800	257,900	274,900	298,500	338,800	384,000
	5	189,300	218,800	259,100	275,400	299,800	340,800	386,200
	6	190,800	220,600	259,900	276,300	301,500	342,900	388,400
	7	192,300	222,400	260,700	277,000	303,100	344,900	390,700
	8	193,800	224,100	261,400	277,900	304,700	346,900	393,000
	9	195,000	225,800	262,100	278,800	306,300	348,400	394,900
	10	196,700	227,200	262,800	279,400	307,700	350,400	397,000
	11	198,300	228,500	263,600	280,300	308,900	352,300	399,200
	12	199,800	229,400	264,300	281,200	310,200	354,300	401,400
	13	201,200	230,800	265,100	282,100	311,400	356,200	403,300
	14	203,200	231,800	266,000	283,000	313,000	358,200	405,300
	15	205,300	232,800	266,800	283,900	314,600	360,200	407,400
	16	207,300	233,700	267,700	284,800	316,200	362,200	409,400
	17	209,300	234,800	268,200	285,800	317,700	364,100	411,400
	18	211,300	236,200	269,000	286,800	319,200	366,100	413,600
	19	213,400	237,600	269,800	287,800	320,700	368,200	415,800
	20	215,400	238,700	270,600	288,900	322,100	370,200	417,900
	21	217,300	239,800	271,300	290,200	323,500	371,900	419,800
	22	219,000	241,400	272,000	291,600	324,900	374,000	421,700
	23	220,700	243,100	272,700	292,800	326,400	376,100	423,500
	24	222,400	244,500	273,500	294,000	327,800	378,100	425,400
	25	223,700	245,700	274,300	295,100	329,200	380,000	427,100
	26	225,000	247,000	275,000	296,500	330,600	381,600	428,700
	27	226,100	248,400	275,800	297,900	332,000	383,400	430,400
	28	227,100	249,700	276,600	299,300	333,400	385,200	432,000
	29	228,200	251,100	277,600	300,300	334,500	386,900	433,300
	30	229,000	252,100	278,700	301,600	336,000	388,600	434,600
	31	229,800	252,900	280,100	302,900	337,400	390,500	436,200
	32	230,500	253,600	281,300	304,100	338,900	392,200	437,700
	33	231,600	254,400	282,500	305,300	340,400	393,900	439,400
	34	232,800	255,300	283,800	306,700	341,900	395,600	441,000
	35	233,900	256,200	284,900	308,100	343,400	397,400	442,400
	36	234,900	256,900	286,100	309,500	344,900	399,100	443,800
	37	235,900	257,600	287,500	310,800	346,500	400,700	444,900
	38	237,200	258,500	288,600	312,100	348,100	402,400	446,200
	39	238,500	259,400	289,700	313,500	349,600	404,200	447,500
	40	239,700	260,300	290,700	314,900	351,100	406,000	448,900

		(1 級)	(2 級)	(3 級)	(4 級)	(5 級)	(6 級)	(7 級)
	41	240,500	260,700	291,700	316,400	352,300	407,500	449,900
	42	241,500	261,500	292,900	317,800	353,800	409,000	450,600
	43	242,500	262,300	294,100	319,200	355,300	410,500	451,400
	44	243,500	263,000	295,300	320,500	356,700	411,800	452,000
	45	244,500	263,700	296,400	321,300	358,100	412,900	452,900
	46	245,500	264,400	297,700	322,700	359,100	414,000	453,600
	47	246,400	265,100	299,000	324,100	360,500	415,100	454,400
	48	247,200	265,800	300,200	325,600	361,800	416,300	455,200
	49	248,000	266,500	301,300	326,700	363,100	417,600	455,900
	50	248,900	267,300	302,500	328,000	364,500	418,700	456,600
	51	249,800	268,000	303,700	329,300	365,800	419,900	457,300
	52	250,600	268,900	305,000	330,600	367,100	421,000	458,100
	53	251,200	269,800	306,400	331,900	368,600	422,200	458,900
	54	252,100	270,900	307,700	333,200	369,800	423,200	459,700
	55	253,000	272,000	309,000	334,500	370,900	424,300	460,400
	56	253,800	273,200	310,200	335,800	372,100	425,400	461,100
	57	254,500	274,400	311,000	336,700	373,200	426,500	461,900
	58	255,400	275,800	312,200	338,000	374,100	427,000	
	59	256,000	277,100	313,400	339,200	375,100	427,600	
	60	256,800	278,400	314,800	340,500	376,000	428,000	
	61	257,500	279,600	315,900	341,500	376,600	428,600	
	62	258,200	280,800	317,200	342,400	377,400	429,100	
	63	258,900	281,900	318,400	343,500	378,200	429,500	
	64	259,600	283,000	319,600	344,700	379,000	430,000	
	65	260,200	284,000	320,800	345,800	379,700	430,500	
	66	260,900	285,200	322,100	347,000	380,400	430,900	
	67	261,500	286,400	323,300	348,200	381,200	431,200	
	68	262,100	287,400	324,500	349,200	381,900	431,500	
	69	262,700	288,400	325,200	350,200	382,500	431,900	
	70	263,300	289,800	326,300	351,200	383,100		
	71	264,100	291,100	327,400	352,300	383,800		
	72	264,900	292,300	328,300	353,400	384,400		
	73	266,100	293,300	329,400	354,200	385,100		
	74	267,200	294,600	330,100	355,300	385,600		
	75	268,200	295,800	331,200	356,400	386,200		
	76	269,200	297,000	332,300	357,400	386,700		
	77	270,100	298,300	333,400	358,100	387,100		
	78	271,000	299,500	334,600	358,900	387,700		
	79	271,900	300,700	335,700	359,700	388,200		
	80	272,800	301,900	336,000	360,400	388,500		
	81	273,600	302,400	337,900	361,000	388,800		
定年前再任用短時間勤務職員以外の職員	82	274,500	303,600	339,000	361,500	389,300		
	83	275,400	304,700	340,000	362,100	389,700		
	84	276,000	305,800	341,100	362,600	390,000		
	85	276,700	306,900	342,000	363,200	390,300		
	86	277,400	308,100	343,000	363,700	390,800		
	87	278,100	309,300	343,900	364,300	391,300		
	88	278,800	310,400	344,900	364,800	391,700		

	(1 級)	(2 級)	(3 級)	(4 級)	(5 級)	(6 級)	(7 級)
89	279,600	311,500	345,800	365,200	392,000		
90	280,400	312,700	346,600	365,600	392,400		
91	281,200	313,900	347,400	366,200	392,900		
92	282,000	315,000	348,200	366,700	393,300		
93	282,800	315,800	348,800	367,000	393,700		
94	283,800	316,500	349,400	367,500			
95	284,700	317,200	350,100	367,900			
96	285,600	317,800	350,700	368,200			
97	286,200	318,300	351,100	368,800			
98	286,800	318,600	351,500	369,300			
99	287,400	319,200	352,000	369,800			
100	288,300	319,800	352,400	370,300			
101	289,100	320,200	352,900	370,900			
102	289,900	320,800	353,300	371,400			
103	290,700	321,400	353,800	371,900			
104	291,500	321,900	354,200	372,300			
105	292,100	322,300	354,500	372,900			
106	292,600	322,800	355,000	373,400			
107	293,100	323,300	355,400	373,900			
108	293,500	323,800	355,700	374,400			
109	293,700	324,200	356,200	375,000			
110	294,000	324,600	356,700	375,400			
111	294,200	324,900	357,200	375,900			
112	294,500	325,200	357,700	376,400			
113	294,800	325,500	358,200	377,000			
114	295,000	325,900	358,700				
115	295,300	326,300	359,200				
116	295,500	326,600	359,600				
117	295,800	326,800	360,000				
118	296,100	327,100	360,400				
119	296,400	327,500	360,900				
120	296,700	327,700	361,400				
121	297,000	327,900	361,800				
122	297,400	328,200	362,300				
123	297,700	328,500	362,800				
124	298,100	328,800	363,300				
125	298,300	329,000	363,600				
126	298,500	329,300					
127	298,800	329,700					
128	299,200	329,900					
129	299,400	330,100					
130	299,700	330,300					
131	300,100	330,700					
132	300,500	330,900					
133	300,700	331,200					
134	301,000	331,600					
135	301,400	332,000					
136	301,700	332,400					

		(1 級)	(2 級)	(3 級)	(4 級)	(5 級)	(6 級)	(7 級)
	137	301,900	332,700					
	138	302,200	333,100					
	139	302,600	333,500					
	140	302,900	333,900					
	141	303,100	334,200					
	142	303,500	334,600					
	143	303,900	334,900					
	144	304,200	335,300					
	145	304,400	335,600					
	146	304,600	336,000					
	147	304,900	336,400					
	148	305,300	336,800					
	149	305,500	337,100					
	150	305,700	337,500					
	151	306,000	337,900					
	152	306,300	338,300					
	153	306,700	338,600					
	154	306,900						
	155	307,100						
	156	307,400						
	157	307,700						
	158	308,000						
	159	308,300						
	160	308,600						
	161	309,000						
	162	309,300						
	163	309,600						
	164	309,900						
	165	310,300						
	166	310,600						
	167	310,900						
	168	311,200						
	169	311,600						
定年前再任用短時間勤務職員		基準俸給月額	基準俸給月額	基準俸給月額	基準俸給月額	基準俸給月額	基準俸給月額	基準俸給月額
		円 236,100	円 256,400	円 263,600	円 273,800	円 290,100	円 327,300	円 371,800

備考　この表は、病院、療養所、診療所等に勤務する保健師、助産師、看護師、准看護師その他の職員で人事院規則で定めるものに適用する。

別表第九　福祉職俸給表（第六条関係）

職員の区分	職務の級 / 号俸	1 級	2 級	3 級	4 級	5 級	6 級
		俸給月額	俸給月額	俸給月額	俸給月額	俸給月額	俸給月額
		円	円	円	円	円	円
	1	176,900	223,400	264,400	284,900	323,100	365,500
	2	178,100	225,100	265,900	286,300	325,300	368,100
	3	179,300	226,900	267,300	287,800	327,500	370,500
	4	180,500	228,600	268,700	289,100	329,500	372,900
	5	181,400	230,300	269,600	290,500	331,500	374,800
	6	182,900	232,000	270,800	292,200	333,500	377,300
	7	184,300	233,700	272,100	294,000	335,400	379,600
	8	185,700	235,000	273,400	295,800	337,300	382,100
	9	186,800	236,700	274,400	297,500	339,200	384,500
	10	188,200	238,200	275,500	299,400	341,200	387,100
	11	189,600	239,500	276,700	301,400	343,200	389,700
	12	191,000	240,700	277,600	303,200	345,200	392,300
	13	192,400	242,000	278,500	304,400	347,000	394,600
	14	193,700	243,300	279,700	306,500	349,000	396,900
	15	195,100	244,600	281,000	308,500	350,900	399,100
	16	196,400	245,800	282,300	310,400	352,800	401,400
	17	197,800	247,000	283,600	312,300	354,500	403,200
	18	199,100	248,200	285,200	314,000	356,500	405,100
	19	200,400	249,300	286,800	315,600	358,300	407,000
	20	201,500	250,300	288,200	317,300	360,200	408,800
	21	202,500	251,000	289,400	319,000	362,100	410,600
	22	204,100	252,100	291,100	321,100	364,000	412,400
	23	205,700	253,300	292,400	323,100	365,900	414,200
	24	207,100	254,400	293,900	324,900	367,800	416,000
	25	208,700	255,600	295,600	326,800	369,700	417,600
	26	210,100	257,200	296,900	328,700	371,600	419,100
	27	211,500	258,700	298,400	330,500	373,500	420,600
	28	212,900	260,200	299,900	332,300	375,400	422,100
	29	214,600	261,600	300,900	334,100	376,900	423,600
	30	215,800	262,800	302,100	336,100	378,700	424,900
	31	217,200	263,900	303,500	338,000	380,500	426,200
	32	218,300	265,200	304,700	339,900	382,100	427,400
	33	219,400	266,300	305,900	341,500	383,800	428,600
	34	220,700	267,300	307,400	343,400	385,200	429,900
	35	221,900	268,500	308,700	345,100	386,600	431,200
	36	222,900	269,500	310,100	346,800	388,000	432,400
	37	223,900	270,500	311,600	348,000	389,400	433,600
	38	225,000	271,700	313,000	349,900	390,600	434,400
	39	226,100	272,700	314,400	351,800	391,800	435,200
	40	227,100	273,800	315,900	353,600	392,800	436,000

		(1 級)	(2 級)	(3 級)	(4 級)	(5 級)	(6 級)
	41	228,000	274,900	317,200	355,500	393,900	436,600
	42	228,700	276,200	318,700	357,300	395,100	437,300
	43	229,500	277,700	320,200	359,000	396,200	438,000
	44	230,300	279,000	321,500	360,700	397,300	438,700
	45	231,000	280,400	322,500	362,400	398,000	439,500
	46	231,800	281,800	323,700	363,800	398,700	440,300
	47	232,700	283,200	324,900	365,200	399,400	440,700
	48	233,400	284,600	326,100	366,600	400,100	441,400
	49	234,000	286,000	327,100	367,600	400,700	441,900
	50	234,900	287,200	328,100	368,700	401,300	442,300
	51	235,900	288,400	328,900	369,700	401,800	442,700
	52	236,600	289,700	329,900	370,800	402,200	443,100
	53	237,000	290,700	330,600	371,500	402,600	443,500
	54	238,000	291,800	331,300	372,100	402,900	443,900
	55	238,600	292,900	332,000	372,800	403,200	444,300
	56	239,200	293,900	332,800	373,600	403,500	444,600
	57	239,900	295,100	333,400	374,400	403,800	444,900
	58	240,600	296,400	333,900	375,200	404,100	445,300
	59	241,300	297,700	334,500	376,000	404,400	445,600
	60	241,900	299,000	335,000	376,700	404,700	445,900
	61	242,500	300,100	335,400	377,500	405,000	446,200
	62	243,000	301,500	335,600	378,200	405,300	
	63	243,500	302,700	336,100	378,900	405,600	
	64	244,000	304,100	336,600	379,500	405,900	
	65	244,600	305,200	336,900	379,800	406,200	
	66	245,400	306,400	337,300	380,400	406,500	
	67	246,300	307,500	337,800	381,000	406,800	
	68	247,000	308,600	338,200	381,700	407,100	
	69	247,900	309,300	338,700	382,100	407,300	
	70	248,800	310,400	339,200	382,800	407,600	
	71	249,600	311,600	339,600	383,400	407,900	
	72	250,200	312,800	340,100	384,000	408,100	
	73	250,800	314,100	340,300	384,400	408,300	
定年前再任用短時間勤務職員以外の職員	74	251,700	314,800	340,800	385,000	408,600	
	75	252,500	315,400	341,300	385,600	408,900	
	76	253,200	316,000	341,700	386,200	409,100	
	77	253,900	316,700	342,000	386,600	409,300	
	78	254,800	317,400	342,400	387,100		
	79	255,700	318,000	342,900	387,600		
	80	256,300	318,600	343,300	388,200		
	81	257,000	318,900	343,500	388,700		
	82	257,500	319,200	343,800	389,100		
	83	258,100	319,800	344,300	389,500		
	84	258,700	320,100	344,700	389,900		
	85	259,300	320,400	345,000	390,100		
	86	260,100	320,700	345,300	390,300		
	87	260,800	321,000	345,800	390,600		
	88	261,500	321,300	346,200	390,900		

	(1 級)	(2 級)	(3 級)	(4 級)	(5 級)	(6 級)
89	262,000	321,700	346,500	391,100		
90	262,800	322,100	346,900	391,400		
91	263,600	322,400	347,300	391,700		
92	264,300	322,600	347,500	391,900		
93	264,700	323,100	347,800	392,100		
94	265,200	323,500				
95	265,700	323,700				
96	266,400	324,100				
97	267,100	324,500				
98	267,800	324,900				
99	268,500	325,300				
100	269,200	325,600				
101	269,600	325,800				
102	270,100	326,100				
103	270,500	326,400				
104	270,900	326,700				
105	271,100	327,100				
106	271,300	327,300				
107	271,600	327,600				
108	271,900	328,000				
109	272,200	328,400				
110	272,500	328,700				
111	272,800	329,100				
112	273,000	329,400				
113	273,300	329,700				
114	273,600	330,100				
115	273,900	330,400				
116	274,300	330,600				
117	274,600	330,800				
118	274,900	331,100				
119	275,300	331,500				
120	275,700	331,900				
121	275,900	332,100				
122	276,100					
123	276,500					
124	276,800					
125	277,000					
126	277,300					
127	277,700					
128	278,100					
129	278,300					
130	278,700					
131	279,100					
132	279,400					
133	279,600					
134	279,900					
135	280,300					
136	280,600					

		(1 級)	(2 級)	(3 級)	(4 級)	(5 級)	(6 級)
	137	280,800					
	138	281,100					
	139	281,400					
	140	281,700					
	141	281,900					
	142	282,100					
	143	282,300					
	144	282,600					
	145	283,000					
	146	283,200					
	147	283,500					
	148	283,800					
	149	284,100					
	150	284,300					
	151	284,600					
	152	284,800					
	153	285,100					
再任用短時間勤務職員		基準俸給月額	基準俸給月額	基準俸給月額	基準俸給月額	基準俸給月額	基準俸給月額
		円 202,500	円 242,000	円 256,300	円 289,400	円 316,200	円 358,000

備考　この表は、障害者支援施設、児童福祉施設等で人事院の指定するものに勤務し、入所者の指導、保育、介護等の業務に従事する職員で人事院規則で定めるものに適用する。

別表第十　専門スタッフ職俸給表（第六条関係）

職員の区分	職務の級 / 号俸	1 級 俸給月額	2 級 俸給月額	3 級 俸給月額	4 級 俸給月額
		円	円	円	円
定年前再任用短時間勤務職員以外の職員	1	332,900	430,900	482,900	617,500
	2	334,900	435,300	488,500	654,100
	3	336,800	439,300	494,000	690,700
	4	338,600	443,200	499,400	
	5	340,400	446,900	504,700	
	6	342,300	450,700	509,900	
	7	344,100	454,000	515,000	
	8	345,900	457,300	519,700	
	9	347,800	460,600	523,100	
	10	349,600	463,900	525,900	
	11	351,400	466,800	528,700	
	12	353,300	469,500	531,200	
	13	355,200	471,900	533,300	
	14	357,000	474,200	535,300	
	15	358,800	476,100	537,000	
	16	360,600	477,800	538,800	
	17	362,200	479,100	540,400	
	18	364,000	480,400	541,800	
	19	365,700	481,300	542,800	
	20	367,400	482,200	544,000	
	21	369,200	483,000	544,900	
	22	371,100	483,800		
	23	372,900	484,000		
	24	374,700			
	25	376,200			
	26	377,900			
	27	379,700			
	28	381,400			
	29	382,800			
	30	384,400			
	31	386,100			
	32	387,600			
	33	389,300			
	34	390,600			
	35	391,900			
	36	393,200			
	37	394,500			
	38	395,600			
	39	396,700			
	40	397,600			

		（1 級）	（2 級）	（3 級）	（4 級）
	41	398, 600			
	42	399, 600			
	43	400, 600			
	44	401, 500			
	45	402, 300			
	46	402, 700			
	47	403, 100			
	48	403, 400			
	49	403, 700			
	50	404, 000			
	51	404, 300			
	52	404, 600			
	53	404, 900			
	54	405, 200			
	55	405, 500			
	56	405, 800			
	57	406, 100			
	58	406, 400			
	59	406, 700			
	60	407, 000			
	61	407, 200			
	62	407, 500			
	63	407, 800			
	64	408, 100			
	65	408, 300			
	66	408, 600			
	67	408, 900			
	68	409, 100			
	69	409, 300			
	70	409, 600			
	71	409, 900			
	72	410, 100			
	73	410, 300			
	74	410, 600			
	75	410, 900			
	76	411, 100			
	77	411, 300			
定年前再任用短時間勤務職員		基準俸給月額	基準俸給月額	基準俸給月額	基準俸給月額
		円 325, 500	円 427, 000	円 481, 800	円 617, 400

備考 この表は、行政の特定の分野における高度の専門的な知識経験に基づく調査、研究、情報の分析等を行うことにより、政策の企画及び立案等を支援する業務に従事する職員で人事院規則で定めるものに適用する。

別表第十一 指定職俸給表（第六条関係）

号俸	俸給月額
	円
1	708,000
2	763,000
3	820,000
4	898,000
5	968,000
6	1,038,000
7	1,110,000
8	1,178,000

備考 この表は、事務次官、外局の長、試験所又は研究所の長、病院又は療養所の長その他の官職を占める職員で人事院規則で定めるものに適用する。

附 則（平二四・二・二九法二）（抄）

（施行期日）

第一条 この法律は、公布の日の属する月の翌月の初日（公布の日が月の初日であるときは、その日）から施行する。ただし、次の各号に掲げる規定は、当該各号に定める日から施行する。

一 〔前略〕附則第八条から第十条までの規定 平成二十四年四月一日

二 〔略〕

（俸給月額の切換え）

第二条 この法律の施行の日（以下「施行日」という。）の前日において次の各号に掲げる俸給月額を受けていた職員の施行日における俸給月額は、当該各号に定める俸給月額及び第二条の規定による改正後の一般職給与法の指定職俸給表八号俸の額との権衡を考慮して人事院規則で定める。

一 任期付研究員法第六条第四項の規定による俸給月額 第三条の規定による改正後の任期付研究員法第六条第一項に規定する俸給表に掲げる号俸の俸給月額

二 任期付職員法第七条第三項の規定による俸給月額 第四条の規定による改正後の任期付職員法第七条第一項に規定する俸給表に掲げる号俸の俸給月額

（平成二十四年六月に支給する期末手当に関する特例措置）

第六条 平成二十四年六月に職員に支給する期末手当の額は、一般職給与法第十九条の四第二項（同条第三項、任期付研究員法第七条第二項又は任期付職員法第八条第二項の規定により読み替えて適用する場合を含む。）及び第四項から第六項まで（育児休業法第十六条の規定により読み替えて適用する場合を含む。）若しくは第二十三条第一項から第三項まで、第五項若しくは第七項若しくは附則第八項、国際機関等に派遣される一般職の国家公務員の処遇等に関する法律第五条第一項又は法科大学院派遣法第十三条第二項の規定にかかわらず、これらの規定により算定される期末手当の額（以下この項において「基準額」という。）から次に掲げる額の合計額（以下この項において「調整額」という。）に相当する額を減じた額とする。この場合において、調整額が基準額以上となるときは、期末手当は、支給しない。

一 平成二十三年四月一日（同月二日から施行日までの間に職員（一般職給与法第二十二条及び附則第三項に規定する職員を除く。以下この条において同じ。）以外の者又は職員であって適用される俸給表並びにその職務の級及び号俸がそれぞれ次の表の俸給表欄、職務の級欄及び号俸欄に掲げるものであるもの（平成十七年改正法附則第十一条の規定の適用を受けない職員に限る。）、医療職俸給表㈠若しくは任期付研究員法第六条第二項に規定する俸給表の適用を受ける職員若しくは同条第一項若しくは任期付職員法第七条第一項に規定する俸給表の適用を受ける職員でその号俸が一号俸から三号俸までであるもののからこれらの職員以外の職員（以下この項において「減額改定対象職員」という。）となった者（同月一日に減額改定対象職員であった者で任用の事情を考慮して人事院規則で定めるものを除く。）にあっては、その減額改定対象職員となった日（当該日が二以上あるときは、当該日のうち人事院規則で定める日））において減額改定対象職員が受けるべき俸給、俸給の特別調整額、本府省業務調整手当、初任給調整手当、専門スタッフ職調整手当、扶養手当、地域手当、広域異動手当、研究員調整手当、住居手当、単身赴任手当（一般職給与法第十二条の二第二項に規定する人事院規則で定める額を除く。）及び特地勤務手当（一般職給与法第十四条の規定による手当を含む。）の月額（一般職給与法附則第八項の規定により給与が減ぜられて支給される職員にあっては、同項の規定により減ぜられることとなる額を差し引いた額）の合計額に百分の〇・三七を乗じて得た額に、同月から施行日の属する月の前月までの月数（同年四月一日から施行日の前日までの期間において、在職しなかった期間、俸給を支給されなかった期間、減額改定対象職員以外の職員であった期間その他の人事院規則で定める期間がある職員にあっては、当該月数から当該期間を考慮して人事院規則で定める月数を減じた月数）を乗じて得た額

俸給表	職務の級	号俸
行政職俸給表㈠	一級	一号俸から九十三号俸まで
	二級	一号俸から七十六号俸まで
	三級	一号俸から六十号俸まで
	四級	一号俸から四十四号俸まで
	五級	一号俸から三十六号俸まで
	六級	一号俸から二十八号俸まで

	七級	一号俸から十六号俸まで
	八級	一号俸から四号俸まで
行政職俸給表(二)	一級	一号俸から百二十一号俸まで
	二級	一号俸から八十四号俸まで
	三級	一号俸から七十六号俸まで
	四級	一号俸から四十八号俸まで
	五級	一号俸から三十二号俸まで
専門行政職俸給表	一級	一号俸から九十三号俸まで
	二級	一号俸から六十号俸まで
	三級	一号俸から四十四号俸まで
	四級	一号俸から三十二号俸まで
	五級	一号俸から十六号俸まで
	六級	一号俸から四号俸まで
税務職俸給表	一級	一号俸から七十三号俸まで
	二級	一号俸から六十五号俸まで
	三級	一号俸から六十号俸まで
	四級	一号俸から四十四号俸まで
	五級	一号俸から三十六号俸まで
	六級	一号俸から二十八号俸まで
	七級	一号俸から十六号俸まで
	八級	一号俸から四号俸まで
公安職俸給表(一)	一級	一号俸から百四号俸まで
	二級	一号俸から九十六号俸まで
	三級	一号俸から八十四号俸まで
	四級	一号俸から六十八号俸まで
	五級	一号俸から四十四号俸まで
	六級	一号俸から三十六号俸まで
	七級	一号俸から二十八号俸まで
	八級	一号俸から十六号俸まで
	九級	一号俸から四号俸まで
公安職俸給表(二)	一級	一号俸から八十九号俸まで
	二級	一号俸から七十六号俸まで
	三級	一号俸から六十号俸まで
	四級	一号俸から四十四号俸まで
	五級	一号俸から三十六号俸まで
	六級	一号俸から二十八号俸まで
	七級	一号俸から十六号俸まで
	八級	一号俸から四号俸まで
海事職俸給表(一)	一級	一号俸から六十九号俸まで
	二級	一号俸から六十九号俸まで
	三級	一号俸から六十八号俸まで
	四級	一号俸から五十二号俸まで
	五級	一号俸から四十号俸まで
	六級	一号俸から二十四号俸まで
海事職俸給表(二)	一級	一号俸から八十五号俸まで
	二級	一号俸から九十七号俸まで
	三級	一号俸から八十四号俸まで
	四級	一号俸から七十二号俸まで
	五級	一号俸から六十号俸まで
	六級	一号俸から四十四号俸まで
教育職俸給表(一)	一級	一号俸から八十四号俸まで

	二級	一号俸から六十四号俸まで
	三級	一号俸から五十二号俸まで
	四級	一号俸から二十四号俸まで
教育職俸給表(二)	一級	一号俸から九十六号俸まで
	二級	一号俸から八十四号俸まで
	三級	一号俸から六十四号俸まで
研究職俸給表	一級	一号俸から百八号俸まで
	二級	一号俸から八十四号俸まで
	三級	一号俸から五十二号俸まで
	四級	一号俸から三十六号俸まで
	五級	一号俸から十六号俸まで
医療職俸給表(二)	一級	一号俸から八十五号俸まで
	二級	一号俸から八十四号俸まで
	三級	一号俸から六十八号俸まで
	四級	一号俸から五十六号俸まで
	五級	一号俸から四十号俸まで
	六級	一号俸から二十四号俸まで
	七級	一号俸から八号俸まで
医療職俸給表(三)	一級	一号俸から百八号俸まで
	二級	一号俸から九十二号俸まで
	三級	一号俸から六十八号俸まで
	四級	一号俸から五十六号俸まで
	五級	一号俸から四十号俸まで
	六級	一号俸から二十号俸まで
	七級	一号俸から四号俸まで
福祉職俸給表	一級	一号俸から百四号俸まで
	二級	一号俸から八十号俸まで
	三級	一号俸から五十六号俸まで
	四級	一号俸から四十八号俸まで
	五級	一号俸から二十八号俸まで
	六級	一号俸から十六号俸まで
専門スタッフ職俸給表	一級	一号俸から二十八号俸まで
	二級	一号俸及び二号俸

二 平成二十三年六月一日において減額改定対象職員であった者（任用の事情を考慮して人事院規則で定める者を除く。）に同月に支給された期末手当及び勤勉手当の合計額に百分の〇・三七を乗じて得た額並びに同年十二月一日において減額改定対象職員であった者（任用の事情を考慮して人事院規則で定める者を除く。）に同月に支給された期末手当及び勤勉手当の合計額に百分の〇・三七を乗じて得た額

2 平成二十三年四月一日から平成二十四年六月一日までの間において防衛省職員給与法の適用を受ける者その他の人事院規則で定める者であった者から引き続き新たに職員となった者で任用の事情を考慮して人事院規則で定めるものに関する前項の規定の適用については、同項中「次に掲げる額」とあるのは、「次に掲げる額及び防衛省職員給与法の適用を受ける者その他の人事院規則で定める者との権衡を考慮して人事院規則で定める額」とする。

（平成二十四年四月一日、平成二十五年四月一日及び平成二十六年四月一日における号俸の調整）

第八条 平成二十四年四月一日において第五条の規定による改正後の平成十七年改正法附則第十一条の規定による俸給に関する状況を考慮して人事院規則で定める年齢に満たない職員（同日において、専門スタッフ職俸給表の適用を受ける職員でその職務の級が二級又は三級であるもの（以下この項において「専門スタッフ職二級以上職員」という。）、専門スタッフ職二級以上職員以外の職員でその職務の級における最高の号俸を受けるもの及び指定職俸給表又は任期付研究員法第六条第一項若しくは第二項若しくは任期付職員法第七条第一項に規定する俸給表の適用を受ける職員（以下この条において「除外職員」という。）である者を除く。）のうち、当該職員の平成十九年一月一日、平成

二十年一月一日及び平成二十一年一月一日の一般職給与法第八条第五項の規定による昇給その他の号俸の決定の状況（以下この条において「調整考慮事項」という。）を考慮して調整の必要があるものとして人事院規則で定める職員の平成二十四年四月一日における号俸は、この項の規定の適用がないものとした場合に同日に受けることとなる号俸の一号俸（職員の調整考慮事項を考慮して特に調整の必要があるものとして人事院規則で定める職員にあっては、二号俸）上位の号俸とする。

2　平成二十五年四月一日において第五条の規定による改正後の平成十七年改正法附則第十一条の規定による俸給に関する状況を考慮して人事院規則で定める年齢に満たない職員（同日において除外職員である者を除く。）のうち、当該職員の調整考慮事項及び平成二十四年四月一日における号俸の調整の状況を考慮して調整の必要があるものとして人事院規則で定める職員の平成二十五年四月一日における号俸は、この項の規定の適用がないものとした場合に同日に受けることとなる号俸の一号俸（職員の調整考慮事項を考慮して特に調整の必要があるものとして人事院規則で定める職員にあっては、二号俸）上位の号俸とする。

3　平成二十六年四月一日において第五条の規定による改正後の平成十七年改正法附則第十一条の規定による俸給に関する状況を考慮して人事院規則で定める年齢に満たない職員（同日において除外職員である者を除く。）のうち、当該職員の調整考慮事項並びに平成二十四年四月一日及び平成二十五年四月一日における号俸の調整の状況を考慮して調整の必要があるものとして人事院規則で定める職員の平成二十六年四月一日における号俸は、この項の規定の適用がないものとした場合に同日に受けることとなる号俸の一号俸（職員の調整考慮事項を考慮して特に調整の必要があるものとして人事院規則で定める職員にあっては、二号俸）上位の号俸とする。

4　育児休業法第十三条第一項に規定する育児短時間勤務職員に対する前三項の規定の適用については、これらの規定中「とする」とあるのは、「とするものとし、その者の俸給月額は、当該号俸に応じた額に、育児休業法第十七条の規定により読み替えられた一般職の職員の勤務時間、休暇等に関する法律第五条第一項ただし書の規定により定められたその者の勤務時間を同項本文に規定する勤務時間で除して得た数を乗じて得た額とする」とする。

5　前項の規定は、育児休業法第二十二条の規定による勤務をしている職員について準用する。

6　育児休業法第二十三条第二項に規定する任期付短時間勤務職員に対する第一項から第三項までの規定の適用については、これらの規定中「とする」とあるのは、「とするものとし、その者の俸給月額は、当該号俸に応じた額に、育児休業法第二十五条の規定により読み替えられた一般職の職員の勤務時間、休暇等に関する法律第五条第一項ただし書の規定により定められたその者の勤務時間を同項本文に規定する勤務時間で除して得た数を乗じて得た額とする」とする。

（人事院規則等への委任）

第十一条　附則第二条から前条までに定めるもののほか、この法律の施行に関し必要な経過措置は、一般職の職員に関するものにあっては人事院規則、特別職の職員及び防衛省の職員に関するものにあっては政令で定める。

附　則（平二四・六・二七法四二）（抄）

改正　平二六・六・一三法六七

（施行期日）

第一条　この法律は、平成二十五年四月一日から施行する。〔ただし書略〕

（政令等への委任）

第十二条　附則第二条から前条まで並びに附則第二十五条、第三十条、第四十条及び第四十四条に規定するもののほか、この法律の施行に伴い必要な経過措置は、政令（人事院の所掌する事項については、人事院規則）で定める。

（一般職の職員の給与に関する法律の一部改正に伴う経過措置）

第二十五条　施行日の前日において旧給与特例法適用職員であった者であって引き続き施行日に前条の規定による改正後の一般職の職員の給与に関する法律に規定する俸給表の適用を受ける職員となったもの並びにこの法律の施行の際現に旧給与特例法適用職員であった者として同条の規定による改正前の一般職の職員の給与に関する法律第十一条の七第三項、第十一条の八第三項、第十二条第四項、第十二条の二第三項及び第十四条第二項の規定の適用を受けている職員に対する一般職の職員の給与に関する法律第十一条の七第三項、第十一条の八第三項、第十二条第四項、第十二条の二第三項及び第十四条第二項の規定の適用については、これらの者は、同法第十一条の七第三項に規定する行政執行法人職員等であった者とみなす。

附　則（平二六・六・一三法六七）（抄）

（施行期日）

第一条　この法律は、独立行政法人通則法の一部を改正する法律（平成二十六年法律第六十六号。以下「通則法改正法」という。）の施行の日〔平二七・四・一〕から施行する。ただし、次の各号に掲げる規定は、当該各号に定める日から施行する。

一　附則〔中略〕第三十条の規定　公布の日

二　〔略〕

（一般職の職員の給与に関する法律の一部改正に伴う経過措置）

第四条　施行日の前日において特定独立行政法人（通則法改正法による改正前の独立行政法人通則法（平成十一年法律第百三号。以下「旧通則法」という。）第二条第二項に規定する特定独立行政法人をいう。以下同じ。）の職員であった者であって引き続き施行日に第三条の規定による改正後の一般職の職員の給与に関する法律（以下この条において「新給与法」という。）に規定する俸給表の適用を受ける職員となったもの並びにこの法律の施行の際現に特定独立行政法人の職員であった者として第三条の規定による改正前の一般職の職員の給与に関する法律第十一条の七第三項、第十一条の八第三項、第十二条第四項、第十二条の二第三項及び第十四条第二項の規定の適用を受けている職員に対する新給与法第十一条の七第三項、第十一条の八第三項、第十二条第四項、第十二条の二第三項及び第十四条第二項の規定の適用については、これらの者は、新給与法第十一条の七第三項に規定する行政執行法人職員等であった者とみなす。

（処分等の効力）

第二十八条　この法律の施行前にこの法律による改正前のそれぞれの法律（これに基づく命令を含む。）の規定によってした又はすべき処分、手続その他の行為であってこの法律による改正後のそれぞれの法律（これに基づく命令を含む。以下この条において「新法令」という。）に相当の規定があるものは、法律（これに基づく政令を含む。）に別段の定めのあるものを除き、新法令の相当の規定によってした又はすべき処分、手続その他の行為とみなす。

（罰則に関する経過措置）

第二十九条　この法律の施行前にした行為及びこの附則の規定によりなおその効力を有することとされる場合におけるこの法律の施行後にした行為に対する罰則の適用については、なお従前の例による。

（その他の経過措置の政令等への委任）

第三十条　附則第三条から前条までに定めるもののほか、この法律の施行に関し必要な経過措置（罰則に関する経過措置を含む。）は、政令（人事院の所掌する事項については、人事院規則）で定める。

附　則（平二六・六・一三法六九）（抄）

（施行期日）

第一条　この法律は、行政不服審査法（平成二十六年法律第六十八号）の施行の日〔平二八・四・一〕から施行する。

附　則（平二六・一一・一九法一〇五）（抄）

（施行期日等）

第一条　この法律は、公布の日から施行する。ただし、第二条〔中略〕並びに附則第五条から第八条まで、第十条から第十四条まで及び第十六条から第十八条までの規定は、平成二十七年四月一日から施行する。

2　第一条の規定（一般職の職員の給与に関する法律（以下「給与法」という。）第十九条の七第二項及び附則第十一項の改正規定を除く。附則第四条において同じ。）による改正後の給与法（次条及び附則第四条において「改正後の給与法」という。）の規定〔中略〕は、平成二十六年四月一日から適用する。

（適用日における任期付職員に係る最高の号俸を超える俸給月額の切替え）

第二条　平成二十六年四月一日（以下「適用日」という。）の前日において任期付職員法第七条第三項の規定による俸給月額を受けていた職員の適用日における俸給月額は、改正後の任期付職員法第七条第一項に規定する俸給表に掲げる号俸の俸給月額及び改正後の給与法の指定職俸給表八号俸の額との権衡を考慮して人事院規則で定める。

（適用日前の異動者の号俸の調整）

第三条　適用日前に職務の級を異にして異動した職員及び人事院の定めるこれに準ずる職員の適用日における号俸については、その者が適用日において職務の級を異にする異動等をしたものとした場合との権衡上必要と認められる限度において、人事院の定めるところにより、必要な調整を行うことができる。

（給与の内払）

第四条　改正後の給与法、改正後の任期付研究員法又は改正後の任期付職員法の規定を適用する場合においては、第一条の規定による改正前の給与法、第四条の規定による改正前の任期付研究員法又は第六条の規定による改正前の任期付職員法の規定に基づいて支給された給与は、それぞれ改正後の給与法、改正後の任期付研究員法又は改正後の任期付職員法の規定による給与の内払とみなす。

（切替日における任期付研究員等に係る最高の号俸を

超える俸給月額の切替え）

第五条　平成二十七年四月一日（以下「切替日」という。）の前日において次の各号に掲げる俸給月額を受けていた職員の切替日における俸給月額は、当該各号に定める俸給月額及び第二条の規定による改正後の給与法の指定職俸給表八号俸の額との権衡を考慮して人事院規則で定める。

一　任期付研究員法第六条第四項の規定による俸給月額　第五条の規定による改正後の任期付研究員法第六条第一項に規定する俸給表に掲げる号俸の俸給月額

二　任期付職員法第七条第三項の規定による俸給月額　第七条の規定による改正後の任期付職員法第七条第一項に規定する俸給表に掲げる号俸の俸給月額

（切替日前の異動者の号俸の調整）

第六条　切替日前に職務の級を異にして異動した職員及び人事院の定めるこれに準ずる職員の切替日における号俸については、その者が切替日において職務の級を異にする異動等をしたものとした場合との権衡上必要と認められる限度において、人事院の定めるところにより、必要な調整を行うことができる。

（俸給の切替えに伴う経過措置）

第七条　切替日の前日から引き続き同一の俸給表の適用を受ける職員で、その者の受ける俸給月額が同日において受けていた俸給月額に達しないこととなるもの（人事院規則で定める職員を除く。）には、平成三十年三月三十一日までの間、俸給月額のほか、その差額に相当する額（給与法附則第八項の表の俸給表欄に掲げる俸給表の適用を受ける職員（再任用職員を除く。）のうち、その職務の級が同項の表の職務の級欄に掲げる職務の級以上である者（以下この項において「特定職員」という。）にあっては、五十五歳に達した日後における最初の四月一日（特定職員以外の者が五十五歳に達した日後における最初の四月一日後に特定職員となった場合にあっては、特定職員となった日）以後、当該額に百分の九十八・五を乗じて得た額）を俸給として支給する。

2　切替日の前日から引き続き俸給表の適用を受ける職員（前項に規定する職員を除く。）について、同項の規定による俸給を支給される職員との権衡上必要があると認められるときは、当該職員には、人事院規則の定めるところにより、同項の規定に準じて、俸給を支給する。

3　切替日以降に新たに俸給表の適用を受けることとなった職員について、任用の事情等を考慮して前二項の規定による俸給を支給される職員との権衡上必要があると認められるときは、当該職員には、人事院規則の定めるところにより、前二項の規定に準じて、俸給を支給する。

第八条　前条の規定による俸給を支給される職員に関する給与法第十条の五第二項、第十九条の四第五項（給与法第十九条の七第四項において準用する場合及び国家公務員の育児休業等に関する法律（平成三年法律第百九号。次項及び次条において「育児休業法」という。）第十六条の規定により読み替えて適用する場合を含む。以下この項において同じ。）並びに附則第八項第二号から第四号まで、第六号及び第七号の規定の適用については、給与法第十条の五第二項中「俸給月額」とあるのは「俸給月額と一般職の職員の給与に関する法律等の一部を改正する法律（平成二十六年法律第百五号。以下「平成二十六年改正法」という。）附則第七条の規定による俸給の額との合計額」と、給与法第十九条の四第五項中「俸給月額」とあるのは「俸給月額と平成二十六年改正法附則第七条の規定による俸給の額との合計額」と、給与法附則第八項第二号中「専門スタッフ職調整手当の月額」とあるのは「俸給月額に対する専門スタッフ職調整手当の月額（以下この項において「俸給月額対応専門スタッフ職調整手当月額」という。）」と、同項第三号、第四号、第六号及び第七号中「専門スタッフ職調整手当の月額」とあるのは「俸給月額対応専門スタッフ職調整手当月額」とする。

2　前条の規定による俸給を支給される職員に関する育児休業法附則第二条第一項の規定の適用については、同項中「、第二号」とあるのは「から第四号まで」と、「」を減じた」とあるのは「」専門スタッフ職調整手当の月額」とあるのは「俸給月額に対する専門スタッフ職調整手当の月額（以下この項において「俸給月額対応専門スタッフ職調整手当月額」という。）」と、「を減じた」」と、「同項第六号」とあるのは「同項第三号及び第四号中「専門スタッフ職調整手当の月額」とあるのは「俸給月額対応専門スタッフ職調整手当月額」と、同項第六号」と、「専門スタッフ職調整手当の月額を」とあるのは「俸給月額対応専門スタッフ職調整手当月額を」とする。

3　前条の規定による俸給を支給される職員に関する次に掲げる法律の規定の適用については、これらの規定中「俸給月額」とあるのは、「俸給月額と一般職の職員の給与に関する法律等の一部を改正する法律（平成二十六年法律第百五号）附則第七条の規定による俸給の額との合計額」とする。

一　任期付研究員法第六条第五項

二　任期付職員法第七条第四項

（平成二十七年三月三十一日までの間における昇給に関する特例）

第九条　平成二十七年三月三十一日までの間における給与法第八条第七項（育児休業法第十六条及び第二十四条の規定により読み替えて適用する場合を含む。）の規定の適用については、同項中「四号俸」とあるのは「三号俸」と、「三号俸」とあるのは「二号俸」とする。

（平成三十年三月三十一日までの間における地域手当及び単身赴任手当に関する特例）

第十条　切替日から平成三十年三月三十一日までの間における地域手当及び単身赴任手当の支給に関する次の表の上欄に掲げる給与法の規定の適用については、これらの規定中同表の中欄に掲げる字句は、それぞれ同表の下欄に掲げる字句とする。

第十一条の三第二項第一号	百分の二十	百分の二十を超えない範囲内で人事院規則で定める割合
第十一条の三第二項第二号	百分の十六	百分の十六を超えない範囲内で人事院規則で定める割合
第十一条の三第二項第三号	百分の十五	百分の十五を超えない範囲内で人事院規則で定める割合
第十一条の三第二項第四号	百分の十二	百分の十二を超えない範囲内で人事院規則で定める割合
第十一条の三第二項第五号	百分の十	百分の十を超えない範囲内で人事院規則で定める割合
第十一条の三第二項第六号	百分の六	百分の六を超えない範囲内で人事院規則で定める割合
第十一条の三第二項第七号	百分の三	百分の三を超えない範囲内で人事院規則で定める割合
第十一条の五	百分の十六	百分の十六を超えない範囲内で人事院規則で定める割合
第十二条の二第三項	三万円	三万円を超えない範囲内で人事院規則で定める額

（広域異動手当に関する特例）

第十一条　切替日から平成二十八年三月三十一日までの間に職員がその在勤する官署を異にして異動した場合又は職員の在勤する官署が移転した場合における当該職員に対する当該異動又は移転に係る広域異動手当の支給に関する給与法第十一条の八第一項の規定の適用については、同項第一号中「百分の十」とあるのは「百分の八」と、同項第二号中「百分の五」とあるのは「百分の四」とする。

（地域手当に関する経過措置）

第十二条　第二条の規定の施行の際現に給与法第十一条の六の規定の適用を受けている職員に対する当該適用に係る官署の移転に係る地域手当の支給に関する同条の規定の適用については、次の表の上欄に掲げる同条の規定中同表の中欄に掲げる字句は、それぞれ同表の下欄に掲げる字句とする。

第一項	同条第二項各号に定める割合をいう。以下	一般職の職員の給与に関する法律等の一部を改正する法律（平成二十六年法律第百五号。以下「平成二十六年改正法」という。）第二条の規定による改正前の第十一条の三第二項各号に定める割合をいう。以下
	同条第一項	第十一条の三第一項
第三項	同条第二項各号	平成二十六年改正法第二条の規定による改正前の第十一条の三第二項各号
	同条第一項	第十一条の三第一項

2　第二条の規定の施行の際現に給与法第十一条の七第一項の規定の適用を受けている職員に対する当該適用に係る異動等に係る地域手当の支給及び切替日の前日において第二条の規定による改正前の給与法第十一条の三若しくは給与法第十一条の六の規定の適用を受けている職員が切替日にその在勤する官署を異にして異動した場合又はこれらの職員の在勤する官署が切替日

に移転した場合における当該職員に対する当該異動等に係る地域手当の支給に関する同項の規定の適用については、同項中「第十一条の三第二項各号に定める割合又は第十一条の四の人事院規則で定める割合をいい」とあるのは、「一般職の職員の給与に関する法律等の一部を改正する法律（平成二十六年法律第百五号）第二条の規定による改正前の第十一条の三第二項各号に定める割合又は同法第二条の規定による改正前の第十一条の四の人事院規則で定める割合をいい」とする。

（広域異動手当に関する経過措置）

第十三条　切替日前に職員がその在勤する官署を異にして異動した場合又は職員の在勤する官署が移転した場合における当該職員に対する当該異動又は移転に係る広域異動手当の支給に関する給与法第十一条の八第一項の規定の適用については、同項第一号中「百分の十」とあるのは「百分の六」と、同項第二号中「百分の五」とあるのは「百分の三」とする。

（非常勤職員の給与に関する経過措置）

第十四条　第二条の規定による改正前の給与法第二十二条第一項に定める職員で、同項の規定により支給される手当の額が勤務一日につき三万四千二百円を超え三万四千九百円以下であるものに対する給与法第二十二条第一項の規定の適用については、平成三十年三月三十一日（当該職員が同日前に離職をした場合にあっては、当該離職をした日）までの間は、同項中「三万四千二百円」とあるのは、「三万四千九百円」とする。

（人事院規則への委任）

第十五条　附則第二条から前条までに定めるもののほか、この法律（第三条の規定を除く。）の施行に関し必要な事項は、人事院規則で定める。

（寒冷地手当に関する経過措置）

第十六条　この条において、次の各号に掲げる用語の意義は、当該各号に定めるところによる。

一　旧寒冷地等在勤等職員　次に掲げる職員のいずれかに該当する職員（常時勤務に服する職員に限り、国家公務員法（昭和二十二年法律第百二十号）第八十一条の四第一項又は第八十一条の五第一項の規定により採用された職員（次号において「再任用職員」という。）を除く。）をいう。

イ　第三条の規定による改正前の国家公務員の寒冷地手当に関する法律別表に掲げる地域（ロにおいて「旧寒冷地」という。）に在勤する職員

ロ　第三条の規定の施行の日（以下「一部施行日」という。）の前日において国家公務員の寒冷地手当に関する法律（以下「寒冷地手当法」という。）第一条第二号の規定に基づき内閣総理大臣が定めていた官署に在勤し、かつ、旧寒冷地又は同日において同号の規定に基づき内閣総理大臣が定めていた区域に居住する職員

二　新寒冷地等在勤等職員　寒冷地手当法第一条各号に掲げる職員のいずれかに該当する職員（常時勤務に服する職員に限り、再任用職員を除く。）をいう。

三　特定旧寒冷地等在勤等職員　旧寒冷地等在勤等職員であって、新寒冷地等在勤等職員でないものをいう。

四　みなし寒冷地手当額　次項又は第三項に規定する者につき、寒冷地手当法別表に規定する四級地をその地域の区分（寒冷地手当法第二条第一項に規定する地域の区分をいう。）と、基準日（寒冷地手当法第一条に規定する基準日をいう。以下同じ。）におけるその基準世帯等区分（当該者の一部施行日の前日以降における世帯等の区分（寒冷地手当法第二条第一項に規定する世帯等の区分をいう。以下この号において同じ。）のうち、寒冷地手当法第二条第一項の表四級地の項に掲げる寒冷地手当の額が最も少ない世帯等の区分をいう。）をその世帯等の区分とそれぞれみなして、寒冷地手当法第二条第一項の規定を適用したとしたならば算出される寒冷地手当の額をいう。

2　基準日（その属する月が平成二十八年三月までのものに限る。）において特定旧寒冷地等在勤等職員である者のうち、一部施行日の前日から当該基準日の前日までの間、引き続き特定旧寒冷地等在勤等職員であった者に対しては、寒冷地手当法第一条及び第二条の規定にかかわらず、みなし寒冷地手当額の寒冷地手当を支給する。

3　基準日（その属する月が平成二十八年十一月から平成三十年三月までのものに限る。）において特定旧寒冷地等在勤等職員である者のうち、一部施行日の前日から当該基準日の前日までの間、引き続き特定旧寒冷地等在勤等職員であった者に対しては、みなし寒冷地手当額が、次の表の上欄に掲げる基準日の属する月の区分に応じ同表の下欄に掲げる額を超えることとなるときは、寒冷地手当法第一条及び第二条の規定にかかわらず、みなし寒冷地手当額から同表の上欄に掲げる基準日の属する月の区分に応じ同表の下欄に掲げる額を減じた額の寒冷地手当を支給する。

平成二十八年十一月から平成二十九年	六千円

三月まで	
平成二十九年十一月から平成三十年三月まで	一万二千円

4　寒冷地手当法第二条第三項及び第四項の規定は、前二項の規定により寒冷地手当を支給される者について準用する。この場合において、同条第三項中「、前二項」とあるのは「、一般職の職員の給与に関する法律等の一部を改正する法律（平成二十六年法律第百五号。以下「平成二十六年改正法」という。）附則第十六条第二項又は第三項」と、同項第一号中「前二項」とあるのは「平成二十六年改正法附則第十六条第二項又は第三項」と、「同条第二項」とあるのは「一般職給与法第二十三条第二項」と、同項第二号中「前二項」とあるのは「平成二十六年改正法附則第十六条第二項又は第三項」と、同条第四項中「前三項」とあるのは「平成二十六年改正法附則第十六条第二項又は第三項及び同条第四項において読み替えて準用する前項」と、「第一項又は第二項」とあるのは「同条第二項又は第三項」と、同項第一号及び第二号中「前項各号」とあるのは「平成二十六年改正法附則第十六条第四項において読み替えて準用する前項各号」と読み替えるものとする。

5　前三項の規定により寒冷地手当を支給される者との権衡上必要があると認められるときは、基準日において特定旧寒冷地等在勤等職員である者のうち、一部施行日の前日において旧寒冷地等在勤等職員であった者であって、一部施行日から当該基準日の前日までの間、引き続き旧寒冷地等在勤等職員又は新寒冷地等在勤等職員であったもの（前三項の規定により寒冷地手当を支給される者を除く。）に対しては、寒冷地手当法第一条及び第二条の規定にかかわらず、内閣総理大臣の定めるところにより、前三項の規定に準じて、寒冷地手当を支給する。

6　検察官であった者又は給与法第十一条の七第三項に規定する行政執行法人職員等であった者が、一部施行日以降に引き続き給与法の俸給表の適用を受ける職員となり、特定旧寒冷地等在勤等職員となった場合（一部施行日の前日において独立行政法人通則法の一部を改正する法律の施行に伴う関係法律の整備に関する法律（平成二十六年法律第六十七号）第三条の規定による改正前の給与法第十一条の七第三項に規定する特定独立行政法人職員等であった者が、一部施行日に引き続き給与法の俸給表の適用を受ける職員となり、特定旧寒冷地等在勤等職員となった場合を含む。）において、任用の事情、一部施行日の前日から特定旧寒冷地等在勤等職員となった日の前日までの間における勤務地等を考慮して第二項から前項までの規定により寒冷地手当を支給される者との権衡上必要があると認められるときは、基準日において当該職員である者に対しては、寒冷地手当法第一条及び第二条の規定にかかわらず、内閣総理大臣の定めるところにより、第二項から前項までの規定に準じて、寒冷地手当を支給する。

7　第二項から前項までの規定により寒冷地手当を支給する場合における寒冷地手当法第三条第一項の規定の適用については、同項中「前条」とあるのは、「一般職の職員の給与に関する法律等の一部を改正する法律（平成二十六年法律第百五号）附則第十六条第二項から第六項まで」とする。

8　第五項及び第六項の規定に基づく内閣総理大臣の定めは、人事院の勧告に基づくものでなければならない。

（防衛省の職員への準用）

第十七条　前条の規定は、国家公務員法第二条第三項第十六号に規定する職員について準用する。この場合において、次の表の上欄に掲げる前条の規定中同表の中欄に掲げる字句は、それぞれ同表の下欄に掲げる字句に読み替えるものとする。

第一項第一号	国家公務員法（昭和二十二年法律第百二十号）第八十一条の四第一項又は第八十一条の五第一項	自衛隊法（昭和二十九年法律第百六十五号）第四十四条の四第一項、第四十四条の五第一項又は第四十五条の二第一項
第一項第一号イ	在勤する職員	在勤する職員及び当該地域に防衛大臣の定める定係港を有する船舶に乗り組む職員
第一項第一号ロ	第一条第一号	第五条において準用する寒冷地手当法第一条第二号
第一項第一号ロ、第五項、第六項及び第八項	内閣総理大臣	防衛大臣

第一項第二号	第一条各号	第五条において準用する寒冷地手当法第一条各号
第一項第四号	第二条第一項の規定	第五条において準用する寒冷地手当法第二条第一項の規定
第二項、第三項、第五項及び第六項	第一条	第五条において準用する寒冷地手当法第一条
第四項	第二条第三項	第五条において準用する寒冷地手当法第二条第三項（第二号を除く。）
	という。）附則第十六条第二項	という。）附則第十七条において準用する平成二十六年改正法附則第十六条第二項
	附則第十六条第二項又は第三項」と、「同条第二項	附則第十七条において準用する平成二十六年改正法附則第十六条第二項又は第三項」と、「同条第二項
	一般職給与法	防衛省の職員の給与等に関する法律
	同項第二号中「前二項」とあるのは「平成二十六年改正法附則第十六条第二項又は第三項」と、同条第四項	同条第四項
	附則第十六条第二項又は第三項及び	附則第十七条において準用する平成二十六年改正法附則第十六条第二項又は第三項及び
	附則第十六条第四項	附則第十七条において準用する平成二十六年改正法附則第十六条第四項
	準用する前項各号	準用する前項第一号及び第三号」と、「同項各号」とあるのは「同項第一号及び第三号
第六項	又は給与法	又は防衛省の職員の給与等に関する法律（昭和二十七年法律第二百六十六号）第十四条第二項において準用する給与法
	給与法の	防衛省の職員の給与等に関する法律第四条第一項及び第四項に規定する
	前日において	前日において同法第十四条第二項において準用する
第七項	第三条第一項	第五条において準用する寒冷地手当法第三条第一項
	附則第十六条第二項	附則第十七条において準用する同法附則第十六条第二項
第八項	人事院の勧告に基づく	一般職の国家公務員との均衡を考慮した

附　則（平二八・一・二六法一）（抄）

（施行期日等）

第一条　この法律は、公布の日から施行する。ただし、第二条〔中略〕の規定は、平成二十八年四月一日から施行する。

2　第一条の規定による改正後の一般職の職員の給与に関する法律（以下「改正後の給与法」という。）の規定〔中略〕は、平成二十七年四月一日から適用する。

（任期付職員に係る最高の号俸を超える俸給月額の切替え）

第二条　平成二十七年四月一日（以下この条において「切替日」という。）の前日において一般職の任期付職員の採用及び給与の特例に関する法律第七条第三項の規定による俸給月額を受けていた職員の切替日における俸給月額は、改正後の任期付職員法第七条第一項に規定する俸給表に掲げる号俸の俸給月額及び改正後の給与法の指定職俸給表八号俸の額との権衡を考慮して人事院規則で定める。

（給与の内払）

第三条　改正後の給与法、改正後の任期付研究員法又は改正後の任期付職員法の規定を適用する場合においては、第一条の規定による改正前の一般職の職員の給与に関する法律の規定に基づいて支給された給与（一般職の職員の給与に関する法律等の一部を改正する法律（平成二十六年法律第百五号。以下この条において「平成二十六年改正法」という。）附則第七条の規定に基づいて支給された俸給を含む。）、第四条の規定による改正前の一般職の任期付研究員の採用、給与及び勤務時間の特例に関する法律の規定に基づいて支給された給与（平成二十六年改正法附則第七条の規定に基づいて支給された俸給を含む。）又は第六条の規定による改正前の一般職の任期付職員の採用及び給与の特例に関する法律の規定に基づいて支給された給与（平成二十六年改正法附則第七条の規定に基づいて支給された俸給を含む。）は、それぞれ改正後の給与法の規定による給与（平成二十六年改正法附則第七条の規定による俸給を含む。）、改正後の任期付研究員法の規定による給与（平成二十六年改正法附則第七条の規定による俸給を含む。）又は改正後の任期付職員法の規定による給与（平成二十六年改正法附則第七条の規定による俸給を含む。）の内払とみなす。

（人事院規則への委任）

第四条　前二条に定めるもののほか、この法律の施行に関し必要な事項は、人事院規則で定める。

附　則（平二八・一一・二四法八〇）（抄）

改正　令元・一一・二二法五一

（施行期日等）

第一条　この法律は、公布の日から施行する。ただし、次の各号に掲げる規定は、当該各号に定める日から施行する。

一　〔略〕

二　第二条〔中略〕並びに附則第三条の規定　平成二十九年四月一日

2　第一条の規定（一般職の職員の給与に関する法律（以下「給与法」という。）第十九条の七第二項及び附則第十一項の改正規定を除く。次条において同じ。）による改正後の給与法（次条において「第一条改正後給与法」という。）の規定〔中略〕は、平成二十八年四月一日から適用〔中略〕する。

（給与の内払）

第二条　第一条改正後給与法、改正後の任期付研究員法又は改正後の任期付職員法の規定を適用する場合においては、第一条の規定による改正前の給与法の規定に基づいて支給された給与（一般職の職員の給与に関する法律等の一部を改正する法律（平成二十六年法律第百五号。以下この条において「平成二十六年改正法」という。）附則第七条の規定に基づいて支給された俸給を含む。）、第五条の規定による改正前の任期付研究員法の規定に基づいて支給された給与（平成二十六年改正法附則第七条の規定に基づいて支給された俸給を含む。）又は第七条の規定による改正前の任期付職員法の規定に基づいて支給された給与（平成二十六年改正法附則第七条の規定に基づいて支給された俸給を含む。）は、それぞれ第一条改正後給与法の規定による給与（平成二十六年改正法附則第七条の規定による俸給を含む。）、改正後の任期付研究員法の規定による給与（平成二十六年改正法附則第七条の規定による俸給を含む。）又は改正後の任期付職員法の規定による給与（平成二十六年改正法附則第七条の規定による俸給を含む。）の内払とみなす。

（令和二年三月三十一日までの間における扶養手当に関する特例）

第三条　平成二十九年四月一日から平成三十年三月三十一日までの間は、第二条の規定による改正後の給与法（以下この条において「第二条改正後給与法」という。）第十一条第一項ただし書及び第十一条の二第三項第三号から第六号までの規定は適用せず、第二条改正後給与法第十一条第三項及び第十一条の二の規定の適用については、同項中「扶養親族たる配偶者、父母等については一人につき六千五百円（行政職俸給表(一)の適用を受ける職員でその職務の級が八級であるもの及び同表以外の各俸給表の適用を受ける職員でその職務の級がこれに相当するものとして人事院規則で定める職員（以下「行(一)八級職員等」という。）にあつては、三千五百円）、前項第二号に該当する扶養親族（以下「扶養親族たる子」という。）については一人につき一万円」とあるのは「前項第一号に該当する扶養親族（以下「扶養親族たる配偶者」という。）については一万円、同項第二号に該当する扶養親族（以下「扶養親族たる子」という。）については一人につき八千円（職員に配偶者がない場合にあつては、そのうち一人については一万円）、同項第三号から第六号までのいずれかに該当する扶養親族（以下「扶養親族たる父母等」という。）については一人につき六千五百円（職員に配偶者及び扶養親族たる子がない場合にあつては、そのうち一人については九千円）」と、同条第一項中「扶養親族（行㈠九級以上職員等にあつては、扶養親族たる子に限る。）がある場合、行㈠九級以上職員等から行㈠九級以上職員等以外の職員となつた職員に扶養親族たる配偶者、父母等」とあるのは「扶養親族」と、「その旨」とあるのは「その旨（新たに職員となつた者に扶養親族がある場合又は職員に第一号に掲げる事実が生じた場合において、その職員に配偶者がないときは、その旨を含む。）」と、同項第一号中「場合（行㈠九級以上職員等に扶養親族たる配偶者、父母等たる要件を具備するに至つた者がある場合を除く。）」とあるのは「場合」と、同項中「二　扶養親族たる要件を欠くに至つた者がある場合（扶養親族たる子又は前条第二項第三号若しくは第五号に該当する扶養親族が、満二十二歳に達した日以後の最初の三月三十一日の経過により、扶養親族たる要件を欠くに至つた場合及び行㈠九級以上職員等に扶養親族たる配偶者、父母等たる要件を欠くに至つた者がある場合を除く。）」とあるのは

「二　扶養親族たる要件を欠くに至つた者がある場合（扶養親族たる子又は前条第二項第三号若しくは第五号に該当する扶養親族が、満二十二歳に達した日以後の最初の三月三十一日の経過により、扶養親族たる要件を欠くに至つた場合を除く。）

三　扶養親族たる子又は扶養親族たる父母等がある職員が配偶者のない職員となつた場合（前号に該当する場合を除く。）

四　扶養親族たる子又は扶養親族たる父母等がある職員が配偶者を有するに至つた場合（第一号に該当する場合を除く。）」

と、同条第二項中「扶養親族（行㈠九級以上職員等にあつては、扶養親族たる子に限る。）」とあるのは「扶養親族」と、「なつた日、行㈠九級以上職員等から行㈠九級以上職員等以外の職員となつた職員に扶養親族たる配偶者、父母等がある場合においてその職員に扶養親族たる子で前項の規定による届出に係るものがないときはその職員が行㈠九級以上職員等以外の職員となつた日」とあるのは「なつた日」と、「同項の規定による届出に係るものがない場合」とあるのは「前項の規定による届出に係るものがない場合」と、「死亡した日、行㈠九級以上職員等以外の職員から行㈠九級以上職員等となつた職員に扶養親族たる配偶者、父母等で同項の規定による届出に係るものがある場合においてその職員に扶養親族たる子で同項の規定による届出に係るものがないときはその職員が行㈠九級以上職員等となつた日」とあるのは「死亡した日」と、同条第三項中「次の各号のいずれか」とあるのは「第一号、第二号若しくは第七号」と、「においては、その」とあるのは「又は扶養手当を受けている職員について第一項第三号若しくは第四号に掲げる事実が生じた場合においては、これらの」と、「その日が」とあるのは「これらの日が」と、「第一号又は第三号」とあるのは「第一号」と、「の改定」とあるのは「の改定（扶養親族たる子で第一項の規定による届出に係るものがある職員で配偶者のないものが扶養親族たる配偶者を有するに至つた場合における当該扶養親族たる子に係る扶養手当の支給額の改定並びに扶養親族たる父母等で同項の規定による届出に係るものがある職員であつて配偶者及び扶養親族たる子で同項の規定による届出に係るもののないものが扶養親族たる配偶者又は扶養親族たる子を有するに至つた場合の当該扶養親族たる父母等に係る扶養手当の支給額の改定を除く。）、扶養手当を受けている職員のうち扶養親族たる子で第一項の規定による届出に係るものがある職員が配偶者のない職員となつた場合における当該扶養親族たる子に係る扶養手当の支給額の改定及び扶養手当を受けている職員のうち扶養親族たる父母等で同項の規定による届出に係るものがある職員であつて扶養親族たる子で同項の規定による届出に係るもののないものが配偶者のない職員となつた場合における当該扶養親族たる父母等に係る扶養手当の支給額の改定」と、同項第二号中「扶養親族（行㈠九級以上職員等にあつては、扶養親族たる子に限る。）」とあるのは「扶養親族」とする。

2　平成三十年四月一日から平成三十一年三月三十一日までの間は、第二条改正後給与法第十一条第一項ただし書及び第十一条の二第三項第三号から第六号までの規定は適用せず、第二条改正後給与法第十一条第三項及び第十一条の二の規定の適用については、同項中「扶養親族たる配偶者、父母等」とあるのは「前項第一号及び第三号から第六号までのいずれかに該当する扶養親族」と、「（行政職俸給表㈠の適用を受ける職員でその職務の級が八級であるもの及び同表以外の各俸給表の適用を受ける職員でその職務の級がこれに相当するものとして人事院規則で定める職員（以下「行㈠八級職員等」という。）にあつては、三千五百円）、前項第二号」とあるのは「、同項第二号」と、同条第一

項中「扶養親族（行㈠九級以上職員等にあつては、扶養親族たる子に限る。）がある場合、行㈠九級以上職員等から行㈠九級以上職員等以外の職員となつた職員に扶養親族たる配偶者、父母等」とあるのは「扶養親族」と、同項第一号中「場合（行㈠九級以上職員等に扶養親族たる配偶者、父母等たる要件を具備するに至つた者がある場合を除く。）」とあり、及び同項第二号中「場合及び行㈠九級以上職員等に扶養親族たる配偶者、父母等たる要件を欠くに至つた者がある場合」とあるのは「場合」と、同条第二項中「扶養親族（行㈠九級以上職員等にあつては、扶養親族たる子に限る。）」とあるのは「扶養親族」と、「なつた日、行㈠九級以上職員等から行㈠九級以上職員等以外の職員となつた職員に扶養親族たる配偶者、父母等がある場合においてその職員に扶養親族たる子で前項の規定による届出に係るものがないときはその職員が行㈠九級以上職員等以外の職員となつた日」とあるのは「なつた日」と、「同項の規定による届出に係るものがない場合」とあるのは「前項の規定による届出に係るものがない場合」と、「死亡した日、行㈠九級以上職員等以外の職員から行㈠九級以上職員等となつた職員に扶養親族たる配偶者、父母等で同項の規定による届出に係るものがある場合においてその職員に扶養親族たる子で同項の規定による届出に係るものがないときはその職員が行㈠九級以上職員等となつた日」とあるのは「死亡した日」と、同条第三項中「次の各号のいずれか」とあるのは「第一号、第二号又は第七号」と、「第一号又は第三号」とあるのは「第一号」と、同項第二号中「扶養親族（行㈠九級以上職員等にあつては、扶養親族たる子に限る。）」とあるのは「扶養親族」とする。

3　平成三十一年四月一日から令和二年三月三十一日までの間は、第二条改正後給与法第十一条第一項ただし書並びに第十一条の二第三項第三号及び第五号の規定は適用せず、第二条改正後給与法第十一条第三項及び第十一条の二の規定の適用については、同項中「扶養親族たる配偶者、父母等」とあるのは「前項第一号及び第三号から第六号までのいずれかに該当する扶養親族（以下「扶養親族たる配偶者、父母等」という。）」と、「が八級」とあるのは「が八級以上」と、「行㈠八級職員等」とあるのは「行㈠八級以上職員等」と、「前項第二号」とあるのは「同項第二号」と、同条第一項中「扶養親族（行㈠九級以上職員等にあつては、扶養親族たる子に限る。）がある場合、行㈠九級以上職員等から行㈠九級以上職員等以外の職員となつた職員に扶養親族たる配偶者、父母等」とあるのは「扶養親族」と、同項第一号中「場合（行㈠九級以上職員等に扶養親族たる配偶者、父母等たる要件を具備するに至つた者がある場合を除く。）」とあり、及び同項第二号中「場合及び行㈠九級以上職員等に扶養親族たる配偶者、父母等たる要件を欠くに至つた者がある場合」とあるのは「場合」と、同条第二項中「扶養親族（行㈠九級以上職員等にあつては、扶養親族たる子に限る。）」とあるのは「扶養親族」と、「なつた日、行㈠九級以上職員等から行㈠九級以上職員等以外の職員となつた職員に扶養親族たる配偶者、父母等がある場合においてその職員に扶養親族たる子で前項の規定による届出に係るものがないときはその職員が行㈠九級以上職員等以外の職員となつた日」とあるのは「なつた日」と、「同項の規定による届出に係るものがない場合」とあるのは「前項の規定による届出に係るものがない場合」と、「死亡した日、行㈠九級以上職員等以外の職員から行㈠九級以上職員等となつた職員に扶養親族たる配偶者、父母等で同項の規定による届出に係るものがある場合においてその職員に扶養親族たる子で同項の規定による届出に係るものがないときはその職員が行㈠九級以上職員等となつた日」とあるのは「死亡した日」と、同条第三項中「次の各号のいずれか」とあるのは「第一号、第二号、第四号、第六号又は第七号」と、「第一号又は第三号」とあるのは「第一号」と、同項第二号中「扶養親族（行㈠九級以上職員等にあつては、扶養親族たる子に限る。）」とあるのは「扶養親族」と、同項第四号中「行㈠八級職員等が行㈠八級職員等及び行㈠九級以上職員等」とあるのは「行㈠八級以上職員等が行㈠八級以上職員等」と、同項第六号中「行㈠八級職員等及び行㈠九級以上職員等」とあるのは「行㈠八級以上職員等」と、「が行㈠八級職員等」とあるのは「が行㈠八級以上職員等」とする。

（人事院規則への委任）

第五条　前三条に定めるもののほか、この法律（第九条及び附則第七条から第十条までの規定を除く。）の施行に関し必要な事項は、人事院規則で定める。

附　則（平二九・一二・一五法七七）（抄）

（施行期日等）

第一条　この法律は、公布の日から施行する。ただし、第二条〔中略〕並びに附則第三条及び第五条〔中略〕の規定は、平成三一年四月一日から施行する。

2　第一条の規定による改正後の一般職の職員の給与に関する法律（次条及び附則第三条第一項において「改

正後の給与法」という。）の規定〔中略〕は、平成二十九年四月一日から適用する。

（給与の内払）

第二条　改正後の給与法〔中略〕の規定を適用する場合には、第一条の規定による改正前の一般職の職員の給与に関する法律の規定に基づいて支給された給与（一般職の職員の給与に関する法律等の一部を改正する法律（平成二十六年法律第百五号。以下この条及び次条第一項において「平成二十六年改正法」という。）附則第七条の規定に基づいて支給された俸給を含む。）〔中略〕は、〔中略〕改正後の給与法の規定による給与（平成二十六年改正法附則第七条の規定による俸給を含む。）〔中略〕の内払とみなす。

（平成三十年四月一日における号俸の調整）

第三条　平成三十年四月一日において三十七歳に満たない職員（同日において、改正後の給与法別表第十に規定する専門スタッフ職俸給表の適用を受ける職員でその職務の級が二級以上であるもの（以下この項において「改正後専門スタッフ職二級以上職員」という。）、改正後専門スタッフ職二級以上職員以外の職員でその職務の級における最高の号俸を受けるもの及び一般職の職員の給与に関する法律別表第十一に規定する指定職俸給表又は改正後の任期付研究員法第六条第一項若しくは第二項若しくは改正後の任期付職員法第七条第一項に規定する俸給表の適用を受ける職員を除く。）のうち、平成二十七年一月一日において一般職の職員の給与に関する法律第八条第六項の規定により昇給した職員（同日において平成二十六年改正法第二条の規定による改正前の一般職の職員の給与に関する法律別表第十に規定する専門スタッフ職俸給表の適用を受ける職員でその職務の級が二級又は三級であるものその他同日における昇給の号俸数の決定の状況を考慮して人事院規則で定める職員を除く。以下この項において「昇給抑制職員」という。）その他昇給抑制職員との権衡上必要があると認められるものとして人事院規則で定める職員の平成三十年四月一日における号俸は、この項の規定の適用がないものとした場合に同日に受けることとなる号俸の一号俸上位の号俸とする。

2　国家公務員の育児休業等に関する法律（平成三年法律第百九号）第十三条第一項に規定する育児短時間勤務職員に対する前項の規定の適用については、同項中「とする」とあるのは、「とするものとし、国家公務員の育児休業等に関する法律（平成三年法律第百九号）第十三条第一項に規定する育児短時間勤務職員の俸給月額は、当該号俸に応じた額に、同法第十七条の規定により読み替えられた一般職の職員の勤務時間、休暇等に関する法律（平成六年法律第三十三号）第五条第一項ただし書の規定により定められたその者の勤務時間を同項本文に規定する勤務時間で除して得た数を乗じて得た額とする」とする。

3　前項の規定は、国家公務員の育児休業等に関する法律第二十二条の規定による勤務をしている職員について準用する。

4　国家公務員の育児休業等に関する法律第二十三条第二項に規定する任期付短時間勤務職員に対する第一項の規定の適用については、同項中「とする」とあるのは、「とするものとし、国家公務員の育児休業等に関する法律（平成三年法律第百九号）第二十三条第二項に規定する任期付短時間勤務職員の俸給月額は、当該号俸に応じた額に、同法第二十五条の規定により読み替えられた一般職の職員の勤務時間、休暇等に関する法律（平成六年法律第三十三号）第五条第一項ただし書の規定により定められたその者の勤務時間を同項本文に規定する勤務時間で除して得た数を乗じて得た額とする」とする。

（人事院規則への委任）

第四条　前三条に定めるもののほか、この法律の施行に関し必要な事項は、人事院規則で定める。

附　則（平三〇・一一・三〇法八二）（抄）

（施行期日等）

第一条　この法律は、公布の日から施行する。ただし、第二条〔中略〕の規定は、平成三十一年四月一日から施行する。

2　第一条の規定による改正後の一般職の職員の給与に関する法律（附則第三条において「改正後の給与法」という。）の規定、第三条の規定による改正後の一般職の任期付研究員の採用、給与及び勤務時間の特例に関する法律（附則第三条において「改正後の任期付研究員法」という。）の規定及び第五条の規定による改正後の一般職の任期付職員の採用及び給与の特例に関する法律（次条及び附則第三条において「改正後の任期付職員法」という。）の規定は、平成三十年四月一日から適用する。

（給与の内払）

第三条　改正後の給与法〔中略〕の規定を適用する場合には、第一条の規定による改正前の一般職の職員の給与に関する法律〔中略〕の規定に基づいて支給された給与は、〔中略〕改正後の給与法〔中略〕の規定による給与の内払とみなす。

（人事院規則への委任）

第四条　前二条に定めるもののほか、この法律の施行に関し必要な事項は、人事院規則で定める。

附　則（令元・六・一四法三七）（抄）

（施行期日）

第一条　この法律は、公布の日から起算して三月を経過した日から施行する。〔ただし書略〕

（一般職の職員の給与に関する法律の一部改正に伴う経過措置）

第十条　施行日前に旧国家公務員法第三十八条第一号に該当して旧国家公務員法第七十六条の規定により失職した職員に係る期末手当及び勤勉手当の支給については、前条の規定による改正後の一般職の職員の給与に関する法律第十九条の四第一項及び第四項、第十九条の五第二号（同法第十九条の七第五項及び第二十三条第八項において準用する場合を含む。）、第十九条の七第一項及び第二項第一号イ並びに第二十三条第七項の規定にかかわらず、なお従前の例による。

附　則（令元・一一・二二法五一）（抄）

（施行期日等）

第一条　この法律は、公布の日から施行する。ただし、第二条〔中略〕並びに附則第三条の規定は、令和二年四月一日から施行する。

2　第一条の規定（一般職の職員の給与に関する法律（以下「給与法」という。）第十九条の七第二項の改正規定を除く。次条において同じ。）による改正後の給与法（次条において「改正後の給与法」という。）の規定〔中略〕は、平成三十一年四月一日から適用する。

（給与の内払）

第二条　改正後の給与法、改正後の任期付研究員法又は改正後の任期付職員法の規定を適用する場合には、第一条の規定による改正前の給与法、第三条の規定による改正前の任期付研究員法又は第五条の規定による改正前の任期付職員法の規定に基づいて支給された給与は、それぞれ改正後の給与法、改正後の任期付研究員法又は改正後の任期付職員法の規定による給与の内払とみなす。

（住居手当に関する経過措置）

第三条　第二条の規定の施行の日（以下この項において「一部施行日」という。）の前日において同条の規定による改正前の給与法第十一条の十の規定により支給されていた住居手当の月額が二千円を超える職員であって、一部施行日以後においても引き続き当該住居手当に係る住宅（貸間を含む。）を借り受け、家賃（使用料を含む。以下この項において同じ。）を支払っているもののうち、次の各号のいずれかに該当するもの（人事院規則で定める職員を除く。）に対しては、一部施行日から令和三年三月三十一日までの間、第二条の規定による改正後の給与法第十一条の十の規定にかかわらず、当該住居手当の月額に相当する額（当該住居手当に係る家賃の月額に変更があった場合には、当該相当する額を超えない範囲内で人事院規則で定める額。第二号において「旧手当額」という。）から二千円を控除した額の住居手当を支給する。

一　第二条の規定による改正後の給与法第十一条の十第一項各号のいずれにも該当しないこととなる職員

二　旧手当額から第二条の規定による改正後の給与法第十一条の十第二項の規定により算出される住居手当の月額に相当する額を減じた額が二千円を超えることとなる職員

2　前項に定めるもののほか、同項の規定による住居手当の支給に関し必要な事項は、人事院規則で定める。

（人事院規則への委任）

第四条　前二条に定めるもののほか、この法律の施行に関し必要な事項は、人事院規則で定める。

附　則（令三・六・一一法六一）（抄）

（施行期日）

第一条　この法律は、令和五年四月一日から施行する。ただし、〔中略〕次条並びに附則第十五条及び第十六条の規定は、公布の日から施行する。

（実施のための準備等）

第二条　第一条の規定による改正後の国家公務員法（以下「新国家公務員法」という。）の規定による職員（国家公務員法第二条に規定する一般職に属する職員をいう。以下同じ。）の任用、分限その他の人事行政に関する制度の円滑な実施を確保するため、任命権者（同法第五十五条第一項に規定する任命権者及び法律で別に定められた任命権者並びにその委任を受けた者をいう。以下この項及び次項並びに次条から附則第六条までにおいて同じ。）は、長期的な人事管理の計画的推進その他必要な準備を行うものとし、人事院及び内閣総理大臣は、それぞれの権限に応じ、任命権者の行う準備に関し必要な連絡、調整その他の措置を講ずるものとする。

2　任命権者は、この法律の施行の日（以下「施行日」という。）の前日までの間に、施行日から令和六年三月三十一日までの間に年齢六十年に達する職員（当該職員が占める官職に係る第一条の規定による改正前の国家公務員法（以下「旧国家公務員法」という。）第八十一条の二第二項に規定する定年が年齢六十年である職員に限る。）に対し、新国家公務員法附則第九条の規定の例により、同条に規定する給与に関する特例措置及び退職手当に関する特例措置その他の当該職員が年齢六十年に達する日以後に適用される任用、給与及び退職手当に関する措置の内容その他の必要な情報を提供するものとするとともに、同日の翌日以後における勤務の意思を確認するよう努めるものとする。

3　特定地方警務官（第七条の規定による改正後の警察法第五十六条の二第一項に規定する特定地方警務官をいう。附則第六条第十一項及び第十一条第九項において同じ。）に対する前項の規定の適用については、同項中「任命権者」とあるのは「警視総監又は道府県警察本部長」と、「対し」とあるのは「対し、第七条の規定による改正後の警察法附則第三十八項の規定により読み替えて適用する」とする。

4　第四条の規定による改正後の検察庁法（次項及び附則第十六条第一項において「新検察庁法」という。）の規定による検察官の任用、分限その他の人事行政に関する制度の円滑な実施を確保するため、法務大臣は、長期的な人事管理の計画的推進その他必要な準備を行うものとし、人事院及び内閣総理大臣は、それぞれの権限に応じ、法務大臣の行う準備に関し必要な連絡、調整その他の措置を講ずるものとする。

5　法務大臣は、施行日の前日までの間に、施行日から令和六年三月三十一日までの間に年齢六十三年に達する検察官（検事総長を除く。）に対し、新検察庁法附則第四条の規定の例により、同条に規定する給与に関する特例措置及び退職手当に関する特例措置その他の当該検察官が年齢六十三年に達する日以後に適用される任用、給与及び退職手当に関する措置の内容その他の必要な情報を提供するものとするとともに、同日の翌日以後における勤務の意思を確認するよう努めるものとする。

6　第八条の規定による改正後の自衛隊法（以下「新自衛隊法」という。）の規定による隊員（自衛隊法第二条第五項に規定する隊員をいう。以下同じ。）の任用、分限その他の人事行政に関する制度の円滑な実施を確保するため、任命権者（同法第三十一条第一項の規定により隊員の任免について権限を有する者をいう。以下この項及び次項並びに附則第八条から第十一条までにおいて同じ。）は、長期的な人事管理の計画的推進その他必要な準備を行うものとし、防衛大臣は、任命権者の行う準備に関し必要な連絡、調整その他の措置を講ずるものとする。

7　任命権者は、施行日の前日までの間に、施行日から令和六年三月三十一日までの間に年齢六十年に達する隊員（当該隊員が占める官職に係る第八条の規定による改正前の自衛隊法（以下「旧自衛隊法」という。）第四十四条の二第二項に規定する定年が年齢六十年である隊員に限る。）に対し、新自衛隊法附則第十四項の規定の例により、同項に規定する給与に関する特例措置及び退職手当に関する特例措置その他の当該隊員が年齢六十年に達する日以後に適用される任用、給与及び退職手当に関する措置の内容その他の必要な情報を提供するものとするとともに、同日の翌日以後における勤務の意思を確認するよう努めるものとする。

第七条　暫定再任用職員（短時間勤務の官職を占める暫定再任用職員（以下この条において「暫定再任用短時間勤務職員」という。）を除く。以下この項及び次項において同じ。）の俸給月額は、当該暫定再任用職員が定年前再任用短時間勤務職員であるものとした場合に適用される一般職の職員の給与に関する法律第六条第二項に規定する俸給表の定年前再任用短時間勤務職員の欄に掲げる基準俸給月額のうち、同法第八条第三項の規定により当該暫定再任用職員の属する職務の級に応じた額とする。

2　国家公務員の育児休業等に関する法律（平成三年法律第百九号。第九項及び附則第十二条において「育児休業法」という。）第十二条第一項に規定する育児短時間勤務をしている暫定再任用職員に対する前項の規定の適用については、同項中「とする」とあるのは、「に、国家公務員の育児休業等に関する法律（平成三年法律第百九号）第十七条の規定により読み替えられた一般職の職員の勤務時間、休暇等に関する法律（平成六年法律第三十三号）第五条第一項ただし書の規定により定められた当該暫定再任用職員の勤務時間を同項本文に規定する勤務時間で除して得た数を乗じて得た額とする」とする。

3　暫定再任用短時間勤務職員の俸給月額は、当該暫定再任用短時間勤務職員が定年前再任用短時間勤務職員であるものとした場合に適用される一般職の職員の給与に関する法律第六条第二項に規定する俸給表の定年前再任用短時間勤務職員の欄に掲げる基準俸給月額のうち、同法第八条第三項の規定により当該暫定再任用短時間勤務職員の属する職務の級に応じた額に、一般職の職員の勤務時間、休暇等に関する法律（平成六年法律第三十三号）第五条第二項の規定により定められた当該暫定再任用短時間勤務職員の勤務時間を同条第一項に規定する勤務時間で除して得た数を乗じて得た額とする。

4　暫定再任用短時間勤務職員は、定年前再任用短時間勤務職員とみなして、新一般職給与法第十二条第二項、第十六条第二項及び第二十二条第一項の規定を適用する。

5　暫定再任用職員は、定年前再任用短時間勤務職員とみなして、新一般職給与法第十九条の四第三項の規定を適用する。

6　新一般職給与法第十九条の七第一項の職員に暫定再任用職員が含まれる場合における勤勉手当の額の同条第二項各号に掲げる職員の区分ごとの総額の算定に係る同項の規定の適用については、同項第一号中「定年前再任用短時間勤務職員」とあるのは「定年前再任用短時間勤務職員及び国家公務員法等の一部を改正する法律（令和三年法律第六十一号）附則第三条第四項に規定する暫定再任用職員（次号において「暫定再任用職員」という。）」と、同項第二号中「定年前再任用短時間勤務職員」とあるのは「定年前再任用短時間勤務職員及び暫定再任用職員」とする。

7　附則第二十四条の規定による改正後の国家公務員の寒冷地手当に関する法律（昭和二十四年法律第二百号。附則第十二条第五項において「新寒冷地手当法」という。）の規定並びに一般職の職員の給与に関する法律第八条第四項、第七項及び第九項から第十一項まで、第十条の四、第十一条、第十一条の二、第十一条の五から第十一条の七まで、第十一条の九、第十一条の十、第十三条の二並びに第十四条並びに新一般職給与法第八条第五項、第六項及び第八項の規定は、暫定再任用職員には適用しない。

8　暫定再任用職員に対する第三条の規定による改正後の国家公務員退職手当法（附則第十二条第六項において「新退職手当法」という。）第二条第一項の規定の適用については、同項中「又は自衛隊法」とあるのは「、自衛隊法」と、「第四十五条の二第一項」とあるのは「第四十五条の二第一項又は国家公務員法等の一部を改正する法律（令和三年法律第六十一号）附則第四条第一項若しくは第二項若しくは第五条第一項若しくは第二項」とする。

9　暫定再任用短時間勤務職員は、定年前再任用短時間勤務職員とみなして、附則第十九条の規定による改正後の育児休業法（附則第十二条において「新育児休業法」という。）第二十六条第一項並びに附則第二十条の規定による改正後の一般職の職員の勤務時間、休暇等に関する法律第五条第二項、第六条第一項ただし書及び第二項ただし書、第七条第二項、第十一条、第十七条第一項並びに第二十三条の規定を適用する。

10　前三条及び前各項に定めるもののほか、暫定再任用職員の任用その他暫定再任用職員に関し必要な事項は、人事院規則で定める。

（その他の経過措置の政令等への委任）

第十五条　附則第三条から前条までに定めるもののほか、この法律の施行に関し必要な経過措置は、政令（人事院の所掌する事項については、人事院規則）で定める。

（検討）

第十六条　政府は、国家公務員の年齢別構成及び人事管理の状況、民間における高年齢者の雇用の状況その他の事情並びに人事院における検討の状況に鑑み、必要があると認めるときは、新国家公務員法若しくは新自衛隊法に規定する管理監督職勤務上限年齢による降任等若しくは定年前再任用短時間勤務職員若しくは定年前再任用短時間勤務隊員に関連する制度又は新検察庁法に規定する年齢が六十三年に達した検察官の任用に関連する制度について検討を行い、その結果に基づいて所要の措置を講ずるものとする。

2　政府は、国家公務員の給与水準が旧国家公務員法第八十一条の二第二項、第四条の規定による改正前の検察庁法第二十二条又は旧自衛隊法第四十四条の二第二項に規定する定年の前後で連続的なものとなるよう、国家公務員の給与制度について、人事院においてこの法律の公布後速やかに行われる昇任及び昇格の基準、昇給の基準、俸給表に定める俸給月額その他の事項についての検討の状況を踏まえ、令和十三年三月三十一日までに所要の措置を順次講ずるものとする。

3　政府は、前項の人事院における検討のためには、職員の能力及び実績を職員の処遇に的確に反映するための人事評価の改善が重要であることに鑑み、この法律の公布後速やかに、人事評価の結果を表示する記号の段階その他の人事評価に関し必要な事項について検討を行い、施行日までに、その結果に基づいて所要の措置を講ずるものとする。

附　則（令四・四・一三法一七）（抄）

（施行期日）

第一条　この法律は、公布の日から施行する。

（令和四年六月に支給する期末手当に関する特例措置）

第二条　令和四年六月に支給する期末手当の額は、第一条の規定による改正後の一般職の職員の給与に関する法律（第一号ロにおいて「新給与法」という。）第十九条の四第二項（同条第三項、第二条（第一号に係る部分に限る。）の規定による改正後の一般職の任期付研究員の採用、給与及び勤務時間の特例に関する法律第七条第二項又は第二条（第二号に係る部分に限る。）の規定による改正後の一般職の任期付職員の採用及び給与の特例に関する法律第八条第二項の規定により読み替えて適用する場合を含む。）及び一般職の職員の給与に関する法律（以下この項及び附則第四条において「給与法」という。）第十九条の四第四項から第六項まで（国家公務員の育児休業等に関する法律（平成三年法律第百九号）第十六条の規定により読み替えて適用する場合を含む。）若しくは第二十三条第一項から第三項まで、第五項若しくは第七項、国際機関等に派遣される一般職の国家公務員の処遇等に関する法律（昭和四十五年法律第百十七号）第五条第一項、法科大学院への裁判官及び検察官その他の一般職の国家公務員の派遣に関する法律（平成十五年法律第四十号）第十三条第二項、福島復興再生特別措置法（平成二十四年法律第二十五号）第四十八条の五第二項若しくは第八十九条の五第二項、令和三年東京オリンピック競技大会・東京パラリンピック競技大会特別措置法（平成二十七年法律第三十三号）第十九条第二項又は令和七年に開催される国際博覧会の準備及び運営のために必要な特別措置に関する法律（平成三十一年法律第十八号）第二十七条第二項の規定にかかわらず、これらの規定により算定される期末手当の額（以下この項において「基準額」という。）から、令和三年十二月に支給された期末手当の額に、同月一日（同日前一箇月以内に退職した者にあっては、当該退職をした日）における次の各号に掲げる職員（給与法の適用を受ける者をいう。以下この項において同じ。）の区分ごとに、それぞれ当該各号に定める割合を乗じて得た額（以下この項において「調整額」という。）を減じた額とする。この場合において、調整額が基準額以上となるときは、期末手当は、支給しない。

一　再任用職員（国家公務員法（昭和二十二年法律第百二十号）第八十一条の四第一項又は第八十一条の五第一項の規定により採用された職員をいう。次号において同じ。）以外の職員　次に掲げる職員の区分に応じ、それぞれ次に定める割合

イ　ロからニまでに掲げる職員以外の職員　百二十七・五分の十五

ロ　新給与法第十九条の四第二項に規定する特定管理職員（次号ロにおいて「特定管理職員」という。）　百七・五分の十五

ハ　給与法別表第十一に規定する指定職俸給表の適用を受ける職員（次号ハにおいて「指定職職員」という。）　六十七・五分の十

ニ　一般職の任期付研究員の採用、給与及び勤務時間の特例に関する法律第五条第一項に規定する第一号任期付研究員若しくは第二号任期付研究員又は一般職の任期付職員の採用及び給与の特例に関する法律第七条第一項に規定する特定任期付職員　百六十七・五分の十

二　再任用職員　次に掲げる職員の区分に応じ、それぞれ次に定める割合

イ　ロ及びハに掲げる職員以外の職員　七十二・五分の十

ロ　特定管理職員　六十二・五分の十

ハ　指定職職員　三十五分の五

2　令和三年十二月に防衛省の職員の給与等に関する法律（昭和二十七年法律第二百六十六号）その他の人事院規則で定める法令の規定に基づき期末手当を支給された者に対する前項の規定の適用については、同項中「令和三年十二月に支給された期末手当の額に、同月一日（同日前一箇月以内に退職した者にあっては、当該退職をした日）における次の各号に掲げる職員（給与法の適用を受ける者をいう。以下この項において同じ。）の区分ごとに、それぞれ当該各号に定める割合を乗じて得た」とあるのは、「防衛省の職員の給与等に関する法律（昭和二十七年法律第二百六十六号）の適用を受ける者その他の人事院規則で定める者との権衡を考慮して人事院規則で定める」とする。

（人事院規則への委任）

第三条　前条に定めるもののほか、この法律の施行に関し必要な事項は、人事院規則で定める。

附　則（令四・六・一七法六八）（抄）

（施行期日）

1　この法律は、刑法等一部改正法施行日〔令七・六・一〕から施行する。〔ただし書略〕

附　則（令四・一一・一八法八一）（抄）

（施行期日等）

第一条　この法律は、公布の日から施行する。ただし、第二条〔中略〕の規定は、令和五年四月一日から施行する。

2　第一条の規定（一般職の職員の給与に関する法律（以下この項及び次条において「給与法」という。）第十九条の七第二項の改正規定を除く。次条において同じ。）による改正後の給与法（次条において「改正後の給与法」という。）の規定、第三条の規定（一般職の任期付研究員の採用、給与及び勤務時間の特例に関する法律（以下この項及び次条において「任期付研究

員法」という。）第七条第二項の改正規定を除く。次条において同じ。）による改正後の任期付研究員法（次条において「改正後の任期付研究員法」という。）の規定及び第四条の規定（一般職の任期付職員の採用及び給与の特例に関する法律（以下この項及び次条において「任期付職員法」という。）第八条第二項の改正規定を除く。次条において同じ。）による改正後の任期付職員法（次条において「改正後の任期付職員法」という。）の規定は、令和四年四月一日から適用する。

（給与の内払）

第二条　改正後の給与法、改正後の任期付研究員法又は改正後の任期付職員法の規定を適用する場合には、第一条の規定による改正前の給与法、第三条の規定による改正前の任期付研究員法又は第四条の規定による改正前の任期付職員法の規定に基づいて支給された給与は、それぞれ改正後の給与法、改正後の任期付研究員法又は改正後の任期付職員法の規定による給与の内払とみなす。

（人事院規則への委任）

第三条　前条に定めるもののほか、この法律の施行に関し必要な事項は、人事院規則で定める。

附　則（令五・一一・二四法七三）（抄）

（施行期日等）

第一条　この法律は、公布の日から施行する。ただし、次の各号に掲げる規定は、当該各号に定める日から施行する。

一　第二条中一般職の職員の給与に関する法律（以下この条及び附則第三条において「給与法」という。）第五条第一項及び第十二条第二項第二号の改正規定、給与法第十二条の二の次に一条を加える改正規定並びに給与法第十九条の四第二項及び第三項並びに第十九条の七第二項の改正規定〔中略〕　令和六年四月一日

二　第二条（前号に掲げる改正規定を除く。）〔中略〕の規定　令和七年四月一日

2　第一条の規定（給与法第十九条の四第二項及び第三項並びに第十九条の七第二項の改正規定を除く。附則第三条において同じ。）による改正後の給与法（次条及び附則第三条において「改正後の給与法」という。）の規定〔中略〕は、令和五年四月一日から適用する。

（給与の内払）

第三条　改正後の給与法〔中略〕の規定を適用する場合には、第一条の規定による改正前の給与法〔中略〕の規定に基づいて支給された給与は、〔中略〕改正後の給与法〔中略〕の規定による給与の内払とみなす。

（人事院規則への委任）

第四条　前二条に定めるもののほか、この法律の施行に関し必要な事項は、人事院規則で定める。

〇特別職の職員の給与に関する法律

昭二四・一二・一二
法　二五二

最終改正　令五・一一・二四法七四

（目的及び適用範囲）

第一条　この法律は、次に掲げる国家公務員（以下「特別職の職員」という。）の受ける給与及び公務又は通勤による災害補償について定めることを目的とする。

一　内閣総理大臣
二　国務大臣
三　会計検査院長及びその他の検査官
四　人事院総裁及びその他の人事官
五　内閣法制局長官
六　内閣官房副長官
七　内閣危機管理監
七の二　国家安全保障局長
八　内閣官房副長官補、内閣広報官及び内閣情報官
九　常勤の内閣総理大臣補佐官
十　副大臣
十一　大臣政務官
十一の二　常勤の大臣補佐官
十一の三　デジタル監
十二　国家公務員倫理審査会の常勤の会長及び常勤の委員
十三　公正取引委員会の委員長及び委員
十四　国家公安委員会委員

十四の二　個人情報保護委員会の委員長及び常勤の委員
十四の三　カジノ管理委員会の委員長及び常勤の委員
十五　公害等調整委員会の委員長及び常勤の委員
十六　中央労働委員会の常勤の公益を代表する委員
十六の二　運輸安全委員会の委員長及び常勤の委員
十六の三　原子力規制委員会の委員長及び委員
十七　総合科学技術・イノベーション会議の常勤の議員
十八　原子力委員会委員長
十八の二　再就職等監視委員会委員長
十九　証券取引等監視委員会委員長
二十　公認会計士・監査審査会会長
二十一　中央更生保護審査会委員長
二十二　削除
二十三　社会保険審査会委員長
二十四　削除
二十五　食品安全委員会の常勤の委員
二十六　原子力委員会の常勤の委員
二十七　削除
二十八　公益認定等委員会の常勤の委員
二十九　証券取引等監視委員会委員
三十　公認会計士・監査審査会の常勤の委員
三十一　地方財政審議会委員
三十一の二　行政不服審査会の常勤の委員
三十一の三　情報公開・個人情報保護審査会の常勤の委員
三十二　国地方係争処理委員会の常勤の委員
三十三　電気通信紛争処理委員会の常勤の委員
三十四　中央更生保護審査会の常勤の委員
三十五　削除
三十六　労働保険審査会の常勤の委員
三十七　社会保険審査会委員
三十八　運輸審議会の常勤の委員
三十九　土地鑑定委員会の常勤の委員
四十　削除
四十一　公害健康被害補償不服審査会の常勤の委員
四十二　宮内庁長官、侍従長、東宮大夫及び式部官長
四十三　特命全権大使（以下「大使」という。）及び特命全権公使（以下「公使」という。）
四十四　国家公務員法（昭和二十二年法律第百二十号）第二条第三項第八号に掲げる秘書官及び裁判所法（昭和二十二年法律第五十九号）に定める裁判官の秘書官（以下「秘書官」という。）
四十五　非常勤の内閣総理大臣補佐官
四十五の二　非常勤の大臣補佐官
四十六　会計検査院情報公開・個人情報保護審査会の委員
四十七　国家公務員倫理審査会の非常勤の会長及び非常勤の委員
四十七の二　個人情報保護委員会の非常勤の委員
四十七の三　カジノ管理委員会の非常勤の委員
四十八　公害等調整委員会の非常勤の委員
四十九　公安審査委員会の委員長及び委員
五十　中央労働委員会の非常勤の公益を代表する委員
五十の二　運輸安全委員会の非常勤の委員
五十一　総合科学技術・イノベーション会議の非常勤の議員
五十二　食品安全委員会の非常勤の委員
五十三　原子力委員会の非常勤の委員
五十四　削除
五十五　衆議院議員選挙区画定審議会委員
五十六　国会等移転審議会委員
五十七　公益認定等委員会の非常勤の委員
五十七の二　再就職等監視委員会委員
五十八　公認会計士・監査審査会の非常勤の委員
五十八の二　行政不服審査会の非常勤の委員
五十八の三　情報公開・個人情報保護審査会の非常勤の委員
五十九　国地方係争処理委員会の非常勤の委員
六十　電気通信紛争処理委員会の非常勤の委員
六十一　電波監理審議会委員
六十二　中央更生保護審査会の非常勤の委員
六十三　削除
六十四　労働保険審査会の非常勤の委員
六十五　中央社会保険医療協議会の公益を代表する委員
六十五の二　調達価格等算定委員会委員
六十六　運輸審議会の非常勤の委員
六十七　土地鑑定委員会の非常勤の委員
六十八　削除
六十九　公害健康被害補償不服審査会の非常勤の委員
七十　中央選挙管理会の委員
七十の二　政治資金適正化委員会の委員
七十一　日本ユネスコ国内委員会の会長、副会長及び委員
七十二　日本学術会議会員
七十三　国家公務員法第二条第三項第十号に掲げる宮内庁の職員のうち第四十二号に掲げる者以外の者
七十四　国会職員

七十五　国会議員の秘書

（内閣総理大臣等の給与）

第二条　前条第一号から第四十四号までに掲げる特別職の職員（以下「内閣総理大臣等」という。）の受ける給与は、別に法律で定めるもののほか、俸給、地域手当、通勤手当及び期末手当（国会議員から任命されたものにあつては俸給、地域手当及び期末手当、秘書官にあつては俸給、地域手当、広域異動手当、住居手当、通勤手当、単身赴任手当、期末手当、勤勉手当及び寒冷地手当）とする。

第三条　内閣総理大臣等の俸給月額は、内閣総理大臣等のうち大使、公使及び秘書官以外の者については別表第一に、大使及び公使については別表第二に、秘書官については別表第三による。

2　第一条第九号、第十一号の二又は第十七号から第四十一号までに掲げる特別職の職員の俸給月額は、特別の事情により別表第一による俸給月額により難いときは、前項の規定にかかわらず、次の各号に掲げる特別職の職員の区分に応じ、当該各号に定める額とすることができる。

一　第一条第九号又は第十一号の二に掲げる特別職の職員　百二十万三千円

二　第一条第十七号から第二十四号までに掲げる特別職の職員　百十七万八千円

三　第一条第二十五号から第四十一号までに掲げる特別職の職員　百十七万八千円又は百三万八千円

3　大使又は公使の俸給月額は、特別の事情により別表第二に掲げる俸給月額により難いときは、第一項の規定にかかわらず、大使にあつては百四十七万円、百四十一万円又は七十六万三千円、公使にあつては七十六万三千円とすることができる。

4　次の各号に掲げる者は、当該各号に定める場合には、内閣総理大臣に協議しなければならない。

一　内閣総理大臣又は各省大臣　第二項の規定により第一条第九号、第十一号の二又は第十七号から第四十一号までに掲げる特別職の職員の受ける俸給月額を定めようとするとき。

二　外務大臣　別表第二又は前項の規定により大使又は公使の受ける俸給月額を定めようとするとき。

三　内閣総理大臣、各省大臣、最高裁判所長官、会計検査院長又は人事院総裁　別表第三により秘書官の受ける俸給月額を定めようとするとき。

第四条　第一条第十二号から第四十一号までに掲げる特別職の職員のうち、他の職務に従事し、又は営利事業を営み、その他金銭上の利益を目的とする業務を行い、当該職務、事業又は業務から生ずる所得（国会議員、内閣総理大臣等又は一般職の常勤を要する職員として受ける給与に係るものを除く。）が政令で定める基準に該当することとなる者には、第二条に規定する給与は、支給しない。

2　前項の規定に該当する者には、第九条の規定の例により、手当を支給する。この場合において、同条ただし書中「「人事院の承認を得て」とあるのは、」とあるのは、「「三万四千三百円」とあるのは「六万七千三百円」と、「人事院の承認を得て」とあるのは」とする。

第五条　新たに内閣総理大臣等になつた者には、その日から俸給を支給する。但し、退職し、又は罷免された国家公務員が即日内閣総理大臣等になつたときは、その日の翌日から俸給を支給する。

第六条　内閣総理大臣等が退職又は罷免により内閣総理大臣等でなくなつたときは、その日まで俸給を支給する。

2　内閣総理大臣等が死亡したときは、その月まで俸給を支給する。

第七条　第五条又は前条第一項の規定により俸給を支給する場合であつて月の初日から支給するとき以外のとき、又は月の末日まで支給するとき以外のときは、その俸給の額は、その月の現日数から日曜日の日数を差し引いた日数を基礎として、日割りによつて計算する。

第七条の二　内閣総理大臣等（秘書官を除く。）の地域手当、通勤手当及び期末手当の支給については、一般職の職員の給与に関する法律（昭和二十五年法律第九十五号。以下「一般職給与法」という。）の適用を受ける職員（以下「一般職の職員」という。）の例による。ただし、一般職給与法第十九条の四第二項中「百分の百二十二・五」とあるのは、「百分の百七十」とし、同条第五項において人事院規則で定めることとされている事項については、政令で定めるものとする。

第七条の三　秘書官の地域手当、広域異動手当、住居手当、通勤手当、単身赴任手当、期末手当、勤勉手当及び寒冷地手当の支給については、一般職の職員の例による。ただし、一般職給与法第十九条の七第四項（一般職給与法第十九条の四第五項において読み替えて準用する場合を含む。）において人事院規則で定めることとされている事項については、政令で定めるものとする。

第八条　内閣総理大臣等の給与の支給期日は、一般職の職員の例による。

（非常勤の内閣総理大臣補佐官等の給与）

第九条　第一条第四十五号から第七十二号までに掲げる特別職の職員（以下「非常勤の内閣総理大臣補佐官等」という。）には、一般職給与法第二十二条第一項の規定の適用を受ける職員の例により、手当を支給する。ただし、同項中「人事院の承認を得て」とあるのは、「内閣総理大臣と協議して」とする。

（侍従次長等の給与）

第十条　第一条第七十三号に掲げる特別職の職員の受ける給与の種類、額、支給条件及び支給方法は、内閣総理大臣の定めるところにより、一般職の職員の例による。

（国会職員の給与）

第十一条　第一条第七十四号に掲げる特別職の職員の受ける給与の種類、額、支給条件及び支給方法は、国会職員法（昭和二十二年法律第八十五号）及び同法の規定に基づく国会職員の給与等に関する規程の定めるところによる。

（国会議員の秘書の給与）

第十二条　第一条第七十五号に掲げる特別職の職員の受ける給与の額、支給条件及び支給方法は、国会議員の秘書の給与等に関する法律（平成二年法律第四十九号）及び同法の規定に基づく国会議員の秘書の給与の支給等に関する規程の定めるところによる。

第十三条　削除〔平成七年三月法律五四号〕

（調整措置）

第十四条　国会議員、内閣総理大臣等及び一般職の常勤を要する職員が次の各号の一に該当するときは、その兼ねる特別職の職員として受けるべき第二条、第四条第二項又は第九条の給与（通勤手当を除く。）は、支給しない。

一　内閣総理大臣等の職を兼ねるとき。

二　非常勤の内閣総理大臣補佐官等の職を兼ねるとき。

2　前項の規定にかかわらず、その兼ねる特別職の職員として受けるべき給与（通勤手当を除く。）の額が国会議員、内閣総理大臣等又は一般職の常勤を要する職員として受ける給与（通勤手当を除く。）の額を超えるときは、その差額を、その兼ねる特別職の職員として所属する機関から支給する。

（災害補償）

第十五条　特別職の職員（第一条第七十四号及び第七十五号に掲げる特別職の職員を除く。以下この条において同じ。）の公務上の災害又は通勤による災害に対する補償及び公務上の災害又は通勤による災害を受けた特別職の職員に対する福祉事業については、一般職の職員の例による。

附　則

1　この法律は、公布の日から施行する。

2　一般職の職員から引き続き内閣総理大臣秘書官になつた者の俸給月額は、当分の間、特別の事情により別表第三に掲げる俸給月額により難いときは、第三条第一項の規定にかかわらず、同表に掲げる十二号俸の俸給月額を超え八十九万九千円を超えない範囲内の額とすることができる。この場合において、同条第四項第三号中「別表第三」とあるのは、「附則第二項の規定」とする。

3　当分の間、内閣総理大臣、国務大臣、内閣官房副長官、常勤の内閣総理大臣補佐官、副大臣、大臣政務官又は常勤の大臣補佐官がこの法律の規定に基づいて支給された給与の一部に相当する額を国庫に返納する場合には、当該返納による国庫への寄附については、公職選挙法（昭和二十五年法律第百号）第百九十九条の二の規定は、適用しない。

附　則（平二六・一一・一九法一〇六）

（施行期日等）

第一条　この法律は、公布の日から施行する。ただし、第二条及び附則第三条から第六条までの規定は、平成二十七年四月一日から施行する。

2　第一条の規定（特別職の職員の給与に関する法律第七条の二ただし書の改正規定を除く。次条において同じ。）による改正後の同法（次条において「平成二十六年新法」という。）の規定は、平成二十六年四月一日から適用する。

（給与の内払）

第二条　平成二十六年新法の規定を適用する場合においては、第一条の規定による改正前の特別職の職員の給与に関する法律の規定に基づいて支給された給与は、平成二十六年新法の規定による給与の内払とみなす。

（経過措置）

第三条　附則第一条第一項ただし書に規定する規定の施行の日（以下「一部施行日」という。）の前日において第二条の規定による改正前の特別職の職員の給与に関する法律（以下「平成二十七年旧法」という。）附則第三項の規定により俸給月額を受けていた特別職の職員の一部施行日における俸給月額は、同条の規定による改正後の特別職の職員の給与に関する法律（以下「平成二十七年新法」という。）第三条第一項及び附則第三項の規定にかかわらず、平成二十七年新法別表第三に掲げる十二号俸の俸給月額を超え八十九万五千円を超えない範囲内で内閣総理大臣が定める額とする。

この場合において、同条第四項第三号中「別表第三」とあるのは、「特別職の職員の給与に関する法律の一部を改正する法律（平成二十六年法律第百六号）附則第三条の規定」とする。

第四条　一部施行日の前日から引き続き内閣総理大臣等である者で、当該特別職の職員として受ける俸給月額が同日において受けていた俸給月額に達しないこととなる特別職の職員には、平成三十年三月三十一日（任期の定めのある特別職の職員にあっては、同日又は一部施行日を含む任期に係る期間の末日のいずれか早い日）までの間、俸給月額のほか、その差額に相当する額を俸給として支給する。

2　一部施行日以降に新たに大使又は公使となった者のうち、一部施行日の前日から大使又は公使となった日の前日までの間引き続き一般職の職員の給与に関する法律（昭和二十五年法律第九十五号）の同一の俸給表の適用を受けていたもので、当該大使又は公使として受ける俸給月額が一部施行日の前日において受けていた俸給月額に達しないこととなる特別職の職員には、平成三十年三月三十一日までの間、俸給月額のほか、その差額に相当する額（その額が、当該大使又は公使として受ける俸給月額と平成二十七年旧法第三条の規定を適用したとしたならば当該大使又は公使として受けることとなる俸給月額（以下この項において「基準額」という。）との差額に相当する額を超えるときは、当該大使又は公使として受ける俸給月額と基準額との差額に相当する額）を俸給として支給する。

3　一部施行日以降に新たに内閣総理大臣等となった者（前項に規定する者を除く。）について、任用の事情等を考慮して前二項の規定による俸給を支給される特別職の職員との権衡上必要があると認められるときは、当該特別職の職員には、内閣総理大臣の定めるところにより、前二項の規定に準じて、俸給を支給する。

第五条　前条の規定による俸給を支給される特別職の職員（秘書官を除く。）に関する平成二十七年新法第七条の二の規定の適用については、同条ただし書中「一般職給与法」とあるのは、「一般職給与法第十一条の三第二項中「次の各号に掲げる地域手当の級地の区分に応じて、当該各号に定める割合」とあるのは「百分の十八」と、一般職給与法」とする。

第六条　平成二十七年旧法第四条第二項前段の規定の適用を受ける特別職の職員で、同項の規定により支給される手当の額が勤務一日につき六万七千百円を超え六万七千三百円以下であるものに対する平成二十七年新法第四条第二項後段の規定の適用については、当該特別職の職員が一部施行日から引き続き同項前段の規定の適用を受ける間（平成三十年三月三十一日までの間に限る。）は、同項後段中「六万七千百円」とあるのは、「六万七千三百円」とする。

（政令への委任）

第七条　附則第二条から前条までに定めるもののほか、この法律の施行に関し必要な事項は、政令で定める。

附　則（平二八・一・二六法二）

（施行期日等）

第一条　この法律は、公布の日から施行する。ただし、第二条の規定は、平成二十八年四月一日から施行する。

2　第一条の規定による改正後の特別職の職員の給与に関する法律（以下「改正後の給与法」という。）の規定は、平成二十七年四月一日から適用する。

（特定の秘書官の俸給月額の切替え）

第一条　平成二十七年四月一日（以下この条において「切替日」という。）の前日において第一条の規定による改正前の特別職の職員の給与に関する法律（次条において「改正前の給与法」という。）附則第三項の規定により俸給月額を受けていた特別職の職員の切替日における俸給月額は、改正後の給与法第三条第一項及び附則第三項の規定にかかわらず、改正後の給与法別表第三に掲げる十二号俸の俸給月額を超え八十九万六千円を超えない範囲内で内閣総理大臣が定める額とする。この場合において、同条第四項第三号中「別表第三」とあるのは、「特別職の職員の給与に関する法律の一部を改正する法律（平成二十八年法律第二号）附則第二条の規定」とする。

（給与の内払）

第三条　改正後の給与法の規定を適用する場合においては、改正前の給与法の規定に基づいて支給された給与（特別職の職員の給与に関する法律の一部を改正する法律（平成二十六年法律第百六号）附則第四条の規定に基づいて支給された俸給を含む。）は、改正後の給与法の規定による給与（同条の規定による俸給を含む。）の内払とみなす。

（政令への委任）

第四条　前二条に定めるもののほか、この法律の施行に関し必要な事項は、政令で定める。

附　則（平二八・一一・二四法八一）

（施行期日等）

第一条　この法律は、公布の日から施行する。ただし、第二条の規定は、平成二十九年四月一日から施行する。

2　第一条の規定（特別職の職員の給与に関する法律第七条の二ただし書の改正規定を除く。次条において同じ。）による改正後の同法（次条において「改正後の給与法」という。）の規定は、平成二十八年四月一日から適用する。

（給与の内払）

第二条　改正後の給与法の規定を適用する場合においては、第一条の規定による改正前の特別職の職員の給与に関する法律の規定に基づいて支給された給与（特別職の職員の給与に関する法律の一部を改正する法律（平成二十六年法律第百六号。以下この条において「平成二十六年改正法」という。）附則第四条の規定に基づいて支給された俸給を含む。）は、改正後の給与法の規定による給与（平成二十六年改正法附則第四条の規定による俸給を含む。）の内払とみなす。

（政令への委任）

第三条　前条に定めるもののほか、この法律の施行に関し必要な事項は、政令で定める。

附　則（平三〇・一一・三〇法八三）

（施行期日等）

第一条　この法律は、公布の日から施行する。ただし、第二条の規定は、平成三十一年四月一日から施行する。

2　第一条の規定による改正後の特別職の職員の給与に関する法律（次条において「改正後の給与法」という。）の規定は、平成三十年四月一日から適用する。

（給与の内払）

第二条　改正後の給与法の規定を適用する場合には、第一条の規定による改正前の特別職の職員の給与に関する法律の規定に基づいて支給された給与は、改正後の給与法の規定による給与の内払とみなす。

（政令への委任）

第三条　前条に定めるもののほか、この法律の施行に関し必要な事項は、政令で定める。

附　則（令元・一一・二二法五二）

（施行期日等）

第一条　この法律は、公布の日から施行する。ただし、第二条の規定は、令和二年四月一日から施行する。

2　第一条の規定（特別職の職員の給与に関する法律第七条の二ただし書の改正規定を除く。次条において同じ。）による改正後の同法（次条において「改正後の給与法」という。）の規定は、平成三十一年四月一日から適用する。

（給与の内払）

第二条　改正後の給与法の規定を適用する場合には、第一条の規定による改正前の特別職の職員の給与に関する法律の規定に基づいて支給された給与は、改正後の給与法の規定による給与の内払とみなす。

（政令への委任）

第三条　前条に定めるもののほか、この法律の施行に関し必要な事項は、政令で定める。

附　則（令四・四・一三法一八）

（施行期日）

1　この法律は、公布の日から施行する。

（令和四年六月に支給する期末手当に関する特例措置）

2　令和四年六月の内閣総理大臣等（特別職の職員の給与に関する法律第二条に規定する内閣総理大臣等をいい、同法第一条第四十四号に規定する秘書官を除く。）の期末手当の支給についてのこの法律の規定による改正後の同法第七条の二の規定の適用については、同条ただし書中「あるのは、」とあるのは「あるのは」と、「同条第五項」とあるのは「一般職の職員の給与に関する法律等の一部を改正する法律（令和四年法律第十七号）附則第二条第一項第一号イ中「百二十七・五分の十五」とあるのは「百六十七・五分の十」と、一般職給与法第十九条の四第五項」とする。

3　前項に定めるもののほか、この法律の施行に関し必要な事項は、政令で定める。

附　則（令四・一一・一八法八二）

（施行期日等）

第一条　この法律は、公布の日から施行する。ただし、第二条の規定は、令和五年四月一日から施行する。

2　第一条の規定（特別職の職員の給与に関する法律第七条の二ただし書の改正規定を除く。次条において同じ。）による改正後の同法（次条において「改正後の給与法」という。）の規定は、令和四年四月一日から適用する。

（給与の内払）

第二条　改正後の給与法の規定を適用する場合には、第一条の規定による改正前の特別職の職員の給与に関する法律の規定に基づいて支給された給与は、改正後の給与法の規定による給与の内払とみなす。

（政令への委任）

第三条　前条に定めるもののほか、この法律の施行に関し必要な事項は、政令で定める。

附　則（令五・一一・二四法七四）（抄）

（施行期日等）

第一条　この法律は、公布の日から施行する。ただし、

第二条の規定は、令和六年四月一日から施行する。

2 第一条の規定（特別職の職員の給与に関する法律（以下「給与法」という。）第七条の二ただし書の改正規定を除く。次条及び附則第三条において同じ。）による改正後の給与法（次条及び附則第三条において「改正後の給与法」という。）〔中略〕の規定は、令和五年四月一日から適用する。

（特定の秘書官の俸給月額の切替え）

第二条 令和五年四月一日（以下この条において「切替日」という。）の前日において第一条の規定による改正前の給与法附則第二項の規定により俸給月額を受けていた特別職の職員の切替日における俸給月額は、改正後の給与法第三条第一項及び第四項並びに附則第二項の規定にかかわらず、改正後の給与法別表第三に掲げる十二号俸の俸給月額を超え八十九万九千円を超えない範囲内で内閣総理大臣が定める額とする。

（給与の内払）

第三条 改正後の給与法〔中略〕の規定を適用する場合には、第一条の規定による改正前の給与法〔中略〕の規定に基づいて支給された給与は、〔中略〕改正後の給与法〔中略〕の規定による給与の内払とみなす。

（政令への委任）

第四条 前二条に定めるもののほか、この法律の施行に関し必要な事項は、政令で定める。

別表第一（第三条関係）

官職名	俸給月額
内閣総理大臣	二、〇一六、〇〇〇円
国務大臣 会計検査院長 人事院総裁	一、四七〇、〇〇〇円
内閣法制局長官 内閣官房副長官 副大臣 国家公務員倫理審査会の常勤の会長 公正取引委員会委員長 原子力規制委員会委員長 宮内庁長官	一、四一〇、〇〇〇円
検査官（会計検査院長を除く。） 人事官（人事院総裁を除く。） 内閣危機管理監 国家安全保障局長 大臣政務官 デジタル監 個人情報保護委員会委員長 カジノ管理委員会委員長 公害等調整委員会委員長 運輸安全委員会委員長 侍従長	一、二〇三、〇〇〇円
内閣官房副長官補、内閣広報官及び内閣情報官 常勤の内閣総理大臣補佐官 常勤の大臣補佐官 国家公務員倫理審査会の常勤の委員 公正取引委員会委員 国家公安委員会委員 原子力規制委員会委員 式部官長	一、一七八、〇〇〇円
個人情報保護委員会の常勤の委員 カジノ管理委員会の常勤の委員 公害等調整委員会の常勤の委員 中央労働委員会の常勤の公益を代表する委員 運輸安全委員会の常勤の委員 総合科学技術・イノベーション会議の常勤の議員 原子力委員会委員長 再就職等監視委員会委員長 証券取引等監視委員会	一、〇三八、〇〇〇円

委員長 公認会計士・監査審査会会長 中央更生保護審査会委員長 社会保険審査会委員長 東宮大夫	
食品安全委員会の常勤の委員 原子力委員会の常勤の委員 公益認定等委員会の常勤の委員 証券取引等監視委員会委員 公認会計士・監査審査会の常勤の委員 地方財政審議会委員 行政不服審査会の常勤の委員 情報公開・個人情報保護審査会の常勤の委員 国地方係争処理委員会の常勤の委員 電気通信紛争処理委員会の常勤の委員 中央更生保護審査会の常勤の委員 労働保険審査会の常勤の委員 社会保険審査会委員 運輸審議会の常勤の委員 土地鑑定委員会の常勤の委員 公害健康被害補償不服審査会の常勤の委員	九一六、〇〇〇円

別表第二（第三条関係）

官職名	俸給月額	
大使	三号俸	一、一七八、〇〇〇円
	二号俸	一、〇三八、〇〇〇円
	一号俸	九一六、〇〇〇円
公使	三号俸	一、一七八、〇〇〇円
	二号俸	一、〇三八、〇〇〇円
	一号俸	九一六、〇〇〇円

別表第三（第三条関係）

官職名	俸給月額	
秘書官	十二号俸	五八七、六〇〇円
	十一号俸	五五六、九〇〇円
	十号俸	五二六、九〇〇円
	九号俸	四九五、三〇〇円
	八号俸	四六四、七〇〇円
	七号俸	四三七、三〇〇円
	六号俸	四〇二、〇〇〇円
	五号俸	三六三、五〇〇円
	四号俸	三三七、七〇〇円
	三号俸	二九六、五〇〇円
	二号俸	二七四、六〇〇円
	一号俸	二六八、一〇〇円

○天皇の退位等に関する皇室典範特例法（抄）

平二九・六・一六
法 六 三

附 則（抄）

（施行期日）

第一条 この法律は、公布の日から起算して三年を超えない範囲内において政令で定める日〔平三一・四・三〇〕から施行する。ただし、〔中略〕附則〔中略〕第十一条の規定はこの法律の施行の日の翌日から施行する。

（宮内庁法の一部改正）

第十一条 宮内庁法（昭和二十二年法律第七十号）の一部を次のように改正する。

附則を附則第一条とし、同条の次に次の二条を加える。

第二条 宮内庁は、第二条各号に掲げる事務のほか、上皇に関する事務をつかさどる。この場合において、内閣府設置法第四条第三項第五十七号の規定の適用については、同号中「第二条」とあるのは、「第二条及び附則第二条第一項前段」とする。

2 第三条第一項の規定にかかわらず、宮内庁に、前項前段の所掌事務を遂行するため、上皇職を置く。

3 上皇職に、上皇侍従長及び上皇侍従次長一人を置く。

4 上皇侍従長の任免は、天皇が認証する。

5 上皇侍従長は、上皇の側近に奉仕し、命を受け、上皇職の事務を掌理する。

6 上皇侍従次長は、命を受け、上皇侍従長を助け、上皇職の事務を整理する。

7 第三条第三項及び第十五条第四項の規定は、上皇職について準用する。

8 上皇侍従長及び上皇侍従次長は、国家公務員法（昭和二十二年法律第百二十号）第二条に規定する特別職とする。この場合において、特別職の職員の給与に関する法律（昭和二十四年法律第二百五十二号。以下この項及び次条第六項において「特別職給与法」という。）及び行政機関の職員の定員に関する法律（昭和四十四年法律第三十三号。以下この項及び次条第六項において「定員法」という。）の規定の適用については、特別職給与法第一条第四十二号中「侍従長」とあるのは「侍従長、上皇侍従長」と、同条第七十三号中「の者」とあるのは「の者及び上皇侍従次長」と、特別職給与法別表第一中「式部官長」とあるのは「上皇侍従長及び式部官長」と、定員法第一条第二項第二号中「侍従長」とあるのは「侍従長、上皇侍従長」と、「及び侍従次長」とあるのは「、侍従次長及び上皇侍従次長」とする。

第三条 第三条第一項の規定にかかわらず、宮内庁に、天皇の退位等に関する皇室典範特例法（平成二十九年法律第六十三号）第二条の規定による皇位の継承に伴い皇嗣となつた皇族に関する事務を遂行するため、皇嗣職を置く。

2 皇嗣職に、皇嗣職大夫を置く。

3 皇嗣職大夫は、命を受け、皇嗣職の事務を掌理する。

4 第三条第三項及び第十五条第四項の規定は、皇嗣職について準用する。

5 第一項の規定により皇嗣職が置かれている間は、東宮職を置かないものとする。

6 皇嗣職大夫は、国家公務員法第二条に規定する特別職とする。この場合において、特別職給与法及び定員法の規定の適用については、特別職給与法第一条第四十二号及び別表第一並びに定員法第一条第二項第二号中「東宮大夫」とあるのは、「皇嗣職大夫」とする。

第二　手当

○国家公務員の寒冷地手当に関する法律

昭二四・六・八
法　二〇〇

最終改正　令三・六・一一法六一

（寒冷地手当の支給）

第一条　国家公務員法（昭和二十二年法律第百二十号）第二条に規定する一般職に属する職員（以下この条及び次条において単に「職員」という。）のうち、毎年十一月から翌年三月までの各月の初日（次条において「基準日」という。）において次に掲げる職員のいずれかに該当する職員（常時勤務に服する職員に限る。次条において「支給対象職員」という。）に対しては、一般職の職員の給与に関する法律（昭和二十五年法律第九十五号。次条において「一般職給与法」という。）に規定する給与のほか、予算の範囲内で寒冷地手当を支給する。

一　別表に掲げる地域に在勤する職員

二　別表に掲げる地域以外の地域に所在する官署のうちその所在する地域の寒冷及び積雪の度を考慮して同表に掲げる地域に所在する官署との権衡上必要があると認められる官署として内閣総理大臣が定めるものに在勤する職員であつて同表に掲げる地域又は内閣総理大臣が定める区域に居住するもの

（寒冷地手当の額）

第二条　前条第一号に係る支給対象職員の寒冷地手当の額は、次の表に掲げる地域の区分及び基準日における職員の世帯等の区分に応じ、同表に掲げる額とする。

地域の区分	世帯等の区分　世帯主である職員　扶養親族のある職員	世帯主である職員　その他の世帯主である職員	その他の職員
一級地	二六、三八〇円	一四、五八〇円	一〇、三四〇円
二級地	二三、三六〇円	一三、〇六〇円	八、八〇〇円
三級地	二一、五四〇円	一二、八六〇円	八、六〇〇円
四級地	一七、八〇〇円	一〇、二〇〇円	七、三六〇円

備考　「扶養親族のある職員」には、扶養親族のある職員であつて別表に掲げる地域に居住する扶養親族のないもののうち、一般職給与法第十二条の二第一項の規定による単身赴任手当を支給されるもの（内閣総理大臣が定めるものに限る。）及びこれに準ずるものとして内閣総理大臣が定めるものを含まないものとする。

2　前条第二号に係る支給対象職員の寒冷地手当の額は、基準日における前項の表に掲げる職員の世帯等の区分に応じ、同表四級地の項に掲げる額とする。

3　次の各号に掲げる職員のいずれかに該当する支給対象職員の寒冷地手当の額は、前二項の規定にかかわらず、当該各号に定める額とする。

一　一般職給与法第二十三条第二項、第三項又は第五項の規定により給与の支給を受ける職員　前二項の規定による額にその者の俸給の支給について用いられた同条第二項、第三項又は第五項の規定による割合を乗じて得た額

二　一般職給与法附則第六項の規定の適用を受ける職員　前二項の規定による額からその半額を減じた額

三　前二号に掲げるもののほか、国家公務員法第八十二条の規定により停職にされている職員その他の内閣総理大臣が定める職員　零

4　支給対象職員が次に掲げる場合に該当するときは、当該支給対象職員の寒冷地手当の額は、前三項の規定にかかわらず、第一項又は第二項の規定による額を超えない範囲内で、内閣総理大臣が定める額とする。

一　基準日において前項各号に掲げる職員のいずれにも該当しない支給対象職員が、当該基準日の翌日から当該基準日の属する月の末日までの間に、同項各号に掲げる職員のいずれかに該当する支給対象職員となつた場合

二　基準日において前項各号に掲げる職員のいずれかに該当する支給対象職員が、当該基準日の翌日から当該基準日の属する月の末日までの間に、同項各号に掲げる職員のいずれにも該当しない支給対象職員となつた場合

三　前二号に掲げる場合に準ずる場合として内閣総理

大臣が定める場合

5 第一項の表に掲げる地域の区分は、別表のとおりとする。

（内閣総理大臣への委任）

第三条 前条に規定するもののほか、寒冷地手当の支給日、支給方法その他支給に関し必要な事項は、内閣総理大臣が定める。

2 内閣総理大臣は、第一条、前条第一項、第三項及び第四項並びに前項に規定する定めをするについては、人事院の勧告に基づいてこれをしなければならない。

（人事院の勧告等）

第四条 人事院は、この法律に定める給与に関して調査研究し、必要と認めるときは、国会及び内閣に同時に勧告することができる。

（防衛省の職員への準用）

第五条 第一条、第二条（第三項第二号を除く。）及び第三条の規定は、国家公務員法第二条第三項第十六号に規定する職員について準用する。この場合において、これらの規定中「内閣総理大臣」とあるのは「防衛大臣」と読み替えるほか、次の表の上欄に掲げる規定中同表の中欄に掲げる字句は、それぞれ同表の下欄に掲げる字句に読み替えるものとする。

第一条	限る	限り、自衛隊法（昭和二十九年法律第百六十五号）第四十五条の二第一項の規定により採用された職員を除く
	一般職の職員の給与に関する法律（昭和二十五年法律第九十五号。次条において「一般職給与法」という。）	防衛省の職員の給与等に関する法律（昭和二十七年法律第二百六十六号）
第一条第一号	在勤する職員	在勤する職員及び当該地域に防衛大臣の定める定係港を有する船舶に乗り組む職員
第二条第一項	掲げる額	掲げる額（政令で定める自衛官にあつては、同表に掲げる額の二分の一に相当する額を超えない範囲内で防衛大臣が定める額）
第二条第一項の表備考	一般職給与法	防衛省の職員の給与等に関する法律第十四条第二項において準用する一般職給与法
第二条第二項	掲げる額	掲げる額（政令で定める自衛官にあつては、同表四級地の項に掲げる額の二分の一に相当する額を超えない範囲内で防衛大臣が定める額）
第二条第三項第一号	一般職給与法第二十三条第二項、第三項又は第五項	防衛省の職員の給与等に関する法律第二十三条第二項、第三項又は第五項
第二条第三項第三号	国家公務員法第八十二条	自衛隊法第四十六条
第三条第二項	人事院の勧告に基づいて	一般職に属する国家公務員との均衡を考慮して

附　則

1 この法律は、公布の日から施行する。

2 この法律による寒冷地手当及び石炭手当の支給は、昭和二十四年から実施できるように、措置されなければならない。

3 昭和二十二年法律第百五十八号北海道に在勤する政府職員に対する越冬燃料購入費補給のため一時手当の支給に関する法律は、廃止する。

別表（第一条、第二条関係）

地域の区分	地域
一級地	北海道のうち 旭川市　帯広市　北見市　夕張市　赤平市　士別市　名寄市　歌志内市　深川市　富良野市 後志総合振興局管内のうち 虻田郡のうち留寿都村、喜茂別町及び倶知安町　余市郡のうち赤井川村 空知総合振興局管内のうち 空知郡のうち上砂川町　雨竜郡 上川総合振興局管内 宗谷総合振興局管内のうち 枝幸郡のうち浜頓別町及び中頓別町 天塩郡のうち幌延町 オホーツク総合振興局管内のうち 網走郡　斜里郡のうち清里町及び小清水町　常呂郡　紋別郡のうち遠軽町、湧別町、滝上町、興部町及び西興部村 胆振総合振興局管内のうち 勇払郡のうち厚真町及び安平町 日高振興局管内のうち 沙流郡のうち平取町 十勝総合振興局管内のうち 河東郡　上川郡のうち清水町　河西郡 広尾郡のうち大樹町　中川郡　足寄郡　十勝郡 釧路総合振興局管内のうち 川上郡　阿寒郡 根室振興局管内のうち 野付郡　標津郡のうち中標津町
二級地	北海道のうち 札幌市　小樽市　釧路市　岩見沢市　網走市　留萌市　稚内市　美唄市　芦別市　江別市　紋別市　三笠市　根室市　千歳市　滝川市　砂川市　恵庭市　伊達市　北広島市　石狩市 石狩振興局管内 渡島総合振興局管内のうち 松前郡のうち福島町　二海郡　山越郡 檜山振興局管内のうち 瀬棚郡　久遠郡 後志総合振興局管内のうち 島牧郡　寿都郡　磯谷郡　虻田郡のうちニセコ町、真狩村及び京極町　岩内郡　古宇郡　積丹郡　古平郡　余市郡のうち仁木町及び余市町 空知総合振興局管内のうち 空知郡のうち南幌町及び奈井江町　夕張郡　樺戸郡 留萌振興局管内 宗谷総合振興局管内のうち 宗谷郡　枝幸郡のうち枝幸町　天塩郡のうち豊富町　礼文郡　利尻郡 オホーツク総合振興局管内のうち 斜里郡のうち斜里町　紋別郡のうち雄武町 胆振総合振興局管内のうち 虻田郡　有珠郡　白老郡　勇払郡のうちむかわ町 日高振興局管内のうち 沙流郡のうち日高町　新冠郡　様似郡 十勝総合振興局管内のうち 上川郡のうち新得町　広尾郡のうち広尾町 釧路総合振興局管内のうち 釧路郡　厚岸郡　白糠郡 根室振興局管内のうち 標津郡のうち標津町　目梨郡
三級地	北海道のうち 函館市　室蘭市　苫小牧市　登別市　北斗市 渡島総合振興局管内のうち 松前郡のうち松前町　上磯郡　亀田郡　茅部郡 檜山振興局管内のうち 檜山郡　爾志郡　奥尻郡 日高振興局管内のうち 浦河郡　幌泉郡　日高郡
四級地	青森県 岩手県のうち 盛岡市　花巻市　北上市　久慈市　遠野市　一関市　二戸市　八幡平市　奥州市　滝沢市　岩手郡　紫波郡　和賀郡　胆沢郡　西磐井郡　気仙郡　下閉伊郡のうち岩泉町、田野畑村及び普代村　九戸郡　二戸郡

宮城県のうち
登米市　栗原市　大崎市　刈田郡のうち七ケ宿町　柴田郡のうち川崎町　加美郡のうち加美町　遠田郡
秋田県のうち
秋田市　能代市　横手市　大館市　湯沢市　鹿角市　潟上市　大仙市　北秋田市
仙北市　鹿角郡　北秋田郡　山本郡
南秋田郡　仙北郡　雄勝郡
山形県のうち
山形市　米沢市　新庄市　寒河江市　上山市　村山市　長井市　天童市　東根市
尾花沢市　南陽市　東村山郡　西村山郡　北村山郡　最上郡　東置賜郡　西置賜郡
福島県のうち
会津若松市　喜多方市　田村市　安達郡
岩瀬郡のうち天栄村　南会津郡　耶麻郡　河沼郡　大沼郡　西白河郡のうち西郷村及び中島村　石川郡のうち石川町及び浅川町　田村郡　双葉郡のうち川内村及び葛尾村　相馬郡のうち飯舘村
群馬県のうち
沼田市　多野郡のうち上野村　甘楽郡のうち南牧村　吾妻郡のうち長野原町、嬬恋村、草津町及び高山村　利根郡のうち片品村、川場村及びみなかみ町
新潟県のうち
長岡市　小千谷市　十日町市　見附市
糸魚川市　妙高市　魚沼市　南魚沼市
胎内市　東蒲原郡　南魚沼郡　中魚沼郡

岩船郡のうち関川村
福井県のうち
勝山市　今立郡
山梨県のうち
富士吉田市　南都留郡のうち道志村、忍野村、山中湖村、鳴沢村及び富士河口湖町　北都留郡
長野県のうち
長野市　松本市　上田市　岡谷市　諏訪市　須坂市　小諸市　伊那市　駒ヶ根市
中野市　大町市　飯山市　茅野市　塩尻市　佐久市　千曲市　東御市　安曇野市　南佐久郡　北佐久郡　小県郡　諏訪郡　上伊那郡のうち辰野町、箕輪町、飯島町、南箕輪村及び宮田村　下伊那郡のうち阿智村、平谷村、根羽村、下條村、売木村及び大鹿村　木曽郡のうち上松町、木祖村、王滝村、大桑村及び木曽町
東筑摩郡　北安曇郡　埴科郡　上高井郡　下高井郡　上水内郡　下水内郡
岐阜県のうち
高山市　飛騨市　郡上市　大野郡
岡山県のうち
真庭郡
広島県のうち
山県郡のうち安芸太田町

備考　この表に掲げる名称は、平成二十六年四月一日における名称とし、同表に定める地域は、それらの名称を有するものの同日における区域を用いて示された地域とし、その後におけるそれらの名称の変更又はそれらの名称を有するものの区域の変更によつて影響されないものとする。

○寒冷地手当支給規則

昭三九・八・一四
総府令三三

最終改正 令六・三・二五内閣官房令一

（法別表に掲げる地域に所在する官署との権衡上必要があると認められる官署等）

第一条 国家公務員の寒冷地手当に関する法律（昭和二十四年法律第二百号。以下「法」という。）第一条第二号の内閣総理大臣が定める官署は、別表に掲げる官署とする。

2 法第一条第二号の内閣総理大臣が定める区域は、市町村内の町若しくは字の区域又はこれに相当する区域のうち、別表に掲げる官署からおおむね一キロメートル以内の区域の全部又は一部が含まれる区域とする。

（世帯主である職員）

第二条 法第二条第一項の表の「世帯主である職員」とは、主としてその収入によつて世帯の生計を支えている職員で次に掲げるものをいう。

一 扶養親族（一般職の職員の給与に関する法律（昭和二十五年法律第九十五号。以下「一般職給与法」という。）第十一条第二項に規定する扶養親族をいう。以下同じ。）を有する者

二 扶養親族を有しないが、居住のため、一戸を構えている者又は下宿、寮等の一部屋を専用している者

（扶養親族のある職員に含まない職員）

第三条 法第二条第一項の表備考の「一般職給与法第十二条の二第一項の規定による単身赴任手当を支給されるもの（内閣総理大臣が定めるものに限る。）」は、一般職給与法第十二条の二第一項の規定による単身赴任手当を支給される職員であつて、職員の扶養親族が居住する住居（当該住居が二以上ある場合にあつては、すべての当該住居）と法別表に掲げる地域の市役所又は町村役場との間の距離のうち最も短いもの（次項及び第七条第一項第三号において「最短距離」という。）が六十キロメートル以上であるものとする。

2 法第二条第一項の表備考の「これに準ずるものとして内閣総理大臣が定めるもの」は、一般職給与法第十二条の二第一項の規定による単身赴任手当を支給される職員以外の職員であつて扶養親族と同居していないもののうち、最短距離が六十キロメートル以上であるものとする。

（支給額が零となる職員）

第四条 法第二条第三項第三号の内閣総理大臣が定める職員は、次に掲げる職員とする。

一 国家公務員法（昭和二十二年法律第百二十号）第七十九条第二号に掲げる事由に該当して休職にされている職員

二 国家公務員法第七十九条の規定により休職にされている職員（前号に掲げる職員を除く。）のうち、一般職給与法第二十三条の規定に基づく給与の支給を受けていない職員

三 国家公務員法第八十二条の規定により停職にされている職員

四 国家公務員法第百八条の六第一項ただし書の許可を受けている職員

五 国際機関等に派遣される一般職の国家公務員の処遇等に関する法律（昭和四十五年法律第百十七号）第二条第一項の規定により派遣されている職員

六 国家公務員の育児休業等に関する法律（平成三年法律第百九号）第三条の規定により育児休業をしている職員

七 国と民間企業との間の人事交流に関する法律（平成十一年法律第二百二十四号）第八条第二項に規定する交流派遣職員

八 法科大学院への裁判官及び検察官その他の一般職の国家公務員の派遣に関する法律（平成十五年法律第四十号）第十一条第一項の規定により派遣されている職員

九 判事補及び検事の弁護士職務経験に関する法律（平成十六年法律第百二十一号）第二条第四項の規定により弁護士となつてその職務を行う職員

十 国家公務員の自己啓発等休業に関する法律（平成十九年法律第四十五号）第二条第五項に規定する自己啓発等休業をしている職員

十一 福島復興再生特別措置法（平成二十四年法律第二十五号）第四十八条の三第一項又は第八十九条の三第一項の規定により派遣されている職員

十二 国家公務員の配偶者同行休業に関する法律（平成二十五年法律第七十八号）第二条第四項に規定する配偶者同行休業をしている職員

十三 令和七年に開催される国際博覧会の準備及び運営のために必要な特別措置に関する法律（平成三十一年法律第十八号）第二十五条第一項の規定により派遣されている職員

十四 令和九年に開催される国際園芸博覧会の準備及び運営のために必要な特別措置に関する法律（令和四年法律第十五号）第十五条第一項の規定により派

遣されている職員
十五　本邦外にある職員（第五号に掲げる職員及び法第二条第一項の表の「扶養親族のある職員」に該当する職員を除く。）

（日割計算の額等）
第五条　法第二条第四項の内閣総理大臣が定める額は、同条第一項又は第二項の規定による額を同条第四項各号に掲げる場合に該当した月の現日数から一般職の職員の勤務時間、休暇等に関する法律（平成六年法律第三十三号）第六条第一項に規定する週休日並びに同条第三項及び同法第八条第二項において読み替えて準用する同条第一項の規定に基づく勤務時間を割り振らない日の日数の合計日数を差し引いた日数を基礎として日割りによつて計算して得た額とする。
2　法第二条第四項第三号の内閣総理大臣が定める場合は、次に掲げる場合とする。
一　法第一条に規定する基準日（以下この項及び次条において「基準日」という。）において法第二条第三項各号に掲げる職員のいずれかに該当する支給対象職員（法第一条に規定する支給対象職員をいう。以下この項及び次条において同じ。）が、当該基準日の翌日から当該基準日の属する月の末日までの間に、他の同項各号に掲げる職員のいずれかに該当する支給対象職員となつた場合
二　基準日において法第二条第三項第一号に掲げる職員に該当する支給対象職員について、当該基準日の翌日から当該基準日の属する月の末日までの間に、一般職給与法第二十三条第二項、第三項又は第五項の規定による割合が変更された場合

（支給日等）
第六条　寒冷地手当は、基準日の属する月の一般職給与法第九条の人事院規則で定める日（以下この条において「支給日」という。）に支給する。ただし、支給日までに寒冷地手当に係る事実が確認できない等のため、支給日に支給することができないときは、支給日後に支給することができる。
2　基準日から支給日（一般職給与法第九条ただし書の規定により俸給を支給する場合にあつては、当該基準日の属する月における後の支給日。第四項において同じ。）の前日までの間において離職し、又は死亡した支給対象職員には、当該基準日に係る寒冷地手当をその際支給する。
3　基準日から引き続いて第四条各号に掲げる職員のいずれかに該当している支給対象職員が、支給日（一般職給与法第九条ただし書の規定により俸給を支給する場合にあつては、当該基準日の属する月における先の支給日）後に復職等をした場合には、当該基準日に係る寒冷地手当をその際支給する。
4　支給対象職員が基準日の属する月にその所属する一般職給与法の俸給の支給義務者を異にして異動した場合における当該基準日に係る寒冷地手当は、当該基準日に支給対象職員が所属する一般職給与法の俸給の支給義務者において支給する。この場合において、支給対象職員の異動が支給日前であるときは、その際支給するものとする。
5　法及びこの規則に定めるもののほか、寒冷地手当は、一般職給与法の俸給の支給方法に準じて支給する。

（確認）
第七条　各庁の長（一般職給与法第七条に規定する各庁の長及びその委任を受けた者をいう。次項において同じ。）は、寒冷地手当を支給する場合において必要と認めるときは、職員の扶養親族の住居の所在地及び次の各号に掲げる場合の区分に応じ当該各号に定める事項を確認するものとする。
一　職員の在勤する官署が別表に掲げる官署である場合　当該職員の住居の所在地
二　職員の扶養親族の住居の所在地が法別表に掲げる地域でない場合（次号に掲げる場合を除く。）　当該職員が扶養親族と同居していること。
三　職員の扶養親族の住居の所在地が法別表に掲げる地域でない場合であつて、当該職員が扶養親族と同居していないとき。　最短距離が六十キロメートル未満であること。
2　各庁の長は、前項の確認を行う場合において必要と認めるときは、職員に対し扶養親族の住居の所在地等を証明するに足る書類の提出を求めるものとする。

附　則
1　この府令は、公布の日から施行する。
2　国家公務員に対する寒冷地手当、石炭手当及び薪炭手当支給規程（昭和二十五年総理府令第三十一号）は、廃止する。

附　則（平二七・一・一三内閣官房令一）

（施行期日）
1　この内閣官房令は、平成二十七年四月一日から施行する。
（改正法附則第十八条第五項又は第六項の規定による寒冷地手当に関する経過措置）
2　この項から附則第四項までにおいて、次の各号に掲げる用語の意義は、当該各号に定めるところによる。

一　一般職給与法　一般職の職員の給与に関する法律（昭和二十五年法律第九十五号）をいう。
二　改正法　一般職の職員の給与に関する法律等の一部を改正する法律（平成二十六年法律第百五号）をいう。
三　旧寒冷地等在勤等職員　改正法附則第十六条第一項第一号に規定する旧寒冷地等在勤等職員をいう。
四　新寒冷地等在勤等職員　改正法附則第十六条第一項第二号に規定する新寒冷地等在勤等職員をいう。
五　特定旧寒冷地等在勤等職員　改正法附則第十六条第一項第三号に規定する特定旧寒冷地等在勤等職員をいう。
六　一部施行日　改正法第三条の規定の施行の日をいう。
七　基準日　国家公務員の寒冷地手当に関する法律（昭和二十四年法律第二百号）第一条に規定する基準日（その属する月が平成三十年三月までのものに限る。）をいう。

3　基準日において特定旧寒冷地等在勤等職員である者のうち、一部施行日の前日において旧寒冷地等在勤等職員であった者であって、一部施行日から当該基準日の前日までの間、引き続き旧寒冷地等在勤等職員又は新寒冷地等在勤等職員であったもの（改正法附則第十六条第二項から第四項までの規定により寒冷地手当を支給される者を除く。）に対しては、その旧寒冷地等在勤等職員又は新寒冷地等在勤等職員であった期間を特定旧寒冷地等在勤等職員として勤務していたものとみなして、同条第二項から第四項までの規定を適用したとしたならば算出される額の寒冷地手当を支給する。

4　人事交流等により検察官であった者又は一般職給与法第十一条の七第三項に規定する行政執行法人職員等であった者から一部施行日以降に引き続き一般職給与法の俸給表の適用を受ける職員（以下「俸給表適用職員」という。）となり、特定旧寒冷地等在勤等職員となった場合（一部施行日の前日において独立行政法人通則法の一部を改正する法律の施行に伴う関係法律の整備に関する法律（平成二十六年法律第六十七号）第三条の規定による改正前の一般職給与法第十一条の七第三項に規定する特定独立行政法人職員等であった者が、一部施行日に引き続き俸給表適用職員となり、特定旧寒冷地等在勤等職員となった場合を含む。）において、基準日において当該職員である者に対しては、一部施行日の前日から当該基準日の前日までの間におけるその俸給表適用職員でなかった期間を俸給表適用職員として勤務していたものとみなして、改正法附則第十六条第二項から第四項まで又は前項の規定を適用したとしたならば寒冷地手当を支給されることとなるときは、これらの規定を適用して算出される額の寒冷地手当を支給する。

別表（第一条関係）

所在地		官署
岩手県	宮古市小山田一の一の一	盛岡地方法務局宮古支局
	宮古市小山田一の一の一	函館税関釜石税関支署宮古出張所
	宮古市小山田一の一の一	宮古税務署
	宮古市小山田一の一の一	宮古公共職業安定所
	宮古市川井第五地割一一六の三	三陸北部森林管理署川井森林事務所
	宮古市川井第五地割一一六の三	三陸北部森林管理署平津戸森林事務所
	宮古市藤の川四の一	東北地方整備局三陸国道事務所
	宮古市佐原三の二一の四	東北地方整備局三陸国道事務所宮古維持出張所
	宮古市千徳第一四地割二九の五	東北地方整備局三陸国道事務所宮古西維持出張所
	宮古市小山田一の一の一	岩手運輸支局
	宮古市日立浜町一一の三〇	東北地方環境事務所三陸復興国立公園管

		理事務所
	釜石市小佐野町三の八の二四	釜石税務署
	釜石市小川町一の二の八	三陸中部森林管理署釜石森林事務所
	下閉伊郡山田町豊間根第三地割一六〇の二	三陸北部森林管理署豊間根森林事務所
宮城県	石巻市成田字根岸山畑五の七	東北地方整備局北上川下流河川事務所飯野川出張所
秋田県	由利本荘市矢島町立石字長泥七一の一	由利森林管理署矢島森林事務所
	由利本荘市鳥海町上笹子字下野二の一五	由利森林管理署笹子森林事務所
山形県	鶴岡市下名川字落合三	東北森林管理局計画保全部朝日庄内森林生態系保全センター
	鶴岡市本郷字水ノ上二の一	庄内森林管理署大鳥森林事務所
	鶴岡市木野俣字向田四二の一	庄内森林管理署温海森林事務所
	鶴岡市板井川字宮ノ下三二五の一	東北地方整備局酒田河川国道事務所月山国道維持出張所
	鶴岡市下名川字落合二二七	東北地方整備局新庄河川事務所赤川砂防出張所
	鶴岡市上名川字東山八の一一二	東北地方整備局月山ダム管理所
	酒田市柏谷沢字内山四〇の一	東北地方整備局酒田河川国道事務所飽海出張所
	酒田市草津字湯ノ台七一の一	東北地方環境事務所鳥海南麓自然保護官事務所
福島県	福島市飯坂町茂庭字蝉狩野山二五	東北地方整備局摺上川ダム管理所
	いわき市三和町合戸字内畑七三	磐城森林管理署合戸森林事務所
	いわき市三和町合戸字内畑七三	磐城森林管理署三坂森林事務所
	白河市大信隈戸字宮前五	福島森林管理署白河支署大屋森林事務所
	石川郡古殿町大字松川字前木六六の四	福島森林管理署白河支署大原森林事務所
	石川郡平田村大字上蓬田字古寺七四	福島森林管理署白河支署蓬田森林事務所
茨城県	常陸太田市徳田町上宿三五六の三	茨城森林管理署徳田森林事務所
栃木県	日光市中三依六四四	日光森林管理署三依森林事務所
	日光市黒部二二一の三	日光森林管理署黒部森林事務所
	日光市清滝安良沢町一七五〇	日光森林管理署日光森林事務所
	日光市足尾町三四八六	日光森林管理署餅ヶ瀬森林事務所
	日光市足尾町三四八六	日光森林管理署神子内森林事務所
	日光市足尾町三四八六	日光森林管理署足尾治山事業所
	日光市足尾町向原五の一七	関東地方整備局渡良瀬川河川事務所足尾砂防出張所
	日光市萩垣面一三九〇	関東地方整備局日光砂防事務所
	日光市川俣六四六の一	関東地方整備局鬼怒川ダム統合管理事務所川俣ダム管理支所
	日光市川治温泉川治二九五の一	関東地方整備局鬼怒川ダム統合管理事務所五十里ダム管理支所
	日光市川治温泉川治三一九の六	関東地方整備局鬼怒川ダム統合管理事務所川治ダム管理支所
	日光市西川四一六	関東地方整備局鬼怒川ダム統合管理事務所湯西川ダム管理支所

		所
	日光市本町九の五	関東地方環境事務所日光国立公園管理事務所
	日光市本町九の五	関東地方環境事務所日光国立公園管理事務所日光湯元管理官事務所
	那須塩原市中塩原四の一六	塩那森林管理署中塩原森林事務所
	那須郡那須町大字湯本二〇七	那須御用邸管理事務所
	那須郡那須町大字湯本二〇七	那須御用邸皇宮護衛官派出所
	那須郡那須町大字湯本二〇七の二	関東地方環境事務所日光国立公園管理事務所那須管理官事務所
群馬県	吾妻郡中之条町大字上沢渡字蛇野二七九四	吾妻森林管理署四万森林事務所
	吾妻郡中之条町大字上沢渡字蛇野二七九四	吾妻森林管理署上沢渡森林事務所
	吾妻郡東吾妻町大字大戸二二四の四	吾妻森林管理署大戸森林事務所
	吾妻郡中之条町大字小雨六〇四の三	吾妻森林管理署六合森林事務所
埼玉県	秩父市大滝三九三一の一	関東地方整備局二瀬ダム管理所
新潟県	三条市庭月三の二	中越森林管理署森町森林事務所
	村上市塩野町字屋敷二八五の一	下越森林管理署村上支署塩野町森林事務所
	村上市大場沢一九四三の三	下越森林管理署村上支署館腰森林事務所
	上越市西城町二の九の二〇	新潟刑務所上越拘置支所
	上越市西城町二の九の二〇	新潟地方検察庁高田支部
	上越市西城町二の九の二〇	高田区検察庁
	上越市西城町二の九の二〇	新潟保護観察所上越駐在官事務所
	上越市西城町三の二の一八	高田税務署
	上越市稲田一の一の七	北陸農政局関川用水土地改良建設事業所
	上越市安塚区安塚二三九一の一	上越森林管理署安塚治山事業所
	上越市安塚区安塚二三九一の一	上越森林管理署松之山治山事業所
	上越市南新町三の五六	北陸地方整備局高田河川国道事務所
	上越市大字寺字前新田六一五の一	北陸地方整備局高田河川国道事務所直江津国道維持出張所
富山県	富山市小見中段割二五五の一四	富山森林管理署常願寺川治山事業所
	黒部市宇奈月町舟見明日音沢字尾瀬場谷四の九	北陸地方整備局黒部河川事務所
	中新川郡立山町芦峅寺字横江割一四の三	富山森林管理署立山森林事務所
	中新川郡立山町芦峅寺字ブナ坂六一	北陸地方整備局立山砂防事務所
	中新川郡立山町芦峅寺字松尾三	北陸地方整備局立山砂防事務所水谷出張所
石川県	白山市白峰八一五〇の一	石川森林管理署白峰森林事務所
	白山市白峰八九二	石川森林管理署手取川治山事業所
	白山市白峰ツ四〇の一	北陸地方整備局金沢河川国道事務所白峰砂防出張所
	白山市瀬戸ワ二二	北陸地方整備局金沢河川国道事務所尾口砂防出張所
	白山市女原ソ一八の一	北陸地方整備局金沢

		河川国道事務所手取川ダム管理支所
	白山市白峰ホ二五の一	中部地方環境事務所白山自然保護官事務所
福井県	大野市下若生子二五字水谷一の三六	近畿地方整備局九頭竜川ダム統合管理事務所真名川ダム管理支所
	大野市長野三三字長平四の一	近畿地方整備局九頭竜川ダム統合管理事務所九頭竜ダム管理支所
山梨県	南アルプス市芦安芦倉七七〇	山梨森林管理事務所野呂川第一治山事業所
	南アルプス市芦安芦倉七七〇	山梨森林管理事務所野呂川第二治山事業所
	南アルプス市芦安芦倉五一八	関東地方環境事務所南アルプス自然保護官事務所
	甲州市大和町初鹿野字日川原一六五五の三	関東地方整備局甲府河川国道事務所大和国道出張所
長野県	飯田市上村八五八の一〇	南信森林管理署上村森林事務所
	上伊那郡中川村大草六	中部地方整備局天竜
	八八四の一九	川ダム統合管理事務所
	木曽郡南木曽町読書一九一二の一	木曽森林管理署南木曽支署柿其森林事務所
	木曽郡南木曽町吾妻三三九八の三	木曽森林管理署南木曽支署蘭森林事務所
岐阜県	中津川市神坂二九四の一二	東濃森林管理署神坂森林事務所
	恵那市岩村町富田七二六の一	東濃森林管理署岩村森林事務所
	恵那市岩村町富田七二六の一	東濃森林管理署上矢作治山事業所
	下呂市小坂町大島一六四三の二	岐阜森林管理署
	下呂市小坂町大島一六四三の二	岐阜森林管理署小坂森林事務所
	下呂市小坂町湯屋四	岐阜森林管理署濁河森林事務所
	下呂市小坂町湯屋四	岐阜森林管理署大洞森林事務所
	下呂市萩原町上村八四二の二	岐阜森林管理署馬瀬萩原森林事務所
京都府	京都市左京区大原勝林院町六一一の一	月輪陵墓監区事務所大原部
鳥取県	西伯郡大山町大山官有	鳥取森林管理署大山
	地	治山事業所
島根県	飯石郡飯南町角井一八九一の二〇	中国地方整備局出雲河川事務所志津見ダム管理支所
岡山県	苫田郡鏡野町上齋原五一四の一	上齋原原子力規制事務所
広島県	庄原市高野町新市一〇七八	広島北部森林管理署新市森林事務所

○国家公務員退職手当法

昭二八・八・八
法 一 八 二

最終改正 令六・五・一七法二六

目次

第一章 総則

（趣旨）

第一条 この法律は、国家公務員が退職した場合に支給する退職手当の基準を定めるものとする。

（適用範囲）

第二条 この法律の規定による退職手当は、常時勤務に服することを要する国家公務員（自衛隊法（昭和二十九年法律第百六十五号）第四十五条の二第一項の規定により採用された者及び独立行政法人通則法（平成十一年法律第百三号）第二条第四項に規定する行政執行法人（以下「行政執行法人」という。）の役員を除く。以下「職員」という。）が退職した場合に、その者（死亡による退職の場合には、その遺族）に支給する。

2 職員以外の者で、その勤務形態が職員に準ずるものは、政令で定めるところにより、職員とみなして、この法律の規定を適用する。

（遺族の範囲及び順位）

第二条の二 この法律において、「遺族」とは、次に掲げる者をいう。

一 配偶者（届出をしないが、職員の死亡当時事実上婚姻関係と同様の事情にあつた者を含む。）

二 子、父母、孫、祖父母及び兄弟姉妹で職員の死亡当時主としてその収入によつて生計を維持していたもの

三 前号に掲げる者のほか、職員の死亡当時主としてその収入によつて生計を維持していた親族

四 子、父母、孫、祖父母及び兄弟姉妹で第二号に該当しないもの

2 この法律の規定による退職手当を受けるべき遺族の順位は、前項各号の順位により、同項第二号及び第四号に掲げる者のうちにあつては、当該各号に掲げる順位による。この場合において、父母については、養父母を先にし実父母を後にし、祖父母については、養父母の父母を先にし実父母の父母を後にし、父母の養父母を先にし父母の実父母を後にする。

3 この法律の規定による退職手当の支給を受けるべき遺族に同順位の者が二人以上ある場合には、その人数によつて当該退職手当を等分して当該各遺族に支給する。

4 次に掲げる者は、この法律の規定による退職手当の支給を受けることができる遺族としない。

一 職員を故意に死亡させた者

二 職員の死亡前に、当該職員の死亡によつてこの法律の規定による退職手当の支給を受けることができる先順位又は同順位の遺族となるべき者を故意に死亡させた者

（退職手当の支払）

第二条の三 この法律の規定による退職手当は、他の法令に別段の定めがある場合を除き、その全額を、現金で、直接この法律の規定によりその支給を受けるべき者に支払わなければならない。ただし、政令で定める確実な方法により支払う場合は、この限りでない。

2 次条及び第六条の五の規定による退職手当（以下「一般の退職手当」という。）並びに第九条の規定による退職手当は、職員が退職した日から起算して一月以内に支払わなければならない。ただし、死亡により退職した者に対する退職手当の支給を受けるべき者を確知することができない場合その他特別の事情がある場合は、この限りでない。

第二章 一般の退職手当

（一般の退職手当）

第二条の四 退職した者に対する退職手当の額は、次条から第六条の三までの規定により計算した退職手当の基本額に、第六条の四の規定により計算した退職手当の調整額を加えて得た額とする。

（自己の都合による退職等の場合の退職手当の基本額）

第三条 次条又は第五条の規定に該当する場合を除くほか、退職した者に対する退職手当の基本額は、退職の日におけるその者の俸給月額（俸給が日額で定められている者については、退職の日におけるその者の俸給の日額の二十一日分に相当する額。次条から第六条の四までにおいて「退職日俸給月額」という。）に、そ

の者の勤続期間を次の各号に区分して、当該各号に掲げる割合を乗じて得た額の合計額とする。
一　一年以上十年以下の期間については、一年につき百分の百
二　十一年以上十五年以下の期間については、一年につき百分の百十
三　十六年以上二十年以下の期間については、一年につき百分の百六十
四　二十一年以上二十五年以下の期間については、一年につき百分の二百
五　二十六年以上三十年以下の期間については、一年につき百分の百六十
六　三十一年以上の期間については、一年につき百分の百二十

2　前項に規定する者のうち、負傷若しくは病気（以下「傷病」という。）又は死亡によらず、かつ、第八条の二第五項に規定する認定を受けないで、その者の都合により退職した者（第十二条第一項各号に掲げる者及び傷病によらず、国家公務員法（昭和二十二年法律第百二十号）第七十八条第一号から第三号まで（裁判所職員臨時措置法（昭和二十六年法律第二百九十九号）において準用する場合を含む。）、自衛隊法第四十二条第一号から第三号まで又は国会職員法（昭和二十二年法律第八十五号）第十一条第一項第一号から第三号までの規定による免職の処分を受けて退職した者を含む。以下この項及び第六条の四第四項において「自己都合等退職者」という。）に対する退職手当の基本額は、自己都合等退職者が次の各号に掲げる者に該当するときは、前項の規定にかかわらず、同項の規定により計算した額に当該各号に定める割合を乗じて得た額とする。
一　勤続期間一年以上十年以下の者　百分の六十
二　勤続期間十一年以上十五年以下の者　百分の八十
三　勤続期間十六年以上十九年以下の者　百分の九十

（十一年以上二十五年未満勤続後の定年退職等の場合の退職手当の基本額）

第四条　十一年以上二十五年未満の期間勤続した者であつて、次に掲げるものに対する退職手当の基本額は、退職日俸給月額に、その者の勤続期間の区分ごとに当該区分に応じた割合を乗じて得た額の合計額とする。
一　国家公務員法第八十一条の六第一項の規定により退職した者（同法第八十一条の七第一項の期限又は同条第二項の規定により延長された期限の到来により退職した者を含む。）又はこれに準ずる他の法令の規定により退職した者
二　その者の事情によらないで引き続いて勤続することを困難とする理由により退職した者で政令で定めるもの
三　第八条の二第五項に規定する認定（同条第一項第一号に係るものに限る。）を受けて同条第八項第三号に規定する退職すべき期日に退職した者

2　前項の規定は、十一年以上二十五年未満の期間勤続した者で、通勤（国家公務員災害補償法（昭和二十六年法律第百九十一号）第一条の二（他の法令において、引用し、準用し、又はその例による場合を含む。）に規定する通勤をいう。次条第二項及び第六条の四第一項において同じ。）による傷病により退職し、死亡（公務上の死亡を除く。）により退職し、又は定年に達した日以後その者の非違によることなく退職した者（前項の規定に該当する者を除く。）に対する退職手当の基本額について準用する。

3　第一項に規定する勤続期間の区分及び当該区分に応じた割合は、次のとおりとする。
一　一年以上十年以下の期間については、一年につき百分の百二十五
二　十一年以上十五年以下の期間については、一年につき百分の百三十七・五
三　十六年以上二十四年以下の期間については、一年につき百分の二百

（二十五年以上勤続後の定年退職等の場合の退職手当の基本額）

第五条　次に掲げる者に対する退職手当の基本額は、退職日俸給月額に、その者の勤続期間の区分ごとに当該区分に応じた割合を乗じて得た額の合計額とする。
一　二十五年以上勤続し、国家公務員法第八十一条の六第一項の規定により退職した者（同法第八十一条の七第一項の期限又は同条第二項の規定により延長された期限の到来により退職した者を含む。）又はこれに準ずる他の法令の規定により退職した者
二　国家公務員法第七十八条第四号（裁判所職員臨時措置法において準用する場合を含む。）、自衛隊法第四十二条第四号又は国会職員法第十一条第一項第四号の規定による免職の処分を受けて退職した者
三　第八条の二第五項に規定する認定（同条第一項第二号に係るものに限る。）を受けて同条第八項第三号に規定する退職すべき期日に退職した者
四　公務上の傷病又は死亡により退職した者
五　二十五年以上勤続し、その者の事情によらないで引き続いて勤続することを困難とする理由により退職した者で政令で定めるもの

六　二十五年以上勤続し、第八条の二第五項に規定する認定（同条第一項第一号に係るものに限る。）を受けて同条第八項第三号に規定する退職すべき期日に退職した者

2　前項の規定は、二十五年以上勤続した者で、通勤による傷病により退職し、死亡により退職し、又は定年に達した日以後その者の非違によることなく退職した者（同項の規定に該当する者を除く。）に対する退職手当の基本額について準用する。

3　第一項に規定する勤続期間の区分及び当該区分に応じた割合は、次のとおりとする。

一　一年以上十年以下の期間については、一年につき百分の百五十

二　十一年以上二十五年以下の期間については、一年につき百分の百六十五

三　二十六年以上三十四年以下の期間については、一年につき百分の百八十

四　三十五年以上の期間については、一年につき百分の百五

（俸給月額の減額改定以外の理由により俸給月額が減額されたことがある場合の退職手当の基本額に係る特例）

第五条の二　退職した者の基礎在職期間中に、俸給月額の減額改定（俸給月額の改定をする法令が制定され、又はこれに準ずる給与の支給の基準が定められた場合において、当該法令又は給与の支給の基準による改定により当該改定前に受けていた俸給月額が減額されることをいう。以下同じ。）以外の理由によりその者の俸給月額が減額されたことがある場合において、当該理由が生じた日（以下「減額日」という。）における当該理由により減額されなかつたものとした場合のその者の俸給月額のうち最も多いもの（以下「特定減額前俸給月額」という。）が、退職日俸給月額よりも多いときは、その者に対する退職手当の基本額は、前三条の規定にかかわらず、次の各号に掲げる額の合計額とする。

一　その者が特定減額前俸給月額に係る減額日のうち最も遅い日の前日に現に退職した理由と同一の理由により退職したものとし、かつ、その者の同日までの勤続期間及び特定減額前俸給月額を基礎として、前三条の規定により計算した場合の退職手当の基本額に相当する額

二　退職日俸給月額に、イに掲げる割合からロに掲げる割合を控除した割合を乗じて得た額

イ　その者に対する退職手当の基本額が前三条の規定により計算した額であるものとした場合における当該退職手当の基本額の退職日俸給月額に対する割合

ロ　前号に掲げる額の特定減額前俸給月額に対する割合

2　前項の「基礎在職期間」とは、その者に係る退職（この法律その他の法律の規定により、この法律の規定による退職手当を支給しないこととしている退職を除く。）の日以前の期間のうち、次の各号に掲げる在職期間に該当するもの（当該期間中にこの法律の規定による退職手当の支給を受けたこと又は地方公務員、第七条の二第一項に規定する公庫等職員（他の法律の規定により、同条の規定の適用について、同項に規定する公庫等職員とみなされるものを含む。以下この項において同じ。）若しくは第八条第一項に規定する独立行政法人等役員として退職したことにより退職手当（これに相当する給付を含む。）の支給を受けたことがある場合におけるこれらの退職手当に係る退職の日以前の期間及び第七条第六項の規定により職員としての引き続いた在職期間の全期間が切り捨てられたこと又は第十二条第一項若しくは第十四条第一項の規定により一般の退職手当等（一般の退職手当及び第九条の規定による退職手当をいう。以下同じ。）の全部を支給しないこととする処分を受けたことにより一般の退職手当等の支給を受けなかつたことがある場合における当該一般の退職手当等に係る退職の日以前の期間（これらの退職の日に職員、地方公務員、第七条の二第一項に規定する公庫等職員又は第八条第一項に規定する独立行政法人等役員となつたときは、当該退職の日前の期間）を除く。）をいう。

一　職員としての引き続いた在職期間

二　第七条第五項の規定により職員としての引き続いた在職期間に含むものとされた地方公務員としての引き続いた在職期間

三　第七条の二第一項に規定する再び職員となつた者の同項に規定する公庫等職員としての引き続いた在職期間

四　第七条の二第二項に規定する場合における公庫等職員としての引き続いた在職期間

五　第八条第一項に規定する再び職員となつた者の同項に規定する独立行政法人等役員としての引き続いた在職期間

六　第八条第二項に規定する場合における独立行政法人等役員としての引き続いた在職期間

七　前各号に掲げる期間に準ずるものとして政令で定

める在職期間

（定年前早期退職者に対する退職手当の基本額に係る特例）

第五条の三　第四条第一項第三号及び第五条第一項（第一号を除く。）に規定する者（退職日俸給月額が一般職の職員の給与に関する法律（昭和二十五年法律第九十五号）の指定職俸給表六号俸の額に相当する額以上である者その他政令で定める者を除く。）のうち、定年に達する日から政令で定める一定の期間前までに退職した者であつて、その勤続期間が二十年以上であり、かつ、その年齢が政令で定める年齢以上であるものに対する第四条第一項、第五条第一項及び前条第一項の規定の適用については、次の表の上欄に掲げる規定中同表の中欄に掲げる字句は、それぞれ同表の下欄に掲げる字句に読み替えるものとする。

読み替える規定	読み替えられる字句	読み替える字句
第四条第一項及び第五条第一項	退職日俸給月額	退職日俸給月額及び退職日俸給月額に退職の日において定められているその者に係る定年と退職の日におけるその者の年齢との差に相当する年数一年につき当該年数及び退職日俸給月額に応じて百分の三を超えない範囲内で政令で定める割合を乗じて得た額の合計額
第五条の二第一項第一号	及び特定減額前俸給月額	並びに特定減額前俸給月額及び特定減額前俸給月額に退職の日において定められているその者に係る定年と退職の日におけるその者の年齢との差に相当する年数一年につき当該年数及び特定減額前俸給月額に応じて百分の三を超えない範囲内で政令で定める割合を乗じて得た額の合計額
第五条の二第一項第二号	退職日俸給月額に、	退職日俸給月額及び退職日俸給月額に退職の日において定められているその者に係る定年と退職の日におけるその者の年齢との差に相当する年数一年につき当該年数及び特定減額前俸給月額に応じて百分の三を超えない範囲内で政令で定める割合を乗じて得た額の合計額に、
第五条の二第一項第二号ロ	前号に掲げる額	その者が特定減額前俸給月額に係る減額日のうち最も遅い日の前日に現に退職した理由と同一の理由により退職したものとし、かつ、その者の同日までの勤続期間及び特定減額前俸給月額を基礎として、前三条の規定により計算した場合の退職手当の基本額に相当する額

（退職手当の基本額の最高限度額）

第六条　第三条から第五条までの規定により計算した退職手当の基本額が退職日俸給月額に六十を乗じて得た額を超えるときは、これらの規定にかかわらず、その乗じて得た額をその者の退職手当の基本額とする。

第六条の二　第五条の二第一項の規定により計算した退職手当の基本額が次の各号に掲げる同項第二号ロに掲げる割合の区分に応じ当該各号に定める額を超えるときは、同項の規定にかかわらず、当該各号に定める額をその者の退職手当の基本額とする。

一　六十以上　特定減額前俸給月額に六十を乗じて得た額

二　六十未満　特定減額前俸給月額に第五条の二第一項第二号ロに掲げる割合を乗じて得た額及び退職日俸給月額に六十から当該割合を控除した割合を乗じて得た額の合計額

第六条の三　第五条の三に規定する者に対する前二条の規定の適用については、次の表の上欄に掲げる規定中同表の中欄に掲げる字句は、それぞれ同表の下欄に掲げる字句に読み替えるものとする。

読み替える規定	読み替えられる字句	読み替える字句
第六条	第三条から第五条まで	前条の規定により読み替えて適用する第五条

	退職日俸給月額	退職日俸給月額及び退職日俸給月額に退職の日において定められているその者に係る定年と退職の日におけるその者の年齢との差に相当する年数一年につき当該年数及び退職日俸給月額に応じて百分の三を超えない範囲内で政令で定める割合を乗じて得た額の合計額
	これらの	前条の規定により読み替えて適用する第五条の
第六条の二	第五条の二第一項の	第五条の三の規定により読み替えて適用する第五条の二第一項の
	同項第二号ロ	第五条の三の規定により読み替えて適用する同項第二号ロ
	同項の	同条の規定により読み替えて適用する同項の
第六条の二第一号	特定減額前俸給月額	特定減額前俸給月額及び特定減額前俸給月額に退職の日において定められているその者に係る定年と退職の日におけるその者の年齢との差に相当する年数一年につき当該年数及び特定減額前俸給月額に応じて百分の三を超えない範囲内で政令で定める割合を乗じて得た額の合計額
第六条の二第二号	特定減額前俸給月額	特定減額前俸給月額及び特定減額前俸給月額に退職の日において定められているその者に係る定年と退職の日におけるその者の年齢との差に相当する年数一年につき当該年数及び特定減額前俸給月額に応じて百分の三を超えない範囲内で政令で定める割合を乗じて得た額の合計額
	第五条の二第一項第二号ロ	第五条の三の規定により読み替えて適用する第五条の二第一項第二号ロ
	及び退職日俸給月額	並びに退職日俸給月額及び退職日俸給月額に退職の日において定められているその者に係る定年と退職の日におけるその者の年齢との差に相当する年数一年につき当該年数及び特定減額前俸給月額に応じて百分の三を超えない範囲内で政令で定める割合を乗じて得た額の合計額
	当該割合	当該第五条の三の規定により読み替えて適用する同号ロに掲げる割合

（退職手当の調整額）

第六条の四　退職した者に対する退職手当の調整額は、その者の基礎在職期間（第五条の二第二項に規定する基礎在職期間をいう。以下同じ。）の初日の属する月からその者の基礎在職期間の末日の属する月までの各月（国家公務員法第七十九条の規定による休職（公務上の傷病による休職、通勤による傷病による休職、職員を政令で定める法人その他の団体の業務に従事させるための休職及び当該休職以外の休職であつて職員を当該職員の職務に密接な関連があると認められる学術研究その他の業務に従事させるためのもので当該業務への従事が公務の能率的な運営に特に資するものとして政令で定める要件を満たすものを除く。）、同法第八十二条の規定による停職その他これらに準ずる事由により現実に職務をとることを要しない期間のある月（現実に職務をとることを要する日のあつた月を除く。第七条第四項において「休職月等」という。）のうち政令で定めるものを除く。）ごとに当該各月にその者が属していた次の各号に掲げる職員の区分に応じて当該各号に定める額（以下この項及び第五項において「調整月額」という。）のうちその額が最も多いものから順次その順位を付し、その第一順位から第六十順位までの調整月額（当該各月の月数が六十月に満たない場合には、当該各月の調整月額）を合計した額とする。
一 第一号区分 九万五千四百円
二 第二号区分 七万八千七百五十円
三 第三号区分 七万四百円
四 第四号区分 六万五千円
五 第五号区分 五万九千五百五十円
六 第六号区分 五万四千百五十円
七 第七号区分 四万三千三百五十円
八 第八号区分 三万二千五百円
九 第九号区分 二万七千百円
十 第十号区分 二万千七百円
十一 第十一号区分 零

2 退職した者の基礎在職期間に第五条の二第二項第二号から第七号までに掲げる期間が含まれる場合における前項の規定の適用については、その者は、政令で定めるところにより、当該期間において職員として在職していたものとみなす。

3 第一項各号に掲げる職員の区分は、官職の職制上の段階、職務の級、階級その他職員の職務の複雑、困難及び責任の度に関する事項を考慮して、政令で定める。

4 次の各号に掲げる者に対する退職手当の調整額は、第一項の規定にかかわらず、当該各号に定める額とする。
一 退職した者（第五号に掲げる者を除く。次号において同じ。）のうち自己都合等退職者以外のものでその勤続期間が一年以上四年以下のもの 第一項の規定により計算した額の二分の一に相当する額
二 退職した者のうち自己都合等退職者以外のものでその勤続期間が零のもの 零
三 自己都合等退職者でその勤続期間が十年以上二十四年以下のもの 第一項の規定により計算した額の二分の一に相当する額
四 自己都合等退職者でその勤続期間が九年以下のもの 零
五 次のいずれかに該当する者 第三条から前条までの規定により計算した退職手当の基本額の百分の八に相当する額
イ 退職日俸給月額が一般職の職員の給与に関する法律の指定職俸給表八号俸の額に相当する額を超える者その他これに類する者として政令で定める者
ロ その者の基礎在職期間が全て特別職の職員の給与に関する法律（昭和二十四年法律第二百五十二号）第一条各号（第七十三号及び第七十四号を除く。）に掲げる特別職の職員としての在職期間である者その他これに類する者として政令で定める者

5 前各項に定めるもののほか、調整月額のうちにその額が等しいものがある場合において、調整月額に順位を付す方法その他の本条の規定による退職手当の調整額の計算に関し必要な事項は、政令で定める。

（一般の退職手当の額に係る特例）
第六条の五 第五条第一項に規定する者で次の各号に掲げる者に該当するものに対する退職手当の額が退職の日におけるその者の基本給月額に当該各号に定める割合を乗じて得た額に満たないときは、第二条の四、第五条、第五条の二及び前条の規定にかかわらず、その乗じて得た額をその者の退職手当の額とする。
一 勤続期間一年未満の者 百分の二百七十
二 勤続期間一年以上二年未満の者 百分の三百六十
三 勤続期間二年以上三年未満の者 百分の四百五十
四 勤続期間三年以上の者 百分の五百四十

2 前項の「基本給月額」とは、一般職の職員の給与に関する法律の適用を受ける職員（以下「一般職の職員」という。）については同法に規定する俸給及び扶養手当の月額並びにこれらに対する地域手当、広域異動手当及び研究員調整手当の月額の合計額をいい、その他の職員については一般職の職員の基本給月額に準じて政令で定める額をいう。

（勤続期間の計算）
第七条 退職手当の算定の基礎となる勤続期間の計算は、職員としての引き続いた在職期間による。

2 前項の規定による在職期間の計算は、職員となつた日の属する月から退職した日の属する月までの月数による。

3 職員が退職した場合（第十二条第一項各号のいずれかに該当する場合を除く。）において、その者が退職の日又はその翌日に再び職員となつたときは、前二項の規定による在職期間の計算については、引き続いて在職したものとみなす。

4 前三項の規定による在職期間のうちに休職月等が一以上あつたときは、その月数の二分の一に相当する月数（国家公務員法第百八条の六第一項ただし書若しくは行政執行法人の労働関係に関する法律（昭和二十三年法律第二百五十七号）第七条第一項ただし書に規定する事由又はこれらに準ずる事由により現実に職務をとることを要しなかつた期間については、その月数）を前三項の規定により計算した在職期間から除算する。

5 第一項に規定する職員としての引き続いた在職期間には、地方公務員が機構の改廃、施設の移譲その他の事由によつて引き続いて職員となつたときにおけるその者の地方公務員としての引き続いた在職期間を含むものとする。この場合において、その者の地方公務員としての引き続いた在職期間の計算については、前各項の規定を準用するほか、政令でこれを定める。

6 前各項の規定により計算した在職期間に一年未満の端数がある場合には、その端数は、切り捨てる。ただし、その在職期間が六月以上一年未満（第三条第一項（傷病又は死亡による退職に係る部分に限る。）、第四条第一項又は第五条第一項の規定により退職手当の基本額を計算する場合にあつては、一年未満）の場合には、これを一年とする。

7 前項の規定は、前条又は第十条の規定により退職手当の額を計算する場合における勤続期間の計算については、適用しない。

8 第十条の規定により退職手当の額を計算する場合における勤続期間の計算については、前各項の規定により計算した在職期間に一月未満の端数がある場合には、その端数は、切り捨てる。

（公庫等職員として在職した後引き続いて職員となつた者の在職期間の計算）

第七条の二 職員のうち、任命権者又はその委任を受けた者の要請に応じ、引き続いて沖縄振興開発金融公庫その他特別の法律により設立された法人（行政執行法人を除く。）でその業務が国の事務又は事業と密接な関連を有するもののうち政令で定めるもの（退職手当（これに相当する給付を含む。）に関する規程において、職員が任命権者又はその委任を受けた者の要請に応じ、引き続いて当該法人に使用される者となつた場合に、職員としての勤続期間を当該法人に使用される者としての勤続期間に通算することと定めている法人に限る。以下「公庫等」という。）に使用される者（役員及び常時勤務に服することを要しない者を除く。以下「公庫等職員」という。）となるため退職をし、かつ、引き続き公庫等職員として在職した後引き続いて再び職員となつた者の前条第一項の規定による在職期間の計算については、先の職員としての在職期間の始期から後の職員としての在職期間の終期までの期間は、職員としての引き続いた在職期間とみなす。

2 公庫等職員が、公庫等の要請に応じ、引き続いて職員となるため退職し、かつ、引き続いて職員となつた場合におけるその者の前条第一項に規定する職員としての引き続いた在職期間には、その者の公庫等職員としての引き続いた在職期間を含むものとする。

3 前二項の場合における公庫等職員としての在職期間の計算については、前条（第五項を除く。）の規定を準用するほか、政令で定める。

4 第六条の四第一項の政令で定める法人その他の団体に使用される者がその身分を保有したまま引き続いて職員となつた場合におけるその者の前条第一項の規定による在職期間の計算については、職員としての在職期間は、なかつたものとみなす。ただし、政令で定める場合においては、この限りでない。

（独立行政法人等役員として在職した後引き続いて職員となつた者の在職期間の計算）

第八条 職員のうち、任命権者又はその委任を受けた者の要請に応じ、引き続いて独立行政法人通則法第二条第一項に規定する独立行政法人その他特別の法律により設立された法人でその業務が国の事務又は事業と密接な関連を有するもののうち政令で定めるもの（退職手当（これに相当する給付を含む。）に関する規程において、職員が任命権者又はその委任を受けた者の要請に応じ、引き続いて当該法人の役員となつた場合に、職員としての勤続期間を当該法人の役員としての勤続期間に通算することと定めている法人に限る。以下「独立行政法人等」という。）の役員（常時勤務に服することを要しない者を除く。以下「独立行政法人等役員」という。）となるため退職をし、かつ、引き続き独立行政法人等役員として在職した後引き続いて再び職員となつた者の第七条第一項の規定による在職期間の計算については、先の職員としての在職期間の始期から後の職員としての在職期間の終期までの期間は、職員としての引き続いた在職期間とみなす。

2 独立行政法人等役員が、独立行政法人等の要請に応じ、引き続いて職員となるため退職し、かつ、引き続いて職員となつた場合におけるその者の第七条第一項に規定する職員としての引き続いた在職期間には、その者の独立行政法人等役員としての引き続いた在職期間を含むものとする。

3 前二項の場合における独立行政法人等役員としての在職期間の計算については、第七条（第五項を除く。）の規定を準用するほか、政令で定める。

（定年前に退職する意思を有する職員の募集等）

第八条の二 各省各庁の長等（財政法（昭和二十二年法律第三十四号）第二十条第二項に規定する各省各庁の長及び行政執行法人の長並びにこれらの委任を受けた者をいう。以下この条において同じ。）は、定年前に退職する意思を有する職員の募集であつて、次に掲げるものを行うことができる。
一 職員の年齢別構成の適正化を図ることを目的とし、第五条の三の政令で定める年齢以上の年齢である職員を対象として行う募集
二 組織の改廃又は官署若しくは事務所の移転を円滑に実施することを目的とし、当該組織又は官署若しくは事務所に属する職員を対象として行う募集
2 各省各庁の長等は、前項の規定による募集（以下この条において単に「募集」という。）を行うに当たつては、同項各号の別、第五項の規定により認定を受けた場合に退職すべき期日又は期間、募集をする人数及び募集の期間その他当該募集に関し必要な事項であつて政令で定めるものを記載した要項（以下この条において「募集実施要項」という。）を当該募集の対象となるべき職員に周知しなければならない。
3 次に掲げる者以外の職員は、内閣官房令で定めるところにより、募集の期間中いつでも応募し、第八項第三号に規定する退職すべき期日が到来するまでの間いつでも応募の取下げを行うことができる。
一 第二条第二項の規定により職員とみなされる者
二 臨時的に任用される職員その他の法律により任期を定めて任用される者
三 前項に規定する退職すべき期日又は同項に規定する退職すべき期間の末日が到来するまでに定年に達する者
四 国家公務員法第八十二条の規定による懲戒処分（管理又は監督に係る職務を怠つた場合における処分で政令で定めるものを除く。）又はこれに準ずる処分を募集の開始の日において受けている者又は募集の期間中に受けた者
4 前項の規定による応募（以下この条において単に「応募」という。）又は応募の取下げは職員の自発的な意思に委ねられるものであつて、各省各庁の長等は職員に対しこれらを強制してはならない。
5 各省各庁の長等は、応募をした職員（以下この条において「応募者」という。）について、次の各号のいずれかに該当する場合を除き、応募による退職が予定されている職員である旨の認定（以下この条において単に「認定」という。）をするものとする。ただし、次の各号のいずれにも該当しない応募者の数が第二項に規定する募集をする人数を超える場合であつて、あらかじめ、当該場合において認定をする者の数を当該募集をする人数の範囲内に制限するために必要な方法を定め、募集実施要項と併せて周知していたときは、各省各庁の長等は、当該方法に従い、当該募集をする人数を超える分の応募者について認定をしないことができる。
一 応募が募集実施要項又は第三項の規定に適合しない場合
二 応募者が応募をした後国家公務員法第八十二条の規定による懲戒処分（第三項第四号の政令で定める処分を除く。）又はこれに準ずる処分を受けた場合
三 応募者が前号に規定する処分を受けるべき行為（在職期間中の応募者の非違に当たる行為であつて、その非違の内容及び程度に照らして当該処分に値することが明らかなものをいう。）をしたことを疑うに足りる相当な理由がある場合その他応募者に対し認定を行うことが公務に対する国民の信頼を確保する上で支障を生ずると認める場合
四 応募者を引き続き職務に従事させることが公務の能率的運営を確保し、又は長期的な人事管理を計画的に推進するために特に必要であると認める場合
6 各省各庁の長等は、認定をし、又はしない旨の決定をしたときは、遅滞なく、内閣官房令で定めるところにより、その旨（認定をしない旨の決定をした場合においてはその理由を含む。）を応募者に書面により通知するものとする。
7 各省各庁の長等が募集実施要項において退職すべき期間を記載した場合には、認定を行つた後遅滞なく、当該期間内のいずれかの日から退職すべき期日を定め、内閣官房令で定めるところにより、前項の規定により認定をした旨を通知した応募者に当該期日を書面により通知するものとする。
8 認定を受けた応募者が次の各号のいずれかに該当するときは、認定は、その効力を失う。
一 第十二条第一項各号のいずれかに該当するに至つたとき。
二 第二十条第一項又は第二項の規定により退職手当を支給しない場合に該当するに至つたとき。
三 募集実施要項に記載された退職すべき期日若しくは前項の規定により応募者に通知された退職すべき期日が到来するまでに退職し、又はこれらの期日に退職しなかつたとき（前二号に掲げるときを除く。）。
四 国家公務員法第八十二条の規定による懲戒処分（懲戒免職の処分及び第三項第四号の政令で定める処分を除く。）又はこれに準ずる処分を受けたとき。
五 第三項の規定により応募を取り下げたとき。
9 各省各庁の長等は、この条の規定による募集及び認定について、内閣官房令で定めるところにより、内閣

総理大臣に対し、募集実施要項（第五項に規定する方法を周知した場合にあつては当該方法を含む。次項において同じ。）を送付するとともに、認定を受けた応募者の数を報告しなければならない。

10　内閣総理大臣は、毎年度、前項の規定により送付を受けた募集実施要項及び同項の規定により報告を受けた認定を受けた応募者の数を取りまとめ、公表するものとする。

第三章　特別の退職手当

（予告を受けない退職者の退職手当）

第九条　職員の退職が労働基準法（昭和二十二年法律第四十九号）第二十条及び第二十一条又は船員法（昭和二十二年法律第百号）第四十六条の規定に該当する場合におけるこれらの規定による給与又はこれらに相当する給与は、一般の退職手当に含まれるものとする。但し、一般の退職手当の額がこれらの規定による給与の額に満たないときは、一般の退職手当の外、その差額に相当する金額を退職手当として支給する。

（失業者の退職手当）

第十条　勤続期間十二月以上（特定退職者（雇用保険法（昭和四十九年法律第百十六号）第二十三条第二項に規定する特定受給資格者に相当するものとして内閣官房令で定めるものをいう。以下この条において同じ。）にあつては、六月以上）で退職した職員（第四項又は第六項の規定に該当する者を除く。）であつて、第一号に掲げる額が第二号に掲げる額に満たないものが、当該退職した職員を同法第十五条第一項に規定する受給資格者と、当該退職した職員の勤続期間（当該勤続期間に係る職員となつた日前に職員又は政令で定める職員に準ずる者（以下この条において「職員等」という。）であつたことがあるものについては、当該職員等であつた期間を含むものとし、当該勤続期間又は当該職員等であつた期間に第二号イ又はロに掲げる期間が含まれているときは、当該同号イ又はロに掲げる期間に該当する全ての期間を除く。以下この条において「基準勤続期間」という。）の年月数を同法第二十二条第三項に規定する算定基礎期間の年月数と、当該退職の日を同法第二十条第一項第一号に規定する離職の日と、特定退職者を同法第二十三条第二項に規定する特定受給資格者とみなして同法第二十条第一項を適用した場合における同項各号に掲げる受給資格者の区分に応じ、当該各号に定める期間（当該期間内に妊娠、出産、育児その他内閣官房令で定める理由により引き続き三十日以上職業に就くことができない者が、内閣官房令で定めるところにより公共職業安定所長にその旨を申し出た場合には、当該理由により職業に就くことができない日数を加算するものとし、その加算された期間が四年を超えるときは、四年とする。次項及び第三項において「支給期間」という。）内に失業している場合において、第一号に規定する一般の退職手当等の額を第二号に規定する基本手当の日額で除して得た数（一未満の端数があるときは、これを切り捨てる。）に等しい日数（以下この項において「待期日数」という。）を超えて失業しているときは、第一号に規定する一般の退職手当等のほか、その超える部分の失業の日につき第二号に規定する基本手当の日額に相当する金額を、退職手当として、同法の規定による基本手当の支給の条件に従い、公共職業安定所（政令で定める職員については、その者が退職の際所属していた官署又は事務所その他政令で定める官署又は事務所とする。以下同じ。）を通じて支給する。ただし、同号に規定する所定給付日数から待期日数を減じた日数分を超えては支給しない。

一　その者が既に支給を受けた当該退職に係る一般の退職手当等の額

二　その者を雇用保険法第十五条第一項に規定する受給資格者と、その者の基準勤続期間を同法第十七条第一項に規定する被保険者期間と、当該退職の日を同法第二十条第一項第一号に規定する離職の日と、その者の基準勤続期間の年月数を同法第二十二条第三項に規定する算定基礎期間の年月数とみなして同法の規定を適用した場合に、同法第十六条の規定によりその者が支給を受けることができる基本手当の日額にその者に係る同法第二十二条第一項に規定する所定給付日数（次項において「所定給付日数」という。）を乗じて得た額

イ　当該勤続期間又は当該職員等であつた期間に係る職員等となつた日の直前の職員等でなくなつた日が当該職員等となつた日前一年の期間内にないときは、当該直前の職員等でなくなつた日前の職員等であつた期間

ロ　当該勤続期間に係る職員等となつた日前に退職手当の支給を受けたことのある職員については、当該退職手当の支給に係る退職の日以前の職員等であつた期間

2　勤続期間十二月以上（特定退職者にあつては、六月以上）で退職した職員（第五項又は第七項の規定に該当する者を除く。）が支給期間内に失業している場合において、退職した者が一般の退職手当等の支給を受

けないときは、その失業の日につき前項第二号の規定の例によりその者につき雇用保険法の規定を適用した場合にその者が支給を受けることができる基本手当の日額に相当する金額を、退職手当として、同法の規定による基本手当の支給の条件に従い、公共職業安定所を通じて支給する。ただし、前項第二号の規定の例によりその者につき雇用保険法の規定を適用した場合におけるその者に係る所定給付日数に相当する日数分を超えては支給しない。

3　前二項の規定による退職手当の支給に係る退職が定年に達したことその他の内閣官房令で定める理由によるものである職員が雇用保険法第二十条第二項に規定するときに相当するものとして内閣官房令で定めるときに該当する場合又は当該退職の日後に事業（その実施期間が三十日未満のものその他内閣官房令で定めるものを除く。）を開始した職員その他これに準ずるものとして内閣官房令で定める職員が同法第二十条の二に規定する場合に相当するものとして内閣官房令で定める場合に該当する場合に関しては、内閣官房令で、これらの規定に準じて、支給期間についての特例を定めることができる。

4　勤続期間六月以上で退職した職員（第六項の規定に該当する者を除く。）であつて、その者を雇用保険法第四条第一項に規定する被保険者とみなしたならば同法第三十七条の二第一項に規定する高年齢被保険者に該当するもののうち、第一号に掲げる額が第二号に掲げる額に満たないものが退職の日後失業している場合には、一般の退職手当等のほか、第二号に掲げる額から第一号に掲げる額を減じた額に相当する金額を、退職手当として、同法の規定による高年齢求職者給付金の支給の条件に従い、公共職業安定所を通じて支給する。

一　その者が既に支給を受けた当該退職に係る一般の退職手当等の額

二　その者を雇用保険法第三十七条の三第二項に規定する高年齢受給資格者と、その者の基準勤続期間を同法第十七条第一項に規定する被保険者期間と、当該退職の日を同法第二十条第一項第一号に規定する離職の日と、その者の基準勤続期間の年月数を同法第三十七条の四第三項の規定による期間の年月数とみなして同法の規定を適用した場合に、その者が支給を受けることができる高年齢求職者給付金の額に相当する額

5　勤続期間六月以上で退職した職員（第七項の規定に該当する者を除く。）であつて、その者を雇用保険法第四条第一項に規定する被保険者とみなしたならば同法第三十七条の二第一項に規定する高年齢被保険者に該当するものが退職の日後失業している場合において、退職した者が一般の退職手当等の支給を受けないときは、前項第二号の規定の例によりその者につき同法の規定を適用した場合にその者が支給を受けることができる高年齢求職者給付金の額に相当する金額を、退職手当として、同法の規定による高年齢求職者給付金の支給の条件に従い、公共職業安定所を通じて支給する。

6　勤続期間六月以上で退職した職員であつて、雇用保険法第四条第一項に規定する被保険者とみなしたならば同法第三十八条第一項に規定する短期雇用特例被保険者に該当するもののうち、第一号に掲げる額が第二号に掲げる額に満たないものが退職の日後失業している場合には、一般の退職手当等のほか、第二号に掲げる額から第一号に掲げる額を減じた額に相当する金額を、退職手当として、同法の規定による特例一時金の支給の条件に従い、公共職業安定所を通じて支給する。

一　その者が既に支給を受けた当該退職に係る一般の退職手当等の額

二　その者を雇用保険法第三十九条第二項に規定する特例受給資格者と、その者の基準勤続期間を同法第十七条第一項に規定する被保険者期間とみなして同法の規定を適用した場合に、その者が支給を受けることができる特例一時金の額に相当する額

7　勤続期間六月以上で退職した職員であつて、雇用保険法第四条第一項に規定する被保険者とみなしたならば同法第三十八条第一項に規定する短期雇用特例被保険者に該当するものが退職の日後失業している場合において、退職した者が一般の退職手当等の支給を受けないときは、前項第二号の規定の例によりその者につき同法の規定を適用した場合にその者が支給を受けることができる特例一時金の額に相当する金額を、退職手当として、同法の規定による特例一時金の支給の条件に従い、公共職業安定所を通じて支給する。

8　前二項の規定に該当する者が、これらの規定による退職手当の支給を受ける前に公共職業安定所長の指示した雇用保険法第四十一条第一項に規定する公共職業訓練等を受ける場合には、その者に対しては、前二項の規定による退職手当を支給せず、同条の規定による基本手当の支給の条件に従い、当該公共職業訓練等を受け終わる日までの間に限り、第一項又は第二項の規定による退職手当を支給する。

9　第一項、第二項又は前項に規定する場合のほか、これらの規定による退職手当の支給を受ける者に対しては、次に掲げる場合には、雇用保険法第二十四条から第二十八条までの規定による基本手当の支給の例により、当該基本手当の支給の条件に従い、第一項又は第二項の退職手当を支給することができる。

一　その者が公共職業安定所長の指示した雇用保険法第二十四条第一項に規定する公共職業訓練等を受ける場合

二　その者が次のいずれかに該当する場合

イ　特定退職者であつて、雇用保険法第二十四条の二第一項各号に掲げる者に相当する者として内閣官房令で定める者のいずれかに該当し、かつ、公共職業安定所長が同項に規定する指導基準に照らして再就職を促進するために必要な職業安定法（昭和二十二年法律第百四十一号）第四条第四項に規定する職業指導を行うことが適当であると認めたもの

ロ　雇用保険法第二十二条第二項に規定する厚生労働省令で定める理由により就職が困難な者であつて、同法第二十四条の二第一項第二号に掲げる者に相当する者として内閣官房令で定める者に該当し、かつ、公共職業安定所長が同項に規定する指導基準に照らして再就職を促進するために必要な職業安定法第四条第四項に規定する職業指導を行うことが適当であると認めたもの

三　厚生労働大臣が雇用保険法第二十五条第一項の規定による措置を決定した場合

四　厚生労働大臣が雇用保険法第二十七条第一項の規定による措置を決定した場合

10　第一項、第二項及び第四項から前項までに定めるもののほか、第一項又は第二項の規定による退職手当の支給を受けることができる者で次の各号の規定に該当するものに対しては、雇用保険法第三十六条、第三十七条及び第五十六条の三から第五十九条までの規定に準じて政令で定めるところにより、それぞれ当該各号に掲げる給付を、退職手当として支給する。

一　公共職業安定所長の指示した雇用保険法第三十六条に規定する公共職業訓練等を受けている者については、技能習得手当

二　前号に規定する公共職業訓練等を受けるため、その者により生計を維持されている同居の親族（届出をしていないが、事実上その者と婚姻関係と同様の事情にある者を含む。）と別居して寄宿する者については、寄宿手当

三　退職後公共職業安定所に出頭し求職の申込みをした後において、疾病又は負傷のために職業に就くことができない者については、傷病手当

四　安定した職業に就いた者については、就業促進手当

五　公共職業安定所、職業安定法第四条第九項に規定する特定地方公共団体若しくは同法第十八条の二に規定する職業紹介事業者の紹介した職業に就くため、又は公共職業安定所長の指示した雇用保険法第五十八条第一項に規定する公共職業訓練等を受けるため、その住所又は居所を変更する者については、移転費

六　求職活動に伴い雇用保険法第五十九条第一項各号のいずれかに該当する行為をする者については、求職活動支援費

11　前項の規定は、第四項又は第五項の規定による退職手当の支給を受けることができる者（第四項又は第五項の規定により退職手当の支給を受けた者であつて、当該退職手当の支給に係る退職の日の翌日から起算して一年を経過していないものを含む。）及び第六項又は第七項の規定による退職手当の支給を受けることができる者（第六項又は第七項の規定により退職手当の支給を受けた者であつて、当該退職手当の支給に係る退職の日の翌日から起算して六箇月を経過していないものを含む。）について準用する。この場合において、前項中「次の各号」とあるのは「第四号から第六号まで」と、「雇用保険法第三十六条、第三十七条及び」とあるのは「雇用保険法」と読み替えるものとする。

12　第十項第三号に掲げる退職手当の支給があつたときは、第一項、第二項又は第十項の規定の適用については、当該支給があつた金額に相当する日数分の第一項又は第二項の規定による退職手当の支給があつたものとみなす。

13　第十項第四号に掲げる退職手当の支給があつたときは、第一項、第二項又は第十項の規定の適用については、政令で定める日数分の第一項又は第二項の規定による退職手当の支給があつたものとみなす。

14　雇用保険法第十条の四の規定は、偽りその他不正の行為によつて第一項、第二項又は第四項から第十一項までの規定による退職手当の支給を受けた者がある場合について準用する。

15　本条の規定による退職手当は、雇用保険法の規定によるこれに相当する給付の支給を受ける者に対して支給してはならない。

第四章 退職手当の支給制限等

（定義）

第十一条 この章において、次の各号に掲げる用語の意義は、当該各号に定めるところによる。

一 懲戒免職等処分 国家公務員法第八十二条の規定による懲戒免職の処分その他の職員としての身分を当該職員の非違を理由として失わせる処分をいう。

二 退職手当管理機関 退職（この法律その他の法律の規定により、この法律の規定による退職手当を支給しないこととしている退職を除く。以下この章において同じ。）の日におけるイからホまでに掲げる職員の区分に応じ、それぞれイからホまでに定める機関をいう。ただし、ホに定める機関が当該職員の退職後に廃止された場合における当該職員については、当該職員の占めていた職（当該職が廃止された場合にあつては、当該職に相当する職）を占める職員に対し懲戒免職等処分を行う権限を有する機関（当該機関がない場合にあつては、懲戒免職等処分及びこの章の規定に基づく処分の性質を考慮して政令で定める機関）をいう。

イ 国会職員法第一条第一号に規定する各議院事務局の事務総長 両議院の議長が両議院の議院運営委員会の合同審査会に諮つて定める機関

ロ 裁判官 最高裁判所

ハ 検査官 会計検査院

ニ 人事官 人事院

ホ イからニまでに掲げる者以外の職員 国家公務員法その他の法令の規定（国家公務員法第八十四条第二項（裁判所職員臨時措置法において準用する場合を含む。）を除く。）により当該職員の退職の日において当該職員に対し懲戒免職等処分を行う権限を有していた機関（当該機関がない場合にあつては、懲戒免職等処分及びこの章の規定に基づく処分の性質を考慮して政令で定める機関）

（懲戒免職等処分を受けた場合等の退職手当の支給制限）

第十二条 退職をした者が次の各号のいずれかに該当するときは、当該退職に係る退職手当管理機関は、当該退職をした者（当該退職をした者が死亡したときは、当該退職に係る一般の退職手当等の額の支払を受ける権利を承継した者）に対し、当該退職をした者が占めていた職の職務及び責任、当該退職をした者が行つた非違の内容及び程度、当該非違が公務に対する国民の信頼に及ぼす影響その他の政令で定める事情を勘案して、当該一般の退職手当等の全部又は一部を支給しないこととする処分を行うことができる。

一 懲戒免職等処分を受けて退職をした者

二 国家公務員法第七十六条の規定による失職又はこれに準ずる退職をした者

2 退職手当管理機関は、前項の規定による処分を行うときは、その理由を付記した書面により、その旨を当該処分を受けるべき者に通知しなければならない。

3 退職手当管理機関は、前項の規定による通知をする場合において、当該処分を受けるべき者の所在が知れないときは、当該処分の内容を官報に掲載することをもつて通知に代えることができる。この場合においては、その掲載した日から起算して二週間を経過した日に、通知が当該処分を受けるべき者に到達したものとみなす。

（退職手当の支払の差止め）

第十三条 退職をした者が次の各号のいずれかに該当するときは、当該退職に係る退職手当管理機関は、当該退職をした者に対し、当該退職に係る一般の退職手当等の額の支払を差し止める処分を行うものとする。

一 職員が刑事事件に関し起訴（当該起訴に係る犯罪について拘禁刑以上の刑が定められているものに限り、刑事訴訟法（昭和二十三年法律第百三十一号）第六編に規定する略式手続によるものを除く。以下同じ。）をされた場合において、その判決の確定前に退職をしたとき。

二 退職をした者に対しまだ当該一般の退職手当等の額が支払われていない場合において、当該退職をした者が基礎在職期間中の行為に係る刑事事件に関し起訴をされたとき。

2 退職をした者に対しまだ当該退職に係る一般の退職手当等の額が支払われていない場合において、次の各号のいずれかに該当するときは、当該退職に係る退職手当管理機関は、当該退職をした者に対し、当該一般の退職手当等の額の支払を差し止める処分を行うことができる。

一 当該退職をした者の基礎在職期間中の行為に係る刑事事件に関して、その者が逮捕されたとき又は当該退職手当管理機関がその者から聴取した事項若しくは調査により判明した事実に基づきその者に犯罪があると思料するに至つたときであつて、その者に対し一般の退職手当等の額を支払うことが公務に対する国民の信頼を確保する上で支障を生ずると認めるとき。

二 当該退職手当管理機関が、当該退職をした者について、当該一般の退職手当等の額の算定の基礎となる職員としての引き続いた在職期間中に懲戒免職等処分を受けるべき行為（在職期間中の職員の非違に当たる行為であつて、その非違の内容及び程度に照らして懲戒免職等処分に値することが明らかなものをいう。以下同じ。）をしたことを疑うに足りる相当な理由があると思料するに至つたとき。

3 死亡による退職をした者の遺族（退職をした者（死亡による退職の場合には、その遺族）が当該退職に係る一般の退職手当等の額の支払を受ける前に死亡したことにより当該一般の退職手当等の額の支払を受ける権利を承継した者を含む。以下この項において同じ。）に対しまだ当該一般の退職手当等の額が支払われていない場合において、前項第二号に該当するときは、当該退職に係る退職手当管理機関は、当該遺族に対し、当該一般の退職手当等の額の支払を差し止める処分を行うことができる。

4 前三項の規定による一般の退職手当等の額の支払を差し止める処分（以下「支払差止処分」という。）を受けた者は、行政不服審査法（平成二十六年法律第六十八号）第十八条第一項本文に規定する期間が経過した後においては、当該支払差止処分後の事情の変化を理由に、当該支払差止処分を行つた退職手当管理機関に対し、その取消しを申し立てることができる。

5 第一項又は第二項の規定による支払差止処分を行つた退職手当管理機関は、次の各号のいずれかに該当するに至つた場合には、速やかに当該支払差止処分を取り消さなければならない。ただし、第三号に該当する場合において、当該支払差止処分を受けた者がその者の基礎在職期間中の行為に係る刑事事件に関し現に逮捕されているときその他これを取り消すことが支払差止処分の目的に明らかに反すると認めるときは、この限りでない。

一 当該支払差止処分を受けた者について、当該支払差止処分の理由となつた起訴又は行為に係る刑事事件につき無罪の判決が確定した場合

二 当該支払差止処分を受けた者について、当該支払差止処分の理由となつた起訴又は行為に係る刑事事件につき、判決が確定した場合（拘禁刑以上の刑に処せられた場合及び無罪の判決が確定した場合を除く。）又は公訴を提起しない処分があつた場合であつて、次条第一項の規定による処分を受けることなく、当該判決が確定した日又は当該公訴を提起しない処分があつた日から六月を経過した場合

三 当該支払差止処分を受けた者について、その者の基礎在職期間中の行為に係る刑事事件に関し起訴をされることなく、かつ、次条第一項の規定による処分を受けることなく、当該支払差止処分を受けた日から一年を経過した場合

6 第三項の規定による支払差止処分を行つた退職手当管理機関は、当該支払差止処分を受けた者が次条第二項の規定による処分を受けることなく当該支払差止処分を受けた日から一年を経過した場合には、速やかに当該支払差止処分を取り消さなければならない。

7 前二項の規定は、当該支払差止処分を行つた退職手当管理機関が、当該支払差止処分後に判明した事実又は生じた事情に基づき、当該一般の退職手当等の額の支払を差し止める必要がなくなつたとして当該支払差止処分を取り消すことを妨げるものではない。

8 第一項又は第二項の規定による支払差止処分を受けた者に対する第十条の規定の適用については、当該支払差止処分が取り消されるまでの間、その者は、一般の退職手当等の支給を受けない者とみなす。

9 第一項又は第二項の規定による支払差止処分を受けた者が当該支払差止処分が取り消されたことにより当該一般の退職手当等の額の支払を受ける場合（これらの規定による支払差止処分を受けた者が死亡した場合において、当該一般の退職手当等の額の支払を受ける権利を承継した者が第三項の規定による支払差止処分を受けることなく当該一般の退職手当等の額の支払を受けるに至つたときを含む。）において、当該退職をした者が既に第十条の規定による退職手当の額の支払を受けているときは、当該一般の退職手当等の額から既に支払を受けた同条の規定による退職手当の額を控除するものとする。この場合において、当該一般の退職手当等の額が既に支払を受けた同条の規定による退職手当の額以下であるときは、当該一般の退職手当等は、支払わない。

10 前条第二項及び第三項の規定は、支払差止処分について準用する。

（退職後拘禁刑以上の刑に処せられた場合等の退職手当の支給制限）

第十四条 退職をした者に対しまだ当該退職に係る一般の退職手当等の額が支払われていない場合において、次の各号のいずれかに該当するときは、当該退職に係る退職手当管理機関は、当該退職をした者（第一号又は第二号に該当する場合において、当該退職をした者が死亡したときは、当該一般の退職手当等の額の支払を受ける権利を承継した者）に対し、第十二条第一項に規定する政令で定める事情及び同項各号に規定する

退職をした場合の一般の退職手当等の額との権衡を勘案して、当該一般の退職手当等の全部又は一部を支給しないこととする処分を行うことができる。

一　当該退職をした者が刑事事件（当該退職後に起訴をされた場合にあつては、基礎在職期間中の行為に係る刑事事件に限る。）に関し当該退職後に拘禁刑以上の刑に処せられたとき。

二　当該退職をした者が当該一般の退職手当等の額の算定の基礎となる職員としての引き続いた在職期間中の行為に関し国家公務員法第八十二条第二項（裁判所職員臨時措置法において準用する場合を含む。）、自衛隊法第四十六条第二項又は国会職員法第二十八条第二項の規定による懲戒免職等処分（以下「定年前再任用短時間勤務職員等に対する免職処分」という。）を受けたとき。

三　当該退職手当管理機関が、当該退職をした者（定年前再任用短時間勤務職員等に対する免職処分の対象となる者を除く。）について、当該退職後に当該一般の退職手当等の額の算定の基礎となる職員としての引き続いた在職期間中に懲戒免職等処分を受けるべき行為をしたと認めたとき。

2　死亡による退職をした者の遺族（退職をした者（死亡による退職の場合には、その遺族）が当該退職に係る一般の退職手当等の額の支払を受ける前に死亡したことにより当該一般の退職手当等の額の支払を受ける権利を承継した者を含む。以下この項において同じ。）に対しまだ当該一般の退職手当等の額が支払われていない場合において、前項第三号に該当するときは、当該退職に係る退職手当管理機関は、当該遺族に対し、第十二条第一項に規定する政令で定める事情を勘案して、当該一般の退職手当等の全部又は一部を支給しないこととする処分を行うことができる。

3　退職手当管理機関は、第一項第三号又は前項の規定による処分を行おうとするときは、当該処分を受けるべき者の意見を聴取しなければならない。

4　行政手続法（平成五年法律第八十八号）第三章第二節（第二十八条を除く。）の規定は、前項の規定による意見の聴取について準用する。

5　第十二条第二項及び第三項の規定は、第一項及び第二項の規定による処分について準用する。

6　支払差止処分に係る一般の退職手当等に関し第一項又は第二項の規定により当該一般の退職手当等の一部を支給しないこととする処分が行われたときは、当該支払差止処分は、取り消されたものとみなす。

（退職をした者の退職手当の返納）

第十五条　退職をした者に対し当該退職に係る一般の退職手当等の額が支払われた後において、次の各号のいずれかに該当するときは、当該退職に係る退職手当管理機関は、当該退職をした者に対し、第十二条第一項に規定する政令で定める事情のほか、当該退職をした者の生計の状況を勘案して、当該一般の退職手当等の額（当該退職をした者が当該一般の退職手当等の支給を受けていなければ第十条第二項、第五項又は第七項の規定による退職手当の支給を受けることができた者（次条及び第十七条において「失業手当受給可能者」という。）であつた場合には、これらの規定により算出される金額（次条及び第十七条において「失業者退職手当額」という。）を除く。）の全部又は一部の返納を命ずる処分を行うことができる。

一　当該退職をした者が基礎在職期間中の行為に係る刑事事件に関し拘禁刑以上の刑に処せられたとき。

二　当該退職をした者が当該一般の退職手当等の額の算定の基礎となる職員としての引き続いた在職期間中の行為に関し定年前再任用短時間勤務職員等に対する免職処分を受けたとき。

三　当該退職手当管理機関が、当該退職をした者（定年前再任用短時間勤務職員等に対する免職処分の対象となる職員を除く。）について、当該一般の退職手当等の額の算定の基礎となる職員としての引き続いた在職期間中に懲戒免職等処分を受けるべき行為をしたと認めたとき。

2　前項の規定にかかわらず、当該退職をした者が第十条第一項、第四項又は第六項の規定による退職手当の額の支払を受けている場合（受けることができる場合を含む。）における当該退職に係る一般の退職手当等については、当該退職に係る退職手当管理機関は、前項の規定による処分を行うことができない。

3　第一項第三号に該当するときにおける同項の規定による処分は、当該退職の日から五年以内に限り、行うことができる。

4　退職手当管理機関は、第一項の規定による処分を行おうとするときは、当該処分を受けるべき者の意見を聴取しなければならない。

5　行政手続法第三章第二節（第二十八条を除く。）の規定は、前項の規定による意見の聴取について準用する。

6　第十二条第二項の規定は、第一項の規定による処分について準用する。

（遺族の退職手当の返納）

第十六条　死亡による退職をした者の遺族（退職をした

者（死亡による退職の場合には、その遺族）が当該退職に係る一般の退職手当等の額の支払を受ける前に死亡したことにより当該一般の退職手当等の額の支払を受ける権利を承継した者を含む。以下この項において同じ。）に対し当該一般の退職手当等の額が支払われた後において、前条第一項第三号に該当するときは、当該退職に係る退職手当管理機関は、当該遺族に対し、当該退職の日から一年以内に限り、第十二条第一項に規定する政令で定める事情のほか、当該遺族の生計の状況を勘案して、当該一般の退職手当等の額（当該退職をした者が失業手当受給可能者であつた場合にあつては、失業者退職手当額を除く。）の全部又は一部の返納を命ずる処分を行うことができる。

2　第十二条第二項並びに前条第二項及び第四項の規定は、前項の規定による処分について準用する。

3　行政手続法第三章第二節（第二十八条を除く。）の規定は、前項において準用する前条第四項の規定による意見の聴取について準用する。

（退職手当受給者の相続人からの退職手当相当額の納付）

第十七条　退職をした者（死亡による退職の場合には、その遺族）に対し当該退職に係る一般の退職手当等の額が支払われた後において、当該一般の退職手当等の額の支払を受けた者（以下この条において「退職手当の受給者」という。）が当該退職の日から六月以内に第十五条第一項又は前条第一項の規定による処分を受けることなく死亡した場合（次項から第五項までに規定する場合を除く。）において、当該退職に係る退職手当管理機関が、当該退職手当の受給者の相続人（包括受遺者を含む。以下この項から第六項までにおいて同じ。）に対し、当該退職の日から六月以内に、当該退職をした者が当該一般の退職手当等の額の算定の基礎となる職員としての引き続いた在職期間中に懲戒免職等処分を受けるべき行為をしたことを疑うに足りる相当な理由がある旨の通知をしたときは、当該退職手当管理機関は、当該通知が当該相続人に到達した日から六月以内に限り、当該相続人に対し、当該退職をした者が当該一般の退職手当等の額の算定の基礎となる職員としての引き続いた在職期間中に懲戒免職等処分を受けるべき行為をしたと認められることを理由として、当該一般の退職手当等の額（当該退職をした者が失業手当受給可能者であつた場合には、失業者退職手当額を除く。）の全部又は一部に相当する額の納付を命ずる処分を行うことができる。

2　退職手当の受給者が、当該退職の日から六月以内に第十五条第五項又は前条第三項において準用する行政手続法第十五条第一項の規定による通知を受けた場合において、第十五条第一項又は前条第一項の規定による処分を受けることなく死亡したとき（次項から第五項までに規定する場合を除く。）は、当該退職に係る退職手当管理機関は、当該退職手当の受給者の死亡の日から六月以内に限り、当該退職手当の受給者の相続人に対し、当該退職をした者が当該退職に係る一般の退職手当等の額の算定の基礎となる職員としての引き続いた在職期間中に懲戒免職等処分を受けるべき行為をしたと認められることを理由として、当該一般の退職手当等の額（当該退職をした者が失業手当受給可能者であつた場合には、失業者退職手当額を除く。）の全部又は一部に相当する額の納付を命ずる処分を行うことができる。

3　退職手当の受給者（遺族を除く。以下この項から第五項までにおいて同じ。）が、当該退職の日から六月以内に基礎在職期間中の行為に係る刑事事件に関し起訴をされた場合（第十三条第一項第一号に該当する場合を含む。次項において同じ。）において、当該刑事事件につき判決が確定することなく、かつ、第十五条第一項の規定による処分を受けることなく死亡したときは、当該退職に係る退職手当管理機関は、当該退職手当の受給者の死亡の日から六月以内に限り、当該退職手当の受給者の相続人に対し、当該退職をした者が当該退職に係る一般の退職手当等の額の算定の基礎となる職員としての引き続いた在職期間中に懲戒免職等処分を受けるべき行為をしたと認められることを理由として、当該一般の退職手当等の額（当該退職をした者が失業手当受給可能者であつた場合には、失業者退職手当額を除く。）の全部又は一部に相当する額の納付を命ずる処分を行うことができる。

4　退職手当の受給者が、当該退職の日から六月以内に基礎在職期間中の行為に係る刑事事件に関し起訴をされた場合において、当該刑事事件に関し拘禁刑以上の刑に処せられた後において第十五条第一項の規定による処分を受けることなく死亡したときは、当該退職に係る退職手当管理機関は、当該退職手当の受給者の死亡の日から六月以内に限り、当該退職手当の受給者の相続人に対し、当該退職をした者が当該刑事事件に関し拘禁刑以上の刑に処せられたことを理由として、当該一般の退職手当等の額（当該退職をした者が失業手当受給可能者であつた場合には、失業者退職手当額を除く。）の全部又は一部に相当する額の納付を命ずる処分を行うことができる。

5　退職手当の受給者が、当該退職の日から六月以内に当該退職に係る一般の退職手当等の額の算定の基礎となる職員としての引き続いた在職期間中の行為に関し定年前再任用短時間勤務職員等に対する免職処分を受けた場合において、第十五条第一項の規定による処分を受けることなく死亡したときは、当該退職に係る退職手当管理機関は、当該退職手当の受給者の死亡の日から六月以内に限り、当該退職手当の受給者の相続人に対し、当該退職をした者が当該行為に関し定年前再任用短時間勤務職員等に対する免職処分を受けたことを理由として、当該一般の退職手当等の額（当該退職をした者が失業手当受給可能者であつた場合には、失業者退職手当額を除く。）の全部又は一部に相当する額の納付を命ずる処分を行うことができる。

6　前各項の規定による処分に基づき納付する金額は、第十二条第一項に規定する政令で定める事情のほか、当該退職手当の受給者の相続財産の額、当該退職手当の受給者の相続人の生計の状況その他の政令で定める事情を勘案して、定めるものとする。この場合において、当該相続人が二人以上あるときは、各相続人が納付する金額の合計額は、当該一般の退職手当等の額を超えることとなつてはならない。

7　第十二条第二項並びに第十五条第二項及び第四項の規定は、第一項から第五項までの規定による処分について準用する。

8　行政手続法第三章第二節（第二十八条を除く。）の規定は、前項において準用する第十五条第四項の規定による意見の聴取について準用する。

（退職手当審査会）

第十八条　内閣府に、退職手当審査会を置く。

2　退職手当審査会は、この法律の規定によりその権限に属させられた事項を処理する。

3　前項に定めるもののほか、退職手当審査会の組織及び委員その他の職員その他退職手当審査会に関し必要な事項については、政令で定める。

（退職手当審査会等への諮問）

第十九条　退職手当管理機関（第五項から第七項までに規定する退職手当管理機関を除く。）は、第十四条第一項第三号若しくは第二項、第十五条第一項、第十六条第一項又は第十七条第一項から第五項までの規定による処分（以下この条において「退職手当の支給制限等の処分」という。）を行おうとするときは、退職手当審査会に諮問しなければならない。

2　退職手当審査会は、第十四条第二項、第十六条第一項又は第十七条第一項から第五項までの規定による処分を受けるべき者から申立てがあつた場合には、当該処分を受けるべき者に口頭で意見を述べる機会を与えなければならない。

3　退職手当審査会は、必要があると認める場合には、退職手当の支給制限等の処分に係る事件に関し、当該処分を受けるべき者又は退職手当管理機関にその主張を記載した書面又は資料の提出を求めること、適当と認める者にその知つている事実の陳述又は鑑定を求めることその他必要な調査をすることができる。

4　退職手当審査会は、必要があると認める場合には、退職手当の支給制限等の処分に係る事件に関し、関係機関に対し、資料の提出、意見の開陳その他必要な協力を求めることができる。

5　前各項の規定は、国会職員法第一条に規定する国会職員に係る退職手当管理機関が退職手当の支給制限等の処分を行おうとするときについて準用する。この場合において、これらの規定中「退職手当審査会」とあるのは、「両議院の議長が両議院の議院運営委員会の合同審査会に諮つて定める機関」と読み替えるものとする。

6　第一項から第四項までの規定は、裁判官又は裁判所の職員に係る退職手当管理機関が退職手当の支給制限等の処分を行おうとするときについて準用する。この場合において、これらの規定中「退職手当審査会」とあるのは、「最高裁判所規則で定める機関」と読み替えるものとする。

7　第一項から第四項までの規定は、会計検査院の検査官又は職員に係る退職手当管理機関が退職手当の支給制限等の処分を行おうとするときについて準用する。この場合において、これらの規定中「退職手当審査会」とあるのは、「会計検査院規則で定める機関」と読み替えるものとする

第五章　雑則

（職員が退職した後に引き続き職員となつた場合等における退職手当の不支給）

第二十条　職員が退職した場合（第十二条第一項各号のいずれかに該当する場合を除く。）において、その者が退職の日又はその翌日に再び職員となつたときは、この法律の規定による退職手当は、支給しない。

2　職員が、機構の改革、施設の移譲その他の事由によつて、引き続いて地方公務員となり、地方公共団体又は地方独立行政法人法（平成十五年法律第百十八号）第二条第二項に規定する特定地方独立行政法人（以下この項において「特定地方独立行政法人」という。）

に就職した場合において、その者の職員としての勤続期間が、当該地方公共団体の退職手当に関する規定又は当該特定地方独立行政法人の退職手当の支給の基準（同法第四十八条第二項又は第五十一条第二項に規定する基準をいう。）によりその者の当該地方公共団体又は特定地方独立行政法人における地方公務員としての勤続期間に通算されることに定められているときは、この法律による退職手当は、支給しない。

3　職員が第七条の二第一項の規定に該当する退職をし、かつ、引き続いて公庫等職員となつた場合又は同条第二項の規定に該当する職員が退職し、かつ、引き続いて公庫等職員となつた場合においては、政令で定める場合を除き、この法律の規定による退職手当は、支給しない。

4　職員が第八条第一項の規定に該当する退職をし、かつ、引き続いて独立行政法人等役員となつた場合又は同条第二項の規定に該当する職員が退職し、かつ、引き続いて独立行政法人等役員となつた場合においては、政令で定める場合を除き、この法律の規定による退職手当は、支給しない。

（実施規定）

第二十一条　この法律の実施のための手続その他その執行について必要な事項は、政令で定める。

附　則

1　この法律は、公布の日から施行し、昭和二十八年八月一日以後の退職による退職手当について適用する。

2　職員のうち、国家公務員等退職手当法等の一部を改正する法律（昭和五十六年法律第九十一号）第一条の規定の施行の日（次項において「昭和五十六年改正法第一条施行日」という。）前に任命権者又はその委任を受けた者の要請に応じ、引き続いて旧プラント類輸出促進臨時措置法（昭和三十四年法律第五十八号）第十六条第二項に規定する指定機関（当該指定機関であつた期間の前後の内閣総理大臣が定める期間における当該指定機関とされた法人を含む。）に使用される者（役員及び常時勤務に服することを要しない者を除く。以下この項において「指定機関職員」という。）となるため退職をし、かつ、引き続き指定機関職員として在職した後引き続いて再び職員となつた者（引き続き指定機関職員として在職した後引き続いて公庫等職員として在職し、その後引き続いて再び職員となつた者を含む。）の第七条第一項の規定による在職期間の計算については、指定機関職員となる前の職員としての在職期間の始期から後の職員としての在職期間の終期までの期間は、職員としての引き続いた在職期間とみなす。

3　職員のうち、昭和五十六年改正法第一条施行日前に任命権者又はその委任を受けた者の要請に応じ、引き続いて地方公共団体（昭和五十六年改正法第一条施行日前における地方公共団体の退職手当に関する規定に、職員としての勤続期間を当該地方公共団体における地方公務員としての勤続期間に通算する旨の規定（以下この項において「通算規定」という。）がない地方公共団体に限る。）の地方公務員となるため退職をし、かつ、引き続き当該地方公共団体の地方公務員として在職した後引き続いて再び職員となつた者の第七条第一項の規定による在職期間の計算については、昭和五十六年改正法第一条施行日における当該地方公共団体の退職手当に関する規定に通算規定がある場合に限り、第七条第五項の規定にかかわらず、当該地方公共団体の地方公務員となる前の職員としての在職期間の始期から後の職員としての在職期間の終期までの期間は、職員としての引き続いた在職期間とみなす。

4　前二項に規定する者が退職した場合におけるその者に対する第二条の四及び第六条の五の規定による退職手当の額は、国家公務員等退職手当法の一部を改正する法律（昭和四十八年法律第三十号。次項から附則第八項までにおいて「昭和四十八年改正法」という。）附則第十二項の規定の例により計算した額とする。

5　附則第三項に規定する者のうち、昭和四十七年十二月一日に地方公務員であつた者は、昭和四十八年改正法附則第五項に規定する適用日に在職する職員とみなす。

6　当分の間、三十五年以下の期間勤続して退職した者（昭和四十八年改正法附則第五項の規定に該当する者を除く。）に対する退職手当の基本額は、第三条から第五条の三まで及び附則第十二項から第十六項までの規定により計算した額にそれぞれ百分の八十三・七を乗じて得た額とする。この場合において、第六条の五第一項中「前条」とあるのは、「前条並びに附則第六項」とする。

7　当分の間、三十六年以上四十二年以下の期間勤続して退職した者（昭和四十八年改正法附則第六項の規定に該当する者を除く。）で第三条第一項の規定に該当する退職をしたものに対する退職手当の基本額は、同項又は第五条の二及び附則第十五項の規定により計算した額に前項に定める割合を乗じて得た額とする。

8　当分の間、三十五年を超える期間勤続して退職した者（昭和四十八年改正法附則第七項の規定に該当する者を除く。）で第五条又は附則第十三項の規定に該当する退職をしたものに対する退職手当の基本額は、その者の勤続期間を三十五年として附則第六項の規定の例により計算して得られる額とする。

9　退職した者の基礎在職期間中に俸給月額の減額改定（平成十八年三月三十一日以前に行われた俸給月額の減額改定で内閣総理大臣が定めるものを除く。）によりその者の俸給月額が減額されたことがある場合において、その者の減額後の俸給月額が減額前の俸給月額に達しない場合にその差額に相当する額を支給することとする法令又はこれに準ずる給与の支給の基準の適用を受けたことがあるときは、この法律の規定による俸給月額には、当該差額を含まないものとする。ただし、第六条の五第二項に規定する一般職の職員に係る基本給月額に含まれる俸給の月額及び同項に規定するその他の職員に係る基本給月額に含まれる俸給月額に相当するものとして政令で定めるものについては、この限りでない。

10　令和九年三月三十一日以前に退職した職員に対する第十条第九項の規定の適用については、同項中「第二十八条まで」とあるのは「第二十八条まで及び附則第五条」と、同項第二号中「ロ　雇用保険法第二十二条第二項に規定する厚生労働省令で定める理由により就職が困難な者であつて、同法第二十四条の二第一項第二号に掲げる者に相当する者として内閣官房令で定める者に該当し、かつ、公共職業安定所長が同項に規定する指導基準に照らして再就職を促進するために必要な職業安定法第四条第四項に規定する職業指導を行うことが適当であると認めたもの」とあるのは

「ロ　雇用保険法第二十二条第二項に規定する厚生労働省令で定める理由により就職が困難な者であつて、同法第二十四条の二第一項第二号に掲げる者に相当する者として内閣官房令で定める者に該当し、かつ、公共職業安定所長が同項に規定する指導基準に照らして再就職を促進するために必要な職業安定法第四条第四項に規定する職業指導を行うことが適当であると認めたもの

ハ　特定退職者であつて、雇用保険法附則第五条第一項に規定する地域内に居住し、かつ、公共職業安定所長が同法第二十四条の二第一項に規定する指導基準に照らして再就職を促進するために必要な職業安定法第四条第四項に規定する職業指導を行うことが適当であると認めたもの（イに掲げる者を除く。）

」とする。

11　当分の間、第六条の四第四項第五号に掲げる者に対する同項（同号に係る部分に限る。）及び附則第六項の規定の適用については、同号中「百分の八」とあるのは「百分の八・三」と、同項中「附則第六項」とあるのは「附則第六項及び第十一項」とする。

12　当分の間、第四条第一項の規定は、十一年以上二十五年未満の期間勤続した者であつて、六十歳（次の各号に掲げる者にあつては、当該各号に定める年齢）に達した日以後その者の非違によることなく退職した者（定年の定めのない職を退職した者及び同項又は同条第二項の規定に該当する者を除く。）に対する退職手当の基本額について準用する。この場合における第三条の規定の適用については、同条第一項中「又は第五条」とあるのは、「、第五条又は附則第十二項」とする。

一　次に掲げる者　六十三歳

イ　国家公務員法等の一部を改正する法律（令和三年法律第六十一号。一において「令和三年国家公務員法等改正法」という。）第一条の規定による改正前の国家公務員法（次号イ及び附則第十四項第一号において「令和五年旧国家公務員法」という。）第八十一条の二第二項第三号（裁判所職員臨時措置法において準用する場合を含む。）に掲げる職員に相当する職員として内閣官房令で定める職員

ロ　検事総長以外の検察官

ハ　国会職員法及び国家公務員退職手当法の一部を改正する法律（令和三年法律第六十二号。附則第十五項において「令和三年国会職員法等改正法」という。）第一条の規定による改正前の国会職員法（次号ロ及び附則第十四項第七号において「令和五年旧国会職員法」という。）第十五条の二第二項第二号に掲げる国会職員（国会職員法第一条に規定する国会職員をいう。以下この項及び附則第十四項において同じ。）に相当する国会職員として内閣官房令で定める国会職員

二　令和三年国家公務員法等改正法第八条の規定による改正前の自衛隊法（次号ハ及び附則第十四項第九号において「令和五年旧自衛隊法」という。）第四十四条の二第二項第二号に掲げる隊員（自衛隊法第二条第五項に規定する隊員をいう。以下この項及び附則第十四項において同じ。）に相当す

る隊員として内閣官房令で定める隊員

二　次に掲げる者　六十歳を超え六十四歳を超えない範囲内で内閣官房令で定める年齢

イ　令和五年旧国家公務員法第八十一条の二第二項第三号（裁判所職員臨時措置法において準用する場合を含む。）に掲げる職員に相当する職員のうち、内閣官房令で定める職員

ロ　令和五年旧国会職員法第十五条の二第二項第三号に掲げる国会職員に相当する国会職員のうち、内閣官房令で定める国会職員

ハ　令和五年旧自衛隊法第四十四条の二第二項第三号に掲げる隊員に相当する隊員のうち、内閣官房令で定める隊員

13　当分の間、第五条第一項の規定は、二十五年以上の期間勤続した者であつて、六十歳（前項各号に掲げる者にあつては、当該各号に定める年齢）に達した日以後その者の非違によることなく退職した者（定年の定めのない職を退職した者及び同条第一項又は第二項の規定に該当する者を除く。）に対する退職手当の基本額について準用する。この場合における第三条の規定の適用については、同条第一項中「又は第五条」とあるのは、「、第五条又は附則第十三項」とする。

14　前二項の規定は、次に掲げる者が退職した場合に支給する退職手当の基本額については適用しない。

一　令和五年旧国家公務員法第八十一条の二第二項第一号（裁判所職員臨時措置法において準用する場合を含む。）に掲げる職員に相当する職員として内閣官房令で定める職員及び同項第三号（裁判所職員臨時措置法において準用する場合を含む。）に掲げる職員に相当する職員のうち内閣官房令で定める職員

二　国家公務員法第八十一条の六第二項ただし書（裁判所職員臨時措置法において準用する場合を含む。）に規定する職員

三　公正取引委員会の委員長及び委員

四　裁判官

五　検事総長

六　検査官

七　令和五年旧国会職員法第十五条の二第二項第一号に掲げる国会職員に相当する国会職員として内閣官房令で定める国会職員及び同項第三号に掲げる国会職員に相当する国会職員のうち内閣官房令で定める国会職員

八　国会職員法第十五条の六第二項ただし書に規定する国会職員

九　令和五年旧自衛隊法第四十四条の二第二項第一号に掲げる隊員に相当する隊員として内閣官房令で定める隊員及び同項第三号に掲げる隊員に相当する隊員のうち内閣官房令で定める隊員

十　自衛隊法第四十四条の六第二項ただし書に規定する隊員

十一　自衛隊法第四十五条第一項に規定する自衛官

十二　給与その他の処遇の状況が前各号に掲げる職員に類する職員として内閣官房令で定める職員

15　一般職の職員の給与に関する法律附則第八項（裁判所職員臨時措置法において準用する場合を含む。）、検察官の俸給等に関する法律（昭和二十三年法律第七十六号）附則第五条第一項若しくは防衛省の職員の給与等に関する法律（昭和二十七年法律第二百六十六号）附則第五項の規定、令和三年国会職員法等改正法による定年の引上げに伴う給与に関する特例措置又はこれらに準ずる給与の支給の基準による職員の俸給月額の改定は、俸給月額の減額改定に該当しないものとする。

16　当分の間、第四条第一項第三号並びに第五条第一項第三号、第五号及び第六号に掲げる者に対する第五条の三及び第六条の三の規定の適用については、第五条の三並びに第六条の三の表第六条の項、第六条の二第一号の項及び第六条の二第二号の項中「定年」とあるのは、「定年（附則第十二項各号及び第十四項各号に掲げる者以外の者（国家公務員法等の一部を改正する法律（令和三年法律第六十一号）第一条の規定による改正前の国家公務員法第八十一条の二第二項本文（裁判所職員臨時措置法において準用する場合を含む。）の適用を受けていた者であつて附則第十四項第二号に掲げる職員に該当する職員、国会職員法及び国家公務員退職手当法の一部を改正する法律（令和三年法律第六十二号）第一条の規定による改正前の国会職員法第十五条の二第二項本文の適用を受けていた者であつて附則第十四項第八号に掲げる国会職員に該当する国会職員及び国家公務員法等の一部を改正する法律第八条の規定による改正前の自衛隊法第四十四条の二第二項本文の適用を受けていた者であつて附則第十四項第十号に掲げる隊員に該当する隊員を含む。）にあつては六十歳とし、附則第十二項各号に掲げる者にあつては当該各号に定める年齢とし、附則第十四項第一号に掲げる職員、同項第七号に掲げる国会職員及び同項第九号に掲げる隊員にあつては六十五歳とし、同項第十二号に掲げる職員にあつては内閣官房令で定める年齢とする。）」とする。

附　則（昭四八・五・一七法三〇）（抄）

最終改正　令三・六・一一法六一

1 （施行期日）
この法律は、公布の日から施行する。

2 （適用日等）
改正後の国家公務員等退職手当法（以下「新法」という。）の規定（第七条の二の規定を除く。）は、昭和四十七年十二月一日（以下「適用日」という。）以後の退職による退職手当について適用し、適用日前の退職による退職手当については、なお従前の例による。

4 改正後の法律第百六十四号附則第三項の規定は、適用日以後の退職による退職手当について適用し、適用日前の退職による退職手当については、なお従前の例による。

5 （長期勤続者等に対する退職手当に係る特例）
適用日に在職する職員（適用日に改正前の国家公務員等退職手当法（以下「旧法」という。）第七条の二第一項に規定する公庫等職員（他の法律の規定により、国家公務員等退職手当法第七条の二の規定の適用について、同条第一項に規定する公庫等職員とみなされる者を含む。以下「指定法人職員」という。）として在職する者のうち、適用日前に職員から引き続いて指定法人職員となつた者又は適用日に地方公務員として在職する者で、指定法人職員又は地方公務員として在職した後引き続いて職員となつたものを含む。次項及び附則第七項において同じ。）のうち、適用日以後に国家公務員退職手当法（昭和二十八年法律第百八十二号。以下この項から附則第十二項までにおいて「退職手当法」という。）第三条から第五条まで又は附則第十二項若しくは第十三項の規定に該当する退職をし、かつ、その勤続期間が三十五年以下である者に対する退職手当の基本額は、当分の間、退職手当法第三条から第五条の三まで及び附則第十二項から第十六項までの規定により計算した額にそれぞれ百分の八十三・七を乗じて得た額とする。

6 適用日に在職する職員のうち、適用日以後に退職手当法第三条第一項の規定に該当する退職をし、かつ、その勤続期間が三十六年以上四十二年以下である者に対する退職手当の基本額は、当分の間、同項又は退職手当法第五条の二及び附則第十五項の規定により計算した額に前項に定める割合を乗じて得た額とする。

7 適用日に在職する職員のうち、適用日以後に退職手当法第五条又は附則第十三項の規定に該当する退職をし、かつ、その勤続期間が三十五年を超える者に対する退職手当の基本額は、当分の間、その者の勤続期間を三十五年として附則第五項の規定の例により計算して得られる額とする。

8 法律第百六十四号附則第三項又は附則第四項の規定の適用を受ける職員で附則第五項から前項までの規定に該当するものに対する退職手当の額は、退職手当法第二条の四から第六条の五まで、法律第百六十四号附則第三項、附則第四項又は附則第六項及びこの法律附則第五項から前項まで又は附則第十五項の規定にかかわらず、その者につき法律第百六十四号による改正前の国家公務員等退職手当暫定措置法（昭和二十八年法律第百八十二号）の規定により計算した退職手当の額と退職手当法及び附則第五項から前項まで又は附則第十五項の規定により計算した退職手当の額とのいずれか多い額とする。

附　則（平一五・四・三〇法三一）（抄）

（施行期日）

第一条　この法律は、平成十五年五月一日から施行する。

（国家公務員退職手当法の一部改正に伴う経過措置）

第二十四条　前条の規定による改正後の国家公務員退職手当法（以下この条において「新退職手当法」という。）第十条第十項第四号及び第十三項の規定は、施行日以後に職業に就いた者に対する同条第十項第四号に掲げる退職手当の支給について適用し、施行日前に職業に就いた者に対する前条の規定による改正前の国家公務員退職手当法第十条第十項第三号の二及び第四号に掲げる退職手当の支給については、なお従前の例による。

2 施行日前にした偽りその他不正の行為によって新退職手当法第十条の規定による失業者の退職手当の支給を受けた者に対するその失業者の退職手当の全部又は一部を返還すること又はその失業者の退職手当の額に相当する額以下の金額を納付することの命令については、なお従前の例による。

3 新退職手当法第十条第十四項の規定は、施行日以後に偽りの届出、報告又は証明をした事業主又は職業紹介事業者等（新雇用保険法第十条の四第二項に規定する職業紹介事業者等をいう。以下同じ。）に対して適用し、同日前に偽りの届出、報告又は証明をした事業主に対する失業者の退職手当の支給を受けた者と連帯して新退職手当法第十条第十四項の規定による失業者の退職手当の返還又は納付を命ぜられた金額の納付をすることの命令については、なお従前の例による。

附　則（平一五・六・四法六二）（抄）

最終改正　令三・六・一一法六一

（施行期日）

1　この法律は、平成十五年十月一日から施行する。ただし、次の各号に掲げる規定は、当該各号に定める日から施行する。

一　第一条中国家公務員退職手当法第五条の二及び第七条の二の改正規定並びに同条の次に一条を加える改正規定並びに附則第五項〔中略〕の規定　公布の日から起算して二月を超えない範囲内において政令で定める日〔平一五・六・一五〕

二　附則第四項の規定　平成十六年十月一日

（経過措置）

2　平成十五年十月一日から平成十六年九月三十日までの間における第一条の規定による改正後の国家公務員退職手当法附則第二十一項の規定の適用については、同項中「額は」とあるのは「額は、第六条の規定にかかわらず」と、「百分の百四」とあるのは「百分の百七」とする。

3　平成十五年十月一日から平成十六年九月三十日までの間における第二条の規定による改正後の国家公務員等退職手当法の一部を改正する法律附則第五項（同法附則第六項又は第七項において例による場合を含む。）及び同法附則第六項の規定の適用については、同法附則第五項中「第五条の二」とあるのは「第六条」と、「百分の百四」とあるのは「百分の百七」と、同法附則第六項中「三十六年」とあるのは「三十五年を超え三十七年以下」と、同法附則第七項中「第五条及び第五条の二並びに」とあるのは「第五条から第六条まで及び」とする。

4　当分の間、四十二年を超える期間勤続して退職した者で国家公務員退職手当法第三条第一項の規定に該当する退職をしたものに対する退職手当の額は、同項の規定にかかわらず、その者が同法第五条の規定に該当する退職をしたものとし、かつ、その者の勤続期間を三十五年として同法附則第六項の規定の例により計算して得られる額とする。

5　この附則に定めるもののほか、この法律の施行に関し必要な経過措置は、政令で定める。

附　則（平一六・一二・一法一四六）（抄）

最終改正　平二六・一一・一九法一〇七

（施行期日）

1　この法律は、平成十七年四月一日から施行する。

（国家公務員退職手当法の一部改正に伴う経過措置）

4　施行日の前日に在職する職員であって同日に退職したとしたならば第三条の規定による改正前の国家公務員退職手当法第四条第三項の規定の適用を受けることとなる者が、引き続いて同項に規定する職員として在職し、かつ、同項の規定に該当する退職をした場合におけるその者に対する退職手当の額は、国家公務員退職手当法第四条第一項及び第六条の四第四項第五号の規定に該当するものとして同法第二条の四、第四条、第五条の二及び第六条の四並びに附則第二十一項の規定により計算した額とする。

附　則（平一七・一〇・二一法一〇二）（抄）

最終改正　平二〇・一二・二六法九五

（施行期日）

第一条　この法律は、郵政民営化法の施行の日〔平一九・一〇・一〕から施行する。〔ただし書略〕

（国家公務員退職手当法の一部改正に伴う経過措置）

第八十七条　施行日の前日に旧公社の職員として在職し、郵政民営化法第百六十七条の規定により引き続いて承継会社の職員となった者のうち施行日から雇用保険法（昭和四十九年法律第百十六号）による失業等給付の受給資格を取得するまでの間に承継会社を退職したものであって、その退職した日まで旧公社の職員として在職したものとし、かつ、第五十四条の規定による改正前の国家公務員退職手当法（以下この条において「旧退職手当法」という。）がなおその効力を有し、なお効力を有している旧退職手当法第十条の規定が雇用保険法等の一部を改正する法律（平成十九年法律第三十号）附則第六十一条の規定による改正後の国家公務員退職手当法（以下この項において「平成十九年改正後退職手当法」という。）第十条の規定と同様に改正されたものとしたならば当該改正後の旧退職手当法第十条の規定による退職手当の支給を受けることができるものに対しては、その者のその退職の日までの承継会社の職員としての在職を平成十九年改正後退職手当法第二条第一項に規定する職員としての在職と、その者がその退職により承継会社から支給を受けた退職手当（これに相当する給付を含む。）を平成十九年改正後退職手当法第十条第一項第一号に規定する一般の退職手当等と、その者が退職の際勤務していた承継会社の業務を国の事務又は事業とみなして同条の規定による退職手当を支給する。

2　この法律の施行前に旧公社を退職した者であって旧退職手当法がなおその効力を有しているものとしたならば旧退職手当法第十条第四項又は第五項の規定による退職手当の支給を受けることができるものに対しては、その者が退職の際勤務していた旧公社の事務又は事業を国の事務又は事業とみなして新退職手当法第十条第四項又は第五項の規定による退職手当を支給する。

3　この法律の施行前に旧公社を退職した者の退職手当について国家公務員退職手当法等の一部を改正する法律（平成二十年法律第九十五号）附則第二条の規定によりなお従前の例によることとされる場合における同法第一条の規定による改正前の国家公務員退職手当法第十二条の二及び第十二条の三の規定の適用については、日本郵政株式会社を同法第十二条の二第一項に規定する各省各庁の長等とみなす。

附　則（平一七・一一・七法一一五）（抄）

最終改正　令三・六・一一法六一

（施行期日）

第一条　この法律は、平成十八年四月一日から施行する。

（経過措置）

第二条　国有林野の有する公益的機能の維持増進を図るための国有林野の管理経営に関する法律等の一部を改正する等の法律（平成二十四年法律第四十二号）第五条第一号の規定による廃止前の国有林野事業を行う国の経営する企業に勤務する職員の給与等に関する特例法（昭和二十九年法律第百四十一号）第二条第一項に規定する国有林野事業を行う国の経営する企業、独立行政法人通則法の一部を改正する法律（平成二十六年法律第六十六号）による改正前の独立行政法人通則法（平成十一年法律第百三号）第二条第二項に規定する特定独立行政法人（この法律の施行の日（以下「施行日」という。）以後に同項に規定する特定独立行政法人以外の独立行政法人（同条第一項に規定する独立行政法人をいう。）となったものその他の法人で政令で定めるものを含む。）及び郵政民営化法（平成十七年法律第九十七号）第百六十六条第一項の規定による解散前の日本郵政公社（以下「国営企業等」と総称する。）の職員の退職による退職手当については、この法律による改正後の国家公務員退職手当法の規定は、国営企業等ごとに、施行日から起算して一年を超えない範囲内において政令で定める日（以下「適用日」という。）から適用し、適用日前の当該退職による退職手当については、なお従前の例による。

第三条　職員が新制度適用職員（職員であって、その者が新制度切替日以後に退職することにより国家公務員退職手当法の規定による退職手当の支給を受けることとなる者をいう。以下同じ。）として退職した場合において、その者が新制度切替日の前日に現に退職した理由と同一の理由により退職したものとし、かつ、その者の同日までの勤続期間及び同日における俸給月額を基礎として、この法律による改正前の国家公務員退職手当法（以下この項において「旧法」という。）第三条から第六条まで及び附則第二十一項から第二十三項までの規定、附則第九条の規定による改正前の国家公務員等退職手当法の一部を改正する法律（昭和四十八年法律第三十号）附則第五項から第七項までの規定並びに附則第十条の規定による改正前の国家公務員退職手当法等の一部を改正する法律（平成十五年法律第六十二号）附則第四項の規定により計算した額（当該勤続期間が四十三年又は四十四年の者であって、傷病若しくは死亡によらずにその者の都合により又は通勤による傷病以外の公務によらない傷病により退職したものにあっては、その者が旧法第五条の規定に該当する退職をしたものとみなし、かつ、その者の当該勤続期間を三十五年として旧法附則第二十一項の規定の例により計算して得られる額）にそれぞれ百分の八十三・七（当該勤続期間が二十年以上の者（四十二年以下の者で傷病又は死亡によらずにその者の都合により退職したもの及び三十七年以上四十二年以下の者で通勤による傷病以外の公務によらない傷病により退職したものを除く。）にあっては、百四分の八十三・七）を乗じて得た額が、国家公務員退職手当法第二条の四から第六条の五まで並びに附則第六項から第八項まで及び第十一項の規定、国家公務員等退職手当法の一部を改正する法律（昭和四十八年法律第三十号）附則第五項から第七項までの規定、国家公務員退職手当法等の一部を改正する法律（平成十五年法律第六十二号）附則第四項の規定並びに附則第五条及び第六条の規定により計算した退職手当の額よりも多いときは、これらの規定にかかわらず、その多い額をもってその者に支給すべきこれらの規定による退職手当の額とする。

2　前項の「新制度切替日」とは、次の各号に掲げる職員の区分に応じ、当該各号に定める日をいう。

一　施行日の前日及び施行日において職員（国営企業等の職員を除く。以下「一般職員」という。）として在職していた者　施行日

二　施行日の前日において一般職員として在職していた者で、施行日に国営企業等（当該国営企業等に係る適用日が施行日であるものに限る。）の職員となったもの　施行日

三　国営企業等のいずれかに係る適用日の前日及び適用日において当該国営企業等の職員として在職していた者（その者の基礎在職期間（国家公務員退職手当法第五条の二第二項に規定する基礎在職期間をいう。以下同じ。）のうち当該適用日前の期間に、新制度適用職員としての在職期間が含まれない者に限

る。）当該国営企業等に係る適用日

四　国営企業等の職員として在職した後、施行日以後に引き続いて一般職員となった者（その者の基礎在職期間のうち当該一般職員となった日前の期間に、新制度適用職員としての在職期間が含まれない者に限る。）当該一般職員となった日

五　国営企業等の職員として在職した後、引き続いて他の国営企業等の職員となった者（その者の基礎在職期間のうち当該他の国営企業等の職員となった日前の期間に、新制度適用職員としての在職期間が含まれない者であって、当該他の国営企業等の職員となった日が当該他の国営企業等に係る適用日以後であるものに限る。）当該他の国営企業等の職員となった日

六　職員として在職した後、施行日以後に引き続いて地方公務員又は国家公務員退職手当法第七条の二第一項に規定する公庫等職員（他の法律の規定により同条の規定の適用について同項に規定する公庫等職員とみなされる者を含む。以下この項において「公庫等職員」という。）若しくは国家公務員退職手当法第八条第一項に規定する独立行政法人等役員（以下この項において「独立行政法人等役員」という。）となった者で、地方公務員又は公庫等職員若しくは独立行政法人等役員として在職した後引き続いて一般職員となったもの（その者の基礎在職期間のうち当該地方公務員又は公庫等職員若しくは独立行政法人等役員となった日前の期間に、新制度適用職員としての在職期間が含まれない者に限る。）当該地方公務員又は公庫等職員若しくは独立行政法人等役員となった日

七　職員として在職した後、施行日以後に引き続いて地方公務員又は公庫等職員若しくは独立行政法人等役員となった者で、地方公務員又は公庫等職員若しくは独立行政法人等役員として在職した後引き続いて国営企業等の職員となったもの（その者の基礎在職期間のうち当該地方公務員又は公庫等職員若しくは独立行政法人等役員となった日前の期間に、新制度適用職員としての在職期間が含まれない者であって、当該国営企業等の職員となった日が当該国営企業等に係る適用日以後であるものに限る。）当該地方公務員又は公庫等職員若しくは独立行政法人等役員となった日

八　施行日の前日に地方公務員として在職していた者又は施行日の前日に公庫等職員として在職していた者のうち職員から引き続いて公庫等職員となった者若しくは施行日の前日に独立行政法人等役員として在職していた者のうち職員から引き続いて独立行政法人等役員となった者で、地方公務員又は公庫等職員若しくは独立行政法人等役員として在職した後引き続いて一般職員となったもの　施行日

九　施行日の前日に地方公務員として在職していた者又は施行日の前日に公庫等職員として在職していた者のうち職員から引き続いて公庫等職員となった者若しくは施行日の前日に独立行政法人等役員として在職していた者のうち職員から引き続いて独立行政法人等役員となった者で、地方公務員又は公庫等職員若しくは独立行政法人等役員として在職した後引き続いて国営企業等の職員となったもの（当該国営企業等の職員となった日が当該国営企業等に係る適用日以後である者に限る。）　施行日

十　前各号に掲げる者に準ずる者であって政令で定めるもの　施行日から起算して一年を超えない範囲内において政令で定める日

3　前項第八号及び第九号に掲げる者が新制度適用職員として退職した場合における当該退職による退職手当についての第一項の規定の適用については、同項中「退職したものとし」とあるのは「職員として退職したものとし」と、「勤続期間」とあるのは「勤続期間として取り扱われるべき期間」と、「俸給月額」とあるのは「俸給月額に相当する額として政令で定める額」とする。

第四条　削除

第五条　基礎在職期間の初日が新制度切替日（附則第三条第二項に規定する新制度切替日をいう。次項において同じ。）前である者に対する国家公務員退職手当法第五条の二の規定の適用については、同条第一項中「基礎在職期間」とあるのは、「基礎在職期間（国家公務員退職手当法の一部を改正する法律（平成十七年法律第百十五号）附則第三条第二項に規定する新制度切替日以後の期間に限る。）」とする。

2　新制度適用職員として退職した者で、その者の基礎在職期間のうち新制度切替日以後の期間に、新制度適用職員以外の職員としての在職期間が含まれるものに対する国家公務員退職手当法第五条の二の規定の適用については、その者が当該新制度適用職員以外の職員として受けた俸給月額は、同条第一項に規定する俸給月額には該当しないものとみなす。

第六条　国家公務員退職手当法第六条の四及び附則第十一項の規定により退職手当の調整額を計算する場合において、基礎在職期間の初日が平成八年四月一日前で

ある者に対する同条の規定の適用については、次の表の上欄に掲げる同条の規定中同表の中欄に掲げる字句は、それぞれ同表の下欄に掲げる字句に読み替えるものとする。

読み替える規定	読み替えられる字句	読み替える字句
第一項	その者の基礎在職期間（	平成八年四月一日以後のその者の基礎在職期間（
第二項	基礎在職期間	平成八年四月一日以後の基礎在職期間

2 次に掲げる職員であった者に対する国家公務員退職手当法第六条の四の規定の適用については、当該職員としての在職期間は、同条第四項第五号ロに規定する特別職の職員としての在職期間とみなす。

一 労働者災害補償保険法等の一部を改正する法律（平成八年法律第四十二号）による改正前の特別職の職員の給与に関する法律（昭和二十四年法律第二百五十二号。以下「特別職給与法」という。）第一条第十二号の二に掲げる労働保険審査会委員

二 行政機関の保有する情報の公開に関する法律の施行に伴う関係法律の整備等に関する法律（平成十一年法律第四十三号）による改正前の特別職給与法第一条第十三号の五の二に掲げる行政改革委員会の常勤の委員

三 中央省庁等改革のための国の行政組織関係法律の整備等に関する法律（平成十一年法律第百二号）による改正前の特別職給与法第一条第八号に掲げる政務次官

四 中央省庁等改革関係法施行法（平成十一年法律第百六十号）による改正前の特別職給与法第一条第十三号の二に掲げる原子力委員会の常勤の委員、同条第十三号の四に掲げる科学技術会議の常勤の議員及び同条第十三号の四の二に掲げる宇宙開発委員会の常勤の委員

五 航空事故調査委員会設置法等の一部を改正する法律（平成十三年法律第三十四号）による改正前の特別職給与法第一条第十三号の六に掲げる航空事故調査委員会の委員長及び常勤の委員並びに同条第十四号に掲げる運輸審議会委員

六 行政機関の保有する個人情報の保護に関する法律等の施行に伴う関係法律の整備等に関する法律（平成十五年法律第六十一号）による改正前の特別職給与法第一条第十三号の五の二に掲げる情報公開審査会の常勤の委員

七 特別職の職員の給与に関する法律等の一部を改正する法律（平成十六年法律第百四十六号）による改正前の特別職給与法第一条第十三号に掲げる地方財政審議会の会長

八 前各号に掲げる職員に類するものとして政令で定める職員

第七条 この附則に定めるもののほか、この法律の施行に関し必要な経過措置は、政令で定める。

附 則（平一九・四・二三法三〇）（抄）

改正 平一九・七・六法一〇九

（施行期日）

第一条 この法律は、公布の日から施行する。〔ただし書略〕

（国家公務員退職手当法の一部改正に伴う経過措置）

第六十三条 附則第六十一条の規定による改正後の国家公務員退職手当法第十条第一項及び第二項の規定は、附則第一条第一号の二に掲げる規定の施行の日以後の退職に係る退職手当について適用し、同日前の退職に係る退職手当については なお従前の例による。

第六十四条 附則第六十二条の規定による改正後の国家公務員退職手当法第十条の規定による退職手当は、附則第四十二条の規定によりなお従前の例によるものとされた平成二十二年改正前船員保険法の規定による失業等給付の支給を受ける者に対して支給してはならない。

附 則（平二〇・二・二六法九五）（抄）

（施行期日）

第一条 この法律は、公布の日から起算して六月を超えない範囲内において政令で定める日〔平二一・四・一〕から施行する。〔ただし書略〕

（国家公務員退職手当法の一部改正に伴う経過措置）

第二条 第一条の規定による改正後の国家公務員退職手当法の規定は、この法律の施行の日以後の退職に係る退職手当について適用し、同日前の退職に係る退職手当については、なお従前の例による。

附 則（平二二・三・三一法一五）（抄）

（施行期日）

第一条 この法律は、平成二十二年四月一日から施行する。〔ただし書略〕

（国家公務員退職手当法の一部改正に伴う経過措置）

第八条 施行日前に国家公務員退職手当法第二条第一項に規定する職員（同条第二項の規定により職員とみなされる者を含む。以下この条において同じ。）であっ

た者であって、退職の日が施行日前であるもの及び施行日の前日において職員であって、施行日以後引き続き職員であるものに対する前条の規定による改正後の同法第十条第六項及び第七項の規定の適用については、なお従前の例による。

附　則（平二四・六・二七法四二）（抄）

改正　令三・六・一一法六一

（施行期日）

第一条　この法律は、平成二十五年四月一日から施行する。〔ただし書略〕

（労働組合のための職員の行為の制限に関する経過措置）

第七条　〔略〕

2　旧特労法第七条第一項ただし書に規定する事由により国有林野事業職員が現実に職務をとることを要しなかった期間は、附則第二十九条の規定による改正後の国家公務員退職手当法（昭和二十八年法律第百八十二号）第七条第四項の規定の適用については、新特労法第七条第一項ただし書に規定する事由により現実に職務をとることを要しなかった期間とみなす。

3　〔略〕

（国家公務員退職手当法の一部改正に伴う経過措置）

第三十条　施行日前に旧給与特例法適用職員であったことのある者であって施行日以後に退職したものに対する国家公務員退職手当法第五条の二第一項及び附則第九項の規定の適用については、これらの規定に規定する法令には、旧給与特例法第四条の給与準則を含むものとする。

附　則（平二四・一一・二六法九六）（抄）

（施行期日）

第一条　この法律は、平成二十五年一月一日から施行する。ただし、次の各号に掲げる規定は、当該各号に定める日から施行する。

一　〔前略〕附則〔中略〕第十一条の規定　公布の日

二〜四　〔略〕

五　第一条中国家公務員退職手当法目次、第三条、第四条、第五条（見出しを含む。）、第五条の三、第六条の三及び第六条の四第四項の改正規定、同法第二章中第八条の次に一条を加える改正規定並びに同法第十一条第二号及び第十四条第一項第二号の改正規定並びに附則第五条の規定　公布の日から起算して一年を超えない範囲内において政令で定める日〔平二五・一一・一〕〔平二五・六・一〕

六　〔略〕

（退職手当に関する経過措置）

第二条　第一条の規定による改正後の国家公務員退職手当法（以下この条及び附則第五条において「新退職手当法」という。）附則第二十一項（新退職手当法附則第二十三項及び第三条の規定による改正後の国家公務員退職手当法等の一部を改正する法律附則第四項においてその例による場合を含む。）及び第二十二項の規定の適用については、新退職手当法附則第二十一項中「百分の八十七」とあるのは、平成二十五年一月一日から同年九月三十日までの間においては「百分の九十八」と、同年十月一日から平成二十六年六月三十日までの間においては「百分の九十二」とする。

第三条　第二条の規定による改正後の国家公務員等退職手当法の一部を改正する法律附則第五項（同法附則第七項においてその例による場合を含む。）及び第六項の規定の適用については、同法附則第五項中「百分の八十七」とあるのは、平成二十五年一月一日から同年九月三十日までの間においては「百分の九十八」と、同年十月一日から平成二十六年六月三十日までの間においては「百分の九十二」とする。

第四条　第四条の規定による改正後の国家公務員退職手当法の一部を改正する法律附則第三条第一項の規定の適用については、同項中「百分の八十七」とあるのは、平成二十五年一月一日から同年九月三十日までの間においては「百分の九十八」と、同年十月一日から平成二十六年六月三十日までの間においては「百分の九十二」と、「百四分の八十七」とあるのは、平成二十五年一月一日から同年九月三十日までの間においては「百四分の九十八」と、同年十月一日から平成二十六年六月三十日までの間においては「百四分の九十二」とする。

第五条　この法律の施行の際現に職員として在職していた者が第一条の規定による改正前の国家公務員退職手当法第四条第一項に規定する二十五年未満の期間勤続し、その者の事情によらないで引き続いて勤続することを困難とする理由により退職した者で政令で定めるものに該当する場合（その者が新退職手当法第五条第一項第三号に掲げる者に該当する場合を除き、その者の勤続期間が十一年未満である場合に限る。）には、新退職手当法第四条第一項に規定する十一年以上二十五年未満の期間勤続した者であって、同項第二号に掲げるものとみなして、同項の規定を適用する。

（政令への委任）

第十一条　附則第二条から前条までに定めるもののほか、この法律の施行に関し必要な経過措置は、政令で定める。

附　則（平二六・六・一三法六七）（抄）

（施行期日）

第一条 この法律は、独立行政法人通則法の一部を改正する法律（平成二十六年法律第六十六号。以下「通則法改正法」という。）の施行の日〔平二七・四・一〕から施行する。〔ただし書略〕

（国家公務員退職手当法の一部改正に伴う経過措置）

第六条 旧特労法第七条第一項ただし書に規定する事由により現実に職務をとることを要しなかった期間は、第五条の規定による改正後の国家公務員退職手当法（次項において「新退手法」という。）第七条第四項の規定の適用については、新行労法第七条第一項ただし書に規定する事由により現実に職務をとることを要しなかった期間とみなす。

2 この法律の施行前に特定独立行政法人を退職した職員に対する新退手法第十条第四項及び第五項の規定の適用については、同条第四項及び第五項中「行政執行法人の事務又は事業」とあるのは、「独立行政法人通則法の一部を改正する法律（平成二十六年法律第六十六号）による改正前の独立行政法人通則法（平成十一年法律第百三号）第二条第二項に規定する特定独立行政法人の事務又は事業」とする。

附　則（平二六・一一・一九法一〇七）（抄）

（施行期日）

第一条 この法律は、平成二十七年四月一日から施行する。ただし、附則第三条の規定は、公布の日から施行する。

（経過措置）

第二条 行政執行法人（独立行政法人通則法（平成十一年法律第百三号）第二条第四項に規定する行政執行法人をいう。以下この条において同じ。）の職員の退職による退職手当については、この法律による改正後の国家公務員退職手当法の規定は、行政執行法人ごとに、この法律の施行の日から起算して一年を超えない範囲内において政令で定める日から適用し、同日前の当該退職による退職手当については、なお従前の例による。

（政令への委任）

第三条 前条に定めるもののほか、この法律の施行に関し必要な経過措置は、政令で定める。

附　則（平二八・三・三一法一七）（抄）

改正　平二八・一一・二四法八〇

（施行期日）

第一条 この法律は、平成二十九年一月一日から施行する。〔ただし書略〕

（国家公務員退職手当法の一部改正に伴う経過措置）

第十七条 退職職員（退職した国家公務員退職手当法第二条第一項に規定する職員（同条第二項の規定により職員とみなされる者を含む。）をいう。以下この条において同じ。）であって、退職職員が退職の際勤務していた国又は独立行政法人通則法（平成十一年法律第百三号）第二条第四項に規定する行政執行法人の事務又は事業を雇用保険法第五条第一項に規定する適用事業とみなしたならば第二条改正前雇用保険法第六条第一号に掲げる者に該当するものにつき、前条の規定による改正後の国家公務員退職手当法（以下この条において「新退職手当法」という。）第十条第四項又は第五項の勤続期間を計算する場合における国家公務員退職手当法第七条の規定の適用については、同条第一項中「在職期間」とあるのは「在職期間（雇用保険法等の一部を改正する法律（平成二十八年法律第十七号）の施行の日（以下この項及び次項において「雇用保険法改正法施行日」という。）前の在職期間を有する者にあつては、雇用保険法改正法施行日以後の職員としての引き続いた在職期間）」と、同条第二項中「月数」とあるのは「月数（雇用保険法改正法施行日前の在職期間を有する者にあつては、雇用保険法改正法施行日の属する月から退職した日の属する月までの月数（退職した日が雇用保険法改正法施行日前である場合にあつては、零））」とする。

2 新退職手当法第十条第十項（第六号に係る部分に限り、同条第十一項において準用する場合を含む。）の規定は、退職職員であつて求職活動に伴い施行日以後に同号に規定する行為（当該行為に関し、前条の規定による改正前の国家公務員退職手当法（以下この条において「旧退職手当法」という。）第十条第十項第六号に掲げる広域求職活動費に相当する退職手当が支給されている場合における当該行為を除く。）をしたもの（施行日前一年以内に旧退職手当法第十条第四項又は第五項の規定による退職手当の支給を受けることができる者となった者であって施行日以後に新退職手当法第十条第四項から第七項までの規定による退職手当の支給を受けることができる者となっていないものを除く。）について適用し、退職職員であって施行日前に公共職業安定所の紹介により広範囲の地域にわたる求職活動をしたものに対する広域求職活動費に相当する退職手当の支給については、なお従前の例による。

3 新退職手当法第十条第十項（第四号に係る部分に限る。）の規定は、退職職員であって施行日以後に職業に就いたものについて適用し、退職職員であって施行日前に職業に就いたものに対する国家公務員退職手当法第十条第十項第四号に掲げる就業促進手当に相当する退職手当の支給については、なお従前の例による。

4　施行日前に旧退職手当法第十条第四項又は第五項の規定による退職手当の支給を受けることができる者となった者（施行日以後に新退職手当法第十条第四項から第七項までの規定による退職手当の支給を受けることができる者となった者を除く。）に対する国家公務員退職手当法第十条第十項第五号に掲げる移転費に相当する退職手当の支給については、なお従前の例による。

附　則（平二九・三・三一法一四）（抄）

改正　令三・六・一一法六一

（施行期日）

第一条　この法律は、平成二十九年四月一日から施行する。ただし、次の各号に掲げる規定は、当該各号に定める日から施行する。

一～三　〔略〕

四　〔前略〕附則第十三条中国家公務員退職手当法（昭和二十八年法律第百八十二号）第十条第十項第五号の改正規定、附則第十四条第二項〔中略〕の規定　平成三十年一月一日

（国家公務員退職手当法の一部改正に伴う経過措置）

第十四条　国家公務員退職手当法第十条第九項（第二号に係る部分に限り、同法附則第十項の規定により読み替えて適用する場合を含む。）の規定は、退職職員（退職した同法第二条第一項に規定する職員（同条第二項の規定により職員とみなされる者を含む。）をいう。次項において同じ。）であって同法第十条第一項第二号に規定する所定給付日数から同項に規定する待期日数を減じた日数分の同項の退職手当又は同号の規定の例により雇用保険法の規定を適用した場合におけるその者に係る同号に規定する所定給付日数に相当する日数分の同条第二項の退職手当の支給を受け終わった日が施行日以後であるものについて適用する。

2　退職職員であって第四条改正後職業安定法第四条第八項に規定する特定地方公共団体又は第四条改正後職業安定法第十八条の二に規定する職業紹介事業者の紹介により職業に就いたものに対する国家公務員退職手当法第十条第十項（第五号に係る部分に限り、同条第十一項において準用する場合を含む。）の規定は、当該退職職員が当該紹介により職業に就いた日が第四号施行日以後である場合について適用する。

附　則（令三・六・一一法六一）（抄）

（施行期日）

第一条　この法律は、令和五年四月一日から施行する。ただし、第三条中国家公務員退職手当法附則第二十五項の改正規定〔中略〕並びに次条並びに附則第十五条及び第十六条の規定は、公布の日から施行する。

（実施のための準備等）

第二条　第一条の規定による改正後の国家公務員法（以下「新国家公務員法」という。）の規定による職員（国家公務員法第二条に規定する一般職に属する職員をいう。以下同じ。）の任用、分限その他の人事行政に関する制度の円滑な実施を確保するため、任命権者（同法第五十五条第一項に規定する任命権者及び法律で別に定められた任命権者並びにその委任を受けた者をいう。以下この項及び次項並びに次条から附則第六条までにおいて同じ。）は、長期的な人事管理の計画的推進その他必要な準備を行うものとし、人事院及び内閣総理大臣は、それぞれの権限に応じ、任命権者の行う準備に関し必要な連絡、調整その他の措置を講ずるものとする。

2　任命権者は、この法律の施行の日（以下「施行日」という。）の前日までの間に、施行日から令和六年三月三十一日までの間に年齢六十年に達する職員（当該職員が占める官職に係る第一条の規定による改正前の国家公務員法（以下「旧国家公務員法」という。）第八十一条の二第二項に規定する定年が年齢六十年である職員に限る。）に対し、新国家公務員法附則第九条の規定の例により、同条に規定する給与に関する特例措置及び退職手当に関する特例措置その他の当該職員が年齢六十年に達する日以後に適用される任用、給与及び退職手当に関する措置の内容その他の必要な情報を提供するものとするとともに、同日の翌日以後における勤務の意思を確認するよう努めるものとする。

3　特定地方警務官（第七条の規定による改正後の警察法第五十六条の二第一項に規定する特定地方警務官をいう。附則第六条第十一項及び第十一条第九項において同じ。）に対する前項の規定の適用については、同項中「任命権者」とあるのは「警視総監又は道府県警察本部長」と、「対し、」とあるのは「対し、第七条の規定による改正後の警察法附則第三十八項の規定により読み替えて適用する」とする。

4　第四条の規定による改正後の検察庁法（次項及び附則第十六条第一項において「新検察庁法」という。）の規定による検察官の任用、分限その他の人事行政に関する制度の円滑な実施を確保するため、法務大臣は、長期的な人事管理の計画的推進その他必要な準備

を行うものとし、人事院及び内閣総理大臣は、それぞれの権限に応じ、法務大臣の行う準備に関し必要な連絡、調整その他の措置を講ずるものとする。

5　法務大臣は、施行日の前日までの間に、施行日から令和六年三月三十一日までの間に年齢六十三年に達する検察官（検事総長を除く。）に対し、新検察庁法附則第四条の規定の例により、同条に規定する給与に関する特例措置及び退職手当に関する特例措置その他の当該検察官が年齢六十三年に達する日以後に適用される任用、給与及び退職手当に関する措置の内容その他の必要な情報を提供するものとするとともに、同日の翌日以後における勤務の意思を確認するよう努めるものとする。

6　第八条の規定による改正後の自衛隊法（以下「新自衛隊法」という。）の規定による隊員（自衛隊法第二条第五項に規定する隊員をいう。以下同じ。）の任用、分限その他の人事行政に関する制度の円滑な実施を確保するため、任命権者（同法第三十一条第一項の規定により隊員の任免について権限を有する者をいう。以下この項及び次項並びに附則第八条から第十一条までにおいて同じ。）は、長期的な人事管理の計画的推進その他必要な準備を行うものとし、防衛大臣は、任命権者の行う準備に関し必要な連絡、調整その他の措置を講ずるものとする。

7　任命権者は、施行日の前日までの間に、施行日から令和六年三月三十一日までの間に年齢六十年に達する隊員（当該隊員が占める官職に係る第八条の規定による改正前の自衛隊法（以下「旧自衛隊法」という。）第四十四条の二第二項に規定する定年が年齢六十年である隊員に限る。）に対し、新自衛隊法附則第十四項の規定の例により、同項に規定する給与に関する特例措置及び退職手当に関する特例措置その他の当該隊員が年齢六十年に達する日以後に適用される任用、給与及び退職手当に関する措置の内容その他の必要な情報を提供するものとするとともに、同日の翌日以後における勤務の意思を確認するよう努めるものとする。

（その他の経過措置の政令等への委任）

第十五条　附則第三条から前条までに定めるもののほか、この法律の施行に関し必要な経過措置は、政令（人事院の所掌する事項については、人事院規則）で定める。

（検討）

第十六条　政府は、国家公務員の年齢別構成及び人事管理の状況、民間における高年齢者の雇用の状況その他の事情並びに人事院における検討の状況に鑑み、必要があると認めるときは、新国家公務員法若しくは新自衛隊法に規定する管理監督職勤務上限年齢による降任等若しくは定年前再任用短時間勤務職員若しくは定年前再任用短時間勤務隊員に関連する制度又は新検察庁法に規定する年齢が六十三年に達した検察官の任用に関連する制度について検討を行い、その結果に基づいて所要の措置を講ずるものとする。

2　政府は、国家公務員の給与水準が旧国家公務員法第八十一条の二第二項、第四条の規定による改正前の検察庁法第二十二条又は旧自衛隊法第四十四条の二第二項に規定する定年の前後で連続的なものとなるよう、国家公務員の給与制度について、人事院においてこの法律の公布後速やかに行われる昇任及び昇格の基準、昇給の基準、俸給表に定める俸給月額その他の事項についての検討の状況を踏まえ、令和十三年三月三十一日までに所要の措置を順次講ずるものとする。

3　政府は、前項の人事院における検討のためには、職員の能力及び実績を職員の処遇に的確に反映するための人事評価の改善が重要であることに鑑み、この法律の公布後速やかに、人事評価の結果を表示する記号の段階その他の人事評価に関し必要な事項について検討を行い、施行日までに、その結果に基づいて所要の措置を講ずるものとする。

附　則（令三・六・一一法六二）（抄）

（施行期日）

第一条　この法律は、令和五年四月一日から施行する。ただし、次条及び附則第八条の規定は、公布の日から施行する。

（経過措置）

第七条　暫定再任用職員に対する第二条の規定による改正後の国家公務員退職手当法第二条第一項の規定の適用については、同項中「第四十五条の二第一項」とあるのは、「第四十五条の二第一項又は国会職員法及び国家公務員退職手当法の一部を改正する法律（令和三年法律第六十二号）附則第四条第一項若しくは第二項若しくは第五条第一項若しくは第二項」とする。

2　短時間勤務の職を占める暫定再任用職員は、定年前再任用短時間勤務職員とみなして、附則第九条の規定による改正後の国会職員の育児休業等に関する法律（平成三年法律第百八号）第二十条第一項の規定を適用する。

3　前三条及び前二項に定めるもののほか、暫定再任用職員の任用その他暫定再任用職員に関し必要な事項は、両議院の議長が協議して定める。

（その他の経過措置の両院議長協議決定への委任）

第八条　附則第三条から前条までに定めるもののほか、この法律の施行に関し必要な経過措置は、両議院の議長が協議して定める。

附　則（令四・三・三一法一二）（抄）

（施行期日）

第一条　この法律は、令和四年四月一日から施行する。ただし、次の各号に掲げる規定は、当該各号に定める日から施行する。

一　〔略〕

二　〔前略〕附則第十一条中国家公務員退職手当法（昭和二十八年法律第百八十二号）第十条第三項の改正規定並びに附則第十二条〔中略〕の規定　令和四年七月一日

三　〔前略〕附則第十一条中国家公務員退職手当法第十条第十項の改正規定〔中略〕　令和四年十月一日

（国家公務員退職手当法の一部改正に伴う経過措置）

第十二条　前条の規定（附則第一条第二号に掲げる改正規定に限る。）による改正後の国家公務員退職手当法第十条第三項の規定は、第二号施行日以後に同項の事業を開始した職員その他これに準ずるものとして同項の内閣官房令で定める職員に該当するに至った者について適用する。

附　則（令六・五・一七法二六）（抄）

（施行期日）

第一条　この法律は、令和七年四月一日から施行する。〔ただし書略〕

（国家公務員退職手当法の一部改正に伴う経過措置）

第二十九条　前条の規定による改正後の国家公務員退職手当法第十条第十項（第四号に係る部分に限り、同条第十一項において準用する場合を含む。）の規定は、退職職員（退職した国家公務員退職手当法第二条第一項に規定する職員（同条第二項の規定により職員とみなされる者を含む。）をいう。以下この条において同じ。）であって施行日以後に安定した職業に就いたものについて適用し、退職職員であって施行日前に職業に就いたものに対する就業促進手当に相当する退職手当の支給については、なお従前の例による。

〇国家公務員退職手当法施行令

昭二八・八・二五
政令二一五

最終改正　令六・四・二四政令一七四

第一章　総則

（非常勤職員に対する退職手当）

第一条　常時勤務に服することを要する国家公務員（以下「職員」という。）以外の者で、国家公務員退職手当法（以下「法」という。）第二条第二項の規定により職員とみなされるものは、次に掲げる者とする。

一　国の一般会計又は特別会計の歳出予算の常勤職員給与の目から俸給が支給される者

二　前号に掲げる者以外の常時勤務に服することを要しない者のうち、内閣総理大臣の定めるところにより、職員について定められている勤務時間以上勤務した日（法令の規定により、勤務を要しないこととされ、又は休暇を与えられた日を含む。）が引き続いて十二月を超えるに至つたもので、その超えるに至つた日以後引き続き当該勤務時間により勤務することとされているもの

2　前項第二号に掲げる者については、法第四条中十一年以上二十五年未満の期間勤続した者の通勤による傷病による退職及び死亡による退職に係る部分以外の部分の規定並びに法第五条中公務上の傷病又は死亡による退職に係る部分並びに二十五年以上勤続した者の通勤による傷病による退職及び死亡による退職に係る部

分以外の部分の規定は、適用しないものとする。

（退職手当の支払方法の特例）

第一条の二　法第二条の三第一項ただし書に規定する政令で定める確実な方法は、日本銀行を支払人とする小切手の振出しとする。

第二章　一般の退職手当

（俸給月額）

第一条の三　法の規定による退職手当の計算の基礎となる俸給月額は、職員が休職、停職、減給その他の理由によりその俸給（これに相当する給与を含む。以下同じ。）の一部又は全部を支給されない場合においては、これらの理由がないと仮定した場合においてその者が受けるべき俸給月額とする。

（傷病の程度）

第二条　法第三条第二項、第四条第二項又は第五条第一項第四号若しくは第二項に規定する傷病は、厚生年金保険法（昭和二十九年法律第百十五号）第四十七条第二項に規定する障害等級に該当する程度の障害の状態にある傷病とする。

（法第四条第一項第二号に掲げるその者の事情によらないで引き続いて勤続することを困難とする理由により退職した者）

第三条　法第四条第一項第二号に掲げるその者の事情によらないで引き続いて勤続することを困難とする理由により退職した者で政令で定めるものは、次に掲げる者とする。

一　裁判官で日本国憲法第八十条に定める任期を終えて退職し、又は任期の終了に伴う裁判官の配置等の事務の都合により任期の終了前一年内に退職したもの

二　法律の規定に基づく任期を終えて退職した者

三　定年の定めのない職を職員の配置等の事務の都合により退職した者

四　次に掲げる職を職員の配置等の事務の都合により定年に達する日前に退職した者

イ　各議院事務局の事務総長又は各議院法制局の法制局長がその任命を行うに際し各議院の議長の同意（国会法（昭和二十二年法律第七十九号）第二十七条第二項及び第百三十一条第五項の規定によるものを除く。）を得た職

ロ　国立国会図書館の館長がその任命を行うに際し両議院の議長の承認を得た職

ハ　裁判官訴追委員会の委員長又は裁判官弾劾裁判所の裁判長がその任命を行うに際し両議院の議長の同意及び両議院の議院運営委員会の承認を得た職（裁判官訴追委員会事務局にあつては事務局長及び事務局次長の職に限り、裁判官弾劾裁判所事務局にあつては事務局長の職に限る。）

ニ　参議院事務局の事務総長がその任命を行うに際し参議院の調査会長の同意を得た職

ホ　参議院事務局の事務総長がその任命を行うに際し参議院の憲法審査会の会長の同意を得た職

ヘ　任命権者又はその委任を受けた者がその任命を行うに際し内閣の承認を得た職

ト　内閣がその任免を行う検察庁法（昭和二十二年法律第六十一号）第十五条第一項に規定する職

チ　会計検査院長が会計検査院法（昭和二十二年法律第七十三号）第十四条第一項の規定により検査官の合議で決するところによりその任免及び進退を行う職（事務総局に置かれる事務総長、事務総局次長及び局長並びに事務総局に置かれる官房に置かれる総括審議官の職に限る。）

五　競争の導入による公共サービスの改革に関する法律（平成十八年法律第五十一号）第三十一条第一項に規定する実施期間の初日以後一年を経過する日までの期間内に、任命権者又はその委任を受けた者の要請に応じ、引き続いて同項に規定する対象公共サービス従事者となるために退職した者

（法第五条第一項第五号に掲げる二十五年以上勤続し、その者の事情によらないで引き続いて勤続することを困難とする理由により退職した者）

第四条　法第五条第一項第五号に掲げる二十五年以上勤続し、その者の事情によらないで引き続いて勤続することを困難とする理由により退職した者で政令で定めるものは、二十五年以上勤続した者であつて、前条各号に掲げるものとする。

（退職の理由の記録）

第四条の二　法第八条の二第一項に規定する各省各庁の長等（以下「各省各庁の長等」という。）は、第三条各号（第一号中任期を終えて退職した者に係る部分及び第二号を除く。）に掲げる者の退職の理由について、内閣官房令で定めるところにより、記録を作成しなければならない。

（公務又は通勤によることの認定の基準）

第五条　各省各庁の長等は、退職の理由となつた傷病又は死亡が公務上のもの又は通勤によるものであるかどうかを認定するに当たつては、国家公務員災害補償法（昭和二十六年法律第百九十一号）その他の法律の規定により職員の公務上の災害又は通勤による災害に対

する補償を実施する場合における認定の基準に準拠しなければならない。

（基礎在職期間）

第五条の二　法第五条の二第二項第七号に規定する政令で定める在職期間は、次に掲げる在職期間とする。

一　第七条第三項（同条第四項の規定により任命権者の要請に応じ退職したこととみなされる場合を含む。）の規定を適用して職員としての在職期間を計算する場合における先の地方公務員としての引き続いた在職期間及び同条第三項に規定する通算制度を有する一般地方独立行政法人等に使用される者としての引き続いた在職期間

二　第七条第五項又は第六項の規定を適用して職員としての在職期間を計算する場合における同条第五項に規定する特定公庫等職員としての引き続いた在職期間

三　第九条の三第一項又は第二項の規定を適用して職員としての在職期間を計算する場合における先の第七条第五項に規定する特定公庫等職員としての引き続いた在職期間及び同条第三項に規定する特定地方公務員又は第九条の三第一項に規定する特定地方公社職員としての引き続いた在職期間

四　たばこ事業法等の施行に伴う関係法律の整備等に関する法律（昭和五十九年法律第七十一号）附則第四条第二項の規定により退職手当の算定の基礎となる勤続期間の計算について職員としての引き続いた在職期間とみなされる日本たばこ産業株式会社の職員としての在職期間

五　日本電信電話株式会社法及び電気通信事業法の施行に伴う関係法律の整備等に関する法律（昭和五十九年法律第八十七号）附則第四条第二項の規定により退職手当の算定の基礎となる勤続期間の計算について職員としての引き続いた在職期間とみなされる日本電信電話株式会社（日本電信電話株式会社等に関する法律（昭和五十九年法律第八十五号）第一条の二第一項に規定する日本電信電話株式会社をいう。以下同じ。）の職員としての在職期間

六　日本国有鉄道改革法等施行法（昭和六十一年法律第九十三号）附則第五条第一項又は第二項の規定により退職手当の算定の基礎となる勤続期間の計算について職員としての引き続いた在職期間とみなされる日本国有鉄道改革法（昭和六十一年法律第八十七号）第十五条の規定により日本国有鉄道清算事業団となつた旧日本国有鉄道（以下「旧日本国有鉄道」という。）及び同項に規定する承継法人等の職員としての在職期間

七　独立行政法人鉄道建設・運輸施設整備支援機構法施行令（平成十五年政令第二百九十三号）附則第十三条の規定によりなおその効力を有することとされる独立行政法人鉄道建設・運輸施設整備支援機構法（平成十四年法律第百八十号）附則第十六条の規定による改正前の日本国有鉄道清算事業団の債務等の処理に関する法律（平成十年法律第百三十六号）附則第三条第三項の規定により退職手当の算定の基礎となる勤続期間の計算について職員としての引き続いた在職期間とみなされる旧日本国有鉄道、同法附則第二条の規定により解散した旧日本国有鉄道清算事業団（以下「旧日本国有鉄道清算事業団」という。）及び独立行政法人鉄道建設・運輸施設整備支援機構法附則第二条第一項の規定により解散した旧日本鉄道建設公団（以下「旧日本鉄道建設公団」という。）の職員としての在職期間

八　独立行政法人に係る改革を推進するための文部科学省関係法律の整備に関する法律（平成十八年法律第二十四号。以下「平成十八年独法改革文部科学省関係法整備法」という。）附則第四条第三項の規定によりなおその効力を有することとされる平成十八年独法改革文部科学省関係法整備法附則第十二条の規定による廃止前の独立行政法人国立青年の家法（平成十一年法律第百六十九号）附則第四条第三項の規定により退職手当の算定の基礎となる勤続期間の計算について職員としての引き続いた在職期間とみなされる平成十八年独法改革文部科学省関係法整備法附則第九条第一項の規定により解散した旧独立行政法人国立青年の家（以下「旧青年の家」という。）の職員としての在職期間

九　平成十八年独法改革文部科学省関係法整備法附則第四条第三項の規定によりなおその効力を有することとされる平成十八年独法改革文部科学省関係法整備法附則第十二条の規定による廃止前の独立行政法人国立少年自然の家法（平成十一年法律第百七十号）附則第四条第三項の規定により退職手当の算定の基礎となる勤続期間の計算について職員としての引き続いた在職期間とみなされる平成十八年独法改革文部科学省関係法整備法附則第九条第一項の規定により解散した旧独立行政法人国立少年自然の家（以下「旧少年自然の家」という。）の職員としての在職期間

十　独立行政法人経済産業研究所法（平成十一年法律第二百号）附則第四条第三項の規定により退職手当

の算定の基礎となる勤続期間の計算について職員としての引き続いた在職期間とみなされる独立行政法人経済産業研究所の職員としての在職期間

十一　貿易保険法の一部を改正する法律（平成十一年法律第二百二号）附則第四条第三項の規定により退職手当の算定の基礎となる勤続期間の計算について職員としての引き続いた在職期間とみなされる貿易保険法及び特別会計に関する法律の一部を改正する法律（平成二十七年法律第五十九号）附則第十三条第一項の規定により解散した旧独立行政法人日本貿易保険（以下「旧独立行政法人日本貿易保険」という。）の職員としての在職期間

十二　削除

十三　独立行政法人通則法の一部を改正する法律及び独立行政法人通則法の一部を改正する法律の施行に伴う関係法律の整備に関する法律の施行に伴う関係政令の整備等及び経過措置に関する政令（平成二十七年政令第七十四号。以下「平成二十七年独法整備政令」という。）第百四十二条の規定により読み替えて適用する国立研究開発法人宇宙航空研究開発機構法（平成十四年法律第百六十一号）附則第四条第三項の規定により退職手当の算定の基礎となる勤続期間の計算について職員としての引き続いた在職期間とみなされる独立行政法人通則法の一部を改正する法律の施行に伴う関係法律の整備に関する法律（平成二十六年法律第六十七号。以下「平成二十六年独法整備法」という。）第八十八条の規定による改正前の独立行政法人宇宙航空研究開発機構法（平成十四年法律第百六十一号。以下「旧独立行政法人宇宙航空研究開発機構法」という。）第三条の独立行政法人宇宙航空研究開発機構（国立研究開発法人宇宙航空研究開発機構を含む。）の職員としての在職期間

十四　独立行政法人労働政策研究・研修機構法（平成十四年法律第百六十九号）附則第四条第三項の規定により退職手当の算定の基礎となる勤続期間の計算について職員としての引き続いた在職期間とみなされる独立行政法人労働政策研究・研修機構の職員としての在職期間

十五　独立行政法人原子力安全基盤機構の解散に関する法律（平成二十五年法律第八十二号。以下「原子力安全基盤機構解散法」という。）附則第十条の規定によりなおその効力を有することとされる原子力安全基盤機構解散法附則第二条の規定による廃止前の独立行政法人原子力安全基盤機構法（平成十四年法律第百七十九号）附則第四条第三項の規定により退職手当の算定の基礎となる勤続期間の計算について職員としての引き続いた在職期間とみなされる原子力安全基盤機構解散法第一条の規定により解散した旧独立行政法人原子力安全基盤機構（以下「旧独立行政法人原子力安全基盤機構」という。）の職員としての在職期間

十六　独立行政法人医薬品医療機器総合機構法（平成十四年法律第百九十二号）附則第八条第三項の規定により退職手当の算定の基礎となる勤続期間の計算について職員としての引き続いた在職期間とみなされる独立行政法人医薬品医療機器総合機構の職員としての在職期間

十七　独立行政法人日本学生支援機構法（平成十五年法律第九十四号）附則第四条第三項の規定により退職手当の算定の基礎となる勤続期間の計算について職員としての引き続いた在職期間とみなされる独立行政法人日本学生支援機構の職員としての在職期間

十八　平成二十七年独法整備政令第百四十二条の規定により読み替えて適用する国立研究開発法人海洋研究開発機構法（平成十五年法律第九十五号）附則第四条第三項の規定により退職手当の算定の基礎となる勤続期間の計算について職員としての引き続いた在職期間とみなされる平成二十六年独法整備法第九十二条の規定による改正前の独立行政法人海洋研究開発機構法（平成十五年法律第九十五号。以下「旧独立行政法人海洋研究開発機構法」という。）第三条の独立行政法人海洋研究開発機構（国立研究開発法人海洋研究開発機構を含む。）の職員としての在職期間

十九　国立大学法人法（平成十五年法律第百十二号）附則第六条第三項の規定により退職手当の算定の基礎となる勤続期間の計算について職員としての引き続いた在職期間とみなされる同法第二条第五項に規定する国立大学法人等の職員としての在職期間

二十　独立行政法人国立高等専門学校機構法（平成十五年法律第百十三号）附則第五条第三項の規定により退職手当の算定の基礎となる勤続期間の計算について職員としての引き続いた在職期間とみなされる独立行政法人国立高等専門学校機構の職員としての在職期間

二十一　独立行政法人大学改革支援・学位授与機構法（平成十五年法律第百十四号）附則第五条第三項の規定により退職手当の算定の基礎となる勤続期間の計算について職員としての引き続いた在職期間とみ

なされる独立行政法人大学評価・学位授与機構法の一部を改正する法律（平成二十七年法律第二十七号。次号において「大学評価・学位授与機構法改正法」という。）による改正前の独立行政法人大学評価・学位授与機構法（平成十五年法律第百十四号。以下「旧独立行政法人大学評価・学位授与機構法」という。）第二条の独立行政法人大学評価・学位授与機構（独立行政法人大学改革支援・学位授与機構を含む。）の職員としての在職期間

二十二　大学評価・学位授与機構法改正法附則第七条の規定によりなおその効力を有することとされる大学評価・学位授与機構法改正法附則第十条の規定による廃止前の独立行政法人国立大学財務・経営センター法（平成十五年法律第百十五号）附則第五条第三項の規定により退職手当の算定の基礎となる勤続期間の計算について職員としての引き続いた在職期間とみなされる大学評価・学位授与機構法改正法附則第二条第一項の規定により解散した旧独立行政法人国立大学財務・経営センター（以下「旧国立大学財務・経営センター」という。）の職員としての在職期間

二十三　独立行政法人に係る改革を推進するための文部科学省関係法律の整備等に関する法律（平成二十一年法律第十八号。以下「平成二十一年独法改革文部科学省関係法整備法」という。）附則第六条第三項の規定によりなおその効力を有することとされる平成二十一年独法改革文部科学省関係法整備法第二条の規定による廃止前の独立行政法人メディア教育開発センター法（平成十五年法律第百十六号）附則第五条第三項の規定により退職手当の算定の基礎となる勤続期間の計算について職員としての引き続いた在職期間とみなされる平成二十一年独法改革文部科学省関係法整備法附則第二条第一項の規定により解散した旧独立行政法人メディア教育開発センター（以下「旧メディア教育開発センター」という。）の職員としての在職期間

二十四　平成二十七年独法整備政令第百四十二条の規定により読み替えて適用する独立行政法人産業技術総合研究所法の一部を改正する法律（平成十六年法律第八十三号）附則第四条第三項の規定により退職手当の算定の基礎となる勤続期間の計算について職員としての引き続いた在職期間とみなされる平成二十六年独法整備法第百七十条の規定による改正前の独立行政法人産業技術総合研究所法（平成十一年法律第二百三号。以下「旧独立行政法人産業技術総合研究所法」という。）第二条の独立行政法人産業技術総合研究所（国立研究開発法人産業技術総合研究所を含む。）の職員としての在職期間

二十五　独立行政法人医薬基盤研究所法の一部を改正する法律の施行に伴う関係政令の整備及び経過措置に関する政令（平成二十七年政令第三十五号）第二十三条の規定により読み替えて適用する国立研究開発法人医薬基盤・健康・栄養研究所法（平成十六年法律第百三十五号）附則第四条第三項の規定により退職手当の算定の基礎となる勤続期間の計算について職員としての引き続いた在職期間とみなされる独立行政法人医薬基盤研究所法の一部を改正する法律（平成二十六年法律第三十八号）による改正前の独立行政法人医薬基盤研究所法（平成十六年法律第百三十五号。以下「旧独立行政法人医薬基盤研究所法」という。）第二条の独立行政法人医薬基盤研究所（国立研究開発法人医薬基盤・健康・栄養研究所を含む。）の職員としての在職期間

二十六　平成二十七年独法整備政令第百四十二条の規定により読み替えて適用する独立行政法人情報通信研究機構法の一部を改正する法律（平成十八年法律第二十一号）附則第四条第三項の規定により退職手当の算定の基礎となる勤続期間の計算について職員としての引き続いた在職期間とみなされる平成二十六年独法整備法第四十七条の規定による改正前の独立行政法人情報通信研究機構法（平成十一年法律第百六十二号。以下「旧独立行政法人情報通信研究機構法」という。）第三条の独立行政法人情報通信研究機構（国立研究開発法人情報通信研究機構を含む。）の職員としての在職期間

二十七　独立行政法人酒類総合研究所法の一部を改正する法律（平成十八年法律第二十三号）附則第四条第三項の規定により退職手当の算定の基礎となる勤続期間の計算について職員としての引き続いた在職期間とみなされる独立行政法人酒類総合研究所の職員としての在職期間

二十八　平成十八年独法改革文部科学省関係法整備法附則第四条第二項又は第六項の規定により退職手当の算定の基礎となる勤続期間の計算について職員としての引き続いた在職期間とみなされる旧青年の家又は旧少年自然の家の職員としての在職期間及び平成十八年独法改革文部科学省関係法整備法附則第三条第二項に規定する施行日後の研究所等（独立行政法人国立特別支援教育総合研究所、国立研究開発法人物質・材料研究機構、国立研究開発法人防災科学

技術研究所、国立研究開発法人放射線医学総合研究所法の一部を改正する法律（平成二十七年法律第五十一号）による改正前の国立研究開発法人放射線医学総合研究所法（平成十一年法律第百七十六号。以下「旧国立研究開発法人放射線医学総合研究所法」という。）第二条の国立研究開発法人放射線医学総合研究所及び国立研究開発法人量子科学技術研究開発機構並びに独立行政法人国立文化財機構を含む。）の職員としての在職期間

二十九　独立行政法人に係る改革を推進するための厚生労働省関係法律の整備に関する法律（平成十八年法律第二十五号。以下「平成十八年独法改革厚生労働省関係法整備法」という。）附則第四条第三項の規定により退職手当の算定の基礎となる勤続期間の計算について職員としての引き続いた在職期間とみなされる同法附則第三条に規定する施行日後の労働安全衛生総合研究所等の職員としての在職期間

三十　独立行政法人に係る改革を推進するための農林水産省関係法律の整備に関する法律（平成十八年法律第二十六号。以下「平成十八年独法改革農林水産省関係法整備法」という。）附則第四条第三項の規定により退職手当の算定の基礎となる勤続期間の計算について職員としての引き続いた在職期間とみなされる平成十八年独法改革農林水産省関係法整備法附則第三条に規定する施行日後の研究機構等（国立研究開発法人農業・食品産業技術総合研究機構、独立行政法人に係る改革を推進するための農林水産省関係法律の整備に関する法律（平成二十七年法律第七十号。以下「平成二十七年独法改革農林水産省関係法整備法」という。）第二条の規定による改正前の国立研究開発法人水産総合研究センター法（平成十一年法律第百九十九号。以下「旧国立研究開発法人水産総合研究センター法」という。）第二条の国立研究開発法人水産総合研究センター及び国立研究開発法人水産研究・教育機構、平成二十七年独法改革農林水産省関係法整備法附則第二条第一項の規定により解散した旧国立研究開発法人農業生物資源研究所（以下「旧国立研究開発法人農業生物資源研究所」という。）、同項の規定により解散した旧国立研究開発法人農業環境技術研究所（以下「旧国立研究開発法人農業環境技術研究所」という。）、国立研究開発法人国際農林水産業研究センター並びに森林法等の一部を改正する法律（平成二十八年法律第四十四号）第五条の規定による改正前の国立研究開発法人森林総合研究所法（平成十一年法律第百九十八号。以下「旧国立研究開発法人森林総合研究所法」という。）第二条の国立研究開発法人森林総合研究所及び国立研究開発法人森林研究・整備機構を含む。）の職員としての在職期間

三十一　独立行政法人工業所有権情報・研修館法の一部を改正する法律（平成十八年法律第二十七号）附則第四条第三項の規定により退職手当の算定の基礎となる勤続期間の計算について職員としての引き続いた在職期間とみなされる独立行政法人工業所有権情報・研修館の職員としての在職期間

三十二　独立行政法人に係る改革を推進するための国土交通省関係法律の整備に関する法律（平成十八年法律第二十八号。以下「平成十八年独法改革国土交通省関係法整備法」という。）附則第四条第三項の規定により退職手当の算定の基礎となる勤続期間の計算について職員としての引き続いた在職期間とみなされる平成十八年独法改革国土交通省関係法整備法附則第三条に規定する施行日後の土木研究所等（国立研究開発法人土木研究所、国立研究開発法人建築研究所、独立行政法人に係る改革を推進するための国土交通省関係法律の整備に関する法律（平成二十七年法律第四十八号。以下「平成二十七年独法改革国土交通省関係法整備法」という。）第三条の規定による改正前の国立研究開発法人海上技術安全研究所法（平成十一年法律第二百八号。以下「旧国立研究開発法人海上技術安全研究所法」という。）第二条の国立研究開発法人海上技術安全研究所及び国立研究開発法人海上・港湾・航空技術研究所、平成二十七年独法改革国土交通省関係法整備法附則第二条第一項の規定により解散した旧国立研究開発法人港湾空港技術研究所（以下「旧国立研究開発法人港湾空港技術研究所」という。）並びに同項の規定により解散した旧国立研究開発法人電子航法研究所（以下「旧国立研究開発法人電子航法研究所」という。）を含む。）の職員としての在職期間

三十三　平成二十七年独法整備政令第百四十二条の規定により読み替えて適用する独立行政法人国立環境研究所法の一部を改正する法律（平成十八年法律第二十九号）附則第四条第三項の規定により退職手当の算定の基礎となる勤続期間の計算について職員としての引き続いた在職期間とみなされる平成二十六年独法整備法第二百四条の規定による改正前の独立行政法人国立環境研究所法（平成十一年法律第二百十六号。以下「旧独立行政法人国立環境研究所法」という。）第二条の独立行政法人国立環境研究所

（国立研究開発法人国立環境研究所を含む。）の職員としての在職期間

三十四　独立行政法人国立博物館法の一部を改正する法律（平成十九年法律第七号）附則第四条第二項の規定により退職手当の算定の基礎となる勤続期間の計算について職員としての引き続いた在職期間とみなされる同法附則第二条第一項の規定により解散した旧独立行政法人文化財研究所（以下「旧文化財研究所」という。）の職員としての在職期間及び独立行政法人国立文化財機構の職員としての在職期間

三十五　独立行政法人に係る改革を推進するための独立行政法人農林水産消費技術センター法及び独立行政法人森林総合研究所法の一部を改正する法律（平成十九年法律第八号。以下「農林水産消費技術センター法等改正法」という。）附則第八条第二項の規定により退職手当の算定の基礎となる勤続期間の計算について職員としての引き続いた在職期間とみなされる農林水産消費技術センター法等改正法附則第六条第一項の規定により解散した旧独立行政法人林木育種センター（以下「旧林木育種センター」という。）の職員としての在職期間及び平成二十六年独法整備法第百五十二条の規定による改正前の独立行政法人森林総合研究所法（平成十一年法律第百九十八号。以下「旧独立行政法人森林総合研究所法」という。）第二条の独立行政法人森林総合研究所（旧国立研究開発法人森林総合研究所法第二条の国立研究開発法人森林総合研究所及び国立研究開発法人森林研究・整備機構を含む。）の職員としての在職期間

三十六　自動車検査独立行政法人法及び道路運送車両法の一部を改正する法律（平成十九年法律第九号。以下「自動車検査独立行政法人法等改正法」という。）附則第四条第三項の規定により退職手当の算定の基礎となる勤続期間の計算について職員としての引き続いた在職期間とみなされる道路運送車両法及び自動車検査独立行政法人法の一部を改正する法律（平成二十七年法律第四十四号。第四十六号において「道路運送車両法等改正法」という。）第二条の規定による改正前の自動車検査独立行政法人法（平成十一年法律第二百十八号。以下「旧自動車検査独立行政法人法」という。）第二条の自動車検査独立行政法人（独立行政法人自動車技術総合機構を含む。）の職員としての在職期間

三十七　郵政民営化法（平成十七年法律第九十七号）第百六十九条第三項の規定により退職手当の算定の基礎となる勤続期間の計算について職員としての引き続いた在職期間とみなされる日本郵政株式会社、同法第百七十六条の三の規定による合併により解散した郵便事業株式会社（以下「旧郵便事業株式会社」という。）又は郵政民営化法等の一部を改正する等の法律（平成二十四年法律第三十号）第三条の規定による改正前の郵便局株式会社法（平成十七年法律第百号）第一条の郵便局株式会社（以下「旧郵便局株式会社」という。）の職員としての在職期間

三十八　平成二十一年独法改革文部科学省関係法整備法附則第六条第二項の規定により退職手当の算定の基礎となる勤続期間の計算について職員としての引き続いた在職期間とみなされる旧メディア教育開発センターの職員としての在職期間及び放送大学学園（放送大学学園法（平成十四年法律第百五十六号）第三条に規定する放送大学学園をいう。以下同じ。）の職員としての在職期間

三十九　平成二十一年独法改革文部科学省関係法整備法附則第六条第二項の規定により退職手当の算定の基礎となる勤続期間の計算について職員としての引き続いた在職期間とみなされる平成二十一年独法改革文部科学省関係法整備法附則第二条第一項の規定により解散した旧独立行政法人国立国語研究所（以下「旧国立国語研究所」という。）の職員としての在職期間及び大学共同利用機関法人人間文化研究機構の職員としての在職期間

四十　平成二十七年独法整備政令第百四十二条の規定により読み替えて適用する高度専門医療に関する研究等を行う国立研究開発法人に関する法律（平成二十年法律第九十三号）附則第五条第三項の規定により退職手当の算定の基礎となる勤続期間の計算について職員としての引き続いた在職期間とみなされる平成二十六年独法整備法第百三十条の規定による改正前の高度専門医療に関する研究等を行う独立行政法人に関する法律（平成二十年法律第九十三号。以下「旧高度専門医療独立行政法人法」という。）第四条第一項に規定する国立高度専門医療研究センター（高度専門医療に関する研究等を行う国立研究開発法人に関する法律第三条の二に規定する国立高度専門医療研究センターを含む。）の職員としての在職期間

四十一　郵政民営化法第百七十六条の五第二項の規定により退職手当の算定の基礎となる勤続期間の計算について職員としての引き続いた在職期間とみなされる旧郵便事業株式会社又は旧郵便局株式会社の職

員としての在職期間及び日本郵便株式会社の職員としての在職期間
四十二 原子力安全基盤機構解散法附則第六条の規定により退職手当の算定の基礎となる勤続期間の計算について職員としての引き続いた在職期間とみなされる旧独立行政法人原子力安全基盤機構の職員としての在職期間
四十三 独立行政法人医薬基盤研究所法の一部を改正する法律附則第三条第二項の規定により退職手当の算定の基礎となる勤続期間の計算について職員としての引き続いた在職期間とみなされる同法附則第二条第一項の規定により解散した旧独立行政法人国立健康・栄養研究所（以下「旧国立健康・栄養研究所」という。）の職員としての在職期間及び国立研究開発法人医薬基盤・健康・栄養研究所の職員としての在職期間
四十四 森林国営保険法等の一部を改正する法律（平成二十六年法律第二十一号）附則第五条第三項の規定により退職手当の算定の基礎となる勤続期間の計算について職員としての引き続いた在職期間とみなされる旧独立行政法人森林総合研究所法第二条の独立行政法人森林総合研究所（旧国立研究開発法人森林総合研究所法第二条の国立研究開発法人森林総合研究所及び国立研究開発法人森林研究・整備機構を含む。）の職員としての在職期間
四十五 平成二十六年独法整備法附則第二十五条第三項の規定により退職手当の算定の基礎となる勤続期間の計算について職員としての引き続いた在職期間とみなされる独立行政法人国立病院機構の職員としての在職期間
四十六 道路運送車両法等改正法附則第六条第三項又は第十四条第二項の規定により退職手当の算定の基礎となる勤続期間の計算について職員としての引き続いた在職期間とみなされる独立行政法人自動車技術総合機構の職員としての在職期間及び道路運送車両法等改正法附則第十一条第一項の規定により解散した旧独立行政法人交通安全環境研究所（以下「旧交通安全環境研究所」という。）の職員としての在職期間
四十七 平成二十七年独法改革国土交通省関係法整備法附則第六条第二項の規定により退職手当の算定の基礎となる勤続期間の計算について職員としての引き続いた在職期間とみなされる平成二十六年独法整備法第百八十八条の規定による改正前の独立行政法人港湾空港技術研究所法（平成十一年法律第二百九号。以下「旧独立行政法人港湾空港技術研究所法」という。）第二条の独立行政法人港湾空港技術研究所（旧国立研究開発法人港湾空港技術研究所を含む。）若しくは平成二十六年独法整備法第百八十九条の規定による改正前の独立行政法人電子航法研究所法（平成十一年法律第二百十号。以下「旧独立行政法人電子航法研究所法」という。）第二条の独立行政法人電子航法研究所（旧国立研究開発法人電子航法研究所を含む。）の職員としての在職期間及び国立研究開発法人海上・港湾・航空技術研究所の職員としての在職期間又は平成二十七年独法改革国土交通省関係法整備法附則第二条第一項の規定により解散した旧独立行政法人航海訓練所（以下「旧航海訓練所」という。）の職員としての在職期間及び独立行政法人海技教育機構の職員としての在職期間
四十八 独立行政法人に係る改革を推進するための厚生労働省関係法律の整備等に関する法律（平成二十七年法律第十七号。以下「平成二十七年独法改革厚生労働省関係法整備法」という。）附則第十一条第二項の規定により退職手当の算定の基礎となる勤続期間の計算について職員としての引き続いた在職期間とみなされる平成二十七年独法改革厚生労働省関係法整備法附則第八条第一項の規定により解散した旧独立行政法人労働安全衛生総合研究所（以下「旧労働安全衛生総合研究所」という。）の職員としての在職期間及び独立行政法人労働者健康安全機構の職員としての在職期間
四十九 平成二十七年独法改革農林水産省関係法整備法附則第七条第二項又は第十二条第二項の規定により退職手当の算定の基礎となる勤続期間の計算について職員としての引き続いた在職期間とみなされる平成二十七年独法改革農林水産省関係法整備法附則第七条第二項に規定する旧種苗管理センター等の職員としての在職期間及び国立研究開発法人農業・食品産業技術総合研究機構の職員としての在職期間又は平成二十七年独法改革農林水産省関係法整備法附則第九条第一項の規定により解散した旧独立行政法人水産大学校（以下「旧水産大学校」という。）の職員としての在職期間及び国立研究開発法人水産研究・教育機構の職員としての在職期間
五十 教育公務員特例法等の一部を改正する法律（平成二十八年法律第八十七号）附則第九条第三項の規定により退職手当の算定の基礎となる勤続期間の計算について職員としての引き続いた在職期間とみなされる独立行政法人教職員支援機構の職員としての

在職期間

（定年前早期退職者の範囲等）

第五条の三　法第五条の三に規定する政令で定める者は、次に掲げる者とする。

一　第三条第一号及び第二号に掲げる者

二　特定減額前俸給月額が一般職の職員の給与に関する法律（昭和二十五年法律第九十五号。以下「一般職給与法」という。）の指定職俸給表六号俸の額に相当する額以上である者

2　法第五条の三に規定する政令で定める一定の期間は、六月とする。

3　法第五条の三に規定する政令で定める年齢は、退職の日において定められているその者に係る定年から二十年を減じた年齢とする。

4　法第五条の三の規定により読み替えて適用する法第四条第一項及び第五条第一項に規定する政令で定める割合は、次の各号に掲げる職員の区分に応じて当該各号に定める割合とする。

一　退職日俸給月額が一般職給与法の指定職俸給表四号俸の額に相当する額以上である職員　百分の一

二　退職日俸給月額が一般職給与法の指定職俸給表一号俸の額に相当する額以上同表四号俸の額に相当する額未満である職員　百分の二

三　前二号に掲げる職員以外の職員　百分の三（退職の日において定められているその者に係る定年と退職の日におけるその者の年齢との差に相当する年数が一年である職員にあつては、百分の二）

5　法第五条の三の規定により読み替えて適用する法第五条の二第一項各号に規定する政令で定める割合は、次の各号に掲げる職員の区分に応じて当該各号に定める割合とする。

一　特定減額前俸給月額が一般職給与法の指定職俸給表四号俸の額に相当する額以上である職員　百分の一

二　特定減額前俸給月額が一般職給与法の指定職俸給表一号俸の額に相当する額以上同表四号俸の額に相当する額未満である職員　百分の二

三　前二号に掲げる職員以外の職員　百分の三（退職の日において定められているその者に係る定年と退職の日におけるその者の年齢との差に相当する年数が一年である職員にあつては、百分の二）

（定年前早期退職者に対する退職手当の基本額の最高限度額を計算する場合に退職日俸給月額に乗じる割合等）

第五条の四　法第六条の三の規定により読み替えて適用する法第六条に規定する政令で定める割合は、前条第四項各号に掲げる職員の区分に応じて当該各号に定める割合とする。

2　法第六条の三の規定により読み替えて適用する法第六条の二各号に規定する政令で定める割合は、前条第五項各号に掲げる職員の区分に応じて当該各号に定める割合とする。

（職員を休職させてその業務に従事させる法人その他の団体等）

第六条　法第六条の四第一項に規定する政令で定める法人その他の団体は、次に掲げる法人で、退職手当（これに相当する給付を含む。）に関する規程において、職員が国家公務員法（昭和二十二年法律第百二十号）第七十九条の規定により休職され、引き続いてその法人に使用される者となつた場合におけるその者の在職期間の計算については、その法人に使用される者としての在職期間はなかつたものとすることと定めているもの及びこれらに準ずる法人その他の団体で内閣総理大臣の指定するものとする。

一　平成二十六年独法整備法第九十七条の規定による改正前の独立行政法人日本原子力研究開発機構法（平成十六年法律第百五十五号。以下「旧独立行政法人日本原子力研究開発機構法」という。）附則第二条第一項の規定により解散した旧日本原子力研究所

二　日本貿易振興会法及び通商産業省設置法の一部を改正する法律（平成十年法律第四十四号）附則第三条第一項の規定により解散した旧アジア経済研究所

三　地方職員共済組合

四　公立学校共済組合

五　警察共済組合

六　都市職員共済組合連合会

七　地方公務員災害補償基金

八　独立行政法人国民生活センター法（平成十四年法律第百二十三号）附則第二条第一項の規定により解散した旧国民生活センター

九　独立行政法人国立重度知的障害者総合施設のぞみの園法（平成十四年法律第百六十七号）附則第二条第一項の規定により解散した旧心身障害者福祉協会

十　沖縄振興開発金融公庫

十一　軽自動車検査協会

十二　日本下水道事業団（下水道事業センター法の一部を改正する法律（昭和五十年法律第四十一号）附則第二条の規定により日本下水道事業団となつた旧下水道事業センターを含む。）

十三 総合研究開発機構法を廃止する法律（平成十九年法律第百号。以下この号において「廃止法」という。）による廃止前の総合研究開発機構法（昭和四十八年法律第五十一号）により設立された総合研究開発機構（廃止法附則第二条に規定する旧法適用期間が経過する時までの間におけるものに限る。以下「旧総合研究開発機構」という。）
十四 自動車安全運転センター
十五 危険物保安技術協会
十六 国立研究開発法人科学技術振興機構（新技術開発事業団法の一部を改正する法律（平成元年法律第五十二号）附則第二条の規定により新技術事業団となつた旧新技術開発事業団、平成二十六年独法整備法第八十五条の規定による改正前の独立行政法人科学技術振興機構法（平成十四年法律第百五十八号。以下「旧独立行政法人科学技術振興機構法」という。）附則第六条の規定による廃止前の科学技術振興事業団法（平成八年法律第二十七号）附則第八条第一項の規定により解散した旧新技術事業団及び旧独立行政法人科学技術振興機構法附則第二条第一項の規定により解散した旧科学技術振興事業団並びに旧独立行政法人科学技術振興機構法第三条の独立行政法人科学技術振興機構を含む。）

2 法第六条の四第一項に規定する政令で定める要件は、次の各号のいずれにも該当することとする。
一 退職した者が、その休職の期間中、次に掲げる法人に使用される者（常時勤務に服することを要しない者を除く。）として学術の調査、研究又は指導に従事していたこと。
イ 国立大学法人（国立大学法人法第二条第一項に規定する国立大学法人をいう。以下同じ。）、大学共同利用機関法人（同条第三項に規定する大学共同利用機関法人をいう。以下同じ。）、公立大学法人（地方独立行政法人法（平成十五年法律第百十八号）第六十八条第一項に規定する公立大学法人をいう。）及び放送大学学園、沖縄科学技術大学院大学学園（沖縄科学技術大学院大学学園法（平成二十一年法律第七十六号）第二条に規定する沖縄科学技術大学院大学学園をいう。以下同じ。）その他の学校教育法（昭和二十二年法律第二十六号）第一条に規定する大学を設置する学校法人（私立学校法（昭和二十四年法律第二百七十号）第三条に規定する学校法人をいう。）
ロ 行政執行法人以外の独立行政法人及び特殊法人（法律により直接に設立された法人又は特別の法律により特別の設立行為をもつて設立された法人で総務省設置法（平成十一年法律第九十一号）第四条第一項第八号の規定の適用を受けるものをいい、放送大学学園及び沖縄科学技術大学院大学学園を除く。ハにおいて同じ。）
ハ 退職した者の休職の期間中、イに該当していたもの、行政執行法人若しくは旧特定独立行政法人（独立行政法人通則法の一部を改正する法律（平成二十六年法律第六十六号）による改正前の独立行政法人通則法（平成十一年法律第百三号）第二条第二項に規定する特定独立行政法人をいう。）以外の独立行政法人に該当していたもの又は特殊法人に該当していたもの（イ及びロに掲げるものを除く。）
二 前号に掲げるもののほか、同号の学術の調査、研究又は指導への従事が公務の能率的な運営に特に資するものとして内閣総理大臣の定める要件に該当すること。

3 法第六条の四第一項に規定する政令で定める休職月等は、次の各号に掲げる休職月等の区分に応じ、当該各号に定める休職月等とする。
一 国家公務員法第百八条の六第一項ただし書若しくは行政執行法人の労働関係に関する法律（昭和二十三年法律第二百五十七号）第七条第一項ただし書に規定する事由若しくはこれらに準ずる事由により現実に職務をとることを要しない期間又は国家公務員の自己啓発等休業に関する法律（平成十九年法律第四十五号）第二条第五項（同法第十条及び裁判所職員臨時措置法（昭和二十六年法律第二百九十九号）において準用する場合を含む。）に規定する自己啓発等休業（国家公務員の自己啓発等休業に関する法律第八条第二項（同法第十条及び裁判所職員臨時措置法において準用する場合を含む。）の規定により読み替えて適用する法第七条第四項に規定する場合に該当するものを除く。）若しくは国家公務員の配偶者同行休業に関する法律（平成二十五年法律第七十八号）第二条第四項（同法第十一条及び裁判所職員臨時措置法において準用する場合を含む。）に規定する配偶者同行休業、国会職員の配偶者同行休業に関する法律（平成二十五年法律第八十号）第二条第三項に規定する配偶者同行休業若しくは裁判官の配偶者同行休業に関する法律（平成二十五年法律第九十一号）第二条第二項に規定する配偶者同行休業により現実に職務をとることを要しない期間のあつた休職月等（次号及び第三号に規定する現実に職務

をとることを要しない期間のあつた休職月等を除く。）当該休職月等

二　育児休業（国会職員の育児休業等に関する法律（平成三年法律第百八号）第三条第一項の規定による育児休業、国家公務員の育児休業等に関する法律（平成三年法律第百九号）第三条第一項（同法第二十七条第一項及び裁判所職員臨時措置法において準用する場合を含む。）の規定による育児休業及び裁判官の育児休業に関する法律（平成三年法律第百十一号）第二条第一項の規定による育児休業をいう。以下同じ。）により現実に職務をとることを要しない期間（当該育児休業に係る子が一歳に達した日の属する月までの期間に限る。）又は育児短時間勤務（国会職員の育児休業等に関する法律第十二条第一項に規定する育児短時間勤務（同法第十八条の規定による勤務を含む。）及び国家公務員の育児休業等に関する法律第十二条第一項（同法第二十七条第一項及び裁判所職員臨時措置法において準用する場合を含む。）に規定する育児短時間勤務（国家公務員の育児休業等に関する法律第二十二条（同法第二十七条第一項及び裁判所職員臨時措置法において準用する場合を含む。）の規定による勤務を含む。）をいう。）により現実に職務をとることを要しない期間のあつた休職月等　退職した者が属していた法第六条の四第一項各号に掲げる職員の区分（以下「職員の区分」という。）が同一の休職月等がある休職月等にあつては職員の区分が同一の休職月等ごとにそれぞれその最初の休職月等から順次に数えてその月数の三分の一に相当する数（当該相当する数に一未満の端数があるときは、これを切り上げた数）になるまでにある休職月等、退職した者が属していた職員の区分が同一の休職月等がない休職月等にあつては当該休職月等

三　第一号に規定する事由以外の事由により現実に職務をとることを要しない期間のあつた休職月等（前号に規定する現実に職務をとることを要しない期間のあつた休職月等を除く。）　退職した者が属していた職員の区分が同一の休職月等がある休職月等にあつては職員の区分が同一の休職月等ごとにそれぞれその最初の休職月等から順次に数えてその月数の二分の一に相当する数（当該相当する数に一未満の端数があるときは、これを切り上げた数）になるまでにある休職月等、退職した者が属していた職員の区分が同一の休職月等がない休職月等にあつては当該休職月等

（基礎在職期間に特定基礎在職期間が含まれる者の取扱い）

第六条の二　退職した者の基礎在職期間に法第五条の二第二項第二号から第七号までに掲げる期間（以下「特定基礎在職期間」という。）が含まれる場合における法第六条の四第一項並びに前条及び次条の規定の適用については、その者は、内閣総理大臣の定めるところにより、次の各号に掲げる特定基礎在職期間において当該各号に定める職員として在職していたものとみなす。

一　職員としての引き続いた在職期間（その者の基礎在職期間に含まれる期間に限る。）に連続する特定基礎在職期間　当該職員としての引き続いた在職期間の末日にその者が従事していた職務と同種の職務に従事する職員又は当該特定基礎在職期間に連続する職員としての引き続いた在職期間の初日にその者が従事していた職務と同種の職務に従事する職員

二　前号に掲げる特定基礎在職期間以外の特定基礎在職期間　当該特定基礎在職期間に連続する職員としての引き続いた在職期間の初日にその者が従事していた職務と同種の職務に従事する職員（当該従事していた職務が内閣総理大臣の定めるものであつたときは、内閣総理大臣の定める職務に従事する職員）

（職員の区分）

第六条の三　退職した者は、その者の基礎在職期間の初日の属する月からその者の基礎在職期間の末日の属する月までの各月ごとにその者の基礎在職期間に含まれる時期の別により定める別表第一イ又はロの表の下欄に掲げるその者の当該各月における区分に対応するこれらの表の上欄に掲げる職員の区分に属していたものとする。この場合において、その者が同一の月においてこれらの表の下欄に掲げる二以上の区分に該当していたときは、その者は、当該月において、これらの区分のそれぞれに対応するこれらの表の上欄に掲げる職員の区分に属していたものとする。

（退職日俸給月額が一般職給与法の指定職俸給表八号俸の額に相当する額を超える者に類する者）

第六条の四　法第六条の四第四項第五号イに規定する政令で定める者は、別表第二の上欄に掲げるいずれかの期間（その者の基礎在職期間に含まれる期間に限る。）において同表の下欄に掲げる額を超える俸給月額を受けていた者とする。

（調整月額に順位を付す方法等）

第六条の五　第六条の三（第六条の二の規定により同条各号に定める職員として在職していたものとみなされ

る場合を含む。）後段の規定により退職した者が同一の月において二以上の職員の区分に属していたこととなる場合には、その者は、当該月において、当該職員の区分のうち、調整月額が最も高い額となる職員の区分のみに属していたものとする。

２　調整月額のうちにその額が等しいものがある場合には、その者の基礎在職期間の末日の属する月に近い月に係るものを先順位とする。

（現実に職務をとることを要しない期間）

第六条の六　法第六条の四第一項に規定する現実に職務をとることを要しない期間には、裁判官弾劾法（昭和二十二年法律第百三十七号）第三十九条の規定による職務の停止の期間及び検察庁法第二十四条の規定により欠位を待つ期間を含むものとする。

（一般職の職員の基本給月額に準ずる額）

第六条の七　法第六条の五第二項に規定する一般職の職員の基本給月額に準ずる額は、次の各号に掲げる職員の区分に応じ、当該各号に定める額とする。

一　自衛官　俸給、扶養手当及び営外手当の月額、これらに対する地域手当及び広域異動手当の月額並びに航空手当、乗組手当、落下傘隊員手当、特別警備隊員手当及び特殊作戦隊員手当の月額の合計額

二　前号に掲げる職員以外の職員で一般職の職員以外のもの　俸給及び扶養手当の月額並びにこれらに対する地域手当及び広域異動手当の月額又はこれらの給与に相当する給与の月額の合計額

（地方公務員としての引き続いた在職期間の計算）

第七条　法第七条第五項の場合において、地方公務員が退職により法の規定による退職手当に相当する給付の支給を受けているときは、当該給付の計算の基礎となつた在職期間（当該給付の計算の基礎となるべき在職期間がその者が在職した地方公共団体の退職手当に関する規定又は特定地方独立行政法人の退職手当の支給の基準において明確に定められていない場合においては、当該給付の額を退職の日におけるその者の俸給月額で除して得た数に十二を乗じて得た数（一未満の端数を生じたときは、その端数を切り捨てる。）に相当する月数）は、その者の地方公務員としての引き続いた在職期間には、含まないものとする。

２　職員が法第二十条第二項の規定により退職手当を支給されないで地方公務員となり、引き続き地方公務員として在職した後法第七条第五項に規定する事由によつて引き続いて職員となつた場合においては、先の職員としての引き続いた在職期間の始期から地方公務員としての引き続いた在職期間の終期までの期間をその者の地方公務員としての引き続いた在職期間として計算する。

３　地方公共団体又は特定地方独立行政法人（以下「地方公共団体等」という。）で、退職手当に関する規定又は退職手当の支給の基準において、他の地方公共団体等の公務員又は一般地方独立行政法人（地方独立行政法人法第八条第一項第五号に規定する一般地方独立行政法人をいう。）、地方公社（地方住宅供給公社、地方道路公社及び土地開発公社をいう。以下同じ。）若しくは公庫等（法第七条の二第一項に規定する公庫等をいう。以下同じ。）（以下「一般地方独立行政法人等」という。）に使用される者（役員及び常時勤務に服することを要しない者を除く。以下同じ。）が、任命権者若しくはその委任を受けた者又は一般地方独立行政法人等の要請に応じ、退職手当を支給されないで、引き続いて当該地方公共団体等の公務員となつた場合に、他の地方公共団体等の公務員又は一般地方独立行政法人等に使用される者としての勤続期間を当該地方公共団体等の公務員としての勤続期間に通算することと定めているものの公務員（以下「特定地方公務員」という。）が、任命権者又はその委任を受けた者の要請に応じ、引き続いて一般地方独立行政法人等で、退職手当（これに相当する給付を含む。以下この項において同じ。）に関する規程において、地方公務員又は他の一般地方独立行政法人等に使用される者が、任命権者若しくはその委任を受けた者又は一般地方独立行政法人等の要請に応じ、退職手当を支給されないで、引き続いて当該一般地方独立行政法人等に使用される者となつた場合に、地方公務員又は他の一般地方独立行政法人等に使用される者としての勤続期間（法第二十条第二項の規定により退職手当を支給されないで地方公務員となつた者の職員としての勤続期間を含む。）を当該一般地方独立行政法人等に使用される者としての勤続期間に通算することと定めているもの（以下「通算制度を有する一般地方独立行政法人等」という。）に使用される者（役員及び常時勤務に服することを要しない者を除く。以下同じ。）となるため退職し、かつ、引き続き通算制度を有する一般地方独立行政法人等に使用される者として在職した後引き続いて再び特定地方公務員となるため退職し、かつ、引き続き地方公務員として在職した後更に法第七条第五項に規定する事由によつて引き続いて職員となつた場合においては、先の地方公務員としての引き続いた在職期間（法第二十条第二項の規定により退職手当を支給されないで地方公務員となつた者にあつて

は、先の職員としての引き続いた在職期間）の始期から後の地方公務員としての引き続いた在職期間の終期までの期間をその者の地方公務員としての引き続いた在職期間として計算する。

4　通算制度を有する一般地方独立行政法人等である移行型一般地方独立行政法人（地方独立行政法人法第五十九条第二項に規定する移行型一般地方独立行政法人をいう。以下同じ。）の成立の日の前日に特定地方公務員として在職し、同項の規定により引き続いて当該移行型一般地方独立行政法人に使用される者（役員及び常時勤務に服することを要しない者を除く。）となつた者に対する前項の規定の適用については、同条第二項の規定により地方公務員としての身分を失つたことを任命権者の要請に応じ通算制度を有する一般地方独立行政法人等に使用される者となるため退職したこととみなす。

5　通算制度を有する一般地方独立行政法人等である公庫等に使用される者（役員及び常時勤務に服することを要しない者を除く。以下「特定公庫等職員」という。）が、公庫等の要請に応じ、引き続いて特定地方公務員となるため退職し、かつ、引き続き地方公務員として在職した後法第七条第五項に規定する事由によつて引き続いて職員となつた場合においては、特定公庫等職員としての引き続いた在職期間の始期から地方公務員としての引き続いた在職期間の終期までの期間をその者の地方公務員としての引き続いた在職期間として計算する。

6　職員が、任命権者又はその委任を受けた者の要請に応じ、特定公庫等職員となるため退職し、かつ、引き続き特定公庫等職員として在職した後引き続いて特定地方公務員となるため退職し、かつ、引き続き地方公務員として在職した後法第七条第五項に規定する事由によつて引き続いて職員となつた場合においては、先の職員としての引き続いた在職期間の始期から地方公務員としての引き続いた在職期間の終期までの期間をその者の地方公務員としての引き続いた在職期間として計算する。

（勤続期間の計算の特例）

第八条　次の各号に掲げる者に対する退職手当の算定の基礎となる勤続期間の計算については、当該各号に掲げる期間は、法第七条第一項に規定する職員としての引き続いた在職期間とみなす。

一　第一条第一項第二号に掲げる者　その者の同号に規定する勤務した日が引き続いて十二月をこえるに至るまでのその引き続いて勤務した期間

二　第一条第一項各号に掲げる者以外の常時勤務に服することを要しない者のうち、同項第二号に規定する勤務した日が引き続いて十二月をこえるに至るまでの間に引き続いて職員となり、通算して十二月をこえる期間勤務したもの　その職員となる前の引き続いて勤務した期間

第九条　法第七条第五項に規定する地方公務員としての引き続いた在職期間には、第一条第一項各号に掲げる者に相当する地方公務員としての引き続いた在職期間を含むものとする。

2　前条の規定は、地方公務員であつた者に対する退職手当の算定の基礎となる勤続期間の計算について準用する。

（法第七条の二第一項に規定する政令で定める法人）

第九条の二　法第七条の二第一項に規定する政令で定める法人は、沖縄振興開発金融公庫のほか、次に掲げる法人とする。

一　独立行政法人都市再生機構法（平成十五年法律第百号）附則第四条第一項の規定により解散した旧都市基盤整備公団（同法附則第十八条の規定による廃止前の都市基盤整備公団法（平成十一年法律第七十六号。以下この号において「旧都市基盤整備公団法」という。）附則第十七条の規定による廃止前の住宅・都市整備公団法（昭和五十六年法律第四十八号）附則第六条第一項の規定により解散した旧日本住宅公団及び同法附則第七条第一項の規定により解散した旧宅地開発公団並びに旧都市基盤整備公団法附則第六条第一項の規定により解散した旧住宅・都市整備公団を含む。）

二　日本道路公団等民営化関係法施行法（平成十六年法律第百二号）第十五条第一項の規定により解散した旧日本道路公団

三　独立行政法人緑資源機構法を廃止する法律（平成二十年法律第八号）附則第二条第一項の規定により解散した旧独立行政法人緑資源機構（以下「旧緑資源機構」という。）（森林開発公団法の一部を改正する法律（平成十一年法律第七十号）附則第八条の規定による廃止前の農用地整備公団法（昭和四十九年法律第四十三号）附則第六条第一項の規定により解散した旧農地開発機械公団、農用地開発公団法の一部を改正する法律（昭和五十二年法律第七十号）附則第二条第一項の規定により解散した旧八郎潟新農村建設事業団、農用地開発公団法の一部を改正する法律（昭和六十三年法律第四十四号）附則第二条の規定により農用地整備公団となつた旧農用地開発公

団、森林開発公団法の一部を改正する法律附則第二条の規定により緑資源公団となつた旧森林開発公団及び同法附則第三条第一項の規定により解散した旧農用地整備公団並びに独立行政法人緑資源機構法を廃止する法律による廃止前の独立行政法人緑資源機構法（平成十四年法律第百三十号）附則第四条第一項の規定により解散した旧緑資源公団を含む。）

四　旧日本鉄道建設公団（旧日本国有鉄道清算事業団を含む。）及び独立行政法人鉄道建設・運輸施設整備支援機構法附則第三条第一項の規定により解散した旧運輸施設整備事業団（国内旅客船公団法の一部を改正する法律（昭和三十六年法律第七十三号）附則第二条の規定により特定船舶整備公団となつた旧国内旅客船公団、特定船舶整備公団法の一部を改正する法律（昭和四十一年法律第百四十九号）附則第二項の規定により船舶整備公団となつた旧特定船舶整備公団、独立行政法人鉄道建設・運輸施設整備支援機構法附則第十四条の規定による廃止前の運輸施設整備事業団法（平成九年法律第八十三号）附則第六条第一項の規定により解散した旧船舶整備公団及び同法附則第七条第一項の規定により解散した旧鉄道整備基金、特定船舶製造業安定事業協会法の一部を改正する法律（平成元年法律第五十七号）による改正前の特定船舶製造業安定事業協会法（昭和五十三年法律第百三号）第一条の特定船舶製造業安定事業協会並びに運輸施設整備事業団法の一部を改正する法律（平成十二年法律第四十七号）附則第三条第一項の規定により解散した旧造船業基盤整備事業協会を含む。）

五　首都高速道路株式会社（日本道路公団等民営化関係法施行法第十五条第一項の規定により解散した旧首都高速道路公団を含む。）

六　旧独立行政法人日本原子力研究開発機構法第三条の独立行政法人日本原子力研究開発機構（原子力基本法及び動力炉・核燃料開発事業団法の一部を改正する法律（平成十年法律第六十二号）第二条の規定による改正前の動力炉・核燃料開発事業団法（昭和四十二年法律第七十三号）附則第三条第一項の規定により解散した旧原子燃料公社、日本原子力船開発事業団法の一部を改正する法律（昭和五十五年法律第九十二号）附則第二条第一項の規定により日本原子力船研究開発事業団となつた旧日本原子力船開発事業団、日本原子力研究所法の一部を改正する法律（昭和五十九年法律第五十七号）附則第二条第一項の規定により解散した旧日本原子力船研究開発事業団及び原子力基本法及び動力炉・核燃料開発事業団法の一部を改正する法律附則第二条の規定により核燃料サイクル開発機構となつた旧動力炉・核燃料開発事業団並びに旧独立行政法人日本原子力研究開発機構法附則第二条第一項の規定により解散した旧日本原子力研究所及び同法附則第三条第一項の規定により解散した旧核燃料サイクル開発機構を含む。）

七　平成二十七年独法改革厚生労働省関係法整備法第四条の規定による改正前の独立行政法人労働者健康福祉機構法（平成十四年法律第百七十一号。以下「旧独立行政法人労働者健康福祉機構法」という。）第二条の独立行政法人労働者健康福祉機構（旧独立行政法人労働者健康福祉機構法附則第二条第一項の規定により解散した旧労働福祉事業団を含む。）及び旧労働安全衛生総合研究所

八　独立行政法人日本貿易振興機構法（平成十四年法律第百七十二号）附則第二条第一項の規定により解散した旧日本貿易振興会（日本貿易振興会法及び通商産業省設置法の一部を改正する法律附則第三条第一項の規定により解散した旧アジア経済研究所を含む。）

九　平成二十六年独法整備法第百七十三条の規定による改正前の独立行政法人新エネルギー・産業技術総合開発機構法（平成十四年法律第百四十五号。以下「旧独立行政法人新エネルギー・産業技術総合開発機構法」という。）第二条の独立行政法人新エネルギー・産業技術総合開発機構（石油代替エネルギーの開発及び導入の促進に関する法律等の一部を改正する法律（平成二十　年法律第七十号）第一条の規定による改正前の石油代替エネルギーの開発及び導入の促進に関する法律（昭和五十五年法律第七十一号）附則第七条第一項の規定により解散した旧石炭鉱業合理化事業団、産業技術に関する研究開発体制の整備に関する法律の一部を改正する法律（平成三年法律第六十四号）による改正前の産業技術に関する研究開発体制の整備に関する法律（昭和六十三年法律第三十三号）附則第四条の規定により新エネルギー・産業技術総合開発機構となつた旧新エネルギー総合開発機構、石炭鉱害賠償担保等臨時措置法の一部を改正する法律（昭和四十三年法律第五十一号）附則第二条の規定により石炭鉱害事業団となつた旧鉱害基金及び石炭鉱害賠償等臨時措置法の一部を改正する法律（平成八年法律第二十三号）附則第二条第一項の規定により解散した旧石炭鉱害事業団並びに旧独立行政法人新エネルギー・産業技術総合

開発機構法附則第二条第一項の規定により解散した旧新エネルギー・産業技術総合開発機構を含む。）

十　株式会社日本政策金融公庫（株式会社日本政策金融公庫法（平成十九年法律第五十七号）附則第四十二条第四号の規定による廃止前の国際協力銀行法（平成十一年法律第三十五号）附則第六条第一項の規定により解散した旧日本輸出入銀行、同法附則第七条第一項の規定により解散した旧海外経済協力基金、国民金融公庫法の一部を改正する法律（平成十一年法律第五十六号）附則第二条の規定により国民生活金融公庫となつた旧国民金融公庫及び同法附則第三条第一項の規定により解散した旧環境衛生金融公庫並びに株式会社日本政策金融公庫法附則第十五条第一項の規定により解散した旧国民生活金融公庫（以下「旧国民生活金融公庫」という。）、同法附則第十六条第一項の規定により解散した旧農林漁業金融公庫（以下「旧農林漁業金融公庫」という。）、同法附則第十七条第一項の規定により解散した旧中小企業金融公庫（以下「旧中小企業金融公庫」という。）及び同法附則第十八条第一項の規定により解散した旧国際協力銀行（以下「旧国際協力銀行」という。）を含む。）

十一　株式会社日本政策投資銀行（株式会社日本政策投資銀行法（平成十九年法律第八十五号）附則第二十六条の規定による廃止前の日本政策投資銀行法（平成十一年法律第七十三号）附則第六条第一項の規定により解散した旧日本開発銀行及び同法附則第七条第一項の規定により解散した旧北海道東北開発公庫並びに株式会社日本政策投資銀行法附則第十五条第一項の規定により解散した旧日本政策投資銀行を含む。）

十二　平成二十六年独法整備法第八十七条の規定による改正前の独立行政法人理化学研究所法（平成十四年法律第百六十号。以下「旧独立行政法人理化学研究所法」という。）第二条の独立行政法人理化学研究所（旧独立行政法人理化学研究所法附則第二条第一項の規定により解散した旧理化学研究所を含む。）

十三　旧独立行政法人科学技術振興機構（新技術開発事業団法の一部を改正する法律附則第二条の規定により新技術事業団となつた旧新技術開発事業団、旧独立行政法人科学技術振興機構法附則第六条の規定による廃止前の科学技術振興事業団法附則第六条第一項の規定により解散した旧日本科学技術情報センター及び同法附則第八条第一項の規定により解散した旧新技術事業団並びに旧独立行政法人科学技術振興機構法附則第二条第一項の規定により解散した旧科学技術振興事業団を含む。）

十四　独立行政法人農畜産業振興機構法（平成十四年法律第百二十六号）附則第三条第一項の規定により解散した旧農畜産業振興事業団（同法附則第九条の規定による廃止前の農畜産業振興事業団法（平成八年法律第五十三号。以下この号において「旧農畜産業振興事業団法」という。）附則第十五条の規定による廃止前の蚕糸砂糖類価格安定事業団法（昭和五十六年法律第四十四号）附則第六条第一項の規定により解散した旧日本蚕糸事業団及び同法附則第八条第一項の規定により解散した旧糖価安定事業団並びに旧農畜産業振興事業団法附則第六条第一項の規定により解散した旧畜産振興事業団及び旧農畜産業振興事業団法附則第七条第一項の規定により解散した旧蚕糸砂糖類価格安定事業団を含む。）及び独立行政法人農畜産業振興機構法附則第四条第一項の規定により解散した旧野菜供給安定基金

十五　中小企業退職金共済法の一部を改正する法律（平成十四年法律第百六十四号）附則第二条第一項の規定により解散した旧勤労者退職金共済機構（中小企業退職金共済法の一部を改正する法律（昭和五十六年法律第三十八号）附則第五条第一項の規定により解散した旧特定業種退職金共済組合並びに中小企業退職金共済法の一部を改正する法律（平成九年法律第六十八号）附則第五条第一項の規定により解散した旧中小企業退職金共済事業団及び同法附則第六条第一項の規定により解散した旧特定業種退職金共済組合を含む。）

十六　独立行政法人国際観光振興機構法（平成十四年法律第百八十一号）附則第二条第一項の規定により解散した旧国際観光振興会（日本観光協会法の一部を改正する法律（昭和三十九年法律第十五号）附則第二条第一項の規定により国際観光振興会となつた旧日本観光協会を含む。）

十七　旧日本てん菜振興会の解散に関する法律（昭和四十八年法律第三十三号）第一項の規定により解散した旧日本てん菜振興会

十八　独立行政法人雇用・能力開発機構法を廃止する法律（平成二十三年法律第二十六号。以下この号において「廃止法」という。）附則第二条第一項の規定により解散した旧独立行政法人雇用・能力開発機構（以下「旧独立行政法人雇用・能力開発機構」という。）（廃止法による廃止前の独立行政法人雇用・

能力開発機構法（平成十四年法律第百七十号）附則第三条第一項の規定により解散した旧雇用・能力開発機構、同法附則第六条の規定による廃止前の雇用・能力開発機構法（平成十一年法律第二十号。以下この号において「旧雇用・能力開発機構法」という。）附則第十二条の規定による廃止前の雇用促進事業団法（昭和三十六年法律第百十六号）附則第十条第一項の規定により解散した旧炭鉱離職者援護会及び旧雇用・能力開発機構法附則第六条第一項の規定により解散した旧雇用促進事業団を含む。）

十九　年金積立金管理運用独立行政法人法（平成十六年法律第百五号）附則第三条第一項の規定により解散した旧年金資金運用基金（同法附則第十四条の規定による廃止前の年金福祉事業団の解散及び業務の承継等に関する法律（平成十二年法律第二十号）第一条第一項の規定により解散した旧年金福祉事業団を含む。）

二十　郵政民営化法等の施行に伴う関係法律の整備等に関する法律（平成十七年法律第百二号）第二条第十二号の規定による廃止前の日本郵政公社法施行法（平成十四年法律第九十八号。第八十九号において「旧日本郵政公社法施行法」という。）第六条第一項の規定により解散した旧簡易保険福祉事業団（簡易生命保険法の一部を改正する法律（平成二年法律第五十号）附則第二十八条第一項の規定により簡易保険福祉事業団となつた旧簡易保険郵便年金福祉事業団を含む。）

二十一　阪神高速道路株式会社（日本道路公団等民営化関係法施行法第十五条第一項の規定により解散した旧阪神高速道路公団を含む。）

二十二　独立行政法人水資源機構法（平成十四年法律第百八十二号）附則第二条第一項の規定により解散した旧水資源開発公団（水資源開発公団法の一部を改正する法律（昭和四十三年法律第七十三号）附則第二条第一項の規定により解散した旧愛知用水公団を含む。）

二十三　独立行政法人国際協力機構法（平成十四年法律第百三十六号）附則第二条第一項の規定により解散した旧国際協力事業団（同法附則第五条の規定による廃止前の国際協力事業団法（昭和四十九年法律第六十二号）附則第六条第一項の規定により解散した旧海外技術協力事業団及び同法附則第七条第一項の規定により解散した旧海外移住事業団を含む。）

二十四　中小企業総合事業団法及び機械類信用保険法の廃止等に関する法律（平成十四年法律第百四十六号。以下この号において「廃止法」という。）附則第二条第一項の規定により解散した旧中小企業総合事業団（廃止法第一条の規定による廃止前の中小企業総合事業団法（平成十一年法律第十九号。以下この号において「旧中小企業総合事業団法」という。）附則第二十四条の規定による廃止前の中小企業事業団法（昭和五十五年法律第五十三号。以下この号において「旧中小企業事業団法」という。）附則第十六条の規定による廃止前の中小企業振興事業団法（昭和四十二年法律第五十六号）附則第八条第一項の規定により解散した旧日本中小企業指導センター、中小企業倒産防止共済法（昭和五十二年法律第八十四号）附則第四条第一項の規定により中小企業共済事業団となつた旧小規模企業共済事業団、旧中小企業事業団法附則第六条第一項の規定により解散した旧中小企業共済事業団及び旧中小企業振興事業団、繊維工業構造改善臨時措置法の一部を改正する法律（平成六年法律第二十七号）による改正前の繊維工業構造改善臨時措置法（昭和四十二年法律第八十二号）第二十一条の繊維工業構造改善事業協会並びに旧中小企業総合事業団法附則第五条第一項の規定により解散した旧中小企業信用保険公庫、旧中小企業総合事業団法附則第六条第一項の規定により解散した旧繊維産業構造改善事業協会及び旧中小企業総合事業団法附則第七条第一項の規定により解散した旧中小企業事業団を含む。）及び廃止法附則第四条第一項の規定により解散した旧産業基盤整備基金（特定不況産業安定臨時措置法の一部を改正する法律（昭和五十八年法律第五十三号）による改正前の特定不況産業安定臨時措置法（昭和五十三年法律第四十四号）第十三条の特定不況産業信用基金、民間事業者の能力の活用による特定施設の整備の促進に関する臨時措置法（昭和六十一年法律第七十七号）附則第七条第五項の規定により解散した旧特定産業信用基金及び産業構造転換円滑化臨時措置法を廃止する法律（平成八年法律第四十九号）による廃止前の産業構造転換円滑化臨時措置法（昭和六十二年法律第二十四号）附則第四条の規定による改正前の民間事業者の能力の活用による特定施設の整備の促進に関する臨時措置法第十四条の産業基盤整備基金を含む。）並びに中小企業金融公庫法及び独立行政法人中小企業基盤整備機構法の一部を改正する法律（平成十六年法律第三十五号）附則第三条第一項の規定により解散した旧地域振興整備公団

（産炭地域振興事業団法の一部を改正する法律（昭和四十七年法律第七十四号）附則第二条第一項の規定により工業再配置・産炭地域振興公団となつた旧産炭地域振興事業団及び工業再配置・産炭地域振興公団法の一部を改正する法律（昭和四十九年法律第六十九号）附則第二条の規定により地域振興整備公団となつた旧工業再配置・産炭地域振興公団を含む。）

二十五　平成二十六年独法整備法第百四十八条の規定による改正前の独立行政法人農業・食品産業技術総合研究機構法（平成十一年法律第百九十二号。以下「旧独立行政法人農業・食品産業技術総合研究機構法」という。）第三条の独立行政法人農業・食品産業技術総合研究機構（独立行政法人農業技術研究機構法の一部を改正する法律（平成十四年法律第百二十九号）附則第八条の規定による廃止前の生物系特定産業技術研究推進機構法（昭和六十一年法律第八十二号）附則第二条第一項の規定により解散した旧農業機械化研究所及び独立行政法人農業技術研究機構法の一部を改正する法律附則第四条第一項の規定により解散した旧生物系特定産業技術研究推進機構を含む。）並びに平成二十七年独法改革農林水産省関係法整備法附則第二条第一項の規定により解散した旧独立行政法人種苗管理センター（以下「旧種苗管理センター」という。）（平成十八年独法改革農林水産省関係法整備法の施行の日の前日までの間におけるものを除く。）、旧国立研究開発法人農業生物資源研究所（平成二十六年独法整備法第百四十九条の規定による改正前の独立行政法人農業生物資源研究所法（平成十一年法律第百九十三号。以下「旧独立行政法人農業生物資源研究所法」という。）第二条の独立行政法人農業生物資源研究所（同日までの間におけるものを除く。）を含む。）及び旧国立研究開発法人農業環境技術研究所（平成二十六年独法整備法第百五十条の規定による改正前の独立行政法人農業環境技術研究所法（平成十一年法律第百九十四号。以下「旧独立行政法人農業環境技術研究所法」という。）第二条の独立行政法人農業環境技術研究所（同日までの間におけるものを除く。）を含む。）

二十六　安定的なエネルギー需給構造の確立を図るためのエネルギーの使用の合理化等に関する法律等の一部を改正する法律（令和四年法律第四十六号）第三条の規定による改正前の独立行政法人石油天然ガス・金属鉱物資源機構法（平成十四年法律第九十四号。以下「旧独立行政法人石油天然ガス・金属鉱物資源機構法」という。）第二条の独立行政法人石油天然ガス・金属鉱物資源機構（金属鉱物探鉱促進事業団法の一部を改正する法律（昭和四十八年法律第二十五号）附則第二条の規定により金属鉱業事業団となつた旧金属鉱物探鉱促進事業団及び石油開発公団法及び石炭及び石油対策特別会計法の一部を改正する法律（昭和五十三年法律第八十三号）附則第二条の規定により石油公団となつた旧石油開発公団並びに石油公団法及び金属鉱業事業団法の廃止等に関する法律（平成十四年法律第九十三号）附則第五条第一項の規定により解散した旧金属鉱業事業団及び同法附則第二条第一項の規定により解散した旧石油公団を含む。）

二十七　独立行政法人農林漁業信用基金法（平成十四年法律第百二十八号）附則第三条第一項の規定により解散した旧農林漁業信用基金（同法附則第五条の規定による廃止前の農林漁業信用基金法（昭和六十二年法律第七十九号）附則第三条第一項の規定により解散した旧林業信用基金及び同法附則第七条第三項の規定により解散した旧中央漁業信用基金並びに農業災害補償法及び農林漁業信用基金法の一部を改正する法律（平成十一年法律第六十九号）附則第三条第四項の規定により解散した旧農業共済基金を含む。）

二十八　日本消防検定協会

二十九　国立教育会館の解散に関する法律（平成十一年法律第六十二号）第一項の規定により解散した旧国立教育会館

三十　社会保障研究所の解散に関する法律（平成八年法律第四十号）第一項の規定により解散した旧社会保障研究所

三十一　中央省庁等改革関係法施行法（平成十一年法律第百六十号）第七十七条第三十六号の規定による廃止前のオリンピック記念青少年総合センターの解散に関する法律（昭和五十五年法律第五十四号）第一項の規定により解散した旧オリンピック記念青少年総合センター

三十二　独立行政法人環境再生保全機構法（平成十五年法律第四十三号）附則第三条第一項の規定により解散した旧公害健康被害補償予防協会（公害健康被害補償法の一部を改正する法律（昭和六十二年法律第九十七号）による改正前の公害健康被害補償法（昭和四十八年法律第百十一号）第十三条第二項の公害健康被害補償協会を含む。）及び独立行政法人環境再生保全機構法附則第四条第一項の規定により解散した旧環境事業団（公害防止事業団法の一部を改正する法律（平成四年法律第三十九号）附則第二条の規定により環境事業団となつた旧公害防止事業団を含む。）

三十三　独立行政法人日本芸術文化振興会法（平成十四年法律第百六十三号）附則第二条第一項の規定により解散した旧日本芸術文化振興会（国立劇場法の一部を改正する法律（平成二年法律第六号）附則第二条の規定により日本芸術文化振興会となつた旧国立劇場を含む。）

三十四　成田国際空港株式会社（成田国際空港株式会社法（平成十五年法律第百二十四号）附則第十二条第一項の規定により解散した旧新東京国際空港公団を含む。）

三十五　独立行政法人日本スポーツ振興センター法（平成十四年法律第百六十二号）附則第四条第一項の規定により解散した旧日本体育・学校健康センター（同法附則第九条の規定による廃止前の日本体育・学校健康センター法（昭和六十年法律第九十二号）附則第六条第一項の規定により解散した旧国立競技場及び旧日本学校健康会並びに同法附則第十三条の規定による廃止前の日本学校健康会法（昭和五十七年法律第六十三号）附則第六条第一項の規定により解散した旧日本学校給食会及び旧日本学校安全会を含む。）

三十六　独立行政法人労働政策研究・研修機構法附則第十条第一項の規定により解散した旧日本労働研究機構（日本労働協会法の一部を改正する法律（平成元年法律第三十九号）附則第二条の規定により日本労働研究機構となつた旧日本労働協会を含む。）

三十七　独立行政法人日本学術振興会法（平成十四年法律第百五十九号）附則第二条第一項の規定により解散した旧日本学術振興会

三十八　独立行政法人福祉医療機構法（平成十四年法律第百六十六号）附則第二条第一項の規定により解散した旧社会福祉・医療事業団（同法附則第六条の規定による廃止前の社会福祉・医療事業団法（昭和五十九年法律第七十五号）附則第二条の規定により社会福祉・医療事業団となつた旧社会福祉事業振興会及び同法附則第三条第一項の規定により解散した旧医療金融公庫を含む。）

三十九　削除

四十　海上物流の基盤強化のための港湾法等の一部を改正する法律（平成十八年法律第三十八号）第二条の規定による改正前の外貿埠頭公団の解散及び業務の承継に関する法律（昭和五十六年法律第二十八号）第一条の規定により解散した旧京浜外貿埠頭公団

四十一　海上物流の基盤強化のための港湾法等の一部を改正する法律第二条の規定による改正前の外貿埠頭公団の解散及び業務の承継に関する法律第一条の規定により解散した旧阪神外貿埠頭公団

四十二　旧独立行政法人宇宙航空研究開発機構法第三条の独立行政法人宇宙航空研究開発機構（旧独立行政法人宇宙航空研究開発機構法附則第十条第一項の規定により解散した旧宇宙開発事業団を含む。）

四十三　国家公務員共済組合連合会（厚生年金保険法等の一部を改正する法律（平成八年法律第八十二号）附則第二十三条第一項の規定により国家公務員共済組合連合会となつた旧国家公務員等共済組合連合会を含む。）

四十四　本州四国連絡高速道路株式会社（日本道路公団等民営化関係法施行法第十五条第一項の規定により解散した旧本州四国連絡橋公団（以下この号において「旧本州四国連絡橋公団」という。）の成立の際現に同項の規定により解散した旧日本道路公団の職員として在職する者が同法第三十七条の規定による廃止前の本州四国連絡橋公団法（昭和四十五年法律第八十一号）附則第十二条に規定する場合に該当することとなつた場合の同公団及び旧本州四国連絡橋公団を含む。）

四十五　日本私立学校振興・共済事業団（日本私立学校振興・共済事業団法（平成九年法律第四十八号）附則第六条第一項の規定により解散した旧日本私学振興財団を含む。）

四十六　情報処理の促進に関する法律の一部を改正する法律（平成十四年法律第百四十四号）附則第二条第一項の規定により解散した旧情報処理振興事業協会

四十七　独立行政法人農業者年金基金法（平成十四年法律第百二十七号）附則第四条第一項の規定により解散した旧農業者年金基金

四十八　独立行政法人国民生活センター法附則第二条第一項の規定により解散した旧国民生活センター

四十九　独立行政法人国立重度知的障害者総合施設のぞみの園法附則第二条第一項の規定により解散した旧心身障害者福祉協会

五十　旧国立研究開発法人水産総合研究センター法第二条の国立研究開発法人水産総合研究センター（独立行政法人水産総合研究センター法の一部を改正す

る法律（平成十四年法律第百三十一号）附則第五条第一項の規定により解散した旧海洋水産資源開発センター及び平成二十六年独法整備法第百五十三条の規定による改正前の独立行政法人水産総合研究センター法（平成十一年法律第百九十九号。以下「旧独立行政法人水産総合研究センター法」という。）第二条の独立行政法人水産総合研究センター（平成十八年独法改革農林水産省関係法整備法の施行の日の前日までの間におけるものを除く。）を含む。）及び旧水産大学校（同日までの間におけるものを除く。）

五十一　独立行政法人日本万国博覧会記念機構法を廃止する法律（平成二十五年法律第十九号。以下この号において「廃止法」という。）附則第二条第一項の規定により解散した旧独立行政法人日本万国博覧会記念機構（以下「旧独立行政法人日本万国博覧会記念機構」という。）（廃止法による廃止前の独立行政法人日本万国博覧会記念機構法（平成十四年法律第百二十五号）附則第二条第一項の規定により解散した旧日本万国博覧会記念協会を含む。）

五十二　旧独立行政法人海洋研究開発機構法第三条の独立行政法人海洋研究開発機構（旧独立行政法人海洋研究開発機構法附則第十条第一項の規定により解散した旧海洋科学技術センターを含む。）

五十三　軽自動車検査協会

五十四　日本下水道事業団（下水道事業センター法の一部を改正する法律附則第二条の規定により日本下水道事業団となつた旧下水道事業センターを含む。）

五十五　独立行政法人国際交流基金法（平成十四年法律第百三十七号）附則第三条第一項の規定により解散した旧国際交流基金

五十六　独立行政法人日本学生支援機構法附則第十条第一項の規定により解散した旧日本育英会

五十七　中央省庁等改革関係法施行法第千三百二十五条第一項の規定により解散した旧建設省共済組合

五十八　日本航空株式会社法を廃止する等の法律（昭和六十二年法律第九十二号。以下この号において「廃止法」という。）第一条の規定による廃止前の日本航空株式会社法（昭和二十八年法律第百五十四号）により設立された日本航空株式会社（廃止法の施行の日の前日までの間におけるものに限る。）

五十九　消防団員等公務災害補償等共済基金

六十　中小企業投資育成株式会社（消費生活用製品安全法等の一部を改正する法律（昭和六十一年法律第五十四号）第九条の施行の日の前日までの間におけるものに限る。）

六十一　日本自動車ターミナル株式会社法を廃止する法律（昭和六十年法律第二十六号。以下この号において「廃止法」という。）による廃止前の日本自動車ターミナル株式会社法（昭和四十年法律第七十五号）により設立された日本自動車ターミナル株式会社（廃止法の施行の日の前日までの間におけるものに限る。）

六十二　こどもの国協会の解散及び事業の承継に関する法律（昭和五十五年法律第九十一号）第一条第一項の規定により解散した旧こどもの国協会

六十三　確定給付企業年金法（平成十三年法律第五十号）に規定する企業年金連合会（国民年金法等の一部を改正する法律（平成十六年法律第百四号）附則第三十九条の規定により企業年金連合会（公的年金制度の健全性及び信頼性の確保のための厚生年金保険法等の一部を改正する法律（平成二十五年法律第六十三号）第一条の規定による改正前の厚生年金保険法により設立されたものをいう。以下この号において「旧企業年金連合会」という。）となつた旧厚生年金基金連合会及び旧企業年金連合会を含む。）

六十四　石炭鉱業年金基金

六十五　通商産業省関係の基準・認証制度等の整理及び合理化に関する法律（平成十一年法律第百二十一号。以下この号において「整理合理化法」という。）第一条の規定による改正前の消費生活用製品安全法（昭和四十八年法律第三十一号）により設立された製品安全協会（整理合理化法附則第十条に規定する時までの間におけるものに限る。）

六十六　独立行政法人自動車事故対策機構法（平成十四年法律第百八十三号）附則第二条第一項の規定により解散した旧自動車事故対策センター

六十七　小型船舶検査機構

六十八　公共用飛行場周辺における航空機騒音による障害の防止等に関する法律の一部を改正する法律（平成十四年法律第百八十四号）附則第二条第一項の規定により解散した旧空港周辺整備機構（公共用飛行場周辺における航空機騒音による障害の防止等に関する法律の一部を改正する法律（昭和六十年法律第四十七号）附則第四条第一項の規定により解散した旧空港周辺整備機構を含む。）

六十九　高圧ガス保安協会

七十　独立行政法人北方領土問題対策協会法（平成十四年法律第百三十二号）附則第二条第一項の規定により解散した旧北方領土問題対策協会

七十一　自動車安全運転センター

七十二　海洋汚染等及び海上災害の防止に関する法律等の一部を改正する法律（平成二十四年法律第八十九号）附則第十条第一項の規定により解散した旧独立行政法人海上災害防止センター（以下「旧独立行政法人海上災害防止センター」という。）（海洋汚染及び海上災害の防止に関する法律の一部を改正する法律（平成十四年法律第百八十五号）附則第二条第一項の規定により解散した旧海上災害防止センターを含む。）

七十三　輸出入・港湾関連情報処理センター株式会社（航空運送貨物の税関手続の特例等に関する法律の一部を改正する法律（平成三年法律第十八号）による改正前の航空運送貨物の税関手続の特例等に関する法律（昭和五十二年法律第五十四号）第六条の航空貨物通関情報処理センター、電子情報処理組織による税関手続の特例等に関する法律の一部を改正する法律（平成十四年法律第百二十四号）附則第二条第一項の規定により解散した旧通関情報処理センター及び電子情報処理組織による税関手続の特例等に関する法律の一部を改正する法律（平成二十年法律第四十六号）附則第十二条第一項の規定により解散した旧独立行政法人通関情報処理センター（以下「旧独立行政法人通関情報処理センター」という。）を含む。）

七十四　旧独立行政法人情報通信研究機構（独立行政法人情報通信研究機構法第三条の独立行政法人情報通信研究機構法の一部を改正する法律の施行の日の前日までの間におけるものを除き、通信・放送衛星機構法の一部を改正する法律（平成四年法律第三十四号）による改正前の通信・放送衛星機構法（昭和五十四年法律第四十六号）第一条の通信・放送衛星機構及び独立行政法人通信総合研究所法の一部を改正する法律（平成十四年法律第百三十四号）附則第三条第一項の規定により解散した旧通信・放送機構を含む。）

七十五　独立行政法人医薬品医療機器総合機構法附則第十三条第一項の規定により解散した旧医薬品副作用被害救済・研究振興調査機構（医薬品副作用被害救済基金法の一部を改正する法律（昭和六十二年法律第三十二号）による改正前の医薬品副作用被害救済基金法（昭和五十四年法律第五十五号）第一条の医薬品副作用被害救済基金及び薬事法及び医薬品副作用被害救済・研究振興基金法の一部を改正する法律（平成五年法律第二十七号）による改正前の医薬品副作用被害救済・研究振興基金法第一条の医薬品副作用被害救済・研究振興基金を含む。）

七十六　放送大学学園（放送大学学園法附則第三条第一項の規定により解散した旧放送大学学園及び旧メディア教育開発センターを含む。）

七十七　電気事業法及びガス事業法の一部を改正する等の法律（平成十五年法律第九十二号。以下この号において「改正法」という。）第三条の規定による廃止前の電源開発促進法（昭和二十七年法律第二百八十三号）により設立された電源開発株式会社（改正法第三条の規定の施行の日の前日までの間におけるものに限る。）

七十八　電気通信分野における規制の合理化のための関係法律の整備等に関する法律（平成十年法律第五十八号）第一条の規定による廃止前の国際電信電話株式会社法（昭和二十七年法律第三百一号）により設立された国際電信電話株式会社（同条の規定の施行の日の前日までの間におけるものに限る。）

七十九　日本商工会議所

八十　地方職員共済組合

八十一　警察共済組合

八十二　中央労働災害防止協会

八十三　地方公務員災害補償基金

八十四　貿易研修センター法を廃止する等の法律（昭和六十年法律第六十六号。以下この号において「廃止法」という。）による廃止前の貿易研修センター法（昭和四十二年法律第百三十四号）により設立された貿易研修センター（廃止法第二条に規定する時までの間におけるものに限る。）

八十五　預金保険機構

八十六　旧総合研究開発機構

八十七　危険物保安技術協会

八十八　独立行政法人雇用・能力開発機構法を廃止する法律附則第十三条の規定による改正前の独立行政法人高齢・障害者雇用支援機構法（平成十四年法律第百六十五号。以下「旧独立行政法人高齢・障害者雇用支援機構法」という。）第二条の独立行政法人高齢・障害者雇用支援機構（以下「旧高齢・障害者雇用支援機構」という。）（身体障害者雇用促進法の一部を改正する法律（昭和六十二年法律第四十一号）による改正前の身体障害者雇用促進法（昭和三十五年法律第百二十三号）第四十条の身体障害者雇用促進協会及び旧独立行政法人高齢・障害者雇用支援機構法附則第三条第一項の規定により解散した旧日本障害者雇用促進協会を含む。）

八十九　旧日本郵政公社法施行法第四十条の規定によ

る改正前の郵便貯金法（昭和二十二年法律第百四十四号）により設立された郵便貯金振興会（旧日本郵政公社法施行法附則第六条第一項に規定する時までの間におけるものに限る。）
九十　中央職業能力開発協会
九十一　地方公務員共済組合連合会
九十二　全国市町村職員共済組合連合会
九十三　関西国際空港及び大阪国際空港の一体的かつ効率的な設置及び管理に関する法律（平成二十三年法律第五十四号。以下この号において「設置管理法」という。）附則第十九条の規定による廃止前の関西国際空港株式会社法（昭和五十九年法律第五十三号）により設立された関西国際空港株式会社（設置管理法の施行の日の前日までの間におけるものに限る。）
九十四　日本たばこ産業株式会社
九十五　日本電信電話株式会社
九十六　基盤技術研究円滑化法の一部を改正する法律（平成十三年法律第六十号）附則第二条第一項の規定により解散した旧基盤技術研究促進センター
九十七　北海道旅客鉄道株式会社
九十八　旅客鉄道株式会社及び日本貨物鉄道株式会社に関する法律の一部を改正する法律（平成十三年法律第六十一号。以下この号から第百号までにおいて「旅客会社法改正法」という。）による改正前の旅客鉄道株式会社及び日本貨物鉄道株式会社に関する法律（昭和六十一年法律第八十八号。次号及び第百号において「改正前旅客会社法」という。）により設立された東日本旅客鉄道株式会社（旅客会社法改正法の施行の日の前日までの間におけるものに限る。）
九十九　改正前旅客会社法により設立された東海旅客鉄道株式会社（旅客会社法改正法の施行の日の前日までの間におけるものに限る。）
百　改正前旅客会社法により設立された西日本旅客鉄道株式会社（旅客会社法改正法の施行の日の前日までの間におけるものに限る。）
百一　四国旅客鉄道株式会社
百二　旅客鉄道株式会社及び日本貨物鉄道株式会社に関する法律の一部を改正する法律（平成二十七年法律第三十六号。以下この号において「改正法」という。）による改正前の旅客鉄道株式会社及び日本貨物鉄道株式会社に関する法律により設立された九州旅客鉄道株式会社（改正法の施行の日の前日までの間におけるものに限る。）
百三　日本貨物鉄道株式会社
百四　新幹線鉄道に係る鉄道施設の譲渡等に関する法律（平成三年法律第四十五号）第五条第一項の規定により解散した旧新幹線鉄道保有機構
百五　独立行政法人平和祈念事業特別基金等に関する法律の廃止等に関する法律（平成十八年法律第百十九号）附則第二条第一項の規定により解散した旧独立行政法人平和祈念事業特別基金（以下「旧独立行政法人平和祈念事業特別基金」という。）（平和祈念事業特別基金等に関する法律の一部を改正する法律（平成十四年法律第百三十三号）附則第二条第一項の規定により解散した旧平和祈念事業特別基金を含む。）
百六　社会保険診療報酬支払基金
百七　国民年金基金連合会
百八　公立学校共済組合
百九　日本中央競馬会
百十　日本電信電話株式会社等に関する法律第一条の二第二項に規定する東日本電信電話株式会社（以下「東日本電信電話株式会社」という。）
百十一　日本電信電話株式会社等に関する法律第一条の二第三項に規定する西日本電信電話株式会社（以下「西日本電信電話株式会社」という。）
百十二　原子力発電環境整備機構
百十三　行政執行法人以外の独立行政法人
百十四　株式会社産業再生機構
百十五　国立大学法人
百十六　大学共同利用機関法人
百十七　中間貯蔵・環境安全事業株式会社（日本環境安全事業株式会社法の一部を改正する法律（平成二十六年法律第百二十号）による改正前の日本環境安全事業株式会社法（平成十五年法律第四十四号）第一条第一項の日本環境安全事業株式会社を含む。）
百十八　東日本高速道路株式会社
百十九　中日本高速道路株式会社
百二十　西日本高速道路株式会社
百二十一　国立大学法人法の一部を改正する法律（平成十七年法律第四十九号。以下「平成十七年国立大学法人法改正法」という。）附則第五条第一項の規定により解散した旧国立大学法人富山大学、旧国立大学法人富山医科薬科大学及び旧国立大学法人高岡短期大学
百二十二　平成十七年国立大学法人法改正法附則第五条第一項の規定により解散した旧国立大学法人筑波技術短期大学
百二十三　日本郵政株式会社

百二十四　日本司法支援センター
百二十五　旧青年の家及び旧少年自然の家
百二十六　独立行政法人住宅金融支援機構法（平成十七年法律第八十二号）附則第三条第一項の規定により解散した旧住宅金融公庫
百二十七　学校教育法等の一部を改正する法律（平成十八年法律第八十号）第四条の規定による改正前の独立行政法人国立特殊教育総合研究所法（平成十一年法律第百六十五号）第二条の独立行政法人国立特殊教育総合研究所（平成十八年独法改革文部科学省関係法整備法の施行の日の前日までの間におけるものを除く。）
百二十八　独立行政法人国立博物館法の一部を改正する法律による改正前の独立行政法人国立博物館法（平成十一年法律第百七十八号）第二条の独立行政法人国立博物館（平成十八年独法改革文部科学省関係法整備法の施行の日の前日までの間におけるものを除く。）及び旧文化財研究所（同日までの間におけるものを除く。）
百二十九　旧国立研究開発法人森林総合研究所法第二条の国立研究開発法人森林総合研究所（旧林木育種センター（平成十八年独法改革農林水産省関係法整備法の施行の日の前日までの間におけるものを除く。）及び旧独立行政法人森林総合研究所法第二条の独立行政法人森林総合研究所（同日までの間におけるものを除く。）を含む。）
百三十　削除
百三十一　日本郵便株式会社（旧郵便事業株式会社及び旧郵便局株式会社を含む。）
百三十二　国立大学法人法の一部を改正する法律（平成十九年法律第八十九号）附則第二条第一項の規定により解散した旧国立大学法人大阪外国語大学（以下「旧大阪外国語大学」という。）
百三十三　地方公共団体金融機構（地方交付税法等の一部を改正する法律（平成二十一年法律第十号）第五条の規定による改正前の地方公営企業等金融機構法（平成十九年法律第六十四号。以下「旧地方公営企業等金融機構法」という。）附則第九条第一項の規定により解散した旧公営企業金融公庫及び旧地方公営企業等金融機構法第一条の地方公営企業等金融機構を含む。）
百三十四　地方競馬全国協会
百三十五　株式会社商工組合中央金庫
百三十六　全国健康保険協会
百三十七　農水産業協同組合貯金保険機構
百三十八　株式会社産業革新投資機構（産業競争力強化法等の一部を改正する法律（平成三十年法律第二十六号）第二条の規定による改正前の産業競争力強化法（平成二十五年法律第九十八号。以下「旧産業競争力強化法」という。）第七十六条の株式会社産業革新機構を含む。）
百三十九　株式会社地域経済活性化支援機構（株式会社企業再生支援機構法の一部を改正する法律（平成二十五年法律第二号）による改正前の株式会社企業再生支援機構法（平成二十一年法律第六十三号）第一条の株式会社企業再生支援機構を含む。）
百四十　旧国立国語研究所（平成十八年独法改革文部科学省関係法整備法の施行の日の前日までの間におけるものを除く。）
百四十一　日本年金機構
百四十二　削除
百四十三　全国土地改良事業団体連合会
百四十四　全国中小企業団体中央会
百四十五　全国商工会連合会
百四十六　漁業共済組合連合会
百四十七　日本銀行
百四十八　日本弁理士会
百四十九　東京地下鉄株式会社
百五十　日本アルコール産業株式会社
百五十一　原子力損害賠償・廃炉等支援機構（原子力損害賠償支援機構法の一部を改正する法律（平成二十六年法律第四十号）による改正前の原子力損害賠償支援機構法（平成二十三年法律第九十四号）第一条の原子力損害賠償支援機構を含む。）
百五十二　沖縄科学技術大学院大学学園（沖縄科学技術大学院大学学園法附則第三条第一項の規定により解散した旧独立行政法人沖縄科学技術研究基盤整備機構（以下「旧沖縄科学技術研究基盤整備機構」という。）を含む。）
百五十三　株式会社東日本大震災事業者再生支援機構
百五十四　株式会社国際協力銀行
百五十五　新関西国際空港株式会社
百五十六　株式会社農林漁業成長産業化支援機構
百五十七　株式会社民間資金等活用事業推進機構
百五十八　株式会社海外需要開拓支援機構
百五十九　旧独立行政法人原子力安全基盤機構
百六十　地方公共団体情報システム機構
百六十一　株式会社海外交通・都市開発事業支援機構
百六十二　広域的運営推進機関
百六十三　旧独立行政法人医薬基盤研究所法第二条の

独立行政法人医薬基盤研究所及び旧国立健康・栄養研究所（平成十八年独法改革厚生労働省関係法整備法の施行の日の前日までの間におけるものを除く。）

百六十四　平成二十六年独法整備法第七十九条の規定による改正前の独立行政法人物質・材料研究機構法（平成十一年法律第百七十三号。以下「旧独立行政法人物質・材料研究機構法」という。）第三条の独立行政法人物質・材料研究機構（平成十八年独法改革文部科学省関係法整備法の施行の日の前日までの間におけるものを除く。）

百六十五　平成二十六年独法整備法第八十条の規定による改正前の独立行政法人防災科学技術研究所法（平成十一年法律第百七十四号。以下「旧独立行政法人防災科学技術研究所法」という。）第三条の独立行政法人防災科学技術研究所（平成十八年独法改革文部科学省関係法整備法の施行の日の前日までの間におけるものを除く。）

百六十六　旧国立研究開発法人放射線医学総合研究所法第二条の国立研究開発法人放射線医学総合研究所（平成二十六年独法整備法第八十一条の規定による改正前の独立行政法人放射線医学総合研究所法（平成十一年法律第百七十六号。以下「旧独立行政法人放射線医学総合研究所法」という。）第二条の独立行政法人放射線医学総合研究所（平成十八年独法改革文部科学省関係法整備法の施行の日の前日までの間におけるものを除く。）を含む。）

百六十七　旧高度専門医療独立行政法人法第四条第一項に規定する国立高度専門医療研究センター

百六十八及び百六十九　削除

百七十　平成二十六年独法整備法第百五十一条の規定による改正前の独立行政法人国際農林水産業研究センター法（平成十一年法律第百九十七号。以下「旧独立行政法人国際農林水産業研究センター法」という。）第二条の独立行政法人国際農林水産業研究センター（平成十八年独法改革農林水産省関係法整備法の施行の日の前日までの間におけるものを除く。）

百七十一　旧独立行政法人産業技術総合研究所法第二条の独立行政法人産業技術総合研究所（独立行政法人産業技術総合研究所法の一部を改正する法律の施行の日の前日までの間におけるものを除く。）

百七十二　平成二十六年独法整備法第百八十四条の規定による改正前の独立行政法人土木研究所法（平成十一年法律第二百五号。以下「旧独立行政法人土木研究所法」という。）第二条の独立行政法人土木研究所（平成十八年独法改革国土交通省関係法整備法の施行の日の前日までの間におけるものを除く。）

百七十三　平成二十六年独法整備法第百八十五条の規定による改正前の独立行政法人建築研究所法（平成十一年法律第二百六号。以下「旧独立行政法人建築研究所法」という。）第二条の独立行政法人建築研究所（平成十八年独法改革国土交通省関係法整備法の施行の日の前日までの間におけるものを除く。）

百七十四　旧国立研究開発法人海上技術安全研究所法第二条の国立研究開発法人海上技術安全研究所（平成二十六年独法整備法第百八十七条の規定による改正前の独立行政法人海上技術安全研究所法（平成十一年法律第二百八号。以下「旧独立行政法人海上技術安全研究所法」という。）第二条の独立行政法人海上技術安全研究所（平成十八年独法改革国土交通省関係法整備法の施行の日の前日までの間におけるものを除く。）を含む。）、旧国立研究開発法人港湾空港技術研究所（旧独立行政法人港湾空港技術研究所法第二条の独立行政法人港湾空港技術研究所（同日までの間におけるものを除く。）を含む。）及び旧国立研究開発法人電子航法研究所（旧独立行政法人電子航法研究所法第二条の独立行政法人電子航法研究所（同日までの間におけるものを除く。）を含む。）

百七十五及び百七十六　削除

百七十七　旧独立行政法人国立環境研究所法第二条の独立行政法人国立環境研究所（独立行政法人国立環境研究所法の一部を改正する法律の施行の日の前日までの間におけるものを除く。）

百七十八　株式会社海外通信・放送・郵便事業支援機構

百七十九　旧独立行政法人大学評価・学位授与機構法第二条の独立行政法人大学評価・学位授与機構及び旧国立大学財務・経営センター

百八十　旧自動車検査独立行政法人法第二条の自動車検査独立行政法人（自動車検査独立行政法人法等改正法の施行の日の前日までの間におけるものを除く。）及び旧交通安全環境研究所（平成十八年独法改革国土交通省関係法整備法の施行の日の前日までの間におけるものを除く。）

百八十一　旧航海訓練所（平成十八年独法改革国土交通省関係法整備法の施行の日の前日までの間におけるものを除く。）

百八十二　使用済燃料再処理・廃炉推進機構（脱炭素社会の実現に向けた電気供給体制の確立を図るための電気事業法等の一部を改正する法律（令和五年法

律第四十四号）第三条の規定による改正前の原子力発電における使用済燃料の再処理等の実施に関する法律（平成十七年法律第四十八号）第十条の使用済燃料再処理機構を含む。）

百八十三　外国人技能実習機構

百八十四　株式会社日本貿易保険（旧独立行政法人日本貿易保険を含む。）

百八十五　教育公務員特例法等の一部を改正する法律第三条の規定による改正前の独立行政法人教員研修センター法（平成十二年法律第八十八号。以下「旧独立行政法人教員研修センター法」という。）第二条の独立行政法人教員研修センター

百八十六　農業共済組合連合会（農業保険法（昭和二十二年法律第百八十五号）第十条第一項に規定する全国連合会に限る。）

百八十七　地方税共同機構

百八十八　独立行政法人郵便貯金・簡易生命保険管理機構法の一部を改正する法律（平成三十年法律第四十一号）による改正前の独立行政法人郵便貯金・簡易生命保険管理機構法（平成十七年法律第百一号。以下「旧独立行政法人郵便貯金・簡易生命保険管理機構法」という。）第二条の独立行政法人郵便貯金・簡易生命保険管理機構

百八十九　学校教育法等の一部を改正する法律（令和元年法律第十一号）附則第三条第一項の規定により解散した旧国立大学法人岐阜大学（以下「旧岐阜大学」という。）及び同法附則第六条の規定により国立大学法人東海国立大学機構となつた旧国立大学法人名古屋大学（以下「旧名古屋大学」という。）

百九十　国立大学法人法の一部を改正する法律（令和三年法律第四十一号。以下「令和三年国立大学法人法改正法」という。）附則第五条第一項の規定により解散した旧国立大学法人小樽商科大学（以下「旧小樽商科大学」という。）及び旧国立大学法人北見工業大学（以下「旧北見工業大学」という。）並びに令和三年国立大学法人法改正法附則第八条第一項の規定により国立大学法人北海道国立大学機構となつた旧国立大学法人帯広畜産大学（以下「旧帯広畜産大学」という。）

百九十一　令和三年国立大学法人法改正法附則第五条第一項の規定により解散した旧国立大学法人奈良教育大学（以下「旧奈良教育大学」という。）及び令和三年国立大学法人法改正法附則第八条第二項の規定により国立大学法人奈良国立大学機構となつた旧国立大学法人奈良女子大学（以下「旧奈良女子大学」という。）

百九十二　福島国際研究教育機構

百九十三　株式会社脱炭素化支援機構

百九十四　金融経済教育推進機構

百九十五　脱炭素成長型経済構造移行推進機構

百九十六　国立大学法人法の一部を改正する法律（令和五年法律第八十八号）附則第二条の規定により国立大学法人東京科学大学となつた旧国立大学法人東京工業大学（以下「旧東京工業大学」という。）及び同法附則第三条第一項の規定により解散した旧国立大学法人東京医科歯科大学（以下「旧東京医科歯科大学」という。）

（公庫等職員としての引き続いた在職期間の計算）

第九条の三　職員が、任命権者又はその委任を受けた者の要請に応じ、引き続いて特定公庫等職員となるため退職し、かつ、引き続き特定公庫等職員として在職した後引き続いて特定地方公務員又は通算制度を有する一般地方独立行政法人等である地方公社に使用される者（役員及び常時勤務に服することを要しない者を除く。以下「特定地方公社職員」という。）となるため退職し、かつ、引き続き特定地方公務員又は特定地方公社職員として在職した後引き続いて再び特定公庫等職員となるため退職し、かつ、引き続き特定公庫等職員として在職した後引き続いて再び職員となるため退職し、かつ、引き続いて職員となつた場合においては、先の職員としての引き続いた在職期間の始期から後の特定公庫等職員としての引き続いた在職期間の終期までの期間をその者の公庫等職員（法第七条の二第一項に規定する公庫等職員をいう。以下同じ。）としての引き続いた在職期間として計算する。

2　特定公庫等職員が、公庫等の要請に応じ、引き続いて特定地方公務員又は特定地方公社職員となるため退職し、かつ、引き続き特定地方公務員又は特定地方公社職員として在職した後引き続いて再び特定公庫等職員となるため退職し、かつ、引き続き特定公庫等職員として在職した後更に引き続いて職員となるため退職し、かつ、引き続いて職員となつた場合においては、先の特定公庫等職員としての引き続いた在職期間の始期から後の特定公庫等職員としての引き続いた在職期間の終期までの期間をその者の公庫等職員としての引き続いた在職期間として計算する。

（法第八条第一項に規定する政令で定める法人）

第九条の四　法第八条第一項に規定する政令で定める法人は、独立行政法人のほか、次に掲げる法人とする。

一　独立行政法人住宅金融支援機構法附則第三条第一

項の規定により解散した旧住宅金融公庫
二　旧農林漁業金融公庫
三　旧中小企業金融公庫
四　日本道路公団等民営化関係法施行法第十五条第一項の規定により解散した旧日本道路公団
五　旧独立行政法人日本原子力研究開発機構法第三条の独立行政法人日本原子力研究開発機構（旧独立行政法人日本原子力研究開発機構法附則第二条第一項の規定により解散した旧日本原子力研究所を含む。）
六　自転車競技法及び小型自動車競走法の一部を改正する法律（平成十九年法律第八十二号）附則第三条第一項の規定により解散した旧日本自転車振興会
七　旧独立行政法人理化学研究所法第二条の独立行政法人理化学研究所（旧独立行政法人理化学研究所法附則第二条第一項の規定により解散した旧理化学研究所を含む。）
八　日本道路公団等民営化関係法施行法第十五条第一項の規定により解散した旧首都高速道路公団
九　日本道路公団等民営化関係法施行法第十五条第一項の規定により解散した旧阪神高速道路公団
十　地方競馬全国協会
十一　自転車競技法及び小型自動車競走法の一部を改正する法律附則第十条第一項の規定により解散した旧日本小型自動車振興会
十二　地方職員共済組合
十三　公立学校共済組合
十四　警察共済組合
十五　地方公務員災害補償基金
十六　日本道路公団等民営化関係法施行法第十五条第一項の規定により解散した旧本州四国連絡橋公団
十七　預金保険機構
十八　沖縄振興開発金融公庫
十九　旧総合研究開発機構
二十　農水産業協同組合貯金保険機構
二十一　中小企業総合事業団法及び機械類信用保険法の廃止等に関する法律附則第二条第一項の規定により解散した旧中小企業総合事業団及び中小企業金融公庫法及び独立行政法人中小企業基盤整備機構法の一部を改正する法律附則第三条第一項の規定により解散した旧地域振興整備公団
二十二　日本下水道事業団
二十三　全国市町村職員共済組合連合会
二十四　地方公務員共済組合連合会
二十五　国家公務員共済組合連合会
二十六　旧独立行政法人新エネルギー・産業技術総合開発機構法第三条の独立行政法人新エネルギー・産業技術総合開発機構（旧独立行政法人新エネルギー・産業技術総合開発機構法附則第二条第一項の規定により解散した旧新エネルギー・産業技術総合開発機構を含む。）
二十七　旧独立行政法人情報通信研究機構法第三条の独立行政法人情報通信研究機構（独立行政法人通信総合研究所法の一部を改正する法律附則第二条の規定により独立行政法人情報通信研究機構となつた旧独立行政法人通信総合研究所及び同法附則第三条第一項の規定により解散した旧通信・放送機構を含む。）
二十八　日本私立学校振興・共済事業団
二十九　旧国際協力銀行
三十　旧国民生活金融公庫
三十一　年金積立金管理運用独立行政法人法附則第三条第一項の規定により解散した旧年金資金運用基金
三十二　銀行等保有株式取得機構
三十三　削除
三十四　国立大学法人
三十五　大学共同利用機関法人
三十六　平成十七年国立大学法人法改正法附則第五条第一項の規定により解散した旧国立大学法人富山医科薬科大学及び旧国立大学法人高岡短期大学
三十七　平成十七年国立大学法人法改正法附則第五条第一項の規定により解散した旧国立大学法人筑波技術短期大学
三十八　平成十八年独法改革文部科学省関係法整備法第三条の規定による改正前の独立行政法人国立オリンピック記念青少年総合センター法（平成十一年法律第百六十七号）第二条の独立行政法人国立オリンピック記念青少年総合センター
三十九　旧独立行政法人農業・食品産業技術総合研究機構法第三条の独立行政法人農業・食品産業技術総合研究機構（平成十八年独法改革農林水産省関係法整備法第一条の規定による改正前の独立行政法人農業・生物系特定産業技術研究機構法（平成十一年法律第百九十二号）第三条の独立行政法人農業・生物系特定産業技術研究機構、平成十八年独法改革農林水産省関係法整備法附則第八条第一項の規定により解散した旧独立行政法人農業者大学校、旧独立行政法人農業工学研究所及び旧独立行政法人食品総合研究所を含む。）並びに旧種苗管理センター、旧国立研究開発法人農業生物資源研究所（旧独立行政法人農業生物資源研究所法第二条の独立行政法人農業生物資源研究所を含む。）及び旧国立研究開発法人農業環境技術研究所（旧独立行政法人農業環境技術研究所法第二条の独立行政法人農業環境技術研究所を含む。）

四十　旧国立研究開発法人水産総合研究センター法第二条の国立研究開発法人水産総合研究センター（平成十八年独法改革農林水産省関係法整備法附則第十六条第一項の規定により解散した旧独立行政法人さけ・ます資源管理センター及び旧独立行政法人水産総合研究センター法第二条の独立行政法人水産総合研究センターを含む。）及び旧水産大学校

四十一　旧独立行政法人土木研究所（平成十八年独法改革国土交通省関係法整備法附則第八条第一項の規定により解散した旧独立行政法人北海道開発土木研究所を含む。）

四十二　放送大学学園（旧メディア教育開発センターを含む。）

四十三　農林水産消費技術センター法等改正法第一条の規定による改正前の独立行政法人農林水産消費技術センター法（平成十一年法律第百八十三号）第二条の独立行政法人農林水産消費技術センター及び農林水産消費技術センター法等改正法附則第三条第一項の規定により解散した旧独立行政法人肥飼料検査所

四十四　旧国立研究開発法人森林総合研究所法第二条の国立研究開発法人森林総合研究所

四十五　旧大阪外国語大学

四十六　地方公共団体金融機構（旧地方公営企業等金融機構法附則第九条第一項の規定により解散した旧公営企業金融公庫及び旧地方公営企業等金融機構法第一条の地方公営企業等金融機構を含む。）

四十七　旧緑資源機構

四十八　旧独立行政法人通関情報処理センター

四十九　全国健康保険協会

五十　旧国立国語研究所

五十一　日本年金機構

五十二　削除

五十三　日本商工会議所

五十四　全国土地改良事業団体連合会

五十五　全国中小企業団体中央会

五十六　全国商工会連合会

五十七　高圧ガス保安協会

五十八　消防団員等公務災害補償等共済基金

五十九　漁業共済組合連合会

六十　軽自動車検査協会

六十一　小型船舶検査機構

六十二　自動車安全運転センター

六十三　危険物保安技術協会

六十四　関西国際空港及び大阪国際空港の一体的かつ効率的な設置及び管理に関する法律（以下この号において「設置管理法」という。）附則第十九条の規定による廃止前の関西国際空港株式会社法により設立された関西国際空港株式会社（設置管理法の施行の日の前日までの間におけるものに限る。）

六十五　日本電信電話株式会社

六十六　北海道旅客鉄道株式会社

六十七　四国旅客鉄道株式会社

六十八　削除

六十九　日本貨物鉄道株式会社

七十　東日本電信電話株式会社

七十一　西日本電信電話株式会社

七十二　原子力発電環境整備機構

七十三　東京地下鉄株式会社

七十四　中間貯蔵・環境安全事業株式会社（日本環境安全事業株式会社法の一部を改正する法律による改正前の日本環境安全事業株式会社法第一条第一項の日本環境安全事業株式会社を含む。）

七十五　成田国際空港株式会社

七十六　東日本高速道路株式会社

七十七　首都高速道路株式会社

七十八　中日本高速道路株式会社

七十九　西日本高速道路株式会社

八十　阪神高速道路株式会社

八十一　本州四国連絡高速道路株式会社

八十二　日本アルコール産業株式会社

八十三　日本郵政株式会社

八十四　削除

八十五　日本郵便株式会社（旧郵便事業株式会社及び旧郵便局株式会社を含む。）

八十六　株式会社日本政策金融公庫

八十七　株式会社商工組合中央金庫

八十八　株式会社日本政策投資銀行

八十九　輸出入・港湾関連情報処理センター株式会社

九十　原子力損害賠償・廃炉等支援機構（原子力損害賠償支援機構法の一部を改正する法律による改正前の原子力損害賠償支援機構法第一条の原子力損害賠償支援機構を含む。）

九十一　旧独立行政法人雇用・能力開発機構

九十二　旧高齢・障害者雇用支援機構

九十三　沖縄科学技術大学院大学学園（旧沖縄科学技

術研究基盤整備機構を含む。）
九十四　株式会社国際協力銀行
九十五　新関西国際空港株式会社
九十六　旧独立行政法人平和祈念事業特別基金
九十七　旧独立行政法人海上災害防止センター
九十八　株式会社産業革新投資機構（旧産業競争力強化法第七十六条の株式会社産業革新機構を含む。）
九十九　株式会社農林漁業成長産業化支援機構
百　株式会社地域経済活性化支援機構
百一　株式会社民間資金等活用事業推進機構
百二　株式会社海外需要開拓支援機構
百三　旧独立行政法人原子力安全基盤機構
百四　地方公共団体情報システム機構
百五　旧独立行政法人日本万国博覧会記念機構
百六　株式会社海外交通・都市開発事業支援機構
百七　広域的運営推進機関
百八　旧国立健康・栄養研究所
百九　旧独立行政法人物質・材料研究機構法第三条の独立行政法人物質・材料研究機構
百十　旧独立行政法人防災科学技術研究所法第三条の独立行政法人防災科学技術研究所
百十一　旧国立研究開発法人放射線医学総合研究所法第二条の国立研究開発法人放射線医学総合研究所（旧独立行政法人放射線医学総合研究所法第二条の独立行政法人放射線医学総合研究所を含む。）
百十二　旧独立行政法人科学技術振興機構法第三条の独立行政法人科学技術振興機構
百十三　旧独立行政法人宇宙航空研究開発機構法第三条の独立行政法人宇宙航空研究開発機構
百十四　旧独立行政法人海洋研究開発機構法第三条の独立行政法人海洋研究開発機構
百十五及び百十六　削除
百十七　旧独立行政法人国際農林水産業研究センター法第二条の独立行政法人国際農林水産業研究センター
百十八　旧独立行政法人産業技術総合研究所法第二条の独立行政法人産業技術総合研究所
百十九　旧独立行政法人建築研究所法第二条の独立行政法人建築研究所
百二十　旧国立研究開発法人海上技術安全研究所法第二条の国立研究開発法人海上技術安全研究所（旧独立行政法人海上技術安全研究所法第二条の独立行政法人海上技術安全研究所を含む。）、旧国立研究開発法人港湾空港技術研究所（旧独立行政法人港湾空港技術研究所法第二条の独立行政法人港湾空港技術研究所を含む。）及び旧国立研究開発法人電子航法研究所（旧独立行政法人電子航法研究所法第二条の独立行政法人電子航法研究所を含む。）
百二十一及び百二十二　削除
百二十三　旧独立行政法人国立環境研究所法第二条の独立行政法人国立環境研究所
百二十四　株式会社海外通信・放送・郵便事業支援機構
百二十五　旧独立行政法人大学評価・学位授与機構法第二条の独立行政法人大学評価・学位授与機構及び旧国立大学財務・経営センター
百二十六　旧自動車検査独立行政法人法第二条の自動車検査独立行政法人
百二十七　旧航海訓練所
百二十八　旧独立行政法人労働者健康福祉機構法第二条の独立行政法人労働者健康福祉機構及び旧労働安全衛生総合研究所
百二十九　使用済燃料再処理・廃炉推進機構
百三十　外国人技能実習機構
百三十一　株式会社日本貿易保険（旧独立行政法人日本貿易保険を含む。）
百三十二　旧独立行政法人教員研修センター法第二条の独立行政法人教員研修センター
百三十三　地方税共同機構
百三十四　旧独立行政法人郵便貯金・簡易生命保険管理機構法第二条の独立行政法人郵便貯金・簡易生命保険管理機構
百三十五　旧岐阜大学及び旧名古屋大学
百三十六　旧小樽商科大学、旧北見工業大学及び旧帯広畜産大学
百三十七　旧奈良教育大学及び旧奈良女子大学
百三十八　福島国際研究教育機構
百三十九　株式会社脱炭素化支援機構
百四十　旧独立行政法人石油天然ガス・金属鉱物資源機構法第二条の独立行政法人石油天然ガス・金属鉱物資源機構
百四十一　金融経済教育推進機構
百四十二　脱炭素成長型経済構造移行推進機構
百四十三　旧東京工業大学及び旧東京医科歯科大学

（募集実施要項の記載事項）
第九条の五　法第八条の二第二項に規定する政令で定めるものは、次に掲げる事項とする。
一　法第八条の二第一項の規定による募集（以下この条及び第九条の七において「募集」という。）の対象となるべき職員の範囲

二　法第八条の二第二項に規定する募集実施要項（以下この条及び第九条の七第三項において「募集実施要項」という。）の内容を周知させるための説明会を開催する予定があるときは、その旨

三　法第八条の二第三項の規定による応募（以下この条及び第九条の七第三項において「応募」という。）又は応募の取下げに係る手続

四　法第八条の二第六項の規定による通知の予定時期

五　第九条の七第三項に規定する時点で募集の期間が満了するものとするときは、その旨及び同項に規定する応募上限数

六　募集に関する問合せを受けるための連絡先

七　その他内閣官房令で定める事項

2　各省各庁の長等は、募集実施要項に前項第一号に掲げる職員の範囲を記載するときは、当該職員の範囲に含まれる職員の数が募集をする人数に一を加えた人数以上となるようにしなければならない。ただし、法第八条の二第一項第二号に掲げる募集を行う場合は、この限りでない。

3　各省各庁の長等は、募集実施要項に募集の期間を記載するときは、その開始及び終了の年月日時を明らかにしてしなければならない。

（法第八条の二第三項第四号に規定する懲戒処分から除かれる処分）

第九条の六　法第八条の二第三項第四号に規定する政令で定めるものは、故意又は重大な過失によらないで管理又は監督に係る職務を怠つた場合における懲戒処分とする。

（募集の期間の延長等に係る手続）

第九条の七　各省各庁の長等は、募集の目的を達成するため必要があると認めるときは、募集の期間を延長することができる。

2　各省各庁の長等は、前項の規定により募集の期間を延長した場合には、直ちにその旨及び延長後の募集の期間の終了の年月日時を当該募集の対象となるべき職員に周知しなければならない。

3　各省各庁の長等が募集実施要項に募集の期間の終了の年月日時が到来するまでに応募をした職員の数が募集をする人数以上の一定数（以下この項において「応募上限数」という。）に達した時点で募集の期間は満了するものとする旨及び応募上限数を記載している場合には、応募をした職員の数が応募上限数に達した時点で募集の期間は満了するものとする。

4　各省各庁の長等は、前項の規定により募集の期間が満了した場合には、直ちにその旨を当該募集の対象となるべき職員に周知しなければならない。

（退職すべき期日の変更に係る手続）

第九条の八　各省各庁の長等は、法第八条の二第五項に規定する認定（以下この項において「認定」という。）を行つた後に生じた事情に鑑み、認定を受けた職員（以下この条において「認定応募者」という。）が同条第八項第三号に規定する退職すべき期日（以下この条において「退職すべき期日」という。）に退職することにより公務の能率的運営の確保に著しい支障を及ぼすこととなると認める場合において、当該認定応募者にその旨及びその理由を明示し、内閣官房令で定めるところにより、退職すべき期日の繰上げ又は繰下げについて当該認定応募者の書面による同意を得たときは、公務の能率的運営を確保するために必要な限度で、退職すべき期日を繰り上げ、又は繰り下げることができる。

2　各省各庁の長等は、前項の規定により退職すべき期日を繰り上げ、又は繰り下げた場合には、直ちに、内閣官房令で定めるところにより、新たに定めた退職すべき期日を当該認定応募者に書面により通知しなければならない。

第三章　特別の退職手当

（法第十条第一項に規定する政令で定める職員に準ずる者）

第九条の九　法第十条第一項に規定する政令で定める職員に準ずる者は、職員以外の者で、内閣総理大臣の定めるところにより、引き続き職員について定められている勤務時間以上勤務した日（法令の規定により、勤務を要しないこととされ、又は休暇を与えられた日を含む。）が一月以上あるものとする。ただし、季節的業務に四箇月以内の期間を定めて雇用され、又は季節的に四箇月以内の期間を定めて雇用されていた者にあつては、引き続き当該所定の期間を超えて勤務した場合に限る。

（失業者の退職手当の支給官署の特例の適用を受ける職員）

第十条　法第十条第一項に規定する政令で定める職員は、行政執行法人の職員とする。

（技能習得手当及び寄宿手当に相当する退職手当）

第十一条　法第十条第十項第一号に掲げる技能習得手当及び同項第二号に掲げる寄宿手当に相当する退職手当は、それぞれ雇用保険法（昭和四十九年法律第百十六号）第三十六条第一項に規定する技能習得手当及び同条第二項に規定する寄宿手当に相当する金額を同法の

当該規定によるこれらの手当の支給の条件に従い支給する。

（傷病手当に相当する退職手当）

第十二条　法第十条第十項第三号に掲げる傷病手当に相当する退職手当（以下「傷病手当に相当する退職手当」という。）は、支給残日数を超えては支給しない。

2　前項に規定する支給残日数とは、法第十条第一項又は第二項の規定による退職手当の支給を受ける資格に係る同条第一項第二号に規定する所定給付日数から当該資格に係る同項に規定する待期日数及び当該退職手当の支給を受けた日数を控除した日数をいう。

3　傷病手当に相当する退職手当は、雇用保険法第三十七条第一項に規定する傷病手当の支給の条件に従い支給する。

（就業促進手当等に相当する退職手当）

第十三条　法第十条第十項第四号に掲げる就業促進手当、同項第五号に掲げる移転費及び同項第六号に掲げる求職活動支援費に相当する退職手当は、それぞれ雇用保険法第五十六条の三第一項に規定する就業促進手当、同法第五十八条第一項に規定する移転費及び同法第五十九条第一項に規定する求職活動支援費に相当する金額を同法の当該規定によるこれらの給付の支給の条件に従い支給する。

（法第十条第十三項に規定する政令で定める日数）

第十四条　法第十条第十三項に規定する政令で定める日数は、次の各号に掲げる退職手当ごとに、当該各号に定める日数とする。

一　雇用保険法第五十六条の三第一項第一号イに該当する者に係る就業促進手当に相当する退職手当　当該退職手当の支給を受けた日数に相当する日数

二　雇用保険法第五十六条の三第一項第一号ロに該当する者に係る就業促進手当に相当する退職手当　当該就業促進手当について同条第五項の規定により基本手当を支給したものとみなされる日数に相当する日数

（内閣官房令への委任）

第十五条　法第十条の規定による退職手当の支給を受けるために必要な証明書の様式及び交付の手続その他その支給に関し必要な事項は、内閣官房令で定める。

第四章　退職手当の支給制限等

（懲戒免職等処分を行う権限を有していた機関がない場合における退職手当管理機関）

第十六条　法第十一条第二号ホに規定する政令で定める機関は、次に掲げる職員の区分に応じ、当該各号に定める機関とする。

一　内閣総理大臣　内閣総理大臣

二　法第十一条第二号ホに掲げる職員のうち、当該職員の退職の日において当該職員に対し同号ホに規定する懲戒免職等処分を行う権限を有していた機関がないものであつて、前号に掲げる者以外のもの　当該職員の退職の日において当該職員の占めていた職（当該職が廃止された場合にあつては、当該職に相当する職）の任命権を有する機関

（一般の退職手当等の全部又は一部を支給しないこととする場合に勘案すべき事情）

第十七条　法第十二条第一項に規定する政令で定める事情は、当該退職をした者が占めていた職の職務及び責任、当該退職をした者の勤務の状況、当該退職をした者が行つた非違の内容及び程度、当該非違に至つた経緯、当該非違後における当該退職をした者の言動、当該非違が公務の遂行に及ぼす支障の程度並びに当該非違が公務に対する国民の信頼に及ぼす影響とする。

（一般の退職手当等の額の全部又は一部に相当する額の納付を命ずる場合に勘案すべき事情）

第十八条　法第十七条第六項に規定する政令で定める事情は、当該退職手当の受給者の相続財産の額、当該退職手当の受給者の相続財産の額のうち同条第一項から第五項までの規定による処分を受けるべき者が相続又は遺贈により取得をした又は取得をする見込みである財産の額、当該退職手当の受給者の相続人の生計の状況及び当該一般の退職手当等に係る租税の額とする。

（内閣官房令への委任）

第十九条　法第十二条第二項（法第十三条第十項、第十四条第五項、第十五条第六項、第十六条第二項及び第十七条第七項において準用する場合を含む。）の書面の様式は、内閣官房令で定める。

附　則（抄）

1　この政令は、公布の日から施行し、昭和二十八年八月一日から適用する。

2　法附則第九項ただし書に規定する政令で定める額は、第六条の七各号に規定する俸給の月額とする。

3　当分の間、法第四条第一項第三号並びに第五条第一項第三号、第五号及び第六号に掲げる者（次の表の上欄に掲げる者であつて、退職の日において定められているその者に係る定年がそれぞれ同表の下欄に掲げる年齢を超える者に限る。）（内閣官房令で定める者を除く。）に対する第五条の三及び第五条の四の規定の適用については、第五条の三第二項中「六月」とあるのは「零月」と、同条第四項第三号及び第五項第三号中

「百分の三（退職の日において定められているその者に係る定年と退職の日におけるその者の年齢との差に相当する年数が一年である職員にあつては、百分の二）」とあるのは「百分の三」とする。

法附則第十二項各号及び第十四項各号に掲げる者以外の者（国家公務員法等の一部を改正する法律（令和三年法律第六十一号。以下この表において「令和三年国家公務員法等改正法」という。）第一条の規定による改正前の国家公務員法第八十一条の二第二項本文（裁判所職員臨時措置法において準用する場合を含む。）の適用を受けていた者であつて法附則第十四項第二号に掲げる職員に該当する職員、国会職員法及び国家公務員退職手当法の一部を改正する法律（令和三年法律第六十二号）第一条の規定による改正前の国会職員法（昭和二十二年法律第八十五号）第十五条の二第二項本文の適用を受けていた者であつて法附則第十四項第八号に掲げる国会職員に該当する国会職員及び令和三年国家公務員法等改正法第八条の規定による改正前の自衛隊法（昭和二十九年法律第百六十五号）第四十四条の二第二項本文の適用を受けていた者であつて法附則第十四項第十号に掲げる隊員に該当する隊員を含む。）	六十歳
法附則第十二項各号に掲げる者	法附則第十二項各号に定める年齢
法附則第十四項第一号に掲げる職員、同項第七号に掲げる国会職員及び同項第九号に掲げる隊員	六十五歳
法附則第十四項第十二号に掲げる職員	内閣官房令で定める年齢

4　当分の間、法第四条第一項第三号及び第五条第一項（第一号を除く。）に規定する者に対する第五条の三の規定の適用については、同条第三項中「二十年」とあるのは「十五年」とするほか、前項の表の上欄に掲げる者の区分に応じ、同条第三項中「退職の日において定められているその者に係る定年」とあるのはそれぞれ同表の下欄に掲げる字句とする。

5　当分の間、法第五条第一項第二号及び第四号に掲げる者であつて附則第三項の表の上欄に掲げる者が、それぞれ同表の下欄に掲げる年齢に達する日前に退職したときにおける第五条の三及び第五条の四の規定の適用については、次の表の上欄に掲げる規定中同表の中欄に掲げる字句は、それぞれ同表の下欄に掲げる字句とする。

第五条の三第四項第一号	百分の一	附則第三項の表の上欄に掲げる者の区分ごとにそれぞれ同表の下欄に掲げる年齢と退職の日におけるその者の年齢との差に相当する年数（以下この条において「改正前定年前年数」という。）に百分の一を乗じて得た割合を退職の日において定められているその者に係る定年と退職の日におけるその者の年齢との差に相当する年数（以下この条において「改正後定年前年数」という。）で除して得た割合
第五条の三第四項第二号及び第五項第二号	百分の二	改正前定年前年数に百分の二を乗じて得た割合を改正後定年前年数で除して得た割合
第五条の三第四項第三号及び第五項第三号	百分の二（退職の日において定められているその者に係る定年と退職の日におけるその者の年齢との差に相当する年数が一年である	改正前定年前年数に百分の三を乗じて得た割合を改正後定年前年数で除して得た割合

	職員にあっては、百分の二）	
第五条の三第五項第一号	百分の一	改正前定年前年数に百分の一を乗じて得た割合を改正後定年前年数で除して得た割合

6　当分の間、法第五条第一項第二号及び第四号に掲げる者であって附則第三項の表の上欄に掲げる者が、それぞれ同表の下欄に掲げる年齢に達した日以後に退職したときにおける第五条の三及び第五条の四の規定の適用については、次の表の上欄に掲げる規定中同表の中欄に掲げる字句は、それぞれ同表の下欄に掲げる字句とする。

第五条の三第四項第一号	百分の一	百分の一を退職の日において定められているその者に係る定年と退職の日におけるその者の年齢との差に相当する年数（以下この条において「改正後定年前年数」という。）で除して得た割合
第五条の三第四項第二号及び第五項第二号	百分の二	百分の二を改正後定年前年数で除して得た割合
第五条の三第四項第三号及び第五項第三号	百分の三（退職の日において定められているその者に係る定年と退職の日におけるその者の年齢との差に相当する年数が一年である職員にあっては、百分の二）	百分の二を改正後定年前年数で除して得た割合
第五条の三第五項第一号	百分の一	百分の一を改正後定年前年数で除して得た割合

7　当分の間、教育公務員特例法（昭和二十四年法律第一号）第三十一条第一項に規定する研究施設研究教育職員に対する附則第三項から前項までの規定の適用については、次の表の上欄に掲げる規定中同表の中欄に掲げる字句は、それぞれ同表の下欄に掲げる字句とする。

附則第三項	次の表の上欄に掲げる者であって、退職	退職
	それぞれ同表の下欄に掲げる年齢	改正前定年（教育公務員特例法（昭和二十四年法律第一号）附則第八条の規定により読み替えて適用する法附則第十二項に規定する改正前定年をいう。附則第五項及び第六項において同じ。）
附則第四項	は、同条第三項中「二十年」とあるのは「十五年」とするほか、前項の表の上欄に掲げる者の区分に応じ、	は、
	それぞれ同表の下欄に掲げる字句	「教育公務員特例法（昭和二十四年法律第一号）附則第八条の規定により読み替えて適用する法附則第十二項に規定する改正前定年」と、「二十年」とあるのは「十五年」
附則第五項	であって附則第三項の表の上欄に	が改正前定年

	附則第五項の表第五条の三第四項第一号の項	前項
掲げる者が、それぞれ同表の下欄に掲げる年齢	附則第三項の表の上欄に掲げる者の区分ごとにそれぞれ同表の下欄に掲げる年齢	であつて附則第三項の表の上欄に掲げる者が、それぞれ同表の下欄に掲げる年齢
	教育公務員特例法（昭和二十四年法律第一号）附則第八条の規定により読み替えて適用する法附則第十二項に規定する改正前定年	が改正前定年

附　則（昭三四・六・一政令二〇八）（抄）

1～4　〔略〕

5　国家公務員退職手当法施行令（昭和二十八年政令第二百十五号。以下この項及び次項において「施行令」という。）第一条第一項各号に掲げる者以外の常時勤務に服することを要しない者の同項第二号に規定する勤務した日が引き続いて六月を超えるに至つた場合（附則第三項の規定に該当する場合を除く。）には、当分の間、その者を同号の職員とみなして、施行令の規定を適用する。この場合において、その者に対する国家公務員退職手当法（昭和二十八年法律第百八十二号）第二条の四及び第六条の五の規定による退職手当の額は、同法第二条の四から第六条の五までの規定により計算した退職手当の額の百分の五十に相当する金額とする。

6　前項の規定の適用を受ける者（引き続き同項に規定する者であるものとした場合に、同項の規定の適用を受けることができた者を含む。）に対する施行令第八条の規定の適用については、同条中「十二月」とあるのは、「六月」とする。

7　〔略〕

別表第一（第六条の三関係）

イ　平成八年四月一日から平成十八年三月三十一日までの間の基礎在職期間における職員の区分についての表

第一号区分
一　平成八年四月一日から平成十八年三月三十一日までの間において適用されていた一般職給与法（他の法令において、引用し、準用し、又はその例による場合を含む。以下「平成八年四月以後平成十八年三月以前の一般職給与法」という。）の指定職俸給表の適用を受けていた者で同表九号俸の俸給月額以上の俸給月額を受けていたもの 二　平成八年四月一日から平成十八年三月三十一日までの間において適用されていた裁判官の報酬等に関する法律（昭和二十三年法律第七十五号。以下「平成八年四月以後平成十八年三月以前の裁判官報酬法」という。）別表の適用を受けていた者で同表判事の項二号の報酬月額以上の報酬月額を受けていたもの 三　平成八年四月一日から平成十八年三月三十一日までの間において適用されていた検察官の俸給等に関する法律（昭和二十三年法律第七十六号　以下「平成八年四月以後平成十八年三月以前の検察官俸給法」という。）別表の適用を受けていた者で同表検事の項二号の俸給月額以上の

	俸給月額を受けていたもの 四　平成八年四月一日から平成十八年三月三十一日までの間において適用されていた特別職の職員の給与に関する法律（昭和二十四年法律第二百五十二号。以下「平成八年四月以後平成十八年三月以前の特別職給与法」という。）別表第一の適用を受けていた者で公害等調整委員会の常勤の委員の受ける俸給月額以上の俸給月額を受けていたもの 五　平成八年四月以後平成十八年三月以前の特別職給与法別表第二大使の項の適用を受けていた者で同項二号俸の俸給月額以上の俸給月額を受けていたもの 六　平成八年四月以後平成十八年三月以前の特別職給与法別表第二公使の項の適用を受けていた者で同項二号俸の俸給月額以上の俸給月額を受けていたもの 七　平成八年四月一日から平成十三年一月五日までの間において適用されていた旧防衛庁給与法（防衛庁設置法等の一部を改正する法律（平成十八年法律第百十八号）附則第二十七条の規定による改正前の防衛庁の職員の給与等に関する法律（昭和二十七年法律第二百六十六号）をいう。以下同じ。）の参事官等俸給表の適用を受けていた者で同表の指定職の欄九号俸の俸給月額以上の俸給月額を受けていたもの 八　平成十三年一月六日から平成十八年三月三十一日までの間において適用されていた旧防衛庁給与法（以下「平成十三年一月以後平成十八年三月以前の旧防衛庁給与法」という。）の防衛参事官等俸給表の適用を受けていた者で同表の指定職の欄九号俸の俸給月額以上の俸給月額を受けていたもの 九　平成八年四月一日から平成十八年三月三十一日までの間において適用されていた旧防衛庁給与法（以下「平成八年四月以後平成十八年三月以前の旧防衛庁給与法」という。）の自衛官俸給表の適用を受けていた者で同表の陸将、海将及び空将の欄九号俸の俸給月額以上の俸給月額を受けていたもの 一〇　前各号に掲げる者に準ずるものとして内閣総理大臣の定めるもの
第二号区分	一　平成八年四月以後平成十八年三月以前の一般職給与法の指定職俸給表の適用を受けていた者で同表四号俸から八号俸までの俸給月額を受けていたもの 二　平成八年四月以後平成十八年三月以前の裁判官報酬法別表判事の項の適用を受けていた者で同項三号から五号までの報酬月額を受けていたもの 三　平成八年四月以後平成十八年三月以前の裁判官報酬法別表簡易裁判所判事の項の適用を受けていた者で同項一号又は二号の報酬月額を受けていたもの 四　平成八年四月以後平成十八年三月以前の検察官俸給法別表検事の項の適用を受けていた者で同項三号から五号までの俸給月額を受けていたもの 五　平成八年四月以後平成十八年三月以前の特別職給与法別表第一の適用を受けていた者で公害等調整委員会の常勤の委員の受ける俸給月額に満たない俸給月額を受けていたもの 六　平成八年四月以後平成十八年三月以前の特別職給与法別表第二大使の項の適用を受けていた者で同項一号俸の俸給月額を受けていたもの 七　平成八年四月以後平成十八年三月以前の特別職給与法別表第二公使の項の適用を受けていた者で同項一号俸の俸給月額を受けていたもの 八　平成八年四月一日から平成十三年一月五日までの間において適用されていた旧防衛庁給与法（以下「平成八年四月以後平成十三年一月以前の旧防衛庁給与法」という。）の参事官等俸給表の適用を受けていた者で同表の指定職の欄四号俸から八号俸までの俸給月額を受けていたもの 九　平成十三年一月以後平成十八年三

	月以前の旧防衛庁給与法の防衛参事官等俸給表の適用を受けていた者で同表の指定職の欄四号俸から八号俸までの俸給月額を受けていたもの 一〇　平成八年四月以後平成十八年三月以前の旧防衛庁給与法の自衛官俸給表の適用を受けていた者で同表の陸将、海将及び空将の欄四号俸から八号俸までの俸給月額を受けていたもの又は陸将補、海将補及び空将補の㈠欄四号俸から七号俸までの俸給月額を受けていたもの 一一　平成九年六月四日から平成十八年三月三十一日までの間において適用されていた一般職の任期付研究員の採用、給与及び勤務時間の特例に関する法律（平成九年法律第六十五号。他の法令において引用する場合を含む。以下「平成九年六月以後平成十八年三月以前の任期付研究員法」という。）第六条第一項の俸給表の適用を受けていた者で同表六号俸の俸給月額を受けていたもの 一二　平成十二年十一月二十七日から平成十八年三月三十一日までの間において適用されていた一般職の任期付職員の採用及び給与の特例に関する法律（平成十二年法律第百二十五号。他の法令において、引用し、又は準用する場合を含む。以下「平成十二年十一月以後平成十八年三月以前の任期付職員法」という。）第七条第一項の俸給表の適用を受けていた者で同表七号俸の俸給月額を受けていたもの 一三　前各号に掲げる者に準ずるものとして内閣総理大臣の定めるもの
第三号区分	一　平成八年四月以後平成十八年三月以前の一般職給与法の指定職俸給表の適用を受けていた者で同表一号俸から三号俸までの俸給月額を受けていたもの 二　平成八年四月以後平成十八年三月以前の裁判官報酬法別表判事の項の適用を受けていた者で同項六号から八号までの報酬月額を受けていたもの 三　平成八年四月以後平成十八年三月以前の裁判官報酬法別表簡易裁判所判事の項の適用を受けていた者で同項三号又は四号の報酬月額を受けていたもの 四　平成八年四月以後平成十八年三月以前の検察官俸給法別表検事の項の適用を受けていた者で同項六号から八号までの俸給月額を受けていたもの 五　平成八年四月以後平成十八年三月以前の検察官俸給法別表副検事の項の適用を受けていた者で同項一号の俸給月額を受けていたもの 六　平成八年四月以後平成十三年一月以前の旧防衛庁給与法の参事官等俸給表の適用を受けていた者で同表の指定職の欄一号俸から三号俸までの俸給月額を受けていたもの 七　平成十三年一月以後平成十八年三月以前の旧防衛庁給与法の防衛参事官等俸給表の適用を受けていた者で同表の指定職の欄一号俸から三号俸までの俸給月額を受けていたもの 八　平成八年四月以後平成十八年三月以前の旧防衛庁給与法の自衛官俸給表の適用を受けていた者で同表の陸将、海将及び空将の欄一号俸から三号俸までの俸給月額を受けていたもの、陸将補、海将補及び空将補の㈠欄一号俸から三号俸までの俸給月額を受けていたもの又は陸将補、海将補及び空将補の㈡欄に掲げる俸給月額を受けていたもののうち内閣総理大臣の定めるもの 九　前各号に掲げる者に準ずるものとして内閣総理大臣の定めるもの
第四号区分	一　平成八年四月以後平成十八年三月以前の一般職給与法の行政職俸給表㈠の適用を受けていた者でその属する職務の級が十一級であつたもの 二　平成八年四月以後平成十八年三月以前の一般職給与法の専門行政職俸給表の適用を受けていた者でその属する職務の級が七級であつたもの 三　平成八年四月以後平成十八年三月以前の一般職給与法の税務職俸給表

の適用を受けていた者でその属する職務の級が十一級であつたもの

四　平成八年四月以後平成十八年三月以前の一般職給与法の公安職俸給表㈠の適用を受けていた者でその属する職務の級が十一級であつたもの

五　平成八年四月以後平成十八年三月以前の一般職給与法の公安職俸給表㈡の適用を受けていた者でその属する職務の級が十一級であつたもの

六　平成八年四月以後平成十八年三月以前の一般職給与法の海事職俸給表㈠の適用を受けていた者でその属する職務の級が七級であつたもののうち内閣総理大臣の定めるもの

七　平成八年四月一日から平成十六年十月二十七日までの間において適用されていた一般職給与法（他の法令において、引用し、準用し、又はその例による場合を含む。以下「平成八年四月以後平成十六年十月以前の一般職給与法」という。）の教育職俸給表㈠の適用を受けていた者でその属する職務の級が五級であつたもののうち内閣総理大臣の定めるもの

八　平成十六年十月二十八日から平成十八年三月三十一日までの間において適用されていた一般職給与法（他の法令において、引用し、準用し、又はその例による場合を含む。以下「平成十六年十月以後平成十八年三月以前の一般職給与法」という。）の教育職俸給表㈠の適用を受けていた者でその属する職務の級が四級であつたもののうち内閣総理大臣の定めるもの

九　平成八年四月以後平成十八年三月以前の一般職給与法の研究職俸給表の適用を受けていた者でその属する職務の級が五級であつたもののうち内閣総理大臣の定めるもの

一〇　平成八年四月以後平成十八年三月以前の一般職給与法の医療職俸給表㈠の適用を受けていた者でその属する職務の級が四級であつたもののうち内閣総理大臣の定めるもの

一一　平成八年四月以後平成十八年三月以前の裁判官報酬法別表判事補の項の適用を受けていた者で同項一号又は二号の報酬月額を受けていたもの

一二　平成八年四月以後平成十八年三月以前の裁判官報酬法別表簡易裁判所判事の項の適用を受けていた者で同項五号から七号までの報酬月額を受けていたもの

一三　平成八年四月以後平成十八年三月以前の検察官俸給法別表検事の項の適用を受けていた者で同項九号又は十号の俸給月額を受けていたもの

一四　平成八年四月以後平成十八年三月以前の検察官俸給法別表副検事の項の適用を受けていた者で同項二号から四号までの俸給月額を受けていたもの

一五　平成十四年十二月一日から平成十八年三月三十一日までの間において適用されていた特別職の職員の給与に関する法律（以下「平成十四年十二月以後平成十八年三月以前の特別職給与法」という。）別表第三の適用を受けていた者で同表十号俸又は十一号俸の俸給月額を受けていたもの

一六　平成八年四月以後平成十三年一月以前の旧防衛庁給与法の参事官等俸給表の適用を受けていた者でその属する職務の級が五級であつたもの

一七　平成十三年一月以後平成十八年三月以前の旧防衛庁給与法の防衛参事官等俸給表の適用を受けていた者でその属する職務の級が五級であつたもの

一八　平成八年四月以後平成十八年三月以前の旧防衛庁給与法の自衛官俸給表の適用を受けていた者で同表の陸将補、海将補及び空将補の㈡欄に掲げる俸給月額を受けていたもの（第三号区分の項第八号に掲げる者を除く。）又は一等陸佐、一等海佐及び一等空佐の㈠欄に掲げる俸給月額を受けていたもの

一九　平成九年六月以後平成十八年三月以前の任期付研究員法第六条第一項の俸給表の適用を受けていた者で同表五号俸の俸給月額を受けていた

もの

二〇　平成十二年十一月以後平成十八年三月以前の任期付職員法第七条第一項の俸給表の適用を受けていた者で同表六号俸の俸給月額を受けていたもの

二一　前各号に掲げる者に準ずるものとして内閣総理大臣の定めるもの

第五号区分

一　平成八年四月以後平成十八年三月以前の一般職給与法の行政職俸給表(一)の適用を受けていた者でその属する職務の級が十級であつたもの

二　平成八年四月以後平成十八年三月以前の一般職給与法の専門行政職俸給表の適用を受けていた者でその属する職務の級が六級であつたもの

三　平成八年四月以後平成十八年三月以前の一般職給与法の税務職俸給表の適用を受けていた者でその属する職務の級が十級であつたもの

四　平成八年四月以後平成十八年三月以前の一般職給与法の公安職俸給表(一)の適用を受けていた者でその属する職務の級が十級であつたもの

五　平成八年四月以後平成十八年三月以前の一般職給与法の公安職俸給表(二)の適用を受けていた者でその属する職務の級が十級であつたもの

六　平成八年四月以後平成十八年三月以前の一般職給与法の海事職俸給表(一)の適用を受けていた者でその属する職務の級が七級であつたもの（第四号区分の項第六号に掲げる者を除く。）

七　平成八年四月以後平成十六年十月以前の一般職給与法の教育職俸給表(一)の適用を受けていた者でその属する職務の級が五級であつたもの（第四号区分の項第七号に掲げる者を除く。）のうち内閣総理大臣の定めるもの

八　平成十六年十月以後平成十八年三月以前の一般職給与法の教育職俸給表(一)の適用を受けていた者でその属する職務の級が四級であつたもの（第四号区分の項第八号に掲げる者を除く。）のうち内閣総理大臣の定めるもの

九　平成八年四月以後平成十八年三月以前の一般職給与法の研究職俸給表の適用を受けていた者でその属する職務の級が五級であつたもの（第四号区分の項第九号に掲げる者を除く。）のうち内閣総理大臣の定めるもの

一〇　平成八年四月以後平成十八年三月以前の一般職給与法の医療職俸給表(一)の適用を受けていた者でその属する職務の級が四級であつたもの（第四号区分の項第一〇号に掲げる者を除く。）のうち内閣総理大臣の定めるもの

一一　平成八年四月以後平成十八年三月以前の裁判官報酬法別表判事補の項の適用を受けていた者で同項三号又は四号の報酬月額を受けていたもの

一二　平成八年四月以後平成十八年三月以前の裁判官報酬法別表簡易裁判所判事の項の適用を受けていた者で同項八号又は九号の報酬月額を受けていたもの

一三　平成八年四月以後平成十八年三月以前の検察官俸給法別表検事の項の適用を受けていた者で同項十一号又は十二号の俸給月額を受けていたもの

一四　平成八年四月以後平成十八年三月以前の検察官俸給法別表副検事の項の適用を受けていた者で同項五号又は六号の俸給月額を受けていたもの

一五　平成十四年十二月以後平成十八年三月以前の特別職給与法別表第三の適用を受けていた者で同表九号俸の俸給月額を受けていたもの

一六　平成八年四月以後平成十三年一月以前の旧防衛庁給与法の参事官等俸給表の適用を受けていた者でその属する職務の級が四級であつたもの

一七　平成十三年一月以後平成十八年三月以前の旧防衛庁給与法の防衛参事官等俸給表の適用を受けていた者でその属する職務の級が四級であつたもの

一八　平成八年四月以後平成十八年三月以前の旧防衛庁給与法の自衛官俸給表の適用を受けていた者で同表の一等陸佐、一等海佐及び一等空佐の㈡欄に掲げる俸給月額を受けていたもの

一九　平成十二年十一月以後平成十八年三月以前の任期付職員法第七条第一項の俸給表の適用を受けていた者で同表五号俸の俸給月額を受けていたもの

二〇　前各号に掲げる者に準ずるものとして内閣総理大臣の定めるもの

第六号区分

一　平成八年四月以後平成十八年三月以前の一般職給与法の行政職俸給表㈠の適用を受けていた者でその属する職務の級が九級であつたもの

二　平成八年四月以後平成十八年三月以前の一般職給与法の専門行政職俸給表の適用を受けていた者でその属する職務の級が五級であつたもの

三　平成八年四月以後平成十八年三月以前の一般職給与法の税務職俸給表の適用を受けていた者でその属する職務の級が九級であつたもの

四　平成八年四月以後平成十八年三月以前の一般職給与法の公安職俸給表㈠の適用を受けていた者でその属する職務の級が九級であつたもの

五　平成八年四月以後平成十八年三月以前の一般職給与法の公安職俸給表㈡の適用を受けていた者でその属する職務の級が九級であつたもの

六　平成八年四月以後平成十八年三月以前の一般職給与法の海事職俸給表㈠の適用を受けていた者でその属する職務の級が六級であつたもののうち内閣総理大臣の定めるもの

七　平成八年四月以後平成十六年十月以前の一般職給与法の教育職俸給表㈠の適用を受けていた者でその属する職務の級が五級であつたもの（第四号区分の項第七号及び第五号区分の項第七号に掲げる者を除く。）

八　平成十六年十月以後平成十八年三月以前の一般職給与法の教育職俸給表㈠の適用を受けていた者でその属する職務の級が四級であつたもの（第四号区分の項第八号及び第五号区分の項第八号に掲げる者を除く。）

九　平成八年四月以後平成十八年三月以前の一般職給与法の研究職俸給表の適用を受けていた者でその属する職務の級が五級であつたもの（第四号区分の項第九号及び第五号区分の項第九号に掲げる者を除く。）のうち内閣総理大臣の定めるもの

一〇　平成八年四月以後平成十八年三月以前の一般職給与法の医療職俸給表㈠の適用を受けていた者でその属する職務の級が四級であつたもの（第四号区分の項第一〇号及び第五号区分の項第一〇号に掲げる者を除く。）

一一　平成八年四月以後平成十八年三月以前の一般職給与法の医療職俸給表㈡の適用を受けていた者でその属する職務の級が八級であつたもの

一二　平成八年四月以後平成十八年三月以前の一般職給与法の医療職俸給表㈢の適用を受けていた者でその属する職務の級が七級であつたもの

一三　平成十二年一月一日から平成十八年三月三十一日までの間において適用されていた一般職給与法（他の法令において、準用し、又はその例による場合を含む。以下「平成十二年一月以後平成十八年三月以前の一般職給与法」という。）の福祉職俸給表の適用を受けていた者でその属する職務の級が六級であつたもの

一四　平成八年四月以後平成十八年三月以前の裁判官報酬法別表判事補の項の適用を受けていた者で同項五号又は六号の報酬月額を受けていたもの

一五　平成八年四月以後平成十八年三月以前の裁判官報酬法別表簡易裁判所判事の項の適用を受けていた者で同項十号又は十一号の報酬月額を受けていたもの

一六　平成八年四月以後平成十八年三月以前の検察官俸給法別表検事の項の適用を受けていた者で同項十三号又は十四号の俸給月額を受けていた

もの

一七　平成八年四月以後平成十八年三月以前の検察官俸給法別表副検事の項の適用を受けていた者で同項七号又は八号の俸給月額を受けていたもの

一八　平成八年四月以後平成十八年三月以前の特別職給与法別表第三の適用を受けていた者で同表五号俸から八号俸までの俸給月額を受けていたもの

一九　平成八年四月以後平成十三年一月以前の旧防衛庁給与法の参事官等俸給表の適用を受けていた者でその属する職務の級が三級であつたもの

二〇　平成十三年一月以後平成十八年三月以前の旧防衛庁給与法の防衛参事官等俸給表の適用を受けていた者でその属する職務の級が三級であつたもの

二一　平成八年四月以後平成十八年三月以前の旧防衛庁給与法の自衛官俸給表の適用を受けていた者で同表の一等陸佐、一等海佐及び一等空佐の㈢欄に掲げる俸給月額を受けていたもの

二二　平成九年六月以後平成十八年三月以前の任期付研究員法第六条第一項の俸給表の適用を受けていた者で同表四号俸の俸給月額を受けていたもの

二三　平成十二年十一月以後平成十八年三月以前の任期付職員法第七条第一項の俸給表の適用を受けていた者で同表四号俸の俸給月額を受けていたもの

二四　前各号に掲げる者に準ずるものとして内閣総理大臣の定めるもの

第七号区分

一　平成八年四月以後平成十八年三月以前の一般職給与法の行政職俸給表㈠の適用を受けていた者でその属する職務の級が八級であつたもの

二　平成八年四月以後平成十八年三月以前の一般職給与法の専門行政職俸給表の適用を受けていた者でその属する職務の級が四級であつたもの

三　平成八年四月以後平成十八年三月以前の一般職給与法の税務職俸給表の適用を受けていた者でその属する職務の級が八級であつたもの

四　平成八年四月以後平成十八年三月以前の一般職給与法の公安職俸給表㈠の適用を受けていた者でその属する職務の級が八級であつたもの

五　平成八年四月以後平成十八年三月以前の一般職給与法の公安職俸給表㈡の適用を受けていた者でその属する職務の級が八級であつたもの

六　平成八年四月以後平成十八年三月以前の一般職給与法の海事職俸給表㈠の適用を受けていた者でその属する職務の級が六級であつたもの（第六号区分の項第六号に掲げる者を除く。）

七　平成八年四月以後平成十六年十月以前の一般職給与法の教育職俸給表㈠の適用を受けていた者でその属する職務の級が四級であつたもののうち内閣総理大臣の定めるもの

八　平成十六年十月以後平成十八年三月以前の一般職給与法の教育職俸給表㈠の適用を受けていた者でその属する職務の級が三級であつたもののうち内閣総理大臣の定めるもの

九　平成八年四月以後平成十八年三月以前の一般職給与法の研究職俸給表の適用を受けていた者でその属する職務の級が五級であつたもの（第四号区分の項第九号、第五号区分の項第九号及び第六号区分の項第九号に掲げる者を除く。）

一〇　平成八年四月以後平成十八年三月以前の一般職給与法の医療職俸給表㈠の適用を受けていた者でその属する職務の級が三級であつたもの

一一　平成八年四月以後平成十八年三月以前の一般職給与法の医療職俸給表㈡の適用を受けていた者でその属する職務の級が六級又は七級であつたもの

一二　平成八年四月以後平成十八年三月以前の一般職給与法の医療職俸給表㈢の適用を受けていた者でその属する職務の級が六級であつたもの

一三　平成十二年一月以後平成十八年

三月以前の一般職給与法の福祉職俸給表の適用を受けていた者でその属する職務の級が五級であつたもの
一四　平成八年四月以後平成十八年三月以前の裁判官報酬法別表判事補の項の適用を受けていた者で同項七号又は八号の報酬月額を受けていたもの
一五　平成八年四月以後平成十八年三月以前の裁判官報酬法別表簡易裁判所判事の項の適用を受けていた者で同項十二号又は十三号の報酬月額を受けていたもの
一六　平成八年四月以後平成十八年三月以前の検察官俸給法別表検事の項の適用を受けていた者で同項十五号又は十六号の俸給月額を受けていたもの
一七　平成八年四月以後平成十八年三月以前の検察官俸給法別表副検事の項の適用を受けていた者で同項九号又は十号の俸給月額を受けていたもの
一八　平成八年四月以後平成十八年三月以前の特別職給与法別表第三の適用を受けていた者で同表三号俸又は四号俸の俸給月額を受けていたもの
一九　平成八年四月以後平成十三年一月以前の旧防衛庁給与法の参事官等俸給表の適用を受けていた者でその属する職務の級が二級であつたもの
二〇　平成十三年一月以後平成十八年三月以前の旧防衛庁給与法の防衛参事官等俸給表の適用を受けていた者でその属する職務の級が二級であつたもの
二一　平成八年四月以後平成十八年三月以前の旧防衛庁給与法の自衛官俸給表の適用を受けていた者でその属する階級が二等陸佐、二等海佐又は二等空佐であつたもの
二二　平成九年六月以後平成十八年三月以前の任期付研究員法第六条第一項の俸給表の適用を受けていた者で同表三号俸の俸給月額を受けていたもの
二三　平成十二年十一月以後平成十八年三月以前の任期付職員法第七条第一項の俸給表の適用を受けていた者で同表三号俸の俸給月額を受けていたもの
二四　前各号に掲げる者に準ずるものとして内閣総理大臣の定めるもの

第八号区分

一　平成八年四月以後平成十八年三月以前の一般職給与法の行政職俸給表㈠の適用を受けていた者でその属する職務の級が七級であつたもの
二　平成八年四月以後平成十八年三月以前の一般職給与法の行政職俸給表㈡の適用を受けていた者でその属する職務の級が六級であつたもののうち内閣総理大臣の定めるもの
三　平成八年四月以後平成十八年三月以前の一般職給与法の専門行政職俸給表の適用を受けていた者でその属する職務の級が三級であつたもののうち内閣総理大臣の定めるもの
四　平成八年四月以後平成十八年三月以前の一般職給与法の税務職俸給表の適用を受けていた者でその属する職務の級が七級であつたもの
五　平成八年四月以後平成十八年三月以前の一般職給与法の公安職俸給表㈠の適用を受けていた者でその属する職務の級が七級であつたもの
六　平成八年四月以後平成十八年三月以前の一般職給与法の公安職俸給表㈡の適用を受けていた者でその属する職務の級が七級であつたもの
七　平成八年四月以後平成十八年三月以前の一般職給与法の海事職俸給表㈠の適用を受けていた者でその属する職務の級が五級であつたもの
八　平成八年四月以後平成十八年三月以前の一般職給与法の海事職俸給表㈡の適用を受けていた者でその属する職務の級が六級であつたもののうち内閣総理大臣の定めるもの
九　平成八年四月以後平成十六年十月以前の一般職給与法の教育職俸給表㈠の適用を受けていた者でその属する職務の級が四級であつたもの（第七号区分の項第七号に掲げる者を除く。）
一〇　平成十六年十月以後平成十八年

三月以前の一般職給与法の教育職俸給表㈠の適用を受けていた者でその属する職務の級が三級であつたもの（第七号区分の項第八号に掲げる者を除く。）

一一 平成八年四月以後平成十六年十月以前の一般職給与法の教育職俸給表㈣の適用を受けていた者でその属する職務の級が三級であつたもののうち内閣総理大臣の定めるもの

一二 平成十六年十月以後平成十八年三月以前の一般職給与法の教育職俸給表㈡の適用を受けていた者でその属する職務の級が三級であつたもののうち内閣総理大臣の定めるもの

一三 平成八年四月以後平成十八年三月以前の一般職給与法の研究職俸給表の適用を受けていた者でその属する職務の級が四級であつたもの

一四 平成八年四月以後平成十八年三月以前の一般職給与法の医療職俸給表㈠の適用を受けていた者でその属する職務の級が二級であつたもののうち内閣総理大臣の定めるもの

一五 平成八年四月以後平成十八年三月以前の一般職給与法の医療職俸給表㈡の適用を受けていた者でその属する職務の級が五級であつたもののうち内閣総理大臣の定めるもの

一六 平成八年四月以後平成十八年三月以前の一般職給与法の医療職俸給表㈢の適用を受けていた者でその属する職務の級が五級であつたもの

一七 平成十二年一月以後平成十八年三月以前の一般職給与法の福祉職俸給表の適用を受けていた者でその属する職務の級が四級であつたもののうち内閣総理大臣の定めるもの

一八 平成八年四月以後平成十八年三月以前の裁判官報酬法別表判事補の項の適用を受けていた者で同項九号の報酬月額を受けていたもの

一九 平成八年四月以後平成十八年三月以前の裁判官報酬法別表簡易裁判所判事の項の適用を受けていた者で同項十四号の報酬月額を受けていたもの

二〇 平成八年四月以後平成十八年三月以前の検察官俸給法別表検事の項の適用を受けていた者で同項十七号の俸給月額を受けていたもの

二一 平成八年四月以後平成十八年三月以前の検察官俸給法別表副検事の項の適用を受けていた者で同項十一号の俸給月額を受けていたもの

二二 平成八年四月以後平成十三年一月以前の旧防衛庁給与法の参事官等俸給表の適用を受けていた者でその属する職務の級が一級であつたもののうち内閣総理大臣の定めるもの

二三 平成十三年一月以後平成十八年三月以前の旧防衛庁給与法の防衛参事官等俸給表の適用を受けていた者でその属する職務の級が一級であつたもののうち内閣総理大臣の定めるもの

二四 平成十六年十月二十八日から平成十八年三月三十一日までの間において適用されていた旧防衛庁給与法（以下「平成十六年十月以後平成十八年三月以前の旧防衛庁給与法」という。）の自衛隊教官俸給表の適用を受けていた者でその属する職務の級が二級であつたもの

二五 平成八年四月以後平成十八年三月以前の旧防衛庁給与法の自衛官俸給表の適用を受けていた者でその属する階級が三等陸佐、三等海佐又は三等空佐であつたもの

二六 平成九年六月以後平成十八年三月以前の任期付研究員法第六条第一項の俸給表の適用を受けていた者で同表一号俸の俸給月額を受けていたもの

二七 平成十二年十一月以後平成十八年三月以前の任期付職員法第七条第一項の俸給表の適用を受けていた者で同表一号俸又は二号俸の俸給月額を受けていたもの

二八 前各号に掲げる者に準ずるものとして内閣総理大臣の定めるもの

第九号区分

一 平成八年四月以後平成十八年三月以前の一般職給与法の行政職俸給表㈠の適用を受けていた者でその属する職務の級が六級であつたもの

二　平成八年四月以後平成十八年三月以前の一般職給与法の行政職俸給表㈡の適用を受けていた者でその属する職務の級が六級であつたもの（第八号区分の項第二に掲げる者を除く。）

三　平成八年四月以後平成十八年三月以前の一般職給与法の専門行政職俸給表の適用を受けていた者でその属する職務の級が三級であつたもの（第八号区分の項第三号に掲げる者を除く。）

四　平成八年四月以後平成十八年三月以前の一般職給与法の税務職俸給表の適用を受けていた者でその属する職務の級が六級であつたもの

五　平成八年四月以後平成十八年三月以前の一般職給与法の公安職俸給表㈠の適用を受けていた者でその属する職務の級が四級若しくは五級であつたもののうち内閣総理大臣の定めるもの又は六級であつたもの

六　平成八年四月以後平成十八年三月以前の一般職給与法の公安職俸給表㈡の適用を受けていた者でその属する職務の級が六級であつたもの

七　平成八年四月以後平成十八年三月以前の一般職給与法の海事職俸給表㈠の適用を受けていた者でその属する職務の級が四級であつたもの

八　平成八年四月以後平成十八年三月以前の一般職給与法の海事職俸給表㈡の適用を受けていた者でその属する職務の級が六級であつたもの（第八号区分の項第八号に掲げる者を除く。）

九　平成八年四月以後平成十六年十月以前の一般職給与法の教育職俸給表㈠の適用を受けていた者でその属する職務の級が三級であつたもの

一〇　平成十六年十月以後平成十八年三月以前の一般職給与法の教育職俸給表㈠の適用を受けていた者でその属する職務の級が二級であつたもの

一一　平成八年四月以後平成十六年十月以前の一般職給与法の教育職俸給表㈣の適用を受けていた者でその属する職務の級が三級であつたもの（第八号区分の項第一一号に掲げる者を除く。）

一二　平成十六年十月以後平成十八年三月以前の一般職給与法の教育職俸給表㈡の適用を受けていた者でその属する職務の級が三級であつたもの（第八号区分の項第一二号に掲げる者を除く。）

一三　平成八年四月以後平成十八年三月以前の一般職給与法の研究職俸給表の適用を受けていた者でその属する職務の級が六級であつたもの

一四　平成八年四月以後平成十八年三月以前の一般職給与法の医療職俸給表㈠の適用を受けていた者でその属する職務の級が二級であつたもの（第八号区分の項第一四号に掲げる者を除く。）

一五　平成八年四月以後平成十八年三月以前の医療職俸給表㈡の適用を受けていた者でその属する職務の級が五級であつたもの（第八号区分の項第一五号に掲げる者を除く。）

一六　平成八年四月以後平成十八年三月以前の一般職給与法の医療職俸給表㈢の適用を受けていた者でその属する職務の級が四級であつたもの

一七　平成十二年一月以後平成十八年三月以前の一般職給与法の福祉職俸給表の適用を受けていた者でその属する職務の級が四級であつたもの（第八号区分の項第一七号に掲げる者を除く。）

一八　平成八年四月以後平成十八年三月以前の裁判官報酬法別表判事補の項の適用を受けていた者で同項十号の報酬月額を受けていたもの

一九　平成八年四月以後平成十八年三月以前の裁判官報酬法別表簡易裁判所判事の項の適用を受けていた者で同項十五号の報酬月額を受けていたもの

二〇　平成八年四月以後平成十八年三月以前の検察官俸給法別表検事の項の適用を受けていた者で同項十八号の俸給月額を受けていたもの

二一　平成八年四月以後平成十八年三月以前の検察官俸給法別表副検事の

項の適用を受けていた者で同項十二号の俸給月額を受けていたもの

二二　平成八年四月以後平成十八年三月以前の特別職給与法別表第三の適用を受けていた者で同表二号俸の俸給月額を受けていたもの

二三　平成八年四月以後平成十三年一月以前の旧防衛庁給与法の参事官等俸給表の適用を受けていた者でその属する職務の級が一級であつたもの（第八号区分の項第二二号に掲げる者を除く。）のうち内閣総理大臣の定めるもの

二四　平成十三年一月以後平成十八年三月以前の旧防衛庁給与法の防衛参事官等俸給表の適用を受けていた者でその属する職務の級が一級であつたもの（第八号区分の項第二三号に掲げる者を除く。）のうち内閣総理大臣の定めるもの

二五　平成十六年十月以後平成十八年三月以前の旧防衛庁給与法の自衛隊教官俸給表の適用を受けていた者でその属する職務の級が一級であつたもののうち内閣総理大臣の定めるもの

二六　平成八年四月以後平成十八年三月以前の旧防衛庁給与法の自衛官俸給表の適用を受けていた者でその属する階級が一等陸尉、一等海尉又は一等空尉であつたもの

二七　平成九年六月以後平成十八年三月以前の任期付研究員法第六条第一項の俸給表の適用を受けていた者で同表一号俸の俸給月額を受けていたもの

二八　前各号に掲げる者に準ずるものとして内閣総理大臣の定めるもの

第十号区分

一　平成八年四月以後平成十八年三月以前の一般職給与法の行政職俸給表㈠の適用を受けていた者でその属する職務の級が四級又は五級であつたもの

二　平成八年四月以後平成十八年三月以前の一般職給与法の行政職俸給表㈡の適用を受けていた者でその属する職務の級が三級であつたもののうち内閣総理大臣の定めるもの又は四級若しくは五級であつたもの

三　平成八年四月以後平成十八年三月以前の一般職給与法の専門行政職俸給表の適用を受けていた者でその属する職務の級が二級であつたもの

四　平成八年四月以後平成十八年三月以前の一般職給与法の税務職俸給表の適用を受けていた者でその属する職務の級が四級又は五級であつたもの

五　平成八年四月以後平成十八年三月以前の一般職給与法の公安職俸給表㈠の適用を受けていた者でその属する職務の級が三級であつたもののうち内閣総理大臣の定めるもの又は四級若しくは五級であつたもの（第九号区分の項第五号に掲げる者を除く。）

六　平成八年四月以後平成十八年三月以前の一般職給与法の公安職俸給表㈡の適用を受けていた者でその属する職務の級が四級又は五級であつたもの

七　平成八年四月以後平成十八年三月以前の一般職給与法の海事職俸給表㈠の適用を受けていた者でその属する職務の級が三級であつたもの

八　平成八年四月以後平成十八年三月以前の一般職給与法の海事職俸給表㈡の適用を受けていた者でその属する職務の級が四級又は五級であつたもの

九　平成八年四月以後平成十六年十月以前の一般職給与法の教育職俸給表㈠の適用を受けていた者でその属する職務の級が二級であつたもののうち内閣総理大臣の定めるもの

一〇　平成十六年十月以後平成十八年三月以前の一般職給与法の教育職俸給表㈠の適用を受けていた者でその属する職務の級が一級であつたもののうち内閣総理大臣の定めるもの

一一　平成八年四月以後平成十六年十月以前の一般職給与法の教育職俸給表㈣の適用を受けていた者でその属する職務の級が二級であつたもののうち内閣総理大臣の定めるもの

一二　平成十六年十月以後平成十八年三月以前の一般職給与法の教育職俸給表(二)の適用を受けていた者でその属する職務の級が二級であつたもののうち内閣総理大臣の定めるもの

一三　平成八年四月以後平成十八年三月以前の一般職給与法の研究職俸給表の適用を受けていた者でその属する職務の級が二級であつたもののうち内閣総理大臣の定めるもの

一四　平成八年四月以後平成十八年三月以前の一般職給与法の医療職俸給表(一)の適用を受けていた者でその属する職務の級が一級であつたもののうち内閣総理大臣の定めるもの

一五　平成八年四月以後平成十八年三月以前の一般職給与法の医療職俸給表(二)の適用を受けていた者でその属する職務の級が二級であつたもののうち内閣総理大臣の定めるもの又は三級若しくは四級であつたもの

一六　平成八年四月以後平成十八年三月以前の一般職給与法の医療職俸給表(三)の適用を受けていた者でその属する職務の級が二級であつたもののうち内閣総理大臣の定めるもの又は三級であつたもの

一七　平成十二年一月以後平成十八年三月以前の一般職給与法の福祉職俸給表の適用を受けていた者でその属する職務の級が二級又は三級であつたもの

一八　平成八年四月以後平成十八年三月以前の裁判官報酬法別表判事補の項の適用を受けていた者で同項十一号又は十二号の報酬月額を受けていたもの

一九　平成八年四月以後平成十八年三月以前の裁判官報酬法別表簡易裁判所判事の項の適用を受けていた者で同項十六号又は十七号の報酬月額を受けていたもの

二〇　平成八年四月以後平成十八年三月以前の検察官俸給法別表検事の項の適用を受けていた者で同項十九号又は二十号の俸給月額を受けていたもの

二一　平成八年四月以後平成十八年三月以前の検察官俸給法別表副検事の項の適用を受けていた者で同項十三号から十五号までの俸給月額を受けていたもの

二二　平成八年四月以後平成十八年三月以前の特別職給与法別表第三の適用を受けていた者で同表一号俸の俸給月額を受けていたもの

二三　平成八年四月以後平成十三年一月以前の旧防衛庁給与法の参事官等俸給表の適用を受けていた者でその属する職務の級が一級であつたもの（第八号区分の項第二二号及び第九号区分の項第二三号に掲げる者を除く。）

二四　平成十三年一月以後平成十八年三月以前の旧防衛庁給与法の防衛参事官等俸給表の適用を受けていた者でその属する職務の級が一級であつたもの（第八号区分の項第二三号及び第九号区分の項第二四号に掲げる者を除く。）

二五　平成十六年十月以後平成十八年三月以前の旧防衛庁給与法の自衛隊教官俸給表の適用を受けていた者でその属する職務の級が一級であつたもの（第九号区分の項第二五号に掲げる者を除く。）のうち内閣総理大臣の定めるもの

二六　平成八年四月以後平成十八年三月以前の旧防衛庁給与法の自衛官俸給表の適用を受けていた者でその属する階級が二等陸尉、二等海尉若しくは二等空尉、三等陸尉、三等海尉若しくは三等空尉、准陸尉、准海尉若しくは准空尉、陸曹長、海曹長若しくは空曹長又は一等陸曹、一等海曹若しくは一等空曹であつたもの

二七　平成九年六月以後平成十八年三月以前の任期付研究員法第六条第二項の俸給表の適用を受けていた者

二八　前各号に掲げる者に準ずるものとして内閣総理大臣の定めるもの

第十一号区分	
第一号区分から第十号区分までのいずれの職員の区分にも属しないこととなる者	

備考　内閣総理大臣は、第一号区分の項第一〇号、第二号区分の項第一三号、第三号区分の項第九号、第四号区分の項第二一号、第五号区分の項第二〇号、第六号区分の項第二一号、第七号区分の項第二四号、第八号区分の項第二八号、第九号区分の項第二八号及び第十号区分の項第二八号の規定による内閣総理大臣の定めをしようとするときは、農林水産大臣又は行政執行法人の意見を聴くものとする。

ロ　平成十八年四月一日以後の基礎在職期間における職員の区分についての表

第一号区分	一　平成十八年四月一日以後適用されている一般職給与法（他の法令において、引用し、準用し、又はその例による場合を含む。以下「平成十八年四月以後の一般職給与法」という。）の指定職俸給表の適用を受けていた者で同表六号俸の俸給月額以上の俸給月額を受けていたもの 二　平成十八年四月一日以後適用されている裁判官の報酬等に関する法律（以下「平成十八年四月以後の裁判官報酬法」という。）別表の適用を受けていた者で同表判事の項二号の報酬月額以上の報酬月額を受けていたもの 三　平成十八年四月一日以後適用されている検察官の俸給等に関する法律（以下「平成十八年四月以後の検察官俸給法」という。）別表の適用を受けていた者で同表検事の項二号の俸給月額以上の俸給月額を受けていたもの 四　平成十八年四月一日以後適用されている特別職の職員の給与に関する法律（以下「平成十八年四月以後の特別職給与法」という。）別表第一の適用を受けていた者で公害等調整委員会の常勤の委員の受ける俸給月額以上の俸給月額を受けていたもの 五　平成十八年四月以後の特別職給与法別表第二大使の項の適用を受けていた者で同項二号俸の俸給月額以上の俸給月額を受けていたもの 六　平成十八年四月以後の特別職給与法別表第二公使の項の適用を受けていた者で同項二号俸の俸給月額以上の俸給月額を受けていたもの 七　平成十八年四月一日から同年七月三十日までの間において適用されていた旧防衛庁給与法（以下「平成十八年四月以後同年七月以前の旧防衛庁給与法」という。）の防衛参事官等俸給表の適用を受けていた者で同表の指定職の欄六号俸の俸給月額以上の俸給月額を受けていたもの 八　平成十八年四月一日から平成十九年一月八日までの間において適用されていた旧防衛庁給与法（以下「平成十八年四月以後平成十九年一月以前の旧防衛庁給与法」という。）の自衛官俸給表の適用を受けていた者で同表の陸将、海将及び空将の欄六号俸の俸給月額以上の俸給月額を受けていたもの 八の二　平成十九年一月九日以後適用されている防衛省の職員の給与等に関する法律（昭和二十七年法律第二百六十六号。以下「平成十九年一月以後の防衛省給与法」という。）の自衛官俸給表の適用を受けていた者で同表の陸将、海将及び空将の欄六号俸の俸給月額以上の俸給月額を受けていたもの 九　前各号に掲げる者に準ずるものとして内閣総理大臣の定めるもの
第二号区分	一　平成十八年四月以後の一般職給与法の指定職俸給表の適用を受けていた者で同表一号俸から五号俸までの俸給月額を受けていたもの 二　平成十八年四月以後の裁判官報酬法別表判事の項の適用を受けていた者で同項三号から五号までの報酬月額を受けていたもの 三　平成十八年四月以後の裁判官報酬法別表簡易裁判所判事の項の適用を受けていた者で同項一号又は二号の報酬月額を受けていたもの 四　平成十八年四月以後の検察官俸給法別表検事の項の適用を受けていた者で同項三号から五号までの俸給月額を受けていたもの 五　平成十八年四月以後の特別職給与

法別表第一の適用を受けていた者で公害等調整委員会の常勤の委員の受ける俸給月額に満たない俸給月額を受けていたもの

六　平成十八年四月以後の特別職給与法別表第二大使の項の適用を受けていた者で同項一号俸の俸給月額を受けていたもの

七　平成十八年四月以後の特別職給与法別表第二公使の項の適用を受けていた者で同項一号俸の俸給月額を受けていたもの

八　平成十八年四月以後同年七月以前の旧防衛庁給与法の防衛参事官等俸給表の適用を受けていた者で同表の指定職の欄一号俸から五号俸までの俸給月額を受けていたもの

九　平成十八年四月以後平成十九年一月以前の旧防衛庁給与法の自衛官俸給表の適用を受けていた者で同表の陸将、海将及び空将の欄一号俸から五号俸までの俸給月額を受けていたもの又は陸将補、海将補及び空将補の㈠欄に掲げる俸給月額を受けていたもの

九の二　平成十九年一月以後の防衛省給与法の自衛官俸給表の適用を受けていた者で同表の陸将、海将及び空将の欄一号俸から五号俸までの俸給月額を受けていたもの又は陸将補、海将補及び空将補の㈠欄に掲げる俸給月額を受けていたもの

一〇　平成十八年四月一日以後適用されている一般職の任期付研究員の採用、給与及び勤務時間の特例に関する法律（他の法令において引用する場合を含む。以下「平成十八年四月以後の任期付研究員法」という。）第六条第一項の俸給表の適用を受けていた者で同表六号俸の俸給月額を受けていたもの

一一　平成十八年四月一日以後適用されている一般職の任期付職員の採用及び給与の特例に関する法律（他の法令において、引用し、又は準用する場合を含む。以下「平成十八年四月以後の任期付職員法」という。）第七条第一項の俸給表の適用を受けていた者で同表七号俸の俸給月額を受けていたもの

一二　前各号に掲げる者に準ずるものとして内閣総理大臣の定めるもの

第三号区分

一　平成十八年四月以後の一般職給与法の行政職俸給表㈠の適用を受けていた者でその属する職務の級が十級であつたもの

二　平成十八年四月以後の一般職給与法の専門行政職俸給表の適用を受けていた者でその属する職務の級が八級であつたもの

三　平成十八年四月以後の一般職給与法の税務職俸給表の適用を受けていた者でその属する職務の級が十級であつたもの

四　平成十八年四月以後の一般職給与法の公安職俸給表㈠の適用を受けていた者でその属する職務の級が十一級であつたもの

五　平成十八年四月以後の一般職給与法の公安職俸給表㈡の適用を受けていた者でその属する職務の級が十級であつたもの

六　平成十八年四月以後の一般職給与法の教育職俸給表㈠の適用を受けていた者でその属する職務の級が五級であつたもの

七　平成十八年四月以後の一般職給与法の研究職俸給表の適用を受けていた者でその属する職務の級が六級であつたもの

八　平成十八年四月以後の一般職給与法の医療職俸給表㈠の適用を受けていた者でその属する職務の級が五級であつたもの

八の二　平成二十九年四月一日以後適用されている一般職給与法（他の法令において、引用し、準用し、又はその例による場合を含む。）の専門スタッフ職俸給表の適用を受けていた者でその属する職務の級が四級であつたもの

九　平成十八年四月以後の裁判官報酬法別表判事の項の適用を受けていた

者で同項六号から八号までの報酬月額を受けていたもの

一〇 平成十八年四月以後の裁判官報酬法別表簡易裁判所判事の項の適用を受けていた者で同項三号又は四号の報酬月額を受けていたもの

一一 平成十八年四月以後の検察官俸給法別表検事の項の適用を受けていた者で同項六号から八号までの俸給月額を受けていたもの

一二 平成十八年四月以後の検察官俸給法別表副検事の項の適用を受けていた者で同項一号又は二号の俸給月額を受けていたもの

一三 平成十八年四月以後の特別職給与法別表第三の適用を受けていた者で同表十二号俸の俸給月額を受けていたもの

一四 平成十八年四月以後同年七月以前の旧防衛庁給与法の防衛参事官等俸給表の適用を受けていた者でその属する職務の級が六級であつたもの

一五 平成十八年四月以後平成十九年一月以前の旧防衛庁給与法の自衛官俸給表の適用を受けていた者で同表の陸将補、海将補及び空将補の㈡欄に掲げる俸給月額を受けていたもののうち内閣総理大臣の定めるもの

一五の二 平成十九年一月以後の防衛省給与法の自衛官俸給表の適用を受けていた者で同表の陸将補、海将補及び空将補の㈡欄に掲げる俸給月額を受けていたもののうち内閣総理大臣の定めるもの

一六 前各号に掲げる者に準ずるものとして内閣総理大臣の定めるもの

第四号区分

一 平成十八年四月以後の一般職給与法の行政職俸給表㈠の適用を受けていた者でその属する職務の級が九級であつたもの

二 平成十八年四月以後の一般職給与法の専門行政職俸給表の適用を受けていた者でその属する職務の級が七級であつたもの

三 平成十八年四月以後の一般職給与法の税務職俸給表の適用を受けていた者でその属する職務の級が九級であつたもの

四 平成十八年四月以後の一般職給与法の公安職俸給表㈠の適用を受けていた者でその属する職務の級が十級であつたもの

五 平成十八年四月以後の一般職給与法の公安職俸給表㈡の適用を受けていた者でその属する職務の級が九級であつたもの

六 平成十八年四月以後の一般職給与法の海事職俸給表㈠の適用を受けていた者でその属する職務の級が七級であつたもののうち内閣総理大臣の定めるもの

七 平成十八年四月以後の一般職給与法の教育職俸給表㈠の適用を受けていた者でその属する職務の級が四級であつたもののうち内閣総理大臣の定めるもの

八 平成十八年四月以後の一般職給与法の研究職俸給表の適用を受けていた者でその属する職務の級が五級であつたもののうち内閣総理大臣の定めるもの

九 平成十八年四月以後の一般職給与法の医療職俸給表㈠の適用を受けていた者でその属する職務の級が四級であつたもののうち内閣総理大臣の定めるもの

九の二 平成二十年四月一日以後適用されている一般職給与法（他の法令において、引用し、準用し、又はその例による場合を含む。以下「平成二十年四月以後の一般職給与法」という。）の専門スタッフ職俸給表の適用を受けていた者でその属する職務の級が三級であつたもの

一〇 平成十八年四月以後の裁判官報酬法別表判事補の項の適用を受けていた者で同項一号又は二号の報酬月額を受けていたもの

一一 平成十八年四月以後の裁判官報酬法別表簡易裁判所判事の項の適用を受けていた者で同項五号から七号までの報酬月額を受けていたもの

一二 平成十八年四月以後の検察官俸

給法別表検事の項の適用を受けていた者で同項九号又は十号の俸給月額を受けていたもの
一三　平成十八年四月以後の検察官俸給法別表副検事の項の適用を受けていた者で同項三号から五号までの俸給月額を受けていたもの
一四　平成十八年四月以後の特別職給与法別表第三の適用を受けていた者で同表十号俸又は十一号俸の俸給月額を受けていたもの
一五　平成十八年四月以後同年七月以前の旧防衛庁給与法の防衛参事官等俸給表の適用を受けていた者でその属する職務の級が五級であつたもの
一六　平成十八年四月以後平成十九年一月以前の旧防衛庁給与法の自衛官俸給表の適用を受けていた者で同表の陸将補、海将補及び空将補の㈡欄に掲げる俸給月額を受けていたもの（第三号区分の項第一五号に掲げる者を除く。）又は一等陸佐、一等海佐及び一等空佐の㈠欄に掲げる俸給月額を受けていたもの
一六の二　平成十九年一月以後の防衛省給与法の自衛官俸給表の適用を受けていた者で同表の陸将補、海将補及び空将補の㈡欄に掲げる俸給月額を受けていたもの（第三号区分の項第一五号の二に掲げる者を除く。）又は一等陸佐、一等海佐及び一等空佐の㈠欄に掲げる俸給月額を受けていたもの
一七　平成十八年四月以後の任期付研究員法第六条第一項の俸給表の適用を受けていた者で同表五号俸の俸給月額を受けていたもの
一八　平成十八年四月以後の任期付職員法第七条第一項の俸給表の適用を受けていた者で同表六号俸の俸給月額を受けていたもの
一九　前各号に掲げる者に準ずるものとして内閣総理大臣の定めるもの

第五号区分

一　平成十八年四月以後の一般職給与法の行政職俸給表㈠の適用を受けていた者でその属する職務の級が八級であつたもの
二　平成十八年四月以後の一般職給与法の専門行政職俸給表の適用を受けていた者でその属する職務の級が六級であつたもの
三　平成十八年四月以後の一般職給与法の税務職俸給表の適用を受けていた者でその属する職務の級が八級であつたもの
四　平成十八年四月以後の一般職給与法の公安職俸給表㈠の適用を受けていた者でその属する職務の級が九級であつたもの
五　平成十八年四月以後の一般職給与法の公安職俸給表㈡の適用を受けていた者でその属する職務の級が八級であつたもの
六　平成十八年四月以後の一般職給与法の海事職俸給表㈠の適用を受けていた者でその属する職務の級が七級であつたもの（第四号区分の項第六号に掲げる者を除く。）
七　平成十八年四月以後の一般職給与法の教育職俸給表㈠の適用を受けていた者でその属する職務の級が四級であつたもの（第四号区分の項第七号に掲げる者を除く。）のうち内閣総理大臣の定めるもの
八　平成十八年四月以後の一般職給与法の研究職俸給表の適用を受けていた者でその属する職務の級が五級であつたもの（第四号区分の項第八号に掲げる者を除く。）のうち内閣総理大臣の定めるもの
九　平成十八年四月以後の一般職給与法の医療職俸給表㈠の適用を受けていた者でその属する職務の級が四級であつたもの（第四号区分の項第九号に掲げる者を除く。）のうち内閣総理大臣の定めるもの
九の二　平成二十年四月以後の一般職給与法の専門スタッフ職俸給表の適用を受けていた者でその属する職務の級が二級であつたもの
一〇　平成十八年四月以後の裁判官報酬法別表判事補の項の適用を受けていた者で同項三号又は四号の報酬月

額を受けていたもの
一一 平成十八年四月以後の裁判官報酬法別表簡易裁判所判事の項の適用を受けていた者で同項八号又は九号の報酬月額を受けていたもの
一二 平成十八年四月以後の検察官俸給法別表検事の項の適用を受けていた者で同項十一号又は十二号の俸給月額を受けていたもの
一三 平成十八年四月以後の検察官俸給法別表副検事の項の適用を受けていた者で同項六号又は七号の俸給月額を受けていたもの
一四 平成十八年四月以後の特別職給与法別表第三の適用を受けていた者で同表九号俸の俸給月額を受けていたもの
一五 平成十八年四月以後同年七月以前の旧防衛庁給与法の防衛参事官等俸給表の適用を受けていた者でその属する職務の級が四級であつたもの
一六 平成十八年四月以後平成十九年一月以前の旧防衛庁給与法の自衛官俸給表の適用を受けていた者で同表の一等陸佐、一等海佐及び一等空佐の㈡欄に掲げる俸給月額を受けていたもの
一六の二 平成十九年一月以後の防衛省給与法の自衛官俸給表の適用を受けていた者で同表の一等陸佐、一等海佐及び一等空佐の㈡欄に掲げる俸給月額を受けていたもの
一七 平成十八年四月以後の任期付職員法第七条第一項の俸給表の適用を受けていた者で同表五号俸の俸給月額を受けていたもの
一八 前各号に掲げる者に準ずるものとして内閣総理大臣の定めるもの

第六号区分

一 平成十八年四月以後の一般職給与法の行政職俸給表㈠の適用を受けていた者でその属する職務の級が七級であつたもの
二 平成十八年四月以後の一般職給与法の専門行政職俸給表の適用を受けていた者でその属する職務の級が五級であつたもの
三 平成十八年四月以後の一般職給与法の税務職俸給表の適用を受けていた者でその属する職務の級が七級であつたもの
四 平成十八年四月以後の一般職給与法の公安職俸給表㈠の適用を受けていた者でその属する職務の級が八級であつたもの
五 平成十八年四月以後の一般職給与法の公安職俸給表㈡の適用を受けていた者でその属する職務の級が七級であつたもの
六 平成十八年四月以後の一般職給与法の海事職俸給表㈠の適用を受けていた者でその属する職務の級が六級であつたもののうち内閣総理大臣の定めるもの
七 平成十八年四月以後の一般職給与法の教育職俸給表㈠の適用を受けていた者でその属する職務の級が四級であつたもの（第四号区分の項第七号及び第五号区分の項第七号に掲げる者を除く。）
八 平成十八年四月以後の一般職給与法の研究職俸給表の適用を受けていた者でその属する職務の級が五級であつたもの（第四号区分の項第八号及び第五号区分の項第八号に掲げる者を除く。）のうち内閣総理大臣の定めるもの
九 平成十八年四月以後の一般職給与法の医療職俸給表㈠の適用を受けていた者でその属する職務の級が四級であつたもの（第四号区分の項第九号及び第五号区分の項第九号に掲げる者を除く。）
一〇 平成十八年四月以後の一般職給与法の医療職俸給表㈡の適用を受けていた者でその属する職務の級が八級であつたもの
一一 平成十八年四月以後の一般職給与法の医療職俸給表㈢の適用を受けていた者でその属する職務の級が七級であつたもの
一二 平成十八年四月以後の一般職給与法の福祉職俸給表の適用を受けていた者でその属する職務の級が六級

であつたもの
一三　平成十八年四月以後の裁判官報酬法別表判事補の項の適用を受けていた者で同項五号又は六号の報酬月額を受けていたもの
一四　平成十八年四月以後の裁判官報酬法別表簡易裁判所判事の項の適用を受けていた者で同項十号又は十一号の報酬月額を受けていたもの
一五　平成十八年四月以後の検察官俸給法別表検事の項の適用を受けていた者で同項十三号又は十四号の俸給月額を受けていたもの
一六　平成十八年四月以後の検察官俸給法別表副検事の項の適用を受けていた者で同項八号又は九号の俸給月額を受けていたもの
一七　平成十八年四月以後の特別職給与法別表第三の適用を受けていた者で同表五号俸から八号俸までの俸給月額を受けていたもの
一八　平成十八年四月以後同年七月以前の旧防衛庁給与法の防衛参事官等俸給表の適用を受けていた者でその属する職務の級が三級であつたもの
一九　平成十八年四月以後平成十九年一月以前の旧防衛庁給与法の自衛官俸給表の適用を受けていた者で同表の一等陸佐、一等海佐及び一等空佐の㈢欄に掲げる俸給月額を受けていたもの
一九の二　平成十九年一月以後の防衛省給与法の自衛官俸給表の適用を受けていた者で同表の一等陸佐、一等海佐及び一等空佐の㈢欄に掲げる俸給月額を受けていたもの
二〇　平成十八年四月以後の任期付研究員法第六条第一項の俸給表の適用を受けていた者で同表四号俸の俸給月額を受けていたもの
二一　平成十八年四月以後の任期付職員法第七条第一項の俸給表の適用を受けていた者で同表四号俸の俸給月額を受けていたもの
二二　前各号に掲げる者に準ずるものとして内閣総理大臣の定めるもの

第七号区分

一　平成十八年四月以後の一般職給与法の行政職俸給表㈠の適用を受けていた者でその属する職務の級が六級であつたもの
二　平成十八年四月以後の一般職給与法の専門行政職俸給表の適用を受けていた者でその属する職務の級が四級であつたもの
三　平成十八年四月以後の一般職給与法の税務職俸給表の適用を受けていた者でその属する職務の級が六級であつたもの
四　平成十八年四月以後の一般職給与法の公安職俸給表㈠の適用を受けていた者でその属する職務の級が七級であつたもの
五　平成十八年四月以後の一般職給与法の公安職俸給表㈡の適用を受けていた者でその属する職務の級が六級であつたもの
六　平成十八年四月以後の一般職給与法の海事職俸給表㈠の適用を受けていた者でその属する職務の級が六級であつたもの（第六号区分の項第六号に掲げる者を除く。）
七　平成十八年四月以後の一般職給与法の教育職俸給表㈠の適用を受けていた者でその属する職務の級が三級であつたもののうち内閣総理大臣の定めるもの
八　平成十八年四月以後の一般職給与法の研究職俸給表の適用を受けていた者でその属する職務の級が五級であつたもの（第四号区分の項第八号、第五号区分の項第八号及び第六号区分の項第八号に掲げる者を除く。）
九　平成十八年四月以後の一般職給与法の医療職俸給表㈠の適用を受けていた者でその属する職務の級が三級であつたもの
一〇　平成十八年四月以後の一般職給与法の医療職俸給表㈡の適用を受けていた者でその属する職務の級が六級又は七級であつたもの
一一　平成十八年四月以後の一般職給与法の医療職俸給表㈢の適用を受け

ていた者でその属する職務の級が六級であつたもの

二二 平成十八年四月以後の一般職給与法の福祉職俸給表の適用を受けていた者でその属する職務の級が五級であつたもの

二二の二 平成二十年四月以後の一般職給与法の専門スタッフ職俸給表の適用を受けていた者でその属する職務の級が一級であつたもの

二三 平成十八年四月以後の裁判官報酬法別表判事補の項の適用を受けていた者で同項七号又は八号の報酬月額を受けていたもの

二四 平成十八年四月以後の裁判官報酬法別表簡易裁判所判事の項の適用を受けていた者で同項十二号又は十三号の報酬月額を受けていたもの

二五 平成十八年四月以後の検察官俸給法別表検事の項の適用を受けていた者で同項十五号又は十六号の俸給月額を受けていたもの

二六 平成十八年四月以後の検察官俸給法別表副検事の項の適用を受けていた者で同項十号又は十一号の俸給月額を受けていたもの

二七 平成十八年四月以後の特別職給与法別表第三の適用を受けていた者で同表三号俸又は四号俸の俸給月額を受けていたもの

二八 平成十八年四月以後同年七月以前の旧防衛庁給与法の防衛参事官等俸給表の適用を受けていた者でその属する職務の級が二級であつたもの

一九 平成十八年四月以後平成十九年一月以前の旧防衛庁給与法の自衛官俸給表の適用を受けていた者でその属する階級が二等陸佐、二等海佐又は二等空佐であつたもの

一九の二 平成十九年一月以後の防衛省給与法の自衛官俸給表の適用を受けていた者でその属する階級が二等陸佐、二等海佐又は二等空佐であつたもの

二〇 平成十八年四月以後の任期付研究員法第六条第一項の俸給表の適用を受けていた者で同表三号俸の俸給月額を受けていたもの

二一 平成十八年四月以後の任期付職員法第七条第一項の俸給表の適用を受けていた者で同表三号俸の俸給月額を受けていたもの

二二 前各号に掲げる者に準ずるものとして内閣総理大臣の定めるもの

第八号区分

一 平成十八年四月以後の一般職給与法の行政職俸給表㈠の適用を受けていた者でその属する職務の級が五級であつたもの

二 平成十八年四月以後の一般職給与法の行政職俸給表㈡の適用を受けていた者でその属する職務の級が五級であつたもののうち内閣総理大臣の定めるもの

三 平成十八年四月以後の一般職給与法の専門行政職俸給表の適用を受けていた者でその属する職務の級が三級であつたもののうち内閣総理大臣の定めるもの

四 平成十八年四月以後の一般職給与法の税務職俸給表の適用を受けていた者でその属する職務の級が五級であつたもの

五 平成十八年四月以後の一般職給与法の公安職俸給表㈠の適用を受けていた者でその属する職務の級が六級であつたもの

六 平成十八年四月以後の一般職給与法の公安職俸給表㈡の適用を受けていた者でその属する職務の級が五級であつたもの

七 平成十八年四月以後の一般職給与法の海事職俸給表㈠の適用を受けていた者でその属する職務の級が五級であつたもの

八 平成十八年四月以後の一般職給与法の海事職俸給表㈡の適用を受けていた者でその属する職務の級が六級であつたもののうち内閣総理大臣の定めるもの

九 平成十八年四月以後の一般職給与法の教育職俸給表㈠の適用を受けていた者でその属する職務の級が三級であつたもの（第七号区分の項第七

	号に掲げる者を除く。） 一〇　平成十八年四月以後の一般職給与法の教育職俸給表(二)の適用を受けていた者でその属する職務の級が三級であつたもののうち内閣総理大臣の定めるもの 一一　平成十八年四月以後の一般職給与法の研究職俸給表の適用を受けていた者でその属する職務の級が四級であつたもの 一二　平成十八年四月以後の一般職給与法の医療職俸給表(一)の適用を受けていた者でその属する職務の級が二級であつたもののうち内閣総理大臣の定めるもの 一三　平成十八年四月以後の一般職給与法の医療職俸給表(二)の適用を受けていた者でその属する職務の級が五級であつたもののうち内閣総理大臣の定めるもの 一四　平成十八年四月以後の一般職給与法の医療職俸給表(三)の適用を受けていた者でその属する職務の級が五級であつたもの 一五　平成十八年四月以後の一般職給与法の福祉職俸給表の適用を受けていた者でその属する職務の級が四級であつたもののうち内閣総理大臣の定めるもの 一六　平成十八年四月以後の裁判官報酬法別表判事補の項の適用を受けて
	いた者で同項九号の報酬月額を受けていたもの 一七　平成十八年四月以後の裁判官報酬法別表簡易裁判所判事の項の適用を受けていた者で同項十四号の報酬月額を受けていたもの 一八　平成十八年四月以後の検察官俸給法別表検事の項の適用を受けていた者で同項十七号の俸給月額を受けていたもの 一九　平成十八年四月以後の検察官俸給法別表副検事の項の適用を受けていた者で同項十二号の俸給月額を受けていたもの 二〇　平成十八年四月以後同年七月以前の旧防衛庁給与法の防衛参事官等俸給表の適用を受けていた者でその属する職務の級が一級であつたもののうち内閣総理大臣の定めるもの 二一　平成十八年四月以後平成十九年一月以前の旧防衛庁給与法の自衛隊教官俸給表の適用を受けていた者でその属する職務の級が二級であつたもの 二一の二　平成十九年一月以後の防衛省給与法の自衛隊教官俸給表の適用を受けていた者でその属する職務の級が二級であつたもの 二二　平成十八年四月以後平成十九年一月以前の旧防衛庁給与法の自衛官俸給表の適用を受けていた者でその
	属する階級が三等陸佐、三等海佐又は三等空佐であつたもの 二二の二　平成十九年一月以後の防衛省給与法の自衛官俸給表の適用を受けていた者でその属する階級が三等陸佐、三等海佐又は三等空佐であつたもの 二三　平成十八年四月以後の任期付研究員法第六条第一項の俸給表の適用を受けていた者で同表二号俸の俸給月額を受けていたもの 二四　平成十八年四月以後の任期付職員法第七条第一項の俸給表の適用を受けていた者で同表一号俸又は二号俸の俸給月額を受けていたもの 二五　前各号に掲げる者に準ずるものとして内閣総理大臣の定めるもの
第九号区分	一　平成十八年四月以後の一般職給与法の行政職俸給表(一)の適用を受けていた者でその属する職務の級が四級であつたもの 二　平成十八年四月以後の一般職給与法の行政職俸給表(二)の適用を受けていた者でその属する職務の級が五級であつたもの（第八号区分の項第二号に掲げる者を除く。） 三　平成十八年四月以後の一般職給与法の専門行政職俸給表の適用を受けていた者でその属する職務の級が三級であつたもの（第八号区分の項第三号に掲げる者を除く。）

四 平成十八年四月以後の一般職給与法の税務職俸給表の適用を受けていた者でその属する職務の級が四級であつたもの
五 平成十八年四月以後の一般職給与法の公安職俸給表(一)の適用を受けていた者でその属する職務の級が四級であつたもののうち内閣総理大臣の定めるもの又は五級であつたもの
六 平成十八年四月以後の一般職給与法の公安職俸給表(二)の適用を受けていた者でその属する職務の級が四級であつたもの
七 平成十八年四月以後の一般職給与法の海事職俸給表(一)の適用を受けていた者でその属する職務の級が四級であつたもの
八 平成十八年四月以後の一般職給与法の海事職俸給表(二)の適用を受けていた者でその属する職務の級が六級であつたもの（第八号区分の項第八号に掲げる者を除く。）
九 平成十八年四月以後の一般職給与法の教育職俸給表(一)の適用を受けていた者でその属する職務の級が二級であつたもの
一〇 平成十八年四月以後の一般職給与法の教育職俸給表(二)の適用を受けていた者でその属する職務の級が三級であつたもの（第八号区分の項第一〇号に掲げる者を除く。）

一一 平成十八年四月以後の一般職給与法の研究職俸給表の適用を受けていた者でその属する職務の級が三級であつたもの
一二 平成十八年四月以後の一般職給与法の医療職俸給表(一)の適用を受けていた者でその属する職務の級が二級であつたもの（第八号区分の項第一二号に掲げる者を除く。）
一三 平成十八年四月以後の一般職給与法の医療職俸給表(二)の適用を受けていた者でその属する職務の級が五級であつたもの（第八号区分の項第一三号に掲げる者を除く。）
一四 平成十八年四月以後の一般職給与法の医療職俸給表(三)の適用を受けていた者でその属する職務の級が四級であつたもの
一五 平成十八年四月以後の一般職給与法の福祉職俸給表の適用を受けていた者でその属する職務の級が四級であつたもの（第八号区分の項第一五号に掲げる者を除く。）
一六 平成十八年四月以後の裁判官報酬法別表判事補の項の適用を受けていた者で同項十号の報酬月額を受けていたもの
一七 平成十八年四月以後の裁判官報酬法別表簡易裁判所判事の項の適用を受けていた者で同項十五号の報酬月額を受けていたもの

一八 平成十八年四月以後の検察官俸給法別表検事の項の適用を受けていた者で同項十八号の俸給月額を受けていたもの
一九 平成十八年四月以後の検察官俸給法別表副検事の項の適用を受けていた者で同項十三号の俸給月額を受けていたもの
二〇 平成十八年四月以後の特別職給与法別表第三の適用を受けていた者で同表二号俸の俸給月額を受けていたもの
二一 平成十八年四月以後同年七月以前の旧防衛庁給与法の防衛参事官等俸給表の適用を受けていた者でその属する職務の級が一級であつたもの（第八号区分の項第二〇号に掲げる者を除く。）のうち内閣総理大臣の定めるもの
二二 平成十八年四月以後平成十九年一月以前の旧防衛庁給与法の自衛隊教官俸給表の適用を受けていた者でその属する職務の級が一級であつたもののうち内閣総理大臣の定めるもの
二二の二 平成十九年一月以後の防衛省給与法の自衛隊教官俸給表の適用を受けていた者でその属する職務の級が一級であつたもののうち内閣総理大臣の定めるもの
二三 平成十八年四月以後平成十九年

一月以前の旧防衛庁給与法の自衛官俸給表の適用を受けていた者でその属する階級が一等陸尉、一等海尉又は一等空尉であつたもの
二三の二　平成十九年一月以後の防衛省給与法の自衛官俸給表の適用を受けていた者でその属する階級が一等陸尉、一等海尉又は一等空尉であつたもの
二四　平成十八年四月以後の任期付研究員法第六条第一項の俸給表の適用を受けていた者で同表一号俸の俸給月額を受けていたもの
二五　前各号に掲げる者に準ずるものとして内閣総理大臣の定めるもの

第十号区分

一　平成十八年四月以後の一般職給与法の行政職俸給表(一)の適用を受けていた者でその属する職務の級が三級であつたもの
二　平成十八年四月以後の一般職給与法の行政職俸給表(二)の適用を受けていた者でその属する職務の級が三級であつたもののうち内閣総理大臣の定めるもの又は四級であつたもの
三　平成十八年四月以後の一般職給与法の専門行政職俸給表の適用を受けていた者でその属する職務の級が二級であつたもの
四　平成十八年四月以後の一般職給与法の税務職俸給表の適用を受けていた者でその属する職務の級が三級であつたもの
五　平成十八年四月以後の一般職給与法の公安職俸給表(一)の適用を受けていた者でその属する職務の級が三級であつたもののうち内閣総理大臣の定めるもの又は四級であつたもの（第九号区分の項第五号に掲げる者を除く。）
六　平成十八年四月以後の一般職給与法の公安職俸給表(二)の適用を受けていた者でその属する職務の級が三級であつたもの
七　平成十八年四月以後の一般職給与法の海事職俸給表(一)の適用を受けていた者でその属する職務の級が三級であつたもの
八　平成十八年四月以後の一般職給与法の海事職俸給表(二)の適用を受けていた者でその属する職務の級が四級又は五級であつたもの
九　平成十八年四月以後の一般職給与法の教育職俸給表(一)の適用を受けていた者でその属する職務の級が一級であつたもののうち内閣総理大臣の定めるもの
一〇　平成十八年四月以後の一般職給与法の教育職俸給表(二)の適用を受けていた者でその属する職務の級が二級であつたもののうち内閣総理大臣の定めるもの
一一　平成十八年四月以後の一般職給与法の研究職俸給表の適用を受けていた者でその属する職務の級が二級であつたもののうち内閣総理大臣の定めるもの
一二　平成十八年四月以後の一般職給与法の医療職俸給表(一)の適用を受けていた者でその属する職務の級が一級であつたもののうち内閣総理大臣の定めるもの
一三　平成十八年四月以後の一般職給与法の医療職俸給表(二)の適用を受けていた者でその属する職務の級が二級であつたもののうち内閣総理大臣の定めるもの又は三級若しくは四級であつたもの
一四　平成十八年四月以後の一般職給与法の医療職俸給表(三)の適用を受けていた者でその属する職務の級が二級であつたもののうち内閣総理大臣の定めるもの又は三級であつたもの
一五　平成十八年四月以後の一般職給与法の福祉職俸給表の適用を受けていた者でその属する職務の級が二級又は三級であつたもの
一六　平成十八年四月以後の裁判官報酬法別表判事補の項の適用を受けていた者で同項十一号又は十二号の報酬月額を受けていたもの
一七　平成十八年四月以後の裁判官報酬法別表簡易裁判所判事の項の適用を受けていた者で同項十六号又は十

	七号の報酬月額を受けていたもの 一八　平成十八年四月以後の検察官俸給法別表検事の項の適用を受けていた者で同項十九号又は二十号の俸給月額を受けていたもの 一九　平成十八年四月以後の検察官俸給法別表副検事の項の適用を受けていた者で同項十四号から十六号までの俸給月額を受けていたもの 二〇　平成十八年四月以後の特別職給与法別表第三の適用を受けていた者で同表一号俸の俸給月額を受けていたもの 二一　平成十八年四月以後同年七月以前の旧防衛庁給与法の防衛参事官等俸給表の適用を受けていた者でその属する職務の級が一級であったもの（第八号区分の項第二〇号及び第九号区分の項第二一号に掲げる者を除く。） 二二　平成十八年四月以後平成十九年一月以前の旧防衛庁給与法の自衛隊教官俸給表の適用を受けていた者でその属する職務の級が一級であったもの（第九号区分の項第二二号に掲げる者を除く。）のうち内閣総理大臣の定めるもの 二二の二　平成十九年一月以後の防衛省給与法の自衛隊教官俸給表の適用を受けていた者でその属する職務の級が一級であったもの（第九号区分の項第二二号の二に掲げる者を除く。）のうち内閣総理大臣の定めるもの 二三　平成十八年四月以後平成十九年一月以前の旧防衛庁給与法の自衛官俸給表の適用を受けていた者でその属する階級が二等陸尉、二等海尉若しくは二等空尉、三等陸尉、三等海尉若しくは三等空尉、准陸尉、准海尉若しくは准空尉、陸曹長、海曹長若しくは空曹長又は一等陸曹、一等海曹若しくは一等空曹であったもの 二三の二　平成十九年一月以後の防衛省給与法の自衛官俸給表の適用を受けていた者でその属する階級が二等陸尉、二等海尉若しくは二等空尉、三等陸尉、三等海尉若しくは三等空尉、准陸尉、准海尉若しくは准空尉、陸曹長、海曹長若しくは空曹長又は一等陸曹、一等海曹若しくは一等空曹であったもの 二四　平成十八年四月以後の任期付研究員法第六条第二項の俸給表の適用を受けていた者 二五　前各号に掲げる者に準ずるものとして内閣総理大臣の定めるもの
第十一号区分	第一号区分から第十号区分までのいずれの職員の区分にも属しないこととなる者

備考

一　内閣総理大臣は、第一号区分の項第九号、第二号区分の項第一二号、第三号区分の項第一六号、第四号区分の項第一九号、第五号区分の項第一八号、第六号区分の項第二二号、第七号区分の項第二二号、第八号区分の項第二五号、第九号区分の項第二五号及び第十号区分の項第二五号の規定による内閣総理大臣の定めをしようとするときは、農林水産大臣又は行政執行法人の意見を聴くものとする。

二　平成十八年四月以後平成十九年一月以前の旧防衛庁給与法の自衛官俸給表又は平成十九年一月以後の防衛省給与法の自衛官俸給表の適用を受けていた者で退職の日に昇任したもの（公務上死亡した者又は公務上の傷病によりその職に堪えないで退職した者を除く。）は、その昇任前の階級に属していたものとみなす。

別表第二〔略〕

○退職手当審査会令

平二六・五・二九
政令一九四

改正　令五・八・一四政令二六一

（組織）

第一条　退職手当審査会（以下「審査会」という。）は、委員十人以内で組織する。

2　審査会に、特別の事項を調査審議させるため必要があるときは、臨時委員を置くことができる。

（委員等の任命）

第二条　委員及び臨時委員は、学識経験のある者のうちから、内閣総理大臣が任命する。

（委員の任期等）

第三条　委員の任期は、二年とする。ただし、補欠の委員の任期は、前任者の残任期間とする。

2　委員は、再任されることができる。

3　臨時委員は、その者の任命に係る当該特別の事項に関する調査審議が終了したときは、解任されるものとする。

4　委員及び臨時委員は、非常勤とする。

（会長）

第四条　審査会に会長を置き、委員の互選により選任する。

2　会長は、会務を総理し、審査会を代表する。

3　会長に事故があるときは、あらかじめその指名する委員が、その職務を代理する。

（議事）

第五条　審査会は、委員及び議事に関係のある臨時委員の過半数が出席しなければ、会議を開き、議決することができない。

2　審査会の議事は、委員及び議事に関係のある臨時委員で会議に出席したものの過半数で決し、可否同数のときは、会長の決するところによる。

（庶務）

第六条　審査会の庶務は、内閣府大臣官房企画調整課において、内閣官房組織令（昭和三十二年政令第二百十九号）第八条第一項の規定により内閣官房に置かれる内閣参事官のうち同令第九条第四項の規定により命を受けて審査会の庶務への協力に関する事務をつかさどるもの（同令第五条の二第一項の規定により内閣官房内閣人事局に置かれる人事政策統括官が同条第二項の規定により命を受けて審査会の庶務への協力に関する事務をつかさどる場合にあっては、当該人事政策統括官）の協力を得て処理する。

（審査会の運営）

第七条　この政令に定めるもののほか、議事の手続その他審査会の運営に関し必要な事項は、会長が審査会に諮って定める。

附　則

（施行期日）

1　この政令は、国家公務員法等の一部を改正する法律（平成二十六年法律第二十二号）の施行の日（平成二十六年五月三十日）から施行する。

（審査会の委員に関する経過措置）

2　この政令の施行の日の前日において退職手当・恩給審査会の委員（退職手当分科会に属する者に限る。）である者は、この政令の施行の日に、第二条の規定により審査会の委員として任命されたものとみなす。この場合において、その任命されたものとみなされる者の任期は、第三条第一項の規定にかかわらず、国家公務員法等の一部を改正する法律の施行に伴う関係政令の整備等に関する政令（平成二十六年政令第百九十五号）附則第三条第一項の規定の適用がないものとした場合における同日における従前の退職手当・恩給審査会の委員としての任期の残任期間と同一の期間とする。

附　則（令五・八・一四政令二六一）（抄）

（施行期日）

第一条　この政令は、新型インフルエンザ等対策特別措置法及び内閣法の一部を改正する法律の施行の日（令和五年九月一日）から施行する。

第五編

人事評価

○人事評価の基準、方法等に関する政令

平二一・三・六
政令三一

最終改正 令四・三・三〇政令一二八

第一章 総則

（人事評価実施規程）

第一条 人事評価は、国家公務員法（以下「法」という。）第三章第四節の規定及びこの政令の規定並びにこれらの規定に基づき所轄庁の長が定めた人事評価の実施に関する規程（以下「人事評価実施規程」という。）に基づいて実施するものとする。

2 所轄庁の長は、人事評価実施規程を定めようとするときは、あらかじめ、内閣総理大臣と協議しなければならない。

3 前項の規定は、人事評価実施規程の変更について準用する。ただし、内閣官房令で定める軽微な変更については、内閣総理大臣に報告することをもって足りる。

（人事評価の実施権者）

第二条 人事評価は、所轄庁の長又はその指定した部内の上級の職員（以下「実施権者」と総称する。）が実施するものとする。

（人事評価の実施の除外）

第三条 人事評価は、次に掲げる職員については、実施しないことができる。

一 非常勤職員（法第六十条の二第一項に規定する短時間勤務の官職を占める職員を除く。）

二 法第六十条の規定により臨時的に任用された職員であって人事評価の結果を給与等へ反映する余地がないもの

三 検察庁法（昭和二十二年法律第六十一号）第十五条第一項に規定する職員

（人事評価の方法）

第四条 人事評価は、能力評価（職員がその職務を遂行するに当たり発揮した能力を把握した上で行われる勤務成績の評価をいう。以下同じ。）及び業績評価（職員がその職務を遂行するに当たり挙げた業績を把握した上で行われる勤務成績の評価をいう。以下同じ。）によるものとする。

2 法第五十九条の条件付採用又は条件付昇任を正式のものとするか否かについての判断のために行う人事評価は、前項の規定にかかわらず、能力評価のみによるものとする。

3 能力評価は、当該能力評価に係る評価期間において現実に職員が職務遂行の中でとった行動を、標準職務遂行能力の類型を示す項目として人事評価実施規程に定める項目（以下「評価項目」という。）ごとに、各評価項目に係る能力が具現されるべき行動として人事評価実施規程に定める行動に照らして、当該職員が発揮した能力の程度を評価することにより行うものとする。

4 業績評価は、当該業績評価に係る評価期間において職員が果たすべき役割について、業務に関する目標を定めることその他の方法により当該職員に対してあらかじめ示した上で、当該役割を果たした程度を評価することにより行うものとする。

第二章 定期評価

第一節 通則

（定期評価の実施）

第五条 前条第一項の規定による人事評価は、十月一日から翌年九月三十日までの期間を単位とし、毎年実施するものとする。

2 前項の規定により実施する人事評価は、定期評価という。

3 定期評価における能力評価は、十月一日から翌年九月三十日までの期間を評価期間とし、次条、第七条及び次節の規定により行うものとする。

4 定期評価における業績評価は、十月一日から翌年三月三十一日までの期間及び四月一日から九月三十日までの期間をそれぞれ評価期間とし、それぞれについて次条、第七条及び第三節の規定により行うものとする。

（定期評価における評語の付与等）

第六条 定期評価における能力評価に当たっては評価項目ごとに、定期評価における業績評価に当たっては第四条第四項に規定する役割（目標を定めることにより示されたものに限る。）ごとに、それぞれ評価の結果を表示する記号（以下「個別評語」という。）を付すほか、当該能力評価又は当該業績評価の結果をそれぞれ総括的に表示する記号（以下この章において「全体評語」という。）を付すものとする。

2 個別評語及び全体評語は、次の各号に掲げる職員の区分に応じ、当該各号に定める数の段階とする。ただし、内閣総理大臣は、第三号に掲げる職員の能力評価

に係る評価項目のうち、個別評語を同号に定める数の段階とする必要がないと認めるものについては、当該数を下回る範囲内の数で個別評語の段階を別に定めることができる。

一　第十九条第一号に掲げる職員のうち、事務次官及びこれに準ずる職にある職員　二

二　第十九条第一号に掲げる職員のうち、前号に掲げる職員以外の職員　三

三　前二号に掲げる職員以外の職員　六

3　個別評語及び全体評語を付す場合において、能力評価にあっては第四条第三項の発揮した能力の程度が当該能力評価に係る職員に求められる能力の発揮の程度に達していると、業績評価にあっては同条第四項の役割を果たした程度が当該業績評価に係る職員に求められる当該役割を果たした程度に達していると認めるときは、次の各号に掲げる職員の区分に応じ、前項に定める段階のうち当該各号に定めるものを付すものとする。ただし、同項ただし書の規定により個別評語の段階を定めた場合には、当該個別評語については、内閣総理大臣が別に定める段階を付すものとする。

一　前項第一号に掲げる職員　上位の段階

二　前項第二号に掲げる職員　上位又は中位の段階

三　前項第三号に掲げる職員　最下位の段階より二段階以上上位の段階

4　定期評価における能力評価及び業績評価に当たっては、個別評語及び全体評語を付した理由その他参考となるべき事項を記載するように努めるものとする。

（定期評価における評価者等の指定）

第七条　実施権者は、定期評価における能力評価及び業績評価を受ける職員（以下「被評価者」という。）の監督者の中から次節及び第三節（第九条第二項及び第三項並びに第十条（第十四条において準用する場合を含む。）を除く。）に定める手続を行う者を評価者として指定するものとする。

2　実施権者は、評価者の監督者の中から第九条第二項（第十四条において準用する場合を含む。）に定める手続を行う者を調整者として指定するものとする。ただし、任命権者が評価者である場合その他合理的な理由がある場合には、調整者を指定しないことができる。

3　実施権者は、評価者又は調整者を補助する者（以下「補助者」という。）を指定することができる。

第二節　能力評価の手続

（被評価者による自己申告）

第八条　評価者は、定期評価における能力評価を行うに際し、その参考とするため、被評価者に対し、あらかじめ、当該能力評価に係る評価期間において当該被評価者の発揮した能力に関する被評価者の自らの認識その他評価者による評価の参考となるべき事項について申告を行わせるものとする。

（評価、調整及び確認）

第九条　評価者は、被評価者について、個別評語及び評価者としての全体評語を付すことにより評価（次項及び第三項に規定する再評価を含む。）を行うものとする。

2　調整者は、評価者による評価について、不均衡があるかどうかという観点から審査を行い、調整者としての全体評語を付すことにより調整（次項に規定する再調整を含む。）を行うものとする。この場合において、調整者は、当該全体評語を付す前に、評価者に再評価を行わせることができる。

3　実施権者は、調整者による調整（第七条第二項ただし書の規定により調整者を指定しない場合においては、評価者による評価）について審査を行い、適当でないと認める場合には調整者に再調整を（同項ただし書の規定により調整者を指定しない場合においては、評価者に再評価を）行わせた上で、人事評価実施規程に定める方法により、定期評価における能力評価が適当である旨の確認を行うものとする。

（評価結果の開示）

第十条　実施権者は、前条第三項の確認を行った後に、被評価者の定期評価における能力評価の結果を、内閣官房令で定めるところにより、当該被評価者に開示するものとする。

（評価者による指導及び助言）

第十一条　評価者は、前条の開示が行われた後に、被評価者と面談（映像及び音声の送受信により相手の状態を相互に認識しながらする通話（次項において「特定通話」という。）を含む。同項及び次条において同じ。）を行い、定期評価における能力評価の結果及びその根拠となる事実に基づき指導及び助言を行うものとする。

2　評価者は、被評価者が遠隔の地に勤務し、かつ、特定通話を行うために必要な電気通信回線を利用することができないことその他の事情により前項の面談によることが困難な場合には、電話その他の通信手段による交信（特定通話に該当するものを除く。）を行うことにより、同項の面談に代えることができる。

第三節　業績評価の手続

（果たすべき役割の確定）

第十二条　評価者は、定期評価における業績評価の評価

期間の開始に際し、被評価者と面談を行い、業務に関する目標を定めることその他の方法により当該被評価者が当該評価期間において果たすべき役割を確定するものとする。

2　前条第二項の規定は、前項の面談について準用する。

（被評価者による自己申告）

第十三条　評価者は、定期評価における業績評価を行うに際し、その参考とするため、被評価者に対し、あらかじめ、当該業績評価に係る評価期間において当該被評価者の挙げた業績に関する被評価者の自らの認識その他評価者による評価の参考となるべき事項について申告を行わせるものとする。

（能力評価の手続に関する規定の準用）

第十四条　第九条から第十一条までの規定は、定期評価における業績評価の手続について準用する。

第三章　特別評価

（特別評価の実施）

第十五条　第四条第二項の規定による人事評価は、条件付任用期間（条件付採用期間及び条件付昇任期間をいう。以下同じ。）中の職員に対して実施するものとする。

2　前項の規定により実施する人事評価は、特別評価という。

3　特別評価は、条件付任用期間を評価期間とし、次条から第十八条までの規定により行うものとする。

（特別評価における評語の付与等）

第十六条　特別評価に当たっては、能力評価の結果を総括的に表示する記号（以下この章において「全体評語」という。）を付すものとする。

2　全体評語は、二段階とする。

3　全体評語を付す場合において、第四条第三項の発揮した能力の程度が同条第二項に規定する判断の対象となる官職に求められる能力の発揮の程度に達していると認めるときは、前項に定める段階のうち上位の段階を付すものとする。

4　特別評価に当たっては、全体評語を付した理由その他参考となるべき事項を記載するように努めるものとする。

（特別評価における評価者等の指定）

第十七条　実施権者は、特別評価の実施に当たり、当該条件付任用期間中の職員について、第七条第一項及び第二項の規定により定期評価の評価者及び調整者として指定した者を、それぞれ特別評価の評価者及び調整者として指定するものとする。

2　実施権者は、当該条件付任用期間中の職員について、第七条第三項の規定により定期評価の補助者として指定した者がいる場合には、当該指定した者を特別評価の補助者として指定することができる。

（定期評価の手続に関する規定の準用）

第十八条　特別評価の手続については、次の各号に掲げる職員の区分に応じ、当該各号に定める規定を準用する。

一　条件付採用期間中の職員　第九条（個別評語に係る部分を除く。）

二　条件付昇任期間中の職員　第九条（個別評語に係る部分を除く。）及び第十条

第四章　雑則

（定期評価についての特例）

第十九条　次に掲げる職員についての定期評価の実施に際しては、当該職員の職務と責任の特殊性に照らして、第八条、第九条第一項（個別評語に係る部分に限る。）及び第十一条（これらの規定を第十四条において準用する場合を含む。）、第十二条並びに第十三条の規定の特例を要する場合には、人事評価実施規程をもって、これを規定することができる。

一　国家行政組織法（昭和二十三年法律第百二十号）第六条に規定する長官、同法第十八条第一項に規定する事務次官、同法第二十一条第一項に規定する事務局長、局長若しくは部長の職又はこれらに準ずる職（行政の特定の分野における高度の専門的な知識経験に基づく調査、研究、情報の分析等を行うことによる政策の企画及び立案等の支援に関する事務をつかさどる職を除く。）にある職員

二　国家行政組織法第八条の二に規定する文教研修施設又はこれに類する施設において長期間の研修を受けている職員

三　留学（学校教育法（昭和二十二年法律第二十六号）に基づく大学の大学院の課程（同法第百四条第七項第二号の規定により大学院の課程に相当する教育を行うものとして認められたものを含む。）又はこれに相当する外国の大学（これに準ずる教育施設を含む。）の課程に在学してその課程を履修する研修であって、法第七十条の六の規定に基づき、国が実施するものをいう。）その他これに類する長期間の研修を受けている職員

（苦情への対応）

第二十条　実施権者は、第十条（第十四条及び第十八条

第二号において準用する場合を含む。）の規定により職員に開示された定期評価における能力評価若しくは業績評価又は特別評価の結果に関する職員の苦情その他人事評価に関する職員の苦情について、内閣官房令で定めるところにより、適切に対応するものとする。

２　職員は、前項の苦情の申出をしたことを理由として、不利益な取扱いを受けない。

（人事評価の記録）

第二十一条　人事評価の記録は、内閣官房令で定めるところにより、人事評価記録書として作成しなければならない。

（内閣官房令への委任）

第二十二条　この政令に定めるもののほか、人事評価の基準及び方法その他人事評価に関し必要な事項は、内閣官房令で定める。

附　則

（施行期日）

第一条　この政令は、国家公務員法等の一部を改正する法律（平成十九年法律第百八号）附則第一条第三号に掲げる規定の施行の日（平成二十一年四月一日）から施行する。

（勤務成績の評定の手続及び記録に関する政令の廃止）

第二条　勤務成績の評定の手続及び記録に関する政令（昭和四十一年政令第十三号）は、廃止する。

（定期評価に関する経過措置）

第三条　法第三章第四節の規定により最初に実施される人事評価における定期評価における能力評価の評価期間は、第五条第三項の規定にかかわらず、人事評価を最初に開始する日（以下「開始日」という。）が平成二十一年九月三十日までの間にある場合においては開始日から平成二十一年九月三十日まで、開始日が平成二十一年十月一日以降にある場合においては開始日から平成二十二年九月三十日までとする。

２　法第三章第四節の規定により最初に実施される人事評価における定期評価における業績評価の評価期間は、第五条第四項の規定にかかわらず、開始日が平成二十一年九月三十日までの間にある場合においては開始日から平成二十一年九月三十日まで、開始日が平成二十一年十月一日から平成二十二年三月三十一日までの間にある場合においては開始日から平成二十二年三月三十一日まで、開始日が平成二十二年四月一日以降にある場合においては開始日から平成二十二年九月三十日までとする。

（特別評価に関する経過措置）

第四条　開始日前に条件付任用期間が開始された職員に対しては、第十五条第三項の規定にかかわらず、なお従前の例により、附則第二条の規定による廃止前の勤務成績の評定の手続及び記録に関する政令第一条に規定する勤務評定に係る同令第五条第一項に規定する特別評定を実施することができる。

附　則（令三・九・一〇政令二五一）

この政令は、令和四年十月一日から施行する。ただし、第十一条の改正規定は、公布の日から施行する。

附　則（令四・三・三〇政令一二八）（抄）

（施行期日）

第一条　この政令は、令和五年四月一日から施行する。

○人事評価の基準、方法等に関する内閣官房令

平二一・三・六
内閣府令三

最終改正　令三・九・一〇内閣官房令一一

（人事評価実施規程の軽微な変更）

第一条　人事評価の基準、方法等に関する政令（以下「令」という。）第一条第三項に規定する内閣官房令で定める人事評価実施規程（令第一条第一項に規定する人事評価実施規程をいう。以下同じ。）の軽微な変更は、次に掲げるものとする。

一　組織の名称又は評価者（令第七条第一項及び第十七条第一項に規定する評価者をいう。以下同じ。）若しくは調整者（令第七条第二項及び第十七条第一項に規定する調整者をいう。以下同じ。）の指定の一部の変更

二　官職の名称の変更、新設又は廃止に伴う変更

三　令第二十一条に規定する人事評価記録書（以下「記録書」という。）の様式における軽微な用語の変更

四　前各号に掲げるもののほか、人事評価実施規程の内容の実質的な変更を伴わない変更

（管理又は監督の地位にある職員の評価）

第二条　管理又は監督の地位にある職員の定期評価（令第五条第二項に規定する定期評価をいう。以下同じ。）又は特別評価（令第十五条第二項に規定する特別評価をいう。以下同じ。）に当たっては、効率的な業務の

遂行、適切な業務配分その他の業務管理並びに部下の指導及び育成に特に留意し、当該職員に求められる能力又は当該職員の果たすべき役割に応じて、適切に評価を行うものとする。

（職員の異動又は併任への対応）

第三条　実施権者（令第二条に規定する実施権者をいう。以下同じ。）は、定期評価又は特別評価の実施に際し、職員が異動した場合又は職員が併任の場合について、適切に対応するものとする。

（評価結果の開示内容等）

第四条　令第十条（令第十四条及び第十八条第二号において準用する場合を含む。）の規定に基づき開示された定期評価における能力評価（令第四条第一項の能力評価をいう。以下同じ。）若しくは業績評価（令第四条第一項の業績評価をいう。以下同じ。）又は特別評価の結果（以下単に「開示された評価結果」という。）は、それぞれ、令第九条第三項（令第十四条及び第十八条第二号において準用する場合を含む。）の規定により実施権者により確認された全体評語（令第六条第一項又は第十六条第一項の全体評語をいう。以下同じ。）を含むものでなければならない。ただし、次の各号に掲げる職員については、この限りでない。

一　全体評語の開示を希望しない職員

二　警察職員（出入国管理及び難民認定法（昭和二十六年政令第三百十九号）第六十一条の三の二に規定する入国警備官を含む。）及び海上保安庁又は刑事施設において勤務する職員のうち、全体評語の開示により業務の遂行に著しい支障が生じるおそれがある職員として実施権者が指定するもの

2　実施権者は、前項各号に掲げる職員であっても、当該職員の全体評語が次の各号のいずれかに該当する場合にあっては、当該全体評語を当該職員に開示しなければならない。

一　令第六条第一項の全体評語が令第六条第二項第一号に定める段階のうち下位のものである場合

二　令第六条第一項の全体評語が令第六条第二項第二号に定める段階の中位より下のものである場合

三　令第六条第一項の全体評語が令第六条第二項第三号に定める段階の最下位又は最下位より一段階上位のものである場合

四　令第十六条第一項の全体評語が令第十六条第二項に定める段階のうち下位のものである場合

（面談の内容）

第五条　評価者は、被評価者（令第七条第一項に規定する被評価者をいう。以下同じ。）の育成を図る観点から、令第十一条第一項に基づき行われる面談に当たっては、当該被評価者の一層の向上が期待される優れた点や改善を図るべき点について必要な指導及び助言を行うとともに、令第十二条第一項に基づき行われる面談に当たっては、当該被評価者の果たすべき役割について十分に認識を共有するよう努めるものとする。

（苦情への対応）

第六条　令第二十条第一項の規定に基づく苦情への対応は、苦情相談及び苦情処理により行うものとする。

2　苦情相談及び苦情処理は、人事評価実施規程において定める。

3　苦情相談は、人事評価に関する苦情を幅広く受け付けるものとする。

4　苦情処理は、開示された評価結果に関する苦情及び苦情相談で解決されなかった苦情（開示された評価結果に関する苦情を除く。）のみを受け付けるものとする。

5　苦情処理は、開示された評価結果に関する苦情については、当該苦情に係る定期評価における能力評価若しくは業績評価又は特別評価に係る評価期間につき一回に限り受け付けるものとする。

6　苦情処理において開示された評価結果が適当であるかどうかについて審査が行われ、当該開示された評価結果が適当でないと判断された場合には、実施権者は、再び、評価者に令第九条第一項の評価を行わせ、又は調整者に同条第二項の調整を行わせるものとする。

（記録書の様式等）

第七条　記録書の様式は、人事評価実施規程において定める。

2　記録書は、職員ごとに作成しなければならない。

（記録書の修正の禁止）

第八条　記録書は、令第九条第三項（令第十四条及び第十八条において準用する場合を含む。）に規定する確認が行われた後は、事務上の誤りがあった場合を除き、修正を行ってはならない。

（記録書の保管等）

第九条　記録書は、前条の確認を実施した日の翌日から起算して五年間保管しなければならない。

2　記録書は、公開しない。

附　則（抄）

（施行期日）

1　この府令は、国家公務員法等の一部を改正する法律（平成十九年法律第百八号。以下「改正法」という。）

附則第一条第三号に掲げる規定の施行の日（平成二十一年四月一日）から施行する。

（勤務成績の評定の手続及び記録に関する内閣府令の廃止）

2　勤務成績の評定の手続及び記録に関する内閣府令（昭和四十一年総理府令第四号。以下「旧内閣府令」という。）は、廃止する。

（勤務評定記録書の保管に関する経過措置）

3　旧内閣府令第九条の規定に基づき保管する勤務評定記録書は、令附則第三条第一項の開始日から引き続き五年間保管するものとする。

附　則（令三・九・一〇内閣官房令一一）

この内閣官房令は、令和三年十月一日から施行する。ただし、次の各号に掲げる規定は、当該各号に定める日から施行する。

一　第一条の改正規定　公布の日

二　第三条の改正規定（同条第二項第三号を第四号とし、第二号中「令第六条第二項第二号及び第三号」を「令第六条第二項第二号」に改め、同号の次に一号を加える部分に限る。）　令和四年十月一日

○定期評価における評語の付与等の特例について

令三・九・一〇
内閣総理大臣決定

人事評価の基準、方法等に関する政令（平成二十一年政令第三十一号。以下「令」という。）第六条第二項ただし書の規定に基づき、内閣総理大臣が別に定める能力評価に係る評価項目は、「標準職務遂行能力について」（平成二十一年三月六日内閣総理大臣決定）において掲げられている標準職務遂行能力のうち、倫理の能力評価に係る評価項目とし、当該評価項目の個別評語の段階の数は、三とする。令第六条第三項ただし書の規定に基づき、内閣総理大臣が別に定める段階は、中位以上の段階とする。

附　則

この決定は、令和四年十月一日から施行する。

○人事評価の基準、方法等について

平二一・三・六
総人恩総―一二八

最終改正　令三・一二・一五閣人人―八五八

標記について、別紙のとおり通知するので、各府省において、人事評価制度の円滑かつ適切な運用に努められたい。

別紙

人事評価の基準、方法等について

国家公務員法等の一部を改正する法律（平成十九年法律第百八号）の施行に伴い、国家公務員制度改革基本法（平成二十年法律第六十八号）も踏まえ、人事評価の基準、方法等に関する政令（平成二十一年政令第三十一号。以下「政令」という。）及び人事評価の基準、方法等に関する内閣官房令（平成二十一年内閣府令第三号。以下「内閣官房令」という。）が平成二十一年三月六日に公布され、同年四月一日から施行されることとなった。今後、人事評価の基準、方法等については、政令及び内閣官房令並びにこれらの規定に基づく人事評価実施規程の定めるところによることとなった。ついては、下記事項に留意の上、その適正な運用を図られたい。

記

第一　人事評価の目的

人事評価は、職員がその職務を遂行するに当たり発揮した能力及び挙げた業績を把握するものであ

り、任用、給与、分限その他の人事管理の基礎となるとともに、職員の強み・弱みを把握し、指導・助言等により能力開発を促進するなど、人材育成の意義を有するものであり、組織パフォーマンスの向上に寄与することを目的としている点に留意し、適正に運用すること。

第二 人事評価実施規程の制定又は変更に関する事項

1 人事評価実施規程を制定又は変更した場合には、職員への周知・徹底に努めること。

2 人事評価実施規程の制定に係る内閣総理大臣との協議については制定案及び理由を添付して、同実施規程の変更に係る内閣総理大臣との協議については変更案及び理由並びに新規程案を添付して、同実施規程の軽微な変更に係る内閣総理大臣に対する報告については変更内容及び理由並びに新規程を添付して行うこと。

第三 能力評価の評価項目等に関する事項

能力評価の評価項目及び当該評価項目に係る行動（以下「評価項目及び行動」という。）を定めるに当たっては、任命権者が職員について、当該職員の官職が属する職制上の段階の標準的な官職に係る標準職務遂行能力を有するかどうかを判断できるものとすること。また、個々の評価項目及び行動については、その評価に資するよう、具体的な行動類型を着眼点として設けること（別紙1「評価項目及び行動・着眼点（例）」参照）。

第四 評価者等の指定に関する事項

1 評価者の指定については、室長級以上の者を基本とするが、評価者一人当たりの被評価者の人数が多く、評価者に過度の負担がかかる場合など職場の実態等により室長級以上の者とすることが困難である場合には、例えば、課長補佐級の者とすることも考えられること。

2 調整者を指定しないことができる合理的な理由がある場合とは、例えば、調整の対象となる被評価者の数が極めて限られる場合等をいうものであること。

3 補助者の指定に当たっては以下の点に留意しつつ、その活用を図ること。

(1) 補助者の役割は、人事評価の目的に沿った適正な運用に資するよう、職員の職務遂行状況についての評価者又は調整者に対する情報提供や目標設定の補助等を行うものであること。

(2) 評価者は、果たすべき役割の確定を行う面談（以下「期首面談」という。）、又は、指導及び助言を行う面談（以下「期末面談」という。）に、評価補助者を同席させることができること。なお、評価補助者の同席する期末面談において評価結果の開示を行う場合には、被評価者の十分な理解と同意を得た上で行うこと。

(3) 評価者は、指導・助言等をより効果的に行う観点から必要と認める場合には、期首面談又は期末面談について、評価補助者と認識を共有し、評価補助者及び被評価者の十分な理解と同意を得た上で、評価補助者に代行させることができること。また、期末面談において、評価結果の開示を評価補助者に代行させる場合には、評価及び評価結果の開示はあくまでも評価者の責任の下で行うものであることに十分留意すること。

(4) 補助者は、評価者又は調整者に代わって、評価又は調整を行うことができないこと。

第五 目標設定等に関する事項

1 目標を定めるに当たっては、所属する組織の目標、本府省等にあっては局長等の職務内容及び果たすべき役割を踏まえて行うものであることや、超過勤務の縮減などの業務をより効率的に行う観点や組織として成果を挙げるに当たっての貢献の観点等に留意すること。

2 管理又は監督の地位にある職員（本府省等及び地方支分部局・施設等機関等における課室長級以上の職員をいう。以下同じ。）にあっては、効率的な業務の遂行、適切な業務配分その他の業務管理並びに部下の指導及び育成等に関するマネジメント目標を一つ以上設定すること。

3 目標を定めるに当たっては、各目標の内容に応じて、困難度・重要度（業務上に占めるウエイトの高さ）を設定し、職員の挑戦的な取組を促し、成長を支援する観点から、被評価者の職位における通常の目標と比べて困難度が高い目標を原則として一つ以上設定すること。

4 果たすべき役割の確定に当たっては、具体的な目標を定めることが望ましいが、あらかじめ具体的な目標を定めることが困難な場合には、評価期間における職務遂行に当たっての重点事項や特に留意すべき事項等を明確にするよう努めること。

5 果たすべき役割の確定に当たっては、評価者は、設定した目標が被評価者に求められる役割にふさわしいものとなっているかに留意し、面談において被評価者と十分に認識を共有するよう努めること。

6 評価者による期末面談と同時に、次期に係る期首面談を行うことは差し支えないこと。

第六　評価に関する事項

１　能力評価及び業績評価を行うに当たって、評価者及び調整者が個別評語及び全体評語を付す場合等においては、別紙２―１（評語等の解説）及び別紙２―２（具体的な個別評語の付与の考え方）を参照すること。

２　評価者は、評価を行うに当たっては、個別評語及び全体評語を付すほか、それぞれの評語を付した理由その他参考となるべき事項についても記載すること。また、被評価者の人材育成等の観点から、全体評語において、六段階評価の職員にあっては最下位又は最下位より一段階上位（二段階又は三段階評価の職員にあっては下位）の評語を付す場合には、評価期間中の指導状況、改善が期待される点について、可能な限り記載するよう努めること。

３　全体評語又は個別評語の付与に当たっては、以下によること。

（1）　能力評価及び業績評価の全体評語の付与に当たっては、各個別評語を適切に勘案することとする。例えば、全ての個別評語に同一の段階の評語を付与する場合には、原則として、全体評語は当該段階の評語を上回らないこととする。

（2）　能力評価を行うに当たっては、倫理の評価項目は国家公務員として遵守すべき基本的な行動であることを考慮して評価を行うこととし、倫理の個別評語に下位の評語を付与する場合には、全体評語は、六段階評価の職員にあっては最下位より三段階以上上位の段階の評語を付与しないこととする。なお、二段階又は三段階評価の職員にあっても上記の考え方を踏まえつつ、適切に全体評語を付与する。

（3）　管理又は監督の地位にある職員の能力評価を行うに当たっては、業務運営及び組織統率・人材育成又はそれに類する評価項目（内閣官房令第二条参照）を重要マネジメント項目として評価を行うこととし、能力評価の全体評語は、重要マネジメント項目に付与する個別評語を上回らないこととする。ただし、職務や責任の特殊性に鑑み、その適用が適切でない職員については、上記の考え方を踏まえつつ、適切に全体評語を付与する。

４　業績評価を行うに当たっては、目標の困難度を踏まえ、被評価者の目標の達成状況のほか、組織として成果を挙げるに当たっての貢献や業務遂行に当たっての創意工夫、効率的な業務遂行等の観点を勘案するほか、目標の達成状況等が被評価者に起因しない事由により影響を受けている場合には、その事由を適切に勘案するなど、職務遂行の過程も考慮に入れて評価を行うこと。また、全体評語の付与に当たっては、重要度が高い個別評語を重視して全体評語を付与する等、目標の重要度を踏まえるほか、突発事態への対応や業務上の研修への参加等、目標以外に取り組んだ事項についても、その達成状況や取組状況等を勘案し、評価を行うこと。

第七　期首面談及び期末面談に関する事項

人材育成等の観点から、期首面談及び期末面談においては、評価者は、業務に関する目標等について被評価者と十分に認識を共有するよう努めるとともに、被評価者が職務遂行の中でとった行動について、一層の向上が期待される優れた点（強み）や改善を図るべき点（弱み）等に基づき、今後の業務遂行や職務遂行能力向上に向けた指導・助言を行うこと。また、評価期間中においては、定期的な対話の機会を設定する等、日々の業務管理を通じて、評価事実の収集や記録、設定した目標の達成状況や職務遂行の中でとった行動などを踏まえた指導・助言、必要に応じた目標の変更などに取り組むよう努めること。

第八　評価結果の開示に関する事項

国家公務員法（昭和二十二年法律第百二十号）により任用・給与などは、原則、人事評価に基づき行われることとされ、評価結果の開示については、内閣官房令第四条の規定により、原則として、最低限全体評語を含むものとして開示する必要があることとされた。評価結果の開示が職員の主体的な取組を促すための措置であることも踏まえ、人事評価実施規程において、適切な開示範囲を定めること。

第九　特別評価に関する事項

特別評価において下位の全体評語を付す場合には、その評語を付した理由その他参考となるべき事項についても記載すること。また、特別評価の結果が条件付採用期間中又は条件付昇任期間中の職員を正式のものとするか否かについての判断に用いられることを踏まえ、その判断に資すると考えられる事項を可能な限り記載するよう努めること。

第十　職員の異動又は併任への対応に関する事項

１　職員が評価期間の途中で異動した場合には、当該職員の異動前における評価期間中の職務遂行状況や業務の達成状況等を異動先へ申し送る等適切に引き継ぐ手段を講じるほか、異動先において面談を行い、当該職員の業績評価に係る評価期間において当該職員が果たすべき役割を明らかにするよう努めること。

2　職員が併任の場合には、当該職員の併任先から本務へ職務遂行状況や業務の達成状況等を伝達する等適切な情報を伝える手段を講じるよう努めること。

3　併任の職員に対する能力評価については、当該職員の本務の官職が属する職制上の段階の標準的な官職に係る標準職務遂行能力を有するかどうかを判断できるものとする必要があることから、当該職員の本務の官職に係る評価項目及び行動に照らして行うこと。

第十一　定期評価についての特例に関する事項

1　政令第十九条第一号に規定する定期評価の手続の特例等の対象となる長官等に準ずる職から、専門スタッフ職（行政の特定の分野における高度の専門的な知識経験に基づく調査、研究、情報の分析等を行うことによる政策の企画及び立案等の支援に関する事務をつかさどる職）は除くこととされており、専門スタッフ職の職員の定期評価の手続は、職位に関わらず特例の対象とならないことに留意すること。

2　政令第十九条第二号又は第三号に規定する職員に該当するか否かは、当該職員が受けている研修の期間、実施時期、実施機関、内容等を総合的に勘案して個別具体的に判断し、適切な運用を図ること。

3　政令第十九条第二号及び第三号に規定する職員について、評価を行うに当たっては、大学等の試験結果、取得単位数、出席状況等を総合的に勘案すること。

第十二　苦情への対応に関する事項

1　実施権者は、職員が苦情の申出をしたことにより一切の不利益な取扱いを受けないよう留意すること。

2　苦情への対応に関係する者は、直接対応する者のみならず、事実確認を求められた者も含め、苦情の申出があった事実、当該苦情の内容等について、その秘密の保持に留意すること。

3　人事評価制度一般に関する苦情の申出があった場合には、所轄庁の長は、当該苦情の申出をした職員が特定されないように配慮の上、前記1及び2の留意事項を踏まえつつ、適宜制度官庁に対して当該苦情の内容を報告すること。

第十三　休職中の職員その他人事管理上配慮の必要な職員に対する人事評価の実施に関する事項

1　評価期間の全期間にわたり休職している職員については、職務に従事していないため、人事評価を実施することができないこと。また、評価期間の一部を休職している職員については、職務に従事している期間について人事評価を実施すること。

2　心が不健康な状態にあること等により人事管理上配慮が必要な職員に対する人事評価の実施については、当該職員に係る健康管理医等の助言等を踏まえ、当該職員の状態に応じ適切に対応すること。

第十四　その他人事評価制度の運用上留意すべき事項

1　人事評価制度の円滑かつ適切な運用のためには、評価者の評価能力及び調整者の調整能力を高めるための評価者訓練等が重要であり、全評価者及び調整者が評価者訓練等の受講経験を得られるよう、その機会の確保等に努めること。また、評語区分や別紙2―1（評語等の解説）及び別紙2―2（具体的な個別評語の付与の考え方）の趣旨について、職員への周知・徹底に努め、職員間の目線合わせ（各評語の基準等に係る認識の統一）を図ること。

2　人事評価記録書様式については、別紙3（人事評価記録書様式例）を参照すること。

3　人事評価の運用状況を適切に把握し、その運用について必要な改善に努めること。

以　上

別紙１

評価項目及び行動・着眼点（例）　一覧表

１．一般行政 ： 本省内部部局等

課長（６項目及び行動・１６着眼点）		
倫理	１　国民全体の奉仕者として、高い倫理感を有し、課の課題に責任を持って取り組むとともに、服務規律を遵守し、公正に職務を遂行する。	
	①責任感	国民全体の奉仕者として、高い倫理感を有し、課の課題に責任を持って取り組む。
	②公正性	服務規律を遵守し、公正に職務を遂行する。
構想	２　所管行政を取り巻く状況を的確に把握し、国民の視点に立って、行政課題に対応するための方針を示す。	
	①状況の構造的把握	課内の情報の中枢として複雑な因果関係、錯綜した利害関係など業務とそれを取り巻く状況の全体像を的確に把握する。
	②基本方針・成果の明示	国家や国民の利益を第一に、国内外の変化を読み取り、新たな取組への挑戦も含め、課としての基本的な方針や達成すべき成果を具体的に示し、部下に理解させる。
判断	３　課の責任者として、適切な判断を行う。	
	①最適な選択	採り得る戦略・選択肢の中から、進むべき方向性や現在の状況を踏まえ最適な選択を行う。
	②適時の判断	事案の優先順位や全体に与える影響を考慮し、適切なタイミングで判断を行う。
	③リスク対応	状況の変化や問題が生じた場合の早期対応を適切に行う。
説明・調整	４　所管行政について適切な説明を行うとともに、組織方針の実現に向け、関係者と調整を行い、合意を形成する。	
	①信頼関係の構築	円滑な合意形成に資するよう、日頃から対外的な信頼関係を構築する。
	②折衝・調整	組織方針を実現できるよう関係者と折衝・調整を行う。
	③適切な説明	所管行政について適切な説明を行う。
重要マネジメント項目　業務運営	５　コスト意識を持って効率的に業務を進める。	
	①先見性	先々で起こり得る事態や自分が打つ手の及ぼす影響を予測して対策を想定するなど、先を読みながらものごとを進める。
	②効率的な業務運営	限られた業務時間と人員を前提に、業務の目的と求められる成果水準を部下と共有しつつ、効率的に業務を進める。
	③業務の見直し	業務の優先順位を意識し、廃止も含めた業務の見直しや、業務の改善を進める。
重要マネジメント項目　組織統率・人材育成	６　適切に業務を配分した上、進捗管理及び的確な指示を行い、成果を挙げるとともに、部下の指導・育成を行う。	
	①業務の割当て	課題の重要性や部下の役割・能力・状況を踏まえて、柔軟な働き方を推奨しながら、組織の中で適切に業務を割り当てる。
	②意思疎通と進捗管理	部下との双方向の適切なコミュニケーションにより情報の共有や部下の仕事の進捗状況の把握を行い、的確な指示を行うことにより業務を完遂に導き、成果を挙げる。
	③部下の成長支援	適切な指導を行い、多様な経験の機会を提供して能力開発を促すなど、部下の成長を支援し、その力を引き出す。

室長（６項目及び行動・１７着眼点）		
倫理	１　国民全体の奉仕者として、担当業務の課題に責任を持って取り組むとともに、服務規律を遵守し、公正に職務を遂行する。	
	①責任感	国民全体の奉仕者として、担当業務の課題に責任を持って取り組む。
	②公正性	服務規律を遵守し、公正に職務を遂行する。
企画・立案	２　組織方針に基づき、行政ニーズを踏まえ、課題を的確に把握し、施策の企画・立案を行う。	
	①知識・情報収集	業務に関連する知識の習得・情報収集を幅広く行う。
	②行政ニーズの反映	行政ニーズや事案における課題を的確に把握し、施策の企画立案や業務上の判断に反映する。
	③成果認識	成果のイメージを明確に持ち、新たな取組への挑戦も含め、複数の選択肢を吟味して最適な企画や方策を立案する。
判断	３　担当業務の責任者として、適切な判断を行う。	
	①最適な選択	採り得る戦略・選択肢の中から、進むべき方向性や現在の状況を踏まえ最適な選択を行う。
	②適時の判断	事案の優先順位や全体に与える影響を考慮し、適切なタイミングで判断を行う。
	③リスク対応	状況の変化や問題が生じた場合の早期対応を適切に行う。
説明・調整	４　担当する事案について適切な説明を行うとともに、関係者と調整を行い、合意を形成する。	
	①信頼関係の構築	他部局や他省庁のカウンターパートと信頼関係を構築する。
	②折衝・調整	組織方針を実現できるよう関係者と折衝・調整を行う。
	③適切な説明	担当する事案について適切な説明を行う。
重要マネジメント項目　業務運営	５　コスト意識を持って効率的に業務を進める。	
	①先見性	先々で起こり得る事態や自分が打つ手の及ぼす影響を予測して対策を想定するなど、先を読みながらものごとを進める。
	②効率的な業務運営	限られた業務時間と人員を前提に、業務の目的と求められる成果水準を部下と共有しつつ、効率的に業務を進める。
	③業務の見直し	業務の優先順位を意識し、廃止も含めた業務の見直しや、業務の改善を進める。
重要マネジメント項目　組織統率・人材育成	６　適切に業務を配分した上、進捗管理及び的確な指示を行い、成果を挙げるとともに、部下の指導・育成を行う。	
	①業務の割当て	課題の重要性や部下の役割・能力・状況を踏まえて、柔軟な働き方を推奨しながら、組織の中で適切に業務を割り当てる。
	②意思疎通と進捗管理	部下との双方向の適切なコミュニケーションにより情報の共有や部下の仕事の進捗状況の把握を行い、的確な指示を行うことにより業務を完遂に導き、成果を挙げる。
	③部下の成長支援	適切な指導を行い、多様な経験の機会を提供して能力開発を促すなど、部下の成長を支援し、その力を引き出す。

課長補佐（６項目及び行動・１５着眼点）		
倫理	１　国民全体の奉仕者として、担当業務の第一線において責任を持って課題に取り組むとともに、服務規律を遵守し、公正に職務を遂行する。	
	①責任感	国民全体の奉仕者として、担当業務の第一線において責任を持って課題に取り組む。
	②公正性	服務規律を遵守し、公正に職務を遂行する。
企画・立案、事務事業の実施	２　組織や上司の方針に基づいて、施策の企画・立案や事務事業の実施の実務の中核を担う。	
	①知識・情報収集	業務に関連する知識の習得・情報収集を幅広く行う。
	②事務事業の実施	事案における課題を的確に把握し、実務担当者の中核となって、施策の企画・立案や事務事業の実施を行う。
	③成果認識	成果のイメージを明確に持ち、複数の選択肢を吟味して最適な企画や方策を立案する。
判断	３　自ら処理すべき事案について、適切な判断を行う。	
	①役割認識	自ら処理すべきこと、上司の判断にゆだねることの仕分けなど、自分の果たすべき役割を的確に押さえながら業務に取り組む。
	②適切な判断	担当する事案について適切な判断を行う。
説明・調整	４　担当する事案について論理的な説明を行うとともに、関係者と粘り強く調整を行う。	
	①信頼関係の構築	他部局や他省庁のカウンターパートと信頼関係を構築する。
	②説明	論点やポイントを明確にすることにより、論理的で簡潔な説明をする。
	③交渉	相手の意見を理解・尊重する一方、主張すべき点はぶれずに主張し、粘り強く対応する。
業務遂行	５　段取りや手順を整え、効率的に業務を進める。	
	①段取り	業務の展開を見通し、前もって段取りや手順を整えて仕事を進める。
	②柔軟性	緊急時、見通しが変化した時などの状況に応じて、打つ手を柔軟に変える。
	③業務改善	作業の取捨選択や担当業務のやり方の見直しなど業務の改善に取り組む。
部下の育成・活用	６　部下の指導、育成及び活用を行う。	
	①作業の割り振り	部下の一人ずつの仕事の状況や負荷を的確に把握し、適切に作業を割り振る。
	②部下の育成	部下の育成のため、的確な指示やアドバイスを与え、問題があるときは適切に指導する。

係長（５項目及び行動・１３着眼点）		
倫理	１　国民全体の奉仕者として、責任を持って業務に取り組むとともに、服務規律を遵守し、公正に職務を遂行する。	
	①責任感	国民全体の奉仕者として、責任を持って業務に取り組む。
	②公正性	服務規律を遵守し、公正に職務を遂行する。
課題対応	２　担当業務に必要な専門的知識・技術を習得し、問題点を的確に把握し、課題に対応する。	
	①知識・情報収集	担当業務における専門的知識・技術の習得・情報収集を行う。
	②問題点の把握	新しい課題に対して問題点を的確に把握する。
	③対応策の検討	問題の原因を探求して、対応策を考える。
協調性	３　上司・部下等と協力的な関係を構築する。	
	①協調性	上司・部下や他部局等の担当者と協力的な関係を構築する。
	②指示・指導の理解	上司や周囲の指示・指導を正しく理解する。
説明	４　担当する事案について分かりやすい説明を行う。	
	①説明	ポイントを整理し、筋道を立てて分かりやすく説明する。
	②相手の話の理解	相手の意見・要望等を正しく理解して説明を行う。
業務遂行	５　計画的に業務を進め、担当業務全体のチェックを行い、確実に業務を遂行する。	
	①計画性	最終期限を意識し、進捗状況を部下や同僚と共有しながら計画的に業務を進める。
	②正確性	ミスや抜け落ちを生じさせないよう担当業務全体のチェックを行う。
	③粘り強さ	困難な状況においても粘り強く仕事を進める。
	④部下の育成	部下の育成のため、的確な指示やアドバイスを与え、問題があるときは適切に指導する。

係員（４項目及び行動・１２着眼点）		
倫理	１　国民全体の奉仕者として、責任を持って業務に取り組むとともに、服務規律を遵守し、公正に職務を遂行する。	
	①責任感	国民全体の奉仕者として、責任を持って業務に取り組む。
	②公正性	服務規律を遵守し、公正に職務を遂行する。
知識・技術	２　業務に必要な知識・技術を習得する。	
	①情報の整理	情報や資料を分かりやすく分類・整理する。
	②知識習得	業務に必要な知識を身に付ける。
コミュニケーション	３　上司・同僚等と円滑かつ適切なコミュニケーションをとる。	
	①指示・指導の理解	上司や周囲の指示・指導を正しく理解する。
	②情報の伝達	情報を正確に伝達する。
	③誠実な対応	相手に対し誠実な対応をする。
	④上司への報告	問題が生じたときには速やかに上司に報告をする。
業務遂行	４　意欲的に業務に取り組む。	
	①積極性	自分の仕事の範囲を限定することなく、未経験の業務に積極的に取り組む。
	②正確性	ミスや抜け落ちが生じないよう作業のチェックを行う。
	③迅速な作業	迅速な作業を行う。
	④粘り強さ	失敗や困難にめげずに仕事を進める。

高度分析交渉官（5項目行動11着眼点）			分析官（4項目行動8着眼点）		
倫理	1　国民全体の奉仕者として、高い倫理感を有し、責任を持って重要課題に取り組むとともに、服務規律を遵守し、公正に職務を遂行する。		倫理	1　国民全体の奉仕者として、責任を持って課題に取り組むとともに、服務規律を遵守し、公正に職務を遂行する。	
	①責任感	国民全体の奉仕者として、高い倫理感を有し、責任を持って重要課題に取り組む。		①責任感	国民全体の奉仕者として、責任を持って課題に取り組む。
	②公正性	服務規律を遵守し、公正に職務を遂行する。		②公正性	服務規律を遵守し、公正に職務を遂行する。
情報の収集	2　組織方針の実現に向け、特定の行政分野において重要な関係にある者等との信頼関係を構築し、連携を確保した上で、質の高い情報を収集する。				
	①信頼関係の構築	円滑な合意形成に資するよう、重要な関係にある者等と日ごろから信頼関係を構築する。			
	②情報の収集	重要課題に関する質の高い情報の収集・整理を行う。			
知識・技術	3　特定の行政分野の重要課題について、極めて高度な専門的知識及び豊富な経験等に基づき、困難な調査、研究、分析等を行う。		知識・技術	2　特定の行政分野における高度な専門的知識及び経験に基づき、調査、研究、情報の収集及び分析等を行う。	
	①高度な知識・経験	極めて高度な専門的知識や豊富な経験を有し、困難な事案や特殊事例にも対応する。		①知識・経験	特定の行政分野における高度な専門的知識や経験を有し、事案に対応する。
	②分析	困難な調査、研究、分析等を行う。		②分析	調査、研究、情報を収集し、合理的な分析を行う。
助言・提言・調整	4　特定の行政分野の重要課題について、的確な助言・提言や必要となる困難な調整等を行うことにより、部局を横断する重要課題等に係る政策の企画・立案等を支援する。		助言・提言	3　調査、研究、情報の分析等の結果に基づき、適切な助言・提言等を行い、施策の企画・立案等を支援する。	
	①助言・提言	特定の行政分野の重要課題について、調査、研究、分析等の結果に基づき、的確な助言・提言を行う。		①助言・提言	担当する行政分野について、調査、研究、情報分析等の結果に基づき、適切な助言・提言等を行う。
	②折衝・調整	組織方針を実現できるよう、重要な関係にある者等と困難な折衝・調整を行う。		②企画立案等の支援	施策の企画・立案等に関し、適切な支援を行う。
	③企画立案等の支援	部局を横断する重要課題等に係る政策の企画・立案等に関し、的確な支援を行う。			
業務遂行	5　コスト意識を持って効率的に業務を遂行する。		業務遂行	4　段取りや手順を整え、効率的に業務を遂行する。	
	①先見性	先々で起こり得る事態や自分が打つ手の及ぼす影響を予測して対策を想定するなど、先を読みながらものごとを進める。		①段取り	業務の展開を見通し、前もって段取りや手順を整えて仕事を進める。
	②効率的な業務運営	業務の目的と求められる成果水準を踏まえ、時間や労力の面から効率的に業務を進める。		②効率的な業務運営	業務の目的と求められる成果水準を踏まえ、効率的に業務を進める。

別紙1　2～8　〔略〕

別紙２－１

評語等の解説

【能力評価】

◇ 全体評語（幹部職員）

（次官級）

甲	:	当該職位として求められる能力が発揮されている状況である。
乙	:	当該職位の求められる能力が一部しか、又は、ほとんど発揮されていない状況である。

（次官級を除く）

A	:	当該職位として優秀な能力発揮状況である。
B	:	当該職位として求められる能力が発揮されている状況である。
C	:	当該職位の求められる能力が一部しか、又は、ほとんど発揮されていない状況である。

◇ 全体評語（課長級以下）

卓越して優秀	:	望ましい行動を上回る行動が常に確実にとられ、又は大きく上回る行動がとられており、当該職位として卓越して優秀な能力発揮状況である。 <別格の特別な能力の高さを持っており、他の職員が真似できないレベル。特に顕著な成果・貢献等が期待できるレベル。>
非常に優秀	:	望ましい行動を上回る行動が頻繁にとられており、当該職位として非常に優秀な能力発揮状況である。 <他の職員の模範（ロールモデル）であり、具体的な行動を学んだり模倣したりする対象となる人材レベル。極めて高い成果・貢献等が期待できるレベル。>
優良	:	望ましい行動がとられており、かつ、しばしば望ましい行動を上回る行動も見られており、当該職位として優良な能力発揮状況である。 <主体的に仕事に取り組み、高い視野で物事の勘所を理解して段取りよく動き、高い水準の成果・貢献等が期待できるレベル。>
良好	:	望ましい行動が基本的にとられており、当該職位として良好な能力発揮状況である。 <職位に応じた仕事は過不足なくこなせるレベル。更なる伸びしろも認められる。>
やや不十分	:	望ましい行動がとられないことがやや多く、当該職位として十分な能力発揮状況とはいえず、改善が必要である（1回のこの評価のみでは、当該職位の職務を遂行するために求められる能力を発揮していないとまではいえない。）。
不十分	:	望ましい行動がとられておらず、当該職位に必要な能力発揮状況でなく、大きく改善が必要である（当該職位の職務を遂行するために求められる能力の発揮の程度に達しておらず、降任等を検討するレベルである。）。

◇ 個別評語（評価項目及び行動ごとの評語）（課長級以下）

<倫理以外>

卓越して優秀	:	望ましい行動を上回る行動が常に確実にとられ、又は大きく上回る行動がとられていた。
非常に優秀	:	望ましい行動を上回る行動が頻繁にとられていた。
優良	:	望ましい行動がとられており、かつ、しばしば望ましい行動を上回る行動も見られた。
良好	:	望ましい行動が基本的にとられていた。
やや不十分	:	望ましい行動がとられないことがやや多かった。
不十分	:	望ましい行動が全くとられていなかった。

<倫理>

◎	:	望ましい行動がとられており、他の職員の模範となるような状況であった。
○	:	望ましい行動が基本的にとられていた。
△	:	望ましい行動がとられないことがやや多かった、又は全くとられていなかった。

【特別評価】

◇ 全体評語

可	:	「不可」には該当しない状態である。
不可	:	望ましい行動がほとんどとられておらず、当該職位に必要な能力発揮状況でない。（当該職位の職務を遂行するために求められる能力の発揮の程度に達していない。）

【業績評価】

◇ 全体評語(幹部職員)

(次官級)

甲	:	今期当該ポストに求められた役割を果たした。
乙	:	今期当該ポストに求められた役割を一部しか、又は、ほとんど果たしていなかった。

(次官級を除く)

A	:	今期当該ポストに求められた以上の役割を果たした。
B	:	今期当該ポストに求められた役割を果たした。
C	:	今期当該ポストに求められた役割を一部しか、又は、ほとんど果たしていなかった。

◇ 全体評語(課長級以下)

卓越して優秀	:	今期当該ポストに求められた役割を果たし、かつ、極めて重要又は困難な課題について、まれにみる顕著な成果をあげ、又は貢献等をしており、今期当該ポストに求められた水準をはるかに上回る、他の職員では果たし得ない卓越した役割を果たした。
非常に優秀	:	今期当該ポストに求められた役割を果たし、かつ、特に重要又は困難な課題について、非常に大きな成果をあげ、又は貢献等をしており、今期当該ポストに求められた水準を大きく上回る役割を果たした。
優良	:	今期当該ポストに求められた役割を果たし、かつ、しばしば期待を上回る成果をあげ、又は貢献等をしており、今期当該ポストに求められた水準以上の役割を果たした。
良好	:	基本的に、今期当該ポストに求められた水準の成果や貢献等を期待どおりあげ、求められた役割を果たした。
やや不十分	:	今期当該ポストに求められた水準を下回る成果や貢献等であり、求められた役割を果たしていなかった(1回のこの評価のみでは当該ポストに求められる役割を果たしていないとまではいえない。)。
不十分	:	今期当該ポストに求められた成果や貢献等がほとんどなく、求められた役割を果たしていなかった(当該ポストに求められた役割を果たしておらず、降任等を検討するレベルである。)。

◇ 困難度・重要度(課長級以下)

◎	:	当該職位にある者全てには期待することが困難と思われる目標、又は重要度が特に高いと思われる目標。
−	:	◎△のいずれにも該当しないもの。
△	:	当該職位にある者であれば達成することが容易と思われる目標、又は重要度が低いと思われる目標。
	注)	「困難度」は主として目標ごとの評価において、「重要度」は主として全体評価において考慮するものとする。

◇ 個別評語(業務目標ごとの評語)(課長級以下)

卓越して優秀	:	目標を達成し、期待をはるかに上回る、まれにみる顕著な成果をあげ、又は貢献等をした。
非常に優秀	:	目標を達成し、期待を大きく上回る、非常に大きな成果をあげ、又は貢献等をした。
優良	:	目標を達成し、期待を上回る成果をあげ、又は貢献等をした。
良好	:	目標を達成し、期待どおりの成果や貢献等であった。
やや不十分	:	目標の達成が不十分であり、期待された水準を下回る成果や貢献等であった。
不十分	:	目標を達成できず、成果や貢献等がほとんどなかった。
	(※)	・「貢献等」:組織として成果を挙げるに当たっての貢献(周囲に対する支援等の自主的・積極的な取組等)、業務遂行に当たっての創意工夫、効率的な業務遂行等 ・目標の達成状況等が被評価者に起因しない事由により影響を受けている場合には、その事由を適切に勘案するなど、職務遂行の過程も考慮に入れて評価。 ・特に困難度の高い目標については、未達成であることのみをもって低い評価とせず、達成状況や貢献等の水準を適切に勘案。

別紙２－２

具体的な個別評語の付与の考え方

人事評価は、職位ごとに定められた客観的な評価基準に照らして発揮した能力を評価する能力評価と、面談等の所定の手続きを経て設定された目標に照らして挙げた業績を評価する業績評価により構成されています。

１　能力評価について

能力評価における各項目の評価（個別評語の付与）は、能力評価の着眼点に照らして行います。着眼点は、個々の評価項目及び行動について、その評価に当たって着目すべき具体的な行動類型を「望ましい行動」として整理したものであり、当該職位の職務を高い水準で遂行するために身に付けていることが望ましい能力の発揮度を問う基準です。（いわば「優れた職員」像を設定し、「優れた職員」のとる行動を「望ましい行動」として位置付けています。）

「望ましい行動」が「基本的に」とられていた場合、職員に求められる能力の発揮の程度に達していると認められ、「良好」の基準に達していることとなります。「望ましい行動」や「望ましい行動を上回る行動」などの行動の水準やその頻度に応じて、付与する評語を判断します。

各評語の基準は、別紙２－１にある評語の解説のとおりですが、以下の考え方も参照してください。

◇　個別評語（評価項目及び行動ごとの評語）（課長級以下）

＜倫理以外＞

評語	評語の解説	考え方
卓越して優秀	：望ましい行動を上回る行動が常に確実にとられ　又は大きく上回る行動がとられていた。	当該職位としてより高い成果・貢献等に結び付く行動や、困難な局面（困難な課題、状況等）での優れた行動が常に確実にとられていた、又は、特に顕著な成果・貢献等に結び付く行動や、別格の特別の能力の高さを示す行動がとられていた。
非常に優秀	：望ましい行動を上回る行動が頻繁にとられていた。	当該職位としてより高い成果・貢献等に結び付く行動や、困難な局面（困難な課題、状況等）での優れた行動が頻繁にとられていた。
優良	：望ましい行動がとられており、かつ、しばしば望ましい行動を上回る行動も見られた。	当該職位として優れた行動が常に安定してとられており、更に、より高い成果・貢献等に結び付く行動や、困難な局面（困難な課題、状況等）での優れた行動もしばしばとられていた。
良好	：望ましい行動が基本的にとられていた。	当該職位として優れた行動が基本的にとられており、更なる伸びしろも認められた。
やや不十分	：望ましい行動がとられないことがやや多かった。	当該職位として不十分・不適切な行動がとられることがやや多かった。
不十分	：望ましい行動が全くとられていなかった。	当該職位として不十分・不適切な行動が繰り返しとられた。

２　業績評価について

業績評価は、職務遂行に当たり実際にあげた業績を評価するものであり、果たすべき役割として明確にした目標に対する達成度を基に、そのプロセスや質的水準も勘案し評価を行います。

各目標の評価（個別評語の付与）においては、評語の解説に従い、職位にふさわしい目標について、マイナス要因がほとんどなく達成し、期待された成果をあげ、貢献等をした場合は、職員に求められる役割を果たした程度に達していると認められ、「良好」の水準に達していることとなります。

また、職位にふさわしい目標の達成に当たり、期待を上回る成果をあげたり、貢献等をした場合や、職位における通常の目標と比べて困難度の高い目標を達成し、成果をあげたり、貢献等をした場合には、その水準に応じて「優良」以上の評語を付与する一方、マイナス要因が見られるなど、目標の達成が不十分であり、期待された水準を下回る成果や貢献等であった場合には、「やや不十分」以下の評語を付与することになります。

別紙３

人事評価記録書様式（幹部職相当職）

評価期間	年　月　日～　年　月　日

被評価者	所属：	職名：	
	氏名：	評価結果不開示希望	

評価者	所属・職名：	氏名：	評価記入日：　年　月　日
調整者	所属・職名：	氏名：	調整記入日：　年　月　日
実施権者	所属・職名：	氏名：	確　認　日：　年　月　日

期末面談	年　月　日

（Ⅰ　能力評価：一般行政・本省内部部局・局長）

評価項目及び行動
<倫理> 1国民全体の奉仕者として、高い倫理感を有し、局の重要課題に責任を持って取り組むとともに、服務規律を遵守し、公正に職務を遂行する。
<構想> 2所管行政を取り巻く状況を的確に把握し、先々を見通しつつ、国民の視点に立って、局の重要課題について基本的な方向性を示す。
<判断> 3局の責任者として、その重要課題について、豊富な知識・経験及び情報に基づき、冷静かつ迅速な判断を行う。
<説明・調整> 4所管行政について適切な説明を行うとともに、組織方針の実現に向け、困難な調整を行い、合意を形成する。
重要マネジメント項目
評価項目及び行動
<業務運営> 5国民の視点に立ち、不断の業務見直しに率先して取り組む。
<組織統率> 6指導力を発揮し、部下の志気を高め、組織を牽引し、成果を挙げる。

自己申告　※重要マネジメント項目について留意

【全体評語等】

評価者		調整者	
（所見）	（全体評語）	（所見）	（全体評語）

備考欄

評価期間	年 月 日～ 年 月 日

被評価者	所属:	職名:
	氏名:	評価結果不開示希望

評価者	所属・職名:	氏名:	評価記入日: 年 月 日
調整者	所属・職名:	氏名:	調整記入日: 年 月 日
実施権者	所属・職名:	氏名:	確 認 日: 年 月 日

期首面談	年 月 日
期末面談	年 月 日

（Ⅱ 業績評価:一般行政・本省内部部局・局長）

目標・重点課題

自己申告

【全体評語等】

評価者		調整者	
(所見)	(全体評語)	(所見)	(全体評語)

人事評価記録書様式(管理職相当職)

評価期間	年　月　日～　年　月　日

被評価者	所属:	職名:	
	氏名:	評価結果不開示希望	

評価者	所属・職名:	氏名:	評価記入日:	年　月　日
調整者	所属・職名:	氏名:	調整記入日:	年　月　日
実施権者	所属・職名:	氏名:	確　認　日:	年　月　日

期末面談	年　月　日

(I　能力評価:一般行政・本省内部部局・課長)

評価項目及び行動／着眼点		自己申告(評語)	自己申告(コメント:必要に応じ)	評価者(評語)	調整者(評語:任意)
<倫理> 1 国民全体の奉仕者として、高い倫理感を有し、課の課題に責任を持って取り組むとともに、服務規律を遵守し、公正に職務を遂行する。					
① 責任感	国民全体の奉仕者として、高い倫理感を有し、課の課題に責任を持って取り組む。				
② 公正性	服務規律を遵守し、公正に職務を遂行する。				
<構想> 2 所管行政を取り巻く状況を的確に把握し、国民の視点に立って、行政課題に対応するための方針を示す。					
① 状況の構造的把握	課内の情報の中枢として複雑な因果関係、錯綜した利害関係など業務とそれを取り巻く状況の全体像を的確に把握する。				
② 基本方針・成果の明示	国家や国民の利益を第一に、国内外の変化を読み取り、新たな取組への挑戦も含め、課としての基本的な方針や達成すべき成果を具体的に示し、部下に理解させる。				
<判断> 3 課の責任者として、適切な判断を行う。					
① 最適な選択	採り得る戦略・選択肢の中から、進むべき方向性や現在の状況を踏まえ最適な選択を行う。				
② 適時の判断	事案の優先順位や全体に与える影響を考慮し、適切なタイミングで判断を行う。				
③ リスク対応	状況の変化や問題が生じた場合の早期対応を適切に行う。				
<説明・調整> 4 所管行政について適切な説明を行うとともに、組織方針の実現に向け、関係者と調整を行い、合意を形成する。					
① 信頼関係の構築	円滑な合意形成に資するよう、日頃から対外的な信頼関係を構築する。				
② 折衝・調整	組織方針を実現できるよう関係者と折衝・調整を行う。				
③ 適切な説明	所管行政について適切な説明を行う。				

重要マネジメント項目

評価項目及び行動／着眼点		自己申告(評語)	自己申告(コメント:必要に応じ)	評価者(所見)	評価者(評語)	調整者(評語:任意)
<業務運営> 5 コスト意識を持って効率的に業務を進める。						
① 先見性	先々で起こり得る事態や自分が打つ手の及ぼす影響を予測して対策を想定するなど、先を読みながらものごとを進める。					
② 効率的な業務運営	限られた業務時間と人員を前提に、業務の目的と求められる成果水準を部下と共有しつつ、効率的に業務を進める。					
③ 業務の見直し	業務の優先順位を意識し、廃止も含めた業務の見直しや、業務の改善を進める。					
<組織統率・人材育成> 6 適切に業務を配分した上、進捗管理及び的確な指示を行い、成果を挙げるとともに、部下の指導・育成を行う。						
① 業務の割当て	課題の重要性や部下の役割・能力・状況を踏まえて、柔軟な働き方を推奨しながら、組織の中で適切に業務を割り当てる。					
② 意思疎通と進捗管理	部下との双方向の適切なコミュニケーションにより情報の共有や部下の仕事の進捗状況の把握を行い、的確な指示を行うことにより業務を完遂に導き、成果を挙げる。					
③ 部下の成長支援	適切な指導を行い、多様な経験の機会を提供して能力開発を促すなど、部下の成長を支援し、その力を引き出す。					

【所見等及び全体評語】

評価者(所見)	評価者(全体評語)	調整者(所見)	調整者(全体評語)

【秀でている点・改善点等】

評価者
(秀でている点(強み)、改善点(弱み)、育成に関する意見等)

評価期間	年	月	日～	年	月	日	

被評価者	所属:	職名:
	氏名:	評価結果不開示希望

評価者	所属・職名:	氏名:	評価記入日:	年	月	日
調整者	所属・職名:	氏名:	調整記入日:	年	月	日
実施権者	所属・職名:	氏名:	確 認 日:	年	月	日

期首面談	年	月	日
期末面談	年	月	日

（Ⅱ 業績評価：一般行政・本省内部部局・課長）

【1 目標】

番号	業務内容	目標（いつまでに、何を、どの水準まで、どのような役割や貢献）	困難度	重要度	自己申告（達成状況、状況変化その他の特筆すべき事情）	評価者（所見）	評価者（評語）	調整者（評語：任意）
1			－	－				
2			－	－				
3			－	－				
4			－	－				
5			－	－				

被評価者	所属:	職名:	氏名:

【2 目標以外の業務への取組状況等】

番号	業務内容	自己申告 （目標以外の取組事項、突発事態への対応等）	評価者 （所見）
1			
2			
3			

【3 全体評語等】

評価者		調整者	
（所見）	（全体評語）	（所見）	（全体評語）

人事評価記録書様式（一般職員）

評価期間	年	月	日～	年	月	日

被評価者	所属:	職名:
	氏名:	評価結果不開示希望

評価者	所属･職名:	氏名:	評価記入日:	年	月	日
調整者	所属･職名:	氏名:	調整記入日:	年	月	日
実施権者	所属･職名:	氏名:	確　認　日:	年	月	日

期末面談	年	月	日

（Ⅰ　能力評価:一般行政･本省内部部局･課長補佐）

評価項目及び行動／着眼点		自己申告（評語）	自己申告（コメント:必要に応じ）	評価者（評語）	調整者（評語:任意）
<倫理> 1 国民全体の奉仕者として、担当業務の第一線において責任を持って課題に取り組むとともに、服務規律を遵守し、公正に職務を遂行する。					
① 責任感	国民全体の奉仕者として、担当業務の第一線において責任を持って課題に取り組む。				
② 公正性	服務規律を遵守し、公正に職務を遂行する。				
<企画･立案、事務事業の実施> 2 組織や上司の方針に基づいて、施策の企画･立案や事務事業の実施の実務の中核を担う。					
① 知識･情報収集	職務に関連する知識の習得･情報収集を幅広く行う。				
② 事務事業の実施	事案における課題を的確に把握し、実務担当者の中核となって、施策の企画･立案や事務事業の実施を行う。				
③ 成果認識	成果のイメージを明確に持ち、複数の選択肢を吟味して最適な企画や方策を立案する。				
<判断> 3 自ら処理すべき事案について、適切な判断を行う。					
① 役割認識	自ら処理すべきこと、上司の判断にゆだねることの仕分けなど、自分の果たすべき役割を的確に押さえながら業務に取り組む。				
② 適切な判断	担当する事案について適切な判断を行う。				
<説明･調整> 4 担当する事案について論理的な説明を行うとともに、関係者と粘り強く調整を行う。					
① 信頼関係の構築	他部局や他省庁のカウンターパートと信頼関係を構築する。				
② 説明	論点やポイントを明確にすることにより、論理的で簡潔な説明をする。				
③ 交渉	相手の意見を理解･尊重する一方、主張すべき点はぶれずに主張し、粘り強く対応する。				
<業務遂行> 5 段取りや手順を整え、効率的に業務を進める。					
① 段取り	業務の展開を見通し、前もって段取りや手順を整えて仕事を進める。				
② 柔軟性	緊急時、見通しが変化した時などの状況に応じて、打つ手を柔軟に変える。				
③ 業務改善	作業の取捨選択や担当業務のやり方の見直しなど業務の改善に取り組む。				
<部下の育成･活用> 6 部下の指導、育成及び活用を行う。					
① 作業の割り振り	部下の一人ずつの仕事の状況や負荷を的確に把握し、適切に作業を割り振る。				
② 部下の育成	部下の育成のため、的確な指示やアドバイスを与え、問題があれば適切に指導する。				

【所見等及び全体評語】

評価者		調整者	
（所見）	（全体評語）	（所見）	（全体評語）

【秀でている点･改善点等】

評価者
（秀でている点（強み）、改善点（弱み）、育成に関する意見等）

評価期間	年　月　日～　年　月　日

被評価者	所属：	職名：
	氏名：	評価結果不開示希望

評価者	所属・職名：	氏名：	評価記入日：	年　月　日
調整者	所属・職名：	氏名：	調整記入日：	年　月　日
実施権者	所属・職名：	氏名：	確　認　日：	年　月　日

期首面談	年　月　日
期末面談	年　月　日

（Ⅱ　業績評価：一般行政・本省内部部局・課長補佐）

【1　目標】

番号	業務内容	目標（いつまでに、何を、どの水準まで、どのような役割や貢献）	困難度	重要度	自己申告（達成状況、状況変化その他の特筆すべき事情）	評価者（所見）	評価者（評語）	調整者（評語：任意）
1			－	－				
2			－	－				
3			－	－				
4			－	－				
5			－	－				

被評価者	所属:	職名:	氏名:

【2 目標以外の業務への取組状況等】

番号	業務内容	自己申告 （目標以外の取組事項、突発事態への対応等）	評価者 （所見）
1			
2			
3			

【3 全体評語等】

評価者		調整者	
（所見）	（全体評語）	（所見）	（全体評語）

人事評価記録書様式（特別評価）

評価期間	年　月　日～　年　月　日

職員	所属:	職名:	氏名:
評価結果不開示希望			

評価者	所属職名:	氏名:	評価記入日:	年　月　日
調整者	所属職名:	氏名:	調整記入日:	年　月　日
実施権者	所属職名:	氏名:	確　認　日:	年　月　日

（能力評価:〇〇級条件付任用期間中職員）

評価項目及び行動
<〇〇> 1
<〇〇> 2
<〇〇> 3
<〇〇> 4
<〇〇> 5
<〇〇> 6

【全体評語等】

評価者	調整者
(所見)	(所見)
(全体評語) 「可」・「不可」	(全体評語) 「可」・「不可」

人事評価記録書様式（特別評価）

評価期間	年　月　日～　年　月　日

職員	所属:	職名:	氏名:

評価者	所属職名:	氏名:	評価記入日:	年　月　日
調整者	所属職名:	氏名:	調整記入日:	年　月　日
実施権者	所属職名:	氏名:	確　認　日:	年　月　日

（能力評価：○○級条件付任用期間中職員）

評価項目及び行動
<○○> 1
<○○> 2
<○○> 3
<○○> 4
<○○> 5
<○○> 6

【全体評語等】

評価者	調整者
（所見）	（所見）
（全体評語） 「可」　・　「不可」	（全体評語） 「可」　・　「不可」

○人事評価において留意する事項について

令三・九・一〇
閣人人―六一二

改正 令四・三・二三閣人人―一五二

人事評価制度の円滑かつ適正な運用に当たり、「人事評価の基準、方法等について」（平成二十一年三月六日付け総人恩総第二二八号）（以下「人事評価通知」という。）の記載事項のほか、各種取組・実績を適切に反映するため、以下の事項についても留意していただきますようお願いいたします。

Ⅰ 人材育成・マネジメント強化のための人事評価

働き方改革の推進、人材育成、職場における多様な人材の活用等が求められる中、行政組織の運営において、マネジメントが果たす役割は極めて大きくなっており、政府全体として幹部・管理職員のマネジメント能力を確保することが重要となっている。

人事評価の取組を通じて、人材育成・マネジメントを強化していくため、マネジメント評価を的確に行うこととし、管理又は監督の地位にある職員（本府省等及び地方支分部局・施設等機関等における課室長以上の職員をいう。以下同じ。）の能力評価及び業績評価に当たっては、以下の事項に留意すること。

1 能力評価

(1) 重要マネジメント項目

管理又は監督の地位にある職員は、人材育成及びマネジメントを職位として行う立場にあることから、マネジメント評価は、求められる能力の一環として、能力評価において適切な行動がとられていたかを評価することが基本となる。このため、業務運営及び組織統率・人材育成又はそれに類する評価項目を重要マネジメント項目として評価を行うこと。

また、その際、各評価項目には、以下の事項が含まれることに留意し、評価に確実に反映させること。

なお、マネジメントの重要性に鑑み、能力評価の全体評語の付与に当たり、重要マネジメント項目に付与する個別評語を上回らないこととしている（人事評価通知第6の3(3)参照）。

① 業務運営又はそれに類する項目
・行政のスリム化・自主的な事業の改善、女性職員の活躍及び仕事と生活の調和の推進に資する働き方の改革等の取組
・男性職員による育児に伴う休暇・休業の取得促進に係る取組
・業務の見直し及び規制改革に係る取組

② 組織統率・人材育成又はそれに類する項目
・法令等の遵守、行政文書の適正な管理及びハラスメントの防止の取組
・行政のスリム化・自主的な事業の改善、女性職員の活躍及び仕事と生活の調和の推進に資する働き方の改革等の取組（再掲）
・男性職員による育児に伴う休暇・休業の取得促進に係る取組（再掲）
・業務の見直し及び規制改革に係る取組（再掲）
・障害者の雇用促進に関する取組

(2) 望ましいマネジメント行動

管理又は監督の地位にある職員の評価者にあっては、当該被評価者が、内閣人事局が作成・公表している「国家公務員のためのマネジメントテキスト」で紹介している以下のような行動等をとっているかについて、日頃からよく観察して評価を行うこと。

また、人事評価における面談の機会を活用して指導・助言を行う等により、当該被評価者のマネジメント行動の把握・改善に努めること。

① マネジメントの基盤を作るコミュニケーション
・「心理的安全性」を確保し、組織内において良質なコミュニケーションを通じた信頼関係を構築している。
・管理職との間だけでなく、チームメンバー間でも良質なコミュニケーションが維持・確保できるようにしている。

② 業務マネジメント
・組織の目標を踏まえ、チーム全体で何をやるべきか／何をやらない・やめるかを判断している。
・チームの人員や予算を踏まえ、効果的にジョブ・アサインメント（部下に行わせる職務を具体化した上で割り振り、その職務を達成するまで支援すること）を実施している。

③ 人材マネジメント
・組織全体の方向性を捉え、中長期的な視点で将来の組織を支える人材を育成している。
・日々の業務において、部下のやりがいやエンゲージメント（自発的な貢献意欲）を高め、部下一人一人の能力の底上げをしている。

2 業績評価

管理又は監督の地位にある職員にあっては、業績評

価において、効率的な業務の遂行、適切な業務配分その他の業務管理並びに部下の指導及び育成等に関するマネジメント目標を一つ以上設定することとしている（人事評価通知第5の2参照）。評価期間中に取り組むマネジメント上の課題をマネジメント目標として設定し、各評価期間ごとに自らのマネジメントを振り返り、評価者からの指導・助言も踏まえ、マネジメント能力向上に努めること。目標設定に当たっては、何がどの程度達成できたか振り返ることができるよう、その時々の業務状況・職場環境で抱えているマネジメント上の課題について、具体的に記載することが望ましい。

また、マネジメント目標の設定に当たっては、上記1(1)に記載の重要マネジメント項目に含まれる事項についても必要に応じて留意すること。

II　各種取組の人事評価への適切な反映

人事評価において、政府全体として特に取り組むべき事項を適切に評価に反映するため、以下の取組については、各評価項目等において重要な要素である点に留意し、個別評語を付すに当たっては、これらの取組が的確に実施されない場合には、確実に評価に反映すること。また、これらの取組が的確に実施され、又はさらに高い水準で実施されていた場合には、その水準や頻度に応じて確実に評価に反映すること。

1　服務規律の遵守及び公正な職務遂行に関する取組

全ての国家公務員の能力評価において、倫理に係る評価に当たっては、服務規律の遵守及び公正な職務遂行が求められ、その要素として以下の事項が含まれる。また、能力評価の全体評語の付与に当たり、倫理の個別評語に△の評語を付与する場合には、全体評語は優良以上を付与しないこと（人事評価通知第6の3(2)参照）。

(1)　行政文書の適正な管理

職員一人一人の職責に応じ、自覚を持ってルールに沿った行政文書の適正な管理を行うこと。

また、各職員が行政文書の管理において自ら果たすべき役割を認識した上で日々の業務を遂行し、その状況を定期的に確認する仕組みとするため、業績評価に当たっては、各目標の達成に向けた業務遂行の中で、行政文書の適正な管理の観点について確認の上、適切に勘案して反映すること。目標以外の業務遂行において取り組んだ、行政文書の適正な管理に資する事項についても適切に勘案すること。

(2)　ハラスメントの防止

職員の心身の健康への影響により、職務に専念することができなくなるなど職員の能率の発揮を損なう、セクシュアル・ハラスメント、妊娠・出産・育児又は介護に関するハラスメント、パワー・ハラスメント等のハラスメントの防止に取り組むこと。

2　男性職員による育児に伴う休暇・休業の取得促進に係る取組

(1)　管理又は監督の地位にある職員幹部職員、管理職員その他子の出生が見込まれる男性職員の直属の上司、人事担当課の職員については、男性職員の育児に伴う休暇・休業の取得促進を促進するための取組状況を適切に考慮し、能力評価及び業績評価に反映すること。その際、各職員のとるべき行動については、「国家公務員の男性職員による育児に伴う休暇・休業の取得促進に関する方針」に定める標準的な取組及び人事評価の実施について（依頼）」（令和二年一月三十一日付け閣人人第五二号）を参考とすること。

なお、上記に挙げた以外の者についても、子の出生が見込まれる男性職員の休暇・休業中の業務の円滑な遂行に対する貢献があれば、これを人事評価においても適切に評価すること。

(2)　能力評価においては、例えば、管理又は監督の地位にある職員については、重要マネジメント項目の評価において取得促進に向けた取組を考慮すること。

業績評価においては、管理又は監督の地位にある職員その他子の出生が見込まれる男性職員の直属の上司及び人事担当課の職員は、目標（管理又は監督の地位にある職員については、マネジメント目標）を設定する際、必要に応じて、取得促進に向けた取組の観点にも留意すること。

(3)　評価に当たっては、子の出生が見込まれる男性職員による休暇・休業等の取得状況そのものではなく、取得を促進するための取組状況を評価すること。ただし、職員が取得促進に向けた取組を実施したことにより、男性職員が実際に休暇・休業等を取得した場合に、当該事実を業績評価において加味することも可能であること。

3　障害者雇用に関する取組

(1)　障害者の雇用促進に関する取組

①　障害者雇用推進者及び障害者職業生活相談員、人事担当者や障害のある職員の上司、個々の障害者のサポートを行う支援者など、障害者の雇用促進を担当する職員の人事評価を行うに当たっては、その業

務内容に応じて、障害者採用計画及び障害者活躍推進計画の実施、障害者からの相談への対応等の取組を適切に考慮し、評価に反映すること。その際、当該職員のとるべき行動については、「公務部門における障害者雇用マニュアル」（内閣官房内閣人事局、厚生労働省、人事院作成）を参考とすること。

② 能力評価において、例えば、障害のある職員の上司については、「組織統率・人材育成」、「部下の育成・活用」、「業務遂行」等の評価に当たって、当該職員の障害の種類、程度、特性等を把握して、これらを踏まえた職務の調整、指導を行うなど、障害を有する職員に対して配慮し、その能力が十分に引き出されるよう工夫していたか等の取組状況が考慮されること。

業績評価において、障害者雇用推進者及び障害者職業生活相談員については、障害者の雇用促進に留意した目標を設定すること。

(2) 障害を有する職員の人事評価

障害を有する職員の人事評価を実施するに当たっての手続や評価等に関する留意事項については、「障害を有する職員の人事評価について（依頼）」（平成三十年十二月二十一日付け閣人人第八八八号）を参照すること。

以　上

○勤務成績が不良な職員に対する対応について

令二・七・二〇
閣人人―四五三

改正　令四・三・二三閣人人―一五五

公務の能率的な運営を確保するためには、職員がその職務の遂行に当たり最大の能率を発揮することが重要であり、人事評価において最下位の段階より一段階上位（以下「やや不十分」という。）又は最下位（以下「不十分」という。）の段階の全体評語が付された勤務成績が不良な職員に対しては、所要の措置を行うことで、当該職員の能率の改善を図る必要がある。

また、それでもなお人事評価の全体評語がやや不十分又は不十分の段階にとどまる職員は、当該職員の能率の改善のために必要と認める措置を行ったにもかかわらず、勤務成績が改善していないため、勤務実績が不良であることが明らかな状態にあるものと一般に解されることから、当該職員に対して、公務能率の維持及び能力・実績主義に基づく人事管理の徹底の観点から、厳正に対応する必要がある。

以上の考え方を基本としつつ、今般、人事院において発出された「人事院規則一一―四（職員の身分保障）第七条第一項第二号の「勤務実績がよくないと認められる場合」について（通知）」等も踏まえ、当該職員に対する改善措置及びその後の対応について、改めて下記のとおり整理したので、適切に対応されたい。

なお、「勤務成績の著しく不良な職員に対する改善措置等について（通知）」（平成二十六年四月二十五日総人恩総第三三五号。以下「旧通知」という。）は令和二年九月三十日をもって廃止する。ただし、旧通知の要件を満たしている者は下記にかかわらず、なお従前の例によるものとする。

記

1 改善措置等

(1) 任命権者は、人事評価においてやや不十分又は不十分の段階の全体評語が付された職員に対しては、その勤務成績の改善を図るため、必要な指導、職務の見直し等を実施するものとする。

(2) 特に、能力評価又は業績評価の全体評語が不十分の段階となった職員及び二期以上連続してやや不十分又は不十分の段階となっている職員（注）に対しては、その能率の改善を図る観点から、評価結果の開示又は評価結果等に基づいて行う指導及び助言の際に、勤務実績不良の状態が改善されない場合には、今後、分限処分を行う可能性もあることを伝達した上で、「成績不良者の能力・意欲向上マニュアル」（令和二年七月内閣官房内閣人事局）を参考に、人事院規則一一―四（職員の身分保障）（以下「規則一一―四」という。）第七条第一項柱書又は人事院規則一一―一〇（職員の降給）（以下「規則一一―一〇」という。）第四条第一号イ若しくは第五条に規定する指導その他の人事院が定める措置（以下「改善措置」という。）を行うこと。なお、改善措置に当たっては、当該職員の行動事実等に係る記録を作成・保管するとともに、改善措置の対象となることが確定した定期評価の次に行われる評価の評価期間が満了する日までにその実施を終了するものとする。

2 改善措置を行った後の対応

(1) 任命権者は、次の①から③までに定めるところにより対応すること。

① ［定期評価が九月期の場合］ 改善措置が終了した日を含む評価期間に係る最初の定期評価において能力評価及び業績評価が行われる場合に、当該能力評価の全体評語がやや不十分又は不十分の段階となった職員については、原則として、国家公務員法（昭和二十二年法律第百二十号。以下「法」という。）第七十八条第一号の規定に基づく降任又は免職を行うこと。当該職員が係員の場合には、規則一一—一〇第四条第一号イの規定に基づく降格若しくは同規則第五条の規定に基づく降号又は法第七十八条第一号の規定に基づく免職を行うこと。ただし、当該職員のうち、当該業績評価の全体評語が最下位の段階より二段階上位（以下「良好」という。）以上の段階となった職員については、これらの分限処分を行うべき特段の事情がない限り、改善措置を再度行うこと。

② ［定期評価が三月期の場合］ 改善措置が終了した日を含む評価期間に係る最初の定期評価において業績評価のみが行われる場合に、当該業績評価の全体評語がやや不十分又は不十分の段階となり、かつ、当該定期評価の直前の定期評価における能力評価の全体評語がやや不十分又は不十分の段階であった職員については、原則として、法第七十八条第一号の規定に基づく降任又は免職を行うこと。当該職員が係員の場合には、規則一一—一〇第四条第一号イの規定に基づく降格若しくは同規則第五条の規定に基づく降号又は法第七十八条第一号の規定に基づく免職を行うこと。

③ ①又は②に定める処分の要件に該当する職員について、免職を行う場合には、二期以上連続して定期評価における能力評価又は業績評価の全体評語が不十分の段階であり、かつ、直近の能力評価の全体評語が不十分の段階であること及び現に任命されている官職より下位の職制上の段階に属する官職の職務を遂行することが期待できないことを要すること。

(2) (1)にかかわらず、改善措置が終了した日を含む評価期間に係る最初の定期評価における能力評価又は業績評価の全体評語がやや不十分又は不十分の段階となった職員について、評価期間の後半に勤務成績の著しい改善がみられるなど、来期における勤務成績の改善が強く期待される特段の事情がある場合には、当該職員に対し、分限処分を行わず、改善措置を再度行うことができること。この場合において、再度行った改善措置が終了した日を含む評価期間に係る最初の定期評価における当該職員の能力評価又は業績評価の全体評語がやや不十分又は不十分の段階となったときは、任命権者は、(1)①から③までに定めるところにより、対応すること。

(3) (1)及び(2)において職員に対し分限処分を行うに当たっては、「人事院規則一一—四（職員の身分保障）の運用について」（昭和五十四年任企—五四八）第七条関係第九項又は「人事院規則一一—一〇（職員の降給）の運用について」（平成二十一年給二—二六）第四条及び第五条関係第七項に基づき、当該職員に対して、警告書を交付し、及び弁明の機会を与えること。

3 留意事項

(1) 本通知は、心が不健康な状態にあること等により人事管理上配慮が必要な職員であって、主治医や健康管理医等とも協議の上、治療又は療養に専念させる必要があると認められる職員については、改善措置を行わないこととすることができること。また、改善措置開始後に治療又は療養に専念させる必要が生じた場合は、1に定める終了の期限にかかわらず改善措置を行うことができること。ただし、改善措置が終了した日を含む評価期間に係る最初の定期評価において分限処分の対象となる評価結果となっても、当該改善措置期間中の定期評価において能力評価又は業績評価の全体評語が良好以上の段階となった職員については、分限処分を行うべき特段の事情がない限り、改善措置を再度行うこと。

(2) 1及び2は、法第七十五条第二項又は法第七十八条に定められた要件を満たしていると任命権者が判断した場合に、これらの規定に基づき分限処分を行うことを妨げるものではないこと。

(3) 任命権者は、1に定める場合のほか、能力評価又は業績評価の全体評語がやや不十分の評価を一回受けた場合等、当該職員の置かれている状況に応じて、必要があると認める場合は、改善措置を行うことができること。

(4) 本通知は、令和二年十月以降適用すること。なお、令和四年三月二十三日付け改正後の本通知は、令和四年十月以降適用することとし、令和四年九月三十日までのいずれかの評価期間に係る能力評価又は業績評価の全体評語による場合における本通知の適用については、従前の例により対応すること。

(注) ここでいう「連続」には、半年ごとに行われる人事評価の中で、能力評価と業績評価が連続している場合（例：能力評価「やや不十分」・業績評価「良好」→業績評価「やや不十分」、業績評価「やや不十分」→能力評価「やや不十分」・業績評価「良好」）、一年ごとに行われる能力評価が連続している場合（例：能力評価「やや不十分」・業績評価「やや不十分」→業績評価「良好」→能力評価「やや不十分」・業績評価「良好」）、改善措置を挟んでいる場合（例：業績評価「不十分」（→改善措置）→能力評価「良好」・業績評価「やや不十分」）を含む。

※評語の段階が上位から「卓越して優秀」・「非常に優秀」・「優良」・「良好」・「やや不十分」・「不十分」とされている場合の例

(別記)〔略〕

第六編　研修

○国家公務員の研修に関する基本方針

平二六・六・二四
内閣総理大臣決定

この方針は、国家公務員法（昭和二十二年法律第百二十号）第七十条の六第三項の規定に基づき、内閣総理大臣が、内閣総理大臣及び関係庁の長が行う研修についての計画の樹立及び実施に関し、その総合的企画及び関係各庁に対する調整を行うに当たっての基本的な方針を示すものである。

1 **研修についての基本的考え方**

研修は、現在又は将来の職務遂行に必要な知識・技能を習得させ、職員の能力・資質を向上させることを目的として実施するものであるが、人材育成の観点から行われる職務付与（官職への任用、具体的な仕事の割振り、業務目標の設定又は所属組織を離れた多様な勤務の機会等）と並び、人材育成において欠かせない重要な働きかけである。

執務を通じての研修は、職場の監督者や先輩職員等によって日常的に行われるものであり、組織の一員として必要な知識・技能・心構え等を習得させる中核的な研修である。

執務を離れての研修は、集中的、体系的な知識・技能の習得、深い思考や気付き、職場外の者から受ける刺激など、日常の執務を通じての研修では得られにくい能力・資質の向上を図るものである。

人材育成を効果的に行うためには、職務付与、執務を通じての研修、執務を離れての研修を相互に効果的に組み合わせることが重要であり、研修の企画・運営においても、このことが意識される必要がある。

また、研修の充実を図ることと併せ、職員の自己啓発活動についても支援に努めることが望ましい。

2 **執務を通じての研修**

行政ニーズの複雑化、高度化が進むとともに、より早く行政活動の成果を挙げることが求められるようになっており、職員に挑戦と失敗を繰り返し経験させながら能力を高めさせていくような余裕が職場から減少しつつある。また、行政事務のＩＴ化の進展は、情報収集を容易にするなどの効果をもたらした一方で、業務遂行の全体像を他者から見えにくくするため、職員が上司や先輩職員等の業務遂行状況を見て自然に学ぶということが期待しにくくなっている。

このような状況を踏まえ、執務を通じての研修をより効率的かつ効果的に実施していくため、関係各庁は、その所属職員の育成の観点から、以下の措置を講ずることとする。

① 職員の監督者に、職員に対する執務を通じての研修を、適時にかつ効果的に行う必要があることを日常的に意識させ、実行させること。特に、職場で管理的立場にある職員に対しては、部下の指導・育成に役立つ知識・技能を学ぶ機会を提供すること。

② 職員の監督者以外の先輩職員等からの助言や支援を得やすい環境づくりに努めること。

3 **執務を離れての研修**

上記2で述べたような職場環境の変化を踏まえ、執務を通じての研修を補完していく観点から、執務を離れての研修を充実させていく必要がある。

(1) 研修の企画・運営を行うに当たり重視すること

内閣人事局及び関係各庁は、執務を離れての研修の企画・運営を行うに当たっては、以下のことを重視することとする。

① 不断の情報収集により研修ニーズの把握に努め、適時に適切な内容がカリキュラムに盛り込まれるようにすること。

② 研修効果を高める観点から、研修対象者の参加意欲や学習意欲を引き出す工夫を行うこと。その一環として、研修対象者本人やその監督者が、研修の意義・必要性を理解できるよう情報提供に努めること。

③ 研修の目的や内容に応じて、行政組織内外の資源を的確に用いること。

④ 研修効果を把握し、研修内容の改善に努めるとともに、研修履修後のキャリアパス等の人事管理に適切に活用すること。

(2) 内閣人事局及び関係各庁が実施する研修

内閣人事局及び関係各庁は、以下の内容の執務を離れての研修を実施することとし、相互に連携・協力することにより、政府全体を通じて体系的で効果的な研修が実施されるよう努めることとする。なお、研修を充実させる観点から、以下の内容以外のものを含む研修を実施することを妨げない。

ア 内閣人事局

内閣人事局が実施する研修は、全府省職員を対象とし、政府全体を通じた成果向上及び人材育成を狙いとして実施することとする。

① 幹部候補育成課程対象者の政府全体を通じた育成の観点から行う研修

・政府内の幹部職員から直接の薫陶を受けさせ、内閣の重要政策に関する共通認識や幹部候補としての心構えを持たせるもの
・講義や演習を通じて、高度な視座、広い視野、中長期的視点、国際感覚及び所属府省の利害得失にとらわれずに国益を追求する意識を持たせるもの
・講義や演習を通じて、業務運営や組織統率に必要なリーダーシップの在り方について理解を深めさせるもの
② 複数の行政分野にまたがる政策について深く思考する機会及び所属組織の枠組みを超えた相互研鑽《さん》の機会を提供することにより、政策の企画立案に係る能力・資質を向上させる研修
・政策の企画立案に携わる新規採用職員を対象とし、政府全体として施策を考え、それに取り組むための見識を養うとともに、相互理解と一体感を体得させるもの
・幹部職員又は管理職員を主たる対象とし、最新の内外の諸問題について共通の理解を深めさせ、相互の意思疎通を図るもの
③ 国家公務員の職場において共通に必要な業務の管理に係る能力・資質を向上させる研修
・管理職員を主たる対象とし、効果的に業務運営や組織統率を行っていくための知識・技能を学ばせ、相互研鑽《さん》を図るもの
・人事・労務管理を主たる業務とする職員、職場で管理的立場にある職員その他の職員を対象とし、国家公務員の人事政策について理解を深めさせるとともに、人事評価、安全・健康管理、勤務時間管理等を的確に実施するための知識・技能を学ばせ、相互研鑽《さん》を図るもの

イ　関係各庁
関係各庁が実施する研修は、所管行政の推進を狙いとして、所属職員の育成の観点から又は全府省職員を対象に所掌事務について行う知識及び技能の付与の観点から実施することとする。
① 所属職員の育成の観点から行う研修
・所掌事務に係る職員の専門性の向上を図るもの
・組織・職種の特性と職位・役割に応じた、業務遂行・業務運営に係る能力、対人関係能力、組織統率・人材育成に係る能力の向上を図るもの
・幹部候補育成課程対象者の育成を図るもの
・職員の多様性確保の観点から必要がある場合に特定の属性の職員の育成を図るもの
・勤務実績がよくないと考えられる職員の個別事情を踏まえて能力・意欲の向上を図るもの
② 所掌事務について行う知識及び技能の付与の観点から行う研修
・政府全体に共通する組織の内部管理事務の向上を図るもの
・政府全体に共通する政策立案・実施や政策評価の事務の向上を図るもの
・国家公務員が共通して持つべき社会的な知識の付与を通じて意識啓発を図るもの
・専門的知識・技能を他府省の職員に習得させるもの
・政府全体で特殊分野の専門家を育成するもの

4　研修の計画についての情報提供及び研修実施状況の把握

内閣人事局は、毎年度、内閣人事局が実施しようとする研修の計画を定め、これについて関係各庁に情報提供するとともに、関係各庁が実施した研修の状況について取りまとめることとする。

5　人事院に対する協力の要請

内閣総理大臣及び関係庁の長が行う研修についての計画の樹立及び実施に関する総合的企画に関連して、人事院に対し、毎年度の人事院が実施した研修の状況についての情報提供の協力のほか、必要な協力を要請することとする。

6　その他

この方針の運用に関し必要な事項は、内閣人事局長が定める。

〇国家公務員の研修に関する基本方針の運用について

平二八・一・二六
内閣人事局長決定

改正 令二・三・二五

国家公務員の研修に関する基本方針（平成二十六年六月二十四日内閣総理大臣決定）の運用に関し必要な事項として、内閣人事局長が定めるものは以下のとおりとする。

1 執務を離れての研修を行うに当たっての留意事項について

執務を離れての研修として職員を株式会社その他これに準ずる法人に派遣して実施する研修を行う場合には、その適正かつ円滑な実施を確保するため、例えば一年を超えない範囲内で期間を定めて実施することなどのほか、国民の疑惑や不信を招くことのないよう留意することとする。

2 内閣人事局による関係各庁が実施した研修の状況の取りまとめについて

(1) 関係各庁は、毎年、前年度における研修の実施状況の概要について、内閣人事局に報告するものとする。

(2) (1)の報告の対象となる研修は、昨今の行政課題への的確な対応を確保する上で重要な研修及び研修効果を高めるための工夫を行った研修とする。

(3) (1)の報告は、次に掲げる事項について行うものとする。

① 研修の名称及び研修の実施に当たった機関の名称（研修講師の情報を含む。）
② 研修の目的
③ 研修の時間数
④ 研修の実施方法
⑤ 研修を受けた職員の選択の範囲及び数
⑥ 研修の実施に当たり工夫した点その他の参考となる情報

附 則

この決定は、平成二十八年五月三十日から施行する。

〇人事院規則一〇—一四（人事院が行う研修等）

平二六・五・二九公布
平二六・五・三〇施行

（趣旨）

第一条 この規則は、研修に係る人事院の所掌に属する事務に関し必要な事項を定めるものとする。

（研修の計画の樹立及び実施）

第二条 人事院は、国民全体の奉仕者としての使命の自覚及び多角的な視点等を有する職員の育成並びに研修の方法に関する専門的知見を活用して行う職員の効果的な育成の観点から、次に掲げる研修についての計画を樹立し、これを実施するものとする。

一 行政研修（行政運営における中核的な役割を担うことが期待される職員等が、国民全体の奉仕者としての高い職業倫理を保持しつつ、その使命を自覚して施策を行うための当該職員等の資質及び能力の向上等を図る研修をいう。）、指導者養成研修（職員の能力の向上をより効果的に図るための技法を修得させる等により、関係庁の長が行う研修の指導者の養成を図る研修をいう。）、テーマ別研修（公務における人材育成のため必要な専門的な知識及び能力の向上等を図る研修をいう。）その他人事院が定める合同研修

二 行政官在外研究員制度及び行政官国内研究員制度による研修

三 前二号に掲げるもののほか、人事院が必要と認める研修

2　人事院は、前項各号に掲げる研修について計画を樹立し、これを実施するに当たっては、当該研修を通じて、国民全体の奉仕者としての使命と職責に関する職員の自覚が高められるよう留意するものとする。

（関係庁の長に対する支援）

第三条　人事院は、法第七十条の五第三項の規定による調査研究の結果に基づき、関係庁の長が行う研修についての計画の樹立及びその実施の支援を行うものとする。

（実施等に関する監視）

第四条　人事院は、必要と認めるときは、法第七十条の六第五項の規定に基づき、内閣総理大臣又は関係庁の長に対し、同条第一項の研修についての計画の樹立及びその実施に関し調査を行うものとする。

（実施状況に関する報告）

第五条　内閣総理大臣及び関係庁の長は、人事院が、法第七十条の七第一項の規定に基づき、法第七十条の六第一項の研修（人事院の定めるものに限る。）の実施状況について報告を求めたときは、人事院の定めるところにより、当該研修の内容その他の事項を報告するものとする。

（是正指示等）

第六条　人事院は、法第七十条の七第二項の規定に基づき是正のため必要な指示を行うほか、第四条の調査又は前条の報告の結果、法令に照らして必要と認めるときは、内閣総理大臣又は関係庁の長に対し、必要な指導又は助言を行うものとする。

（雑則）

第七条　この規則に定めるもののほか、研修に係る人事院の所掌に属する事務に関し必要な事項は、人事院が定める。

附　則

この規則は、国家公務員法等の一部を改正する法律（平成二十六年法律第二十二号）の施行の日（平二六・五・三〇）から施行する。

○人事院規則一〇―一四（人事院が行う研修等）の運用について

平二六・五・二九
人研調―六六四

改正　平二八・二・一人研―八〇

標記について下記のとおり定めたので、平成二十六年五月三十日以降は、これによってください。

記

第二条関係

この条の第一項第一号の「人事院が定める合同研修」は、関係庁の地方機関の職員を対象とした役職段階別の研修とする。

第五条関係

1　この条の「人事院の定めるもの」は、二十時間以上行われた研修とする。

2　内閣総理大臣及び関係庁の長は、前年度中に行った研修の実施状況について、毎年八月末日までに、次に掲げる事項を報告するものとする。

一　研修の名称及び研修の実施に当たった機関の名称
二　研修の目的
三　研修の時間数
四　研修の実施方法
五　研修を受けた職員の選択の範囲及び数
六　研修効果の把握の方法

七　当該年度に実施した研修において特に配慮した事項

以　上

第七編

能　率

○国家公務員健康増進等基本計画

平三・三・二〇
内閣総理大臣決定

最終改正　令三・三・二内閣総理大臣決定

はじめに

少子・高齢社会の進行、国際化・情報化の進展、職場環境の急激な変化によるストレス要因の増加等、社会経済情勢が大きく変化する中で、公務を能率的かつ効率的に遂行することが求められているところであり、職員の働き方改革をさらに進めつつ、職員の心身の健康を確保し、生きがいある充実した生活の実現を図ることが、活力ある行政の基盤ともなるものである。

こうした観点から、本計画において職員の心身の健康の保持増進等に関する施策を推進するための基本的な方針を示すものである。

第一　総則

1　計画の趣旨及び目的

この計画は、国家公務員法（昭和二十二年法律第百二十号）第七十三条第一項において内閣総理大臣が定めることとされている能率増進に関する計画を定めるものであり、同項に関する施策（以下「健康増進等施策」という。）の推進に関する基本方針を示すことにより、職員の勤務能率の発揮及び増進を図ることを目的とする。

2　健康増進等施策の目標

国家公務員の健康増進等施策は、職員の心身の健康の保持増進、「パワー・ハラスメント、セクシュアル・ハラスメント、妊娠・出産・育児又は介護に関するハラスメント等」（以下「ハラスメント」という。）の防止、安全管理等を通じて、職員がその能力を十分に発揮し、安心・安定して公務に専念できる環境を確保することにより、職員の勤務意欲の向上及び勤務能率の増進を図り、もって、国民に対してより良質な行政サービスを提供することを目標としてこれを推進する。

特に、内閣総理大臣は、別紙に掲げる項目について、毎年度、取組状況を取りまとめ、その結果に対する専門家からの対応策等の助言も含め、各府省等に対して情報共有を図ることにより、各府省等の取組の向上を図る。

3　健康増進等施策の推進体制

各省各庁の長（人事院規則一—二第二十五号に規定する者をいう。以下同じ。）は、この計画の方針を各々の健康増進等施策に反映し、人事管理官会議、各省庁厚生担当課長会議等における連絡・調整を通じて健康増進等施策の一体的な推進に努める。また、健康増進等施策を円滑に推進するため、必要に応じて人員や予算の確保に努めるものとする。さらに、共済組合との連携強化やアウトソーシング等の推進を図るとともに、民間における健康経営等の取組も参考にしつつ、民間との均衡を考慮し、健康増進等施策の効率的かつ効果的な実施に努めるものとする。

第二　健康の保持増進

職員の心身の健康の保持増進の重要性について積極的な普及啓発を図るとともに、職場環境の改善に努め、疾病の発生を予防することにより、職員の生涯にわたる心身ともに健康な生活を実現する。

このため、次の事項に重点を置いて職員の健康の保持増進対策を推進する。

1　心の健康づくり

職場環境の変化、職務内容の多様化・複雑化、テレワーク等新たな働き方の進展の中での心の健康への影響に伴う職員のストレス要因の増加に鑑み、職員一人一人の心の健康の保持増進、心が不健康な状態への早期対応及び円滑な職場復帰の支援と再発防止を進める。特に、職場ごとに要因や課題が様々であることから、心の健康づくりに係る各種指標を総合的に評価しつつ取り組む。また、依然として後を絶たない自殺の防止並びに過労死等防止対策推進法（平成二十六年法律第百号）及び同法第七条第一項による「過労死等の防止のための対策に関する大綱」（平成三十年七月二十四日閣議決定）に基づく過労死等の防止に留意する。

このため、体系的な教育の実施、ストレスチェック制度の実施、相談体制の整備、職場復帰支援及び再発防止に係る取組並びにハラスメントの防止を進める。

これらの対策のうち、体系的な教育の実施については、職員の心の健康づくりが幹部職員など管理監督者の職場マネジメント業務の重要な一部であることを徹底し、幹部職員、課長、室長、課長補佐、係長やこれらに相当する職に昇任した際に研修の受講を必修化するなど、監督者及び管理監督者を対象とした研修を強化する。また、これらの職員以外の職員に対しても、ストレスへの対処法等について啓発する。

　ストレスチェック制度については、医師等による心理的な負担の程度を把握するための検査（以下「ストレスチェック」という。）を全ての職員に対し実施する。

　ストレスチェック結果に基づき、職員からの申出により医師による面接指導を行った場合は、必要に応じ、管理監督者を通じてその職員の健康を保持するための措置を取るなど適切な対応を行う。

　また、ストレスチェックを実施した医師等に、ストレスチェック結果を一定規模の集団ごとに集計・分析させて、その結果の提供を受け、職場におけるストレス要因の有無やその発生原因等を把握するとともに、必要に応じて職場環境の改善を行う。

　心の健康づくりに関する相談体制の整備については、カウンセラー等の資質の向上、カウンセリングに関する理解及び知識の普及等によりカウンセリング制度の充実・利用促進を図る。また、共済組合との連携等により、外部専門機関に相談業務を委託するなどして、必要とする職員が専門家に相談をすることができる体制を整える。特に、若手職員については、個々の職場の実情に応じて、カウンセリングの方法を工夫する。

　精神及び行動の障害による長期病休者（以下「長期病休者」という。）の円滑な職場復帰及び復職した職員の再発防止のため、各府省等は、関係部署、管理監督者、主治医及び健康管理医等が緊密に連携を取りつつ、職場復帰の支援や再発防止に取り組む。特に、長期病休者へのフォローや職場復帰等については、各府省等間において取組事例の情報共有を図り、必要な改善を図るなどして、職場復帰の支援や再発防止の実効が上がるように取り組む。

　ハラスメントについては、職員の尊厳や人格を傷つけるとともに、ハラスメントのもたらす職員の心身の健康への影響によって、職員が職務に専念することができなくなるなどその能率の発揮を損なうものであることから、その防止に係る認識を深めさせるため、幹部職員、課長、室長、課長補佐、係長やこれらに相当する職に昇任した際の研修の受講を必修化する等の研修の強化、職員への啓発を推進する。

　また、問題が深刻化する前に職員が相談できるよう、ハラスメントに関する相談体制を整備する。

　特に、パワー・ハラスメントについては、業務量の偏りをなくすとともに、「パワー・ハラスメントを防止しパワー・ハラスメントに関する問題を解決するために職員が認識すべき事項についての指針」（人事院規則一〇―一六（パワー・ハラスメントの防止等）の運用について（令和二年四月一日職職―一四一）別紙第一）等を職員に周知徹底する。その上で、パワー・ハラスメントは、行為者に自覚がないことも多く、よかれと思っての言動もあることから、当事者間の認識の相違を解消するためのコミュニケーションを図るなど、パワー・ハラスメントが生じにくい勤務体制や勤務環境を整備する。

2　生活習慣病対策及び感染症対策等の健康増進対策の推進

　社会環境及び食生活の変化等に伴い、がん、心臓病、脳卒中、糖尿病等の生活習慣病（NCDs（非感染性疾患）。以下単に「生活習慣病」という。）に係る対策が重要な課題となっている。

　また、感染症等の流行時に備えた健康管理にも取り組んでいく必要がある。

　なお、生活習慣病対策及び感染症対策を進めていく上で、高年齢職員、障害のある職員、妊娠中の女性職員、基礎疾患がある職員及び免疫抑制状態にある職員等の健康管理には特に配慮する必要がある。

　生活習慣病対策については、職員自らが定期健康診断の結果等を有効に活用し、適切な運動や健全な食事等生活の改善に努めるとともに、職場においても、受動喫煙対策を始めとする職場環境の整備に加え、健康診断結果や健康スコアリング等のデータを活用した対策を進め、管理監督者が職場マネジメント業務の一部として職員の健康増進対策に取り組むことが重要となる。

　このため、健康づくりのための教育等の充実、生活習慣病の予防に関する理解と知識の普及等を行い、定期健康診断の充実及びその結果に基づく保健指導の徹底や日常からメディカルチェック等による職員の健康状態の把握に努めるなど職員の生活習慣病対策等の健康増進対策を推進する。

　特に、健康診断又は医師による面接指導の結果、医師による直接の医療行為を必要とする指導区分に指定された職員（以下「要医療該当職員」という。）に対し、医療機関の確実な受診を指導する。

　また、健康診断の結果、肥満、血圧、血糖及び血中脂質のいずれにも有所見となった職員に対し、二次健診及び保健指導を確実に実施する。

　喫煙については、健康に与える影響及び受動喫煙の危険性を踏まえ、生活習慣病等を予防する上で、喫煙対策は重要な課題となっている。このため、平成三十年の改正による健康増進法（平成十四年法律第百三号）及び「職場における受動喫煙防止対策及び健康確保に係る取組について」（令和二年三月二日職職―一〇一）に基づき、職場における受動喫煙防止対策を徹底するほか、職員に対する喫煙と健康に関する正しい知識の普及や禁煙希望者に対する禁煙支援を推進する。

感染症対策については、職員に対する予防接種の勧奨に加え、職場や通勤等における飛沫感染や接触感染を予防するための取組を推進するとともに、一般的な健康確保に留意する。

また、感染症の発生や流行時には、対応の明確化とその周知を行うとともに、職場におけるまん延の防止措置を迅速かつ適切に行う。

特に、感染した場合に重症化の恐れがある高年齢職員、妊娠中の女性職員、基礎疾患がある職員及び免疫抑制状態にある職員等の適切な把握に努めるとともに、感染症の発生や流行時には、出勤回避等の措置を講ずる。

3　障害のある職員の健康管理

障害のある職員については、障害の種類や程度は一人一人異なることから、「公務部門における障害者雇用マニュアル」（令和二年三月内閣官房内閣人事局、厚生労働省、人事院）に掲げられた障害別にみた特徴と雇用上の配慮等を参考にしつつ、当該職員の心身の状態を適切に把握した上で、配置や業務の遂行方法等に関して配慮するとともに、健康管理を行う。

4　仕事と生活の調和（ワークライフバランス）の実現及び超過勤務縮減の推進等による健康管理対策

「仕事と生活の調和（ワークライフバランス）」は、職員の心身の健康の保持増進の基盤となるものであり、また、恒常的な長時間に及ぶ超過勤務は、職員の心身の健康や生活に深刻な影響を及ぼすとともに、職員の活力低下により業務遂行等に支障を来すものである。

このため、各省各庁の長は、「国家公務員の女性活躍とワークライフバランス推進のための取組指針」（平成二十六年十月十七日女性職員活躍・ワークライフバランス推進協議会決定。令和三年一月二十九日一部改正）、「国家公務員の労働時間短縮対策について」（平成四年十二月九日人事管理運営協議会決定。平成二十八年九月十四日最終改正）、「計画表の活用による年次休暇及び夏季休暇の使用の促進について」（平成三十年十二月七日職職―二五二）及び超過勤務命令の上限設定等に係る人事院規則一五―一四（職員の勤務時間、休日及び休暇）等を踏まえ、「働き方改革」と「育児・介護等と両立して活躍できるための改革」の二つの改革を推進することにより、全ての職員のワークライフバランスを実現する。また、フレックスタイム制や早出遅出勤務、テレワークを活用するなどにより働く時間と場所との柔軟化を図るとともに、超過勤務の徹底的な縮減及び長時間の超過勤務を行った職員に対する医師による面接指導を実施する。さらに、年次休暇の計画的使用を促進するため、職場の実情に応じた取組を行う。

5　業務に応じた健康管理対策

職場における情報通信機器の使用の日常化、業務量の増加等により、業務を取り巻く環境が多様化しており、このような多様な業務に対応した適切な健康管理対策を実施することが必要となる。

このため、情報機器作業従事職員については、実際の作業を行う職員の個々の作業内容、使用する情報機器、作業場所等に応じて、環境管理、作業管理及び健康管理を行う。

また、有害物取扱業務、病原体取扱業務、騒音業務、放射線業務、深夜業務、自動車運転業務及び調理・配ぜん業務など、その他特定の業務に従事する職員の健康管理等に留意しつつ、職員の業務に応じた健康管理対策を推進する。

6　職場の環境衛生対策

職員の心身の健康を保持し、勤務能率を増進するためには、職場の環境衛生を適切な状態に維持・管理することが必要であることに鑑み、職場の環境衛生状態の把握及びその維持・改善に留意しつつ、職場の環境衛生対策を推進する。

特に、感染症の発生及びまん延の防止のため、職場の清潔保持、清掃等による職場環境の改善を行うなど、日常から職員の身の回りの環境衛生対策を推進する。

7　惨事ストレス対策

地震、風水害等の自然災害又は凄惨な事件、事故等の対応に当たった職員、直接被害を受けた職員及び現場に遭遇した職員が受けた精神的ストレスを早期に発見して、カウンセリング等を通じて症状の緩和を図るための対策を推進する。

第三　安全管理

職員の職務に起因する災害の発生を未然に防止

し、職務に不安なく従事することができるようにするため、次の事項に留意しつつ、職員の安全管理対策を推進する。

1　職員の身の回りの安全管理対策

不慮の事故、自然災害に伴う職員の災害の発生を未然に防止するため、職場の整備及び整理・整頓、避難訓練等、日常から職員の身の回りの安全管理対策を推進する。

2　業務に応じた安全管理対策

危険設備の使用、危険作業等により危険を伴う業務に従事する職員に対して、危険設備及び作業環境の点検整備、機械設備及び作業方法の安全化の推進等、業務に応じた安全管理対策を実施する。

3　安全管理の周知・徹底

職場の安全を確保するためには、職員が自ら主体的に安全管理に取り組むことが必要であるため、安全教育、安全管理に関する普及啓発、職員の意見を聞くための措置の充実等に努め、職員に安全管理の周知・徹底を図る。

第四　その他福利厚生施策の推進

職場内外において職員が安心して良質な生活を送ることでその勤務意欲の増進を図るため、次の事項に重点を置いて職員の福利厚生施策を推進する。

1　職員の生活設計の支援

職員の在職中から退職後にわたる人生をより充実したものとすることが重要であり、退職までの準備期間を十分確保するため、できる限り早い時期から退職後の生活までも念頭に置いた生活設計において必要な生きがい、健康、家庭経済設計等の情報を提供し、職員自らが生活設計を行うことを支援する。

2　厚生施設の整備等

職員の生活の向上を図るため、職場の実態及び職員のニーズを把握し、必要に応じて、売店、食堂施設、庁内保育施設その他の厚生施設の整備を行うとともに、サービスの向上等に努める。

3　レクリエーション活動の実施

職員の健全な文化・教養・体育等の活動を通じ、心身の健康の保持増進及び活力の向上を図るとともに、相互のコミュニケーションにより職員の一体感を醸成するため、職員の安全面に留意しつつ、レクリエーション活動を実施する。

第五　附則

1　この計画の運用に関し、必要な事項は内閣官房内閣人事局人事政策統括官通達で定める。

2　この計画は、五年を目途に必要な見直しを行うものとする。

3　この計画は、平成三年四月一日から施行する。

別紙

項目	取組の方向性又は目標値
幹部職員、課長、室長、課長補佐及び係長相当職に昇任時の心の健康づくりに関する研修の受講率（第二の1関係）	一〇〇％
ストレスチェックの集団分析結果の活用状況（好取組事例等）（第二の1関係）	職場環境の向上
心の健康づくりに関する相談窓口の状況（取組状況、利便性等）（第二の1関係）	相談の効果の向上
長期病休者の職場復帰支援及び復職した職員の再発防止のための取組（好取組事例等）（第二の1関係）	取組の向上
幹部職員、課長、室長、課長補佐及び係長相当職に昇任時のハラスメント防止に関する研修の受講率（第二の1関係）	一〇〇％
ハラスメントに関する相談窓口の状況（実施状況、利便性等）（第二の1関係）	相談の効果の向上
健康管理医及び看護スタッフ等の体制（健康管理医等の活用等）（第二の2関係）	健康管理体制の強化
要医療該当職員の受診率（第二の2関係）	一〇〇％
要医療該当職員へのフォローアップ状況（受診勧奨等）（第二の2関係）	受診率の上昇
長時間の超過勤務を行った職員に対する面接指導の実施率（第二の4関係）	一〇〇％

○国家公務員健康増進等基本計画の運用指針

平三・三・二〇
総人一一一

最終改正 令三・三・二閣人人―八九

国家公務員健康増進等基本計画（平成三年三月二十日内閣総理大臣決定）を運用するに当たり、留意すべき指針は次のとおりとする。

1 健康の保持増進

(1) 心の健康づくり

次の事項に留意しつつ、職員の心の健康づくりを推進する。

① 職員一人一人の心の健康の保持増進

ア 体系的な教育の実施

幹部職員、課長、室長、課長補佐、係長やこれらに相当する職に昇任した際に、心の健康づくりに関する研修の受講を必修化する。

また、これらの職員以外の職員に対しても、心の健康づくりに関する研修に加え、あらゆる機会の研修に心の健康に関する内容を含めるなど工夫するよう努める。なお、研修の実施に当たっては、必要に応じてeラーニングやウェブ会議システム等を利用することにより、職員の利便性と業務効率化の両立を図る。

イ ストレスチェック制度の実施

(ア) ストレスチェック結果のセルフケアへの活用

ストレスチェックの実施に当たっては、職員がストレスチェック結果を心の健康状態に関するセルフケアに活用するよう促す。また、ストレスチェックによって、高ストレス者と判断され面接指導の対象となった職員に対しては、面接指導を受診するよう促す。

(イ) 面接指導の結果に応じた措置

ストレスチェック結果に基づき申出をした職員に対し、医師による面接指導を行った場合は、その医師の意見を勘案し、必要に応じて管理監督者に業務負担の軽減等の配慮を促すほか、臨時の健康診断、指導区分の決定や事後措置等、適切な措置を講ずる。

(ウ) ストレスチェック結果の集団ごとの集計・分析

ストレスチェック結果の集団ごとの集計・分析結果については、秘書課や人事課等の人事当局（以下「人事当局」という。）と共有するとともに、管理監督者に対しては、健康管理スタッフ等から分析結果の活用方法等の必要な助言を行った上で、職場環境の改善を実施する。

② 心が不健康な状態への早期対応

ア 相談体制の整備

(ア) カウンセリング制度の充実・利用促進

カウンセラー等を対象とした講習会の開催、カウンセリング事例の研究等を通じて、カウンセリングに従事する者の資質の向上に努め、カウンセリングによる効果を高めさせる。

また、相談窓口については、相談者の利便性の向上に努めるとともに、カウンセリング制度の利用方法等について職員に周知を図り、制度の利用促進を図る。

(イ) 外部専門機関への委託等による相談体制の整備

カウンセリング制度の職場における相談体制を補うため、共済組合との連携等により、電話、ウェブ又は面談による相談業務を外部専門機関に委託するなどして、必要とする職員が専門家に相談することができる体制を整備する。

(ウ) 若手職員に対する支援

若手職員については、職員の生きがいや働きがいを高めさせることが心の健康に有効であることから、キャリア形成に資するカウンセリング等の実施に努め、必要に応じてＳＮＳカウンセリング等の手法を用いる。

特に、採用間もない職員等については、各府省等の実情に応じて、先輩職員から個別に助言などの支援を受けるメンター制度を導入・活用するとともに、メンタル不調に陥りやすいとされる採用一年目の終わりから二年目の始めまでの時期をめどに、必要に応じて職場のカウンセラーや専門家によるカウンセリングの実施に努める。

③ 円滑な職場復帰の支援と再発防止

長期病休者を円滑に職場復帰させるため、生活記録表の活用等により職員の状況の把握に努めるとともに、試し出勤の実施等により、復職に向けた準備を支援する。特に、病気休職を繰り返している者については、リワーク施設の利用を推奨する。

また、長期病休者の職場復帰に当たっては、人事院の受入方針のモデル例等を参考に、復帰の時期、職務内容等に関し、事前に長期病休者の意向、主治医の意見、健康管理医等の意見を聴取し、職場復帰の可否の判断及び具体的な受入方針（復職プラン）を決定する。

さらに、復職後は、管理監督者が復職した職員の勤務状況等を把握し、必要に応じ業務内容等を調整する。

加えて、長期病休者の職場復帰の支援や復職した職員の再発防止に関し、各府省等間の取組事例に関する情報共有、支援策等の必要な改善に向けた検討等を行い、実効を上げるよう対応する。あわせて、長期病休者を部下に持つ管理監督者に対して、対処法等に関する研修の実施に努める。

④　ハラスメントの防止

幹部職員、課長、室長、課長補佐、係長やこれらに相当する職に昇任した際に、ハラスメント防止に関する研修の受講を必修化する。また、これらの職員以外の職員に対しても、ハラスメントに関する研修に加えて、あらゆる機会の研修にハラスメントに関する内容を含めるなど工夫するように努め、ハラスメントの概念や職員の責務等について、積極的に周知・啓発を図る。なお、研修の実施に当たっては、必要に応じてe-ラーニングやウェブ会議システム等を利用することにより、職員の利便性と業務効率化の両立を図る。

また、相談体制の整備に当たっては、相談員の適正な配置を行うとともに、相談員の専門性の向上や職員への相談窓口の周知の徹底を図る。

さらに、職員がハラスメントに関して相談したことや調査に協力したこと等を理由に不利益を受けることがないようにする。

加えて、窓口や現場等で行政サービスの相手方と直接接する職場においては、業務の範囲や程度を明らかに超える要求をする言動に関する苦情相談に対して速やかに組織として対応する体制を整える。

(2)　生活習慣病対策及び感染症対策等の健康増進対策の推進

次の事項に留意しつつ、職員の生活習慣病対策及び感染症対策等の健康増進対策を推進する。

①　健康づくりのための相談・指導の充実

職員の日常からの計画的な健康管理を支援するため、健康相談の積極的な活用、健康管理医等による健康管理についての指導の充実等に努める。特に、健康管理医等の適正な配置等により、相談・指導時間の拡充に努める。

②　生活習慣病及び感染症予防に関する理解と知識の普及

健康づくりに関する職員の自助努力を促すため、健康に関する情報の提供、行事の開催、医師による講話の実施等を通じて生活習慣病及び感染症予防に関する職員の理解を促進し、知識の普及に努める。

③　定期健康診断の充実

定期健康診断のスクリーニング検査として次の検査項目その他の必要な検査項目の実施に努める。

ア　業務歴、既往歴、身長・体重・腹囲・視力・聴力、肥満度及び自覚・他覚症状
イ　胸部エックス線検査
ウ　喀痰細胞診（四十歳以上の職員）
エ　血圧検査、血糖検査及び尿検査（血糖検査は三十五歳及び四十歳以上の職員）
オ　心電図検査（三十五歳及び四十歳以上の職員）
カ　LDLコレステロール検査（三十五歳及び四十歳以上の職員）
キ　HDLコレステロール検査（三十五歳及び四十歳以上の職員）
ク　中性脂肪検査（三十五歳及び四十歳以上の職員）
ケ　貧血検査（三十五歳及び四十歳以上の職員）
コ　胃の検査（四十歳以上の職員（妊娠中の女性職員を除く。））
サ　肝機能検査（三十五歳及び四十歳以上の職員）
シ　便潜血反応検査（四十歳以上の職員）

また、子宮頸がんや乳がん等の女性特有のがん検診については、女性職員に対して受診の必要性を啓発するとともに、受診しやすい環境整備を行う。

さらに、メタボリックシンドロームに着目した特定保健指導の対象となった職員については、特定保健指導を積極的に受診して改善を図るように促す。

④　健康診断結果や健康スコアリング等のデータを活用した健康増進対策の強化

健康診断結果を的確に管理するとともに、本人への適切な周知指導を徹底する。

また、自府省等の職員の要医療該当職員又は要観察に該当した職員の人数や該当者率の経年変化、全府省等の該当者率との比較など健康診断結果や健康スコアリング等のデータを人事当局と共有し、課題を整理した上で、業務の効率化、職場環境の改善、超過勤務の縮減、休暇の取得促進を図るなど適切な健康増進対策を行う。

特に、要医療該当職員や二次健診の対象となった職員に対しては、それぞれ、厚生担当課や管理監督者が、医療機関や二次健診の受診の有無を確認し、未受診者に対し受診を指導するなどして、受診の確保を図る。受診勧奨の方法については、各府省等間で取組状況の情報共有を図り、受診率の向上を目指す。

加えて、二次健診の結果、要医療に該当しなかった職員に対しては、運動・栄養・休養に関しての保健指導に努める。

⑤　病気・治療と仕事の両立

基礎疾患がある職員、免疫抑制状態にある職員など健康管理面で配慮が必要な職員について、健康管理医等がその職員の健康状態を適切に把握するとともに、指導区分や事後措置等を行うなど適切な措置を講じる。

あわせて、仕事と不妊治療を含む治療等の両立について、勤務時間・休暇等の利用可能な制度の周知や管理監督者に対する意識啓発等を通じて、治療等を受けやすい職場環境の醸成を図るとともに、職員の健康状況や治療の状況を踏まえた配置、業務の遂行方法等に関して配慮する。

⑥　喫煙対策

喫煙による喫煙者自身の健康への影響及び職場における受動喫煙による非喫煙者の健康への影響を考慮し、第一種施設においては原則として敷地内禁煙とすることや、特定屋外喫煙場所等の対象となる地点での空気環境の測定等を行うなど、受動喫煙の防止対策に係る取組を徹底する。

また、喫煙者に対し、受動喫煙を含む喫煙に関する情報の提供、医師による講話の実施等を行うとともに、禁煙希望者に対しては禁煙プログラムの紹介等による禁煙支援を行い、喫煙対策を推進する。

⑦　感染症対策

感染の予防のため、ワクチンが有効な感染症はその予防接種の勧奨を行う。また、日常から出勤前等の体温測定を行い、風邪の症状を含め職員自身の体調を確認するなど、職員の健康状態の把握に努め、職員一人一人が十分な栄養摂取と睡眠の確保を心がけるなど健康管理を行うとともに、体調が良くない職員は出勤させない等の措置を講ずる。さらに、疲労の蓄積が感染しやすくさせることにつながることから、長時間の超過勤務を避けるよう留意する。

特に、感染症の発生や流行時には、職場や通勤及び外勤で感染を拡大させないため、咳エチケット、手洗いなどの手指衛生の徹底を行うとともに、在宅勤務やテレワークを最大限活用する。また、ローテーションを組み出勤と在宅勤務を交代で行うことや時差出勤を導入することなどによって、人と人との接触機会を極力低減すること、職場でもお互いの距離を十分取ることや換気を徹底すること、出張等による移動を減らすためウェブ会議システム等を活用することなどの対策を迅速かつ適切に行う。

なお、感染症対策を進める上で、健康管理医に対策の検討や実施に当たっての意見を求めるなど、正しい知識を持って、職場や職務の実態に即した対策に取り組む。加えて、感染症の発生や流行時には、正しい最新の情報を収集し、業務や職場の実態を踏まえ、その情報を迅速かつ適切に職員へ周知するとともに、感染拡大の防止措置を徹底する。

⑧　健康上配慮を必要とする職員に対する健康管理

健康障害の防止上、特に配慮を必要とする高年齢職員、障害のある職員、妊娠中の女性職員、基礎疾患がある職員及び免疫抑制状態にある職員等の健康状態の把握に努め、必要に応じて保健指導を実施する。また、休暇等の支援制度の周知を徹底するとともに、配置、業務の遂行方法等に関して心身の条件を十分に考慮する。

(3)　障害のある職員の健康管理

障害のある職員の健康管理に資するため、「公務部門における障害者雇用マニュアル」等を参考にしつつ、次の事項について取り組む。

ア　障害のある職員が自らの障害の特性等に応じて安定的に働くことができる環境を作るため、勤務時間等の柔軟な設定や通勤負担軽減等のためのテレワーク勤務の活用など、当該職員の勤務条件等の整備に努める。

イ　障害のある職員の業務の遂行を支援するため、当該職員の障害の程度やスキル等を踏まえ、必要に応じて各種支援機器の導入に努める。

ウ　障害のある職員が安全で能力を発揮できる環境を作るため、一人一人の障害の状態等に応じ、職場や職務の実態に即して、施設や設備の改善に努める。

エ　専門アドバイザーによる助言や各種講習会等を活用しつつ、上司や同僚等周囲の職員に対して、就労上の注意点や接し方等の理解を高めさせ、障害のある職員が働きやすい職場環境の整備に努める。

(4)　仕事と生活の調和（ワークライフバランス）の実現及び超過勤務縮減の推進等による健康管理対策

職員の健康増進を推進するため、次の事項に留意しつつ、取組を進める。

①　新たな働き方と健康管理

フレックスタイム制や早出遅出勤務、テレワークを活用し、時間と場所を選択できる新たな働き方を推進する一方、これらにより過重労働が生じることや、孤立感やコミュニケーションの不足等から心の健康等を害することがないよう、管理監督者において日常から職員の業務状況、健康状態の把握及び職員の心身の状態に応じた健康管理に努める。

②　超過勤務の縮減及び超過勤務を行った職員の健康管理

超過勤務については、管理監督者による事前確認や、所要見込み時間と異なる場合の事後報告を徹底するとともに、業務配分の適正化を図ることなどにより、縮減を進める。また、長期又は長時間の超過勤務が職員の健康及び福祉に及ぼす影響を未然に防止するため、人事院規則一〇―四（職員の保健及び安全保持）第二十二条の二第一項第一号の要件に該当する職員に対して、医師による面接指導を確実に実施する。また、同規則同項第二号の要件に該当する職員に対しては、本人の申出により面接指導が受けられる旨についての周知に努める。さらに、管理監督者がメンタルヘルス面を含めその健康管理に配慮すべき旨の徹底、健康診断結果の活用等に努める。

③　年次休暇の使用促進

原則として年初において年次休暇等の計画表を作成し、管理監督者は、各職場の実情に応じ、年次休暇を取りやすい雰囲気の醸成や環境整備を行う。

(5)　業務に応じた健康管理対策

次の事項に留意しつつ、勤務状況等に応じた健康管理対策を推進する。

①　情報機器作業従事職員の健康管理

情報機器作業に長時間従事する職員については、「情報機器作業従事職員に係る環境管理、作業管理、健康管理等の指針」（令和元年十月三十日職職―二三五別添）に基づき、照明や作業時間等に関する適切な環境管理、作業管理及び健康診断の実施に努める。

②　その他特定の業務に従事する職員の健康管理

その他特定の業務に従事する職員については、業務の実態を把握し、特別健康診断を実施するとともに、業務に応じた疾病予防等に関する知識の普及、作業環境や障害防止設備の点検・整備等に努める。

(6)　職場の環境衛生対策

次の事項に留意しつつ、職場の環境衛生対策を推進する。

①　職場の環境衛生状態の把握

換気、照明、温度、湿度、振動、騒音、給・排水等の職場の環境条件の測定、職場の巡回チェック等を通じて職場の環境条件を的確に把握する。

②　環境衛生の保持・改善

職場の清潔保持に努めるとともに、環境条件の測定等の結果、不適切な点についてその改善に努める。

また、職場内の換気の徹底、複数人の職員が触れることがある物品・機器等の消毒等を実施することにより、感染症の発生及びまん延の防止に資する職員の身の回りの衛生環境保持に努める。

③　熱中症予防の実施

個々の職場等の状況に応じてＷＢＧＴ値（暑さ指数）を適切に把握し、熱中症のリスクを正しく見積もった上で、作業環境等の管理を行う。また、職員の健康状態を随時確認するとともに、必要に応じて医師の意見を踏まえた配慮を行うなど健康管理に努める。

(7)　惨事ストレス対策

①　惨事ストレスに関する知識と理解の普及を図るため、情報の提供、医師の講話等を実施する。

また、惨事に遭遇した職員に対し、カウンセリング等の実施により精神的ストレスの早期発見に努める。

② 当該ストレスの症状のある職員に対しては、医師の治療等症状の緩和に努める。

2 安全管理

(1) 職員の身の回りの安全管理対策

次の事項に留意しつつ、職員の身の回りの安全管理対策を実施する。

① 職場の整備（バリアフリー等）及び整理・整頓

職場のバリアフリー化（段差の解消等）に配慮し、転倒による災害の防止に努める。

また、職場及び作業場の整理・整頓、廊下やロッカーの上の放置物の整理等を計画的に実施することにより、自然災害等に備えた職員の身の回りの安全管理に努める。

② 避難訓練等の実施

火災、地震等の緊急事態の発生に備え、職員の避難訓練、防火訓練、救急訓練等の実施に努めるとともに、避難設備、防火設備、救急用具等の点検整備を行う。

(2) 業務に応じた安全管理対策

次の事項に留意しつつ、業務の状況に応じた安全管理対策を実施する。

① 危険設備及び作業環境の点検整備

ボイラー、圧力容器、クレーン、エレベーター等の危険設備について必要な検査及び点検整備を行うとともに、爆発性・引火性物質、有害物質等の危険物を取り扱う作業場について、使用・保管設備等を重点に点検整備を行う。

② 機械設備及び作業方法の安全化の推進

機械設備及び当該設備に係る作業工程、レイアウト等について随時見直し、その安全化を推進するとともに、危険・有害業務の作業方法について工夫改善を行い、作業の安全性の向上に努める。

③ 船舶における災害防止の推進

船舶での転倒、墜落等の災害を防止するため、手すり等の設備の整備改善及び船員に対する安全教育の実施等に努める。

④ 放射線業務に係る災害防止の推進

放射線業務に係る災害を防止するため、放射性同位元素の数量の確認、放射性物質の厳重な管理、放射性物質に係る使用・貯蔵・廃棄等の施設の整備、放射線発生装置・標識・警報装置等の点検整備を行うとともに、管理区域における職員の線量当量の測定を実施する。

⑤ 災害の要因分析に基づく災害防止対策の実施

災害に至る一歩前の事例（ヒヤリ・ハット事例）の発生状況も含めて把握・分析し、職場における危険有害要因の発見に努め、潜在的な危険性・有害性の低減を図るべく、的確な災害防止対策の実施に努める。

⑥ 高年齢職員や障害のある職員等の安全管理

高年齢職員や障害のある職員等が心身機能の変化により転倒、墜落・転落等することを防止するため、個人差に十分配慮し、施設の改善や作業手順等の確認・見直しを行う。また、これらの職員に対しては日常行動に更に注意が必要であることを認識させ、自ら安全意識の向上及び注意喚起に努めさせる。

(3) 安全管理の周知・徹底

次の事項に留意しつつ、職員に対し、安全管理の周知・徹底を図る。

① 安全教育の実施

国家公務員安全週間や防災の日などの機を捉え、安全に関する講習会の開催、訓練の実施等により、職員に対する安全管理のための教育に努める。特に、危害の発生する恐れの多い業務に従事する職員に対する特別教育に重点を置くこととする。

② 安全管理に関する普及啓発

安全に関するポスターの作成・掲示、情報の提供等により、安全管理への取組について、知識の普及啓発を図る。

③ 職員の意見を聞くための措置の充実

安全委員会の開催、職場懇談会の開催、提案制度の実施等、職員の安全管理への主体的な参加を促すとともに、安全管理に職員の意見を反映するための措置の充実に努める。

3 その他福利厚生施策の推進

(1) 職員の生活設計の支援

退職準備プログラムの実施、生涯生活設計に関する情報の提供、適切なアドバイスの実施、職員の相互啓発の機会の確保、カウンセリングにおける生活相談の導入等を通じて、職員に対する生涯生活設計の普及に努める。

(2) 厚生施設の整備等

職場の実態及び職員の利用のニーズを把握し、必要に応じて、売店、食堂施設、庁内保育施設その他厚生施設の整備・利用促進を行うとともに、職員が利用できる育児関連支援等のサービス（例：シッターサービス、家事代行サービス、介護サービス）のメニューを充実させ、情報提供を行う。

(3)　レクリエーション活動の実施

レクリエーション活動の実施に当たっては、多くの職員が参加する機会を確保するとともに、活動の適正かつ効果的な実施を図るため、行事の計画的な実施、適切な管理体制の確保等に留意しつつ、職員の希望にも配慮する。また、職員の自発的なレクリエーション活動の支援に努める。なお、活動中の怪我の防止や熱中症対策、感染症の感染防止を徹底するため、これらの防止に関する知識について周知するなど、注意喚起に努める。

各省各庁の長は、原則として毎年六月末日までに、前年四月一日に始まる年度における国家公務員健康増進等基本計画の取組状況について、別紙様式により内閣総理大臣に報告するものとする。

また、内閣総理大臣は、同計画の取組状況の取りまとめ結果を各省各庁の長に情報共有するとともに、取組状況及び政策課題等を勘案しつつ、必要に応じて本運用指針の見直しを行うものとする。

本運用指針は、平成三年四月一日から施行する。

附　則（令三・三・二閣人人―八九）

1　改正後の運用指針は令和三年四月一日から施行する。

2　令和二年度における国家公務員健康増進等基本計画の実施状況の内閣総理大臣への報告様式については、本通達による改正前の別紙様式によるものとする。

別紙　　**国家公務員健康増進等基本計画取組状況報告書**

省庁・区分名

対象機関数（　　　　　　）

<table>
<tr><th>項　　目</th><th>取　組　状　況</th></tr>
<tr><td>1　健康の保持増進
(1)　心の健康づくり
①　職員一人一人の心の健康の保持増進
ア　体系的な教育の実施</td><td>●幹部職員、課長、室長、課長補佐及び係長相当職に昇任した者の心の健康づくりに関する研修（ｅ－ラーニング等のオンラインによるものを含む。）の受講
<table>
<tr><th>対象者
（＊1）</th><th>対象者数</th><th>受講者数
（＊2）</th><th>受講率
（＊3）</th></tr>
<tr><td>幹部職員
相当職昇任者</td><td>名</td><td>名</td><td>％</td></tr>
<tr><td>課長
相当職昇任者</td><td>名</td><td>名</td><td>％</td></tr>
<tr><td>室長
相当職昇任者</td><td>名</td><td>名</td><td>％</td></tr>
<tr><td>課長補佐
相当職昇任者</td><td>名</td><td>名</td><td>％</td></tr>
<tr><td>係長相当職
昇任者</td><td>名</td><td>名</td><td>％</td></tr>
</table>
＊1　対象者は、前々年９月１日から前年８月31日までの間に幹部職員、課長、室長、課長補佐及び係長相当職に昇任した者とする。
＊2　受講者数は、対象者のうち、前々年９月１日から前年３月31日までの間に研修を受講した者がいる場合は、その人数を加えて計上すること。
＊3　受講率（％）＝受講者数(名）÷対象者数（名）×100
（＊1から＊3までについては、「④ ハラスメントの防止」の研修受講において同じ。）</td></tr>
<tr><td>イ　ストレスチェック制度の実施
(ウ)　ストレスチェック結果の集団ごとの集計・分析</td><td>●ストレスチェックの集団分析結果の活用状況
（好取組事例等について記入）</td></tr>
</table>

②　心が不健康な状態への早期対応 ア　相談体制の整備 （ア）カウンセリング制度の充実・利用促進	●心の健康づくりに関する相談窓口の状況 （取組状況、利便性等について記入）
③　円滑な職場復帰の支援と再発防止	●職場復帰支援及び再発防止のための取組 （好取組事例等について記入）
④　ハラスメントの防止	●幹部職員、課長、室長、課長補佐及び係長相当職に昇任した者のハラスメント防止に関する研修（ｅ－ラーニング等のオンラインによるものを含む。）の受講

対象者（＊1）	対象者数	受講者数（＊2）	受講率（＊3）
幹部職員相当職昇任者	名	名	％
課長相当職昇任者	名	名	％
室長相当職昇任者	名	名	％
課長補佐相当職昇任者	名	名	％
係長相当職昇任者	名	名	％

●ハラスメントに関する相談窓口の状況
（取組状況、利便性等について記入）

(2) 生活習慣病対策及び感染症対策等の健康増進対策の推進 ① 健康づくりのための相談・指導の充実	●健康管理医及び看護スタッフ等の体制 （健康管理医等の活用等について記入）
④ 健康診断結果や健康スコアリング等のデータを活用した健康増進対策の強化	●要医療該当職員の医療機関受診の状況 （要医療該当職員のうち医療機関を受診した人数(A)：　　名） （要医療該当職員数(B)：　　名） （医療機関受診率＝A÷B×100：　　%） ●要医療該当職員へのフォローアップの状況 （受診勧奨等について記入）
(4) 仕事と生活の調和（ワークライフバランス）の実現及び超過勤務縮減の推進等による健康管理対策 ② 超過勤務の縮減及び超過勤務を行った職員の健康管理	●長時間の超過勤務を行った職員に対する面接指導の実施率 （長時間の超過勤務を行った職員のうち面接指導を受けた人数(C)：　　名） （長時間の超過勤務を行った職員数(D)：　　名） （面接指導実施率＝C÷D×100：　　%） ＊4　長時間の超過勤務を行った職員とは、１か月で100時間以上又は２～６か月平均で80時間を超える超過勤務を行った職員をいう。年度内に複数回、該当した職員については、複数回カウント（延べ人数）する。

(記入上の注意)

1 「省庁・区分名」には「人事院規則10－4（職員の保健及び安全保持）の運用について」(昭和62年12月25日職福－691) 別表第1の省庁名及び「本府省等」、「地方支分部局」又は「施設等機関等」のうち該当する区分名を記入すること。

2 「研修」については、人事院、内閣官房内閣人事局が実施する研修に加え、各府省等が独自に実施する研修も含まれる。

3 「本府省等」、「地方支分部局」又は「施設等機関等」の一の区分に複数の機関が属する場合には、これらを取りまとめた上で各項目について記入すること。

4 自由記入欄のスペースが不足した場合には、適宜、別紙に記入すること(様式自由)。

○人事院規則一〇—四（職員の保健及び安全保持）

昭四八・三・一全改
昭四八・四・一施行

最終改正 令五・一・一八規則一〇—四—三六

第一章 総則

（趣旨）

第一条 職員の保健及び安全保持についての基準並びにその基準の実施に関し必要な事項は、別に定めるもののほか、この規則の定めるところによる。

（人事院の権限）

第二条 人事院は、職員の保健及び安全保持についての基準の設定並びにその基準についての指導調整に当たるほか、その実施状況について随時調査又は監査を行ない、法又は規則の規定に違反していると認める場合には、その是正を指示することができる。

（各省各庁の長の責務）

第三条 各省各庁の長は、法及び規則の定めるところに従い、それぞれ所属の職員の健康の保持増進及び安全の確保に必要な措置を講じなければならない。

（職員の責務）

第四条 職員は、その所属の各省各庁の長その他の関係者が法及び規則の規定に基づいて講ずる健康の保持増進及び安全の確保のための措置に従わなければならない。

第二章 健康安全管理体制

（健康管理者）

第五条 各省各庁の長は、人事院の定める組織区分（内部組織の構成等により必要があると認める場合にあつては、当該組織区分を細分した組織区分）ごとに、それぞれの組織に属する職員のうちから健康管理者を指名しなければならない。

2 健康管理者は、上司の指揮監督の下に、職員の健康管理に関する事務の主任者として次に掲げる事務を行うものとする。

一 職員の健康障害を防止するための措置に関すること。

二 職員の健康の保持増進のための指導及び教育に関すること。

三 職員の健康診断又は面接指導（医師が問診その他の方法により心身の状況を把握し、これに応じて面接により必要な指導を行うことをいう。以下同じ。）の実施に関すること。

四 職員の健康管理に関する記録及び統計の作成並びにその整備に関すること。

五 前各号に掲げるもののほか、職員の健康管理に必要な事項に関すること。

（安全管理者）

第六条 各省各庁の長は、人事院の定める組織区分（内部組織の構成等により必要があると認める場合にあつては、当該組織区分を細分した組織区分）ごとに、それぞれの組織に属する職員のうちから安全管理者を指名しなければならない。

2 安全管理者は、上司の指揮監督の下に、職員の安全管理に関する事務の主任者として次に掲げる事務を行なうものとする。

一 職員の危険を防止するための措置に関すること。

二 職員の安全のための指導及び教育に関すること。

三 施設、設備等の検査及び整備に関すること。

四 職員の安全管理に関する記録及び統計の作成並びにその整備に関すること。

五 前各号に掲げるもののほか、職員の安全管理に必要な事項に関すること。

（健康管理担当者及び安全管理担当者）

第七条 各省各庁の長は、健康管理者の事務を補助する者として健康管理担当者を、安全管理者の事務を補助する者として安全管理担当者をそれぞれ置かなければならない。

（野外実験等の場合の体制）

第八条 各省各庁の長は、野外における実験等の業務で人事院の定めるもの（以下「野外実験等」という。）を行なう場合には、その業務に従事する職員のうちから特に健康管理又は安全管理の責任者を指名し、当該業務に関する健康管理者又は安全管理者の事務を分担させなければならない。

2 二以上の省庁が共同して野外実験等の業務を行なう場合には、関係各省各庁の長は、あらかじめ協議を行ない、当該野外実験等（以下「共同野外実験等」という。）に係る健康管理又は安全管理の総括の責任者の設置その他当該野外実験等に係る職員の健康障害又は危険の防止を一体的に行なうための措置を講じなければならない。

（健康管理医）

第九条 各省各庁の長は、第五条第一項の組織区分ごとに、健康管理医を置かなければならない。

2　健康管理医は、医師である職員（当該健康管理医を指名しようとする組織区分に係る各省各庁の長及び当該組織区分の長を除く。）のうちから指名し、又は医師である者に委嘱するものとする。

3　健康管理医は、指導区分の決定又は変更その他人事院の定める健康管理についての指導等の業務（以下「健康管理指導等」という。）を行うものとする。

4　健康管理医は、職員の健康管理指導等を行うのに必要な医学に関する知識に基づいて、誠実にその職務を行わなければならない。

5　各省各庁の長は、健康管理医に対し、人事院の定めるところにより、職員の勤務時間に関する情報その他の健康管理医が職員の健康管理指導等を適切に行うために必要な情報として人事院の定めるものを提供しなければならない。

6　各省各庁の長は、健康管理医による職員の健康管理指導等の適切な実施を図るため、健康管理医が職員からの健康相談に応じ、適切に対応するために必要な体制の整備その他の必要な措置を講ずるように努めなければならない。

7　各省各庁の長は、健康管理医の業務の内容その他の健康管理医の業務に関する事項で人事院の定めるものを、常時各勤務場所の見やすい場所に掲示し、又は備え付けることその他の人事院の定める方法により、職員に周知させなければならない。

（危害防止主任者）

第十条　各省各庁の長は、別表第一に掲げる業務については、当該業務に係る作業場ごとに、人事院の定める知識、経験又は技能を有する職員のうちから危害防止主任者を指名し、人事院の定める危害防止に関する事務を行なわせなければならない。

2　各省各庁の長は、別表第一に掲げる業務以外の業務について特に必要があると認める場合にも、危害防止主任者を指名し、危害防止に関し必要な事務を行なわせるように努めるものとする。

（火元責任者）

第十一条　各省各庁の長は、防火上適切と認められる施設の区分ごとに火元責任者を置き、火災防止に関する事務を行なわせなければならない。

（健康安全管理規程）

第十二条　各省各庁の長は、職員の健康管理及び安全管理に関し健康安全管理規程を作成し、これを職員に周知させなければならない。

2　健康安全管理規程には、次に掲げる事項を定めなければならない。

一　職員の健康及び安全についての管理組織に関すること。

二　健康管理及び安全管理に関して職員の意見を聞くための措置に関すること。

三　健康安全教育に関すること。

四　職員の健康障害及び危険の防止に必要な措置に関すること。

五　勤務環境の検査及び設備等の検査に関すること。

六　健康診断又は面接指導の実施及びこれらに基づく事後措置に関すること。

七　避難訓練その他の緊急事態に対する措置に関すること。

八　勤務環境の検査及び設備等の検査の記録並びに健康管理の記録に関すること。

九　前各号に掲げるもののほか、職員の健康管理及び安全管理に必要な事項に関すること。

3　各省各庁の長は、健康安全管理規程を作成し、又は変更した場合には、すみやかに人事院に報告しなければならない。

（健康安全教育）

第十三条　各省各庁の長は、職員を採用した場合、職員の従事する業務の内容を変更した場合等において、職員の健康の保持増進又は安全の確保のために必要があると認めるときは、当該職員に対し、健康又は安全に関する必要な教育を行なわなければならない。

（職員の意見を聞くための措置）

第十四条　各省各庁の長は、職員の健康管理及び安全管理に関して職員の意見を聞くために必要な措置を講じなければならない。

（有害性又は危険性の調査等）

第十四条の二　各省各庁の長は、人事院の定めるところにより、建設物、設備、原材料、ガス、蒸気、粉じん等による、又は作業行動その他業務に起因する有害性又は危険性等（別表第一の二に掲げる物（以下「特定調査対象物」という。）による有害性又は危険性等を除く。）を調査し、その結果に基づいて、この規則の規定による措置を講ずるほか、職員の健康障害又は危険を防止するため必要な措置を講ずるように努めなければならない。

第三章　健康管理基準

（勤務環境等について講ずべき措置）

第十五条　各省各庁の長は、人事院の定めるところにより、換気その他の空気環境の調整、照明、保温、防湿、清潔保持及び伝染性疾患のまん延の予防のための措置その他職員の健康保持のため必要な措置を講じなければならない。

（有害な業務に係る措置）

第十六条　各省各庁の長は、別表第二に掲げる有害な業務（以下「特定有害業務」という。）の行なわれる場所及び特定有害業務に従事する職員については、人事院の定める健康障害を防止するための措置を講じなければならない。

2　各省各庁の長は、人事院の定めるところにより、特定有害業務の行われる場所について定期に勤務環境を検査し、及びその結果について記録を作成しておかなければならない。

3　各省各庁の長は、前項の規定に基づき作成された記録書を、作成の日から起算して三年間保存しなければならない。ただし、別表第二の二の上欄に掲げる記録書については、その区分に応じ、それぞれその作成の日から起算して同表の下欄に定める期間保存するものとする。

4　各省各庁の長は、特定有害業務以外の業務で職員の健康障害を生ずるおそれのあるものの有無について随時調査し、職員の健康障害を防止するため必要があると認めるときは、適切な措置をとるものとする。

（有害物質の使用等の制限）

第十六条の二　各省各庁の長は、職員に重度の健康障害を生ずる別表第二の三第一号に掲げる物質（以下「第一種有害物質」という。）については、試験研究を目的とする場合で人事院の承認を得たときを除き、製造し、又は職員に使用させてはならない。

2　各省各庁の長は、職員に重度の健康障害を生ずるおそれのある別表第二の三第二号に掲げる物質（以下「第二種有害物質」という。）を製造する場合は、あらかじめ、人事院の承認を得なければならない。

3　人事院は、前二項の承認をしたときは、承認書を交付するものとする。

4　第一項及び第二項の承認に関し必要な事項は、人事院が定める。

（特定調査対象物の調査等）

第十六条の三　各省各庁の長は、人事院の定めるところにより、特定調査対象物による有害性又は危険性等を調査しなければならない。

2　各省各庁の長は、前項の調査の結果に基づいて、この規則の規定による措置を講ずるほか、職員の健康障害又は危険を防止するため必要な措置を講ずるように努めなければならない。

（継続作業の制限等）

第十七条　各省各庁の長は、潜水作業その他人事院の定める作業に従事する職員については、職員の健康障害を防止するため、人事院の定めるところにより、継続作業の制限等の措置を講じなければならない。

（中高年齢職員等に対する配慮）

第十八条　各省各庁の長は、中高年齢職員その他健康障害の防止上特に配慮を必要とする職員については、配置、業務の遂行方法等に関して心身の条件を十分に考慮するように努めなければならない。

（採用時等の健康診断）

第十九条　各省各庁の長は、職員（人事院の定める非常勤職員を除く。以下この条、次条第二項第二号及び第二十一条の二において同じ。）の採用に際し、その者の健康診断（第二十二条の四第一項に規定する検査を除く。以下第二十四条の四までにおいて同じ。）を行わなければならない。職員を新たに別表第三に掲げる業務に従事させる場合にも、同様とする。

2　前項の健康診断の検査の項目は、人事院が定める。

（定期の健康診断）

第二十条　各省各庁の長は、定期に職員の健康診断を行わなければならない。

2　前項の健康診断は、次に掲げるものとする。

一　すべての職員（人事院の定める非常勤職員を除く。第二十四条の二において同じ。）に対して行う一般定期健康診断

二　別表第三に掲げる業務に現に従事し、又は同表に掲げる業務で人事院の定めるものに従事したことのある職員に対して行う特別定期健康診断

3　第一項の健康診断の検査の項目その他同項の健康診断に関し必要な事項は、人事院が定める。

（臨時の健康診断）

第二十一条　各省各庁の長は、前二条の健康診断のほか、必要と認める場合には、臨時に職員の健康診断を行なうものとする。

（職員の健康の保持増進のための総合的な健康診査）

第二十一条の二　各省各庁の長は、職員が請求した場合には、その者が総合的な健康診査で人事院が定めるもの（以下「総合健診」という。）を受けるため勤務しないことを承認することができる。

2　前項の規定により勤務しないことを承認することができる時間は、一日（交通機関の状況から、請求した職員が前項の承認に係る総合健診を受けるためには総合健診が行われる日又はその前日に宿泊することが必要であると認められる場合（以下この項において「宿

泊を要する場合」という。）にあつては、一日に各省各庁の長が宿泊のため必要と認める日数を加えた日数）の範囲内で各省各庁の長が必要と認める時間とする。ただし、前項の承認に係る総合健診が二日にわたるものである場合で、次のいずれかに該当するときは、二日（宿泊を要する場合にあつては、二日に各省各庁の長が宿泊のため必要と認める日数を加えた日数）の範囲内で各省各庁の長が必要と認める時間とする。

一　当該総合健診が、正午以後に始まり、翌日の午前中に終了するものであるとき。

二　当該総合健診が、請求した職員の健康管理上健康管理医が特に必要と認める検査の項目を含むものであるとき（請求した職員が、当該検査項目を含む一日又は半日の総合健診を受けることができない場合に限る。）。

三　請求した職員が、離島振興法（昭和二十八年法律第七十二号）に基づく離島振興対策実施地域又は山村振興法（昭和四十年法律第六十四号）に基づく振興山村に勤務しているとき。

四　各省各庁の長又は国家公務員共済組合法（昭和三十三年法律第百二十八号）第三条の規定により設置された国家公務員共済組合と総合健診を実施する病院等との契約上、一日又は半日の総合健診のみでは希望する職員のすべてが総合健診を受けることができない状況にあるため、請求した職員が二日にわたる総合健診を受けることがやむを得ないと認められるとき。

（健康診断における検査の省略）

第二十二条　各省各庁の長は、職員が第十九条又は第二十条の健康診断の実施時期前の近接した時期に当該健康診断の検査の項目の全部又は一部について医師（歯科医師を含む。以下同じ。）の検査を受けている場合において、その検査がこれらの規定に基づく健康診断における検査の基準に適合していると認めるときは、その検査をもつて当該健康診断における検査に代えることができる。

２　各省各庁の長は、職員が第二十条の健康診断の実施時期に近接した時期に総合健診を受ける場合において、当該健康診断の検査の項目について当該総合健診の検査の結果を利用することができると認めるときは、その検査をもつて当該健康診断における検査に代えることができる。

（勤務時間の状況等に応じて行う面接指導等）

第二十二条の二　各省各庁の長は、次に掲げる職員に対し、人事院の定めるところにより、面接指導を行わなければならない。

一　勤務時間の状況が職員の健康の保持を考慮して人事院の定める要件に該当する職員

二　勤務時間の状況その他の事項が職員の健康の保持を考慮して人事院の定める要件に該当し、かつ、面接指導を受けることを希望する旨の申出をした職員（前号に掲げる職員を除く。）

２　各省各庁の長は、前項の規定による面接指導を実施するため、職員の勤務時間の状況に関する人事院の定める事項を記録しなければならない。

３　各省各庁の長は、第一項の規定による面接指導の結果に基づき、当該職員の健康を保持するために必要な措置について、人事院の定めるところにより、医師の意見を聴かなければならない。この場合において、各省各庁の長は、当該医師の意見を勘案し、必要があると認めるときは、当該職員の実情を考慮して、適切な措置を講じなければならない。

第二十二条の三　各省各庁の長は、前条第一項の規定により面接指導を行う職員以外の職員であつて健康への配慮が必要なものについては、人事院の定めるところにより、必要な措置を講ずるよう努めなければならない。

（心理的な負担の程度を把握するための検査等）

第二十二条の四　各省各庁の長は、職員（人事院の定める非常勤職員を除く。）に対し、医師、保健師その他の人事院の定める者（第三項において「医師等」という。）による心理的な負担の程度を把握するための検査を受ける機会を与えなければならない。

２　前項の検査の項目その他同項の検査に関し必要な事項は、人事院が定める。

３　各省各庁の長は、第一項に規定する検査を受けた職員に対し、人事院の定めるところにより、当該検査を行つた医師等から当該検査の結果が通知されるようにしなければならない。この場合において、各省各庁の長は、あらかじめ当該結果の通知を受けた職員の同意を得ないで、当該医師等から当該職員の検査の結果の提供を受けてはならない。

４　各省各庁の長は、前項の規定による通知を受けた職員であつて、心理的な負担の程度が職員の健康の保持を考慮して人事院の定める要件に該当するものから面接指導を受けることを希望する旨の申出があつた場合には、当該職員に対し、人事院の定めるところにより、面接指導を行わなければならない。この場合において、各省各庁の長は、職員が当該申出をしたことを理由として、当該職員に対し、不利益な取扱いをしてはならない。

5　第二十二条の二第三項の規定は、前項の規定による面接指導の結果に基づく必要な措置について準用する。

（指導区分の決定等）

第二十三条　各省各庁の長は、健康診断又は面接指導を行つた医師が健康に異常又は異常を生ずるおそれがあると認めた職員については、その医師の意見書及びその職員の職務内容、勤務の強度等に関する資料を健康管理医に提示し、別表第四の指導区分欄に掲げる区分に応じて指導区分の決定を受けるものとする。

2　各省各庁の長は、前項の職員の医療に当たつた医師が指導区分の変更について意見を申し出た場合その他必要と認める場合には、所要の資料を健康管理医に提示し、当該職員の指導区分の変更を受けるものとする。

（事後措置）

第二十四条　各省各庁の長は、前条の規定により指導区分の決定又は変更を受けた職員については、その指導区分に応じ、別表第四の事後措置の基準欄に掲げる基準に従い、適切な事後措置をとらなければならない。

2　各省各庁の長は、前項の事後措置の実施に当たり、伝染性疾患の患者又は伝染性疾患の病原体の保有者である職員のうち、他の職員に感染のおそれが高いと認められる職員についてやむを得ないと認める場合には、業務に就くことを禁止することができる。

3　前項の規定による就業の禁止は、人事院の定める事項を記載した文書を交付して行なわなければならない。

（脳血管疾患及び心臓疾患の予防のための保健指導）

第二十四条の二　各省各庁の長は、健康診断において、脳血管疾患及び心臓疾患の発生にかかわる身体の状態に関する検査であつて人事院の定めるものを受けた職員が当該検査のいずれの項目にも異常の所見があると診断された場合には、人事院の定めるところにより、当該職員（第二十三条第一項の規定により、健康管理医から脳血管疾患又は心臓疾患の発生に関し別表第四に規定する医療の面1又は2の指導区分の決定を受けた職員を除く。）に対し、医師又は保健師の面接による保健指導を行うものとする。

（特定保健指導）

第二十四条の三　各省各庁の長は、高齢者の医療の確保に関する法律（昭和五十七年法律第八十号）第十八条第一項に規定する特定健康診査の結果により健康の保持に努める必要がある職員（人事院の定める職員に限る。）が請求した場合には、その者が同法第二十四条の規定による特定保健指導を受けるため勤務しないことを承認することができる。

2　前項の規定により勤務しないことを承認することができる時間は、一日の範囲内で各省各庁の長が必要と認める時間とする。

（健康診断の結果の通知）

第二十四条の四　各省各庁の長は、健康診断を受けた職員に対し、当該健康診断の結果を通知しなければならない。

（健康管理の記録）

第二十五条　各省各庁の長は、健康診断又は面接指導の結果（第二十二条の四第一項の検査の結果にあつては、同条第三項の同意を得て提供を受けたものに限る。）、指導区分、事後措置の内容その他健康管理上必要と認められる事項について、人事院の定めるところにより、職員ごとに記録を作成し、これを職員の健康管理に関する指導のために活用しなければならない。

2　前項の記録は、職員が各省各庁の長を異にして異動した場合には、異動後の所属の各省各庁の長に移管するものとする。

3　各省各庁の長は、第一項の記録をその職員の離職した日から起算して五年間保存しなければならない。ただし、次の各号に掲げる業務に従事したことのある職員に係る記録については、当該職員の離職した日から起算して当該各号に定める期間保存するものとする。

一　別表第二第一号に掲げる業務のうち、石綿に係るもの　四十年

二　別表第二第一号に掲げる業務のうち、別表第二の二第二号1から46までに掲げる物質に係るもの　三十年

三　別表第二第三号に掲げる業務　七年

四　別表第三第二号に掲げる業務　三十年

（心身の状態に関する情報の取扱い）

第二十五条の二　各省各庁の長は、この規則の規定による措置の実施に関し、職員の心身の状態に関する情報を収集し、保管し、又は使用するに当たつては、職員の健康の確保に必要な範囲内で職員の心身の状態に関する情報を収集し、並びに当該収集の目的の範囲内でこれを保管し、及び使用しなければならない。ただし、本人の同意がある場合その他正当な事由がある場合は、この限りでない。

（健康管理手帳）

第二十六条　人事院は、別表第二第一号若しくは第三号

に掲げる業務又は別表第三第二号に掲げる業務に従事する職員がこれらの業務に従事しないこととなつた場合には、人事院の定める場合を除き、当該職員の所属の各省各庁の長の申請に基づき、当該職員に健康管理手帳を交付しなければならない。

2　健康管理手帳の様式その他健康管理手帳に関し必要な事項は、人事院が定める。

（特別健康管理手帳）

第二十六条の二　人事院は、別表第四の二に掲げる業務に職員として従事していた者のうち、人事院の定める要件に該当する者に対し、離職の際に又は離職の後に、その者が離職の際に所属していた各省各庁の長の申請に基づき、当該業務に係る特別健康管理手帳を交付するものとする。

2　特別健康管理手帳の様式その他特別健康管理手帳に関し必要な事項は、人事院が定める。

（健康診断の実施結果等の報告）

第二十七条　各省各庁の長は、人事院の定めるところにより、毎年六月末日までに、前年四月一日に始まる年度における健康診断の実施結果、第二十二条の四第四項の規定による面接指導の実施結果及び職員に対して行なつた健康管理上の指導事項の概要を人事院に報告しなければならない。

第四章　安全管理基準

（危険を防止するための措置）

第二十八条　各省各庁の長は、次の各号に掲げる危険による職員の災害の発生を防止するために必要な措置を講じなければならない。

一　機械、器具その他の設備等による危険

二　爆発性の物、発火性の物、引火性の物等による危険

三　電気、熱その他のエネルギーによる危険

四　掘削、採石等の業務における作業方法から生ずる危険

五　職員が墜落するおそれのある場所、土砂等が崩壊するおそれのある場所等に係る危険

2　各省各庁の長は、職員の作業行動から生ずる災害を防止するために必要な措置を講じなければならない。

3　前二項の規定により各省各庁の長が講ずべき措置は、この規則に定めるもののほか、人事院が定める。

（緊急事態に対する措置）

第二十九条　各省各庁の長は、職員に対する災害発生の危険が急迫したときは、当該危険に係る場所、職員の業務の性質等を考慮して、業務の中断、職員の退避等の適切な措置を講じなければならない。

2　各省各庁の長は、前項の措置を的確かつ円滑に講ずることができるようにするため、設備等の整備、職員の訓練等の措置を怠つてはならない。

（危害のおそれの多い業務の従事者）

第三十条　各省各庁の長は、人事院の定める免許、資格等を有する職員でなければ、別表第五に掲げる業務に従事させてはならない。

2　各省各庁の長は、別表第五に掲げる業務以外の業務で人事院の定める危害のおそれの多いものについては、人事院の定めるところにより、危害防止のための特別の教育を行なつた後でなければ、職員を当該業務に従事させてはならない。

（設備等の使用等の制限）

第三十一条　各省各庁の長は、別表第六に掲げる設備等については、人事院の定める条件を満たすものでなければ職員に使用させてはならない。

2　各省各庁の長は、別表第七に掲げる設備等のうち人事院の定めるものについては、人事院の定める条件を満たすものでなければ設置してはならない。

（設備等の検査）

第三十二条　各省各庁の長は、別表第七に掲げる設備等については、設置検査、変更検査、性能検査及び定期検査を、別表第八に掲げる設備等については定期検査を、それぞれ行なわなければならない。

2　各省各庁の長は、前項の検査を行なつたときは、その結果について記録を作成しなければならない。

3　第一項の検査及び前項の記録に関し必要な事項は、人事院が定める。

（設備等の届出）

第三十三条　各省各庁の長は、別表第七に掲げる設備等を設置し、変更し、若しくは廃止したとき、又は別表第八に掲げる設備等のうち人事院の定めるものを設置し、若しくは廃止したときは、人事院の定めるところにより、当該設備等に関する事項をすみやかに人事院に届け出なければならない。

（適用除外）

第三十四条　前二条の規定は、電気事業法（昭和三十九年法律第百七十号）、高圧ガス保安法（昭和二十六年法律第二百四号）、ガス事業法（昭和二十九年法律第五十一号）又は液化石油ガスの保安の確保及び取引の適正化に関する法律（昭和四十二年法律第百四十九号）の適用を受ける設備等については、適用しない。

（災害等の報告）

第三十五条　各省各庁の長（共同野外実験等の場合にあ

つては、あらかじめ協議して定めた各省各庁の長）は、職員の勤務する場所において次に掲げる災害又は事故が発生したときは、そのつど、その発生状況等について人事院に報告しなければならない。

一　職員が死亡することとなつた災害

二　同一原因で三人以上の職員が負傷し、窒息し、又は急性中毒にかかることとなつた災害

三　火災、ボイラーの破裂等の事故で重大なもの

2　各省各庁の長は、毎年六月末日までに、勤務場所における前年の四月一日に始まる年度の職員の災害の発生状況等について人事院に報告しなければならない。

3　前二項の報告に関し必要な事項は、人事院が定める。

第五章　雑則

（経過措置）

第三十六条　昭和四十八年三月三十一日におけるこの規則の規定に基づいて行なわれた健康管理者及び安全管理者の指名、設備及び作業環境の検査、健康診断、指導区分の決定並びに事後措置は、昭和四十八年四月一日におけるこの規則の相当規定に基づいて行なわれたものとみなす。

2　各省各庁の長は、第三十三条の規定により新たに届出が必要となつた設備等で、昭和四十八年三月三十一日以前に設置されているものがあるときは、同条の規定に基づく設備等の設置の場合に準じ人事院に届け出なければならない。

附　則（平一八・九・一規則一〇―四―一五）（抄）

（施行期日）

1　この規則は、公布の日から施行する。

（経過措置）

3　石綿（アモサイト及びクロシドライトを除く。以下この項において同じ。）、石綿をその重量の〇・一パーセントを超えて含有する製剤その他の物（石綿を含有する人事院の定める製品で、その含有する石綿の重量が当該製品の重量の一パーセントを超えるものを除く。）又はアモサイト若しくはクロシドライトをその重量の〇・一パーセントを超え一パーセント以下含有する製剤その他の物のうち、この規則の施行の日前に製造され、又は輸入された物であつて、同日において現に使用されているものについては、同日以後引き続き使用されている間は、この規則による改正後の規則一〇―四第十六条の二の規定は、適用しない。

附　則（令四・三・一規則一〇―四―三五）

（施行期日）

1　この規則は、公布の日から施行する。

（経過措置）

2　この規則による改正後の人事院規則一〇―四（以下「新規則」という。）別表第一備考第一号4又は5に掲げる温水ボイラー（この規則による改正前の人事院規則一〇―四（以下「旧規則」という。）別表第一備考第一号4から6までに掲げるものに該当するものを除く。）であつて、この規則の施行の日前に製造され、又は製造に着手されたもの（労働安全衛生法（昭和四十七年法律第五十七号）第四十二条の規定に基づき厚生労働大臣が定める規格又は安全装置（労働安全衛生法施行令（昭和四十七年政令第三百十八号）第十三条第三項第二十五号に掲げる機械等に係るものに限る。）を具備していないものに限る。）については、この規則の施行の日から起算して一年を経過する日までの間は、新規則第三十一条第一項（別表第六第二号に掲げる設備等に係る制限に係る部分に限る。以下同じ。）の規定は、適用しない。この場合において、当該温水ボイラーについては、新規則別表第一備考第一号に定めるボイラー（旧規則別表第一備考第二号に定める小型ボイラーに該当するものにあつては、新規則別表第一備考第二号に定める小型ボイラー）とみなして、新規則（第三十一条第一項を除く。）の規定の例による。

別表第一 危害防止主任者を指名すべき業務（第十条関係）

一 ボイラー（小型ボイラーを除く。）の取扱いの業務

二 第一種圧力容器（小型圧力容器及び人事院の定めるその他の圧力容器を除く。）の取扱いの業務

三 高圧室内における業務

四 アセチレン溶接装置又はガス集合溶接装置を用いて行う金属の溶接、溶断又は加熱の業務

五 機械集材装置又は運材索道で、人事院の定めるものの組立て、解体、変更若しくは修理の業務又はこれらの設備による集材若しくは運材の業務

六 発破の業務

七 木材加工用機械が五台（当該機械のうちに自動送材車式帯のこ盤が含まれている場合には、三台）以上設置されている場所における当該機械の取扱いの業務

八 動力によつて運転するプレス機械が五台以上設置されている場所における当該プレス機械の取扱いの業務

九 乾燥設備による物の加熱乾燥の業務

十 コンクリート破砕器を用いて行う破砕の業務

十一 掘削面の高さが二メートル以上となる地山の掘削（ずい道及びたて坑以外の坑の掘削を除く。）の業務（第十三号に掲げる業務を除く。）

十二 土止め支保工の切りばり又は腹起こしの取付け又は取り外しの業務

十三 掘削面の高さが二メートル以上となる採石法（昭和二十五年法律第二百九十一号）第二条に規定する岩石の採取のための掘削の業務

十四 高さが二メートル以上のはいのはい付け又ははい崩しの業務（荷役機械の運転者のみによつて行われるものを除く。）

十五 型枠支保工の組立て又は解体の業務

十六 つり足場（ゴンドラのつり足場を除く。）、張出し足場又は高さが五メートル以上の構造の足場の組立て、解体又は変更の業務

十六の二 建築物の骨組み、橋りようの上部構造又は塔で、金属製の部材により構成されるもの（その高さが五メートル以上であるものに限る。）の組立て、解体又は変更の業務

十七 別表第二第一号に掲げる業務

十八 別表第二第九号に掲げる業務

十九 可燃性のガスその他の人事院の定める危険物を製造し、又は取り扱う業務（第四号、第九号及び第十号に掲げる業務を除く。）

二十 電路又はその支持物の点検、修理等の電気工事の業務で人事院の定めるもの

二十一 クレーン、デリック、屋外に設置するエレベーターの昇降路塔若しくはガイドレールの支持塔又は建設用リフトの組立て又は解体の業務

二十二 多数の者に対して行う給食業務

二十三 多量の洗濯物を取り扱う業務

備考 この表において「ボイラー」、「小型ボイラー」、「第一種圧力容器」及び「小型圧力容器」とは、次に定めるものをいう。別表第五から別表第八までにおいても、同様とする。

一 ボイラー 蒸気ボイラー及び温水ボイラーのうち、次に掲げるボイラー以外のものをいう。

1 ゲージ圧力〇・一メガパスカル以下で使用する蒸気ボイラーで、伝熱面積が〇・五平方メートル以下のもの又は胴の内径が二百ミリメートル以下で、かつ、その長さが四百ミリメートル以下のもの

2 ゲージ圧力〇・三メガパスカル以下で使用する蒸気ボイラーで、内容積が〇・〇〇〇三立方メートル以下のもの

3 伝熱面積が二平方メートル以下の蒸気ボイラーで、大気に開放した内径が二十五ミリメートル以上の蒸気管を取り付けたもの又はゲージ圧力〇・〇五メガパスカル以下で、かつ、内径が二十五ミリメートル以上のU形立管を蒸気部に取り付けたもの

4 ゲージ圧力〇・一メガパスカル以下の温水ボイラーで、伝熱面積が四平方メートル以下（木質バイオマス温水ボイラー（動植物に由来する有機物でエネルギー源として利用することができるもの（原油、石油ガス、可燃性天然ガス及び石炭並びにこれらから製造される製品を除く。）のうち木竹に由来するものを燃料とする温水ボイラーをいう。5において同じ。）にあつては、十六平方メートル以下）のもの

5 ゲージ圧力〇・六メガパスカル以下で、かつ、摂氏百度以下で使用する木質バイオマス温水ボイラーで、伝熱面積が三十二平方メートル以下のもの

6 ゲージ圧力一メガパスカル以下で使用する貫流ボイラー（管寄せの内径が百五十ミリメートルを超える多管式のものを除く。）で、伝熱面積が五平方メートル以下のもの（気水分離器を

有するものにあつては、当該気水分離器の内径が二百ミリメートル以下で、かつ、その内容積が〇・〇二立方メートル以下のものに限る。）

7　内容積が〇・〇〇四立方メートル以下の貫流ボイラー（管寄せ及び気水分離器のいずれをも有しないものに限る。）で、その使用する最高のゲージ圧力をメガパスカルで表した数値と内容積を立方メートルで表した数値との積が〇・〇二以下のもの

二　小型ボイラー　ボイラーのうち、次に掲げるボイラーをいう。

1　ゲージ圧力〇・一メガパスカル以下で使用する蒸気ボイラーで、伝熱面積が一平方メートル以下のもの又は胴の内径が三百ミリメートル以下で、かつ、その長さが六百ミリメートル以下のもの

2　伝熱面積が三・五平方メートル以下の蒸気ボイラーで、大気に開放した内径が二十五ミリメートル以上の蒸気管を取り付けたもの又はゲージ圧力〇・〇五メガパスカル以下で、かつ、内径が二十五ミリメートル以上のU形立管を蒸気部に取り付けたもの

3　ゲージ圧力〇・一メガパスカル以下の温水ボイラーで、伝熱面積が八平方メートル以下のもの

4　ゲージ圧力〇・二メガパスカル以下の温水ボイラーで、伝熱面積が二平方メートル以下のもの

5　ゲージ圧力一メガパスカル以下で使用する貫流ボイラー（管寄せの内径が百五十ミリメートルを超える多管式のものを除く。）で、伝熱面積が十平方メートル以下のもの（気水分離器を有するものにあつては、当該気水分離器の内径が三百ミリメートル以下で、かつ、その内容積が〇・〇七立方メートル以下のものに限る。）

三　第一種圧力容器　次に掲げる容器（ゲージ圧力〇・一メガパスカル以下で使用する容器で、内容積が〇・〇四立方メートル以下のもの又は胴の内径が二百ミリメートル以下で、かつ、その長さが千ミリメートル以下のもの及びその使用する最高のゲージ圧力をメガパスカルで表した数値と内容積を立方メートルで表した数値との積が〇・〇〇四以下の容器を除く。）をいう。

1　蒸気その他の熱媒を受け入れ、又は蒸気を発生させて固体又は液体を加熱する容器で、容器内の圧力が大気圧を超えるもの（2又は3に掲げる容器を除く。）

2　容器内における化学反応、原子核反応その他の反応によつて蒸気が発生する容器で、容器内の圧力が大気圧を超えるもの

3　容器内の液体の成分を分離するため、当該液体を加熱し、その蒸気を発生させる容器で、容器内の圧力が大気圧を超えるもの

4　1から3までに掲げる容器のほか、大気圧における沸点を超える温度の液体をその内部に保有する容器

四　小型圧力容器　第一種圧力容器のうち、次に掲げる容器をいう。

1　ゲージ圧力〇・一メガパスカル以下で使用する容器で、内容積が〇・二立方メートル以下のもの又は胴の内径が五百ミリメートル以下で、かつ、その長さが千ミリメートル以下のもの

2　その使用する最高のゲージ圧力をメガパスカルで表した数値と内容積を立方メートルで表した数値との積が〇・〇二以下の容器

別表第一の二　特定調査対象物（第十四条の二、第十六条の三関係）

一　第二種有害物質

二　第二種有害物質を含有する製剤その他の物（別表第二の三第二号8に掲げる物を除く。）で人事院の定めるもの

三　労働安全衛生法施行令（昭和四十七年政令第三百十八号）別表第九に掲げる物

四　前号に掲げる物を含有する製剤その他の物で人事院の定めるもの

別表第二　特定有害業務（第十六条、第二十五条、第二十六条関係）

一　次に掲げる物質を取り扱い、又はそれらのガス、蒸気若しくは気膠《こう》質を吸入することにより障害を受けるおそれのある業務

1　鉛、その合金及び化合物（四アルキル鉛を除く。）

2　四アルキル鉛

3　水銀、そのアマルガム及び化合物（有機水銀を除く。）

4　フェニル水銀化合物

5　アルキル水銀化合物（アルキル基がメチル基又はエチル基である物に限る。）

6　マンガン及びその化合物
7　クロム酸及びその塩並びに重クロム酸及びその塩
8　カドミウム及びその化合物
9　ベリリウム及びその化合物
10　砒《ひ》素及びその化合物
11　りん及びその化合物（有機りん剤を除く。）
12　有機りん剤（ジメチル‐二・二‐ジクロロビニルホスフェイト（ＤＤＶＰ）を除く。）
13　ジメチル‐二・二‐ジクロロビニルホスフェイト（ＤＤＶＰ）
14　シアン化カリウム、シアン化水素及びシアン化ナトリウム
15　アクリロニトリル
16　トリレンジイソシアネート（ＴＤＩ）
17　メチレンジフェニルジイソシアネート（ＭＤＩ）
18　オルト‐フタロジニトリル
19　塩素
20　弗《ふっ》化水素
21　沃《よう》素及びその化合物
22　一酸化炭素
23　二酸化硫黄
24　硫化水素及びメルカプタン類
25　二硫化炭素
26　ベンゼン
27　フェノール
28　アルファ‐ナフチルアミン及びその塩
29　ベータ‐ナフチルアミン及びその塩
30　オルト‐トリジン及びその塩

31　オルト‐トルイジン
32　ジアニシジン及びその塩
33　ジクロルベンジジン及びその塩
34　マゼンタ
35　ベンジジン及びその塩
36　オーラミン
37　芳香族ニトロ化合物及び芳香族アミノ化合物（アルファ‐ナフチルアミン及びその塩、ベータ‐ナフチルアミン及びその塩、オルト‐トリジン及びその塩、ジアニシジン及びその塩、ジクロルベンジジン及びその塩、マゼンタ、ベンジジン及びその塩、オーラミン、パラ‐ジメチルアミノアゾベンゼン、パラ‐ニトロクロルベンゼン、四‐アミノジフェニル及びその塩並びに四‐ニトロジフェニル及びその塩を除く。）
38　パラ‐ジメチルアミノアゾベンゼン
39　パラ‐ニトロクロルベンゼン
40　四‐アミノジフェニル及びその塩
41　四‐ニトロジフェニル及びその塩
42　芳香族炭化水素のハロゲン置換体（三・三′‐ジクロロ‐四・四′‐ジアミノジフェニルメタン、ベンゾトリクロリド、ペンタクロルフェノール（ＰＣＰ）及びそのナトリウム塩、オルト‐ジクロルベンゼン並びにクロルベンゼンを除く。）
43　三・三′‐ジクロロ‐四・四′‐ジアミノジフェニルメタン
44　ベンゾトリクロリド
45　ペンタクロルフェノール（ＰＣＰ）及びそのナトリウム塩
46　塩素化ビフェニル（ＰＣＢ）

47　脂肪族炭化水素のハロゲン置換体（塩化ビニル、一・二‐ジクロロプロパン、クロロホルム、四塩化炭素、一・二‐ジクロロエタン（二塩化エチレン）、一・一・二・二‐テトラクロロエタン（四塩化アセチレン）、ジクロロメタン（二塩化メチレン）、テトラクロロエチレン（パークロルエチレン）、トリクロロエチレン、臭化メチル、一・一・一‐トリクロルエタン及び一・二‐ジクロルエチレン（二塩化アセチレン）を除く。）
48　塩化ビニル
49　一・二‐ジクロロプロパン
50　クロロホルム
51　四塩化炭素
52　一・二‐ジクロロエタン（二塩化エチレン）
53　一・一・二・二‐テトラクロロエタン（四塩化アセチレン）
54　ジクロロメタン（二塩化メチレン）
55　テトラクロロエチレン（パークロルエチレン）
56　トリクロロエチレン
57　臭化メチル
58　コールタール
59　エチレンイミン
60　ニッケル化合物（ニッケルカルボニルを除き、粉状の物質に限る。）
61　ニッケルカルボニル
62　五酸化バナジウム
63　ビス（クロロメチル）エーテル
64　アクリルアミド
65　クロロメチルメチルエーテル
66　ニトログリコール

67　ベーター-プロピオラクトン
68　硫酸ジメチル
69　石綿
70　ホルムアルデヒド
71　一・一-ジメチルヒドラジン
72　酸化プロピレン
73　インジウム化合物
74　エチルベンゼン
75　コバルト及びその無機化合物
76　一・四-ジオキサン
77　スチレン
78　メチルイソブチルケトン
79　ナフタレン
80　リフラクトリーセラミックファイバー
81　三酸化二アンチモン
82　溶接ヒューム
83　有機溶剤（82までに掲げる有機溶剤を除く。）
84　酸、アルカリその他の刺激性物質及び腐食性物質（エチレンオキシドを除く。）
85　エチレンオキシド
86　有機性粉じんその他アレルゲンとなるおそれのある物質

二　強烈な紫外線、赤外線又は可視光線にさらされる業務
三　粉じんを著しく発散する場所における業務
四　病原体によつて汚染されるおそれのある場所における業務
五　チェンソー、さく岩機、高速機械等の使用により身体に著しい振動を受けるおそれのある業務
六　多量の高熱物体を取り扱う業務又は著しく暑熱な場所における業務
七　多量の低温物体を取り扱う業務又は著しく寒冷な場所における業務
八　異常気圧下における業務
九　空気中の酸素の濃度が十八パーセント未満になるおそれのある場所における業務
十　著しい騒音を発する場所における業務
十一　坑内における業務
十二　超音波にさらされる業務

別表第二の二　特別の保存期間を必要とする記録書及びその保存期間（第十六条、第二十五条関係）

記録書	保存期間
一　特定有害業務のうち石綿を取り扱う業務の行われる場所の勤務環境についての検査に係る記録書	四十年
二　特定有害業務のうち次に掲げる物質を取り扱う業務の行われる場所の勤務環境についての検査に係る記録書 1　クロム酸及びその塩 2　重クロム酸及びその塩 3　ベリリウム及びその化合物 4　砒素及びその化合物 5　ジメチル-二・二-ジクロロビニルホスフェイト（ＤＤＶＰ） 6　ベンゼン 7　アルファ-ナフチルアミン及びその塩 8　オルト-トリジン及びその塩 9　オルト-トルイジン 10　ジアニシジン及びその塩 11　ジクロルベンジジン及びその塩 12　マゼンタ 13　オーラミン 14　パラ-ジメチルアミノアゾベンゼン 15　三・三′-ジクロロ-四・四′-ジアミノジフェニルメタン 16　ベンゾトリクロリド 17　塩化ビニル 18　一・二-ジクロロプロパン 19　クロロホルム 20　四塩化炭素 21　一・二-ジクロロエタン（二塩化エチレン） 22　一・一・二・二-テトラクロロエタン（四塩化アセチレン） 23　ジクロロメタン（二塩化メチレン） 24　テトラクロロエチレン（パークロルエチレン） 25　トリクロロエチレン 26　コールタール 27　エチレンイミン 28　ニッケル化合物（ニッケルカルボニルを除き、粉状の物質に限る。） 29　ニッケルカルボニル 30　クロロメチルメチルエーテル 31　ベータ-プロピオラクトン 32　ホルムアルデヒド 33　一・一-ジメチルヒドラジン	三十年

34 酸化プロピレン 35 インジウム化合物 36 エチルベンゼン 37 コバルト及びその無機化合物 38 一・四-ジオキサン 39 スチレン 40 メチルイソブチルケトン 41 ナフタレン 42 リフラクトリーセラミックファイバー 43 三酸化二アンチモン 44 エチレンオキシド 45 クロム酸又はその塩を含有する製剤その他の物（ただし、クロム酸又はその塩の含有量が一パーセント以下のものを除く。） 46 重クロム酸又はその塩を含有する製剤その他の物（ただし、重クロム酸又はその塩の含有量が一パーセント以下のものを除く。）	
三 別表第二第三号に規定する業務の行われる場所の勤務環境についての検査に係る記録書	七年

別表第二の三　有害物質（第十六条の二関係）

一 第一種有害物質

1 黄りんマッチ

2 ベンジジン及びその塩

3 四-アミノジフェニル及びその塩

4 石綿

5 四-ニトロジフェニル及びその塩

6 ビス（クロロメチル）エーテル

7 ベーターナフチルアミン及びその塩

8 ベンゼンを含有するゴムのりで、その含有するベンゼンの容量が当該ゴムのりの溶剤（希釈剤を含む。）の五パーセントを超えるもの

9 2、3若しくは5から7までに掲げる物質をその重量の一パーセントを超えて含有し、又は4に掲げる物質をその重量の〇・一パーセントを超えて含有する製剤その他の物

二 第二種有害物質

1 ジクロルベンジジン及びその塩

2 アルファーナフチルアミン及びその塩

3 塩素化ビフェニル（ＰＣＢ）

4 オルト-トリジン及びその塩

5 ジアニシジン及びその塩

6 ベリリウム及びその化合物

7 ベンゾトリクロリド

8 1から6までに掲げる物質をその重量の一パーセントを超えて含有し、又は7に掲げる物質をその重量の〇・五パーセントを超えて含有する製剤その他の物（合金にあつては、ベリリウムをその重量の三パーセントを超えて含有するものに限る。）

別表第三　特別定期健康診断を必要とする業務（第十九条、第二十条、第二十五条、第二十六条関係）

一 別表第二第一号から第八号まで、第十号及び第十二号に掲げる業務

二 放射線に被ばくするおそれのある業務

三 せん孔、タイプ、筆耕、速記等による手指、肩、頸《くび》等に障害をうけるおそれのある業務

四 理学療法士、作業療法士、あん摩マッサージ指圧師等の業務で摩擦、屈伸等により障害をおこすおそれのあるもの

五 患者の介護及び患者の移送、重量物の運搬等重いものを取り扱う業務

六 深夜作業を必要とする業務

七 自動車等の運転を行う業務

八 調理、配ぜん等給食のため食品を取り扱う業務

九 計器監視、精密工作等を行う業務

別表第四　指導区分及び事後措置の基準（第二十三条、第二十四条関係）

指導区分			事後措置の基準
区分		内容	
生活規正の面	A	勤務を休む必要のあるもの	休暇（日単位のものに限る。）又は休職の方法により、療養のため必要な期間勤務させない。
	B	勤務に制限を加える必要のあるもの	職務の変更、勤務場所の変更、休暇（日単位のものを除く。）等の方法により勤務を軽減し、かつ、深夜勤務（午後十時から翌日の午前五時までの間にお

			ける勤務をいう。以下同じ。）、時間外勤務（正規の勤務時間以外の時間における勤務で、深夜勤務以外のものをいう。以下同じ。）及び出張をさせない。
	C	勤務をほぼ平常に行なってよいもの	深夜勤務、時間外勤務及び出張を制限する。
	D	平常の生活でよいもの	
医療の面	1	医師による直接の医療行為を必要とするもの	医療機関のあっせん等により適正な治療を受けさせるようにする。
	2	定期的に医師の観察指導を必要とするもの	経過観察をするための検査及び発病・再発防止のため必要な指導等を行なう。
	3	医師による直接又は間接の医療行為を必要としないもの	

別表第四の二 特別健康管理手帳を交付する業務（第二十六条の二関係）

一 ベンジジン及びその塩（これらの物をその重量の一パーセントを超えて含有する製剤その他の物を含む。）を製造し、又は取り扱う業務

二 ベーターナフチルアミン及びその塩（これらの物をその重量の一パーセントを超えて含有する製剤その他の物を含む。）を製造し、又は取り扱う業務

三 粉じん作業（じん肺法（昭和三十五年法律第三十号）第二条第一項第三号に規定する粉じん作業をいう。）に係る業務

四 ビス（クロロメチル）エーテル（これをその重量の一パーセントを超えて含有する製剤その他の物を含む。）を製造し、又は取り扱う業務

五 ベリリウム及びその化合物（これらの物をその重量の一パーセントを超えて含有する製剤その他の物（合金にあっては、ベリリウムをその重量の三パーセントを超えて含有するものに限る。）を含む。）を製造し、又は取り扱う業務（これらの物のうち粉状の物以外の物を取り扱う業務を除く。）

六 石綿（これをその重量の〇・一パーセントを超えて含有する製剤その他の物を含む。）を製造し、若しくは取り扱う業務又はその製造若しくは取扱いに伴い石綿の粉じんを発散する場所における業務

七 ジアニシジン及びその塩（これらの物をその重量の一パーセントを超えて含有する製剤その他の物を含む。）を製造し、又は取り扱う業務

八 一・二―ジクロロプロパン（これをその重量の一パーセントを超えて含有する製剤その他の物を含む。）を取り扱う業務（人事院の定める場所における印刷機その他の設備の清掃の業務に限る。）

九 オルト―トルイジン（これをその重量の一パーセントを超えて含有する製剤その他の物を含む。）を製造し、又は取り扱う業務

十 三・三′―ジクロロ―四・四′―ジアミノジフェニルメタン（これをその重量の一パーセントを超えて含有する製剤その他の物を含む。）を製造し、又は取り扱う業務

別表第五 特別の免許、資格等を必要とする業務（第三十条関係）

一 ボイラー（小型ボイラーを除く。）の取扱いの業務

二 ボイラー（小型ボイラーを除く。）又は第一種圧力容器（小型圧力容器を除く。）の溶接の業務

三 ボイラー（小型ボイラー及びその他の人事院の定めるボイラーを除く。）又は別表第一第二号の第一種圧力容器の整備の業務

四 つり上げ荷重が五トン以上のクレーン（跨線テルハを除く。）の運転の業務

五 つり上げ荷重が一トン以上の移動式クレーンの運転（道路上を走行させる運転を除く。）の業務

六 つり上げ荷重が五トン以上のデリックの運転の業務

七 制限荷重が五トン以上の揚貨装置の運転の業務

八 制限荷重が一トン以上の揚貨装置又はつり上げ荷重が一トン以上のクレーン、移動式クレーン若しくはデリックの玉掛けの業務

九 最大荷重が一トン以上のフォークリフトの運転（道路上を走行させる運転を除く。）の業務

十 最大荷重が一トン以上のショベルローダー又はフォークローダーの運転（道路上を走行させる運転を

除く。）の業務

十一　最大積載量が一トン以上の不整地運搬車の運転（道路上を走行させる運転を除く。）の業務

十二　動力を用い、かつ、不特定の場所に自走できる建設機械（以下「車両系建設機械」という。）のうち、人事院の定める建設機械で機体重量が三トン以上のものの運転（道路上を走行させる運転を除く。）の業務

十三　作業床の高さ（作業床を最も高く上昇させた場合におけるその床面の高さをいう。以下同じ。）が十メートル以上の高所作業車の運転（道路上を走行させる運転を除く。）の業務

十四　発破の作業におけるせん孔、装てん、結線、点火並びに不発の装薬又は残薬の点検及び処理の業務

十五　潜水器を用い、かつ、空気圧縮機若しくは手押しポンプによる送気又はボンベからの給気を受けて、水中において行う業務

十六　可燃性ガス及び酸素を用いて行なう金属の溶接、溶断又は加熱の業務

備考　この表において「建設機械」とは、次に定めるものをいう。

一　整地・運搬・積込み用機械
1　ブル・ドーザー
2　モーター・グレーダー
3　トラクター・ショベル
4　ずり積機
5　スクレーパー
6　スクレープ・ドーザー

二　掘削用機械
1　パワー・ショベル
2　ドラグ・ショベル
3　ドラグライン
4　クラムシェル
5　バケット掘削機
6　トレンチャー

三　基礎工事用機械
1　くい打機
2　くい抜機
3　アース・ドリル
4　リバース・サーキュレーション・ドリル
5　せん孔機（チュービングマシンを有するものに限る。）
6　アース・オーガー
7　ペーパー・ドレーン・マシン

四　締固め用機械
ローラー

五　コンクリート打設用機械
コンクリートポンプ車

六　解体用機械
1　ブレーカ
2　1に定める機械に類するものとして人事院が定める機械

別表第六　使用制限のある設備等（第三十一条関係）

一　ボイラー
二　簡易ボイラー
三　第一種圧力容器
四　簡易第一種圧力容器
五　第二種圧力容器
六　簡易第二種圧力容器
七　つり上げ荷重が〇・五トン以上のクレーン
八　つり上げ荷重が〇・五トン以上の移動式クレーン
九　つり上げ荷重が〇・五トン以上のデリック
十　積載荷重が〇・二五トン以上のエレベーター
十一　ガイドレールの高さが十メートル以上の建設用リフト（積載荷重が〇・二五トン未満のものを除く。）
十二　積載荷重が〇・二五トン以上の簡易リフト
十三　ゴンドラ
十四　プレス機械又はシャーの安全装置
十五　ゴム、ゴム化合物又は合成樹脂を練るロール機及びその急停止装置
十六　防爆構造電気機械器具
十七　クレーン又は移動式クレーンの過負荷防止装置
十八　防じんマスク
十九　防毒マスク
二十　アセチレン溶接装置のアセチレン発生器
二十一　研削盤、研削といし及び研削といしの覆い
二十二　木材加工用丸のこ盤及びその反発予防装置又は歯の接触予防装置
二十三　手押しかんな盤及びその刃の接触予防装置
二十四　動力により駆動されるプレス機械
二十五　アセチレン溶接装置又はガス集合溶接装置の安全器
二十六　交流アーク溶接機用自動電撃防止装置
二十七　絶縁用保護具
二十八　絶縁用防具
二十九　活線作業用装置
三十　活線作業用器具
三十一　絶縁用防護具

三十二 フォークリフト
三十三 車両系建設機械（人事院の定めるものに限る。）
三十四 型枠支保工用のパイプサポート、補助サポート及びウイングサポート
三十五 鋼管足場用の部材及び附属金具（人事院の定めるものに限る。）
三十六 つり足場用のつりチェーン及びつり枠
三十七 合板足場板（人事院の定めるものに限る。）
三十八 再圧室
三十九 潜水器
四十 波高値による定格管電圧が十キロボルト以上のエックス線装置（人事院の定めるものを除く。）
四十一 ガンマ線照射装置（人事院の定めるものを除く。）
四十二 紡績機械及び製綿機械で、ビーター、シリンダー等の回転体を有するもの
四十三 保護帽（人事院の定めるものに限る。）
四十四 墜落制止用器具
四十五 チェーンソー（排気量四十立方センチメートル以上の内燃機関を内蔵するものに限る。）
四十六 ショベルローダー
四十七 フォークローダー
四十八 ストラドルキャリヤー
四十九 不整地運搬車
五十 作業床の高さが二メートル以上の高所作業車
五十一 電動ファン付き呼吸用保護具
備考 この表において「簡易ボイラー」、「簡易第一種圧力容器」、「第二種圧力容器」及び「簡易第二種圧力容器」とは、次に定めるものをいう。「第二種圧力容器」については、別表第八においても、同様とする。
一 簡易ボイラー 蒸気ボイラー及び温水ボイラーのうち別表第一備考第一号1から7までに掲げるもの
二 簡易第一種圧力容器 別表第一備考第三号1から4までに掲げる容器のうち第一種圧力容器以外のもの（ゲージ圧力〇・一メガパスカル以下で使用する容器で内容積が〇・〇一立方メートル以下のもの及びその使用する最高のゲージ圧力をメガパスカルで表した数値と内容積を立方メートルで表した数値との積が〇・〇〇一以下の容器を除く。）
三 第二種圧力容器 ゲージ圧力〇・二メガパスカル以上の気体をその内部に保有する容器（第一種圧力容器を除く。）のうち、次に掲げる容器をいう。
1 内容積が〇・〇四立方メートル以上の容器
2 胴の内径が二百ミリメートル以上で、かつ、その長さが千ミリメートル以上の容器
四 簡易第二種圧力容器 大気圧を超える圧力を有する気体をその内部に保有する容器（別表第一備考第三号1から4までに掲げる容器、第二種圧力容器及び第二十号に掲げるアセチレン発生器を除く。）で、内容積が〇・一立方メートルを超えるもの

別表第七 設置検査等を必要とする設備等（第三十一条、第三十二条、第三十三条関係）
一 ボイラー（小型ボイラーを除く。）
二 第一種圧力容器（小型圧力容器を除く。）
三 つり上げ荷重が三トン以上（スタッカー式クレーンにあつては、一トン以上）のクレーン
四 つり上げ荷重が三トン以上の移動式クレーン
五 つり上げ荷重が二トン以上のデリック
六 積載荷重が一トン以上のエレベーター
七 ガイドレールの高さが十八メートル以上の建設用リフト（積載荷重が〇・二五トン未満のものを除く。）
八 ゴンドラ

別表第八 定期検査を必要とする設備等（第三十二条、第三十三条関係）
一 小型ボイラー
二 小型圧力容器
三 第二種圧力容器
四 つり上げ荷重が〇・五トン以上三トン未満（スタッカー式クレーンにあつては、〇・五トン以上一トン未満）のクレーン
五 つり上げ荷重が〇・五トン以上三トン未満の移動式クレーン
六 つり上げ荷重が〇・五トン以上二トン未満のデリック
七 積載荷重が〇・二五トン以上一トン未満のエレベーター
八 ガイドレールの高さが十メートル以上十八メートル未満の建設用リフト（積載荷重が〇・二五トン未満のものを除く。）
九 積載荷重が〇・二五トン以上の簡易リフト
十 動力により駆動されるプレス機械及びシャー

十一　動力により駆動される遠心機械
十二　化学設備及びその附属設備
十三　アセチレン溶接装置及びガス集合溶接装置
十四　絶縁用保護具
十五　絶縁用防具
十六　活線作業用装置
十七　活線作業用器具
十八　フォークリフト
十九　ショベルローダー
二十　フォークローダー
二十一　ストラドルキャリヤー
二十二　不整地運搬車
二十三　車両系建設機械（人事院の定めるものに限る。）
二十四　作業床の高さが二メートル以上の高所作業車
二十五　乾燥設備及びその附属設備
二十六　動力車及び動力により駆動される巻上げ装置で、軌道により人又は荷を運搬する用に供されるもの
二十七　局所排気装置
二十七の二　プッシュプル型換気装置
二十八　用後処理装置（除じん装置、排ガス処理装置及び排液処理装置をいう。）

○人事院規則一〇―四（職員の保健及び安全保持）の運用について

昭六二・一二・二五
職福―六九一
最終改正　令六・一・二三職職―一六

標記について下記のとおり定めたので、昭和六十三年一月一日以降は、これによってください。
なお、これに伴い、「人事院規則一〇―四（職員の保健及び安全保持）の規定中人事院が定めるべき事項について（昭和四十八年四月一日職厚―二七三）」及び「人事院規則一〇―四（職員の保健及び安全保持）の運用について（昭和四十八年四月一日職厚―二七四）」は、廃止します。

記

第一条関係

「別に定めるもの」とは、人事院規則一〇―五（職員の放射線障害の防止）（以下「規則一〇―五」という。）、人事院規則一〇―七（女子職員及び年少職員の健康、安全及び福祉）、人事院規則一〇―八（船員である職員に係る保健及び安全保持の特例）（以下「規則一〇―八」という。）及び人事院規則一〇―一三（東日本大震災により生じた放射性物質により汚染された土壌等の除染等のための業務等に係る職員の放射線障害の防止）（以下「規則一〇―一三」という。）をいう。

第五条及び第六条関係

1　第五条第一項及び第六条第一項の「人事院の定める組織区分」は、別表第一の省庁欄に掲げる省庁の区分に応じ、同表の組織区分欄に掲げる組織区分とする。
2　第五条第一項及び第六条第一項の「内部組織の構成等により必要があると認める場合」とは、各省各庁の長が、前項の組織区分について、内部組織の構成上の特殊事情、職員数、業務の種類、管理する施設、職員の勤務場所等の状況により、特に細分する必要があると認める場合をいう。
3　各省各庁の長は、船舶を「細分した組織区分」とする場合は、第五条第一項の組織区分と第六条第一項の組織区分とを一致させるようにするものとする。
4　第五条第一項の健康管理者及び第六条第一項の安全管理者には、それぞれ、当該組織における職員の健康に関する事務又は安全に関する事務を所掌する課長（これと同等の職員を含む。以下同じ。）を指名するものとし、その指名は文書をもって行うものとする。この場合において、職員の健康に関する事務及び職員の安全に関する事務を所掌する課長が同一職員であるとき又は船舶が組織区分であるときは、当該課長又は当該船舶の船長を健康管理者及び安全管理者に指名するものとする。
5　第五条第二項第五号の事務又は第六条第二項第五号の事務には、それぞれ、職員の健康障害の原因の調査及び同種の健康障害の再発防止並びに職員の健康の保持増進に係る方針の表明並びに計画の作成、実施、評価及び改善に関する事務又は職員の災害の

原因の調査及び同種の災害の再発防止並びに職員の安全の確保に係る方針の表明並びに計画の作成、実施、評価及び改善に関する事務が含まれる。

第七条関係

1 健康管理担当者及び安全管理担当者には、それぞれ、当該組織の職員の健康に関する事務又は安全に関する事務を所掌する係長（これと同等の職員を含む。）を指名するものとし、その指名は文書をもって行うものとする。

2 船舶における健康管理担当者には、当該船舶の乗組員の健康に関する事務を所掌する船員（規則一〇—八第一条の船員をいう。以下同じ。）を指名するものとし、その指名は文書をもって行うものとする。

3 船舶における安全管理担当者には、当該船舶の乗組員の安全に関する事務を所掌する船員を指名するものとし、その指名は文書をもって行うものとする。この場合において、甲板部、機関部その他の部が置かれている船舶については、当該安全に関する事務を所掌する船員のほか、必要に応じ、部ごとに当該部の業務に精通する者を安全管理担当者に指名することができる。

4 各省各庁の長が管理する施設のうちに、規則（人事院規則一〇—四（職員の保健及び安全保持）をいう。以下同じ。）別表第一第十九号の危険物を取り扱う規模の大きい化学設備で発熱反応が行われる反応器等異常化学反応又はこれに類する異常な事態により爆発、火災等を生ずるおそれのあるものを設置しているときは、当該化学設備を設置している作業場ごとに化学設備の安全管理について必要な知識及び経験を有する職員を安全管理担当者として指名するものとし、その指名は文書をもって行うものとする。

5 多数の放射線施設又は所属職員以外の者に利用させる放射線施設を有する官署等については、放射線障害の防止の管理に関する事務を所掌する係長（これと同等の職員を含む。）を安全管理担当者に指名するものとし、その指名は文書をもって行うものとする。

第八条関係

1 この条の第一項の「野外における実験等の業務で人事院の定めるもの」は、野外その他各省各庁の長が通常管理する場所以外の場所（各省各庁の長が通常管理する場所を通常の使用目的と異なつた用途に使用する場合を含む。）において、十人以上の職員（当該省庁に所属する職員以外の者を含む。）が一体となって臨時に行う実験、調査、観測等の業務で、次に掲げるものとする。

(1) 爆発性の物、発火性の物、引火性の物又は可燃性のガスを使用するもの

(2) 有毒ガスの発生を伴うもの又は伴うおそれのあるもの

(3) 多量の水の流出、土砂の崩壊、雪崩等を起こすもの又は起こすおそれのあるもの

(4) 構造物の破壊、燃焼等を伴うもの

(5) 職員が墜落するおそれのあるもの

(6) (1)から(5)までに掲げるもののほか職員が災害を受けるおそれの多いもの

2 この条の第一項の「健康管理又は安全管理の責任者」には、当該野外実験等の実施の指揮に当たる者又はこれに準ずる者を指名するものとし、その指名は文書をもって行うものとする。

3 この条の第二項の「健康管理又は安全管理の総括の責任者」の設置は、前項に準じて行うものとする。

4 この条の第一項又は第二項の野外実験等の業務を行う場合には、必要に応じ、規則第七条に準じ、責任者の事務を補助する者を置くものとする。

5 野外における実験等の業務で第一項に定める業務に該当しないものを行う場合にあっても、野外実験等を行う場合の措置に準ずる措置をとるように努めるものとする。

第九条関係

1 健康管理医の指名又は委嘱は、文書をもって行うものとする。

2 この条の第三項の「人事院の定める健康管理についての指導等の業務」は、次に掲げるものとする。

(1) 健康診断及び面接指導の実施についての指導

(2) 健康管理の記録の作成についての指導

(3) 健康教育その他職員の健康の保持増進を図るための措置についての指導

(4) 職員の健康障害の原因の調査及び再発防止措置についての指導

(5) (1)から(4)までに掲げるもののほか、職員の健康管理に関する業務で医学に関する専門的知識を必要とするもの

3 健康管理医は、職員の健康管理指導等を行うために必要な医学に関する知識及び能力の維持向上に努めるものとする。

4 この条の第五項の「人事院の定めるもの」は、次

に掲げる情報とする。

(1)　規則第二十二条の二第三項（規則第二十二条の四第五項において準用する場合を含む。以下この(1)及び第六項(1)において同じ。）の規定により既に講じた措置又は講じようとする措置の内容に関する情報（規則第二十二条の二第三項の規定による措置を講じない場合にあっては、その旨及びその理由）及び規則第二十四条第一項の規定により既に講じた事後措置又は講じようとする事後措置の内容に関する情報

(2)　各省各庁の長が超過勤務（一般職の職員の勤務時間、休暇等に関する法律（平成六年法律第三十三号）第十三条第二項の規定に基づき命ぜられて行う勤務をいう。第二十二条の二関係第十項において同じ。）を命じた時間（以下「超過勤務時間」という。）が一箇月（月の初日から末日までの期間をいう。以下同じ。）について八十時間を超えた職員並びに一箇月ごとに区分した各期間に当該各期間の直前の一箇月、二箇月、三箇月、四箇月及び五箇月の期間を加えたそれぞれの期間における超過勤務時間の一箇月当たりの平均時間が八十時間を超えた職員（第二十二条の二関係第一項及び第四項において「一箇月平均八十時間超職員」という。）の氏名及びこれらの職員に係る超過勤務時間に関する情報

(3)　(1)及び(2)に掲げるもののほか、職員の業務に関する情報であって健康管理医が職員の健康管理指導等を適切に行うために必要と認めるもの

5　前項(2)の超過勤務時間の算定は、毎月一回以上、一定の期日を定めて行わなければならない。

6　この条の第五項の規定による情報の提供は、次に掲げる情報の区分に応じ、それぞれ次に定めるところにより行うものとする。

(1)　第四項(1)に掲げる情報　規則第二十二条の二第三項の規定により医師からの意見聴取を行った後又は規則第二十三条第一項若しくは第二項の規定により健康管理医による指導区分の決定若しくは変更を受けた後、遅滞なく提供すること。

(2)　第四項(2)に掲げる情報　超過勤務時間の算定を行った後、速やかに提供すること。

(3)　第四項(3)に掲げる情報　健康管理医から当該情報の提供を求められた後、速やかに提供すること。

7　この条の第七項の「人事院の定めるもの」は、次の事項とする。

(1)　健康管理医の業務の具体的な内容

(2)　健康管理医に対する健康相談の申出の方法

(3)　健康管理医による職員の心身の状態に関する情報の取扱いの方法

8　この条の第七項の「人事院の定める方法」は、次に掲げるいずれかの方法とする。

(1)　各勤務場所の見やすい場所に常時掲示し、又は備え付けること。

(2)　書面を職員に交付すること。

(3)　磁気テープ、磁気ディスクその他これらに準ずる物に記録し、かつ、各勤務場所に職員が当該記録の内容を常時確認できる機器を設置すること。

第十条関係

1　この条の第一項の「人事院の定める知識、経験又は技能を有する職員」及び「人事院の定める危害防止に関する事務」は、規則別表第一に掲げる業務に応じ、それぞれ別表第二に掲げる免許、資格等を有する職員及び危害防止に関する業務とする。

2　危害防止主任者の指名は、文書をもって行うものとする。

3　各省各庁の長は、危害防止主任者を指名したときは、当該危害防止主任者の氏名及びその者に行わせる事務を関係職員に周知させるものとする。

4　別表第二の「第十八号に掲げる業務」の欄の「空気中の硫化水素の濃度が百万分の十を超えるおそれのある場所」とは、別表第二関係第十項(5)及び(11)に掲げる場所をいい、「酸素欠乏等の空気」とは、酸素の濃度が十八パーセント未満である空気又は硫化水素の濃度が百万分の十を超える空気をいう。

第十二条関係

この条の第二項第一号の「管理組織に関すること」には、次に掲げる事項が含まれる。

(1)　健康管理者、安全管理者、健康管理担当者及び安全管理担当者の職務、官職及び指名手続に関する事項

(2)　健康管理医の指名又は委嘱の手続に関する事項

(3)　野外実験等を行う場合の責任者の指名手続に関する事項

(4)　人事院の定める組織区分の細分に関する事項

(5)　危害防止主任者又は船員危害防止主任者を置く作業場の範囲及びこれらの者の指名手続に関する事項

(6)　規則第十条第二項の規定に基づく危害防止主任者及び規則一〇―八第三条第二項の規定に基づく船員危害防止主任者の指名に関する事項

(7)　火元責任者を置く施設の区分及び火元責任者の指

名手続に関する事項

(8) 健康安全に関する事務の委任及び健康安全管理規程の細則の作成に関する事項

第十三条関係

1　「業務の内容を変更した場合」には、取り扱う設備等又は作業方法を変更した場合及び新しい有害物質等を取り扱うこととなった場合が含まれるものとする。

2　健康安全教育は、必要に応じ、次に掲げる事項について行うものとする。

(1) 健康安全管理規程に関すること。

(2) 整理整とん及び清潔保持に関すること。

(3) 事故等の場合における応急措置及び退避に関すること。

(4) 規則第三十条第二項の規定により特別の教育を必要とする職員以外の職員で、規則別表第一、規則別表第二又は規則別表第三に掲げる業務その他これに類する危害のおそれのある業務に従事させるものについては、(1)から(3)までに掲げるもののほか、次に掲げる事項に関すること。

ア　当該業務に関して発生するおそれのある疾病及びその予防

イ　設備、有害物質等の特性及びこれらの取扱い方法

ウ　安全装置、保護具等の性能及びこれらの取扱い方法

エ　作業開始時の点検作業手順等

3　各省各庁の長は、職員の災害防止に関する法令が制定され、又は改正された場合、職員の災害等が発生した場合等においては、関係職員に対して所要の健康安全教育を行うように努めるものとする。

第十四条関係

職員の意見を聞くための措置とは、健康又は安全に関する委員会の設置、職場懇談会の開催、提案制度の採用等をいう。

第十四条の二関係

1　この条の有害性又は危険性等の調査は、次に掲げる時期に行うものとする。

(1) 建設物を設置し、移転し、変更し、又は解体するとき。

(2) 設備、原材料等を新規に採用し、又は変更するとき。

(3) 作業方法又は作業手順を新規に採用し、又は変更するとき。

(4) (1)から(3)までに掲げるもののほか、建設物、設備、原材料、ガス、蒸気、粉じん等による、又は作業行動その他業務に起因する有害性又は危険性等について変化が生じ、又は生ずるおそれがあるとき。

2　前項に定めるもののほか、この条の有害性又は危険性等の調査等については、危険性又は有害性等の調査等に関する指針（平成十八年三月十日付け危険性又は有害性等の調査等に関する指針公示第一号）の規定の例による。

第十五条関係

1　この条の規定により各省各庁の長が勤務環境等について講ずべき措置は、労働安全衛生規則（昭和四十七年労働省令第三十二号。以下「安衛則」という。）第三編第三章から第九章まで、事務所衛生基準規則（昭和四十七年労働省令第四十三号）及び事業附属寄宿舎規程（昭和二十二年労働省令第七号）の規定の例による措置（船員法（昭和二十二年法律第百号）第一条の船舶にあっては、船員労働安全衛生規則（昭和三十九年運輸省令第五十三号。以下「船員安衛則」という。）第二十九条及び第三十三条から第四十条の二までの規定並びに船内における食料の支給を行う者に関する省令（昭和五十年運輸省令第七号）第一条の規定の例による措置）とする。

2　照度については、前項により、安衛則第六百四条及び事務所衛生基準規則第十条の規定の例による措置を講ずることとなるが、具体的には、日本産業規格（産業標準化法（昭和二十四年法律第百八十五号）第二十条第一項に規定する日本産業規格をいう。別表第三において同じ。）Z九一一〇及びZ九一二五に定める照度を維持するよう努めるものとする。

3　勤務環境等に関する措置については、第一項による措置のほか、例えば、伝染性疾患のまん延の予防のため、職員の勤務場所及びその周辺地域における伝染性疾患の発生状況を把握し、伝染性疾患の流行又は流行のおそれのある場合には予防接種を行う等、職員の健康保持のための措置をとるように努めるものとする。

第十六条関係

1　この条の第一項の「人事院の定める健康障害を防止するための措置」は、安衛則第三編第一章及び第二章、有機溶剤中毒予防規則（昭和四十七年労働省令第三十六号。以下「有機則」という。）、鉛中毒予防規則（昭和四十七年労働省令第三十七号。以下「鉛則」という。）、四アルキル鉛中毒予防規則（昭

和四十七年労働省令第三十八号。以下「四アルキル鉛則」という。）、特定化学物質障害予防規則（昭和四十七年労働省令第三十九号。以下「特化則」という。）、高気圧作業安全衛生規則（昭和四十七年労働省令第四十号。以下「高圧則」という。）、酸素欠乏症等防止規則（昭和四十七年労働省令第四十二号。以下「酸欠則」という。）、粉じん障害防止規則（昭和五十四年労働省令第十八号。以下「粉じん則」という。）並びに石綿障害予防規則（平成十七年厚生労働省令第二十一号。以下「石綿則」という。）の規定の例による措置とする。この場合において、労働安全衛生法（昭和四十七年法律第五十七号。以下「安衛法」という。）第六十五条の二第一項の規定に基づく有機則第二十八条の三及び第二十八条の四、鉛則第五十二条の三及び第五十二条の四、特化則第三十六条の三及び第三十六条の四、粉じん則第二十六条の三及び第二十六条の四並びに石綿則第三十八条及び第三十九条の規定の例による措置は、作業環境評価基準（昭和六十三年九月一日労働省告示第七十九号）の規定の例による評価の結果に基づき行うこととする。なお、当該評価を行う際に用いることとなる、別表第二の二に掲げる物質に係る管理濃度は、同表に掲げるとおりとする。

2　この条の第二項の勤務環境の検査について、検査を必要とする場所並びに検査の項目及び回数にあっては次の表のとおりとし、規則別表第二第一号の業務（同号82に掲げる物質に係るものを除く。）及び同表第三号の業務の行われる場所において行う検査の測定方法にあっては作業環境測定基準（昭和五十一年四月二十二日労働省告示第四十六号）の規定の例によるものとする。この場合において、別表第二の三に掲げる物質の試料採取方法及び分析方法は、同表に掲げるとおりとする。

検査を必要とする場所	検査の項目	検査の回数
規則別表第二第一号の業務（同号82に掲げる物質に係るものを除く。）の行われる場所	鉛、その合金及び化合物（四アルキル鉛を除く。）の空気中の濃度の測定	一年につき少なくとも一回
	その他の物質の空気中の濃度の測定	六月につき少なくとも一回
規則別表第二第三号の業務の行われる場所	粉じんの濃度の測定	六月につき少なくとも一回
規則別表第二第六号及び第七号の業務の行われる場所	気温及び湿度の測定	二週間につき少なくとも一回
規則別表第二第九号の業務の行われる場所	空気中の酸素（別表第二関係第九項(5)及び(11)に掲げる場所にあっては、酸素及び硫化水素）の濃度の測定	その日の作業開始直前
規則別表第二第十号の業務の行われる場所	騒音の測定	一月につき少なくとも一回
規則別表第二第十一号の業務の行われる場所	炭酸ガスの濃度の測定	一月につき少なくとも一回
	通気量の測定	二週間につき少なくとも一回

3　この条の第二項の検査結果についての記録には、次に掲げる事項を記載しなければならない。

(1)　検査日時
(2)　検査方法
(3)　検査箇所
(4)　検査条件
(5)　検査結果
(6)　検査担当者の所属及び氏名
(7)　検査の結果とった措置

第十六条の二関係

1　各省各庁の長は、この条の第一項又は第二項の承認を得ようとする場合は、それぞれ別紙第一又は別紙第二に定める様式の承認申請書を人事院に提出するものとする。

2　この条の第一項の規定による人事院の承認は、次に掲げる要件を満たす場合に行うものとする。

(1)　第一種有害物質を製造する設備は、密閉式の構造のものとすること。ただし、密閉式の構造とすることが作業の性質上著しく困難である場合において、当該設備をドラフトチェンバー内部に設けるときは、この限りでない。
(2) 第一種有害物質を製造する設備を設置する場所の床は、水洗によって容易に掃除できる構造のものとすること。
(3) 第一種有害物質を製造し、又は使用する職員には、当該物質による健康障害の予防について必要な知識を有する者を充てること。
(4) 第一種有害物質を入れる容器は、当該物質が漏れ、こぼれる等のおそれがないような堅固なものとし、かつ、当該物質の成分を当該容器の見やすい箇所に表示すること。
(5) 第一種有害物質の保管は、一定の場所を定めて行うものとし、かつ、有害な物質を保管している旨を見やすい箇所に表示すること。
(6) 第一種有害物質を製造し、又は使用する職員には、不浸透性の保護前掛及び保護手袋を使用させること。
(7) 第一種有害物質を製造する設備を設置する場所には、当該物質の製造作業中関係者以外の者が立ち入ることを禁止し、かつ、その旨を見やすい箇所に表示すること。

3 この条の第二項の規定による人事院の承認は、前項(1)から(3)まで及び(6)に掲げる要件と同様の要件を満たす場合に行うものとする。

第十六条の三関係

1 この条の第一項の有害性又は危険性等の調査（主として一般消費者の生活の用に供される製品に係るものを除く。次項及び第三項において「調査」という。）は、次に掲げる時期に行うものとする。
(1) 規則別表第一の二に掲げる物（以下この項から第四項までにおいて「特定調査対象物」という。）を原材料等として新規に採用し、又は変更するとき。
(2) 特定調査対象物を製造し、又は取り扱う業務に係る作業の方法又は手順を新規に採用し、又は変更するとき。
(3) (1)及び(2)に掲げるもののほか、特定調査対象物による有害性又は危険性等について変化が生じ、又は生ずるおそれがあるとき。

2 調査は、特定調査対象物を製造し、又は取り扱う業務ごとに、次に掲げるいずれかの方法（調査のうち危険性に係るものにあっては、(1)又は(3)（(1)に係る部分に限る。）に掲げる方法に限る。）により、又はこれらの方法の併用により行われなければならない。
(1) 当該特定調査対象物により当該業務に従事する職員の健康障害を生じ、又は当該特定調査対象物が当該職員に危険を及ぼすおそれの程度及び当該健康障害又は危険の程度を考慮して当該特定調査対象物による有害性又は危険性等を見積もる方法
(2) 当該業務に従事する職員が当該特定調査対象物にさらされる程度及び当該特定調査対象物の有害性の程度を考慮して当該特定調査対象物による有害性等を見積もる方法
(3) (1)又は(2)に掲げる方法に準ずる方法

3 各省各庁の長は、調査を行ったときは、次に掲げる事項を、前項の特定調査対象物を製造し、又は取り扱う業務に従事する職員に周知させなければならない。
(1) 当該特定調査対象物の名称
(2) 当該業務の内容
(3) 当該調査の結果
(4) 当該調査の結果に基づき各省各庁の長が講ずる職員の健康障害又は危険を防止するため必要な措置の内容

4 前項の規定による周知は、次に掲げるいずれかの方法により行うものとする。
(1) 当該特定調査対象物を製造し、又は取り扱う各作業場の見やすい場所に常時掲示し、又は備え付けること。
(2) 書面を、当該特定調査対象物を製造し、又は取り扱う業務に従事する職員に交付すること。
(3) 磁気テープ、磁気ディスクその他これらに準ずる物に記録し、かつ、当該特定調査対象物を製造し、又は取り扱う各作業場に、当該特定調査対象物を製造し、又は取り扱う業務に従事する職員が当該記録の内容を常時確認できる機器を設置すること。

5 前各項に定めるもののほか、この条の調査等については、化学物質等による危険性又は有害性等の調査等に関する指針（平成二十七年九月十八日付け危険性又は有害性等の調査等に関する指針公示第三号）の規定の例による。

第十七条関係

1 「人事院の定める作業」は、次に掲げるものとする。
(1) 高圧室内の作業
(2) 急速冷凍方式の冷凍庫内の作業
(3) せん孔、タイプ等の打鍵作業
(4) チェンソーその他の身体に振動を与える機械器

具を使用する作業

2　前項(4)の「その他の身体に振動を与える機械器具」とは、ブッシュクリーナー等内燃機関を内蔵する工具で可搬式のもの、さく岩機、ハンドハンマー、サンドランマー等のピストンの動きによる打撃工具並びに研削盤のうち、携帯用研削盤、スイング研削盤、その他手で保持し、又は支えて操作する型式のもの（使用する研削といしの直径（製造時におけるものをいう。以下同じ。）が百五十ミリメートルを超える研削盤で、金属、石材等を研削し、又は切断する業務に用いるものに限る。）及び卓上用又は床上用の研削盤（使用する研削といしの直径が百五十ミリメートルを超える研削盤で、鋳物のばり取り又は溶接部のはつりをする業務に用いられるものに限る。）をいう。

3　人事院の定める継続作業の制限等の措置は、作業の種類に応じ、次のとおりとする。

(1)　潜水作業　高圧則第二十七条において読み替えて準用する高圧則第十八条第二項の規定の例による措置

(2)　高圧室内の作業　高圧則第十八条第二項の規定の例による措置

(3)　急速冷凍方式の冷凍庫内の作業　船員安衛則第七十条第一項の規定の例による措置

(4)　せん孔、タイプ等の打鍵《けん》作業　別表第三第一項に掲げる措置

(5)　チェンソーその他の身体に振動を与える機械器具を使用する作業　別表第三第二項及び第三項に掲げる措置

4　せん孔、タイプ等の打鍵《けん》作業については、次に掲げる措置を講ずるように努めるものとする。

(1)　騒音を少なくするため機械の点検整備等の措置を講ずること（作業者の耳の位置において、七十デシベル以下とすることが望ましい。）。

(2)　作業室の広さが機械一台当たり四平方メートル以上となるようにすること。

(3)　休息施設を設ける場合には、作業室に近接した場所に設けること。

(4)　近視、乱視その他の視覚異常がある者については、作業中矯正用具を用いるように指導すること。

(5)　原票の読取りの位置、いす、作業台の高さ等について必要な措置を講ずること。

5　チェンソーその他の身体に振動を与える機械器具を使用する作業については、次に掲げる措置を講ずるように努めるものとする。

(1)　騒音による障害を防止するため耳せん又は耳覆を用いるように指導すること。

(2)　機種の選定に当たっては、振動防止につき十分考慮すること。

第十八条関係

1　「中高年齢職員」とは、おおむね高年齢者等の雇用の安定等に関する法律施行規則（昭和四十六年労働省令第二十四号）第二条（中高年齢者の年齢）に規定する年齢（四十五歳）以上の職員をいう。

2　「特に配慮を必要とする職員」とは、健康診断の結果に基づく指導区分の決定を受けないが、健康障害の防止上特に配慮を必要とする虚弱者、身体障害者等をいう。

第十九条及び第二十条関係

1　第十九条第一項の「人事院の定める非常勤職員」は、次に掲げる非常勤職員以外の非常勤職員とする。

(1)　国家公務員法（昭和二十二年法律第百二十号）第六十条の二第一項に規定する短時間勤務の官職を占める職員

(2)　(1)に掲げる職員以外の非常勤職員のうち、六月を超える期間規則別表第三に掲げる業務に従事する非常勤職員

2　第十九条第二項の人事院の定める健康診断の検査の項目は、次に掲げるものとする。

(1)　職員の採用に際して行う健康診断の検査の項目は、別表第四に掲げるとおりとする。

(2)　職員を新たに規則別表第三に掲げる業務に従事させる場合に行う健康診断の検査の項目は、別表第五に掲げるとおりとする。

3　第二十条第二項第一号の「人事院の定める非常勤職員」は、次に掲げる非常勤職員以外の非常勤職員とする。

(1)　第一項(1)及び(2)に掲げる非常勤職員

(2)　一週間当たりの勤務時間が常勤職員について定められている勤務時間の二分の一以上の時間とされている非常勤職員のうち、六月以上継続勤務しているもの（(1)に掲げるものを除く。）

4　各省各庁の長は、一週間当たりの勤務時間が常勤職員について定められている勤務時間の二分の一以上の時間とされている非常勤職員のうち、六月以上継続勤務していないもの（第一項(1)及び(2)に掲げるものを除き、六月以上の任期が定められているものに限る。）に対して、一般定期健康診断の例により、

健康診断を行うよう努めるものとする。

5　前二項の「継続勤務」とは、原則として同一官署において、その雇用形態が社会通念上中断されていないと認められる場合の勤務をいう。

6　第二十条第二項第二号の「人事院の定めるもの」は、規則別表第二第一号及び第三号に掲げる業務並びに規則別表第三第二号に掲げる業務とする。

7　第二十条第三項の人事院の定める健康診断の検査の項目その他健康診断に関し必要な事項は、次に掲げるものとする。

(1)　一般定期健康診断の検査の項目は、別表第四に掲げるものとし、当該検査の回数は、一年につき少なくとも一回（別表第四に特に定めがあるものにあっては、その定められた回数）とする。

(2)　特別定期健康診断の検査の項目は、別表第五に掲げるものとし、当該検査の回数は、六月につき少なくとも一回（別表第五に特に定めがあるものにあっては、その定められた回数）とする。

(3)　健康管理の記録、職員の申出、医師の意見等により、エックス線検査等特定の項目の検査を行うことが適当でないと判断される健康状態又は身体条件の職員については、各省各庁の長は、あらかじめ健康管理医の意見を聞いて、その特定の項目の検査について、実施時期を延期し、検査の方法を変更し、又は検査を行わないことができる。

8　別表第四第十二項の検査は、結核性疾患、虚血性心疾患その他の心疾患、脳血管疾患、高血圧性疾患、がんその他の悪性新生物による疾患、胃潰瘍《かいよう》、十二指腸潰瘍《かいよう》その他食道・胃・十二指腸の疾患及び肝炎、肝硬変その他の肝臓の疾患の場合並びにこれらの疾患の疑いのある場合に限り行うものとする。

9　特別の健康診断の実施に当たっては、職員の業務が規則別表第三に掲げる業務のうち、二以上の業務に該当するときは、別表第五に掲げるそれぞれの業務に応じた検査を行うものとする。ただし、同一の検査の項目については、重複して行う必要はない。

10　特別の健康診断を一般の健康診断の実施時期に近接した時期に行う場合において、同一の検査の項目につきその検査の結果を利用できるときは、当該項目については、重複して検査を行う必要はない。

11　国家公務員法第六十条の二第一項の規定による採用（以下「定年前再任用」という。）を行おうとする者に係る第十九条第一項前段の規定に基づく健康診断については、その者が当該健康診断の実施時期前一年以内に第二十条の規定に基づく健康診断を受けているときは、同一の検査の項目については、検査を行う必要はない。規則別表第三に掲げる業務に従事させるために定年前再任用を行おうとする者に係る第十九条第一項後段の規定に基づく特別の健康診断について、その者が当該健康診断の実施時期前六月以内に第二十条の規定に基づく健康診断を受けているときの同一の検査の項目についても、同様とする。

第二十一条関係

臨時の健康診断は、次に掲げるような場合に行うものとする。

(1)　伝染性疾患の流行又は流行のおそれのある場合

(2)　特定の職場で体の異常を訴える者又は病気による休暇をとる者が多い場合

(3)　精神障害のため自身を傷つけ、又は他の職員に危害を及ぼすおそれがある場合

(4)　ガス等により急性中毒にかかった場合

(5)　長期にわたって航海する場合

(6)　健康診断の検査の項目につき、職員が自ら医師の診断を受け、診断書を提出した場合において、必要と認めるとき。

(7)　面接指導の結果に基づき、必要と認めるとき。

(8)　指導区分の変更に関し、必要と認めるとき。

第二十一条の二関係

1　この条の第一項の「人事院が定めるもの」は、別表第四に掲げる検査の項目をおおむね含み、かつ、各省各庁の長又は国家公務員等共済組合法（昭和三十三年法律第百二十八号）第三条の規定に基づき設置された国家公務員等共済組合が計画し、実施するものとする。

2　この条に基づく勤務を要しないことの請求及び承認の手続については、休暇の例によるものとする。この場合において、出勤簿には、総合的な健康診査のため勤務しなかった旨を記入するものとする。

第二十二条関係

1　次に掲げる検査は、規則第十九条又は第二十条の規定に基づく健康診断における検査の基準に適合するものと認めることができるものとし、その他の検査については、検査の実施年月日、検査成績、検査担当医師の意見並びに検査担当医師の所属及び氏名を記載した書面を提出させ、必要に応じ、当該検査の結果を表す資料（胸部エックス線検査におけるエックス線フィルムなど）の提示を求め、健康管理医の意見を聞いて判断するものとする。

(1) 国家公務員法に基づく採用試験のうち、試験種目として身体検査が行われるものに合格した者を任用する場合における当該身体検査における検査

(2) 特別職に属する国家公務員、独立行政法人通則法（平成十一年法律第百三号）第二条第四項に規定する行政執行法人の職員、地方公務員又は国家公務員退職手当法（昭和二十八年法律第百八十二号）第七条の二に規定する公庫等職員（特別の法律の規定により同条に規定する公庫等職員とみなされる者を含む。）を引き続き職員として採用する場合における採用前のこれらの職員として受けた定期の健康診断に相当する健康診断における検査

2　この条の第一項の「健康診断の実施時期前の近接した時期」は、その実施時期前三月（前項(2)の検査にあっては、六月）の範囲内で、職員が受けた検査の種類に応じて、健康管理医の意見を聞いて判断するものとする。

3　この条の第二項の「健康診断の実施時期に近接した時期」は、一般定期健康診断にあってはその実施時期の前後おおむね六月、特別定期健康診断にあってはその実施時期の前後おおむね三月の範囲内の期間とする。

第二十二条の二関係

1　この条の第一項第一号の「人事院の定める要件」は、超過勤務時間が一箇月について百時間以上の職員又は一箇月平均八十時間超職員であることとする。ただし、当該一箇月平均八十時間超職員（超過勤務時間が一箇月について百時間以上の職員を除く。）のうち、第三項の期日前一月以内にこの条の第一項の面接指導を受けた職員その他これに類する職員であって、当該面接指導を受ける必要がないと医師が認めたものを除く。

2　この条の第一項第二号の「人事院の定める要件」は、超過勤務時間が一箇月について八十時間を超え、かつ、疲労の蓄積が認められる職員であることとする。ただし、次項の期日前一月以内にこの条の第一項の面接指導を受けた職員その他これに類する職員であって、当該面接指導を受ける必要がないと医師が認めたものを除く。

3　前二項の超過勤務時間の算定は、毎月一回以上、一定の期日を定めて行わなければならない。

4　各省各庁の長は、超過勤務時間の算定を行ったときは、速やかに、超過勤務時間が一箇月について八十時間を超えた職員及び一箇月平均八十時間超職員に対し、これらの職員に係る超過勤務時間に関する情報を通知しなければならない。

5　各省各庁の長は、職員が自らの勤務時間数を把握することができるよう必要な措置を講ずるものとする。

6　この条の第一項第二号の申出は、第三項の期日後、遅滞なく、行うものとする。

7　各省各庁の長は、この条の第一項各号に掲げる職員に対して、遅滞なく、同項の面接指導を行わなければならない。

8　健康管理医は、第二項の要件に該当する職員に対して、この条の第一項第二号の申出を行うよう勧奨することができる。

9　各省各庁の長は、この条の第一項の面接指導を行うに当たり、医師に、同項各号に掲げる職員に対し、次に掲げる事項について確認を行わせるものとする。

(1) 当該職員の勤務の状況

(2) 当該職員の疲労の蓄積の状況

(3) (2)に掲げるもののほか、当該職員の心身の状況

10　この条の第二項の「人事院の定める事項」は、職員に超過勤務を命じた場合の当該職員の氏名並びに当該超過勤務を命じた年月日及び時間数とする。

11　この条の第二項の記録は、給実甲第六五号（人事院規則九―七（俸給等の支給）の運用について）第十三条関係第一号に規定する超過勤務等命令簿によって前項に定める事項を記録している場合においては、当該超過勤務等命令簿によることができる。

12　この条の第二項の記録について、職員が各省各庁の長を異にして異動した場合には、職員が異動後に所属する各省各庁の長に当該記録に関する情報を提供するものとする。

13　この条の第一項の面接指導の結果に基づく同条第三項の規定による医師からの意見聴取は、当該面接指導が行われた後、遅滞なく行わなければならない。

第二十二条の三関係

この条の「必要な措置」は、面接指導の実施又は面接指導に準ずる措置とする。

第二十二条の四関係

1　この条の第一項の「人事院の定める非常勤職員」は、第十九条及び第二十条関係第三項に定めるところと同様とする。

2　この条の第一項の「人事院の定める者」は、次に掲げる者（以下「医師等」という。）とする。ただ

し、同項の検査（以下第十三項までにおいて「検査」という。）一回につき少なくとも一人は、健康管理医でなければならない。
(1) 医師
(2) 保健師
(3) 労働安全衛生規則第五十二条の十第一項第三号の規定に基づき厚生労働大臣が定める研修（平成二十七年厚生労働省告示第二百五十一号）に定める研修を修了した歯科医師、看護師、精神保健福祉士若しくは公認心理師又は平成二十七年十二月一日前において規則第九条第三項に規定する業務に三年以上従事した経験を有する看護師若しくは精神保健福祉士

3 この条の第二項の人事院の定める検査の項目は次に掲げるものとし、当該検査の回数は一年につき少なくとも一回とする。
(1) 職場における当該職員の心理的な負担の原因に関する項目
(2) 当該職員の心理的な負担による心身の自覚症状に関する項目
(3) 職場における他の職員による当該職員への支援に関する項目

4 検査を受ける職員の任免に関して直接の権限を持つ監督的地位にある職員は、当該検査の実施の事務に従事してはならない。

5 第二項ただし書の健康管理医は、規則第二十五条第一項の規定により各省各庁の長が検査の結果の記録を作成する場合を除き、当該検査において他の医師等が作成したものも含め、当該検査の結果の記録の保存を行うものとする。

6 各省各庁の長は、規則第二十五条第一項の規定により自ら検査の結果の記録を作成する場合を除き、検査を行った医師等による当該検査の結果の記録の作成の事務及び前項に規定する健康管理医による当該検査の結果の記録の保存の事務が適切に行われるよう、必要な措置を講じなければならない。

7 各省各庁の長は、検査を行った場合は、当該検査を行った医師等に、当該検査の結果を別表第一の組織区分欄に掲げる組織区分その他の一定規模の集団ごとに集計させ、その結果について分析させるよう努めなければならない。

8 各省各庁の長は、前項の分析の結果を勘案し、その必要があると認めるときは、当該集団の職員の実情を考慮して、当該集団の職員の心理的な負担を軽減するための適切な措置を講ずるよう努めなければならない。

9 各省各庁の長は、検査を行った場合は、当該検査を行った医師等から、当該検査を受けた職員に対し、遅滞なく、当該検査の結果が通知されるようにしなければならない。

10 この条の第三項の「職員の同意」は、書面によらなければならない。

11 この条の第四項の「人事院の定める要件」は、検査の結果、心理的な負担の程度が高い職員であって、同項の面接指導を受ける必要があると当該検査を行った医師等が認めたものであることとする。

12 この条の第四項の申出は、前項の要件に該当する職員が検査の結果の通知を受けた後、遅滞なく、行うものとする。

13 各省各庁の長は、検査を行った医師等が、第十一項の要件に該当する職員に対し、この条の第四項の申出を行うよう勧奨することができるようにしなければならない。

14 第二十二条の二関係第七項の規定は、この条の第四項の面接指導について、準用する。

15 各省各庁の長は、面接指導を行うに当たり、医師に、この条の第四項の申出を行った職員に対し、第三項(1)から(3)までに掲げる項目に係る事項のほか、次に掲げる事項について確認を行わせるものとする。
(1) 当該職員の勤務の状況
(2) 当該職員の心理的な負担の状況
(3) (2)に掲げるもののほか、当該職員の心身の状況

16 第二十二条の二関係第十三項の規定は、この条の第四項の面接指導の結果に基づく同条第五項の規定により準用する規則第二十二条の二第三項の規定による医師からの意見聴取について準用する。

第二十三条関係

1 この条の第二項の「医療に当たった医師」には、直接治療を行った医師のほか、平常職員の相談を受けている医師が含まれる。

2 この条の第二項の「その他必要と認める場合」とは、指導区分の決定を受けた者の職務の変更、本人又は家族の申出、職場の上司又は同僚の意見等により、指導区分を変更する必要があると認める場合をいう。

第二十四条関係

1 この条の第三項の「人事院の定める事項」は、次に掲げる事項とする。
(1) 職員の官職及び氏名

(2) 業務に就くことを禁止する理由
(3) 業務に就くことを禁止する期間
(4) 文書交付年月日
(5) 各省各庁の長の官職及び氏名

2　各省各庁の長は、就業を禁止しようとするときは、あらかじめ健康管理医の意見を聞いて行うものとする。

第二十四条の二関係

1　「脳血管疾患及び心臓疾患の発生にかかわる身体の状態に関する検査であって人事院の定めるもの」は、次に掲げる検査とする。
(1) 腹囲の検査又は肥満度（次の式により算出した値をいう。以下同じ。）の測定
体重（単位　キログラム）÷身長（単位　メートル）÷身長（単位　メートル）
(2) 血圧の測定
(3) 血糖検査
(4) 低比重リポ蛋《たん》白コレステロール検査（以下「ＬＤＬコレステロール検査」という。）、高比重リポ蛋白コレステロール検査（以下「ＨＤＬコレステロール検査」という。）又は中性脂肪検査

2　保健指導は、別表第四第十一項の検査の結果に基づき行うものとする。

第二十四条の三関係

1　この条の第一項の「人事院の定める職員」は、特定健康診査及び特定保健指導の実施に関する基準（平成十九年厚生労働省令第百五十七号）第四条第一項に定める者に該当する職員（第十九条及び第二十条関係第三項に定める非常勤職員を除く。）とする。

2　この条に基づく勤務を要しないことの請求及び承認の手続については、休暇の例によるものとする。この場合において、出勤簿には、特定保健指導のため勤務しなかった旨を記入するものとする。

第二十五条関係

1　健康管理の記録に記載すべき具体的事項は、次のとおりとする。
(1) 氏名、性別及び生年月日
(2) 所属部課名及び職務内容（規則別表第二又は規則別表第三に掲げる業務に従事する者にあっては、その業務（その業務が規則別表第二第一号に掲げる業務に該当するときは、その業務及びこれに係る物質）も記入すること。）
(3) 採用年月日
(4) 健康診断実施年月日
(5) 次に掲げる健康診断（(9)に掲げる検査を除く。）の検査
ア　業務歴
イ　既往歴
ウ　身長、体重、腹囲、視力（右・左）及び聴力
エ　肥満度の測定
オ　自覚症状及び他覚症状
カ　胸部エックス線検査
キ　喀痰《かくたん》細胞診
ク　血圧の測定
ケ　血糖検査（ト及びナの検査を除く。）
コ　尿検査（蛋《たん》白）（ニの検査を除く。）
サ　尿検査（糖）
シ　心電図検査（ヌの検査を除く。）
ス　ＬＤＬコレステロール検査（ハの検査を除く。）
セ　ＨＤＬコレステロール検査（ヒの検査を除く。）
ソ　中性脂肪検査（フの検査を除く。）
タ　貧血検査
チ　胃内視鏡検査又は胃部エックス線検査
ツ　肝機能検査
テ　便潜血反応検査
ト　空腹時の血中グルコースの量の検査
ナ　ヘモグロビンＡ１ｃ検査
ニ　微量アルブミン尿検査
ヌ　負荷心電図検査
ネ　胸部超音波検査
ノ　頸《けい》部超音波検査
ハ　空腹時のＬＤＬコレステロール検査
ヒ　空腹時のＨＤＬコレステロール検査
フ　空腹時の中性脂肪検査
ヘ　アからテまでの検査の結果必要と認められる検査
(6) 規則別表第三に掲げる業務に従事する職員については、特別の健康診断の検査の項目等
(7) 第十九条及び第二十条関係第七項(3)に定めるところにより、検査の実施時期を延期し、検査の方法を変更し、又は検査を行わないこととした場合には、その理由、健康管理医の意見等
(8) 臨時の健康診断の検査の項目等
(9) 心理的な負担の程度を把握するための検査
(10) 規則別表第四に規定する経過観察をするための検査
(11) 健康診断を行った医師の意見

(12) 健康診断を行った医師（(9)に掲げる検査にあっては、医師等）の所属及び氏名
(13) 面接指導実施年月日
(14) 面接指導における確認事項
(15) 面接指導を行った医師の意見
(16) 面接指導を行った医師の所属及び氏名
(17) 指導区分
(18) 健康管理医の所属及び氏名
(19) 事後措置の内容
(20) その他規則に基づく健康診断以外の医師の診断又は治療を受けている場合におけるその内容、医師・保健師・ケースワーカー等による指導及び措置の内容、家族の健康状況等健康管理上必要と認められる事項

2 健康管理の記録は、職員の採用時からの健康に関する系統的な資料として、職員の日常の勤務の管理、職務又は勤務場所の変更、健康の保持増進についての助言、医療行為等を要する職員についての具体的指導等に積極的に活用するものとする。

第二十六条関係

1 この条の第一項の「これらの業務に従事しないこととなった場合」とは、職員が、業務の変更、配置換、転任、昇任、離職等により、この条の第一項の業務（以下「健康管理手帳交付対象業務」という。）のいずれにも従事しないこととなった場合をいう。

2 この条の第一項の「人事院の定める場合」は、健康管理手帳を既に交付されている場合をいう。

3 健康管理手帳の様式、申請手続等必要な事項は、次のとおりとする。

(1) 健康管理手帳の様式は、別紙第三に定めるところによる。
(2) (1)のほか、健康管理手帳には必要に応じて参考となるべき資料等を付記することができる。
(3) 健康管理手帳の交付の申請は、職員が健康管理手帳交付対象業務に従事しないこととなったときにおける所属の各省各庁の長（各省各庁の長を異にする異動により当該業務に従事しないこととなった場合は、異動前の各省各庁の長）が、別紙第四に定める様式の申請書により行うものとする。
(4) 各省各庁の長は、健康管理手帳の交付を受けた職員（以下「健康管理手帳所有職員」という。）が、次の表の左欄〔注：上欄〕に掲げる場合に該当することとなったときは、健康管理手帳の提示を求め、同表の右欄〔注：下欄〕に掲げる記入箇所に所要の訂正又は記入を行うものとする。また、その際健康管理手帳交付後の疾病の罹《り》患状況について該当事項を記入するものとする。

氏名に変更があった場合	「氏　名」
健康管理手帳交付対象業務についての規則第十九条から第二十一条までに規定するそれぞれの健康診断を受診した場合	「健康管理手帳交付後の記録」の「特別健康診断の結果」
健康管理手帳交付対象業務に従事しないこととなった場合	「健康管理手帳交付後の記録」の「勤務歴」

(5) 健康管理手帳所有職員に氏名の変更、各省各庁の長を異にする異動、離職、再採用又は在職中の死亡の事実が生じた場合には、各省各庁の長（各省各庁の長を異にして異動した場合にあっては、異動前の各省各庁の長）は、その旨人事院に届け出るものとする。
(6) 健康管理手帳を滅失し、又は損傷したときは、(3)の例により再交付の申請を行うものとする。なお、健康管理手帳を損傷した場合にあっては、当該健康管理手帳を添付して申請するものとする。

第二十六条の二関係

1 この条の第一項の「人事院の定める要件に該当する者」は、職員として従事した次の表の左欄〔注：上欄〕に掲げる業務に応じて、離職の際に又は離職の後に、それぞれ、同表の右欄〔注：下欄〕に掲げる要件に該当する者とする。

規則別表第四の二に掲げる業務	要　件
第一号、第二号又は第七号の業務	安衛則第五十三条第一項の表の令第二十三条第一号、第二号又は第十二号の業務の項に掲げる要件の例による。
第三号の業務	安衛則第五十三条第一項の表の令第二十三条第三号の業務の項に掲げる要件の例による。
第四号の業務	安衛則第五十三条第一項の表の令第二十三条第七

	号の業務の項に掲げる要件の例による。
第五号の業務	安衛則第五十三条第一項の表の令第二十三条第八号の業務の項に掲げる要件の例による。
第六号の業務（石綿（これをその重量の〇・一パーセントを超えて含有する製剤その他の物を含む。）を製造し、又は取り扱う業務に限る。）	安衛則第五十三条第一項の表の令第二十三条第十一号の業務（石綿等（令第六条第二十三号に規定する石綿等をいう。以下同じ。）を製造し、又は取り扱う業務に限る。）の項に掲げる要件の例による。
第六号の業務（前欄に掲げる業務を除く。）	安衛則第五十三条第一項の表の令第二十三条第十一号の業務（石綿等を製造し、又は取り扱う業務を除く。）の項に掲げる要件の例による。
第八号の業務	安衛則第五十三条第一項の表の令第二十三条第十三号の業務の項に掲げる要件の例による。
第九号の業務	安衛則第五十三条第一項の表の令第二十三条第十四号の業務の項に掲げる要件の例による。
第十号の業務	安衛則第五十三条第一項の表の令第二十三条第十五号の業務の項に掲げる要件の例による。

2　特別健康管理手帳の様式、申請手続等必要な事項は、次のとおりとする。

(1)　特別健康管理手帳の様式は、別紙第四の二に定めるところによる。

(2)　(1)のほか、特別健康管理手帳には必要に応じて参考となるべき資料等を付記することができる。

(3)　特別健康管理手帳の交付の申請は、前項に規定する要件に該当する者の申出に基づいて、その者が離職の際に所属していた各省各庁の長が、別紙第四の三に定める様式の申請書により行うものとする。

(4)　各省各庁の長は、特別健康管理手帳の交付を受ける者が、長期的に適切な健康管理を行えるように、離職後の健康診断の受診勧奨その他必要な情報の提供等を行うよう努めるものとする。

第二十七条関係

この条の規定による報告は、別紙第五に定める様式の「定期健康診断等報告書」により行うものとする。

第二十八条関係

この条の第三項の各省各庁の長が講ずべき措置に関する人事院の定めは、安衛則第二編、ボイラー及び圧力容器安全規則（昭和四十七年労働省令第三十三号。以下「ボイラー則」という。）、クレーン等安全規則（昭和四十七年労働省令第三十四号。以下「クレーン則」という。）、ゴンドラ安全規則（昭和四十七年労働省令第三十五号。以下「ゴンドラ則」という。）、有機則、鉛則、四アルキル鉛則、特化則、高圧則、酸欠則、粉じん則及び石綿則の規定の例による措置（船員にあっては、船員安衛則第十七条から第二十七条の二まで、第四十六条から第四十九条まで、第五十一条から第五十九条まで及び第六十五条から第六十九条までの規定の例による措置）とする。

第二十九条関係

1　この条の第一項の「業務の中断、職員の退避等の適切な措置」には、緊急連絡、救急活動、消火作業その他の危険が拡大するのを防ぐ緊急作業、危険場所への立入禁止等の措置が含まれる。

2　この条の第二項の「設備等」とは、避難設備、避難用具、救命用具、救急箱等をいい、「職員の訓練」とは、防火訓練、避難訓練、救急訓練等をいう。

第三十条関係

1　この条の第一項の「人事院の定める免許、資格等を有する職員」は、規則別表第五に掲げる業務に応じ、別表第六に掲げる免許、資格等を有する職員とする。

2　この条の第二項の人事院の定める危害のおそれの多い業務は、別表第七に掲げる業務とする。

3　この条の第二項の危害の防止のための特別の教育は、業務の種類に応じ次に掲げる事項について行うものとする。ただし、教育を行うべき事項について十分な知識及び技能を有していると認められる職員については、当該事項についての教育を省略することができる。

(1)　設備等の構造、機能等又は取り扱う物質の性状に関すること。

(2) 作業方法又は設備等の取扱いに関すること。
(3) 危害防止についての規定に関すること。
(4) 業務の遂行に必要な技能を修得させるための実技

4 別表第七第三十六項及び第三十七項の「産業用ロボット」とは、マニプレータ及び記憶装置（可変シーケンス制御装置及び固定シーケンス制御装置を含む。）を有し、記憶装置の情報に基づきマニプレータの伸縮、屈伸、上下移動、左右移動若しくは旋回の動作又はこれらの複合動作を自動的に行うことができる機械（研究開発中の機械を除く。）で、定格出力（駆動用原動機を二以上有する機械にあっては、それぞれの定格出力のうち最大のもの）が八十ワットを超える駆動用原動機を有するもの（固定シーケンス制御装置の情報に基づきマニプレータの伸縮、上下移動、左右移動又は旋回の動作のうちいずれか一の動作の単調な繰り返しを行う機械及び当該機械の構造、性能等からみて当該機械に接触することによる職員の危険が生ずるおそれがないと認められる機械を除く。）をいい、「可動範囲」とは、記憶装置の情報に基づきマニプレータその他の産業用ロボットの各部の動くことができる最大の範囲をいう。

第三十一条関係

1 この条の第一項の「人事院の定める条件」は、設備等の種類に応じ、次のとおりとする。

(1) 規則別表第六に掲げる設備等で規則別表第七に掲げられているもの　次の表の左欄〔注：上欄〕に掲げる設備等の区分に応じ、それぞれ同表の右欄〔注：下欄〕に掲げる条件を満たしたものであること。

設備等	条件
ボイラー（移動式のものを除く。）、第一種圧力容器、クレーン、デリック、エレベーター及び建設用リフト	第三十二条の設置検査に合格したもの
移動式のボイラー	ボイラー則第五条の構造検査又は同規則第十二条の使用検査に合格したもの
移動式クレーン	クレーン則第五十五条の製造検査又は同規則第五十七条の使用検査に合格したもの
ゴンドラ	ゴンドラ則第四条の製造検査又は同規則第六条の使用検査に合格したもの

なお、設備等を変更したものにあっては、第三十二条の変更検査に合格したものであること。

(2) 規則別表第六に掲げる設備等で(1)の設備等以外のもの　安衛法第四十二条に基づき厚生労働大臣が定めた規格又は安全装置を具備したものであること（小型ボイラー及び小型圧力容器並びに規則別表第六第五号、第十四号から第十九号まで、第二十二号、第二十四号、第二十六号から第二十八号まで、第四十三号及び第五十一号に掲げる設備等（同表第十五号に掲げる設備等にあっては急停止装置、同表第二十二号に掲げる設備等のうち歯の接触予防装置にあっては可動式のもの、同表第二十四号に掲げる設備等にあってはスライドによる危険を防止するための機構を有するものに限る。）については、更に安衛法第四十四条に規定する個別検定又は安衛法第四十四条の二に規定する型式検定に合格した旨の表示が付されたものであること。）

2 この条の第二項の「人事院の定めるもの」は、規則別表第七に掲げる設備等で移動式のもの以外のものとし、同項の「人事院の定める条件」は、次の表の左欄〔注：上欄〕に掲げる設備等の区分に応じ、それぞれ同表の右欄〔注：下欄〕に掲げる条件を満たしたものであることとする。

設備等	条件
クレーン、デリック、エレベーター及び建設用リフト	安衛法第三十七条第一項の製造の許可を受けたもの
ボイラー及び第一種圧力容器	ボイラー則第五条若しくは第五十一条の構造検査又は同規則第十二条若しくは第五十七条の使用検査に合格したもの

3　この条の第二項の「設置」とは、設備等を使用の目的をもって新たに設置すること等をいい、これには固定式の設備等の位置の移動及び他省庁等からの移管が含まれる。

第三十二条関係

1　この条の第一項の「設置検査」とは、設備等を設置した場合に、当該設備等の使用の開始が適当かどうかを決定するために、その構造、機能、設置工事の施工状況等について行う検査をいい、「変更検査」とは、設備等の能力に係る部分の改造、修理等を行った場合に、当該設備等の使用が適当かどうかを決定するために、その変更に係る部分の構造、機能等の状況について行う検査をいい、「性能検査」とは、当該設備等を引き続き使用することができるかどうかを判定するために、設備等の構造、機能等について総合的な点検、試験等を、一定期間ごとに行う検査をいい、「定期検査」とは、設備等の損傷及び異常の有無並びに作動状態等の適否を確認するために、一定期間ごとに行う検査をいう。

2　検査の結果、使用の継続が適当でないと認められた設備等については、ただちにその使用を休止し、必要な整備を行った後でなければ、職員に使用させてはならない。

3　この条の第三項の人事院の定める設備等の検査に関し必要な事項は、次に掲げるものとする。

(1)　検査の実施に当たっては、所属の職員のうちから当該設備等の検査について十分な知識及び技能を有すると認められる職員を検査員に指名し、その者に検査を行わせなければならない。ただし、検査員として指名することができる職員がいない場合等にあっては、安衛法第四十一条第二項に規定する登録性能検査機関等の専門機関に委託して検査を行わせることができる。この場合には、安全管理者又はこれに代わる職員を立ち会わせるものとする。

(2)　性能検査及び定期検査の実施の時期に使用を休止している設備等については、これらの検査を省略することができる。この場合においては、使用を再開する際に、それぞれ必要な検査を行わなければならない。

(3)　規則別表第七に掲げる設備等の設置検査、変更検査、性能検査及び定期検査の検査の項目並びに性能検査及び定期検査の回数は別表第八に、規則別表第八に掲げる設備等の定期検査の検査の項目及び回数は別表第九にそれぞれ掲げるとおりとする。

4　設備等の検査結果の記録についての必要な事項は、次のとおりとする。

(1)　設置検査、変更検査及び性能検査の結果の記録は、それぞれ設備等の種類に応じ、別紙第六に定める様式の「検査結果記録書」により作成すること。

(2)　定期検査の結果の記録は、次に掲げる事項について作成すること。

ア　検査の対象（設備等の場合は、種類、型式、能力及び設置年月日を併せて記入する。）

イ　検査の期日

ウ　検査の項目

エ　異常又は損傷の有無及びその箇所

オ　検査の結果とった措置

カ　検査員の所属及び氏名

第三十三条関係

1　「別表第八に掲げる設備等のうち人事院の定めるもの」は、規則別表第八第一号、第二号及び第四号から第九号までに掲げる設備等とする。

2　「設置」には、第三十一条関係第三項の「設置」のほか、移動式の設備等の新たな使用が含まれる。

3　「変更」とは、当該設備等の能力に関係する部分の改造、修理等をいう。

4　「廃止」には、設備等の他省庁への移管が含まれる。

5　設備等の届出については、次のとおりとする。

(1)　設備等の種類に応じ、別紙第七に定める様式の「設備届」により行うこと。

(2)　規則別表第七に掲げる設備等についての設置の届出には構造図、配置図及び設置検査に係る「検査結果記録書」の写しを、当該設備等についての変更の届出には変更検査に係る「検査結果記録書」の写しを、規則別表第八に掲げる設備等についての設置の届出には配置図を、それぞれ添付すること。

第三十五条関係

1　この条の第一項の「職員の勤務する場所」には、車両、船舶又は航空機を使用して勤務する場合の当該車両、船舶又は航空機、出張等により職員が公務を遂行すべきこととされている場所及び看護師宿舎等で勤務に関して宿泊することとされている施設が含まれる。

2　この条の第一項第一号の災害に係る報告は、その災害により職員が事故の発生の日から十日以内に死亡することとなった場合に限り行うものとする。

3 この条の第一項第二号の災害に係る報告は、その災害により職員が一日以上休業した場合に限り行うものとする。

4 この条の第一項第三号の「火災、ボイラーの破裂等の事故で重大なもの」は、各省各庁の長が管理する場所で発生した次に掲げる事故とする。

(1) 火災又は爆発の事故で、被害が相当程度に及ぶもの

(2) 遠心機械、研削といしその他高速回転体の破裂の事故

(3) 機械集材装置、巻上機又は索道の鎖又は索の切断の事故

(4) 建設物、附属建設物、機械集材装置、煙突、高架槽等の倒壊の事故

(5) 規則別表第六に掲げる設備等のうち、次に掲げるものについてのそれぞれ次に掲げる事故

ア ボイラー　破裂、煙道ガスの爆発又はこれらに準ずる事故

イ 第一種圧力容器又は第二種圧力容器　破裂の事故

ウ クレーン　逸走、倒壊若しくは落下又はそのジブの折損の事故

エ 移動式クレーン　転倒若しくは倒壊又はそのジブの折損の事故

オ デリック　倒壊又はそのブームの折損の事故

カ エレベーター又は建設用リフト　昇降路等の倒壊又はこれらの搬器の墜落の事故

キ 簡易リフト　搬器の墜落の事故

ク クレーン、移動式クレーン、デリック、エレベーター、建設用リフト又は簡易リフト　ワイヤーロープの切断の事故

ケ クレーン、移動式クレーン又は簡易リフト　つりチェーンの切断の事故

5 この条の第一項の規定による報告は、災害又は事故の発生の場所、日時、被害の程度等を、速やかに人事院に通報し、かつ、災害等の発生の日（同項第一号の災害にあっては、職員が死亡した日）から二十日以内に別紙第八に定める様式の「重大災害等報告書」を提出して行うものとする。

6 この条の第二項の規定による報告は、職員が死亡し、又は一日以上休業した災害について、別紙第九に定める様式の「年次災害報告書」（船員については、別紙第十に定める様式の「船員年次災害報告書」）により行うものとする。

7 「重大災害等報告書」、「年次災害報告書」及び「船員年次災害報告書」の作成は、規則第六条第一項の安全管理者を指名すべき組織区分ごとに行うものとする。

別表第一関係

1 第二号の「人事院の定めるその他の圧力容器」は、次に掲げるものとする。

(1) 規則別表第一備考第三号一に掲げる容器で内容積が五立方メートル以下のもの

(2) 規則別表第一備考第三号二から四までに掲げる容器で内容積が一立方メートル以下のもの

2 第三号の「高圧室内における業務」とは、潜函《かん》工法その他の圧気工法により、大気圧を超える気圧下の作業室又はシャフトの内部において行う業務をいう。

3 第四号の「アセチレン溶接装置」とは、アセチレン発生器、安全器、導管、吹管等により構成され、溶解アセチレン以外のアセチレン及び酸素を使用して金属を溶接し、溶断し、又は加熱する設備をいい、「ガス集合溶接装置」とは、ガス集合装置（第十二項の表に掲げる可燃性のガスの容器十以上を導管により連結した装置又は同表に掲げる可燃性のガスの容器九以下を導管により連結した装置で当該容器の内容積の合計が水素若しくは溶解アセチレンの容器にあっては四百リットル以上、その他の可燃性ガスにあっては一千リットル以上のものをいう。）、安全器、圧力調整器、導管、吹管等により構成され、可燃性ガス及び酸素を使用して金属を溶接し、溶断し、又は加熱する設備をいう。

4 第五号の「機械集材装置」とは、集材機、架線、搬器及び支柱並びにこれらに附属する物により構成される設備で、動力を用いて原木又は薪炭材を巻上げ、かつ、空中において運搬するものを、「運材索道」とは、架線、搬器及び支柱並びにこれらに附属する物により構成される設備で、原木又は薪炭材を一定の区間空中において運搬するものをいい、「人事院の定めるもの」は、次のいずれかに該当するものとする。

(1) 原動機の定格出力が七・五キロワットを超えるもの

(2) 支間の斜距離の合計が三百五十メートル以上のもの

(3) 最大使用荷重が二百キログラム以上のもの

5 第七号の「木材加工用機械」とは、丸のこ盤、帯のこ盤、かんな盤、面取り盤及びルーターのうち、

携帯用のもの以外のものをいう。

6　第九号の「乾燥設備」とは、熱源を用いて火薬類取締法（昭和二十五年法律第百四十九号）第二条第一項に規定する火薬類以外の物を加熱乾燥する乾燥室及び乾燥器のうち、次に掲げるものをいう。

(1)　規則別表第一第十九号に掲げる危険物及びこれらの危険物が発生する乾燥物に係る設備（以下「危険物等に係る設備」という。）で、内容積が一立方メートル以上のもの

(2)　(1)の危険物等に係る設備以外のもので熱源として燃料を使用するもの（その最大消費量が、固体燃料にあっては毎時十キログラム以上、液体燃料にあっては毎時十リットル以上、気体燃料にあっては毎時一立方メートル以上であるものに限る。）又は熱源として電力を使用するもの（定格消費電力が十キロワット以上のものに限る。）

7　第十号の「コンクリート破砕器」とは、クロム酸鉛等を主成分とする火薬を充てんした薬筒と点火具からなる火工品であって、コンクリート建設物、岩盤等の破砕に使用されるものをいう。

8　第十四号の「はいのはい付け又ははいくずしの業務」とは、倉庫、上屋又は土場に積み重ねられた荷（小麦、大豆、鉱石等のばら物の荷を除く。）の積上げ又は取りくずしの業務をいう。

9　第十五号の「型わく支保工」とは、支柱、はり、つなぎ、筋かい等の部材により構成され、建設物におけるスラブ、けた等のコンクリートの打設に用いる型枠を支持する仮設の設備をいう。

10　第十六号の「ゴンドラ」とは、つり足場及び昇降装置その他の装置並びにこれらに附属する物から構成され、当該つり足場の作業床が専用の昇降装置により上昇し、又は下降する設備をいう。

11　第十六号の二の「建築物」とは、建築基準法（昭和二十五年法律第二百一号）第二条第一号に掲げる建築物（建築設備の部分を除く。）をいい、「橋梁《りょう》の上部構造」とは、河川、道路等を横切りその下方に空間を存して建設された通路及びこれを支持する構造物の橋台、橋脚等に支持されている構造部分をいい、「塔」とは、建築物以外の建造物であって、幅に比して高さが著しく高いものをいい、「高さ」とは、鉄骨等の金属製の部材により構成される部分の高さをいう。

12　第十九号の「人事院の定める危険物」は、次の表に掲げる危険物とする。

可燃性のガス	水素、アセチレン、エチレン、メタン、エタン、プロパン、ブタンその他の乾球温度摂氏十五度、一気圧において気体である可燃性の物
爆発性の物	1　ニトログリコール、ニトログリセリン、ニトロセルローズその他の爆発性の硝酸エステル類 2　トリニトロベンゼン、トリニトロトルエン、ピクリン酸その他の爆発性のニトロ化合物 3　過酢酸、メチルエチルケトン過酸化物、過酸化ベンゾイルその他の有機過酸化物 4　アジ化ナトリウムその他の金属のアジ化物
発火性の物	金属リチウム、金属カリウム、金属ナトリウム、黄りん、硫化りん、赤りん、セルロイド類、炭化カルシウム、りん化石灰及び亜二チオン酸ナトリウム並びにマグネシウム粉、アルミニウム粉及びこれら以外の金属粉
酸化性の物	1　塩素酸カリウム、塩素酸ナトリウム、塩素酸アンモニウムその他の塩素酸塩類 2　過塩素酸カリウム、過塩素酸ナトリウム、過塩素酸アンモニウムその他の過塩素酸塩類 3　過酸化カリウム、過酸化ナトリウム、過酸化バリウムその他の無機過酸化物 4　硝酸カリウム、硝酸ナトリウム、硝酸アンモニウムその他の硝酸塩類 5　亜塩素酸ナトリウムその他の亜塩素酸塩類 6　次亜塩素酸カルシウムその他の次亜塩素酸塩類
引火性の物	1　エチルエーテル、ガソリン、アセトアルデヒド、酸化プロピレン、二硫化炭素その他の引火

点が乾球温度摂氏マイナス三十度未満の物
2　ノルマルヘキサン、酸化エチレン、アセトン、ベンゼン、メチルエチルケトンその他の引火点が乾球温度摂氏マイナス三十度以上零度未満の物
3　メタノール、エタノール、キシレン、酢酸ペンチルその他の引火点が乾球温度摂氏零度以上三十度未満の物
4　灯油、軽油、テレビン油、イソペンチルアルコール、酢酸その他の引火点が乾球温度摂氏三十度以上六十五度未満の物

13　第二十号の「電気工事の業務で人事院の定めるもの」は、次に掲げるものとする。
(1)　電路を開路して行う当該電路又は支持物の敷設、点検、修理、塗装等の電気工事の業務、当該電路に近接する電路又はその支持物の敷設、点検、修理、塗装等の電気工事の業務及び当該電路に近接する工作物（電路の支持物を除く。）の建設、解体、点検、修理、塗装等の業務
(2)　高圧（直流にあっては七百五十ボルトを、交流にあっては六百ボルトを超え、七千ボルト以下である電圧をいう。以下同じ。）の電路の露出充電部分の点検、修理その他の当該露出充電部分を取り扱う業務
(3)　電路又はその支持物の敷設、点検、修理、塗装等の電気工事の業務のうち、高圧の電路の露出充電部分に対して頭上距離三十センチメートル以内又は躯《く》側距離若しくは足下距離六十センチメートル以内に接近して行う業務
(4)　特別高圧（七千ボルトを超える電圧をいう。以下同じ。）の電路の露出充電部分又は当該電路の支持物（接近することにより感電の危険が生ずるおそれのある部分に限る。）の点検、修理、塗装等の電気工事の業務

14　第二十一号の「建設用リフト」とは、荷だけを運搬することを目的とするエレベーターで、土木、建築等の工事の作業に使用するもの（ガイドレールと水平面との角度が八十度未満のスキップホイストを除く。）をいう。

別表第一の二関係

1　第二号の「人事院の定めるもの」は、安衛則第三十四条の二の二に規定する物とする。
2　第四号の「人事院の定めるもの」は、四アルキル鉛を含有する製剤その他の物（四アルキル鉛の含有量が重量の〇・一パーセント未満であるもの（加鉛ガソリンを除く。）に限る。）及び安衛則第三十四条の二に規定する物とする。

別表第二関係

1　第一号の「気膠《こう》質」とは、気体中に霧又は煙状で散布した固体粒子をいう。
2　第一号1から86までに掲げる物質で、次の表の左欄〔注：上欄〕に掲げるものは、主としてそれぞれ同表の右欄〔注：下欄〕に掲げる物質をいう。

りん及びその化合物（有機りん剤を除く。）	りん酸及びその塩並びにりん化水素
沃《よう》素及びその化合物	沃素及び沃《よう》化メチル
硫化水素及びメルカプタン類	硫化水素及びメチルメルカプタン
有機溶剤（第一号82までに掲げる有機溶剤を除く。）	アセトン、イソブチルアルコール、イソプロピルアルコール、イソペンチルアルコール（イソアミルアルコール）、一・一・一－トリクロルエタン、一・二－ジクロルエチレン（二塩化アセチレン）、一－ブタノール、エチルエーテル、エチレングリコールモノエチルエーテル（セロソルブ）、エチレングリコールモノエチルエーテルアセテート（セロソルブアセテート）、エチレングリコールモノ－ノルマル－ブチルエーテル（ブチルセロソルブ）、エチレングリコールモノメチルエーテル（メチルセロソルブ）、N・N－ジメチルホルムアミド、オルト－ジクロルベンゼン、ガソリン、キシレン、クレゾール、クロルベンゼ

	ン、コールタールナフサ（ソルベントナフサを含む。）、酢酸イソブチル、酢酸イソプロピル、酢酸イソペンチル（酢酸イソアミル）、酢酸エチル、酢酸ノルマル-ブチル、酢酸ノルマル-プロピル、酢酸ノルマル-ペンチル（酢酸ノルマル-アミル）、酢酸メチル、シクロヘキサノール、シクロヘキサノン、石油エーテル、石油ナフサ、石油ベンジン、テトラヒドロフラン、テレビン油、トルエン、二-ブタノール、ノルマルヘキサン、ミネラルスピリット（ミネラルシンナー、ペトロリウムスピリット、ホワイトスピリット及びミネラルターペンを含む。）、メタノール、メチルエチルケトン、メチルシクロヘキサノール、メチルシクロヘキサノン及びメチル-ノルマル-ブチルケトン
酸、アルカリその他の刺激性物質及び腐食性物質（エチレンオキシドを除く。）	アンモニア、塩化水素、硝酸、ホスゲン及び硫酸

3　第二号の「強烈な紫外線、赤外線又は可視光線にさらされる業務」とは、紫外線を用いる医療又は検査の業務、金属又は土石の溶解炉内の監視の業務、電気溶接又はガス溶接の業務、可視光線を用いる映写室内の業務、レーザー光線又はプラズマによる光線にさらされる業務等の常時強烈な紫外線、赤外線又は可視光線にさらされる業務をいう。

4　第三号の「粉じんを著しく発散する場所における業務」とは、じん肺法第二条に規定する粉じん作業と同様の業務をいう。

5　第四号の「病原体によって汚染されるおそれのある場所における業務」とは、検疫業務、病院、研究所等で病原体の保有者に接し、又は病原体の検査、血液の検査等を行う場所において常時行う業務、ワイル氏病、十二指腸虫症等にかかるおそれのある湿潤な場所における業務及びつつが虫病等の風土病にかかるおそれのある場所における業務をいう。

6　第五号の「チェンソー、さく岩機、高速機械等の使用により著しい振動を受けるおそれのある業務」とは、チェンソー、ブッシュクリーナー、さく岩機、研削盤等の身体に振動を与える機械器具を常時使用する業務、高速機械の近辺等で常時身体に振動を受けるおそれのある場所における業務、ブル・ドーザー等の車両を常時運転する業務等をいう。

7　第六号の「多量の高熱物体を取り扱う業務」とは、溶融し、又はしゃく熱した鉱物、煮沸されている液体等を常時取り扱う業務をいい、「著しく暑熱な場所における業務」とは、職員の作業する位置での温度が乾球温度摂氏四十度、湿球温度摂氏三二・五度、黒球寒暖計示度摂氏五十度又は感覚温度摂氏三二・五度以上である屋内作業場における業務をいう。

8　第七号の「多量の低温物体を取り扱う業務」とは、液体空気、ドライアイス、氷、冷凍品等を常時取り扱う業務をいい、「著しく寒冷な場所における業務」とは、常時乾球温度摂氏五度（空気の流動のあるところでは気流一秒当たり一メートルを加えるごとに乾球温度摂氏三度の低下があるものとして計算する。）以下の屋内作業場における業務をいう。

9　第八号の「異常気圧下における業務」とは、高圧室内の作業、潜水服を着用して行う水中作業等の高圧下の業務及び海抜三千メートル以上の高所における作業等の低圧下の業務をいう。

10　第九号の「空気中の酸素の濃度が十八パーセント未満になるおそれのある場所における業務」とは、次に掲げる酸素欠乏症又は硫化水素中毒にかかるおそれのある場所における業務をいう。

(1)　次の地層に接し、又は通じる井戸、井筒、たて坑、ずい道、潜函《かん》、ピットその他これらに類するもの（以下「井戸等」という。）の内部

ア　上層に不透水層がある砂れき層のうち含水若しくは湧《ゆう》水がなく、又はこれらが少ない部分

イ　第一鉄塩類又は第一マンガン塩類を含有している地層

ウ　メタン、エタン又はブタンを含有する地層

エ　炭酸水を湧《ゆう》出しており、又は湧《ゆう》出するおそれのある地層

オ　腐泥層

(2)　長期間使用されていない井戸等の内部

(3)　ケーブル、ガス管その他地下に敷設される物を収容するための暗きょ、マンホール又はピットの

内部
(4) 雨水、河川の流水又は湧《ゆう》水等の水が滞留しており、又は滞留したことのある槽、暗きょ、マンホール又はピットの内部
(5) 海水が滞留しており、若しくは滞留したことのある熱交換器、管、暗きょ、マンホール、溝若しくはピット（以下「熱交換器等」という。）又は海水を相当期間入れてあり、若しくは入れたことのある熱交換器等の内部
(6) 相当期間密閉されていた鋼製のボイラー、タンク、反応塔、船倉その他その内壁が酸化されやすい施設（その内壁がステンレス鋼製のもの又はその内壁の酸化を防止するために必要な措置が講ぜられているものを除く。）の内部
(7) 石炭、亜炭、硫化鉱、鋼材、くず鉄、原木、チップ、乾性油、魚油その他空気中の酸素を吸収する物質を入れてあるタンク、船倉、ホッパーその他の貯蔵施設の内部
(8) 天井、床若しくは周壁又は格納物が乾性油を含むペイントで塗装され、そのペイントが乾燥する前に密閉された地下室、倉庫、タンク、船倉その他通風が不十分な施設の内部
(9) 穀物若しくは飼料の貯蔵、果菜の熟成、種子の発芽又はきのこ類の栽培のために使用しているサイロ、むろ、倉庫、船倉又はピットの内部
(10) しょう油、酒類、もろみ、酵母その他発酵する物を入れてあり、又は入れたことのあるタンク、むろ又は醸造槽の内部
(11) し尿、腐泥、汚水、パルプ液その他腐敗し、又は分解しやすい物質を入れてあり、又は入れたことのあるタンク、船倉、槽、管、暗きょ、マンホール、溝又はピットの内部
(12) ドライアイスを使用して冷蔵、冷凍又は水セメントのあく抜きを行っている冷蔵庫、冷凍庫、保冷貨車、保冷貨物自動車、船倉又は冷凍コンテナーの内部
(13) ヘリウム、アルゴン、窒素、フロン、炭酸ガスその他不活性の気体を入れてあり、又は入れたことのあるボイラー、タンク、反応塔、船倉その他の施設の内部

11 第十号の「著しい騒音を発する場所における業務」とは、製罐《かん》、鍛造、板金加工等の金属加工の業務、内燃機関、粉砕機、圧縮機、排送風機等の作動している作業場における業務等で常時八十五デシベル以上の強さの騒音のある場所における業務をいう。

12 第十一号の「坑内における業務」とは、安衛則第五百八十九条に規定する作業場における作業と同様の業務をいう。

13 第十二号の「超音波にさらされる業務」とは、超音波溶着機等により常時強烈な超音波にさらされる業務をいう。

別表第三関係

1 第二号の「放射線に被ばくするおそれのある業務」とは、規則一〇―五第三条第三項に規定する管理区域内で行う同条第五項に規定する業務及び規則一〇―一三第六条に規定する除染等関連業務をいう。

2 第三号の「せん孔、タイプ、筆耕、速記等により手指、肩、頸《くび》等に障害をうけるおそれのある業務」には、打鍵《けん》式計算機、打鍵《けん》式会計機、電信機等を取り扱う業務が含まれる。

3 第六号の「深夜作業を必要とする業務」とは、週一回以上午後十時から翌日の午前五時までの間における作業を必要とする業務をいう。

4 第八号の「調理、配ぜん等給食のため食品を取り扱う業務」には、食品の洗浄、消毒又は食卓の清掃の業務が含まれる。

5 第九号の「計器監視、精密工作等を行う業務」とは、計器監視、精密工作、顕微鏡操作等高度の神経緊張又は精神的活動の持続を必要とする精密視作業に従事する業務をいう。

別表第四関係

1 休暇（日単位のものを除く。）による勤務の軽減は、職務の変更若しくは勤務場所の変更では十分でない場合又は職務の変更若しくは勤務場所の変更をすることができない場合に行うものとする。

2 「医療機関のあっせん等」には、通院、入院等により適正な治療を受けるよう勧奨することその他適正な治療を受けるについて障害となる諸条件を除去するための必要な措置が含まれる。

別表第四の二関係

第八号の「人事院の定める場所」とは、安衛則第五十二条の二十二に定める場所とする。

別表第五関係

1 第二号の業務には、自動溶接機による溶接業務、管（ボイラーにあっては、主蒸気管及び給水管を除く。）の周継手の溶接業務及び圧縮応力以外の応力を生じない部分の溶接業務は含まれない。

2 第三号の「人事院の定めるボイラー」は、次に掲

げるボイラーとする。

(1) 胴の内径が七百五十ミリメートル以下で、かつ、その長さが千三百ミリメートル以下の蒸気ボイラー

(2) 伝熱面積が三平方メートル以下の蒸気ボイラー

(3) 伝熱面積が十四平方メートル以下の温水ボイラー

(4) 伝熱面積が三十平方メートル以下の貫流ボイラー（気水分離器を有するものにあっては、その気水分離器の内径が四百ミリメートルを超え、かつ、その内容積が〇・四立方メートルを超えるものを除く。）

3 第五号及び第八号の「移動式クレーン」とは、原動機を内蔵したクレーンで、不特定の場所に移動させることができるものをいう。

4 第八号の業務には、とりべ、コンクリートバケット等のようにつり具がそれらの一部となっているものを直接クレーン等のフックにかける業務及び二人以上の者によって行う玉掛けの業務における補助作業の業務は含まれない。

5 第十二号の「人事院の定める建設機械」は、規則別表第五備考第一号から第三号まで及び第六号に掲げる建設機械とする。

6 規則別表第五備考第六号二の「人事院が定める機械」は、鉄骨切断機、コンクリート圧砕機及び解体用つかみ機とする。

別表第六関係

1 第十二号の「簡易リフト」とは、エレベーターのうち、荷だけを運搬することを目的とするエレベーターで、搬器の床面積が一平方メートル以下又はその天井の高さが一・二メートル以下のもの（建設用リフトを除く。）をいう。

2 第十四号の「シャー」とは、受け刃等に対して垂直に動くまっすぐな又は角度を持った刃物を備え、原材料をせん断又は断裁するために使用される機械（スライサー、スリッター及び回転切断機を除く。）をいう。

3 第十五号の「ゴム化合物」とは、エボナイト等をいう。

4 第十七号の「過負荷防止装置」とは、クレーン又は移動式クレーンにその定格荷重を超えて負荷されることを防止するために取り付ける警報装置（荷重計だけのものを除く。）をいう。

5 第十八号の「防じんマスク」とは、防じんマスクのうち、ろ過材及び面体を有するものをいう。

6 第十九号の「防毒マスク」とは、ハロゲンガス用、有機ガス用、一酸化炭素用、アンモニア用又は亜硫酸ガス用防毒マスクをいう。

7 第二十一号の「研削といし」とは、人造研削材及び結合剤から成り、高速度で回転しながら微細な研削刃を絶えず自生して研削又は切断を行う工具（天然石で作られたものを除く。）をいう。

8 第二十六号の「交流アーク溶接機用自動電撃防止装置」とは、交流アーク溶接機のアークの発生を中断させた場合に、当該交流アーク溶接機の二次無負荷電圧を自動的に、短時間内に三十ボルト以下に切り替えることができる電気的な安全装置をいう。

9 第二十七号の「絶縁用保護具」とは、充電電路の取扱いその他電気工事の作業を行う場合に、作業者の身体に着用する感電防止のための保護具のうち、高圧の又は交流で三百ボルトを超え六百ボルト以下の電圧の充電電路に対して用いられる電気用ゴム手袋、電気用安全帽等をいう。

10 第二十八号の「絶縁用防具」とは、充電電路の取扱いその他電気工事の作業を行う場合に、電路に取り付ける感電防止のための装具のうち、高圧の又は交流で三百ボルトを超え六百ボルト以下の電圧の充電電路に対して用いられる電気用絶縁管、電気用絶縁シート等をいう。

11 第二十九号の「活線作業用装置」とは、対地絶縁を施した絶縁かご、絶縁台等を有し、高圧又は特別高圧の充電電路に対して用いられる活線作業用車、活線作業用絶縁台等をいう。

12 第三十号の「活線作業用器具」とは、使用の際に手で持つ部分が絶縁材料で作られた棒状の絶縁工具のうち、高圧若しくは特別高圧の又は交流で三百ボルトを超え六百ボルト以下の電圧の充電電路に対して用いられるホットステック等をいう。

13 第三十一号の「絶縁用防護具」とは、建設工事（電気工事を除く。）等を充電電路に近接して行う場合に電路に取り付ける感電防止のための装具のうち、七千ボルト以下の電圧の充電電路について用いられる建設用防護管、建設用防護シート等をいう。

14 第三十三号の「人事院の定めるもの」は、当分の間、車両系建設機械の全部とする。

15 第三十五号の「人事院の定めるもの」は、次に掲げるものとする。

(1) 枠組足場用の建枠（簡易枠を含む。）、交差筋交い、布枠、床付き布枠及び持送り枠

(2) 布板一側足場用の布板及びその支持金具

(3)　移動式足場用の建枠（(1)に掲げる建枠を除く。）及び脚輪
(4)　壁つなぎ用金具
(5)　枠組足場用の建枠の脚柱ジョイント及びアームロック並びに単管足場用の単管ジョイント
(6)　直交型クランプ及び自在型クランプ
(7)　固定型ベース金具及びジャッキ型ベース金具

16　第三十七号の「人事院の定めるもの」は、アピトン又はカポールをフェノール樹脂等により接着して製造した合板足場板とする。

17　第三十八号の「再圧室」とは、高気圧業務（高圧室内業務又は潜水業務をいう。）に従事する職員について救急処置を行うために必要なタンクをいう。

18　第四十号の「人事院の定めるもの」は、エックス線又はエックス線装置の研究又は教育のため、使用の都度組み立てるもの及び医薬品、医療機器等の品質、有効性及び安全性の確保等に関する法律（昭和三十五年法律第百四十五号）第二条第四項に規定する医療機器で、労働安全衛生法施行令（昭和四十七年政令第三百十八号）第十三条第三項第二十二号の規定に基づき厚生労働大臣が定めるエックス線装置とする。

19　第四十一号の「人事院の定めるもの」は、医薬品、医療機器等の品質、有効性及び安全性の確保等に関する法律第二条第四項に規定する医療機器で、労働安全衛生法施行令第十三条第三項第二十三号の規定に基づき厚生労働大臣が定めるガンマ線照射装置とする。

20　第四十三号の「人事院の定めるもの」は、物体の飛来若しくは落下又は墜落による危険を防止するためのものとし、帽体、着装体、あごひも及びこれらの附属品により構成され、主として頭頂部を飛来物若しくは落下物から保護する目的で用いられるもの又は帽体、衝撃吸収ライナー、あごひも及びこれらの附属品により構成され、墜落の際に頭部に加わる衝撃を緩和する目的で用いられるものをいう。

21　第五十一号の「電動ファン付き呼吸用保護具」とは、防じん機能又はハロゲンガス用、有機ガス用、アンモニア用若しくは亜硫酸ガス用の防毒機能を有する電動ファン付き呼吸用保護具をいう。

別表第八関係

1　第十一号の「遠心機械」とは、遠心分離機、遠心脱水機、遠心鋳造機等遠心力を利用して内容物の分離、脱水、鋳造等を行う機械をいう。

2　第十二号の「化学設備」とは、規則別表第一第十九号の危険物、アクリルアミド、アクリロニトリル、アンモニア、一・一－ジメチルヒドラジン、一酸化炭素、エチレンイミン、塩化水素、塩化ビニル、塩素、オルト－トルイジン、クロロメチルメチルエーテル、酸化プロピレン、三・三′－ジクロロ－四・四′－ジアミノジフェニルメタン、シアン化水素、ジメチル－二・二－ジクロロビニルホスフェイト（DDVP）、臭化メチル、硝酸、トリレンジイソシアネート（TDI）、ナフタレン、二酸化硫黄、ニッケルカルボニル、パラ－ジメチルアミノアゾベンゼン、パラ－ニトロクロルベンゼン、フェノール、弗《ふっ》化水素、ベータ－プロピオラクトン、ベンゼン、ホスゲン、ホルムアルデヒド、沃化メチル、硫化水素、硫酸若しくは硫酸ジメチルを取り扱い、又はアニリン、クレオソート油、シクロヘキサノールその他の引火点が乾球温度摂氏六十五度以上の物を引火点以上の温度で取り扱う設備のうち、移動式のもの以外のもの（その中に組み込まれている第一種圧力容器又は第二種圧力容器、乾燥設備（規則別表第八第二十五号の乾燥設備をいう。）、アセチレン溶接装置及びガス集合溶接装置を除く。）をいう。

3　第二十三号の「人事院の定めるもの」は、当分の間、車両系建設機械の全部とする。

4　第二十五号の「乾燥設備」とは、熱源を用いて火薬類取締法第二条第一項に規定する火薬類以外の物を加熱乾燥する乾燥室及び乾燥器をいう。

5　第二十七号の「局所排気装置」とは、規則別表第二第一号若しくは第三号に掲げる業務又は規則別表第三第二号に掲げる業務の行われる場所に設置された局所排気装置とする。

6　第二十七号の二の「プッシュプル型換気装置」とは、規則別表第二第一号又は第三号に掲げる業務の行われる場所に設置されたプッシュプル型換気装置とする。

7　第二十八号の「除じん装置」、「排ガス処理装置」及び「排液処理装置」とは、それぞれ次の表に掲げるものをいう。

除じん装置	規則別表第二第三号に掲げる業務の行われる場所に設置された除じんのための装置及び次に掲げる有害物質の粉じんを含有する気体を排出する装置に設けられた除じんのための装置 アクリルアミド、アクリロニト

	リル、アルキル水銀化合物（アルキル基がメチル基又はエチル基である物に限る。）、アルファ－ナフチルアミン及びその塩、石綿、インジウム化合物、エチレンイミン、塩化ビニル、塩素、塩素化ビフェニル（ＰＣＢ）、オーラミン、オルト－トリジン及びその塩、オルト－フタロジニトリル、カドミウム及びその化合物、クロム酸及びその塩、クロロメチルメチルエーテル、コールタール、五酸化バナジウム、コバルト及びその無機化合物、三酸化二アンチモン、三・三'－ジクロロ－四・四'－ジアミノジフェニルメタン、ジアニシジン及びその塩、シアン化カリウム、シアン化水素、シアン化ナトリウム、ジクロルベンジジン及びその塩、臭化メチル、重クロム酸及びその塩、水銀及びその無機化合物（硫化水銀を除く。）、トリレンジイソシアネート（ＴＤＩ）、ナフタレン、鉛、ニッケル化合物（ニッケルカルボニルを除き、粉状の物質に限る。）、ニッケルカルボニル、ニトログリコール、パラ－ジメチルアミノアゾベンゼン、パラ－ニトロクロルベンゼン、砒《ひ》素及びその化合物、弗化水素、ベータ－プロピオラクトン、ベリリウム及びその化合物、ベンジジン及びその塩、ベンゼン、ベンゾトリクロリド、ペンタクロルフェノール（ＰＣＰ）及びそのナトリウム塩、マゼンタ、マンガン及びその化合物、沃化メチル、溶接ヒューム、リフラクトリーセラミックファイバー、硫化水素並びに硫酸ジメチル
排ガス処理装置	次に掲げる有害物質のガス又は蒸気を含有する気体を排出する装置に設けられた排ガスの処理のための装置 アクロレイン、弗《ふっ》化水素、硫化水素及び硫酸ジメチル
排液処理装置	次に掲げる有害物質を含有する排液を処理するための装置 アルキル水銀化合物（アルキル基がメチル基又はエチル基である物に限る。）、塩酸、シアン化カリウム、シアン化ナトリウム、硝酸、ベンジジン及びその塩、ペンタクロルフェノール及びそのナトリウム塩、硫酸並びに硫化ナトリウム

規則一〇―四―一五附則第三項関係〔略〕

別表第一～第三〔略〕

別表第四　一般の健康診断の検査の項目

1　既往歴及び業務歴

2　身長、体重、腹囲、視力及び聴力の検査並びに肥満度の測定

（視力及び聴力の検査については、一般定期健康診断の回数は、三年につき少なくとも一回とし、これらの検査のうち、健康管理医が特に必要でないと認める検査の項目については、行わないことができる。）

3　自覚症状及び他覚症状の有無の検査

4　胸部エックス線検査

（一般定期健康診断にあっては、四十歳未満の職員（二十歳、二十五歳、三十歳及び三十五歳の職員並びに感染症の予防及び感染症の患者に対する医療に関する法律施行令（平成十年政令第四百二十号）第十二条第一項第一号に規定する施設に勤務する職員を除く。）における場合であって医師が必要でないと認める場合には、行わないことができる。）

5　喀痰《かくたん》細胞診

（四十歳未満の職員における場合及び問診の結果医師が必要でないと認める場合を除く。）

6　血圧の測定、血糖検査並びに尿中の蛋白及び糖の有無の検査

（血糖検査については、三十五歳未満の職員及び三十六歳以上四十歳未満の職員における場合を除く。）

7　心電図検査、ＬＤＬコレステロール検査、ＨＤＬコレステロール検査、中性脂肪検査及び貧血検査

（三十五歳未満の職員及び三十六歳以上四十歳未満

の職員における場合を除く。）

8　胃内視鏡検査又は胃部エックス線検査
（五十歳未満の職員における場合を除くものとし、一般定期健康診断の回数は、二年につき少なくとも一回とする。）

9　肝機能検査
（三十五歳未満の職員及び三十六歳以上四十歳未満の職員における場合を除く。）

10　便潜血反応検査
（四十歳未満の職員における場合を除く。）

11　次に掲げる検査（第二十四条の二関係第一項に規定する検査を受けて、当該検査のいずれの項目にも異常の所見があると診断された職員における場合に限る。）

(1)　空腹時の血中グルコースの量の検査
(2)　ヘモグロビンA1c検査
(3)　微量アルブミン尿検査（第六項の尿中の蛋白《たん》の有無の検査において、疑陽性（±）又は弱陽性（＋）の所見があると診断された職員における場合に限る。）
(4)　負荷心電図検査又は胸部超音波検査
(5)　頸《けい》部超音波検査
(6)　空腹時のLDLコレステロール検査、空腹時のHDLコレステロール検査及び空腹時の中性脂肪検査

12　第一項から第十項までの検査の結果必要と認められる検査

別表第五　特別の健康診断の検査の項目

1　規則別表第二第一号に掲げる物質を取り扱い、又はそれらのガス、蒸気若しくは気膠《こう》質を吸入することにより障害を受けるおそれのある業務

規則別表第二第一号に掲げる物質	検査の項目
鉛、その合金及び化合物（四アルキル鉛を除く。右欄において同じ。）	1　業務歴の調査 2　作業条件の簡易な調査 3　鉛、その合金及び化合物による既往歴の有無の検査並びに5及び6に掲げる項目についての既往の検査結果の調査 4　自覚症状等の検査 （食欲不振、便秘、腹部不快感、腹部の疝《せん》痛等の消化器症状、四肢の伸筋麻痺《ひ》又は知覚異常等の末梢《しょう》神経症状、関節痛、筋肉痛、蒼《そう》白、易疲労感、倦《けん》怠感、睡眠障害、焦燥感等） 5　血液中の鉛の量の検査（ただし、前回の特別の健康診断において当該検査を受けた職員について、医師が必要でないと認めるときは、当該検査を省略することができる。） 6　尿中のデルタアミノレブリン酸の量の検査（ただし、前回の特別の健康診断において当該検査を受けた職員について、医師が必要でないと認めるときは、当該検査を省略することができる。） 7　作業条件の調査（医師が必要と認める場合に限る。） 8　貧血検査（血色素量及び赤血球数の検査を含む貧血に関する検査をいう。以下この表において同じ。）（医師が必要と認める場合に限る。） 9　赤血球中のプロトポルフィリンの量の検査（医師が必要と認める場合に限る。） 10　神経学的検査（筋力検査、運動機能検査、腱《けん》反射の検査、感覚検査等をいう。以下この表において同じ。）（医師が必要と認める場合に限る。）
四アルキル鉛	1　業務歴の調査 2　作業条件の簡易な調査 3　四アルキル鉛による既往歴の有無の検査並びに5及び6に掲げる項目についての既往の検査結果の調査 4　自覚症状等の検査 （いらいら、不眠、悪夢、食欲不振、顔面蒼《そう》白、倦《けん》怠感、盗汗、頭痛、振戦、四肢の腱反射亢《こう》進、悪心、嘔《おう》吐、腹痛、不安、興奮、記憶障害その他の神経症状又は精

	神症状） 5　血液中の鉛の量の検査（ただし、前回の特別の健康診断において当該検査を受けた職員について、医師が必要でないと認めるときは、当該検査を省略することができる。） 6　尿中のデルタアミノレブリン酸の量の検査（ただし、前回の特別の健康診断において当該検査を受けた職員について、医師が必要でないと認めるときは、当該検査を省略することができる。） 7　作業条件の調査（医師が必要と認める場合に限る。） 8　貧血検査（医師が必要と認める場合に限る。） 9　赤血球中のプロトポルフィリンの量の検査（医師が必要と認める場合に限る。） 10　神経学的検査（医師が必要と認める場合に限る。）
水銀、そのアマルガム及び化合物（有機水銀を除く。右欄において同じ。）	1　業務歴の調査 2　作業条件の簡易な調査 3　水銀、そのアマルガム及び化合物による既往歴の有無の検査（頭痛、不眠、手指の振戦、乏尿、多尿、歯肉炎、口内炎等） 4　自覚症状等の検査
	（頭痛、不眠、手指の振戦、乏尿、多尿、歯肉炎、口内炎等） 5　尿中の潜血及び蛋《たん》白の有無の検査
フェニル水銀化合物	1　業務歴の調査 2　作業条件の簡易な調査 3　フェニル水銀化合物による既往歴の有無の検査（不眠、頭痛、精神不安定感、手指の振戦等） 4　自覚症状等の検査（不眠、頭痛、精神不安定感、手指の振戦等） 5　尿中の潜血及び蛋《たん》白の有無の検査
アルキル水銀化合物（アルキル基がメチル基又はエチル基である物に限る。右欄において同じ。）	1　業務歴の調査 2　作業条件の簡易な調査 3　アルキル水銀化合物による既往歴の有無の検査（頭重、頭痛、口唇又は四肢の知覚異常、関節痛、不眠、嗜《し》眠、抑鬱感、不安感、歩行失調、手指の振戦、体重減少等） 4　自覚症状等の検査（頭重、頭痛、口唇又は四肢の知覚異常、関節痛、不眠、歩行失調、手指の振戦、体重減少等） 5　皮膚炎等の皮膚所見の有無の検
	査
マンガン及びその化合物	1　業務歴の調査 2　作業条件の簡易な調査 3　マンガン及びその化合物による既往歴の有無の検査（咳《せき》、痰《たん》、仮面様顔貌、膏《こう》顔、流涎《ぜん》、発汗異常、手指の振戦、書字拙劣、歩行障害、不随意性運動障害、発語異常等のパーキンソン症候群様症状） 4　自覚症状等の検査（咳、痰、仮面様顔貌、膏顔、流涎、発汗異常、手指の振戦、書字拙劣、歩行障害、不随意性運動障害、発語異常等のパーキンソン症候群様症状） 5　握力の測定
クロム酸及びその塩並びに重クロム酸及びその塩	1　業務歴の調査（当該業務に現に従事する職員に限る。） 2　作業条件の簡易な調査（当該業務に現に従事する職員に限る。） 3　クロム酸及びその塩並びに重クロム酸及びその塩による既往歴の有無の検査（咳《せき》、痰《たん》、胸痛、鼻腔《くう》の異常、皮膚症状等） 4　自覚症状等の検査（咳、痰、胸痛等）

	5 鼻粘膜の異常、鼻中隔穿《せん》孔等の鼻腔の所見の有無の検査 6 皮膚炎、潰瘍等の皮膚所見の有無の検査 7 胸部のエックス線直接撮影による検査（当該業務に四年以上従事した職員に限る。）
カドミウム及びその化合物	1 業務歴の調査 2 作業条件の簡易な調査 3 カドミウム及びその化合物による既往歴の有無の検査（咳《せき》、痰《たん》、喉のいらいら、鼻粘膜の異常、息切れ、食欲不振、悪心、嘔《おう》吐、反復性の腹痛又は下痢、体重減少等） 4 自覚症状等の検査（咳、痰、喉のいらいら、鼻粘膜の異常、息切れ、食欲不振、悪心、嘔吐、反復性の腹痛又は下痢、体重減少等） 5 血液中のカドミウムの量の測定 6 尿中のベータ2―ミクログロブリンの量の測定
ベリリウム及びその化合物	1 業務歴の調査（当該業務に現に従事する職員に限る。） 2 作業条件の簡易な調査（当該業務に現に従事する職員に限る。） 3 ベリリウム及びその化合物による既往歴の有無の検査（呼吸器症状、アレルギー症状等） 4 自覚症状等の検査（乾性咳《せき》、痰《たん》、咽頭痛、喉のいらいら、胸痛、胸部不安感、息切れ、動悸《き》、息苦しさ、倦《けん》怠感、食欲不振、体重減少等） 5 皮膚炎等の皮膚所見の有無の検査 6 肺活量の測定 7 胸部のエックス線直接撮影による検査（一年につき少なくとも一回）
砒《ひ》素及びその化合物	1 業務歴の調査（当該業務に現に従事する職員に限る。） 2 作業条件の簡易な調査（当該業務に現に従事する職員に限る。） 3 砒素及びその化合物による既往歴の有無の検査（鼻粘膜の異常、呼吸器症状、口内炎、下痢、便秘、体重減少、知覚異常等） 4 自覚症状等の検査（咳《せき》、痰《たん》、食欲不振、体重減少、知覚異常等） 5 鼻粘膜の異常、鼻中隔穿《せん》孔等の鼻腔《くう》の所見の有無の検査 6 皮膚炎、色素沈着、色素脱失、角化等の皮膚所見の有無の検査 7 胸部のエックス線直接撮影による検査（当該業務に五年以上従事した職員に限る。） 8 アルシンについては、貧血検査
りん及びその化合物（有機りん剤を除く。右欄において同じ。）	1 業務歴の調査 2 作業条件の簡易な調査 3 りん及びその化合物による既往歴の有無の検査（倦《けん》怠感、食欲不振、貧血、黄疸《だん》、体重減少等） 4 自覚症状等の検査（倦怠感、食欲不振、貧血、黄疸、体重減少等） 5 口腔《くう》の検査（口腔粘膜の炎症及び歯牙の障害） 6 エックス線直接撮影を含む顎骨の検査（医師が必要と認める場合に限る。）
有機りん剤（ジメチル―二・二―ジクロロビニルホスフェイト（DDVP）を除く。右欄	1 業務歴の調査 2 作業条件の簡易な調査 3 有機りん剤による既往歴の有無の検査（多汗、縮瞳、眼瞼《けん》及び顔面の筋線維束攣《れん》縮等） 4 自覚症状等の検査（多汗、縮瞳、眼瞼及び顔面の筋

において同じ。）	線維束攣縮等） 5　血清コリンエステラーゼ活性値の測定
ジメチル－二・二－ジクロロビニルホスフェイト（DDVP）	1　業務歴の調査（当該業務に現に従事する職員に限る。） 2　作業条件の簡易な調査（当該業務に現に従事する職員に限る。） 3　ジメチル－二・二－ジクロロビニルホスフェイト（DDVP）による既往歴の有無の検査（皮膚炎、縮瞳、流涙、唾液分泌過多、めまい、筋線維束攣《れん》縮、悪心、下痢等）（皮膚炎、縮瞳、流涙等の急性の疾患に係る症状にあっては、当該業務に現に従事する職員に限る。） 4　自覚症状等の検査（皮膚炎、縮瞳、流涙、唾液分泌過多、めまい、筋線維束攣縮、悪心、下痢等）（皮膚炎、縮瞳、流涙等の急性の疾患に係る症状にあっては、当該業務に現に従事する職員に限る。） 5　血清コリンエステラーゼ活性値の測定（当該業務に現に従事する職員に限る。）
シアン化カリウム、シアン化水素及びシアン化ナトリウム	1　業務歴の調査 2　作業条件の調査 3　シアン化カリウム、シアン化水素及びシアン化ナトリウムによる既往歴の有無の検査（頭重、頭痛、疲労感、倦《けん》怠感、結膜充血、異味、胃腸症状等） 4　自覚症状等の検査（頭重、頭痛、疲労感、倦怠感、結膜充血、異味、胃腸症状等）
アクリロニトリル	1　業務歴の調査 2　作業条件の簡易な調査 3　アクリロニトリルによる既往歴の有無の検査（頭重、頭痛、上気道刺激症状、全身倦《けん》怠感、易疲労感、悪心、嘔《おう》吐、鼻出血等） 4　自覚症状等の検査（頭重、頭痛、上気道刺激症状、全身倦怠感、易疲労感、悪心、嘔吐、鼻出血等）
トリレンジイソシアネート（TDI）	1　業務歴の調査 2　作業条件の簡易な調査 3　トリレンジイソシアネート（TDI）による既往歴の有無の検査（頭重、頭痛、眼の痛み、鼻の痛み、咽頭痛、咽頭部違和感、咳《せき》、痰《たん》、胸部圧迫感、息切れ、胸痛、呼吸困難、全身倦《けん》怠感、眼、鼻又は喉頭の粘膜の炎症、体重減少、アレルギー性喘《ぜん》息等） 4　自覚症状等の検査（頭重、頭痛、眼の痛み、鼻の痛み、咽頭痛、咽頭部違和感、咳、痰、胸部圧迫感、息切れ、胸痛、呼吸困難、全身倦怠感、眼、鼻又は喉頭の粘膜の炎症、体重減少、アレルギー性喘息等） 5　皮膚炎等の皮膚所見の有無の検査
メチレンジフェニルジイソシアネート（MDI）	1　業務歴の調査 2　作業条件の簡易な調査 3　メチレンジフェニルジイソシアネート（MDI）による既往歴の有無の検査（頭重、頭痛、眼の痛み、鼻の痛み、咽頭痛、咽頭部違和感、咳《せき》、痰《たん》、胸部圧迫感、息切れ、胸痛、呼吸困難、全身倦《けん》怠感、眼、鼻又は喉頭の粘膜の炎症、体重減少、アレルギー性喘《ぜん》息等） 4　自覚症状等の検査（頭重、頭痛、眼の痛み、鼻の痛み、咽頭痛、咽頭部違和感、咳、痰、胸部圧迫感、息切れ、胸痛、呼吸困難、全身倦怠感、眼、鼻又は喉頭の粘膜の炎症、体重減少、アレルギー性喘息等） 5　皮膚炎等の皮膚所見の有無の検

	査
オルトーフタロジニトリル	1 業務歴の調査 2 作業条件の簡易な調査 3 てんかん様発作の既往歴の有無の検査 4 自覚症状等の検査（頭重、頭痛、もの忘れ、不眠、倦《けん》怠感、悪心、食欲不振、顔面蒼《そう》白、手指の振戦等）
塩素	1 業務歴の調査 2 作業条件の簡易な調査 3 塩素による既往歴の有無の検査（呼吸器症状、眼の症状等） 4 自覚症状等の検査（咳《せき》、痰《たん》、上気道刺激症状、流涙、角膜の異常、視力障害、歯の変化等）
弗《ふっ》化水素	1 業務歴の調査 2 作業条件の簡易な調査 3 弗化水素による既往歴の有無の検査（呼吸器症状、眼の症状等） 4 自覚症状等の検査（眼、鼻又は口腔《くう》の粘膜の炎症、歯牙の変色等） 5 皮膚炎等の皮膚所見の有無の検査
沃《よう》素及びその化合物	1 業務歴の調査 2 作業条件の簡易な調査 3 沃素及びその化合物による既往歴の有無の検査（流涙、眼の痛み、咳《せき》、鼻汁過多、頭重、頭痛、めまい、眠気、悪心、嘔《おう》吐、倦《けん》怠感、目のかすみ等） 4 自覚症状等の検査（流涙、眼の痛み、咳、鼻汁過多、頭重、頭痛、めまい、眠気、悪心、嘔吐、倦怠感、目のかすみ等） 5 皮膚炎等の皮膚所見の有無の検査 6 バセドウ病様症状の検査
一酸化炭素	1 業務歴の調査 2 作業条件の簡易な調査 3 一酸化炭素による既往歴の有無の検査（頭痛、もの忘れ、疲労感、めまい、精神不安定感等） 4 自覚症状等の検査（頭痛、もの忘れ、疲労感、めまい、精神不安定感等） 5 視野狭窄《さく》の検査
二酸化硫黄	1 業務歴の調査 2 作業条件の簡易な調査 3 二酸化硫黄による既往歴の有無の検査（咳《せき》、痰《たん》、嗄《さ》声、眼の刺激、食欲不振、便秘等） 4 自覚症状等の検査（咳、痰、嗄声、眼の刺激、食欲不振、便秘等）
硫化水素及びメルカプタン類	1 業務歴の調査 2 作業条件の簡易な調査 3 硫化水素及びメルカプタン類による既往歴の有無の検査（呼吸器症状、眼の症状等） 4 自覚症状等の検査（頭痛、不眠、易疲労感、めまい、易興奮性、悪心、咳《せき》、上気道刺激症状、胃腸症状、結膜及び角膜の異常、歯牙の変化等）
二硫化炭素	1 業務歴の調査 2 作業条件の簡易な調査 3 二硫化炭素による既往歴の有無の検査（頭重、頭痛、不眠、焦燥感、めまい、下肢の倦《けん》怠感又はしびれ感、食欲不振等胃の異常症状、眼の痛み、神経痛等） 4 自覚症状等の検査（頭重、頭痛、不眠、焦燥感、めまい、下肢の倦怠感又はしびれ

	感、食欲不振等胃の異常症状、眼の痛み、神経痛等） 5　眼底検査 6　貧血検査（医師が必要と認める場合に限る。） 7　AST等検査（血清アスパラギン酸アミノトランスフェラーゼ（AST）、血清アラニンアミノトランスフェラーゼ（ALT）及びガンマ－グルタミルトランスペプチダーゼ（γ－GT）の検査をいう。以下この表において同じ。）を含む肝機能検査（医師が必要と認める場合に限る。） 8　腎機能検査（尿中蛋《たん》白量、尿中糖量及び尿比重の検査、尿沈渣《さ》検鏡の検査等をいう。以下この表において同じ。）（医師が必要と認める場合に限る。） 9　神経学的検査（医師が必要と認める場合に限る。） 10　心電図検査（医師が必要と認める場合に限る。）
ベンゼン	1　業務歴の調査（当該業務に現に従事する職員に限る。） 2　作業条件の簡易な調査（当該業務に現に従事する職員に限る。） 3　ベンゼンによる既往歴の有無の検査（頭重、頭痛、めまい、心悸《き》亢《こう》進、倦《けん》怠感、四肢のしびれ、食欲不振、出血傾向等） 4　自覚症状等の検査（頭重、頭痛、めまい、心悸亢進、倦怠感、四肢のしびれ、食欲不振等） 5　赤血球数等の赤血球系の血液検査 6　白血球数の検査
フェノール	1　業務歴の調査 2　作業条件の簡易な調査 3　フェノールによる既往歴の有無の検査（頭重、頭痛、めまい、心悸《き》亢《こう》進、倦《けん》怠感、四肢のしびれ、食欲不振、出血傾向等） 4　自覚症状等の検査（頭重、頭痛、めまい、心悸亢進、倦怠感、四肢のしびれ、食欲不振等） 5　赤血球数等の赤血球系の血液検査 6　白血球数の検査
アルファーナフチルアミン及びその塩	1　業務歴の調査（当該業務に現に従事する職員に限る。） 2　作業条件の簡易な調査（当該業務に現に従事する職員に限る。） 3　アルファーナフチルアミン及びその塩による既往歴の有無の検査（頭痛、悪心、めまい、昏《こん》迷、倦《けん》怠感、呼吸器の刺激症状、眼の刺激症状、顔面蒼《そう》白、チアノーゼ、運動失調、尿の着色、血尿、頻尿、排尿痛等） 4　自覚症状等の検査（頭痛、悪心、めまい、昏迷、倦怠感、呼吸器の刺激症状、眼の刺激症状、顔面蒼白、チアノーゼ、運動失調、尿の着色、血尿、頻尿、排尿痛等） 5　皮膚炎等の皮膚所見の有無の検査（当該業務に現に従事する職員に限る。） 6　尿中の潜血検査 7　尿沈渣《さ》検鏡の検査又は尿沈渣のパパニコラ法による細胞診の検査（医師が必要と認める場合に限る。）
ベーターナフチルアミン及びその塩	1　業務歴の調査（当該業務に現に従事する職員に限る。） 2　作業条件の簡易な調査（当該業務に現に従事する職員に限る。） 3　ベーターナフチルアミン及びその塩による既往歴の有無の検査（頭痛、悪心、めまい、昏《こん》迷、呼吸器の刺激症状、眼の刺激症

	状、顔面蒼《そう》白、チアノーゼ、運動失調、尿の着色、血尿、頻尿、排尿痛等） 4　自覚症状等の検査（頭痛、悪心、めまい、昏迷、呼吸器の刺激症状、眼の刺激症状、顔面蒼白、チアノーゼ、運動失調、尿の着色、血尿、頻尿、排尿痛等） 5　皮膚炎等の皮膚所見の有無の検査（当該業務に現に従事する職員に限る。） 6　尿中の潜血検査 7　尿沈渣《さ》検鏡の検査又は尿沈渣のパパニコラ法による細胞診の検査（医師が必要と認める場合に限る。）
オルト－トリジン及びその塩	1　業務歴の調査（当該業務に現に従事する職員に限る。） 2　作業条件の簡易な調査（当該業務に現に従事する職員に限る。） 3　オルト－トリジン及びその塩による既往歴の有無の検査（眼の刺激症状、血尿、頻尿、排尿痛等） 4　自覚症状等の検査（眼の刺激症状、血尿、頻尿、排尿痛等） 5　尿中の潜血検査 6　尿沈渣《さ》検鏡の検査又は尿沈渣のパパニコラ法による細胞診の検査（医師が必要と認める場合に限る。）
オルト－トルイジン	1　業務歴の調査（当該業務に現に従事する職員に限る。） 2　作業条件の簡易な調査（当該業務に現に従事する職員に限る。） 3　オルト－トルイジンによる既往歴の有無の検査（頭重、頭痛、めまい、疲労感、倦《けん》怠感、顔面蒼《そう》白、チアノーゼ、心悸《き》亢《こう》進、尿の着色、血尿、頻尿、排尿痛等）（頭重、頭痛、めまい、疲労感、倦怠感、顔面蒼白、チアノーゼ、心悸亢進、尿の着色等の急性の疾患に係る症状にあっては、当該業務に現に従事する職員に限る。） 4　自覚症状等の検査（頭重、頭痛、めまい、疲労感、倦怠感、顔面蒼白、チアノーゼ、心悸亢進、尿の着色、血尿、頻尿、排尿痛等）（頭重、頭痛、めまい、疲労感、倦怠感、顔面蒼白、チアノーゼ、心悸亢進、尿の着色等の急性の疾患に係る症状にあっては、当該業務に現に従事する職員に限る。） 5　尿中の潜血検査 6　尿中のオルト－トルイジンの量の測定、尿沈渣《さ》検鏡の検査又は尿沈渣のパパニコラ法による細胞診の検査（尿中のオルト－トルイジンの量の測定にあっては、当該業務に現に従事する職員に限る。）（医師が必要と認める場合に限る。）
ジアニシジン及びその塩	1　業務歴の調査（当該業務に現に従事する職員に限る。） 2　作業条件の簡易な調査（当該業務に現に従事する職員に限る。） 3　ジアニシジン及びその塩による既往歴の有無の検査（皮膚の刺激症状、粘膜刺激症状、血尿、頻尿、排尿痛等） 4　自覚症状等の検査（皮膚の刺激症状、粘膜刺激症状、血尿、頻尿、排尿痛等） 5　皮膚炎等の皮膚所見の有無の検査（当該業務に現に従事する職員に限る。） 6　尿中の潜血検査 7　尿沈渣《さ》検鏡の検査又は尿沈渣のパパニコラ法による細胞診の検査（医師が必要と認める場合に限る。）

ジクロルベンジジン及びその塩	1　業務歴の調査（当該業務に現に従事する職員に限る。） 2　作業条件の簡易な調査（当該業務に現に従事する職員に限る。） 3　ジクロルベンジジン及びその塩による既往歴の有無の検査（頭痛、めまい、咳《せき》、呼吸器の刺激症状、咽頭痛、血尿、頻尿、排尿痛等） 4　自覚症状等の検査（頭痛、めまい、咳、呼吸器の刺激症状、咽頭痛、血尿、頻尿、排尿痛等） 5　皮膚炎等の皮膚所見の有無の検査（当該業務に現に従事する職員に限る。） 6　尿中の潜血検査 7　尿沈渣《さ》検鏡の検査又は尿沈渣のパパニコラ法による細胞診の検査（医師が必要と認める場合に限る。）
マゼンタ	1　業務歴の調査（当該業務に現に従事する職員に限る。） 2　作業条件の簡易な調査（当該業務に現に従事する職員に限る。） 3　マゼンタによる既往歴の有無の検査（血尿、頻尿、排尿痛等） 4　自覚症状等の検査（血尿、頻尿、排尿痛等） 5　尿中の潜血検査 6　尿沈渣《さ》検鏡の検査又は尿沈渣のパパニコラ法による細胞診の検査（医師が必要と認める場合に限る。）
ベンジジン及びその塩	1　業務歴の調査（当該業務に現に従事する職員に限る。） 2　作業条件の簡易な調査（当該業務に現に従事する職員に限る。） 3　ベンジジン及びその塩による既往歴の有無の検査（血尿、頻尿、排尿痛等） 4　自覚症状等の検査（血尿、頻尿、排尿痛等） 5　皮膚炎等の皮膚所見の有無の検査（当該業務に現に従事する職員に限る。） 6　尿中の潜血検査 7　尿沈渣《さ》検鏡の検査又は尿沈渣のパパニコラ法による細胞診の検査（医師が必要と認める場合に限る。）
オーラミン	1　業務歴の調査（当該業務に現に従事する職員に限る。） 2　作業条件の簡易な調査（当該業務に現に従事する職員に限る。） 3　オーラミンによる既往歴の有無の検査（血尿、頻尿、排尿痛等） 4　自覚症状等の検査（血尿、頻尿、排尿痛等） 5　尿中の潜血検査 6　尿沈渣《さ》検鏡の検査又は尿沈渣のパパニコラ法による細胞診の検査（医師が必要と認める場合に限る。）
芳香族ニトロ化合物及び芳香族アミノ化合物（アルファ－ナフチルアミン及びその塩、ベータ－ナフチルアミン及びその塩、オルト－トリジン及びその塩、ジアニシジン及びその塩、ジクロルベンジジン及びその塩、マ	1　業務歴の調査 2　作業条件の簡易な調査 3　芳香族ニトロ化合物及び芳香族アミノ化合物による既往歴の有無の検査（顔面蒼《そう》白、貧血、チアノーゼ、胃腸障害、体重減少、めまい、不眠、耳鳴り、無力感等） 4　自覚症状等の検査（顔面蒼白、貧血、チアノーゼ、胃腸障害、体重減少、めまい、不眠、耳鳴り、無力感等） 5　赤血球数等の赤血球系の血液検査 6　白血球数の検査

ゼンタ、ベンジジン及びその塩、オーラミン、パラ-ジメチルアミノアゾベンゼン、パラ-ニトロクロルベンゼン、四-アミノジフェニル及びその塩並びに四-ニトロジフェニル及びその塩を除く。右欄において同じ。）	
パラ-ジメチルアミノアゾベンゼン	1 業務歴の調査（当該業務に現に従事する職員に限る。） 2 作業条件の簡易な調査（当該業務に現に従事する職員に限る。） 3 パラ-ジメチルアミノアゾベンゼンによる既往歴の有無の検査（咳《せき》、咽頭痛、喘《ぜん》鳴、呼吸器の刺激症状、眼の刺激症状、血尿、頻尿、排尿痛等） 4 自覚症状等の検査（咳、咽頭痛、喘鳴、呼吸器の刺激症状、眼の刺激症状、血尿、頻尿、排尿痛等） 5 皮膚炎等の皮膚所見の有無の検査（当該業務に現に従事する職員に限る。） 6 尿中の潜血検査 7 尿沈渣《さ》検鏡の検査又は尿沈渣のパパニコラ法による細胞診の検査（医師が必要と認める場合に限る。）
パラ-ニトロクロルベンゼン	1 業務歴の調査 2 作業条件の簡易な調査 3 パラ-ニトロクロルベンゼンによる既往歴の有無の検査（頭重、頭痛、めまい、倦《けん》怠感、疲労感、顔面蒼《そう》白、チアノーゼ、貧血、心悸亢《きこう》進、尿の着色等） 4 自覚症状等の検査（頭重、頭痛、めまい、倦怠感、疲労感、顔面蒼白、チアノーゼ、貧血、心悸亢進、尿の着色等）
四-アミノジフェニル及びその塩	1 業務歴の調査 2 作業条件の簡易な調査 3 四-アミノジフェニル及びその塩による既往歴の有無の検査（頭痛、めまい、眠気、倦《けん》怠感、呼吸器の刺激症状、疲労感、顔面蒼《そう》白、チアノーゼ、運動失調、尿の着色、血尿、頻尿、排尿痛等） 4 自覚症状等の検査（頭痛、めまい、眠気、倦怠感、呼吸器の刺激症状、疲労感、顔面蒼白、チアノーゼ、運動失調、尿の着色、血尿、頻尿、排尿痛等） 5 尿中の潜血検査 6 尿沈渣《さ》検鏡の検査又は尿沈渣のパパニコラ法による細胞診の検査（医師が必要と認める場合に限る。）
四-ニトロジフェニル及びその塩	1 業務歴の調査 2 作業条件の簡易な調査 3 四-ニトロジフェニル及びその塩による既往歴の有無の検査（頭痛、めまい、眠気、倦《けん》怠感、呼吸器の刺激症状、眼の刺激症状、疲労感、顔面蒼《そう》白、チアノーゼ、運動失調、尿の着色、血尿、頻尿、排尿痛等） 4 自覚症状等の検査（頭痛、めまい、眠気、倦怠感、呼吸器の刺激症状、眼の刺激症状、疲労感、顔面蒼白、チアノーゼ、運動失調、尿の着色、血尿、頻尿、排尿痛等）

	5　尿中の潜血検査 6　尿沈渣《さ》検鏡の検査又は尿沈渣のパパニコラ法による細胞診の検査（医師が必要と認める場合に限る。）
芳香族炭化水素のハロゲン置換体（三・三′―ジクロロ―四・四′―ジアミノジフェニルメタン、ベンゾトリクロリド、ペンタクロルフェノール（PCP）及びそのナトリウム塩、オルト―ジクロルベンゼン並びにクロルベンゼンを除く。右欄において同じ。）	1　業務歴の調査 2　作業条件の簡易な調査 3　芳香族炭化水素のハロゲン置換体による既往歴の有無の検査（咳《せき》、痰《たん》、咽頭痛、頭痛、めまい、易疲労感、倦《けん》怠感、食欲不振、甘味嗜《し》好、多汗、発熱、動悸《き》、眼の痛み等） 4　自覚症状等の検査（咳、痰、咽頭痛、頭痛、めまい、易疲労感、倦怠感、食欲不振、甘味嗜好、多汗、発熱、動悸、眼の痛み等） 5　尿中の蛋《たん》白の有無の検査 6　貧血検査 7　AST等検査を含む肝機能検査（医師が必要と認める場合に限る。） 8　腎機能検査 9　神経学的検査
三・三′―ジクロロ―四・四′―ジアミノジフェニルメタン	1　業務歴の調査（当該業務に現に従事する職員に限る。） 2　作業条件の簡易な調査（当該業務に現に従事する職員に限る。） 3　三・三′―ジクロロ―四・四′―ジアミノジフェニルメタンによる既往歴の有無の検査（上腹部の異常感、倦《けん》怠感、咳《せき》、痰《たん》、胸痛、血尿、頻尿、排尿痛等） 4　自覚症状等の検査（上腹部の異常感、倦怠感、咳、痰、胸痛、血尿、頻尿、排尿痛等） 5　尿中の潜血検査 6　尿中の三・三′―ジクロロ―四・四′―ジアミノジフェニルメタンの量の測定、尿沈渣《さ》検鏡の検査又は尿沈渣のパパニコラ法による細胞診の検査（尿中の三・三′―ジクロロ―四・四′―ジアミノジフェニルメタンの量の測定にあっては、当該業務に現に従事する職員に限る。）（医師が必要と認める場合に限る。） 7　AST等検査を含む肝機能検査（医師が必要と認める場合に限る。） 8　腎機能検査（6に定める尿沈渣検鏡の検査を除く。）（医師が必要
	と認める場合に限る。）
ベンゾトリクロリド	1　業務歴の調査（当該業務に現に従事する職員に限る。） 2　作業条件の簡易な調査（当該業務に現に従事する職員に限る。） 3　ベンゾトリクロリドによる既往歴の有無の検査（咳《せき》、痰《たん》、胸痛、鼻汁、鼻出血、嗅覚脱失、副鼻腔《くう》炎、鼻ポリープ等） 4　自覚症状等の検査（咳、痰、胸痛、鼻汁、鼻出血、嗅覚脱失、副鼻腔炎、鼻ポリープ、頸《けい》部等のリンパ節の肥大等） 5　ゆうぜい、色素沈着等の皮膚所見の有無の検査 6　胸部のエックス線直接撮影による検査（当該業務に三年以上従事した職員に限る。）
ペンタクロルフェノール（PCP）及びそのナトリウム塩	1　業務歴の調査 2　作業条件の簡易な調査 3　ペンタクロルフェノール（PCP）及びそのナトリウム塩による既往歴の有無の検査（咳《せき》、痰《たん》、咽頭痛、喉のいらいら、頭痛、めまい、易疲労感、倦《けん》怠感、食欲不振等の胃腸症状、甘味嗜好、多汗、発熱、心悸《き》亢《こう》

	進、眼の痛み、皮膚掻痒《そうよう》感等） 4 自覚症状等の検査（咳、痰、咽頭痛、喉のいらいら、頭痛、めまい、易疲労感、倦怠感、食欲不振等の胃腸症状、甘味嗜好、多汗、眼の痛み、皮膚掻痒感等） 5 皮膚炎等の皮膚所見の有無の検査 6 血圧の測定 7 尿中の糖の有無の検査
塩素化ビフェニル（PCB）	1 業務歴の調査 2 作業条件の簡易な調査 3 塩素化ビフェニル（PCB）による既往歴の有無の検査（皮膚症状、肝障害等） 4 自覚症状等の検査（食欲不振、脱力感等） 5 毛嚢《のう》性挫瘡《そう》、皮膚の黒変等の皮膚所見の有無の検査
脂肪族炭化水素のハロゲン置換体（塩化ビニル、一・二-ジクロロプロパン、クロロホルム、四塩化炭素、一・二-ジクロロエタン（二塩化エチレン）、一・一・二・二-テトラクロロエタン（四塩化アセチレン）、ジクロロメタン（二塩化メチレン）、テトラクロロエチレン（パークロルエチレン）、トリクロロエチレン、臭化メチル、一・一・一-トリクロルエタン及び一・二-ジクロルエチレン（二塩化アセチレン）を除く。右欄において同じ。）	1 業務歴の調査 2 作業条件の簡易な調査 3 脂肪族炭化水素のハロゲン置換体による既往歴の有無の検査（疲労感、めまい、吐気等） 4 自覚症状等の検査（疲労感、めまい、吐気等） 5 尿中の蛋白《たん》の有無の検査 6 貧血検査（医師が必要と認める場合に限る。） 7 AST等検査を含む肝機能検査（医師が必要と認める場合に限る。） 8 腎機能検査（医師が必要と認める場合に限る。） 9 神経学的検査（医師が必要と認める場合に限る。）
塩化ビニル	1 業務歴の調査（当該業務に現に従事する職員に限る。） 2 作業条件の簡易な調査（当該業務に現に従事する職員に限る。） 3 塩化ビニルによる既往歴の有無の検査（全身倦《けん》怠感、易疲労感、食欲不振、不定の上腹部症状、黄疸《だん》、黒色便、手指の蒼《そう》白、疼《とう》痛又は知覚異常、肝疾患等） 4 自覚症状等の検査（頭痛、めまい、耳鳴り、全身倦怠感、易疲労感、不定の上腹部症状、黄疸、黒色便、手指の疼痛又は知覚異常等） 5 肝又は脾《ひ》の腫大の有無の検査 6 血清ビリルビン、血清アスパラギン酸アミノトランスフェラーゼ（AST）、血清アラニンアミノトランスフェラーゼ（ALT）、アルカリホスファターゼ等の肝機能検査 7 胸部のエックス線直接撮影による検査（当該業務に十年以上従事した職員に限る。）

一・二―ジクロロプロパン	1　業務歴の調査（当該業務に現に従事する職員に限る。） 2　作業条件の簡易な調査（当該業務に現に従事する職員に限る。） 3　一・二―ジクロロプロパンによる既往歴の有無の検査（眼の痛み、発赤、咳《せき》、咽頭痛、鼻腔《くう》刺激症状、皮膚炎、悪心、嘔《おう》吐、黄疸《だん》、体重減少、上腹部痛等）（眼の痛み、発赤、咳等の急性の疾患に係る症状にあっては、当該業務に現に従事する職員に限る。） 4　自覚症状等の検査（眼の痛み、発赤、咳、咽頭痛、鼻腔刺激症状、皮膚炎、悪心、嘔吐、黄疸、体重減少、上腹部痛等）（眼の痛み、発赤、咳等の急性の疾患に係る症状にあっては、当該業務に現に従事する職員に限る。） 5　血清総ビリルビンの検査、AST等検査及びアルカリホスファターゼの検査
クロロホルム	1　業務歴の調査 2　作業条件の簡易な調査 3　クロロホルムによる既往歴の有無の検査（頭重、頭痛、めまい、食欲不振、悪心、嘔《おう》吐、知覚異常、眼の刺激症状、上気道刺激症状、皮膚又は粘膜の異常等） 4　自覚症状等の検査（頭重、頭痛、めまい、食欲不振、悪心、嘔吐、知覚異常、眼の刺激症状、上気道刺激症状、皮膚又は粘膜の異常等） 5　AST等検査
四塩化炭素	1　業務歴の調査 2　作業条件の簡易な調査 3　四塩化炭素による既往歴の有無の検査（頭重、頭痛、めまい、食欲不振、悪心、嘔《おう》吐、眼の刺激症状、皮膚の刺激症状、皮膚又は粘膜の異常等） 4　自覚症状等の検査（頭重、頭痛、めまい、食欲不振、悪心、嘔吐、眼の刺激症状、皮膚の刺激症状、皮膚又は粘膜の異常等） 5　皮膚炎等の皮膚所見の有無の検査 6　AST等検査
一・二―ジクロロエタン（二塩化エチレン）	1　業務歴の調査 2　作業条件の簡易な調査 3　一・二―ジクロロエタン（二塩化エチレン）による既往歴の有無の検査（頭重、頭痛、めまい、悪心、嘔《おう》吐、傾眠、眼の刺激症状、上気道刺激症状、皮膚又は粘膜の異常等） 4　自覚症状等の検査（頭重、頭痛、めまい、悪心、嘔吐、傾眠、眼の刺激症状、上気道刺激症状、皮膚又は粘膜の異常等） 5　皮膚炎等の皮膚所見の有無の検査 6　AST等検査
一・一・二・二―テトラクロロエタン（四塩化アセチレン）	1　業務歴の調査 2　作業条件の簡易な調査 3　一・一・二・二―テトラクロロエタン（四塩化アセチレン）による既往歴の有無の検査（頭重、頭痛、めまい、悪心、嘔《おう》吐、上気道刺激症状、皮膚又は粘膜の異常等） 4　自覚症状等の検査（頭重、頭痛、めまい、悪心、嘔吐、上気道刺激症状、皮膚又は粘膜の異常等） 5　皮膚炎等の皮膚所見の有無の検査

	6 ＡＳＴ等検査
ジクロロメタン（二塩化メチレン）	1 業務歴の調査（当該業務に現に従事する職員に限る。） 2 作業条件の簡易な調査（当該業務に現に従事する職員に限る。） 3 ジクロロメタン（二塩化メチレン）による既往歴の有無の検査（集中力の低下、頭重、頭痛、めまい、易疲労感、倦《けん》怠感、悪心、嘔《おう》吐、黄疸《だん》、体重減少、上腹部痛等）（集中力の低下、頭重、頭痛等の急性の疾患に係る症状にあっては、当該業務に現に従事する職員に限る。） 4 自覚症状等の検査（集中力の低下、頭重、頭痛、めまい、易疲労感、倦怠感、悪心、嘔吐、黄疸、体重減少、上腹部痛等）（集中力の低下、頭重、頭痛等の急性の疾患に係る症状にあっては、当該業務に現に従事する職員に限る。） 5 血清総ビリルビンの検査、ＡＳＴ等検査及びアルカリホスファターゼの検査
テトラクロロエチレン（パークロルエチレン）	1 業務歴の調査 2 作業条件の簡易な調査 3 テトラクロロエチレン（パークロルエチレン）による既往歴の有無の検査（頭重、頭痛、めまい、悪心、嘔《おう》吐、傾眠、振戦、知覚異常、眼の刺激症状、上気道刺激症状、皮膚又は粘膜の異常等） 4 自覚症状等の検査（頭重、頭痛、めまい、悪心、嘔吐、傾眠、振戦、知覚異常、眼の刺激症状、上気道刺激症状、皮膚又は粘膜の異常等） 5 皮膚炎等の皮膚所見の有無の検査 6 尿中のトリクロル酢酸又は総三塩化物の量の測定 7 ＡＳＴ等検査 8 尿中の潜血検査
トリクロロエチレン	1 業務歴の調査 2 作業条件の簡易な調査 3 トリクロロエチレンによる既往歴の有無の検査（頭重、頭痛、めまい、悪心、嘔《おう》吐、傾眠、振戦、知覚異常、皮膚又は粘膜の異常、頸《けい》部等のリンパ節の腫大の有無等） 4 自覚症状等の検査（頭重、頭痛、めまい、悪心、嘔吐、傾眠、振戦、知覚異常、皮膚又は粘膜の異常、頸部等のリンパ節の腫大の有無等） 5 皮膚炎等の皮膚所見の有無の検査 6 尿中のトリクロル酢酸又は総三塩化物の量の測定 7 ＡＳＴ等検査 8 尿中の潜血検査又は腹部の超音波による検査若しくは尿路造影検査等の画像検査（医師が必要と認める場合に限る。）
臭化メチル	1 業務歴の調査 2 作業条件の簡易な調査 3 臭化メチルによる既往歴の有無の検査（頭重、頭痛、めまい、流涙、鼻炎、咽喉痛、咳《せき》、食欲不振、悪心、嘔《おう》吐、腹痛、下痢、四肢のしびれ、視力低下、記憶力低下、発語障害、腱《けん》反射亢《こう》進、歩行困難等） 4 自覚症状等の検査（頭重、頭痛、めまい、食欲不振、四肢のしびれ、視力低下、記憶力低下、発語障害、腱反射亢進、歩行困難等） 5 皮膚所見の有無の検査
コールタール	1 業務歴の調査（当該業務に現に従事する職員に限る。）

	2　作業条件の簡易な調査（当該業務に現に従事する職員に限る。） 3　コールタールによる既往歴の有無の検査 （胃腸症状、呼吸器症状、皮膚症状等） 4　自覚症状等の検査 （食欲不振、咳《せき》、痰《たん》、眼の痛み等） 5　露出部分の皮膚炎、にきび様変化、黒皮症、いぼ、潰瘍、ガス斑等の皮膚所見の有無の検査 6　胸部のエックス線直接撮影による検査（当該業務に五年以上従事した職員に限る。）
エチレンイミン	1　業務歴の調査（当該業務に現に従事する職員に限る。） 2　作業条件の簡易な調査（当該業務に現に従事する職員に限る。） 3　エチレンイミンによる既往歴の有無の検査 （頭痛、咳《せき》、痰《たん》、胸痛、嘔《おう》吐、粘膜刺激症状等） 4　自覚症状等の検査 （頭痛、咳、痰、胸痛、嘔吐、粘膜刺激症状等） 5　皮膚炎等の皮膚所見の有無の検査
ニッケル化合物（ニッケルカルボニルを除き、粉状の物質に限る。右欄において同じ。）	1　業務歴の調査（当該業務に現に従事する職員に限る。） 2　作業条件の簡易な調査（当該業務に現に従事する職員に限る。） 3　ニッケル化合物による皮膚、気道等に係る既往歴の有無の検査 4　皮膚、気道等に係る自覚症状等の検査 5　皮膚炎等の皮膚所見の有無の検査
ニッケルカルボニル	1　業務歴の調査（当該業務に現に従事する職員に限る。） 2　作業条件の簡易な調査（当該業務に現に従事する職員に限る。） 3　ニッケルカルボニルによる既往歴の有無の検査 （頭痛、めまい、悪心、嘔《おう》吐、咳《せき》、胸痛、呼吸困難、皮膚掻《そう》痒《よう》感、鼻粘膜の異常等） 4　自覚症状等の検査 （頭痛、めまい、悪心、嘔吐、咳、胸痛、呼吸困難、皮膚掻痒感、鼻粘膜の異常等） 5　胸部のエックス線直接撮影による検査（一年につき少なくとも一回）
五酸化バナジウム	1　業務歴の調査 2　作業条件の簡易な調査 3　五酸化バナジウムによる既往歴の有無の検査 （呼吸器症状等） 4　自覚症状等の検査 （咳《せき》、痰《たん》、胸痛、呼吸困難、手指の振戦、皮膚の蒼《そう》白、舌の緑着色、指端の手掌部の角化等） 5　肺活量の測定 6　血圧の測定
ビス（クロロメチル）エーテル	1　業務歴の調査（当該業務に現に従事する職員に限る。） 2　作業条件の簡易な調査（当該業務に現に従事する職員に限る。） 3　ビス（クロロメチル）エーテルによる既往歴の有無の検査 （咳《せき》、痰《たん》、胸痛、体重減少等） 4　自覚症状等の検査 （咳、痰、胸痛、体重減少等） 5　胸部のエックス線直接撮影による検査（当該業務に三年以上従事した職員に限る。）
アクリルアミド	1　業務歴の調査 2　作業条件の簡易な調査 3　アクリルアミドによる既往歴の有無の検査 （手足のしびれ、歩行障害、発汗異常等） 4　自覚症状等の検査

	（手足のしびれ、歩行障害、発汗異常等） 5　皮膚炎等の皮膚所見の有無の検査
クロロメチルメチルエーテル	1　業務歴の調査（当該業務に現に従事する職員に限る。） 2　作業条件の簡易な調査（当該業務に現に従事する職員に限る。） 3　クロロメチルメチルエーテルによる既往歴の有無の検査（咳《せき》、痰《たん》、胸痛、体重減少等） 4　自覚症状等の検査（咳、痰、胸痛、体重減少等） 5　胸部のエックス線直接撮影による検査
ニトログリコール	1　業務歴の調査 2　作業条件の簡易な調査 3　ニトログリコールによる既往歴の有無の検査（頭痛、胸部違和感、心臓症状、四肢末端のしびれ感、冷感、神経痛、脱力感等） 4　自覚症状等の検査（頭重、頭痛、肩凝り、胸部違和感、心臓症状、四肢末端のしびれ感、冷感、神経痛、脱力感、胃腸症状等） 5　血圧の測定
	6　赤血球数等の赤血球系の血液検査
ベータ―プロピオラクトン	1　業務歴の調査（当該業務に現に従事する職員に限る。） 2　作業条件の簡易な調査（当該業務に現に従事する職員に限る。） 3　ベータ―プロピオラクトンによる既往歴の有無の検査（咳《せき》、痰《たん》、胸痛、体重減少等） 4　自覚症状等の検査（咳、痰、胸痛、体重減少等） 5　露出部分の皮膚炎等の皮膚所見の有無の検査 6　胸部のエックス線直接撮影による検査
硫酸ジメチル	1　業務歴の調査 2　作業条件の簡易な調査 3　硫酸ジメチルによる既往歴の有無の検査（呼吸器症状、眼の症状、皮膚症状等） 4　自覚症状等の検査（咳《せき》、痰《たん》、嗄《さ》声、流涙、結膜及び角膜の異常、脱力感、胃腸症状等） 5　皮膚炎等の皮膚所見の有無の検査 6　尿中の蛋《たん》白の有無の検査
石綿	1　業務歴の調査 2　石綿による既往歴の有無の検査（咳《せき》、痰《たん》、息切れ、胸痛等） 3　自覚症状等の検査（咳、痰、息切れ、胸痛等） 4　胸部のエックス線直接撮影による検査 5　胸部のCTによる検査（医師が必要と認める場合に限る。）
ホルムアルデヒド	1　業務歴の調査 2　作業条件の簡易な調査 3　ホルムアルデヒドによる既往歴の有無の検査（咳《せき》、痰《たん》、流涙、咽頭部違和感等） 4　自覚症状等の検査（咳、痰、流涙、咽頭部違和感等） 5　眼、鼻腔《くう》及び咽喉の粘膜の炎症並びに皮膚の炎症の検査
一・一―ジメチルヒドラジン	1　業務歴の調査（当該業務に現に従事する職員に限る。） 2　作業条件の簡易な調査（当該業務に現に従事する職員に限る。） 3　一・一―ジメチルヒドラジンによる既往歴の有無の検査（眼の痛み、咳《せき》、咽頭痛等） 4　自覚症状等の検査

	（眼の痛み、咳、咽頭痛等）
酸化プロピレン	1　業務歴の調査（当該業務に現に従事する職員に限る。） 2　作業条件の簡易な調査（当該業務に現に従事する職員に限る。） 3　酸化プロピレンによる既往歴の有無の検査 （眼の痛み、咳《せき》、咽頭痛、皮膚の刺激等） 4　自覚症状等の検査 （眼の痛み、咳、咽頭痛等） 5　皮膚炎等の皮膚所見の有無の検査
インジウム化合物	1　業務歴の調査（当該業務に現に従事する職員に限る。） 2　作業条件の簡易な調査（当該業務に現に従事する職員に限る。） 3　インジウム化合物による既往歴の有無の検査 （咳《せき》、痰《たん》、息切れ等） 4　自覚症状等の検査 （咳、痰、息切れ等） 5　血清インジウムの量の測定 6　血清シアル化糖鎖抗原ＫＬ－６の量の測定 7　胸部のエックス線直接撮影又は胸部のＣＴによる検査（規則第十九条第一項の規定による健康診断
	における者に限る。）
エチルベンゼン	1　業務歴の調査（当該業務に現に従事する職員に限る。） 2　作業条件の簡易な調査（当該業務に現に従事する職員に限る。） 3　エチルベンゼンによる既往歴の有無の検査 （眼の痛み、発赤、咳《せき》、咽頭痛、鼻腔《くう》刺激症状、頭痛、倦《けん》怠感等） 4　自覚症状等の検査 （眼の痛み、発赤、咳、咽頭痛、鼻腔刺激症状、頭痛、倦怠感等） 5　尿中のマンデル酸の量の測定（当該業務に現に従事する職員に限る。）
コバルト及びその無機化合物	1　業務歴の調査（当該業務に現に従事する職員に限る。） 2　作業条件の簡易な調査（当該業務に現に従事する職員に限る。） 3　コバルト及びその無機化合物による既往歴の有無の検査 （咳《せき》、息苦しさ、息切れ、喘《ぜん》鳴、皮膚炎等） 4　自覚症状等の検査 （咳、息苦しさ、息切れ、喘鳴、皮膚炎等）
一・四－ジオキサン	1　業務歴の調査 2　作業条件の簡易な調査
	3　一・四－ジオキサンによる既往歴の有無の検査 （頭重、頭痛、めまい、悪心、嘔《おう》吐、けいれん、眼の刺激症状、皮膚又は粘膜の異常等） 4　自覚症状等の検査 （頭重、頭痛、めまい、悪心、嘔吐、けいれん、眼の刺激症状、皮膚又は粘膜の異常等） 5　ＡＳＴ等検査
スチレン	1　業務歴の調査 2　作業条件の簡易な調査 3　スチレンによる既往歴の有無の検査 （頭重、頭痛、めまい、悪心、嘔《おう》吐、眼の刺激症状、皮膚又は粘膜の異常、頸《けい》部等のリンパ節の腫大の有無等） 4　自覚症状等の検査 （頭重、頭痛、めまい、悪心、嘔吐、眼の刺激症状、皮膚又は粘膜の異常、頸部等のリンパ節の腫大の有無等） 5　尿中のマンデル酸及びフェニルグリオキシル酸の総量の測定 6　白血球数及び白血球分画の検査 7　ＡＳＴ等検査
メチルイソ	1　業務歴の調査

ブチルケトン	2 作業条件の簡易な調査 3 メチルイソブチルケトンによる既往歴の有無の検査 （頭重、頭痛、めまい、悪心、嘔《おう》吐、眼の刺激症状、上気道刺激症状、皮膚又は粘膜の異常等） 4 自覚症状等の検査 （頭重、頭痛、めまい、悪心、嘔吐、眼の刺激症状、上気道刺激症状、皮膚又は粘膜の異常等） 5 尿中のメチルイソブチルケトンの量の測定（医師が必要と認める場合に限る。）
ナフタレン	1 業務歴の調査（当該業務に現に従事する職員に限る。） 2 作業条件の簡易な調査（当該業務に現に従事する職員に限る。） 3 ナフタレンによる既往歴の有無の検査 （眼の痛み、流涙、眼のかすみ、羞明、視力低下、咳《せき》、痰《たん》、咽頭痛、頭痛、食欲不振、悪心、嘔《おう》吐、皮膚の刺激等）（眼の痛み、流涙、咳、痰、咽頭痛、頭痛、食欲不振、悪心、嘔吐、皮膚の刺激等の急性の疾患に係る症状にあっては、当該業務に現に従事する職員に限る。） 4 自覚症状等の検査 （眼の痛み、流涙、眼のかすみ、羞明、視力低下、咳、痰、咽頭痛、頭痛、食欲不振、悪心、嘔吐等）（眼の痛み、流涙、咳、痰、咽頭痛、頭痛、食欲不振、悪心、嘔吐等の急性の疾患に係る症状にあっては、当該業務に現に従事する職員に限る。） 5 皮膚炎等の皮膚所見の有無の検査（当該業務に現に従事する職員に限る。） 6 尿中の潜血検査（当該業務に現に従事する職員に限る。）
リフラクトリーセラミックファイバー	1 業務歴の調査（当該業務に現に従事する職員に限る。） 2 作業条件の簡易な調査（当該業務に現に従事する職員に限る。） 3 喫煙歴及び喫煙習慣の状況に係る調査 4 リフラクトリーセラミックファイバーによる既往歴の有無の検査（咳《せき》、痰《たん》、息切れ、呼吸困難、胸痛、呼吸音の異常、眼の痛み、皮膚の刺激等）（眼の痛み、皮膚の刺激等の急性の疾患に係る症状にあっては、当該業務に現に従事する職員に限る。） 5 自覚症状等の検査 （咳、痰、息切れ、呼吸困難、胸痛、呼吸音の異常、眼の痛み等）（眼の痛み等の急性の疾患に係る症状にあっては、当該業務に現に従事する職員に限る。） 6 皮膚炎等の皮膚所見の有無の検査（当該業務に現に従事する職員に限る。） 7 胸部のエックス線直接撮影による検査
三酸化二アンチモン	1 業務歴の調査（当該業務に現に従事する職員に限る。） 2 作業条件の簡易な調査（当該業務に現に従事する職員に限る。） 3 三酸化二アンチモンによる既往歴の有無の検査 （咳《せき》、痰《たん》、頭痛、嘔《おう》吐、腹痛、下痢、アンチモン皮疹《しん》等の皮膚症状等）（頭痛、嘔吐、腹痛、下痢、アンチモン皮疹等の皮膚症状等の急性の疾患に係る症状にあっては、当該業務に現に従事する職員に限る。） 4 自覚症状等の検査 （咳、痰、頭痛、嘔吐、腹痛、下痢、アンチモン皮疹等の皮膚症状等）（頭痛、嘔吐、腹痛、下痢、アンチモン皮疹等の皮膚症状等の急性の疾患に係る症状にあっては、当該業務に現に従事する職員

	に限る。） 5　尿中のアンチモンの量の測定（当該業務に現に従事する職員に限り、医師が必要と認める場合に限る。） 6　心電図検査（医師が必要と認める場合に限る。）
溶接ヒューム	1　業務歴の調査 2　作業条件の簡易な調査 3　溶接ヒュームによる既往歴の有無の検査（咳《せき》、痰《たん》、仮面様顔貌、膏《こう》顔、流涎《ぜん》、発汗異常、手指の振戦、書字拙劣、歩行障害、不随意性運動障害、発語異常等のパーキンソン症候群様症状） 4　自覚症状等の検査（咳、痰、仮面様顔貌、膏顔、流涎、発汗異常、手指の振戦、書字拙劣、歩行障害、不随意性運動障害、発語異常等のパーキンソン症候群様症状） 5　握力の測定
有機溶剤（前各欄に掲げる物質に含まれる有機溶剤を除く。右欄において同じ。）	1　業務歴の調査 2　作業条件の簡易な調査 3　有機溶剤による既往歴の有無の検査（頭重、頭痛、悪心、嘔《おう》吐、不眠、焦燥感、めまい、四肢倦《けん》怠感、食欲不振、腹痛等） 4　自覚症状等の検査（頭重、頭痛、悪心、嘔吐、不眠、焦燥感、めまい、四肢倦怠感、食欲不振、腹痛等） 5　次に掲げる有機溶剤等については、それぞれ次に定める検査（ただし、前回の特別の健康診断において(3)から(7)までに定める検査のうち尿中の有機溶剤の代謝物の量の検査を受けた職員について、医師が必要でないと認めるときは、当該検査を省略することができる。） (1)　次に掲げる有機溶剤等　血色素量及び赤血球数の検査 ア　エチレングリコールモノエチルエーテル（セロソルブ） イ　エチレングリコールモノエチルエーテルアセテート（セロソルブアセテート） ウ　エチレングリコールモノ－ノルマル－ブチルエーテル（ブチルセロソルブ） エ　エチレングリコールモノメチルエーテル（メチルセロソルブ） オ　アからエまでに掲げる有機溶剤のいずれかをその重量の五パーセントを超えて含有する物 (2)　次に掲げる有機溶剤等　AST等検査 ア　一・二－ジクロルエチレン（二塩化アセチレン） イ　オルト－ジクロルベンゼン ウ　クレゾール エ　クロルベンゼン オ　アからエまでに掲げる有機溶剤のいずれかをその重量の五パーセントを超えて含有する物 (3)　次に掲げる有機溶剤等　尿中のメチル馬尿酸の量の検査 ア　キシレン イ　アに掲げる有機溶剤をその重量の五パーセントを超えて含有する物 (4)　次に掲げる有機溶剤等　AST等検査及び尿中のN－メチルホルムアミドの量の検査 ア　N・N－ジメチルホルムアミド イ　アに掲げる有機溶剤をその重量の五パーセントを超えて含有する物 (5)　次に掲げる有機溶剤等　尿中のトリクロル酢酸又は総三塩化

	物の量の検査 ア　一・一・一―トリクロルエタン イ　アに掲げる有機溶剤をその重量の五パーセントを超えて含有する物 (6)　次に掲げる有機溶剤等　尿中の馬尿酸の量の検査 ア　トルエン イ　アに掲げる有機溶剤をその重量の五パーセントを超えて含有する物 (7)　次に掲げる有機溶剤等　尿中の二・五―ヘキサンジオンの量の検査 ア　ノルマルヘキサン イ　アに掲げる有機溶剤をその重量の五パーセントを超えて含有する物 6　貧血検査（医師が必要と認める場合に限り、5(1)に定める検査を行う場合にあっては、血色素量及び赤血球数の検査を除く。） 7　AST等検査を含む肝機能検査（医師が必要と認める場合に限り、5(2)又は(4)に定める検査を行う場合にあっては、AST等検査を除く。） 8　腎機能検査（医師が必要と認める場合に限る。） 9　神経学的検査（医師が必要と認める場合に限る。）
酸、アルカリその他の刺激性物質及び腐食性物質（エチレンオキシドを除く。右欄において同じ。）	1　業務歴の調査 2　作業条件の簡易な調査 3　酸、アルカリその他の刺激性物質及び腐食性物質による既往歴の有無の検査 （咳《せき》、痰《たん》、嗄《さ》声、流涙等） 4　自覚症状等の検査 （咳、痰、嗄声、流涙等） 5　眼及び口腔《くう》の粘膜の炎症、皮膚の炎症、歯牙の酸しょく等の検査
エチレンオキシド	1　業務歴の調査 2　作業条件の簡易な調査 3　エチレンオキシドによる既往歴の有無の検査 （眼の刺激、気道の刺激、皮膚の刺激、皮膚の浮腫、皮膚の紅斑、皮膚感作、気道感作（喘《ぜん》息）等） 4　自覚症状等の検査 （眼の刺激、気道の刺激、皮膚の刺激、皮膚の浮腫、皮膚の紅斑、皮膚感作、気道感作（喘息）等） 5　リンパ・造血器系及び乳房の検査（医師が必要と認める場合に限る。）
有機性粉じんその他アレルゲンとなるおそれのある物質	1　業務歴の調査 2　作業条件の簡易な調査 3　有機性粉じんその他アレルゲンとなるおそれのある物質による既往歴の有無の検査 （咳《せき》、痰《たん》等） 4　自覚症状等の検査 （咳、痰等） 5　皮膚炎等の皮膚所見の有無の検査 6　胸部のCTによる検査（医師が必要と認める場合に限る。）
備考　この表に掲げる検査の結果、作業条件の調査又は当該検査以外の検査が必要と認められる職員に対しては、それぞれ所要の調査又は検査を行うものとする。	

2　その他の業務

業務	検査の項目
強烈な紫外線、赤外線又は可視光線にさらされる業務	1　自覚症状等の検査 （頭痛、眼痛等） 2　眼及び皮膚の検査 （視力、皮膚の炎症等）
粉じんを著しく発散する場所における業務	1　自覚症状等の検査 （咳《せき》、痰《たん》等） 2　肺臓の検査 （特別定期健康診断におけるエ

	ックス線検査については、一年につき一回） 3　心肺機能検査
病原体によって汚染されるおそれのある場所における業務	1　自覚症状等の検査（それぞれの病原体による自覚症状等の検査） 2　病原体による疾病に特有な症状の検査 3　病原体の検査（血清学的検査を含む。）
チェンソー、さく岩機、高速機械等の使用により身体に著しい振動を受けるおそれのある業務	1　自覚症状等の検査（爪《つめ》の変化、指の変形、皮膚の異常、骨・関節の変形・異常、上肢の運動機能の異常及び運動痛、筋萎《い》縮、筋・神経叢《そう》の圧痛、触覚の異常、腱《けん》反射の異常等） 2　筋力の検査（握力） 3　血圧の測定 4　末梢《しょう》循環機能検査（常温における手指の爪《つめ》圧迫テスト及び皮膚温等） 5　末梢《しょう》神経機能検査（常温における手指等の痛覚及び振動覚等）
多量の高熱物体を取り扱う業務又は著しく暑熱な場所における業務	1　自覚症状等の検査（吐気、頭痛、めまい、呼吸困難、動悸《き》、筋肉の痙攣《けいれん》、胃腸症状等） 2　皮膚の検査（顔面等の毛細血管拡張、熱傷等） 3　肝機能検査 4　尿の検査（蛋《たん》白）
多量の低温物体を取り扱う業務又は著しく寒冷な場所における業務	1　自覚症状等の検査（神経痛等） 2　皮膚の検査（凍傷） 3　肝機能検査 4　尿の検査（蛋《たん》白） 5　四肢、軀《く》幹の機能検査
異常気圧下における業務	1　自覚症状等の検査（関節、腰及び下肢の痛み、耳鳴り、胃症状等） 2　聴器の検査（鼓膜、聴力等） 3　血圧の測定 4　心肺機能検査 5　四肢、軀《く》幹の検査（高圧下におけるものに限る。特別定期健康診断におけるエックス線検査については、三年につき一回）
著しい騒音を発する場所における業務	1　自覚症状等の検査（難聴、耳鳴り、耳の閉塞《そく》等） 2　聴器の検査（聴力等）
超音波にさらされる業務	1　自覚症状等の検査（不快感、頭痛、耳鳴り、耳内痛、吐気、めまい、思考障害等） 2　皮膚の検査（血管過敏性等） 3　聴器の検査（聴力等）
放射線に被ばくするおそれのある業務	規則一〇—五第二十六条（規則一〇—一三第六条に規定する除染等関連業務にあっては、同条）に定めるところによる。
せん孔、タイプ、筆耕、速記等による手指、肩、頸《けい》等に障害を受けるおそれのある業務	1　自覚症状等の検査（上肢及び肩の痛み又はしびれ等） 2　眼の検査（視力、輻輳《ふくそう》等） 3　上肢、頸《けい》部及び背部の機能検査
理学療法士、作業療法士、あん摩マッサージ指圧師等	1　自覚症状等の検査（手指のしびれ、関節痛、腰痛等） 2　皮膚の検査

の業務で摩擦、屈伸等により障害を起こすおそれのあるもの	（瘢痕《はんこう》、肥厚等） 3 上肢、頸《けい》部及び背部の機能検査
患者の介護及び患者の移送、重量物の運搬等重いものを取り扱う業務	1 自覚症状等の検査（腰痛、上肢の痛み等） 2 筋力の検査（背筋力等） 3 上肢、頸《けい》部、腰部及び背部の運動機能検査
深夜作業を必要とする業務	1 自覚症状等の検査（頭痛、胃腸障害等） 2 血圧の測定 3 尿の検査（糖及び蛋《たん》白）
自動車等の運転を行う業務	1 自覚症状等の検査（頭痛、腰痛、胃症状等） 2 眼の検査（視力、視野等） 3 聴器の検査（聴力等） 4 平衡機能の検査 5 血圧の測定 6 上肢、頸《けい》部及び腰部の機能検査
調理、配ぜん等給食のため食品を取り扱う業務	1 自覚症状等の検査（頭痛、神経痛等） 2 伝染病の検査（一月以内ごとに一回） 3 寄生虫の検査 4 皮膚の検査（洗剤による皮膚の炎症） 5 腰部の機能検査
計器監視、精密工作等を行う業務	1 自覚症状等の検査（頭痛、眼痛、手指のしびれ等） 2 眼の検査（視力等）

備考 この表に掲げる検査の結果、作業条件の調査又は既往歴の有無の検査、他覚症状の有無の検査その他この表に掲げる検査以外の検査が必要と認められる職員に対しては、それぞれ所要の調査又は検査を行うものとする。

別表第六～第九〔略〕

別紙第一～第四の三〔略〕

別紙第５　定期健康診断等の報告書の様式及び記入要領

１　様式

定期健康診断等報告書　　　令和　　　年度分

省庁名		職員数	人	４０歳以上	人
				３６歳以上４０歳未満	人
				３５歳	人

Ｉ　一般の健康診断

（その１）

健康診断の受診人員等								指導区分及び事後措置					
項目			対象者数 人	受診実人員 人	精密検査対象者数 人	精密検査実施数 人	経過観察実施数 人	医療の面 1 要医療 人	医療の面 2 要観察 人	生活規正の面 A 休暇又は休職 人	生活規正の面 B 勤務の軽減かつ時間外勤務等の制限 人	生活規正の面 C 時間外勤務等の制限 人	就業禁止 人
一般定期健康診断	肺	胸部エックス線検査											
		喀痰《かくたん》細胞診	（　）	（　）（　）	（　）（　）	（　）（　）	（　）（　）						
	循環器	血圧測定											
		血糖検査	（　）	（　）（　）	（　）（　）	（　）（　）	（　）（　）						
		尿検査（蛋《たん》白）											
		尿検査（糖）											
		心電図検査	（　）	（　）（　）	（　）（　）	（　）（　）	（　）（　）						
		LDLコレステロール検査	（　）	（　）（　）	（　）（　）	（　）（　）	（　）（　）						
		HDLコレステロール検査	（　）	（　）（　）	（　）（　）	（　）（　）	（　）（　）						
		中性脂肪検査	（　）	（　）（　）	（　）（　）	（　）（　）	（　）（　）						
		貧血検査	（　）	（　）（　）	（　）（　）	（　）（　）	（　）（　）						
	胃	胃内視鏡検査		（　）（　）	（　）（　）	（　）（　）	（　）（　）						
		胃部エックス線検査	（　）	（　）（　）	（　）（　）	（　）（　）	（　）（　）						
	肝臓	肝機能検査	（　）	（　）（　）	（　）（　）	（　）（　）	（　）（　）						
	大腸	便潜血反応検査	（　）	（　）（　）	（　）（　）	（　）（　）	（　）（　）						

一般定期健康診断の所要経費

職員厚生経費		円
共済・その他経費		円
個人負担経費		円

I 一般の健康診断

（その2）　　　　省庁名＿＿＿＿＿＿　　令和　　年度分

項目		対象者数	受診実人員	精密検査対象者数	精密検査実施数	経過観察実施数	所要経費 職員厚生経費	所要経費 共済・その他経費	所要経費 個人負担経費	医療の面 1 要医療	医療の面 2 要観察	生活規正の面 A 休暇又は休職	生活規正の面 B 勤務の軽減かつ時間外勤務等の制限	生活規正の面 C 時間外勤務等の制限	就業禁止
		人	人	人	人	人	円	円	円	人	人	人	人	人	人
臨時の健康診断	第21条関係(1)～(8)														
	子宮頸《けい》がん検診														
	乳がん検診														
	情報機器健診														
採用時の健康診断															
非常勤職員の健康診断		（　）	（ ）（ ）	（ ）（ ）	（ ）（ ）	（ ）（ ）	（　）	（　）	（　）	（ ）（ ）	（ ）（ ）	（ ）（ ）	（ ）（ ）	（ ）（ ）	（ ）（ ）
総合的な健康診査		（　）	（ ）	（ ）	（ ）	（ ）	（　）	（　）	（　）						
心理的な負担の程度を把握するための検査		（　）	（ ）	（ ）	（ ）		（　）	（　）	（　）						

保健指導の実施状況

4項目有所見者数	人
精密検査実施数	人
保健指導実施数	人

II 特別の健康診断

省庁名＿＿＿＿＿＿　　令和　　年度分

項目			業務別健康診断の受診人員等						指導区分及び事後措置					
									医療の面		生活規正の面			就業禁止
									1	2	A	B	C	
			対象者数	受診実人員	受診延人員	精密検査対象者数	精密検査実施数	経過観察実施数	要医療	要観察	休暇又は休職	勤務の軽減かつ時間外勤務等の制限	時間外勤務等の制限	
			人	人	人	人	人	人	人	人	人	人	人	人
特別定期健康診断	規則別表第2の業務	第1号												
		第2号												
		第3号												
		第4号												
		第5号												
		第6号												
		第7号												
		第8号												
		第10号												
		第12号												
	規則別表第3の業務	第2号												
		第3号												
		第4号												
		第5号												
		第6号												
		第7号												
		第8号												
		第9号												
配置前の健康診断														
非常勤職員の健康診断														

特別定期健康診断の所要経費

職員厚生経費	円
共済・その他経費	円
個人負担経費	円

配置前の健康診断の所要経費

職員厚生経費	円
共済・その他経費	円
個人負担経費	円

非常勤職員の健康診断の所要経費

職員厚生経費	円
共済・その他経費	円
個人負担経費	円

2
記入要領
「職員数」の欄には、報告年度の三月末現在でこの報告の対象となった各省各庁における職員（常勤の職員及び国家公務員法第六十条の二第一項に規定する短時間勤務の官職を占める職員をいう。以下この別紙において同じ。）の総数を記入すること。
（一般の健康診断）
(1)「対象者数」の項には、肺のうち胸部エックス線検査については二十歳、二十五歳、三十歳、三十五歳及び四十歳以上の職員並びに感染症の予防及び感染症の患者に対する医療に関する法律施行令第十二条第一項第一号に規定する施設に勤務する職員並びにこれらの職員以外の四十歳未満の職員（医師が必要でないと認める者を除く。）、肺のうち喀痰《かくたん》細胞診については四十歳以上の職員（医師が必要でないと認める者を除く。）、循環器のうち血糖検査、心電図検査、ＬＤＬコレステロール検査、ＨＤＬコレステロール検査、中性脂肪検査及び貧血検査並びに肝臓については三十五歳及び四十歳以上の職員、胃については五十歳以上の職員（各省各庁の長が報告年度に胃内視鏡検査又は胃部エックス線検査を行うこととした者に限る。）、大腸については四十歳以上の職員の数を記入すること。
なお、「一般定期健康診断」の「対象者数」の項の（ ）内には、対象者以外の職員の数を外数として記入すること。
(2)「受診実人員」の項には、検査の対象者で受診した職員について記入すること。この場合において、「一般定期健康診断」の欄については、規則第二十二条第二項の規定により規則第二十条の健康診断における検査に代えることとした検査を受けた職員（以下「総合健診職員」という。）以外の職員の数を該当欄の左欄に、総合健診職員の数を該当欄の右欄に記入すること。
なお、「一般定期健康診断」の「受診実人員」の項の（ ）内には、対象者以外に受診した職員について外数として記入すること。
(3)「精密検査対象者数」の項には、「心理的な負担の程度を把握するための検査」以外の健康診断については各健康診断を受診した結果、更に検査が必要と認められた職員の数を、「心理的な負担の程度を把握するための検査」については第二十二条の四関係第十一項に定める要件に該当した職員の数を、それぞれ記入すること。この場合において、「一般定期健康診断」の欄については、総合健診職員以外の職員の数を該当欄の左欄に、総合健診職員の数を該当欄の右欄に記入すること。
なお、「一般定期健康診断」の「精密検査対象者数」の項の（ ）内には、(1)の対象者以外の職員について外数として記入すること。
(4)「精密検査実施数」の項には、「心理的な負担の程度を把握するための検査」以外の健康診断については各健康診断を受診した結果、更に必要と認められる検査を受診した職員の数を、「心理的な負担の程度を把握するための検査」については規則第二十二条の四第四項に規定する面接指導を受けた職員の数を、それぞれ記入すること。この場合において、「一般定期健康診断」の欄については、総合健診職員以外の職員の数を該当欄の左欄に、総合健診職員の数を該当欄の右欄に記入すること。
なお、「一般定期健康診断」の「精密検査実施数」の項の（ ）内には、(1)の対象者以外の職員について外数として記入すること。
(5)「経過観察実施数」の項には、報告年度内に経過観察のため、必要な検査を受診した職員の数を記入すること。この場合において、「一般定期健康診断」の欄については、総合健診職員以外の職員の数を該当欄の左欄に、総合健診職員の数を該当欄の右欄に記入すること。
なお、「一般定期健康診断」の「経過観察実施数」の項の（ ）内には、(1)の対象者以外の職員について外数として記入すること。
(6)「胸部エックス線検査」の欄については、上段には四十歳以上の職員、下段には四十歳未満の職員に係るものを記入すること。
(7)「共済・その他経費」の欄又は項には、共済経費（保健経費）からの支出等について記入すること。
(8)「臨時の健康診断」とは、規則第二十一条に規定するものをいい、「第二十一条関係(1)～(8)」の欄には、第二十一条関係(1)から(8)までに掲げる場合に行う健康診断について、その他の欄には、子宮頸《けい》がん検診、乳がん検診、情報機器健診等、各省各庁において実施したものについて個別に記入すること。
(9)「採用時の健康診断」とは、規則第十九条に規定するものをいう。
(10)「非常勤職員の健康診断」の欄には、規則第二十条第二項第一号に掲げる一般定期健康診断に関し、規則別表第三に掲げる業務に六月を超えて従事する非常勤職員（国家公務員法第六十条の二第一項に規定する短時間勤務の官職を占める職員を除く。以下この⑽及び⑾において同じ。）及び第十九条及び第二十条関係第三項⑵に掲げる非常勤職員について記入すること。この場合において、総合健診職員に相当する非常勤職員以外の非常勤職員の数を該当欄の左欄に、総合健診職員に相当する非常勤職員の数を該当欄の右欄に記入すること。

なお、（　）内には、当該健康診断に関し、対象者以外の者について外数として記入すること。

⑾ 「総合的な健康診査」とは、規則第二十一条の二に規定するものをいう。なお、（　）内には、非常勤職員について外数として記入すること。

⑿ 「心理的な負担の程度を把握するための検査」とは、規則第二十二条の四に規定するものをいう。

なお、（　）内には、⑽（なお書を除く。）において「非常勤職員の健康診断」の欄に記入することとされた非常勤職員について外数として記入すること。

⒀ 「保健指導」とは、規則第二十四条の二に規定するものをいい、「4項目有所見者数」の欄には、第二十四条の二関係第一項⑴から⑷までに掲げる検査のいずれにも異常の所見があると診断された職員の数を記入すること。

（特別の健康診断）

⑴ 「受診実人員」及び「受診延人員」の項には、検査の対象者で受診した職員について記入すること。この場合において、総合健診職員（「受診実人員」の項においては、報告年度内に受診した検査が総合検診の検査のみであった者に限る。以下この⑴において同じ。）以外の職員の数を該当欄の左欄に、総合健診職員の数を該当欄の右欄に記入すること。

⑵ 「精密検査対象者数」の項には、各健康診断を受診した結果、更に検査が必要と認められた職員の数を記入すること。この場合において、総合健診職員以外の職員の数を該当欄の左欄に、総合健診職員の数を該当欄の右欄に記入すること。

⑶ 「精密検査実施数」の項には、各健康診断を受診した結果、更に必要と認められる検査を受診した職員の数を記入すること。この場合において、総合健診職員以外の職員の数を該当欄の左欄に、総合健診職員の数を該当欄の右欄に記入すること。

⑷ 「経過観察実施数」の項には、報告年度内に経過観察のため、必要な検査を受診した職員の数を記入すること。この場合において、総合健診職員以外の職員の数を該当欄の左欄に、総合健診職員の数を該当欄の右欄に記入すること。

⑸ 規則別表第三第八号に該当する場合には、記入欄の上段には、別表第五により一月以内ごとに一回と定められている検査に関する事項を記入し、同欄の下段には、第十九条及び第二十条関係第七項⑵により六月につき少なくとも一回と定められている検査に関する事項を記入すること。

⑹ 規則別表第三の各号に掲げる業務で、二種類以上の業務に従事している者については、それぞれの業務ごとに一人として計算し、各欄に記入すること。

⑺ 配置前の健康診断とは、規則第十九条後段に規定するものをいう。

⑻ 規則別表第二第一号及び第三号並びに規則別表第三第二号の業務に従事したことのある職員について、特別定期健康診断を行った場合は、それぞれ該当欄に外数として（　）で記入すること。

（指導区分及び事後措置）

⑴ 「指導区分及び事後措置」とは、規則第二十三条及び規則第二十四条に規定するものをいう。

⑵ 「医療の面」、「生活規正の面」及び「就業禁止」の項には、それぞれの指導区分及び事後措置に応じて該当欄に記入すること。この場合において、「臨時の健康診断」及び「採用時の健康診断」以外の欄については、規則第二十二条第二項の規定により規則第二十条の健康診断における検査に代えた検査（以下この⑵において「総合健診による検査」という。）以外の検査の結果によって指導区分の決定若しくは変更又は事後措置を受けた職員の数を該当欄の左欄に、総合健診による検査の結果によって指導区分の決定若しくは変更又は事後措置を受けた職員の数を該当欄の右欄に記入すること。

⑶ 「要医療」とは、規則別表第四の指導区分欄の「医療の面一」をいい、「要観察」とは、「医療の面二」をいう。

⑷ 「休暇又は休職」の項には、規則別表第四の指導区分欄の「生活規正の面Ａ」の指導区分の決定又は変更を受けて事後措置がとられた職員の数を、「勤務の軽減かつ時間外勤務等の制限」の項には、同欄の「生活規正の面Ｂ」の指導区分の決定又は変更を受けて職務の変更、勤務場所の変更、休暇（日単位のものを除く。）による勤務時間の短縮等の方法により勤務が軽減され、かつ、時間外勤務等の制限を受けた職員の数を、「時間外勤務等の制限」の項には、同欄の「生活規正の面Ｃ」の指導区分の決定又は変更を受けて事後措置がとられた職員の数を、それぞれ記入すること。

(5)「就業禁止」の項には、規則第二十四条第二項の規定による就業の禁止が行われた職員の数を記入すること。

(6)「胸部エックス線検査」の欄については、上段にはがん、下段にはその他に係るものを記入すること。

(7)「胃内視鏡検査」及び「胃部エックス線検査」の欄については、上段にはがん、中段には潰瘍、下段にはその他に係るものを記入すること。

別紙第六～第十〔略〕

○人事院規則一―七九（国家公務員法等の一部を改正する法律の施行に伴う関係人事院規則の整備等に関する人事院規則）及び「国家公務員法等の一部を改正する法律の施行に伴う関係人事院事務総長通知の一部改正について」の施行に伴う経過措置について（抄）

令四・二・一八
事企法―三八

人事院規則一―七九（国家公務員法等の一部を改正する法律の施行に伴う関係人事院規則の整備等に関する人事院規則）及び「国家公務員法等の一部を改正する法律の施行に伴う関係人事院事務総長通知の一部改正について（令和四年二月十八日事企法―三七）」の施行に伴い、下記の〔中略〕第三項から第九項までに掲げる人事院事務総長通知の経過措置について下記のとおり定めたので、令和五年四月一日以降は、これによってください。

記

1　この通知において、次の各号に掲げる用語の意義は、それぞれ当該各号に定めるところによる。

一　令和三年改正法　国家公務員法等の一部を改正する法律（令和三年法律第六十一号）をいう。

二　令和四年事企法―三七　「国家公務員法等の一部を改正する法律の施行に伴う関係人事院事務総長通知の一部改正について（令和四年二月十八日事企法―三七）」をいう。

三～五　〔略〕

7　人事院規則一〇―四（職員の保健及び安全保持）の運用について（昭和六十二年十二月二十五日職福―六九一）

令和三年改正法附則第四条第一項若しくは第二項又は第五条第一項若しくは第二項の規定による採用は、令和四年事企法―三七第十八項の規定による改正後の「人事院規則一〇―四（職員の保健及び安全保持）の運用について」第十九条及び第二十条関係第十一項に規定する定年前再任用とみなして、同項の規定を適用する。

以上

○情報機器作業従事職員に係る環境管理、作業管理、健康管理等について

令元・一〇・三〇
職職―一三五

改正　令三・一二・二七職職―四一七

標記については、平成十四年十二月十六日勤職―三四六勤務条件局長通知（以下「平成十四年ＶＤＴ作業に係る指針」という。）によって行うこととしてきましたが、国の職場におけるＩＴ化はますます進行し、情報機器作業に従事する職員の範囲はより広くなり、作業形態はより多様化しているところであり、情報技術の発達への対応等を踏まえ、別添「情報機器作業従事職員に係る環境管理、作業管理、健康管理等の指針」のとおり定めたので、今後はこれによってください。これに伴い、平成十四年ＶＤＴ作業に係る指針は廃止します。

以　上

別添

情報機器作業従事職員に係る環境管理、作業管理、健康管理等の指針

1　はじめに

職場における情報機器作業の多様化や情報機器の発達による当該機器の使用方法の自由度の増大により、情報機器作業の健康影響の程度は職員個々人の作業姿勢等により依存するようになった。そのため、対策を一律かつ網羅的に行うのではなく、それぞれの作業内容や使用する情報機器、作業場所ごとに、健康影響に関与する要因のリスクアセスメントを実施し、その結果に基づいて必要な対策を取捨選択することが必要である。

対策の検討に当たっては、

① 情報機器作業の健康影響が作業時間と拘束性に強く依存することを踏まえ、4の「作業管理」に掲げられた対策を優先的に行うこと。

② 本指針に掲げるそれぞれの対策については、実際の作業を行う職員の個々の作業内容、使用する情報機器、作業場所等に応じて必要な対策を拾い出し進めること。

を原則的な考え方として進めるとともに、以下の点にも留意する必要がある。

① 健康管理者、職場の管理監督者、情報機器作業に従事する職員（以下「従事職員」という。）の協力の下、健康管理のための諸活動を計画的かつ組織的に進めていく必要があること。

② 従事職員がその趣旨を理解し、積極的に基準の履行に努めることが極めて重要であるので、適切な健康安全教育を実施することが不可欠であること。

③ 本指針は、主な情報機器作業を対象としたものであるので、職場ごとに健康管理について意見を聞く場等を利用し、一定期間ごとにその作業実態に応じ、評価、見直しを行うことが重要であること。

2　対象となる作業

本指針は、従事職員に係る環境管理、作業管理、健康管理等を対象とする。

本指針にいう情報機器作業とは、パソコンやタブレット端末等の情報機器を使用して、データの入力・検索・照合等、文書・画像等の作成・編集・修正等、プログラミング、監視等を行う作業をいう。

情報機器作業は、別紙「情報機器作業の作業区分」に定める作業区分に区分し、

・「作業時間又は作業内容に相当程度拘束性があると考えられるもの」については、3から6まで及び7(1)に記載された環境管理、作業管理、健康管理等を原則として行うこと。ただし、全てを一律に行うのではなく、対策の検討に当たっては、1の「はじめに」を参照の上進めること。

・「上記以外のもの」については、3から6まで及び7(2)

なお、情報機器作業における環境管理、作業管理、健康管理等のほか、心の健康への対処については、「職員の心の健康づくりのための指針」（平成十六年三月三十日勤務条件局長通知。平成二十九年八月二十三日改正）に基づき必要な措置を講ずること。さらに、情報機器作業のみならず、情報機器作業以外の時間も含めた勤務時間の把握、長時間勤務の是正に向けた取組、長時間の超過勤務を行った職員に対する医師の面接指導などによる健康確保についても必要な措置を講ずること。

また、通常の職場と異なる場所において行われる情報機器作業についても、できる限り本指針に準じて環境管理、作業管理及び健康管理を行うよう指導等することが望ましい。

3 **環境管理**

従事職員の環境管理を以下のとおり行うこと。

(1) 照明及び採光

ア 室内は、できる限り明暗の対照が著しくなく、かつ、まぶしさを生じさせないようにすること。

イ ディスプレイを用いる場合の書類上及びキーボード上における照度は三百ルクス以上とし、作業しやすい照度とすること。

また、ディスプレイ画面の明るさ、書類及びキーボード面における明るさと周辺の明るさの差はなるべく小さくすること。

ウ ディスプレイ画面に直接又は間接的に太陽光等が入射する場合は、必要に応じて窓にブラインド、カーテン等を設け、適切な明るさとなるようにすること。

エ 間接照明等のグレア防止用照明器具を使用すること。

オ その他グレアを防止するための有効な措置を講ずること。

(2) 情報機器等

情報機器を導入する際には、従事職員への健康影響を考慮し、作業に最も適した機器を選択し導入すること。

ア デスクトップ型機器

(ア) ディスプレイ

ディスプレイは、次の要件を満たすものを用いること。

a 目的とする情報機器作業を負担なく遂行できる画面サイズであること。

b ディスプレイ画面上の輝度又はコントラストは従事職員が容易に調整できるものが望ましい。

c 必要に応じ、作業環境、作業内容等に適した反射処理をしたものであること。

d ディスプレイ画面の位置、前後の傾き、左右の向き等を調整できるものが望ましい。

(イ) 入力機器（キーボード、マウス等）

a 入力機器は、次の要件を満たすものを用いること。

(a) キーボードは、ディスプレイから分離して、その位置が従事職員によって調整できることが望ましい。

(b) キーボードのキーは、文字が明瞭で読みやすく、キーの大きさ及びキーの数がキー操作を行うために適切であること。

(c) マウスは、使用する者の手に適した形状及び大きさで、持ちやすく操作がしやすいこと。

(d) キーボードのキー及びマウスのボタンは、押下深さ（ストローク）及び押下力が適当であり、操作したことを従事職員が知覚し得ることが望ましい。

b 目的とする情報機器作業に適した入力機器を使用できるようにすること。

c 必要に応じ、パームレスト（リストレスト）を利用できるようにすること。

イ ノート型機器

目的とする情報機器作業に適したノート型機器を適した状態で使用できるようにすること。

(ア) ディスプレイ

ディスプレイは、前記ア(ア)の要件に適合したものを用いること。ただし、ノート型機器は、通常、ディスプレイとキーボードを分離できないので、長時間、情報機器作業を行う場合については、作業の内容に応じ外付けディスプレイなども使用することが望ましい。

(イ) 入力機器（キーボード、マウス等）

a 入力機器は、前記ア(イ)の要件に適合したものを用いること。

ただし、ノート型機器は、通常、ディスプレイとキーボードを分離できないので、小型のノート型機器で長時間の情報機器作業を行う場合については、外付けキーボードを使用することが望ましい。

b 必要に応じて、マウス等を利用できるようにすることが望ましい。

c 数字を入力する作業が多い場合は、テンキー入力機器を利用できるようにすることが望ましい。

ウ タブレット、スマートフォン等

(ア) 目的とする情報機器作業に適した機器を適した状態で使用できるようにすること。

(イ) 長時間、タブレット型機器等を用いた作業を行う場合には、作業の内容に応じ適切なオプション機器（ディスプレイ、キーボード、マウス等）を適切な配置で利用できるようにすることが望ましい。

エ その他の情報機器

アからウ以外の新しい表示装置や入力機器等を導入し、使用する場合には、従事職員への健康影響を十分に考慮して、目的とする情報機器作業に適した機器を適した状態で使用できるようにすること。

オ　ソフトウェア

　ソフトウェアは、次の要件を満たすものを用いることが望ましい。

(ア) 目的とする情報機器作業の内容、従事職員の技能、能力等に適合したものであること。

(イ) 従事職員の求めに応じて、従事職員に対して、適切な説明が与えられるものであること。

(ウ) 作業上の必要性、従事職員の技能、好み等に応じて、インターフェイス用のソフトウェアの設定が容易に変更可能なものであること。

(エ) 操作ミス等によりデータ等が消去された場合に容易に復元可能なものであること。

カ　椅子

　椅子は、次の要件を満たすものを用いること。

(ア) 安定しており、かつ、容易に移動できること。

(イ) 床からの座面の高さは、従事職員の体形に合わせて、適切な状態に調整できること。

(ウ) 複数の従事職員が交替で同一の椅子を使用する場合には、高さの調整が容易であり、調整中に座面が落下しない構造であること。

(エ) 適当な背もたれを有しているものであること。また、背もたれは、傾きを調整できることが望ましい。

(オ) 必要に応じて肘掛けを有しているものであること。

キ　机又は作業台

　机又は作業台は、次の要件を満たすものを用いること。

(ア) 作業面は、キーボード、書類、マウスその他情報機器作業に必要なものが適切に配置できる広さであること。

(イ) 従事職員の脚の周囲の空間は、情報機器作業中に脚が窮屈でない大きさのものであること。

(ウ) 机又は作業台の高さについては、次によること。

a　高さの調整ができない机又は作業台を使用する場合、床からの高さは従事職員の体形に合った高さとすること。

b　高さの調整が可能な机又は作業台を使用する場合、床からの高さは従事職員の体形に合った高さに調整できること。

(3) 騒音の低減措置

　情報機器及び周辺機器から不快な音が発生する場合には、騒音の低減措置を講ずること。

(4) その他

　換気、温度及び湿度の調整、空気調和、静電気除去、休憩等のための設備等について人事院規則一〇―四（職員の保健及び安全の保持）第十五条に定める措置等を講ずること。

4　作業管理

　従事職員の作業管理を以下のとおり行うとともに、3により整備した情報機器、関連什《じゅう》器等を調整し、作業の特性や個々の従事職員の特性に合った適切な作業管理を行うこと。

(1) 作業時間等

ア　一日の作業時間

　情報機器作業が過度に長時間にわたり行われることのないように指導すること。

イ　一連続作業時間及び情報機器作業に従事しない時間

　一連続作業時間が一時間を超えないようにし、次の連続作業までの間に十分から十五分の情報機器作業に従事しない時間を設け、かつ、一連続作業時間内において一、二回程度の小休止を取るよう指導すること。

ウ　業務量への配慮

　従事職員の疲労の蓄積を防止するため、個々の従事職員の特性を十分に考慮した無理のない適度な業務量となるよう配慮すること。

(2) 調整及び維持管理

ア　従事職員に自然で無理のない姿勢で情報機器作業を行わせるため、次の事項を従事職員に留意させ、椅子の座面の高さ、机又は作業台の作業面の高さ、キーボード、マウス、ディスプレイの位置等を総合的に調整させること。

(ア) 作業姿勢

　座位のほか、時折立位を交えて作業することが望ましく、座位においては、次の状態によること。

a　椅子に深く腰を掛けて背もたれに背を十分に当て、履物の足裏全体が床に接した姿勢を基本とすること。また、足台を必要に応じて備えること。

b　椅子と大腿《たい》部膝側背面との間には手指が押し入る程度のゆとりがあり、大腿《たい》部に無理な圧力が加わらないようにすること。

(イ) ディスプレイ

a おおむね四十cm以上の視距離が確保できるようにし、この距離で見やすいように必要に応じて適切な眼鏡による矯正を行うこと。

b ディスプレイは、その画面の上端が眼の高さとほぼ同じか、やや下になるような高さにすることが望ましい。

c ディスプレイ画面とキーボード又は書類との視距離の差が極端に大きくなく、かつ、適切な視野範囲になるようにすること。

d ディスプレイは、従事職員にとって好ましい位置、角度、明るさ等に調整すること。

e ディスプレイに表示する文字の大きさは、小さ過ぎないように配慮し、文字高さがおおむね三mm以上とすることが望ましい。

(ウ) 入力機器

マウス等のポインティングデバイスにおけるポインタの速度、カーソルの移動速度等は、従事職員の技能、好み等に応じて適切な速度に調整すること。

(エ) ソフトウェア

機器の表示容量、表示色数、文字等の大きさ及び形状、背景、文字間隔、行間隔等は、作業の内容、従事職員の技能等に応じて、個別に適切なレベルに調整すること。

イ 作業環境、情報機器等を常に良好な状態に維持管理するため、日常及び定期に点検等を行い必要に応じ、改善措置を講ずること。

5 健康管理

(1) 健康診断

従事職員については、次のとおり健康診断を実施すること。

ア 新たに情報機器作業に従事（再配置の場合を含む。）する前の健康診断(以下「配置前の健康診断」という。)

情報機器作業の作業区分に応じて、7の(1)イ又は(2)アに従い、次の項目について必要な調査又は検査を実施する。

なお、配置前の健康診断を行う前後に一般定期健康診断（人事院規則一〇―四第二十条第二項第一号に定めるものをいう。以下同じ。）が実施される場合は、当該一般定期健康診断と併せて次の項目を実施して差し支えない。

(ア) 業務歴の調査

(イ) 既往歴の調査

(ウ) 自覚症状の有無の調査

a 眼疲労を主とする視器に関する症状

b 上肢、頸《けい》肩腕部及び腰背部を主とする筋骨格系の症状

c ストレスに関する症状

(エ) 眼科学的検査

a 視力検査

(a) 遠見視力の検査

(b) 近見視力の検査

b 屈折検査

c 自覚症状により目の疲労を訴える者に対しては、眼位検査、調節機能検査

(オ) 筋骨格系に関する検査

a 上肢の運動機能、圧痛点等の検査

b その他医師が必要と認める検査

イ 一般定期健康診断を実施する際に併せて行う健康診断（以下「定期の健康診断」という。）

情報機器作業の作業区分に応じて、7の(1)イ又は(2)アに従い、次の項目について必要な調査又は検査を実施する。

(ア) 業務歴の調査

(イ) 既往歴の調査

(ウ) 自覚症状の有無の調査

a 眼疲労を主とする視器に関する症状

b 上肢、頸《けい》肩腕部及び腰背部を主とする筋骨格系の症状

c ストレスに関する症状

(エ) 眼科学的検査

a 視力検査

(a) 遠見視力の検査

(b) 近見視力の検査

(c) 四十歳以上の者に対しては、調節機能検査及び医師の判断により眼位検査。ただし、(ウ)自覚症状の有無の調査において特に異常が認められず、(エ)a(a)遠見視力又は(エ)a(b)近見視力がいずれも、片眼視力（裸眼又は矯正）で両眼とも〇・五以上が保持されている者については、省略して差し支えない。

b その他医師が必要と認める検査

(オ) 筋骨格系に関する検査

a 上肢の運動機能、圧痛点等の検査

b その他医師が必要と認める検査

(2) 健康診断結果に基づく措置

配置前の健康診断又は定期の健康診断の結果把握

された健康阻害要因を調査、分析し、医師が異常又は異常が生じるおそれがあると認めた職員に対して、次に掲げる健康保持のための適切な措置を講ずるとともに必要な保健指導を行うこと。

ア　業務歴の調査、自他覚症状、各種検査結果等から愁訴の主因を明らかにし、必要に応じ、保健指導、専門医への受診指導等により健康管理を進めるとともに、作業方法、作業環境等の改善を図ること。また、職場内のみならず職場外に要因が認められる場合についても必要な保健指導を行うこと。

イ　情報機器作業の視距離に対して視力矯正が不適切な者には、支障なく情報機器作業ができるように、必要な保健指導を行うこと。

ウ　従事職員の健康のため、情報機器作業を続けることが適当でないと判断される者、情報機器作業に従事する時間の短縮を要すると認められる者等については、健康管理医等の意見を踏まえ、健康保持のための適切な措置を講ずること。

(3)　健康相談

従事職員が気軽に健康について相談し、適切なアドバイスを受けられるように、プライバシー保護への配慮を行いつつ、メンタルヘルス、健康上の不安、慢性疲労、ストレス等による症状、自己管理の方法等についての健康相談の機会を設けるよう努めること。

(4)　リラクゼーション等

就業の前後又は就業中に適宜、リラクゼーション、軽い運動等を行うことが望ましい。

6　健康安全教育

(1)　従事職員に対しては、当該従事職員の健康の保持増進及び安全の確保のために、新たに情報機器作業に従事（再配置の場合を含む。）する前において情報機器等の取扱い方法の習得訓練を行うとともに、環境管理、作業管理及び健康管理に関する教育を行うこと。また、配置された後にあっても、必要に応じて教育を行うこと。

なお、従事職員が自主的に健康を維持管理し、かつ、増進していくために必要な知識についても教育を行うことが望ましい。

(2)　管理監督者に対しては、従事職員の健康の保持増進及び安全の確保を図り、的確な指導に資するため、情報機器等の特性並びに環境管理、作業管理及び健康管理のほか、管理監督者の心構え、教育の方法等に関する教育を必要に応じて行うこと。

(3)　前記教育を行うに当たっては、従事職員に対しては作業形態等に、管理監督者に対しては階層等に配慮して教育の実施事項を整備し、計画的、継続的な実施に努めるとともに、実施結果について記録することが望ましい。

7　情報機器作業の作業区分に応じて実施する事項

(1)　「作業時間又は作業内容に相当程度拘束性があると考えられるもの」に該当する作業の場合

ア　一日の連続作業時間への配慮

視覚負担を始めとする心身の負担を軽減するため、他の作業を組み込むこと又は他の作業とのローテーションを実施することなどにより、一日の連続情報機器作業時間が短くなるように配慮すること。

イ　健康診断

新たに「作業時間又は作業内容に相当程度拘束性があると考えられるもの」に該当する作業に従事することとなった職員（再配置の者を含む。）には、5(1)アによる配置前の健康診断を、配置後の職員には、5(1)イにより定期の健康診断を、全ての対象者に実施すること。

(2)　「上記以外のもの」に該当する作業の場合

ア　健康診断

新たに「上記以外のもの」に該当する作業に従事することとなった職員（再配置の者を含む。）には、5(1)アによる配置前の健康診断を、配置後の職員には、5(1)イにより定期の健康診断を、自覚症状を訴える者を対象に実施すること。

8　配慮事項

(1)　高年齢の従事職員については、照明条件やディスプレイに表示する文字の大きさ等を従事職員ごとに見やすいように設定するとともに、過度の負担にならないように作業時間や作業密度に対する配慮を行うことが望ましい。

(2)　情報機器作業の入力装置であるキーボードとマウスなどが使用しにくい障害等を有する者には、必要な音声入力装置等を使用できるようにするなどの必要な対策を講ずること。

また、適切な視力矯正によってもディスプレイを読み取ることが困難な者には、拡大ディスプレイ、弱視者用ディスプレイ等を使用できるようにするなどの必要な対策を講ずること。

(3)　テレワークを行う従事職員については、本指針のほか、通常の職場に勤務する職員と同様に必要な健康確保措置を講ずること。

この場合において、人事院規則一〇—四及び本指針の勤務環境等に関する基準と同等の作業環境となるよう、テレワークを行う職員に対し、助言等を行うことが望ましい。

別紙

情報機器作業の作業区分

作業区分	作業区分の定義	作業の例
作業時間又は作業内容に相当程度拘束性があると考えられるもの	1日に4時間以上の情報機器作業であって、次のいずれかに該当するもの ・作業中は常時ディスプレイを注視する、又は入力装置を操作する必要がある ・作業中、従事職員の裁量で適宜休憩を取ることや作業姿勢を変更することが困難である	・モニターによる監視・点検等を行う作業 ・パソコンを用い、プログラムの作成、設計、製図等を行う作業 ・資料、伝票、原稿等のデータ等を機械的に入力していく作業
上記以外のもの	上記以外の情報機器作業	・上記の作業で4時間未満のもの ・上記の作業で4時間以上ではあるが従事職員の裁量による休憩を取ることができるもの ・文書作成作業 ・企画・立案を行う業務（4時間以上のものを含む。） ・主な作業として会議や講演の資料作成を行う業務（4時間以上のものを含む。） ・会計業務（4時間以上のものを含む。） ・庶務業務（4時間以上のものを含む。） ・情報機器を使用した研究（4時間以上のものを含む。）

注：「作業の例」に掲げる例は飽くまで例示であり、実際に行われている（又は行う予定の）作業内容を踏まえ、「作業区分の定義」に基づき判断すること。

○心理的な負担の程度を把握するための検査及び同検査の結果に基づく面接指導等の実施に関する指針について（抄）

平二七・一二・一
職職―三一五

最終改正　平三一・二・一職職―二四

職員の心の健康づくりに関しては、「職員の心の健康づくりのための指針について（通知）」（平成十六年三月三十日勤職―七五勤務条件局長通知）に基づき、各省各庁の長における取組の実施を促進してきたところです。

今般、職員の心の不健康な状態を未然に防止することがますます重要な課題となっていることを踏まえ、人事院規則一〇―四（職員の保健及び安全保持）の運用について（昭和六十二年十二月二十五日職福―六九一事務総長通知）の一部改正を行い、心理的な負担の程度を把握するための検査及びその結果に応じて本人からの申出による面接指導等の実施を内容とするストレスチェック制度を新たに創設しました。

ストレスチェック制度の適切かつ有効な実施に資するため、別添のとおり「心理的な負担の程度を把握するための検査及び同検査の結果に基づく面接指導等の実施に関する指針」を定めたので、これに基づき、ストレスチェック制度の実施に取り組んでください。

以　上

別添〔略〕
別紙〔略〕

〇人事院規則一〇—五（職員の放射線障害の防止）

昭三八・九・二五全改
昭三八・一〇・一施行

最終改正　令二・四・一規則一〇—五—一一

（趣旨）

第一条　職員の放射線障害の防止について必要な事項は、規則一〇—四（職員の保健及び安全保持）及び規則一〇—一三（東日本大震災により生じた放射性物質により汚染された土壌等の除染等のための業務等に係る職員の放射線障害の防止）に定めるもののほか、この規則の定めるところによる。

（基本原則）

第二条　各省各庁の長は、職員が放射線を受けることをできるだけ少なくするように努めなければならない。

（定義）

第三条　この規則で「放射線」とは、直接又は間接に空気を電離する能力をもつ粒子線又は電磁波で、次に掲げるものをいう。

一　アルファ線、重陽子線、陽子線その他の重荷電粒子線

二　ベータ線及び電子線

三　中性子線

四　ガンマ線及びエックス線

2　この規則で「放射性物質」とは、放射線を放出する同位元素（以下「放射性同位元素」という。）及びその化合物、これらの含有物並びにこれらの集合したもので、次の各号の一に該当するものをいう。ただし、その数量が三・七メガベクレル以下の密封されたもの及びその濃度が七十四ベクレル毎グラム以下の固体のものを除く。

一　放射性同位元素が一種類のものにあつては、次の表の上欄に掲げる種類に応じて、それぞれ同表の下欄に掲げる数量を超えるもの

種類	数量
ストロンチウム九十又はアルファ線を放出する同位元素（トリウム及びウランを除く。）	三・七キロベクレル
物理的半減期が三十日を超える放射線を放出する同位元素（トリチウム、ベリリウム七、炭素十四、硫黄三十五、鉄五十五及び鉄五十九並びにストロンチウム九十及びアルファ線を放出するものを除く。）	三十七キロベクレル
物理的半減期が三十日以下の放射線を放出する同位元素（弗《ふつ》素十八、クロム五十一、ゲルマニウム七十一及びタリウム二百一並びにアルファ線を放出するものを除く。）又は硫黄三十五、鉄五十五若しくは鉄五十九	三百七十キロベクレル
トリチウム、ベリリウム七、炭素十四、弗《ふつ》素十八、クロム五十一、ゲルマニウム七十一若しくはタリウム二百一又はトリウム若しくはウラン	三・七メガベクレル

二　放射性同位元素が二種類以上のものにあつては、前号の表の上欄に掲げる放射性同位元素のそれぞれの数量の同表の下欄に掲げる数量に対する割合の和が一を超えるもの

3　この規則で「管理区域」とは、次の各号の一に該当する区域をいう。

一　外部放射線による実効線量が、三月間につき一・三ミリシーベルトを超えるおそれのある区域

二　空気中の放射性物質の濃度が、人事院の定める濃度を超えるおそれのある区域

三　放射性物質によつて汚染される物の表面の放射性物質の密度が、人事院の定める密度を超えるおそれのある区域

四　三月間についての外部放射線による実効線量の第一号に掲げる線量に対する割合と空気中の放射性物質の濃度の第二号に掲げる濃度に対する割合の和が、一を超えるおそれのある区域

4　前項及び第十四条に規定する実効線量の算定については、人事院の定めるところにより行うものとする。

5　この規則で「放射線業務」とは、次の各号のいずれかに該当する業務（規則一〇—一三第一条に規定する除染等関連業務及び特定線量下業務を除く。）をいう。

一　エックス線を発生させる装置（次号の装置を除く。以下「エックス線装置」という。）の使用又はエックス線の発生を伴う当該装置の検査

二　サイクロトロン、ベータトロンその他の荷電粒子を加速する装置（以下「荷電粒子加速装置」という。）の使用又は放射線の発生を伴う当該装置の検査

三　エックス線管又はケノトロンのガス抜き又はエッ

クス線の発生を伴うこれらの検査
四　ガンマ線照射装置その他の放射性物質を装備している機器（以下「放射性物質装備機器」という。）の取扱い
五　放射性物質又は当該放射性物質若しくは荷電粒子加速装置から発生した放射線により汚染された物の取扱い
六　原子炉の運転
七　前各号に掲げる業務に付随する業務で管理区域に立ち入つて行うもの
八　管理区域内において行う立入検査等（法令に基づくものに限る。）の業務で人事院が定めるもの

（職員の実効線量及び等価線量の限度）
第四条　各省各庁の長は、管理区域内において放射線業務に従事する職員（以下「放射線業務従事職員」という。）の実効線量が、次に掲げる限度を超えないようにしなければならない。
一　五年ごとに区分した各期間の実効線量の限度　百ミリシーベルト
二　一の年度（四月一日から翌年の三月三十一日までをいう。以下同じ。）の実効線量の限度　五十ミリシーベルト
三　四月一日、七月一日、十月一日及び一月一日を初日とする各三月間の女子（妊娠する可能性がないと診断された女子及び妊娠と診断された時から出産までの間（以下「妊娠中」という。）の女子を除く。）の実効線量の限度　五ミリシーベルト
四　妊娠中の女子の体内に摂取した放射性物質からの放射線に被ばくすること（以下「内部被ばく」という。）による実効線量の限度　一ミリシーベルト
2　各省各庁の長は、管理区域内において業務を行う放射線業務従事職員の等価線量が、次の各号に掲げる組織等の区分に応じ、当該各号に定める限度を超えないようにしなければならない。
一　眼の水晶体　前項第一号に規定する五年ごとに区分した各期間につき百ミリシーベルト及び一の年度につき五十ミリシーベルト
二　皮膚　一の年度につき五百ミリシーベルト
三　妊娠中の女子の腹部表面　二ミリシーベルト

（緊急作業における被ばく限度）
第四条の二　第二十条第一項各号のいずれかに該当する場合における放射線障害を防止するための緊急を要する作業（以下「緊急作業」という。）に従事する男子職員及び妊娠する可能性がないと診断された女子職員の当該緊急作業の期間中の線量の限度は、前条第一項各号及び第二項各号の規定にかかわらず、次の各号に掲げる区分ごとに当該各号に定めるものとする。
一　実効線量　百ミリシーベルト
二　等価線量　眼の水晶体については三百ミリシーベルト、皮膚については一シーベルト

（特例緊急被ばく限度）
第四条の三　男子職員又は妊娠する可能性がないと診断された女子職員であつて、統括原子力運転検査官又は原子力運転検査官であるもの（原子力規制委員会委員長が指名する者に限る。第四項において「統括原子力運転検査官等」という。）が緊急作業に従事する場合であつて、その事故の状況その他の事情を勘案し、実効線量の限度について前条第一号の規定によることが困難であると人事院が認めるときは、同号の規定にかかわらず、当該緊急作業の期間中の実効線量の限度（以下この条において「特例緊急被ばく限度」という。）は、百ミリシーベルトを超え二百五十ミリシーベルトを超えない範囲内で人事院が定めることができる。
2　前項の場合において、次の各号のいずれかに該当するときは、人事院は、直ちに、特例緊急被ばく限度を二百五十ミリシーベルトと定める。
一　原子力災害対策特別措置法（平成十一年法律第百五十六号）第十条に規定する政令で定める事象のうち人事院が定めるものが発生した場合
二　原子力災害対策特別措置法第十五条第一項各号に掲げる場合
3　前二項の規定により特例緊急被ばく限度に係る緊急作業に従事させる場合には、その従事させる間に受ける実効線量については、当該特例緊急被ばく限度を超えないようにしなければならず、かつ、放射線については、当該緊急作業に係る事故の状況に応じ、これを受けることをできるだけ少なくするように努めなければならない。
4　特例緊急被ばく限度に係る緊急作業については、統括原子力運転検査官等以外の者に従事させてはならない。
5　人事院は、第一項又は第二項の規定により特例緊急被ばく限度を定めた場合には、その適用に係る職員が受けた線量、事故の収束のために必要となる作業の内容その他の事情を勘案し、これを変更し、かつ、できるだけ速やかにこれを廃止するものとする。

（職員の線量の測定）
第五条　各省各庁の長は、業務上管理区域に立ち入る職員の外部放射線に被ばくすること（以下「外部被ば

く」という。）による線量及び内部被ばくによる線量を測定しなければならない。

2　前項の外部被ばくによる線量の測定は、職員が管理区域に立ち入つている間、継続して、次に定めるところにより行わなければならない。

一　測定は、一センチメートル線量当量、三ミリメートル線量当量及び七十マイクロメートル線量当量のうち、実効線量及び等価線量の別に応じて、放射線の種類及びその有するエネルギーの値に基づき、適切と認められるものについて行うものとすること。ただし、中性子線については一センチメートル線量当量を、次号ハに掲げる部位については七十マイクロメートル線量当量を測定すること。

二　前号の測定は、次に掲げる部位に放射線測定器を装着させて行うものとすること。ただし、放射線測定器によることが著しく困難な場合には、計算によつて算出すること。

イ　胸部（女子（妊娠する可能性がないと診断された女子を除く。以下同じ。）にあつては、腹部）

ロ　頭部・頸《けい》部、胸部・上腕部及び腹部・大腿《たい》部のうち、外部被ばくによる線量が最大となるおそれのある部位が胸部・上腕部以外（女子にあつては、腹部・大腿《たい》部以外）の部位であるときは、当該部位

ハ　人体部位のうち、外部被ばくによる線量が最大となるおそれのある部位が頭部・頸《けい》部、胸部・上腕部及び腹部・大腿《たい》部以外の部位であるときは、当該部位（中性子線の場合を除く。）

3　前項の規定にかかわらず、眼の水晶体の等価線量を算定するための線量の測定は、眼の近傍その他の適切な部位について三ミリメートル線量当量を測定することにより行うことができる。

4　第一項の内部被ばくによる線量の測定は、密封されていない放射性物質若しくはこれにより汚染された物を取り扱う室（以下「作業室」という。）その他放射性物質を吸入摂取し、又は経口摂取するおそれのある場所に立ち入る職員について、三月（緊急作業に従事する男子職員及び妊娠する可能性がないと診断された女子職員、一月に受ける実効線量が一・七ミリシーベルトを超えるおそれのある女子職員（妊娠する可能性がないと診断された女子職員及び妊娠中の女子職員を除く。）並びに妊娠中の女子職員（第二十四条第二項において「一月測定職員」という。）にあつては、一月）を超えない期間ごと及び放射性物質を誤つて吸入摂取し、又は経口摂取したときに行わなければならない。

5　前各項に規定する測定並びにこれらの測定の結果に基づく実効線量及び等価線量の算定は、放射性同位元素等の規制に関する法律（昭和三十二年法律第百六十七号。以下「放射性同位元素等規制法」という。）第二十条の規定に基づいて定められる技術上の基準によつて行うものとする。

（施設等の基準）

第六条　各省各庁の長は、職員に放射線業務（第三条第五項第八号の業務を除く。）を行わせるには次条から第十条までに定めるもののほか、放射性同位元素等規制法第六条、医療法（昭和二十三年法律第二百五号）第二十三条及び核原料物質、核燃料物質及び原子炉の規制に関する法律（昭和三十二年法律第百六十六号）第二十四条第一項に規定する基準に適合した施設等で行わせなければならない。

（エックス線装置に係る防護措置）

第七条　各省各庁の長は、定格管電圧（波高値による。以下同じ。）が十キロボルト以上のエックス線装置（エックス線又はエックス線装置の研究又は教育のため使用の都度組み立てる装置及び診療用エックス線装置を除く。）については、次に掲げる防護措置をとつたものを使用させなければならない。

一　使用の目的が妨げられない限り人事院の定める性能を有する照射筒又は絞りを取り付けること。

二　ろ過板を取り付けること。ただし、作業の性質上軟線を利用しなければならない場合又は職員が軟線を受けるおそれがない場合には、この限りでない。

三　利用するエックス線管焦点受像器間距離において、エックス線照射野が受像面（受像面が円形であつて、かつ、エックス線照射野が矩形の場合にあつては、受像面に外接する大きさ）を超えないようにすること。

四　透視を行う場合には、次に掲げる措置をとること。ただし、エックス線の照射中に職員の身体の全部又は一部をその装置内部に入れることができないように遮へいされた構造のエックス線装置を用いて行うときは、この限りでない。

イ　透視の作業に従事する職員が作業位置でエックス線の発生を止め、又は利用線錐を遮へいすることができる設備を設けること。

ロ　定格管電流の二倍以上の電流がエックス線管に通じたときに、直ちにエックス線管回路を開放位にする自動装置を設けること。

ハ　利用線錐中の蛍光板、イメージインテンシファ

イア等の受像器を通過したエックス線の空気中の空気カーマ率が、エックス線管の焦点から一メートルの距離において十七・四マイクログレイ毎時以下になるようにすること。ただし、第九条第一項各号のいずれかに該当するエックス線装置を用いて行うときは、この限りでない。

二　透視時の最大受像面を三・〇センチメートル超える部分を通過したエックス線の空気中の空気カーマ率が、エックス線管の焦点から一メートルの距離において十七・四マイクログレイ毎時以下になるようにすること。ただし、第九条第一項各号のいずれかに該当するエックス線装置を用いて行うときは、この限りでない。

ホ　被照射体の周囲には、利用線錐以外のエックス線を有効に遮へいするための適当な設備を備えること。ただし、第九条第一項各号のいずれかに該当するエックス線装置を用いて行うときは、この限りでない。

（標識の掲示）

第八条　各省各庁の長は、次の表の上欄に掲げる装置又は機器の区分に応じて、それぞれ同表の下欄に掲げる掲示事項を明記した標識を、当該装置若しくは機器又はその附近の場所に掲げなければならない。

装置又は機器	掲示事項
エックス線装置	定格出力
荷電粒子加速装置	装置の種類、放射線の種類及び最大エネルギー
放射性物質装備機器	機器の種類並びに装備された放射性物質に含まれた放射性同位元素の種類及び数量

（エックス線装置室）

第九条　各省各庁の長は、エックス線装置（診療用エックス線装置を除く。以下この条、第十一条及び第十二条において同じ。）を設置する場合には、専用の室を設け、当該エックス線装置をその室内に設置しなければならない。ただし、次に掲げるエックス線装置については、この限りでない。

一　随時移動させて使用するエックス線装置

二　専用の室内に設置することが著しく困難なエックス線装置

三　装置の外側表面における外部放射線による一センチメートル線量当量率が二十マイクロシーベルト毎時を超えないように遮へいされた構造のエックス線装置

2　各省各庁の長は、前項の規定に基づき設けられた専用の室（以下「エックス線装置室」という。）の入口に、次に掲げる事項を表示する標識を掲げなければならない。

一　エックス線装置室であること。

二　エックス線装置室内に設置されているエックス線装置の種類

3　各省各庁の長は、必要のある職員以外の職員をエックス線装置室内に立ち入らせてはならない。

（警報装置）

第十条　各省各庁の長は、次の各号に掲げる場合にその旨を自動的に警報する装置を当該各号に掲げる装置のある場所の入口に設けなければならない。ただし、定格管電圧が百五十キロボルト以下のエックス線装置又はその装備している放射性物質の数量が三百七十ギガベクレル以下のガンマ線照射装置を使用する場合には、自動警報装置以外の警報装置とすることができる。

一　エックス線装置又は荷電粒子加速装置に電力が供給されている場合

二　エックス線管又はケノトロンのガス抜き又はエックス線の発生を伴うこれらの検査を行う装置に電力が供給されている場合

三　ガンマ線照射装置で照射している場合

（エックス線装置等の定期検査）

第十一条　各省各庁の長は、エックス線装置及び電子顕微鏡（定格加速電圧が百キロボルト未満の電子顕微鏡を除く。）については、定期検査を行わなければならない。

2　各省各庁の長は、前項の検査を行ったときは、その結果について記録を作成しなければならない。

3　第一項の検査及び前項の記録に関し、必要な事項は、人事院が定める。

（エックス線装置の届出）

第十二条　各省各庁の長は、エックス線装置を設置し、変更し、又は廃止したときは、人事院の定めるところにより、当該エックス線装置に関する事項を速やかに人事院に届け出なければならない。

（管理区域の明示等）

第十三条　各省各庁の長は、管理区域を標識により明示しなければならない。

2　各省各庁の長は、必要のある職員以外の職員を管理区域に立ち入らせてはならない。

3　各省各庁の長は、管理区域内の見やすい場所に、放射線測定器の装着に関する注意事項、放射性物質の取扱い上の注意事項、事故が発生した場合の緊急措置等放射線障害の防止に必要な事項を掲示しなければならない。

（立入禁止）

第十四条　各省各庁の長は、エックス線装置又はガンマ線照射装置を随時移動させて使用する場合には、放射線の照射中、そのエックス線管の焦点又は放射線源及び被照射体から五メートル（撮影に使用する診療用エックス線装置については二メートル）以内の場所（外部放射線による実効線量が一週間につき一ミリシーベルト以下の場所を除く。）に職員を立ち入らせてはならない。ただし、ガンマ線照射装置の照射口の開閉又は放射線源の位置の調整を行うために立ち入らせる場合には、この限りでない。

2　各省各庁の長は、前項の規定により職員の立ち入りが禁止されている場所を標識により明示しなければならない。

（放射線源の確認）

第十五条　各省各庁の長は、放射性物質装備機器を随時移動させて使用する場合には、使用後直ちに当該放射性物質装備機器の放射線源が紛失し、漏れ、又はこぼれていないかどうかを放射線測定器を用いて点検しなければならない。

2　各省各庁の長は、前項に規定する点検により放射線源が紛失し、漏れ、又はこぼれていることが判明した場合には、直ちに当該放射線源を探査するとともに、放射線による障害の防止に必要な措置を講じなければならない。

（汚染の防止及び除去）

第十六条　各省各庁の長は、密封されていない放射性物質又はこれにより汚染された物を使用し、保管し、運搬し、保管廃棄し、又は廃棄する場合等において、放射性物質による汚染（以下「汚染」という。）を防止し、又は除去するに当たつては、次条から第十九条までに定めるもののほか、放射性同位元素等規制法第十五条から第十九条までの規定に基づいて定められる技術上の基準に適合した方法で行わなければならない。

（保護具及び作業衣）

第十七条　各省各庁の長は、第三条第三項第二号に掲げる濃度又は同項第三号に掲げる密度を超えて汚染されるおそれのある場所において職員に作業を行わせる場合には、作業の種類及び内容に応じてそれぞれ適当な保護具を備え、当該作業に従事する職員に使用させなければならない。

2　各省各庁の長は、作業室において職員に作業をさせる場合には、専用の作業衣及び履物を備え、当該作業に従事する職員に使用させなければならない。

（飲食等の禁止）

第十八条　各省各庁の長は、職員に作業室その他放射性物質を吸入摂取し、又は経口摂取するおそれのある場所における飲食及び喫煙を禁止しなければならない。この場合においては、各省各庁の長は、その旨をその場所に明示しなければならない。

（職員の汚染検査）

第十九条　各省各庁の長は、作業室において作業に従事した職員が作業室から退室するときは、その身体及び作業衣等の汚染の状態を検査しなければならない。

2　各省各庁の長は、前項の検査により職員の身体又は作業衣等が第三条第三項第三号に掲げる密度を超えて汚染されていると認められるときは、次に掲げる措置を講じなければ当該職員を作業室から退室させてはならない。

一　身体が汚染されているときは、第三条第三項第三号に掲げる密度以下になるようにその汚染を除去させること。

二　作業衣等が汚染されているときは、その作業衣等を脱がせること。

（緊急時の退避及び立入禁止）

第二十条　各省各庁の長は、次の各号の一に該当する場合には、著しく放射線にさらされ、又は汚染されるおそれの生じた区域から直ちに職員を退避させなければならない。この場合においては、各省各庁の長は、直ちにその区域を標識によつて明示しなければならない。

一　放射線施設（第三条第五項第一号から第六号までに掲げる業務を行う施設をいう。以下同じ。）内において、外部放射線を遮へいするために設けられた遮へい壁、防護つい立その他の遮へい物が、放射性物質の取扱中に破損した場合又は放射線の照射中に破損し、かつ、直ちにその照射を停止することが困難な場合

二　作業室内に設けられた局所排気装置又は発散源を密閉する設備が、故障し、破損する等により空気が汚染された場合

三　放射性物質が多量に漏れ、こぼれ、又は散逸した場合

四　前各号に掲げる場合のほか、著しく放射線にさらされ、又は汚染されるおそれのある不測の事態が生じた場合

2　各省各庁の長は、職員を前項の区域に立ち入らせてはならない。ただし、緊急作業に従事させる職員については、この限りでない。

（緊急時等に関する報告）

第二十一条　各省各庁の長は、次に掲げる場合には、速やかにその旨を人事院に報告しなければならない。

一　職員が第四条第一項若しくは第四条の二第一号に定める実効線量の限度又は第四条第二項若しくは第四条の二第二号に定める等価線量の限度を超えて被ばくした場合

二　前条第一項各号の一に該当する場合

2　各省各庁の長は、次の各号に掲げる場合には、当該各号に定める日までに、その旨を人事院に報告しなければならない。

一　職員を緊急作業に従事させている場合において、当該職員の当該緊急作業で受けた外部被ばくによる線量が一年間につき五十ミリシーベルトを超えているとき　当該緊急作業を開始した日から起算して十五日を経過する日及びその日から十日を経過する日ごと

二　職員を緊急作業に従事させている場合　毎月末日（当該緊急作業を開始した月の末日を除く。）

（緊急時等の診察又は処置）

第二十二条　各省各庁の長は、次に掲げる職員に、速やかに医師の診察又は処置を受けさせなければならない。

一　第四条第一項若しくは第四条の二第一号に定める実効線量の限度又は第四条第二項若しくは第四条の二第二号に定める等価線量の限度を超えて被ばくした職員

二　第二十条第一項の規定に該当する場合において、当該区域に居合わせた職員

三　放射性物質を誤つて吸入摂取し、又は経口摂取した職員

四　容易に除去することができない程度に皮膚が汚染された職員

五　皮膚の創傷部が汚染された職員

（管理区域の線量当量率等の測定等）

第二十三条　各省各庁の長は、管理区域を明示した後初めて管理区域内において職員に放射線業務に従事させる際及び一月（使用の方法及び遮へい物の位置を一定にして放射線を発生する装置を固定し使用する場合並びに三・七ギガベクレル以下の放射性物質を装備している機器を使用する場合にあつては、六月）を超えない期間ごとに、管理区域内及び管理区域の外側の外部放射線による一センチメートル線量当量率又は一センチメートル線量当量（七十マイクロメートル線量当量率が一センチメートル線量当量率の十倍を超えるおそれのある場所又は七十マイクロメートル線量当量が一センチメートル線量当量の十倍を超えるおそれのある場所においては、それぞれ七十マイクロメートル線量当量率又は七十マイクロメートル線量当量）を測定しなければならない。

2　各省各庁の長は、作業室を新設し、又は変更した後初めて作業室において職員に放射線業務に従事させる際及び一月を超えない期間ごとに、作業室内の空気中の放射性物質の濃度及び物の表面の放射性物質の密度を測定しなければならない。

3　各省各庁の長は、第二十条第一項の規定に該当する場合には、同項の規定により明示した区域内の外部放射線による一センチメートル線量当量率、空気中の放射性物質の濃度及び物の表面の放射性物質の密度を測定しなければならない。

4　前三項の測定は、放射線測定器を用いて行うものとする。ただし、放射線測定器を用いて測定することが著しく困難な場合には、計算により算出することができる。

5　各省各庁の長は、第一項から第三項までの規定による測定結果を、見やすい場所に掲示する等の方法によつて、関係職員に周知させなければならない。

（記録等）

第二十四条　各省各庁の長は、次に掲げるものについて記録を作成しなければならない。

一　第五条の規定による職員の線量の測定の結果並びにこれに基づき算定した実効線量及び等価線量

二　第十九条第二項第一号の措置を講じられた職員の身体の汚染の状態

三　緊急作業に従事した職員及び第二十二条の規定により医師の診察又は処置を受けた職員の実効線量及び等価線量又は汚染の状態

四　放射線業務に従事した職員の作業内容等

五　前条第一項から第三項までの規定による測定の結果

2　前項第一号については、四月一日、七月一日、十月一日及び一月一日を初日とする三月ごと、一の年度ごと（眼の水晶体に受けた等価線量にあつては、四月一日、七月一日、十月一日及び一月一日を初日とする三

月ごと、一の年度ごと並びに第四条第一項第一号に規定する五年ごとに区分した各期間ごと）並びに一月測定職員については毎月一日を初日とする一月ごとに、その期間中における線量の測定の結果並びにこれに基づき算定した当該期間における実効線量及び等価線量をそれぞれ記録するものとする。

3　前項による実効線量及び眼の水晶体に受けた等価線量の算定の結果、一の年度についての実効線量又は眼の水晶体に受けた等価線量が二十ミリシーベルトを超えた場合は、当該年度以降は、当該年度を含む第四条第一項第一号に規定する五年ごとに区分した期間の累積実効線量（一の年度ごとに算定された実効線量の合計をいう。以下同じ。）及び累積等価線量（一の年度ごとに算定された眼の水晶体に受けた等価線量の合計をいう。以下同じ。）を当該期間中毎年度集計し、それらの線量の記録を作成しなければならない。

4　各省各庁の長は、第五条の規定に基づき線量を測定された職員に、前二項の記録後速やかにその職員の当該期間中の実効線量及び等価線量並びに累積実効線量及び累積等価線量を知らせなければならない。

（教育の実施）

第二十五条　各省各庁の長は、職員を放射線業務に従事させる場合には、あらかじめ人事院の定めるところにより放射線障害の防止のための教育を行わなければならない。

（健康診断）

第二十六条　放射線業務従事職員に係る規則一〇―四別表第三第二号に掲げる業務に係る同規則第十九条第一項の健康診断及び同規則第二十条第二項第二号の特別定期健康診断（次条第一項の規定によるものを除く。）の検査の項目は、次に掲げるものとする。

一　被ばく経歴の評価

二　末梢《しょう》血液中の白血球数及び白血球百分率の検査

三　末梢《しょう》血液中の赤血球数の検査及び血色素量又はヘマトクリット値の検査

四　白内障に関する眼の検査

五　皮膚の検査

2　前項に規定する規則一〇―四第十九条第一項の健康診断については、使用する線源の種類等に応じて前項第四号に掲げる検査項目を省略することができる。

3　第一項に規定する特別定期健康診断は、その業務に従事した後六月を超えない期間ごとに一回行わなければならない。

4　第一項に規定する特別定期健康診断の検査項目のうち同項第二号から第五号までに掲げる検査項目については、当該特別定期健康診断を行おうとする日の属する年度の前年度の実効線量が五ミリシーベルトを超えず、かつ、当該特別定期健康診断を行おうとする日の属する年度の実効線量が五ミリシーベルトを超えるおそれのない職員にあつては、医師が必要と認めるときに限りその全部又は一部を行うものとし、それ以外の職員にあつては、医師が必要でないと認めるときは、その全部又は一部を省略することができる。

（緊急作業に係る健康診断）

第二十六条の二　各省各庁の長は、緊急作業に係る業務に従事する放射線業務従事職員に対し、当該業務に従事した後一月以内ごとに一回、定期に、及び当該業務に従事しないこととなつた場合、次の項目について医師による健康診断を行わなければならない。

一　自覚症状及び他覚症状の有無の検査

二　末梢《しょう》血液中の白血球数及び白血球百分率の検査

三　末梢《しょう》血液中の赤血球数の検査及び血色素量又はヘマトクリット値の検査

四　甲状腺刺激ホルモン、遊離トリヨードサイロニン及び遊離サイロキシンの検査

五　白内障に関する眼の検査

六　皮膚の検査

2　前項の健康診断のうち、定期に行わなければならないものについては、医師が必要でないと認めるときは、同項第二号から第六号までに掲げる項目の全部又は一部を省略することができる。

3　各省各庁の長は、第一項の健康診断の際に、当該職員が前回の健康診断後に受けた線量（これを計算によつても算出することができない場合には、これを推定するために必要な資料（その資料がない場合には、当該放射線を受けた状況を知るために必要な資料））を医師に示さなければならない。

第二十六条の三　緊急作業に係る業務に従事する放射線業務従事職員については、当該職員が直近に受けた前条第一項の健康診断のうち、次の各号に掲げるものは、当該各号に定める健康診断とみなす。

一　緊急作業に係る業務に新たに従事させる日前一月以内に行われたもの　規則一〇―四第十九条第一項後段の規定による健康診断（同規則別表第三第二号に掲げる業務に係るものに限る。）

二　第二十六条第一項の規定による特別定期健康診断を行おうとする日前一月以内に行われたもの　当該特別定期健康診断

（緊急作業に係る健康診断の結果の通知）

第二十六条の四　各省各庁の長は、第二十六条の二第一

項に規定する健康診断を受けた職員（当該健康診断を受けた職員であった者を含む。）に対し、遅滞なく、当該健康診断の結果を通知しなければならない。

（放射線障害防止管理規程）

第二十七条　各省各庁の長は、職員の放射線障害を防止するため、次に掲げる事項について、放射線業務を行う官署ごとに放射線障害防止管理規程を作成し、職員に周知させなければならない。

一　放射線障害の防止に関する事務を処理する官職の名称及び当該官職の放射線障害の防止に係る職務内容

二　放射線業務に係る放射性物質、放射線を発生する装置若しくは器具又は測定用若しくは防護用の器具等の使用、取扱い及び保守に関すること。

三　放射線業務従事職員の範囲に関すること。

四　管理区域の明示、管理区域への立入制限等管理区域の管理及び管理区域内での作業位置に関すること。

五　放射線業務従事職員又は業務上管理区域に立ち入る必要のある職員に対する教育及び訓練に関すること。

六　放射線障害が発生しているかどうかを発見するために必要な措置に関すること。

七　放射線障害を受けた職員又は受けたおそれのある職員に対する保健上必要な措置に関すること。

八　職員の実効線量、等価線量、累積実効線量及び累積等価線量並びに放射線施設内における線量当量率等の測定並びにそれらの記録及びその保管に関すること。

九　緊急時の措置に関すること。

十　その他放射線障害の防止に必要な事項

2　各省各庁の長は、放射線障害防止管理規程を作成（変更を含む。）したときは、速やかに人事院に報告しなければならない。

（調整）

第二十八条　管理区域内において業務を行う放射線業務従事職員のうち規則一〇―一三第一条に規定する除染等関連業務又は特定線量下業務に従事する又は従事していた職員がこれらの業務への従事の際に受ける又は受けた線量については、放射線業務に従事する際に受ける線量とみなす。

〇人事院規則一〇―五（職員の放射線障害の防止）の運用について

昭三八・一二・三
職厚―一二三二七

最終改正　令二・一二・二三職職―三四六

標記について下記のように定めたので、これによって実施してください。

なお、昭和三十五年五月　日人事院事務総長通達職厚―五三五および同五三六は廃止します。

記

第三条関係

1　第三項第二号の「人事院の定める濃度」は、放射線を放出する同位元素の数量等を定める件（平成十二年十月二十三日科学技術庁告示第五号。以下「告示」という。）第四条第二号に掲げる濃度とする。

2　第三項第三号の「人事院の定める密度」は、告示第四条第三号に掲げる密度とする。

3　第四項の実効線量の算定は、告示第二十六条に掲げる計算方法によるものとする。

4　第五項第六号の「原子炉の運転」とは、原子炉の操作、取扱い、研究、利用等のため、管理区域内に立ち入って行う業務をいう。

5　第五項第七号の「前各号に掲げる業務に付随する業務」とは、病院の放射線科に勤務する看護師、ガンマ線照射装置を使用して研究する職員を補助する職員等の行う業務をいう。

6　第五項第八号の「人事院が定めるもの」は、次に掲げる業務とする。

(1)　原子力災害対策特別措置法（平成十一年法律第百五十六号）第三十条に基づく原子力防災専門官の業務

(2)　労働安全衛生法（昭和四十七年法律第五十七号）第三十八条第一項又は第三項に基づく検査の業務

(3)　労働安全衛生法第九十一条又は第九十四条に基づく労働基準監督官、産業安全専門官又は労働衛生専門官の立入検査の業務

(4)　(3)の業務について、労働基準監督官、産業安全専門官又は労働衛生専門官を補助する職員の行う業務

(5)　危険物船舶運送及び貯蔵規則（昭和三十二年運輸省令第三十号）第八十七条に基づく安全の確認の業務及び同令第百十一条に基づく積付検査（同条第一項第五号に掲げる放射性物質等の積付検査に限る。）の業務

(6)　平成二十三年三月十一日に発生した東北地方太平洋沖地震に伴う原子力発電所の事故により放出された放射性物質による環境の汚染への対処に関する特別措置法（平成二十三年法律第百十号）第五十条に基づく立入検査の業務

(7)　核原料物質、核燃料物質及び原子炉の規制に関する法律（昭和三十二年法律第百六十六号）第五十九条に基づく運搬に関する確認の業務並びに同法第六十八条及び第七十二条に基づく立入検査等の業務

(8)　首席原子力専門検査官、上席原子力専門検査官、統括原子力運転検査官、原子力運転検査官、統括核物質防護対策官、核物質防護対策官、核物質サイバーセキュリティ対策官又は核物質防護専門職の行う核原料物質、核燃料物質及び原子炉の規制に関する法律第六十七条の二に基づく業務

(9)　(8)の業務について首席原子力専門検査官、上席原子力専門検査官、主任原子力専門検査官、原子力専門検査官、統括原子力運転検査官又は原子力運転検査官を補助する職員の行う業務

(10)　放射性同位元素等の規制に関する法律（昭和三十二年法律第百六十七号。以下「放射性同位元素等規制法」という。）第四十三条の二に基づく放射線検査官の業務

(11)　(10)の業務について放射線検査官を補助する職員の行う業務

(12)　電気事業法（昭和三十九年法律第百七十号）第百四条に基づく電気工作物検査官の業務

(13)　(12)の業務について電気工作物検査官を補助する職員の行う業務

(14)　電気事業法第百七条に基づく立入検査の業務

(15)　原子力災害対策特別措置法第三十二条に基づく立入検査の業務（原子力規制委員会組織規則（平成二十四年原子力規制委員会規則第一号）第十八条に規定する上席放射線防災専門官の行うものに限る。）

第四条関係

第一項第一号に定める期間は、平成十三年四月一日以後五年ごとに区分した各期間とする。

第四条の二及び第四条の三関係

1　放射線業務従事職員（第四条第一項に規定する放射線業務従事職員をいう。以下同じ。）が緊急作業（第四条の二に規定する緊急作業をいう。以下同じ。）に従事した結果、それまでの放射線業務により受けた線量と当該緊急作業により受けた線量との合計が同項第一号若しくは第二号又は第四条第二項第一号（当該緊急作業が第四条の三第一項に規定する特例緊急被ばく限度に係るものである場合にあっては、第四条第一項第二号を除く。）に定める線量の限度を超えた場合には、その緊急作業が終了した日の属する当該限度に係る期間が終了するまでの間、当該放射線業務従事職員を被ばくさせてはならないものとする。ただし、当該放射線業務従事職員が原子炉の運転等に関する必要な規制を行うために必要不可欠な第四条の三第一項に規定する統括原子力運転検査官等である場合に限り、追加的に、一の年度につき五ミリシーベルトを超えない範囲で実効線量を受ける放射線業務（緊急作業を除く。）に従事させることができる。

2　第四条の三第二項第一号の「人事院が定めるもの」は、電離放射線障害防止規則第七条の二第二項第一号の規定に基づき厚生労働大臣が定める事象（平成二十七年厚生労働省告示第三百六十号）に定める事象とする。

第五条関係

1　第一項の「業務上管理区域に立ち入る職員」には、一時的又は臨時的であると否とを問わず、およそ業務上の必要性により管理区域に立ち入る職員を全て含むものとする。ただし、管理区域に一時的に

立ち入る職員で放射線業務に従事しないものについては、当該職員の管理区域内における外部被ばくによる実効線量及び内部被ばくによる実効線量がそれぞれ一〇〇マイクロシーベルトを超えないことが計算等により確認できる場合は、第一項に規定する線量の測定を行ったものとみなして差し支えない。

2　第二項第二号の「放射線測定器」とは、フィルムバッジ、熱ルミネセンス線量計（TLD）、ポケット線量計等身体に装着する放射線測定器をいう。これらの放射線測定器による測定が困難な場合には、サーベイメータ等の線量当量率を測定する機器を用いるものとする。

3　一日ごとの線量を確認する必要があると認める場合は、フィルムバッジ等の一定期間の線量が測定できる放射線測定器とポケット線量計等の一日ごとの線量が測定できる放射線測定器を併用するものとする。

4　身体に装着する放射線測定器は、原則として線量が最大となるおそれのある身体表面に装着する。なお、当該部位が作業衣等で覆われているときは、作業衣等の表面又はポケットに装着しても差し支えないが、被ばく防止用の保護具を付けているときは、その内側に装着するものとする。

5　第三項の規定により線量の測定を行う場合には、放射線測定器は、眼の近傍その他の適切な部位（当該部位が被ばく防止用のマスク等で覆われているときは、その内側）に装着するものとする。

6　第五項の「放射性同位元素等規制法第二十条の規定に基づいて定められる技術上の基準」とは、告示第十九条及び第二十条に規定する基準をいう。

第六条関係

1　「放射性同位元素等規制法第六条に規定する基準」とは、放射性同位元素等の規制に関する法律施行規則（昭和三十五年総理府令第五十六号。以下「放射性同位元素等規制法施行規則」という。）第二章の三に規定するものをいう。

2　「医療法第二十三条に規定する基準」とは、医療法施行規則（昭和二十三年厚生省令第五十号）第四章第二節から第五節までに規定するものをいう。

第七条関係

1　この条の「診療用エックス線装置」とは、医療法施行規則第二十四条の二又は獣医療法施行規則（平成四年農林水産省令第四十四号）第四条第三号に規定する診療用エックス線装置をいう。第九条及び第十四条の「診察用エックス線装置」についても、同様とする。

2　「人事院の定める性能」は、照射筒壁又は絞りを透過したエックス線の空気中の空気カーマ率を、エックス線管の焦点から一メートルの距離において、次表の左欄〔注：上欄〕に掲げるエックス線装置の区分に応じて、それぞれ同表の右欄〔注：下欄〕に掲げる空気中の空気カーマ率以下にすることができるものとする。

エックス線装置	空気中の空気カーマ率
定格管電圧が二〇〇キロボルト未満の装置	二・六ミリグレイ毎時
定格管電圧が二〇〇キロボルト以上の装置	四・三ミリグレイ毎時

第九条関係

1　第一項第二号の「専用の室内に設置することが著しく困難なエックス線装置」には、当該エックス線装置を専用の室内に設置した場合に、その使用目的が著しく妨げられることとなるものが含まれる。

2　第二項第二号の「エックス線装置の種類」としては、エックス線回折装置、蛍光エックス線分析装置等がある。

3　各省各庁の長は、職員の放射線障害の防止のため特に必要があると認める場合には、エックス線装置室の外でエックス線装置を操作することができる場所を設けるよう努めるものとする。

4　各省各庁の長は、電子顕微鏡等放射線を受けるおそれのある装置を設置する場合にも、放射線障害の防止のため必要があると認めるときには、専用の室を設け、当該装置をその室内に設置するように努めるものとする。

第十条関係

「自動的に警報する装置」は、赤ランプ、ブザー、発光掲示板等いずれの方法によるものであっても、それが各号に掲げる装置のある場所の入口に接近した者に被ばくの危険があることを注意できるものであれば差し支えない。

第十一条関係

1　第三項の検査及び記録に関し人事院が定める事項は、次に掲げるものとする。

(1)　検査の実施に当たっては、所属職員のうちから当該装置の検査について十分な知識及び技能を有すると認められる者を検査員に指名し、その者に検査を行わせなければならない。ただし、検査員として指名することができる職員がいない場合等にあっては、専門機関に委託し、安全管理者又はこれに代わる職員を立ち会わせたうえ検査を行うことができる。

(2) 検査は、装置の設置（固定式の装置の設置場所を移動する場合、移動式の装置を新たに使用する場合及び装置を他省庁等から移管する場合を含む。以下同じ。）後当該装置を初めて使用するとき及びその後一年を超えない期間ごとに少なくとも一回行うものとする。

(3) 装置の変更（当該装置の性能に係る部分の改造、修理等をいう。以下同じ。）を行った場合にも、当該装置を初めて使用するときに検査を行うものとする。

(4) 検査の実施の時期に使用を休止している装置については、当該検査を省略することができる。この場合には、使用を再開するときに、検査を行わなければならない。

(5) 検査の項目は、別表に掲げるとおりとする。

(6) 検査の結果の記録は、次に掲げる事項について作成するものとする。

ア 検査の対象（装置の設置場所、使用開始年月日、一箇月及び一日の稼働状況、種類、型式並びに定格出力を併せて記入すること。）

イ 検査の期日

ウ エックス線装置に係るエックス線管装置等、高電圧発生装置等、ゴニオメータ装置及びカメラ装置並びに電子顕微鏡に係る電子鏡筒部分及び安全装置の異常又は損傷の有無（異常又は損傷のある場合には、異常又は損傷の箇所）

エ エックス線装置に係る防護措置及びエックス線装置室の適否（「否」の場合には、当該「否」となった事項）

オ 管理区域の有無

カ 漏えい放射線の有無（漏えい放射線がある場合には、その一センチメートル線量当量又は一センチメートル線量当量率）

キ 検査の結果講じた措置

ク 検査員の所属及び氏名

2 各省各庁の長は、検査の結果、使用が適当でないと認めた措置については、必要な整備を行った後でなければ、当該装置を職員に使用させてはならない。

3 各省各庁の長は、第一項に掲げる装置以外の電子顕微鏡等放射線を受けるおそれのある装置についても、放射線障害の防止のため必要があると認める場合には、定期的に検査を行うよう努めるものとする。

第十二条関係

1 「人事院の定めるところ」は、次のとおりとする。

(1) エックス線装置の届出は、別紙の定める様式により行うこと。

(2) エックス線装置の設置及び変更の届出には、構造図（変更の届出にあっては、当該変更に係る部分の構造図に限る。）及びエックス線装置の設置又は変更に係る検査の記録の写を添付すること。

2 届出は、届出の種類に応じ、それぞれ次に掲げる日から三十日以内に行うものとする。

(1) 設置の届出　エックス線装置の設置に係る検査を終了した日

(2) 変更の届出　エックス線装置の変更に係る検査を終了した日

(3) 廃止の届出　エックス線装置を廃止した日

3 「廃止」には、エックス線装置の他省庁等への移管が含まれる。

第十三条関係

管理区域を明示する場合は、建物の壁等その構造上の隔壁を利用するほか、さくの設置その他の方法により明確な区画を設けて行うものとする。

第十六条関係

「放射性同位元素等規制法第十五条から第十九条までの規定に基づいて定められる技術上の基準」とは、放射性同位元素等規制法施行規則第三章に規定する基準をいう。

第二十条関係

第一項の「著しく放射線にさらされ、又は汚染されるおそれの生じた区域」とは、同項各号に該当する事故による実効線量が一五ミリシーベルトを超えるおそれのある区域をいう。

第二十一条関係

1 第一項第一号に該当する場合の報告は、次の事項を記載した書面により行うものとする。

(1) 官署名及び所在地

(2) 当該職員の氏名、性別、年齢

(3) 放射線業務の種類又は緊急作業の内容

(4) 実効線量及び等価線量

(5) 限度を超えた原因

(6) 第二十二条第一号の規定による医師の診察又は処置の内容

(7) その後講じた是正措置

(8) その他必要事項

2 第一項第二号に該当する場合の報告は、緊急事態の発生の場所、日時、概要等を速やかに人事院に通報し、かつ、緊急事態の発生した日から二十日以内に次の事項を記載した書面を提出して行うものとする。

(1) 官署名及び所在地
(2) 緊急事態の発生した場所及び日時
(3) 事故の概要及び事故発生の原因（設備等による場合にはその名称、型式、大きさその他必要事項を付記すること。）
(4) 事故発生時その場所に居合わせた職員の数
(5) 第二十二条第二号の規定により医師の診察又は処置を受けた職員の数及びその診察又は処置の内容（職員の推定実効線量及び推定等価線量を付記すること。）
(6) 緊急作業に従事させた職員の有無（人数、性別、作業の内容並びに実効線量及び等価線量を記入すること。）
(7) 事故発生区域に対して立入りを禁止した期間
(8) 事故拡大を防止するため講じた措置
(9) 再発防止のため講じた措置
(10) その他必要事項

3 第二項第一号に掲げる場合の報告は、次の事項を記載した書面により、(4)に規定する対象期間の末日から五日を経過する日までに行うものとする。

(1) 官署名及び所在地
(2) 当該緊急作業を開始した年月日
(3) 当該緊急作業を行っている放射線施設等の名称及び所在地
(4) 対象期間（(2)の日以後十日ごとに区分した各期間のうち、当該報告に係る第二項第一号に掲げる場合に該当する日の属する期間をいう。以下この項において同じ。）の初日及び末日の年月日
(5) 対象期間において当該緊急作業に従事させた職員の累積数
(6) 次に掲げる外部被ばくによる線量の区分ごとに、対象期間に当該緊急作業における外部被ばくによりそれらの区分に係る線量を受けた当該職員の数及び(2)の日から当該対象期間の末日までの間に当該緊急作業における外部被ばくによりそれらの区分に係る線量を受けた職員の累積数
ア 五十ミリシーベルトを超え百ミリシーベルト以下
イ 百ミリシーベルトを超え百五十ミリシーベルト以下
ウ 百五十ミリシーベルトを超え二百ミリシーベルト以下
エ 二百ミリシーベルトを超え二百五十ミリシーベルト以下
オ 二百五十ミリシーベルトを超えるもの
(7) 対象期間及び(2)の日から当該対象期間の末日までの期間についてそれぞれ職員が受けた外部被ばくによる線量の平均値及び最高値

4 第二項第二号に掲げる場合の報告は、次の事項を記載した書面により、(4)に規定する対象期間である月の翌月の末日までに行うものとする。

(1) 官署名及び所在地
(2) 当該緊急作業を開始した年月日
(3) 当該緊急作業を行っている放射線施設等の名称及び所在地
(4) 対象期間（当該緊急作業についての初めての報告にあっては(2)の日からその属する月の末日までの期間をいい、二回目以降の報告にあっては同月後の一月ごとに区分した期間をいう。以下この項において同じ。）の初日及び末日の年月日
(5) 対象期間において当該緊急作業に従事させた職員の累積数
(6) 次に掲げる実効線量の区分ごとに、対象期間に当該緊急作業においてそれらの区分に係る実効線量を受けた当該職員の数及び(2)の日から当該対象期間の末日までの間に当該緊急作業においてそれらの区分に係る実効線量を受けた職員の累積数
ア 五ミリシーベルト以下
イ 五ミリシーベルトを超え二十ミリシーベルト以下
ウ 二十ミリシーベルトを超え五十ミリシーベルト以下
エ 五十ミリシーベルトを超え百ミリシーベルト以下
オ 百ミリシーベルトを超え百五十ミリシーベルト以下
カ 百五十ミリシーベルトを超え二百ミリシーベルト以下
キ 二百ミリシーベルトを超え二百五十ミリシーベルト以下
ク 二百五十ミリシーベルトを超えるもの
(7) 対象期間及び(2)の日から当該対象期間の末日までの期間についてそれぞれ職員が受けた実効線量の平均値及び最高値

第二十二条関係

1　第一号の職員には、緊急作業に従事したことにより第四条第一項第二号又は同条第二項第一号に定める線量の限度を超えて被ばくした職員が含まれるものとする。

2　第四号の「容易に除去することができない程度」とは、汚染の除去の措置を講じた後においても、なお第三条第三項第三号に規定する密度を超える程度に汚染され、その汚染を容易に除去することができないことをいう。

第二十三条関係

1　第一項の管理区域の明示には、使用する機器の変更等に伴う管理区域の範囲の変更後の明示が含まれる。

2　第一項から第三項までの測定は、測定すべき場所についての一センチメートル線量当量率等の分布状態を知るために十分な箇所を選定して行うものとする。

3　第四項の「放射線測定器」とは、GM計数管式サーベイメータ、シンチレーション式サーベイメータ、中性子レムカウンタ等の線量当量率を測定する機器、フィルムバッジ等の一定期間の線量を測定する機器、ダストモニタ、ガスモニタ等の空気中の濃度を測定する機器及び表面汚染計、フロアモニタ等の物の表面の密度を測定する機器をいう。

4　放射線測定器による測定は、同一条件の下で二回以上行い、その最大値を採用することが望ましい。

5　第五項の測定結果を職員に周知させるための方法は、口頭のみによらず、線量当量率の分布状態を示す図面の掲示等によることとする。

第二十四条関係

1　第一項第一号から第三号まで及び第三項に掲げるものについての記録は、個人別に当該職員について の健康診断の結果及び事後措置の記録に付加して作成し、又は同一箇所にファイルして作成するものとする。

2　第一項第一号から第三号まで及び第三項に掲げるものについての記録は、職員が勤務官署を異にして異動した場合には、異動後の官署に移管するものとする。

3　第一項第一号に掲げるものについての記録は、次の事項について作成するものとする。

(1)　氏名、性別、生年月日

(2)　所属部課及び勤務内容

(3)　放射線業務の経歴（従事した放射線業務の種類、場所及び期間）

(4)　外部被ばくによる線量の測定に関する次に掲げる事項

ア　測定部位

イ　放射線の種類

ウ　線量

エ　測定方法

オ　放射線測定器の種類及び型式

カ　測定担当者の所属及び氏名

(5)　内部被ばくによる線量の測定に関する次に掲げる事項

ア　測定日時

イ　放射性物質の種類

ウ　線量

エ　測定方法

オ　放射線測定器の種類及び型式

カ　測定担当者の所属及び氏名

(6)　線量の測定の結果に基づき算定した実効線量及び等価線量に関する次に掲げる事項

ア　算定年月日

イ　実効線量及び等価線量

ウ　算定担当者の所属及び氏名

4　第一項第二号に掲げるものについての記録は、次の事項について作成するものとする。

(1)　氏名

(2)　測定年月日

(3)　放射性物質の種類及び作業時間

(4)　汚染の状態（汚染された身体の部位、表面密度等）

(5)　測定方法

(6)　放射線測定器の種類及び型式

(7)　測定担当者の所属及び氏名

5　第一項第三号に掲げるものについての記録は、第一項第一号及び第二号の記録に準じて作成するものとする。ただし、第二十二条の規定により医師の診察又は処置を受けた職員については、医師の診察又は処置を受けさせた年月日、診察又は処置の内容並びに当該医師の所属及び氏名を併せて記録するものとする。

6　第一項第四号に掲げるものについての記録は、次の事項について作成するものとする。

(1)　氏名及び所属部課

(2)　作業に従事した年月日、時間及び場所

(3)　作業の種類及び作業方法（作業において使用した装置の種類及び放射性物質の種類、数量等を併

せて記入すること。）

7　第一項第五号に掲げるものについての記録は、次の事項について作成するものとする。

(1)　放射線業務の種類（装置を取り扱う場合はその種類及びその性能を、密封されていない放射性物質を取り扱う場合は放射性同位元素の種類、その一日における最大使用数量（代表的な放射性同位元素一種とそれに換算した総数量）等施設的な条件を推測するに足る事項を併せて記入すること。）
(2)　測定年月日（必要に応じ測定時刻、天候、温度等を付記すること。）
(3)　測定箇所（測定位置を具体的に示すこと。）
(4)　測定結果
(5)　測定方法
(6)　放射線測定器の種類及び型式
(7)　測定担当者の所属及び氏名
(8)　測定の結果講じた措置

8　第三項の規定による累積実効線量及び累積等価線量の記録は、次の事項について作成するものとする。

(1)　氏名
(2)　集計年月日
(3)　集計対象期間
(4)　累積実効線量及び累積等価線量
(5)　集計担当者の所属及び氏名

9　第四項の規定により職員に実効線量及び等価線量並びに累積実効線量及び累積等価線量を知らせる場合は、口頭のみによらず、第二項及び第三項の記録の写しの交付等の方法により行うこととする。

第二十五条関係

1　この条の教育は、次に掲げる項目について行うものとする。ただし、当該項目に関する十分な知識又は技能を有すると認められる職員については、当該項目に係る教育を省略することができる。

(1)　放射線の人体に与える影響に関すること。
(2)　放射線の危害防止に関すること。
(3)　放射性物質又は放射線を発生する装置等の取扱いに関すること。
(4)　人事院規則等の関係法令

2　各省各庁の長は、次に掲げる職員についても、必要に応じ、前項に掲げる項目について教育を行うよう努めるものとする。

(1)　放射線障害の防止に関する事務を処理する職員
(2)　業務上管理区域に立ち入る職員
(3)　電子顕微鏡等放射線を受けるおそれのある装置を取り扱う職員

第二十六条関係

第二項の規定により眼の検査を省略する場合は、線源の種類のほか職員が従事する作業の内容及び作業条件を考慮して判断するものとする。

第二十六条の二関係

第一項の「当該業務に従事しないこととなつた場合」とは、緊急作業に係る業務に従事する放射線業務従事職員が、業務の変更、配置換、転任、昇任、離職等により、緊急作業に係る業務に従事しないこととなった場合をいう。

第二十七条関係

1　第一項の「放射線業務を行う官署ごと」とは、使用目的又は業務の態様の異なる組織の場合はそれぞれ独立に扱うという趣旨であるが、この条に規定する放射線障害防止管理規程の具体的適用が可能な範囲において、各施設の実情に応じその適用範囲を定めて差し支えない。なお、この条に規定する放射線障害防止管理規程の要件を充足しているものであれば、放射性同位元素等規制法第二十一条第一項の規定による「放射線障害予防規程」をもって代えることができる。

2　第一項第一号及び第四号については、必要に応じ、それぞれ組織図及び平面図等をもって図示するものとする。

別表　定期検査の項目

装置	検査の項目
エックス線装置	1　次に掲げる部分の異常又は損傷の有無 (1)　エックス線管装置及び加速管装置 (2)　高電圧発生装置、エックス線制御装置及びエックス線管装置附属器具 (3)　ゴニオメータ装置 (4)　カメラ装置 2　防護措置の適否 3　エックス線装置室の適否 4　管理区域の有無 5　漏えい放射線の有無及びその一センチメートル線量当量又は一センチメートル線量当量率
電子顕微鏡	1　電子鏡筒部分及び安全装置の異常又は損傷の有無 2　漏えい放射線の有無及びその一センチメートル線量当量又は一センチメートル線量当量率

注　エネルギー分散型エックス線装置については、試料室及び検出器は、ゴニオメータ装置に含まれる。

別紙〔略〕

○人事院規則一〇—六（職員のレクリエーションの根本基準）

昭三九・四・一公布
昭三九・四・一施行

最終改正　昭四一・二・一九

（総則）

第一条　職員のレクリエーションについては、別に定めるもののほか、この規則の定めるところによる。

（昭和四十年五月十九日施行）

第二条　職員のレクリエーションは、職員の健全な文化、教養、体育等の活動を通じて、その元気を回復し、及び相互の緊密度を高め、並びに勤務能率の発揮及び増進に資するものでなければならない。

（職員の自発性）

第三条　職員のレクリエーションに関する業務を行なうに当たつては、職員の自発性が考慮されなければならない。

（昭和四十一年二月十九日施行）

（レクリエーション行事の実施基準）

第四条　レクリエーション行事は、その内容が健全なければならず、かつ、高度の技術又は技能を要するものであつてはならない。

2　レクリエーション行事は、できる限り、職員が平等に参加することができるように計画され、及び実施されなければならない。

（昭和四十一年二月十九日施行）

第五条　各省各庁の長は、勤務時間内においてレクリエーション行事を実施する場合には、人事院の定めるところにより、職員が当該行事に参加するために必要な時間、勤務しないことを承認することができる。

（昭和四十一年二月十九日施行）

○人事院規則一〇―六（職員のレクリエーションの根本基準）の運用について

昭四一・二・一九
職能―一〇七

改正 昭六〇・一二・二一職福―八七四

1 第四条第一項の規定は、各省各庁の長が計画し、実施するレクリエーション行事の内容は、次のような条件を満たさなければならないという主旨である。

(1) 社会通念上不健全であると認められる内容を含んでいないこと。

(2) 体力の消耗がはなはだしいものではないこと。

(3) 過度の競争心をあおるものでないこと。

(4) 職員の一般的水準からみて、参加を希望する者はだれでも参加しうる程度の技術、技能のものであること。

2 第四条第二項の規定は、レクリエーション行事は、年度を通じてみた場合、できる限り、すべての職員がいずれかの行事に参加することができるよう計画され、実施される必要があるという主旨である。

3 第五条の規定により勤務しないことを承認することができる場合は、職員が昭和四十一年二月十九日総理府総務副長官依命通知総人局第九十三号第三項又は第四項の規定に基づいて勤務時間内に実施されるレクリエーション行事に参加する場合とし、レクリエーション行事に参加する職員一人に対して承認することができる時間数は、年度を通じて十六時間以内とする。

同条の規定により勤務しないことを承認した場合には、その旨を当該職員に通知するとともに、出勤簿にレクリエーション行事に参加したために勤務しなかった旨及びその時間数を記入するものとする。

○職員のレクリエーション行事の実施要領

昭四一・二・一九
総人九三

最終改正 令二・一一・二三閣人人―八〇六

1 各省各庁の業務

各省各庁は、その所属の職員のレクリエーションについて、次に掲げる業務を行うものとする。

(1) 職員に対し、レクリエーションの趣旨の徹底及びその普及を図るために必要な広報活動を行い、並びにレクリエーションに関する助言及び指導を行うこと。

(2) レクリエーションに必要な用具、器材施設等を整備すること。

(3) レクリエーションの指導者を養成すること。

(4) レクリエーション行事を計画し、及び実施すること。

(5) レクリエーションの円滑な実施に必要な職員の自主的組織の運営に援助を与えること。

(6) 前各号に掲げるもののほか、レクリエーションの目的の達成に必要な措置を講ずること。

2 レクリエーション共同行事

(1) 各省各庁は、共同してレクリエーション行事を計画し、又は実施することができる。

(2) レクリエーション共同行事の実施方法等については、別記「レクリエーション共同行事の実施要領」による。

3　レクリエーション行事は、勤務時間以外の時間に実施するものとする。ただし、当該行事が、職員の勤務の特殊性、実施場所の確保の困難、気象条件による制約等の理由により、勤務時間以外の時間において実施することが著しく困難であると認められる場合においては、あらかじめ、当該行事を計画し、又は実施しようとする者が、次に掲げる場合のいずれに該当するかに応じ、それぞれ当該場合に定める者の承認を受けて実施することができる。

(1)　各省各庁の長（内閣総理大臣、各省大臣、宮内庁長官及び外局の長並びに会計検査院長及び人事院総裁をいう。）であるとき。　内閣総理大臣

(2)　府、省、宮内庁及び外局の内部部局、会計検査院事務総局又は人事院事務総局（地方事務所を除く。）に所属する職員であるとき。　内閣総理大臣

(3)　その他の者であるとき。　各省各庁において指定したその者の属する機関の上級機関の長

4　共同行事として、勤務時間内にレクリエーション行事を行う場合には、3に定める手続に代えて、当該共同行事に係る代表者が、当該共同行事の実施について内閣総理大臣の承認を受けることができる。この場合において、内閣総理大臣の承認があったときは、3に定める承認があったものとして取り扱うものとする。

5　3に定める承認は、当該承認の申請の理由が次に掲げる場合のいずれに該当するかに応じ、それぞれ当該各号に定める基準に該当する場合に限り行うものとする。

(1)　職員の勤務の特殊性を理由とする場合

イ　交替勤務制等勤務の態様からみて、勤務時間以外の時間だけでは、統一的な行事の実施が不可能であること。

ロ　業務の繁閑の度が甚だしく、年間を通じて特定の時期に集中的に行事を実施する必要があること。

(2)　実施場所の確保の困難を理由とする場合

イ　他との競合により会場の借用が極めて困難であること。

ロ　参加人員が多数であるため、特定日を除き、場所の借用が著しく困難であること。

(3)　気象条件の制約を理由とする場合

イ　戸外における行事実施の時間が、当該地方における特殊な気象条件によって、短時間に限定されること。

ロ　戸外における行事実施の時間が、当該地方における特殊な気象条件によって、年間の一時期に集中されること。

(4)　交通機関の確保の困難を理由とする場合

イ　他との競合で交通機関の借り上げができないこと。

ロ　交通機関が団体乗車を引き受けないこと。

6　各省各庁は、5に定める基準により難い特殊な事例については、事前に内閣官房内閣人事局と協議するものとする。

7　勤務時間内にレクリエーション行事を実施するに当たっては、実施機関における業務の種類、繁閑等の実情に応じて、当該機関における公務の正常な運営を維持するために必要かつ適切な措置が講じられるよう配慮するものとする。その際、職員に緊急の用務が生じた場合には、速やかな職務への復帰が可能となるよう特に留意するものとする。

8　勤務時間内にレクリエーション行事を実施する場合には、特に、社会的影響を考慮して慎重を期するようにし、いやしくも、国民一般から非難を被ることのないように留意するものとする。

9　3による内閣総理大臣に対する承認の申請は、別記様式の申請書により、遅くとも、当該レクリエーション行事の実施予定日の二週間前までに電子メールで行うものとする。

10　各省各庁において、レクリエーション業務の運営方針、基準、要領を示す通達等を下部機関等に対して発出した場合には、電磁的記録を内閣官房内閣人事局に電子メールで送付するものとする。

別記様式

勤務時間内レクリエーション行事実施承認申請書

殿

番　号
年月日
申請者　官　職
　　　　氏　名

（総職員数　　　名）

行事の名称	実施日時				実施場所	行事内容		参加予定者数		勤務時間以外の時間において実施することが著しく困難であるという具体的理由	公務の正常な運営を維持するための措置
	月	日	開始時間	終了時間		種目	表彰方法、内容、その他	出場者	その他		

（注）　申請書の参考資料として、実施しようとするレクリエーション行事ごとに、次の付表及び当該レクリエーション行事の実施要領等を添付すること。

（付　表）

参加予定者数等内訳

課(室)名、部局名又は機関名	職員数	（行事の名称）			
		参加予定者数(A)		平常勤務者数　(B)	参加者割合
		出場者	その他		$\frac{A}{A+B}\times 100$
	人	人	人	人	%
合　　計					

別記

レクリエーション共同行事の実施要領

1　趣旨及び目的
レクリエーション共同行事（以下「共同行事」という。）は、各省各庁が共同してレクリエーション行事を計画し、実施することにより、最小の経費で最大の効果をあげるとともに、各省各庁の職員相互の親睦を図ることを目的とする。

2　参加機関
共同行事の参加機関は、本行事の趣旨に賛同する一般職の国家公務員の属する機関とする。ただし、その他の国の機関、地方公共団体、公共企業体等を参加させることを妨げない。

3　実施方法
(1)　共同行事は、都道府県又は都道府県を区分した地域（以下「地区」という。）ごとに行なう。
(2)　地区に、当該地区の参加機関の職員の中から選出された職員をもって構成する地区運営委員会を置くものとする。
地区運営委員会は、その構成員の中から代表者を選出する。代表者は、内閣官房内閣人事局との連絡に当たるほか、当該地区の共同行事の実施の責に任ずる。
(3)　共同行事の実施時間等
「職員のレクリエーション行事の実施要領」の定めるところによる。
(4)　経費
共同行事の経費は、参加機関が分担するものとする。

4　地区を結成し、当該地区の共同行事に係る規約等を定めた場合は、当該地区の地区運営委員会の代表者は、電磁的記録（参加機関名簿を含む。）を添附してその旨を、地区運営委員会の代表者に変更があった場合は、その旨を内閣官房内閣人事局に電子メールで通知するものとする。

○人事院規則一〇—七（女子職員及び年少職員の健康、安全及び福祉）

昭四八・三・一公布
昭四八・四・一施行

最終改正　令六・三・二九規則一—八二

（趣旨）
第一条　十八歳以上の女子職員及び十八歳未満の職員（以下「年少職員」という。）の健康、安全及び福祉については、別に定めるもののほか、この規則の定めるところによる。

（生理日の就業が著しく困難な女子職員に対する措置）
第二条　各省各庁の長は、生理日の就業が著しく困難な女子職員が休暇に関する法令の定めるところにより休暇を請求した場合には、その者を生理日に勤務させてはならない。

（妊産婦である女子職員等の危険有害業務の就業制限）
第三条　各省各庁の長は、妊娠中の女子職員及び産後一年を経過しない女子職員（以下「妊産婦である女子職員」という。）を別表第一第一号及び第二号イに掲げる妊産婦の妊娠、出産、哺《ほ》育等に有害な業務に就かせてはならない。産後一年を経過しない女子職員が同号ロに掲げる業務に従事しない旨を申し出た場合も同様とする。

2　各省各庁の長は、妊産婦である女子職員以外の女子職員を別表第一第三号に掲げる女子の妊娠又は出産に係る機能に有害である業務に就かせてはならない。

（妊産婦である女子職員の深夜勤務及び時間外勤務の制限）

第四条　各省各庁の長は、妊産婦である女子職員が請求した場合には、午後十時から翌日の午前五時までの間における勤務（以下「深夜勤務」という。）又は勤務時間法第十三条第一項に規定する正規の勤務時間若しくは非常勤職員について定められた勤務時間（以下「正規の勤務時間等」という。）以外の時間における勤務をさせてはならない。

（妊産婦である女子職員の健康診査及び保健指導）

第五条　各省各庁の長は、妊産婦である女子職員が請求した場合には、人事院の定めるところにより、その者が母子保健法（昭和四十年法律第百四十一号）第十条に規定する保健指導又は同法第十三条に規定する健康診査を受けるため勤務しないことを承認しなければならない。

（妊産婦である女子職員の業務軽減等）

第六条　各省各庁の長は、妊産婦である女子職員が請求した場合には、その者の業務を軽減し、又は他の軽易な業務に就かせなければならない。

2　各省各庁の長は、妊娠中の女子職員が請求した場合において、その者の業務が母体又は胎児の健康保持に影響があると認めるときは、当該職員が適宜休息し、又は補食するために必要な時間、勤務しないことを承認することができる。

（妊娠中の女子職員の通勤緩和）

第七条　各省各庁の長は、妊娠中の女子職員が請求した場合において、その者が通勤に利用する交通機関の混雑の程度が母体又は胎児の健康保持に影響があると認めるときは、正規の勤務時間等の始め又は終わりにおいて、人事院の定める時間、勤務しないことを承認しなければならない。

（産前の就業制限）

第八条　各省各庁の長は、六週間（多胎妊娠の場合にあつては、十四週間）以内に出産する予定の女子職員が請求した場合には、その者を勤務させてはならない。

（産後の就業制限）

第九条　各省各庁の長は、産後八週間を経過しない女子職員を勤務させてはならない。ただし、産後六週間を経過した女子職員が請求した場合において、医師が支障がないと認めた業務に就かせることは、差し支えない。

（保育時間）

第十条　各省各庁の長は、生後一年に達しない子（規則一五―一四（職員の勤務時間、休日及び休暇）第四条の三第一項第二号イにおいて子に含まれるものとされる者を含む。）を育てる女子職員が請求した場合には、人事院の定める保育時間中は、その者を勤務させてはならない。

（年少職員の危険有害業務の就業制限）

第十一条　各省各庁の長は、年少職員を別表第二に掲げる危険有害業務に就かせてはならない。

（年少職員の深夜勤務の制限）

第十二条　各省各庁の長は、年少職員（交替制により勤務する十六歳以上の男子職員を除く。）に深夜勤務をさせてはならない。ただし、次に掲げる勤務については、この限りでない。

　正規の勤務時間等における次に掲げる業務に係る勤務

イ　動物の飼育、植物の栽培及び採取等の業務

ロ　治療、看護等の業務

ハ　電話交換の業務

二　災害その他避けることのできない事由に基づく臨時の勤務

（年少職員の時間外勤務の制限）

第十三条　各省各庁の長は、年少職員に正規の勤務時間等以外の時間における勤務（規則一五―一四第十三条第一項第一号又は第三号に掲げる勤務を除く。）をさせてはならない。ただし、前条第二号に掲げる勤務については、この限りでない。

（船員の特例）

第十四条　各省各庁の長は、規則一〇―八（船員である職員に係る保健及び安全保持の特例）第一条に規定する船員（以下「船員」という。）である女子職員（以下「女子船員」という。）を妊娠中船内で作業に従事させてはならない。ただし、女子船員が妊娠中であることが航海中に判明した場合にあつては、当該船舶の航海の安全を図るために必要な作業に従事させることを妨げない。

2　各省各庁の長は、妊娠中の女子船員及び産後一年を経過しない女子船員（以下「妊産婦である女子船員」という。）を別表第三第一号及び第二号に掲げる妊産婦の妊娠、出産、哺《ほ》育等に有害な業務に就かせてはならない。

3　各省各庁の長は、妊産婦である女子船員以外の女子船員を別表第三第三号に掲げる女子の妊娠又は出産に係る機能に有害である業務に就かせてはならない。

4 女子船員に関する第四条の規定の適用については、同条中「午後十時」とあるのは「午後八時」とする。

5 第三条の規定は、女子船員には適用しない。

第十五条 各省各庁の長は、船員である年少職員を別表第四に掲げる危険有害業務に就かせてはならない。

2 船員である年少職員に関する第十二条の規定の適用については、同条中「年少職員（交替制により勤務する十六歳以上の男子職員を除く。）に深夜勤務」とあるのは、「年少職員に午後八時から翌日の午前五時までの間における勤務」とする。

3 第十一条及び第十三条の規定は、船員である年少職員には適用しない。

別表第一 妊産婦である女子職員等の危険有害業務（第三条関係）

一 妊娠中の女子職員の危険有害業務

イ 次の表に掲げる年齢の区分に応じ、同表に掲げる重量以上の重量のものを取り扱う業務

年齢	断続作業の場合	継続作業の場合
十六歳未満	十二キログラム	八キログラム
十六歳以上十八歳未満	二十五キログラム	十五キログラム
十八歳以上	三十キログラム	二十キログラム

ロ ボイラー（規則一〇—四（職員の保健及び安全保持）別表第一備考第一号に定めるボイラーをいう。ハにおいて同じ。）の取扱いの業務

ハ ボイラーの溶接の業務

ニ つり上げ荷重が五トン以上のクレーン、移動式クレーン又はデリックの運転の業務

ホ 運転中の原動機又は原動機から中間軸までの動力伝導装置の掃除、給油、検査、修理又はベルトの掛換えの業務

ヘ クレーン、移動式クレーン、デリック又は揚貨装置の玉掛けの業務（二人以上の者によつて行う玉掛けの業務における補助業務を除く。）

ト 動力により駆動される建設機械（規則一〇—四別表第五備考に定める建設機械をいう。）又は揚貨装置の運転の業務

チ 直径が二十五センチメートル以上の丸のこ盤（横切用丸のこ盤及び自動送り装置を有する丸のこ盤を除く。）又はのこ車の直径が七十五センチメートル以上の帯のこ盤（自動送り装置を有する帯のこ盤を除く。）に木材を送給する業務

リ 蒸気又は圧縮空気により駆動されるプレス機械又は鍛造機械を用いて行う金属加工の業務

ヌ 動力により駆動されるプレス機械、シャー等を用いて行う厚さ八ミリメートル以上の鋼板加工の業務

ル 岩石又は鉱物の破砕機又は粉砕機に材料を送給する業務

ヲ 土砂が崩壊するおそれのある場所又は深さが五メートル以上の地穴における業務

ワ 高さが五メートル以上の場所で墜落により職員が危害を受けるおそれのあるところにおける業務

カ 足場の組立て、解体又は変更の業務（地上又は床上における補助業務を除く。）

ヨ 胸高直径が三十五センチメートル以上の立木の伐採の業務

タ 機械集材装置、運材索道等を用いて行う木材の搬出の業務

レ 塩素化ビフェニル（ＰＣＢ）その他の有害物を発散する場所において行われる業務で人事院の定めるもの

ソ 多量の高熱物体を取り扱う業務

ツ 著しく暑熱な場所における業務

ネ 多量の低温物体を取り扱う業務

ナ 著しく寒冷な場所における業務

ラ　異常気圧下における業務
ム　チェンソー、さく岩機、高速機械等身体に著しい振動を与える機械器具を用いて行う業務
二　産後一年を経過しない女子職員の危険有害業務
イ　前号イ、レ及びムに掲げる業務
ロ　前号ロからルまで、カからタまで及びソからラまでに掲げる業務
三　妊産婦である女子職員以外の女子職員の危険有害業務
第一号イ及びレに掲げる業務

別表第二　年少職員の危険有害業務（第十一条関係）
一　別表第一第一号ホからトまで及びリからムまでに掲げる業務
二　次の表に掲げる職員の区分に応じ、同表に掲げる重量以上の重量のものを取り扱う業務

区分		断続作業の場合	継続作業の場合
十六歳未満の職員	女子	十二キログラム	八キログラム
	男子	十五キログラム	十キログラム
十六歳以上十八歳未満の職員	女子	二十五キログラム	十五キログラム
	男子	三十キログラム	二十キログラム

三　ボイラー（規則一〇―四別表第一備考第一号に定めるボイラー（同表備考第二号に定める小型ボイラーを除く。）をいう。次号において同じ。）の取扱いの業務
四　ボイラーの溶接の業務
五　クレーン、移動式クレーン又はデリックの運転の業務
六　緩燃性でないフィルムの上映操作の業務
七　人荷共用若しくは荷物用のエレベーター（自動式のものを除く。）又はガイドレールの高さが十メートル以上の建設用リフトの運転の業務
八　最大積載量が二トン以上の貨物自動車の運転の業務
九　動力により駆動される巻上げ機（電気ホイスト及びエアーホイストを除く。）、運搬機又は索道の運転の業務
十　直流にあつては七百五十ボルトを、交流にあつては三百ボルトを超える電圧の充電電路又はその支持物の点検、修理又は操作の業務
十一　最大消費量が毎時四百リットル以上の液体燃焼器の点火の業務
十二　ゴム、ゴム化合物又は合成樹脂のロール練りの業務
十三　直径が二十五センチメートル以上の丸のこ盤（横切用丸のこ盤、自動送り装置を有する丸のこ盤その他反ぱつにより職員が危害を受けるおそれのないものを除く。）又はのこ車の直径が七十五センチメートル以上の帯のこ盤に木材を送給する業務
十四　動力により駆動されるプレス機械の金型又はシヤーの刃部の調整又は掃除の業務
十五　ずい道内の場所、見通し距離四百メートル以内の場所又は車両の通行が頻繁な場所の軌道内において単独で行う業務
十六　手押しかんな盤又は単軸面取り盤の取扱いの業務
十七　火薬、爆薬又は火工品を製造し、又は取り扱う業務で、爆発のおそれのあるもの
十八　爆発、発火又は引火のおそれのある危険物を製造し、又は取り扱う業務
十九　圧縮ガス若しくは液化ガスを製造し、又は用いる業務
二十　水銀、砒《ひ》素、黄りん、弗《ふつ》化水素酸、塩酸、硝酸、シアン化水素、水酸化ナトリウム、水酸化カリウム、石炭酸その他これらに準ずる有害物を取り扱う業務
二十一　粉じんを著しく発散する場所における業務
二十二　有害な放射線に被ばくするおそれのある業務
二十三　著しい騒音を発する場所における業務
二十四　病原体によつて汚染されるおそれのある場所における業務（保健師助産師看護師法（昭和二十三年法律第二百三号）により免許を受けた者の行う業務を除く。）
二十五　焼却、清掃又はとさつの業務
二十六　刑務所、少年刑務所若しくは拘置所又は精神科病院における業務（保健師助産師看護師法により免許を受けた者の行う業務を除く。）

別表第三　妊産婦である女子船員等の危険有害業務（第十四条関係）
一　妊娠中の女子船員の危険有害業務

イ　びよう鎖等を海中に送入し若しくは巻き上げる機械の操作又はびよう鎖等の送入若しくは巻上げの人力による調整の業務
ロ　揚貨装置等の運転の業務
ハ　運転中の機械又は動力伝導装置の運動している部分の注油、掃除、修理若しくは検査又は運動している調帯の掛換えの業務
ニ　切削又はせん孔用の工作機械の使用の業務
ホ　推進機関用の重油専焼缶に点火する業務
ヘ　揚貨装置又は陸上のクレーン若しくはデリックの玉掛けの業務
ト　床面から二メートル以上の墜落のおそれのある場所における業務
チ　げん外に身体の重心を移して行う業務
リ　酸素の量の検知の業務
ヌ　人体に有害な気体の検知の業務
ル　空気中の酸素の濃度が十八パーセント未満になるおそれのある場所における業務
ヲ　可燃性のガス及び酸素を用いて行う金属の溶接、溶断又は加熱の業務
ワ　潜水器を用い、かつ、空気圧縮機若しくは手押しポンプによる送気又はボンベからの給気を受けて水深十メートル以上の水中において行う業務
カ　腐しよく性物質、毒物又は有害性物質を収容した船倉又はタンク内の清掃業務
ヨ　有害性の塗料又は溶剤を使用する塗装又は塗装のはくりの業務
タ　動力さび落とし機を使用する業務
レ　炎天下において、直接日射を受けて長時間行う業務
ソ　寒冷な場所において、直接外気にさらされて長時間行う業務
ツ　冷凍庫内において長時間行う業務
ネ　水中において、船体又は推進器を検査し、又は修理する業務
ナ　タンク又はボイラーの内部において、身体の全部又は相当部分を水にさらされて行う水洗業務
ラ　一人につき三十キログラム以上の重量が負荷される物を運搬し、又は持ち上げる業務

二　産後一年を経過しない女子船員の危険有害業務
前号イからヘまで、チ、ヌ及びヲからラまでに掲げる業務
三　妊産婦である女子船員以外の女子船員の危険有害業務
第一号ヌ、カ、ヨ及びラに掲げる業務

別表第四　船員である年少職員の危険有害業務（第十五条関係）
一　別表第三第一号に掲げる業務
二　電路又はその支持物の点検、修理等の電気工事の業務で人事院の定めるもの
三　圧縮又は液化による冷凍のための高圧ガスの製造の業務
四　じんあい又は粉末の飛散する場所において長時間行う業務
五　アルファ線、ベータ線、中性子線、エックス線その他の有害な放射線を受けるおそれがある業務

○人事院規則一〇―七（女子職員及び年少職員の健康、安全及び福祉）の運用について（抄）

昭六一・三・一五
職福―一二一

最終改正　令六・三・二九事企法―八七

人事院規則一〇―七（女子職員及び年少職員の健康、安全及び福祉）の一部改正に伴い、改正後の同規則の運用について下記のように定めたので、昭和六十一年四月一日以降はこれによつてください。
なお、これに伴い「人事院規則一〇―七（女子職員及び年少職員の健康、安全及び福祉）の運用について（昭和四十八年四月一日職厚―二七五人事院事務総長）」は、廃止します。

記

第一条関係
「別に定めるもの」とは、人事院規則一〇―四（職員の保健及び安全保持）、人事院規則一〇―五（職員の放射線障害の防止）及び人事院規則一〇―八（船員である職員に係る保健及び安全保持の特例）をいう。

第二条関係
この条の請求は、一般職の職員の勤務時間、休暇等に関する法律（平成六年法律第三十三号）第十八条に定める場合又は人事院規則一五―一五（非常勤職員の勤務時間及び休暇）第四条第二項第六号に定める場合

に該当するときに生理日の就業が著しく困難である旨を休暇簿に明示して行うものとし、同法第三条に規定する各省各庁の長は、人事院規則一五―一四（職員の勤務時間、休日及び休暇）第二十五条（人事院規則一五―一五（非常勤職員の勤務時間及び休暇）の運用について（平成六年七月二十七日職職―三二九）第四条関係第四項の定めるところにより、その例による場合を含む。）に定めるところにより、当該休暇を承認しなければならない。この場合には、承認した当該病気休暇の期間のうちの連続する最初の二暦日に係る期間を出勤簿に記入するものとする。

第三条関係

「産後」とは、妊娠満十二週以後の分べん後をいう。

第五条関係

1　健康診査及び保健指導のため勤務しないことを承認しなければならない時間は、妊娠満二十三週までは四週間に一回、妊娠満二十四週から満三十五週までは二週間に一回、妊娠満三十六週から出産までは一週間に一回、産後一年まではその間に一回（医師等の特別の指示があつた場合には、いずれの期間についてもその指示された回数）について、それぞれ、一日の正規の勤務時間等の範囲内で必要と認められる時間とする。

2　この条に基づく勤務しないことの請求及び承認の手続きについては、休暇の例によるものとする。この場合において、出勤簿には、妊産婦の健康診査等のため勤務しなかつた旨を記入するものとする。

第六条関係

1　業務の軽減の措置には、勤務時間の割振りの変更、出張の制限等の措置が含まれる。

2　他の軽易な業務に就かせる措置とは、相当の筋肉労働を必要とする業務、悪臭が著しい環境における業務等で母体又は胎児に悪影響を及ぼすと認められるものに就いている者を他の業務に従事させる等の措置をいう。

3　この条の第二項の「適宜休息し、又は補食するために必要な時間」は、正規の勤務時間等の始めから連続する時間若しくは終わりまで連続する時間又は同項の勤務しないことを請求した職員について他の規定により勤務しないことを承認している時間に連続する時間以外の時間で適宜休息し、又は補食するために必要とされる時間とする。

4　この条に定める措置は、母子保健法（昭和四十年法律第百四十一号）に規定する保健指導又は健康診査に基づく指導事項により判断するものとする。

5　この条の第二項に基づく勤務しないことの請求及び承認の手続き等については、妊産婦の健康診査等の場合と同様とする。

6　この条に定める措置のほか、各省各庁の長は、必要に応じて横になつて休息することができる設備を設置すること等母体又は胎児の健康保持に必要な措置を講ずるよう努めるものとする。

第七条関係

1　「人事院の定める時間」は、正規の勤務時間等の始め又は終わりにつき一日を通じて一時間を超えない範囲内でそれぞれ必要とされる時間とする。

2　「交通機関の混雑の程度」とは、職員が通常の勤務をする場合（時差通勤による場合を含む。）の登庁又は退庁の時間帯における常例として利用する交通機関の混雑の程度をいう。

3　母体又は胎児の健康保持への影響については、母子保健法に規定する保健指導又は健康診査に基づく指導事項により判断するものとする。

4　この条に基づく勤務しないことの請求及び承認の手続き等については、妊産婦の健康診査等の場合と同様とする。

第十条関係

「保育時間」とは、生後一年に達しない子（人事院規則一五―一四第四条の二第一項第二号イにおいて子に含まれるものとされる者を含む。）を育てる女子職員が、正規の勤務時間等においてその子の保育のために必要と認められる授乳等を行う時間をいい、その時間は、一日二回それぞれ三十分以内とする。

別表第一関係

第一号レの「人事院の定めるもの」は、女性労働基準規則（昭和六十一年労働省令第三号）第二条第一項第十八号に規定する業務の例による。この場合において、水銀の無機化合物には硫化水銀を含むものとし、砒《ひ》素化合物にはアルシン及び砒《ひ》化ガリウムを含むものとする。

別表第四関係

第二号の「電気工事の業務で人事院の定めるもの」は、人事院規則一〇―四（職員の保健及び安全保持）の運用について（昭和六十二年十二月二十五日職福―六九一）別表第一関係第十三項に定める電気工事の業務とする。

○人事院規則一〇—八（船員である職員に係る保健及び安全保持の特例）

昭五五・一・一〇公布
昭五五・二・九施行

最終改正　平一三・七・二規則一〇—八—一

（趣旨）

第一条　船員法（昭和二十二年法律第百号）第一条に規定する船員（予備船員を除く。）である職員（以下「船員」という。）の保健及び安全保持については、規則一〇—四（職員の保健及び安全保持）に定めるもののほか、この規則の定めるところによる。

（船医）

第二条　各省各庁の長（船員の所属する各省各庁の長をいう。以下同じ。）は、人事院の定める要件を具備する船舶には、医師を乗り組ませなければならない。ただし、国内各港間を航行する場合その他人事院の定める場合は、この限りでない。

（船員危害防止主任者）

第三条　各省各庁の長は、船舶において行われる別表第一に掲げる業務については、当該業務に係る作業場ごとに、当該船舶に乗り組む船員で人事院の定める知識、経験又は技能を有するもののうちから船員危害防止主任者を指名し、人事院の定める危害防止に関する事務を行わせなければならない。

2　各省各庁の長は、特に必要があると認める場合には、別表第一に掲げる業務以外の業務についても、船員危害防止主任者を置き、危害防止に関し必要な事務を行わせるものとする。

3　船舶において行われる業務については、規則一〇—四第十条の規定は適用しない。

（実験等の場合の措置）

第四条　各省各庁の長は、船舶において実験、調査、観測等の業務が行われる場合において、船員の健康障害又は危険の防止のため必要があると認めるときは、当該実験等の実施の指揮に当たる者に対し、実験等の方法、日時の変更等適切な措置を求めなければならない。

（医薬品等の備付け）

第五条　各省各庁の長は、人事院の定めるところにより、船舶に医薬品その他の衛生用品又は医療書を備え付けなければならない。

（伝染病の予防等の措置）

第六条　各省各庁の長は、次の各号に掲げる場合には、船員に対する伝染病の予防のため、人事院の定める措置を講じなければならない。

一　船舶が人事院の定める伝染病が発生し、若しくは発生するおそれのある地域におもむく場合又は船舶が寄港している地域においてこれらの伝染病が発生した場合

二　船内で伝染病又はその疑いのある疫病が発生した場合

2　各省各庁の長は、船内で救急患者が発生した場合において、必要があると認めるときは、医療機関と緊密な連絡を保ち、その指示にしたがつて適切な措置を講じなければならない。

3　前二項の規定による措置については、記録を作成しなければならない。

（就業禁止）

第七条　各省各庁の長は、伝染性疾患にかかり、若しくは伝染性疾患の病原体を保有している船員について他の船員への伝染を防止するため、又は心身に故障を生じた船員について自身を傷つけ、若しくは他の船員に害を及ぼすことを防止するため必要があると認めるときは、その者を業務に就かせてはならない。

2　規則一〇—四第二十四条第三項の規定は、前項の場合について準用する。

（有害業務に係る措置）

第八条　各省各庁の長は、船舶において行われる別表第二に掲げる業務については、人事院の定める健康障害を防止するための措置を講じなければならない。

2　各省各庁の長は、前項の業務以外の業務で船員の健康障害を生ずるおそれのあるものの有無について随時調査し、船員の健康障害を防止するため必要があると認めるときは、適切な措置をとるものとする。

3　船舶において行われる業務については、規則一〇—四第十六条の規定は適用しない。

（危害のおそれの多い業務の従事者）

第九条　各省各庁の長は、人事院の定める免許、資格等を有する船員でなければ、船舶において行われる別表第三に掲げる業務に従事させてはならない。

2　船舶において行われる業務については、規則一〇—四第三十条の規定は適用しない。

（設備等についての規則一〇—四の適用除外）

第十条　船舶安全法（昭和八年法律第十一号）の適用を受ける船舶に用いられる設備等については、規則一〇

―四第三十一条から第三十三条までの規定は、適用しない。

（経過措置）

第十一条　昭和五十五年八月八日までの間は、別表第三第五号から第十一号までに掲げる業務（制限荷重が五トン以上の揚貨装置の運転の業務を除く。）については、第九条の規定にかかわらず、同条に規定する船員以外の船員を当該業務に従事させることができる。

第十二条　昭和五十五年二月九日に航行中の船舶に乗り組んでいる船員の保健及び安全保持については、当該船舶が帰港するまでの間、なお従前の例による。

別表第一　船員危害防止主任者を指名すべき業務（第三条関係）

一　ボイラー（小型ボイラーを除く。）の取扱いの業務
二　第一種圧力容器（小型圧力容器及び人事院の定めるその他の圧力容器を除く。）の取扱いの業務
三　可燃性のガス及び酸素を用いて行う金属の溶接、溶断又は加熱の業務
四　つり足場、張出し足場又は高さが五メートル以上の構造の足場の組立て、解体又は変更の業務
五　空気中の酸素の濃度が十八パーセント未満になるおそれのある場所における業務
六　電路又はその支持物の点検、修理等の電気工事の業務で人事院の定めるもの
七　潜水器を用い、かつ、空気圧縮機若しくは手押しポンプによる送気又はボンベからの給気を受けて、水中において行う業務
八　火薬類の取扱いの業務
九　床面から二メートル以上の墜落のおそれのある場所における業務
十　げん外に身体の重心を移して行う業務
十一　揚貨装置等の取扱いの業務
十二　着氷除去の業務
十三　引火性液体類等の取扱い等の業務
十四　船内くん蒸の業務
十五　多数の者に対して行う給食業務

備考　この表において「ボイラー」、「小型ボイラー」、「第一種圧力容器」及び「小型圧力容器」とは、次に定めるものをいう。別表第三においても、同様とする。
一　ボイラー　規則一〇―四別表第一備考第一号のボイラーをいう。
二　小型ボイラー　規則一〇―四別表第一備考第二号のボイラーをいう。
三　第一種圧力容器　規則一〇―四別表第一備考第三号の容器をいう。
四　小型圧力容器　規則一〇―四別表第一備考第四号の容器をいう。

（昭和五十八年十月一日施行）

別表第二　有害業務（第八条関係）

一　潜水器を用い、かつ、空気圧縮機若しくは手押しポンプによる送気又はボンベからの給気を受けて、水中において行う業務
二　人体に有害な塗料又は溶剤を使用して行う塗装又は塗装の剥離の業務
三　溶接、溶断又は加熱の業務
四　酸素の量又は人体に有害な気体の検知の業務
五　酸素の量が欠乏し、又は人体に有害な気体が発生するおそれのある場所で行う業務
六　粉じんを著しく発散する場所で行う業務
七　高温状態で熱射又は日射を受けて行う業務
八　水又は著しく湿潤な空気にさらされて行う業務
九　低温状態で行う業務
十　騒音又は振動の激しい業務
十一　油タンクの清掃等の業務
十二　船内くん蒸の業務
十三　四アルキル鉛又は加鉛ガソリンの取扱いの業務

別表第三　特別の免許、資格等を必要とする業務（第九条関係）

一　ボイラー（小型ボイラーを除く。）の取扱いの業務
二　潜水器を用い、かつ、空気圧縮機若しくは手押しポンプによる送気又はボンベからの給気を受けて、水中において行う業務
三　可燃性のガス及び酸素を用いて行う金属の溶接、溶断又は加熱の業務
四　空気中の酸素の濃度が十八パーセント未満になるおそれのある場所における業務
五　電路又はその支持物の点検、修理等の電気工事の業務で人事院の定めるもの
六　揚貨装置又は陸上のクレーン若しくはデリックの玉掛けの業務
七　揚貨装置等の運転の業務
八　びよう鎖等を海中に送入し若しくは巻き上げる機械の操作又はびよう鎖等の送入若しくは巻上げの人力による調整の業務

九　運転中の機械又は動力伝導装置の運動している部分の注油、掃除、修理若しくは検査又は運動している調帯の掛換えの業務
十　切削又はせん孔用の工作機械の使用の業務
十一　床面から二メートル以上の墜落のおそれのある場所における業務
十二　げん外に身体の重心を移して行う業務
十三　危険物の状態、酸素の量又は人体に有害な気体の検知の業務
十四　圧縮又は液化による冷凍のための高圧ガスの製造の業務

（昭和五十八年十月一日施行）

○人事院規則一〇—八（船員である職員に係る保健及び安全保持の特例）の運用について（抄）

昭五五・一・一〇
職福—三

最終改正　令五・三・二七職職—九四

第二条関係

1　船舶に乗り組むとは、船舶共同体の一員として船内航行組織に継続的に加入することをいう。

2　「人事院の定める要件」は、次のとおりとし、「要件を具備する船舶」とは、これらの要件の全てを具備する船舶をいう。

(1)　船舶安全法施行規則（昭和三十八年運輸省令第四十一号）第一条第八項の近海区域（以下「近海区域」という。）若しくは同条第九項の遠洋区域（以下「遠洋区域」という。）を航行区域とする船舶又は同条第二項の漁船（以下「漁船」という。）であること。

(2)　総トン数が、三千トン以上であること。

(3)　最大とう載人員が、百人以上であること。

3　「人事院の定める場合」は、船舶に乗り組む医師及び衛生管理者に関する省令（昭和三十七年運輸省令第四十三号）第二条の定める区域のみを航行する場合又は当該区域外における航海の期間が三週間を超えない場合とする。

第三条関係

1　第一項の「人事院の定める知識、経験又は技能」及び「人事院の定める危害防止に関する事務」は、人事院規則一〇—八（船員である職員に係る保健及び安全保持の特例）（以下「規則」という。）別表第一に掲げる業務に応じ、それぞれ別表第一に掲げる免許、資格等及び同表に掲げる危害防止に関する事務とする。

2　船員危害防止主任者の指名は、文書をもって行うものとする。

3　各省各庁の長は、船員危害防止主任者を指名したときは、その者の氏名及びその者に行わせる事務を関係船員その他の職員に周知させるものとする。

4～9　〔略〕

第五条関係

「人事院の定めるところ」は、次のとおりとする。

(1)　船舶の種類に応じ、次に定める数量の医薬品等を備え付けること。

ア　規則第二条の規定により医師を乗り組ませなければならないこととされている船舶　船員法施行規則第五十三条第一項に掲げる船舶に備え付ける医薬品その他の衛生用品の数量を定める告示（平成七年運輸省告示第八百一号。以下「告示」という。）別表第一に定める数量

イ　遠洋区域又は近海区域を航行区域とする船舶及び漁船で、総トン数三千トン以上のもののうちアに掲げる船舶以外の船舶（国内各港間を航行するもの及び船舶に乗り組む医師及び衛生管理者に関する省令第六条に定める区域のみを航行するものを除く。）告示別表第二に定める数

量

ウ　遠洋区域又は近海区域を航行区域とする船舶及び漁船で、ア及びイに掲げる船舶以外の船舶　告示別表第三に定める数量

エ　ア、イ及びウに掲げる船舶以外の船舶　告示別表第四に定める数量

(2)　(1)のアに掲げる船舶で、乗組員が五十人を超え、又は航海期間が三月を超えるものに備え付けるべき医薬品等（医療衛生用具を除く。以下(2)及び(3)において同じ。）の数量は、当該船舶に乗り組む医師の意見に基づき告示別表第一に定める数量を適宜増加した数量とし、(1)のイ又はウに掲げる船舶で航海期間が三月を超えるものに備え付けるべき医薬品等の数量は、健康管理医その他医療に関する専門的知識を有する者の意見に基づき告示別表第二又は告示別表第三に定める数量を適宜増加した数量とすること。

(3)　船舶が国内の港を発航してから次に国内の港に到着するまでの期間が一月を超える場合にあってはその発航前に、その他の場合にあっては医薬品等の数量が(1)及び(2)に定める数量の二分の一に満たなくなったときに、(1)及び(2)に定める数量に達するように補充すること。

(4)　医療衛生用具の数量が(1)に定める数量に満たなくなったときは、(1)に定める数量に達するように補充すること。

(5)　医薬品等は、医療箱、衛生用品戸棚等に使用しやすいように保管しておくこと。

(6)　船舶（船舶安全法施行規則第一条第六項の平水区域を航行区域とする船舶を除く。）及び漁船に日本船舶医療便覧、小型船医療便覧等の適当な医療書を備え付けること。

第六条関係

1　第一項の「人事院の定める措置」は、同項第一号の場合にあつては、船員労働安全衛生規則（昭和三十九年運輸省令第五十三号。以下「船員安衛則」という。）第四十一条の規定の例による措置、同項第二号の場合にあつては、同令第四十二条の規定の例による措置とする。

2　第一項第一号の「人事院の定める伝染病」は、船員安衛則別表第一に定める伝染病とする。

第七条関係

1　各省各庁の長は、就業を禁止しようとするときは、やむを得ない場合を除き、あらかじめ健康管理医の意見を聞くものとする。

2　各省各庁の長は、就業を禁止した船員については、寄港地において遅滞なく医師の診断を受けさせるほか、人事院規則一〇—四（職員の保健及び安全保持）第二十一条、第二十三条及び第二十四条に定める措置をとるものとする。

第八条関係

1　第一項の「人事院の定める健康障害を防止するための措置」は、船員安衛則第四十四条、第四十五条、第四十七条第二項から第五十条まで、第六十条から第六十四条まで、第六十九条第三項及び第七十条第二項から第七十三条までの規定並びに高気圧作業安全衛生規則（昭和四十七年労働省令第四十号）第八条及び第九条、同規則第二十七条において読み替えて準用する同規則第十二条の二、第十五条、第十六条、第十八条（第二項を除く。）及び第二十条の二並びに同規則第二十八条から第三十条まで、第三十二条から第三十四条まで、第三十六条、第三十七条及び第四十二条から第四十六条までの規定の例による措置とする。

2～9　〔略〕

第九条関係

1　第一項の「人事院の定める免許、資格等」は、規則別表第三に掲げる業務に応じ、別表第二に掲げる免許、資格等とする。

2　規則別表第三第五号の「電気工事の業務で人事院の定めるもの」は、職福—六九一別表第一関係第十三項に定める電気工事の業務と同様のものとする。

別表第一・第二〔略〕

○人事院規則一〇—一〇（セクシュアル・ハラスメントの防止等）

平一〇・一一・一三公布
平一一・四・一施行
最終改正　令二・四・一規則一〇—一〇—三

（趣旨）

第一条　この規則は、人事行政の公正の確保、職員の利益の保護及び職員の能率の発揮を目的として、セクシュアル・ハラスメントの防止及び排除のための措置並びにセクシュアル・ハラスメントに起因する問題が生じた場合に適切に対応するための措置に関し、必要な事項を定めるものとする。

（定義）

第二条　この規則において、次の各号に掲げる用語の意義は、当該各号に定めるところによる。

一　セクシュアル・ハラスメント　他の者を不快にさせる職場における性的な言動及び職員が他の職員を不快にさせる職場外における性的な言動

二　セクシュアル・ハラスメントに起因する問題　セクシュアル・ハラスメントのため職員の勤務環境が害されること及びセクシュアル・ハラスメントへの対応に起因して職員がその勤務条件につき不利益を受けること

（人事院の責務）

第三条　人事院は、セクシュアル・ハラスメントの防止等に関する施策についての企画立案を行うとともに、各省各庁の長がセクシュアル・ハラスメントの防止等のために実施する措置に関する調整、指導及び助言に当たらなければならない。

（各省各庁の長の責務）

第四条　各省各庁の長は、職員がその能率を充分に発揮できるような勤務環境を確保するため、セクシュアル・ハラスメントの防止及び排除に関し、必要な措置を講ずるとともに、セクシュアル・ハラスメントに起因する問題が生じた場合においては、必要な措置を迅速かつ適切に講じなければならない。

2　各省各庁の長は、当該各省各庁に属する職員が他の各省各庁に属する職員（以下「他省庁の職員」という。）からセクシュアル・ハラスメントを受けたとされる場合には、当該他省庁の職員に係る各省各庁の長に対し、当該他省庁の職員に対する調査を行うよう要請するとともに、必要に応じて当該他省庁の職員に対する指導等の対応を行うよう求めなければならない。この場合において、当該調査又は対応を行うよう求められた各省各庁の長は、これに応じて必要と認める協力を行わなければならない。

3　各省各庁の長は、セクシュアル・ハラスメントに関する苦情の申出、当該苦情等に係る調査への協力その他セクシュアル・ハラスメントに対する職員の対応に起因して当該職員が職場において不利益を受けることがないようにしなければならない。

（職員の責務）

第五条　職員は、セクシュアル・ハラスメントをしてはならない。

2　職員は、次条第一項の指針を十分認識して行動するよう努めなければならない。

3　職員を監督する地位にある者（以下「監督者」という。）は、良好な勤務環境を確保するため、日常の執務を通じた指導等によりセクシュアル・ハラスメントの防止及び排除に努めるとともに、セクシュアル・ハラスメントに起因する問題が生じた場合には、迅速かつ適切に対処しなければならない。

（職員に対する指針）

第六条　人事院は、セクシュアル・ハラスメントをなくするために職員が認識すべき事項について、指針を定めるものとする。

2　各省各庁の長は、職員に対し、前項の指針の周知徹底を図らなければならない。

（研修等）

第七条　各省各庁の長は、セクシュアル・ハラスメントの防止等のため、職員の意識の啓発及び知識の向上を図らなければならない。

2　各省各庁の長は、セクシュアル・ハラスメントの防止等のため、職員に対し、研修を実施しなければならない。この場合において、特に、新たに職員となった者にセクシュアル・ハラスメントに関する基本的な事項について理解させること並びに新たに監督者となった職員その他職責等を考慮して人事院が定める職員に求められる役割及び技能について理解させることに留意するものとする。

3　人事院は、各省各庁の長が前二項の規定により実施する研修等の調節及び指導に当たるとともに、自ら実施することが適当と認められるセクシュアル・ハラスメントの防止等のための研修について計画を立て、その実施に努めるものとする。

（苦情相談への対応）

第八条　各省各庁の長は、人事院の定めるところにより、セクシュアル・ハラスメントに関する苦情の申出及び相談（以下「苦情相談」という。）が職員からなされた場合に対応するため、苦情相談を受ける職員（以下「相談員」という。）を配置し、相談員が苦情相談を受ける日時及び場所を指定する等必要な体制を整備しなければならない。この場合において、各省各庁の長は、苦情相談を受ける体制を職員に対して明示するものとする。

2　相談員は、苦情相談に係る問題の事実関係の確認及び当該苦情相談に係る当事者に対する助言等により、当該問題を迅速かつ適切に解決するよう努めるものとする。この場合において、相談員は、次条第一項の指針に十分留意しなければならない。

3　職員は、相談員に対して苦情相談を行うほか、人事院に対しても苦情相談を行うことができる。この場合において、人事院は、苦情相談を行った職員等から事情の聴取を行う等の必要な調査を行い、当該職員等に対して指導、助言及び必要なあっせん等を行うものとする。

4　人事院は、職員以外の者であって職員からセクシュアル・ハラスメントを受けたと思料するものからの苦情相談を受けるものとし、当該苦情相談の迅速かつ適切な処理を行わせるため、人事院事務総局の職員のうちから、当該苦情相談を受けて処理する者をセクシュアル・ハラスメント相談員として指名するものとする。この場合において、当該苦情相談の処理については、規則一三―五（職員からの苦情相談）第四条（第三項を除く。）から第九条までの規定の例による。

（苦情相談に関する指針）

第九条　人事院は、相談員がセクシュアル・ハラスメントに関する苦情相談に対応するに当たり留意すべき事項について、指針を定めるものとする。

2　各省各庁の長は、相談員に対し、前項の指針の周知徹底を図らなければならない。

附　則

この規則は、平成十一年四月一日から施行する。

○人事院規則一〇―一〇（セクシュアル・ハラスメントの防止等）の運用について

平一〇・一一・一三
職福―四四二

最終改正　令二・四　一職職―一四二

標記について下記のとおり定めたので、平成十一年四月一日以降は、これによってください。

記

第一条関係

「セクシュアル・ハラスメントの防止及び排除」とは、セクシュアル・ハラスメントが行われることを未然に防ぐとともに、セクシュアル・ハラスメントが現に行われている場合にその行為を制止し、及びその状態を解消することをいう。

第二条関係

1　この条の第一号の「他の者を不快にさせる」とは、職員が他の職員を不快にさせること、職員がその職務に従事する際に接する職員以外の者を不快にさせること及び職員以外の者が職員を不快にさせることをいう。

2　この条の第一号の「職場」とは、職員が職務に従事する場所をいい、当該職員が通常勤務している場所以外の場所も含まれる。

3　この条の第一号の「性的な言動」とは、性的な関心や欲求に基づく言動をいい、性別により役割を分担すべきとする意識又は性的指向若しくは性自認に関する偏見に基づく言動も含まれる。

4　この条の第二号の「セクシュアル・ハラスメントのため職員の勤務環境が害されること」とは、職員が、直接又は間接的にセクシュアル・ハラスメントを受けることにより、職務に専念することができなくなる等その能率の発揮が損なわれる程度に当該職員の勤務環境が不快なものとなることをいう。

5　この条の第二号の「セクシュアル・ハラスメントへの対応」とは、職務上の地位を利用した交際又は性的な関係の強要等に対する拒否、抗議、苦情の申出等の行為をいう。

6　この条の第二号の「勤務条件につき不利益を受けること」とは、昇任、配置換等の任用上の取扱い、昇格、昇給、勤勉手当等の給与上の取扱い等に関し不利益を受けることをいう。

第四条関係

1　各省各庁の長の責務には、次に掲げるものが含まれる。

一　セクシュアル・ハラスメントの防止等に関する方針、具体的な対策等を各省庁において部内規程等の文書で形で取りまとめ、職員に対して明示すること。

二　セクシュアル・ハラスメントに起因する問題が職場に生じていないか、又はそのおそれがないか、勤務環境に十分な注意を払うこと。

三　セクシュアル・ハラスメントに関する苦情相談があった場合に、その内容に応じて、迅速かつ適切な解決を図ること。

四　セクシュアル・ハラスメントに起因する問題が生じた場合には、再発防止に向けた措置を講ずること。

五　職員に対して、セクシュアル・ハラスメントに関する苦情の申出、当該苦情等に係る調査への協力その他セクシュアル・ハラスメントに対する職員の対応に起因して当該職員が職場において不利益を受けないことを周知すること。

2　この条の第三項の「不利益」には、勤務条件に関する不利益（昇任、配置換等の任用上の取扱い、昇格、昇給、勤勉手当等の給与上の取扱い等に関する不利益をいう。）のほか、同僚等から受ける誹謗《ひぼう》や中傷など職員が受けるその他の不利益が含まれる。

第五条関係

この条の第三項の「職員を監督する地位にある者」には、他の職員を事実上監督していると認められる地位にある者を含むものとする。

第六条関係

この条の第一項の人事院が定める指針は、別紙第一のとおりとする。

第七条関係

1　この条の第一項の「職員の意識の啓発及び知識の向上」を図る方法としては、パンフレット、ポスター等の啓発資料の配布、掲示又はイントラネットへの掲載、職員の意識調査の実施等が挙げられる。

2　この条の第二項の「研修」の内容には、性的指向及び性自認に関するものを含めるものとする。

3　この条の第二項の「人事院が定める職員」は、次に掲げる職員とする。

一　新たに一般職の職員の給与に関する法律（昭和二十五年法律第九十五号）別表第十一指定職俸給表の適用を受けることとなった職員

二　新たに本省庁に属する官職のうち課長又はこれと同等の官職を占めることとなった職員

4　この条の第二項の「求められる役割及び技能」には、監督者がセクシュアル・ハラスメントに関する苦情相談に適切に対応するために必要な知識等が含まれる。

第八条関係

1　苦情相談は、セクシュアル・ハラスメントによる被害を受けた本人からのものに限らず、次のようなものも含まれる。

一　他の職員がセクシュアル・ハラスメントをされているのを見て不快に感じる職員からの苦情の申出

二　他の職員からセクシュアル・ハラスメントをしている旨の指摘を受けた職員からの相談

三　部下等からセクシュアル・ハラスメントに関する相談を受けた監督者からの相談

2　この条の第一項の苦情相談を受ける体制の整備については、次に定めるところによる。

一　本省庁（府、省又は外局として置かれる庁の内部部局その他これに相当する行政機関の部局をいう。）及び管区機関（数府県の地域を管轄区域とする相当の規模を有する地方支分部局その他これに相当する行政機関の部局をいう。）においては、それぞれ複数の相談員を置くことを基準とし、その他の機関においても、セクシュアル・ハラスメントに関する職員からの苦情相談に対応するために必要な体制をその組織構成、各官署の規模等を勘案して整備するものとする。

二　相談員のうち少なくとも一名は、苦情相談を行う職員の属する課の長に対する指導及び人事当局との連携をとることのできる地位にある者をもって充てるものとする。

三　苦情相談には、苦情相談を行う職員の希望する性の相談員が同席できるような体制を整備するよう努めるものとする。

四　セクシュアル・ハラスメントは、妊娠、出産、育児若しくは介護に関するハラスメント（人事院規則一〇―一五（妊娠、出産、育児又は介護に関するハラスメントの防止等）第二条に規定する妊娠、出産、育児又は介護に関するハラスメントをいう。以下同じ。）又はパワー・ハラスメント（人事院規則一〇―一六（パワー・ハラスメントの防止等）第二条に規定するパワー・ハラスメントをいう。）と複合的に生じることも想定されることから、妊娠、出産、育児又は介護に関するハラスメント等に関する苦情相談を受ける体制と一体的に、セクシュアル・ハラスメントに関する苦情相談を受ける体制を整備するなど、一元的に苦情相談を受けることのできる体制を整備するよう努めるものとする。

3　各省各庁の長は、相談員に対し、責任を持って苦情相談に対応するよう指導を徹底するとともに、苦情相談に関する知識、技能等を向上させるため、相談員に対する研修等を実施し、又は相談員を人事院の研修等に参加させるよう努めるものとする。

4　この条の第三項の「苦情相談を行った職員等」には、他の職員からセクシュアル・ハラスメントを受けたとする職員、他の職員に対しセクシュアル・ハラスメントをしたとされる職員その他の関係者が含まれる。

第九条関係

この条の第一項の人事院が定める指針は、別紙第二のとおりとする。

以　上

別紙第1

セクシュアル・ハラスメントをなくするために職員が認識すべき事項についての指針

第1　セクシュアル・ハラスメントをしないようにするために職員が認識すべき事項

1　意識の重要性

セクシュアル・ハラスメントをしないようにするためには、職員の一人一人が、次の事項の重要性について十分認識しなければならない。

一　お互いの人格を尊重しあうこと。

二　お互いが大切なパートナーであるという意識を持つこと。

三　相手を性的な関心の対象としてのみ見る意識をなくすこと。

四　女性を劣った性として見る意識をなくすこと。

2　基本的な心構え

職員は、セクシュアル・ハラスメントに関する次の事項について十分認識しなければならない。

一　性に関する言動に対する受け止め方には個人間で差があり、セクシュアル・ハラスメントに当たるか否かについては、相手の判断が重要であること。

具体的には、次の点について注意する必要がある。

(1)　親しさを表すつもりの言動であったとしても、本人の意図とは関係なく相手を不快にさせてしまう場合があること。

(2)　不快に感じるか否かには個人差があること。

(3)　この程度のことは相手も許容するだろうという勝手な憶測をしないこと。

(4) 相手との良好な人間関係ができていると勝手な思い込みをしないこと。

二 相手が拒否し、又は嫌がっていることが分かった場合には、同じ言動を決して繰り返さないこと。

三 セクシュアル・ハラスメントであるか否かについて、相手からいつも意思表示があるとは限らないこと。

　セクシュアル・ハラスメントを受けた者が、職場の人間関係等を考え、拒否することができないなど、相手からいつも明確な意思表示があるとは限らないことを十分認識する必要がある。

四 職場におけるセクシュアル・ハラスメントにだけ注意するのでは不十分であること。

　例えば、職場の人間関係がそのまま持続する歓迎会の酒席のような場において、職員が他の職員にセクシュアル・ハラスメントを行うことは、職場の人間関係を損ない勤務環境を害するおそれがあることから、勤務時間外におけるセクシュアル・ハラスメントについても十分注意する必要がある。

五 職員間のセクシュアル・ハラスメントにだけ注意するのでは不十分であること。

　行政サービスの相手方など職員がその職務に従事する際に接することとなる職員以外の者及び委託契約又は派遣契約により同じ職場で勤務する者との関係にも注意しなければならない。

3 セクシュアル・ハラスメントになり得る言動

　セクシュアル・ハラスメントになり得る言動として、例えば、次のようなものがある。

一 職場内外で起きやすいもの

(1) 性的な内容の発言関係

ア 性的な関心、欲求に基づくもの

① スリーサイズを聞くなど身体的特徴を話題にすること。

② 聞くに耐えない卑猥《わい》な冗談を交わすこと。

③ 体調が悪そうな女性に「今日は生理日か」、「もう更年期か」などと言うこと。

④ 性的な経験や性生活について質問すること。

⑤ 性的な噂を立てたり、性的なからかいの対象とすること。

イ 性別により差別しようとする意識等に基づくもの

① 「男のくせに根性がない」、「女には仕事を任せられない」、「女性は職場の花でありさえすればいい」などと発言すること。

② 「男の子、女の子」、「僕、坊や、お嬢さん」、「おじさん、おばさん」などと人格を認めないような呼び方をすること。

③ 性的指向や性自認をからかいやいじめの対象としたり、性的指向や性自認を本人の承諾なしに第三者に漏らしたりすること。

(2) 性的な行動関係

ア 性的な関心、欲求に基づくもの

① ヌードポスター等を職場に貼ること。

② 雑誌等の卑猥《わい》な写真・記事等をわざと見せたり、読んだりすること。

③ 身体を執拗《よう》に眺め回すこと。

④ 食事やデートにしつこく誘うこと。

⑤ 性的な内容の電話をかけたり、性的な内容の手紙・Eメールを送ること。

⑥ 身体に不必要に接触すること。

⑦ 浴室や更衣室等をのぞき見すること。

イ 性別により差別しようとする意識等に基づくもの

　女性であるというだけで職場でお茶くみ、掃除、私用等を強要すること。

二 主に職場外において起こるもの

ア 性的な関心、欲求に基づくもの

　性的な関係を強要すること。

イ 性別により差別しようとする意識等に基づくもの

① カラオケでのデュエットを強要すること。

② 酒席で、上司の側に座席を指定したり、お酌やチークダンス等を強要すること。

4 懲戒処分

　セクシュアル・ハラスメントの態様等によっては信用失墜行為、国民全体の奉仕者たるにふさわしくない非行などに該当して、懲戒処分に付されることがある。

第2 職場の構成員として良好な勤務環境を確保するために認識すべき事項

　勤務環境はその構成員である職員の協力の下に形成される部分が大きいことから、セクシュアル・ハラスメントにより勤務環境が害されることを防ぐため、職員は、次の事項について、積極的に意を用いるように努めなければならない。

1　職場内のセクシュアル・ハラスメントについて問題提起する職員をいわゆるトラブルメーカーと見たり、セクシュアル・ハラスメントに関する問題を当事者間の個人的な問題として片づけないこと。
職場におけるミーティングを活用することなどにより解決することができる問題については、問題提起を契機として、良好な勤務環境の確保のために皆で取り組むことを日頃から心がけることが必要である。

2　職場からセクシュアル・ハラスメントに関する問題の行為者や被害者を出さないようにするために、周囲に対する気配りをし、必要な行動をとること。
具体的には、次の事項について十分留意して必要な行動をとる必要がある。

一　セクシュアル・ハラスメントが見受けられる場合は、職場の同僚として注意を促すこと。
セクシュアル・ハラスメントを契機として、勤務環境に重大な悪影響が生じたりしないうちに、機会をとらえて職場の同僚として注意を促すなどの対応をとることが必要である。

二　被害を受けていることを見聞きした場合には、声をかけて相談に乗ること。
被害者は「恥ずかしい」、「トラブルメーカーとのレッテルを貼られたくない」などとの考えから、他の人に対する相談をためらうことがある。被害を深刻にしないように、気が付いたことがあれば、声をかけて気軽に相談に乗ることも大切である。

3　職場においてセクシュアル・ハラスメントがある場合には、第三者として気持ちよく勤務できる環境づくりをする上で、上司等に相談するなどの方法をとることをためらわないこと。

第3　セクシュアル・ハラスメントに起因する問題が生じた場合において職員に望まれる事項

1　基本的な心構え
職員は、セクシュアル・ハラスメントを受けた場合にその被害を深刻にしないために、次の事項について認識しておくことが望まれる。

一　一人で我慢しているだけでは、問題は解決しないこと。
セクシュアル・ハラスメントを無視したり、受け流したりしているだけでは、必ずしも状況は改善されないということをまず認識することが大切である。

二　セクシュアル・ハラスメントに対する行動をためらわないこと。
「トラブルメーカーというレッテルを貼られたくない」、「恥ずかしい」などと考えがちだが、被害を深刻なものにしない、他に被害者をつくらない、さらにはセクシュアル・ハラスメントをなくすことは自分だけの問題ではなく良い勤務環境の形成に重要であるとの考えに立って、勇気を出して行動することが求められる。

2　セクシュアル・ハラスメントによる被害を受けたと思うときに望まれる対応
職員はセクシュアル・ハラスメントを受けた場合、次のような行動をとるよう努めることが望まれる。

一　嫌なことは相手に対して明確に意思表示をすること。
セクシュアル・ハラスメントに対しては毅《き》然とした態度をとること、すなわち、はっきりと自分の意思を相手に伝えることが重要である。直接相手に言いにくい場合には、手紙等の手段をとるという方法もある。

二　信頼できる人に相談すること。
まず、職場の同僚や知人等身近な信頼できる人に相談することが大切である。各職場内において解決することが困難な場合には、内部又は外部の相談機関に相談する方法を考える。なお、相談するに当たっては、セクシュアル・ハラスメントが発生した日時、内容等について記録しておくことが望ましい。

別紙第2

セクシュアル・ハラスメントに関する苦情相談に対応するに当たり留意すべき事項についての指針

第1　基本的な心構え
職員からの苦情相談に対応するに当たっては、相談員は次の事項に留意する必要がある。

1　被害者を含む当事者にとって適切かつ効果的な対応は何かという視点を常に持つこと。

2　事態を悪化させないために、迅速な対応を心がけること。

3　関係者のプライバシーや名誉その他の人権を尊重するとともに、知り得た秘密を厳守すること。

第2　苦情相談の事務の進め方

1　苦情相談を受ける際の相談員の体制等

一　苦情相談を受ける際には、原則として二人の相談員で対応すること。

二　苦情相談を受けるに当たっては、苦情相談を行う職員（以下「相談者」という。）の希望する性の相談員が同席するよう努めること。

三　相談員は、苦情相談に適切に対応するために、相互に連携し、協力すること。

四　実際に苦情相談を受けるに当たっては、その内容を相談員以外の者に見聞されないよう周りから遮断した場所で行うこと。

2　相談者から事実関係等を聴取するに当たり留意すべき事項

相談者から事実関係等を聴取するに当たっては、次の事項に留意する必要がある。

一　相談者の求めるものを把握すること。

将来の言動の抑止等、今後も発生が見込まれる言動への対応を求めるものであるのか、又は喪失した利益の回復、謝罪要求等過去にあった言動に対する対応を求めるものであるのかについて把握する。

二　どの程度の緊急性があるのかについて把握すること。

相談者の心身の状態等に鑑み、苦情相談への対応に当たりどの程度の緊急性があるのかを把握する。

三　相談者の主張に真摯に耳を傾け丁寧に話を聴くこと。

特に相談者が被害者の場合、セクシュアル・ハラスメントを受けた心理的な影響から必ずしも理路整然と話すとは限らない。むしろ脱線することも十分想定されるが、事実関係を把握することは極めて重要であるので、忍耐強く聴くよう努める。また、相談員自身の評価を差し挟むことはせず、相談者の心情に配慮し、その主張等を丁寧に聴き、相談者が認識する事実関係を把握することが必要である。

四　事実関係については、次の事項を把握すること。

(1)　当事者（セクシュアル・ハラスメントの被害者及び行為者とされる者）間の関係

(2)　問題とされる言動が、いつ、どこで、どのように行われたか。

(3)　相談者は、行為者とされる者に対してどのような対応をとったか。

(4)　監督者等に対する相談を行っているか。

なお、これらの事実を確認する場合、相談者が主張する内容については、当事者のみが知り得るものか、又は他に目撃者はいるのかを把握する。

五　聴取した事実関係等を相談者に確認すること。

聞き間違えの修正並びに聞き漏らした事項及び言い忘れた事項の補充ができるので、聴取事項を書面で示したり、復唱したりするなどして相談者に確認する。

六　聴取した事実関係等については、必ず記録して保存しておくとともに、当該記録を厳重に管理すること。

3　行為者とされる者からの事実関係等の聴取

一　原則として、行為者とされる者から事実関係等を聴取する必要がある。ただし、セクシュアル・ハラスメントが職場内で行われ比較的軽微なものであり、対応に緊急性がない場合などは、監督者の観察又は指導による対応が適当な場合も考えられるので、その都度適切な方法を選択して対応する。

二　行為者とされる者から事実関係等を聴取する場合には、行為者とされる者に対して十分な弁明の機会を与える。

三　行為者とされる者から事実関係等を聴取するに当たっては、その主張に真摯に耳を傾け丁寧に話を聴く、聴取した事実関係等を行為者とされる者に確認するなど、相談者から事実関係等を聴取する際の留意事項を参考にし、適切に対応する。

4　第三者からの事実関係等の聴取

職場内で行われたとされるセクシュアル・ハラスメントについて当事者間で事実関係に関する主張に不一致があり、事実の確認が十分にできないと認められる場合などは、第三者から事実関係等を聴取することも必要である。

この場合、相談者から事実関係等を聴取する際の留意事項を参考にし、適切に対応する。

5　相談者に対する説明

苦情相談に関し、具体的にとられた対応については、相談者に説明する。

第3　問題処理のための具体的な対応例

相談員が、苦情相談に対応するに当たっては、セクシュアル・ハラスメントに関して相当程度の知識を持ち、個々の事例に即して柔軟に対応することが基本となることは言うまでもないが、具体的には、事例に応じて次のような対処が方策として考えられる。

1　セクシュアル・ハラスメントを受けたとする職員からの苦情相談

一　職員の監督者等に対し、行為者とされる者に指導するよう要請する。

(例)

職場内で行われるセクシュアル・ハラスメントのうち、その対応に緊急性がないと判断されるものについては、職場の監督者等に状況を観察するよう要請し、行為者とされる者の言動のうち問題があると認められるものを適宜注意させる。

二　行為者に対して直接注意する。

(例)

性的なからかいの対象にするなどの行為を頻繁に行うことが問題にされている場合において、行為者は親しみの表現として発言等を行っており、それがセクシュアル・ハラスメントであるとの意識がない場合には、相談員が行為者に対し、その行動がセクシュアル・ハラスメントに該当することを直接注意する。

三　被害者に対して指導、助言をする。

(例)

職場の同僚から好意を抱かれ食事やデートにしつこく誘われるが、相談者がそれを苦痛に感じている場合については、相談者自身が相手の職員に対して明確に意思表示をするよう助言する。

四　当事者間のあっせんを行う。

(例)

被害者がセクシュアル・ハラスメントを行った行為者に謝罪を求めている場合において、行為者も自らの言動について反省しているときには、被害者の要求を行為者に伝え、行為者に対して謝罪を促すようあっせんする。

五　人事上必要な措置を講じるため、人事当局との連携をとる。

(例)

セクシュアル・ハラスメントの内容がかなり深刻な場合で被害者と行為者とを同じ職場で勤務させることが適当でないと判断される場合などには、人事当局との十分な連携の下に当事者の人事異動等の措置をとることも必要となる。

2　セクシュアル・ハラスメントであるとの指摘を受けたが納得がいかない旨の相談

(例)

昼休みに自席で週刊誌のグラビアのヌード写真を周囲の目に触れるように眺めていたところ、隣に座っている同僚の女性職員から、他の職員の目に触れるのはセクシュアル・ハラスメントであるとの指摘を受けたが、納得がいかない旨の相談があった場合には、相談者に対し、周囲の職員が不快に感じる以上はセクシュアル・ハラスメントに当たる旨注意喚起をする。

3　第三者からの苦情相談

(例)

同僚の女性職員がその上司から性的なからかいを日常的に繰り返し受けているのを見て不快に思う職員から相談があった場合には、同僚の女性職員及びその上司から事情を聴き、その事実がセクシュアル・ハラスメントであると認められる場合には、その上司に対して監督者を通じ、又は相談員が直接に注意を促す。

(例)

非常勤職員に執拗《よう》につきまとったり、その身体に不必要に触る職員がいるが、非常勤職員である本人は、立場が弱いため苦情を申し出ることをしないような場合について第三者から相談があったときには、本人から事情を聴き、事実が認められる場合には、本人の意向を踏まえた上で、監督者を通じ、又は相談員が直接に行為者とされる者から事情を聴き、注意する。

○人事院規則一〇―一三（東日本大震災により生じた放射性物質により汚染された土壌等の除染等のための業務等に係る職員の放射線障害の防止）

平二三・一二・二八公布
平二四・一・一施行
改正　平二四・六・二九規則一〇―一三―一

（趣旨）

第一条　除染等関連業務又は特定線量下業務に従事する職員その他の職員の放射線障害の防止について必要な事項は、規則一〇―四（職員の保健及び安全保持）に定めるもののほか、この規則の定めるところによる。

（基本原則）

第二条　各省各庁の長は、除染等関連業務又は特定線量下業務に従事する職員その他の職員が放射線（規則一〇―五（職員の放射線障害の防止）第三条第一項の放射線をいう。）を受けることをできるだけ少なくするように努めなければならない。

（定義）

第二条の二　この規則において、次の各号に掲げる用語の意義は、当該各号に定めるところによる。

一　除染特別地域等　平成二十三年三月十一日に発生した東北地方太平洋沖地震に伴う原子力発電所の事故により放出された放射性物質による環境の汚染への対処に関する特別措置法（平成二十三年法律第百十号）第二十五条第一項に規定する除染特別地域又は同法第三十二条第一項に規定する汚染状況重点調査地域をいう。

二　除染等関連業務　除染特別地域等内において平成二十三年三月十一日に発生した東北地方太平洋沖地震に伴う原子力発電所の事故により当該原子力発電所から放出された放射性物質（規則一〇―五第三条第二項の放射性物質に限る。次号において「事故由来放射性物質」という。）により汚染された物を取り扱う業務で人事院の定めるもの及びこれに関連する業務で当該人事院の定める業務に係る作業場所に立ち入って行うものをいう。

三　特定線量下業務　除染特別地域等内における人事院の定める方法によって求める平均空間線量率が事故由来放射性物質により二・五マイクロシーベルト毎時を超える場所において行う業務（前号の業務を除く。）をいう。

（職員の被ばく限度及び線量の測定等）

第三条　各省各庁の長は、除染等関連業務又は特定線量下業務に従事する職員の受ける線量が、人事院の定める限度を超えないようにしなければならない。

2　各省各庁の長は、人事院の定めるところにより、除染等関連業務又は特定線量下業務に従事する職員のそれぞれの業務により受ける線量の測定等を行わなければならない。

3　各省各庁の長は、前項の規定による線量の測定の結果等について、規則一〇―五第二十四条（第一項第五号を除く。）の規定の例により、記録を作成し、及び当該職員に知らせなければならない。

4　各省各庁の長は、特定線量下業務に職員を従事させるときは、被ばく歴の有無（被ばく歴を有する職員にあっては、業務の場所、内容及び期間その他放射線による被ばくに関する事項）の調査を行い、これを記録しなければならない。

（放射線障害を防止するための措置）

第四条　各省各庁の長は、職員を除染等関連業務又は特定線量下業務に従事させるときは、人事院の定める放射線障害を防止するための措置を講じなければならない。

（教育の実施）

第五条　各省各庁の長は、職員を除染等関連業務又は特定線量下業務に従事させるときは、あらかじめ人事院の定めるところにより放射線障害の防止のための教育を行わなければならない。

（健康診断）

第六条　除染等関連業務（人事院の定めるものを除く。次条第一項第六号において同じ。）に従事する職員に係る規則一〇―四別表第三第二号に掲げる業務に係る規則一〇―四第十九条第一項の健康診断及び規則一〇―四第二十条第二項第二号の特別定期健康診断の検査の項目及び実施時期については、規則一〇―五第二十六条の規定の例による。

（除染等関連業務等管理規程）

第七条　各省各庁の長は、除染等関連業務又は特定線量下業務に従事する職員その他の職員の放射線障害を防止するため、次に掲げる事項について、除染等関連業務又は特定線量下業務を行う官署ごとに除染等関連業務等管理規程を作成し、職員に周知させなければならない。

一　除染等関連業務又は特定線量下業務に係る放射線障害の防止に関する事務を処理する官職の名称及び当該官職の当該放射線障害の防止に係る職務内容

二　除染等関連業務又は特定線量下業務に係る測定用の器具等の使用、取扱い及び保守に関すること。

三　除染等関連業務又は特定線量下業務に従事する職員の範囲に関すること。

四　除染等関連業務又は特定線量下業務に従事する職員その他の職員の放射線障害を防止するための措置に関すること。

五　除染等関連業務又は特定線量下業務に従事する職員その他の職員に対する教育及び訓練に関すること。

六　除染等関連業務に従事する職員の健康診断に関すること。

七　放射線障害を受けた職員又は受けたおそれのある職員に対する保健上必要な措置に関すること。

八　除染等関連業務又は特定線量下業務に従事する職員の受ける線量の測定並びにその記録及びその保管に関すること。

九　緊急時の措置に関すること。

十　その他放射線障害の防止に関し必要な事項

2　各省各庁の長は、除染等管理規程を作成し、又は変更したときは、速やかに人事院に報告しなければならない。

（調整）

第八条　除染等関連業務又は特定線量下業務に従事する職員のうち、業務（除染等関連業務及び特定線量下業務を除く。）上規則一〇—五第三条第三項の管理区域に立ち入る職員又は立ち入る職員であったものがこれらの職員として当該業務への従事の際に受ける又は受けた線量については、除染等関連業務又は特定線量下業務に従事する際に受ける線量とみなす。

2　除染等関連業務に従事する職員のうち、特定線量下業務に従事する職員又は特定線量下業務に従事する職員であったものがこれらの職員として当該特定線量下業務への従事の際に受ける又は受けた線量については、除染等関連業務に従事する際に受ける線量とみなす。

3　特定線量下業務に従事する職員のうち、除染等関連業務に従事する職員又は除染等関連業務に従事する職員であったものがこれらの職員として当該除染等関連業務への従事の際に受ける又は受けた線量については、特定線量下業務に従事する際に受ける線量とみなす。

附　則（抄）

（施行期日）

第一条　この規則は、平成二十四年一月一日から施行する。

〇人事院規則一〇—一五（妊娠、出産、育児又は介護に関するハラスメントの防止等）

平二八・一二・一公布
平二九・一・一施行

最終改正　令六・三・二九規則一—八二

（趣旨）

第一条　この規則は、人事行政の公正の確保、職員の利益の保護及び職員の能率の発揮を目的として、妊娠、出産、育児又は介護に関するハラスメントの防止のための措置及び妊娠、出産、育児又は介護に関するハラスメントが生じた場合に適切に対応するための措置に関し、必要な事項を定めるものとする。

（定義）

第二条　この規則において、「妊娠、出産、育児又は介護に関するハラスメント」とは、職場における次に掲げるものをいう。

一　職員に対する次に掲げる事由に関する言動により当該職員の勤務環境が害されること。

イ　妊娠したこと。

ロ　出産したこと

ハ　妊娠又は出産に起因する症状により勤務することができないこと若しくはできなかったこと又は能率が低下したこと。

ニ　不妊治療を受けること。

二　職員に対する次に掲げる妊娠又は出産に関する制度又は措置の利用に関する言動により当該職員の勤務環境が害されること。

イ　規則一〇―七（女子職員及び年少職員の健康、安全及び福祉）第三条第一項の規定により妊娠、出産、哺育等に有害な業務に就かせないこと。

ロ　規則一〇―七第四条の規定により深夜勤務又は正規の勤務時間等以外の時間における勤務をさせないこと。

ハ　規則一〇―七第五条の規定による保健指導又は健康診査を受けるため勤務しないこと。

ニ　規則一〇―七第六条第一項の規定により業務を軽減し、又は他の軽易な業務に就かせること。

ホ　規則一〇―七第六条第二項の規定による休息し、又は補食するため勤務しないこと。

ヘ　規則一〇―七第七条の規定による正規の勤務時間等の始め又は終わりにおいて勤務しないこと。

ト　規則一五―一四（職員の勤務時間、休日及び休暇）第二十二条第一項第五号の二又は規則一五―一五（非常勤職員の勤務時間及び休暇）第四条第一項第九号の規定による不妊治療に係る通院等のための休暇

チ　規則一五―一四第二十二条第一項第六号又は規則一五―一五第四条第一項第十号の規定による六週間（多胎妊娠の場合にあっては、十四週間）以内に出産する予定である場合の休暇

リ　規則一五―一四第二十二条第一項第七号又は規則一五―一五第四条第一項第十一号の規定による出産した場合の休暇

ヌ　規則一五―一四第二十二条第一項第八号又は規則一五―一五第四条第二項第一号の規定による保育のために必要と認められる授乳等を行う場合の休暇

ル　規則一五―一四第二十二条第一項第九号又は規則一五―一五第四条第一項第十二号の規定による妻の出産に伴う休暇

ヲ　規則一五―一五第四条第二項第七号の規定による保健指導又は健康診査に基づく指導事項を守るための休暇

ワ　イからヲまでに掲げるもののほか、人事院の定める妊娠又は出産に関する制度又は措置

三　職員に対する次に掲げる育児に関する制度又は措置の利用に関する言動により当該職員の勤務環境が害されること。

イ　育児休業法第三条第一項に規定する育児休業

ロ　育児休業法第十二条第一項に規定する育児短時間勤務

ハ　育児休業法第二十六条第一項に規定する育児時間

ニ　勤務時間法第六条第三項の規定により規則一五―一四第四条の三第一項第二号イの子を養育する職員として申告をした職員について勤務時間を割り振らない日を設け、又は勤務時間を割り振ること。

ホ　規則一〇―一一（育児又は介護を行う職員の早出遅出勤務並びに深夜勤務及び超過勤務の制限）第三条の規定により早出遅出勤務をさせること。

ヘ　規則一〇―一一第六条の規定により深夜勤務をさせないこと。

ト　規則一〇―一一第九条又は第十条の規定により超過勤務をさせないこと。

チ　規則一五―一四第二十二条第一項第十号又は規則一五―一五第四条第一項第十三号の規定による子の養育のための休暇

リ　規則一五―一四第二十二条第一項第十一号又は規則一五―一五第四条第二項第二号の規定による子の看護のための休暇

ヌ　イからリまでに掲げるもののほか、人事院の定める育児に関する制度又は措置

四　職員に対する次に掲げる介護に関する制度又は措置の利用に関する言動により当該職員の勤務環境が害されること。

イ　勤務時間法第六条第三項の規定により規則一五―一四第四条の三第一項第二号ロの要介護者を介護する職員として申告をした職員について勤務時間を割り振らない日を設け、又は勤務時間を割り振ること。

ロ　勤務時間法第二十条第一項に規定する介護休暇又は規則一五―一五第四条第二項第四号の規定による要介護者の介護をするための休暇

ハ　勤務時間法第二十条の二第一項に規定する介護時間又は規則一五―一五第四条第二項第五号の規定による要介護者の介護をするための休暇

ニ　規則一〇―一一第十三条の規定により読み替えられた同規則第三条の規定により早出遅出勤務をさせること。

ホ　規則一〇―一一第十三条の規定により読み替えられた同規則第六条の規定により深夜勤務をさせないこと。

ヘ　規則一〇―一一第十三条の規定により読み替え

られた同規則第九条又は第十条の規定により超過勤務をさせないこと。

ト　規則一五―一四第二十二条第一項第十二号又は規則一五―一五第四条第二項第三号の規定による要介護者の世話を行うための休暇

チ　イからトまでに掲げるもののほか、人事院の定める介護に関する制度又は措置

（人事院の責務）

第三条　人事院は、妊娠、出産、育児又は介護に関するハラスメントの防止及び妊娠、出産、育児又は介護に関するハラスメントが生じた場合の対応（以下「妊娠、出産、育児又は介護に関するハラスメントの防止等」という。）に関する施策についての企画立案を行うとともに、各省各庁の長が妊娠、出産、育児又は介護に関するハラスメントの防止等のために実施する措置に関する調整、指導及び助言に当たらなければならない。

（各省各庁の長の責務）

第四条　各省各庁の長は、職員がその能率を充分に発揮できるような勤務環境を確保するため、妊娠、出産、育児又は介護に関するハラスメントの防止に関し、必要な措置を講ずるとともに、妊娠、出産、育児又は介護に関するハラスメントが生じた場合においては、必要な措置を迅速かつ適切に講じなければならない。

２　各省各庁の長は、当該各省各庁に属する職員が他の各省各庁に属する職員（以下「他省庁の職員」という。）から妊娠、出産、育児又は介護に関するハラスメントを生じさせる言動を受けたとされる場合には、当該他省庁の職員に係る各省各庁の長に対し、当該他省庁の職員に対する調査を行うよう要請するとともに、必要に応じて当該他省庁の職員に対する指導等の対応を行うよう求めなければならない。この場合において、当該調査又は対応を行うよう求められた各省各庁の長は、これに応じて必要と認める協力を行わなければならない。

３　各省各庁の長は、妊娠、出産、育児又は介護に関するハラスメントに関する苦情の申出、当該苦情等に係る調査への協力その他妊娠、出産、育児又は介護に関するハラスメントが生じた場合の職員の対応に起因して当該職員が職場において不利益を受けることがないようにしなければならない。

（職員の責務）

第五条　職員は、妊娠、出産、育児又は介護に関するハラスメントを生じさせる言動をしてはならない。

２　職員は、次条第一項の指針を十分認識して行動するよう努めなければならない。

３　職員を監督する地位にある者（以下「監督者」という。）は、良好な勤務環境を確保するため、日常の執務を通じた指導等により妊娠、出産、育児又は介護に関するハラスメントの防止に努めるとともに、妊娠、出産、育児又は介護に関するハラスメントが生じた場合には、迅速かつ適切に対処しなければならない。

（職員に対する指針）

第六条　人事院は、妊娠、出産、育児又は介護に関するハラスメントをなくするために職員が認識すべき事項について、指針を定めるものとする。

２　各省各庁の長は、職員に対し、前項の指針の周知徹底を図らなければならない。

（研修等）

第七条　各省各庁の長は、妊娠、出産、育児又は介護に関するハラスメントの防止等のため、職員の意識の啓発及び知識の向上を図らなければならない。

２　各省各庁の長は、妊娠、出産、育児又は介護に関するハラスメントの防止等のため、職員に対し、研修を実施しなければならない。この場合において、特に、新たに職員となった者に妊娠、出産、育児又は介護に関するハラスメントに関する基本的な事項について理解させること並びに新たに監督者となった職員に妊娠、出産、育児又は介護に関するハラスメントの防止等に関しその求められる役割及び技能について理解させることに留意するものとする。

３　人事院は、各省各庁の長が前二項の規定により実施する研修等の調整及び指導に当たるとともに、自ら実施することが適当と認められる妊娠、出産、育児又は介護に関するハラスメントの防止等のための研修について計画を立て、その実施に努めるものとする。

（苦情相談への対応）

第八条　各省各庁の長は、人事院の定めるところにより、妊娠、出産、育児又は介護に関するハラスメントに関する苦情の申出及び相談（以下「苦情相談」という。）が職員からなされた場合に対応するため、苦情相談を受ける職員（以下「相談員」という。）を配置し、相談員が苦情相談を受ける日時及び場所を指定する等必要な体制を整備しなければならない。この場合において、各省各庁の長は、苦情相談を受ける体制を職員に対して明示するものとする。

２　相談員は、苦情相談に係る問題の事実関係の確認及び当該苦情相談に係る当事者に対する助言等により、当該問題を迅速かつ適切に解決するよう努めるものとする。この場合において、相談員は、次条第一項の指

針に十分留意しなければならない。

3　職員は、相談員に対して苦情相談を行うほか、人事院に対しても苦情相談を行うことができる。この場合において、人事院は、苦情相談を行った職員等から事情の聴取を行う等の必要な調査を行い、当該職員等に対して指導、助言及び必要なあっせん等を行うものとする。

（苦情相談に関する指針）

第九条　人事院は、相談員が妊娠、出産、育児又は介護に関するハラスメントに関する苦情相談に対応するに当たり留意すべき事項について、指針を定めるものとする。

2　各省各庁の長は、相談員に対し、前項の指針の周知徹底を図らなければならない。

附　則（抄）

（施行期日）

1　この規則は、平成二十九年一月一日から施行する。

○人事院規則一〇—一五（妊娠、出産、育児又は介護に関するハラスメントの防止等）の運用について

平二八・一二・一
職職—二七三

最終改正　令六・三・二九事企法—八七

標記について下記のとおり定めたので、平成二十九年一月一日以降は、これによってください。

記

第二条関係

1　この条で定義する「妊娠、出産、育児又は介護に関するハラスメント」については、職員の上司（当該職員を事実上監督していると認められる者及び当該職員の人事に関する行為に関与する者も含まれる。以下同じ。）又は同僚（当該職員と共に日常の執務を行う者（部下を含む。）をいう。以下同じ。）の言動によるものが該当する。また、この条に規定するものであっても、業務分担や安全配慮等の観点から、客観的にみて、業務上の必要性に基づく言動によるものは該当しない。

2　この条の「職場」とは、職員が職務に従事する場所をいい、当該職員が通常勤務している場所以外の場所及び懇親の場等であって当該職員の職務と密接に関連するものも含まれる。

3　この条の第一号ハの「妊娠又は出産に起因する症状」とは、つわり、妊娠悪阻、切迫流産、出産後の回復不全等、妊娠又は出産をしたことに起因して妊産婦に生じる症状をいう。

4　この条の第二号ワの「人事院の定める妊娠又は出産に関する制度又は措置」は、「職員の勤務時間、休日及び休暇の運用について（平成六年七月二十七日職職—三二八）」（以下「勤務時間等関係運用通知」という。）第六の第三項(3)ウの規定により休憩時間を短縮すること（「人事院規則一五—一五（非常勤職員の勤務時間及び休暇）の運用について（平成六年七月二十七日職職—三二九）」（以下「規則一五—一五運用通知」という。）第二条関係第二項の規定により準じて取り扱う場合を含む。）とする。

5　この条の第三号ヌの「人事院の定める育児に関する制度又は措置」は、次に掲げる制度又は措置（(1)及び(2)に掲げるものにあっては、規則一五—一五運用通知第二条関係第二項の規定によりそれぞれに準じて取り扱う場合を含む。）とする。

(1)　勤務時間等関係運用通知第六の第三項(2)イの規定により子を養育する職員の休憩時間を延長すること。

(2)　勤務時間等関係運用通知第六の第三項(3)アの規定により子を養育する職員の休憩時間を短縮すること。

(3)　人事院規則一五—一五（非常勤職員の勤務時間及び休暇）第二条第二項の規定により勤務時間を定めること（規則一五—一五運用通知第二条関係第五項及び第六項の規定によりこの条の第三号ニに規定する勤務時間を割り振らない日の設定又は勤務時間の割振りの例に準じて取り扱う場合に限

る。）。

6　この条の第四号チの「人事院の定める介護に関する制度又は措置」は、次に掲げる制度又は措置（⑴及び⑵に掲げるものにあっては、規則一五―一五運用通知第二条関係第二項の規定によりそれぞれに準じて取り扱う場合を含む。）とする。

⑴　勤務時間等関係運用通知第六の第三項⑵イの規定により要介護者を介護する職員の休憩時間を延長すること。

⑵　勤務時間等関係運用通知第六の第三項⑶アの規定により要介護者を介護する職員の休憩時間を短縮すること。

⑶　人事院規則一五―一五第二条第二項の規定により勤務時間を定めること（規則一五―一五運用通知第二条関係第五項及び第六項の規定によりこの条の第四号イに規定する勤務時間を割り振らない日の設定又は勤務時間の割振りの例に準じて取り扱う場合に限る。）。

7　妊娠、出産、育児又は介護に関するハラスメントに該当する典型的な例としては、次に掲げるものがある。この場合において、これらは、限定列挙ではないことには留意するものとする。

一　職員が、妊娠等をしたこと（この条の第一号に掲げる事由をいう。以下同じ。）又は制度等の利用（この条の第二号から第四号までに掲げる制度又は措置の利用をいう。以下同じ。）の請求等をしたい旨を上司に相談したこと、制度等の利用の請求等をしたこと若しくは制度等の利用をしたことにより、上司が当該職員に対し、昇任、配置換等の任用上の取扱い、昇格、昇給、勤勉手当等の給与上の取扱い等に関し、不利益を受けることを示唆すること。

二　次の⑴から⑷までに掲げる言動により、制度等の利用の請求等又は制度等の利用を阻害すること（客観的にみて阻害されるものに限る。）。

⑴　職員が制度等の利用の請求等をしたい旨を上司に相談したところ、上司が当該職員に対し、当該請求等をしないよう言うこと。

⑵　職員が制度等の利用の請求等をしたところ、上司が当該職員に対し、当該請求等を取り下げるよう言うこと。

⑶　職員が制度等の利用の請求等をしたい旨を同僚に伝えたところ、同僚が当該職員に対し、繰り返し又は継続的に当該請求等をしないよう言うこと（当該職員がその意に反することを当該同僚に明示しているにもかかわらず、更に言うことを含む。）。

⑷　職員が制度等の利用の請求等をしたところ、同僚が当該職員に対し、繰り返し又は継続的に当該請求等を取り下げるよう言うこと（当該職員がその意に反することを当該同僚に明示しているにもかかわらず、更に言うことを含む。）。

三　職員が妊娠等をしたこと又は制度等の利用をしたことにより、上司又は同僚が当該職員に対し、繰り返し若しくは継続的に、嫌がらせ的な言動をすること、業務に従事させないこと又は専ら雑務に従事させること（当該職員がその意に反することを当該上司又は同僚に明示しているにもかかわらず、更に言うこと等を含み、客観的にみて、言動を受けた職員の能力の発揮や継続的な勤務に重大な悪影響が生じる等当該職員が勤務する上で看過できない程度の支障が生じるようなものに限る。）。

第四条関係

1　各省各庁の長の責務には、次に掲げるものが含まれる。

一　妊娠、出産、育児又は介護に関するハラスメントの防止等に関する方針、具体的な対策等を各省庁において部内規程等の文書の形で取りまとめ、職員に対して明示すること。

二　妊娠、出産、育児又は介護に関するハラスメントの原因や背景となる要因を解消するため、業務体制の整備など、職場や職員の実情に応じ、必要な措置を講ずること。

三　妊娠、出産、育児又は介護に関するハラスメントが職場に生じていないか、又はそのおそれがないか、勤務環境に十分な注意を払うこと。

四　妊娠、出産、育児又は介護に関するハラスメントに関する苦情相談があった場合に、その内容に応じて、迅速かつ適切な解決を図ること。

五　妊娠、出産、育児又は介護に関するハラスメントが生じた場合には、再発防止に向けた措置を講ずること。

六　職員に対して、妊娠、出産、育児又は介護に関するハラスメントに関する苦情の申出、当該苦情等に係る調査への協力その他妊娠、出産、育児又は介護に関するハラスメントが生じた場合の職員の対応に起因して当該職員が職場において不利益を受けないことを周知すること。

2　この条の第三項の「不利益」には、勤務条件に関する不利益（昇任、配置換等の任用上の取扱い、昇格、昇給、勤勉手当等の給与上の取扱い等に関する不利益をいう。）のほか、同僚等から受ける誹謗《ひぼう》や中傷など職員が受けるその他の不利益が含まれる。

3　妊娠等をしたこと、制度等の利用の請求等をしたこと又は制度等の利用をしたことを理由とする不利益な取扱い（勤務環境を害する行為を含む。）については、既に国家公務員法（昭和二十二年法律第百二十号）等で禁止されており、各省各庁の長は、こうした不利益な取扱いを生じさせることがないよう徹底するものとする。

第五条関係

この条の第三項の「職員を監督する地位にある者」には、他の職員を事実上監督していると認められる地位にある者を含むものとする。

第六条関係

この条の第一項の人事院が定める指針は、別紙第1のとおりとする。

第七条関係

1　この条の第一項の「職員の意識の啓発及び知識の向上」を図る方法としては、パンフレット、ポスター等の啓発資料の配布、掲示又はイントラネットへの掲載、職員の意識調査の実施等が挙げられる。

2　この条の第二項の「求められる役割及び技能」には、監督者が妊娠、出産、育児又は介護に関するハラスメントに関する苦情相談に適切に対応するために必要な知識等が含まれる。

第八条関係

1　苦情相談は、妊娠、出産、育児又は介護に関するハラスメントによる被害を受けた本人からのものに限らず、次のようなものも含まれる。

一　他の職員について妊娠、出産、育児又は介護に関するハラスメントが生じているのを見た職員からの相談

二　他の職員から妊娠、出産、育児又は介護に関するハラスメントを生じさせる言動をしている旨の指摘を受けた職員からの相談

三　部下等から妊娠、出産、育児又は介護に関するハラスメントに関する相談を受けた監督者からの相談

2　この条の第一項の苦情相談を受ける体制の整備については、次に定めるところによる。

一　本省庁（府、省又は外局として置かれる庁の内部部局その他これに相当する行政機関の部局をいう。）及び管区機関（数府県の地域を管轄区域とする相当の規模を有する地方支分部局その他これに相当する行政機関の部局をいう。）においては、それぞれ複数の相談員を置くことを基準とし、その他の機関においても、妊娠、出産、育児又は介護に関するハラスメントに関する職員からの苦情相談に対応するために必要な体制をその組織構成、各官署の規模等を勘案して整備するものとする。

二　相談員のうち少なくとも一名は、苦情相談を行う職員の属する課の長に対する指導及び人事当局との連携をとることのできる地位にある者をもって充てるものとする。

三　苦情相談には、苦情相談を行う職員の希望する性の相談員が同席できるような体制を整備するよう努めるものとする。

四　妊娠、出産、育児又は介護に関するハラスメントは、セクシュアル・ハラスメント（人事院規則一〇―一〇（セクシュアル・ハラスメントの防止等）第二条第一号に規定するセクシュアル・ハラスメントをいう。以下同じ。）又はパワー・ハラスメント（人事院規則一〇―一六（パワー・ハラスメントの防止等）第二条に規定するパワー・ハラスメントをいう。）と複合的に生じることも想定されることから、セクシュアル・ハラスメント等に関する苦情相談を受ける体制と一体的に、妊娠、出産、育児又は介護に関するハラスメントに関する苦情相談を受ける体制を整備するなど、一元的に苦情相談を受けることのできる体制を整備するよう努めるものとする。

3　各省各庁の長は、相談員に対し、責任を持って苦情相談に対応するよう指導を徹底するとともに、苦情相談に関する知識、技能等を向上させるため、相談員に対する研修等を実施し、又は相談員を人事院の研修等に参加させるよう努めるものとする。

4　この条の第三項の「苦情相談を行った職員等」には、他の職員から妊娠、出産、育児又は介護に関するハラスメントに係る言動を受けたとする職員、他の職員に対し妊娠、出産、育児又は介護に関するハラスメントに係る言動を行ったとされる職員その他の関係者が含まれる。

第九条関係

この条の第一項の人事院が定める指針は、別紙第2のとおりとする。

以　上

別紙第１

妊娠、出産、育児又は介護に関するハラスメントをなくするために職員が認識すべき事項についての指針

第１ 妊娠、出産、育児又は介護に関するハラスメントを生じさせないために職員が認識すべき事項

１ 基本的な心構え

職員は、妊娠、出産、育児又は介護に関するハラスメントを生じさせないために、次の事項について十分認識しなければならない。

一 妊娠、出産、育児又は介護に関する否定的な言動（不妊治療に対する否定的な言動を含め、他の職員の妊娠、出産、育児又は介護の否定につながる言動（当該職員に直接行わない言動も含まれる。）をいい、単なる自らの意思の表明を除く。）は、妊娠、出産、育児又は介護に関するハラスメントの原因や背景となること。

二 仕事と妊娠、出産、育児又は介護とを両立するための制度又は措置があること。

２ 監督者として認識すべき事項

監督者は、妊娠、出産、育児又は介護に関するハラスメントを生じさせないために、次の事項について十分認識しなければならない。

一 妊娠した職員がつわりなどの体調不良のため勤務ができないことや能率が低下すること、制度等の利用をした職員が正規の勤務時間の一部を勤務しないこと等により周囲の職員の業務負担が増大することも妊娠、出産、育児又は介護に関するハラスメントの原因や背景となること。

二 業務体制の整備など、職場や妊娠等をし、又は制度等の利用をした職員その他の職員の実情に応じ、必要な措置を講ずること。

例えば、業務体制の整備については、妊娠等をし、又は制度等の利用をした職員の周囲の職員への業務の偏りを軽減するよう、適切に業務分担の見直しを行うことや、業務の点検を行い、業務の効率化等を行うものとする。

３ 妊娠等をし、又は制度等の利用をする職員として認識すべき事項

妊娠等をし、又は制度等の利用をする職員は、妊娠、出産、育児又は介護に関するハラスメントに係る言動を受けないために、次の事項について十分認識しなければならない。

一 仕事と妊娠、出産、育児又は介護とを両立していくために必要な場合は、妊娠、出産、育児又は介護に関する制度等の利用ができるという知識を持つこと。

二 周囲と円滑なコミュニケーションを図りながら自身の体調や制度等の利用状況等に応じて適切に業務を遂行していくという意識を持つこと。

４ 懲戒処分

妊娠、出産、育児又は介護に関するハラスメントの態様等によっては信用失墜行為、国民全体の奉仕者たるにふさわしくない非行などに該当して、懲戒処分に付されることがある。

第２ 妊娠、出産、育児又は介護に関するハラスメントが生じた場合において職員に望まれる事項

１ 基本的な心構え

職員は、妊娠、出産、育児又は介護に関するハラスメントに係る言動を受けた場合にその被害を深刻にしないために、次の事項について認識しておくことが望まれる。

一 一人で我慢しているだけでは、問題は解決しないこと。

妊娠、出産、育児又は介護に関するハラスメントに係る言動を無視したり、受け流したりしているだけでは、必ずしも状況は改善されないということをまず認識することが大切である。

二 妊娠、出産、育児又は介護に関するハラスメントに係る言動に対する行動をためらわないこと。

被害を深刻なものにしない、他に被害者をつくらない、さらには妊娠、出産、育児又は介護に関するハラスメントをなくすことは自分だけの問題ではなく良い勤務環境の形成に重要であるとの考えに立って、勇気を出して行動することが求められる。

２ 妊娠、出産、育児又は介護に関するハラスメントに係る言動を受けたと思うときに望まれる対応

職員は、妊娠、出産、育児又は介護に関するハラスメントに係る言動を受けた場合、次のような行動をとるよう努めることが望まれる。

一 自分の意に反することは相手に対して明確に意思表示をすること。

妊娠、出産、育児又は介護に関するハラスメントに係る言動に対しては毅然とした態度をとること。すなわち、はっきりと自分の意思を相手に伝えることが重要である。直接相手に言いにくい場合には、手紙等の手段をとるという方法もある。

二 信頼できる人に相談すること。

まず、職場の同僚や知人等身近な信頼できる人

に相談することが大切である。各職場内において解決することが困難な場合には、内部又は外部の相談機関に相談する方法を考える。なお、相談するに当たっては、妊娠、出産、育児又は介護に関するハラスメントに係る言動を受けた日時、内容等について記録しておくことが望ましい。

別紙第2

妊娠、出産、育児又は介護に関するハラスメントに関する苦情相談に対応するに当たり留意すべき事項についての指針

第1　基本的な心構え

職員からの苦情相談に対応するに当たっては、相談員は次の事項に留意する必要がある。

1　被害者を含む当事者にとって適切かつ効果的な対応は何かという視点を常に持つこと。

2　事態を悪化させないために、迅速な対応を心掛けること。

3　関係者のプライバシーや名誉その他の人権を尊重するとともに、知り得た秘密を厳守すること。

第2　苦情相談の事務の進め方

1　苦情相談を受ける際の相談員の体制等

一　苦情相談を受ける際には、原則として二人の相談員で対応すること。

二　苦情相談を受けるに当たっては、苦情相談を行う職員（以下「相談者」という。）の希望する性の相談員が同席するよう努めること。

三　相談員は、苦情相談に適切に対応するために、相互に連携し、協力すること。

四　実際に苦情相談を受けるに当たっては、その内容を相談員以外の者に見聞されないよう周りから遮断した場所で行うこと。

2　相談者から事実関係等を聴取するに当たり留意すべき事項

相談者から事実関係等を聴取するに当たっては、次の事項に留意する必要がある。

一　相談者の求めるものを把握すること。

将来の言動の抑止等、今後も発生が見込まれる言動への対応を求めるものであるのか、又は喪失した利益の回復、謝罪要求等過去にあった言動に対する対応を求めるものであるのかについて把握する。

二　どの程度の緊急性があるのかについて把握すること。

相談者の心身の状態等に鑑み、苦情相談への対応に当たりどの程度の緊急性があるのかを把握する。

三　相談者の主張に真摯に耳を傾け丁寧に話を聴くこと。

特に相談者が被害者の場合、妊娠、出産、育児又は介護に関するハラスメントに係る言動を受けた心理的な影響から必ずしも理路整然と話すとは限らない。むしろ脱線することも十分想定されるが、事実関係を把握することは極めて重要であるので、忍耐強く聴くよう努める。また、相談員自身の評価を差し挟むことはせず、相談者の心情に配慮し、その主張等を丁寧に聴き、相談者が認識する事実関係を把握することが必要である。

四　事実関係については、次の事項を把握すること。

(1)　当事者（妊娠、出産、育児又は介護に関するハラスメントの被害者及び行為者とされる者）間の関係

(2)　問題とされる言動が、いつ、どこで、どのように行われたか。

(3)　相談者は、行為者とされる者に対してどのような対応をとったか。

(4)　監督者等に対する相談を行っているか。

なお、これらの事実を確認する場合、相談者が主張する内容については、当事者のみが知り得るものか、又は他に目撃者はいるのかを把握する。

五　聴取した事実関係等を相談者に確認すること。

聞き間違えの修正並びに聞き漏らした事項及び言い忘れた事項の補充ができるので、聴取事項を書面で示したり、復唱したりするなどして相談者に確認する。

六　聴取した事実関係等については、必ず記録して保存しておくとともに、当該記録を厳重に管理すること。

3　行為者とされる者からの事実関係等の聴取

一　原則として、行為者とされる者から事実関係等を聴取する必要がある。ただし、妊娠、出産、育児又は介護に関するハラスメントが比較的軽微なものであり、対応に緊急性がない場合などは、監督者の観察又は指導による対応が適当な場合も考えられるので、その都度適切な方法を選択して対応する。

二　行為者とされる者から事実関係等を聴取する場合には、行為者とされる者に対して十分な弁明の機会を与える。

三　行為者とされる者から事実関係等を聴取するに当たっては、その主張に真摯に耳を傾け丁寧に話を聴く、聴取した事実関係等を行為者とされる者に確認するなど、相談者から事実関係等を聴取する際の留意事項を参考にし、適切に対応する。

4　第三者からの事実関係等の聴取

妊娠、出産、育児又は介護に関するハラスメントについて当事者間で事実関係に関する主張に不一致があり、事実の確認が十分にできないと認められる場合などは、第三者から事実関係等を聴取することも必要である。

この場合、相談者から事実関係等を聴取する際の留意事項を参考にし、適切に対応する。

5　相談者に対する説明

苦情相談に関し、具体的にとられた対応については、相談者に説明する。

○人事院規則一〇—一六（パワー・ハラスメントの防止等）

令二・四・一公布
令二・六・一施行

（趣旨）

第一条　この規則は、人事行政の公正の確保、職員の利益の保護及び職員の能率の発揮を目的として、パワー・ハラスメントの防止のための措置及びパワー・ハラスメントが行われた場合に適切に対応するための措置に関し、必要な事項を定めるものとする。

（定義）

第二条　この規則において、「パワー・ハラスメント」とは、職務に関する優越的な関係を背景として行われる、業務上必要かつ相当な範囲を超える言動であって、職員に精神的若しくは身体的な苦痛を与え、職員の人格若しくは尊厳を害し、又は職員の勤務環境を害することとなるようなものをいう。

（人事院の責務）

第三条　人事院は、パワー・ハラスメントの防止及びパワー・ハラスメントが行われた場合の対応（以下「パワー・ハラスメントの防止等」という。）に関する施策についての企画立案を行うとともに、各省各庁の長がパワー・ハラスメントの防止等のために実施する措置に関する調整、指導及び助言に当たらなければならない。

（各省各庁の長の責務）

第四条　各省各庁の長は、職員がその能率を充分に発揮できるような勤務環境を確保するため、パワー・ハラスメントの防止に関し、必要な措置を講ずるとともに、パワー・ハラスメントが行われた場合においては、必要な措置を迅速かつ適切に講じなければならない。

2　各省各庁の長は、当該各省各庁に属する職員が他の各省各庁に属する職員（以下「他省庁の職員」という。）からパワー・ハラスメントを受けたとされる場合には、当該他省庁の職員に係る各省各庁の長に対し、当該他省庁の職員に対する調査を行うよう要請するとともに、必要に応じて当該他省庁の職員に対する指導等の対応を行うよう求めなければならない。この場合において、当該調査又は対応を行うよう求められた各省各庁の長は、これに応じて必要と認める協力を行わなければならない。

3　各省各庁の長は、パワー・ハラスメントに関する苦情の申出、当該苦情等に係る調査への協力その他パワー・ハラスメントが行われた場合の職員の対応に起因して当該職員が職場において不利益を受けることがないようにしなければならない。

（職員の責務）

第五条　職員は、パワー・ハラスメントをしてはならない。

2　職員は、次条第一項の指針を十分認識して行動するよう努めなければならない。

3　管理又は監督の地位にある職員は、パワー・ハラスメントの防止のため、良好な勤務環境を確保するよう努めるとともに、パワー・ハラスメントに関する苦情の申出及び相談（以下「苦情相談」という。）が職員からなされた場合には、苦情相談に係る問題を解決するため、迅速かつ適切に対処しなければならない。

（職員に対する指針）

第六条　人事院は、パワー・ハラスメントを防止しパワー・ハラスメントに関する問題を解決するために職員が認識すべき事項について、指針を定めるものとする。

2　各省各庁の長は、職員に対し、前項の指針の周知徹底を図らなければならない。

（研修等）

第七条　各省各庁の長は、パワー・ハラスメントの防止等のため、職員の意識の啓発及び知識の向上を図らなければならない。

2　各省各庁の長は、パワー・ハラスメントの防止等のため、職員に対し、研修を実施しなければならない。この場合において、特に、新たに職員となった者にパワー・ハラスメントに関する基本的な事項について理解させること並びに昇任した職員にパワー・ハラスメントの防止等に関し昇任後の役職段階ごとに求められる役割及び技能について理解させることに留意するものとする。

3　人事院は、各省各庁の長が前二項の規定により実施する研修等の調整及び指導に当たるとともに、自ら実施することが適当と認められるパワー・ハラスメントの防止等のための研修について計画を立て、その実施に努めるものとする。

（苦情相談への対応）

第八条　各省各庁の長は、人事院の定めるところにより、パワー・ハラスメントに関する苦情相談が職員からなされた場合に対応するため、苦情相談を受ける職員（以下「相談員」という。）を配置し、相談員が苦情相談を受ける日時及び場所を指定する等必要な体制を整備しなければならない。この場合において、各省各庁の長は、苦情相談を受ける体制を職員に対して明示するものとする。

2　相談員は、次条第一項の指針に十分留意して、苦情相談に係る問題を迅速かつ適切に解決するよう努めるものとする。

3　職員は、相談員に対して苦情相談を行うほか、人事院に対しても苦情相談を行うことができる。この場合において、人事院は、苦情相談を行った職員等から事情の聴取を行う等の必要な調査を行い、当該職員等に対して指導、助言及び必要なあっせん等を行うものとする。

（苦情相談に関する指針）

第九条　人事院は、相談員がパワー・ハラスメントに関する苦情相談に対応するに当たり留意すべき事項について、指針を定めるものとする。

2　各省各庁の長は、相談員に対し、前項の指針の周知徹底を図らなければならない。

附　則（抄）

（施行期日）

1　この規則は、令和二年六月一日から施行する。

○人事院規則一〇―一六（パワー・ハラスメントの防止等）の運用について

令二・四・一
職職―一四一

標記について下記のとおり定めたので、令和二年六月一日以降は、これによってください。

記

第二条関係

1　この条の「職務に関する優越的な関係を背景として行われる」言動とは、当該言動を受ける職員が当該言動の行為者に対して抵抗又は拒絶することができない蓋然性が高い関係を背景として行われるものをいう。典型的なものとして、次に掲げるものが挙げられる。

一　職務上の地位が上位の職員による言動

二　同僚又は部下による言動で、当該言動を行う者が業務上必要な知識や豊富な経験を有しており、当該者の協力を得なければ業務の円滑な遂行を行うことが困難な状況下で行われるもの

三　同僚又は部下からの集団による行為で、これに抵抗又は拒絶することが困難であるもの

2　この条の「業務上必要かつ相当な範囲を超える」言動とは、社会通念に照らし、当該言動が明らかに業務上必要性がない又はその態様が相当でないものをいい、例えば、次に掲げるものが含まれる。な

お、このような言動に該当するか否かは、具体的な状況（言動の目的、当該言動を受けた職員の問題行動の有無並びにその内容及び程度その他当該言動が行われた経緯及びその状況、業務の内容及び性質、当該言動の態様、頻度及び継続性、職員の属性及び心身の状況、当該言動の行為者との関係性等）を踏まえて総合的に判断するものとする。

一　明らかに業務上必要性がない言動

二　業務の目的を大きく逸脱した言動

三　業務の目的を達成するための手段として不適当な言動

四　当該行為の回数・時間、当該言動の行為者の数等、その態様や手段が社会通念に照らして許容される範囲を超える言動

第四条関係

1　各省各庁の長の責務には、次に掲げるものが含まれる。

一　パワー・ハラスメントの防止等に関する方針、具体的な対策等を各省庁において部内規程等の文書の形で取りまとめ、職員に対して明示すること。

二　パワー・ハラスメントの原因や背景となる要因を解消するため、業務体制の整備など、職場や職員の実情に応じ、必要な措置を講ずること。

三　パワー・ハラスメントが職場で行われていないか、又はそのおそれがないか、勤務環境に十分な注意を払うこと。

四　パワー・ハラスメントに関する苦情相談があった場合（次号に規定する場合を除く。）に、その内容に応じて、迅速かつ適切な解決を図ること。

五　職員が担当する行政サービスの利用者等からの言動で、当該行政サービスをめぐるそれまでの経緯やその場の状況により、その対応を打ち切りづらい中で行われるものであって、当該言動を受ける職員の属する省庁の業務の範囲や程度を明らかに超える要求をするものに関する苦情相談があった場合に、組織として対応し、その内容に応じて、迅速かつ適切に職員の救済を図ること。

六　パワー・ハラスメントが行われた場合には、再発防止に向けた措置を講ずること。

七　職員に対して、パワー・ハラスメントに関する苦情の申出、当該苦情等に係る調査への協力その他パワー・ハラスメントが行われた場合の職員の対応に起因して当該職員が職場において不利益を受けないことを周知すること。

2　この条の第三項の「不利益」には、勤務条件に関する不利益（昇任、配置換等の任用上の取扱い、昇格、昇給、勤勉手当等の給与上の取扱い等に関する不利益をいう。）のほか、同僚等から受ける誹謗《ひぼう》や中傷など職員が受けるその他の不利益が含まれる。

第五条関係

1　この条の第三項の「管理又は監督の地位にある職員」とは、次に掲げる職員をいう。

一　一般職の職員の給与に関する法律（昭和二十五年法律第九十五号。以下「給与法」という。）第十条の二第一項に規定する官職を占める職員

二　給与法別表第十一指定職俸給表の適用を受ける職員

三　前二号に掲げる職員に相当するもの

2　この条の第三項の「良好な勤務環境を確保する」ことには、自らの権限を行使し得る範囲において、職員間で業務負担が偏らないようにすること、職場における意思疎通の円滑化を図ること等が含まれる。

3　この条の第三項の「苦情相談に係る問題を解決するため、迅速かつ適切に対処」することとは、自らの権限を行使し得る範囲において、苦情相談を受け、これに迅速かつ適切に対処することをいう。この場合において、必要に応じて相談員や人事当局との連携をとるものとする。

第六条関係

この条の第一項の人事院が定める指針は、別紙第1のとおりとする。

第七条関係

1　この条の第一項の「職員の意識の啓発及び知識の向上」を図る方法としては、パンフレット、ポスター等の啓発資料の配布、掲示又はイントラネットへの掲載、職員の意識調査の実施等が挙げられる。

2　この条の第二項の「求められる役割及び技能」には、管理又は監督の地位にある職員がパワー・ハラスメントに関する苦情相談に適切に対応するために必要な知識等が含まれる。

第八条関係

1　苦情相談は、パワー・ハラスメントによる被害を受けた本人からのものに限らず、次のようなものも含まれる。

一　他の職員がパワー・ハラスメントを受けているのを見た職員からの相談

二　他の職員からパワー・ハラスメントをしている旨の指摘を受けた職員からの相談

三　部下等からパワー・ハラスメントに関する相談を受けた管理又は監督の地位にある職員からの相談

2　この条の第一項の苦情相談を受ける体制の整備については、次に定めるところによる。

一　本省庁（府、省又は外局として置かれる庁の内部部局その他これに相当する行政機関の部局をいう。）及び管区機関（数府県の地域を管轄区域とする相当の規模を有する地方支分部局その他これに相当する行政機関の部局をいう。）においては、それぞれ複数の相談員を置くことを基準とし、その他の機関においても、パワー・ハラスメントに関する職員からの苦情相談に対応するために必要な体制をその組織構成、各官署の規模等を勘案して整備するものとする。

二　相談員の指名は、パワー・ハラスメントに関する苦情相談に適切に対応するためには業務内容及びマネジメントについての理解が必要であることを踏まえて行うものとする。

三　相談員のうち少なくとも一名は、苦情相談を行う職員の属する課の長に対する指導及び人事当局との連携をとることのできる地位にある者をもって充てるものとする。

四　苦情相談には、苦情相談を行う職員の希望する性の相談員が同席できるような体制を整備するよう努めるものとする。

五　パワー・ハラスメントは、セクシュアル・ハラスメント（人事院規則一〇―一〇（セクシュアル・ハラスメントの防止等）第二条第一号に規定するセクシュアル・ハラスメントをいう。以下同じ。）又は妊娠、出産、育児若しくは介護に関するハラスメント（人事院規則一〇―一五（妊娠、出産、育児又は介護に関するハラスメントの防止等）第二条に規定する妊娠、出産、育児又は介護に関するハラスメントをいう。）と複合的に生じることも想定されることから、セクシュアル・ハラスメント等に関する苦情相談を受ける体制と一体的に、パワー・ハラスメントに関する苦情相談を受ける体制を整備するなど、一元的に苦情相談を受けることのできる体制を整備するよう努めるものとする。

3　各省各庁の長は、相談員に対し、責任を持って苦情相談に対応するよう指導を徹底するとともに、苦情相談に関する知識、技能等を向上させるため、相談員に対する研修等を実施し、又は相談員を人事院の研修等に参加させるよう努めるものとする。

4　各省各庁の長は、相談員と連携して適切に苦情相談に対応できるよう、人事当局における相談体制の強化にも努めるものとする。

5　この条の第三項の「苦情相談を行った職員等」には、他の職員からパワー・ハラスメントを受けたとする職員、他の職員に対しパワー・ハラスメントをしたとされる職員その他の関係者が含まれる。

第九条関係

この条の第一項の人事院が定める指針は、別紙第2のとおりとする。

以　上

別紙第1

パワー・ハラスメントを防止しパワー・ハラスメントに関する問題を解決するために職員が認識すべき事項についての指針

第1　パワー・ハラスメントを防止し円滑な業務運営を行うために職員が認識すべき事項

1　基本的な心構え

職員は、パワー・ハラスメントに関する次の事項について十分認識しなければならない。

一　パワー・ハラスメントは、職員に精神的若しくは身体的な苦痛を与え、職員の人格若しくは尊厳を害し、又は職員の勤務環境を害するものであることを理解し、互いの人格を尊重し、パワー・ハラスメントを行ってはならないこと。

二　業務上必要かつ相当な範囲で行われる適正な業務指示、指導、調整等についてはパワー・ハラスメントに該当しないこと。一方、業務指示等の内容が適切であっても、その手段や態様等が適切でないものは、パワー・ハラスメントになり得ること。

三　部下の指導・育成は、上司の役割であること。また、指導に当たっては、相手の性格や能力を充分見極めた上で行うことが求められるとともに、言動の受け止め方は世代や個人によって異なる可能性があることに留意する必要があること。

四　自らの仕事への取組や日頃の振る舞いを顧みながら、他の職員と能動的にコミュニケーションをとることが求められること。

五　同一省庁の職員間におけるパワー・ハラスメン

トにだけ留意するのでは不十分であること。
例えば、職員がその職務に従事する際に接することとなる他省庁の職員との関係にも十分留意しなければならない。

六　職員以外の者に対してもパワー・ハラスメントに類する言動を行ってはならないこと。

2　パワー・ハラスメントになり得る言動

パワー・ハラスメントになり得る言動として、例えば、次のようなものがある。

一　暴力・傷害
ア　書類で頭を叩《たた》く。
イ　部下を殴ったり、蹴ったりする。
ウ　相手に物を投げつける。

二　暴言・名誉毀損・侮辱
ア　人格を否定するような罵詈《り》雑言を浴びせる。
イ　他の職員の前で無能なやつだと言ったり、土下座をさせたりする。
ウ　相手を罵倒・侮辱するような内容の電子メール等を複数の職員宛てに送信する。
(注)「性的指向又は性自認に関する偏見に基づく言動」は、セクシュアル・ハラスメントに該当するが、職務に関する優越的な関係を背景として行われるこうした言動は、パワー・ハラスメントにも該当する。

三　執拗《よう》な非難
ア　改善点を具体的に指示することなく、何日間にもわたって繰り返し文書の書き直しを命じる。
イ　長時間厳しく叱責し続ける。

四　威圧的な行為
ア　部下達の前で、書類を何度も激しく机に叩《たた》き付ける。
イ　自分の意に沿った発言をするまで怒鳴り続けたり、自分のミスを有無を言わさず部下に責任転嫁したりする。

五　実現不可能・無駄な業務の強要
ア　これまで分担して行ってきた大量の業務を未経験の部下に全部押しつけ、期限内に全て処理するよう厳命する。
イ　緊急性がないにもかかわらず、毎週のように土曜日や日曜日に出勤することを命じる。
ウ　部下に業務とは関係のない私的な雑用の処理を強制的に行わせる。

六　仕事を与えない・隔離・仲間外し・無視
ア　気に入らない部下に仕事をさせない。
イ　気に入らない部下を無視し、会議にも参加させない。
ウ　課員全員に送付する業務連絡のメールを特定の職員にだけ送付しない。
エ　意に沿わない職員を他の職員から隔離する。

七　個の侵害
ア　個人に委ねられるべき私生活に関する事柄について、仕事上の不利益を示唆して干渉する。
イ　他人に知られたくない職員本人や家族の個人情報を言いふらす。
(注)第一号から第七号までの言動に該当しなければパワー・ハラスメントとならないという趣旨に理解されてはならない。

3　懲戒処分

パワー・ハラスメントは懲戒処分に付されることがある。職員以外の者に対し、パワー・ハラスメントに類する言動を行ったときも、信用失墜行為、国民全体の奉仕者たるにふさわしくない非行などに該当して、懲戒処分に付されることがある。

第2　職場の構成員として良好な勤務環境を確保するために認識すべき事項

勤務環境はその構成員である職員の協力の下に形成される部分が大きいことから、パワー・ハラスメントが行われることを防ぐため、職員は、次の事項について、積極的に意を用いるように努めなければならない。

1　パワー・ハラスメントについて問題提起する職員をいわゆるトラブルメーカーと見て問題を真摯に取り上げないこと、又はパワー・ハラスメントに関する問題を当事者間の個人的な問題として片付けることがあってはならないこと。
職場におけるミーティングを活用することなどにより解決することができる問題については、問題提起を契機として、良好な勤務環境の確保のために皆で取り組むことを日頃から心掛けることが必要である。

2　職場からパワー・ハラスメントに関する問題の行為者や被害者を出さないようにするために、周囲に対する気配りをし、必要な行動をとること。
具体的には、次の事項について十分留意して必要な行動をとる必要がある。
一　パワー・ハラスメントやパワー・ハラスメントに当たるおそれがある言動が見受けられる場合は、職場の同僚として注意を促すこと。
二　被害を受けていることを見聞きした場合には、

声をかけて相談に乗ること。

3　パワー・ハラスメントを直接に受けていない者も気持ちよく勤務できる環境をつくるために、パワー・ハラスメントと思われる言動が行われている状況について上司等に相談するなどの方法をとることをためらわないこと。

第3　自分が受けている言動がパワー・ハラスメントではないかと考える場合において職員に望まれる事項

職員は、自分が受けている言動がパワー・ハラスメントではないかと考える場合には、その被害を深刻にしないために、次の事項について認識しておくことが望まれる。

1　一人で抱え込まずに、相談窓口や信頼できる人等に相談すること

問題を自分一人で抱え込まずに、職場の同僚や知人等身近な信頼できる人に相談することが大切である。各職場内において解決することが困難な場合には、内部又は外部の相談機関に相談する方法を考える。なお、相談するに当たっては、パワー・ハラスメントであると考えられる言動が行われた日時、内容等について記録しておくことが望ましい。

2　当事者間の認識の相違を解消するためのコミュニケーション

パワー・ハラスメントは、相手に自覚がないことも多く、よかれと思っての言動であることもある。相手に自分の受け止めを伝えたり、相手の真意を確認したりするなど、話し合い、認識の違いを埋めることで事態の深刻化を防ぎ、解決がもたらされることがあることに留意すべきである。

別紙第2

パワー・ハラスメントに関する苦情相談に対応するに当たり留意すべき事項についての指針

第1　基本的な心構え

職員からの苦情相談に対応するに当たっては、相談員は次の事項に留意する必要がある。

1　被害者を含む当事者にとって適切かつ効果的な対応は何かという視点を常に持つこと。

2　事態を悪化させないために、迅速な対応を心掛けること。

3　関係者のプライバシーや名誉その他の人権を尊重するとともに、知り得た秘密を厳守すること。

第2　苦情相談の事務の進め方

1　苦情相談を受ける際の相談員の体制等

一　苦情相談を受ける際には、原則として二人の相談員で対応すること。

二　苦情相談を受けるに当たっては、苦情相談を行う職員（以下「相談者」という。）の希望する性の相談員が同席するよう努めること。

三　相談員は、苦情相談に適切に対応するために、相互に連携し、協力すること。

四　実際に苦情相談を受けるに当たっては、その内容を相談員以外の者に見聞されないよう周りから遮断した場所で行うこと。

五　行為者とされる者又は第三者からの聴取を行う場合は、相談者の了解を確実に得た上で人事当局と連携して対応すること。

2　相談者から事実関係等を聴取するに当たり留意すべき事項

相談者から事実関係等を聴取するに当たっては、次の事項に留意する必要がある。

一　相談者の求めるものを把握すること。

将来の言動の抑止等、今後も発生が見込まれる言動への対応を求めるものであるのか、又は喪失した利益の回復、謝罪要求等過去にあった言動に対する対応を求めるものであるのかについて把握する。

二　どの程度の緊急性があるのかについて把握すること。

相談者の心身の状態等に鑑み、苦情相談への対応に当たりどの程度の緊急性があるのかを把握する。

三　相談者の主張等に真摯に耳を傾け丁寧に話を聴くこと。

特に相談者が被害者の場合、パワー・ハラスメントを受けた心理的な影響から必ずしも理路整然と話すとは限らない。むしろ脱線することも十分想定されるが、事実関係を把握することは極めて重要であるので、忍耐強く聴くよう努める。また、相談員自身の評価を差し挟むことはせず、相談者の心情に配慮し、その主張等を丁寧に聴き、相談者が認識する事実関係を把握することが必要である。

四　事実関係については、次の事項を把握すること。

(1)　当事者（パワー・ハラスメントの被害者及び行為者とされる者）間の関係

(2)　問題とされる言動が、いつ、どこで、どのように行われたか。

(3) 相談者は、行為者とされる者に対してどのような対応をとったか。
(4) 管理又は監督の地位にある職員等に対する相談を行っているか。
なお、これらの事実を確認する場合、相談者が主張する内容については、当事者のみが知り得るものか、又は他に目撃者はいるのかを把握する。
五 聴取した事実関係等を相談者に確認すること。
聞き間違えの修正並びに聞き漏らした事項及び言い忘れた事項の補充ができるので、聴取事項を書面で示したり、復唱したりするなどして相談者に確認する。
六 聴取した事実関係等については、必ず記録して保存しておくとともに、当該記録を厳重に管理すること。
3 行為者とされる者からの事実関係等の聴取
一 原則として、行為者とされる者から事実関係等を聴取する必要がある。ただし、パワー・ハラスメントが比較的軽微なもの又は行為者とされる者に改善の余地があるもののパワー・ハラスメントとまではいえないようなものであり、対応に緊急性がない場合などは、管理又は監督の地位にある職員の観察又は指導による対応が適当な場合も考えられるので、その都度適切な方法を選択して対応する。
二 行為者とされる者から事実関係等を聴取する場合には、行為者とされる者に対して十分な弁明の機会を与える。
三 行為者とされる者から事実関係等を聴取するに当たっては、その主張に真摯に耳を傾け丁寧に話を聴く、聴取した事実関係等を行為者とされる者に確認するなど、相談者から事実関係等を聴取する際の留意事項を参考にし、適切に対応する。
4 第三者からの事実関係等の聴取
パワー・ハラスメントについて当事者間で事実関係に関する主張に不一致があり、事実の確認が十分にできないと認められる場合などは、第三者から事実関係等を聴取することも必要である。

この場合、相談者から事実関係等を聴取する際の留意事項を参考にし、適切に対応する。
5 相談者に対する説明
苦情相談に関し、具体的にとられた対応については、相談者に説明する。

第3 問題処理のための対応の在り方
1 基本的事項
相談員が、苦情相談に対応するに当たっては、第2の第二項を踏まえ、相談者からの話を丁寧に聴きながら適切に対処していく必要がある。また、対応に当たって、相談員が相談者に対しパワー・ハラスメントに該当するかどうかに関する心証を伝えてはならない。
2 事案に応じた対処
対応に当たっては、パワー・ハラスメントに該当する蓋然性の程度に応じて次のような対処が考えられる。
一 相談者の話が事実であれば明らかにパワー・ハラスメントに該当すると思料される事案
相談者の了解を得て、速やかに事案を人事当局に知らせる必要がある。人事当局又は相談者の意向によっては、相談員も事実関係等の聴取の実施等に引き続き協力する。なお、相談者が人事当局に知らせることを望んでいない場合でも、相談者が自傷行為に及ぶ可能性がある場合、深刻な状況にあるとうかがわれる場合など、緊急性が高いと考えられる場合には、相談者自身は人事当局に知らせることを望んでいない旨も含めて、人事当局に連絡する必要がある。
二 相談者の話の内容が事実であるとしてもパワー・ハラスメントに該当するかどうか判断が難しい事案
(注) 以下の対処は、相談者がこれらの対処を行うことを希望していることが前提であり、相談者の意向を確認せずに相談員限りの判断で行ってはならない。
(1) 当事者双方の主張を公平かつ丁寧に聴き、隔たりを埋める。
(例)

人事当局と連携して、行為者とされる者からの事実関係等の聴取及びそれを踏まえた相談者からの事実関係等の聴取を実施する（必要があればそれぞれ複数回実施する。）。その際、過去の事実関係を確認していずれの言い分が正しいのかを判定することを目指すのではなく、双方の主張を聴いて、認識の隔たりを埋めつつ、将来に向けて双方がとるべき対応について共通認識に到達することを目指す。
(2) 第三者からの事実関係等の聴取を実施し、その結果を踏まえ、人事当局としての判断を示す。

（例）

(1)の対応を行っても当事者双方が共通認識に到達することが困難な場合には、第三者からの事実関係等の聴取を実施して、事実関係を明らかにした上で、人事当局としての判断を示し、必要な措置を行う。この段階においては、事案への対応は相談員から人事当局に完全に移行していることが多いと考えられるが、人事当局又は相談者の意向によっては、相談員も事実関係等の聴取の実施等に引き続き協力する。

三　相談者の話が事実であるとしても明らかにパワー・ハラスメントには該当しないと思料される事案

相談者の話の内容からすれば、明らかにパワー・ハラスメントには該当しないと思料される場合であっても、相談者が組織的対応を求めているときには、相談者の了解を得て、事案を人事当局に知らせる必要がある。一方、相談者が、相談員限りでの対処や相談員からのアドバイスを望んでいる場合には、業務遂行やコミュニケーションの在り方の見直しなどによる解決を助言することも考えられる。

第八編

分限・懲戒・保障

第一　分限

○人事院規則一一—四（職員の身分保障）

昭二七・五・二三公布
昭二七・六・一施行

最終改正　令四・七・一規則一一—四—九

（総則）

第一条　職員の身分保障（法第八十一条の二第一項本文の規定による他の官職への降任及び規則一一—一一（管理監督職勤務上限年齢による降任等）第五条の規定による降任並びに降給を除く。）については、官職の職務と責任の特殊性に基づいて法附則第四条の規定により法律又は規則をもつて別段の定めをした場合を除いて、この規則の定めるところによる。

第二条　いかなる場合においても、法第二十七条に定める平等取扱の原則、法第七十四条に定める分限の根本基準及び法第百八条の七の規定に違反して、職員を免職し、又は降任し、その他職員に対して不利益な処分をしてはならない。

（休職の場合）

第三条　職員が次の各号のいずれかに該当する場合には、これを休職にすることができる。

一　学校、研究所、病院その他人事院の指定する公共的施設において、その職員の職務に関連があると認められる学術に関する事項の調査、研究若しくは指導に従事し、又は人事院の定める国際事情の調査等の業務若しくは国際約束等に基づく国際的な貢献に資する業務に従事する場合（次号に該当する場合、派遣法第二条第一項の規定による派遣の場合及び法科大学院派遣法第十一条第一項の規定による派遣の場合を除く。）

二　国及び行政執行法人以外の者がこれらと共同して、又は国若しくは行政執行法人の委託を受けて行う科学技術に関する研究に係る業務であつて、その職員の職務に関連があると認められるものに、前号に掲げる施設又は人事院が当該研究に関し指定する施設において従事する場合（派遣法第二条第一項の規定による派遣の場合を除く。）

三　規則一四—一八（研究職員の研究成果活用企業の役員等との兼業）第二条第一項に規定する研究職員の官職と同規則第一条に規定する役員等の職とを兼ねる場合において、これらを兼ねることが同規則第四条第一項各号（第三号及び第六号を除く。）に掲げる基準のいずれにも該当するときで、かつ、主として当該役員等の職務に従事する必要があり、当該研究職員としての職務に従事することができないと認められるとき。

四　法令の規定により国が必要な援助又は配慮をすることとされている公共的機関の設立に伴う臨時的必要に基づき、これらの機関のうち、人事院が指定する機関において、その職員の職務と関連があると認められる業務に従事する場合

〔注〕本号の規定に基づいて人事院による指定を受けている機関はない。

五　水難、火災その他の災害により、生死不明又は所在不明となつた場合

2　法第七十九条各号又は前項各号のいずれかに該当して休職にされた職員がその休職の事由の消滅又はその休職の期間の満了により復職したときにおいて定員に欠員がない場合には、これを休職にすることができる。法第百八条の六第一項ただし書若しくは行政執行法人の労働関係に関する法律（昭和二十三年法律第二百五十七号）第七条第一項ただし書に規定する許可（以下「専従許可」という。）を受けた職員（以下「専従休職者」という。）が復職したとき又は派遣法第二条第一項の規定により派遣された職員、育児休業法第三条第一項の規定により育児休業をした職員、官民人事交流法第八条第二項に規定する交流派遣職員、法科大学院派遣法第十一条第一項の規定により派遣された職員、自己啓発等休業法第二条第五項に規定する自己啓発等休業をした職員、福島復興再生特別措置法（平成二十四年法律第二十五号）第四十八条の三第七項若しくは第八十九条の二第七項に規定する派遣職員、配偶者同行休業法第二条第四項に規定する配偶者同行休業をした職員、令和七年国際博覧会特措法第二十五条第七項に規定する派遣職員若しくは令和九年国際園芸博覧会特措法第十五条第七項に規定する派遣職員が職務に復帰したときにおいて定員に欠員がない場合についても、同様とする。

（休職中の職員等の保有する官職）

第四条　休職中の職員は、休職にされた時占めていた官

職又は休職中に異動した官職を保有するものとする。ただし、併任に係る官職については、この限りでない。

2　前項の規定は、当該官職を他の職員をもつて補充することを妨げるものではない。

3　第一項本文及び前項の規定は、専従休職者の保有する官職について準用する。

（休職の期間）

第五条　法第七十九条第一号の規定による休職の期間は、休養を要する程度に応じ、第三条第一項第一号、第三号、第四号及び第五号の規定による休職の期間は、必要に応じ、いずれも三年を超えない範囲内において、それぞれ個々の場合について、任命権者が定める。この休職の期間が三年に満たない場合においては、休職にした日から引き続き三年をこえない範囲内において、これを更新することができる。

2　第三条第一項第二号の規定による休職の期間は、必要に応じ、五年を超えない範囲内において、任命権者が定める。この休職の期間が五年に満たない場合においては、休職にした日から引き続き五年を超えない範囲内において、これを更新することができる。

3　第三条第一項第一号及び第三号の規定による休職の期間が引き続き三年に達する際特に必要があるときは、任命権者は、二年を超えない範囲内において、人事院の承認を得て、休職の期間を更新することができる。この更新した休職の期間が二年に満たない場合においては、任命権者は、必要に応じ、その期間の初日から起算して二年を超えない範囲内において、再度これを更新することができる。

4　第三条第一項第二号の規定による休職及び前項の規定に基づく同条第一項第三号の規定による休職の期間が引き続き五年に達する際、やむを得ない事情があると人事院が認めるときは、任命権者は、人事院の承認を得て定める期間これを更新することができる。

5　第三条第二項の規定による休職の期間は、定員に欠員が生ずるまでの間とする。この場合において、欠員の数が同条同項の規定による休職者の数より少ないときは、いずれの休職者について欠員を生じたものとするかは、任命権者が定めるものとする。

（復職）

第六条　法第七十九条第一号及びこの規則第三条第一項各号に掲げる休職の事由が消滅したときにおいては、当該職員が離職し、又は他の事由により休職にされない限り、すみやかにその職員を復職させなければならない。

2　休職の期間若しくは専従許可の有効期間が満了したとき又は専従許可が取り消されたときにおいては、当該職員は、当然復職するものとする。

（本人の意に反する降任又は免職）

第七条　法第七十八条第一号の規定により職員を降任させ、又は免職することができる場合は、次に掲げる場合であつて、指導その他の人事院が定める措置を行つたにもかかわらず、勤務実績が不良なことが明らかなときとする。

一　当該職員の能力評価又は業績評価の全体評語が下位又は「不十分」の段階である場合

二　前号に掲げる場合のほか、当該職員の勤務の状況を示す事実に基づき、勤務実績がよくないと認められる場合

2　法第三十四条第一項第六号に規定する幹部職員（以下単に「幹部職員」という。）は、前項の規定による場合のほか、法第六十一条の二第一項に規定する適格性審査において現官職（当該幹部職員が現に任命されている官職をいう。次において同じ。）に係る標準職務遂行能力（法第三十四条第一項第五号に規定する標準職務遂行能力をいう。）を有することが確認されなかつたときには、法第七十八条第一号の規定により降任させ、又は免職することができる。

3　法第七十八条第二号の規定により職員を降任させ、又は免職することができる場合は、任命権者が指定する医師二名によつて、長期の療養若しくは休養を要する疾患又は療養若しくは休養によつても治癒し難い心身の故障があると診断され、その疾患若しくは故障のため職務の遂行に支障があり、又はこれに堪えないことが明らかな場合とする。

4　法第七十八条第三号の規定により職員を降任させ、又は免職することができる場合は、職員の適格性を判断するに足ると認められる事実に基づき、その官職に必要な適格性を欠くと認められる場合であつて、指導その他の人事院が定める措置を行つたにもかかわらず、適格性を欠くことが明らかなときとする。

5　法第七十八条第四号の規定により職員のうちいずれを降任し、又は免職するかは、任命権者が、勤務成績、勤務年数その他の事実に基づき、公正に判断して定めるものとする。

（幹部職員の降任に関する特例）

第七条の二　法第七十八条の二第一号の人事院規則で定める要件は、次の各号のいずれかに該当することとする。

一　法第七十八条の二の規定により幹部職員を降任さ

せようとする日（以下この号において「特例降任日」という。）以前における直近の能力評価及び直近の連続した二回の業績評価の全体評語（現官職又は現官職と同じ職制上の段階に属する官職に就いていた期間に係るものに限る。以下この号及び次号において同じ。）に基づき、当該幹部職員の勤務実績が他の官職（法第七十八条の二第一号に規定する他の官職をいう。以下この条において同じ。）を占める他の幹部職員に比して劣つていると認められること（当該幹部職員が人事評価政令第六条第二項第二号に掲げる職員である場合においてその能力評価及び業績評価の結果が次に掲げる場合のいずれかに該当する場合を除く。）。

イ　特例降任日以前における直近の能力評価の全体評語が上位の段階である場合であつて、同日以前における直近の連続した二回の業績評価のうち、一の業績評価の全体評語が上位の段階であり、かつ、他の業績評価の全体評語が上位又は中位の段階であるとき。

ロ　特例降任日以前における直近の能力評価の全体評語が中位の段階である場合であつて、同日以前における直近の連続した二回の業績評価の全体評語がいずれも上位の段階であるとき。

二　前号（イ及びロを除く。次号において同じ。）に規定する全体評語及び直近の評価期間（人事評価政令第五条第三項又は第四項に規定する評価期間をいう。）が終了した後に明らかになつた勤務の状況を示す事実を総合的に勘案して、当該幹部職員の勤務実績が他の官職を占める他の幹部職員に比して劣つていると認められること。

三　第一号に規定する全体評語の全部又は一部がない場合において、人事評価又は勤務の状況を示す事実を総合的に勘案して、当該幹部職員の勤務実績が他の官職を占める他の幹部職員に比して劣つていると認められること。

2　法第七十八条の二第二号の人事院規則で定める要件は、次の各号のいずれにも該当することとする。

一　法第七十八条の二第二号に規定する他の特定の者が、次に掲げる者のいずれかに該当すること。

イ　現官職の置かれる部局又は機関等（標準的な官職を定める政令（平成二十一年政令第三十号）に規定する部局又は機関等（外務職員の標準的な官職を定める省令（平成二十一年外務省令第四号）に規定する部局又は機関等を含む。）をいう。以下この号において同じ。）に置かれる官職に就いている者であつて、次に掲げる者のいずれかに該当するもの

(1)　現官職の属する職制上の段階より下位の職制上の段階に属する官職に就いている者

(2)　現官職の属する職制上の段階と同じ職制上の段階に属する官職に就いている者であつて、次に掲げる者のいずれかに該当するもの

(i)　現官職と任命権者を異にする官職に就いている者

(ii)　他の官職を占める他の幹部職員より優れた業績を挙げることが十分見込まれる他の者を当該他の官職に採用、昇任又は転任（配置換（規則八―一二（職員の任免）第四条第五号に規定する配置換をいう。以下この号において同じ。）を除く。）させるため、配置換により現官職に就くこととなる者

ロ　現官職の置かれる部局又は機関等とは異なる部局又は機関等に置かれる官職に就いている者

ハ　現に職員でない者

二　現官職の職務の特性並びに当面の業務の重要度及び困難度を考慮して人事評価又は勤務の状況を示す事実その他の客観的な事実に基づき判断した結果、他の特定の者が当該幹部職員より優れた業績を挙げることが十分見込まれ、当該他の特定の者を現官職に任命する必要があると認められること。

3　法第七十八条の二第三号の欠員を生じ、若しくは生ずると見込まれる他の官職についての適性が他の候補者と比較して十分でない場合として人事院規則で定める要件は、当該他の官職の職務の特性並びに当面の業務の重要度及び困難度を考慮して前項第二号に規定する客観的な事実に基づき判断した結果、当該幹部職員の当該他の官職についての適性が他の候補者と比較して十分でないと認められることとする。

4　法第七十八条の二第三号の他の官職の職務を行うと仮定した場合において当該幹部職員が当該他の官職に現に就いている他の職員より優れた業績を挙げることが十分見込まれる場合として人事院規則で定める要件は、当該他の官職の職務の特性並びに当面の業務の重要度及び困難度を考慮して人事評価又は勤務の状況を示す事実に基づき判断した結果、当該幹部職員が当該他の職員より優れた業績を挙げることが十分見込まれることとする。

5　法第七十八条の二第三号の人事院規則で定めるその他の場合は、同号及び前二項中「他の官職」を「現官職と同じ職制上の段階に属する官職（当該幹部職員が

在職している府省等（会計検査院、人事院、内閣官房、内閣法制局、各府省及びデジタル庁並びに宮内庁及び内閣府設置法（平成十一年法律第八十九号）第四十九条第一項に規定する各機関並びに各行政執行法人をいう。以下同じ。）又は常勤の職員として在職していた府省等に置かれる官職に限る。）」と読み替えてこれらの規定を適用した場合に、第三項に規定する要件に該当し、又は前項に規定する要件に該当しないことにより、転任させるべき適当な官職がないと認められる場合とする。

6 前各項の規定は、条件付採用期間中又は条件付昇任期間中の幹部職員については、適用しない。

★読替え―人事院規則一―五七により五項の「及びデジタル庁」を「、デジタル庁及び復興庁」に読み替える。

（条件付昇任期間中の職員の降任の特例）

第八条 条件付昇任期間中の職員は、第七条第一項又は第二項の規定による場合のほか、当該職員の特別評価の人事評価政令第十八条において準用する人事評価政令第九条第三項に規定する確認が行われた人事評価政令第十六条第一項に規定する全体評語が下位の段階である場合（第十条第二号において「特別評価の全体評語が下位の段階である場合」という。）であつて、第七条第一項に定める措置を行つたにもかかわらず、勤務実績が不良なことが明らかなときは、法第七十八条第一号の規定により降任させることができる。

（臨時的職員の特例）

第九条 臨時的職員は、法第七十八条各号のいずれかに掲げる事由に該当する場合、規則八―一二第三十九条第一項各号に該当する事由がなくなつた場合、育児休業法第七条第一項に規定する臨時的任用の事由がなくなつた場合又は配偶者同行休業法第七条第一項に規定する臨時的任用の事由がなくなつた場合には、いつでも免職することができる。

（条件付採用期間中の職員の特例）

第十条 条件付採用期間中の職員は、次に掲げる場合には、いつでも降任させ、又は免職することができる。

一 法第七十八条第四号に掲げる事由に該当する場合

二 特別評価の全体評語が下位の段階である場合又は勤務の状況を示す事実に基づき勤務実績がよくないと認められる場合において、その官職に引き続き任用しておくことが適当でないと認められるとき。

三 心身に故障がある場合において、その官職に引き続き任用しておくことが適当でないと認められるとき。

四 前二号に掲げる場合のほか、客観的事実に基づいてその官職に引き続き任用しておくことが適当でないと認められる場合

（専従休職者の特例）

第十一条 専従休職者で内閣府設置法第十八条の重要政策に関する会議若しくは同法第三十七条若しくは第五十四条の審議会等、宮内庁法（昭和二十二年法律第七十号）第十六条第一項の機関若しくは国家行政組織法（昭和二十三年法律第百二十号）第八条の審議会等の諮問的な非常勤官職又はこれらに準ずる非常勤官職を占めるもの（法第六十条の二第一項に規定する短時間勤務の官職を占めるものを除く。）は、法第八十条第四項の規定にかかわらず、当該非常勤官職の職務に従事することができる。

★読替え―人事院規則一―五七により同条の「機関」を「機関、復興庁設置法（平成二十三年法律第百二十五号）第十五条第一項の復興推進委員会」に読み替える。

（休職の報告）

第十二条 任命権者は、第三条第一項第一号（人事院の定める国際事情の調査等の業務又は国際約束等に基づく国際的な貢献に資する業務に従事する場合に限る。）又は第三号の規定により職員を休職にした場合には、その旨を人事院に報告しなければならない。

（処分説明書の写の提出）

第十三条 任命権者は、職員をその意に反して、降任させ又は免職したときは、法第八十九条第一項に規定する説明書の写一通を人事院に提出しなければならない。

（受診命令に従う義務）

第十四条 職員は、第七条第三項に規定する診断を受けるよう命ぜられた場合には、これに従わなければならない。

（雑則）

第十五条 この規則の実施に関し必要な事項は、人事院が定める。

★人事院規則一—五七（復興庁設置法の施行に伴う関係人事院規則の適用の特例等に関する人事院規則）（平二四・二・一〇規則一—五七）（抄）

最終改正 令三・九・一規則一—七七

（復興庁が廃止されるまでの間における人事院規則の適用の特例）

第一条 復興庁が廃止されるまでの間における次の表の第一欄に掲げる人事院規則の規定の適用については、同欄に掲げる規則の同表の第二欄に掲げる規定中同表の第三欄に掲げる字句は、それぞれ同表の第四欄に掲げる字句とする。

〔略〕			
規則一一—四（職員の身分保障）	第七条の二第五項	及びデジタル庁	、デジタル庁及び復興庁
	第十一条	機関	機関、復興庁設置法（平成二十三年法律第百二十五号）第十五条第一項の復興推進委員会
〔略〕			

2〜4 〔略〕

附 則

この規則は、公布の日から施行する。

○人事院規則一一—四（職員の身分保障）の運用について

昭五四・一二・二八
任 企 — 五 四 八

最終改正 令二・一二・一五人企—一三一三

標記については、今後下記によることとしたので、通知します。なお、「人事院規則一一—四（職員の身分保障）第五条の承認申請手続について（昭和四十二年九月一日任企—六〇〇）」は、廃止します。

記

第一条関係

この条の「降給」とは、人事院規則一一—一〇（職員の降給）に定める降給をいい、この条の「別段の定め」とは、検察庁法（昭和二十二年法律第六十一号）及び外務公務員法（昭和二十七年法律第四十一号）において職員の身分保障の特例が定められている場合をいう。

第三条関係

1 この条の第一項第一号には、単なる知識の習得又は資格の取得を目的とする場合は該当しない。

2 この条の第一項第一号の「人事院の定める国際事情の調査等の業務若しくは国際約束等に基づく国際的な貢献に資する業務」は、次に掲げるいずれかの業務（当該業務以外の国際事情の調査等の業務又は国際約束等に基づく国際的な貢献に資する業務であつて、人事院事務総長が指定するものを含む。）であつて、休職にしようとする職員の職務に関連があり、かつ、当該職員が従事することが公務の運営に有益であると認められるものとする。

(1) 次のいずれかに該当する場合における国際事情の調査、研究、情報の提供等の業務

ア 法令の規定又は閣議決定若しくは閣議了解に基づく場合

イ 国の施策との密接な連携の下に行う必要はあるが、国が自ら実施することは適当でない特別の事情がある場合

(2) 条約、協定、交換公文、覚書等又は各省各庁の長若しくは独立行政法人通則法（平成十一年法律第百三号）第二条第四項に規定する行政執行法人の長と我が国が加盟している国際機関若しくは外国政府の機関を代表する者との間の合意に基づく技術的支援等の国際的な貢献に資する業務

3 この条の第一項第一号の公共的施設の指定、同号の公共的施設の指定及び前項括弧書の国際事情の調査等の業務若しくは国際約束等に基づく国際的な貢献に資する業務の指定、この条の第一項第二号の施設の指定又は同項第四号の機関の指定を受けようとする場合には、指定の種類に応じ、それぞれ別紙一から別紙四までの様式の申請書を提出するものとする。

4 この条の第一項第三号の規定により職員を休職にするには、国家公務員法（昭和二十二年法律第百二十号。以下「法」という。）第百三条第三項及び人事院規則一四—一八（研究職員の研究成果活用企業の役員等との兼業）第四条の規定による承認が行わ

れていることが必要である。

第五条関係

1　法第七十九条第一号の規定により職員を休職にする場合又は同号の規定による休職（以下「病気休職」という。）の期間を更新する場合には、原則として医師の診断の結果に基づいて行うものとする。

2　この条の第一項又は第二項の規定による休職の期間は、同一の休職の事由（根拠条号）に該当する状態が存続する限り、その原因である疾病の種類、従事する業務の内容等が異なることとなつた場合においても、引き続き三年（同項の規定による休職の期間については、五年）を超えることができない。

3　この条の第三項の休職の期間の更新の承認又は第四項の休職の期間を更新する期間の設定の承認を求める場合には、承認の種類に応じ、別紙五から別紙八までの様式の申請書を提出するものとする。

第六条関係

1　復職の場合における当該復職に係る官職は、第四条第一項（同条第三項において準用する場合を含む。）の規定により保有している官職である。

2　法第七十九条第一号に該当して休職にされている職員の休職期間満了前の復職は、原則として医師の診断の結果に基づいて行うものとする。

3　この条の第二項の「当然復職する」とは、任命権者の発令を待つまでもなく、当該職員が職務に復帰することをいう。なお、この場合においても、任命権者は、人事院規則八―一二（職員の任免）（以下「規則八―一二」という。）第五十三条第八号の規定により人事異動通知書を交付しなければならない。

第七条関係

1　法第七十八条（第四号を除く。次項において同じ。）の規定による降任は、現に任命されている官職より下位の職制上の段階に属する官職の職務を遂行することが期待できると認められる場合に行うものとする。

2　法第七十八条の規定による免職は、現に任命されている官職より下位の職制上の段階に属する官職の職務を遂行することが期待できないと認められる場合に行うものとする。

3　この条の第一項各号に掲げる場合のいずれかに該当するときは、同項の「人事院が定める措置」として次に掲げる措置のいずれかをとるものとする。

(1)　職員の上司等が、注意又は指導を繰り返し行うこと。

(2)　職員の転任その他の当該職員が従事する職務を見直すこと。

(3)　職員の矯正を目的とした研修の受講を命ずること。

(4)　その他任命権者が職員の矯正のために必要と認める措置をとること。

4　この条の第一項第二号又は第四項に該当するか否かを判断するに当たっては、例えば次に掲げる客観的な資料によるものとする。

(1)　職員の人事評価の結果その他職員の勤務実績を判断するに足ると認められる事実を記録した文書

(2)　職員の勤務実績が他の職員と比較して明らかに劣る事実を示す記録

(3)　職員の職務上の過誤、当該職員についての苦情等に関する記録

(4)　職員に対する指導等に関する記録

(5)　職員に対する分限処分、懲戒処分その他服務等に関する記録

(6)　職員の身上申告書又は職務状況に関する報告

5　この条の第三項の医師の「診断」は、職員が次のいずれかに該当する場合に行うものとする。

(1)　三年間の病気休職の期間が満了するにもかかわらず、心身の故障の回復が不十分で、職務を遂行することが困難であると考えられる場合

(2)　病気休職中であって、今後、職務を遂行することが可能となる見込みがないと判断される場合

(3)　病気休暇又は病気休職を繰り返してそれらの期間の累計が三年を超え、そのような状態が今後も継続して、職務の遂行に支障があると見込まれる場合

(4)　勤務実績がよくない職員又は官職への適格性を欠くと認められる職員について、それらが心身の故障に起因すると思料される場合

6　この条の第三項の医師の「診断」を命ずるに当たり、文書を交付して行う場合は、当該文書には次に掲げる文言を記載するものとし、別紙九を参考に、適宜の様式によるものとする。

(1)　任命権者が指定する医師二名の診断を受け、診断書を提出するよう命ずる旨

(2)　受診命令が法第七十八条第二号に該当する可能性があるか否かを確認することを目的とするものである旨

(3)　正当な理由なくこの受診命令に従わない場合には、法第七十八条第三号の規定による免職が行われる可能性がある旨

7　法第七十八条第三号及びこの条の第四項の「官職

に必要な適格性を欠く」場合とは、当該職員の容易に矯正することができない持続性を有する素質、能力、性格等に基因してその職務の円滑な遂行に支障があり、又は支障を生ずる高度の蓋然性が認められる場合をいい、第十四条の受診命令に再三にわたり従わない場合が含まれるものとする。

8　この条の第四項の「人事院が定める措置」は、この条の第一項の「人事院が定める措置」のほか、職員が行方不明の場合における当該職員の所在が明らかでないことの確認等適格性を欠いた状態が改善されないことを確認するために必要と認められる措置とする。

9　法第七十八条第一号又は第三号の規定により職員を降任させ、又は免職するに当たっては、任命権者は、警告書を交付した後、弁明の機会を与えるものとする。ただし、職員の勤務実績不良の程度、業務への影響等を考慮して、速やかに処分を行う必要があると認められる場合は、この限りでない。

10　前項の警告書には、次に掲げる文言を記載するものとし、別紙十を参考に、適宜の様式によるものとする。

(1)　勤務実績の不良又は適格性の欠如と評価することができる具体的事実及びその状態の改善を求める旨

(2)　(1)の状態が改善されない場合には、降任又は免職が行われることがある旨

11　任命権者は、この条の第一項第一号に該当するときは、職員に対して、人事評価の基準、方法等に関する政令（平成二十一年政令第三十一号）第十条又は第十一条（同令第十四条及び第十八条第二号において準用する場合を含む。）に規定する評価結果の開示又は指導及び助言に当たり、勤務実績不良の状態が改善されない場合には降任又は免職の可能性があることを伝達するものとする。

第八条関係

この条に基づく降任を行う場合においては、第七条関係第九項及び第十項の規定の例による。

第九条及び第十条関係

臨時的職員及び条件付採用期間中の職員については、第七条の規定は適用されない。

第十二条関係

この条の規定による報告は、職員を休職にした後遅滞なく、次の(1)又は(2)に掲げる休職の別に応じ、それぞれ(1)又は(2)に掲げる事項を記載した文書により行うものとする。ただし、第三条関係第二項括弧書の規定によりあらかじめ人事院事務総長の指定を受けた場合は、この限りでない。

(1)　第三条第一項第一号（人事院の定める国際事情の調査等の業務又は国際約束等に基づく国際的な貢献に資する業務に従事する場合に限る。）の規定による休職

ア　休職者の氏名及び官職名

イ　休職予定期間

ウ　所管行政との関係及び職員を休職にした理由

エ　休職者とその従事する業務との関係

オ　その他参考となる事項

(2)　第三条第一項第三号の規定による休職

ア　休職者の氏名及び官職名

イ　休職予定期間

ウ　人事院規則一四―一八第四条の規定による承認の年月日及び期限

エ　主として研究成果活用企業の役員等の業務に従事する必要があり、研究職員としての職務に従事することができないと認められる事情

オ　その他参考となる事項

第十三条関係

処分説明書の写しの提出は、当該処分の発令の日から一月以内に行うものとする。

その他の事項

外務公務員法第二条第五項に規定する外務職員として人事評価が実施された職員に対する第七条関係第一項第一号、第八条及び第十条第二号並びに第七条関係第十一項の規定の適用については、外務職員の人事評価の基準、方法等に関する省令（平成二十一年外務省令第六号）第六条第一項に規定する全体評語を第七条第一項第一号に規定する全体評語と、同令第十六条第一項に規定する特別評価の全体評語を第八条に規定する特別評価の全体評語と、同令第十条又は第十一条（同令第十四条及び第十八条第二号において準用する場合を含む。）に規定する評価結果の開示又は指導及び助言を同条関係第十一項に規定する評価結果の開示又は指導及び助言とみなす。

別紙一～十〔略〕

○人事院規則一一―四（職員の身分保障）第三条第一項第一号及び第二号に基づく休職について

昭六一・一一・一九
任企―四五二

最終改正　平二七・三・一八人企―三二七

第三条第一項第一号関係

「研究所」に該当するか否かについては当該機関の実態に即して判断する必要がありますので、研究所という名称が付されているものであっても相談してください。ただし、当該機関が次のいずれにも該当するものである場合には、この限りではありません。なお、「研究所」については、当該機関全体ではなく、当該機関の一部の部署又は組織であっても、独立性を有し、かつ、自立した研究体制を有している場合には、次の(1)～(7)のいずれにも該当すれば、当該部署又は組織を「研究所」として取り扱って差し支えないものとします。

(1)　設立の根拠法規から公共性を有していることが明らかであること。

(2)　定款、寄付行為等から主として研究事業を行うことが明らかであること。

(3)　各年度の事業計画等において具体的な研究計画が定められていること。

(4)　研究費が経常的に予算に計上されていること。

(5)　研究内容が基礎的、創造的で学問分野との関連性を十分に有していること。

(6)　研究実績が学術的に評価され、かつ、当該機関の機関誌等により広く公表されていること。

(7)　研究業務に従事する者が当該機関の全職員の三分の二以上を占めていること。ただし、客員研究員等の非常勤の研究員であっても、大学や研究所等での研究実績があり、かつ、研究業務に定期的又は実質的に参画している者は、研究業務に従事する者に含めることができるものとする。

第三条第一項第二号関係

1　「公共的施設」においては国及び行政執行法人（独立行政法人通則法（平成十一年法律第百三号）第二条第四項に規定する行政執行法人をいう。以下同じ。）以外の者が国若しくは行政執行法人と共同して、又は国若しくは行政執行法人の委託を受けて行う研究（以下「共同研究等」という。）に係る業務に従事させるためこの号の規定により休職にしようとする場合には、既に第三条第一項第一号の指定を受けている場合を除き、新たに同号の指定を受けることとなります。

2　「人事院が当該研究に関し指定する施設」の指定については、共同研究等ごとに指定を受けることになります。

なお、指定を受けた当該施設において共同研究等が終了したときには、速やかに報告してください。

3　科学技術に関する「共同研究等」は国又は行政執行法人の研究の効率的推進に資するものである必要があり、一般的な検査、試験、測定、分析、調査又は観測等は含まれません。

○分限処分に当たっての留意点等について

平二一・三・一八
人企―五三六

改正　平二六・五・二九人企―六五七

職員の分限処分については、国家公務員法（昭和二十二年法律第百二十号）（以下「法」という。）第七十四条から第八十一条まで、人事院規則一一―四（職員の身分保障）（以下「規則」という。）及び「人事院規則一一―四（職員の身分保障）の運用について（昭和五十四年十二月二十八日任企―五四八）」（以下「運用通知」という。）のほか、下記のとおり、留意点等について整理しましたので、平成二十一年四月一日以降、これによってください。各府省等におかれては、これを参考として、引き続き、分限制度の趣旨に則った対処に努めていただき、公務の適正かつ能率的な運営のより一層の確保をお願いいたします。

なお、「職員が分限事由に該当する可能性のある場合の対応措置について」（平成十八年十月十三日人企―一六二六人材局長通知）は廃止します。

記

I　**勤務実績不良及び適格性欠如の場合の留意点**（法第七十八条第一号及び第三号関係）

1　**規則第七条第一項第二号の勤務実績不良又は同条第四項の適格性欠如と評価することができる事実の例**

(1)　勤務を欠くことにより職務を遂行しなかった。

① 長期にわたり又は繰り返し勤務を欠いたり、勤務時間の始め又は終わりに繰り返し勤務を欠いた。
[例]
ア 連絡なしに出勤しなかったり、遅刻・早退をした。
イ 病気休暇や年次休暇が不承認となっているにもかかわらず、病気等を理由に出勤しなかった。
ウ 上司の指示を無視し、資料整理に従事するなどと称して出勤しなかった。
② 業務と関係ない用事で度々無断で長時間席を離れた（欠勤処理がなされていない場合でも勤務実績不良と評価され得る。）。
[例]
ア 事務室内を目的もなく歩き回り、自席に座っていることがほとんどなかった。
イ 勤務時間中に自席で又は席を外して職場外に長時間私用電話をした。
(2) 割り当てられた特定の業務を行わなかった。
[例] 所属する係の所掌業務のうち、自分の好む業務のみを行い、他の命ぜられた業務を処理しなかった。
(3) 不完全な業務処理により職務遂行の実績があがらなかった。
① 業務のレベルや作業能率が著しく低かった。
[例]
ア 業務の成果物が著しく拙劣であった。
イ 事務処理数が職員の一般的な水準に比べ著しく劣った。
② 業務ミスを繰り返した。
[例] 計算業務を行うに当たって初歩的な計算誤りを繰り返した。
③ 業務を一人では完結できなかった。
[例] 他の職員と比べて窓口対応等でトラブルが多く、他の職員が処理せざるを得なかった。
④ 所定の業務処理を行わなかった。
[例]
ア 上司への業務報告を怠った。
イ 書類の提出期限を守らなかった。
ウ 業務日誌を作成しなかった。
(4) 業務上の重大な失策を犯した。
(5) 職務命令に違反したり、職務命令（規則第十四条の受診命令を含む。）を拒否した。
(6) 上司等に対する暴力、暴言、誹謗中傷を繰り返した。
(7) 協調性に欠け、他の職員と度々トラブルを起こした。

なお、個々の例が規則第七条第一項第二号の勤務実績不良又は同条第四項の適格性欠如のいずれに該当するかについては、諸般の要素を総合的に検討して判断する必要がある。

2 資料収集

(1) 規則第七条第一項第二号の勤務実績不良又は同条第四項の適格性欠如に該当するか否かの判断は、単一の事実や行動のみをもって判断するのではなく、一連の行動等を相互に有機的に関連付けて行うものであるので、運用通知第七条関係第四項に掲げる客観的な資料を収集した上で行う必要がある。

（参考）運用通知第七条関係第四項に掲げる資料
① 職員の人事評価の結果その他職員の勤務実績を判断するに足ると認められる事実を記録した文書
② 職員の勤務実績が他の職員と比較して明らかに劣る事実を示す記録
③ 職員の職務上の過誤、当該職員についての苦情等に関する記録
④ 職員に対する指導等に関する記録
⑤ 職員に対する分限処分、懲戒処分その他服務等に関する記録
⑥ 職員の身上申告書又は職務状況に関する報告

(2) 特に、職員の職務上の過誤や当該職員についての苦情等の具体的な事実が発生した場合には、その都度、詳細に記録を作成しておく。
(3) また、運用通知第七条関係第三項(1)の指導や同項(4)の措置を行った場合は、その内容を記録しておく。

3 問題行動が心の不健康に起因すると思われる場合の対応

問題行動が心の不健康に起因すると思われる場合には、管理監督者は、職員に積極的に話しかけて事情を聞くほか、必要に応じ同僚等に職員の状況の変化の有無を聞き、また、健康管理者、健康管理医、専門家等と対応を相談するものとする（「職員の心の健康づくりのための指針について（平成十六年三月三〇日勤職―七五）」参照）。

4　懲戒処分との関係

問題行動の中には懲戒処分の対象となる事実も含まれている場合もあることから、当該事実を把握した任命権者は、分限処分と懲戒処分の目的や性格に照らし、総合的な判断に基づいてそれぞれ処分を行うなど厳正に対応する必要がある。

Ⅱ　心身の故障の場合の留意点（法第七十八条第二号関係）

1　治癒し難い心身の故障があるとの診断がなされなかった場合の対応

規則第七条第三項により任命権者が指定した医師二名のうち、少なくとも一名が同項に規定する診断をしなかった場合には、法第七十八条第二号に該当すると判断することはできず、職員本人及び主治医、健康管理医等と相談した上で、円滑な職場復帰を図っていくなどの対応を行う必要がある。

2　医師による適切な診断を求める努力

職員の心身の故障の回復の可能性及び職務遂行の可否を判断するための医師の専門的診断は、職場の実態や職員の職場における実情等に基づく必要がある。そのため、診断する医師にその実情を十分に伝え、適切な診断を求めていくことが必要である。

3　病気休職期間満了前からの準備

三年間の病気休職の期間が満了する場合には、その期間満了前から、当該職員や主治医と緊密に連絡を取って病状の把握に努め、運用通知第七条関係第五項(1)により医師二名の診断を求める必要があるかどうか検討しておく。

4　病気休暇又は病気休職の累計が三年を超える場合の対応

運用通知第七条関係第五項(3)に該当する場合（病気休暇又は病気休職を繰り返してそれらの期間の累計が三年を超え、そのような状態が今後も継続して、職務の遂行に支障が有ると見込まれる場合）には、規則第七条第三項の医師の診断を求めることとなるが、当該病気休暇や病気休職の原因である心身の故障の内容が明らかに異なるときには、これには該当しないものとして取り扱う。

［例］　精神疾患の病状が回復し、職場復帰した後に、交通事故による外傷によって病気休職等とされた場合

Ⅲ　受診命令違反の場合の留意点（法第七十八条第三号関係）

規則第十四条の受診命令に従わない場合に行われる分限免職は、法第七十八条第三号に基づく処分であるから、職員が正当な理由なく受診命令を拒否したことのほか、①当該職員が有していると思われる疾患又は心身の故障のため、職務の遂行に支障があり、又はこれに堪えない状況にあると認められること及び②受診命令拒否その他の行動、態度等から、当該職員が官職に必要な適格性を欠くと認められることを運用通知第七条関係第四項に掲げる客観的な資料により確認して行うものとする。

Ⅳ　行方不明の場合の留意点（法第七十八条第三号関係）

原則として一月以上にわたる行方不明の場合は、法第七十八条第三号による免職とする。被処分者となる職員の所在を知ることができない場合においては、人事院規則八―一二（職員の任免）第五十六条に基づき、官報に処分内容を掲載するものとする。

Ⅴ　人事院への報告

規則第十三条及び運用通知第十三条関係に基づき、任命権者が、職員をその意に反して、降任させ又は免職したときは、当該処分の発令の日から一月以内に、法第八十九条第一項に規定する説明書の写一通を人事院に提出することとされているが、このほか職員が法七十八条第一号から第三号に該当するとして、規則、運用通知及びこの通知に基づき分限処分に係る対応や手続を行っていたところ、当該職員から辞職の申し出がありこれを承認した場合又は当該職員の同意に基づき降任を行った場合は、その旨を人事院へ報告するものとする。

以　上

○人事院規則一一—一〇（職員の降給）

平二一・三・一八公布
平二一・四・一施行

最終改正　令四・二・一八規則一—七九

（総則）

第一条　職員（給与法第六条第一項の俸給表（以下「俸給表」という。）のうちいずれかの俸給表（指定職俸給表を除く。）の適用を受ける者をいう。以下同じ。）の降給については、別に定める場合を除き、この規則の定めるところによる。

第二条　いかなる場合においても、法第二十七条に定める平等取扱の原則、法第七十四条に定める分限の根本基準及び法第百八条の七の規定に違反して、職員を降給させてはならない。

（降給の種類）

第三条　降給の種類は、降格（職員の意に反して、当該職員の職務の級を同一の俸給表の下位の職務の級に変更することをいう。以下同じ。）及び降号（職員の意に反して、当該職員の号俸を同一の職務の級の下位の号俸に変更することをいう。以下同じ。）並びに法第八十一条の二第一項に規定する降給（同項本文の規定による他の官職への転任により現に属する職務の級より同一の俸給表の下位の職務の級に分類されている職務を遂行することとなった場合において、降格することをいう。）とする。

（降格の事由）

第四条　各庁の長（給与法第七条に規定する各庁の長又はその委任を受けた者をいう。以下同じ。）は、職員が降任又は転任（規則一一—一一（管理監督職勤務上限年齢による降任等）第五条第一号又は第二号に掲げる場合における法第八十一条の二第一項に規定する他の官職への転任に限る。第六条第一項において同じ。）により現に属する職務の級より同一の俸給表の下位の職務の級に分類されている職務を遂行することとなった場合のほか、次の各号のいずれかに掲げる事由に該当し、必要があると認める場合は、当該職員を降格するものとする。この場合において、第二号の規定により職員のうちいずれを降格させるかは、各庁の長が、勤務成績、勤務年数その他の事実に基づき、公正に判断して定めるものとする。

一　次に掲げる事由のいずれかに該当する場合（職員が降任された場合を除く。）

イ　職員の能力評価又は業績評価（次条並びに第六条第一項第一号イ及び第二項において「定期評価」という。）の全体評語が下位又は「不十分」の段階である場合その他勤務の状況を示す事実に基づき勤務実績がよくないと認められる場合において、指導その他の人事院が定める措置を行ったにもかかわらず、なお勤務実績がよくない状態が改善されないときであって、当該職員がその職務の級に分類されている職務を遂行することが困難であると認められるとき。

ロ　各庁の長が指定する医師二名によって、心身の故障があると診断され、その故障のため職務の遂行に支障があり、又はこれに堪えないことが明らかな場合

ハ　職員がその職務の級に分類されている職務を遂行することについての適格性を判断するに足りると認められる事実に基づき、当該適格性を欠くと認められる場合において、指導その他の人事院が定める措置を行ったにもかかわらず、当該適格性を欠く状態がなお改善されないとき。

二　官制若しくは定員の改廃又は予算の減少により職員の属する職務の級の給与法第八条第一項又は第二項の規定による定数に不足が生じた場合

（降号の事由）

第五条　各庁の長は、職員の定期評価の全体評語が下位又は「不十分」の段階である場合その他勤務の状況を示す事実に基づき勤務実績がよくないと認められる場合であり、かつ、その職務の級に分類されている職務を遂行することが可能であると認められる場合であって、指導その他の人事院が定める措置を行ったにもかかわらず、なお勤務実績がよくない状態が改善されない場合において、必要があると認めるときは、当該職員を降号するものとする。

（臨時的職員又は条件付採用期間中の職員の特例）

第六条　各庁の長は、臨時的職員が降任により、又は条件付採用期間中の職員が降任又は転任により、現に属する職務の級より同一の俸給表の下位の職務の級に分類されている職務を遂行することとなった場合のほか、次の各号のいずれかに掲げる事由に該当し、必要があると認める場合は、いつでもこれらの職員を降格することができる。

一　次に掲げる事由のいずれかに該当する場合（職員が降任された場合を除く。）

イ　職員の定期評価の全体評語が下位又は「不十

分」の段階である場合（条件付採用期間中の職員にあっては、当該職員の特別評価の人事評価政令第十八条において準用する人事評価政令第九条第三項に規定する確認が行われた人事評価政令第十六条第一項に規定する全体評語が下位の段階である場合。次項において同じ。）その他勤務の状況を示す事実に基づき勤務実績がよくないと認められる場合であって、当該職員がその職務の級に分類されている職務を遂行することが困難であると認められるとき。

ロ　心身の故障のため、職務の遂行に支障があり、又はこれに堪えないことが明らかである場合

ハ　イ又はロに掲げる場合のほか、客観的事実に基づいてその職務の級に分類されている職務を遂行することが困難であると認められるとき。

二　第四条第二号に掲げる事由

2　各庁の長は、臨時的職員又は条件付採用期間中の職員の定期評価の全体評語が下位又は「不十分」の段階である場合その他勤務の状況を示す事実に基づき勤務実績がよくないと認められる場合であり、かつ、その職務の級に分類されている職務を遂行することが可能であると認められる場合であって、必要があると認めるときは、いつでもこれらの職員を降号することができる。

（通知書の交付）

第七条　各庁の長は、職員を降給させる場合には、職員に規則八―一二（職員の任免）第五十三条に規定する通知書（以下「通知書」という。）を交付して行わなければならない。ただし、通知書の交付によることができない緊急の場合においては、通知書に代わる文書の交付その他適当な方法をもって通知書の交付に代えることができる。

（処分説明書の写しの提出）

第八条　各庁の長は、降給（法第八十一条の二第三項に規定する他の官職への降任等に伴う降給を除く。）をしたときは、法第八十九条第一項に規定する説明書の写し一通を人事院に提出しなければならない。

（受診命令に従う義務）

第九条　職員は、第四条第一号ロに規定する診断を受けるよう命ぜられた場合には、これに従わなければならない。

（雑則）

第十条　この規則の実施に関し必要な事項は、人事院が定める。

附　則

（施行期日）

1　この規則は、平成二十一年四月一日から施行する。

（給与法附則第八項の規定の適用を受ける職員に対する規定の適用）

2　給与法附則第八項の規定の適用を受ける職員に対する第三条及び第八条の規定の適用については、当分の間、第三条中「とする」とあるのは「並びに給与法附則第八項の規定による降給とする」と、第八条中「を除く」とあるのは「及び給与法附則第八項の規定による降給を除く」とする。

3　第七条の規定は、給与法附則第八項の規定による降給の場合には、適用しない。この場合において、同項の規定の適用を受ける職員には、規則九―一四七（給与法附則第八項の規定による俸給月額）第六条の規定により、同項の規定の適用により俸給月額が異動することとなった旨の通知を行うものとする。

附　則（令三・一二・二四規則一一―一〇―一）

（施行期日）

1　この規則は、令和四年十月一日から施行する。

（経過措置）

2　令和四年九月三十日までのいずれかの評価期間（人事評価政令第五条第三項又は第四項に規定する評価期間をいう。）に係る能力評価又は業績評価の全体評語による場合におけるこの規則による改正後の規則一一―一〇第四条から第六条までの規定の適用については、なお従前の例による。

附　則（令四・二・一八規則一―七九）（抄）

（施行期日）

第一条　この規則は、令和五年四月一日から施行する。

○人事院規則一一—一〇（職員の降給）の運用について

平二一・三・一八
給二—二六事務総長

最終改正 令四・二・一八事企法—三七

人事院規則一一—一〇（職員の降給）の運用について下記のとおり定めたので、平成二十一年四月一日以降は、これによってください。

記

第四条及び第五条関係

1 第四条第一号イ及び第五条の「人事院が定める措置」は、次に掲げるいずれかの措置とする。

(1) 職員の上司等が、注意又は指導を繰り返し行うこと。

(2) 職員の転任その他の当該職員が従事する職務を見直すこと。

(3) 職員の矯正を目的とした研修の受講を命ずること。

(4) その他職員の矯正のために必要と認める措置をとること。

2 第四条第一号イ若しくはハ又は第五条の勤務実績又は適格性を判断するに当たっては、例えば次に掲げる客観的な資料によるものとする。

(1) 職員の人事評価の結果その他職員の勤務実績を判断するに足りると認められる事実を記録した文書

(2) 職員の勤務実績が他の職員と比較して明らかに劣る事実を示す記録

(3) 職員の職務上の過誤、当該職員についての苦情等に関する記録

(4) 職員に対する指導等に関する記録

(5) 職員に対する分限処分、懲戒処分その他服務等に関する記録

(6) 職員の身上申告書又は職務状況に関する報告

3 第四条第一号ロの医師の「診断」は、職員が次のいずれかに該当する場合に行うものとする。

(1) 三年間の病気休職（国家公務員法（昭和二十二年法律第百二十号）第七十九条第一号の規定による休職をいう。以下同じ。）の期間が満了するにもかかわらず、心身の故障の回復が不十分で、職務を遂行することが困難であると考えられる場合

(2) 病気休職中であって、今後、職務を遂行することが可能となる見込みがないと判断される場合

(3) 病気休暇又は病気休職を繰り返してそれらの期間の累計が三年を超え、そのような状態が今後も継続して、職務の遂行に支障があると見込まれる場合

(4) 勤務実績がよくない職員又はその職務の級に分類されている職務を遂行することについての適格性を欠くと認められる職員について、それらが心身の故障に起因すると思料される場合

4 第四条第一号ロの医師の「診断」を命ずるに当たり、文書を交付して行う場合は、当該文書には次に掲げる文言を記載するものとし、別紙1を参考に、適宜の様式によるものとする。

(1) 各庁の長が指定する医師二名の診断を受け、診断書を提出するよう命ずる旨

(2) 受診命令が第四条第一号ロに該当する可能性があるか否かを確認することを目的とするものである旨

(3) 正当な理由なくこの受診命令に従わない場合には、国家公務員法第七十八条第三号の規定による免職が行われる可能性がある旨

5 第四条第一号ハの「適格性を欠く」場合とは、当該職員の容易に矯正することができない持続性を有する素質、能力、性格等に基因してその職務の円滑な遂行に支障があり、又は支障を生ずる高度の蓋然性が認められる場合とする。

6 第四条第一号ハの「人事院が定める措置」は、第一項に掲げるいずれかの措置のほか、職員が行方不明の場合における当該職員の所在が明らかでないことの確認等適格性を欠いた状態が改善されないことを確認するために必要と認められる措置とする。

7 第四条第一号イ若しくはハ又は第五条の規定により職員を降格させ、又は降号するに当たっては、各庁の長は、警告書を交付した後、弁明の機会を与えるものとする。ただし、職員の勤務実績不良の程度、業務への影響等を考慮して、速やかに処分を行う必要があると認められる場合は、この限りでない。

8 前項の警告書には、次に掲げる文言を記載するものとし、別紙2を参考に、適宜の様式によるものとする。

(1) 勤務実績の不良又は適格性の欠如と評価することができる具体的事実及びその状態の改善を求める旨

(2) (1)の状態が改善されない場合には、降格又は降

号が行われることがある旨

9　各庁の長は、第四条第一号イ又は第五条の「全体評語が下位又は「不十分」の段階である場合」に該当するときは、職員に対して、人事評価の基準、方法等に関する政令（平成二十一年政令第三十一号）第十条又は第十一条（同令第十四条及び第十八条第二号において準用する場合を含む。）に規定する評価結果の開示又は指導及び助言に当たり、勤務実績不良の状態が改善されない場合には降格又は降号の可能性があることを伝達するものとする。

第六条関係

1　臨時的職員及び条件付採用期間中の職員については、第四条及び第五条の規定は適用されない。

2　この条の第一項第一号イ又は第二項の勤務実績を判断するに当たっては、例えば第四条及び第五条関係第二項に掲げる客観的な資料によるものとする。

第七条関係

1　職員の降給は、この条に規定する通知書（以下「通知書」という。）を交付した時（この条のただし書に該当する場合には通知書の交付に代わる方法による通知が到達した時）にその効力が発生する。

2　この条の規定により交付する通知書の「異動内容」欄の記入要領は、次のとおりとする。ただし、これによっては特に支障がある場合には、これによらないことができる。

(1)　降格させる場合

「国家公務員法第七十五条第二項及びアの規定によりイに降格させる。ウを給する。」と記入する。

注1　「ア」の記号をもって表示する事項は、根拠となる条項とする。この場合には、第四条に定める事由により降格させるときは、同条に定める事由のうち該当する事由を規定する条項を記入し、国家公務員法第八十一条の二第一項に規定する降給をさせるときは、「第八十一条の二第一項」と記入する。

2　「イ」の記号をもって表示する事項は、一般職の職員の給与に関する法律（昭和二十五年法律第九十五号。以下「給与法」という。）に規定する職務の級とする。この場合には、「職務の級」の表示は「○○俸給表○級」とする。

3　「ウ」の記号をもって表示する事項は、給与法に規定する号俸とする。この場合には、「号俸」の表示は「○号俸」とする。

(2)　降号する場合

「国家公務員法第七十五条第二項及び人事院規則一一―一〇第五条の規定により降号する。アを給する。」と記入する。

注　「ア」の記号をもって表示する事項は、給与法に規定する職務の級及び号俸とする。この場合には、「職務の級」の表示は「○○俸給表○級」と、「号俸」の表示は「○号俸」とする。

3　各庁の長は、職員を降給させる場合（国家公務員法第八十一条の二第三項に規定する他の官職への降任等に伴う降給の場合を除く。）においては、当該職員が現に任命されている官職の任命権者（人事院規則八―一二（職員の任免）第四条第十二号に規定する任命権者をいう。ただし、当該各庁の長である任命権者を除く。）にその旨を通知するものとする。

第八条関係

この条に規定する説明書の写しの提出は、職員を降給させた日から一月以内に行うものとする。

その他の事項

1　第四条及び第五条関係第四項の文書又は同関係第七項の警告書の交付は、「人事院規則一一―四（職員の身分保障）の運用について（昭和五十四年十二月二十八日任企―五四八）」第七条関係第六項の文書又は同条関係第九項の警告書の交付と同時に行う場合であって、これらの文書に第四条及び第五条関係第四項又は第八項に掲げる文言を適宜記載するときは、省略することができる。

2　外務公務員法第二条第五項に規定する外務職員として人事評価が実施された職員に対する第四条第一号イ、第五条、第六条第一項第一号イ及び第二項並びに第四条及び第五条関係第九項の規定の適用については、外務職員の人事評価の基準、方法等に関する省令（平成二十一年外務省令第六号）第六条第一項に規定する全体評語を第四条第一号イに規定する全体評語と、同令第十六条第一項に規定する特別評価の全体評語を第六条第一項第一号イに規定する特別評価の全体評語と、同令第十条及び第十一条に規定する評価結果の開示又は指導及び助言を第四条及び第五条関係第九項に規定する評価結果の開示又は指導及び助言とみなす。

以　上

別紙1

受 診 命 令 書

（氏名）	（現官職）

（内容）

1 あなたに対し、　　　年　　月　　日までに、次の医師2名の診断を受け、診断書を提出するよう命じます。

指定医師①＿＿＿＿＿＿＿＿＿＿＿＿＿＿

指定医師②＿＿＿＿＿＿＿＿＿＿＿＿＿＿

2 これは、人事院規則11―10第4条第1号ロに該当する可能性があるか否かを確認することを目的とするものです。

3 あなたが正当な理由なくこの受診命令に従わない場合は、国家公務員法第78条第3号に該当するものとして、分限免職が行われる可能性があります。

年　月　日

各 庁 の 長

別紙2

警　告　書

（氏名）	（現官職）
（内容） 1　あなたには、次のとおり、勤務実績の不良又は適格性の欠如と評価することができる事実が認められますので、その改善を求めます。 2　今後、これらの状態が改善されない場合は、アが行われる可能性があります。	
（勤務実績の不良又は適格性の欠如と評価することができる具体的事実）	
年　月　日 各　庁　の　長	

（記入要領）

「ア」の記号をもって表示する事項は、次のとおりとする。

(1)　降格の場合
国家公務員法第75条第2項及び人事院規則11—10第4条第1号イ又はハに基づいて降格

(2)　降号の場合
国家公務員法第75条第2項及び人事院規則11—10第5条に基づいて降号

○降給に当たっての留意点等について

平二一・三・二七
給二―三二給与局長

改正 令四・二・一八給二―七三

職員の降給については、国家公務員法（昭和二十二年法律第百二十号。以下「法」という。）第七十五条第二項及び第八十一条の二第一項、一般職の職員の給与に関する法律（昭和二十五年法律第九十五号。以下「給与法」という。）附則第八項並びに人事院規則一一―一〇（職員の降給）（以下「規則」という。）並びに「人事院規則一一―一〇（職員の降給）の運用について（平成二十一年三月十八日給二―二六）」（以下「運用通知」という。）のほか、下記のとおり、留意点等について整理しましたので、平成二十一年四月一日以降、これによってください。各府省等におかれては、これを参考として、降給制度の趣旨に則った対処に努めていただき、公務の適正かつ能率的な運営のより一層の確保をお願いいたします。

記

I 勤務実績不良又は適格性欠如の場合の留意点（規則第四条第一号イ若しくはハ又は第五条関係）

1 規則第四条第一号イ又はハの規定による降格

規則第四条第一号イ又はハの規定による降格は、例えば次項(1)から(3)までに掲げるような状態が著しい場合において、運用通知第四条及び第五条関係第一項又は第六項に掲げる措置を行ったにもかかわらず、なおその状態が改善されないときであって、公務能率に具体的な支障を及ぼすに至ったときに行うものとする。

なお、個々の例が規則第四条第一号イ又はハの勤務実績不良又は適格性欠如のいずれに該当するかについては、諸般の要素を総合的に検討して判断する必要がある。

2 規則第五条の規定による降号

規則第五条の規定による降号は、勤務実績がよくないと認められる場合であり、かつ、その職務の級に分類されている職務を遂行することが可能であると認められる場合であって、運用通知第四条及び第五条関係第一項に掲げる措置を行ったにもかかわらず、例えば次の(1)から(3)までに掲げるような場合に該当する状態がなお改善されない場合において、公務能率に具体的な支障を及ぼすに至ったときに行うものとする。

(1) 職責を十分に果さず、本来行うべき業務の処理を怠ったり他者に押しつけたりするなどの勤務懈怠の状況がしばしば見られ、そのフォローのために他者の作業が滞るなど組織としての成果の達成を著しく阻害した場合

(2) 職務遂行上必要な判断を行わなかったこと若しくはその判断に関して軽微でない誤りを犯したことにより、又は通常の職務遂行上求められる作業を行わずに、単純な思い込みで業務を遂行したりするなど不適切な職務遂行をしばしば行ったことにより、関係者に損害を与え、組織の信用を著しく傷つけた場合

(3) 上司、部下、同僚との関係において必要な報告、指示、連絡等を怠り又は誤った報告等を行うこと、優先すべき業務と無関係な作業や不適切な判断を行うこと、部内・部外の関係者に対し情報提供を怠り又は誤解を招く情報提供を行うこと等がしばしばあり、業務を混乱させ、行政サービスに著しい支障を生じさせた場合

3 規則第四条第一号イ若しくはハ又は第五条の勤務実績不良又は適格性欠如と評価することができる具体的事実の例

(1) 勤務を欠くことにより職務を遂行しなかった。

① 長期にわたり又は繰り返し勤務を欠いたり、勤務時間の始め又は終わりに繰り返し勤務を欠いた。

[例]

ア 連絡なしに出勤しなかったり、遅刻・早退をした。

イ 病気休暇や年次休暇が不承認となっているにもかかわらず、病気等を理由に出勤しなかった。

ウ 上司の指示を無視し、資料整理に従事するなどと称して出勤しなかった。

② 業務と関係ない用事で度々無断で長時間席を離れた（欠勤処理がなされていない場合でも勤務実績不良と評価され得る。）。

[例]

ア 事務室内を目的もなく歩き回り、自席に座っていることがほとんどなかった。

イ 勤務時間中に自席で又は席を外して職場外に長時間私用電話をした。

(2) 割り当てられた特定の業務を行わなかった。

［例］所属する係の所掌業務のうち、自分の好む業務のみを行い、他の命ぜられた業務を処理しなかった。

(3) 不完全な業務処理により職務遂行の実績があがらなかった。

［例］① 業務のレベルや作業能率が著しく低かった。

ア 業務の成果物が著しく拙劣であった。

イ 事務処理数が職員の一般的な水準に比べ著しく劣った。

② 業務ミスを繰り返した。

［例］計算業務を行うに当たって初歩的な計算誤りを繰り返した。

③ 業務を一人では完結できなかった。

［例］他の職員と比べて窓口対応等でトラブルが多く、他の職員が処理せざるを得なかった。

④ 所定の業務処理を行わなかった。

［例］ア 上司への業務報告を怠った。

イ 書類の提出期限を守らなかった。

ウ 業務日誌を作成しなかった。

(4) 業務上の重大な失策を犯した。

(5) 職務命令に違反したり、職務命令（規則第九条の受診命令を含む。）を拒否した。

(6) 上司等に対する暴力、暴言、誹謗中傷を繰り返した。

(7) 協調性に欠け、他の職員と度々トラブルを起こした。

なお、個々の例が規則第四条第一号イ若しくはハ又は第五条の勤務実績不良又は適格性欠如のいずれに該当するかについては、諸般の要素を総合的に検討して判断する必要がある。

4 資料収集

(1) 規則第四条第一号イ若しくはハ又は第五条の勤務実績不良又は適格性欠如に該当するか否かの判断は、単一の事実や行動のみをもって判断するのではなく、一連の行動等を相互に有機的に関連付けて行うものであるので、運用通知第四条及び第五条関係第二項に掲げる客観的な資料を収集した上で行う必要がある。

（参考）運用通知第四条及び第五条関係第二項に掲げる資料

① 職員の人事評価の結果その他職員の勤務実績を判断するに足りると認められる事実を記録した文書

② 職員の勤務実績が他の職員と比較して明らかに劣る事実を示す記録

③ 職員の職務上の過誤、当該職員についての苦情等に関する記録

④ 職員に対する指導等に関する記録

⑤ 職員に対する分限処分、懲戒処分その他服務等に関する記録

⑥ 職員の身上申告書又は職務状況に関する報告

(2) 特に、職員の職務上の過誤や当該職員についての苦情等の具体的な事実が発生した場合には、その都度、詳細に記録を作成しておく。

(3) また、運用通知第四条及び第五条関係第一項(1)の指導や同項(4)の措置を行った場合は、その内容を記録しておく。

5 問題行動が心の不健康に起因すると思われる場合の対応

問題行動が心の不健康に起因すると思われる場合には、管理監督者は、職員に積極的に話しかけて事情を聞くほか、必要に応じ同僚等に職員の状況の変化の有無を聞き、また、健康管理者、健康管理医、専門家等と対応を相談するものとする（「職員の心の健康づくりのための指針について（平成十六年三月三十日勤職―七五）」参照）。

6 懲戒処分との関係

問題行動の中には懲戒処分の対象となる事実も含まれている場合もあることから、分限処分と懲戒処分の目的や性格に照らし、総合的な判断に基づいてそれぞれ処分を行うなど厳正に対応する必要がある。

II 心身の故障の場合の留意点（規則第四条第一号ロ関係）

1 心身の故障があるとの診断がなされなかった場合の取扱い

規則第四条第一号ロの規定により各庁の長が指定する医師二名のうち、少なくとも一名が心身の故障があると診断をしなかった場合には、同規定に該当すると判断することはできない。

2 医師による適切な診断を求める努力

職員の心身の故障の回復の可能性及び職務遂行の可否を判断するための医師の専門的診断は、職場の実態や職員の職場における実情等に基づく必要がある。そのため、診断する医師にその実情を十分に伝

え、適切な診断を求めていくことが必要である。

3　病気休職期間満了前からの準備

三年間の病気休職の期間が満了する場合には、その期間満了前から、当該職員や主治医と緊密に連絡を取って病状の把握に努め、運用通知第四条及び第五条関係第三項(1)により医師二名の診断を求める必要があるかどうか検討しておく。

4　病気休暇又は病気休職の累計が三年を超える場合の対応

運用通知第四条及び第五条関係第三項(3)に該当する場合（病気休暇又は病気休職を繰り返してそれらの期間の累計が三年を超え、そのような状態が今後も継続して、職務の遂行に支障が有ると見込まれる場合）には、規則第四条第一号ロの医師の診断を求めることとなるが、当該病気休暇や病気休職の原因である心身の故障の内容が明らかに異なるときには、これには該当しないものとして取り扱う。

[例]　精神疾患の病状が回復し、職場復帰した後に、交通事故による外傷によって病気休職等とされた場合

Ⅲ　人事院への報告

規則第八条及び運用通知第八条関係に基づき、各庁の長が、降給（法第八十一条の二第三項に規定する他の官職への降任等に伴う降給及び給与法附則第八項の規定による降給を除く。）をしたときは、当該処分の発令の日から一月以内に、法第八十九条第一項に規定する説明書の写し一通を人事院に提出することとされているが、このほか職員が規則第四条から第六条に該当するとして、規則、運用通知及びこの通知に基づき降給（法第八十一条の二第三項に規定する他の官職への降任等に伴う降給及び人事院規則一一―一一（管理監督職勤務上限年齢による降任等）第五条第一号又は第一号に掲げる場合における法第八十一条の二第一項に規定する他の官職への転任に伴う降給を除く。）の処分に係る対応や手続を行っていたところ、当該職員から辞職の申し出がありこれを承認した場合又は当該職員の同意に基づき降格を行った場合は、その旨を人事院へ報告するものとする。

以上

○人事院規則一一―八（職員の定年）

令四・二・一八公布
令五・四・一施行

最終改正　令六・三・二九規則一一―八―五三

（趣旨）

第一条　この規則は、職員の定年に関し必要な事項を定めるものとする。

（定年の特例）

第二条　法第八十一条の六第二項ただし書の人事院規則で定める職員は、次に掲げる施設等に勤務し、医療業務に従事する医師及び歯科医師（第四号及び第五号に掲げる施設等にあっては、人事院が定める医師又は歯科医師に限る。）とする。

一　刑務所、少年刑務所、拘置所、少年院又は少年鑑別所

二　入国者収容所又は地方出入国在留管理局

三　国立ハンセン病療養所

四　地方厚生局又は地方厚生支局

五　国の行政機関の内部部局（これに相当するものを含む。）に置かれた医療業務を担当する部署

2　法第八十一条の六第二項ただし書の人事院規則で定める年齢は、年齢七十年とする。

（勤務延長に係る任命権者）

第三条　法第八十一条の七に規定する任命権者には、併任に係る官職の任命権者は含まれないものとする。

（勤務延長ができる事由）

第四条　法第八十一条の七第一項第一号の人事院規則で定める事由は、業務の性質上、当該職員の退職による担当者の交替により当該業務の継続的遂行に重大な障害が生ずることとする。

2　法第八十一条の七第一項第二号の人事院規則で定める事由は、職務が高度の専門的な知識、熟達した技能若しくは豊富な経験を必要とするものであるため、又は勤務環境その他の勤務条件に特殊性があるため、当該職員の退職により生ずる欠員を容易に補充することができず業務の遂行に重大な障害が生ずることとする。

（勤務延長に係る職員の同意）

第五条　任命権者は、勤務延長（法第八十一条の七第一項の規定により職員を引き続き勤務させることをいう。以下同じ。）を行う場合及び勤務延長の期限（同項の期限又は同条第二項の規定により延長された期限をいう。以下同じ。）を延長する場合には、あらかじめ職員の同意を得なければならない。

（勤務延長の期限の繰上げ）

第六条　任命権者は、勤務延長の期限の到来前に当該勤務延長の事由が消滅した場合は、職員の同意を得て、当該勤務延長の期限を繰り上げるものとする。

（勤務延長職員の併任の制限）

第七条　任命権者は、勤務延長職員（法第八十一条の七第一項又は第二項の規定により引き続き勤務している職員をいう。以下同じ。）が従事している職務の遂行に支障がないと認められる場合を除き、勤務延長職員を併任することができない。

（勤務延長に係る他の任命権者に対する通知）

第八条　任命権者は、勤務延長を行う場合、勤務延長の期限を延長する場合及び勤務延長の期限を繰り上げる場合において、職員が任命権者を異にする官職に併任されているときは、当該併任に係る官職の任命権者にその旨を通知しなければならない。

（定年に達している者の任用の制限）

第九条　任命権者は、採用しようとする官職に係る定年に達している者を、当該官職に採用することができない。ただし、かつて職員であった者で、任命権者の要請に応じ、引き続き特別職に属する職、地方公務員の職、沖縄振興開発金融公庫に属する職その他これらに準ずる職で人事院が定めるものに就き、引き続いてこれらの職に就いているもの（これらの職のうち一の職から他の職に一回以上引き続いて異動した者を含む。）を、当該官職に係る定年退職日（法第八十一条の六第一項に規定する定年退職日をいう。次項及び第十一条において同じ。）以前に採用する場合は、この限りでない。

2　任命権者は、昇任し、降任し、又は転任しようとする官職に係る定年に達している職員を、当該官職に係る定年退職日後に、当該官職に昇任し、降任し、又は転任することができない。ただし、次に掲げる場合は、この限りでない。

一　勤務延長職員を、法令の改廃による組織の変更等により、勤務延長に係る官職の業務と同一の業務を行うことをその職務の主たる内容とする官職に昇任し、降任し、又は転任する場合

二　退職をする職員を、人事管理上の必要性に鑑み、当該退職の日に限り臨時的に置かれる官職に転任する場合

（人事異動通知書の交付）

第十条　任命権者は、次の各号のいずれかに該当する場合には、職員に規則八—一二（職員の任免）第五十八条の規定による人事異動通知書（以下この条において「人事異動通知書」という。）を交付しなければならない。ただし、第一号又は第六号に該当する場合のうち、人事異動通知書の交付によらないことを適当と認めるときは、人事異動通知書に代わる文書の交付その他適当な方法をもって人事異動通知書の交付に代えることができる。

一　職員が定年退職（法第八十一条の六第一項の規定により退職することをいう。）をする場合

二　勤務延長を行う場合

三　勤務延長の期限を延長する場合

四　勤務延長の期限を繰り上げる場合

五　勤務延長職員を昇任し、降任し、又は転任したことにより、勤務延長職員ではなくなった場合

六　勤務延長の期限の到来により職員が当然に退職する場合

（職員への周知）

第十一条　任命権者（法第五十五条第一項に規定する任命権者及び法律で別に定められた任命権者に限る。次条において同じ。）は、部内の職員に係る定年及び定年退職日を適当な方法によって職員に周知させなければならない。

（報告）

第十二条　任命権者は、法第八十一条の六第一項の規定による指定を行った場合（指定の内容を変更した場合を含む。）には、速やかに当該指定の内容を人事院に報告しなければならない。

2　任命権者は、第九条第二項ただし書（第一号に係る

部分に限る。）の規定による昇任、降任又は転任を行った場合には、速やかに当該昇任、降任又は転任の内容を人事院に報告しなければならない。

3　任命権者は、毎年五月末日までに、次に掲げる事項を人事院に報告しなければならない。

一　前年度に定年に達した職員に係る勤務延長（法第八十一条の七第一項ただし書の規定による人事院の承認を得たものを除く。）の事由及び期限の状況

二　前年度に勤務延長の期限が到来した職員（行政執行法人の職員に限る。）に係る法第八十一条の七第二項の規定による期限の延長の状況

（雑則）

第十三条　この規則に定めるもののほか、職員の定年の実施に関し必要な事項は、人事院が定める。

附　則（抄）

（施行期日）

第一条　この規則は、令和五年四月一日から施行する。

（令和五年四月一日から令和十三年三月三十一日までの間における令和三年改正法による改正前の法第八十一条の二第二項各号に掲げる職員に相当する職員の定年等）

第二条　法附則第八条第二項の人事院規則で定める職員は、次に掲げる施設等に勤務し、医療業務に従事する医師及び歯科医師とする。

一　病院又は診療所

一の二　国立児童自立支援施設

二　刑務所、少年刑務所、拘置所、少年院又は少年鑑別所

三　入国者収容所又は地方出入国在留管理局

四　検疫所又は国立障害者リハビリテーションセンター自立支援局の総合相談支援部若しくは国立保養所

五　国立ハンセン病療養所

六　地方厚生局又は地方厚生支局

七　環境調査研修所

八　国の行政機関の内部部局（これに相当するものを含む。）に置かれた医療業務を担当する部署（第一号に掲げるものを除く。）

九　前各号に掲げるもののほか、医療業務を担当する部署のある施設等

2　法附則第八条第二項の規定により読み替えて適用する法第八十一条の六第二項ただし書の人事院規則で定める職員は、前項に規定する職員のうち、同項第二号、第三号、第五号、第六号及び第八号に掲げる施設等に勤務し、医療業務に従事する医師及び歯科医師（同項第六号及び第八号に掲げる施設等にあっては、人事院が定める医師又は歯科医師に限る。）とする。

3　法附則第八条第二項の規定により読み替えて適用する法第八十一条の六第二項ただし書の人事院規則で定める年齢は、次の各号に掲げる期間の区分に応じ、それぞれ当該各号に定める年齢とする。

一　令和七年四月一日から令和九年三月三十一日まで　年齢六十七年

二　令和九年四月一日から令和十一年三月三十一日まで　年齢六十八年

三　令和十一年四月一日から令和十三年三月三十一日まで　年齢六十九年

4　法附則第八条第三項の人事院規則で定める職員は、次に掲げる職員であって給与法に規定する行政職俸給表(二)の適用を受ける職員とする。

一　守衛、巡視等の監視、警備等の業務に従事する職員

二　用務員、労務作業員等の庁務又は労務に従事する職員

5　法附則第八条第四項の人事院規則で定める職員は、次の各号に掲げる期間の区分に応じ、それぞれ当該各号に定める職員とする。

一　令和五年四月一日から令和七年三月三十一日まで　附則別表の各項職員の欄に掲げる職員

二　令和七年四月一日から令和九年三月三十一日まで　附則別表の二の項及び三の項職員の欄に掲げる職員

三　令和九年四月一日から令和十三年三月三十一日まで　附則別表の三の項職員の欄に掲げる職員

6　法附則第八条第四項又は第五項の規定により読み替えて適用する法第八十一条の六第二項本文の人事院規則で定める年齢は、附則別表職員の欄に掲げる職員の区分に応じ、それぞれ同表年齢の欄に掲げる年齢とする。

（令和三年改正法附則第三条第六項の規定による勤務についての準用）

第三条　第三条、第五条から第八条まで、第九条第二項、第十条並びに第十二条第二項及び第三項（第二号に係る部分に限る。）の規定は、国家公務員法等の一部を改正する法律（令和三年法律第六十一号。次条において「令和三年改正法」という。）附則第三条第六項の規定による勤務について準用する。

（令和三年改正法附則第三条第九項の人事院規則で定める官職及び職員等）

第四条　令和三年改正法附則第三条第九項の人事院規則で定める官職は、次に掲げる官職のうち、当該官職が

基準日の前日に設置されていたものとした場合において、基準日における新国家公務員法定年が基準日の前日における新国家公務員法定年（同日が令和五年三月三十一日である場合には、旧国家公務員法第八十一条の二第二項に規定する定年に準じた年齢）を超える官職（当該官職に係る定年が新国家公務員法第八十一条の六第二項本文に規定する定年である官職に限る。）とする。

一　基準日以後に新たに設置された官職

二　基準日以後に法令の改廃による組織の変更等により名称が変更された官職

2　令和三年改正法附則第三条第九項の人事院規則で定める職員は、前項に規定する官職が基準日の前日に設置されていたものとした場合において、同日における当該官職に係る新国家公務員法定年（同日が令和五年三月三十一日である場合には、旧国家公務員法第八十一条の二第二項に規定する定年に準じた年齢）に達している職員とする。

3　第九条第二項ただし書及び第十二条第二項の規定は、令和三年改正法附則第三条第九項の規定により昇任し、降任し、又は転任することができない場合について準用する。

（雑則）

第五条　前三条に規定するもののほか、この規則の施行に関し必要な経過措置は、人事院が定める。

附則別表（附則第二条第五項及び第六項関係）

項	職員	年齢
一	事務次官（外交領事事務に従事する職員で人事院が定めるものを除く。以下この表において同じ。） 外局（国家行政組織法（昭和二十三年法律第百二十号）第三条第三項の庁に限る。以下この表において同じ。）の長官 会計検査院事務総長 会計検査院事務総局次長 人事院事務総長 内閣衛星情報センター所長 内閣審議官のうち、その職務と責任が事務次官又は外局の長官に相当するものとして人事院が定めるもの 内閣法制次長 内閣府審議官 地方創生推進事務局長 知的財産戦略推進事務局長 科学技術・イノベーション推進事務局長 公正取引委員会事務総長 警察庁長官 警察庁次長 警視総監 カジノ管理委員会事務局長 金融国際審議官 消費者庁長官 こども家庭庁長官 デジタル審議官 総務審議官 外務審議官（外交領事事務に従事する職員で人事院が定めるものを除く。） 財務官 文部科学審議官 厚生労働審議官 医務技監 農林水産審議官 経済産業審議官 技監 国土交通審議官 地球環境審議官 原子力規制庁長官	六十二年
二	研究所、試験所等の副所長（これに相当する職員を含む。）で人事院が定めるもの 宮内庁の職員のうち、次に掲げる職員 一　内舎人、上皇内舎人及び東宮内舎人 二　式部副長（人事院が定めるものを除く。）及び式部官 三　鷹《たか》師長及び鷹《たか》師 四　主膳長及び副主膳長 皇宮警察学校教育主事 在外公館に勤務する職員（給与法に規定する行政職俸給表㈠又は指定職俸給表の適用を受ける職員に限る。）及び外務省本省に勤務し、外交領事事務に従事する職員で人事院が定めるもの 海技試験官	六十三年

	原子力規制委員会の職員のうち、次に掲げる職員 一 上席原子力防災専門官 二 原子力防災専門官 三 原子力艦放射能調査専門官 四 上席放射線防災専門官 五 統括核物質防護対策官 六 主任安全審査官 七 主任監視指導官 八 原子力運転検査官 九 主任原子力専門検査官 十 原子力専門検査官	
三	研究所、試験所等の長で人事院が定めるもの 迎賓館長 宮内庁の職員のうち、次に掲げる職員 一 宮内庁次長 二 女嬬《じゅ》、上皇女嬬《じゅ》及び東宮女嬬《じゅ》 三 式部副長（人事院が定めるものに限る。） 四 首席楽長、楽長及び楽長補 五 修補師長及び修補師長補 六 主厨《ちゅう》長及び副主厨《ちゅう》長 金融庁長官 国税不服審判所長 海難審判所の審判官及び理事官 運輸安全委員会事務局の船舶事故及びその兆候に関する調査に従事する事故調査官で人事院が定めるもの	六十五年

	原子力規制委員会の職員のうち、次に掲げる職員 一 地域原子力規制総括調整官 二 上席安全審査官 三 安全規制調整官 四 首席原子力専門検査官 五 統括監視指導官 六 上席原子力専門検査官 七 上席監視指導官 八 統括原子力運転検査官 九 教官 十 上席指導官

附　則（令六・三・二九規則一一—八—五三）

この規則は、令和六年四月一日から施行する。

○定年制度の運用について

令四・二・一八
給　生—一五

最終改正　令六・三・二九給生—三九

国家公務員法（昭和二十二年法律第百二十号。以下「法」という。）第八十一条の六、第八十一条の七及び附則第八条、国家公務員法等の一部を改正する法律（令和三年法律第六十一号。以下「令和三年改正法」という。）附則第三条第六項、第九項及び第十一項並びに人事院規則一一—八（職員の定年）（以下「規則」という。）の運用について下記のとおり定めたので、令和五年四月一日以降は、これによってください。

なお、これに伴い、「定年制度の運用について（昭和五十九年七月二日任企—二一九）」は廃止します。

記

第1　定年退職関係

1　法第八十一条の六第一項の「定年に達した日」とは、その職員の定年に係る誕生日の前日をいう。

2　法第八十一条の六第一項の規定により、職員（同条第三項に規定する職員を除く。以下同じ。）は、法第八十一条の七第一項又は第二項の規定により引き続いて勤務する場合を除き、定年退職日の終了まで職員としての身分を保有し、定年退職日の終了とともに当然に退職する。

3　法第八十一条の六第一項に規定する指定の権限は、委任することができない。

4　法第八十一条の六第三項の「臨時的職員その他の

法律により任期を定めて任用される職員」には、人事院規則八―一二（職員の任免）第四十二条第二項の規定により任期を定めて任用される職員は含まれない。

5　併任されている職員の定年退職は、本務に係る官職に基づき行うものとする。

6　規則第二条第一項の「医師及び歯科医師」とは、医師法（昭和二十三年法律第二百一号）第二条の規定による医師の免許を有する職員及び歯科医師法（昭和二十三年法律第二百二号）第二条の規定による歯科医師の免許を有する職員をいう。

7　規則第二条第一項第五号の「医療業務を担当する部署」とは、各府省の診療室等をいう。

第2　勤務延長関係

1　規則第四条各項で定める事由に該当するか否かの判断は、本務に係る官職について行うものとする。

2　勤務延長を行う場合及び勤務延長の期限を延長する場合の期限は、当該勤務延長の事由に応じた必要最小限のものでなければならない。

3　規則第四条第一項で定める事由には、例えば、次に掲げるような場合が該当する。

一　定年退職することとなる職員が担当している重要な案件に係る業務の継続性を確保するため、その職員を引き続き任用する特別の必要性が認められる場合

二　定年退職することとなる職員が大規模な研究プロジェクトにおいて重要な役割を果たしているため、その職員の退職により当該研究の完成が著しく遅延するなどの重大な障害が生ずる場合

4　規則第四条第二項で定める事由には、例えば、次に掲げるような場合が該当する。

一　定年退職することとなる職員が習得に相当の期間を要する熟練した技能等を要する職務に従事しているため、その職員の後任を容易に得ることができず、業務の遂行に重大な支障が生ずる場合

二　定年退職することとなる職員が離島その他のへき地にある官署等に勤務しているため、その職員の退職による欠員を容易に補充することができず、業務の遂行に重大な支障が生ずる場合

5　休職、派遣等により職員としての身分を保有するが職務に従事しないこととされている職員については、勤務延長を行うことができない。

6　法第八十一条の七第一項ただし書の人事院の承認を得ようとする場合には、次に掲げる事項を記載した申請書及び勤務延長を行おうとする職員の人事記録の写しを提出するものとする。この場合において、当該申請書については、別紙第1を参考に、適宜の様式によるものとする。

一　勤務延長を行おうとする職員の氏名及び年齢

二　勤務延長を行おうとする職員の所属部局、官職、職務の級及び号俸

三　勤務延長を行おうとする職員の定年及び定年退職日

四　勤務延長を行おうとする職員が占めている管理監督職に係る管理監督職勤務上限年齢及び延長前の異動期間の末日

五　延長された異動期間の延長理由及びその延長の根拠条項

六　勤務延長を行おうとする職員が現に従事している職務の内容

七　勤務延長を行おうとする理由、その延長の根拠条項及び勤務延長を行った場合の期限

八　その他参考となる事項

7　法第八十一条の七第二項の人事院の承認を得ようとする場合には、次に掲げる事項を記載した申請書及び勤務延長の期限を延長しようとする職員の人事記録の写しを提出するものとする。この場合において、当該申請書については、別紙第2を参考に、適宜の様式によるものとする。

一　勤務延長の期限を延長しようとする職員の氏名及び年齢

二　勤務延長の期限を延長しようとする職員の所属部局、官職、職務の級及び号俸

三　勤務延長の期限を延長しようとする職員の定年及び定年退職日

四　勤務延長の期限を延長しようとする職員が現に従事している職務の内容

五　現在の勤務延長の理由、その延長の根拠条項及び期限

六　勤務延長の期限を延長しようとする理由、その延長の根拠条項及び勤務延長の期限を延長した場合の期限

七　その他参考となる事項

8　勤務延長を行う場合及び勤務延長の期限を延長する場合の規則第五条の規定による職員の同意並びに勤務延長の期限を繰り上げる場合の規則第六条の規定による職員の同意を得る手続は、それぞれ、定年退職日、勤務延長の期限の到来の日又は勤務延長の期限を繰り上げようとする日に近接する適切な時期に、書面により（書面によらないことを適当と認め

る場合には、これに代わる適当な方法により）、行うものとする。

9　勤務延長職員は、昇任し、降任し、又は転任しようとする官職に係る定年退職日以前に、当該官職に昇任し、降任し、又は転任することにより、勤務延長されていない職員となる。

第3　定年に達している者の任用の制限関係

1　規則第九条第一項の「これらに準ずる職で人事院が定めるもの」は、次に掲げる法人に属する職とする。

一　国家公務員退職手当法施行令（昭和二十八年政令第二百十五号）第九条の二各号に掲げる法人

二　国家公務員退職手当法施行令第九条の四各号に掲げる法人（沖縄振興開発金融公庫及び前号に掲げる法人を除く。）

三　特別の法律の規定により国家公務員退職手当法（昭和二十八年法律第百八十二号）第七条の二の規定の適用について同条第一項に規定する公庫等職員とみなされる者を使用する法人

2　規則第九条第二項ただし書第二号に掲げる場合には、退職手当の支給の都合により転任する場合が該当する。

第4　人事異動通知書の交付関係

1　規則第十条の規定により人事異動通知書を交付する場合の「異動内容」欄の記入要領は、次のとおりとする。ただし、これによっては特に支障のある場合には、これによらないことができる。

一　職員が定年退職する場合

「国家公務員法第八十一条の六第一項の規定により　年　月　日限り定年退職」

と記入する。

二　勤務延長を行う場合

「　年　月　日まで勤務延長する」

と記入する。

三　勤務延長の期限を延長する場合

「勤務延長の期限を　年　月　日まで延長する」

と記入する。

四　勤務延長の期限を繰り上げる場合

「勤務延長の期限を　年　月　日に繰り上げる」

と記入する。

五　勤務延長職員が昇任し、降任し、又は転任し、勤務延長職員ではなくなった場合

「勤務延長されていない職員となった」

と記入する。

六　勤務延長の期限の到来により勤務延長職員が当然に退職する場合

「国家公務員法第八十一条の七アの規定による勤務延長の期限の到来により　年　月　日限り退職」

と記入する。

注　「ア」の記号をもって表示する事項は、勤務延長の期限の到来に係る根拠となる条項とする。

2　前項に定めるもののほか、規則第十条の規定により交付する人事異動通知書の様式、記載事項等については、「人事異動通知書の様式及び記載事項等について（昭和二十七年六月一日一三―七九九）」の規定によるものとする。

第5　規則附則関係

1　規則附則第二条第一項及び第二項の「医師及び歯科医師」とは、第1の第六項に規定する職員をいう。

2　規則附則第二条第一項第八号及び第九号の「医療業務を担当する部署」とは、第1の第七項に規定する部署をいう。

3　規則附則第二条第四項に定める職員は、人事院規則九―八（初任給、昇格、昇給等の基準）別表第二の行政職俸給表㈡初任給基準表の備考第一項第二号に掲げる労務職員㈸及び同項第三号に掲げる労務職員㈹の区分に属する職員である。

4　規則附則別表の二の項職員の欄中「研究所、試験所等の副所長（これに相当する職員を含む。）で人事院が定めるもの」は、次に掲げる職員とする。

一　国立医薬品食品衛生研究所副所長

二　国立保健医療科学院次長

三　国立感染症研究所副所長

5　規則附則別表の三の項職員の欄中「研究所、試験所等の長で人事院が定めるもの」は、次に掲げる職員とする。

一　科学警察研究所長

二　消防大学校消防研究センター所長

三　国立医薬品食品衛生研究所の所長及び安全性生物試験研究センター長

四　国立保健医療科学院長

五　国立社会保障・人口問題研究所長

六　国立感染症研究所の所長、感染症疫学センター長、エイズ研究センター長、病原体ゲノム解析研究センター長、インフルエンザ・呼吸器系ウイル

ス研究センター長、薬剤耐性研究センター長、感染症危機管理研究センター長、治療薬・ワクチン開発研究センター長、実地疫学研究センター長、次世代生物学的製剤研究センター長、安全管理研究センター長、品質管理研究センター長及びハンセン病研究センターの長

七　国立障害者リハビリテーションセンターの総長、自立支援局長及び研究所長

八　環境調査研修所国立水俣病総合研究センター所長

6　第2の第二項、第五項及び第七項から第九項まで、第3の第二項並びに第4の規定は、令和三年改正法附則第三条第六項の規定による勤務について準用する。この場合において、別紙第2中「国家公務員法第八十一条の七第二項」とあるのは、「国家公務員法等の一部を改正する法律（令和三年法律第六十一号）附則第三条第六項」とする。

7　規則附則第四条第三項の規定により準用する規則第九条第二項ただし書第二号に掲げる場合には、第3の第二項に規定する場合が該当する。

8　規則附則第四条第三項の規定により準用する規則第九条第二項ただし書の規定により昇任し、降任し、又は転任した令和三年改正法附則第三条第九項の規定の適用を受ける職員は、第2の第九項の規定にかかわらず、勤務延長されていない職員とはならない。

以　上

別紙第１

異動期間を延長した職員の勤務延長の承認申請書

文書番号
令和　年　月　日

人事院事務総長　殿

申請者＿＿＿＿＿＿＿＿＿＿

国家公務員法第８１条の７第１項ただし書の規定に基づき、異動期間を延長した職員の勤務延長について下記のとおり申請します。

記

1　勤務延長を行おうとする職員の氏名及び年齢
2　勤務延長を行おうとする職員の所属部局、官職、職務の級及び号俸
3　勤務延長を行おうとする職員の定年及び定年退職日
4　勤務延長を行おうとする職員が占めている管理監督職に係る管理監督職勤務上限年齢及び延長前の異動期間の末日
5　延長された異動期間の延長理由及びその延長の根拠条項
6　勤務延長を行おうとする職員が現に従事している職務の内容
7　勤務延長を行おうとする理由、その延長の根拠条項及び勤務延長を行った場合の期限
8　その他参考となる事項

別紙第２

勤務延長の期限の延長承認申請書

文書番号
令和　年　月　日

人事院事務総長　殿

申請者＿＿＿＿＿＿＿＿＿＿

国家公務員法第８１条の７第２項の規定に基づき、勤務延長の期限の延長について下記のとおり申請します。

記

1　勤務延長の期限を延長しようとする職員の氏名及び年齢
2　勤務延長の期限を延長しようとする職員の所属部局、官職、職務の級及び号俸
3　勤務延長の期限を延長しようとする職員の定年及び定年退職日
4　勤務延長の期限を延長しようとする職員が現に従事している職務の内容
5　現在の勤務延長の理由、その延長の根拠条項及び期限
6　勤務延長の期限を延長しようとする理由、その延長の根拠条項及び勤務延長の期限を延長した場合の期限
7　その他参考となる事項

○人事院規則一一―一一（管理監督職勤務上限年齢による降任等）

令四・二・一八公布
令五・四・一施行

最終改正　令六・三・二九規則一一―一一―三

（総則）

第一条　法第八十一条の二から第八十一条の五までに規定する管理監督職勤務上限年齢による降任等については、別に定める場合を除き、この規則の定めるところによる。

（管理監督職に含まれる官職）

第二条　法第八十一条の二第一項に規定する給与法第十条の二第一項に規定する官職（以下この条において「俸給の特別調整額支給官職」という。）に準ずる官職として人事院規則で定める官職は、次に掲げる官職とする。

一　内閣官房の室長に準ずる官職として人事院が定める官職

二　総務省の内部部局の室長に準ずる官職として人事院が定める官職

三　刑務所又は拘置所の看護課長、看護第一課長及び看護第二課長

四　大使館又は政府代表部の参事官並びに総領事館の総領事及び領事のうち、行政職俸給表㈠の適用を受ける職員でその職務の級が八級以上であるものの官職

五　税関又は沖縄地区税関の課長に準ずる官職として人事院が定める官職

六　国税局又は沖縄国税事務所の課長に準ずる官職として人事院が定める官職

七　植物防疫所若しくは那覇植物防疫事務所の統括植物検疫官又は動物検疫所若しくは動物検疫所支所の課長に準ずる官職として人事院が定める官職

八　国土交通省の内部部局の次席航空情報管理管制運航情報官、航空保安大学校若しくは航空保安大学校岩沼研修センターの科長、国土地理院、地方整備局事務所、北海道開発局若しくは北海道開発局開発建設部の課長、地方航空局空港事務所の次席航空管制官、地方航空局空港出張所若しくは地方航空局空港・航空路監視レーダー事務所の次席航空管制技術官又は航空交通管制部の次席航空管制官に準ずる官職として人事院が定める官職並びに地方運輸局運輸支局の首席運輸企画専門官及び首席海事技術専門官並びに地方運輸局、運輸監理部又は地方運輸局運輸支局の海事事務所の首席運輸企画専門官及び首席海事技術専門官

九　海上保安大学校又は海上保安学校の部長に準ずる官職として人事院が定める官職

十　行政職俸給表㈠の適用を受ける職員でその職務の級が七級であるものの官職のうち人事院が定める官職

十一　専門行政職俸給表の適用を受ける職員でその職務の級が五級であるものの官職のうち人事院が定める官職

十二　公安職俸給表㈠の適用を受ける職員でその職務の級が八級であるものの官職のうち人事院が定める官職

十三　公安職俸給表㈡の適用を受ける職員でその職務の級が七級であるものの官職のうち人事院が定める官職

十四　次に掲げる職員が占める官職であって、臨時的に置かれる官職（人事管理上の必要性に鑑み、当該職員の退職の日に限り臨時的に置かれる官職及び附則第二条の規定により読み替えられた次条各号列記以外の部分に規定する官職若しくは同条第一号から第十号までに掲げる官職若しくは管理監督職勤務上限年齢が当該職員の年齢を超える第四条第一項各号若しくは第二項各号に掲げる官職への昇任若しくは転任が予定されている職員又は任命権者の要請に応じ特別職に属する国家公務員となることが予定されている職員を引き続き任用するため、人事管理上の必要性に鑑み、十四日を超えない期間内（人事管理上特に必要と認める場合は必要と認める期間内）において臨時的に置かれる官職を除く。）

イ　行政職俸給表㈠の適用を受ける職員でその職務の級が七級以上であるもの

ロ　専門行政職俸給表の適用を受ける職員でその職務の級が五級以上であるもの

ハ　税務職俸給表の適用を受ける職員でその職務の級が七級以上であるもの

ニ　公安職俸給表㈠の適用を受ける職員でその職務の級が八級以上であるもの

ホ　公安職俸給表㈡の適用を受ける職員でその職務の級が七級以上であるもの

ヘ　海事職俸給表㈠の適用を受ける職員でその職務

の級が六級以上であるもの
ト　教育職俸給表(一)の適用を受ける職員でその職務の級が四級以上であるもの
チ　研究職俸給表の適用を受ける職員でその職務の級が五級以上であるもの
リ　医療職俸給表(二)の適用を受ける職員でその職務の級が七級以上であるもの
ヌ　医療職俸給表(三)の適用を受ける職員でその職務の級が六級以上であるもの
ル　福祉職俸給表の適用を受ける職員でその職務の級が六級であるもの
十五　行政執行法人の官職のうち、俸給の特別調整額支給官職に相当する官職として人事院が定める官職
十六　前各号に掲げる官職のほか、これらに相当する官職として人事院が定める官職

（管理監督職から除かれる官職）
第三条　法第八十一条の二第一項に規定する同条の規定を適用することが著しく不適当と認められる官職として人事院規則で定める官職は、次に掲げる官職とする。
一　法第八十一条の六第二項ただし書に規定する人事院規則で定める職員が占める官職
二　病院、療養所、診療所その他の国の部局又は機関に勤務し、医療業務に従事する医師及び歯科医師が占める官職（前号に掲げる官職を除く。）
三　研究所、試験所等の長で人事院が定める官職
四　迎賓館長
五　宮内庁次長
六　金融庁長官
七　国税不服審判所長
八　海難審判所の審判官及び理事官
九　運輸安全委員会事務局の船舶事故及びその兆候に関する調査をその職務の内容とする事故調査官で人事院が定める官職
十　地方環境事務所の国立公園調整官
十一　研究職俸給表の適用を受ける職員でその職務の級が三級であるものの官職
十二　法第七十九条の規定により休職にされた職員若しくは法第百八条の六第一項ただし書に規定する許可を受けた職員が復職する日、法第八十二条の規定により停職にされた職員、派遣法第二条第一項の規定により派遣された職員、育児休業法第三条第一項の規定により育児休業をした職員、官民人事交流法第八条第二項に規定する交流派遣職員、法科大学院派遣法第十一条第一項の規定により派遣された職員、自己啓発等休業法第二条第五項に規定する自己啓発等休業をした職員、福島復興再生特別措置法（平成二十四年法律第二十五号）第四十八条の三第七項若しくは第八十九条の三第七項に規定する派遣職員、配偶者同行休業法第二条第四項に規定する配偶者同行休業をした職員、令和七年国際博覧会特措法第二十五条第七項に規定する派遣職員若しくは令和九年国際園芸博覧会特措法第十五条第七項に規定する派遣職員が職務に復帰する日又は判事補及び検事の弁護士職務経験に関する法律（平成十六年法律第百二十一号）第二条第四項の規定により弁護士となってその職務を行う職員が同条第七項に規定する弁護士職務経験（第五条第二号において「弁護士職務経験」という。）を終了する日までの間に占める官職
十三　指定職俸給表の適用を受ける職員が占める官職であって、次に掲げるもの（前号に掲げる官職を除く。）
イ　人事管理上の必要性に鑑み、当該職員の退職の日に限り臨時的に置かれる官職
ロ　附則第二条の規定により読み替えられた各号列記以外の部分に規定する官職若しくは第一号から第七号までに掲げる官職若しくは管理監督職勤務上限年齢が当該職員の年齢を超える次条第一項各号若しくは第二項各号に掲げる官職への昇任若しくは転任が予定されている職員又は任命権者の要請に応じ特別職に属する国家公務員となることが予定されている職員を引き続き任用するため、人事管理上の必要性に鑑み、十四日を超えない期間内（人事管理上特に必要と認める場合は必要と認める期間内）において臨時的に置かれる官職
十四　前各号に掲げる官職のほか、職務と責任の特殊性により法第八十一条の二の規定を適用することが著しく不適当と認められる官職として人事院が定める官職

（管理監督職勤務上限年齢を年齢六十年としない管理監督職等）
第四条　法第八十一条の二第二項第一号の人事院規則で定める管理監督職は、次に掲げる官職とする。
一　事務次官（外交領事事務に従事する職員で人事院が定めるものが占める場合を除く。第三号において同じ。）、会計検査院事務総長、人事院事務総長及び内閣法制次長
二　外局（国家行政組織法（昭和二十三年法律第百二十号）第三条第三項の庁に限る。次号において同

じ。）の長官、警察庁長官、消費者庁長官及びこども家庭庁長官

三　会計検査院事務総局次長、内閣衛星情報センター所長、内閣審議官のうちその職務と責任が事務次官又は外局の長官に相当するものとして人事院が定める官職、内閣府審議官、地方創生推進事務局長、知的財産戦略推進事務局長、科学技術・イノベーション推進事務局長、公正取引委員会事務総長、警察庁次長、警視総監、カジノ管理委員会事務局長、金融国際審議官、デジタル審議官、総務審議官、外務審議官（外交領事事務に従事する職員で人事院が定めるものが占める場合を除く。）、財務官、文部科学審議官、厚生労働審議官、医務技監、農林水産審議官、経済産業審議官、技監、国土交通審議官、地球環境審議官及び原子力規制庁長官

2　法第八十一条の二第二項第二号の人事院規則で定める管理監督職は、次に掲げる官職とする。

一　研究所、試験所等の副所長（これに相当する官職を含む。）で人事院が定める官職

二　宮内庁の内部部局の官職のうち、次に掲げる官職

イ　式部副長及び式部官

ロ　首席楽長、楽長及び楽長補

ハ　主膳長

ニ　主厨《ちゅう》長

三　在外公館に勤務する職員及び外務省本省に勤務し、外交領事事務に従事する職員で人事院が定めるものが占める官職

四　海技試験官

3　法第八十一条の二第二項第二号の人事院規則で定める年齢は、年齢六十三年とする。

（本人の意に反する降任）

第五条　任命権者は、職員が次の各号に掲げる場合のいずれかに該当するときは、当該職員の意に反して、当該各号に定める日又は期間に、管理監督職（法第八十一条の二第一項に規定する管理監督職をいう。以下同じ。）以外の官職又は管理監督職勤務上限年齢が当該職員の年齢を超える管理監督職への降任を行うことができる。

一　第二条第十四号イからルまでに掲げる職員であって同号括弧書に規定する臨時的に置かれる官職を占めるものが、当該官職が管理監督職であるものとした場合の法第八十一条の二第一項に規定する異動期間（以下「異動期間」という。）の末日を超えて当該官職を占める場合　同号括弧書に規定する期間

二　第三条第十二号に規定する職員が、同号に規定する官職が管理監督職であるものとした場合の異動期間の末日を超えて当該官職を占める場合　同号に規定する復職する日、職務に復帰する日又は弁護士職務経験を終了する日

二　第三条第十三号ロに規定する職員が、同号ロに掲げる官職が管理監督職であるものとした場合の異動期間の末日を超えて当該官職を占める場合　同号ロに規定する期間

（他の官職への降任等を行うに当たって遵守すべき基準）

第六条　任命権者は、法第八十一条の二第三項に規定する他の官職への降任等（以下「他の官職への降任等」という。）を行うに当たっては、法第二十七条に定める平等取扱いの原則、法第二十七条の二に定める人事管理の原則、法第三十三条に定める任免の根本基準及び法第七十四条に定める分限の根本基準並びに法第五十五条第三項及び第百八条の七の規定に違反してはならないほか、次に掲げる基準を遵守しなければならない。

一　当該職員の人事評価の結果又は勤務の状況及び職務経験等に基づき、降任又は転任（降給を伴う転任に限る。）（以下この項及び第十五条において「降任等」という。）をしようとする官職の属する職制上の段階の標準的な官職に係る法第三十四条第一項第五号に規定する標準職務遂行能力（第十三条において「標準職務遂行能力」という。）及び当該降任等をしようとする官職についての適性を有すると認められる官職に、降任等をすること。

二　人事の計画その他の事情を考慮した上で、法第八十一条の二第一項に規定する他の官職のうちできる限り上位の職制上の段階に属する官職に、降任等をすること。

三　当該職員の他の官職への降任等をする際に、当該職員が占めていた管理監督職が属する職制上の段階より上位の職制上の段階に属する管理監督職を占める職員（以下この号において「上位職職員」という。）の他の官職への降任等もする場合には、第一号に掲げる基準に従った上での状況その他の事情を考慮してやむを得ないと認められる場合を除き、上位職職員の降任等をした官職が属する職制上の段階と同じ職制上の段階又は当該職制上の段階より下位の職制上の段階に属する官職に、降任等をすること。

2　任命権者は、前条の規定による降任又は規則一一—一〇（職員の降給）第四条（各号列記以外の部分に限

る。）の規定による降格を伴う転任を行うに当たっては、前項の基準による他の官職への降任等に準じて行わなければならない。

（管理監督職への併任の制限）

第七条　法第八十一条の三の規定は、併任について準用する。ただし、検察官を管理監督職に併任する場合は、この限りでない。

（他の管理監督職の併任の解除）

第八条　職員が他の管理監督職に併任されている場合において、当該職員が他の官職への降任等をされたとき（第十七条の規定により他の官職への降任等をされたときを含む。）又は併任されている他の管理監督職の異動期間の末日が到来したときは、任命権者は、当該併任を解除しなければならない。

（異動期間の延長に係る任命権者）

第九条　法第八十一条の五第一項から第四項までに規定する任命権者には、併任に係る官職の任命権者は含まれないものとする。

（法第八十一条の五第一項の異動期間の延長ができる事由）

第十条　法第八十一条の五第一項第一号の人事院規則で定める事由は、業務の性質上、当該職員の他の官職への降任等による担当者の交替により当該業務の継続的遂行に重大な障害が生ずることとする。

2　法第八十一条の五第一項第二号の人事院規則で定める事由は、職務が高度の専門的な知識、熟達した技能若しくは豊富な経験を必要とするものであるため、又は勤務環境その他の勤務条件に特殊性があるため、当該職員の他の官職への降任等により生ずる欠員を容易に補充することができず業務の遂行に重大な障害が生ずることとする。

（異動期間が延長された管理監督職に組織の変更等があった場合）

第十一条　法第八十一条の五第一項又は第二項の規定により異動期間が延長された管理監督職を占める職員が、法令の改廃による組織の変更等により当該管理監督職の業務と同一の業務を行うことをその職務の主たる内容とする他の管理監督職を占める職員となる場合は、当該他の管理監督職を占める職員は、当該異動期間が延長された管理監督職を引き続き占めているものとみなす。

（特定管理監督職群を構成する管理監督職）

第十二条　法第八十一条の五第三項に規定する人事院規則で定める管理監督職は、次の各号に掲げる区分ごとに、当該各号に定める官職とする。

一　管区行政評価局等の特定管理監督職群　管区行政評価局の部長、地域総括評価官、主任業務管理官及び主任行政相談官並びに沖縄行政評価事務所の所長並びに行政評価支局の総務行政相談管理官、地域総括評価官、部長、主任業務管理官及び主任行政相談官並びに行政評価事務所の所長

二　総合通信局等の特定管理監督職群　総務省の内部部局の室長、企画官及び調査官（いずれも人事院が定める官職に限る。）並びに情報通信政策研究所の部長、総合企画推進官、課長及び研修管理官並びに総合通信局の部長、総合通信調整官、次長、課長及び室長並びに沖縄総合通信事務所の次長、総合通信調整官及び課長

三　矯正管区等の特定管理監督職群　刑務所、少年刑務所又は拘置所の支所長、課長（公安職俸給表㈠の適用を受ける職員が占める官職（支所に属する官職を除く。）に限る。）及び上席統括矯正処遇官並びに少年院又は少年鑑別所の庶務課長及び統括専門官並びに矯正管区の管区監査官、矯正就労支援情報センター室長、課長、管区調査官、成人矯正調整官及び少年矯正調整官

四　国税局等の特定管理監督職群　国税局の部長、統括国税管理官、主任国税管理官、鑑定官室長、統括国税調査官、酒類業調整官、統括国税徴収官及び統括国税査察官並びに沖縄国税事務所の統括国税管理官、統括国税徴収官、酒類業調整官及び主任国税管理官並びに税務署の署長、副署長、税務広報広聴官、特別国税徴収官、特別国税調査官、統括国税徴収官、統括国税調査官及び酒類指導官並びに人事院が定める官職

五　都道府県労働局の特定管理監督職群　都道府県労働局の雇用環境・均等部長、雇用環境・均等室長、労働基準部長並びに総務部、雇用環境・均等部、雇用環境・均等室、労働基準部又は職業安定部の課長及び室長（雇用環境・均等室長を除く。）並びに労働基準監督署の署長並びに労働基準監督署支署の支署長並びに公共職業安定所の所長並びに人事院が定める官職

六　北海道運輸局の特定管理監督職群　北海道運輸局の技術・防災課長、安全指導課長、首席自動車監査官、整備・保安課長及び保安・環境調整官並びに北海道運輸局運輸支局の首席陸運技術専門官

七　四国運輸局の特定管理監督職群　四国運輸局の総務部長、鉄道部長、自動車交通部長、自動車技術安全部長、海事振興部長、技術・防災課長、安全指導

推進官、首席鉄道安全監査官、整備・保安課長、技術課長及び保安・環境調整官並びに四国運輸局運輸支局の支局長及び次長並びに四国運輸局運輸支局の事務所の所長

七の二　九州運輸局の特定管理監督職群　九州運輸局の安全防災・危機管理調整官、計画調整官、調整官及び離島航路活性化調整官並びに九州運輸局運輸支局の次長（人事院が定める官職に限る。）並びに九州運輸局運輸支局の事務所の所長

八　地方航空局等の特定管理監督職群　国土交通省の内部部局の首席運航審査官、首席航空従事者試験官及び次席飛行検査官並びに地方航空局の先任運航審査官及び先任航空従事者試験官

九　管区海上保安本部等の特定管理監督職群　海上保安学校分校の分校長並びに管区海上保安本部の情報管理官、会計管理官、部次長、技術管理官、企画調整官、課長、海洋情報企画調整官及び交通企画調整官並びに海上保安監部の部長並びに海上保安部の部長並びに海上保安航空基地の基地長並びに海上保安署の署長並びに海上交通センターの所長並びに航空基地の基地長並びに人事院が定める官職

十　環境省の内部部局等の特定管理監督職群　環境省の内部部局の千鳥ケ淵戦没者墓苑管理事務所長並びに環境調査研修所の庶務課長及び国立水俣病総合研究センター総務課長並びに地方環境事務所の総務課長、資源循環課長及び環境対策課長並びに人事院が定める官職

十一　福島地方環境事務所の特定管理監督職群　福島地方環境事務所の廃棄物対策課長及び支所長

十二　地方環境事務所の特定管理監督職群　地方環境事務所の国立公園課長、野生生物課長、自然環境整備課長及び統括自然保護企画官

（法第八十一条の五第三項の異動期間の延長ができる事由）

第十三条　法第八十一条の五第三項の人事院規則で定める事由は、特定管理監督職群（法第八十一条の五第三項に規定する特定管理監督職群をいう。次条において同じ。）に属する管理監督職の属する職制上の段階の標準的な官職に係る標準職務遂行能力及び当該管理監督職についての適性を有すると認められる職員（当該管理監督職に係る管理監督職勤務上限年齢に達した職員を除く。）の数が当該管理監督職の数に満たない等の事情があるため、管理監督職を現に占める職員の他の官職への降任等により当該管理監督職に生ずる欠員を容易に補充することができず業務の遂行に重大な障害が生ずることとする。

（法第八十一条の五第三項又は第四項の規定による任用）

第十四条　法第八十一条の五第三項又は第四項の規定により特定管理監督職群に属する管理監督職を占める職員のうちいずれをその異動期間を延長し、引き続き当該管理監督職を占めたまま勤務をさせ、又は当該管理監督職が属する特定管理監督職群の他の管理監督職に降任し、若しくは転任するかは、任命権者が、人事評価の結果、人事の計画その他の事情を考慮した上で、最も適任と認められる職員を、公正に判断して定めるものとする。

（異動期間の延長等に係る職員の同意）

第十五条　任命権者は、法第八十一条の五第一項から第四項までの規定により異動期間を延長する場合及び同条第三項の規定により他の管理監督職に降任等をする場合には、あらかじめ職員の同意を得なければならない。

（延長した異動期間の期限の繰上げ）

第十六条　任命権者は、法第八十一条の五第一項又は第二項の規定により異動期間を延長した場合において、当該異動期間の末日の到来前に同条第四項の規定を適用しようとするときは、当該異動期間の期限を繰り上げることができる。

（異動期間の延長事由が消滅した場合の措置）

第十七条　任命権者は、法第八十一条の五第一項から第四項までの規定により異動期間を延長した場合において、当該異動期間の末日の到来前に当該異動期間の延長の事由が消滅したときは、他の官職への降任等をするものとする。

（異動期間の延長に係る他の任命権者に対する通知）

第十八条　任命権者は、法第八十一条の五第一項から第四項までの規定により異動期間を延長する場合、異動期間の期限を繰り上げる場合及び異動期間の延長の事由の消滅により他の官職への降任等をする場合において、職員が任命権者を異にする官職に併任されているときは、当該併任に係る官職の任命権者にその旨を通知しなければならない。

（管理監督職への併任の特例）

第十九条　任命権者は、次に掲げる職員が従事している職務の遂行に支障がないと認められる場合に限り、第七条本文の規定にかかわらず、当該職員を、管理監督職に併任することができる。

一　法第八十一条の五第一項から第四項までの規定により延長された異動期間に係る管理監督職を占める

職員
二　法第八十一条の七第一項又は第二項の規定により勤務している管理監督職を占める職員
三　第三条第一号から第十号までに掲げる官職を占める職員
四　第四条第一項各号又は第二項各号に掲げる官職を占める職員

（人事異動通知書の交付）
第二十条　任命権者は、他の官職への降任等又は第五条の規定による職員の意に反する降任をする場合には、職員に規則八—一二（職員の任免）第五十八条の規定による人事異動通知書（次項において「人事異動通知書」という。）を交付して行わなければならない。
2　任命権者は、次の各号のいずれかに該当する場合には、職員に人事異動通知書を交付しなければならない。
一　法第八十一条の五第一項から第四項までの規定により異動期間を延長する場合
二　異動期間の期限を繰り上げる場合
三　法第八十一条の五第一項から第四項までの規定により異動期間を延長した後、管理監督職勤務上限年齢が当該職員の年齢を超える管理監督職に異動し、当該管理監督職に係る管理監督職勤務上限年齢に達していない職員となった場合

（処分説明書の写しの提出）
第二十一条　任命権者は、職員をその意に反して降任させたときは、法第八十九条第一項に規定する説明書の写し一通を人事院に提出しなければならない。

（報告）
第二十二条　任命権者（法第五十五条第一項に規定する任命権者及び法律で別に定められた任命権者に限る。）は、毎年五月末日までに、前年の四月二日からその年の四月一日までの間に法第八十一条の五第一項から第四項までの規定により異動期間が延長された管理監督職を占める職員に係る当該異動期間の延長の状況を人事院に報告しなければならない。

（雑則）
第二十三条　この規則に定めるもののほか、管理監督職勤務上限年齢による降任等の実施に関し必要な事項は、人事院が定める。

附　則（抄）

（施行期日）
第一条　この規則は、令和五年四月一日から施行する。

（経過措置）
第二条　当分の間、第三条、第四条第二項第二号及び第十九条第三号の規定の適用については、第三条中「次に掲げる官職」とあるのは「次に掲げる官職、宮内庁の内部部局の官職で人事院が定める官職並びに原子力規制委員会の地域原子力規制総括調整官、安全規制調整官、首席原子力専門検査官及び統括監視指導官」と、第四条第二項第二号中「次に掲げる官職」とあるのは「次に掲げる官職（人事院が定める官職を除く。）」と、第十九条第三号中「第三条第一号から第十号までに掲げる官職」とあるのは「第三条に規定する官職（同条第十一号から第十四号までに掲げる官職を除く。）」とする。

第三条　国家公務員法等の一部を改正する法律（令和三年法律第六十一号）附則第三条第五項に規定する旧国家公務員法勤務延長職員に対する第十九条の規定の適用については、同条第二号中「又は第二項」とあるのは、「若しくは第二項又は国家公務員法等の一部を改正する法律（令和三年法律第六十一号）附則第三条第五項若しくは第六項」とする。

附　則（令六・三・二九規則一一—一一—三）

この規則は、令和六年四月一日から施行する。

○管理監督職勤務上限年齢による降任等の運用について

令四・二・一八
給生―一一六

最終改正 令六・三・二九給生―四〇

国家公務員法（昭和二十二年法律第百二十号。以下「法」という。）第八十一条の二から第八十一条の五まで及び人事院規則一一―一一（管理監督職勤務上限年齢による降任等）（以下「規則」という。）の運用について下記のとおり定めたので、令和五年四月一日以降は、これによってください。

記

第一 管理監督職勤務上限年齢による降任等関係

1 法第八十一条の二第一項の「管理監督職勤務上限年齢に達した日」とは、当該職員が占める管理監督職に係る管理監督職勤務上限年齢の誕生日の前日をいう。

2 併任されている職員の管理監督職勤務上限年齢に達した場合の降任等は、本務に係る官職に基づき行うものとする。

3 規則第三条第三号の「人事院が定める官職」は、次に掲げる官職とする。

一 科学警察研究所長

二 消防大学校消防研究センター所長

三 国立医薬品食品衛生研究所の所長及び安全性生物試験研究センター長

四 国立保健医療科学院長

五 国立社会保障・人口問題研究所長

六 国立感染症研究所の所長、感染症疫学センター長、エイズ研究センター長、病原体ゲノム解析研究センター長、インフルエンザ・呼吸器系ウイルス研究センター長、薬剤耐性研究センター長、感染症危機管理研究センター長、治療薬・ワクチン開発研究センター長、実地疫学研究センター長、次世代生物学的製剤研究センター長、安全管理研究センター長、品質管理研究センター長及びハンセン病研究センターの長

七 国立障害者リハビリテーションセンターの総長、自立支援局長及び研究所長

八 環境調査研修所国立水俣病総合研究センター所長

4 規則第四条第二項第一号の「人事院が定める官職」は、次に掲げる官職とする。

一 国立医薬品食品衛生研究所副所長

二 国立保健医療科学院次長

三 国立感染症研究所副所長

5 任命権者は、規則第五条各号に掲げる場合に該当する職員について、当該職員の同意を得て降任させることができない場合は、当該各号に定める日又は期間に、同条の規定により当該職員の意に反する降任を行うか、人事院規則一一―一〇（職員の降給）第四条の規定による降格を伴う転任を行うか、管理監督職以外の官職又は管理監督職勤務上限年齢が当該職員の年齢を超える管理監督職への転任を行うかを判断するものとする。

6 規則第六条第一項第二号及び第三号の「その他の事情」には、例えば、当該職員が占めていた管理監督職と職務内容が相互に類似する官職群の範囲や、当該職員が有する他の官職への降任等についての意向、勤務地、職務内容等を勘案した上で降任等を行うべき官職の状況が含まれ、同項第二号の「できる限り上位の職制上の段階に属する官職に、降任等をすること」には、同項第三号において上位職職員の降任等をした官職が属する職制上の段階より下位の職制上の段階に属する官職に降任等をする場合に、当該下位の職制上の段階のうちできる限り上位の職制上の段階に属する官職に当該職員を降任等をすることが含まれる。

7 法第八十一条の四の「臨時的職員その他の法律により任期を定めて任用される職員」には、人事院規則八―一二（職員の任免）第四十二条第二項の規定により任期を定めて任用される職員は含まれない。

第二 管理監督職勤務上限年齢による降任等の特例関係

1 規則第十条各項又は第十三条に規定する事由があるか否かの判断は、本務に係る官職について行うものとする。

2 異動期間を延長する場合の延長する期間は、当該異動期間を延長する事由に応じた必要最小限のものでなければならない。

3 規則第十条第一項で定める事由には、例えば、次に掲げるような場合が該当する。

一 他の官職への降任等をすべき管理監督職を占める職員が担当している重要な案件に係る国会対応、各種審議会対応、外部との折衝、外交交渉等の業務の継続性を確保するため、その職員を引き続き任用する特別の必要性が認められる場合

二 他の官職への降任等をすべき管理監督職を占め

る職員が大規模な研究プロジェクトにおいて重要な役割を果たしているため、その職員の他の官職への降任等により当該研究の完成が著しく遅延するなどの重大な障害が生ずる場合

4　規則第十条第二項で定める事由には、例えば、次に掲げるような場合が該当する。

一　他の官職への降任等をすべき管理監督職を占める職員が習得に相当の期間を要する熟練した技能等を要する職務に従事しているため、その職員の後任を容易に得ることができず、業務の遂行に重大な支障が生ずる場合

二　他の官職への降任等をすべき管理監督職を占める職員が離島その他のへき地にある官署等に勤務しているため、その職員の他の官職への降任等による欠員を容易に補充することができず、業務の遂行に重大な支障が生ずる場合

5　規則第十一条の規定を適用した場合は、その際の異動の内容を人事院に報告するものとする。

6　法第八十一条の五第二項又は第四項の人事院の承認を得ようとする場合には、次に掲げる事項を記載した申請書及び異動期間を更に延長しようとする職員の人事記録の写しを提出するものとする。この場合において、当該申請書については、別紙を参考に、適宜の様式によるものとする。

一　異動期間を更に延長しようとする職員の氏名及び年齢

二　異動期間を更に延長しようとする職員の所属部局、官職、職務の級及び号俸

三　異動期間を更に延長しようとする職員が占めている管理監督職に係る管理監督職勤務上限年齢及び異動期間の末日

四　異動期間を更に延長しようとする職員が現に従事している職務の内容

五　既に延長された異動期間の延長理由及びその延長の根拠条項

六　異動期間を更に延長しようとする理由、その延長の根拠条項及び更に延長した場合の異動期間の末日

七　その他参考となる事項

7　異動期間を延長する場合の規則第十五条の規定による職員の同意では、当該異動期間の延長の事由が消滅した場合には他の官職への降任等をする旨の同意も得ることとする。

8　規則第十五条の規定による職員の同意を得る手続は、書面により（書面によらないことを適当と認める場合には、これに代わる適当な方法により）、適切な時期に行うものとする。

第三　その他の事項

1　規則第二十条第一項に規定する異動は、人事異動通知書を交付した時にその効力が発生する。

2　規則第二十条各項の規定により人事異動通知書を交付する場合の「異動内容」欄の記入要領は、次のとおりとする。ただし、これによっては特に支障のある場合には、これによらないことができる。

一　法第八十一条の二第一項本文の規定による他の官職への降任をする場合

「国家公務員法第八十一条の二第一項本文の規定によりアに降任させる」

と記入する。

二　法第八十一条の二第一項本文の規定による他の官職への転任（次号に規定する転任を除く。）をする場合

「国家公務員法第八十一条の二第一項本文の規定によりアに転任させる」

と記入する。

三　法第八十一条の二第一項本文の規定による他の官職への転任（人事院規則八―一二第四条第五号に規定する配置換である場合に限る。）をする場合

「国家公務員法第八十一条の二第一項本文の規定によりアに配置換する」

と記入する。

四　規則第五条の規定による降任をする場合

「国家公務員法第七十五条第一項及び人事院規則一一―一二第五条の規定によりアに降任させる」

と記入する。

五　法第八十一条の五第一項から第四項までの規定により異動期間を延長する場合

「国家公務員法第八十一条の五イの規定により　年　月　日まで異動期間を延長する」

と記入する。

六　異動期間の期限を繰り上げる場合

「異動期間の期限を　年　月　日に繰り上げる」

と記入する。

七　法第八十一条の五第一項から第四項までの規定により異動期間を延長した後、管理監督職勤務上限年齢が職員の年齢を超える管理監督職に異動し、当該管理監督職に係る管理監督職勤務上限年

齢に達していない職員となった場合
「異動期間を延長されていない職員となった」と記入する。

注1　「ア」の記号をもって表示する事項は、官職の組織上の名称及び当該官職の属する所属部課（所属部課の表示の単位は任命権者が定めるものとする。）とする。

2　「イ」の記号をもって表示する事項は、根拠となる条項とする。

3　前項に定めるもののほか、規則第二十条各項の規定により交付する人事異動通知書の様式、記載事項等については、「人事異動通知書の様式及び記載事項等について（昭和二十七年六月一日一三―七九九）」の規定によるものとする。

4　規則第二十一条に規定する処分説明書の写しの提出は、当該処分の発令の日から一月以内に行うものとする。

以　上

別紙

異動期間の延長承認申請書

文書番号
年　月　日

人事院事務総長　殿

申請者＿＿＿＿＿＿＿＿＿＿

国家公務員法第８１条の５第２項又は第４項の規定に基づき、異動期間の延長について下記のとおり申請します。

記

1　異動期間を更に延長しようとする職員の氏名及び年齢
2　異動期間を更に延長しようとする職員の所属部局、官職、職務の級及び号俸
3　異動期間を更に延長しようとする職員が占めている管理監督職に係る管理監督職勤務上限年齢及び異動期間の末日
4　異動期間を更に延長しようとする職員が現に従事している職務の内容
5　既に延長された異動期間の延長理由及びその延長の根拠条項
6　異動期間を更に延長しようとする理由、その延長の根拠条項及び更に延長した場合の異動期間の末日
7　その他参考となる事項

○人事院規則八―二一（年齢六十年以上退職者等の定年前再任用）

令四・二・一八公布
令五・四・一施行

（総則）

第一条 この規則は、法第六十条の二第一項に規定する年齢六十年以上退職者及び同項に規定する自衛隊法による年齢六十年以上退職者（次条第二項において「年齢六十年以上退職者等」と総称する。）の定年前再任用（法第六十条の二第一項の規定により採用することをいう。以下同じ。）に関し必要な事項を定めるものとする。

第二条 定年前再任用を行うに当たっては、法第二十七条に定める平等取扱いの原則、法第二十七条の二に定める人事管理の原則及び法第三十三条に定める任免の根本基準並びに法第五十五条第三項の規定に違反してはならない。

2 年齢六十年以上退職者等が法第百八条の二第一項に規定する職員団体の構成員であったことその他法第百八条の七に規定する事由を理由として定年前再任用に関し不利益な取扱いをしてはならない。

（定年前再任用希望者の同意）

第三条 任命権者は、定年前再任用を行うに当たっては、あらかじめ、定年前再任用をされることを希望する者（以下この条及び次条において「定年前再任用希望者」という。）に次に掲げる事項を明示し、その同意を得なければならない。当該定年前再任用希望者の定年前再任用までの間に、明示した事項の内容を変更する場合も、同様とする。

一 定年前再任用を行う官職に係る職務内容
二 定年前再任用を行う日
三 定年前再任用に係る勤務地
四 定年前再任用をされた場合の給与
五 定年前再任用をされた場合の一週間当たりの勤務時間
六 前各号に掲げるもののほか、任命権者が必要と認める事項

（定年前再任用の選考に用いる情報）

第四条 法第六十条の二第一項の人事院規則で定める情報は、定年前再任用希望者についての次に掲げる情報とする。

一 能力評価及び業績評価の全体評語その他勤務の状況を示す事実に基づく従前の勤務実績
二 定年前再任用を行う官職の職務遂行に必要とされる経験又は資格の有無その他定年前再任用を行う官職の職務遂行上必要な事項

（指定職に準ずる行政執行法人の官職）

第五条 法第六十条の二第一項の人事院規則で定める官職は、行政執行法人の官職であってその職務と責任が給与法に規定する指定職俸給表の適用を受ける職員が占める官職に相当するもののうち人事院が定める官職とする。

（人事異動通知書の交付）

第六条 任命権者は、次の各号のいずれかに該当する場合には、職員に規則八―一二（職員の任免）第五十八条の規定による人事異動通知書（以下この条において「人事異動通知書」という。）を交付しなければならない。ただし、第二号に該当する場合のうち、人事異動通知書の交付によらないことを適当と認めるときは、人事異動通知書に代わる文書の交付その他適当な方法をもって人事異動通知書の交付に代えることができる。

一 定年前再任用を行う場合
二 任期の満了により定年前再任用短時間勤務職員（法第六十条の二第二項に規定する定年前再任用短時間勤務職員をいう。）が当然に退職する場合

（報告）

第七条 任命権者（法第五十五条第一項に規定する任命権者及び法律で別に定められた任命権者に限る。）は、毎年五月末日までに、前年度における定年前再任用の状況を人事院に報告しなければならない。

（雑則）

第八条 この規則に定めるもののほか、定年前再任用の実施に関し必要な事項は、人事院が定める。

附 則（抄）

（施行期日）

第一条 この規則は、令和五年四月一日から施行する。ただし、次条の規定は、公布の日から施行する。

（準備行為）

第二条 第三条の規定による定年前再任用の手続は、この規則の施行前においても行うことができる。

（令和三年改正法附則第三条第二項の人事院規則で定める短時間勤務の官職並びに人事院規則で定める者及び定年前再任用短時間勤務職員）

第三条　国家公務員法等の一部を改正する法律（令和三年法律第六十一号。次項及び第三項において「令和三年改正法」という。）附則第三条第二項の人事院規則で定める短時間勤務の官職は、次に掲げる官職のうち、当該官職が基準日の前日に設置されていたものとした場合において、基準日における新国家公務員法定年相当年齢が基準日の前日における新国家公務員法定年相当年齢を超える短時間勤務の官職（当該官職に係る新国家公務員法定年相当年齢が新国家公務員法第八十一条の六第二項本文に規定する定年である短時間勤務の官職に限る。）とする。

一　基準日以後に新たに設置された短時間勤務の官職

二　基準日以後に法令の改廃による組織の変更等により名称が変更された短時間勤務の官職

2　令和三年改正法附則第三条第二項の人事院規則で定める者は、前項に規定する官職が基準日の前日に設置されていたものとした場合において、同日における当該官職に係る新国家公務員法定年相当年齢に達している者とする。

3　令和三年改正法附則第三条第二項の人事院規則で定める定年前再任用短時間勤務職員は、第一項に規定する官職が基準日の前日に設置されていたものとした場合において、同日における当該官職に係る新国家公務員法定年相当年齢に達している定年前再任用短時間勤務職員とする。

○年齢六十年以上退職者等の定年前再任用の運用について

令四・二・一八
給生—一一八

国家公務員法（昭和二十二年法律第百二十号。以下「法」という。）第六十条の二及び人事院規則八—二一（年齢六十年以上退職者等の定年前再任用）（以下「規則」という。）の運用について下記のとおり定めたので、令和五年四月一日以降は、これによってください。

記

1　法第六十条の二第一項の「年齢六十年に達した日」とは、六十歳の誕生日の前日をいう。

2　法第六十条の二第一項の「年齢六十年以上退職者」及び「自衛隊法による年齢六十年以上退職者」には、次に掲げる者は含まれない。

一　法第七十六条の規定により失職した者

二　法第八十二条の規定により懲戒免職の処分を受けた者

三　自衛隊法（昭和二十九年法律第百六十五号）第三十八条第二項の規定により失職した者

四　自衛隊法第四十六条の規定により懲戒免職の処分を受けた者

3　規則第三条の規定による職員の同意を得る手続は、当該職員が明示された事項に同意する旨を示した文書の提出により（文書の提出によらないことを適当と認める場合には、これに代わる適当な方法により）、定年前再任用を行う前の適切な時期に行うものとする。

4　任命権者は、規則第三条の規定により定年前再任用希望者の同意を得た後に、当該定年前再任用希望者の定年前再任用を行わないこととした場合は、当該定年前再任用希望者にその旨を速やかに通知するものとする。この場合において、当該定年前再任用希望者がなお定年前再任用をされることを希望するときは、任命権者は、当該定年前再任用希望者の定年前再任用を行うことができるよう、引き続き検討を行うものとする。

5　前項の通知を行った場合において、現に職員である定年前再任用希望者から既に辞職の申出が行われているときは、任命権者は当該定年前再任用希望者の辞職の意思を改めて確認するものとする。

6　任命権者は、定年前再任用短時間勤務職員を、昇任、降任又は転任によって任期の定めのない常時勤務を要する官職を占める職員のほか、定年前再任用短時間勤務職員以外の任期を定めて任用される職員とすることはできない。

7　定年前再任用短時間勤務職員に人事異動通知書を交付する場合には、人事異動通知書の「現官職」欄に記入する官職の組織上の名称及び当該官職の属する所属部課（所属部課の表示の単位は任命権者が定めるものとする。次項及び第九項第一号において同じ。）の末尾に、「（週○○勤務）」（○○の部分には、当該官職を占める職員の一週間当たりの勤務時間を表示する。次項及び第九項第一号において同じ。）を加えるものとする。

8　定年前再任用する者及び昇任し、降任し又は転任する定年前再任用短時間勤務職員に人事異動通知書を交付する場合には、人事異動通知書の「異動内容」欄に記入する官職の組織上の名称及び当該官職の属する所属部課の末尾に「(週○○勤務)」を加えるものとする。

9 規則第六条の規定により人事異動通知書を交付する場合の「異動内容」欄の記入要領は、次のとおりとする。ただし、これによっては特に支障のある場合には、これによらないことができる。

一 定年前再任用を行う場合

「ア(週○○勤務)に定年前再任用する

任期は 年 月 日までとする」

と記入する。

注 「ア」の記号をもって表示する事項は、官職の組織上の名称及び当該官職の属する所属部課とする。

二 任期の満了により定年前再任用短時間勤務職員が当然に退職する場合

「定年前再任用の任期の満了により 年 月 日限り退職」

と記入する。

10 前三項に定めるもののほか、規則第六条の規定により交付する人事異動通知書の様式、記載事項等については、「人事異動通知書の様式及び記載事項等について(昭和二十七年六月一日一三―七九九)」の規定によるものとする。

11 定年前再任用する者に対しては、勤務時間の内容(始業及び終業の時刻、休憩時間等を含む。以下この項において同じ。)を通知するものとする。定年前再任用短時間勤務職員の勤務時間の内容に変更が生じた場合も、同様とする。

12 外務公務員法(昭和二十七年法律第四十一号)第二条第五項に規定する外務職員として人事評価が実施された職員に対する規則第四条の規定の適用については、外務職員の人事評価の基準、方法等に関する省令(平成二十一年外務省令第六号)第六条第一項に規定する全体評語を規則第四条第一号に規定する全体評語とみなす。

以 上

○人事院規則一一―一二（定年退職者等の暫定再任用）

令四・二・一八公布
令五・四・一施行

（総則）

第一条　この規則は、国家公務員法等の一部を改正する法律（令和三年法律第六十一号。以下「令和三年改正法」という。）附則第四条第一項及び第二項に規定する者（次条第二項及び第五条において「定年退職者等」と総称する。）の暫定再任用（令和三年改正法附則第四条第一項若しくは第二項又は第五条第一項若しくは第二項の規定により採用することをいう。以下同じ。）に関し必要な事項を定めるものとする。

第二条　暫定再任用を行うに当たっては、法第二十七条に定める平等取扱いの原則、法第二十七条の二に定める人事管理の原則及び法第三十三条に定める任免の根本基準並びに法第五十五条第三項の規定に違反してはならない。

2　定年退職者等が法第百八条の二第一項に規定する職員団体の構成員であったことその他法第百八条の七に規定する事由を理由として暫定再任用に関し不利益な取扱いをしてはならない。

（令和三年改正法附則第四条第一項の人事院規則で定める官職及び年齢）

第三条　令和三年改正法附則第四条第一項の人事院規則で定める官職は、次に掲げる官職とする。

一　令和三年改正法の施行の日（以下「施行日」という。）以後に新たに設置された官職

二　施行日以後に法令の改廃による組織の変更等により名称が変更された官職

2　令和三年改正法附則第四条第一項の人事院規則で定める年齢は、前項に規定する官職が施行日の前日に設置されていたものとした場合における旧国家公務員法第八十一条の二第二項に規定する定年に準じた当該官職に係る年齢とする。

（暫定再任用をされることを希望する者に明示する事項）

第四条　任命権者は、暫定再任用を行うに当たっては、あらかじめ、暫定再任用をされることを希望する者に、次に掲げる事項を明示するものとする。

一　暫定再任用を行う官職に係る職務内容

二　暫定再任用を行う日及び任期の末日

三　暫定再任用に係る勤務地

四　暫定再任用をされた場合の給与

五　暫定再任用をされた場合の一週間当たりの勤務時間

六　前各号に掲げるもののほか、任命権者が必要と認める事項

（暫定再任用の選考に用いる情報）

第五条　令和三年改正法附則第四条第一項及び第二項並びに第五条第一項及び第二項の人事院規則で定める情報は、定年退職者等についての次に掲げる情報とする。

一　能力評価及び業績評価の全体評語その他勤務の状況を示す事実に基づく従前の勤務実績

二　暫定再任用を行う官職の職務遂行に必要とされる経験又は資格の有無その他暫定再任用を行う官職の職務遂行上必要な事項

（施行日前の定年退職者等に準ずる者として人事院規則で定める者）

第六条　令和三年改正法附則第四条第一項第三号の人事院規則で定める者は、二十五年以上勤続して施行日前に退職した者のうち、次に掲げるものとする。

一　当該退職の日の翌日から起算して五年を経過する日までの間にある者

二　当該退職の日の翌日から起算して五年を経過する日までの間に、旧法再任用（旧国家公務員法第八十一条の四第一項又は第八十一条の五第一項の規定により採用することをいう。次項第二号ロにおいて同じ。）又は暫定再任用をされたことがある者（前号に掲げる者を除く。）

三　当該退職の日の翌日から起算して五年を経過する日までの間に、旧自衛隊法再任用（旧自衛隊法第四十四条の四第一項又は第四十四条の五第一項の規定により採用することをいう。次項第二号ハにおいて同じ。）又は自衛隊法暫定再任用（令和三年改正法附則第九条第一項若しくは第二項又は第十条第一項若しくは第二項の規定により採用することをいう。次項第二号ハ及び次条において同じ。）をされたことがある者（前二号に掲げる者を除く。）

2　令和三年改正法附則第四条第一項第四号の人事院規則で定める者は、次に掲げる者とする。

一　令和三年改正法附則第九条第一項第一号、第二号、第五号及び第六号に掲げる者

二　令和三年改正法附則第九条第一項第三号及び第七号に掲げる者（二十五年以上勤続して施行日前に退職した者に限る。）のうち、次に掲げるもの

イ 当該退職の日の翌日から起算して五年を経過する日までの間にある者
ロ 当該退職の日の翌日から起算して五年を経過する日までの間に、旧法再任用又は暫定再任用をされたことがある者（イに掲げる者を除く。）
ハ 当該退職の日の翌日から起算して五年を経過する日までの間に、旧自衛隊法再任用又は自衛隊法暫定再任用をされたことがある者（イ及びロに掲げる者を除く。）

（施行日以後の定年退職者等に準ずる者として人事院規則で定める者）
第七条 令和三年改正法附則第四条第二項第四号の人事院規則で定める者は、二十五年以上勤続して施行日以後に退職した者のうち、次に掲げるものとする。
一 当該退職の日の翌日から起算して五年を経過する日までの間にある者
二 当該退職の日の翌日から起算して五年を経過する日までの間に、暫定再任用をされたことがある者（前号に掲げる者を除く。）
三 当該退職の日の翌日から起算して五年を経過する日までの間に、自衛隊法暫定再任用をされたことがある者（前二号に掲げる者を除く。）
2 令和三年改正法附則第四条第二項第五号の人事院規則で定める者は、次に掲げる者とする。
一 令和三年改正法附則第九条第二項第一号から第三号まで、第六号及び第七号に掲げる者
二 令和三年改正法附則第九条第二項第四号及び第八号に掲げる者（二十五年以上勤続して施行日以後に退職した者に限る。）のうち、次に掲げるもの
イ 当該退職の日の翌日から起算して五年を経過する日までの間にある者
ロ 当該退職の日の翌日から起算して五年を経過する日までの間に、暫定再任用をされたことがある者（イに掲げる者を除く。）
ハ 当該退職の日の翌日から起算して五年を経過する日までの間に、自衛隊法暫定再任用をされたことがある者（イ及びロに掲げる者を除く。）

（任期の更新）
第八条 暫定再任用職員（令和三年改正法附則第三条第四項に規定する暫定再任用職員をいう。以下同じ。）の令和三年改正法附則第四条第三項（令和三年改正法附則第五条第三項において準用する場合を含む。）の規定による任期の更新は、当該暫定再任用職員の当該更新直前の任期における勤務実績が、当該暫定再任用職員の能力評価及び業績評価の全体評語その他勤務の状況を示す事実に基づき良好である場合に行うことができる。
2 任命権者は、暫定再任用職員の任期を更新する場合には、あらかじめ当該暫定再任用職員の同意を得なければならない。

（令和三年改正法附則第五条第一項の人事院規則で定める官職及び年齢）
第九条 令和三年改正法附則第五条第一項の人事院規則で定める官職は、次に掲げる官職とする。
一 施行日以後に新たに設置された短時間勤務の官職
二 施行日以後に法令の改廃による組織の変更等により名称が変更された短時間勤務の官職
2 令和三年改正法附則第五条第一項の人事院規則で定める年齢は、前項に規定する官職が施行日の前日に設置されていたものとした場合において、当該官職を占める職員が、常時勤務を要する官職でその職務が同項に規定する官職と同種の官職を占めているものとしたときにおける旧国家公務員法第八十一条の二第二項に規定する定年に準じた前項に規定する官職に係る年齢とする。

（令和三年改正法附則第六条第四項の人事院規則で定める官職及び年齢）
第十条 令和三年改正法附則第六条第四項の人事院規則で定める官職は、第三条第一項各号に掲げる官職とする。
2 令和三年改正法附則第六条第四項の人事院規則で定める年齢は、第三条第二項に規定する年齢とする。

（令和三年改正法附則第六条第五項の規定により読み替えて適用する法第六十条の二第三項の人事院規則で定める官職及び年齢）
第十一条 令和三年改正法附則第四条及び第五条の規定が適用される場合における令和三年改正法附則第六条第五項の規定により読み替えて適用する法第六十条の二第三項の人事院規則で定める官職は、第九条第一項各号に掲げる官職とする。
2 令和三年改正法附則第四条及び第五条の規定が適用される場合における令和三年改正法附則第六条第五項の規定により読み替えて適用する法第六十条の二第三項の人事院規則で定める年齢は、第九条第二項に規定する年齢とする。

（令和三年改正法附則第六条第六項の人事院規則で定める者及び職員）
第十二条 令和三年改正法附則第六条第六項の人事院規則で定める官職は、次に掲げる官職のうち、当該官職が基準日の前日に設置されていたものとした場合にお

いて、基準日における新国家公務員法定年が基準日の前日における新国家公務員法定年を超える官職とする。

一　基準日以後に新たに設置された官職（短時間勤務の官職を含む。）

二　基準日以後に法令の改廃による組織の変更等により名称が変更された官職（短時間勤務の官職を含む。）

2　令和三年改正法附則第六条第六項の人事院規則で定める者は、前項に規定する官職が基準日の前日に設置されていたものとした場合において、同日における当該官職に係る新国家公務員法定年に達している者とする。

3　令和三年改正法附則第六条第六項の人事院規則で定める職員は、第一項に規定する官職が基準日の前日に設置されていたものとした場合において、同日における当該官職に係る新国家公務員法定年に達している職員とする。

（人事異動通知書の交付）

第十三条　任命権者は、次の各号のいずれかに該当する場合には、職員に規則八―一二（職員の任免）第五十八条の規定による人事異動通知書（以下この条において「人事異動通知書」という。）を交付しなければならない。ただし、第三号に該当する場合のうち、人事異動通知書の交付によらないことを適当と認めるときは、人事異動通知書に代わる文書の交付その他適当な方法をもって人事異動通知書の交付に代えることができる。

一　暫定再任用を行う場合

二　暫定再任用職員の任期を更新する場合

三　任期の満了により暫定再任用職員が当然に退職する場合

（報告）

第十四条　任命権者（法第五十五条第一項に規定する任命権者及び法律で別に定められた任命権者に限る。）は、毎年五月末日までに、次に掲げる事項を人事院に報告しなければならない。

一　前年度における暫定再任用の状況

二　前年度における暫定再任用職員の任期の更新の状況

（雑則）

第十五条　この規則に定めるもののほか、暫定再任用の実施に関し必要な事項は、人事院が定める。

附　則（抄）

（施行期日）

第一条　この規則は、令和五年四月一日から施行する。ただし、次条の規定は、公布の日から施行する。

（準備行為）

第二条　第四条の規定による暫定再任用の手続は、この規則の施行前においても行うことができる。

○定年退職者等の暫定再任用の運用について

令四・二・一八
給生―一九

国家公務員法等の一部を改正する法律（令和三年法律第六十一号。以下「令和三年改正法」という。）附則第四条から第七条まで及び人事院規則一一―一二（定年退職者等の暫定再任用）（以下「規則」という。）の運用について下記のとおり定めたので、令和五年四月一日以降は、これによってください。

なお、「定年退職者等の再任用の運用について（平成十一年十月二十五日管高―九七八）」は廃止します。

記

1　令和三年改正法附則第四条第一項第三号及び第二項第四号に規定する勤続期間並びに規則第六条及び第七条の勤続した期間は、常勤の国家公務員（以下この項において「国家公務員」という。）として継続して在職した期間とし、その計算は月を単位として行うものとする。ただし、次に掲げる期間がある場合には、これをその者の勤続した期間に通算するものとする。

一　国家公務員退職手当法（昭和二十八年法律第百八十二号）の規定による勤続期間として計算される非常勤職員の期間が国家公務員としての在職期間と継続している場合におけるその期間

二　常勤の地方公務員としての在職期間が国家公務員としての在職期間と継続している場合におけるその期間

三　国家公務員退職手当法第七条の二第一項若しくは第二項の規定の適用を受ける職員又は同法第八条第一項若しくは第二項の規定の適用を受ける職員（特別職の国家公務員から引き続いて職員となった者を除く。）であった者のそれぞれこれらの規定により国家公務員としての引き続いた在職期間とみなされる期間

四　国家公務員退職手当法施行令（昭和二十八年政令第二百十五号）第五条の二各号（第一号から第七号までを除く。）に掲げる国家公務員としての引き続いた在職期間とみなされる期間のほか、次に掲げる規定により国家公務員としての引き続いた在職期間とみなされる期間

イ　たばこ事業法等の施行に伴う関係法律の整備等に関する法律（昭和五十九年法律第七十一号）附則第四条第一項又は第二項

ロ　日本電信電話株式会社法及び電気通信事業法の施行に伴う関係法律の整備等に関する法律（昭和五十九年法律第八十七号）附則第四条第一項又は第二項

ハ　日本国有鉄道改革法等施行法（昭和六十一年法律第九十三号）附則第五条第一項又は第二項

2　規則第八条第二項の規定による暫定再任用職員の同意を得る手続は、当該暫定再任用職員が任期の更新を希望する旨を示した文書の提出により（文書の提出によらないことを適当と認める場合には、これに代わる適当な方法により）、任期の更新前の適切な時期に行うものとする。

3　任命権者は、暫定再任用職員を、昇任、降任又は転任によって任期の定めのない常時勤務を要する官職を占める職員のほか、暫定再任用職員以外の任期を定めて任用される職員とすることはできない。

4　現に短時間勤務の官職を占める暫定再任用職員に人事異動通知書を交付する場合には、人事異動通知書の「現官職」欄に記入する官職の組織上の名称及び当該官職の属する所属部課（所属部課の表示の単位は任命権者が定めるものとする。次項及び第六項第一号において同じ。）の末尾に、「（週〇〇勤務）」（〇〇の部分には、当該官職を占める職員の一週間当たりの勤務時間を表示する。次項及び第六項第一号において同じ。）を加えるものとする。

5　短時間勤務の官職に暫定再任用する者及び短時間勤務の官職に昇任し、降任し又は転任する暫定再任用職員に人事異動通知書を交付する場合には、人事異動通知書の「異動内容」欄に記入する官職の組織上の名称及び当該官職の属する所属部課の末尾に、「（週〇〇勤務）」を加えるものとする。

6　規則第十三条の規定により人事異動通知書を交付する場合の「異動内容」欄の記入要領は、次のとおりとする。ただし、これによっては特に支障のある場合には、これによらないことができる。

一　暫定再任用を行う場合

「アに暫定再任用する
任期は　年　月　日までとする」

と記入する。

注　「ア」の記号をもって表示する事項は、官職の組織上の名称及び当該官職の属する所属部課とする。なお、短時間勤務の官職に暫定再任用する場合には、「ア（週〇〇勤務）」とする。

二　暫定再任用職員の任期を更新する場合

「暫定再任用の任期を　年　月　日まで更新する」

と記入する。

三　任期の満了により暫定再任用職員が当然に退職する場合

「暫定再任用の任期の満了により　年　月　日限り退職」

と記入する。

7　前三項に定めるもののほか、規則第十三条の規定により交付する人事異動通知書の様式、記載事項等については、「人事異動通知書の様式及び記載事項等について（昭和二十七年六月一日一三一—七九九）」の規定によるものとする。

8　短時間勤務の官職に暫定再任用する者及び新たに短時間勤務の官職に昇任し、降任し又は転任する暫定再任用職員に対しては、勤務時間の内容（始業及び終業の時刻、休憩時間等を含む。以下この項において同じ。）を通知するものとする。現に短時間勤務の官職を占める暫定再任用職員の勤務時間の内容に変更が生じた場合も、同様とする。

9　外務公務員法（昭和二十七年法律第四十一号）第二条第五項に規定する外務職員として人事評価が実施された職員に対する規則第五条及び第八条第一項の規定の適用については、外務職員の人事評価の基準、方法等に関する省令（平成二十一年外務省令第六号）第六条第一項に規定する全体評語を規則第五条第一号及び第八条第一項に規定する全体評語とみなす。

以　上

○人事院規則一—七八（年齢六十年に達する職員等に対する情報の提供及び勤務の意思の確認）

令四・二・一八公布
令五・四・一施行

（趣旨）

第一条　この規則は、年齢六十年に達する職員等に対する法附則第九条の規定による任用、給与及び退職手当に関する措置その他必要な情報の提供（以下「情報の提供」という。）及び同条の規定による勤務の意思の確認（以下「勤務の意思の確認」という。）に関し必要な事項を定めるものとする。

（任命権者）

第二条　法附則第九条の任命権者には、併任に係る官職の任命権者は含まれないものとする。

（情報の提供及び勤務の意思の確認の対象から除く職員）

第三条　法附則第九条の国家公務員法等の一部を改正する法律（令和三年法律第六十一号）第一条の規定による改正前の法（次項及び次条において「令和五年旧法」という。）第八十一条の二第二項第一号に掲げる職員に相当する職員として人事院規則で定める職員は、規則九—一四七（給与法附則第八項の規定による俸給月額）第五条第一項に規定する職員とする。

2　法附則第九条の同条の規定を適用する職員から除く職員として令和五年旧法第八十一条の二第二項第三号に掲げる職員に相当する職員のうち人事院規則で定める職員は、規則九—一四七第五条第二項に規定する職員とする。

3　法附則第九条のその他人事院規則で定める職員は、法第八十一条の六第二項ただし書に規定する職員（前項に規定する職員を除く。）とする。

（情報の提供及び勤務の意思の確認の時期の特例）

第四条　法附則第九条の令和五年旧法第八十一条の二第二項第二号に掲げる職員に相当する職員として人事院規則で定める職員は、規則九—一四七第二条に規定する職員とする。

2　法附則第九条の同条に規定する年齢六十年を令和五年旧法第八十一条の二第二項第三号に定める年齢とする同号に掲げる職員に相当する職員のうち人事院規則で定める職員は、規則九—一四七第三条に規定する職員（同条第一号ニ及び第二号トに規定する職員を除く。）とする。

第五条　法附則第九条の情報の提供及び意思の確認を行うことができない職員として人事院規則で定める職員は、次に掲げる職員とする。

一　年齢六十年（前条第一項に規定する職員にあっては年齢六十三年、同条第二項に規定する職員にあっては規則九—一四七第三条各号に定める年齢。次条及び第七条第二項第二号において「年齢六十年等」という。）に達する日の属する年度の前年度（以下この項において「情報の提供及び勤務の意思の確認を行うべき年度」という。）に職員でなかった者で、当該情報の提供及び勤務の意思の確認を行うべき年度の末日後に採用された職員（次号に掲げる職員を除く。）

二　異動等により情報の提供及び勤務の意思の確認を行うべき年度の末日を経過することとなった職員

2　法附則第九条の人事院規則で定める期間は、次の各号に掲げる職員の区分に応じ、それぞれ当該各号に定める期間とする。

一　前項第一号に掲げる職員　当該職員が採用された日から同日の属する年度の末日までの期間

二　前項第二号に掲げる職員　当該職員の異動等の日が属する年度（当該日が年度の初日である場合は、当該年度の前年度）

3　第一項各号に掲げる職員に対する情報の提供及び勤務の意思の確認は、前項各号に掲げる期間内に、できる限り速やかに行うものとする。

（情報の提供）

第六条　法附則第九条の規定により職員に提供する情報は、次に掲げる情報（第一号、第三号及び第四号に掲げる情報にあっては、当該職員が年齢六十年等に達した日以後に適用される措置に関する情報に限る。）とする。

一　法第八十一条の二から第八十一条の五までの規定による管理監督職勤務上限年齢による降任等に関する情報

二　法第六十条の二第二項に規定する定年前再任用短時間勤務職員（次条第二項第三号において「定年前再任用短時間勤務職員」という。）の任用に関する情報

三　給与法附則第八項から第十六項までの規定による年齢六十年等に達した日後における最初の四月一日以後の当該職員の俸給月額を引き下げる給与に関す

る特例措置に関する情報

四　国家公務員退職手当法（昭和二十八年法律第百八十二号）附則第十二項から第十五項までの規定による当該職員が年齢六十年等に達した日から法第八十一条の六第二項に規定する定年に達する日の前日までの間に非違によることなく退職をした場合における退職手当の基本額を当該職員が当該退職をした日に同条第一項の規定により退職をしたものと仮定した場合における額と同額とする退職手当に関する特例措置に関する情報

五　前各号に掲げるもののほか、法附則第九条の規定により勤務の意思を確認するため必要であると任命権者が認める情報

（勤務の意思の確認）

第七条　任命権者は、法附則第九条の規定により職員の勤務の意思を確認する場合は、そのための期間を十分に確保するよう努めなければならない。

2　勤務の意思の確認においては、次に掲げる事項を確認するものとする。

一　引き続き常時勤務を要する官職を占める職員として勤務する意思

二　年齢六十年等に達する日以後の退職の意思

三　定年前再任用短時間勤務職員として勤務する意向

四　その他任命権者が必要と認める事項

（雑則）

第八条　この規則に定めるもののほか、情報の提供及び勤務の意思の確認の実施に関し必要な事項は、人事院が定める。

附　則

この規則は、令和五年四月一日から施行する。

○年齢六十年に達する職員等に対する情報の提供及び勤務の意思の確認の運用について

令四・二・一八
給生―一七

国家公務員法（昭和二十二年法律第百二十号。以下「法」という。）附則第九条及び人事院規則一―七八（年齢六十年に達する職員等に対する情報の提供及び勤務の意思の確認）（以下「規則」という。）の運用について下記のとおり定めたので、令和五年四月一日以降は、これによってください。

記

1　法附則第九条の「臨時的職員その他の法律により任期を定めて任用される職員」には、人事院規則八―一二（職員の任免）第四十二条第二項の規定により任期を定めて任用される職員は含まれない。

2　法附則第九条の「年齢六十年（同項第二号に掲げる職員に相当する職員として人事院規則で定める職員にあっては同号に定める年齢とし、同項第三号に掲げる職員に相当する職員のうち人事院規則で定める職員にあっては同号に定める年齢とする。以下この条において同じ。）に達する日」とは、その職員の六十歳（規則第四条第一項に規定する職員にあっては六十三歳、同条第二項に規定する職員にあっては人事院規則一一―八―五一（人事院規則一一―八（職員の定年）の全部を改正する人事院規則）による改正前の人事院規則一一―八（職員の定年）第四条第二項及び第三項第一号に定める年齢）の誕生日の前日をいう。

3　任命権者は、規則第五条第一項第二号に掲げる職員に該当することとなった職員には、その都度情報の提供及び勤務の意思の確認を行うものとする。

4　規則第五条第一項第二号に掲げる職員への情報の提供及び勤務の意思の確認において、同号に規定する異動等が任命権者を異にする異動である場合は、異動後の任命権者が情報の提供及び勤務の意思の確認を行うものとする。

5　規則第六条各号に掲げる情報を職員に提供するに当たっては、当該各号に掲げる情報を記載した文書を交付すること（当該文書の交付によらないことを適当と認める場合には、これに代わる適当な方法によること）により行うものとする。

6　規則第七条第二項各号に掲げる事項を職員に確認するに当たっては、当該各号に掲げる事項を記載した文書を職員に提出させること（当該文書の提出によらないことを適当と認める場合には、これに代わる適当な方法によること）により行うものとする。

以　上

〔関係法令〕

○官吏分限令

明三二・三・二八
勅令六二

最終改正　昭二三・四・一四法二六

第一条　本令ハ内閣官房長官、政務次官、公使、秘書官及法令ニ別段ノ規定アルモノヲ除クノ外一般ノ文官ニ適用ス

第二条　官吏ハ刑法ノ宣告、懲戒ノ処分又ハ本令ニ依ルニ非サレハ其ノ官ヲ免セラルルコトナシ

第三条　官吏左ノ各号ノ一ニ該当スルトキハ其ノ官ヲ免スルコトヲ得

一　不具、廃疾ニ因リ又ハ身体若ハ精神ノ衰弱ニ因リ職務ヲ執ルニ堪ヘサルトキ

二　傷痍ヲ受ケ若ハ疾病ニ罹リ其ノ職ニ堪ヘサルニ因リ又ハ自己ノ便宜ニ因リ免官ヲ願出タルトキ

三　官制又ハ定員ノ改正ニ因リ過員ヲ生シタルトキ

②前項第一号ニ依リ其ノ官ヲ免スルトキハ一級及二級ノ官吏ニ在テハ官吏高等懲戒委員会、三級官吏ニ在テハ官吏普通懲戒委員会ノ審査ニ付ス

第四条　官吏ハ廃官若ハ廃庁ノ場合ニ於テハ当然退官者トス

第五条　第十一条第一項第三号及第四号ニ依リ休職ヲ命セラレ満期ニ至リタルトキハ当然退官者トス

第六条　官吏ハ其ノ意ニ反シテ同級官以下ニ転官セラルルコトナシ

第七条　官吏高等懲戒委員会ニ顧問医二人ヲ置ク

②審査上必要ノ場合ニ於テハ臨時顧問医ヲ加フルコトヲ得

第八条　官吏普通懲戒委員会ニ臨時顧問医ヲ置ク

第九条　懲戒委員会ハ本令ニ依ル審査ヲ為ス前予メ顧問医ノ意見ヲ徴スヘシ

第十条　第三条第二項ニ依ル懲戒委員会ノ審査ニ関シテハ官吏懲戒令第十二条第十三条第二十四条第二十五条第二十九条乃至第三十四条ノ規定ヲ準用ス

第十一条　官吏左ノ各号ノ一ニ該当スルトキハ休職ヲ命スルコトヲ得

一　懲戒令ノ規定ニ依リ懲戒委員会ノ審査ニ付セラレタルトキ

二　刑事事件ニ関シ起訴セラレタルトキ

三　官制又ハ定員ノ改正ニ因リ過員ヲ生シタルトキ

四　官庁事務ノ都合ニ依リ必要ナルトキ

②前項休職ノ期間ハ第一号及第二号ノ場合ニ在テハ其ノ事件ノ懲戒委員会又ハ裁判所ニ繋属中トシ第三号及第四号ノ場合ニ在テハ一級及二級ノ官吏ニ付テハ満二年、三級官吏ニ付テハ満一年トス

第十二条　休職者ハ其ノ本官ヲ奉シテ職務ニ従事セス其ノ他総テ在職官吏ト異ナルコトナシ

②前条第一項第三号及第四号ニ依リ休職ヲ命セラレタル者ニハ本属長官ハ事務ノ都合ニ依リ何時ニテモ復職ヲ命スルコトヲ得

第十三条　第十一条ニ依リ休職ヲ命セラレタル者ニハ其ノ休職中俸給ノ三分ノ一ヲ給ス

第十四条　削除

附　則（抄）

第十五条　本令ハ明治三十二年四月十日ヨリ施行ス

②官吏非職条例、明治二十三年勅令第二百八十六号其ノ他従前ノ命令ニシテ本令ノ規定ニ牴触スルモノハ本令施行ノ日ヨリ廃止ス

第十七条　本令中休職トアルハ他ノ法令ニ於テ規定スル非職ト看做ス

第二　懲　戒

○公務員等の懲戒免除等に関する法律

昭二七・四・二八
法　一　一　七

最終改正　平二六・六・一三法六九

（目的）
第一条　この法律は、大赦又は復権（特定の者に対する復権を除く。以下同じ。）が行われる場合における公務員等に対する懲戒の免除及び公務員等の弁償責任に基く債務の減免について定めることを目的とする。

（国家公務員等の懲戒免除）
第二条　政府は、大赦又は復権が行われる場合においては、政令で定めるところにより、国家公務員その他政令で定める者（以下「国家公務員等」という。）で懲戒の処分を受けたものに対して将来に向かつてその懲戒を免除すること及びまだ懲戒の処分を受けていない国家公務員等に対して懲戒を行わないことができる。

（地方公務員の懲戒免除）
第三条　地方公共団体は、前条に規定する場合においては、条例で定めるところにより、地方公務員で懲戒処分を受けたものに対して将来に向つてその懲戒を免除すること及びまだ懲戒処分を受けていない地方公務員に対して懲戒を行わないことができる。

（出納職員、予算執行職員等の弁償責任に基づく債務の減免）
第四条　政府は、第二条に規定する場合においては、政令で定めるところにより、支出官、出納官吏その他の国、公団、公庫等の出納職員、予算執行職員等で政令で定めるものの弁償責任（これに準ずる責任で政令で定めるものを含む。以下同じ。）に基づく債務（租税債権及び貸付金債権以外の国の債権の整理に関する法律（昭和二十六年法律第百九十七号）の規定による国の定期貸債権又は据置貸債権に係る債務で当該弁償責任に係るものを含む。）を将来に向かつて減免することができる。ただし、本人の犯罪行為による弁償責任に基づく本人の債務については、この限りでない。

（会計管理者等の賠償の責任に基く債務の減免）
第五条　地方公共団体は、第二条に規定する場合においては、条例で定めるところにより、会計管理者その他法令の規定に基いて現金又は物品を保管する地方公共団体の職員の賠償の責任に基く債務を将来に向つて減免することができる。但し、本人の犯罪行為に因る賠償の責任に基く本人の債務については、この限りでない。

（懲戒の処分に基く既成の効果）
第六条　懲戒の処分に基く既成の効果は、第二条及び第三条の規定に基く懲戒の免除によつて変更されることはない。

（資格の回復）
第七条　懲戒の処分を受けたことに因り国家公務員となる資格、地方公務員となる資格、地方公務員となるための競争試験若しくは選考を受ける資格若しくは第二条の規定による政令で定める者となる資格又はそれらの資格以外の他の法令で定める資格を失つている者は、同条又は第三条に基きその懲戒を免除されたときは、その日において、それらの資格を回復する。

（不服申立て等との関係）
第八条　第二条から第五条までの規定は、懲戒の処分を受け、又は弁償若しくは賠償を命ぜられた者が、その処分に対し、法令の規定により審査請求その他の不服申立てをし、又は訴えを提起する権利に影響を及ぼすものではない。

附　則

この法律は、公布の日から施行する。

附　則（平一八・六・七法五三）（抄）

（公務員等の懲戒免除等に関する法律の一部改正に伴う経過措置）
第三十五条　この法律の施行前に出納長又は収入役であった者及び附則第三条第一項の規定により出納長又は収入役として在職するものとされた者の賠償責任については、前条の規定による改正前の公務員等の懲戒免除等に関する法律第五条の規定は、なおその効力を有する。

○日本国との平和条約の効力発生に伴う国家公務員等の懲戒免除に関する政令

昭二七・四・二八
政令一三〇

（国家公務員及び公共企業体の職員の懲戒免除）

第一条 左に掲げる職員（昭和二十七年四月二十八日前にこれらの職員でなくなつた者を含む。）のうち、これらの者に係る懲戒を定める法令の規定により、昭和二十七年四月二十八日前の行為について懲戒の処分を受けたものに対しては将来に向つてその懲戒を免除するものとし、同日前の行為についてまだ懲戒の処分を受けていないものに対しては懲戒を行わないものとする。

一 国家公務員法（昭和二十二年法律第百二十号）第二条に規定する一般職の職員
二 警察予備隊の職員
三 国会職員
四 裁判官
五 裁判所職員
六 日本国有鉄道の職員
七 日本専売公社の職員

2 左に掲げる法令の規定（国家公務員法の規定が適用せられるまでの官吏の任免等に関する法律（昭和二十二年法律第百二十一号）の規定により第三号から第十一号までに掲げる命令の例による場合を含む。）により懲戒又は懲罰の処分を受けた者に対しては、将来に向つてその懲戒又は懲罰を免除するものとする。

一 旧判事懲戒法（明治二十三年法律第六十八号）
二 旧会計検査官懲戒法（明治三十三年法律第二十一号）
三 旧税関監吏賞罰規則（明治二十三年勅令第二百十八号）
四 旧官吏懲戒令（明治三十二年勅令第六十三号）
五 旧行政裁判所長官評定官懲戒令（明治三十二年勅令第三百五十四号）
六 旧官吏待遇者の懲戒に関する件（明治四十年勅令第百七十七号）
七 旧執達吏懲戒令（明治四十一年勅令第百五十三号）
八 旧巡査懲戒令（昭和八年勅令第十五号）
九 旧宮内官懲戒令（明治四十年皇室令第十六号）
十 旧勅任待遇奏任待遇宮内職員の懲戒に関する件（大正三年宮内省令第十六号）
十一 旧判任官待遇宮内職員の懲戒に関する件（大正三年宮内省令第十七号）

（政令で定める者の懲戒免除）

第二条 公務員等の懲戒免除等に関する法律（昭和二十七年法律第百十七号）第二条の規定による政令で定める者は、左に掲げる者とする。

一 弁護士
二 公証人
三 税理士及び税務代理士
四 公認会計士及び会計士補並びに計理士
五 弁理士
六 水害予防組合及び普通水利組合の委員又は吏員
七 北海道土功組合の役員又は吏員
八 海技従事者及び海技免状（旧船舶職員法（明治二十九年法律第六十八号）第三条に規定する海技免状をいう。）を受有し、又は受有していた者
九 水先人
十 司法書士
十一 建築士
十二 土地家屋調査士
十三 海事代理士

2 前項第一号から第七号までに掲げる者（昭和二十七年四月二十八日前にこれらの者でなくなつた者を含む。）のうち、これらの者に係る懲戒を定める法令の規定（税務代理士にあつては、旧税務代理士法（昭和十七年法律第四十八号）第十八条）により、昭和二十七年四月二十八日前の行為について懲戒の処分を受けたものに対しては将来に向つてその懲戒を免除するものとし、同日前の行為についてまだ懲戒の処分を受けていないものに対しては懲戒を行わないものとする。

〔――の部分は「第四十六号」となるはずの誤り〕

3 第一項第八号及び第九号に掲げる者（昭和二十七年四月二十八日前にこれらの者でなくなつた者を含む。）のうち、これらの者に係る懲戒を定める法令の規定により、昭和二十七年四月二十八日前の行為について海難審判庁又は旧海員審判所の裁決をもつて懲戒の処分を受けたものに対しては将来に向つてその懲戒を免除するものとし、同日前の行為についてまだ懲戒の処分を受けていないものに対しては懲戒を行わないものとする。

4 第一項第十号から第十三号までに掲げる者（昭和二

十七年四月二十八日前にこれらの者でなくなつた者を含む。）のうち、これらの者に係る懲戒を定める法令の規定（司法書士にあつては司法書士法（昭和二十五年法律第百九十七号）第十二条又は旧司法書士法（大正八年法律第四十八号）第十一条、建築士にあつては建築士法（昭和二十五年法律第二百二号）第十条、土地家屋調査士にあつては土地家屋調査士法（昭和二十五年法律第二百二十八号）第十三条、海事代理士にあつては海事代理士法（昭和二十六年法律第三十二号）第二十五条）により、昭和二十七年四月二十八日前の行為について懲戒の処分を受けたものに対しては将来に向つてその懲戒を免除するものとし、同日前の行為についてまだ懲戒の処分を受けていないものに対しては懲戒を行わないものとする。

附　則

この政令は、公布の日から施行する。

○沖縄の復帰に伴う国家公務員等の懲戒免除に関する政令

昭四七・五・一八
政令一九八

次に掲げる者のうち、これらの者に係る懲戒を定める沖縄法令（沖縄の復帰に伴う特別措置に関する法律（昭和四十六年法律第百二十九号）第二条第三項に規定する沖縄法令をいう。）の規定により昭和四十七年五月十五日前に懲戒の処分を受けた者で、同法その他の沖縄の復帰に伴う特別措置を定めた法令の規定により、当該懲戒の処分が当該沖縄法令に相当する本土法令（同条第四項に規定する本土法令をいう。）の規定による懲戒の処分とみなされたもの及び当該懲戒の処分につきなお従前の例によることとされ又は当該沖縄法令がなお効力を有することとされるものに対しては、将来に向かつてその懲戒を免除するものとする。

一　琉球政府の職員であつた者

二　琉球電信電話公社法（千九百五十八年立法第八十七号）に基づく琉球電信電話公社の職員であつた者

三　沖縄の弁護士法（千九百六十七年立法第百三十九号）の規定による弁護士であつた者

四　沖縄の公証人法（千九百六十年立法第七十七号）の規定による公証人であつた者

五　沖縄の税理士法（千九百六十四年立法第八十九号）の規定による税理士であつた者

六　沖縄の公認会計士法（千九百五十七年立法第百十号）の規定による公認会計士、会計士補若しくは外国公認会計士又は計理士であつた者

七　沖縄の船舶職員法（千九百六十二年立法第三十五号）の規定による海技従事者であつた者

八　沖縄の水先法（千九百五十九年立法第百五十六号）の規定による水先人であつた者

九　沖縄の司法書士法（千九百五十五年立法第五十二号）の規定による司法書士であつた者

十　沖縄の建築士法（千九百五十三年立法第八十七号）の規定による建築士であつた者

十一　土地建物調査士法（千九百六十四年立法第三十三号）の規定による土地建物調査士であつた者

附　則

この政令は、公布の日から施行する。

○昭和天皇の崩御に伴う国家公務員等の懲戒免除に関する政令

平元・二・一三
政令二九

次に掲げる者（平成元年二月二十四日前に第一号から第十六号までに掲げる者でなくなった者を含む。）のうち、これらの者に係る懲戒を定める法令の規定により、昭和六十四年一月七日前の行為について、平成元年二月二十四日前に減給、過料、過怠金、戒告又は譴《けん》責の懲戒処分を受けた者に対しては、将来に向かってその懲戒を免除するものとする。

一　国家公務員
二　公証人
三　弁護士
四　司法書士
五　土地家屋調査士
六　外国法事務弁護士
七　公認会計士、会計士補若しくは外国公認会計士又は計理士
八　税理士
九　通関士
十　社会保険労務士
十一　弁理士
十二　水先人
十三　海事代理士
十四　海技従事者
十五　水害予防組合の委員又は吏員
十六　建築士
十七　日本専売公社の職員であった者
十八　日本国有鉄道の職員であった者
十九　日本電信電話公社の職員であった者

附　則

この政令は、平成元年二月二十四日から施行する。

○昭和天皇の崩御に伴う国家公務員等の懲戒免除に関する政令について

平元・二・一三
総人五三

昭和天皇の崩御に伴う国家公務員等の懲戒免除に関する政令（平成元年政令第二十九号。以下「政令」という。）は、平成元年二月十三日公布され、同月二十四日から施行されることとなった。

貴職におかれては、下記事項に留意の上、取扱いに遺憾のないように努められたい。

以上命により通知する。

記

1　政令制定の理由

公務員等の懲戒免除等に関する法律（昭和二十七年法律第百十七号。以下「法」という。）は、大赦又は復権（特定の者に対する復権を除く。）が行われる場合において、政令で定めるところにより、国家公務員その他政令で定める者について、懲戒を免除することができることとしている（法第二条）。

今回、昭和天皇の崩御に際会し、大赦及び一般的復権が行われるので、国家公務員等にも懲戒免除を実施することとしたものである。

2　懲戒免除の対象範囲

(1)　懲戒免除は、昭和六十四年一月六日までの行為について平成元年二月二十三日以前に既に懲戒処分を

（参考）

今回の懲戒免除の対象

（注）図中の記号は以下のとおり
×……非違行為
○……減給，戒告等の処分

懲戒免除の対象となるもの

懲戒免除の対象とならないもの

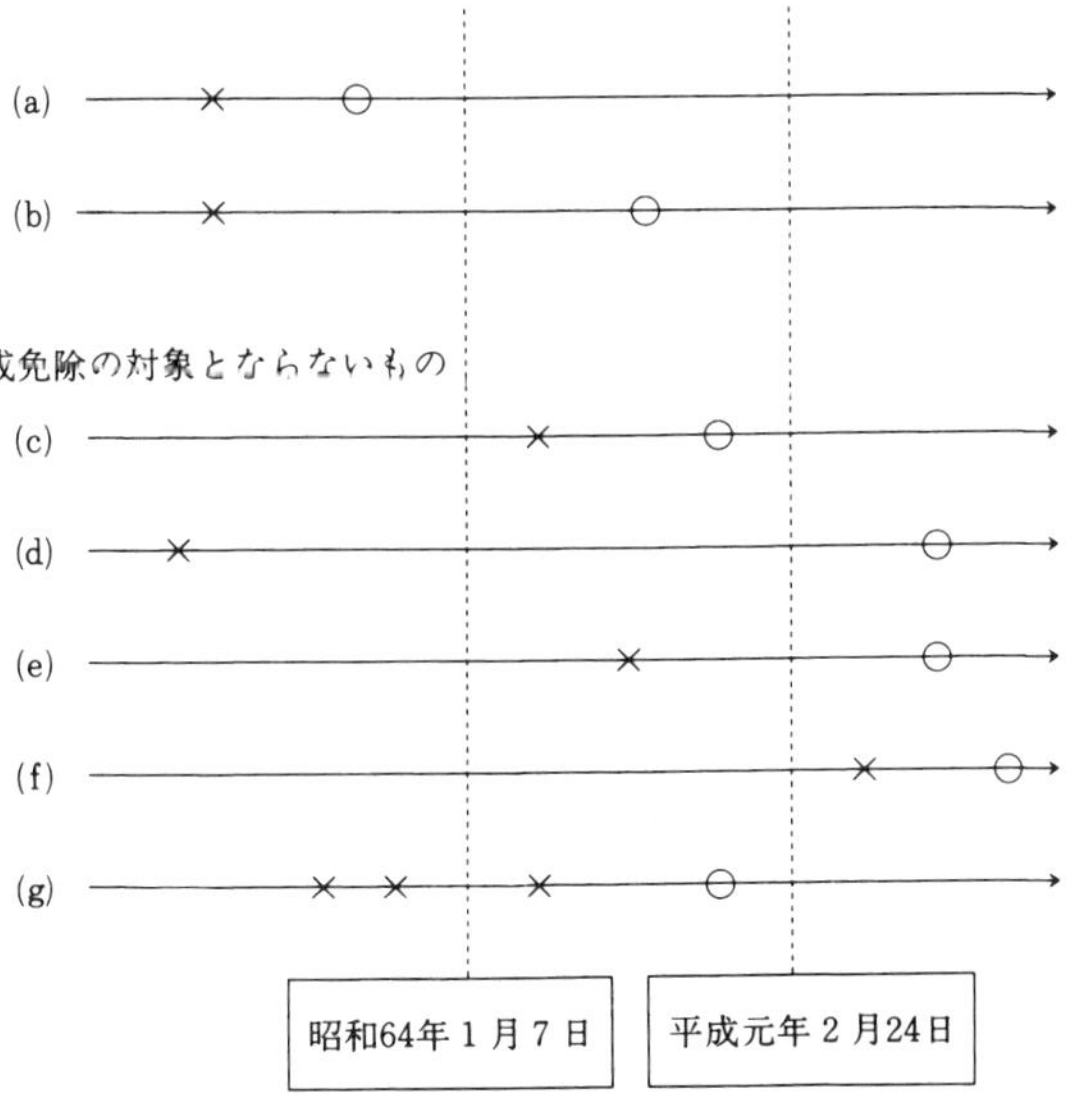

受けた者を対象とするものである。したがって、昭和六十四年一月六日以前の行為について平成元年二月二十四日以後に行われる懲戒処分及び昭和六十四年一月七日以後の行為についての懲戒処分の効果は従前どおりである。

(2)　複数の非違行為又は継続する非違行為に対してなされた懲戒処分については、当該懲戒処分の事由となった非違行為のすべてが昭和六十四年一月六日以前になされたものである場合に、当該懲戒が免除の対象となるものである　(参考(a)～(f)参照)

したがって、懲戒処分の事由である複数の非違行為のうち一部が昭和六十四年一月七日以後になされたものに係る懲戒処分、継続する非違行為の期間が昭和六十四年一月七日以後にわたるものに係る懲戒処分は、懲戒免除の対象とはならない。

(3)　日本専売公社、日本国有鉄道又は日本電信電話公社の職員であった者については、民営化前の行為についての懲戒処分が、政令による懲戒免除の対象となるものである。　(参考(g)参照)

(4)　今回の懲戒免除の対象となるのは、法令に定める減給、過料、過怠金、戒告又は譴責の懲戒処分に限られるものであり、法令に定める免職、除名、免許取消、業務禁止、退会命令、停職、業務停止等の懲戒処分は対象とならない。

また、内規等に基づく訓告、厳重注意等は、政令による懲戒免除の対象とならない。

(5)　政令各号に掲げる者以外の者に対する処分は、法令に定める懲戒処分には当たらないので、政令による懲戒免除の対象とはならない。

3 懲戒免除の効果

(1) 懲戒免除は、懲戒の処分を受けた者に対し、「将来に向かつてはその懲戒はなかったこととなる」との法的効果を持つ（法第二条）。

これにより、例えば、減給処分を受けた者で懲戒免除が行われる日前までに減給期間が終了していない者は、その日から減給という懲戒はなかったこととなり、給与の減額を受けないこととなる。

(2) 懲戒免除により過去の懲戒処分が消滅するものではない。したがって、懲戒処分について取消等の不服申立て又は訴訟の提起が行われている場合には、懲戒免除がなされても、不服申立て又は訴訟の訴の利益が消滅するものではない（法第八条）。

(3) 懲戒の処分を受けたことにより、法令で定める資格を失っている者は、懲戒を免除されたときは、その日において、それらの資格を回復する（法第七条）。

(4) 懲戒の処分に基づく既成の効果は、懲戒の免除によって変更されることはない（法第六条）。

4 その他の留意点

(1) 今回の懲戒免除に伴う人事記録上の取扱いについては、別途通知する「昭和天皇の崩御に伴う国家公務員等の懲戒免除に関する政令の施行に伴う人事記録の記載について」を参照されたい。

(2) 現在、公務員の綱紀については、国民の厳しい視線が注がれており、公務秩序を維持するとともに、行政に対する国民の信頼を確保するため、昨年十二月十六日の閣議決定等に沿って、各省庁において一層の綱紀粛正の徹底に努められたい。

○懲戒が免除された職員の昇給に係る勤務成績の証明に関する取扱いの特例について

平元・二・一三
給実甲六四五

標記について、下記のとおり定めたので通知します。

記

平成元年四月一日以降の最初の昇給に係る勤務成績の証明に関する取扱いについては、現に受ける俸給月額又はこれに相当する俸給月額を受けるに至った日以降に懲戒の処分を受けた職員のうち、昭和天皇の崩御に伴う国家公務員等の懲戒免除に関する政令（平成元年政令第二十九号）により当該懲戒が免除された職員（同日以降に、同令により免除された懲戒以外の懲戒の処分を受けた職員を除く。）は、給実甲第三二六号（人事院規則九―八（初任給、昇格、昇給等の基準）の運用について）第三十四条関係第二項第五号に規定する職員には含まないものとする。

以上

○昭和天皇の崩御に伴う職員の懲戒免除及び職員の賠償責任に基づく債務の減免について

平元・二・一三
自治公一―九
自治事務次官

昭和天皇の崩御に伴う大赦令及び復権令が本日公布され、平成元年二月二十四日から施行されることに伴い、「公務員等の懲戒免除等に関する法律」（別紙1）に基づき、「昭和天皇の崩御に伴う国家公務員等の懲戒免除に関する政令」（別紙2）及び「昭和天皇の崩御に伴う予算執行職員等の弁償責任に基づく債務の免除に関する政令」（別紙3）が本日公布され、平成元年二月二十四日から施行されることとなった。

地方公共団体においても、「公務員等の懲戒免除等に関する法律」により、地方公務員の懲戒免除及び職員の賠償責任に基づく債務の減免を条例の定めるところにより行うことができることとされているが、このことについては、下記の事項に留意の上、別紙条例案（別紙4）を参考として、条例の制定等に遺憾のないようされたい。

なお、貴管下市区町村に対しても、この趣旨を周知、徹底されるよう併せてお願いする。

記

1 職員の懲戒免除

いします。

記

1　地方教育行政の組織及び運営に関する法律（昭和三十一年法律第百六十二号）第三十七条第一項に規定する県費負担教職員の懲戒免除については、都道府県の条例で定めること。

2　国においては、大赦、政令による復権の範囲との均衡等を考慮し、国家公務員等のうち、法令の規定により、昭和六十四年一月七日前の行為について、平成元年二月二十四日前に減給、戒告又はこれらに相当する懲戒処分を受けた者に対しては、将来に向かってその懲戒を免除することとしているものであること。

3　懲戒の免除は、将来に向かってなされるものであり、懲戒処分に基づく既成の効果は、これにより変更されるものではないこと。したがって、例えば、減給処分が免除された場合であれば、免除された日が減給期間中にあるときは、その日以後解除され、減給されない給与額に戻ることとなるが、減給期間がその日前に完了しているときは、なんらの変更を受けるものではないこと。

4　懲戒が免除された場合においても、その懲戒は将来に向かって免除されるものであり、過去において昇給が延伸された者の給与上の取扱いについては、一切影響を与えないものであること。

また、昇給が延伸された者をその後の昇給において回復させるいわゆる昇給延伸の復元は給与制度上あり得ないものであること。この点に関しては、国家公務員については平成元年二月八日の人事管理官会議幹事会において、「過去において昇給が延伸された者をその後の昇給において回復させることは、給与制度上予定されておらず、各省庁は、既に昇給が延伸されている者についてその復元を目的として特別昇給等を行うことのないよう留意すること」という確認がなされているところである。このため、今回の懲戒免除に伴い、いわゆる昇給延伸の復元を絶対に行うことのないこと。

5　平成元年四月一日以降の最初の普通昇給に係る勤務成績の証明に関する取扱いについては、現に受ける給料月額又はこれに相当する給料月額を受けるに至った日以降に懲戒処分を受けた職員のうち今回懲戒が免除された職員（同日以降に、免除された懲戒以外の懲戒の処分を受けた職員を除く。）は、免除された懲戒処分を受けたことを事由として勤務成績についての証明が得られないものとして取り扱うこととはしないものであること。

（参考1～3）〔略〕

○人事院規則一二—〇（職員の懲戒）

昭二七・五・二三全改
昭二七・六・一施行
最終改正　令四・二・一八規則一—七九

（総則）

第一条　職員の懲戒は、官職の職務と責任の特殊性に基づいて法附則第四条の規定により法律又は規則をもつて別段の定めをした場合を除き、この規則の定めるところによる。

（停職）

第二条　停職の期間は、一日以上一年以下とする。

（減給）

第三条　減給は、一年以下の期間、その発令の日に受ける俸給の月額の五分の一以下に相当する額を、給与から減ずるものとする。この場合において、その減ずる額が現に受ける俸給の月額の五分の一に相当する額を超えるときは、当該額を給与から減ずるものとする。

（戒告）

第四条　戒告は、職員が法第八十二条第一項各号のいずれかに該当する場合において、その責任を確認し、及びその将来を戒めるものとする。

（懲戒の手続）

第五条　懲戒処分は、職員に文書を交付して行わなければならない。

２　前項の文書の交付は、これを受けるべき者の所在を知ることができない場合においては、その内容を官報に掲載することをもつてこれに替えることができるものとし、掲載された日から二週間を経過したときに文書の交付があつたものとみなす。

３　第一項の文書に記載すべき事項は、人事院が定める。

（他の任命権者に対する通知）

第六条　任命権者を異にする官職に併任されている職員について懲戒処分を行つた場合においては、当該処分を行つた任命権者は、他の任命権者にその旨を通知しなければならない。

（処分説明書の写の提出）

第七条　任命権者は、懲戒処分を行つたときは、法第八十九条第一項に規定する説明書の写一通を人事院に提出しなければならない。

（刑事裁判所に係属する間の懲戒手続）

第八条　任命権者は、懲戒に付せられるべき事件が刑事裁判所に係属する間に、同一事件について懲戒手続を進めようとする場合において、職員本人が、公判廷において（当該公判廷における職員本人の供述があるまでの間は、任命権者に対して）、懲戒処分の対象とする事実で公訴事実に該当するものが存すると認めているとき（第一審の判決があつた後にあつては、当該判決（控訴審の判決があつた後は当該控訴審の判決）により懲戒処分の対象とする事実で公訴事実に該当するものが存すると認められているときに限る。）は、法第八十五条の人事院の承認があつたものとして取り扱うことができる。

２　任命権者は、前項の規定により懲戒手続を進め、懲戒処分を行つた場合には、当該懲戒処分について前条の規定により処分説明書の写を人事院に提出する際に、前項に該当することを確認した資料の写を併せて提出するものとする。

（国の事務又は事業と密接な関連を有する業務を行う法人）

第九条　法第八十二条第二項の人事院規則で定める法人は、沖縄振興開発金融公庫のほか、次に掲げる法人とする。

一　国家公務員退職手当法施行令（昭和二十八年政令第二百十五号）第九条の二各号に掲げる法人（平成十一年十月一日において適用されていた同条各号に掲げる法人であつて、かつ、同日において適用されていたこの規則第八条各号に掲げる法人でなかつたものを除く。）

二　国家公務員退職手当法施行令第九条の四各号に掲げる法人（沖縄振興開発金融公庫及び前号に掲げる法人を除く。）

三　旧二千五年日本国際博覧会協会（平成九年十月二十三日に設立され、平成十八年十二月二十七日に解散したものであり、かつ、清算が結了したものをいう。）

四　旧二千二年ワールドカップサッカー大会日本組織委員会（平成九年十二月十二日に設立され、平成十五年十二月三十一日に解散したものであり、かつ、清算が結了したものをいう。）

五　中部国際空港の設置及び管理に関する法律（平成十年法律第三十六号）第四条第二項に規定する指定会社

六　アイヌの人々の誇りが尊重される社会を実現するための施策の推進に関する法律（平成三十一年法律第十六号）第二十条第三項に規定する指定法人

○人事院規則一二―○（職員の懲戒）の運用について

昭三二・六・一
職職―三九三

最終改正　令四・二・一八事企法―三七

第二条関係

停職の期間計算は、暦日計算による。

第三条関係

1　減給は、休職、病気休暇等のため、俸給を減ぜられている場合でも、本来受けるべき俸給の月額（俸給の調整額を含む。）を基礎として計算した額を、給与から減ずるものとする。

2　減給は、職員が本来受けるべき俸給を変更するものではないから、俸給を計算の基礎とする手当等に影響を及ぼすものではない。

3　減給の期間は月単位で表示し、その効力発生の日の直後の俸給の支給定日（効力発生の日と俸給の支給定日とが同日の場合は、次の俸給の支給定日）から、減給期間として示された月数に応じ、各俸給の支給定日ごとに減給分を差し引くこととする。

月二回払の場合　減給の割合による額の二分の一

月一回払の場合　減給の割合による額

4　減給期間中に昇給、昇格その他の事由により俸給の月額が変動した場合にも、この条の後段に規定する場合を除き、減給の額の計算については、減給発令時に受けていた俸給の月額を基礎とする。

5　減給期間中に離職する場合には、最終の俸給の支給定日の減給の額をもって打ち切るものとする。

6　減給に際し、支給される給与（俸給の支給定日に支給されるべき給与の総額をいう。以下同じ。）がない場合には、当該支給定日に減ずる減給分は打ち切るものとする。また、支給される給与の額が当該俸給の支給定日に減ずる減給の額にみたないときは、支給される給与の額をもって、当該支給定日に減ずる減給分は打ち切るものとする。

第五条関係

1　懲戒処分の効力は、懲戒処分書を職員に交付したときに発生する。

2　期間を限って雇用される職員の停職および減給は、現に任用されている期間内に限られる。

3　本条に定める文書（以下「懲戒処分書」という。）の様式は、任命権者（任命権の委任が行われた場合には、その委任を受けた者。以下同じ。）の定めるところによる。

4　懲戒処分書には、次に掲げる事項を記載するものとする。

一　「懲戒処分書」の文字
二　懲戒処分に係る職員の占める官職の組織上の名称、職務の級又はその他の公の名称
三　懲戒処分に係る職員の氏名
四　懲戒処分の内容
五　懲戒処分を発令した日付
六　「任命権者」の文字並びに任命権者の組織上の名称及び氏名
七　文書番号

5　前項第四号により、懲戒処分の内容を記入するについては、当該懲戒処分に応じて次の各号に掲げる事項を記入するものとする。

一　免職する場合
「甲（根拠法令の条項を表示する。以下同じ。）により、懲戒処分として免職する。」
二　停職する場合
「甲により、懲戒処分として、　月（日）間停職する。」
三　減給する場合
「甲により、懲戒処分として、　月間俸給の月額の　分の一を減給する。」
四　戒告する場合
「甲により、懲戒処分として戒告する。」

第七条関係

処分説明書の写の提出は、当該処分の発令の日から一カ月以内とする。

第八条関係

任命権者が本条第二項の規定により処分説明書の写に併せて提出する資料は、次のとおりとする。

一　起訴状の写
二　任命権者が作成した公判廷における傍聴記録で職員本人の供述を記したもの（当該供述があるまでの間は任命権者に対する職員本人の供述調書又は自認書）の写
三　判決書又は任命権者が作成した公判廷における傍聴記録で判決の内容を記したものの写（判決があった場合に限る。）
四　その他関係する資料

○懲戒手続進行の承認申請について

昭三三・六・一三
職職―三九四

一　申請文書には次の事項を記載するものとする。
(1) 懲戒処分に付せられるべき職員の官職および氏名
(2) 公訴事実のうち懲戒処分の対象とする事実および懲戒権者において当該事実を確認した具体的方法
(3) 懲戒処分の根拠条項および予定する量定
(4) 裁判の経過の概要
(5) その他参考事項（上訴理由等）
二　申請文書には次の資料を添付するものとする。
(1) 起訴状の写
(2) 判決書の写（判決のあつた場合）
(3) 当該職員の供述書の写（懲戒処分の対象とする事実を同人が自認し、懲戒権者にその旨供述した場合）又はその他懲戒処分の対象とする事実を証する資料
(4) その他参考資料

○懲戒処分の指針について

平一二・三・三一
職職―六八
最終改正　令二・四・一職審―一三一

人事院では、この度、懲戒処分がより一層厳正に行われるよう、任命権者が懲戒処分に付すべきと判断した事案について、処分量定を決定するに当たっての参考に供することを目的として、別紙のとおり懲戒処分の指針を作成しました。

職員の不祥事に対しては、かねて厳正な対応を求めてきたところですが、各省庁におかれては、本指針を踏まえて、更に服務義務違反に対する厳正な対処をお願いいたします。

特に、組織的に行われていると見られる不祥事に対しては、管理監督者の責任を厳正に問う必要があること、また、職務を怠った場合（国家公務員法第八十二条第一項第二号）も懲戒処分の対象となることについて、留意されるようお願いします。

以上

別紙

懲戒処分の指針

第一　基本事項

本指針は、代表的な事例を選び、それぞれにおける標準的な懲戒処分の種類を掲げたものである。

具体的な処分量定の決定に当たっては、
① 非違行為の動機、態様及び結果はどのようなものであったか
② 故意又は過失の度合いはどの程度であったか
③ 非違行為を行った職員の職責はどのようなものであったか、その職責は非違行為との関係でどのように評価すべきか
④ 他の職員及び社会に与える影響はどのようなものであるか
⑤ 過去に非違行為を行っているか
等のほか、適宜、日頃の勤務態度や非違行為後の対応等も含め総合的に考慮の上判断するものとする。

個別の事案の内容によっては、標準例に掲げる処分の種類以外とすることもあり得るところである。例えば、標準例に掲げる処分の種類より重いものとすることが考えられる場合として、
① 非違行為の動機若しくは態様が極めて悪質であるとき又は非違行為の結果が極めて重大であるとき
② 非違行為を行った職員が管理又は監督の地位にあるなどその職責が特に高いとき
③ 非違行為の公務内外に及ぼす影響が特に大きいとき
④ 過去に類似の非違行為を行ったことを理由として懲戒処分を受けたことがあるとき
⑤ 処分の対象となり得る複数の異なる非違行為を行っていたとき
がある。また、例えば、標準例に掲げる処分の種類より軽いものとすることが考えられる場合として、

① 職員が自らの非違行為が発覚する前に自主的に申し出たとき

② 非違行為を行うに至った経緯その他の情状に特に酌量すべきものがあると認められるときがある。

なお、標準例に掲げられていない非違行為についても、懲戒処分の対象となり得るものであり、これらについては標準例に掲げる取扱いを参考としつつ判断する。

第二 標準例

一 一般服務関係

(1) 欠勤

ア 正当な理由なく十日以内の間勤務を欠いた職員は、減給又は戒告とする。

イ 正当な理由なく十一日以上二十日以内の間勤務を欠いた職員は、停職又は減給とする。

ウ 正当な理由なく二十一日以上の間勤務を欠いた職員は、免職又は停職とする。

(2) 遅刻・早退

勤務時間の始め又は終わりに繰り返し勤務を欠いた職員は、戒告とする。

(3) 休暇の虚偽申請

病気休暇又は特別休暇について虚偽の申請をした職員は、減給又は戒告とする。

(4) 勤務態度不良

勤務時間中に職場を離脱して職務を怠り、公務の運営に支障を生じさせた職員は、減給又は戒告とする。

(5) 職場内秩序を乱す行為

ア 他の職員に対する暴行により職場の秩序を乱した職員は、停職又は減給とする。

イ 他の職員に対する暴言により職場の秩序を乱した職員は、減給又は戒告とする。

(6) 虚偽報告

事実をねつ造して虚偽の報告を行った職員は、減給又は戒告とする。

(7) 違法な職員団体活動

ア 国家公務員法第九十八条第二項前段の規定に違反して同盟罷業、怠業その他の争議行為をなし、又は政府の活動能率を低下させる怠業的行為をした職員は、減給又は戒告とする。

イ 国家公務員法第九十八条第二項後段の規定に違反して同項前段に規定する違法な行為を企て、又はその遂行を共謀し、そそのかし、若しくはあおった職員は、免職又は停職とする。

(8) 秘密漏えい

ア 職務上知ることのできた秘密を故意に漏らし、公務の運営に重大な支障を生じさせた職員は、免職又は停職とする。この場合において、自己の不正な利益を図る目的で秘密を漏らした職員は、免職とする。

イ 具体的に命令され、又は注意喚起された情報セキュリティ対策を怠ったことにより、職務上の秘密が漏えいし、公務の運営に重大な支障を生じさせた職員は、停職、減給又は戒告とする。

(9) 政治的目的を有する文書の配布

政治的目的を有する文書を配布した職員は、戒告とする。

(10) 兼業の承認等を得る手続のけ怠

営利企業の役員等の職を兼ね、若しくは自ら営利企業を営むことの承認を得る手続又は報酬を得て、営利企業以外の事業の団体の役員等を兼ね、その他事業若しくは事務に従事することの許可を得る手続を怠り、これらの兼業を行った職員は、減給又は戒告とする。

(11) 入札談合等に関与する行為

国が入札等により行う契約の締結に関し、その職務に反し、事業者その他の者に談合を唆すこと、事業者その他の者に予定価格等の入札等に関する秘密を教示すること又はその他の方法により、当該入札等の公正を害すべき行為を行った職員は、免職又は停職とする。

(12) 個人の秘密情報の目的外収集

その職権を濫用して、専らその職務の用以外の用に供する目的で個人の秘密に属する事項が記録された文書等を収集した職員は、減給又は戒告とする。

(13) 公文書の不適正な取扱い

ア 公文書を偽造し、若しくは変造し、虚偽の公文書を作成し、又は公文書を毀棄した職員は、免職又は停職とする。

イ 決裁文書を改ざんした職員は、免職又は停職とする。

ウ 公文書を改ざんし、紛失し、又は誤って廃棄し、その他不適正に取り扱ったことにより、公務の運営に重大な支障を生じさせた職員は、停職、減給又は戒告とする。

(14) セクシュアル・ハラスメント（他の者を不快に

させる職場における性的な言動及び他の職員を不快にさせる職場外における性的な言動）

ア　暴行若しくは脅迫を用いてわいせつな行為をし、又は職場における上司・部下等の関係に基づく影響力を用いることにより強いて性的関係を結び若しくはわいせつな行為をした職員は、免職又は停職とする。

イ　相手の意に反することを認識の上で、わいせつな言辞、性的な内容の電話、性的な内容の手紙・電子メールの送付、身体的接触、つきまとい等の性的な言動（以下「わいせつな言辞等の性的な言動」という。）を繰り返した職員は、停職又は減給とする。この場合においてわいせつな言辞等の性的な言動を執拗に繰り返したことにより相手が強度の心的ストレスの重積による精神疾患に罹患したときは、当該職員は免職又は停職とする。

ウ　相手の意に反することを認識の上で、わいせつな言辞等の性的な言動を行った職員は、減給又は戒告とする。

(15) パワー・ハラスメント

ア　パワー・ハラスメント（人事院規則一〇―一六（パワー・ハラスメントの防止等）第二条に規定するパワー・ハラスメントをいう。以下同じ。）を行ったことにより、相手に著しい精神的又は身体的な苦痛を与えた職員は、停職、減給又は戒告とする。

イ　パワー・ハラスメントを行ったことについて指導、注意等を受けたにもかかわらず、パワー・ハラスメントを繰り返した職員は、停職又は減給とする。

ウ　パワー・ハラスメントを行ったことにより、相手を強度の心的ストレスの重積による精神疾患に罹《り》患させた職員は、免職、停職又は減給とする。

（注）(14)及び(15)に関する事案について処分を行うに際しては、具体的な行為の態様、悪質性等も情状として考慮の上判断するものとする。

二　公金官物取扱い関係

(1) 横領
公金又は官物を横領した職員は、免職とする。

(2) 窃取
公金又は官物を窃取した職員は、免職とする。

(3) 詐取
人を欺いて公金又は官物を交付させた職員は、免職とする。

(4) 紛失
公金又は官物を紛失した職員は、戒告とする。

(5) 盗難
重大な過失により公金又は官物の盗難に遭った職員は、戒告とする。

(6) 官物損壊
故意に職場において官物を損壊した職員は、減給又は戒告とする。

(7) 失火
過失により職場において官物の出火を引き起こした職員は、戒告とする。

(8) 諸給与の違法支払・不適正受給
故意に法令に違反して諸給与を不正に支給した職員及び故意に届出を怠り、又は虚偽の届出をするなどして諸給与を不正に受給した職員は、減給又は戒告とする。

(9) 公金官物処理不適正
自己保管中の公金の流用等公金又は官物の不適正な処理をした職員は、減給又は戒告とする。

(10) コンピュータの不適正使用
職場のコンピュータをその職務に関連しない不適正な目的で使用し、公務の運営に支障を生じさせた職員は、減給又は戒告とする。

三　公務外非行関係

(1) 放火
放火をした職員は、免職とする。

(2) 殺人
人を殺した職員は、免職とする。

(3) 傷害
人の身体を傷害した職員は、停職又は減給とする。

(4) 暴行・けんか
暴行を加え、又はけんかをした職員が人を傷害するに至らなかったときは、減給又は戒告とする。

(5) 器物損壊
故意に他人の物を損壊した職員は、減給又は戒告とする。

(6) 横領

ア　自己の占有する他人の物を横領した職員は、免職又は停職とする。

イ　遺失物、漂流物その他占有を離れた他人の財物を横領した職員は、減給又は戒告とする。

(7) 窃盗・強盗

ア　他人の財物を窃取した職員は、免職又は停職とする。
イ　暴行又は脅迫を用いて他人の財物を強取した職員は、免職とする。
(8)　詐欺・恐喝
人を欺いて財物を交付させ、又は人を恐喝して財物を交付させた職員は、免職又は停職とする。
(9)　賭博
ア　賭博をした職員は、減給又は戒告とする。
イ　常習として賭博をした職員は、停職とする。
(10)　麻薬等の所持等
麻薬、大麻、あへん、覚醒剤、危険ドラッグ等の所持、使用、譲渡等をした職員は、免職とする。
(11)　酩酊による粗野な言動等
酩酊して、公共の場所や乗物において、公衆に迷惑をかけるような著しく粗野又は乱暴な言動をした職員は、減給又は戒告とする。
(12)　淫行
十八歳未満の者に対して、金品その他財産上の利益を対償として供与し、又は供与することを約束して淫行をした職員は、免職又は停職とする。
(13)　痴漢行為
公共の場所又は乗物において痴漢行為をした職員は、停職又は減給とする。
(14)　盗撮行為
公共の場所若しくは乗物において他人の通常衣服で隠されている下着若しくは身体の盗撮行為をし、又は通常衣服の全部若しくは一部を着けていない状態となる場所における他人の姿態の盗撮行為をした職員は、停職又は減給とする。

四　飲酒運転・交通事故・交通法規違反関係
(1)　飲酒運転
ア　酒酔い運転をした職員は、免職又は停職とする。この場合において人を死亡させ、又は人に傷害を負わせた職員は、免職とする。
イ　酒気帯び運転をした職員は、免職、停職又は減給とする。この場合において人を死亡させ、又は人に傷害を負わせた職員は、免職又は停職（事故後の救護を怠る等の措置義務違反をした職員は、免職）とする。
ウ　飲酒運転をした職員に対し、車両若しくは酒類を提供し、若しくは飲酒をすすめた職員又は職員の飲酒を知りながら当該職員が運転する車両に同乗した職員は、飲酒運転をした職員に対する処分量定、当該飲酒運転への関与の程度等を考慮して、免職、停職、減給又は戒告とする。
(2)　飲酒運転以外での交通事故（人身事故を伴うもの）
ア　人を死亡させ、又は重篤な傷害を負わせた職員は、免職、停職又は減給とする。この場合において措置義務違反をした職員は、免職又は停職とする。
イ　人に傷害を負わせた職員は、減給又は戒告とする。この場合において措置義務違反をした職員は、停職又は減給とする。
(3)　飲酒運転以外の交通法規違反
著しい速度超過等の悪質な交通法規違反をした職員は、停職、減給又は戒告とする。この場合において物の損壊に係る交通事故を起こして措置義務違反をした職員は、停職又は減給とする。
（注）処分を行うに際しては、過失の程度や事故後の対応等も情状として考慮の上判断するものとする。

五　監督責任関係
(1)　指導監督不適正
部下職員が懲戒処分を受ける等した場合で、管理監督者としての指導監督に適正を欠いていた職員は、減給又は戒告とする。
(2)　非行の隠ぺい、黙認
部下職員の非違行為を知得したにもかかわらず、その事実を隠ぺいし、又は黙認した職員は、停職又は減給とする。

○懲戒処分の公表指針について

平一五・一一・一〇
総参―七八六

人事院では、この度、各府省等が懲戒処分の公表を行うに当たっての参考に供することを目的として、下記のとおり懲戒処分の公表指針を作成しました。各府省等におかれては、本指針を踏まえて、懲戒処分の適正な公表に努められるようお願いいたします。

本指針は懲戒処分の公表に係る原則的な取扱いを示したものであり、個別の事案に関し、当該事案の社会的影響、被処分者の職責等を勘案して公表対象、公表内容等について別途の取扱いをすべき場合があることに御留意ください。

記

1　公表対象
　次のいずれかに該当する懲戒処分は、公表するものとする。
(1)　職務遂行上の行為又はこれに関連する行為に係る懲戒処分
(2)　職務に関連しない行為に係る懲戒処分のうち、免職又は停職である懲戒処分

2　公表内容
　事案の概要、処分量定及び処分年月日並びに所属、役職段階等の被処分者の属性に関する情報を、個人が識別されない内容のものとすることを基本として公表するものとする。

3　公表の例外
　被害者又はその関係者のプライバシー等の権利利益を侵害するおそれがある場合等1及び2によることが適当でないと認められる場合は、1及び2にかかわらず、公表内容の一部又は全部を公表しないことも差し支えないものとする。

4　公表時期
　懲戒処分を行った後、速やかに公表するものとする。ただし、軽微な事案については、一定期間ごとに一括して公表することも差し支えないものとする。

5　公表方法
　記者クラブ等への資料の提供その他適宜の方法によるものとする。

以　上

○官吏懲戒令

明三二・三・二八
勅令六三

廃止　昭二三・一二・三法二二二

第一章　総則

第一条　法令ニ別段ノ規定アルモノヲ除クノ外官吏ハ本令ニ依ルニ非サレハ懲戒ヲ受クルコトナシ

第二条　官吏ノ懲戒ヲ受クヘキ場合左ノ如シ
一　職務上ノ義務ニ違背シ又ハ職務ヲ怠リタルトキ
二　職務ノ内外ヲ問ハス官職上ノ威厳又ハ信用ヲ失フヘキ所為アリタルトキ

第三条　懲戒ハ左ノ如シ
一　免官
二　減俸
三　譴責

第四条　免官ノ処分ヲ受ケタル者ハ其ノ官職ヲ失ヒタル日ヨリ二年間官職ニ就クコトヲ得ス
②免官ノ処分ヲ受ケ其ノ情重キ者ハ位記ヲ返上セシム

第五条　減俸ハ一月以上一年以下年俸月割額若ハ月俸ノ三分一以下ヲ減ス

第六条　一級官吏ノ免官及減俸ハ懲戒委員会ノ議決ヲ具シタル主任大臣ノ申出ニ依リ内閣ニ於テ之ヲ行ヒ二級官吏ノ免官ハ懲戒委員会ノ議決ヲ具シタル本属長官ノ申出ニ依リ内閣総理大臣之ヲ行フ
②二級官吏ノ減俸及三級官吏ノ免官及減俸ハ懲戒委員会ノ議決ニ依リ本属長官之ヲ行フ

③譴責ハ本属長官之ヲ行フ

第七条 懲戒ニ付セラルヘキ事件刑事裁判所ニ繫属スル間ハ同一事件ニ対シ懲戒委員会ヲ開クコトヲ得ス

②懲戒委員会ノ議決前懲戒ニ付スヘキ者ニ対シ刑事訴追ノ始マリタルトキハ事件ノ判決ヲ終ハルマテ懲戒委員会ノ開会ヲ停止ス

第二章 懲戒委員会

第一款 総則

第八条 懲戒委員会ヲ分テ官吏高等懲戒委員会及官吏普通懲戒委員会トス

第九条 官吏高等懲戒委員会ハ一級及二級ノ官吏ノ懲戒ヲ議決シ官吏普通懲戒委員会ハ三級官吏ノ懲戒ヲ議決ス

第二款 官吏高等懲戒委員会

第十条 官吏高等懲戒委員会ハ委員長一人委員六人ヲ以テ組織ス

第十一条 委員ハ最高裁判所ノ裁判官、高等裁判所ノ裁判官、会計検査院ノ検査官及一級官吏ノ中ヨリ内閣総理大臣ノ申出ニ依リ内閣ニ於テ之ヲ命ス

②委員会ニ予備委員六人ヲ置キ前項ノ例ニ依リ之ヲ命ス

③委員長ハ委員ノ互選ニ依ル

第十二条 委員会ハ委員長及委員ヲ併セ五人以上出席スルニ非サレハ会議ヲ開クコトヲ得ス

②委員会ノ議事ハ多数ニ依リ之ヲ決ス可否同数ナルトキハ委員長之ヲ決ス

第十三条 委員長事故アルトキハ上席ノ委員之ヲ代理ス

②委員中事故アルトキ又ハ闕員アルトキハ委員長ハ予備委員ノ中ヨリ代理ヲ命ス

第十四条 委員及予備委員ノ任期ハ三年トス

②委員及予備委員中闕員アリテ補闕ノ為任命セラレタル者ハ前任者ノ残任期間在任ス

第十五条 委員長及委員ハ左ノ事項ニ該当スルトキハ之ヲ免ス

一 其ノ官職ヲ失ヒタルトキ

二 委員会所在地以外ニ任所ヲ転シタルトキ

第十六条 委員会ニ幹事一人ヲ置ク

第十七条 幹事ハ一級又ハ二級ノ官吏ノ中ヨリ内閣総理大臣之ヲ命ス

第十八条 幹事ハ委員長ノ命ヲ承ケ委員会ノ議事ヲ準備シ庶務ヲ統理ス

第十九条 委員会ニ書記三人ヲ置ク

第二十条 書記ハ三級官吏ノ中ヨリ委員長之ヲ命ス

第二十一条 書記ハ幹事ノ命ヲ承ケ庶務ニ従事ス

第三款 官吏普通懲戒委員会

第二十二条 官吏普通懲戒委員会ハ政令ニ別段ノ規定アルモノヲ除クノ外左ノ各官庁ニ之ヲ置ク

一 内閣官房、法務庁及総理庁

一 各省

一 朝鮮総督府

一 台湾総督府

一 関東局

一 南洋庁

一 会計検査院

一 警視庁

一 樺太庁

一 朝鮮総督府道

一 台湾総督府州

②前項ノ外内閣総理大臣又ハ各省大臣ニ於テ必要アリト認ムルトキハ其ノ所轄官庁ニ官吏普通懲戒委員会ヲ置クコトヲ得

第二十三条 委員長ハ各官庁ノ長官ヲ以テ之ニ充ツ但シ内閣官房及総理庁ニ在リテハ内閣官房長官、法務庁ニ在リテハ法務総裁官房長、各省ニ在リテハ次官、朝鮮総督府ニ在リテハ政務総監、台湾総督府ニ在リテハ総務長官、関東局ニ在リテハ総長ヲ以テ之ニ充ツ

②委員ハ二人乃至六人トシ当該官庁ノ一級又ハ二級ノ官吏ノ中ヨリ本属長官之ヲ命ス

③特別ノ事情アルトキハ上級官庁ノ一級又ハ二級ノ官吏ヲ以テ下級官庁ノ委員ニ充ツルコトヲ得

第二十四条 委員会ハ委員長及委員二人以上出席スルニ非サレハ会議ヲ開クコトヲ得ス

第二十五条 委員長事故アルトキハ上席ノ委員之ヲ代理ス

第二十六条 委員会ニ書記一人ヲ置ク

第二十七条 書記ハ委員長所属官庁ノ三級官吏ノ中ヨリ委員長之ヲ命ス

第二十八条 書記ハ委員長ノ命ヲ承ケ庶務ニ従事ス

第三章 懲戒手続

第二十九条 本属長官ハ所部ノ官吏ニシテ懲戒ニ当ルヘキ所為アリト思料スルトキハ証憑ヲ具ヘ書面ヲ以テ懲戒委員会ノ審査ヲ要求スヘシ

第三十条 前条ノ要求アリタルトキハ委員長ハ期日ヲ定メテ委員会ヲ招集スヘシ

②委員会ハ必要ト認ムル場合ニ於テハ本人ノ出頭ヲ命スルコトヲ得

③前項ノ場合ニ於テハ本人所属官庁ヨリ本官相当ノ旅費ヲ給スヘシ

第三十一条 委員会ニ於テ議決ヲ為シタルトキハ其ノ理

由ヲ具シ本属長官ニ覆申スヘシ

第三十二条　委員長及委員ハ自己又ハ其ノ親族ニ関スル事件ノ会議ニ参与スルコトヲ得ス

第三十三条　委員会ノ審査手続ハ委員会之ヲ定ム

附　則

第三十四条　二級官試補ハ二級官吏ニ準シ三級官見習ハ三級官吏ニ準シ本令ヲ適用ス

第三十五条　本令ハ明治三十二年四月十日ヨリ施行ス

②官吏懲戒例ハ本令施行ノ日ヨリ廃止ス

第三 保障

○人事院規則一三―二（勤務条件に関する行政措置の要求）

昭二六・四・五公布
昭二六・四・五施行

最終改正 令三・三・三一規則一三―二―一

（行政措置の要求）

第一条 職員は、個別的に、又は職員団体（人事院に登録された職員団体をいう。以下同じ。）を通じてその代表者により団体的に、法第八十六条の規定による勤務条件に関する行政措置の要求（以下「要求」という。）を行うことができる。

2 審査請求をすることができる処分については、要求を行うことができない。

第二条 要求を行う職員（職員団体の代表者を含む。以下「申請者」という。）は、行政措置要求書正副二通を、書類、記録その他の適切な資料をそえて、人事院に提出しなければならない。但し、申請者は審査の係属中においても、資料を提出することを妨げない。

（行政措置要求書）

第三条 行政措置要求書には、次に掲げる事項を記載しなければならない。

一 申請者の官職、氏名、住所、生年月日及び勤務官署但し、申請者が職員団体の代表者である場合には、その職員団体の名称、職員団体における役職名、氏名及びその職員団体の主な事務所の所在地

二 要求事項

三 要求の事由

四 要求事項について当局と交渉を行つた場合には、その交渉経過の概要

五 要求の年月日

2 行政措置要求書に記載した事項に変更を生じた場合には、申請者は、すみやかにその旨を人事院に届け出なければならない。

（行政措置要求書の審査等）

第四条 人事院は、行政措置要求書が提出された場合には、申請者の資格、要求事項その他の記載事項について審査し、その要求を受理すべきかどうかについて決定を行わなければならない。

第四条の二 前条の審査の結果要求が不適法であつて補正することができるものであるときは、人事院は、相当の期間を定めて、その補正を命じなければならない。ただし、要求が不適法であつても、それが軽微なものであつて要求事項に影響のないものであるときは、人事院は、自らその補正をすることができる。

第五条 人事院は、適当と認めるときは、第四条の決定を行う前に、関係当事者に対して要求事項について交渉を行うようにすすめることができる。

（要求の受理及び却下の通知）

第六条 人事院は、要求を受理した場合には、その旨を申請者及び必要があると認めるときは内閣総理大臣又は申請者の所轄庁の長に通知し、却下した場合には、その旨を申請者に通知しなければならない。

（事案の審査等）

第七条 人事院は、事案の審査のため必要と認めるときは、申請者、内閣総理大臣若しくは申請者の所轄庁の長若しくはそれらの代理者又はその他の関係者から意見を徴し、又はこれらのものに対し資料の提出を求め、若しくは出頭を求めてその陳述を聞き、その他の必要な事実調査を行うことができる。

2 前項の事案の審査のため、人事院は、必要と認めるときは、公開又は非公開の口頭審理を行うことができる。

3 人事院は、適当と認めるときは、事案の審査の係属中においても、事案が適切に解決されるように、関係当事者間をあつせんすることができる。

（証人による証拠調）

第八条 人事院は、事案の審査のため必要と認めるときは、証人を呼び出すことができる。

2 人事院は、証人に対して証言を求めようとするときは、あらかじめ宣誓を行わせ、虚偽の証言を行つた場合の法律上の制裁を告げなければならない。

3 人事院は、証人に対し、口頭による証言にかえて口述書を提出させることができる。

（苦情審査委員会に対する付議）

第九条 人事院は、事案の性質により適当と認めるときは、人事院事務総局の職員の中から苦情審査委員を指名し、苦情審査委員会を設置して、その事案の審査を行わせることができる。但し、人事院は、必要と認め

るときは、苦情審査委員の一部を人事院事務総局の職員以外の者の中から指名することができる。

（苦情審査委員長）

第十条　人事院は、苦情審査委員の中一名を苦情審査委員長として指名しなければならない。苦情審査委員長は、その事案の審査を指揮し、その進行をはかる責に任ずる。苦情審査委員長に事故のある場合には、苦情審査委員長の指名した苦情審査委員がその職務を行う。

（苦情審査委員会の機能）

第十一条　苦情審査委員会は、その事案を審査し、その結果を意見を付して人事院に提出しなければならない。

２　苦情審査委員会は、第七条第一項、第二項及び第八条に定める人事院の権限を行うことができる。

（要求の取り下げ）

第十二条　申請者は、人事院が判定を行うまではいつでも書面をもつて要求を取り下げることができる。

（事案の審査の打切り）

第十三条　要求が人事院に係属中、申請者の死亡、所在不明等により事案の審査を継続することが不可能となつた場合又は交渉若しくはあつせんによる事案の解決、要求の事由の消滅等により事案の審査を継続する必要がなくなつた場合には、人事院は、その事案の審査を打ち切り要求を却下することができる。

（判定の方式等）

第十四条　判定は、書面で行ない、かつ、当該書面には、要求の要旨及び判定の理由を記載しなければならない。

２　人事院は、判定書を、申請者に、及び必要があると認めるときは内閣総理大臣又は申請者の所轄庁の長に送付しなければならない。

（勧告書の送付）

第十五条　人事院が判定に基き、内閣総理大臣又は申請者の所轄庁の長に対し勧告する場合には、勧告書を内閣総理大臣又は申請者の所轄庁の長に、その写を申請者に送付しなければならない。

○人事院規則一三—三（災害補償の実施に関する審査の申立て等）

昭五一・五・二六全改
昭五一・五・二六施行

最終改正　令三・三・三一規則一三—三—二

第一章　総則

（趣旨）

第一条　補償法第二十四条に規定する補償の実施に関する審査の申立て（以下「審査の申立て」という。）及び同法第二十五条に規定する福祉事業の運営に関する措置の申立て（以下「措置の申立て」という。）については、別に定めるもののほか、この規則の定めるところによる。

（災害補償審査委員会）

第二条　人事院は、審査の申立て及び措置の申立ての審理を行わせるため、災害補償審査委員会（以下「委員会」という。）を置く。

第三条　委員会は、審査の申立て及び措置の申立ての審理を行い、それが終了したときは、委員会の意見を付した調書を作成し、これを人事院に提出しなければならない。

第四条　委員会の委員は、五名とし、人事院の職員及び学識経験のあるその他の者のうちから総裁が任命する。

2 委員の任期は、一年とし、再任を妨げない。
3 補欠の委員の任期は、前任委員の残任期間とする。
4 委員は、非常勤とする。

第五条 委員会に、委員長を置く。
2 委員長は、委員のうちから総裁が指名する。委員長に事故のあるときは、総裁の指名する委員がその職務を代理する。
3 委員長は、審理を指揮し、その進行を図り、及び委員会の事務を掌理する。

第六条 委員会の会議は、委員の過半数をもつて定足数とする。
2 会議の議決は、出席委員の多数決によるものとし、可否同数のときは、委員長の決するところによる。

第七条 事務総長は、人事院の職員のうちから、委員会の書記を指名する。
2 書記は、委員長の命を受けて、審理に関する事務につき、文書の作成、発送その他の庶務的事項をつかさどる。

第二章 補償の実施に関する審査の申立て

（審査の申立ての方式）

第八条 審査の申立ては、補償審査申立書（以下「審査申立書」という。）正副二通を提出してしなければならない。

（代理人による審査の申立て）

第九条 審査の申立ては、代理人によつてすることができる。
2 代理人は、各自、審査申立人のために、当該審査の申立てに関する一切の行為をすることができる。ただし、審査の申立ての取下げは、特別の委任を受けた場合に限り、することができる。

（代理人の資格の証明等）

第十条 代理人の資格は、書面で証明しなければならない。前条第二項ただし書に規定する特別の委任についても、同様とする。
2 代理人がその資格を失つたときは、審査申立人は、書面でその旨を人事院に届け出なければならない。

（審査申立書の記載事項）

第十一条 審査申立書には、次に掲げる事項を記載しなければならない。

一 審査申立人の氏名、生年月日及び住所並びに災害を受けた職員との続柄又は関係
二 災害を受けた職員の氏名並びに災害発生当時に占めていた官職及び勤務していた官署又は事務所
三 補償に関する実施機関の通知の要旨及び年月日
四 審査の申立ての趣旨及び理由
五 審査の申立ての年月日

2 審査申立人が代理人によつて審査の申立てをするときは、審査申立書には、前項各号に掲げる事項のほか、その代理人の氏名及び住所を記載しなければならない。

（審査申立書の審査等）

第十二条 人事院は、審査申立書が提出されたときは、審査申立人の資格、審査の申立ての趣旨及び理由その他の記載事項について審査し、その申立てが適法なものであるときは受理し、不適法であつて補正することができないものであるときは却下するものとする。

第十三条 前条に規定する審査の結果、審査の申立てが不適法であつて補正することができるものであるときは、人事院は、相当の期間を定めて、その補正を命ずるものとする。ただし、審査の申立てが不適法であつても、それが軽微なものであつて審査の申立ての趣旨に影響のないものであるときは、人事院は、自らその補正をすることができる。
2 前項の期間内に審査申立人が補正しなかつたときは、人事院は、当該審査の申立てを却下するものとする。

（受理及び却下の通知）

第十四条 人事院は、審査の申立てを受理したときは、その旨を審査申立人及び実施機関に通知し、並びに実施機関に審査申立書の副本を送付するものとし、第十二条又は前条第二項の規定により審査の申立てを却下したときは、その旨を審査申立人に通知するものとする。

（審査の併合及び分離）

第十五条 人事院は、必要があると認めるときは、数個の審査の申立てを併合し、又は併合された数個の審査の申立てを分離することができる。

（委員会に対する付議）

第十六条 人事院は、審査の申立てを受理したときは、速やかにこれを委員会の審理に付するものとする。

（審理の方式）

第十七条 審査の申立ての審理は、書面による。ただし、審査申立人の申立てがあつたときは、委員会は、審査申立人に口頭で意見を述べる機会を与えなければならない。
2 前項ただし書の規定による意見の陳述は、非公開で行うものとする。

（証拠書類等の提出）

第十八条 審査申立人及び実施機関は、証拠書類その他

の物件を委員会に提出することができる。ただし、委員会が証拠書類その他の物件を提出すべき相当の期間を定めたときは、その期間内にこれを提出しなければならない。

（委員会の審理に関する権限）

第十九条　委員会は、審理に関し必要があるときは、補償法第二十六条及び第二十七条に定める人事院の権限を行うことができる。

（調書）

第二十条　第三条の規定により委員会の作成する調書には、次に掲げる事項を記載し、審理を行つた委員がこれに記名押印しなければならない。

一　件名

二　審理を終了した年月日

三　審理の内容の概要

四　委員会の意見

五　審理を行つた委員の氏名

（手続の承継）

第二十一条　審査申立人が死亡したときは、相続人は、審査申立人の地位を承継する。

2　前項の場合には、相続人は、書面でその旨を人事院に届け出なければならない。この場合には、届出書には、相続を証する書面を添付しなければならない。

3　第一項の場合において、前項の規定による届出がされるまでの間において、死亡者にあててされた通知その他の行為が相続人に到達したときは、相続人に対する通知その他の行為としての効力を有する。

4　第一項の場合において、相続人が二人以上あるときは、その一人に対する通知その他の行為は、全員に対してされたものとみなす。

（審査の申立ての取下げ）

第二十二条　審査申立人は、判定があるまでは、いつでも審査の申立てを取り下げることができる。

2　審査の申立ての取下げは、書面でしなければならない。

（審査の打ち切り）

第二十三条　審査の申立てが人事院に係属中に、審査申立人が死亡し、第二十一条の規定による手続の承継が行われなかつた場合又は審査の申立ての事由の消滅等により事案の審査を継続する必要がなくなつた場合には、人事院は、その事案の審査を打ち切り、審査の申立てを却下することができる。

（判定）

第二十四条　審査の申立てが理由がないときは、人事院は、判定で、当該審査の申立てを棄却する。

2　審査の申立てが理由があるときは、人事院は、判定で、当該審査の申立てに係る補償の実施を変更し、又は命ずる。

3　前二項の判定は、委員会の提出した調書に基づいて行うものとする。

（判定の方式）

第二十五条　判定は、書面で行い、かつ、審査の申立ての要旨及び判定の理由を付するものとする。

2　判定は、指令で行う。

（判定の通知）

第二十六条　判定の通知は、判定書の正本を審査申立人及び実施機関に送付して行う。

（証拠書類等の返還）

第二十七条　人事院が判定を行つたときは、委員会は、補償法第二十六条の規定により提出させた文書その他の物件及び第十八条の規定により提出された証拠書類その他の物件を速やかにその提出人に返還しなければならない。

第三章　福祉事業の運営に関する措置の申立て

（措置の申立ての方式）

第二十八条　措置の申立ては、福祉事業措置申立書（以下「措置申立書」という。）正副二通を提出してしなければならない。

（措置申立書の記載事項）

第二十九条　措置申立書には、次に掲げる事項を記載しなければならない。

一　措置申立人の氏名、生年月日及び住所並びに公務上の災害又は通勤による災害を受けた職員との続柄又は関係

二　公務上の災害又は通勤による災害を受けた職員の氏名並びに災害発生当時に占めていた官職及び勤務していた官署又は事務所

三　福祉事業に関する実施機関の通知の要旨及び年月日

四　措置の申立ての趣旨及び理由

五　措置の申立ての年月日

（質問、報告等）

第三十条　委員会は、審理のため必要があると認めるときは、措置申立人若しくはその他の関係人に対して、質問し、報告を求め、若しくは証拠書類その他の物件の提出を求め、又は公務上の災害若しくは通勤による災害を受けた職員に医師の診断を受けることを求めることができる。

第三十一条　委員会は、審理のため必要があると認めるときは、実地調査を行うことができる。

第三十二条　委員会は、必要があると認めるときは、調査員に、第三十条に規定する質問をさせ、又は前条の調査を行わせることができる。

（判定）

第三十三条　措置の申立てが理由がないときは、人事院は、判定で、当該措置の申立てを棄却する。

2　措置の申立てが理由があるときは、人事院は、判定で、実施機関に対し、当該措置の申立てに係る福祉事業の運営について適切な措置をとることを指示する。

3　前二項の判定は、委員会の提出した調書に基づいて行うものとする。

（証拠書類等の返還）

第三十四条　人事院が判定を行つたときは、委員会は、第三十条の規定及び次条において準用する第十八条の規定により提出された証拠書類その他の物件を速やかにその提出人に返還しなければならない。

（審査の申立ての規定の準用）

第三十五条　第九条、第十条、第十一条第二項、第十二条から第十八条まで、第二十条から第二十三条まで、第二十五条及び第二十六条の規定は、措置の申立てについて準用する。

第四章　雑則

（経過規定）

第三十六条　昭和五十一年五月二十五日から引き続き係属している災害補償についての審査の申立てについて、同日以前における規則の規定によつてされた手続は、同日後のこの規則の相当規定によつてされた手続とみなす。

○処分説明書の様式および記載事項等について

昭三五・四・一
職職―三五四

最終改正　令三・三・二二職審―八九

国家公務員法第八十九条に定める説明書の様式および記載事項等については、昭和二十六年一月十日三〇―三八人事院事務総長通達に定めていたところであるが、今回これを下記のとおり改正したので通知します。

記

1　国家公務員法第八十九条に定める説明書（以下「処分説明書」という。）は、別紙に掲げる様式によるものとする。

2　処分説明書の記載事項及び記入要領については、次に定めるところによる。

一　「1　処分者」の欄について

(イ)「官職」の欄には、処分者（処分を行つた者をいう。）の占める官職の組織上の名称を記入すること。

(ロ)「氏名」の欄には、処分者の氏名を記入すること。

二　「2　被処分者」の欄について

(イ)「所属部課」の欄には、処分の際における被処分者（処分を受けた者をいう。）を特定し得る所属する省庁、局、部、課等の名称を記入すること。

(ロ)「氏名」の欄には、被処分者の氏名を記入すること。

(ハ)「官職」の欄には、処分の際に被処分者の占める官職の組織上の名称及び被処分者の官の種類の名称又は雇、事務員その他の公の名称を記入すること。

(ニ)「級及び号俸」の欄には、処分の際における被処分者の一般職の職員の給与に関する法律（昭和二十五年法律第九十五号）によって決定された職務の級及び号俸又はこれに準ずる事項を記入すること。

三「3 処分の内容」の欄について

(イ)「処分発令日」の欄には、処分を発令した日を記入すること。

(ロ)「処分効力発生日」の欄には、現実に処分の効力が発生した日を記入すること。

(ハ)「処分説明書交付日」の欄には、処分説明書を被処分者に交付した日を記入すること。

(ニ)「根拠法令」の欄には、処分の根拠となる法令の条、項及び号を記入すること。

(ホ)「処分の種類及び程度」の欄には、処分の種類（例えば休職又は減給等）を記入し、その程度（例えば休職の場合は休職の期間又は減給の場合は二月間俸給の月額の十分の一等）を記入すること。

(ヘ)「国家公務員倫理法第二十六条による承認の日」の欄には、国家公務員倫理法第二十六条の規定に基づき、懲戒処分を行うことについて、国家公務員倫理審査会の承認を得た日を記入すること。

(ト)「刑事裁判との関係」の欄には、処分時において被処分者に係る刑事事件が裁判所に係属している場合は、当該事件に係る起訴日を記入すること。なお、処分が懲戒処分である場合は、国家公務員法第八十五条の規定に基づき、当該事件と同一事件につき懲戒手続を進めることについて、人事院又は国家公務員倫理審査会の承認を得た日を記入すること。

(チ)「処分の理由」の欄には、処分の理由を、具体的かつ詳細に、事実を挙げて（いつ、どこで、どのようにして、何をしたというように）記入すること。なお、「処分の理由」の欄が不足の場合は、A４判大の別紙に記入すること。

別紙

処　分　説　明　書

（教示）
1．この処分についての審査請求は、国家公務員法第90条及び人事院規則13－1の規定により、この説明書を受領した日の翌日から起算して3箇月以内に、人事院に対して、することができます。ただし、この期間内であっても、処分があった日の翌日から起算して1年を経過した後は、することができません。

2．この処分についての処分の取消しの訴えは、国家公務員法第92条の2の規定により、審査請求に対する人事院の裁決を経た後でなければ提起することができません。ただし、次の①から③までのいずれかに該当するときは、人事院の裁決を経ないで、処分の取消しの訴えを提起することができます。
① 審査請求があった日から3箇月を経過しても、人事院の裁決がないとき。
② 処分、処分の執行又は手続の続行により生ずる著しい損害を避けるため緊急の必要があるとき。
③ その他裁決を経ないことにつき正当な理由があるとき。
　この処分の取消しの訴えは、審査請求に対する人事院の裁決があったことを知った日の翌日から起算して6箇月以内に、国を被告として（訴訟において国を代表する者は法務大臣となります。）、提起しなければなりません。ただし、この期間内であっても、人事院の裁決があった日の翌日から起算して1年を経過した後は、提起することができません。
（注）この処分を行った者が行政執行法人に所属する者である場合にあっては、この処分の取消しの訴えの被告及び訴訟において被告を代表する者は、その者が所属する行政執行法人及びその長となります。

文書番号		
1　処分者		
官　職 ________	氏　名 ________	
2　被処分者		
所属部課	氏名（ふりがな） ________	
官　職	級及び号俸	
3　処分の内容		
処分発令日　年　月　日	処分効力発生日　年　月　日	処分説明書交付日　年　月　日
根拠法令	処分の種類及び程度	
国家公務員倫理法第26条による承認の日　年　月　日	刑事裁判との関係　起訴日　年　月　日	国家公務員法第85条による承認の日　年　月　日
処分の理由		

A 4

○処分説明書の新様式の取扱いについて

昭三五・四・一
職職－三五五

処分説明書の様式およびその記入要領等については、「処分説明書の様式および記載事項等について」（昭和三十五年四月一日職職－三五四人事院事務総長）（以下「総長通達」という。）で改正されましたが、新様式による処分説明書の取扱いの細目については、下記により行なつてください。

記

1　総長通達第三項の規定により、同通達の施行日以後においても、当分の間、従前の様式による処分説明書を用いることができるが、できるだけすみやかに、新様式に切り換えるようお取り計らいください。

2　やむを得ない事情により、被処分者に交付する処分説明書に処分効力発生日または処分説明書交付日を記入し得ない場合は、それらの記入がない処分説明書を、とりあえず交付してください。

なお、この場合には、それらの日を確認し、すみやかに、被処分者に通知してください。

3　前項本文の場合においても、人事院規則一一－四（職員の身分保障）第十一条および人事院規則一二－〇（職員の懲戒）第七条の規定により、人事院に提出する処分説明書の写には、処分効力発生日および処分説明書交付日を確認のうえ記入してください。ただし、被処分者の所在を知ることができない等のため、処分説明書を交付し得ない場合における処分説明書交付日の記入については、この限りではありません。

4　人事院規則一二－〇（職員の懲戒）第七条の規定により処分説明書の写を人事院に提出する場合において、「人事院規則一二－〇（職員の懲戒）の運用について」（昭和三十二年六月一日職職－三九三人事院事務総長）第七条関係に定める期間以内に、当該写に処分効力発生日および処分説明書交付日を記入して人事院に提出することができない場合は、これを記入しない写をとりあえず、同期間以内に人事院に提出のうえ、その後においてすみやかにこれを補完してください。

5　処分が懲戒処分である場合において、処分の対象となる事実が、被処分者の特定の職務、地位等に関連がある場合は、当該職務、地位等（たとえば、分任出納官吏、文書取扱責任者あるいは職員組合執行委員等）も併せて「処分の理由」欄に記入してください。

○国家公務員災害補償法

昭二六・六・二
法　一　九　一

最終改正　令五・一一・二四法七三

第一章　総則

（この法律の目的及び効力）

第一条　この法律は、国家公務員法（昭和二十二年法律第百二十号）第二条に規定する一般職に属する職員（未帰還者留守家族等援護法（昭和二十八年法律第百六十一号）第十七条第一項に規定する未帰還者である職員を除く。以下「職員」という。）の公務上の災害（負傷、疾病、障害又は死亡をいう。以下同じ。）又は通勤による災害に対する補償（以下「補償」という。）を迅速かつ公正に行い、あわせて公務上の災害又は通勤による災害を受けた職員（以下「被災職員」という。）の社会復帰の促進並びに被災職員及びその遺族の援護を図るために必要な事業を行い、もつて被災職員及びその遺族の生活の安定と福祉の向上に寄与することを目的とする。

2　この法律の規定が国家公務員法の規定とてい触する場合には、国家公務員法の規定が優先する。

（通勤の定義）

第一条の二　この法律において「通勤」とは、職員が、勤務のため、次に掲げる移動を、合理的な経路及び方法により行うことをいい、公務の性質を有するものを除くものとする。

一 住居と勤務場所との間の往復
二 一の勤務場所から他の勤務場所への移動その他の人事院規則で定める就業の場所から勤務場所への移動（国家公務員法第百三条第一項の規定に違反して同項に規定する営利企業を営むことを目的とする団体の役員、顧問又は評議員の職を兼ねている場合その他の人事院規則で定める職員に関する法令の規定に違反して就業している場合における当該就業の場所から勤務場所への移動を除く。）
三 第一号に掲げる往復に先行し、又は後続する住居間の移動（人事院規則で定める要件に該当するものに限る。）

2 職員が、前項各号に掲げる移動の経路を逸脱し、又は同項各号に掲げる移動を中断した場合においては、当該逸脱又は中断の間及びその後の同項各号に掲げる移動は、同項の通勤としない。ただし、当該逸脱又は中断が、日常生活上必要な行為であつて人事院規則で定めるものをやむを得ない事由により行うための最小限度のものである場合は、当該逸脱又は中断の間を除き、この限りでない。

（人事院の権限）
第二条 人事院は、この法律の実施に関し、次に掲げる権限及び責務を有する。
一 この法律の完全な実施の責に任ずること。
二 この法律の実施及び解釈に関し必要な人事院規則を制定し、及び人事院指令を発すること。
三 次条の実施機関が行う補償の実施についての総合調整を行うこと。
四 次条の実施機関が行う補償の実施について調査し、並びに資料の収集作成及び報告の提出を求めること。
五 第二十二条第一項に規定する福祉事業の実施について調査し、報告を求め、及び総合調整を行うこと。
六 第二十四条の規定による審査の申立てを受理し、審査し、及び判定を行うこと。
七 第二十五条の規定による措置の申立てを受理し、審査し、及び判定を行うこと。
八 その他この法律に定める権限及び責務

（実施機関）
第三条 人事院及び実施機関（人事院が指定する国の機関及び独立行政法人通則法（平成十一年法律第百三号）第二条第四項に規定する行政執行法人（以下「行政執行法人」という。）をいう。以下同じ。）は、この法律及び人事院規則で定めるところにより、この法律に定める補償の実施の責めに任ずる。

2 前項の規定は、人事院にこの法律の実施に関する責任を免かれさせるものではない。

3 実施機関は、この法律及び人事院が定める方針、基準、手続、規則及び計画に従つて補償の実施を行なわなければならない。

4 実施機関が第一項の規定により行うべき責務を怠り、又はこの法律、人事院規則及び人事院指令に違反して補償の実施を行つた場合には、人事院は、その是正のため必要な指示を行うことができる。

（平均給与額）
第四条 この法律で「平均給与額」とは、負傷若しくは死亡の原因である事故の発生の日又は診断によつて疾病の発生が確定した日（第四項において単に「事故発生日」という。）の属する月の前月の末日から起算して過去三月間（その期間内に採用された職員については、その採用された日までの間）にその職員に対して支払われた給与の総額を、その期間の総日数で除して得た金額をいう。ただし、その金額は、次の各号のいずれかによつて計算した金額を下らないものとする。
一 給与の全部が、勤務した日若しくは時間によつて算定され、又は出来高払制によつて定められた場合においては、その期間中に支払われた給与の総額をその勤務した日数で除して得た金額の百分の六十
二 給与の一部が、勤務した日若しくは時間によつて算定され、又は出来高払制によつて定められた場合においては、その部分の給与の総額について前号の方法により計算した金額と、その他の部分の給与の総額をその期間の総日数で除して得た金額との合算額

2 前項の給与は、一般職の職員の給与に関する法律（昭和二十五年法律第九十五号）の適用を受ける職員（同法第二十二条第一項及び第二項の職員を除く。）にあつては、俸給、俸給の特別調整額、本府省業務調整手当、初任給調整手当、専門スタッフ職調整手当、扶養手当、地域手当、広域異動手当、研究員調整手当、住居手当、通勤手当、単身赴任手当、在宅勤務等手当、特殊勤務手当（人事院規則で定めるものを除く。）、特地勤務手当（同法第十四条の規定による手当を含む。）、超過勤務手当、休日給、夜勤手当、宿日直手当及び管理職員特別勤務手当とし（ただし、人事院規則で定めるところにより、寒冷地手当及び国際平和協力手当を加えることができる。）、その他の職員にあつては、人事院規則で定める給与とする。

3 第一項に規定する期間中に、次の各号のいずれかに

該当する日がある場合においては、その日数及びその間の給与は、同項の期間及び給与の総額から控除して計算する。ただし、控除しないで計算した平均給与額が控除して計算した平均給与額より多い場合は、この限りでない。

一 負傷し、又は疾病にかかり療養のために勤務することができなかつた日

二 産前産後の職員が、出産の予定日の六週間（多胎妊娠の場合にあつては、十四週間）前から出産後八週間以内において勤務しなかつた日

三 育児休業の承認を受けて勤務しなかつた日、承認を受けて育児短時間勤務をした日及び育児時間の承認を受けて育児のため一日の勤務時間の一部について勤務しなかつた日

四 介護休暇の承認を受けて勤務しなかつた日及び介護時間の承認を受けて介護のため一日の勤務時間の一部について勤務しなかつた日

五 国（職員が行政執行法人に在職していた期間にあつては、当該行政執行法人）の責めに帰すべき事由によつて勤務することができなかつた日

六 職員団体の業務に専ら従事するための許可を受けて勤務しなかつた日

4 前三項の規定により平均給与額を計算することができない場合及び事故発生日から補償を支給すべき事由が生じた日（以下「補償事由発生日」という。）までの間に職員の給与の改定が行われた場合その他の前三項の規定によつて計算した平均給与額が公正を欠くと認められる場合における平均給与額の計算については、人事院規則で定める。

5 前四項の規定によつて計算した平均給与額に一円未満の端数を生じたときは、これを一円に切り上げた額を平均給与額とする。

（平均給与額の改定）

第四条の二 傷病補償年金、障害補償年金又は遺族補償年金（以下「年金たる補償」という。）で、その補償事由発生日の属する年度（四月一日から翌年三月三十一日までをいう。以下同じ。）の翌々年度以後の分として支給するものの額の算定の基礎として用いる平均給与額は、前条の規定により平均給与額として計算した額に、当該年金たる補償を支給すべき月の属する年度の前年度の四月一日における職員の給与水準を当該年金たる補償の補償事由発生日の属する年度の四月一日における職員の給与水準で除して得た率を基準として人事院が定める率を乗じて得た額とする。

2 前条第五項の規定は、前項の平均給与額について準用する。

（平均給与額の限度額）

第四条の三 休業補償の補償事由発生日が当該休業補償に係る療養の開始後一年六月を経過した日以後の日である場合における休業補償（以下この項において「長期療養者の休業補償」という。）について第四条の規定により平均給与額として計算した額が、長期療養者の休業補償を受けるべき職員の休業補償の補償事由発生日の属する年度の四月一日における年齢に応じ人事院が最低限度額として定める額に満たないとき又は最高限度額として定める額を超えるときは、同条の規定にかかわらず、それぞれその定める額を長期療養者の休業補償に係る平均給与額とする。

2 前項の人事院が定める額は、労働者災害補償保険法（昭和二十二年法律第五十号）第八条の二第二項各号の規定により厚生労働大臣が年齢階層ごとに定める額を考慮して定めるものとする。

第四条の四 年金たる補償について第四条又は第四条の二の規定により平均給与額として計算した額が、年金たる補償を受けるべき職員の年金たる補償を支給すべき月の属する年度の四月一日（以下この項において「基準日」という。）における年齢（遺族補償年金を支給すべき場合にあつては、職員の死亡がなかつたものとして計算した場合に得られる当該職員の基準日における年齢）に応じ人事院が最低限度額として定める額に満たないとき又は最高限度額として定める額を超えるときは、第四条又は第四条の二の規定にかかわらず、それぞれその定める額を年金たる補償に係る平均給与額とする。

2 前項の人事院が定める額は、労働者災害補償保険法第八条の三第二項において準用する同法第八条の二第二項各号の規定により厚生労働大臣が年齢階層ごとに定める額を考慮して定めるものとする。

（損害賠償との調整等）

第五条 国（職員が行政執行法人に在職中に公務上の災害又は通勤による災害を受けた場合にあつては、当該行政執行法人。以下同じ。）が国家賠償法（昭和二十二年法律第百二十五号）、民法（明治二十九年法律第八十九号）その他の法律による損害賠償の責めに任ずる場合において、この法律による補償を行つたときは、同一の事由については、国は、その価額の限度においてその損害賠償の責めを免れる。

2 前項の場合において、補償を受けるべき者が、同一の事由につき国家賠償法、民法その他の法律による損害賠償を受けたときは、国は、その価額の限度におい

て補償の義務を免れる。

第六条　国は、補償の原因である災害が第三者の行為によつて生じた場合に補償を行つたときは、その価額の限度において、補償を受けた者が第三者に対して有する損害賠償の請求権を取得する。

2　前項の場合において、補償を受けるべき者が、当該第三者から同一の事由につき損害賠償を受けたときは、国は、その価額の限度において補償の義務を免かれる。

（補償を受ける権利）

第七条　職員が離職した場合においても、補償を受ける権利は、影響を受けない。

2　補償を受ける権利は、譲り渡し、担保に供し、又は差し押さえることはできない。

第八条　職員が公務上の災害又は通勤による災害を受けた場合においては、実施機関は、補償を受けるべき者に対して、その者がこの法律によつて権利を有する旨をすみやかに通知しなければならない。

第二章　補償及び福祉事業

（補償の種類）

第九条　補償の種類は、次に掲げるものとする。

一　療養補償
二　休業補償
三　傷病補償年金
四　障害補償
　イ　障害補償年金
　ロ　障害補償一時金
五　介護補償
六　遺族補償
　イ　遺族補償年金
　ロ　遺族補償一時金
七　葬祭補償

（療養補償）

第十条　職員が公務上負傷し、若しくは疾病にかかり、又は通勤により負傷し、若しくは疾病にかかつた場合においては、国は、療養補償として、必要な療養を行い、又は必要な療養の費用を支給する。

第十一条　前条の規定による療養の範囲は、次に掲げるものであつて、療養上相当と認められるものとする。

一　診察
二　薬剤又は治療材料の支給
三　処置、手術その他の治療
四　居宅における療養上の管理及びその療養に伴う世話その他の看護
五　病院又は診療所への入院及びその療養に伴う世話その他の看護
六　移送

（休業補償）

第十二条　職員が公務上負傷し、若しくは疾病にかかり、又は通勤により負傷し、若しくは疾病にかかり、療養のため勤務することができない場合において、給与を受けないときは、国は、休業補償として、その勤務することができない期間につき、平均給与額の百分の六十に相当する金額を支給する。ただし、次に掲げる場合（人事院規則で定める場合に限る。）には、その拘禁され、又は収容されている期間については、休業補償の支給は、行わない。

一　刑事施設、労役場その他これらに準ずる施設に拘禁されている場合
二　少年院その他これに準ずる施設に収容されている場合

（傷病補償年金）

第十二条の二　職員が公務上負傷し、若しくは疾病にかかり、又は通勤により負傷し、若しくは疾病にかかり、当該負傷又は疾病に係る療養の開始後一年六月を経過した日において次の各号のいずれにも該当する場合又は同日後次の各号のいずれにも該当することとなつた場合には、国は、その状態が継続している期間、傷病補償年金を支給する。

一　当該負傷又は疾病が治つていないこと。
二　当該負傷又は疾病による障害の程度が、次条第二項に規定する第一級から第三級までの各障害等級に相当するものとして人事院規則で定める第一級、第二級又は第三級の傷病等級に該当すること。

2　傷病補償年金の額は、当該負傷又は疾病による障害の程度が次の各号に掲げる傷病等級（前項第二号の傷病等級をいう。第四項において同じ。）のいずれに該当するかに応じ、一年につき当該各号に定める額とする。

一　第一級　平均給与額に三百十三を乗じて得た額
二　第二級　平均給与額に二百七十七を乗じて得た額
三　第三級　平均給与額に二百四十五を乗じて得た額

3　傷病補償年金を受ける者には、休業補償は、行わない。

4　傷病補償年金を受ける者の当該障害の程度に変更があつたため、新たに第二項各号に掲げる他の傷病等級に該当するに至つた場合には、国は、人事院規則で定めるところにより、新たに該当するに至つた傷病等級に応ずる傷病補償年金を支給するものとし、その後

は、従前の傷病補償年金は、支給しない。

（障害補償）

第十三条 職員が公務上負傷し、若しくは疾病にかかり、又は通勤により負傷し、若しくは疾病にかかり、治つたとき次項に規定する障害等級に該当する程度の障害が存する場合においては、国は、障害補償として、同項に規定する第一級から第七級までの障害等級に該当する障害がある場合には、当該障害が存する期間、障害補償年金を毎年支給し、同項に規定する第八級から第十四級までの障害等級に該当する障害がある場合には、障害補償一時金を支給する。

2 障害等級は、その障害の程度に応じて重度のものから順に、第一級から第十四級までに区分するものとする。この場合において、各障害等級に該当する障害は、人事院規則で定める。

3 障害補償年金の額は、一年につき、次の各号に掲げる障害等級（前項に規定する障害等級をいう。以下同じ。）に応じ、平均給与額に当該各号に定める日数を乗じて得た額とする。

一 第一級 三百十三日
二 第二級 二百七十七日
三 第三級 二百四十五日
四 第四級 二百十三日
五 第五級 百八十四日
六 第六級 百五十六日
七 第七級 百三十一日

4 障害補償一時金の額は、次の各号に掲げる障害等級に応じ、平均給与額に当該各号に定める日数を乗じて得た額とする。

一 第八級 五百三日
二 第九級 三百九十一日
三 第十級 三百二日
四 第十一級 二百二十三日
五 第十二級 百五十六日
六 第十三級 百一日
七 第十四級 五十六日

5 障害等級に該当する程度の障害が二以上ある場合の障害等級は、重い障害に応ずる障害等級による。

6 次に掲げる場合の障害等級は、次の各号のうち職員に最も有利なものによる。

一 第十三級以上に該当する障害が二以上ある場合には、前項の規定による障害等級の一級上位の障害等級

二 第八級以上に該当する障害が二以上ある場合には、前項の規定による障害等級の二級上位の障害等級

三 第五級以上に該当する障害が二以上ある場合には、前項の規定による障害等級の三級上位の障害等級

7 前項第一号の規定による障害補償の金額は、それぞれの障害に応ずる障害等級による障害補償の金額を合算した金額を超えてはならない。ただし、同号の規定による障害等級が第七級以上になる場合は、この限りでない。

8 既に障害のある者が、公務上の負傷若しくは疾病又は通勤による負傷若しくは疾病によつて同一部位について障害の程度を加重した場合には、人事院規則で定めるところにより、その障害補償の金額から、従前の障害に応ずる障害補償の金額を差し引いた金額の障害補償を行う。

9 障害補償年金を受ける者の当該障害の程度に変更があつたため、新たに他の障害等級に該当するに至つた場合は、国は、人事院規則で定めるところにより、新たに該当するに至つた障害等級に応ずる障害補償を行うものとし、その後は、従前の障害補償は、行わない。

（休業補償、傷病補償年金及び障害補償の制限）

第十四条 職員が、故意の犯罪行為若しくは重大な過失により、又は正当な理由がなくて療養に関する指示に従わないことにより、公務上の負傷若しくは疾病若しくは通勤による負傷若しくは疾病若しくはこれらの原因となつた事故を生じさせ、又は公務上の負傷、疾病若しくは障害若しくは通勤による負傷、疾病若しくは障害の程度を増進させ、若しくはその回復を妨げたときは、国は、人事院規則で定めるところにより、休業補償、傷病補償年金又は障害補償の全部又は一部の支給を行わないことができる。

（介護補償）

第十四条の二 傷病補償年金又は障害補償年金を受ける権利を有する者が、当該傷病補償年金又は障害補償年金を支給すべき事由となつた障害であつて人事院規則で定める程度のものにより、常時又は随時介護を要する状態にあり、かつ、常時又は随時介護を受けている場合においては、国は、当該介護を受けている期間、介護補償を支給する。ただし、次に掲げる場合には、その入院し、又は入所している期間については、介護補償の支給は、行わない。

一 病院又は診療所に入院している場合

二 障害者の日常生活及び社会生活を総合的に支援するための法律（平成十七年法律第百二十三号）第五

条第十一項に規定する障害者支援施設（次号において「障害者支援施設」という。）に入所している場合（同条第七項に規定する生活介護（次号において「生活介護」という。）を受けている場合に限る。）

三　障害者支援施設（生活介護を行うものに限る。）に準ずる施設として人事院が定めるものに入所している場合

2　介護補償は、月を単位として支給するものとし、その月額は、常時又は随時介護を受ける場合に通常要する費用を考慮して人事院規則で定める額とする。

（遺族補償）

第十五条　職員が公務上死亡し、又は通勤により死亡した場合においては、国は、遺族補償として、職員の遺族に対して、遺族補償年金又は遺族補償一時金を支給する。

（遺族補償年金）

第十六条　遺族補償年金を受けることができる遺族は、職員の配偶者（婚姻の届出をしていないが、職員の死亡の当時事実上婚姻関係と同様の事情にあつた者を含む。以下同じ。）、子、父母、孫、祖父母及び兄弟姉妹であつて、職員の死亡の当時その収入によつて生計を維持していたものとする。ただし、妻（婚姻の届出をしていないが、事実上婚姻関係と同様の事情にあつた者を含む。以下同じ。）以外の者にあつては、職員の死亡の当時次に掲げる要件に該当した場合に限るものとする。

一　夫（婚姻の届出をしていないが、事実上婚姻関係と同様の事情にあつた者を含む。以下同じ。）、父母又は祖父母については、六十歳以上であること。

二　子又は孫については、十八歳に達する日以後の最初の三月三十一日までの間にあること。

三　兄弟姉妹については、十八歳に達する日以後の最初の三月三十一日までの間にあること又は六十歳以上であること。

四　前三号の要件に該当しない夫、子、父母、孫、祖父母又は兄弟姉妹については、人事院規則で定める障害の状態にあること。

2　職員の死亡の当時胎児であつた子が出生したときは、前項の規定の適用については、将来に向かつて、その子は、職員の死亡の当時その収入によつて生計を維持していた子とみなす。

3　遺族補償年金を受けるべき遺族の順位は、配偶者、子、父母、孫、祖父母及び兄弟姉妹の順序とし、父母については、養父母を先にし、実父母を後にする。

第十七条　遺族補償年金の額は、一年につき、次の各号に掲げる遺族補償年金を受ける権利を有する遺族及びその者と生計を同じくしている遺族補償年金を受けることができる遺族の人数の区分に応じ、当該各号に定める額とする。

一　一人　平均給与額に百五十三を乗じて得た額。ただし、五十五歳以上の妻又は人事院規則で定める障害の状態にある妻にあつては、平均給与額に百七十五を乗じて得た額とする。

二　二人　平均給与額に二百一を乗じて得た額

三　三人　平均給与額に二百二十三を乗じて得た額

四　四人以上　平均給与額に二百四十五を乗じて得た額

2　遺族補償年金を受ける権利を有する者が二人以上あるときは、遺族補償年金の額は、前項の規定にかかわらず、同項に規定する額をその人数で除して得た額とする。

3　遺族補償年金の額の算定の基礎となる遺族の数に増減を生じたときは、その増減を生じた月の翌月から、遺族補償年金の額を改定する。

4　遺族補償年金を受ける権利を有する遺族が妻であり、かつ、当該妻と生計を同じくしている遺族補償年金を受けることができる遺族がない場合において、当該妻が次の各号の一に該当するに至つたときは、その該当するに至つた月の翌月から、遺族補償年金の額を改定する。

一　五十五歳に達したとき（第一項第一号の人事院規則で定める障害の状態にあるときを除く。）。

二　第一項第一号の人事院規則で定める障害の状態になり、又はその事情がなくなつたとき（五十五歳以上であるときを除く。）。

第十七条の二　遺族補償年金を受ける権利は、その権利を有する遺族が次の各号の一に該当するに至つたときは、消滅する。この場合において、同順位者がなくて後順位者があるときは、次順位者に遺族補償年金を支給する。

一　死亡したとき。

二　婚姻（届出をしていないが、事実上婚姻関係と同様の事情にある場合を含む。）をしたとき。

三　直系血族又は直系姻族以外の者の養子（届出をしていないが、事実上養子縁組関係と同様の事情にある者を含む。）となつたとき。

四　離縁によつて、死亡した職員との親族関係が終了したとき。

五　子、孫又は兄弟姉妹については、十八歳に達した日以後の最初の三月三十一日が終了したとき（職員

の死亡の時から引き続き第十六条第一項第四号の人事院規則で定める障害の状態にあるときを除く。）。

六　第十六条第一項第四号の人事院規則で定める障害の状態にある夫、子、父母、孫、祖父母又は兄弟姉妹については、その事情がなくなつたとき（夫、父母又は祖父母については、職員の死亡の当時六十歳以上であつたとき、子又は孫については、十八歳に達する日以後の最初の三月三十一日までの間にあるとき、兄弟姉妹については、十八歳未満であるか又は職員の死亡の当時六十歳以上であつたときを除く。）。

2　遺族補償年金を受けることができる遺族が前項各号の一に該当するに至つたときは、その者は、遺族補償年金を受けることができる遺族でなくなる。

第十七条の三　遺族補償年金を受ける権利を有する者の所在が一年以上明らかでない場合には、当該遺族補償年金は、同順位者があるときは同順位者の、同順位者がないときは次順位者の申請によつて、その所在が明らかでない間、その支給を停止する。この場合において、同順位者がないときは、その間、次順位者を先順位者とする。

2　前項の規定により遺族補償年金の支給を停止された遺族は、いつでも、その支給の停止の解除を申請することができる。

3　第十七条第三項の規定は、第一項の規定により遺族補償年金の支給が停止され、又は前項の規定によりその停止が解除された場合に準用する。この場合において、同条第三項中「増減を生じた月」とあるのは、「支給が停止され、又はその停止が解除された月」と読み替えるものとする。

（遺族補償一時金）

第十七条の四　遺族補償一時金は、次の場合に支給する。

一　職員の死亡の当時遺族補償年金を受けることができる遺族がないとき。

二　遺族補償年金を受ける権利を有する者の権利が消滅した場合において、他に当該遺族補償年金を受けることができる遺族がなく、かつ、当該職員の死亡に関し既に支給された遺族補償年金の額の次項に規定する合計額が当該権利が消滅した日において前号の場合に該当することとしたときに支給されることとなる遺族補償一時金の額に満たないとき。

2　前項第二号に規定する遺族補償年金の額の合計額は、次に掲げる額を合算した額とする。

一　前項第二号に規定する権利が消滅した日の属する年度（次号において「権利消滅年度」という。）の分として支給された遺族補償年金の額

二　権利消滅年度の前年度以前の各年度の分として支給された遺族補償年金の額に権利消滅年度の前年度の四月一日における職員の給与水準を当該各年度の前年度の四月一日における職員の給与水準で除して得た率を基準として人事院が定める率を乗じて得た額の合算額

第十七条の五　遺族補償一時金を受けることができる遺族は、職員の死亡の当時において次の各号の一に該当する者とする。

一　配偶者

二　職員の収入によつて生計を維持していた子、父母、孫、祖父母及び兄弟姉妹

三　前二号に掲げる者以外の者で主として職員の収入によつて生計を維持していたもの

四　第二号に該当しない子、父母、孫、祖父母及び兄弟姉妹

2　遺族補償一時金を受けるべき遺族の順位は、前項各号の順序とし、同項第二号及び第四号に掲げる者のうちにあつては、それぞれ当該各号に掲げる順序とし、父母については、養父母を先にし、実父母を後にする。

3　職員が遺言又はその者の属する実施機関の長に対する予告で、第一項第三号及び第四号に掲げる者のうち特に指定した者があるときは、その指定された者は、同項第三号及び第四号に掲げる他の者に優先して遺族補償一時金を受けるものとする。

第十七条の六　遺族補償一時金の額は、業務上の死亡又は通勤による死亡に係る他の法令による給付との均衡を考慮して人事院規則で定める額（第十七条の四第一項第二号の場合にあつては、その額から同号に規定する合計額を控除した額）とする。

2　第十七条第二項の規定は、遺族補償一時金の額について準用する。

（遺族からの排除）

第十七条の七　職員を故意に死亡させた者は、遺族補償を受けることができる遺族としない。

2　職員の死亡前に、当該職員の死亡によつて遺族補償年金を受けることができる先順位又は同順位の遺族となるべき者を故意に死亡させた者は、遺族補償年金を受けることができる遺族としない。

3　職員の死亡前又は遺族補償年金を受けることができる遺族の当該遺族補償年金を受ける権利の消滅前に、当該職員の死亡又は当該権利の消滅によつて遺族補償

一時金を受けることができる先順位又は同順位の遺族となるべき者を故意に死亡させた者は、遺族補償一時金を受けることができる遺族としない。

4　遺族補償年金を受けることができる遺族を故意に死亡させた者は、遺族補償一時金を受けることができる遺族としない。職員の死亡前に、当該職員の死亡によつて遺族補償年金を受けることができる遺族となるべき者を故意に死亡させた者も、同様とする。

5　遺族補償年金を受けることができる遺族が、遺族補償年金を受けることができる先順位又は同順位の他の遺族を故意に死亡させたときは、その者は、遺族補償年金を受けることができる遺族でなくなる。この場合において、その者が遺族補償年金を受ける権利を有する者であるときは、その権利は、消滅する。

6　第十七条の二第一項後段の規定は、前項後段の場合に準用する。

（年金たる補償の額の端数処理）

第十七条の八　年金たる補償の額に五十円未満の端数があるときは、これを切り捨て、五十円以上百円未満の端数があるときは、これを百円に切り上げるものとする。

（年金たる補償の支給期間等）

第十七条の九　年金たる補償の支給は、支給すべき事由が生じた月の翌月から始め、支給を受ける権利が消滅した月で終わるものとする。

2　年金たる補償は、その支給を停止すべき事由が生じたときは、その事由が生じた月の翌月からその事由が消滅した月までの間は、支給しない。

3　年金たる補償は、毎年二月、四月、六月、八月、十月及び十二月の六期に、それぞれその前月分までを支払う。ただし、支給を受ける権利が消滅した場合におけるその期の年金たる補償は、支払期月でない月であつても、支払うものとする。

（年金たる補償等の支払の調整）

第十七条の十　年金たる補償の支給を停止すべき事由が生じたにもかかわらず、その停止すべき期間の分として年金たる補償が支払われたときは、その支払われた年金たる補償は、その後に支払うべき年金たる補償の内払とみなすことができる。年金たる補償を減額して改定すべき事由が生じたにもかかわらず、その事由が生じた月の翌月以後の分として減額しない額の年金たる補償が支払われた場合における当該年金たる補償の当該減額すべきであつた部分についても、同様とする。

2　同一の公務上の負傷若しくは疾病又は通勤による負傷若しくは疾病（次項において「同一の傷病」という。）に関し、傷病補償年金を受ける権利を有する者が休業補償又は障害補償を受ける権利を有することとなつた場合において、当該傷病補償年金を受ける権利が消滅した月の翌月以後の分として傷病補償年金が支払われたときは、その支払われた傷病補償年金は、当該休業補償又は障害補償の内払とみなす。

3　同一の傷病に関し、休業補償を受けている者が傷病補償年金又は障害補償を受ける権利を有することとなり、かつ、当該休業補償を行わないこととなつた場合において、その後も休業補償が支払われたときは、その支払われた休業補償は、当該傷病補償年金又は障害補償の内払とみなす。

第十七条の十一　年金たる補償を受ける権利を有する者が死亡したためその支給を受ける権利が消滅したにもかかわらず、その死亡の日の属する月の翌月以後の分として当該年金たる補償の過誤払が行われた場合において、当該過誤払による返還金に係る債権（以下この条において「返還金債権」という。）に係る債務の弁済をすべき者に支払うべき補償があるときは、人事院規則で定めるところにより、当該補償の支払金の金額を当該過誤払による返還金債権の金額に充当することができる。

（年金たる補償の額の改定）

第十七条の十二　年金たる補償の額については、国民の生活水準、物価その他の諸事情に著しい変動が生じた場合においては、変動後の諸事情を総合勘案して、速やかに改定の措置を講ずるものとする。

（葬祭補償）

第十八条　職員が公務上死亡し、又は通勤により死亡した場合においては、国は、葬祭を行なう者に対して、葬祭補償として、通常葬祭に要する費用を考慮して人事院規則で定める金額を支給する。

（死亡の推定）

第十九条　船舶が沈没し、転覆し、滅失し、若しくは行方不明となつた際現にその船舶に乗つていた職員若しくは船舶に乗つていてその船舶の航行中に行方不明となつた職員の生死が三箇月間わからない場合又はこれらの職員の死亡が三箇月以内に明らかとなり、かつ、その死亡の時期がわからない場合には、遺族補償及び葬祭補償の支給に関する規定の適用については、その船舶が沈没し、転覆し、滅失し、若しくは行方不明となつた日又は職員が行方不明となつた日に、当該職員は、死亡したものと推定する。航空機が墜落し、滅失し、若しくは行方不明となつた際現にその航空機に乗つていた職員若しくは航空機に乗っていてその航空機の航行中に行方不明となつた職員の生死が三箇月間わからない場合又はこれらの職員の死亡が三箇月以内に明らかとなり、かつ、その死亡の時期がわからない場合にも、同様とする。

（未支給の補償）

第二十条　補償を受ける権利を有する者が死亡した場合において、その死亡した者に支給すべき補償でまだその者に支給しなかつたものがあるときは、その者の配偶者、子、父母、孫、祖父母又は兄弟姉妹であつて、その者の死亡の当時その者と生計を同じくしていたもの（遺族補償年金については、当該遺族補償年金を受けることができる他の遺族）に、これを支給する。

2　前項の規定による補償を受けるべき者の順位は、同項に規定する順序（遺族補償年金については、第十六条第三項に規定する順序）とする。

3　第一項の規定による補償を受けるべき同順位者が二人以上あるときは、その全額をその一人に支給することができるものとし、この場合において、その一人にした支給は、全員に対してしたものとみなす。

（警察官等に係る傷病補償年金、障害補償又は遺族補償の特例）

第二十条の二　警察官、海上保安官その他職務内容の特殊な職員で人事院規則で定めるものが、その生命又は身体に対する高度の危険が予測される状況の下において、犯罪の捜査、被疑者の逮捕、犯罪の制止、天災時における人命の救助その他の人事院規則で定める職務に従事し、そのため公務上の災害を受けた場合における当該災害に係る傷病補償年金、障害補償又は遺族補償については、第十二条の二第二項の規定による額、第十三条第三項若しくは第四項の規定による額、第十七条第一項の規定による額又は第十七条の六第一項の人事院規則で定める額は、それぞれ当該額に百分の五十を超えない範囲内で人事院規則で定める率を乗じて得た額を加算した額とする。

（在外公館に勤務する職員等の特例）

第二十条の三　在外公館に勤務する職員、公務で外国旅行中の職員又は船員法（昭和二十二年法律第百号）第一条に規定する船員である職員に係る補償につき特例を設ける必要のあるものについては、人事院規則で特例を定めることができる。ただし、その特例は、この法律の規定の趣旨に適合するものでなければならない。

第二十一条　削除

（福祉事業）

第二十二条　人事院及び実施機関は、被災職員及びその遺族の福祉に関して必要な福祉事業として次の事業を行うように努めなければならない。

一　外科後処置に関する事業、補装具に関する事業、リハビリテーションに関する事業その他の被災職員の円滑な社会復帰を促進するために必要な事業

二　被災職員の療養生活の援護、被災職員が受ける介護の援護、その遺族の就学の援護その他の被災職員及びその遺族の援護を図るために必要な資金の支給その他の事業

2　人事院及び実施機関は、職員が公務上負傷し、若しくは疾病にかかり、又は通勤により負傷し、若しくは疾病にかかり、障害等級に該当する程度の障害が存する場合においては、前項第一号の補装具に関する事業として、当該職員に義肢、義眼、補聴器等の補装具を支給することができる。

3　第一項に規定する福祉事業については、業務上の災害又は通勤による災害を受けた民間事業の従業員及びその遺族に対する福祉に関する給付その他の事業の実態を考慮してその実施を図るものとする。

（労働基準法等との関係）

第二十三条　この法律に定める補償の実施については、これに相当する労働基準法（昭和二十二年法律第四十九号）、労働者災害補償保険法、船員法及び船員保険法（昭和十四年法律第七十三号）による業務上の災害に対する補償又は通勤による災害に対する保険給付の実施との間における均衡を失わないように十分考慮しなければならない。

第三章　審査等

（補償の実施に関する審査の申立て等）

第二十四条　実施機関の行なう公務上の災害又は通勤による災害の認定、療養の方法、補償金額の決定その他補償の実施について不服がある者は、人事院規則に定める手続に従い、人事院に対し、審査を申し立てることができる。

2　前項の申立てがあつたときは、人事院は、すみやかにこれを審査して判定を行い、これを本人及びその者に係る実施機関に通知しなければならない。

3　第一項の規定による審査の申立ては、時効の完成猶予及び更新については、裁判上の請求とみなす。

（福祉事業の運営に関する措置の申立て等）

第二十五条　実施機関の実施している第二十二条第一項に規定する福祉事業の運営に関し不服のある者は、人事院規則に定める手続に従い、人事院に対し、実施機

関により適当な措置が講ぜられることを申し立てることができる。

2　前条第二項の規定は、前項の措置の申立てについて準用する。

第四章　雑則

（報告、出頭等）

第二十六条　人事院又は実施機関は、第二十四条の規定による審査又は補償の実施のため必要があると認めるときは、補償を受け若しくは受けようとする者又はその他の関係人に対して、報告をさせ、文書その他の物件を提出させ、出頭を命じ、医師の診断を行い、又は検案を受けさせることができる。

2　前項の規定により出頭した者は、国家公務員等の旅費に関する法律（昭和二十五年法律第百十四号）による旅費（実施機関である行政執行法人が出頭を命じた場合にあつては、当該行政執行法人が支給する旅費）を受けることができる。

（立入検査等）

第二十七条　人事院又は実施機関は、第二十四条の規定による審査又は補償の実施のため必要があると認めるときは、その職員に、被災職員の勤務する場所、災害のあつた場所又は病院若しくは診療所に立ち入らせ、帳簿書類その他必要な物件を検査させ、又は補償を受け若しくは受けようとする者その他の関係人に対して質問させることができる。

2　前項の規定により人事院又は実施機関の職員が、その職権を行う場合には、その身分を示す証票を携帯し、関係人の請求によりこれを呈示しなければならない。

3　第一項の権限は、犯罪捜査のために認められたものと解してはならない。

（支払の一時差止め）

第二十七条の二　補償を受ける権利を有する者が、正当な理由がなくて、第二十六条第一項の規定による報告をせず、文書その他の物件を提出せず、出頭をせず、若しくは医師の診断を拒み、又は前条第一項の規定による質問に対して答弁をしなかつたときは、人事院又は実施機関は、補償の支払を一時差し止めることができる。

（時効）

第二十八条　補償を受ける権利は、これを行使することができる時から二年間（傷病補償年金、障害補償及び遺族補償については、五年間）行使しないときは、時効によつて消滅する。ただし、補償を受けるべき者が、この期間経過後その補償を請求した場合において、実施機関が第八条の規定により、補償を受けるべき者に通知をしたこと又は自己の責めに帰すべき事由以外の事由によつて通知をすることができなかつたことを立証できない場合には、この限りでない。

（期間の計算）

第二十九条　この法律又はこの法律に基く人事院規則に規定する期間の計算については、民法の期間の計算に関する規定を準用する。

（非課税等）

第三十条　この法律により支給を受けた金品を標準として、租税その他の公課を課してはならない。

第三十一条　補償に関する書類には、印紙税を課さない。

（戸籍に関する無料証明）

第三十二条　市町村長（特別区の区長を含むものとし、地方自治法（昭和二十二年法律第六十七号）第二百五十二条の十九第一項の指定都市にあつては、区長又は総合区長とする。）は、実施機関の長又は補償を受けようとする者に対して、当該市（特別区を含む。）町村の条例で定めるところにより、補償を受けようとする者又は遺族の戸籍に関し、無料で証明を行うことができる。

（通勤による災害に係る費用の一部の負担等）

第三十二条の二　通勤による負傷又は疾病に係る療養補償を受ける職員（人事院規則で定める職員を除く。）は、一部負担金として、二百円をこえない範囲内で人事院規則で定める金額を国に納付しなければならない。

2　この法律により前項の職員に支払うべき補償金がある場合又は当該補償金がない場合において当該職員に支払うべき給与があるときは、実施機関又は職員の給与支給機関は、それぞれ、その支払うべき補償金又は給与から前項の金額に相当する金額を控除して、これを当該職員に代わつて国に納付することができる。

（予算の計上）

第三十三条　補償及び第二十二条第一項に規定する福祉事業に要する経費は、公務上の災害又は通勤による災害に関する人事院の統計的研究の結果に基づいて、予算に計上されなければならない。

（罰則）

第三十四条　次の各号のいずれかに該当する者は、六月以下の拘禁刑又は二十万円以下の罰金に処する。

一　第二十六条第一項の規定による報告をせず、若しくは虚偽の報告をし、文書その他の物件を提出せ

ず、出頭をせず、又は医師の診断を拒んだ者

二　第二十七条第一項の規定による検査を拒み、妨げ、若しくは忌避し、又は質問に対して陳述をせず、若しくは虚偽の陳述をした者

附　則

（施行期日）

1　この法律は、昭和二十六年七月一日から施行する。

（経過規定）

2　職員に係る補償に相当する給与又は給付で、この法律施行前において支給すべき事由の生じたものの支給については、なお従前の例による。但し、労働基準法等の施行に伴う政府職員に係る給与の応急措置に関する法律（昭和二十二年法律第百六十七号）に基いて国が支給する職員に係る給与のうち補償に相当するものの支給について異議のある者は、人事院に対して、審査を請求することができる。

3　前項の審査については、第二十四条、第二十六条及び第二十七条の規定を準用する。

（障害補償年金差額一時金）

4　当分の間、障害補償年金を受ける権利を有する者が死亡した場合において、その者に支給された当該障害補償年金の額（当該障害補償年金のうち、当該死亡した日の属する年度の前年度以前の分として支給された障害補償年金にあつては、第十七条の四第二項の規定に準じて人事院規則で定めるところにより計算した額）及び当該障害補償年金に係る障害補償年金前払一時金の額（当該障害補償年金前払一時金を支給すべき事由が当該死亡した日の属する年度の前年度以前に生じたものである場合にあつては、同項の規定に準じて人事院規則で定めるところにより計算した額）の合計額が、次の表の上欄に掲げる当該障害補償年金に係る障害等級に応じ、それぞれ同表の下欄に掲げる額（当該障害補償年金について第二十条の二の規定が適用された場合にあつては、同表の下欄に掲げる額に同条の人事院規則で定める率を乗じて得た額を加算した額）に満たないときは、国は、その者の遺族に対し、補償として、その差額に相当する額の障害補償年金差額一時金を支給する。

障害等級	額
第一級	平均給与額に一、三四〇を乗じて得た額
第二級	平均給与額に一、一九〇を乗じて得た額
第三級	平均給与額に一、〇五〇を乗じて得た額
第四級	平均給与額に九二〇を乗じて得た額
第五級	平均給与額に七九〇を乗じて得た額
第六級	平均給与額に六七〇を乗じて得た額
第七級	平均給与額に五六〇を乗じて得た額

5　障害補償年金を受ける権利を有する者のうち、第十三条第八項の規定の適用を受ける者その他人事院規則で定める者が死亡した場合における障害補償年金差額一時金については、前項の規定にかかわらず、人事院規則で定める。

6　障害補償年金差額一時金を受けることができる遺族は、次に掲げる者とする。この場合において、障害補償年金差額一時金を受けるべき遺族の順位は、次の各号の順序とし、当該各号に掲げる者のうちにあつては、それぞれ当該各号に掲げる順序とし、父母については、養父母を先にし、実父母を後にする。

一　障害補償年金を受ける権利を有する者の死亡の当時その者と生計を同じくしていた配偶者、子、父母、孫、祖父母及び兄弟姉妹

二　前号に該当しない配偶者、子、父母、孫、祖父母及び兄弟姉妹

7　第十七条第二項の規定は障害補償年金差額一時金の額について、第十七条の五第三項、第十七条の七第一項及び第二項並びに第十九条の規定は障害補償年金差額一時金の支給について準用する。この場合において、第十七条第二項中「遺族補償年金」とあるのは「障害補償年金差額一時金」と、「前項」とあるのは「附則第四項」と、第十七条の五第三項中「第一項第三号及び第四号」とあるのは「附則第六項第二号」と、「同項第三号及び第四号」とあるのは「同号」と、「遺族補償一時金」とあるのは「障害補償年金差額一時金」と、第十七条の七第一項中「遺族補償」とあり、同条第二項中「遺族補償年金」とあり、及び第十九条中「遺族補償及び葬祭補償」とあるのは「障害補償年金差額一時金」と読み替えるものとする。

（障害補償年金前払一時金）

8　当分の間、障害補償年金を受ける権利を有する者が、人事院規則で定めるところにより申し出たときは、国は、補償として、障害補償年金前払一時金を支給する。

9 障害補償年金前払一時金の額は、附則第四項の表の上欄に掲げる当該障害補償年金前払一時金に係る障害補償年金に係る障害等級に応じ、それぞれ同表の下欄に掲げる額を限度として人事院規則で定める額とする。

10 障害補償年金前払一時金が支給される場合には、当該障害補償年金前払一時金に係る障害補償年金は、各月に支給されるべき額の合計額が人事院規則で定める算定方法に従い当該障害補償年金前払一時金の額に達するまでの間、その支給を停止する。

11 障害補償年金前払一時金の支給を受けた者に支給されるべき障害補償年金の支給が前項の規定により停止されている間は、当該障害補償年金については、国民年金法（昭和三十四年法律第百四十一号）第三十六条の二第二項及び国民年金法等の一部を改正する法律（昭和六十年法律第三十四号。以下この項及び附則第十五項において「昭和六十年法律第三十四号」という。）附則第三十二条第十一項の規定によりなおその効力を有するものとされた同法第一条の規定による改正前の国民年金法（以下「旧国民年金法」という。）第六十五条第二項（昭和六十年法律第三十四号附則第二十八条第十項においてその例による場合及び同法附則第三十二条第十一項の規定によりなおその効力を有するものとされた旧国民年金法第七十九条の二第五項において準用する場合を含む。附則第十五項において同じ。）、児童扶養手当法（昭和三十六年法律第二百三十八号）第十三条の二第二項第一号ただし書並びに特別児童扶養手当等の支給に関する法律（昭和三十九年法律第百三十四号）第三条第三項第二号ただし書及び第十七条第一号ただし書の規定は、適用しない。

（遺族補償年金前払一時金）

12 当分の間、遺族補償年金を受ける権利を有する遺族が人事院規則で定めるところにより申し出たときは、国は、補償として、遺族補償年金前払一時金を支給する。

13 遺族補償年金前払一時金の額は、平均給与額に千を乗じて得た額を限度として人事院規則で定める額とする。

14 遺族補償年金前払一時金が支給される場合には、当該遺族補償年金前払一時金の支給の原因たる職員の死亡に係る遺族補償年金は、各月に支給されるべき額の合計額が人事院規則で定める算定方法に従い当該遺族補償年金前払一時金の額に達するまでの間、その支給を停止する。

15 遺族補償年金前払一時金の支給を受けた者に支給されるべき遺族補償年金の支給が前項の規定により停止されている間は、当該遺族補償年金については、国民年金法第三十六条の二第二項及び昭和六十年法律第三十四号附則第三十二条第十一項の規定によりなおその効力を有するものとされた旧国民年金法第六十五条第二項並びに児童扶養手当法第十三条の二第一項第一号ただし書及び第二項第一号ただし書の規定は、適用しない。

（未支給の補償等に関する規定の読替え）

16 障害補償年金差額一時金、障害補償年金前払一時金及び遺族補償年金前払一時金の支給が行われる間、第十七条の四第一項第二号中「合計額」とあるのは「合計額及び遺族補償年金前払一時金の額（当該遺族補償年金前払一時金を支給すべき事由が当該権利が消滅した日の属する年度の前年度以前に生じたものである場合にあつては、次項の規定に準じて人事院規則で定めるところにより計算した額）の合算額」と、第十七条の六第一項中「合計額」とあるのは「合算額」と、第二十条第一項中「遺族補償年金については、当該遺族補償年金」とあるのは「遺族補償年金、障害補償年金差額一時金又は遺族補償年金前払一時金については、それぞれ、当該遺族補償年金、当該障害補償年金差額一時金又は当該遺族補償年金前払一時金に係る遺族補償年金」と、同条第二項中「遺族補償年金については」とあるのは「遺族補償年金又は遺族補償年金前払一時金については第十六条第三項、障害補償年金差額一時金については附則第六項後段」と、第二十八条中「及び遺族補償」とあるのは「、遺族補償、障害補償年金差額一時金、障害補償年金前払一時金及び遺族補償年金前払一時金」とする。

（遺族補償年金の受給資格年齢の特例等）

17 次の表の上欄に掲げる期間に死亡した職員の遺族に対する第十六条及び第十七条の二の規定の適用については、同表の上欄に掲げる期間の区分に応じ、第十六条第一項第一号及び第三号並びに第十七条の二第一項第六号中「六十歳」とあるのは、それぞれ同表の下欄に掲げる字句とする。

昭和六十年十月一日から昭和六十一年九月三十日まで	五十五歳
昭和六十一年十月一日から昭和六十二年九月三十日まで	五十六歳
昭和六十二年十月一日から昭和六十三年九月三十日まで	五十七歳

昭和六十三年十月一日から平成元年九月三十日まで	五十八歳
平成元年十月一日から平成二年九月三十日まで	五十九歳

18　次の表の上欄に掲げる期間に公務上死亡し、又は通勤により死亡した職員の夫、父母、祖父母及び兄弟姉妹であつて、当該職員の死亡の当時、その収入によつて生計を維持し、かつ、同表の中欄に掲げる年齢であつたもの（第十六条第一項第四号に規定する者であつて第十七条の二第一項第六号に該当するに至らないものを除く。）は、第十六条第一項（前項において読み替えられる場合を含む。）の規定にかかわらず、遺族補償年金を受けることができる遺族とする。この場合において、第十七条第一項中「遺族補償年金を受ける遺族」とあるのは「遺族補償年金を受けることができる遺族（附則第十八項の規定に基づき遺族補償年金を受けることができることとされた遺族であつて、当該遺族補償年金に係る職員の死亡の時期に応じ、同項の表の下欄に掲げる年齢に達しないものを除く。）」と、第十七条の二第二項中「各号の一」とあるのは「第一号から第四号までのいずれか」とする。

昭和六十一年十月一日から昭和六十二年九月三十日まで	五十五歳	五十六歳
昭和六十二年十月一日から昭和六十三年九月三十日まで	五十五歳以上五十七歳未満	五十七歳
昭和六十三年十月一日から平成元年九月三十日まで	五十五歳以上五十八歳未満	五十八歳
平成元年十月一日から平成二年九月三十日まで	五十五歳以上五十九歳未満	五十九歳
平成二年十月一日から当分の間	五十五歳以上六十歳未満	六十歳

19　前項に規定する遺族の遺族補償年金を受けるべき順位は、第十六条第一項（附則第十七項において読み替えられる場合を含む。）に規定する遺族の次の順位とし、前項に規定する遺族のうちにあつては、夫、父母、祖父母及び兄弟姉妹の順序とし、父母については、養父母を先にし、実父母を後にする。

20　附則第十八項に規定する遺族に支給すべき遺族補償年金は、その者が同項の表の下欄に掲げる年齢に達する月までの間は、その支給を停止する。ただし、附則第十二項から第十五項までの規定の適用を妨げるものではない。

21　附則第十八項に規定する遺族に対する第二十条及び附則第十六項の規定の適用については、これらの規定中「第十六条第三項」とあるのは、「附則第十九項」とする。

（旧郵政被災職員に係る補償の実施等）

22　当分の間、旧郵政被災職員に関する次の表の上欄に掲げるこの法律の規定の適用については、これらの規定中同表の中欄に掲げる字句は、それぞれ同表の下欄に掲げる字句とする。

第三条第一項	人事院が指定する国の機関及び独立行政法人通則法（平成十一年法律第百三号）第二条第四項に規定する行政執行法人（以下「行政執行法人」という。）	日本郵政株式会社
第四条第三項第五号	行政執行法人に在職していた期間にあつては、当該行政執行法人	独立行政法人通則法の一部を改正する法律（平成二十六年法律第六十六号）による改正前の独立行政法人通則法（平成十一年法律第百三号）第二条第二項に規定する特定独立行政法人（以下「特定独立行政法人」という。）に在職していた期間にあつては当該特定独立行政法人、職員が郵政民営化法（平成十七年法律第九十七号）第百六十六条第一項の規定による解散前の日本郵政公社（以下「旧公社」という。）に在職し

		ていた期間にあつては旧公社
第五条第一項	行政執行法人に	旧公社に
	当該行政執行法人。以下	日本郵政株式会社。以下この条及び次条において
第二十六条第一項	人事院又は実施機関	人事院
第二十六条第二項	旅費（実施機関である行政執行法人が出頭を命じた場合にあつては、当該行政執行法人が支給する旅費）	旅費
第二十七条第一項及び第二項	人事院又は実施機関	人事院
第三十二条の二	国	日本郵政株式会社
第三十三条	予算	予算その他の支出に関する計画

23　当分の間、旧郵政被災職員に係る補償及び第二十二条第一項に規定する福祉事業に要する費用は、人事院規則で定めるところにより、次に掲げる者が負担する。
一　日本郵政株式会社
二　日本郵便株式会社
三　郵政民営化法第九十四条に規定する郵便貯金銀行（以下この号において「郵便貯金銀行」という。）及び次に掲げる法人であつてその行う事業の内容、人的構成その他の事情を勘案して人事院が定めるもの
イ　郵便貯金銀行の事業の全部又は一部を譲り受けた法人
ロ　郵便貯金銀行との合併後存続する法人又は合併により設立された法人
ハ　会社分割により郵便貯金銀行の事業を承継した法人
ニ　郵便貯金銀行又はイからハまでに掲げる法人（この号の規定により人事院が定めたものに限る。）について人事院規則で定める組織の再編成があつた場合における当該組織の再編成後の法人
四　郵政民営化法第百二十六条に規定する郵便保険会社（以下この号において「郵便保険会社」という。）及び次に掲げる法人であつてその行う事業の内容、人的構成その他の事情を勘案して人事院が定めるもの
イ　郵便保険会社の事業の全部又は一部を譲り受けた法人
ロ　郵便保険会社との合併後存続する法人又は合併により設立された法人
ハ　会社分割により郵便保険会社の事業を承継した法人
ニ　郵便保険会社又はイからハまでに掲げる法人（この号の規定により人事院が定めたものに限る。）について人事院規則で定める組織の再編成があつた場合における当該組織の再編成後の法人
五　独立行政法人郵便貯金簡易生命保険管理・郵便局ネットワーク支援機構
24　前二項において「旧郵政被災職員」とは、次に掲げる者をいう。
一　公務上の災害又は通勤による災害を受けた職員であつて、これらの災害を受けた際従前の郵政事業特別会計においてその給与を支弁していたもの
二　旧公社に在職中に公務上の災害又は通勤による災害を受けた職員

附　則（昭四一・五・九法六七）（抄）

最終改正　平二六・六・一三法六七

（施行期日）
第一条　この法律は、昭和四十一年七月一日から施行する。

（他の法令による給付との調整）
第八条　傷病補償年金、障害補償年金及び遺族補償年金（以下「年金たる補償」という。）の額は、当該補償の事由となつた障害又は死亡について人事院規則で定める法令による年金たる給付が支給される場合には、当分の間、国家公務員災害補償法の規定にかかわらず、同法の規定（第十七条の八を除く。）による年金たる補償の年額に、当該年金たる補償の種類及び当該法令による年金たる給付の種類に応じ、同一の事由により労働者災害補償保険法（昭和二十二年法律第五十号）の年金たる保険給付と他の法令による年金たる給付とが支給されるべき場合に同法の年金たる保険給付の額の算定に用いられる率を考慮して人事院規則で定める率を乗じて得た額（その額が人事院規則で定める額を

下回る場合には、当該人事院規則で定める額）とし、これらの額に五十円未満の端数があるときは、これを切り捨て、五十円以上百円未満の端数があるときは、これを百円に切り上げるものとする。

2　休業補償の額は、同一の事由について前項の人事院規則で定める法令による年金たる給付が支給される場合には、当分の間、国家公務員災害補償法の規定にかかわらず、同法の規定による額に、当該法令による年金たる給付の種類に応じ、同項の人事院規則で定める率のうち傷病補償年金について定める率を乗じて得た額（その額が人事院規則で定める額を下回る場合には、当該人事院規則で定める額）とする。

（公務上の災害に対する年金による補償に関する検討）

第三十三条　職員の公務上の災害に対する年金による補償に関しては、人事院は、共済組合の制度との関係を考慮して引き続き検討を加えるほか、労働者災害補償保険法の一部を改正する法律（昭和四十年法律第百三十号）附則第四十五条に規定する検討の結果が得られたときは、これとの均衡をも考慮して、補償制度の研究を行ない、その成果を国会及び内閣に提出しなければならない。

附　則（平一六・一一・三〇法一四四）（抄）

（施行期日等）

第一条　この法律は、公布の日から施行し、第一条の規定による改正後の国家公務員災害補償法（附則第三条及び第四条第一項において「新国公災法」という。）の規定及び第二条の規定による改正後の地方公務員災害補償法の規定は、平成十六年七月一日から適用する。

（国家公務員災害補償法の一部改正に伴う経過措置）

第二条　国家公務員災害補償法第一条第一項に規定する職員（次条において「職員」という。）が公務上負傷し、若しくは疾病にかかり、若しくは通勤により負傷し、若しくは疾病にかかり、平成十六年六月三十日以前に治ったとき、又は同日以前に障害補償年金を受ける者の当該障害の程度に変更があったときにおける第一条の規定による改正前の国家公務員災害補償法（附則第四条において「旧国公災法」という。）第十三条第一項又は第七項の規定による障害補償については、なお従前の例による。

第三条　職員が公務上負傷し、若しくは疾病にかかり、若しくは通勤により負傷し、若しくは疾病にかかり、平成十六年七月一日からこの法律の施行の日の属する月の末日までの間に治ったとき、又は当該期間において障害補償年金を受ける者の当該障害の程度に変更があったときにおける新国公災法第十三条第一項又は第七項の規定による障害補償に係る新国公災法別表の規定の適用については、同表第七級の項第六号中「の母指」とあるのは「の母指及び示指、母指若しくは示指」と、同表第八級の項第三号中「以外」とあるのは「及び示指以外」と、同項第四号中「の母指」とあるのは「の母指及び示指、母指若しくは示指」と、同表第九級の項第一三号中「以外」とあるのは「及び示指以外」と、同表第一〇級の項第七号中「母指又は」とあるのは「示指を失つたもの又は一手の母指若しくは」と、同表第一一級の項第八号中「示指、中指又は環指を失つたもの」とあるのは「中指若しくは環指を失つたもの又は一手の示指の用を廃したもの」と、同表第一二級の項第一〇号中「示指、中指」とあるのは「中指」と、同表第一三級の項第七号中「母指」とあるのは「母指若しくは示指」と、「もの」とあるのは「もの又は一手の示指の遠位指節間関節を屈伸することができなくなつたもの」と、同表第一四級の項第六号及び第七号中「母指」とあるのは「母指及び示指」とする。

第四条　旧国公災法第十三条第一項又は第七項の規定に基づいて障害補償年金又は障害補償一時金を支給された者で前条の規定により読み替えて適用される新国公災法（以下この条において「読替え後の新国公災法」という。）第十三条第一項又は第七項の規定による障害補償年金又は障害補償一時金を受けることとなるもの（次項に規定する者を除く。）に対する同条第一項又は第七項の規定の適用については、旧国公災法第十三条第一項又は第七項の規定に基づいて支給された障害補償年金又は障害補償一時金は、それぞれ読替え後の新国公災法第十三条第一項又は第七項の規定による障害補償年金又は障害補償一時金の内払とみなす。

2　旧国公災法第十三条第一項又は第七項の規定に基づいて障害補償一時金を支給された者で読替え後の新国公災法第十三条第一項又は第七項の規定による障害補償年金を受けることとなるものに対する同条第一項又は第七項の規定の適用については、旧国公災法第十三条第一項又は第七項の規定に基づいて支給された障害補償一時金は、読替え後の新国公災法第十三条第一項又は第七項の規定による障害補償年金の内払とみなす。

（人事院規則への委任）

第五条　前三条に定めるもののほか、第一条の規定の施行に関し必要な経過措置は、人事院規則で定める。

附　則（平一八・三・三一法一二）（抄）

（施行期日）

第一条　この法律は、平成十八年四月一日から施行する。

（国家公務員災害補償法の一部改正に伴う経過措置）

第二条　第一条の規定による改正後の国家公務員災害補償法第一条の二の規定（他の法令において引用する場合を含む。）は、この法律の施行の日（以下「施行日」という。）以後に発生した事故に起因する通勤による災害について適用し、施行日前に発生した事故に起因する通勤による災害については、なお従前の例による。

第三条　国家公務員災害補償法第一条第一項に規定する職員が公務上負傷し、若しくは疾病にかかり、若しくは通勤により負傷し、若しくは疾病にかかり、施行日前に治ったとき、又は施行日前に障害補償年金を受ける者の当該障害の程度に変更があったときにおける第一条の規定による改正前の国家公務員災害補償法第九条第四号に掲げる障害補償については、なお従前の例による。

附　則（平二六・六・一三法六七）（抄）

（施行期日）

第一条　この法律は、独立行政法人通則法の一部を改正する法律（平成二十六年法律第六十六号。以下「通則法改正法」という。）の施行の日〔平二七・四・一〕から施行する。〔ただし書略〕

（国家公務員災害補償法の一部改正に伴う経過措置）

第五条　第四条の規定による改正後の国家公務員災害補償法（以下この条において「新補償法」という。）第一条第一項に規定する被災職員（新補償法附則第二十四項に規定する旧郵政被災職員を除く。以下この条において「被災職員」という。）の新補償法第四条第一項に規定する平均給与額を計算する場合において、当該被災職員について同項に規定する期間中に第四条の規定による改正前の国家公務員災害補償法第四条第三項第五号に該当する日があるときは、新補償法第四条第三項の規定の適用については、同項第五号中「、当該行政執行法人」とあるのは、「当該行政執行法人、職員が独立行政法人通則法の一部を改正する法律（平成二十六年法律第六十六号）による改正前の独立行政法人通則法第二条第二項に規定する特定独立行政法人（以下この条において「特定独立行政法人」という。）に在職していた期間にあつては当該特定独立行政法人」とする。

2　特定独立行政法人に在職中に公務上の災害又は通勤による災害を受けた被災職員に関する新補償法第五条第一項の規定の適用については、同項中「行政執行法人に」とあるのは「独立行政法人通則法の一部を改正する法律の施行に伴う関係法律の整備に関する法律（平成二十六年法律第六十七号）の施行の日において行政執行法人となつた特定独立行政法人（独立行政法人通則法の一部を改正する法律（平成二十六年法律第六十六号）による改正前の独立行政法人通則法第二条第二項に規定する特定独立行政法人をいう。）に」と、「当該行政執行法人」とあるのは「当該特定独立行政法人であつた行政執行法人」とする。

附　則（平二九・六・二法四五）（抄）

この法律は、民法改正法の施行の日〔平三二・四・一〕から施行する。〔ただし書略〕

○民法の一部を改正する法律の施行に伴う関係法律の整備等に関する法律（平二九・六・二法四五）**（抄）**

（国家公務員災害補償法の一部改正に伴う経過措置）

第六十一条　施行日前に前条の規定による改正前の国家公務員災害補償法第二十四条第三項に規定する時効の中断の事由が生じた場合におけるその事由の効力については、なお従前の例による。

附　則（令五・一一・二四法七三）（抄）

（施行期日等）

第一条　この法律は、公布の日から施行する。ただし、次の各号に掲げる規定は、当該各号に定める日から施行する。

一　〔前略〕附則第五条の規定　令和六年四月一日

二　〔略〕

2　〔略〕

○人事院規則一六―○（職員の災害補償）

昭四八・一二・一全改
昭四八・一二・一施行

最終改正　令六・三・二九規則一六―〇―七五

第一章　総則

（趣旨）

第一条　職員の公務上の災害（負傷、疾病、障害又は死亡をいう。以下同じ。）又は通勤による災害に対する補償（以下「補償」という。）に関し必要な事項は、別に定めるもののほか、この規則の定めるところによる。

（公務上の災害の範囲）

第二条　公務上の災害の範囲は、公務に起因する負傷、障害及び死亡並びに別表第一に掲げる疾病とする。

（通勤による災害の範囲）

第三条　通勤による災害の範囲は、通勤に起因する負傷、障害及び死亡並びに次に掲げる疾病とする。

一　通勤による負傷に起因する疾病

二　前号に掲げるもののほか、通勤に起因することが明らかな疾病

第三条の二　補償法第一条の二第一項第二号の人事院規則で定める就業の場所から勤務場所への移動は、次に掲げる移動とする。

一　一の勤務場所から他の勤務場所への移動

二　次に掲げる就業の場所から勤務場所への移動

イ　労働者災害補償保険法（昭和二十二年法律第五十号）第三条第一項の適用事業に係る就業の場所

ロ　地方公務員災害補償法（昭和四十二年法律第百二十一号）第二条第一項に規定する職員の勤務場所

ハ　その他勤務場所並びにイ及びロに掲げる就業の場所に類するものとして人事院が定める就業の場所

2　補償法第一条の二第一項第二号の人事院規則で定める職員に関する法令の規定に違反して就業している場合は、次に掲げる法令の規定に違反して就業している場合とする。

一　法第百三条第一項及び第百四条

二　官民人事交流法第二十一条第一項及び第二項

三　教育公務員特例法（昭和二十四年法律第一号）第三十条の規定により準用される同法第十七条及び同法第三十三条第一項

3　補償法第一条の二第一項第三号の人事院規則で定める要件は、同号に掲げる移動が、給与法に規定する単身赴任手当の支給を受ける職員その他当該職員との均衡上必要があると認められるものとして人事院が定める職員により行われるものであることとする。

4　補償法第一条の二第二項ただし書の日常生活上必要な行為であつて人事院規則で定めるものは、次に掲げる行為とする。

一　日用品の購入その他これに準ずる行為

二　学校教育法（昭和二十二年法律第二十六号）第一条に規定する学校において行われる教育、職業能力開発促進法（昭和四十四年法律第六十四号）第十五条の七第三項に規定する公共職業能力開発施設において行われる職業訓練その他これらに準ずる教育訓練であつて職業能力の向上に資するものを受ける行為

三　病院又は診療所において診察又は治療を受けることその他これに準ずる行為

四　選挙権の行使その他これに準ずる行為

五　負傷、疾病又は老齢により二週間以上の期間にわたり日常生活を営むのに支障がある配偶者（婚姻の届出をしていないが、事実上婚姻関係と同様の事情にある者を含む。以下この号において同じ。）、子、父母、配偶者の父母その他人事院が定める者の介護（継続的に又は反復して行われるものに限る。）

（人事院の調査、監査等）

第四条　人事院は、実施機関が行う補償の実施状況について随時調査又は監査を行い、補償法又は同法に基づく規則に違反していると認められる場合には、必要な指示を行うものとする。

第四条の二　人事院は、行政執行法人である実施機関が行う補償の実施について、迅速かつ公正な補償の実施を確保するため、必要な相談、指導その他の援助を行うものとする。

（実施機関）

第五条　補償法第三条の人事院が指定する実施機関は、別表第二に掲げる国の機関及び別表第二の二に掲げる行政執行法人とする。

（実施機関の権限）

第六条　実施機関は、補償に関する次に掲げる権限を有する。

一　公務上の災害の認定

二　通勤による災害の認定

三　療養の実施
四　平均給与額の決定
五　傷病等級の決定
六　負傷又は疾病が治つたことの認定
七　障害等級の決定
八　常時又は随時介護を要する状態にあることの決定
九　補償金額の決定
十　前各号に掲げるもののほか、補償法又は同法に基づく規則に定める権限

第七条　前条の実施機関の権限は、その機関の長が行うものとする。

2　前項の権限（人事院が定める権限を除く。）は、部内の上級の職員に限り委任することができる。

3　実施機関の長は、前項の規定により権限の委任を行つた場合には、その委任の内容を速やかに人事院に報告しなければならない。その委任を取り消し、又は委任の内容を変更した場合においても、同様とする。

（補償事務主任者）

第八条　実施機関の長は、人事院の定める組織区分（内部組織の構成等により必要があると認める場合にあつては、当該組織区分を細分した組織区分）ごとに、それぞれの組織に属する職員のうちから補償事務主任者を指名しなければならない。

2　補償事務主任者は、実施機関の長の指示に従い、補償の実施を円滑にするように努めなければならない。

第二章　平均給与額

（通勤手当）

第八条の二　職員が、補償法第四条第一項に規定する期間の各月における通勤について、当該各月に普通交通機関等（規則九―二四（通勤手当）第六条に規定する普通交通機関等をいう。）、自動車等、新幹線鉄道等若しくは橋等に係る通勤手当の支給を受けた場合又は当該各月に当該通勤手当の支給日（同規則第十八条の二第一項に規定する支給日をいう。以下この条において同じ。）がない場合で当該各月前の直近の当該通勤手当の支給日がある月に当該通勤手当の支給を受けたとき（当該通勤手当について当該各月の前月までに事由発生月（同規則第十九条の二第二項第一号に規定する事由発生月をいう。以下この条において同じ。）があるときを除く。）は、当該各月又は当該支給日がある月に支給を受けた当該通勤手当の額をそれぞれ当該通勤手当に係る支給単位期間等（同規則第十八条の二第一項に規定する支給単位期間等をいう。以下この条において同じ。）の月数で除して得た額（事故発生日（負傷若しくは死亡の原因である事故の発生の日又は診断によつて疾病の発生が確定した日をいう。以下同じ。）の属する月の前月までに当該通勤手当に係る事由発生月があるときは、当該通勤手当の額から当該通勤手当に係る同規則第十九条の二第二項から第四項までに定める額を減じた額を、それぞれ当該通勤手当に係る支給単位期間等に係る最初の月から当該事由発生月までの月数で除して得た額）の当該各月ごとの合計額の補償法第四条第一項に規定する期間における総額を、同項に規定する給与の総額の算出の基礎となる通勤手当の額とする。

（寒冷地手当）

第九条　職員が事故発生日において国家公務員の寒冷地手当に関する法律（昭和二十四年法律第二百号。以下「寒冷地手当法」という。）第一条各号に掲げる職員のいずれかに該当する職員である場合であつて、事故発生日の属する月の前月の末日から起算して過去一年間に寒冷地手当法の規定による寒冷地手当（以下「寒冷地手当」という。）の支給を受けたときは、これを補償法第四条第二項に規定する給与法に定める給与に加えるものとする。

2　前項の規定により給与に加えられる寒冷地手当の額は、事故発生日の属する月の前月の末日以前における直近の寒冷地手当の支給日に支給を受けた寒冷地手当の額（その額が寒冷地手当法第二条第四項の規定による額である場合にあつては、同項の規定の適用がないものとした場合における額）に五を乗じて得た額を三百六十五で除して得た額に平均給与額の算定の基礎となる総日数を乗じて得た額とする。

（国際平和協力手当）

第十条　職員が事故発生日に国際平和協力業務（国際連合平和維持活動等に対する協力に関する法律（平成四年法律第七十九号）第三条第五号に規定する国際平和協力業務をいう。）に従事するため外国旅行中であつて、かつ、補償法第四条第一項に規定する期間に国際平和協力手当（国際連合平和維持活動等に対する協力に関する法律第十七条に規定する手当をいう。）の支給を受けた場合には、これを補償法第四条第二項に規定する給与法に定める給与に加えるものとする。

（特殊の職員の平均給与額の算定の基礎となる給与）

第十一条　補償法第四条第二項の人事院規則で定める給与は、次の各号に掲げる職員の区分に応じ、当該各号に掲げる給与とする。

一　給与法第二十二条第一項の職員　同項に規定する手当

二　給与法第二十二条第二項の職員　実施機関が人事院の承認を得て定める給与（当該承認を得ていない場合において、規則一六―四（補償及び福祉事業の実施）第六条第二項（同規則第十一条の四又は第十三条において準用する場合を含む。）、同規則第十一条第二項（同規則第十一条の四において準用する場合を含む。）又は同規則第二十三条の二第三項の規定に基づく承認（以下「年金承認」という。）を得たときは、当該年金承認により平均給与額の算定の基礎となる給与とされた給与。第四号において同じ。）

三　検察官　検察官の俸給等に関する法律（昭和二十三年法律第七十六号）に規定する給与（給与法に規定する期末手当又は勤勉手当に相当する給与を除く。）

四　行政執行法人の職員　実施機関が人事院の承認を得て定める給与

2　第八条の二の規定は前項各号に掲げる職員の通勤手当に相当する給与について、第九条の規定は当該職員の寒冷地手当に相当する給与について準用する。

（平均給与額の計算の特例）

第十二条　次の各号に掲げる場合の平均給与額は、当該各号に掲げる日から事故発生日までの間の勤務に対して支払われる補償法第四条第二項に規定する給与の総額をその期間の総日数で除して得た金額とする。同条第一項ただし書及び第三項の規定は、この場合の金額の算定について準用する。

一　給与を受けない期間が補償法第四条第一項に規定する期間の全日数にわたる場合　その期間経過後初めて給与を受けるに至つた日

二　補償法第四条第三項各号の一に該当する日が同条第一項に規定する期間の全日数にわたる場合（前号に該当する場合を除く。）　同条第三項各号に掲げる事由のやんだ日

三　採用の日の翌日からその日の属する月の末日までの間に災害を受けた場合　採用の日

第十三条　採用の日に災害を受けた場合の平均給与額は、次の各号に掲げる職員の区分に応じ、当該各号に掲げる金額とする。

一　給与法第六条第一項各号に掲げる俸給表の適用を受ける職員　俸給の月額、扶養手当の月額、俸給及び扶養手当の月額に対する地域手当の月額、俸給及び扶養手当の月額に対する研究員調整手当の月額並びに特地勤務手当の月額の合計額を三十で除して得た金額

二　検察官　前号に規定する給与に相当する給与の月額の合計額を三十で除して得た金額

三　前二号に掲げる職員以外の職員　実施機関が人事院の承認を得て定める給与の種目及び方法（当該承認を得ていない場合において、年金承認を得たときは、当該年金承認により平均給与額の算定の基礎となる給与の種目及び方法とされた給与の種目及び方法）によつて計算した金額

第十四条　賃金締切日が定められている非常勤職員に係る平均給与額は、補償法第四条第一項から第三項までの規定によつて計算した金額が、事故発生日の直前の賃金締切日から起算して過去三月間（その期間内に採用された職員については、その採用された日までの間）のその職員の勤務に対して支払われた第十一条第一項第二号又は第四号に規定する給与の総額をその期間の総日数で除して得た金額に満たない場合は、その金額とする。同法第四条第一項ただし書及び第三項の規定は、この場合の金額について準用する。

第十五条　補償を行うべき事由が生じた日（以下「補償事由発生日」という。）において、直前の平均給与額（その額が補償法第四条の三又は同法第四条の四の規定の適用を受けて定められたものである場合にあつては、それらの規定の適用がなかつたものとした場合における額。次条において同じ。）が次の各号に掲げる金額の合計額に満たない場合は、当該合計額を平均給与額とする。

一　補償事由発生日に受ける第十三条各号に規定する給与について当該各号に規定する方法により計算した金額

二　補償事由発生日に受ける俸給及び扶養手当の月額に対する広域異動手当の月額並びに給与法第十四条の規定による手当の月額又はこれらに相当する給与の月額について第十三条各号に規定する方法により計算した金額

第十六条　離職後に補償を行うべき事由が生じた場合において、直前の平均給与額が次の各号に掲げる金額の合計額に満たないときは、当該合計額を平均給与額とする。

一　離職時に占めていた官職に補償事由発生日まで引き続き在職していたものとした場合において同日に受けることとなる第十三条各号に規定する給与の人事院が定める条件による額を基礎として当該各号に規定する方法により計算した金額

二　離職時に占めていた官職に補償事由発生日まで引き続き在職していたものとした場合において同日に

受けることとなる俸給及び扶養手当の月額に対する広域異動手当の月額並びに給与法第十四条の規定による手当の月額又はこれらに相当する給与の月額について第十三条各号に規定する方法により計算した金額

第十七条　事故発生日の属する年度の翌々年度以降に補償を行うべき事由が生じた場合で、当該補償事由発生日における平均給与額が事故発生日（その日が昭和六十年四月一日前であるときは、同日。以下この条において同じ。）において補償を行うべき事由が生じたものとみなした場合に補償法第四条第一項から第三項までの規定又は第十二条から前条までの規定により得られる平均給与額に当該補償事由発生日の属する年度の前年度の四月一日における職員の給与水準を当該事故発生日の属する年度の四月一日における職員の給与水準で除して得た率を基準として人事院が定める率を乗じて得られる額に満たないときは、当該得られる額を当該補償事由発生日における平均給与額とする。

第十八条　補償法第四条第一項から第三項までの規定又は第十二条から前条までの規定によつて計算した平均給与額が、人事院が最低保障額として定める額に満たない場合は、その定める額を平均給与額とする。

2　前項の人事院が定める額は、同項の最低保障額に相当する労働者災害補償保険法第八条第二項の規定による給付基礎日額を考慮して定めるものとする。

第十九条　第十二条及び第十三条の規定によつてもなお平均給与額を計算することができない場合及び補償法第四条第一項から第三項までの規定又は第十二条から前条までの規定によつて計算した平均給与額がなお公正を欠く場合における平均給与額は、実施機関が人事院の承認を得て定める。ただし、当該承認を得ていない場合において、年金承認を得たときは、当該年金承認により平均給与額とされた額とする。

第三章　補償

（公務上の災害又は通勤による災害の報告）

第二十条　補償事務主任者は、その所管に属する職員について公務上の災害又は通勤による災害と認められる死傷病が発生した場合は、人事院が定める事項を記載した書面により、速やかに実施機関に報告しなければならない。負傷し、若しくは疾病にかかつた職員又は死亡した職員の遺族（以下「被災職員等」という。）からその災害が公務上のものである旨の申出があつた場合又は次条の規定による申出があつた場合も、同様とする。

（通勤による災害に係る申出）

第二十一条　被災職員等は、通勤による災害を受けたと思料するときは、補償事務主任者がその災害が通勤によるものであると認めて前条前段の報告をしている場合を除き、次の各号に掲げる事項を記載した書面により、速やかに補償事務主任者に申し出るものとする。

一　災害を受けた職員の官職及び氏名
二　災害発生の日時及び場所
三　災害の発生状況及び原因
四　勤務開始の予定時刻（災害が出勤の際に生じた場合に限る。）又は勤務終了の時刻及び勤務場所を離れた時刻（災害が退勤の際に生じた場合に限る。）
五　通常の通勤の経路及び方法
六　住居若しくは就業の場所又は勤務場所から災害発生の場所に至つた経路、方法、所要時間その他の状況
七　通勤による災害を受けたと思料する理由

（災害の認定）

第二十二条　実施機関は、第二十条の規定による災害の報告を受けたときは、その災害が公務上のものであるかどうか又は通勤によるものであるかどうかの認定を速やかに行わなければならない。この場合において、当該報告に係る疾病が人事院が定める疾病であると認められるときは、人事院が定める手続によらなければならない。

2　実施機関は、第二十条の規定による災害の報告に係る災害が補償法第二十条の二に規定する公務上の災害であると認定する場合は、あらかじめ人事院の承認を得なければならない。

（補償を受けるべき者等に対する通知）

第二十三条　実施機関は、前条の規定により、災害が公務上のもの又は通勤によるものであると認定したときは、別表第三又は別表第四に定める様式の書面により、補償を受けるべき者に速やかに補償法第八条の規定による通知をしなければならない。同法第十七条の二第一項後段（同法第十七条の七第六項において準用する場合を含む。）、同法第十七条の三第一項後段、同法第十七条の四第一項第一号、同法第二十条、同法附則第四項若しくは同法附則第五項の規定により補償を受けるべき者が生じた場合又は職員の死亡当時胎児であつた子が出生により遺族補償年金を受ける権利を有する者となつた場合においても、同様とする。

2　実施機関は、第二十条後段の規定による報告に係る災害が公務上のもの又は通勤によるもののいずれでもないと認定したときは、人事院が定める事項を記載し

た書面により、被災職員等にその旨を通知しなければならない。

（療養補償）

第二十四条　補償法第十条の規定による療養は、人事院若しくは実施機関が設置し、若しくはあらかじめ指定する病院、診療所若しくは薬局又は人事院若しくは実施機関があらかじめ指定する訪問看護事業者（居宅を訪問することによる療養上の世話又は必要な診療の補助の事業を行う者をいう。第三十四条第二項において同じ。）において行うものとする。

（給与の一部を受けない場合における休業補償）

第二十四条の二　職員が公務上負傷し、若しくは疾病にかかり、又は通勤により負傷し、若しくは疾病にかかり、療養のため勤務することができない日がある場合において、その日に受ける給与の額が平均給与額の百分の六十に相当する額に満たないときは、その差額に相当する金額を休業補償として支給するものとする。

2　職員が公務上負傷し、若しくは疾病にかかり、又は通勤により負傷し、若しくは疾病にかかり、一日の勤務時間の一部に療養のため勤務することができない時間がある場合において、その時間について給与を受けないときは、平均給与額（補償法第四条の三第一項に規定する人事院が最高限度額として定める額（以下この項において単に「最高限度額」という。）を平均給与額とすることとされている場合にあつては、同項の規定の適用がないものとした場合における平均給与額）からその日の勤務に対して支払われた給与の額を差し引いた額（その額が最高限度額を超える場合にあつては、最高限度額に相当する額）の百分の六十に相当する金額を休業補償として支給するものとする。

（休業補償を行わない場合）

第二十五条　補償法第十二条ただし書の人事院規則で定める場合は、次に掲げる場合とする。

一　懲役、禁錮若しくは拘留の刑の執行のため刑事施設（少年法（昭和二十三年法律第百六十八号）第五十六条第三項の規定により少年院において刑を執行する場合における当該少年院を含む。）に拘置されている場合、死刑の言渡しを受けて刑事施設に拘置されている場合、労役場留置の言渡しを受けて労役場に留置されている場合又は法廷等の秩序維持に関する法律（昭和二十七年法律第二百八十六号）第二条の規定による監置の裁判の執行のため監置場に留置されている場合

二　少年法第二十四条の規定による保護処分として少年院若しくは児童自立支援施設に送致され、収容されている場合、同法第六十四条の規定による保護処分として少年院に送致され、収容されている場合又は同法第六十六条の規定による決定により少年院に収容されている場合

（傷病等級）

第二十五条の二　補償法第十二条の二第一項第二号の人事院規則で定める傷病等級は、次の表のとおりとする。

傷病等級	障害の状態
第一級	一　両眼が失明しているもの 二　咀嚼《そしやく》及び言語の機能を廃しているもの 三　神経系統の機能又は精神に著しい障害を有し、常に介護を要するもの 四　胸腹部臓器の機能に著しい障害を有し、常に介護を要するもの 五　両上肢をひじ関節以上で失つたもの 六　両上肢の用を全廃しているもの 七　両下肢をひざ関節以上で失つたもの 八　両下肢の用を全廃しているもの 九　前各号に定めるものと同程度以上の障害の状態にあるもの
第二級	一　両眼の視力が〇・〇二以下になつているもの 二　神経系統の機能又は精神に著しい障害を有し、随時介護を要するもの 三　胸腹部臓器の機能に著しい障害を有し、随時介護を要するもの 四　両上肢を手関節以上で失つたもの 五　両下肢を足関節以上で失つたもの 六　前各号に定めるものと同程度以上の障害の状態にあるもの
第三級	一　一眼が失明し、他眼の視力が〇・〇六以下になつているもの 二　咀嚼《そしやく》又は言語の機能を廃しているもの 三　神経系統の機能又は精神に著しい障害を有し、常に労務に服することができないもの 四　胸腹部臓器の機能に著しい障害を有し、常に労務に服することができないもの 五　両手の手指の全部を失つたもの

六　第三号及び第四号に定めるもののほか、常に労務に服することができないものその他前各号に定めるものと同程度以上の障害の状態にあるもの	

（傷病等級の決定）
第二十五条の二の二　実施機関は、人事院が定めるところにより、傷病等級の決定を行うものとする。

（障害の程度に変更があつた場合の傷病補償年金）
第二十五条の三　補償法第十二条の二第四項に規定する場合における従前の傷病等級に応ずる傷病補償年金は、障害の程度に変更があつた日の属する月まで支給するものとし、新たに該当するに至つた傷病等級に応ずる傷病補償年金は、その翌月から支給するものとする。

（障害等級に該当する障害）
第二十五条の四　補償法第十三条第二項の各障害等級に該当する障害は、別表第五に定めるところによる。
2　別表第五に掲げられていない障害であつて、同表に掲げる各障害等級に該当する障害に相当すると認められるものは、同表に掲げられている当該障害等級に該当する障害とする。

（障害等級の決定）
第二十五条の四の二　実施機関は、人事院が定めるところにより、障害等級の決定を行うものとする。

（障害加重の場合の障害補償）
第二十六条　補償法第十三条第八項の規定による障害補償の金額は、次の各号に掲げる場合の区分に応じ、加重後の障害の程度に応ずる同条第三項又は第四項の規定による額（同法第二十条の二に規定する公務上の災害に係るものにあつては、同条の規定により加算された額）から当該各号に定める金額を差し引いた金額とする。
一　加重後の障害の程度が第七級以上の障害等級に該当する場合　加重前の障害の程度が第七級以上の障害等級に該当するものであるときはその障害等級に応じ平均給与額に補償法第十三条第三項各号に定める日数を乗じて得た金額（加重後の障害が同法第二十条の二に規定する公務上の災害に係るものであるときは、当該金額と当該金額に加重前の障害の程度に応じ第三十三条に定める率を乗じて得た金額との合計額）、加重前の障害の程度が第八級以下の障害等級に該当するものであるときはその障害等級に応じ平均給与額に同法第十三条第四項各号に定める日数を乗じて得た金額（加重後の障害が同法第二十条の二に規定する公務上の災害に係るものであるときは、当該金額と当該金額に加重前の障害の程度に応じ第三十三条に定める率を乗じて得た金額との合計額）を二十五で除して得た金額
二　加重後の障害の程度が第八級以下の障害等級に該当する場合　加重前の障害等級に応じ平均給与額に補償法第十三条第四項各号に定める日数を乗じて得た金額（加重後の障害が同法第二十条の二に規定する公務上の災害に係るものであるときは、当該金額と当該金額に加重前の障害の程度に応じ第三十三条に定める率を乗じて得た金額との合計額）

（障害の程度に変更があつた場合の障害補償）
第二十七条　補償法第十三条第九項に規定する場合における従前の障害等級に応ずる障害補償は、障害の程度に変更があつた日の属する月まで行うものとし、新たに該当するに至つた障害等級に応ずる障害補償は、当該補償が障害補償一時金である場合を除き、その翌月から行うものとする。

（休業補償、傷病補償年金及び障害補償の制限）
第二十八条　実施機関は、故意の犯罪行為又は重大な過失により公務上の負傷若しくは疾病若しくは通勤による負傷若しくは疾病又はこれらの原因となつた事故を生じさせた職員に対しては、あらかじめ人事院の承認を得て、その療養を開始した日から起算して三年に達する日までの期間内にその者に支給すべき休業補償の金額、傷病補償年金の額又は障害補償の金額から、それぞれその金額の百分の三十に相当する金額を減ずることができる。
2　実施機関は、正当な理由がなくて療養に関する指示に従わないことにより、公務上の負傷、疾病若しくは障害若しくは通勤による負傷、疾病若しくは障害の程度を増進させ、又はその回復を妨げた職員に対しては、あらかじめ人事院の承認を得て、その負傷、疾病若しくは障害の程度を増進させ、又はその回復を妨げた場合一回につき、休業補償を受ける者にあつては十日間（十日未満で補償事由が消滅するものについては、その補償事由が消滅する日までの間）についての休業補償を、傷病補償年金を受ける者にあつては傷病補償年金の額の三百六十五分の十に相当する額の傷病補償年金の支給を行わないことができる。

（介護補償に係る障害）
第二十八条の二　補償法第十四条の二第一項の人事院規則で定める障害は、介護を要する状態の区分に応じ、次の表に定める障害とする。

介護を要する状態	障害
常時介護を要する状態	一　第二十五条の二の表第一級の項第三号に該当する障害又は別表第五第一級の項第三号に該当する障害 二　第二十五条の二の表第一級の項第四号に該当する障害又は別表第五第一級の項第四号に該当する障害 三　前二号に掲げるもののほか、第一級の傷病等級に該当する障害又は第一級の障害等級に該当する障害であつて前二号に掲げるものと同程度の介護を要するもの
随時介護を要する状態	一　第二十五条の二の表第二級の項第二号に該当する障害又は別表第五第二級の項第三号に該当する障害 二　第二十五条の二の表第二級の項第三号に該当する障害又は別表第五第二級の項第四号に該当する障害 三　第一級の傷病等級に該当する障害又は第一級の障害等級に該当する障害であつて前二号に掲げるものと同程度の介護を要するもの

（介護補償の月額）

第二十八条の三　介護補償の月額は、前条の表に掲げる介護を要する状態の区分に応じ、労働者災害補償保険法第十九条の二の規定により厚生労働大臣が定める額に準じて人事院が定める額とする。

（介護を要する状態の区分に変更があつた場合の介護補償）

第二十八条の四　介護補償を受ける者に係る第二十八条の二の表に掲げる介護を要する状態の区分に変更があつたときは、当該変更があつた月の翌月から、当該変更後の介護を要する状態の区分に応ずる月額の介護補償を行うものとする。

（遺族補償年金に係る遺族の障害の状態）

第二十九条　補償法第十六条第一項第四号及び同法第十七条第一項第一号の人事院規則で定める障害の状態は、身体若しくは精神に、第七級以上の障害等級の障害に該当する程度の障害がある状態又は負傷若しくは疾病が治らないで、身体の機能若しくは精神に、軽易な労務以外の労務に服することができない程度以上の障害がある状態とする。

（遺族補償一時金の額）

第三十条　補償法第十七条の六第一項の規定による遺族補償一時金の額は、次の各号に掲げる者の区分に応じ、平均給与額に当該各号に掲げる日数を乗じて得た額とする。

一　補償法第十七条の五第一項第一号、第二号又は第四号に該当する者　千日

二　補償法第十七条の五第一項第三号に該当する者のうち、職員の死亡の当時において、職員の三親等内の親族で十八歳未満若しくは五十五歳以上の年齢であつたもの又は職員の三親等内の親族で前条に定める障害の状態にあつたもの　七百日

三　補償法第十七条の五第一項第三号に該当する者のうち、前号に掲げる者以外の者　四百日

（過誤払による返還金債権への充当）

第三十条の二　補償法第十七条の十一の規定による年金たる補償の過誤払による返還金債権に係る債務の弁済をすべき者に支払うべき補償の支払金の金額の当該過誤払による返還金債権の金額への充当は、当該補償が次に掲げるものであるときに行うことができる。

一　年金たる補償を受ける権利を有する者の死亡に係る遺族補償年金、遺族補償一時金、葬祭補償又は障害補償年金差額一時金

二　過誤払による返還金債権に係る遺族補償年金と同順位で支給されるべき遺族補償年金

（葬祭補償の金額）

第三十一条　葬祭補償の金額は、三十一万五千円に平均給与額の三十日分に相当する金額を加えた金額とする。

2　前項の規定による葬祭補償の金額が平均給与額の六十日分に相当する金額に満たないときは、当分の間、同項の規定にかかわらず、平均給与額の六十日分に相当する金額を葬祭補償の金額とする。

（警察官等に係る傷病補償年金、障害補償年金又は遺族補償の特例）

第三十二条　補償法第二十条の二の人事院規則で定めるものは、皇宮護衛官、海上保安官補、刑事施設の職員、入国警備官、麻薬取締官、漁業監督官、内閣府沖縄総合事務局又は国土交通省地方整備局若しくは北海道開発局に所属し、河川又は道路の管理に従事する職員、警察通信職員（人事院が定める職員に限る。）及び国土交通省地方航空局に所属し、消火救難業務に従事する職員（人事院が定める職員に限る。）とし、同

条の人事院規則で定める職務は、職員の区分に応じ、次の表に定める職務とする。

職員	職務
一　警察官、皇宮護衛官、海上保安官及び海上保安官補	一　犯罪の捜査 二　犯人又は被疑者の逮捕、看守又は護送 三　勾引状、勾留状又は収容状の執行 四　犯罪の制止 五　天災、危険物の爆発その他の異常事態の発生時における人命の救助その他の緊急警察活動又は警備救難活動
二　刑事施設の職員	一　刑事施設における被収容者の犯罪の捜査 二　刑事施設における被収容者の犯罪に係る犯人又は被疑者の逮捕 三　被収容者の看守又は護送
三　入国警備官	一　入国、上陸又は在留に関する違反事件の調査 二　収容令書又は退去強制令書の執行 三　入国者収容所、収容場その他の収容施設の警備
四　麻薬取締官	一　麻薬、向精神薬、大麻、あへん又は覚醒剤に関する犯罪の捜査 二　麻薬、向精神薬、大麻、あへん又は覚醒剤に関する犯罪に係る犯人又は被疑者の逮捕又は護送 三　麻薬、向精神薬、大麻、あへん又は覚醒剤に関する犯罪に係る勾引状、勾留状又は収容状の執行
五　漁業監督官	一　外国漁船による漁業に関する犯罪の捜査 二　外国漁船による漁業に関する犯罪に係る犯人又は被疑者の逮捕又は護送 三　外国漁船による漁業に関する犯罪に係る勾引状、勾留状又は収容状の執行
六　内閣府沖縄総合事務局又は国土交通省地方整備局若しくは北海道開発局に所属し、河川又は道路の管理に従事する職員	豪雨等異常な自然現象により重大な災害が発生し、又は発生するおそれがある場合における河川又は道路の応急作業
七　警察通信職員（人事院が定める職員に限る。）	警察官が一の項の職務欄に掲げる職務に従事する場合に当該警察官と協同して行う現場通信活動
八　国土交通省地方航空局に所属し、消火救難業務に従事する職員（人事院が定める職員に限る。）	空港又はその周辺における次に掲げる職務 一　航空機その他の物件の火災の鎮圧 二　天災、危険物の爆発その他の異常事態の発生時における人命の救助又は被害の防禦《ぎょ》

第三十三条　補償法第二十条の二の人事院規則で定める率は、百分の五十（第一級の傷病等級に該当する障害に係る傷病補償年金又は第一級の障害等級に該当する障害に係る障害補償にあつては百分の四十、第二級の傷病等級に該当する障害に係る傷病補償年金又は第二級の障害等級に該当する障害に係る障害補償にあつては百分の四十五）とする。

（障害補償年金差額一時金）

第三十三条の二　補償法附則第四項の当該死亡した日の属する年度の前年度以前の分として支給された障害補償年金の額は、各年度の分として支給された障害補償年金の額に当該死亡した日の属する年度の前年度の四月一日における職員の給与水準を当該各年度の前年度の四月一日における職員の給与水準で除して得た率を基準として人事院が定める率を乗じて得た額の合算額とする。

2　補償法附則第四項の当該障害補償年金前払一時金を支給すべき事由が当該死亡した日の属する年度の前年度以前に生じたものである場合における当該障害補償年金前払一時金の額は、その現に支給された障害補償年金前払一時金の額に当該死亡した日の属する年度の前年度の四月一日における職員の給与水準を当該障害補償年金前払一時金を支給すべき事由が生じた日の属する年度の前年度の四月一日における職員の給与水準で除して得た率を基準として人事院が定める率を乗じて得た額とする。

（障害加重の場合の障害補償年金差額一時金）

第三十三条の三　障害補償年金を受ける権利を有する者のうち、補償法第十三条第八項の規定の適用を受ける者が死亡した場合において、その者に支給された当該障害補償年金の額（当該障害補償年金のうち、当該死亡した日の属する年度の前年度以前の分として支給された障害補償年金にあつては、前条第一項の規定の例により算定した額）及び当該障害補償年金に係る障害補償年金前払一時金の額（当該死亡した日の属する年度の前年度以前に支給すべき事由が生じた障害補償年金前払一時金にあつては、前条第二項の規定の例により算定した額）の合計額が、次の各号に掲げる場合の区分に応じ、当該各号に定める額に満たないときは、その差額に相当する額を障害補償年金差額一時金として支給するものとする。

一　加重前の障害の程度が第七級以上の障害等級に該当する場合　加重後の障害等級に応じそれぞれ補償法附則第四項の表の下欄に掲げる額（当該障害補償年金について同法第二十条の二の規定が適用された場合にあつては、その額に第三十三条に定める率を乗じて得た額を加算した額）から、加重前の障害等級に応じそれぞれ同表の下欄に掲げる額（当該障害補償年金について同法第二十条の二の規定が適用された場合にあつては、その額に第三十三条に定める率を乗じて得た額を加算した額）を差し引いた額

二　加重前の障害の程度が第八級以下の障害等級に該当する場合　加重後の障害等級に応じそれぞれ補償法附則第四項の表の下欄に掲げる額（当該障害補償年金について同法第二十条の二の規定が適用された場合にあつては、その額に第三十三条に定める率を乗じて得た額を加算した額）に当該障害補償年金に係る第二十六条の規定による金額を当該障害補償年金に係る加重後の障害等級に応ずる同法第十三条第三項の規定による額（同法第二十条の二に規定する公務上の災害に係るものにあつては、同条の規定により加算された額）で除して得た数を乗じて得た額

（障害補償年金前払一時金）

第三十三条の四　障害補償年金前払一時金の支給に係る申出は、当該障害補償年金前払一時金に係る障害補償年金の最初の支払に先立つて行わなければならない。ただし、当該障害補償年金の支給決定に関する通知があつた日の翌日から起算して一年を経過する日までは、当該障害補償年金の支払を受けた場合であつてもその申出を行うことができる。

２　前項の申出は、同一の災害に関し二回以上行うことはできない。

第三十三条の五　障害補償年金前払一時金の額は、前条第一項本文の規定による申出が行われた場合にあつては、当該障害補償年金前払一時金に係る障害補償年金に係る障害等級に応じ、それぞれ補償法附則第四項の表の下欄に掲げる額（当該障害補償年金について同法第十三条第八項の規定が適用された場合にあつては、加重前の障害の程度に応じ第三十三条の三各号に定める額（当該障害補償年金について同法第二十条の二の規定が適用された場合にあつては、同条の規定の適用がないものとした場合における当該各号に定める額）。以下この条において「障害補償年金前払一時金の限度額」という。）又は障害補償年金前払一時金の限度額の範囲内で、平均給与額の千二百日分、千日分、八百日分、六百日分、四百日分若しくは二百日分に相当する額のうちから当該障害補償年金を受ける権利を有する者が選択した額とし、前条第一項ただし書の規定による申出が行われた場合にあつては、当該障害補償年金に係る障害等級に応じ、それぞれ障害補償年金前払一時金の限度額から当該申出が行われた日の属する月までの期間に係る当該障害補償年金の額の合計額を差し引いた額を超えない範囲内で、平均給与額の千二百日分、千日分、八百日分、六百日分、四百日分又は二百日分に相当する額のうちから当該障害補償年金を受ける権利を有する者が選択した額とする。

第三十三条の六　障害補償年金は、第三十三条の四第一項本文の規定による申出が行われた場合にあつては当該障害補償年金を支給すべき事由が生じた日の属する月の翌月から、同項ただし書の規定による申出が行われた場合にあつては当該申出が行われた日の属する月の翌月から、当該障害補償年金前払一時金が支給された月後の最初の補償法第十七条の九第三項の支払期月から一年を経過する月までの各月（第三十三条の四第一項ただし書の規定による申出が行われた場合にあつては、当該申出が行われた日の属する月の翌月以後の月に限る。）に支給されるべき障害補償年金の額と当該一年を経過する月後の各月に支給されるべき障害補償年金の額を事故発生日における法定利率に当該支払期月以後の経過年数（当該年数に一年未満の端数があ

るときは、これを切り捨てる。）を乗じて得た数に一を加えた数で除して得た額との合計額が当該障害補償年金前払一時金の額に達するまでの間、その支給を停止するものとする。

２　前項の規定による障害補償年金の支給の停止が終了する月に係る障害補償年金の額は、当該終了する月が、同項に規定する支払期月から起算して一年以内の場合にあつては、当該障害補償年金前払一時金の額から同項の規定により各月に支給されるべき当該障害補償年金の額の全額につき支給が停止される期間に係る同項の規定による合計額（以下この項において「全額停止期間に係る合計額」という。）を差し引いた額、当該支払期月から起算して一年を超える場合にあつては、当該障害補償年金前払一時金の額から全額停止期間に係る合計額を差し引いた額に事故発生日における法定利率に当該終了する月の同項に規定する経過年数を乗じて得た数に一を加えた数を乗じて得た額を、それぞれ当該終了する月に支給されるべき当該障害補償年金の額から差し引いた額とする。

（遺族補償年金前払一時金）

第三十三条の七　遺族補償年金前払一時金の支給に係る申出は、当該遺族補償年金前払一時金に係る遺族補償年金の最初の支払に先立つて行わなければならない。ただし、当該遺族補償年金の支給決定に関する通知があつた日の翌日から起算して一年を経過する日までは、当該遺族補償年金の支払を受けた場合であつてもその申出を行うことができる。

２　前項の申出は、同一の災害に関し二回以上行うことはできない。

第三十三条の八　遺族補償年金前払一時金の額は、前条第一項本文の規定による申出が行われた場合にあつては平均給与額の千日分、八百日分、六百日分、四百日分又は二百日分に相当する額のうちから当該遺族補償年金前払一時金に係る遺族補償年金を受ける権利を有する者が選択した額とし、同項ただし書の規定による申出が行われた場合にあつては平均給与額の千日分に相当する額から当該申出が行われた日の属する月までの期間に係る当該遺族補償年金の額の合計額を差し引いた額を超えない範囲内で、平均給与額の八百日分、六百日分、四百日分又は二百日分に相当する額のうちから当該遺族補償年金を受ける権利を有する者が選択した額とする。

第三十三条の九　第三十三条の七の規定による申出及び前条に規定する選択は、遺族補償年金を受ける権利を有する者が二人以上ある場合にあつては、これらの者がそのうち一人を代表者に選任し、その代表者を通じて行うものとし、この場合における遺族補償年金前払一時金の額は、前条の規定にかかわらず、当該代表者が選択した額をその人数で除して得た額とする。

第三十三条の十　遺族補償年金は、第三十三条の七第一項本文の規定による申出が行われた場合にあつては当該遺族補償年金を支給すべき事由が生じた日の属する月の翌月から、同項ただし書の規定による申出が行われた場合にあつては当該申出が行われた日の属する月の翌月から、当該遺族補償年金前払一時金が支給された月後の最初の補償法第十七条の九第三項に定める支払期月から一年を経過する月までの各月（第三十三条の七第一項ただし書の規定による申出が行われた場合にあつては、当該申出が行われた日の属する月の翌月以後の月に限る。）に支給されるべき遺族補償年金の額と当該一年を経過する月後の各月に支給されるべき遺族補償年金の額を事故発生日における法定利率に当該支払期月以後の経過年数（当該年数に一年未満の端数があるときは、これを切り捨てる。）を乗じて得た数に一を加えた数で除して得た額との合計額が当該遺族補償年金前払一時金の額に達するまでの間、その支給を停止するものとする。

２　補償法附則第十八項に規定する遺族で遺族補償年金を受ける権利を有することとなつたものに対する前項の規定の適用については、同項中「当該遺族補償年金を支給すべき事由が生じた日の属する月の翌月から、同項ただし書」とあるのは「当該遺族補償年金に係る職員の死亡の時期の属する補償法附則第十八項の表の上欄に掲げる時期の区分に応じ同表の下欄に掲げる年齢（以下「支給停止解除年齢」という。）に達する月の翌月から、第三十三条の七第一項ただし書」とし、「合計額」とあるのは「合計額（支給停止解除年齢に達する月までの間に係る額を除く。）」とする。

３　第三十三条の六第二項の規定は、前二項の規定による遺族補償年金の支給の停止が終了する月に係る遺族補償年金の額について準用する。この場合において、同条第二項中「前項」とあるのは「前二項」と、「障害補償年金」とあるのは「遺族補償年金」と、「同項に規定する」とあるのは「第一項に規定する」と、「障害補償年金前払一時金」とあるのは「遺族補償年金前払一時金」と読み替えるものとする。

（遺族補償一時金の支給に係る遺族補償年金前払一時金の額の算定）

第三十三条の十一　補償法附則第十六項の規定により読み替えられた同法第十七条の四第一項第二号の当該遺

族補償年金前払一時金を支給すべき事由が当該権利が消滅した日の属する年度の前年度以前に生じたものである場合における当該遺族補償年金前払一時金の額は、その現に支給された遺族補償年金前払一時金の額に当該権利が消滅した日の属する年度の前年度の四月一日における職員の給与水準を当該遺族補償年金前払一時金を支給すべき事由が生じた日の属する年度の前年度の四月一日における職員の給与水準で除して得た率を基準として人事院が定める率を乗じて得た額とする。

第四章　雑則

（法令等の周知）

第三十四条　人事院は、補償法第四条の二第一項若しくは第十七条の四第二項第二号又はこの規則第十七条、第三十三条の二各項若しくは第三十三条の十一の人事院が定める率を定めたときはその率を、補償法第四条の三若しくは第四条の四又はこの規則第十八条の人事院が定める額を定めたときはその額を、補償法第十四条の二第一項第三号の人事院が定める施設を定めたときはその施設を官報により公示するものとする。

2　実施機関は、補償法及び補償法に基づく規則の要旨並びに第二十四条の規定により実施機関が指定した病院、診療所、薬局又は訪問看護事業者の名称及び所在地を適当な方法によつて職員に周知させなければならない。

（立入検査等に携帯すべき証票）

第三十五条　補償法第二十七条第二項に規定する証票は、別表第六に定める様式によるものとする。

（通勤による災害に係る一部負担金）

第三十六条　補償法第三十二条の二第一項の人事院規則で定める職員は、次に掲げる職員とする。

一　国（職員が行政執行法人に在職中に通勤による災害を受けた場合にあつては、当該行政執行法人）又は第三者の行為によつて生じた事故により療養補償を受ける職員

二　療養補償の開始後三日以内に死亡した職員

三　休業補償を受けない職員

四　同一の事由による負傷又は疾病に関し既に一部負担金を納付した職員

第三十七条　補償法第三十二条の二第一項の人事院規則で定める金額は、二百円（健康保険法（大正十一年法律第七十号）第三条第二項に規定する日雇特例被保険者である者にあつては、百円。以下同じ。）とする。ただし、療養に要した費用の総額又は休業補償の総額が二百円に満たない場合には、それらの総額のうち小さい額（それらの総額が同じ額のときはその額）に相当する額とする。

第三十八条　補償法第三十二条の二第二項に定める一部負担金の額に相当する額の補償金からの控除は、休業補償の金額から行うものとする。

（審査の申立ての教示）

第三十九条　実施機関は、補償法及び同法に基づく規則の規定による補償に関する通知をするときは、同法第二十四条及び規則一三—三（災害補償の実施に関する審査の申立て等）に定めるところにより人事院に審査の申立てをすることができる旨を教示するものとする。

第四十条　削除

（他の法令による給付との調整）

第四十一条　国家公務員災害補償法の一部を改正する法律（昭和四十一年法律第六十七号。以下「昭和四十一年改正法」という。）附則第八条第一項の人事院規則で定める法令による年金たる給付は、次の表の上欄に掲げる年金たる補償の種類に応じ、それぞれ同表の中欄に掲げる給付とし、同項の人事院規則で定める率は、当該年金たる補償の事由と同一の事由について支給される同表の中欄に掲げる年金たる給付の種類に応じ、それぞれ同表の下欄に掲げる率とする。

一　傷病補償年金又は障害補償年金（補償法第二十条の二に規定する公務上の災害に係るものを除く。）	イ　厚生年金保険法（昭和二十九年法律第百十五号）の規定による障害厚生年金（以下「障害厚生年金」という。）又は被用者年金制度の一元化等を図るための厚生年金保険法等の一部を改正する法律（平成二十四年法律第六十三号。以下「平成二十四年一元化法」という。）附則第四十一条第一項若しくは第六十五条第一項の規定による障害共済年金（以下「特例障害共済年金」という。）及び国民年金法（昭和三十四年法律第百四十一号）の規	〇・七三

	定による障害基礎年金（同法第三十条の四に規定する障害基礎年金を除く。以下「障害基礎年金」という。）が支給される場合の当該障害厚生年金又は当該特例障害共済年金及び当該障害基礎年金	
	ロ　障害厚生年金又は特例障害共済年金が支給される場合（イに該当する場合を除く。）の当該障害厚生年金又は当該特例障害共済年金	傷病補償年金にあつては〇・八八、障害補償年金にあつては〇・八三
	ハ　障害基礎年金が支給される場合（イに該当する場合を除く。）の当該障害基礎年金	〇・八八
	ニ　国民年金法等の一部を改正する法律（昭和六十年法律第三十四号。以下「国民年金法等一部改正法」という。）附則第八十七条第一項の規定によりなお従前の例によることとされた国民年金法等一部改正法第五条の規定による改正前の船員保険法（昭和十四年法律第七十三号。以下「旧船員保険法」という。）による障害年金	傷病補償年金にあつては〇・七五、障害補償年金にあつては〇・七四
	ホ　国民年金法等一部改正法附則第七十八条第一項の規定によりなお従前の例によることとされた国民年金法等一部改正法第三条の規定による改正前の厚生年金保険法（以下「旧厚生年金保険法」という。）による障害年金	傷病補償年金にあつては〇・七五、障害補償年金にあつては〇・七四
	ヘ　国民年金法等一部改正法附則第三十二条第一項の規定によりなお従前の例によることとされた国民年金法等一部改正法第一条の規定による改正前の国民年金法（以下「旧国民年金法」という。）による障害年金（障害福祉年金を除く。）	〇・八九
二　遺族補償年金（補償法第二十条の二に規定する公務上の災害に係るものを除く。）	イ　厚生年金保険法の規定による遺族厚生年金（以下「遺族厚生年金」という。）又は平成二十四年一元化法附則第四十一条第一項若しくは第六十五条第一項の規定による遺族共済年金（以下「特例遺族共済年金」という。）及び国民年金法の規定による遺族基礎年金（国民年金法等一部改正法附則第二十八条第一項の規定により国民年金法第三十七条に該当するものとみなされた者に支給する遺族基礎年金を除く。以下「遺族基礎年金」という。）が支給される場合の当該遺族厚生年金又は当該特例遺族共済年金及び当該遺族基礎年金	〇・八〇
	ロ　遺族厚生年金又は特例遺族共済年金が支給される場合（イに該当する場合を除く。）の当該遺族厚生年金又は当該特例遺族共済年金	〇・八四

	ハ　遺族基礎年金が支給される場合（イに該当する場合を除く。）における当該遺族基礎年金又は国民年金法の規定による寡婦年金が支給される場合の当該寡婦年金	〇・八八
	ニ　国民年金法等一部改正法附則第八十七条第一項の規定によりなお従前の例によることとされた旧船員保険法による遺族年金	〇・八〇
	ホ　国民年金法等一部改正法附則第七十八条第一項の規定によりなお従前の例によることとされた旧厚生年金保険法による遺族年金	〇・八〇
	ヘ　国民年金法等一部改正法附則第三十二条第一項の規定によりなお従前の例によることとされた旧国民年金法による母子年金、準母子年金、遺児年金又は寡婦年金	〇・九〇
三　補償法第二十条の二に規定する公務上の災害に係る傷病補償年金又は障害補償年金	イ　障害厚生年金又は特例障害共済年金及び障害基礎年金が支給される場合の当該障害厚生年金又は当該特例障害共済年金及び当該障害基礎年金	〇・八二（第一級若しくは第二級の傷病等級に該当する障害に係る傷病補償年金又は第一級若しくは第二級の障害等級に該当する障害に係る障害補償年金にあつては〇・八一）
	ロ　障害厚生年金又は特例障害共済年金が支給される場合（イに該当する場合を除く。）の当該障害厚生年金又は当該特例障害共済年金	傷病補償年金にあつては〇・九二（第一級の傷病等級に該当する障害に係る傷病補償年金にあつては〇・九一）、障害補償年金にあつては〇・八九（第一級又は第二級の障害等級に該当する障害に係る障害補償年金にあつては〇・八八）
	ハ　障害基礎年金が支給される場合（イに該当する場合を除く。）の当該障害基礎年金	〇・九二（第一級の傷病等級に該当する障害に係る傷病補償年金又は第一級の障害等級に該当する障害に係る障害補償年金にあつては〇・九一）
	ニ　国民年金法等一部改正法附則第八十七条第一項の規定によりなお従前の例によることとされた旧船員保険法による障害年金	〇・八三（第一級の傷病等級に該当する障害に係る傷病補償年金又は第二級の障害等級に該当する障害に係る障害補償年金にあつては〇・八二、第一級の障害等

		級に該当する障害に係る障害補償年金にあっては〇・八一）
	ホ　国民年金法等一部改正法附則第七十八条第一項の規定によりなお従前の例によることとされた旧厚生年金保険法による障害年金	〇・八三（第一級の傷病等級に該当する障害に係る傷病補償年金又は第二級の障害等級に該当する障害に係る障害補償年金にあっては〇・八二、第一級の障害等級に該当する障害に係る障害補償年金にあっては〇・八一）
	ヘ　国民年金法等一部改正法附則第三十二条第一項の規定によりなお従前の例によることとされた旧国民年金法による障害年金（障害福祉年金を除く。）	〇・九三（第一級若しくは第二級の傷病等級に該当する障害に係る傷病補償年金又は第一級若しくは第二級の障害等級に該当する障害に係る障害補償年金にあっては〇・九二）
四　補償法第二十条の二に規定する公務上の災害に係る遺族補償年金	イ　遺族厚生年金又は特例遺族共済年金及び遺族基礎年金が支給される場合の当該遺族厚生年金又は当該特例遺族共済年金及び当該遺族基礎年金	〇・八七
	ロ　遺族厚生年金又は特例遺族共済年金が支給される場合（イに該当する場合を除く。）の当該遺族厚生年金又は当該特例遺族共済年金	〇・八九
	ハ　遺族基礎年金が支給される場合（イに該当する場合を除く。）における当該遺族基礎年金又は国民年金法の規定による寡婦年金が支給される場合の当該寡婦年金	〇・九二
	ニ　国民年金法等一部改正法附則第八十七条第一項の規定によりなお従前の例によることとされた旧船員保険法による遺族年金	〇・八七
	ホ　国民年金法等一部改正法附則第七十八条第一項の規定によりなお従前の例によることとされた旧厚生年金保険法による遺族年金	〇・八七
	ヘ　国民年金法等一部改正法附則第三十二条第一項の規定によりなお従前の例によることとされた旧国民年金法による母子年金、準母子年金、遺児年金又は寡婦年金	〇・九三

2　年金たる補償の事由と同一の事由について前項の表第一号ニ、ホ及びヘ若しくは第二号ニ、ホ及びヘ又は第三号ニ、ホ及びヘ若しくは第四号ニ、ホ及びヘに掲げる給付が支給される場合で当該給付が二あるときの昭和四十一年改正法附則第八条第一項の人事院規則で定める率は、前項の規定にかかわらず、人事院が別に定める

定める。

3　昭和四十一年改正法附則第八条第一項の人事院規則で定める額は、補償法第十七条の八及び同項の規定が適用されないものとした場合の年金たる補償の額から同一の事由について支給される第一項の表に掲げる給付の額（前項に規定する場合にあつては、その合計額）を減じた額とする。

4　昭和四十一年改正法附則第八条第二項の人事院規則で定める額は、同項の規定が適用されないものとした場合の休業補償の額から同一の事由について支給される第一項の表第一号に掲げる給付の額（第二項に規定する場合にあつては、その合計額）の三百六十五分の一に相当する額を減じた額とする。

5　前各項に定めるもののほか、年金たる補償の事由と同一の事由について平成二十四年一元化法の規定による年金たる給付が支給される場合の調整に関し必要な事項は、人事院が定める。

（他の法令による給付との調整方法の改正に伴う経過措置）

第四十二条　国家公務員災害補償法等の一部を改正する法律（昭和五十一年法律第三十一号。以下「昭和五十一年改正法」という。）附則第四条第二項の人事院規則で定める事由は、補償法第十七条の三第三項の規定により、遺族補償年金の額を改定して支給されることとする。

2　昭和五十一年改正法附則第四条第二項の人事院規則で定めるところによつて算定する額は、同条第一項に規定する年金たる補償の旧支給額に、同条第二項に定める事由（以下この項において「年金額の改定事由」という。）が生じた日以後における当該年金に係る補償法の規定に基づく額を年金額の改定事由が生ずる前における当該年金に係る同法の規定による額で除して得た率を乗じて得た額（その額が年金額の改定事由の生じた後における当該年金に係る同法及び昭和四十一年改正法の規定により算定した額に満たないときは、当該算定した額）とする。

（年金たる補償に係る平均給与額に関する暫定措置）

第四十三条　昭和六十年四月一日における第十九条の規定に基づく平均給与額の改定が行われなかつた年金たる補償については、その平均給与額が同日に補償を行うべき事由が生じたものとみなして第十五条又は第十六条の規定を適用した場合に得られる金額に満たないときは、同日以降の当該年金たる補償に係る平均給与額は、これらの規定により得られる金額とする。

（平成二十六年四月以降の分として支給される補償等に係る平均給与額の特例）

第四十四条　平成二十六年四月以降の分として支給される補償及び補償法第二十二条第一項に規定する福祉事業（次項及び次条第一項において「福祉事業」という。）に係る平均給与額であつて、国家公務員の給与の改定及び臨時特例に関する法律（平成二十四年法律第二号。以下この条において「給与改定特例法」という。）第三章の規定により減ぜられた給与を基に計算し、又は給与改定特例法第十条の規定により計算するものについては、次の各号に掲げる区分に応じ当該各号に定める額とする。

一　補償法第四条第一項から第三項までの規定により平均給与額を計算する場合　給与改定特例法第三章の規定の適用がないものとした場合の給与を同条第一項の支払われた給与とみなして同項から同条第三項までの規定を適用して計算した額

二　第十二条の規定により平均給与額を計算する場合　給与改定特例法第三章の規定の適用がないものとした場合の給与を現実に支給された給与とみなして同条の規定を適用して計算した額

三　第十三条から第十七条まで（第十四条を除く。）の規定により平均給与額を計算する場合　給与改定特例法第十条の規定にかかわらず、給与改定特例法第三章の規定の適用がないものとして第十三条から第十七条まで（第十四条を除く。）の規定を適用して計算した額

2　前項の規定は、検察官に対する補償及び福祉事業に係る平均給与額について準用する。この場合において、同項中「国家公務員の給与の改定及び臨時特例に関する法律（平成二十四年法律第二号。以下この条において「給与改定特例法」という。）第三章」とあるのは「検察官の俸給等に関する法律附則第四条第一項及び同法第一条第一項の規定によりその例によることとされる国家公務員の給与の改定及び臨時特例に関する法律（平成二十四年法律第二号。以下「給与改定特例法」という。）第九条第二項」と、「又は給与改定特例法第十条」とあるのは「又は検察官の俸給等に関する法律等の一部を改正する法律（平成二十四年法律第五号）附則第二条」と、「給与改定特例法第三章」とあるのは「検察官の俸給等に関する法律附則第四条第一項及び同法第一条第一項の規定によりその例によることとされる給与改定特例法第九条第二項」と、「同条第一項」とあるのは「補償法第四条第一項」と、「同条の」とあるのは「第十二条の」と、「給与改定特例法第十条の規定にかかわらず」とあるのは「検察官

の俸給等に関する法律等の一部を改正する法律附則第二条の規定にかかわらず」と読み替えるものとする。

（平成三十一年三月三十一日までの間に支給すべき事由が生じた補償等の特例）

第四十五条　平成三十一年三月三十一日までの間に支給すべき事由が生じた補償及び福祉事業（以下この項において「補償等」という。）のうち、同日までに算定された人事院が定める平均給与額を基礎として支払われた補償等の額（補償法の規定による年金たる補償及び規則一六―三（災害を受けた職員の福祉事業）第十九条の十一に規定する年金たる特別給付金（以下この項において「年金たる補償等」という。）にあつては、支払期月（補償法第十七条の九第三項又は規則一六―四第二十五条第一項第二号に規定する支払期月をいい、補償法第十七条の九第三項ただし書の規定により支払うものとされる月及び同号ただし書の規定により支払うことができるとされる月を含む。以下この項において同じ。）にそれぞれ支払われた額の合計額）は、第一号に掲げる額から第二号に掲げる額を控除して得た額（その額が零を下回る場合には、零とする。）及び第三号に掲げる額を第二号に掲げる額に加えた額とする。

一　平成三十一年四月一日以後に算定された平均給与額を基礎として支払われる額（年金たる補償等にあつては、支払期月にそれぞれ支払われる額の合計額）

二　平成三十一年四月一日前に算定された平均給与額を基礎として支払われた額（年金たる補償等にあつては、支払期月にそれぞれ支払われた額の合計額）

三　次のイ又はロに掲げる補償等に関する区分に従い、当該イ又はロに定めるところにより算定される額

イ　年金たる補償等　第一号の支払期月にそれぞれ支払われる額から第二号の支払期月にそれぞれ支払われた額を控除して得た額（その額が零を下回る場合には、零とする。）に、当該年金たる補償等の支給の対象とされた月を基準として人事院が定める率を乗じて得た額の合計額

ロ　年金たる補償等以外の補償等　第一号に掲げる額から第二号に掲げる額を控除して得た額（その額が零を下回る場合には、零とする。）に、同号に掲げる額が支給された日を基準として人事院が定める率を乗じて得た額

2　前項に定めるもののほか、同項の規定による支給の実施のために必要な事項は、人事院が定める。

附　則（平一六・一〇・二八規則一六―〇―四三）

（施行期日）

1　この規則は、公布の日から施行する。

（寒冷地手当に係る平均給与額に関する経過措置）

2　事故発生日（この規則による改正後の規則一六―〇（以下「改正後の規則」という。）第八条の二に規定する事故発生日をいう。以下同じ。）がこの規則の施行の日から平成十六年十一月三十日までの間である場合における改正後の規則第九条（規則一八―〇（職員の国際機関等への派遣）第八条第二項において引用する場合を含む。以下同じ。）の規定の適用については、改正後の規則第九条第一項中「において」とあるのは「において一般職の職員の給与に関する法律等の一部を改正する法律（平成十六年法律第百三十六号）第二条の規定による改正前の」と、「寒冷地手当法」という。）第一条各号に掲げる職員のいずれかに該当する」とあるのは「旧寒冷地手当法」という。）に規定する寒冷地手当（旧寒冷地手当法第四条に規定するものを除く。以下「寒冷地手当」という。）の支給地域に在勤する」と、「の属する月の前月の末日から起算して過去一年間に寒冷地手当法の規定による寒冷地手当（以下「寒冷地手当」という。）」とあるのは「以前における直近の寒冷地手当の支給日に寒冷地手当」と、同条第二項中「の属する月の前月の末日以前における直近の寒冷地手当の支給日に」とあるのは「以前における直近の旧寒冷地手当法第一条に定める基準日から事故発生日までの間において」と、「その額が寒冷地手当法第二条第四項の規定による額である場合にあつては、同項の規定の適用がないものとした場合における額）に五を乗じて得た額」とあるのは「旧寒冷地手当法第三条の規定による返納額がある者にあつては、その返納額を減じた額）」とする。

3　職員が事故発生日（その属する月が平成十六年十二月から平成十七年三月までのものに限る。）の属する月の前月の末日以前において一般職の職員の給与に関する法律等の一部を改正する法律（平成十六年法律第百三十六号。以下「平成十六年給与法等改正法」という。）第二条の規定による改正後の国家公務員の寒冷地手当に関する法律（昭和二十四年法律第二百号）又は平成十六年給与法等改正法附則第十項から第十五項までの規定による寒冷地手当の支給を受けていない場合における改正後の規則第九条の規定の適用については、同条第一項中「において」とあるのは「において一般職の職員の給与に関する法律等の一部を改正する

法律（平成十六年法律第百三十六号。以下「平成十六年給与法等改正法」という。）附則第九項第五号に規定する経過措置対象職員又は当該経過措置対象職員以外の職員で平成十六年給与法等改正法第二条の規定による改正後の」と、「。以下「寒冷地手当法」という。）第一条各号」とあるのは「）第一条各号」と、「職員である」とあるのは「ものである」と、「の属する月の前月の末日から起算して過去一年間に寒冷地手当法の規定による寒冷地手当（」とあるのは「以前における直近の平成十六年給与法等改正法第二条の規定による改正前の国家公務員の寒冷地手当に関する法律（以下「旧寒冷地手当法」という。）に規定する寒冷地手当（旧寒冷地手当法第四条に規定するものを除く。」と、「の支給」とあるのは「の支給日に寒冷地手当の支給」と、同条第二項中「の属する月の前月の末日以前における直近の寒冷地手当の支給日に」とあるのは「以前における直近の旧寒冷地手当法第一条に定める基準日から事故発生日までの間において」と、「その額が寒冷地手当法第二条第四項の規定による額である場合にあつては、同項の規定の適用がないものとした場合における額）に五を乗じて得た額」とあるのは「旧寒冷地手当法第三条の規定による返納額がある者にあつては、その返納額を減じた額）」とする。

4　職員が事故発生日（その属する月が平成十六年十二月から平成二十三年三月までのものに限る。次項において同じ。）において平成十六年給与法等改正法附則第九項第五号に規定する経過措置対象職員（次項において「経過措置対象職員」という。）である場合（前項に規定する場合を除く。）における改正後の規則第九条の規定の適用については、同条第一項中「国家公務員の寒冷地手当に関する法律（昭和二十四年法律第二百号。以下「寒冷地手当法」という。）第一条各号に掲げる職員のいずれかに該当する職員」とあるのは「一般職の職員の給与に関する法律等の一部を改正する法律（平成十六年法律第百三十六号。以下「平成十六年給与法等改正法」という。）附則第九項第五号に規定する経過措置対象職員」と、「寒冷地手当法の」とあるのは「国家公務員の寒冷地手当に関する法律（昭和二十四年法律第二百号。以下「寒冷地手当法」という。）又は平成十六年給与法等改正法附則第十項から第十五項までの」と、同条第二項中「の規定による額」とあるのは「（平成十六年給与法等改正法附則第十三項において準用する場合を含む。）の規定による額その他の日割りによつて計算して得た額」と、「同項の規定の適用がない」とあるのは「日割りによらない」とする。

5　職員が事故発生日の属する月の前月の末日から起算して過去一年間に経過措置対象職員であつた期間がある場合（前二項に規定する場合を除く。）における改正後の規則第九条の規定の適用については、同条第一項中「寒冷地手当法の」とあるのは「寒冷地手当法又は一般職の職員の給与に関する法律等の一部を改正する法律（平成十六年法律第百三十六号。以下「平成十六年給与法等改正法」という。）附則第十項から第十五項までの」と、同条第二項中「の規定による額」とあるのは「（平成十六年給与法等改正法附則第十三項において準用する場合を含む。）の規定による額その他の日割りによつて計算して得た額」と、「同項の規定の適用がない」とあるのは「日割りによらない」とする。

6　附則第二項から前項までの規定は、改正後の規則第十一条第一項各号に掲げる職員の寒冷地手当に相当する給与について準用する。

附　則（平一六・一一・三〇規則一六—〇—四四）

（施行期日等）

1　この規則は、公布の日から施行し、改正後の規則一六—〇の規定は、平成十六年七月一日から適用する。

（遺族補償の内払）

2　障害補償に係る障害の等級の改定等のための国家公務員災害補償法及び地方公務員災害補償法の一部を改正する法律（平成十六年法律第百四十四号。以下「平成十六年改正法」という。）第一条の規定による改正前の補償法に基づいて支給された遺族補償については、平成十六年改正法附則第四条の規定の例による。

附　則（平一七・四・一規則一六—〇—四五）

（施行期日）

1　この規則は、公布の日から施行し、附則第三項の規定は、平成十五年十月一日から適用する。

（独立行政法人産業技術総合研究所等に在職中に公務上の災害等を受けた職員に係る補償等の実施機関）

2　独立行政法人産業技術総合研究所に在職中に公務上の災害又は通勤による災害を受けた職員に係る補償法第一条第一項に規定する補償及び補償法第二十二条第一項に規定する福祉事業の実施機関については、経済産業省とする。

3　独立行政法人宇宙航空研究開発機構法（平成十四年法律第百六十一号）附則第十条第一項の規定による解散前の独立行政法人航空宇宙技術研究所に在職中に公務上の災害又は通勤による災害を受けた職員に係る補

償法第一条第一項に規定する補償及び補償法第二十二条第一項に規定する福祉事業の実施機関については、文部科学省とする。

附　則（平一八・三・三一規則一六—〇—四六）（抄）

改正　平二七・三・一八規則一—六三

（施行期日）

1　この規則は、平成十八年四月一日から施行する。

（平成十八年の障害等級の改定に伴う経過措置）

2　職員がこの規則の施行の日前に公務上死亡し、若しくは通勤により死亡した場合又は同日前に補償法第十七条の四第一項第二号に該当することとなった場合（同日以後に補償法第十六条第一項第四号の夫、子、父母、孫、祖父母若しくは兄弟姉妹の障害の状態に変更があった場合又は補償法第十七条第四項に規定する場合において同項の遺族補償年金を受ける妻が同項第二号に該当するに至ったときを除く。）におけるこの規則による改正後の規則一六—〇第二十九条（規則一六—二—一一（人事院規則一六—二（在外公館に勤務する職員、船員である職員等に係る災害補償の特例）の一部を改正する人事院規則）による改正後の規則一六—二（在外公館に勤務する職員、船員である職員等に係る災害補償の特例）（以下「改正後の規則一六—二」という。）第九条第一項ただし書において引用する場合を含む。）及び第三十条第二号（改正後の規則一六—二第十条第二項において引用する場合を含む。）の規定の適用については、なお従前の例による。

（独立行政法人情報通信研究機構等に在職中に公務上の災害等を受けた職員に係る補償等の実施機関）

3　次の表の上欄に掲げる独立行政法人に在職中に公務上の災害又は通勤による災害を受けた職員に係る補償法第一条第一項に規定する補償及び補償法第二十二条第一項に規定する福祉事業の実施機関については、それぞれ同表の下欄に掲げる国の機関とする。

独立行政法人情報通信研究機構	総務省
独立行政法人消防研究所	
独立行政法人酒類総合研究所	国税庁
独立行政法人国立特殊教育総合研究所	文部科学省
独立行政法人大学入試センター	
独立行政法人国立オリンピック記念青少年総合センター	
独立行政法人国立女性教育会館	
独立行政法人国立国語研究所	
独立行政法人国立科学博物館	
独立行政法人物質・材料研究機構	
独立行政法人防災科学技術研究所	
独立行政法人放射線医学総合研究所	
独立行政法人国立美術館	
独立行政法人国立博物館	
独立行政法人文化財研究所	
独立行政法人国立健康・栄養研究所	厚生労働省
独立行政法人産業安全研究所	
独立行政法人産業医学総合研究所	
独立行政法人種苗管理センター	農林水産省
独立行政法人家畜改良センター	
独立行政法人農業者大学校	
独立行政法人農業・生物系特定産業技術研究機構	
独立行政法人農業生物資源研究所	
独立行政法人農業環境技術研究所	
独立行政法人農業工学研究所	
独立行政法人食品総合研究所	
独立行政法人国際農林水産業研究センター	
独立行政法人林木育種センター	林野庁
独立行政法人森林総合研究所	
独立行政法人さけ・ます資源管理センター	水産庁

独立行政法人水産大学校	
独立行政法人水産総合研究センター	
独立行政法人工業所有権情報・研修館	特許庁
独立行政法人土木研究所	国土交通省
独立行政法人建築研究所	
独立行政法人交通安全環境研究所	
独立行政法人海上技術安全研究所	
独立行政法人港湾空港技術研究所	
独立行政法人電子航法研究所	
独立行政法人北海道開発土木研究所	
独立行政法人海技大学校	
独立行政法人航海訓練所	
独立行政法人海員学校	
独立行政法人航空大学校	
独立行政法人国立環境研究所	環境省

附　則（平一九・三・三〇規則一六―〇―四九）
改正　平二七・三・一八規則一―六三

（施行期日）
1　この規則は、平成十九年四月一日から施行する。

（独立行政法人肥飼料検査所等に在職中に公務上の災害等を受けた職員に係る補償等の実施機関）
2　次の表の上欄に掲げる独立行政法人に在職中に公務上の災害又は通勤による災害を受けた職員に係る補償法第一条第一項に規定する補償及び補償法第二十二条第一項に規定する福祉事業の実施機関については、それぞれ同表の下欄に掲げる国の機関又は行政執行法人とする。

独立行政法人肥飼料検査所	独立行政法人農林水産消費安全技術センター
独立行政法人農薬検査所	
自動車検査独立行政法人	国土交通省

附　則（平一九・九・二八規則一―五〇）（抄）
改正　平二七・三・一八規則一―六三

（施行期日）
第一条　この規則は、平成十九年十月一日から施行する。

（人事院規則一六―〇の一部改正に伴う経過措置）
第七条　補償法第四条第一項に規定する期間中に旧公社の職員として在職していた日がある場合における規則一六―〇第十一条及び第十四条の規定の適用については、なお従前の例による。
2　補償法附則第二十四項に規定する旧郵政被災職員（以下「旧郵政被災職員」という。）に関する規則一六―〇第三十六条第一号の規定の適用については、同号中「行政執行法人に」とあるのは「郵政民営化法（平成十七年法律第九十七号）第百六十六条第一項の規定による解散前の日本郵政公社に」と、「当該行政執行法人」とあるのは「同公社」とする。

附　則（平二〇・一〇・一規則一六―〇―五二）

（施行期日等）
1　この規則は、公布の日から施行し、改正後の規則一六―〇第三条の二第四項の規定は、平成二十年四月一日から適用する。

（経過措置）
2　改正後の規則一六―〇第三条の二第四項の規定は、平成二十年四月一日以後に発生した事故に起因する通勤による災害について適用し、同日前に発生した事故に起因する通勤による災害については、なお従前の例による。

附　則（平二一・一二・二八規則一―五六）

（施行期日）
1　この規則は、平成二十二年一月一日から施行する。

（人事院規則一六―〇の一部改正に伴う経過措置）
2　社会保険庁に在職中に公務上の災害又は通勤による災害を受けた職員に係る補償法第一条第一項に規定する補償及び補償法第二十二条第一項に規定する福祉事業の実施機関については、厚生労働省とする。

附　則（平二三・二・一五規則一六―〇―五六）（抄）

（施行期日）
第一条　この規則は、公布の日から施行する。

（経過措置）
第二条　職員が公務上負傷し、若しくは疾病にかかり、若しくは通勤により負傷し、若しくは疾病にかかり、この規則の施行の日（以下「施行日」という。）前に治ったとき、又は障害補償年金を受ける者の当該障害補償年金に係る障害の程度に施行日前に変更があったときに存した障害に係る規則一六—〇別表第五の規定の適用については、なお従前の例による。

第三条　職員が施行日前に公務上死亡し、若しくは通勤により死亡した場合（施行日以後に補償法第十六条第一項第四号の夫、子、父母、孫、祖父母若しくは兄弟姉妹の障害の状態に変更があった場合又は補償法第十七条第四項に規定する場合において同項の遺族補償年金を受ける妻が同項第二号に該当するに至ったときを除く。）又は施行日前に補償法第十七条の四第一項第二号に該当することとなった場合における当該職員の遺族の障害の状態の評価については、なお従前の例による。

第四条　職員が公務上負傷し、若しくは疾病にかかり、若しくは通勤により負傷し、若しくは疾病にかかり、平成二十二年六月十日から施行日の前日までの間に治ったとき、又は障害補償年金を受ける者の当該障害補償年金に係る障害の程度に当該期間において変更があったときに存した障害（改正前の規則一六—〇別表第五第十二級の項第十四号又は第十四級の項第十号に該当するものに限る。）については、附則第二条の規定にかかわらず、それぞれ当該負傷若しくは疾病が治った日又は当該変更があった日から改正後の規則一六—〇別表第五の規定を適用する。

第五条　職員が平成二十二年六月十日から施行日の前日までの間に公務上死亡し、若しくは通勤により死亡し、若しくは当該期間において補償法第十七条の四第一項第二号に該当することとなった場合であって、当該職員の遺族に障害を有する者があるときにおける当該遺族の障害（改正前の規則一六—〇別表第五第十二級の項第十四号又は第十四級の項第十号に該当するものに限る。）又は当該期間において補償法第十六条第一項第四号の夫、子、父母、孫、祖父母若しくは兄弟姉妹の障害の状態に変更があったときに存した障害（改正前の規則一六—〇別表第五第十二級の項第十四号又は第十四級の項第十号に該当するものに限る。）の状態の評価については、附則第三条の規定にかかわらず、それぞれ当該職員が死亡した日又は当該変更があった日から改正後の規則一六—〇別表第五の規定を適用する。

附　則（平二五・四・一規則一—五九）（抄）

改正　平二七・三・一八規則一—六三

（施行期日）

第一条　この規則は、公布の日から施行する。

（人事院規則一六—〇の一部改正に伴う経過措置）

第十条　補償法第四条第一項に規定する期間中に旧給与特例法適用職員として在職していた日がある場合における規則一六—〇第十一条及び第十四条の規定の適用については、なお従前の例による。

附　則（平二七・三・一八規則一—六三）（抄）

（施行期日）

第一条　この規則は、平成二十七年四月一日から施行する。

（人事院規則一六—〇の一部改正に伴う経過措置）

第十三条　補償法第四条第一項に規定する期間中に特定独立行政法人職員として在職していた期間がある場合における当該期間に係る第九条の規定による改正後の規則一六—〇（次項において「改正後の規則一六—〇」という。）第十一条及び規則一六—〇第十四条の規定の適用については、なお従前の例による。

2　特定独立行政法人に在職中に通勤による災害を受けた職員に関する改正後の規則一六—〇第三十六条第一号の規定の適用については、同号中「行政執行法人に」とあるのは「独立行政法人通則法の一部を改正する法律（平成二十六年法律第六十六号）による改正前の独立行政法人通則法（平成十一年法律第百三号）第二条第二項に規定する特定独立行政法人（以下この条において「特定独立行政法人」という。）に」と、「当該行政執行法人」とあるのは「当該特定独立行政法人」とする。

附　則（平二七・一〇・一規則一六—〇—六二）

（施行期日）

1　この規則は、公布の日から施行する。

（経過措置等）

2　改正後の規則一六—〇第四十一条第一項の規定の適用については、当分の間、同項の表第一号ハ中「該当する場合」とあるのは「該当する場合及び同一の事由により平成二十四年一元化法附則第三十七条第一項の規定によりなおその効力を有することとされた平成二十四年一元化法第二条の規定による改正前の国家公務員共済組合法（昭和三十三年法律第百二十八号。以下「改正前国共済法」という。）又は平成二十四年一元化法附則第六十一条第一項の規定によりなおその効力を有することとされた平成二十四年一元化法第三条の規定による改正前の地方公務員等共済組合法（昭和三十七年法律第百五十二号。以下「改正前地共済法」という。）の規定による障害共済年金（以下「旧障害共済年金」という。）が支給される場合」と、同表第二号ハ中「該当する場合」とあるのは「該当する場合及び同一の事由により改正前国共済法又は改正前地共済法の規定による遺族共済年金（以下「旧遺族共済年金」という。）が支給される場合」と、同表第三号ハ中「該当する場合」とあるのは「該当する場合及び同一の事由により旧障害共済年金が支給される場合」と、同表第四号ハ中「該当する場合」とあるのは「該当する場合及び同一の事由により旧遺族共済年金が支給される場合」とする。

3　被用者年金制度の一元化等を図るための厚生年金保険法等の一部を改正する法律（平成二十四年法律第六十三号。以下「平成二十四年一元化法」という。）附則第三十六条第五項に規定する改正前国共済法による職域加算額（被用者年金制度の一元化等を図るための厚生年金保険法等の一部を改正する法律の施行及び国家公務員の退職給付の給付水準の見直し等のための国家公務員退職手当法等の一部を改正する法律の一部の施行に伴う国家公務員共済組合法による長期給付等に関する経過措置に関する政令（平成二十七年政令第三百四十五号）第八条第一項の規定により読み替えられた平成二十四年一元化法附則第三十六条第五項の規定によりなおその効力を有するものとされた平成二十四年一元化法第二条の規定による改正前の国家公務員共済組合法（昭和三十三年法律第百二十八号。以下「平成二十四年改正前国共済法」という。）第八十二条第二項に規定する公務等による旧職域加算障害給付又は同令第八条第一項の規定により読み替えられた平成二十四年一元化法附則第三十六条第五項の規定によりなおその効力を有するものとされた平成二十四年改正前国共済法第八十九条第三項に規定する公務等による旧職域加算遺族給付に係るものに限る。）又は平成二十四年一元化法附則第六十条第五項に規定する改正前地共済法による職域加算額（被用者年金制度の一元化等を図るための厚生年金保険法等の一部を改正する法律及び地方公務員等共済組合法及び被用者年金制度の一元化等を図るための厚生年金保険法等の一部を改正する法律の一部を改正する法律の施行に伴う地方公務員等共済組合法による長期給付等に関する経過措置に関する政令（平成二十七年政令第三百四十七号）第七条第一項の規定により読み替えられた平成二十四年一元化法附則第六十条第五項の規定によりなおその効力を有するものとされた平成二十四年一元化法第三条の規定による改正前の地方公務員等共済組合法（昭和三十七年法律第百五十二号。以下「平成二十四年改正前地共済法」という。）第八十七条第二項に規定する公務等による旧職域加算障害給付又は同令第七条第一項の規定により読み替えられた平成二十四年一元化法附則第六十条第五項の規定によりなおその効力を有するものとされた平成二十四年改正前地共済法第九十九条の二第三項に規定する公務等による旧職域加算遺族給付に係るものに限る。）の受給権者が、同一の事由により平成二十四年一元化法第一条の規定による改正後の厚生年金保険法（昭和二十九年法律第百十五号）の規定による障害厚生年金若しくは遺族厚生年金又は平成二十四年一元化法附則第四十一条第一項若しくは第六十五条第一項の規定による障害共済年金若しくは遺族共済年金の支給を受けるときは、当分の間、改正後の規則一六―〇第四十一条第一項から第三項までの規定は、適用しない。

4　前二項に定めるもののほか、この規則の施行に関し必要な事項は、人事院が定める。

別表第一（第二条関係）

一　公務上の負傷に起因する疾病

二　物理的因子にさらされる業務に従事したため生じた次に掲げる疾病及びこれらに付随する疾病

1　紫外線にさらされる業務に従事したため生じた前眼部疾患又は皮膚疾患

2　赤外線にさらされる業務に従事したため生じた網膜火傷、白内障等の眼疾患又は皮膚疾患

3　レーザー光線にさらされる業務に従事したため生じた網膜火傷等の眼疾患又は皮膚疾患

4　マイクロ波にさらされる業務に従事したため生じた白内障等の眼疾患

5　規則一〇―五（職員の放射線障害の防止）第三条第一項に規定する放射線（以下「放射線」という。）にさらされる業務に従事したため生じた急性放射線症、皮膚潰瘍等の放射線皮膚障害、白内障等の放射線眼疾患、放射線肺炎、再生不良性貧血等の造血器障害、骨え死その他の放射線障害

6　高圧室内作業又は潜水作業に係る業務に従事したため生じた潜かん病又は潜水病

7　気圧の低い場所における業務に従事したため生じた高山病又は航空減圧症

8　暑熱な場所における業務に従事したため生じた熱中症

9　高熱物体を取り扱う業務に従事したため生じた熱傷

10　寒冷な場所における業務又は低温物体を取り扱う業務に従事したため生じた凍傷

11　著しい騒音を発する場所における業務に従事したため生じた難聴等の耳の疾患

12 超音波にさらされる業務に従事したため生じた手指等の組織え死
13 1から12までに掲げるもののほか、物理的因子にさらされる業務に従事したため生じたことの明らかな疾病
三 身体に過度の負担のかかる作業態様の業務に従事したため生じた次に掲げる疾病及びこれらに付随する疾病
1 重激な業務に従事したため生じた筋肉、けん、骨若しくは関節の疾患又は内臓脱
2 重量物を取り扱う業務、腰部に過度の負担を与える不自然な作業姿勢により行う業務その他腰部に過度の負担のかかる業務に従事したため生じた腰痛
3 チェンソー、ブッシュクリーナー、削岩機等の身体に振動を与える機械器具を使用する業務に従事したため生じた手指、前腕等の末しょう循環障害、末しょう神経障害又は運動器障害
4 電子計算機への入力を反復して行う業務その他上肢に過度の負担のかかる業務に従事したため生じた後頭部、けい部、肩甲帯、上腕、前腕又は手指の運動器障害
5 1から4までに掲げるもののほか、身体に過度の負担のかかる作業態様の業務に従事したため生じたことの明らかな疾病
四 化学物質等にさらされる業務に従事したため生じた次に掲げる疾病及びこれらに付随する疾病
1 人事院の定める単体たる化学物質又は化合物（合金を含む。）にさらされる業務に従事したため生じた疾病であって、人事院が定めるもの
2 ふっ素樹脂、塩化ビニル樹脂、アクリル樹脂等の合成樹脂の熱分解生成物にさらされる業務に従事したため生じた眼粘膜の炎症又は気道粘膜の炎症等の呼吸器疾患
3 すす、鉱物油、漆、テレビン油、タール、セメント、アミン系の樹脂硬化剤等にさらされる業務に従事したため生じた皮膚疾患
4 たん白分解酵素にさらされる業務に従事したため生じた皮膚炎、結膜炎又は鼻炎、気管支ぜん息等の呼吸器疾患
5 木材の粉じん、獣毛のじんあい等を飛散する場所における業務又は抗生物質等にさらされる業務に従事したため生じたアレルギー性の鼻炎、気管支ぜん息等の呼吸器疾患
6 綿、亜麻等の粉じんを飛散する場所における業務に従事したため生じた呼吸器疾患
7 石綿にさらされる業務に従事したため生じた良性石綿胸水又はびまん性胸膜肥厚
8 空気中の酸素濃度の低い場所における業務に従事したため生じた酸素欠乏症
9 1から8までに掲げるもののほか、化学物質等にさらされる業務に従事したため生じたことの明らかな疾病
五 粉じんを飛散する場所における業務に従事したため生じたじん肺症又は人事院の定めるじん肺の合併症
六 細菌、ウイルス等の病原体にさらされる業務に従事したため生じた次に掲げる疾病及びこれらに付随する疾病
1 患者の診療若しくは看護の業務、介護の業務又は研究その他の目的で病原体を取り扱う業務に従事したため生じた伝染性疾患
2 動物若しくはその死体、獣毛、革その他動物性の物又はぼろ等の古物を取り扱う業務に従事したため生じたブルセラ症、炭そ病等の伝染性疾患
3 湿潤地における業務に従事したため生じたワイル病等のレプトスピラ症
4 屋外における業務に従事したため生じたつつが虫病
5 1から4までに掲げるもののほか、細菌、ウイルス等の病原体にさらされる業務に従事したため生じたことの明らかな疾病
七 がん原性物質又はがん原性因子にさらされる業務に従事したため生じた次に掲げる疾病及びこれらに付随する疾病
1 ベンジジンにさらされる業務に従事したため生じた尿路系腫瘍
2 ベーターナフチルアミンにさらされる業務に従事したため生じた尿路系腫瘍
3 四—アミノジフェニルにさらされる業務に従事したため生じた尿路系腫瘍
4 四—ニトロジフェニルにさらされる業務に従事したため生じた尿路系腫瘍
5 ビス（クロロメチル）エーテルにさらされる業務に従事したため生じた肺がん
6 ベリリウムにさらされる業務に従事したため生じた肺がん
7 ベンゾトリクロリドにさらされる業務に従事したため生じた肺がん
8 石綿にさらされる業務に従事したため生じた肺

がん又は中皮腫

9　ベンゼンにさらされる業務に従事したため生じた白血病

10　塩化ビニルにさらされる業務に従事したため生じた肝血管肉腫又は肝細胞がん

11　三・三′—ジクロロ—四・四′—ジアミノジフェニルメタンにさらされる業務に従事したため生じた尿路系腫瘍

12　オルト—トルイジンにさらされる業務に従事したため生じたぼうこうがん

13　一・二—ジクロロプロパンにさらされる業務に従事したため生じた胆管がん

14　ジクロロメタンにさらされる業務に従事したため生じた胆管がん

15　放射線にさらされる業務に従事したため生じた白血病、肺がん、皮膚がん、骨肉腫、甲状腺がん、多発性骨髄腫又は非ホジキンリンパ腫

16　すす、鉱物油、タール、ピッチ、アスファルト又はパラフィンにさらされる業務に従事したため生じた皮膚がん

17　1から16までに掲げるもののほか、がん原性物質又はがん原性因子にさらされる業務に従事したため生じたことの明らかな疾病

八　相当の期間にわたって継続的に行う長時間の業務その他血管病変等を著しく増悪させる業務に従事したため生じた狭心症、心筋梗塞、心停止（心臓性突然死を含む。）、心室細動等の重症の不整脈、重篤な心不全、肺塞栓症、大動脈解離、くも膜下出血、脳出血、脳梗塞又は高血圧性脳症及びこれらに付随する疾病

九　人の生命にかかわる事故への遭遇その他強度の精神的又は肉体的負荷を与える事象を伴う業務に従事したため生じた精神及び行動の障害並びにこれに付随する疾病

十　前各号に掲げるもののほか、公務に起因することの明らかな疾病

別表第二（第五条関係）

一　内閣府（内閣官房、内閣法制局その他の法律の規定に基づき内閣に置かれる機関（第八号に掲げる機関を除く。）を含み、次号から第七号までに掲げる機関を除く。）

二　宮内庁

三　公正取引委員会

四　警察庁（都道府県警察を含む。）

五　金融庁

六　消費者庁

七　こども家庭庁

八　デジタル庁

九　総務省

十　法務省

十一　外務省

十二　財務省（次号に掲げる機関を除く。）

十三　国税庁

十四　文部科学省（次号に掲げる機関を除く。）

十五　文化庁

十六　厚生労働省

十七　農林水産省（次号及び第十九号に掲げる機関を除く。）

十八　林野庁

十九　水産庁

二十　経済産業省（次号に掲げる機関を除く。）

二十一　特許庁

二十二　国土交通省（次号及び第二十四号に掲げる機関を除く。）

二十三　気象庁

二十四　海上保安庁

二十五　環境省

二十六　防衛省

二十七　人事院

二十八　会計検査院

★読替え—人事院規則一—五七により同表中「第八号」を「第八号及び第八号の二」に、「八　デジタル庁」を「八　デジタル庁　八の二　復興庁」に読み替える。

別表第二の二（第五条関係）

一　独立行政法人国立公文書館

二　独立行政法人駐留軍等労働者労務管理機構

三　独立行政法人統計センター

四　独立行政法人造幣局

五　独立行政法人国立印刷局

六　独立行政法人農林水産消費安全技術センター

七　独立行政法人製品評価技術基盤機構

別表第三・別表第四（第二十三条関係）〔略〕

別表第五（第二十五条の四関係）

障害等級	障害
第一級	一 両眼が失明したもの 二 咀嚼《そしゃく》及び言語の機能を廃したもの 三 神経系統の機能又は精神に著しい障害を残し、常に介護を要するもの 四 胸腹部臓器の機能に著しい障害を残し、常に介護を要するもの 五 両上肢をひじ関節以上で失つたもの 六 両上肢の用を全廃したもの 七 両下肢をひざ関節以上で失つたもの 八 両下肢の用を全廃したもの
第二級	一 一眼が失明し、他眼の視力が〇・〇二以下になつたもの 二 両眼の視力が〇・〇二以下になつたもの 三 神経系統の機能又は精神に著しい障害を残し、随時介護を要するもの 四 胸腹部臓器の機能に著しい障害を残し、随時介護を要するもの 五 両上肢を手関節以上で失つたもの 六 両下肢を足関節以上で失つたもの
第三級	一 一眼が失明し、他眼の視力が〇・〇六以下になつたもの 二 咀嚼《そしゃく》又は言語の機能を廃したもの 三 神経系統の機能又は精神に著しい障害を残し、終身労務に服することができないもの 四 胸腹部臓器の機能に著しい障害を残し、終身労務に服することができないもの 五 両手の手指の全部を失つたもの
第四級	一 両眼の視力が〇・〇六以下になつたもの 二 咀嚼《そしゃく》及び言語の機能に著しい障害を残すもの 三 両耳の聴力を全く失つたもの 四 一上肢をひじ関節以上で失つたもの 五 一下肢をひざ関節以上で失つたもの 六 両手の手指の全部の用を廃したもの 七 両足をリスフラン関節以上で失つたもの
第五級	一 一眼が失明し、他眼の視力が〇・一以下になつたもの 二 神経系統の機能又は精神に著しい障害を残し、特に軽易な労務以外の労務に服することができないもの 三 胸腹部臓器の機能に著しい障害を残し、特に軽易な労務以外の労務に服することができないもの 四 一上肢を手関節以上で失つたもの 五 一下肢を足関節以上で失つたもの 六 一上肢の用を全廃したもの 七 一下肢の用を全廃したもの 八 両足の足指の全部を失つたもの
第六級	一 両眼の視力が〇・一以下になつたもの 二 咀嚼《そしゃく》又は言語の機能に著しい障害を残すもの 三 両耳の聴力が耳に接しなければ大声を解することができない程度になつたもの 四 一耳の聴力を全く失い、他耳の聴力が四十センチメートル以上の距離では普通の話声を解することができない程度になつたもの 五 脊柱《せき》に著しい変形又は運動障害を残すもの 六 一上肢の三大関節中の二関節の用を廃したもの 七 一下肢の三大関節中の二関節の用を

廃したもの
八　一手の五の手指又は母指を含み四の手指を失つたもの

第七級

一　一眼が失明し、他眼の視力が〇・六以下になつたもの
二　両耳の聴力が四十センチメートル以上の距離では普通の話声を解することができない程度になつたもの
三　一耳の聴力を全く失い、他耳の聴力が一メートル以上の距離では普通の話声を解することができない程度になつたもの
四　神経系統の機能又は精神に障害を残し、軽易な労務以外の労務に服することができないもの
五　胸腹部臓器の機能に障害を残し、軽易な労務以外の労務に服することができないもの
六　一手の母指を含み三の手指を失つたもの又は母指以外の四の手指を失つたもの
七　一手の五の手指又は母指を含み四の手指の用を廃したもの
八　一足をリスフラン関節以上で失つたもの
九　一上肢に偽関節を残し、著しい障害を残すもの
十　一下肢に偽関節を残し、著しい障害を残すもの
十一　両足の足指の全部の用を廃したもの
十二　外貌に著しい醜状を残すもの
十三　両側の睾《こう》丸を失つたもの

第八級

一　一眼が失明し、又は一眼の視力が〇・〇二以下になつたもの
二　脊《せき》柱に運動障害を残すもの
三　一手の母指を含み二の手指を失つたもの又は母指以外の三の手指を失つたもの
四　一手の母指を含み三の手指の用を廃したもの又は母指以外の四の手指の用を廃したもの
五　一下肢を五センチメートル以上短縮したもの
六　一上肢の三大関節中の一関節の用を廃したもの
七　一下肢の三大関節中の一関節の用を廃したもの
八　一上肢に偽関節を残すもの
九　一下肢に偽関節を残すもの
十　一足の足指の全部を失つたもの

第九級

一　両眼の視力が〇・六以下になつたもの
二　一眼の視力が〇・〇六以下になつたもの
三　両眼に半盲症、視野狭窄《さく》又は視野変状を残すもの
四　両眼のまぶたに著しい欠損を残すもの
五　鼻を欠損し、その機能に著しい障害を残すもの
六　咀嚼《そしやく》及び言語の機能に障害を残すもの
七　両耳の聴力が一メートル以上の距離では普通の話声を解することができない程度になつたもの
八　一耳の聴力が耳に接しなければ大声を解することができない程度になり、他耳の聴力が一メートル以上の距離では普通の話声を解することが困難である程度になつたもの
九　一耳の聴力を全く失つたもの

	十　神経系統の機能又は精神に障害を残し、服することができる労務が相当な程度に制限されるもの 十一　胸腹部臓器の機能に障害を残し、服することができる労務が相当な程度に制限されるもの 十二　一手の母指又は母指以外の二の手指を失つたもの 十三　一手の母指を含み二の手指の用を廃したもの又は母指以外の三の手指の用を廃したもの 十四　一足の第一の足指を含み二以上の足指を失つたもの 十五　一足の足指の全部の用を廃したもの 十六　外貌に相当程度の醜状を残すもの 十七　生殖器に著しい障害を残すもの
第十級	一　一眼の視力が〇・一以下になつたもの 二　正面視で複視を残すもの 三　咀嚼《そしやく》又は言語の機能に障害を残すもの 四　十四歯以上に対し歯科補綴《てつ》を加えたもの 五　両耳の聴力が一メートル以上の距離では普通の話声を解することが困難である程度になつたもの 六　一耳の聴力が耳に接しなければ大声を解することができない程度になつたもの 七　一手の母指又は母指以外の二の手指の用を廃したもの 八　一下肢を三センチメートル以上短縮したもの 九　一足の第一の足指又は他の四の足指を失つたもの 十　一上肢の三大関節中の一関節の機能に著しい障害を残すもの 十一　一下肢の三大関節中の一関節の機能に著しい障害を残すもの
第十一級	一　両眼の眼球に著しい調節機能障害又は運動障害を残すもの 二　両眼のまぶたに著しい運動障害を残すもの 三　一眼のまぶたに著しい欠損を残すもの 四　十歯以上に対し歯科補綴《てつ》を加えたもの 五　両耳の聴力が一メートル以上の距離では小声を解することができない程度になつたもの 六　一耳の聴力が四十センチメートル以上の距離では普通の話声を解することができない程度になつたもの 七　脊《せき》柱に変形を残すもの 八　一手の示指、中指又は環指を失つたもの 九　一足の第　の足指を含み二以上の足指の用を廃したもの 十　胸腹部臓器の機能に障害を残し、労務の遂行に相当な程度の支障があるもの
第十二級	一　一眼の眼球に著しい調節機能障害又は運動障害を残すもの 二　一眼のまぶたに著しい運動障害を残すもの 三　七歯以上に対し歯科補綴《てつ》を加えたもの 四　一耳の耳殻の大部分を欠損したもの 五　鎖骨、胸骨、肋《ろつ》骨、肩胛《こう》骨又は骨盤骨に著しい変形を残すもの 六　一上肢の三大関節中の一関節の機能

	に障害を残すもの 七　一下肢の三大関節中の一関節の機能に障害を残すもの 八　長管骨に変形を残すもの 九　一手の小指を失つたもの 十　一手の示指、中指又は環指の用を廃したもの 十一　一足の第二の足指を失つたもの、第二の足指を含み二の足指を失つたもの又は第三の足指以下の三の足指を失つたもの 十二　一足の第一の足指又は他の四の足指の用を廃したもの 十三　局部に頑固な神経症状を残すもの 十四　外貌に醜状を残すもの
第十三級	一　一眼の視力が〇・六以下になつたもの 二　正面視以外で複視を残すもの 三　一眼に半盲症、視野狭窄《さく》又は視野変状を残すもの 四　両眼のまぶたの一部に欠損を残し又はまつげはげを残すもの 五　五歯以上に対し歯科補綴《てつ》を加えたもの 六　胸腹部臓器の機能に障害を残すもの 七　一手の小指の用を廃したもの 八　一手の母指の指骨の一部を失つたもの 九　一下肢を一センチメートル以上短縮したもの 十　一足の第三の足指以下の一又は二の足指を失つたもの 十一　一足の第二の足指の用を廃したもの、第二の足指を含み二の足指の用を廃したもの又は第三の足指以下の三の足指の用を廃したもの
第十四級	一　一眼のまぶたの一部に欠損を残し、又はまつげはげを残すもの 二　三歯以上に対し歯科補綴《てつ》を加えたもの 三　一耳の聴力が一メートル以上の距離では小声を解することができない程度になつたもの 四　上肢の露出面にてのひらの大きさの醜いあとを残すもの 五　下肢の露出面にてのひらの大きさの醜いあとを残すもの 六　一手の母指以外の手指の指骨の一部を失つたもの 七　一手の母指以外の手指の遠位指節間関節を屈伸することができなくなつたもの 八　一足の第三の足指以下の一又は二の足指の用を廃したもの 九　局部に神経症状を残すもの

別表第六（第三十五条関係）〔略〕

★人事院規則一―一五七（復興庁設置法の施行に伴う関係人事院規則の適用の特例等に関する人事院規則）（平二四・二・一〇規則一―一五七）（抄）

最終改正　令五・三・三一規則一六―〇―七四

（復興庁が廃止されるまでの間における人事院規則の適用の特例）

第一条　１～３　〔略〕

４　復興庁が廃止されるまでの間における規則一六―〇（職員の災害補償）別表第二の規定の適用については、同表中「第八号」とあるのは「第八号及び第八号の二」と、「八　デジタル庁」とあるのは「八　デジタル庁　八の二　復興庁」とする。

附　則

この規則は、公布の日から施行する。

○平均給与額の最低保障額に関し、決定した件

平八・三・二九
人事院公示一一

最終改正　令六・三・二九人事院公示八

１　平均給与額の最低保障額は、四、〇六〇円とする。

２　平成十八年四月一日から平成三十一年三月三十一日までの間における平均給与額の最低保障額は、当該期間において適用されていた最低保障額にかかわらず、次の表の左欄に掲げる補償事由発生日の属する期間の区分に応じ、それぞれ同表の右欄に定める額とする。

期間の区分	最低保障額（円）
平成十八年四月一日から平成十九年三月三十一日まで	四、〇九〇
平成十九年四月一日から平成二十年三月三十一日まで	四、一二〇
平成二十年四月一日から平成二十一年三月三十一日まで	四、一一〇
平成二十一年四月一日から平成二十二年三月三十一日まで	四、〇八〇
平成二十二年四月一日から平成二十三年三月三十一日まで	四、〇五〇
平成二十三年四月一日から平成二十四年三月三十一日まで	三、九六〇
平成二十四年四月一日から平成二十六年三月三十一日まで	三、九七〇
平成二十六年四月一日から平成二十七年三月三十一日まで	三、九四〇
平成二十七年四月一日から平成二十九年三月三十一日まで	三、九五〇
平成二十九年四月一日から平成三十年三月三十一日まで	三、九三〇
平成三十年四月一日から平成三十一年三月三十一日まで	三、九四〇

３　この決定は、平成八年四月一日から効力を発生する。

○人事院規則一六―二（在外公館に勤務する職員、船員である職員等に係る災害補償の特例）

昭四八・一二・一公布
昭四八・一二・一施行

最終改正　平三〇・二・一規則一―七一

（趣旨）

第一条　この規則は、在外公館に勤務する職員及び公務で外国旅行中の職員並びに船員法（昭和二十二年法律第百号）第一条に規定する船員である職員（以下「船員」という。）の公務上の災害（負傷、疾病、障害又は死亡をいう。以下同じ。）又は通勤による災害に対する補償について、補償法及び規則一六―〇（職員の災害補償）の特例を定めるものとする。

（平均給与額の算定）

第二条　補償法第四条第一項から第三項までの規定により、同条第一項に規定する期間内に在外公館に勤務した期間のある職員の平均給与額を算定する場合には、実施機関は、同項の支払われた給与の総額に、同条第二項に規定する給与のうち、当該職員が同条第一項に規定する期間内の在外公館に勤務した期間を本邦において勤務したものとして、人事院が定めるところにより支給されたものとみなされる給与の額を加えるものとする。

2　前項の規定は、規則一六―〇第十二条の規定により、同条各号に掲げる日から同規則第八条の二に規定する事故発生日までの期間内に在外公館に勤務した期間のある職員の平均給与額を算定する場合について準用する。この場合において、前項中「同項の支払われた」とあるのは「規則一六―〇第十二条の」と、「同条第二項」とあるのは「補償法第四条第二項」と、「同条第一項に規定する」とあるのは「同規則第十二条各号に掲げる日から同規則第八条の二に規定する事故発生日までの」と読み替えるものとする。

3　在外公館に採用された職員について規則一六―〇第十三条の規定を適用する場合及び補償を行うべき事由が生じた日に在外公館に勤務する職員について同規則第十五条第一号の計算を行う場合には、これらの職員が、それぞれ、本邦（給与法第十一条の三第二項第一号の一級地に係る地域とする。以下同じ。）において採用され、又は補償を行うべき事由が生じた日に本邦において勤務しているものとした場合に支給されることとなる俸給の月額、扶養手当の月額並びに俸給及び扶養手当の月額に対する地域手当の月額をもつて、規則一六―〇第十三条第一号に規定する給与とする。

4　離職時において在外公館に勤務していた職員について規則一六―〇第十六条第一号の計算を行う場合には、当該職員が離職時に占めていた官職が本邦に所在する官署に置かれていたものとし、かつ、当該官職に補償を行うべき事由が生じた日まで引き続き在職していたものとした場合において同日に受けることとなる俸給の月額、扶養手当の月額並びに俸給及び扶養手当の月額に対する地域手当の月額をもつて、同規則第十三条第一号に規定する給与とする。

第二条の二　船員の平均給与額を算定する場合には、実施機関は、補償法第四条第二項に規定する給与に国家公務員等の旅費に関する法律（昭和二十五年法律第百十四号）第二十六条に規定する日額旅費（当該船員が行政執行法人の職員である場合にあつては、これに相当するもの）又は同法第四十一条に規定する旅行手当（当該船員が行政執行法人の職員である場合にあつては、これに相当するもの）のうちの一部で人事院が定めるものを加えることができる。

（療養補償）

第三条　在外公館に勤務する職員、公務で外国旅行中の職員又は船員に係る補償法第十一条の規定による療養の範囲は、同条に規定するもののほか、自宅以外の場所における宿泊又は食事の支給で、療養上相当であると認められるものとする。

（休業補償）

第四条　船員が療養のため勤務することができない日の休業補償の金額は、当該船員が負傷し、又は疾病にかかつた日から四月間は、平均給与額に相当する金額とする。

（予後補償）

第五条　船員が公務上負傷し、若しくは疾病にかかり、又は通勤により負傷し、若しくは疾病にかかり、治つた場合において、勤務することができないときは、実施機関は、予後補償として、治つた日の翌日から、その勤務することができない期間（その期間が一月を超えるときは、一月間）、一日につき休業補償を受けるものとした場合の平均給与額の百分の六十に相当する金額を支給するものとする。ただし、予後補償を行うべき場合において、給与が支給されるときは、その限度において、支給の義務を免れる。

（予後補償を行わない場合）

第五条の二　船員が規則一六―〇第二十五条各号に規定する場合に該当する場合には、予後補償の支給は、行わない。

（予後補償の制限）

第六条　規則一六―〇第二十八条第一項の規定は、予後補償について準用する。この場合において、同項中「休業補償の金額、傷病補償年金の額又は障害補償の金額から、それぞれ」とあるのは、「予後補償の金額から」と読み替えるものとする。

（在外公館に勤務する職員等に係る傷病補償年金、障害補償又は遺族補償の特例）

第六条の二　在外公館に勤務する職員又は公務で外国旅行中の職員が、戦争、事変、内乱その他の異常事態の発生時にその生命又は身体に対する高度の危険が予測される状況の下において、外交領事事務に従事し、そのため公務上の災害を受けた場合における当該災害に係る傷病補償年金、障害補償又は遺族補償については、補償法第十二条の二第二項の規定による額、同法第十三条第三項若しくは第四項の規定による額、同法第十七条第一項の規定による額又は同法第十七条の六第一項の人事院規則で定める額は、それぞれ当該額に百分の五十（第一級の傷病等級に該当する障害に係る傷病補償年金又は第一級の障害等級に該当する障害に係る障害補償にあつては百分の四十、第二級の傷病等級に該当する障害に係る傷病補償年金又は第二級の障害等級に該当する障害に係る障害補償にあつては百分の四十五）を乗じて得た額を加算した額とする。公務で外国旅行中の職員が、その生命又は身体に対する高度の危険が予測される状況の下において、国際緊急援助隊の派遣に関する法律（昭和六十二年法律第九十三号）第二条に規定する国際緊急援助活動に係る業務、国際連合平和維持活動等に対する協力に関する法律（平成四年法律第七十九号）第三条第五号に規定する国際平和協力業務若しくはこれに準ずるものとして人事院が定める業務又は化学兵器の開発、生産、貯蔵及び使用の禁止並びに廃棄に関する条約に基づく遺棄化学兵器の廃棄に係る業務に従事し、そのため公務上の災害を受けた場合においても、同様とする。

2　規則一六―〇第二十二条第二項の規定は、同規則第二十条の規定による報告を受けた災害が前項に規定する公務上の災害であると認定する場合について準用する。この場合において、同規則第二十二条第二項中「補償法第二十条の二」とあるのは、「規則一六―二第六条の二第一項」と読み替えるものとする。

第六条の三　前条第一項に規定する公務上の災害に係る規則一六―〇第二十六条及び第四十一条第一項の規定の適用については、同規則第二十六条中「の規定による額（同法第二十条の二に規定する公務上の災害に係るものにあつては、同条の規定により加算された額）」とあるのは「及び規則一六―二第六条の二第一項の規定による額」と、同条各号中「金額（加重後の障害が同法第二十条の二に規定する公務上の災害に係るものであるときは、当該金額と当該金額に加重前の障害の程度に応じ第三十三条に定める率を乗じて得た金額との合計額）」とあるのは「金額と当該金額に加重前の障害等級に応じ規則一六―二第六条の二第一項に掲げる率を乗じて得た金額とを合計した金額」と、同項中「補償法第二十条の二」とあるのは「規則一六―二第六条の二第一項」とする。

（障害補償）

第七条　船員に係る障害補償一時金の額は、補償法第十三条第四項の規定による額（同法第二十条の二又はこの規則第六条の二第一項に規定する公務上の災害に係るものにあつては、それぞれ当該規定により加算された額）に、平均給与額に障害等級に応じ次の各号に掲げる日数を乗じて得た額を加算した額とする。

一　第八級　九十七日
二　第九級　五十九日
三　第十級　五十八日
四　第十一級　四十七日
五　第十二級　二十四日
六　第十三級　十九日
七　第十四級　四日

第七条の二　船員に対する規則一六―〇第二十六条の規定の適用については、同条中「に規定する公務上の災害に係るものにあつては、同条の規定により加算された額」とあるのは「又は規則一六―二第六条の二第一項に規定する公務上の災害に係る障害補償年金にあつてはそれぞれ当該規定により加算された額、障害補償一時金にあつては同規則第七条の規定による額」と、同条第一号中「第二十条の二」とあるのは「第二十条の二又は規則一六―二第六条の二第一項」と、「第三十三条」とあるのは「それぞれ第三十三条又は同項」と、「合計額）を」とあるのは「合計額）と平均給与額に加重前の障害等級に応じ同規則第七条各号に掲げる日数を乗じて得た金額とを合計した金額を」と、同条第二号中「第二十条の二」とあるのは「第二十条の二又は規則一六―二第六条の二第一項」と、「第三十三条」とあるのは「それぞれ第三十三条又は同項」

と、「合計額）」とあるのは「合計額）と平均給与額に加重前の障害等級に応じ同規則第七条各号に掲げる日数を乗じて得た金額とを合計した金額」とする。

（行方不明補償）

第八条　船員が公務上行方不明となつたときは、実施機関は、行方不明補償として、当該船員の被扶養者に対し、行方不明となつた日の翌日から、その行方不明の間（その期間が三月を超えるときは、三月間）、一日につきその行方不明となつた日に事故により負傷したものとした場合における平均給与額に相当する金額を支給するものとする。ただし、行方不明の期間が一月に満たない場合は、この限りでない。

2　規則一六—〇第十五条の規定は、前項の平均給与額の算定について準用する。

3　行方不明補償を受けることができる被扶養者は、船員が行方不明となつた当時主としてその者の収入によつて生計を維持していた者で次の各号の一に該当するものとする。

一　当該船員の配偶者（婚姻の届出をしていないが、事実上婚姻関係と同様の事情にある者を含む。以下同じ。）、子、父母、孫及び祖父母

二　当該船員の三親等内の親族で当該船員と同一の世帯に属するもの

三　当該船員の配偶者のうち、婚姻の届出をしていないが、事実上婚姻関係と同様の事情にある者の子又は父母で当該船員と同一の世帯に属するもの

4　船員が行方不明となつた当時胎児であつた子が出生したときは、前項の規定の適用については、将来に向かつて、その子は、当該船員が行方不明となつた当時主としてその者の収入によつて生計を維持していた子とみなす。

5　行方不明補償を受けるべき者の順位は、第三項各号の順序とし、同項第一号及び第三号に掲げる者のうちにあつてはそれぞれ当該各号に掲げる順序とし、同項第二号に掲げる者のうちにあつては親等の少ない者を先にする。この場合において、父母については養父母を先にし、実父母を後にし、祖父母については養父母の父母を先にし、実父母の父母を後にし、父母の養父母を先にし、父母の実父母を後にする。

6　行方不明補償を受ける権利を有する者が二人以上あるときは、行方不明補償の金額は、第一項本文の規定にかかわらず、同項に規定する額をその人数で除して得た金額とする。

（遺族補償一時金）

第九条　船員に係る遺族補償一時金の額は、平均給与額に千八十を乗じて得た額（補償法第十七条の四第一項第二号の場合にあつては、その額から同号に規定する合計額を控除した額）とする。

2　船員である海上保安官又は海上保安官補の補償法第二十条の二又はこの規則第六条の二第一項に規定する公務上の災害に係る遺族補償一時金の額は、前項の規定にかかわらず、規則一六—〇第三十条各号に掲げる者の区分に応じ平均給与額に当該各号に定める日数を乗じて得た額と当該額に百分の五十を乗じて得た額との合計額に、平均給与額に千八十を乗じて得た額と平均給与額に当該各号に定める日数を乗じて得た額との差額を加算した額（同法第十七条の四第一項第二号の場合にあつては、その額から同号に規定する合計額を控除した額）とする。

（障害補償年金差額一時金）

第十条　障害補償年金を受ける権利を有する者のうち、第六条の二第一項の規定の適用を受ける者が死亡した場合において、その者に支給された当該障害補償年金の額（当該障害補償年金のうち、当該死亡した日の属する年度の前年度以前の分として支給された障害補償年金にあつては、規則一六—〇第三十三条の二第一項の規定の例により算定した額）及び当該障害補償年金に係る障害補償年金前払一時金の額（当該死亡した日の属する年度の前年度以前に支給すべき事由が生じた障害補償年金前払一時金にあつては、同条第二項の規定の例により算定した額）の合計額が、当該障害補償年金に係る障害等級に応じ、それぞれ補償法附則第四項の表の下欄に掲げる額とその額に第六条の二第一項に掲げる率を乗じて得た額との合計額に満たないときは、その差額に相当する額を障害補償年金差額一時金として支給するものとする。

2　障害補償年金を受ける権利を有する者のうち、第六条の三の規定の適用を受ける者が死亡した場合における規則一六—〇第三十三条の三の規定の適用については、同条第一号中「掲げる額（当該障害補償年金について同法第二十条の二の規定が適用された場合にあつては、その額に第三十三条に定める率を乗じて得た額を加算した額）」とあるのは「掲げる額とその額に規則一六—二第六条の二第一項に掲げる率を乗じて得た額との合計額」と、同条第二号中「掲げる額（当該障害補償年金について同法第二十条の二の規定が適用された場合にあつては、その額に第三十三条に定める率を乗じて得た額を加算した額）」とあるのは「掲げる額とその額に規則一六—二第六条の二第一項に掲げる率を乗じて得た額との合計額」と、「第二十六条」と

あるのは「同規則第六条の三の規定により読み替えられた第二十六条」と、「の規定による額（同法第二十条の二に規定する公務上の災害に係るものにあつては、同条の規定により加算された額）」とあるのは「及び同規則第六条の二第一項の規定による額」とする。

第十一条　障害補償年金を受ける権利を有する船員が死亡した場合において、その者に支給された当該障害補償年金の額（当該障害補償年金のうち、当該死亡した日の属する年度の前年度以前の分として支給された障害補償年金にあつては、規則一六―〇第三十三条の二第一項の規定の例により算定した額）及び当該障害補償年金に係る障害補償年金前払一時金の額（当該死亡した日の属する年度の前年度以前に支給すべき事由が生じた障害補償年金前払一時金にあつては、同条第二項の規定の例により算定した額）の合計額が、当該障害補償年金に係る障害等級に応じ、それぞれ補償法附則第四項の表の下欄に掲げる額（当該障害補償年金について同法第二十条の二又はこの規則第六条の二第一項の規定が適用された場合にあつては、同表の下欄に掲げる額にそれぞれ規則一六―〇第三十三条又は同項に定める率を乗じて得た額を加算した額）と平均給与額にそれぞれ次に掲げる日数を乗じて得た額との合計額に満たないときは、その差額に相当する額を障害補償年金差額一時金として支給するものとする。

一　第一級　百日
二　第二級　七十日
三　第三級　百二十日
四　第四級　百六十日
五　第五級　二百日
六　第六級　二百三十日
七　第七級　百九十日

2　障害補償年金を受ける権利を有する者のうち、第七条の二の規定の適用を受ける船員が死亡した場合における規則一六―〇第三十三条の三の規定の適用については、同条第一号中「第二十条の二」とあるのは「第二十条の二又は規則一六―二第六条の二第一項」と、「第三十三条」とあるのは「それぞれ第三十三条又は同項」と、「加算した額）」とあるのは「加算した額）と平均給与額に同規則第十一条第一項各号に掲げる日数を乗じて得た額との合計額」と、同条第二号中「第二十条の二」とあるのは「第二十条の二又は規則一六―二第六条の二第一項」と、「第三十三条」とあるのは「それぞれ第三十三条又は同項」と、「加算した額）」とあるのは「加算した額）と平均給与額に同規則第十一条第一項各号に掲げる日数を乗じて得た額との合計額」と、「第二十六条」とあるのは「同規則第七条の二の規定により読み替えられた第二十六条」と、「同条の規定」とあるのは「それぞれ当該規定」とする。

（障害補償年金差額一時金を受けるべき者に対する通知）

第十二条　前二条の規定により補償を受けるべき者が生じた場合は、実施機関は、規則一六―〇第二十三条前段の規定の例により、補償法第八条の規定による通知をしなければならない。

（障害補償年金前払一時金）

第十三条　船員に対する規則一六―〇第三十三条の五の規定の適用については、同条中「掲げる額」とあるのは「掲げる額と平均給与額に規則一六―二第十一条第一項各号に掲げる日数を乗じて得た額との合計額」と、「第三十三条の三各号」とあるのは「同規則第十一条第二項の規定により読み替えられた第三十三条の三各号」とする。

（遺族補償年金前払一時金）

第十四条　船員に係る遺族補償年金を受ける権利を有する者に対する規則一六―〇第三十三条の八の規定の適用については、同条中「千日分」とあるのは、「千八十日分」とする。

（通勤による災害に係る一部負担金）

第十五条　通勤による負傷又は疾病に係る療養補償を受ける船員（船員法第二条第二項に規定する予備船員である職員を除く。）は、補償法第二十二条の二第一項に規定する一部負担金を国（当該船員が行政執行法人に在職中に通勤による災害を受けた場合にあつては、当該行政執行法人）に納付することを要しない。

（平成二十六年四月以降の分として支給される補償等に係る平均給与額の特例）

第十六条　平成二十六年四月以降の分として支給される補償及び補償法第二十二条第一項に規定する福祉事業に係る平均給与額であつて、国家公務員の給与の改定及び臨時特例に関する法律（平成二十四年法律第二号。以下この条において「給与改定特例法」という。）第十条の規定により計算するものについては、同条の規定にかかわらず、給与改定特例法第三章の規定の適用がないものとして第二条及び第八条の規定を適用して計算した額とする。

附　則（平一九・九・二八規則一―五〇）（抄）

改正　平二七・三・一八規則一―六三

（施行期日）

第一条　この規則は、平成十九年十月一日から施行する。

（人事院規則一六―二の一部改正に伴う経過措置）

第八条　補償法第四条第一項に規定する期間中に旧公社の職員として在職していた日がある場合における規則一六―二第二条の二の規定の適用については、なお従前の例による。

2　旧郵政被災職員に関する規則一六―二第十五条の規定の適用については、同条中「行政執行法人に」とあるのは「郵政民営化法（平成十七年法律第九十七号）第百六十六条第一項の規定による解散前の日本郵政公社に」と、「当該行政執行法人」とあるのは「日本郵政株式会社」とする。

附　則（平二一・一二・二八規則一六―二―一二）（抄）

（施行期日）

第一条　この規則は、平成二十二年一月一日から施行する。

（経過措置）

第二条　この規則の施行の日前に発生した事故に起因する公務上の死亡若しくは通勤による死亡又は公務上の行方不明及び同日前にその発生が確定した疾病に起因する公務上の死亡又は通勤による死亡に関する船員に係る遺族補償年金の支給については、なお従前の例による。

附　則（平二七・三・一八規則一―六三）（抄）

（施行期日）

第一条　この規則は、平成二十七年四月一日から施行する。

（人事院規則一六―二の一部改正に伴う経過措置）

第六条　補償法第四条第一項に規定する期間中に特定独立行政法人職員として在職していた期間がある場合における当該期間に係る第五条の規定による改正後の規則一六―二（次項において「改正後の規則一六―二」という。）第二条の二の規定の適用については、なお従前の例による。

2　特定独立行政法人に在職中に通勤による災害を受けた職員に関する改正後の規則一六―二第十五条の規定の適用については、同条中「行政執行法人に」とあるのは「独立行政法人通則法の一部を改正する法律の施行に伴う関係法律の整備に関する法律（平成二十六年法律第六十七号）の施行の日において行政執行法人となつた特定独立行政法人（独立行政法人通則法の一部を改正する法律（平成二十六年法律第六十六号）による改正前の独立行政法人通則法（平成十一年法律第百三号）第二条第二項に規定する特定独立行政法人をいう。）に」と、「当該行政執行法人」とあるのは「当該特定独立行政法人であつた行政執行法人」とする。

○人事院規則一六―三（災害を受けた職員の福祉事業）

昭四八・一一・一公布
昭四八・一二・一施行

最終改正　令六・三・二九規則一六―三―四九

（趣旨）

第一条　公務上の災害（負傷、疾病、障害又は死亡をいう。以下同じ。）又は通勤による災害を受けた職員の社会復帰の促進並びにこれらの職員及びその遺族の援護を図るために必要な事業（以下「福祉事業」という。）については、別に定めるもののほか、この規則の定めるところによる。

（福祉事業の種類）

第二条　福祉事業の種類は、次のとおりとする。

一　外科後処置に関する事業
二　補装具に関する事業
三　リハビリテーションに関する事業
四　アフターケアに関する事業
五　休業援護金の支給
六　ホームヘルプサービスに関する事業
七　奨学援護金の支給
八　就労保育援護金の支給
九　傷病特別支給金の支給
十　障害特別支給金の支給
十一　遺族特別支給金の支給
十二　障害特別援護金の支給
十三　遺族特別援護金の支給

十四　傷病特別給付金の支給
十五　障害特別給付金の支給
十六　遺族特別給付金の支給
十七　障害差額特別給付金の支給
十八　長期家族介護者援護金の支給

（人事院の調査・監査等）

第三条　人事院は、実施機関が行う福祉事業の実施について指導調整に当たるほか、その実施状況について随時調査又は監査を行い、その実施が補償法及び同法に基づく規則の趣旨に従い適正に行われるよう実施機関に対する指示その他必要な措置を講ずるものとする。

第三条の二　規則一六―〇（職員の災害補償）第四条の二の規定は、福祉事業の実施について準用する。

（実施機関の権限）

第四条　実施機関は、福祉事業の実施に関する権限を有する。

2　規則一六―〇第七条の規定は、前項の権限の行使及び委任について準用する。

（補償事務主任者）

第五条　補償事務主任者は、実施機関の長の指示に従い、福祉事業の実施を円滑にするように努めなければならない。

（外科後処置）

第六条　実施機関は、障害等級に該当する程度の障害が存する者のうち、義肢装着のための断端部の再手術その他人事院が定める処置が必要であると認められる者には、外科後処置として、人事院又は実施機関が設置し、又は指定する施設において、次に掲げる処置のうち必要であると認められる処置を行うものとする。ただし、人事院が定める処置については、当該処置に代えて必要な費用を支給することができる。

一　診察
二　薬剤又は治療材料の支給
三　処置、手術その他の治療
四　居宅における療養上の管理及びその療養に伴う世話その他の看護
五　病院又は診療所への入院及びその療養に伴う世話その他の看護
六　移送

2　実施機関は、前項の規定による外科後処置が入院等を伴うものである場合には、人事院が定めるところにより、必要な費用を支給するものとする。

（補装具）

第七条　補償法第二十二条第二項の規定により支給する補装具は、義肢、装具、義眼、眼鏡、補聴器、人工こう頭、車いす、収尿器、歩行補助つえ、盲人安全つえ、点字器その他実施機関が適当であると認める種類の補装具とする。

第八条　補装具は、次に定めるところにより支給する。

一　義肢は、四肢又は手指若しくは足指の全部又は一部を失つた者に対し、一障害部位につき一本（実施機関が必要であると認める場合は、二本）を支給する。

二　装具は、四肢の全部若しくは一部の用を廃した者又は体幹の機能に障害を残す者に対し、一障害部位につき一個（実施機関が必要であると認める場合は、二個）を支給する。

三　義眼は、両眼又は一眼を失明した者に対し、失明した一眼につき一個を支給する。

四　眼鏡は、両眼若しくは一眼の矯正視力が〇・六以下になつた者又はしゆう明、昼盲等の障害を残す者に対し、一個（実施機関が必要であると認める場合は、二個）を支給する。

五　補聴器は、両耳又は一耳の聴力が四十センチメートル以上離れては普通の話声を解することができない者に対し、一個を支給する。

六　人工こう頭は、言語の機能を廃した者に対し、一個を支給する。

七　車いすは、両下肢を失い、又はその用を全廃した者で義肢又は装具の使用が不適当であるものに対し、一台を支給する。

八　収尿器は、排尿の機能に障害を残す者に対し、一個を支給する。

九　歩行補助つえは、歩行の機能に障害を残す者に対し、一本又は一組を支給する。

十　盲人安全つえ又は点字器は、両眼の矯正視力が〇・一以下になつた者に対し、それぞれ一本又は一個を支給する。

十一　前各号に掲げる補装具以外の補装具は、実施機関が必要であると認める範囲内で支給する。

2　補装具がき損し、若しくは適合しなくなつた場合又は滅失し、若しくは修理を適当としなくなつた場合にはそれぞれ、修理又は再支給を行う。ただし、修理又は再支給は、そのき損、滅失等が支給を受けた者の故意によつて生じた場合は、行わない。

3　前二項の規定により支給し、又は再支給する補装具は、障害者の日常生活及び社会生活を総合的に支援するための法律（平成十七年法律第百二十三号）第七十六条第二項の規定により補装具の購入に通常要する費用の額を勘案した基準が定められている補装具にあつてはその種目、型式、材質等に応じ実施機関がその基準の範囲内で適当であると認める価格（医学的な理由その他特別の事情によりその基準の範囲内の価格のものとすることが適当でないと認められるときは、職員の障害の状態等に応じ実施機関が適当であると認める価格）のものとし、その他の補装具にあつてはその種目、型式、材質等に応じ実施機関が適当であると認める価格のものとする。

4　第二項の規定による補装具の修理は、補装具の種目、修理部位等に応じ実施機関が適当であると認める価格で行う。

（リハビリテーション）

第九条　実施機関は、障害等級に該当する程度の障害が存する者のうち社会復帰のために身体的機能の回復等の措置が必要であると認められる者には、リハビリテーションとして、人事院又は実施機関が設置し、又は指定する施設において機能訓練、職業訓練その他相当であると認められる訓練を行い、又はその訓練に必要な費用を支給するものとする。

（旅行費）

第十条　補装具の支給、修理若しくは再支給又はリハビリテーションを受けるために旅行する場合には、旅行費を支給する。

第十一条　前条の規定による旅行費は、鉄道賃、船賃、車賃及び宿泊料とし、支給を受ける者の居住地又は滞在地から目的地に至る最も経済的な通常の経路及び方法により、かつ、次に定めるところにより計算した額の範囲内において、実費を支給する。

一　鉄道賃　旅客運賃、急行料金（普通急行列車若しくは準急行列車を運行する線路により片道五十キロメートル以上旅行する場合又は特別急行列車を運行する線路により片道百キロメートル以上旅行する場合に限る。以下この号において同じ。）、特別車両料金（旅客運賃の等級を二階級に区分する線路により旅行する場合を除く。）及び座席指定料金（普通急行列車を運行する線路により片道百キロメートル以上旅行する場合に限る。）とし、旅客運賃及び急行料金は、旅客運賃の等級を二階級に区分する線路により旅行する場合にあつては、上位の等級の旅客運賃及び急行料金とする。

二　船賃　旅客運賃、特別船室料金（旅客運賃を二以上の階級に区分する船舶により旅行する場合を除く。）及び座席指定料金とし、旅客運賃は、その等級を三階級に区分する船舶により旅行する場合にあつては中位の等級の旅客運賃、二階級に区分する船舶により旅行する場合にあつては上位の等級の旅客運賃とする。

三　車賃　一キロメートルにつき三十七円とし、全路程を通算した距離（一キロメートル未満の端数がある場合は、これを切り捨てた距離）により計算する。ただし、障害の程度によりこの額により難いと認められる場合は、実費額とする。

四　宿泊料　国家公務員等の旅費に関する法律（昭和二十五年法律第百十四号）別表第一において甲地方と定められている地域に宿泊する場合は一夜につき八千七百円とし、その他の地域に宿泊する場合は一夜につき七千八百円とする。

（アフターケア）

第十二条　実施機関は、公務上負傷し、若しくは疾病にかかり、又は通勤により負傷し、若しくは疾病にかかり、治つた者のうち、外傷による脳の器質的損傷を受けた者で障害等級に該当する程度の障害が存するものその他人事院が定める者には、アフターケアとして、人事院又は実施機関が設置し、又は指定する施設において第六条第一項各号に掲げる処置のうち必要であると認められる処置を行い、又はその処置に必要な費用を支給するものとする。

（休業援護金の支給）

第十三条　実施機関は、次の各号に掲げる職員には、休業援護金として、当該各号に規定する平均給与額の百分の二十を超えない範囲内で人事院が定める額を支給するものとする。

一　休業補償を受ける職員（規則一六—二（在外公館に勤務する職員、船員である職員等に係る災害補償の特例）第四条に規定する金額の休業補償を受けている職員を除く。）　休業補償に係る平均給与額

二　予後補償を受ける職員その他人事院が定める職員　休業補償を受けるものとした場合の平均給与額

（ホームヘルプサービス）

第十四条　実施機関は、傷病補償年金を受ける権利を有する者又は第三級以上の障害等級に該当する障害により障害補償年金を受ける権利を有する者のうち、居宅において入浴、排せつ、食事等の介護その他の日常生活を営むための便宜であつて人事院が定めるもの（以下この条において「介護等」という。）が必要であると認められる者には、人事院が定めるところにより、ホームヘルプサービスとして、人事院又は実施機関が指定する介護事業者（身体上又は精神上の障害があるために日常生活を営むのに支障がある者につき、その者の居宅において入浴、排せつ、食事等の介護その他

の日常生活を営むのに必要な便宜を供与する事業を行う者をいう。次項及び第二十条第四号において同じ。）による介護等の供与を行い、又は介護等の供与に必要な費用のうち人事院が定める額を支給するものとする。

２　前項の規定により人事院又は実施機関が指定する介護事業者による介護等の供与を受ける者は、一部負担金として、当該介護等の供与の利用に係る費用のうち人事院が定める額を当該介護事業者に支払わなければならない。

（奨学援護金の支給）

第十五条　実施機関は、次の各号のいずれかに該当する者のうち、当該各号に該当するに至つた日における当該各号に規定する補償に係る平均給与額が一万六千円以下である者には、奨学援護金を支給するものとする。次の各号のいずれかに該当する者のうち、当該各号に規定する補償に係る平均給与額が、同日において一万六千円を超えており、同日後一万六千円以下となつた者についても、同様とする。

一　障害補償年金（第三級以上の障害等級に該当する障害に係るものに限る。次号、第十七条及び第十八条において同じ。）又は遺族補償年金を受ける権利を有する者のうち、在学者等（学校教育法（昭和二十二年法律第二十六号）第一条に規定する学校（幼稚園を除く。）若しくは同法第百二十四条に規定する専修学校（一般課程にあつては、実施機関が当該課程の程度が高等課程と同等以上のものであると認めたものに限る。以下同じ。）に在学する者又は職業能力開発促進法（昭和四十四年法律第六十四号）第十五条の七第三項に規定する公共職業能力開発施設における職業訓練（人事院が定めるものに限る。次条において同じ。）を受ける者若しくは同法第二十七条に規定する職業能力開発総合大学校における職業訓練（人事院が定めるものに限る。次条において同じ。）を受ける者若しくはこれらに準ずる施設における教育、訓練、研修、講習その他これらに類するもの（人事院が定めるものに限る。同条において「公共職業能力開発施設等に準ずる施設における教育訓練等」という。）を受ける者をいう。以下同じ。）で学資の支弁が困難であると認められるもの

二　傷病補償年金又は障害補償年金を受ける権利を有する者のうち、在学者等である子（婚姻（届出をしていないが、事実上婚姻関係と同様の事情にある場合を含む。）をしている者及び直系血族又は直系姻族以外の者の養子（届出をしていないが、事実上養子縁組関係と同様の事情にある者を含む。）となつている者を除く。以下この項において同じ。）と生計を同じくしている者で当該在学者等である子に係る学資の支弁が困難であると認められるもの

三　遺族補償年金を受ける権利を有する者のうち、職員の死亡当時その者の収入によつて生計を維持していた当該職員の子（当該職員の死亡当時胎児であつた子を含む。）で現に在学者等であるものと生計を同じくしている者で当該在学者等であるものに係る学資の支弁が困難であると認められるもの

２　前項前段の規定にかかわらず、平成六年四月一日前に同項各号の一に該当するに至つた者のうち、次の表の上欄に掲げる期間のうちの当該各号に該当するに至つた日以後の期間における当該各号に規定する補償に係る平均給与額が、同欄に掲げる期間に対応する同表の下欄に掲げる額以下となつたことのない者には、奨学援護金は支給しない。

昭和四十九年四月一日から昭和五十二年三月三十一日まで	七千五百円
昭和五十二年四月一日から昭和五十五年三月三十一日まで	九千円
昭和五十五年四月一日から昭和六十年三月三十一日まで	一万一千円
昭和六十年四月一日から昭和六十三年三月三十一日まで	一万二千円
昭和六十三年四月一日から平成二年三月三十一日まで	一万三千円
平成二年四月一日から平成四年三月三十一日まで	一万四千円
平成四年四月一日から平成六年三月三十一日まで	一万五千円
平成六年四月一日以後	一万六千円

第十六条　奨学援護金の額は、次の各号に掲げる額の合計額とする。

一　小学校、義務教育学校の前期課程又は特別支援学校の小学部に在学する者にあつては、一人につき月額一万五千円

二　中学校、義務教育学校の後期課程、中等教育学校の前期課程又は特別支援学校の中学部に在学する者にあつては、一人につき月額二万円

三　高等学校、中等教育学校の後期課程、特別支援学校の高等部、高等専門学校（第一学年から第三学年までに限る。）若しくは専修学校の高等課程若しくは一般課程に在学する者又は公共職業能力開発施設における職業訓練を受ける者（人事院が定める者に限る。）若しくは公共職業能力開発施設等に準ずる施設における教育訓練等を受ける者（人事院が定める者に限る。）にあつては、一人につき月額一万九千円

四　大学、高等専門学校の第四学年、第五学年若しくは専攻科若しくは専修学校の専門課程に在学する者又は公共職業能力開発施設における職業訓練を受ける者（前号に規定する者を除く。）若しくは職業能力開発総合大学校における職業訓練を受ける者若しくは公共職業能力開発施設等に準ずる施設における教育訓練等を受ける者（前号に規定する者を除く。）にあつては、一人につき月額三万九千円

第十七条　奨学援護金の支給は、第十五条第一項前段に規定する者にあつては同項各号に該当するに至つた日の属する月の翌月（その日の属する月の前月の末日において傷病補償年金、障害補償年金又は遺族補償年金を受ける権利を有していたときは、その日の属する月）、同項後段に規定する者にあつては同項後段に該当するに至つた日の属する月から始め、支給すべき事由の消滅した日の属する月で終わる。

2　奨学援護金は、これを受けている者にその支給額を変更すべき事実が生じた場合には、その事実が生じた日の属する月の翌月（新たに在学者等となつた者が生じたことにより支給額を増額すべき場合又は奨学援護金に係る在学者等について支給額を増額すべき事実が生じた場合にあつては、その事実が生じた日の属する月）からその支給額を改定する。

3　第十五条第一項第一号又は第三号に該当する者に係る奨学援護金は、補償法第十七条の三第一項の規定により遺族補償年金の支給が停止される月については、支給しない。

4　実施機関は、在学者等について奨学援護金を支給することが適当でない事情があると認めたときは、その事情が存する期間、当該在学者等に係る奨学援護金を支給しないことができる。

（就労保育援護金の支給）

第十八条　実施機関は、次の各号のいずれかに該当する者のうち、当該各号に該当するに至つた日における当該各号に規定する補償に係る平均給与額が一万六千円以下である者には、就労保育援護金を支給するものとする。次の各号のいずれかに該当する者のうち、当該各号に規定する補償に係る平均給与額が、同日において一万六千円を超えており、同日後一万六千円以下となつた者についても、同様とする。

一　傷病補償年金又は障害補償年金を受ける権利を有し、かつ、未就学の子（直系血族又は直系姻族以外の者の養子（届出をしていないが、事実上養子縁組関係と同様の事情にある者を含む。）となつている者を除く。以下この項において同じ。）と生計を同じくしている者のうち、自己と生計を同じくしている者の就労のため当該未就学の子を児童福祉法（昭和二十二年法律第百六十四号）第三十九条に規定する保育所、学校教育法第一条に規定する幼稚園、就学前の子どもに関する教育、保育等の総合的な提供の推進に関する法律（平成十八年法律第七十七号）第二条第七項に規定する幼保連携型認定こども園等（以下「保育所等」という。）に預けている者で、保育に係る費用を援護する必要があると認められるもの

二　障害補償年金を受ける権利を有し、かつ、未就学の子と生計を同じくしている者のうち、自己の就労のため当該未就学の子を保育所等に預けている者で、保育に係る費用を援護する必要があると認められるもの

三　遺族補償年金を受ける権利を有し、かつ、職員の死亡の当時当該職員の収入によつて生計を維持していた当該職員の未就学の子（当該職員の死亡の当時胎児であつた子を含むものとし、次号に該当する者を除く。）と生計を同じくしている者のうち、自己の就労のため当該未就学の子を保育所等に預けている者で、保育に係る費用を援護する必要があると認められるもの

四　遺族補償年金を受ける権利を有する未就学の児童である者のうち、自己と生計を同じくしている者の就労のため保育所等に預けられている者で、保育に係る費用を援護する必要があると認められるもの

2　前項前段の規定にかかわらず、平成六年四月一日前に同項各号の一に該当するに至つた者のうち、次の表の上欄に掲げる期間のうちの当該各号に該当するに至つた日以後の期間における当該各号に規定する補償に係る平均給与額が、同欄に掲げる期間に対応する同表の下欄に掲げる額以下となつたことのない者には、就労保育援護金は支給しない。

昭和五十四年四月一日から昭和五十五年三月三十一日まで	九千円

昭和五十五年四月一日から昭和六十年三月三十一日まで	一万一千円
昭和六十年四月一日から昭和六十三年三月三十一日まで	一万二千円
昭和六十三年四月一日から平成二年三月三十一日まで	一万三千円
平成二年四月一日から平成四年三月三十一日まで	一万四千円
平成四年四月一日から平成六年三月三十一日まで	一万五千円
平成六年四月一日以後	一万六千円

3 就労保育援護金の額は、保育所等に預けられている者（以下「保育児」という。）一人につき月額八千円とする。

4 第十七条第一項から第三項までの規定は、就労保育援護金の支給について準用する。この場合において、同条第一項中「奨学援護金」とあるのは「就労保育援護金」と、「第十五条第一項前段」とあるのは「第十八条第一項前段」と、同条第二項中「奨学援護金」とあるのは「就労保育援護金」と、「在学者等」とあるのは「保育児」と、同条第三項中「第十五条第一項第一号又は第三号」とあるのは「第十八条第一項第三号又は第四号」と、「奨学援護金」とあるのは「就労保育援護金」と読み替えるものとする。

（傷病特別支給金の支給）

第十九条 実施機関は、傷病補償年金を受ける権利を有することとなつた者には、傷病特別支給金として、当該傷病補償年金に係る傷病等級に応じ次に掲げる額を支給するものとする。

一 第一級 百十四万円
二 第二級 百七万円
三 第三級 百万円

（障害特別支給金の支給）

第十九条の二 実施機関は、障害補償を受ける権利を有することとなつた者には、障害特別支給金として、当該障害補償に係る障害等級に応じ次に掲げる額（補償法第十三条第八項に規定する障害の程度を加重した場合にあつては、加重後の障害等級に応ずる次に掲げる額から加重前の障害等級に応ずる次に掲げる額を差し引いた額）を支給するものとする。

一 第一級 三百四十二万円
二 第二級 三百二十万円
三 第三級 三百万円
四 第四級 二百六十四万円
五 第五級 二百二十五万円
六 第六級 百九十二万円
七 第七級 百五十九万円
八 第八級 六十五万円
九 第九級 五十万円
十 第十級 三十九万円
十一 第十一級 二十九万円
十二 第十二級 二十万円
十三 第十三級 十四万円
十四 第十四級 八万円

2 同一の公務上の負傷若しくは疾病又は通勤による負傷若しくは疾病（以下「同一の傷病」という。）に関し、障害補償を受ける権利を有することとなつた者が既に傷病特別支給金の支給を受けた場合においては、前項の規定にかかわらず、当該障害補償に係る障害等級に応ずる同項の規定による額（以下この項において「前項の規定による額」という。）が、当該傷病特別支給金に係る傷病等級に応ずる前条の規定による額（以下この項において「前条の規定による額」という。）を超えるときにあつては、当該超える額に相当する額を支給し、前項の規定による額が前条の規定による額以下のときにあつては、障害特別支給金は、支給しないものとする。

（遺族特別支給金の支給）

第十九条の三 実施機関は、遺族補償年金（補償法第十七条の二第一項の規定により支給されるものを除く。）を受ける権利を有することとなつた者には三百万円を、遺族補償一時金（同法第十七条の四第一項第二号に該当する場合に支給されるものを除く。）を受ける権利を有することとなつた者には次の各号に掲げる者の区分に応じ当該各号に掲げる額を、遺族特別支給金として、それぞれ支給するものとする。

一 補償法第十七条の五第一項第一号、第二号又は第四号に該当する者 三百万円
二 補償法第十七条の五第一項第三号に該当する者のうち、職員の死亡の当時において、職員の三親等内の親族で十八歳未満若しくは五十五歳以上の年齢であつたもの又は職員の三親等内の親族で第七級以上の障害等級の障害に該当する状態にあつたもの 二百十万円
三 補償法第十七条の五第一項第三号に該当する者のうち、前号に掲げる者以外の者 百二十万円

2　遺族特別支給金の支給を受けることができる遺族が二人以上あるときは、遺族特別支給金の額は、前項の規定にかかわらず、同項に規定する額をその人数で除して得た額とする。

（障害特別援護金の支給）

第十九条の四　実施機関は、公務上負傷し、若しくは疾病にかかり、又は通勤により負傷し、若しくは疾病にかかり、治つたとき障害等級に該当する程度の障害が存する者には、障害特別援護金として、千四百三十五万円（通勤による負傷又は疾病の場合（既に公務上の負傷又は疾病による障害のある者が同一部位について障害の程度を加重した場合を除く。）にあつては、九百十五万円）を超えない範囲内で人事院が定める額を支給するものとする。

（遺族特別援護金の支給）

第十九条の五　実施機関は、公務上死亡し、又は通勤により死亡した職員の遺族で人事院が定めるものには、遺族特別援護金として、公務上の死亡の場合にあつては千七百三十五万円を、通勤による死亡の場合にあつては千四百十五万円を、それぞれ超えない範囲内で人事院が定める額を支給するものとする。

（傷病特別給付金の支給）

第十九条の六　実施機関は、傷病補償年金を受ける権利を有する者には、傷病特別給付金として、一年につき、その者に対して支給すべき補償法第十二条の二第二項の規定による傷病補償年金の額に特別給支給率（負傷若しくは死亡の原因である事故の発生の日又は診断によつて疾病の発生が確定した日の属する月の前月の末日から起算して過去一年間（その期間内に採用された職員については、その採用された日までの間）にその職員に対して支払われた給与法に規定する期末手当及び勤勉手当、任期付職員法第七条第四項に規定する特定任期付職員業績手当並びに任期付研究員法第六条第五項に規定する任期付研究員業績手当又はこれらに相当する給与の総額の当該期間内に支払われた補償法第四条第二項に規定する平均給与額の算定の基礎とされる給与の総額に対する率をいい、その率が百分の二十を超える者にあつては百分の二十とし、人事院が定める者にあつては百分の二十を超えない範囲内で人事院の定める率とする。以下同じ。）を乗じて得た額を、毎年支給するものとする。ただし、その額は、百五十万円に、第一級、第二級又は第三級の傷病等級に応じ、それぞれ三百六十五分の三百十三、三百六十五分の二百七十七又は三百六十五分の二百四十五を乗じて得た額を超えないものとする。

2　前項の規定による傷病特別給付金の額に補償法第十二条の二第二項の規定による傷病補償年金の額を加えた額が平均給与額の年額（当該傷病補償年金に係る平均給与額に三百六十五を乗じて得た額をいう。以下この項において同じ。）の百分の八十に相当する額に満たない者に係る傷病特別給付金の額は、当分の間、前項の規定にかかわらず、平均給与額の年額の百分の八十に相当する額から当該傷病補償年金の額を減じた額とする。

（障害特別給付金の支給）

第十九条の七　実施機関は、障害補償年金を受ける権利を有する者には、障害特別給付金として、一年につき、その者に対して支給すべき補償法第十三条第三項の規定による障害補償年金の額に特別給支給率を乗じて得た額を、毎年支給するものとする。ただし、その額は、百五十万円に、当該障害補償年金に係る障害等級に応じ、同項各号に定める日数を三百六十五で除して得た数を乗じて得た額を超えないものとする。

2　実施機関は、障害補償一時金を受ける権利を有することとなつた者には、障害特別給付金として、その者に対して支給すべき補償法第十三条第四項の規定による障害補償一時金の額（当該障害補償一時金について規則一六―二第七条の規定が適用された場合にあつては、同条の規定による額）に特別給支給率を乗じて得た額を支給するものとする。ただし、その額は、百五十万円に、当該障害補償一時金に係る障害等級に応じ、同項各号に定める日数を三百六十五で除して得た数を乗じて得た額を超えないものとする。

3　補償法第十三条第八項の規定による障害補償を受ける権利を有する者に係る障害特別給付金の額は、前二項の規定にかかわらず、次の各号に掲げる場合の区分に応じ、加重後の障害等級に応ずる前二項の規定による額から当該各号に定める額を差し引いた額とする。

一　加重後の障害の程度が第七級以上の障害等級に該当する場合　加重前の障害の程度が第七級以上の障害等級に該当するものであるときはその障害等級に応ずる第一項の規定による額、加重前の障害の程度が第八級以下の障害等級に該当するものであるときはその障害等級に応じ障害補償年金に係る平均給与額に補償法第十三条第四項各号に定める日数を乗じて得た額（加重後の障害が同法第二十条の二又は規則一六―二第六条の二第一項に規定する公務上の災害に係るものであるときは当該額と当該額に加重前の障害の程度に応じそれぞれ規則一六―〇第三十三条又は同項に定める率を乗じて得た額との合計額、当該障害補償年金を受ける権利を有する者が規則一六―二第一条に規定する船員（以下「船員」という。）であるときは当該額と当該平均給与額に加重前の障害等級に応じ同規則第七条各号に定める日数を乗じて得た額との合計額）に特別給支給率を乗じて得た額（その額が、百五十万円に、加重前の障害等級に応じ、同法第十三条第四項各号に定める日数を三百六十五で除して得た数を乗じて得られた額を超えるときは、当該得られた額）を二十五で除して得た額

二　加重後の障害の程度が第八級以下の障害等級に該当する場合　加重前の障害等級に応ずる前項の規定による額

（補償制限に関する規定の準用）

第十九条の八　規則一六―〇第二十八条第一項の規定は、傷病特別支給金の支給、障害特別支給金の支給、傷病特別給付金の支給及び障害特別給付金の支給について準用する。

（特別給付金等の支払の調整）

第十九条の九　同一の傷病に関し、傷病特別給付金の支給を受ける権利を有する者が休業援護金の支給又は障害特別給付金の支給を受ける権利を有することとなつた場合において、当該傷病特別給付金の支給を受ける権利が消滅した月の翌月以後の分として傷病特別給付金が支払われたときは、その支払われた傷病特別給付金は、当該休業援護金又は障害特別給付金の内払とみなす。

２　同一の傷病に関し、休業援護金の支給を受けている者が傷病特別給付金又は障害特別給付金の支給を受ける権利を有することとなり、かつ、当該休業援護金を支給しないこととなつた場合において、その後も休業援護金が支払われたときは、その支払われた休業援護金は、当該傷病特別給付金又は障害特別給付金の内払とみなす。

（遺族特別給付金の支給）

第十九条の十　実施機関は、遺族補償年金を受ける権利を有する者には、遺族特別給付金として、一年につき、その者に対して支給すべき補償法第十七条第一項の規定による遺族補償年金の額に特別給支給率を乗じて得た額を、毎年支給するものとする。ただし、その額は、百五十万円に、当該遺族補償年金の額の算定の基礎となつた遺族の人数の区分に応じ、同法第十七条第一項各号に規定する平均給与額に乗ずべき数を三百六十五で除して得た数を乗じて得た額を超えないものとする。

２　実施機関は、補償法第十七条の四第一項第一号の規定に該当して遺族補償一時金を受ける権利を有することとなつた者には、遺族特別給付金として、その者に対して支給すべき規則一六―〇第三十条の規定による遺族補償一時金の額（当該遺族補償一時金について規則一六―二第九条の規定が適用された場合にあつては、同条の規定による額）に特別給支給率を乗じて得た額を支給するものとする。ただし、その額は、百五十万円に、規則一六―〇第三十条各号に定める日数を三百六十五で除して得た数を乗じて得た額を超えないものとする。

３　実施機関は、補償法第十七条の四第一項第二号の規定に該当して遺族補償一時金を受ける権利を有することとなつた者には、遺族特別給付金として、同法第十七条の五に掲げる遺族の区分に応じて支給されるべき前項の規定による遺族特別給付金の額から、同一の事由につき既に支給された第一項の規定による遺族特別給付金の額の次項に規定する合計額を差し引いた額を支給するものとする。遺族補償年金を受ける権利を有する者が遺族補償年金前払一時金の支給を受けたため同法第十七条の四第一項第二号の規定に該当しないこととなつた者で、当該遺族補償年金を受ける権利を有する者に当該遺族補償年金前払一時金が支給されなかつたものとした場合に同号の規定に該当して遺族補償一時金を受ける権利を有することとなるものについても、同様とする。

４　補償法第十七条の四第二項の規定は、前項に規定する遺族特別給付金の額の合計額について準用する。

５　遺族特別給付金の支給を受けることができる遺族が二人以上あるときは、遺族特別給付金の額は、前四項の規定にかかわらず、これらの規定に規定する額をその人数で除して得た額とする。

６　補償法第十七条の三第一項又は附則第二十項の規定により遺族補償年金の支給が停止されている者に対する遺族特別給付金は、当該遺族補償年金の支給が停止されている間、その者に対しては支給しない。

（年金たる特別給付金の年額の端数処理）

第十九条の十一　傷病特別給付金、年金たる障害特別給付金又は年金たる遺族特別給付金（以下「年金たる特別給付金」という。）の年額に五十円未満の端数があるときは、これを切り捨て、五十円以上百円未満の端数があるときは、これを百円に切り上げるものとする。

（年金たる特別給付金の支給期間等）

第十九条の十二　年金たる特別給付金の支給は、支給す

べき事由が生じた月の翌月から始め、支給すべき事由が消滅した月で終わるものとする。

2　傷病補償年金を受ける者の当該障害の程度に変更があつたため、新たに補償法第十二条の二第二項各号に掲げる他の傷病等級に該当するに至つた場合における従前の傷病等級に応ずる傷病特別給付金は、障害の程度に変更があつた日の属する月まで支給するものとし、新たに該当するに至つた傷病等級に応ずる傷病特別給付金は、その翌月から支給するものとする。

3　前項の規定は、障害補償年金を受ける者の当該障害の程度に変更があつた場合における障害特別給付金の支給について準用する。

（障害差額特別給付金の支給）

第十九条の十三　実施機関は、障害補償年金差額一時金を受ける権利を有することとなつた者には、障害差額特別給付金として、当該障害補償年金差額一時金に係る障害補償年金に係る障害等級に応じ、補償法附則第四項の表の下欄に掲げる額（当該障害補償年金については、同法第二十条の二の規定が適用された場合にあつては当該障害補償年金に係る障害等級に応じ同表の下欄に掲げる額に規則一六—〇第三十三条に定める率を乗じて得た額、規則一六—二第六条の二第一項の規定が適用された場合にあつては当該障害補償年金に係る障害等級に応じ同表の下欄に掲げる額に同項に掲げる率を乗じて得た額、当該障害補償年金を受けていた者が船員である場合にあつては平均給与額に当該障害補償年金に係る障害等級に応じ同規則第十一条第一項各号に掲げる日数を乗じて得た額を、それぞれ同表の下欄に掲げる額に加えた額。次項において「障害差額特別給付金限度額」という。）に当該障害補償年金に係る障害特別給付金に係る特別給支給率を乗じて得た額（その額が、百五十万円に、当該障害等級に応じ、同表の下欄に掲げる数を三百六十五で除して得た数を乗じて得られた額を超えるときは、当該得られた額）から、既に支給された当該障害補償年金に係る障害特別給付金の額（当該障害特別給付金のうち、当該障害補償年金を受ける権利を有する者が死亡した日の属する年度の前年度以前の分として支給された障害特別給付金にあつては、第三項に規定する額）の合計額を差し引いた額を支給するものとする。障害補償年金を受ける権利を有する者が障害補償年金前払一時金の支給を受けたため障害補償年金差額一時金を受ける権利を有しないこととなつた者で、当該障害補償年金を受ける権利を有する者に当該障害補償年金前払一時金が支給されなかつたものとした場合に障害補償年金差額一時金を受ける権利を有することとなるものについても、同様とする。

2　補償法第十三条第八項の規定による障害補償年金を受ける権利を有する者の死亡により障害差額特別給付金を受けることとなつた者の当該障害差額特別給付金の額は、前項の規定にかかわらず、次の各号に掲げる場合の区分に応じ、当該各号に定める額に当該障害補償年金に係る障害特別給付金に係る特別給支給率を乗じて得た額（その額が、百五十万円に、次の各号に掲げる場合の区分に応じ、当該各号に定める額（当該障害補償年金について同法第二十条の二又は規則一六—二第六条の二第一項の規定が適用された場合にあつてはこれらの規定の適用がないものとした場合における当該各号に定める額、当該障害補償年金を受けていた者が船員である場合にあつては船員でないものとした場合における当該各号に定める額）を平均給与額で除して得た数を三百六十五で除して得た数を乗じて得られた額を超えるときは、当該得られた額）から、既に支給された当該障害補償年金に係る第十九条の七第三項の規定による障害特別給付金の額（当該障害特別給付金のうち、当該障害補償年金を受ける権利を有する者が死亡した日の属する年度の前年度以前の分として支給された障害特別給付金にあつては、次項に規定する額）の合計額を差し引いた額とする。

一　加重前の障害の程度が第七級以上の障害等級に該当する場合　加重後の障害等級に応ずる障害差額特別給付金限度額から、加重前の障害等級に応ずる障害差額特別給付金限度額を差し引いた額

二　加重前の障害の程度が第八級以下の障害等級に該当する場合　加重後の障害等級に応ずる障害差額特別給付金限度額に、当該障害補償年金に係る規則一六—〇第二十六条の規定による金額を当該障害補償年金に係る加重後の障害等級に応ずる補償法第十三条第三項の規定による額で除して得た数を乗じて得た額

3　規則一六—〇第三十三条の二第一項の規定は、前二項に規定する当該障害補償年金を受ける権利を有する者が死亡した日の属する年度の前年度以前の分として支給された障害特別給付金の額について準用する。

4　障害差額特別給付金の支給を受けることができる者が二人以上あるときは、障害差額特別給付金の額は、前三項の規定にかかわらず、これらの規定による障害差額特別給付金の額をその人数で除して得た額とする。

（長期家族介護者援護金の支給）

第十九条の十四　実施機関は、第一級若しくは第二級の傷病等級又は第一級若しくは第二級の障害等級に該当する障害（人事院の定めるものに限る。）により傷病補償年金又は障害補償年金を受ける権利を有する者が、当該障害に係る傷病補償年金又は障害補償年金を支給すべき事由が生じた日の翌日から起算して十年を経過した日以後に死亡した場合（その死亡が公務上の災害又は通勤による災害と認められる場合を除く。）には、その遺族に対して、長期家族介護者援護金として、百万円を支給するものとする。ただし、その死亡の原因について長期家族介護者援護金を支給することが適当でない事情があると認めたときは、長期家族介護者援護金を支給しないことができる。

2　長期家族介護者援護金の支給を受けることができる者が二人以上あるときは、長期家族介護者援護金の額は、前項の規定にかかわらず、同項に規定するその額をその人数で除して得た額とする。

3　前二項に定めるもののほか、長期家族介護者援護金の支給に関し必要な事項は、人事院が定める。

（金銭給付を内容とする未支給の福祉事業）

第十九条の十五　外科後処置、リハビリテーション、アフターケア若しくはホームヘルプサービスの費用の支給、休業援護金の支給、奨学援護金の支給、就労保育援護金の支給、傷病特別支給金の支給、障害特別支給金の支給、遺族特別支給金の支給、障害特別援護金の支給、遺族特別援護金の支給、傷病特別給付金の支給、障害特別給付金の支給、遺族特別給付金の支給、障害差額特別給付金の支給又は長期家族介護者援護金の支給を受けることができる者が死亡した場合において、その死亡した者に支給すべき給付でまだその者に支給しなかつたものがあるときは、その者の配偶者（婚姻の届出をしていないが、職員の死亡の当時事実上婚姻関係と同様の事情にあつた者を含む。）、子、父母、孫、祖父母又は兄弟姉妹であつて、その者の死亡の当時その者と生計を同じくしていたものに、これを支給するものとする。第十条の規定により旅行費の支給を受けることができる者が死亡した場合においても、同様とする。

2　前項の規定にかかわらず、次の各号に掲げる給付について当該各号に定める遺族がある場合は、当該各号に掲げる給付に係る未支給の福祉事業は、当該各号に定める遺族に支給するものとする。

一　遺族補償年金を受ける権利を有する者に支給すべき遺族特別支給金、遺族特別援護金及び遺族特別給付金　遺族補償年金を受けることができる他の遺族

二　第十九条の十三第一項前段の規定により支給すべき障害差額特別給付金　障害補償年金差額一時金を受けることができる他の遺族

三　第十九条の十三第一項後段の規定により支給すべき障害差額特別給付金　障害補償年金を受ける権利を有する者が障害補償年金前払一時金を受けたため障害補償年金差額一時金を受けることができなくなつた他の遺族

3　第一項の規定により未支給の福祉事業を受けるべき者の順位は、同項に規定する順序とし、前項の規定により未支給の福祉事業を受けるべき者の順位は、同項第一号に掲げる給付に係る未支給の福祉事業については補償法第十六条第三項に規定する順序（同法附則第十八項に規定する遺族にあつては、同法附則第十九項に規定する順序）、前項第二号又は第三号に掲げる給付に係る未支給の福祉事業については同法附則第六項後段に規定する順序とする。

4　未支給の福祉事業を受けるべき同順位者が二人以上あるときは、その全額をその一人に支給することができるものとし、この場合において、その一人にした支給は、全員に対してしたものとみなす。

（福祉事業の周知）

第二十条　実施機関は、福祉事業に関する次に掲げる事項を適当な方法によつて職員に周知させなければならない。

一　第二条各号に掲げる福祉事業の種類及び内容

二　外科後処置、補装具、リハビリテーション若しくはアフターケアのための施設（以下「外科後処置等のための施設」という。）又は療養補償としての療養を行うための施設を設置した場合における当該施設の名称及び所在地並びに当該施設で行う福祉事業等の種類及び内容

三　外科後処置等のための施設を指定した場合における当該施設の名称及び所在地並びに当該施設で行う福祉事業の種類及び内容

四　ホームヘルプサービスのための介護事業者を指定した場合における当該事業者の名称及び所在地並びに当該事業者により行うホームヘルプサービスの内容

（福祉事業の運営に関する措置の申立ての教示）

第二十一条　実施機関は、福祉事業の運営に関する通知をするときは、補償法第二十五条及び規則一三—三（災害補償の実施に関する審査の申立て等）に定めるところにより人事院に福祉事業の運営に関する措置の申立てをすることができる旨を教示するものとする。

（平成二十三年の障害等級の改定に伴う経過措置）

第二十二条　職員が公務上負傷し、若しくは疾病にかかり、若しくは通勤により負傷し、若しくは疾病にかかり、平成二十三年二月十五日前に治つたとき、又は障害補償年金を受ける者の当該障害補償年金に係る障害の程度に同日前に変更があつたときに存した障害に係る第十四条第一項、第十五条第一項第一号及び第十九条の十四第一項の規定の適用については、規則一六―〇―五六（人事院規則一六―〇（職員の災害補償）の一部を改正する人事院規則）による改正前の規則一六―〇（次項において「改正前の規則一六―〇」という。）別表第五に規定する障害等級によるものとする。

2　職員が公務上負傷し、若しくは疾病にかかり、若しくは通勤により負傷し、若しくは疾病にかかり、平成二十二年六月十日から平成二十三年二月十四日までの間に治つたとき、又は障害補償年金を受ける者の当該障害補償年金に係る障害の程度に当該期間において変更があつたときに存した障害（改正前の規則一六―〇別表第五第十二級の項第十四号又は第十四級の項第十号に該当するものに限る。以下この条において同じ。）に係る第十四条第一項、第十五条第一項第一号及び第十九条の十四第一項の規定の適用については、前項の規定にかかわらず、規則一六―〇―五六による改正後の規則一六―〇（次項において「改正後の規則一六―〇」という。）別表第五に規定する障害等級によるものとする。

3　職員が平成二十二年六月十日から平成二十三年二月十四日までの間に公務上死亡し、又は通勤により死亡した場合であつて、当該職員の遺族に障害を有する者があるときにおける当該遺族の障害の状態に係る第十九条の三第一項第二号の規定の適用については、改正後の規則一六―〇別表第五に規定する障害等級によるものとする。

附　則（平六・六・二四規則一六―三―一九）

（施行期日等）

1　この規則は、公布の日から施行し、改正後の人事院規則一六―三第十四条の二第一項、第十五条、第十六条及び第十八条第一項から第三項までの規定は、平成六年四月一日から適用する。

（経過措置）

2　平成六年三月三十一日において改正前の人事院規則一六―三第十五条第一項各号の一に該当していた者で、同日における当該各号に規定する補償に係る平均給与額が一万五千円を超えていたもののうち、同年四月一日における当該平均給与額が一万六千円以下であるため又は同日後当該平均給与額が一万六千円以下となつたため新たに奨学援護金の支給を受けることとなる者に対する奨学援護金の支給は、それぞれ同月又は同日後当該平均給与額が一万六千円以下となつた日の属する月から始めるものとする。

3　前項の規定は、就労保育援護金の支給について準用する。この場合において、同項中「第十五条第一項各号」とあるのは「第十八条第一項各号」と、「奨学援護金」とあるのは「就労保育援護金」と読み替えるものとする。

附　則（平一六・一一・三〇規則一六―三―三四）

（施行期日等）

1　この規則は、公布の日から施行し、改正後の規則一六―三の規定は、平成十六年七月一日から適用する。

（障害特別支給金等の内払）

2　障害補償に係る障害の等級の改定等のための国家公務員災害補償法及び地方公務員災害補償法の一部を改正する法律（平成十六年法律第百四十四号。以下「平成十六年改正法」という。）第一条の規定による改正前の補償法及びこの規則による改正前の規則一六―三に基づいて支給された障害特別支給金、遺族特別支給金、障害特別給付金又は遺族特別給付金については、平成十六年改正法附則第四条の規定の例による。

附　則（平一八・三・三一規則一六―三―三六）

（施行期日）

1　この規則は、平成十八年四月一日から施行する。

（平成十八年の障害等級の改定に伴う経過措置）

2　職員が公務上負傷し、若しくは疾病にかかり、若しくは通勤により負傷し、若しくは疾病にかかり、この規則の施行の日前に治ったとき、又は同日前に障害補償年金を受ける者の当該障害の程度に変更があったときにおけるこの規則による改正後の規則一六―三第十条、第十四条の二第一項及び第十五条第一項第一号の規定の適用については、なお従前の例による。

3　職員がこの規則の施行の日前に公務上死亡し、又は通勤により死亡した場合におけるこの規則による改正後の規則一六―三第十九条の三第一項第二号の規定の適用については、なお従前の例による。

（在宅介護住宅改良援護金及び自動車購入援護金に係る経過措置）

4　この規則の施行の日前にこの規則による改正前の規則一六―三第十四条の三又は第十四条の四の規定に該当した者に対するこれらの規定の適用については、それぞれなお従前の例による。

附　則（平二一・五・二九規則一—五四）（抄）

（施行期日）

第一条　この規則は、公布の日から施行する。

（人事院規則一六—三の一部改正に伴う経過措置）

第三条　負傷若しくは死亡の原因である事故の発生の日又は診断によって疾病の発生が確定した日が平成二十一年十二月三十一日以前である場合における第八条の規定による改正後の規則一六—三第十九条の六第一項の規定の適用については、同項中「及び勤勉手当」とあるのは、「、勤勉手当及び一般職の職員の給与に関する法律等の一部を改正する法律（平成二十一年法律第四十一号）第一条の規定による改正前の給与法に規定する期末特別手当」とする。

附　則（平二一・一二・二八規則一六—二—一二）（抄）

（施行期日）

第一条　この規則は、平成二十二年一月一日から施行する。

（人事院規則一六—三の一部改正に伴う経過措置）

第四条　改正後の規則一六—三第十九の十の規定は、この規則の施行の日以後に発生した事故に起因する公務上の死亡又は通勤による死亡及び同日以後にその発生が確定した疾病に起因する公務上の死亡又は通勤による死亡に関する遺族特別給付金の支給について適用し、同日前に発生した事故に起因する公務上の死亡又は通勤による死亡及び同日前にその発生が確定した疾病に起因する公務上の死亡又は通勤による死亡に関する遺族特別給付金の支給については、なお従前の例による。

附　則（令四・三・三一規則一六—三—四八）

（施行期日）

1　この規則は、令和四年四月一日から施行する。

（令和五年三月三十一日までの間における遺族特別援護金の額に関する特例）

2　令和五年三月三十一日までの間におけるこの規則による改正後の規則一六—三第十九条の五の規定の適用については、同条中「千七百三十五万円」とあるのは、「千七百九十五万円」とする。

附　則（令六・三・二九規則一六—三—四九）

（施行期日）

1　この規則は、令和六年四月一日から施行する。

（就労保育援護金の額に関する経過措置）

2　この規則の施行の日（以下この項において「施行日」という。）から令和七年三月三十一日までの間における施行日前から引き続き規則一六—三第十八条第一項に該当する者に対するこの規則による改正後の規則一六—三第十八条第三項の規定の適用については、同項中「八千円」とあるのは、「八千円（令和六年四月一日前から引き続き保育児である者にあつては、一万円）」とする。

〇人事院規則一六—四（補償及び福祉事業の実施）

昭四八・一一・一〇公布
昭四八・一二・一施行

最終改正　令四・三・三一規則一六—四—二八

第一章　補償の実施

（療養補償等の請求）

第一条　療養補償（規則一六—〇（職員の災害補償）第二十四条に規定する病院、診療所、薬局又は訪問看護事業者において行う療養を除く。）、休業補償、障害補償一時金、介護補償、遺族補償一時金又は葬祭補償を受けようとする者は、補償の種類に応じ、療養補償請求書、休業補償請求書、障害補償一時金請求書、介護補償請求書、遺族補償一時金請求書又は葬祭補償請求書を実施機関に提出しなければならない。

2　前項の規定により休業補償請求書、障害補償一時金請求書又は葬祭補償請求書を提出するときは、平均給与額算定書を添付しなければならない。ただし、休業補償に関し第二回目以後の請求書を提出する場合で平均給与額に変更のないときは、この限りでない。

3　第一項の規定により介護補償請求書を提出するときは、常時又は随時介護を要する状態にあることの決定に必要な医師等の証明書又はその写しその他人事院が定める書類を添付しなければならない。ただし、第二回目以後の請求書を提出する場合で介護を要する状態に変更がないときは、当該医師等の証明書又はその写しの添付を省略することができる。

4　第一項の規定により遺族補償一時金請求書を提出するときは、平均給与額算定書及び次に掲げる書類を添付しなければならない。ただし、その提出前に同一の災害に関し遺族補償年金の支給が行われているときは、第一号に掲げる書類の添付を省略することができる。

一　職員の死亡診断書その他職員の死亡の事実を証明する書類又はその写し

二　補償を受けようとする者と職員との続柄に関し市町村長（特別区の区長を含むものとし、地方自治法（昭和二十二年法律第六十七号）第二百五十二条の十九第一項の指定都市にあつては、区長又は総合区長とする。以下同じ。）が発行する証明書

三　前二号に掲げるもののほか、人事院が定める書類

（療養補償等の補償金額の決定等）

第二条　実施機関は、前条第一項の請求書を受理したときは、これを審査し、補償金額の決定を行い、補償を受けるべき者に書面でその支給に関する通知をしなければならない。

2　障害補償一時金、介護補償、遺族補償一時金及び葬祭補償の支給は前項の通知後速やかに行うものとし、療養の費用及び休業補償の支給は毎月一回以上行うようにするものとする。

（死亡等に係る届出）

第三条　療養補償、休業補償又は介護補償を受けている者が死亡した場合には、その遺族は、速やかにその旨を実施機関に届け出なければならない。

2　介護補償を受けている者は、常時介護を要する状態又は随時介護を要する状態のいずれにも該当しなくなつた場合には、その事実を明らかにする資料を添えて、速やかにその旨を実施機関に届け出なければならない。

（傷病補償年金に関する通知）

第四条　実施機関は、職員が補償法第十二条の二第一項に規定する場合に該当することとなつたと認めるときは、当該職員に書面で速やかにその旨を通知しなければならない。傷病補償年金を受けている職員の障害の程度が傷病等級に該当しなくなつたと認めるときも、同様とする。

（傷病補償年金の請求）

第五条　傷病補償年金を受けようとする者は、平均給与額算定書を添えて、傷病補償年金請求書を実施機関に提出しなければならない。

（傷病補償年金の支給決定及び通知）

第六条　実施機関は、前条の請求書を受理したときは、これを審査し、当該補償の支給に関する決定を行い、人事院が定める事項を記載した書面により、補償を受けるべき者に速やかにその支給決定に関する通知をしなければならない。

2　実施機関は、前項の支給決定をするときは、あらかじめ人事院の承認を得なければならない。

（年金証書）

第七条　実施機関は、前条第一項の規定による通知をするときは、補償を受けるべき者に対し、併せて年金証書を交付しなければならない。

2　実施機関は、既に交付した年金証書の記載事項（人事院が定めるものを除く。）を変更する必要が生じたときは、新たな年金証書を交付しなければならない。

3　実施機関は、必要があるときは、年金証書の提出又は提示を求めることができる。

第八条　年金証書の交付を受けた者は、当該年金証書を亡失し、又は著しく損傷したときは、実施機関に書面で年金証書の再交付を請求することができる。

第九条　傷病補償年金を受ける権利を喪失した者又はその遺族は、その喪失の事実を明らかにする資料を提出しなければならない。

（傷病補償年金の支払額）

第十条　補償法第十七条の九第三項の規定により一の支払期月に支払うべき傷病補償年金の額は、当該補償の年額を十二で除して得た額にその支払うべき月数を乗じて得た額によるものとする。

（障害の程度に変更があつた場合の傷病補償年金の請求等）

第十一条　傷病補償年金を受ける権利を有する者が補償法第十二条の二第四項の規定に該当するに至つた場合には、医師の診断書その他実施機関が必要であると認める資料を添えて、傷病補償年金変更請求書を実施機関に提出しなければならない。

2　実施機関は、前項の請求書を受理したときは、これを審査し、あらかじめ人事院の承認を得て、新たに行うべき傷病補償年金の支給に関する決定を行い、速やかに請求者にその支給決定に関する通知をしなければならない。

（治癒の認定）

第十一条の二　実施機関は、職員が公務上負傷し、若しくは疾病にかかり、又は通勤により負傷し、若しくは疾病にかかり、治つたときは、その治つたことの認定を行い、治癒認定通知書により、当該職員に速やかにその旨を通知しなければならない。

（障害補償年金の請求）

第十一条の三　障害補償年金を受けようとする者は、平均給与額算定書を添えて、障害補償年金請求書を実施機関に提出しなければならない。

（傷病補償年金に関する規定の準用）

第十一条の四　第六条から第十一条までの規定は、障害補償年金について準用する。この場合において、第十一条第一項中「第十二条の二第四項」とあるのは「第十三条第九項」と、「傷病補償年金変更請求書」とあるのは「障害補償変更請求書」と読み替えるものとする。

（遺族補償年金の請求）

第十二条　遺族補償年金を受けようとする者は、平均給与額算定書及び次に掲げる書類を添えて、遺族補償年金請求書を実施機関に提出しなければならない。ただし、その提出前に同一の災害に関し遺族補償年金の支給が行われているときは、第一号及び第三号に掲げる書類の添付を省略することができる。

一　職員の死亡診断書その他職員の死亡の事実を証明する書類又はその写し

二　遺族補償年金を受ける権利を有する者（以下「遺族補償年金受給権者」という。）及び遺族補償年金受給権者以外の遺族補償年金を受けることができる遺族と職員との続柄に関し市町村長が発行する証明書

三　遺族補償年金受給権者及び遺族補償年金受給権者以外の遺族補償年金を受けることができる遺族が職員の死亡当時その者の収入によつて生計を維持していた事実を証明する書類

四　前三号に掲げるもののほか、人事院が定める書類

（傷病補償年金に関する規定の準用）

第十三条　第六条から第十条までの規定は、遺族補償年金について準用する。

（遺族補償年金の請求等についての代表者）

第十四条　遺族補償年金受給権者が二人以上あるときは、これらの者は、そのうち一人を代表者に選任し、第十二条の規定による請求書の提出及び遺族補償年金の受領を行わせることができる。

2　遺族補償年金受給権者は、前項の規定により代表者を選任し、又はその代表者を解任したときは、実施機関に書面で速やかにその旨を届け出なければならない。

（所在不明による支給停止の申請等）

第十五条　補償法第十七条の三第一項の規定により遺族補償年金の支給の停止を申請する者は、行方不明となつた者の所在が一年以上明らかでないことを証明する書類を添えて、遺族補償年金支給停止申請書を実施機関に提出しなければならない。

2　補償法第十七条の三第二項の規定により遺族補償年金の支給の停止の解除を申請する者は、遺族補償年金支給停止解除申請書及び年金証書を実施機関に提出しなければならない。

3　実施機関は、前二項の規定による申請に基づき遺族補償年金の支給を停止し、又は支給の停止を解除したときは、申請者に書面で速やかにその旨を通知しなければならない。

（遺族補償年金に係る届出）

第十六条　遺族補償年金受給権者は、次の各号の一に該当することとなつた場合には、その事実を証明する書類を添えて、実施機関に書面で速やかにその旨を届け出なければならない。

一　自己と生計を同じくしている遺族補償年金を受けることができる遺族（補償法附則第十八項の規定に基づき遺族補償年金を受けることができることとされた遺族であつて、当該遺族補償年金に係る職員の死亡の時期に応じ、同項の表の下欄に掲げる年齢に達しないものを含む。）の数に増減を生じた場合（補償法第十七条の二第一項第五号に該当するに至つた者が生じたことにより増減を生じた場合を除く。）

二　補償法第十七条第四項第二号に該当するに至つた場合

（年金たる補償の額の改定の通知）

第十七条　実施機関は、傷病補償年金、障害補償年金又は遺族補償年金（以下「年金たる補償」という。）の額が改定されることとなるときは、当該年金たる補償を受ける者に人事院が定める事項を記載した書面で速やかにその旨を通知しなければならない。

（過誤払による返還金債権への充当の通知）

第十七条の二　実施機関は、補償法第十七条の十一の規定により、年金たる補償の過誤払による返還金債権に係る債務の弁済をすべき者に支払うべき補償の支払金の金額が当該過誤払による返還金債権の金額に充当されたときは、当該補償を受ける者に書面で速やかにその旨を通知するものとする。

（予後補償及び行方不明補償の請求等）

第十八条　船員である職員に係る予後補償又は行方不明補償を受けようとする者は、補償の種類に応じ、予後補償請求書又は行方不明補償請求書を実施機関に提出しなければならない。

2　前項の規定により予後補償請求書を提出するときは、平均給与額算定書を添付しなければならない。

3　第一項の規定により行方不明補償請求書を提出するときは、平均給与額算定書及び次に掲げる書類を添付しなければならない。ただし、第二回目以後の請求書を提出する場合で、平均給与額に変更がないときは平均給与額算定書、行方不明補償を受けようとする者に変更がないときは第一号及び第二号に掲げる書類の添付を省略することができる。

一　行方不明補償を受けようとする者と船員である職員（行方不明補償を受けようとする者が規則一六―二（在外公館に勤務する職員、船員である職員等に係る災害補償の特例）第八条第三項第三号に該当する者であるときは、婚姻の届出をしていないが、船員である職員と事実上婚姻関係と同様の事情にある者）との続柄に関し市町村長が発行する証明書

二　行方不明補償を受けようとする者が、船員である職員が行方不明となつた当時主としてその者の収入によつて生計を維持していた事実を証明する書類

三　前二号に掲げるもののほか、人事院が定める書類

4　第二条の規定は、予後補償及び行方不明補償について準用する。この場合において、同条第二項中「障害補償一時金、介護補償、遺族補償一時金及び葬祭補償」とあるのは「予後補償」と、「療養の費用及び休業補償」とあるのは「行方不明補償」と読み替えるものとする。

（障害補償年金差額一時金の請求）

第十九条　障害補償年金差額一時金の支給を受けようとする者は、平均給与額算定書及び次に掲げる書類を添えて、障害補償年金差額一時金請求書を実施機関に提出しなければならない。ただし、その提出前に他の補償の請求に関し既に提出されている書類については、その添付を省略することができる。

一　死亡した障害補償年金を受ける権利を有する者（以下「障害補償年金受給権者」という。）の死亡診断書その他その者の死亡を証明する書類又はその写し

二　障害補償年金差額一時金を受ける権利を有する者と死亡した障害補償年金受給権者の続柄に関し市町村長が発行する証明書

三　障害補償年金差額一時金を受ける権利を有する者が補償法附則第六項第一号に掲げる遺族である場合にあつては、死亡した障害補償年金受給権者の死亡当時、その者と生計を同じくしていたことを証明する書類

四　前三号に掲げるもののほか、人事院が定める書類

（障害補償年金前払一時金の請求）

第二十条　障害補償年金前払一時金の支給を受けようとする者は、障害補償年金前払一時金請求書を実施機関に提出しなければならない。

（遺族補償年金前払一時金の請求）

第二十条の二　遺族補償年金前払一時金の支給を受けようとする者は、遺族補償年金前払一時金請求書を実施機関に提出しなければならない。

（障害補償年金差額一時金等の補償金額の決定等）

第二十条の三　実施機関は、前三条の請求書を受理したときは、これを審査し、補償金額の決定を行い、請求者に書面でその支給に関する通知をするとともに、速やかに補償を行わなければならない。

（障害補償年金等の支給停止終了の通知）

第二十条の四　実施機関は、規則一六―〇第三十三条の六の規定による障害補償年金の支給の停止又は補償法附則第二十項若しくは同規則第三十三条の十の規定による遺族補償年金の支給の停止が終了したときは、速やかにこれに係る障害補償年金受給権者又は遺族補償年金受給権者にその旨を通知しなければならない。

（未支給の補償の請求）

第二十条の五　未支給の補償を受けようとする者は、次に掲げる書類を添えて、未支給の補償請求書を実施機関に提出しなければならない。ただし、その提出前に他の補償の請求に関し既に提出されている書類については、その添付を省略することができる。

一　死亡した受給権者の死亡診断書その他その者の死亡を証明する書類又はその写し

二　未支給の補償を受ける権利を有する者と死亡した受給権者（遺族補償年金、障害補償年金差額一時金又は遺族補償年金前払一時金に係る未支給の補償については、それぞれ当該補償に係る死亡した職員）との続柄に関し市町村長が発行する証明書

三　未支給の補償を受ける権利を有する者が死亡した受給権者（障害補償年金差額一時金に係る未支給の補償については、当該障害補償年金差額一時金に係る死亡した職員）の死亡当時、その者と生計を同じくしていたことの証明に関する書類（遺族補償年金又は遺族補償年金前払一時金に係る未支給の補償については、それぞれ未支給の補償を受ける権利を有する者が当該補償に係る死亡した職員の死亡当時その者の収入によつて生計を維持していた事実を証明する書類）

四　前三号に掲げるもののほか、人事院が定める書類

２　第二十条の三の規定は、未支給の補償について準用する。

第二章　福祉事業の実施

（福祉事業の申請等）

第二十一条　外科後処置、補装具、リハビリテーション、アフターケア又はホームヘルプサービスを受けようとする者は、福祉事業申請書を実施機関に提出しなければならない。この場合において、外科後処置、リハビリテーション又はアフターケアを受けようとする者は、その申請書に人事院が定める書類を添付しなければならない。

２　実施機関は、前項の申請書を受理したときは、これを審査し、申請に係る福祉事業をするかどうかを決定し、申請者に書面で速やかにその決定に関する通知をしなければならない。

第二十二条　外科後処置、リハビリテーション又はアフターケアの費用の支給を受けようとする者は、前条第一項の申請書のほか、福祉事業の種類に応じ、外科後処置費用支給申請書、リハビリテーション費用支給申請書又はアフターケア費用支給申請書を実施機関に提出しなければならない。

第二十二条の二　規則一六―三（災害を受けた職員の福祉事業）第十条の規定による旅行費の支給を受けようとする者は、旅行費支給申請書を実施機関に提出しなければならない。

第二十二条の三　実施機関は、第二十二条又は前条の申請書を受理したときは、これを審査し、支払金額の決定を行い、申請者に書面で速やかにその決定に関する通知をしなければならない。

第二十二条の四　ホームヘルプサービスの費用の支給を受けようとする者は、第二十一条第一項の申請書のほか、ホームヘルプサービス費用支給申請書を実施機関に提出しなければならない。

２　前項の申請書は、毎月その月の十日までにその前月分について提出するものとする。

３　実施機関は、第一項の申請書を受理したときは、これを審査し、支払金額の決定を行い、申請者に書面で速やかにその決定に関する通知をしなければならない。

第二十二条の五　ホームヘルプサービスを受けている者は、ホームヘルプサービスを受けるための要件を欠くに至つた場合には、速やかにその旨を実施機関に届け出なければならない。

第二十二条の六　休業援護金の支給、傷病特別支給金の支給、障害特別支給金の支給、遺族特別支給金の支給、障害特別援護金の支給、遺族特別援護金の支給、一時金たる障害特別給付金の支給、一時金たる遺族特別給付金の支給又は障害差額特別給付金の支給を受けようとする者は、福祉事業の種類に応じ、休業援護金支給申請書、傷病特別支給金支給申請書、障害特別支給金支給申請書、遺族特別支給金支給申請書、障害特別援護金支給申請書、遺族特別援護金支給申請書、一時金たる障害特別給付金支給申請書、一時金たる遺族特別給付金支給申請書又は障害差額特別給付金支給申請書を実施機関に提出しなければならない。

２　実施機関は、前項の申請書を受理したときは、これを審査し、申請に係る福祉事業をするかどうか及びこれをする場合の支払金額について決定し、申請者に書面で速やかにその決定に関する通知をしなければならない。

第二十二条の七　遺族特別支給金の支給を受けることができる者（遺族補償年金受給権者に限る。）が二人以上あるときは、これらの者は、そのうち一人を代表者に選任し、前条第一項の規定による申請書の提出及び遺族特別支給金の受領を行わせることができる。

２　遺族特別支給金の支給を受けることができる者は、前項の規定により代表者を選任したときは、実施機関に書面で速やかにその旨を届け出なければならない。

第二十二条の八　前条の規定は、遺族特別援護金の支給について準用する。この場合において、同条中「遺族特別支給金」とあるのは、「遺族特別援護金」と読み替えるものとする。

第二十二条の九　奨学援護金の支給又は就労保育援護金の支給を受けようとする者は、その種類に応じ、人事院が定める書類を添えて、奨学援護金支給申請書又は就労保育援護金支給申請書を実施機関に提出しなければならない。

２　実施機関は、前項の申請書を受理したときは、これを審査し、申請に係る福祉事業をするかどうか及びこれをする場合の支給に関する決定を行い、申請者に書面で速やかにその決定に関する通知をしなければならない。

第二十二条の十　奨学援護金の支給又は就労保育援護金の支給を受けている者は、これらの福祉事業の支給の要件を欠くに至つた場合又はその支給額を変更すべき事実が生じた場合には、その事実を証明する書類を添えて、速やかにその旨を実施機関に届け出なければならない。

第二十三条　実施機関は、奨学援護金又は就労保育援護

金の支給額が改定されることとなるときは、これらの福祉事業の支給を受けている者に書面で速やかにその旨を通知しなければならない。

第二十三条の二 傷病特別給付金の支給、年金たる障害特別給付金の支給又は年金たる遺族特別給付金の支給を受けようとする者は、その種類に応じ、傷病特別給付金支給申請書、年金たる障害特別給付金支給申請書又は年金たる遺族特別給付金支給申請書を実施機関に提出しなければならない。

2 実施機関は、前項の申請書を受理したときは、これを審査し、申請に係る福祉事業をするかどうか及びこれをする場合の支給に関する決定を行い、人事院が定める事項を記載した書面により、申請者に速やかにその決定に関する通知をしなければならない。

3 実施機関は、前項の決定をするときは、あらかじめ人事院の承認を得なければならない。

第二十三条の三 実施機関は、傷病特別給付金、年金たる障害特別給付金又は年金たる遺族特別給付金（以下「年金たる特別給付金」という。）の額が改定されることとなるときは、当該年金たる特別給付金を受ける者に人事院が定める事項を記載した書面で速やかにその旨を通知しなければならない。

第二十四条 第十四条の規定は、年金たる遺族特別給付金の支給について準用する。

第二十四条の二 長期家族介護者援護金の支給を受けようとする者は、次に掲げる書類を添えて、長期家族介護者援護金支給申請書を実施機関に提出しなければならない。ただし、その提出前に補償の請求又は他の福祉事業の申請に関し既に提出されている書類については、その添付を省略することができる。

一 死亡した規則一六—三第十九条の十四第一項に規定する傷病補償年金又は障害補償年金を受ける権利を有する者（以下「要介護年金受給権者」という。）の死亡診断書その他その者の死亡の事実を証明する書類又はその写し

二 長期家族介護者援護金の支給を受けることができる者と死亡した要介護年金受給権者との続柄に関し市町村長が発行する証明書

三 長期家族介護者援護金の支給を受けることができる者が死亡した要介護年金受給権者の死亡当時その者の収入によつて生計を維持していた事実を証明する書類

四 前三号に掲げるもののほか、人事院が定める書類

2 実施機関は、前項の申請書を受理したときは、これを審査し、長期家族介護者援護金の支給をするかどうか及びこれをする場合の支払金額について決定し、申請者に書面で速やかにその決定に関する通知をしなければならない。

（金銭給付を内容とする福祉事業の支払方法）

第二十五条 実施機関は、金銭給付を内容とする福祉事業については、次に定めるところにより、その支払をしなければならない。

一 休業援護金は、毎月一回以上支払うようにするものとする。

二 奨学援護金、就労保育援護金及び年金たる特別給付金は、毎年二月、四月、六月、八月、十月及び十二月の六期に、それぞれその前月分までを支払う。ただし、特別の事情があるときは、支払期月でない月に支払うことができる。

三 前二号に掲げる福祉事業以外の金銭給付を内容とする福祉事業に係る支払は、支払金額の決定後速やかに行うものとする。

2 前項第二号の規定により一の支払期月に支払うべき年金たる特別給付金の額は、それぞれ当該年金たる特別給付金の額を十二で除して得た額にその支払うべき月数を乗じて得た額によるものとする。

（未支給の福祉事業の申請等）

第二十六条 規則一六—三第十九条の十五の規定による金銭給付を内容とする未支給の福祉事業を受けようとする者は、次に掲げる書類を添えて、未支給の福祉事業支給申請書を実施機関に提出しなければならない。ただし、その提出前に補償の請求又は他の福祉事業の申請に関し既に提出されている書類については、その添付を省略することができる。

一 金銭給付を内容とする福祉事業を受けることができた者で死亡したもの（以下「死亡受給権者」という。）の死亡診断書その他その者の死亡を証明する書類又はその写し

二 金銭給付を内容とする未支給の福祉事業を受けることができる者と死亡受給権者（規則一六—三第十九条の十五第二項各号に掲げる給付に係る未支給の福祉事業については、それぞれ当該各号に掲げる給付に係る死亡した職員）との続柄に関し市町村長が発行する証明書

三 金銭給付を内容とする未支給の福祉事業を受けることができる者が死亡受給権者（規則一六—三第十九条の十五第二項第二号又は第三号に掲げる給付に係る未支給の福祉事業については、それぞれ当該各号に掲げる給付に係る死亡した職員）の死亡当時、その者と生計を同じくしていたことの証明に関する

書類（同項第一号に掲げる給付に係る未支給の福祉事業については、金銭給付を内容とする未支給の福祉事業を受けることができる者が同号に掲げる給付に係る死亡した職員の死亡当時その者の収入によつて生計を維持していた事実を証明する書類）

四　前三号に掲げるもののほか、人事院が定める書類

2　実施機関は、前項の申請書を受理したときは、これを審査し、申請に係る福祉事業をするかどうか及びこれをする場合の支払金額について決定し、申請者に書面でその決定に関する通知をするとともに、速やかに福祉事業を行わなければならない。

第三章　雑則

（第三者から損害賠償を受けた場合の届出）

第二十七条　被災職員又はその遺族は、公務上の災害又は通勤による災害が第三者の行為によつて生じた場合において、当該第三者から損害賠償を受けたときは、人事院が定める事項を記載した書面により、実施機関に速やかにその旨を届け出なければならない。

（官署の長等の助力及び証明）

第二十八条　補償を受けるべき者が事故その他の理由により補償の請求に必要な手続を行うことが困難であるときは、職員の勤務する官署若しくは行政執行法人の事務所の長又は補償事務主任者は、これに助力しなければならない。

2　職員の勤務する官署若しくは行政執行法人の事務所の長又は補償事務主任者は、補償を受けるべき者の要求に応じ、速やかに必要な証明をしなければならない。

3　前二項の規定は、外科後処置その他の福祉事業を受けようとする者に対する助力及び証明について準用する。

（記録簿）

第二十九条　実施機関は、災害補償記録簿、傷病補償年金記録簿、障害補償年金記録簿、遺族補償年金記録簿、福祉事業記録簿、傷病特別給付金記録簿、年金たる障害特別給付金記録簿、年金たる遺族特別給付金記録簿及び医療機関等設置・指定記録簿を備え、必要な事項を記入しなければならない。

（人事院への報告）

第三十条　実施機関は、毎年五月末日までに、前年の四月一日に始まる年度における補償の実施状況及び福祉事業の実施状況を、災害補償報告書、福祉事業報告書及び特別給付金支給報告書により、人事院に報告しなければならない。

2　実施機関は、年金たる補償を受ける権利を有する者の当該年金たる補償を受ける権利が消滅した場合には、次の各号に掲げる事項を記載した書面により、速やかに人事院に報告しなければならない。

一　年金たる補償の種類及び年金証書の番号
二　権利が消滅した者の氏名
三　権利が消滅した年月日
四　権利が消滅した事由

（書類の保存）

第三十一条　補償及び福祉事業の実施に関する書類は、その完結の日の属する年度の翌年度の四月一日（同日以外の日を起算日とすることが当該書類の適切な管理に資すると認められる場合には、当該完結の日から一年以内の日）から五年間保存しなければならない。

（定期報告等）

第三十二条　毎年二月一日において、二年以上にわたつて療養補償を受けている者及び障害補償年金又は遺族補償年金を受ける権利を有している者は、毎年一回、二月一日から同月末日までの間に、療養の現状報告書、障害の現状報告書又は遺族の現状報告書により、療養の現状、障害の現状又は遺族補償年金受給権者及びその者と生計を同じくしている遺族補償年金を受けることができる遺族（補償法附則第十八項の規定に基づき遺族補償年金を受けることができることとされた遺族であつて、当該遺族補償年金に係る職員の死亡の時期に応じ、同項の表の下欄に掲げる年齢に達しないものを含む。）の現状に関し、実施機関に報告しなければならない。ただし、実施機関があらかじめその必要がないと認めて通知した場合は、この限りでない。

第三十三条　公務上負傷し、若しくは疾病にかかり、又は通勤により負傷し、若しくは疾病にかかり、当該負傷又は疾病に係る療養の開始後一年六月を経過した日において当該負傷又は疾病が治つていない者は、同日後一月以内に、療養の現状報告書により、療養の現状に関し、実施機関に報告しなければならない。

2　実施機関は、前項に規定する者から、必要の都度、同項の報告を求めることができる。

第三十四条　毎年四月一日において、奨学援護金の支給又は就労保育援護金の支給を受けている者は、毎年一回、四月一日から同月末日までの間に、人事院が定める書類を添えて、奨学援護金の支給に係る現状報告書又は就労保育援護金の支給に係る現状報告書により、奨学援護金の支給対象となる在学者等の現状、就労保育援護金の支給対象となる保育児の現状等に関し、実施機関に報告しなければならない。ただし、実施機関

があらかじめその必要がないと認めて通知した場合は、この限りでない。

（他の法令による給付に関する届出）

第三十五条　休業補償、傷病補償年金、障害補償年金又は遺族補償年金を受ける者は、当該補償の事由と同一の事由について規則一六―〇第四十一条第一項に規定する他の法令による年金たる給付が支給されることとなつた場合、その給付の額が変更された場合又はその支給を受けられなくなつた場合には、その事実を明らかにすることができる書類を添えて、速やかにその旨を実施機関に届け出なければならない。

（請求書の様式等）

第三十六条　この規則に規定する請求書、平均給与額算定書、年金証書、治癒認定通知書、申請書、記録簿及び報告書の様式その他この規則の実施に関し必要な事項は、人事院が定める。

（平成三十一年四月一日に始まる年度における補償の実施状況等の人事院への報告の特例）

第三十七条　平成三十一年四月一日に始まる年度における第三十条第一項の規定による補償の実施状況及び福祉事業の実施状況の人事院への報告についての同項の規定の適用については、同項中「毎年五月末日」とあるのは「人事院が定める日」と、「前年の」とあるのは「平成三十一年」とする。

○平均給与額の改定に用いるべき率及び平均給与額の計算について用いるべき率

平二・一〇・一
人事院公示八

最終改正　令六・三・二九人事院公示五

1　国家公務員災害補償法（昭和二十六年法律第百九十一号）第四条の二第一項の平均給与額の改定に用いるべき率は、補償事由発生日の属する期間の区分に応じ、別表のとおりとする。

2　人事院規則一六―〇（職員の災害補償）第十七条の平均給与額の計算について用いるべき率は、事故発生日の属する期間の区分に応じ、別表のとおりとする。

3　この決定は、平成二年十月一日から効力を発生する。

別表

期間の区分	率（単位%）
昭和六十年六月三十日以前	一四九（補償事由発生日又は事故発生日において、国の経営する企業に勤務していた職員（一般職の職員の給与に関する法律（昭和二十五年法律第九十五号）の適用を受けていた職員を除く。）に係る補償については、一四二）
昭和六十年七月一日から昭和六十一年三月三十一日まで	一四一
昭和六十一年四月一日から昭和六十二年三月三十一日まで	一三七
昭和六十二年四月一日から昭和六十三年三月三十一日まで	一三五
昭和六十三年四月一日から平成元年三月三十一日まで	一三三
平成元年四月一日から平成二年三月三十一日まで	一二七
平成二年四月一日から平成三年三月三十一日まで	一二三
平成三年四月一日か	一一八

ら平成四年三月三十一日まで	
平成四年四月一日から平成五年三月三十一日まで	一一四
平成五年四月一日から平成六年三月三十一日まで	一一一
平成六年四月一日から平成七年三月三十一日まで	一〇九
平成七年四月一日から平成八年三月三十一日まで	一〇七
平成八年四月一日から平成九年三月三十一日まで	一〇五
平成九年四月一日から平成十年三月三十一日まで	一〇三
平成十年四月一日から平成十一年三月三十一日まで	一〇一
平成十一年四月一日から平成十二年三月三十一日まで	一〇〇
平成十二年四月一日から平成十三年三月三十一日まで	九九
平成十三年四月一日から平成十四年三月三十一日まで	九九
平成十四年四月一日から平成十五年三月三十一日まで	一〇一
平成十五年四月一日から平成十六年三月三十一日まで	一〇二
平成十六年四月一日から平成十七年三月三十一日まで	一〇二
平成十七年四月一日から平成十八年三月三十一日まで	一〇二
平成十八年四月一日から平成十九年三月三十一日まで	一〇二
平成十九年四月一日から平成二十年三月三十一日まで	一〇二
平成二十年四月一日から平成二十一年三月三十一日まで	一〇二
平成二十一年四月一日から平成二十二年三月三十一日まで	一〇二
平成二十二年四月一日から平成二十三年三月三十一日まで	一〇二
平成二十三年四月一日から平成二十四年三月三十一日まで	一〇二
平成二十四年四月一日から平成二十五年三月三十一日まで	一〇二
平成二十五年四月一日から平成二十六年三月三十一日まで	一〇二
平成二十六年四月一日から平成二十七年三月三十一日まで	一〇二
平成二十七年四月一日から平成二十八年三月三十一日まで	一〇二

平成二十八年四月一日から平成二十九年三月三十一日まで	一〇二
平成二十九年四月一日から平成三十年三月三十一日まで	一〇一
平成三十年四月一日から平成三十一年三月三十一日まで	一〇一
平成三十一年四月一日から令和二年三月三十一日まで	一〇一
令和二年四月一日から令和三年三月三十一日まで	一〇一
令和三年四月一日から令和四年三月三十一日まで	一〇一
令和四年四月一日から令和五年三月三十一日まで	一〇一

○長期療養者の休業補償又は年金たる補償に係る平均給与額の最低限度額及び最高限度額

平四・三・二七
人事院公示六

最終改正　令六・三・二九人事院公示六

1　長期療養者の休業補償又は年金たる補償に係る平均給与額の最低限度額及び最高限度額は、別表第一のとおりとする。

2　平成十八年四月一日から平成三十一年三月三十一日までの間における平均給与額の最低限度額のうち、六十五歳以上七十歳未満及び七十歳以上に係る最低限度額は、当該期間において適用されていた最低限度額にかかわらず、別表第二の左欄に掲げる当該最低限度額が適用されていた期間の区分に応じ、それぞれ同表の右欄に定める額とする。

3　この決定は、平成四年四月一日から効力を発生する。

4　平成二年人事院公示第九号は、廃止する。

別表第一

年齢階層	最低限度額（円）	最高限度額（円）
二十歳未満	五、二六三	一三、四四二
二十歳以上二十五歳未満	五、八七二	一三、四四二
二十五歳以上三十歳未満	六、三八〇	一四、八四二
三十歳以上三十五歳未満	六、七一二	一七、六一九
三十五歳以上四十歳未満	七、〇七八	二〇、六四九
四十歳以上四十五歳未満	七、二六八	二二、九七一
四十五歳以上五十歳未満	七、四三三	二三、八八六
五十歳以上五十五歳未満	七、二九〇	二四、九一六
五十五歳以上六十歳未満	六、九七五	二五、三八五
六十歳以上六十五歳未満	五、八六〇	二一、三一四

六十五歳以上七十歳未満	四、〇六〇	一六、〇七五
七十歳以上	四、〇六〇	一三、四四二

別表第二

期間の区分	最低限度額（円）
平成十八年四月一日から平成十九年三月三十一日まで	四、〇九〇
平成十九年四月一日から平成二十年三月三十一日まで	四、一二〇
平成二十年四月一日から平成二十一年三月三十一日まで	四、一一〇
平成二十一年四月一日から平成二十二年三月三十一日まで	四、〇八〇
平成二十二年四月一日から平成二十三年三月三十一日まで	四、〇五〇
平成二十三年四月一日から平成二十四年三月三十一日まで	三、九六〇
平成二十四年四月一日から平成二十六年三月三十一日まで	三、九七〇
平成二十六年四月一日から平成二十七年三月三十一日まで	三、九四〇
平成二十七年四月一日から平成二十九年三月三十一日まで	三、九五〇
平成二十九年四月一日から平成三十年三月三十一日まで	三、九三〇
平成三十年四月一日から平成三十一年三月三十一日まで	三、九四〇

○支給された遺族補償年金、障害補償年金、障害補償年金前払一時金又は遺族補償年金前払一時金の額に乗ずべき率

平四・三・二七
人事院公示七

最終改正　令六・三・二九人事院公示七

1　支給された遺族補償年金又は障害補償年金（以下「年金」という。）の額に乗ずべき率は、当該年金の支給の対象とされた月の属する期間の区分に応じ、別表第一のとおりとする。ただし、当該年金の補償事由発生日の属する年度の分として支給された年金の額に乗ずべき率は、当該年金の支給の対象とされた月の属する期間の区分に応じ、別表第二のとおりとする。

2　支給された障害補償年金前払一時金又は遺族補償年金前払一時金（以下「前払一時金」という。）の額に乗ずべき率は、当該前払一時金を支給すべき事由が生じた日の属する期間の区分に応じ、別表第二のとおりとする。

3　この決定は、平成四年四月一日から効力を発生する。

4　平成三年人事院公示第四号は、廃止する。

別表第一

期間の区分	率（単位％）
平成二年十月一日から平成三年三月三十一日まで	一二七
平成三年四月一日から平成四年三月三十一日まで	一二三
平成四年四月一日から平成五年三月三十一日まで	一一八
平成五年四月一日から平成六年三月三十一日まで	一一四
平成六年四月一日から平成七年三月三十一日まで	一一一
平成七年四月一日から平成八年三月三十一日まで	一〇九
平成八年四月一日から平成九年三月三十一日まで	一〇七
平成九年四月一日から平成十年三月三十一日まで	一〇五
平成十年四月一日から平成十一年三月三十一日まで	一〇三
平成十一年四月一日から平成十二年三月三十一日まで	一〇一
平成十二年四月一日から平成十三年三月三十一日まで	一〇〇
平成十三年四月一日から平成十四年三月三十一日まで	九九
平成十四年四月一日から平成十五年三月三十一日まで	九九
平成十五年四月一日から平成十六年三月三十一日まで	一〇一
平成十六年四月一日から平成十七年三月三十一日まで	一〇二
平成十七年四月一日から平成十八年三月三十一日まで	一〇二
平成十八年四月一日から平成十九年三月三十一日まで	一〇二
平成十九年四月一日から平成二十年三月三十一日まで	一〇二
平成二十年四月一日から平成二十一年三月三十一日まで	一〇二
平成二十一年四月一日から平成二十二年三月三十一日まで	一〇二
平成二十二年四月一日から平成二十三年三月三十一日まで	一〇二
平成二十三年四月一日から平成二十四年三月三十一日まで	一〇二
平成二十四年四月一日から平成二十五年三月三十一日まで	一〇二
平成二十五年四月一日から平成二十六年三月三十一日まで	一〇二

平成二十六年四月一日から平成二十七年三月三十一日まで	一〇二
平成二十七年四月一日から平成二十八年三月三十一日まで	一〇二
平成二十八年四月一日から平成二十九年三月三十一日まで	一〇二
平成二十九年四月一日から平成三十年三月三十一日まで	一〇二
平成三十年四月一日から平成三十一年三月三十一日まで	一〇一
平成三十一年四月一日から令和二年三月三十一日まで	一〇一
令和二年四月一日から令和三年三月三十一日まで	一〇一
令和三年四月一日から令和四年三月三十一日まで	一〇一
令和四年四月一日から令和五年三月三十一日まで	一〇一
令和五年四月一日から令和六年三月三十一日まで	一〇一

別表第二

期間の区分	率（単位％）
平成二年十月一日から平成三年三月三十一日まで	一二三
平成三年四月一日から平成四年三月三十一日まで	一一八
平成四年四月一日から平成五年三月三十一日まで	一一四
平成五年四月一日から平成六年三月三十一日まで	一一一
平成六年四月一日から平成七年三月三十一日まで	一〇九
平成七年四月一日から平成八年三月三十一日まで	一〇七
平成八年四月一日から平成九年三月三十一日まで	一〇五
平成九年四月一日か	一〇三

ら平成十年三月三十一日まで	
平成十年四月一日から平成十一年三月三十一日まで	一〇一
平成十一年四月一日から平成十二年三月三十一日まで	一〇〇
平成十二年四月一日から平成十三年三月三十一日まで	九九
平成十三年四月一日から平成十四年三月三十一日まで	九九
平成十四年四月一日から平成十五年三月三十一日まで	一〇一
平成十五年四月一日から平成十六年三月三十一日まで	一〇二
平成十六年四月一日から平成十七年三月三十一日まで	一〇二
平成十七年四月一日から平成十八年三月	一〇二
三十一日まで	
平成十八年四月一日から平成十九年三月三十一日まで	一〇二
平成十九年四月一日から平成二十年三月三十一日まで	一〇二
平成二十年四月一日から平成二十一年三月三十一日まで	一〇二
平成二十一年四月一日から平成二十二年三月三十一日まで	一〇二
平成二十二年四月一日から平成二十三年三月三十一日まで	一〇二
平成二十三年四月一日から平成二十四年三月三十一日まで	一〇二
平成二十四年四月一日から平成二十五年三月三十一日まで	一〇二
平成二十五年四月一日から平成二十六年三月三十一日まで	一〇二
平成二十六年四月一日から平成二十七年三月三十一日まで	一〇二
平成二十七年四月一日から平成二十八年三月三十一日まで	一〇二
平成二十八年四月一日から平成二十九年三月三十一日まで	一〇二
平成二十九年四月一日から平成三十年三月三十一日まで	一〇一
平成三十年四月一日から平成三十一年三月三十一日まで	一〇一
平成三十一年四月一日から令和二年三月三十一日まで	一〇一
令和二年四月一日から令和三年三月三十一日まで	一〇一
令和三年四月一日から令和四年三月三十一日まで	一〇一

令和四年四月一日から令和五年三月三十一日まで	一〇一
令和五年四月一日から令和六年三月三十一日まで	一〇〇

○災害補償制度の運用について（抄）

昭四八・一一・一
職厚—九〇五

最終改正 令六・三・二九事企法—八七

第二 公務上の災害の認定関係

1 公務上の負傷の認定

次に掲げる負傷は、原則として、公務上のものとする。ただし、(1)に該当する負傷であつても、故意又は本人の素因によるもの、天災地変によるもの（天災地変による事故発生の危険性が著しく高い職務に従事している場合及び天災地変による罹《り》災地へ当該罹《り》災地以外の地域から出張した場合におけるものを除く。）及び偶発的な事故によるもの（私的怨恨によるものを含む。）と明らかに認められるものについては、この限りでない。

(1) 次に掲げる場合に発生した負傷

ア 通常又は臨時に割り当てられた職務（国家公務員法（昭和二十二年法律第百二十号）第三章第四節の二の規定による研修又はこれに相当する研修の受講及び人事院規則一〇—四（職員の保健及び安全保持）の規定による健康診断又はこれに相当する健康診断の受診を含む。）を遂行している場合（出張の期間中の場合を除く。）

イ 職務の遂行に通常伴うと認められる合理的な行為（公務達成のための善意による行為を含む。）を行つている場合

ウ 勤務時間の始め又は終わりにおいて職務の遂行に必要な準備行為又は後始末行為を行つている場合

エ 勤務場所において負傷し、又は疾病にかかつた職員を救助する行為を行つている場合

オ 非常災害時において勤務場所又はその附属施設（無料国設宿舎等、事業附属寄宿舎及び研修施設附属宿泊施設を含む。）を防護する行為を行つている場合

カ 出張又は赴任の期間中である場合（次に掲げる場合を除く。）

(ア) 合理的な経路又は方法によらない順路にある場合

(イ) (ア)に該当する場合以外の場合において、恣《し》意的行為を行つているとき。

(ウ) 出張先の宿泊施設が補償法第一条の二に規定する住居としての性格を有する場合において、当該宿泊施設内にあるとき、又は当該宿泊施設と勤務場所との間の往復の途上にあるとき。

キ 次に掲げる出勤又は退勤（住居（(イ)の場合にあつては、職員の居場所を含む。）又は勤務場所を始点又は終点とする往復行為をいう。以下同じ。）の途上にある場合（合理的な経路若しくは方法によらない場合又は遅刻若しくは早退の状態にある場合を除く。）

(ア) 公務運営上の必要により特定の交通機関によつて出勤又は退勤することを強制されている場合の当該出勤又は退勤の途上

(イ) 突発事故その他これに類する緊急用務のた

め、直ちに又はあらかじめ出勤することを命ぜられた場合の出勤の途上

(ウ)　午後十時から翌日の午前七時三十分までの間に開始する勤務につくことを命ぜられた場合の出勤の途上

(エ)　午後十時から翌日の午前五時までの間に勤務が終了した場合の退勤の途上

(オ)　週休日又は勤務時間を割り振らない日に特に勤務することを命ぜられた場合の出勤又は退勤の途上

(カ)　休日に特に勤務することを命ぜられた場合（交替制勤務者等でその日（代休日又はこれに相当する日を除く。）に当然に勤務することとなつている場合を除く。）の出勤又は退勤の途上

(キ)　週休日又は勤務時間を割り振らない日とされていた日に勤務時間法第八条第一項（同条第二項において読み替えて準用する場合を含む。）の規定に基づく勤務時間の割振り又はこれに相当する勤務時間の変更が行われたことにより勤務することとなった場合（交替制勤務者等にあっては、週休日とされていた日前一週間以内に同条第一項の規定に基づく勤務時間の割振り又はこれに相当する勤務時間の変更が行われた場合に限る。）の出勤又は退勤の途上

(ク)　勤務時間法第十三条の二第一項に規定する超勤代休時間又はこれに相当する時間に特に勤務することを命ぜられた場合の出勤又は退勤の途上

(ケ)　(ア)から(ク)までに掲げる場合の出勤又は退勤に準ずると認められる出勤又は退勤等特別の事情の下にある場合の出勤又は退勤の途上

ク　職員がその所属する官署の長又は事務所の支配管理の下に実施されたレクリエーション行事（人事院規則一〇—六（職員のレクリエーションの根本基準）の規定によるレクリエーション行事及びこれに相当するレクリエーション行事をいう。）に参加している場合（二以上の官署又は事務所が共同して実施する運動競技会にその所属する官署又は事務所の代表選手として当該官署又は事務所の長から指名されて参加した場合を含む。）

(2)　次に掲げる場合に発生した負傷で、勤務場所又はその附属施設の設備の不完全又は管理上の不注意その他所属官署又は所属事務所の責めに帰すべき事由によると認められるもの（(1)のアからカまでに該当する場合のものを除く。）

ア　官署又は所属事務所が専用の交通機関を職員の出勤又は退勤の用に供している場合において、当該出勤又は退勤の途上にあるとき（(1)のキの(ア)に該当する場合を除く。）

イ　勤務のため、勤務開始前又は勤務終了後に施設構内で行動している場合

ウ　休息時間又は休憩時間中に勤務場所又はその附属施設を利用している場合

(3)　無料国設宿舎、事業附属寄宿舎又は研修施設附属宿泊施設において、当該宿舎の不完全又は管理上の不注意によつて発生した負傷

(4)　職務の遂行に伴う怨《えん》恨によつて発生した負傷

(5)　公務上の負傷又は疾病と相当因果関係をもつて発生した負傷

(6)　(1)から(5)までに掲げるもののほか、公務と相当因果関係をもつて発生した負傷

2　公務上の疾病の認定

(1)　規則一六—〇別表第一第一号に該当する疾病は、次に掲げる場合の疾病とする。

ア　負傷した当時、何ら疾病の素因を有していなかつた者が、その負傷によつて発病した場合

イ　負傷した当時、疾病の素因はあつたが発病する程度でなかつた者が、その負傷により、その素因が刺激されて発病した場合

ウ　負傷した当時、疾病の素因があり、しかも早晩発病する程度であつた者が、その負傷により、発病の時期を著しく早めた場合

エ　負傷した当時、既に発病していた者が、その負傷により、その疾病を著しく増悪した場合

(2)　規則一六—〇別表第一第二号から第九号までに掲げる疾病の取扱いについては、次によるものとする。

ア　規則一六—〇別表第一第二号から第九号まで（同表第二号の13、第三号の5、第四号の9、第六号の5及び第七号の17を除く。）に掲げる疾病は、当該疾病に係る同表の業務に伴う有害作用の程度が当該疾病を発症させる原因となるのに足るものであり、かつ、当該疾病が医学経験則上当該原因によつて生ずる疾病に特有な症状を呈した場合は、特に反証のない限り公務に起因するものとして取り扱うものとする。

イ　規則一六—〇別表第一第二号から第四号まで

及び第六号から第九号までに掲げる「付随する疾病」とは、それぞれ当該各号の疾病に引き続いて発生した続発性の疾病その他当該各号の疾病との間に相当因果関係が認められる疾病をいう。

ウ　規則一六―〇別表第一第四号の1の「人事院の定める単体たる化学物質又は化合物（合金を含む。）」は、別表第一の左の欄に掲げる単体たる化学物質又は化合物とし、同号の1の「人事院が定めるもの」は、同欄に掲げる単体たる化学物質又は化合物に応じ、それぞれ同表の右の欄に掲げる症状又は障害を主たる症状又は障害とする疾病とする。

エ　超硬合金の粉じんを飛散する場所における業務に従事したため生じた気管支又は肺の疾患は、規則一六―〇別表第一第四号の9に該当する疾病として取り扱うものとする。

オ　規則一六―〇別表第一第五号の「人事院の定めるじん肺の合併症」は、じん肺と合併した次に掲げる疾病とする。

(ア)　肺結核

(イ)　結核性胸膜炎

(ウ)　続発性気管支炎

(エ)　続発性気管支拡張症

(オ)　続発性気胸

(カ)　原発性肺がん

カ　ジアニシジンにさらされる業務に従事したため生じた尿路系腫瘍は、規則一六―〇別表第一第七号の17に該当する疾病として取り扱うものとする。

(3)　次に掲げる疾病は、規則一六―〇別表第一第十号に該当する疾病とする。

ア　伝染病又は風土病に罹《り》患する虞のある地域に出張した場合（国際機関等に派遣された場合を含む。）における当該伝染病又は風土病

イ　健康管理上の必要により所属の省庁の長等が執つた措置（予防注射及び予防接種を含む。）により発生した疾病

ウ　無料国設宿舎等、事業附属寄宿舎又は研修施設附属宿泊施設の不完全又は管理上の不注意により発生した疾病

エ　次に掲げる場合に発生した疾病で、勤務場所又はその附属施設の不完全又は管理上の不注意その他所属官署又は所属事務所の責めに帰すべき事由により発生したもの

(ア)　官署又は事務所の専用の交通機関を職員の出勤又は退勤の用に供している場合において、当該出勤又は退勤の途上にあるとき

(イ)　勤務のため、勤務開始前又は勤務終了後に施設構内で行動している場合

(ウ)　休息時間又は休憩時間中に勤務場所又はその附属施設を利用している場合

オ　職務上の怨《えん》恨により発生した疾病

カ　官署又は事務所の提供する飲食物による食中毒

キ　アからカまでに掲げるもののほか、公務と相当因果関係をもつて発生したことが明らかな疾病

(4)　規則一六―〇第二十二条第一項の「人事院が定める疾病」は、次に掲げる公務上の疾病（(5)及び4において「特定疾病」という。）とする。

ア　負傷に起因する反射性交感神経ジストロフィー及びカウザルギー（当該負傷と同時期に発症したものを除く。）

イ　腰痛（柔道、剣道その他の武道を習得させるための訓練又は転倒若しくは転落により発症したもの並びに交通事故への遭遇その他これに準ずると認められる肉体的負荷を与える事象に起因して発症したものを除く。）

ウ　石綿を吸入することにより発生する疾病

エ　心・血管疾患及び脳血管疾患（負傷に起因して発症したものを除く。）

オ　精神疾患（脳の損傷に起因して発症したものを除く。）

(5)　規則一六―〇第二十二条第一項の「人事院が定める手続」は、次に掲げる手続とする。

ア　実施機関は、規則一六―〇第二十条の規定による災害の報告に係る疾病が特定疾病であると認められる場合は、速やかに当該報告の内容を人事院事務総局職員福祉局補償課長に報告するものとする。

イ　実施機関は、当該報告に係る公務上の疾病の認定のために必要な調査を行うものとする。この場合において、人事院事務総局職員福祉局長は、必要な助言及び指導を行うものとする。

ウ　実施機関は、当該報告に係る公務上の疾病の認定について人事院事務総局職員福祉局長に協議するものとする。

(6)　(1)から(5)までの公務上の疾病の認定に関する細目は、人事院事務総局職員福祉局長が別に通知す

るところによる。

3 公務上の障害又は死亡の認定
公務上の負傷又は疾病と相当因果関係をもつて生じた障害又は死亡は、公務上のものとする。

4 1から3までによる認定（特定疾病に係る認定を除く。）が困難な場合には、実施機関は、必要な資料を添えて、人事院事務総局職員福祉局長に協議するものとする。

第三 通勤による災害の認定関係

1 補償法第一条の二に規定する字句の意義は、次のとおりとする。

(1) 「勤務のため」とは、移動が勤務義務を履行するため又は勤務から解放されたために行われるものであることを必要とする趣旨を示すものである。

(2) 「住居」とは、職員が日常生活を営むため居住している家屋等のある場所（特別の事情がある場合の臨時の宿泊場所を含む。）をいう。

(3) 「勤務場所」とは、職員が職務を遂行する場所（国、行政執行法人、独立行政法人通則法の一部を改正する法律（平成二十六年法律第六十六号）による改正前の独立行政法人通則法第二条第二項に規定する特定独立行政法人（以下「特定独立行政法人」という。）又は郵政民営化法（平成十七年法律第九十七号）第百六十六条第一項の規定による解散前の日本郵政公社の支配管理下における行事が行われる場所を含む。）として指示された場所をいう。

(4) 「合理的な経路」とは、移動に用いられる経路のうち、通常用いられると認められる経路をいう。

(5) 「合理的な方法」とは、経験則上、通勤の手段として適当であり、かつ、安全と認められるものをいう。

(6) 「逸脱」とは、「勤務のため」とは関係のない目的で、合理的な経路からそれることをいう。

(7) 「中断」とは、合理的な経路上において、「勤務のため」とは関係のない行為をすることをいう。

(8) 「やむを得ない事由」とは、通勤の途中で行わなければならない合理的な理由をいう。

(9) 「最小限度のもの」とは、逸脱又は中断の原因となつた行為の目的達成のために必要な最小限度の時間、距離等による逸脱又は中断をいう。

2 規則一六―〇第三条の二第三項の「人事院が定める職員」は、次に掲げる職員とする。

(1) 規則一六―〇第十一条第一項第三号及び第四号に掲げる職員で給与法に規定する単身赴任手当に相当する給与を受けるもの

(2) 住居と勤務場所との間の往復に先行し、又は後続する住居間の移動を行うことが勤務場所を異にする異動又は在勤する勤務場所の移転に伴つて必要となつたこと等の当該移動を行うことが必要となつた事情、当該移動の必要性、当該移動の距離等を勘案して給与法に規定する単身赴任手当の支給を受ける職員との均衡上必要があると認められるものとして人事院事務総長が定める職員

3 規則一六―〇第三条の二第四項第五号の「人事院が定める者」は、次に掲げる者（(2)に掲げる者にあつては、職員と同居しているものに限る。）とする。

(1) 孫、祖父母及び兄弟姉妹

(2) 職員との間において事実上子と同様の関係にあると認められる者及び職員又は配偶者（婚姻の届出をしていないが、事実上婚姻関係と同様の事情にある者を含む。）との間において事実上父母と同様の関係にあると認められる者で次に掲げるもの

ア 子の配偶者

イ 配偶者の子

ウ 父母の配偶者

エ 配偶者の父母の配偶者

注 「同居」には、職員がこれらの者の居住している住宅に泊まり込む場合等が含まれる。

4 通勤による災害の認定

(1) 補償法第一条の二に規定する通勤の途上において発生した負傷であつても、次に掲げる場合の負傷は、通勤による負傷には該当しない。

ア 故意又は本人の素因による場合

イ 私的な怨《えん》恨による場合

ウ 天災地変による場合（通勤による危険が特に加重されたと認められる場合を除く。）

(2) 規則一六―〇第三条第一号に該当する疾病の認定については、第二公務上の災害の認定関係の2の(1)に準ずるものとする。

(3) 規則一六―〇第三条第二号に該当する疾病は、次に掲げるものとする。

ア 通勤の途上における突発的な事故に起因することが明らかな疾病

イ 通勤の途上において強度の精神的又は肉体的負担を生ぜしめた事故に起因することが明らかな疾病

(4) 規則一六―〇第二十二条第一項の「人事院が定める疾病」及び「人事院が定める手続」については、第二公務上の災害の認定関係の2の(4)及び(5)に準ずるものとする。

(5) (1)から(4)までの通勤による負傷又は疾病の認定に関する細目は、人事院事務総局職員福祉局長が別に通知するところによる。

(6) 通勤による障害又は死亡の認定については、第二公務上の災害の認定関係の3に準ずるものとする。

(7) 通勤による災害の認定については、第二公務上の災害の認定関係の4に準ずるものとする。

別表第一～五〔略〕

○通勤による災害の認定について

昭四八・一一・二七
勤厚―一〇二九

最終改正 平二八・五・三〇職補―一四二

標記については、人事院規則一六―〇（職員の災害補償）第三条及び第三条の二並びに災害補償制度の運用について（昭和四十八年十一月一日職厚―九〇五人事院事務総長）の記の第三通勤による災害の認定関係によるほか、下記によつてください。

おつて、通勤による災害であるかどうかの認定は、個別具体的な事案に応じ、通勤災害保護制度の本旨に即し、下記に基づいて行うことになりますが、これによつても、なお認定が困難であると認められるときは、必要な資料を添えて、人事院事務総局職員福祉局長に協議してください。

記

一 基本的事項関係

「通勤による災害」とは、国家公務員災害補償法（昭和二十六年法律第百九十一号。以下「補償法」という。）第一条の二に規定する「通勤」に直接起因し、又は当該通勤と相当因果関係をもつて発生した負傷、疾病、障害又は死亡をいう。

例えば、補償法第一条の二に規定する「通勤」の途上において、

① 自動車にひかれたことによる負傷
② 電車が急停車したため転倒したことによる負傷
③ 駅の階段から転落したことによる負傷
④ 歩行中ビルの建設現場から落下してきた物体が当たつたことによる負傷
⑤ 危険物運搬車が転倒し、そのため流出した有害物質によりかかつた急性中毒

等は、原則として、「通勤による災害」と認められるが、

① 自殺その他被災職員の故意によつて生じた災害
② 私的怨《えん》恨によつて生じた災害

等は、通勤に通常伴うと認められる危険が具体化したものではないので、「通勤による災害」とは認められない。

二 「通勤」の範囲関係

「通勤」の定義については、補償法第一条の二に規定されているが、この場合において、具体的には次によるものとする。

(1) 「勤務のため」について

「勤務のため」とは、移動が勤務義務を履行するため又は勤務から解放されたために行われるものであることを必要とする趣旨を示すものであり、「勤務のため」の移動であることは、職員について生じた災害が「通勤による災害」であると認定されるための第一の前提となる。

この場合、原則的には、職員が、明示又は黙示の指示により勤務すべきこととされていたか否か、又は現実に勤務に従事したか否かが、その判断の基礎となる。

この場合の「勤務」については、職員に通常割り当てられている職務に従事することのほか、

① 臨時に割り当てられた職務を遂行すること。

② 国家公務員法（昭和二十二年法律第百二十号）第三章第四節の二による研修を受けること。
③ 人事院規則一〇—四（職員の保健及び安全保持）による健康診断を受けること。
④ 国、行政執行法人、独立行政法人通則法の一部を改正する法律（平成二十六年法律第六十六号）による改正前の独立行政法人通則法（平成十一年法律第百三号）第二条第二項に規定する特定独立行政法人又は郵政民営化法（平成十七年法律第九十七号）第百六十六条第一項の規定による解散前の日本郵政公社の支配管理の下に実施される行事（レクリエーション行事、表彰式等）に参加すること。

等も含まれるが、逆に

① 週休日に官署又は事務所の施設を利用してサークル活動をすること。
② 免許又は資格の取得等を目的として私的に通学すること。

等は、「勤務」とは認められない。

「勤務のため」の移動であると認められるか否かの判断については、出勤時と退勤時とで若干趣を異にする面があるが、まず、出勤時については、所定の勤務開始時刻までに間に合うように住居を出発している場合のほか、

① 交通機関の混雑を避ける目的で早めに出勤する場合
② 通常の出勤時間より遅く住居を出て出勤する場合

等についても、原則として「勤務のため」と認められるが、逆に、サークル活動等勤務とは関係のない行為をする目的で住居を出た場合等は、「勤務のため」とは認められない。

退勤については、所定の勤務終了後、直ちに帰途につく場合のほか、所用のため休暇を利用して早退して退勤する場合等についても、原則として「勤務のため」と認められるが、逆に、サークル活動等勤務と関係のない行為をした後に帰途につく場合等で、社会通念上、勤務と帰宅との間の直接関連性が失われたと認められる場合には、原則として「勤務のため」とは認められない。

なお、「勤務のため」の通勤は、一日について一回に限られる性質のものではなく、例えば、昼の休憩時間等を利用して帰宅する場合についても「勤務のため」のものと認められることがある。

また、補償法第一条の二第一項第三号の移動が「勤務のため」の移動であると認められるか否かの判断については、勤務と帰宅との間の直接関連性を失わせる事情のないことを前提としつつ、次のとおりとする。

① 帰省先の住居から赴任先の住居への移動が、勤務に就く当日又は前日に行われた場合には、「勤務のため」の移動と認められるものとし、当該移動が勤務に就く前々日以前から行われた場合には、業務の都合、交通機関の状況等の合理的理由が認められるときに、「勤務のため」の移動と認められるものとする。
② 赴任先の住居から帰省先の住居への移動が、勤務に従事した当日又は翌日に行われた場合には、「勤務のため」の移動と認められるものとし、当該移動が勤務に従事した翌々日以後に行われた場合には、業務の都合、交通機関の状況等の合理的理由が認められるときに、「勤務のため」の移動と認められるものとする。

(2) 「住居」について

「住居」とは、職員が日常生活を営むため居住している家屋等のある場所、すなわち、勤務のための拠点となるものをいい、特別な事情の下における臨時の宿泊場所を含むものとする。

したがって、日常家族と起居を共にしている家屋等のほか、

① 職員が、その勤務のための必要から、家族が居住する家屋等とは別に勤務場所の近くに特に設けた住居
② 長時間にわたる超過勤務を行った場合その他の勤務上の都合、交通機関の事故その他の交通事情等から一時的に通常の住居以外の場所に宿泊する場合の当該臨時の宿泊場所
③ 職員が長期間（おおむね一月以上）にわたる宿泊を要する研修の受講又は出張を命ぜられた場合における宿泊場所

等も「住居」と認められるが、逆に、私用のために宿泊した友人宅等は、「住居」とは認められない。

一般職の職員の給与に関する法律（昭和二十五年法律第九十五号）に規定する単身赴任手当（これに相当する手当を含む。）の支給を受ける職員については、官署を異にする異動等に伴い、移転する直前の住居は、「住居」と認められる。

(3) 「勤務場所」について

「勤務場所」とは、勤務すべき場所として明示又は黙示に指示された場所をいい、通常の勤務官署等

のほか、

① 官署又は事務所の長の支配管理下において実施されるレクリエーション行事が行われる場所
② 国家公務員法第三章第四節の二に基づく研修が行われる場所
③ 出張の場合の用務先

等も「勤務場所」と認められる。

なお、外勤業務に従事する職員で、特定区域を担当し、当該区域内にある数か所の用務先を受け持つて自宅との間を往復する者については、原則として自宅を出てから合理的な経路及び方法により最初の用務先に着くまでの間及び最後の用務先を出てから合理的な経路及び方法により自宅へ戻るまでの間を「通勤」とする。

(4) 「通勤」の始点と終点について

「通勤」の始点又は終点は、原則として、住居にあつては門、外戸等、勤務場所にあつては国、行政執行法人、独立行政法人通則法の一部を改正する法律による改正前の独立行政法人通則法第二条第二項に規定する特定独立行政法人又は郵政民営化法第百六十六条第一項の規定による解散前の日本郵政公社の施設管理権が及ぶ範囲をその境界点とする。

(5) 「合理的な経路及び方法」について

「合理的な経路」とは、補償法第一条の二第一項各号に掲げる移動を行う場合に、社会通念上用いるものと認められる経路をいい、「合理的な方法」とは、通勤のための手段として、社会通念上用いるものと認められるものをいう。

(ア) 「経路」については

① 定期乗車券に示された経路
② 通勤届に示された経路
③ 通常用いる交通機関が途絶した場合等その日の交通事情により、迂回してとる経路
④ 出勤又は退勤に自家用自動車を利用している者が駐車場を経由する経路
⑤ 共働き職員等で他に子供を監護する者がいないものが、子供を預けるために託児所等を経由する経路

等は、「合理的な経路」と認められるが、逆に、特段の合理的理由がないにもかかわらず、著しく遠回りとなる経路をとる場合には、その経路は、「合理的な経路」とは認められない。

なお、「合理的な経路」は、一の職員について一の経路と限られるものではなく、例えば、タクシー等を利用する場合に、通常利用すると認められる経路が二、三ある場合にも、その経路は、いずれも「合理的な経路」と認められる。

(イ) 「方法」については

① 徒歩による場合
② 自家用自動車、自転車等による場合
③ 公共交通機関による場合

等は、一般に「合理的な方法」と認められるが、

① 法令により徒歩通行が禁止されている鉄道地、高速道路を徒歩で通る場合
② 運転免許を一度も取得したことのない者が自家用自動車を運転する場合
③ 酒気を帯びた状態で自家用自動車等を運転する場合又は泥酔した状態で自転車を運転する場合

等は、「合理的な方法」とは認められない。

なお、免許証不携帯・免許証更新忘れによる無免許運転の場合等は、必ずしも、合理性を欠くものとして取り扱う必要はないが、この場合において、諸般の事情を勘案し、補償の制限が行われることがあることは当然である。

(6) 「公務の性質を有するもの」について

「公務の性質を有するもの」とは、上記(1)から(5)までの要件を満たす往復行為であつても、当該往復行為による災害が公務上の災害と認められるものをいい、「災害補償制度の運用について」の記の第二公務上の災害の認定関係の(1)のキに該当する出勤又は退勤がこれに該当する。

(7) 「逸脱」及び「中断」について

通勤の途中において、職員が合理的な経路から逸脱し、又は移動を中断した場合には、当該逸脱又は中断をした時点から以後の移動については「通勤」とは認められないが、当該逸脱又は中断が「日常生活上必要な行為であつて人事院規則で定めるものをやむを得ない事由により行うための最小限度のもの」である場合には、当該逸脱又は中断の間を除き「通勤」と認められる。

この場合の「逸脱」とは、出勤又は退勤の途中で「勤務のため」とは関係のない目的で合理的な経路をそれることをいい、「中断」とは、出勤又は退勤の経路上で「通勤」とは関係のない行為を行うことをいう。

例えば、通勤の途中で、

① マージャンに興じた場合
② 映画館に入つた場合
③ バー、キャバレー等で飲食した場合

④ デートのため長時間にわたつてベンチで話し込んだり、経路から外れた場合等は、逸脱又は中断に該当する。

ただし、

① 公衆便所を利用する場合
② タバコ、雑誌等を購入する場合
③ 公園で短時間休息する場合
④ 駅の構内でジュースの立飲みをする場合
⑤ 経路上の店で渇きをいやすためにごく短時間、コーヒー、紅茶等を飲む場合

等通常通勤に伴うと認められる行為を行う場合は、原則として、逸脱又は中断に該当しないものとして取り扱う。

(8) 「日常生活上必要な行為であつて人事院規則で定めるもの」について

「日常生活上必要な行為であつて人事院規則で定めるもの」としては、

① 日用品の購入その他これに準ずる行為
② 学校教育法（昭和二十二年法律第二十六号）第一条に規定する学校において行われる教育、職業能力開発促進法（昭和四十四年法律第六十四号）第十五条の六第三項に規定する公共職業能力開発施設において行われる職業訓練その他これらに準ずる教育訓練であつて職業能力の向上に資するものを受ける行為
③ 病院又は診療所において診察又は治療を受けることその他これに準ずる行為
④ 選挙権の行使その他これに準ずる行為
⑤ 負傷、疾病又は老齢により二週間以上の期間にわたり日常生活を営むのに支障がある配偶者（婚姻の届出をしていないが、事実上婚姻関係と同様の事情にある者を含む。以下二の(8)の⑤において同じ。）、子、父母、配偶者の父母及び「災害補償制度の運用について」の記の第三通勤による災害の認定関係の3に該当する者の介護（継続的に又は反復して行われるものに限る。）

が定められている。

この場合、

(ア) ①の「日用品の購入」とは、職員又はその家族が日常の生活の用に供するためしばしば用いる物品の購入をいい、食料、文房具、書籍の購入等がこれに該当する。

「これに準ずる行為」については、

i 独身職員が食堂で食事する場合
ii クリーニング店に立ち寄る場合
iii 単身赴任者が、住居と勤務場所との間の往復又は当該往復に先行し、若しくは後続する住居間の移動に際し、これらの移動に長時間要することにより、食堂で食事をする場合や自家用自動車内等で仮眠をとる場合

等が該当する。

(イ) ②の「職業能力開発促進法（昭和四十四年法律第六十四号）第十五条の六第三項に規定する公共職業能力開発施設」については、国、都道府県及び市町村並びに独立行政法人高齢・障害・求職者雇用支援機構が設置する職業能力開発校、職業能力開発短期大学校、職業能力開発大学校、職業能力開発促進センター及び障害者職業能力開発校が該当する。

「これらに準ずる教育訓練であつて職業能力の向上に資するもの」については、

i 学校教育法第百二十四条に規定する専修学校の高等課程、専門課程及び一般課程
ii 学校教育法第百三十四条に規定する各種学校における教育で、一般的に職業に必要な技術に関し一年以上の修業期間を定めて行われるもの
iii 職業能力開発促進法第二十七条に規定する職業能力開発総合大学校の訓練課程
iv iからiiiまでに掲げるもののほか、教育訓練の内容及び形態がこれらに準ずると認められる教育訓練

が該当する。

(ウ) ③の「診察又は治療を受けること」については、人工透析等比較的長時間を要する医療を受ける行為が含まれる。

「その他これらに準ずる行為」については、あん摩、マッサージ若しくは指圧、はり、きゅう又は柔道整復の施術を受ける行為等が該当する。

(エ) ④の「その他これに準ずる行為」については、最高裁判所の裁判官の国民審査及び普通地方公共団体の議会の議員又は長の解職の投票に係る権利等の行使が該当する。

(オ) ⑤については、例えば、定期的に、帰宅途中に老齢により寝たきりの状態にある父の介護を行うために父が同居している兄宅に一定時間立ち寄る場合等が該当する。

(9) 「やむを得ない事由により行うための最小限度のもの」について

「やむを得ない事由により行うための最小限度のもの」とは、日常生活の必要から通勤の途中で行う

必要のあるものをいい、かつ、逸脱又は中断の原因となつた行為の目的達成のために必要とする最小限度の時間、距離等によるものをいう。

例えば、

①　高級レストランで食事をした場合

②　夕食の前に度を越した飲酒をした場合

等はこれに該当しない。

三　**船員である職員に係る「通勤」の範囲関係**

船員である職員に係る「通勤」の範囲の取扱いについては、船員保険法（昭和十四年法律第七十三号）による取扱いとの均衡を考慮し、前記二によるほか、次によるものとする。

(1)　「住居」について

「住居」には、船員である職員が出港前の準備又は入港後の修理のために港の近くに一時的に借りたアパート、ドック入りしている船舶の船員である職員がドックへ通うために宿泊するドックハウス等も含まれる。

(2)　「勤務場所」について

船員である職員の勤務場所には、通常乗り組む船舶のほか、出港準備のための作業場等も含まれる。

(3)　「合理的な経路」について

船員である職員が長期航海後に休暇等を利用して妻子の居住する場所に帰る経路等は、通勤のためのものと認められる。

以　上

○心・血管疾患及び脳血管疾患の公務上災害の認定について

令三・九・一五
職補―二六六

標記については、平成十三年十二月十二日勤補―三二三により定めた心・血管疾患及び脳血管疾患の公務上災害の認定指針（以下「平成十三年認定指針」という。）によって行うこととしてきましたが、その後の医学的知見等を踏まえ、判断基準の一層の具体化・明確化等を行い、別紙「心・血管疾患及び脳血管疾患の公務上災害の認定指針」のとおり定めたので、今後はこれによってください。これに伴い、平成十三年認定指針は廃止します。

なお、本指針は、公務に起因して心・血管疾患及び脳血管疾患を発症した職員等に対し補償等を実施するためのものですが、このような疾患が公務に起因して発症しないように努めることがより重要です。各職場の管理者等の関係者においては、「過労死等事案の分析結果について（通知）」（令和三年三月三日職職―三八及び職補―三七）も踏まえ、常に職員の健康状態の把握や健康管理に努めるとともに、特に負荷の高い業務に従事している職員に対する勤務時間管理の徹底や体制面での配慮を行うなど、過労死等の防止に一層取り組んでいただくようお願いします。

以　上

別紙

心・血管疾患及び脳血管疾患の公務上災害の認定指針

1　心・血管疾患及び脳血管疾患を公務上の災害と認定するに当たっての基本的な考え方

(1)　心・血管疾患及び脳血管疾患（負傷に起因するものを除く。以下同じ。）を公務上の災害と認定するに当たっては、発症前に、次のいずれかに該当したことにより、医学経験則上、心・血管疾患及び脳血管疾患の発症の基礎となる病態（血管病変等）を加齢、一般生活等によるいわゆる自然的経過を超えて著しく増悪させ、心・血管疾患及び脳血管疾患の発症原因とするに足る強度の精神的又は肉体的な負荷（以下「過重負荷」という。）を受けていたことが必要である。

ア　通常の日常の業務（被災した職員（以下「本人」という。）が占めていた官職に割り当てられた職務のうち、正規の勤務時間内に行う日常の業務をいう。以下同じ。）に比較して特に量的に又は質的に過重な業務に従事したこと。

イ　業務に関連してその発生状態を時間的、場所的に明確にし得る異常な出来事・突発的な事態に遭遇したこと。

(2)　過重負荷を受けてから心・血管疾患及び脳血管疾患の症状が顕在化するまでの時間的間隔が医学上妥当と認められることが必要である。通常は、過重負荷を受けてから二十四時間以内に症状が顕在化するが、症状が顕在化するまでに数日を経過する症例があることに留意すること。

ここで症状の顕在化とは自他覚症状が明らかに認められることをいい、数日とは二日から三日程度をいう。

(3) 過重負荷を評価するための期間は、個別案件ごとに異なるものであるが、長期間にわたる疲労の蓄積等も考慮する観点から、発症前六か月間程度となる場合があることに留意すること。

(4) 業務の過重性を評価するに当たっては、4に掲げる調査事項の内容がその評価要素であるので、迅速、かつ、適正に調査し、その結果を業務従事状況、業務環境等を基礎とし、3に掲げる着眼点を踏まえ、医学経験則に照らして、総合的に評価して判断すること。

なお、業務量が3(1)アの(ア)から(ウ)のいずれかの水準に至らない場合であっても、業務量以外の要因も含めて総合的に評価した結果、業務の過重性が認められる場合があることに留意すること。

(5) 本人が素因又は基礎疾患を有していても、日常業務を支障なく遂行できる状態である場合は、公務上災害の認定に当たっては、業務の過重性が客観的に認められるか否かにより判断して差し支えないこと。

2 本認定指針の対象とする疾患

本認定指針が認定の対象とする心・血管疾患及び脳血管疾患（以下「対象疾患」という。）は、次に掲げるものをいう。

(1) 心・血管疾患

ア 狭心症

イ 心筋梗塞

ウ 心停止（心臓性突然死を含む。）

エ 重症の不整脈（心室細動等）

オ 重篤な心不全

カ 肺塞栓症

キ 大動脈解離

(2) 脳血管疾患

ア くも膜下出血

イ 脳出血

ウ 脳梗塞

エ 高血圧性脳症

3 過重負荷を判断するための着眼点

(1) 1(1)アの「通常の日常の業務に比較して特に量的に又は質的に過重な業務」とは、次に掲げる業務等、通常に割り当てられた業務内容等に比較して特に過重であると客観的に認められるものをいい、その判断に当たっては、業務量（勤務時間、勤務密度）に加え、業務内容（難易度、精神的緊張の大小、責任の軽重、強制性・裁量性の有無等）、業務形態（早出・遅出等不規則勤務、深夜勤務、休日勤務等）、業務環境（寒冷、暑熱等）等を総合的に評価すること。

ア 業務の量的要因（勤務時間、勤務密度）に関するもの

(ア) 業務上の必要により、発症前一週間程度に、継続して深夜時間帯に及ぶ超過勤務を行うなど特に過度の長時間勤務を行った場合であって、その勤務密度が通常の日常の業務と比較して同等以上であるとき

(イ) 業務上の必要により、発症前一か月間に正規の勤務時間を超えて百時間程度の超過勤務を行った場合であって、その勤務密度が通常の日常の業務と比較して同等以上であるとき

(ウ) 業務上の必要により、発症前二か月間ないし六か月間にわたって正規の勤務時間を超えて一か月当たり八十時間程度の超過勤務を継続的に行った場合であって、その勤務密度が通常の日常の業務と比較して同等以上であるとき

イ 業務の質的要因に関するもの

(ア) 対外折衝等で著しい精神的緊張を伴うと認められる業務に相当程度の期間従事した場合

(イ) 制度の創設・改廃、大型プロジェクトの企画・運営、組織の改廃等で特に困難と認められる業務に相当程度の期間従事した場合

(ウ) 暴風雨、寒冷、暑熱等の特別な業務環境の下での業務を長時間にわたって行っていた場合

(エ) 特別な事態の発生により、日常は行わない強度の精神的又は肉体的な負荷を伴う業務の遂行を余儀なくされた場合

なお、イ(ア)及び(イ)の「相当程度の期間」については、おおむね三か月間程度を目安としつつ、業務量、業務内容等を勘案して判断すること。

(2) 1(1)イの「異常な出来事・突発的な事態」とは、通常起こり得るものとして想定できるものを著しく超えた異常な出来事・突発的な事態で強度の驚愕、恐怖等の精神的又は肉体的な負荷を引き起こすことが経験則上明らかであるものをいい、具体的には、暴風雨、洪水、土砂崩れ、大地震等の特異な事象のほか、突発的な事故、航海中の行方不明、不祥事等の突発的に生じた予測困難な非常事態・緊急事態などが該当する。

また、「業務に関連して…遭遇した」とは、日常

業務を遂行中に異常な出来事等に接したことのほか、その緊急対応、事後対応等のための業務に従事し、強度の精神的又は肉体的な負荷を短時間ながら強いられた場合を含むものである。

4　調査事項

(1)　基礎的事項

ア　本人の氏名、性別及び生年月日

イ　所属組織名、職名及び俸給表（級、号俸）

ウ　所属組織の組織図又は機構図

エ　本人の人事記録

(2)　災害発生の状況等

ア　災害発生の概況（発生日時、傷病名、場所、発症状況及び入院状況等）

イ　災害発生現場の見取図及び写真

ウ　本人又は家族の申立書

(3)　災害発生前の業務従事状況等（原則として、職務命令権者である上司等から業務従事状況に係る報告書を提出させること。）

ア　本人の属する組織全体の業務状況及び分担状況並びに上司、部下等の病休、欠員等の状況

イ　本人の通常の日常の業務内容と災害発生前の業務内容のそれぞれの詳細及び比較

ウ　発症前日から直前までの勤務状況の詳細（この間の業務が発症に最も密接な関連を有するので、特に過重であると客観的に認められるか否か、詳細に調査すること（別添1―1）。）

エ　発症前一週間の勤務状況の詳細（発症前一週間程度に過重な業務が継続している場合には著しい増悪に特に関連があると認められるので、詳細に調査すること（別添1―1）。）

オ　発症前一か月間の勤務状況の詳細（上記エに準ずる過重な業務が発症前一か月間継続している場合又はこれに相当する場合には、著しい増悪に関連があると認められるので、詳細に調査すること（別添1―2）。）

カ　発症前六か月間の勤務状況（必ずしも全期間について詳細に調査する必要はなく、相当程度の精神的又は肉体的な負荷を与えたと認められるものについて重点的に調査すること。その際、著しい疲労の蓄積や過度のストレスの持続がある場合には、著しい増悪に関連があると認められるので、疲労の蓄積等があったかどうかという観点からも調査すること。また、発症前六か月間より前から相当程度の精神的又は肉体的な負荷を与えたと認められる業務が引き続いている場合は、その開始時期等についても調査すること（別添1―3）。）

キ　上記ウからカまでの各期間における超過勤務の時間数及びその業務内容等（別添1―1から1―3）

ク　発症前六か月間における「対外折衝等で精神的緊張を伴う業務」、「制度の創設、組織の改廃等で困難な業務」、「寒冷、暑熱等特別な業務環境等の下での業務」、「特別な事態の発生により必要となった日常は行わない業務」、「早出、遅出等の不規則勤務」、「十七時間三十分を超えるような拘束時間の長い勤務」、休日勤務、「勤務間インターバルの短い勤務」、深夜勤務、交替制勤務、宿日直勤務、「出張等勤務官署外における移動を伴う勤務（海外出張にあっては、時差の程度を含む。）」の状況の詳細（これらの勤務等がある場合は、従事した期間、具体的な業務内容等について調査すること。また、調査に当たっては、「精神疾患等の公務上災害の認定について（平成二十年四月一日職補―一一四人事院事務総局職員福祉局長）」の別紙「精神疾患等の公務上災害の認定指針」の別表「公務に関連する負荷の分析表」の出来事例、業務例も参考にすること。）

ケ　業務に関連して異常な出来事・突発的な事態に遭遇した場合は、その内容及び原因（必要に応じて消防署、気象官署等の証明及び目撃者等の証言等）

コ　自宅等で論文、報告書等を作成していたとする場合は、その理由及び成果物の確認

サ　単身赴任の状況

シ　通勤の実態（片道の通勤時間がおおむね一時間三十分以上である場合に限る。）

ス　年次休暇等の取得状況

(4)　発症時の医師の所見等

ア　主治医の診断書・意見、診療録・診療要約、血圧検査、血液生化学検査等諸臨床検査、心電図検査、超音波検査・X線写真・冠動脈造影・CT・MRI等画像検査等

イ　解剖所見

(5)　健康状況等

ア　本人の身長・体重

イ　発症前の本人の愁訴及び前駆症状等

ウ　定期健康診断等の記録、指導区分及び事後措置の内容

エ　本人の素因、基礎疾患及び既存疾患並びにその治療状況・療養経過

オ 上記エに係る主治医の診断書・意見、診療録・診療要約、血圧検査、血液生化学検査等諸臨床検査、心電図検査、超音波検査・X線写真・冠動脈造影・CT・MRI等画像検査等

(6) 日常生活

ア 発症前一週間の生活状況の詳細（特に日常と異なった出来事等の有無等）

イ 発症前一か月間の生活状況

ウ 発症前六か月間の生活状況（必ずしも全期間について詳細に調査する必要はなく、相当程度の精神的又は肉体的な負荷を与えたと認められるものについて重点的に調査すること。）

(7) 趣味、し好、家族状況等

ア 趣味、スポーツ等

イ し好品（酒、タバコ等）及びその程度

ウ 家族状況、家族歴

エ 薬の服用の状況及び内容

(8) その他業務環境等に関する事項

ア 発症時の事務室、勤務場所等の見取図、写真等及び騒音、照度、温度等の業務環境

イ 発症日の気温、湿度等の気象条件

5 認定手続き等

対象疾患に係る事案の迅速、かつ、適正な認定に当たっては、上記4に掲げた諸事実等を発症直後に収集することが極めて重要であるので、過重負荷を受けて発症した可能性があると思料したものについては、発症直後に別添2の対象疾患に係る簡易認定調査票により点検を行うものとする。

その結果、当該事案が公務上の災害の可能性がある場合には、「災害補償制度の運用について（昭和四十八年十一月一日職厚—九〇五人事院事務総長）」第二の2の手続により認定を行う必要があるので、「特定疾病に係る災害の認定手続等について（平成二十年四月一日職補—一一五人事院事務総局職員福祉局長）」の定めるところにより、当該簡易認定調査票を用い、所要の報告を行うものとする。

なお、対象疾患以外の心・血管疾患及び脳血管疾患に係る事案についても、同様とする。

以　上

別添１－１

発症前１週間の勤務状況調査票

発症日	勤務時間 0 1 2 3 4 5 6 7 8 9 10 11 12 13 14 15 16 17 18 19 20 21 22 23 24	備考
	［勤務状況の詳細等］	
	［超過勤務時間数］ 時間 分 （うち深夜勤務時間数 時間 分） ［超過勤務の業務内容等］	
月 日（ 曜日）	勤務時間 0 1 2 3 4 5 6 7 8 9 10 11 12 13 14 15 16 17 18 19 20 21 22 23 24	備考
	［勤務状況の詳細等］	
	［超過勤務時間数］ 時間 分 （うち深夜勤務時間数 時間 分） ［超過勤務の業務内容等］	

注１　本調査票は、発症日に続き、発症前１週間を発症前日から遡って記載すること。

２　「勤務時間」の欄は、業務に応じて、例えば「←○○業務→」のように記載するとともに、出退勤の時刻を記載すること。

３　「［勤務状況の詳細等］」においては、業務内容、勤務密度（待機的な業務か否か等）等について具体的に記載すること。その他の調査事項についても記載して差し支えないが、記載した場合はその旨を簡易認定調査票に記載すること。「［超過勤務の業務内容等］」においては、超過勤務の業務内容、勤務密度等に加えて、当該超過勤務が必要となった状況等についても記載すること。

４　「備考」の欄には、その左の欄に対応し、当該欄の内容の根拠、資料等となったものを記載すること（例えば、「勤務時間」に対応する上段には出勤簿、鍵授受簿、上司等の報告書等を、「［勤務状況の詳細等］」に対応する中段には上司等の報告書等を、「［超過勤務時間数］」及び「［超過勤務の業務内容等］」に対応する下段には超過勤務命令簿等超過勤務の記録、上司等の報告書等を記載すること。）。

５　各欄の大きさ及び調査票の分量は、記載内容に応じたものとする。調査の結果を記載する上で必要があれば、各欄の配列を変更し、又は各欄以外の欄を設定する等この様式を変更しても差し支えない。

別添１－２

発症前１か月間の勤務状況調査票

発症前１か月間における主な業務内容		備　　考

発症前１か月間（発症前１週間を除く。）の勤務状況等			備　　考
月　日（　曜日）	［勤務状況の詳細等］		
	［出　勤］　時　分 ［退　勤］　時　分 ［超過勤務時間数］　時間　分 （うち深夜勤務時間数　時間　分）	［超過勤務の業務内容等］	
月　日（　曜日）	［勤務状況の詳細等］		
	［出　勤］　時　分 ［退　勤］　時　分 ［超過勤務時間数］　時間　分 （うち深夜勤務時間数　時間　分）	［超過勤務の業務内容等］	

注１　「発症前１か月間（発症前１週間を除く。）の勤務状況等」の欄は、発症から遡って記載すること。

２　「［勤務状況の詳細等］」においては、業務内容、勤務密度（待機的な業務か否か等）等について具体的に記載すること。その他の調査事項についても記載して差し支えないが、記載した場合はその旨を簡易認定調査票に記載すること。「［超過勤務の業務内容等］」においては、超過勤務の業務内容、勤務密度等に加えて、当該超過勤務が必要となった状況等についても記載すること。

３　「備考」の欄には、その左の欄に対応し、当該欄の内容の根拠、資料等となったものを記載すること（例えば、「［勤務状況の詳細等］」に対応する上段には上司等の報告書等を、「［出勤］」、「［退勤］」、「［超過勤務時間数］」及び「［超過勤務の業務内容等］」に対応する下段には超過勤務命令簿等超過勤務の記録、出勤簿、鍵授受簿、上司等の報告書等を記載すること。）。

４　各欄の大きさ及び調査票の分量は、記載内容に応じたものとする。調査の結果を記載する上で必要があれば、各欄の配列を変更し、又は各欄以外の欄を設定する等この様式を変更しても差し支えない。

別添１－３

発症前６か月間の勤務状況調査票

発症前６か月間における主な業務内容	備考

発症前６か月間（発症前１か月間を除く。）の勤務状況等			備考
月　日 （　曜日） ～	［勤務状況］		
月　日 （　曜日）	［超過勤務時間数］ 時間　分 （うち深夜勤務時間数 時間　分）	［超過勤務の業務内容等］	
月　日 （　曜日） ～	［勤務状況］		
月　日 （　曜日）	［超過勤務時間数］ 時間　分 （うち深夜勤務時間数 時間　分）	［超過勤務の業務内容等］	

注１　「発症前６か月間（発症前１か月間を除く。）の勤務状況等」の欄は、発症から遡って記載するとともに、勤務状況等に応じて１週間単位又は１か月単位でまとめて記載する。

２　「［勤務状況］」においては、業務内容、勤務密度（待機的な業務か否か等）等について具体的に記載するとともに、週休日・休日勤務及び出張等勤務官署外における移動を伴う勤務を行った場合は、それぞれの日数・内容を記載すること。その他の調査事項についても記載して差し支えないが、記載した場合はその旨を簡易認定調査票に記載すること。

「［超過勤務の業務内容等］」については、超過勤務の業務内容、勤務密度等に加えて、当該超過勤務が必要となった状況等についても記載すること。

３　「備考」の欄には、その左の欄に対応し、当該欄の内容の根拠、資料等となったものを記載すること（例えば、「［勤務状況］」に対応する上段には上司等の報告書、出張命令簿等を、「［超過勤務時間数］」及び「［超過勤務の業務内容等］」に対応する下段には超過勤務命令簿等超過勤務の記録、鍵授受簿、上司等の報告書等を記載すること。）。

４　各欄の大きさ及び調査票の分量は、記載内容に応じたものとする。調査の結果を記載する上で必要があれば、各欄の配列を変更し、又は各欄以外の欄を設定する等この様式を変更しても差し支えない。

別添2

心・血管疾患及び脳血管疾患の簡易認定調査票

氏名：	（□男・□女）　年　月　日生（発症時　歳・死亡時　歳）		
所属：	職名：（□常勤 □非常勤）		
適用俸給表：　俸給表　級　号	所属組織の組織図又は機構図：　□有（別添）	人事記録：　□有（別添）	

1．災害発生の状況等

発生日時：　年　月　日（　）曜日　時　分頃　発生場所：

傷病名等：

災害発生の概況（発症状況及び入院状況等を含む。）

災害発生現場の見取図等　→　□有（別添）　□無

本人又は家族の申立書　→　□有（別添）　□無

2．災害発生前の業務従事状況等（災害発生6か月前から災害発生時までの業務従事状況等の遷移が分かるように記述すること）

所属部署の業務内容及び状況：

所属部署の各職員の業務内容及び分担状況（災害発生6か月前から災害発生時までに異動があった場合は異動ごとに事務分掌規程等を基に記述すること。本人の業務内容は、特に詳細に記述すること。）

発症時の職への就任年月日：　年　月　日

本人に通常割り振られた業務内容：

本人に特に割り振られた業務内容：

本人以外の職員の業務内容及び分担状況：

上司、部下等の病休、欠員等の状況　→　□有　□無

「有」の場合は、その状況：

本人の通常の日常業務内容と発症前の業務内容の比較

発症前の業務内容の詳細：

発症前の業務内容は本人の通常の日常業務内容と比較して　→　□多い　□変わらない　□少ない

「多い」の場合は、その内容：

発症前日から直前までの業務従事状況の詳細：（**別添1－1「発症前1週間の勤務状況調査票」に記載した場合は、その旨を記載**）

発症前1週間の勤務状況の詳細（超過勤務の時間数及びその業務内容等を含む。）　：**別添1－1「発症前1週間の勤務状況調査票」**

発症前1か月間の勤務状況の詳細（超過勤務の時間数及びその業務内容等を含む。）：**別添1－2「発症前1か月間の勤務状況調査票」**

発症前6か月間の勤務状況：**別添1－3「発症前6か月間の勤務状況調査票」**

発症前6か月間における「対外折衝等で精神的緊張を伴う業務」、「制度の創設、組織の改廃等で困難な業務」等認定指針4の(3)のクに掲げた勤務等の状況（必ずしも全期間について調査する必要なく、負荷を与えたと認められるものについて記載すること。）：**別添1－1から1－3の調査票に記載した場合は、その旨を記載**

超過勤務の裏付けとなる資料（超過勤務命令簿、在庁時間を示す資料等）： ☐ 有（**別添**）

異常な出来事・突発的な事態 → ☐ 有（**別添**） ☐ 無

消防署・気象官署等の証明、目撃者等の証言等 → ☐ 有（**別添**） ☐ 無

自宅等での論文、報告書等作成 → ☐ 有（**別添**） ☐ 無

成果物 → ☐ 有（**別添**） ☐ 無

単身赴任 → ☐ 該当 ☐ 非該当

業務形態（発症前6か月間に業務形態等に変動が生じた時はその遷移がわかるように記述すること）

官執勤務 ☐ 該当→ ［始業時刻］ 時 分 ［終業時刻］ 時 分

不規則勤務 ☐ 有（**別添**） 休日勤務務 ☐ 有（**別添**） 勤務間ｲﾝﾀｰﾊﾞﾙの短い勤務 ☐ 有（**別添**） 深夜勤務 ☐ 有（**別添**）

交替制勤務 ☐ 有（**別添**） 宿日直勤務 ☐ 有（**別添**） 勤務官署外勤務 ☐ 有（**別添**） その他の勤務 ☐ 有（**別添**）

出勤・休暇等の取得状況：出勤簿、休暇簿（年次休暇用、病気休暇用、特別休暇用）： ☐ 有（**別添**）

通勤の実態（片道おおむね1時間30分以上の場合）： ☐ 該当（**通勤届別添**） ☐ 非該当

上司等からの業務従事状況報告書：（**別添**）

3．発症時の医師の所見等

主治医の診断書・意見書等

主治医の診断書・意見 → ☐ 有（**別添**） ☐ 無（**入手して提出**）

診療録・診療要約 → ☐ 有（**別添**） ☐ 無（**入手して提出**）

血圧検査 → ☐ 実施 （☐ 有（**別添**） ☐ 無（**入手して提出**）） ☐ 未実施

血液生化学検査等諸臨床検査→ ☐ 実施 （☐ 有（**別添**） ☐ 無（**入手して提出**）） ☐ 未実施

心電図検査 → ☐ 実施 （☐ 有（**別添**） ☐ 無（**入手して提出**）） ☐ 未実施

超音波検査・Ｘ線写真・冠動脈造影・ＣＴ・ＭＲＩ等の画像検査等

→ ☐ 実施 （☐ 有（**別添**） ☐ 無（**入手して提出**）） ☐ 未実施

解剖 → ☐ 実施 （☐ 有（**別添**） ☐ 無（**入手して提出**）） ☐ 未実施

4．健康状況等

本人の身長及び体重：身長 cm 体重 kg （ 年 月 日現在）

発症前の本人の愁訴及び前駆症状等 → ☐ 有 ☐ 無

「有」の場合は、その内容：

定期健康診断等の記録：**別添** 指導区分及び事後措置 → ☐ 有（**別添**） ☐ 無

本人の素因、基礎疾患及び既存疾患 → ☐ 有 ☐ 無

「有」の場合は、その内容：

素因、基礎疾患及び既存疾患に係る主治医の診断書・意見等 → ☐ 有（**別添**） ☐ 無

常用薬服薬 → ☐ 有（ 内容 ） ☐ 無

5．日常生活

発症前6か月間の生活状況（必ずしも全期間について調査する必要はなく、負荷を与えたと認められるものについて記載すること。）：

6．趣味、し好、家族状況等

し好品： ☐ タバコ（ 本／日） ☐ 酒：種類（ ）、量（ ， mℓ／日）

☐ その他：種類（ ）、量（ ， ／日）

趣味・スポーツ： ☐ 有（ ） ☐ 無 家族状況、家族歴： ☐ 有（**別添**） ☐ 無

7．その他業務環境等に関する事項

発症時の勤務場所等の見取図、写真、騒音、照度、温度等：（**別添**）

発症日の気象条件： 気温（ ℃） 湿度（ ％） その他（ ）

作成年月日	年 月 日		
作成者	所属・職名	氏名	
補償事務主任者	所属・職名	氏名	

注 各欄の大きさ及び調査票の分量は、記載内容に応じたものとする。

第九編　服務

第一　服務規律

○国家公務員倫理法

平一一・八・一三
法　　一　二　九

最終改正　令四・六・一七法六八

第一章　総則

（目的）

第一条　この法律は、国家公務員が国民全体の奉仕者であってその職務は国民から負託された公務であることにかんがみ、国家公務員の職務に係る倫理の保持に資するため必要な措置を講ずることにより、職務の執行の公正さに対する国民の疑惑や不信を招くような行為の防止を図り、もって公務に対する国民の信頼を確保することを目的とする。

（定義等）

第二条　この法律（第二十一条第二項及び第四十二条第一項を除く。）において、「職員」とは、国家公務員法（昭和二十二年法律第百二十号）第二条第二項に規定する一般職に属する国家公務員（委員、顧問若しくは参与の職にある者又は人事院の指定するこれらに準ずる職にある者で常勤を要しないもの（同法第六十条の二第一項に規定する短時間勤務の官職を占める者を除く。）を除く。）をいう。

2　この法律において、「本省課長補佐級以上の職員」とは、次に掲げる職員をいう。

一　一般職の職員の給与に関する法律（昭和二十五年法律第九十五号。以下「一般職給与法」という。）の適用を受ける職員であって、次に掲げるもの（ト又はチに掲げるものについては、一般職給与法第十条の二第一項の規定による俸給の特別調整額の支給を受ける者に限る。）

イ　一般職給与法別表第一イ行政職俸給表㈠の職務の級五級以上の職員

ロ　一般職給与法別表第二専門行政職俸給表の職務の級四級以上の職員

ハ　一般職給与法別表第三税務職俸給表の職務の級五級以上の職員

ニ　一般職給与法別表第四イ公安職俸給表㈠の職務の級六級以上の職員

ホ　一般職給与法別表第四ロ公安職俸給表㈡の職務の級五級以上の職員

ヘ　一般職給与法別表第五イ海事職俸給表㈠の職務の級五級以上の職員

ト　一般職給与法別表第六イ教育職俸給表㈠の職務の級三級以上の職員

チ　一般職給与法別表第六ロ教育職俸給表㈡の職務の級三級の職員

リ　一般職給与法別表第七研究職俸給表の職務の級四級以上の職員

ヌ　一般職給与法別表第八イ医療職俸給表㈠の職務の級三級以上の職員

ル　一般職給与法別表第八ロ医療職俸給表㈡の職務の級六級以上の職員

ヲ　一般職給与法別表第八ハ医療職俸給表㈢の職務の級六級以上の職員

ワ　一般職給与法別表第九福祉職俸給表の職務の級五級以上の職員

カ　一般職給与法別表第十専門スタッフ職俸給表の適用を受ける職員

ヨ　一般職給与法別表第十一指定職俸給表の適用を受ける職員

二　一般職の任期付職員の採用及び給与の特例に関する法律（平成十二年法律第百二十五号。以下この条において「任期付職員法」という。）第七条第一項に規定する俸給表の適用を受ける職員

三　一般職の任期付研究員の採用、給与及び勤務時間の特例に関する法律（平成九年法律第六十五号。以下「任期付研究員法」という。）第六条第一項に規定する俸給表の適用を受ける職員

四　検察官の俸給等に関する法律（昭和二十三年法律第七十六号。以下「検察官俸給法」という。）の適用を受ける職員であって、次に掲げるもの

イ　検事総長、次長検事及び検事長

ロ　検察官俸給法別表検事の項十六号の俸給月額以上の俸給を受ける検事

ハ　検察官俸給法別表副検事の項十一号の俸給月額以上の俸給を受ける副検事

五　独立行政法人通則法（平成十一年法律第百三号）第二条第四項に規定する行政執行法人（以下「行政執行法人」という。）の職員であって、その職務と

責任が第一号に掲げる職員に相当するものとして当該行政執行法人の長が定めるもの

3　この法律において、「指定職以上の職員」とは、次に掲げる職員をいう。

一　一般職給与法別表第十一指定職俸給表の適用を受ける職員

一の二　任期付職員法第七条第一項に規定する俸給表の適用を受ける職員であって、同表六号俸の俸給月額以上の俸給を受けるもの

二　任期付研究員法第六条第一項に規定する俸給表の適用を受ける職員であって、同表六号俸の俸給月額以上の俸給を受けるもの

三　検察官俸給法の適用を受ける職員であって、次に掲げるもの

イ　検事総長、次長検事及び検事長

ロ　検察官俸給法別表検事の項五号の俸給月額以上の俸給を受ける検事

四　行政執行法人の職員であって、その職務と責任が第一号に掲げる職員に相当するものとして当該行政執行法人の長が定めるもの

4　この法律において、「本省審議官級以上の職員」とは、次に掲げる職員をいう。

一　一般職給与法別表第十一指定職俸給表の適用を受ける職員

一の二　任期付職員法第七条第一項に規定する俸給表の適用を受ける職員であって、同表六号俸の俸給月額以上の俸給を受けるもの

二　検察官俸給法の適用を受ける職員であって、次に掲げるもの

イ　検事総長、次長検事及び検事長

ロ　検察官俸給法別表検事の項五号の俸給月額以上の俸給を受ける検事

三　行政執行法人の職員であって、その職務と責任が第一号に掲げる職員に相当するものとして当該行政執行法人の長が定めるもの

5　この法律において、「事業者等」とは、法人（法人でない社団又は財団で代表者又は管理人の定めがあるものを含む。）その他の団体及び事業を行う個人（当該事業の利益のためにする行為を行う場合における個人に限る。）をいう。

6　この法律の規定の適用については、事業者等の利益のためにする行為を行う場合における役員、従業員、代理人その他の者は、前項の事業者等とみなす。

7　行政執行法人の長は、第二項第五号、第三項第四号又は第四項第三号の規定により当該行政執行法人における本省課長補佐級以上の職員、指定職以上の職員又は本省審議官級以上の職員を定めたときは、その範囲を公表しなければならない。

（職員が遵守すべき職務に係る倫理原則）

第三条　職員は、国民全体の奉仕者であり、国民の一部に対してのみの奉仕者ではないことを自覚し、職務上知り得た情報について国民の一部に対してのみ有利な取扱いをする等国民に対し不当な差別的取扱いをしてはならず、常に公正な職務の執行に当たらなければならない。

2　職員は、常に公私の別を明らかにし、いやしくもその職務や地位を自らや自らの属する組織のための私的利益のために用いてはならない。

3　職員は、法律により与えられた権限の行使に当たっては、当該権限の行使の対象となる者からの贈与等を受けること等の国民の疑惑や不信を招くような行為をしてはならない。

（国会報告）

第四条　内閣は、毎年、国会に、職員の職務に係る倫理の保持に関する状況及び職員の職務に係る倫理の保持に関して講じた施策に関する報告書を提出しなければならない。

第二章　国家公務員倫理規程

第五条　内閣は、第三条に掲げる倫理原則を踏まえ、職員の職務に係る倫理の保持を図るために必要な事項に関する政令（以下「国家公務員倫理規程」という。）を定めるものとする。この場合において、国家公務員倫理規程には、職員の職務に利害関係を有する者からの贈与等の禁止及び制限等職員の職務に利害関係を有する者との接触その他国民の疑惑や不信を招くような行為の防止に関し職員の遵守すべき事項が含まれていなければならない。

2　内閣は、国家公務員倫理規程の制定又は改廃に際しては、国家公務員倫理審査会の意見を聴かなければならない。

3　各省各庁の長（内閣総理大臣、各省大臣、会計検査院長、人事院総裁、内閣法制局長官及び警察庁長官並びに宮内庁長官及び各外局の長をいう。以下同じ。）は、国家公務員倫理審査会の同意を得て、当該各省各庁に属する職員の職務に係る倫理に関する訓令を定めることができる。

4　行政執行法人の長は、国家公務員倫理審査会の同意を得て、当該行政執行法人の職員の職務に係る倫理に関する規則を定めることができる。

5 行政執行法人の長は、前項の規則を定めたときは、これを主務大臣（独立行政法人通則法第六十八条に規定する主務大臣をいう。）に届け出なければならない。これを変更したときも、同様とする。

6 内閣は、国家公務員倫理規程、第三項の訓令及び第四項の規則の制定又は改廃があったときは、これを国会に報告しなければならない。

第三章 贈与等の報告及び公開

（贈与等の報告）

第六条 本省課長補佐級以上の職員は、事業者等から、金銭、物品その他の財産上の利益の供与若しくは供応接待（以下「贈与等」という。）を受けたとき又は事業者等と職員の職務との関係に基づいて提供する人的役務に対する報酬として国家公務員倫理規程で定める報酬の支払を受けたとき（当該贈与等を受けた時又は当該報酬の支払を受けた時において本省課長補佐級以上の職員であった場合に限り、かつ、当該贈与等により受けた利益又は当該支払を受けた報酬の価額が一件につき五千円を超える場合に限る。）は、一月から三月まで、四月から六月まで、七月から九月まで及び十月から十二月までの各区分による期間（以下「四半期」という。）ごとに、次に掲げる事項を記載した贈与等報告書を、当該四半期の翌四半期の初日から十四日以内に、各省各庁の長等（各省各庁の長及び行政執行法人の長をいう。以下同じ。）又はその委任を受けた者に提出しなければならない。

一 当該贈与等により受けた利益又は当該支払を受けた報酬の価額

二 当該贈与等により利益を受け又は当該報酬の支払を受けた年月日及びその基因となった事実

三 当該贈与等をした事業者等又は当該報酬を支払った事業者等の名称及び住所

四 前三号に掲げるもののほか国家公務員倫理規程で定める事項

2 各省各庁の長等又はその委任を受けた者は、前項の規定により贈与等報告書（指定職以上の職員に係るものに限り、かつ、第九条第二項ただし書に規定する事項に係る部分を除く。）の写しを国家公務員倫理審査会に送付しなければならない。

（株取引等の報告）

第七条 本省審議官級以上の職員は、前年において行った株券等（株券、新株予約権証券又は新株予約権付社債券をいい、株券、新株予約権証券又は新株予約権付社債券が発行されていない場合にあっては、これらが発行されていたとすればこれらに表示されるべき権利をいう。以下この項において同じ。）の取得又は譲渡（本省審議官級以上の職員である間に行ったものに限る。以下「株取引等」という。）について、当該株取引等に係る株券等の種類、銘柄、数及び対価の額並びに当該株取引等の年月日を記載した株取引等報告書を、毎年、三月一日から同月三十一日までの間に、各省各庁の長等又はその委任を受けた者に提出しなければならない。

2 各省各庁の長等又はその委任を受けた者は、前項の規定により株取引等報告書の提出を受けたときは、当該株取引等報告書の写しを国家公務員倫理審査会に送付しなければならない。

（所得等の報告）

第八条 本省審議官級以上の職員（前年一年間を通じて本省審議官級以上の職員であったものに限る。）は、次に掲げる金額及び課税価格を記載した所得等報告書を、毎年、三月一日から同月三十一日までの間に、各省各庁の長等又はその委任を受けた者に提出しなければならない。

一 前年分の所得について同年分の所得税が課される場合における当該所得に係る次に掲げる金額（当該金額が百万円を超える場合にあっては、当該金額及びその基因となった事実）

イ 総所得金額（所得税法（昭和四十年法律第三十三号）第二十二条第二項に規定する総所得金額をいう。）及び山林所得金額（同条第三項に規定する山林所得金額をいう。）に係る各種所得の金額（同法第二条第一項第二十二号に規定する各種所得の金額をいう。以下同じ。）

ロ 各種所得の金額（退職所得の金額（所得税法第三十条第二項に規定する退職所得の金額をいう。）及び山林所得の金額（同法第三十二条第三項に規定する山林所得の金額をいう。）を除く。）のうち、租税特別措置法（昭和三十二年法律第二十六号）の規定により、所得税法第二十二条の規定にかかわらず、他の所得と区分して計算される所得の金額

二 前年中において贈与により取得した財産について同年分の贈与税が課される場合における当該財産に係る贈与税の課税価格（相続税法（昭和二十五年法律第七十三号）第二十一条の二に規定する贈与税の課税価格をいう。）

2 前項の所得等報告書の提出は、納税申告書（国税通

則法（昭和三十七年法律第六十六号）第二条第六号に規定する納税申告書をいう。以下同じ。）の写しを提出することにより行うことができる。この場合において、同項第一号イ又はロに掲げる金額が百万円を超えるときは、その基因となった事実を当該納税申告書の写しに付記しなければならない。

3　各省各庁の長等又はその委任を受けた者は、第一項の所得等報告書又は前項の納税申告書の写し（以下「所得等報告書等」という。）の提出を受けたときは、当該所得等報告書等の写しを国家公務員倫理審査会に送付しなければならない。

（報告書の保存及び閲覧）

第九条　前三条の規定により提出された贈与等報告書、株取引等報告書及び所得等報告書等は、これらを受理した各省各庁の長等又はその委任を受けた者において、これらを提出すべき期間の末日の翌日から起算して五年を経過する日まで保存しなければならない。

2　何人も、各省各庁の長等又はその委任を受けた者に対し、前項の規定により保存されている贈与等報告書（贈与等により受けた利益又は支払を受けた報酬の価額が一件につき二万円を超える部分に限る。）の閲覧を請求することができる。ただし、次の各号のいずれかに該当するものとしてあらかじめ国家公務員倫理審査会が認めた事項に係る部分については、この限りでない。

一　公にすることにより、国の安全が害されるおそれ、他国若しくは国際機関との信頼関係が損なわれるおそれ又は他国若しくは国際機関との交渉上不利益を被るおそれがあるもの

二　公にすることにより、犯罪の予防、鎮圧又は捜査、公訴の維持、刑の執行その他の公共の安全と秩序の維持に支障を及ぼすおそれがあるもの

第四章　国家公務員倫理審査会

（設置）

第十条　人事院に、国家公務員倫理審査会（以下「審査会」という。）を置く。

（所掌事務及び権限）

第十一条　審査会の所掌事務及び権限は、第五条第三項及び第四項、第九条第二項ただし書、第三十九条第二項並びに第四十二条第三項に定めるもののほか、次のとおりとする。

一　国家公務員倫理規程の制定又は改廃に関して、案をそなえて、内閣に意見を申し出ること。

二　この法律又はこの法律に基づく命令（第五条第三項の規定に基づく訓令及び同条第四項の規定に基づく規則を含む。以下同じ。）に違反した場合に係る懲戒処分の基準の作成及び変更に関すること。

三　職員の職務に係る倫理の保持に関する事項に係る調査研究及び企画を行うこと。

四　職員の職務に係る倫理の保持のための研修に関する総合的企画及び調整を行うこと。

五　国家公務員倫理規程の遵守のための体制整備に関し、各省各庁の長等に指導及び助言を行うこと。

六　贈与等報告書、株取引等報告書及び所得等報告書等の審査を行うこと。

七　この法律又はこの法律に基づく命令に違反する行為に関し、任命権者（国家公務員法第五十五条第一項に規定する任命権者及び法律で別に定められた任命権者並びにその委任を受けた者をいう。以下同じ。）に対し、調査を求め、その経過につき報告を求め及び意見を述べ、その行う懲戒処分につき承認をし、並びにその懲戒処分の概要の公表について意見を述べること。

八　国家公務員法第十七条の二の規定により委任を受けた権限により調査を行うこと。

九　任命権者に対し、職員の職務に係る倫理の保持を図るため監督上必要な措置を講ずるよう求めること。

十　国家公務員法第八十四条の二の規定により委任を受けた権限により職員を懲戒手続に付し、及び懲戒処分の概要の公表をすること。

十一　前各号に掲げるもののほか、法律又は法律に基づく命令に基づき審査会に属させられた事務及び権限

（職権の行使）

第十二条　審査会の会長及び委員は、独立してその職権を行う。

（組織）

第十三条　審査会は、会長及び委員四人をもって組織する。

2　会長及び委員は、非常勤とすることができる。

3　会長は、会務を総理し、審査会を代表する。

4　会長に事故があるときは、あらかじめその指名する委員が、その職務を代理する。

（会長及び委員の任命）

第十四条　会長及び次項に規定する委員以外の委員は、人格が高潔であり、職員の職務に係る倫理の保持に関し公正な判断をすることができ、法律又は社会に関する学識経験を有する者であって、かつ、職員（検察官

を除く。）としての前歴を有する者についてはその在職期間が二十年を超えないもののうちから、両議院の同意を得て、内閣が任命する。

2　委員のうち一人は、人事官のうちから、内閣が任命する者をもって充てる。

3　会長又は前項に規定する委員以外の委員の任期が満了し、又は欠員を生じた場合において、国会の閉会又は衆議院の解散のために両議院の同意を得ることができないときは、内閣は、第一項の規定にかかわらず、同項に定める資格を有する者のうちから、会長又は前項に規定する委員以外の委員を任命することができる。

4　前項の場合においては、任命後最初の国会において両議院の事後の承認を得なければならない。この場合において、両議院の事後の承認を得られないときは、内閣は、直ちに、その会長又は第二項に規定する委員以外の委員を罷免しなければならない。

（会長及び委員の任期）

第十五条　会長及び委員の任期は、四年とする。

2　人事官としての残任期間が四年に満たない場合における前条第二項に規定する委員の任期は、前項の規定にかかわらず、当該残任期間とする。

3　補欠の会長及び委員の任期は、前任者の残任期間とする。

4　会長及び委員は、再任されることができる。

5　会長及び委員の任期が満了したときは、当該会長及び委員は、後任者が任命されるまで引き続きその職務を行うものとする。

（身分保障）

第十六条　会長又は委員（第十四条第二項に規定する委員を除く。以下この条、次条、第十八条第二項及び第三項並びに第十九条において同じ。）は、次の各号のいずれかに該当する場合を除いては、在任中、その意に反して罷免されることがない。

一　破産手続開始の決定を受けたとき。

二　拘禁刑以上の刑に処せられたとき。

三　審査会により、心身の故障のため職務の執行ができないと認められたとき、又は職務上の義務違反その他会長若しくは委員たるに適しない非行があると認められたとき。

（罷免）

第十七条　内閣は、会長又は委員が前条各号のいずれかに該当するときは、その会長又は委員を罷免しなければならない。

（服務）

第十八条　会長及び委員は、職務上知ることのできた秘密を漏らしてはならない。その職を退いた後も同様とする。

2　会長及び委員は、在任中、政党その他の政治的団体の役員となり、又は積極的に政治運動をしてはならない。

3　常勤の会長及び常勤の委員は、在任中、営利事業を営み、その他金銭上の利益を目的とする業務を行い、又は内閣の許可のある場合を除くほか、報酬を得て他の職務に従事してはならない。

（給与）

第十九条　会長及び委員の給与は、別に法律で定める。

（会議）

第二十条　審査会は、会長が招集する。

2　審査会は、会長及び二人以上の委員の出席がなければ、会議を開き、議決をすることができない。

3　審査会の議事は、出席者の過半数でこれを決し、可否同数のときは、会長の決するところによる。

4　会長に事故がある場合の第二項の規定の適用については、第十三条第四項に規定する委員は、会長とみなす。

（事務局）

第二十一条　審査会の事務を処理させるため、審査会に事務局を置く。

2　事務局に事務局長及び所要の職員を置く。

3　事務局長は、会長の命を受けて、局務を掌理する。

4　審査会の事務に従事する者は、職務上知ることのできた秘密を漏らしてはならない。その職を退いた後も同様とする。

（調査の端緒に係る任命権者の報告）

第二十二条　任命権者は、職員にこの法律又はこの法律に基づく命令に違反する行為を行った疑いがあると思料するときは、その旨を審査会に報告しなければならない。

（任命権者による調査）

第二十三条　任命権者は、職員にこの法律又はこの法律に基づく命令に違反する行為を行った疑いがあると思料して当該行為に関して調査を行おうとするときは、審査会にその旨を通知しなければならない。

2　審査会は、任命権者に対し、前項の調査の経過について、報告を求め、又は意見を述べることができる。

3　任命権者は、第一項の調査を終了したときは、遅滞なく、審査会に対し、当該調査の結果を報告しなければならない。

（任命権者に対する調査の要求等）

第二十四条　審査会は、職員にこの法律又はこの法律に基づく命令に違反する行為を行った疑いがあると思料するときは、任命権者に対し、当該行為に関する調査を行うよう求めることができる。

２　前条第二項及び第三項の規定は、前項の調査について準用する。

（共同調査）

第二十五条　審査会は、第二十三条第二項（前条第二項において準用する場合を含む。）の規定により報告を受けた場合において必要があると認めるときは、この法律又はこの法律に基づく命令に違反する行為に関し、当該任命権者と共同して調査を行うことができる。この場合においては、審査会は、当該任命権者に対し、共同して調査を行う旨を通知しなければならない。

（任命権者による懲戒）

第二十六条　任命権者は、職員にこの法律又はこの法律に基づく命令に違反する行為があることを理由として懲戒処分を行おうとするときは、あらかじめ、審査会の承認を得なければならない。

（任命権者による懲戒処分の概要の公表）

第二十七条　任命権者は、職員にこの法律又はこの法律に基づく命令に違反する行為があることを理由として懲戒処分を行った場合において、職員の職務に係る倫理の保持を図るため特に必要があると認めるときは、当該懲戒処分の概要の公表（第七条第一項の株取引等報告書中の当該懲戒処分に係る株取引等についての部分の公表を含む。以下同じ。）をすることができる。

２　審査会は、任命権者が前項の懲戒処分を行った場合において、特に必要があると認めるときは、当該任命権者に対し、当該懲戒処分の概要の公表について意見を述べることができる。

（審査会による調査）

第二十八条　審査会は、第二十二条の報告又はその他の方法により職員にこの法律又はこの法律に基づく命令に違反する行為を行った疑いがあると思料する場合であって、職員の職務に係る倫理の保持に関し特に必要があると認めるときは、当該行為に関する調査の開始を決定することができる。この場合においては、審査会は、あらかじめ、当該調査の対象となる職員の任命権者の意見を聴かなければならない。

２　審査会は、前項の決定をしたときは、同項の任命権者にその旨を通知しなければならない。

３　任命権者は、前項の通知を受けたときは、審査会が行う調査に協力しなければならない。

４　任命権者は、第二項の通知を受けた場合において、第一項の調査の対象となっている職員に対する懲戒処分又は退職に係る処分を行おうとするときは、あらかじめ、審査会に協議しなければならない。ただし、次条第一項の規定により懲戒処分の勧告を受けたとき又は第三十一条の規定により通知を受けたときは、この限りでない。

（懲戒処分の勧告）

第二十九条　審査会は、前条の調査の結果、任命権者において懲戒処分を行うことが適当であると思料するときは、任命権者に対し、懲戒処分を行うべき旨の勧告をすることができる。

２　任命権者は、前項の勧告に係る措置について、審査会に対し、報告しなければならない。

（審査会による懲戒）

第三十条　審査会は、第二十八条の調査を経て、必要があると認めるときは、当該調査の対象となっている職員を懲戒手続に付することができる。

（調査終了及び懲戒処分の通知）

第三十一条　審査会は、第二十八条の調査を終了したとき又は前条の規定により懲戒処分を行ったときは、その旨及びその内容を任命権者に通知するものとする。

（審査会による懲戒処分の概要の公表）

第三十二条　審査会は、第三十条の規定により懲戒処分を行った場合において、職員の職務に係る倫理の保持を図るため特に必要があると認めるときは、当該懲戒処分の概要の公表をすることができる。

（刑事裁判との関係の特例）

第三十三条　この法律又はこの法律に基づく命令に違反する行為に係る懲戒手続に関する国家公務員法第八十五条の規定の適用については、同条中「人事院」とあるのは、「国家公務員倫理審査会」とする。

（秘密を守る義務の特例）

第三十四条　審査会が行う調査に関する国家公務員法第百条第四項の規定の適用については、同項中「人事院」とあるのは「国家公務員倫理審査会」と、「調査又は審理」とあるのは「調査」とする。

（関係行政機関に対する協力要求）

第三十五条　審査会は、その所掌事務を遂行するため必要があると認めるときは、関係行政機関の長に対し、資料又は情報の提供その他必要な協力を求めることができる。

（人事院規則制定の要求）

第三十六条　審査会は、その所掌事務について、人事院に対し、案をそなえて、人事院規則の制定を求めることができる。

（人事院の報告聴取等）

第三十七条　人事院は、人事行政の公正の確保のため必要があると認めるときは、審査会に報告を求め、又はこれに対し意見を述べることができる。

（人事院規則への委任）

第三十八条　この章に定めるもののほか、審査会に関し必要な事項は、人事院規則で定める。

第五章　倫理監督官

第三十九条　職員の職務に係る倫理の保持を図るため、法律の規定に基づき内閣に置かれる各機関、内閣の統轄の下に行政事務をつかさどる機関として置かれる各機関及び内閣の所轄の下に置かれる機関並びに会計検査院並びに各行政執行法人（以下「行政機関等」という。）に、それぞれ倫理監督官一人を置く。

2　倫理監督官は、その属する行政機関等の職員に対しその職務に係る倫理の保持に関し必要な指導及び助言を行うとともに、審査会の指示に従い、当該行政機関等の職員の職務に係る倫理の保持のための体制の整備を行う。

第六章　雑則

第四十条　削除

（行政執行法人の職員に関する特例）

第四十一条　第四章の規定は、行政執行法人の職員（管理又は監督の地位にある者のうち人事院規則で定める官職にあるものを除く。）には、適用しない。

2　第四章の規定の適用を受ける行政執行法人の労働関係に関する法律（昭和二十三年法律第二百五十七号）第二条第二号の職員に対する同法第三十七条第一項第一号の規定の適用については、同号中「第三条第二項から第四項まで、第三条の二」とあるのは「第三条第二項から第四項まで（職務に係る倫理の保持に関する事務を除く。）」と、「第十七条、第十七条の二」とあるのは「第十七条（職員の職務に係る倫理の保持に関して行われるものを除く。）」と、「第八十四条第二項、第八十四条の二」とあるのは「第八十四条第二項（国家公務員倫理法（平成十一年法律第百二十九号）又はこれに基づく命令（同法第五条第三項の規定に基づく訓令及び同条第四項の規定に基づく規則を含む。）に違反する行為に関して行われるものを除く。）」と、「第百条第四項」とあるのは「第百条第四項（第十七条の二の規定により権限の委任を受けた国家公務員倫理審査会が行う調査に係るものを除く。）」とする。

（特殊法人等の講ずる施策等）

第四十二条　法律により直接に設立された法人又は特別の法律により特別の設立行為をもって設立された法人（総務省設置法（平成十一年法律第九十一号）第四条第一項第八号の規定の適用を受けない法人を除く。）、独立行政法人通則法第二条第一項に規定する独立行政法人であって行政執行法人以外のものその他これらに準ずるものとして政令で定める法人のうち、その設立の根拠となる法律又は法人格を付与する法律において、役員、職員その他の当該法人の業務に従事する者を法令により公務に従事する者とみなすこととされ、かつ、政府の出資を受けているもの（以下「特殊法人等」という。）は、この法律の規定に基づく国及び行政執行法人の施策に準じて、特殊法人等の職員の職務に係る倫理の保持のために必要な施策を講ずるようにしなければならない。

2　各省各庁の長は、その所管する特殊法人等に対し、前項の規定により特殊法人等が講ずる施策について、必要な監督を行うことができる。

3　審査会は、各省各庁の長に対し、第一項の規定により特殊法人等が講ずる施策について、報告を求め、又は監督上必要な措置を講ずるよう求めることができる。

（地方公共団体等の講ずる施策）

第四十三条　地方公共団体及び地方独立行政法人法（平成十五年法律第百十八号）第二条第二項に規定する特定地方独立行政法人は、この法律の規定に基づく国及び行政執行法人の施策に準じて、地方公務員の職務に係る倫理の保持のために必要な施策を講ずるよう努めなければならない。

（この法律の所掌）

第四十四条　この法律に基づく職員の職務に係る倫理の保持に関する内閣総理大臣の所掌する事務は、第四条、第五条第六項、第十四条、第十七条及び第十八条第三項に定める事務に関するもののほか、国家公務員倫理規程並びに第四十二条第一項及び次条の政令に関するものに限られるものとする。

2　前項に定めるもの及びこの法律中他の機関が行うこととされるもののほか、この法律に基づく職員の職務に係る倫理の保持に関する事務は、審査会の所掌に属するものとする。

（政令への委任）

第四十五条　この法律に定めるもののほか、この法律（第四章を除く。）の実施に関し必要な事項は、審査会の意見を聴いて、政令で定める。

（罰則）

第四十六条　第十八条第一項又は第二十一条第四項の規定に違反して秘密を漏らした者は、二年以下の拘禁刑又は百万円以下の罰金に処する。

附　則（抄）

（施行期日）

第一条　この法律は、平成十二年四月一日から施行する。ただし、次の各号に掲げる規定は、当該各号に定める日から施行する。

一　第四章、第五章、第四十条第二項から第六項まで、第四十一条、附則第五条〔中略〕　公布の日

二　第二条第一項及び第四項、第八条、第四十条第一項並びに附則第四条の規定　平成十二年一月一日

（経過措置）

第二条　第六条の規定は、この法律の施行の日以後に受けた贈与等又は支払を受けた報酬について適用する。

第三条　第七条の規定は、この法律の施行の日以後に行った株取引等について適用する。

第四条　第八条の規定は、平成十二年分以後の所得及び同年分以後の贈与税に係る贈与について適用する。

第五条　この法律の公布の日から平成十二年三月三十一日までの間における第四十条第三項の規定の適用については、同項中「学長、教員及び助手にあっては国立学校設置法（昭和二十四年法律第百五十号）第七条の三に規定する評議会（評議会を置かない大学にあっては、教授会）をいい、部局長にあっては学長をいう」とあるのは、「教育公務員特例法第九条第一項（同法第二十二条において準用する場合を含む。）に規定する大学管理機関をいい、同法第二十五条第一項第三号の規定により読み替えられたものを含む」とする。

○会社法の施行に伴う関係法律の整備等に関する法律（抄）（平一七・七・二六法八七）

（国家公務員倫理法の一部改正に伴う経過措置）

第二百六十六条　第九十八条第二項の規定によりなお従前の例によることとされる場合における新株引受権証書（新株引受権証書が発行されていない場合にあっては、これが発行されていたとすればこれに表示されるべき新株の引受権）についての国家公務員倫理法の規定の適用については、なお従前の例による。

附　則（平一七・一〇・二一法一〇二）（抄）

最終改正　平二六・六・一三法六七

（施行期日）

第一条　この法律は、郵政民営化法の施行の日〔平一九・一〇・一〕から施行する。〔ただし書略〕

（国家公務員倫理法の一部改正に伴う経過措置）

第百七条　第百十二条の規定による改正前の国家公務員倫理法（以下この条において「旧法」という。）第五条第六項の規定に基づく規則については、同項の規定は、なおその効力を有する。

2　旧法第二条第二項第六号に掲げる職員から引き続いて一般職国家公務員となり引き続き一般職国家公務員として在職する者に対する第百十二条の規定による改正後の国家公務員倫理法（以下この条において「新法」という。）第六条の規定の適用については、同号に掲げる職員であったことを新法第二条第二項に規定する本省課長補佐級以上の職員であったこととみなす。旧公社の職員としての在職期間が第十二条の規定による改正前の国家公務員法第八十二条第二項に規定する要請に応じた退職前の在職期間に含まれる一般職国家公務員についても、同様とする。

3　旧法第二条第四項第四号に掲げる職員から引き続いて一般職国家公務員となり引き続き一般職国家公務員として在職する者に対する新法第七条及び第八条の規定の適用については、同号に掲げる職員であったことを新法第二条第四項に規定する本省審議官級以上の職員であったこととみなす。この場合においては、前項後段の規定を準用する。

4　旧法第六条から第八条までの規定により郵政事業庁長官若しくは旧公社の総裁又はこれらの委任を受けた者に提出された贈与等報告書、株取引等報告書及び所得等報告書等に関する新法第九条の規定の適用については、日本郵政株式会社をこれらを受理した新法第六条第一項に規定する各省各庁の長等又はその委任を受けた者とみなす。

5　旧公社の職員から引き続いて一般職国家公務員となり引き続き一般職国家公務員として在職する者に関する新法第十一条第二号の規定の適用及び新法第四章の規定の適用を受ける行政執行法人の労働関係に関する法律（昭和二十三年法律第二百五十七号。以下この項において「行労法」という。）第二条第二号の職員のうち旧公社の職員から引き続いて一般職国家公務員となり引き続き一般職国家公務員として在職する者に対する国家公務員倫理法第四十一条第二項の規定により読み替えて適用する行労法第三十七条第一項第一号の規定の適用については、第一項の規定によりなおその効力を有するものとされる旧法第五条第六項の規定に基づく規則を含む

ものとする。この場合においては、第二項後段の規定を準用する。

附　則（平一七・一一・七法一一三）（抄）

（施行期日）

第一条　この法律は、公布の日の属する月の翌月の初日（公布の日が月の初日であるときは、その日）から施行する。ただし、〔中略〕附則〔中略〕第十七条から第三十二条までの規定は、平成十八年四月一日から施行する。

（贈与等報告書の送付に関する経過措置）

第二十九条　切替日前に前条の規定による改正前の国家公務員倫理法第二条第三項第一号から第二号まで、第四号及び第五号に掲げる職員であった者であって、前条の規定による改正後の国家公務員倫理法第二条第三項第一号から第二号まで、第四号及び第五号に掲げる職員に該当しないものが提出した贈与等報告書（切替日前に受けた利益又は支払を受けた報酬に係るものに限る。）に係る同法第六条第二項の規定の適用については、なお従前の例による。

附　則（平一七・一一・七法一一八）（抄）

（施行期日）

第一条　この法律は、公布の日の属する月の翌月の初日（公布の日が月の初日であるときは、その日）から施行する。ただし、〔中略〕次条から附則第六条までの規定は、平成十八年四月一日から施行する。

（国家公務員倫理法の一部改正に伴う経過措置）

第五条　一部施行日前に前条の規定による改正前の国家公務員倫理法第二条第二項第四号に掲げる職員であった者で、前条の規定による改正後の国家公務員倫理法第二条第二項第四号に掲げる職員に該当しないものが受けた利益又は支払を受けた報酬（一部施行日前に受けた利益又は支払を受けた報酬に限る。）に係る同法第六条第一項の規定の適用については、なお従前の例による。

2　一部施行日前に前条の規定による改正前の国家公務員倫理法第二条第三項第三号に掲げる職員であった者で、前条の規定による改正後の国家公務員倫理法第二条第三項第三号に掲げる職員に該当しないものが提出した贈与等報告書（一部施行日前に受けた利益又は支払を受けた報酬に係るものに限る。）に係る同法第六条第二項の規定の適用については、なお従前の例による。

附　則（平二四・六・二七法四二）（抄）

（施行期日）

第一条　この法律は、平成二十五年四月一日から施行する。〔ただし書略〕

（国家公務員倫理法の一部改正に伴う経過措置）

第四十四条　前条の規定による改正前の国家公務員倫理法第二条第二項第三号に掲げる職員であった者に対する前条の規定による改正後の国家公務員倫理法（以下この条において「新国家公務員倫理法」という。）第六条の規定の適用については、同号に掲げる職員であったことを新国家公務員倫理法第二条第二項に規定する本省課長補佐級以上の職員であったこととみなす。

○国家公務員倫理規程

平一二・三・二八
政令一〇一

最終改正　令五・三・三〇政令一二六

（倫理行動規準）

第一条　職員（国家公務員倫理法（以下「法」という。）第二条第一項に規定する職員をいう。以下同じ。）は、国家公務員としての誇りを持ち、かつ、その使命を自覚し、第一号から第三号までに掲げる法第三条の倫理原則とともに第四号及び第五号に掲げる事項をその職務に係る倫理の保持を図るために遵守すべき規準として、行動しなければならない。

一　職員は、国民全体の奉仕者であり、国民の一部に対してのみの奉仕者ではないことを自覚し、職務上知り得た情報について国民の一部に対してのみ有利な取扱いをする等国民に対し不当な差別的取扱いをしてはならず、常に公正な職務の執行に当たらなければならないこと。

二　職員は、常に公私の別を明らかにし、いやしくもその職務や地位を自らや自らの属する組織のための私的利益のために用いてはならないこと。

三　職員は、法律により与えられた権限の行使に当たっては、当該権限の行使の対象となる者からの贈与等を受けること等の国民の疑惑や不信を招くような行為をしてはならないこと。

四　職員は、職務の遂行に当たっては、公共の利益の増進を目指し、全力を挙げてこれに取り組まなければならないこと。

五　職員は、勤務時間外においても、自らの行動が公務の信用に影響を与えることを常に認識して行動しなければならないこと。

（利害関係者）

第二条　この政令において、「利害関係者」とは、職員が職務として携わる次の各号に掲げる事務の区分に応じ、当該各号に定める者をいう。ただし、職員の職務との利害関係が潜在的なものにとどまる者又は職員の裁量の余地が少ない職務に関する者として各省各庁の長（法第五条第三項に規定する各省各庁の長をいう。以下同じ。）が訓令（同項に規定する訓令をいう。以下同じ。）で又は独立行政法人通則法（平成十一年法律第百三号）第二条第四項に規定する行政執行法人（以下「行政執行法人」という。）の長が規則（法第五条第四項に規定する規則をいう。以下同じ。）で定める者及び外国政府若しくは国際機関又はこれらに準ずるものに勤務する者（当該外国政府若しくは国際機関又はこれらに準ずるものの利益のためにする行為を行う場合における当該勤務する者に限る。）を除く。

一　許認可等（行政手続法（平成五年法律第八十八号）第二条第三号に規定する許認可等をいう。）をする事務　当該許認可等を受けて事業を行っている事業者等（法第二条第五項に規定する事業者等及び同条第六項の規定により事業者等とみなされる者をいう。以下同じ。）、当該許認可等の申請をしている事業者等又は個人（同条第六項の規定により事業者等とみなされる者を除く。以下「特定個人」という。）及び当該許認可等の申請をしようとしていることが明らかである事業者等又は特定個人

二　補助金等（補助金等に係る予算の執行の適正化に関する法律（昭和三十年法律第百七十九号）第二条第一項に規定する補助金等をいう。以下同じ。）を交付する事務　当該補助金等（当該補助金等を直接にその財源の全部又は一部とする同条第四項第一号に掲げる間接補助金等を含む。）の交付を受けて当該交付の対象となる事務又は事業を行っている事業者等又は特定個人、当該補助金等の交付の申請をしている事業者等又は特定個人及び当該補助金等の交付の申請をしようとしていることが明らかである事業者等又は特定個人

三　立入検査、監査又は監察（法令の規定に基づき行われるものに限る。以下この号において「検査等」という。）をする事務　当該検査等を受ける事業者等又は特定個人

四　不利益処分（行政手続法第二条第四号に規定する不利益処分をいう。）をする事務　当該不利益処分をしようとする場合における当該不利益処分の名宛人となるべき事業者等又は特定個人

五　行政指導（行政手続法第二条第六号に規定する行政指導をいう。）をする事務　当該行政指導により現に一定の作為又は不作為を求められている事業者等又は特定個人

六　内閣府、デジタル庁又は各省が所掌する事務のうち事業の発達、改善及び調整に関する事務（前各号に掲げる事務を除く。）　当該事業を行っている事業者等

七　国の支出の原因となる契約に関する事務若しくは会計法（昭和二十二年法律第三十五号）第二十九条に規定する契約に関する事務又はこれらの契約に相当する行政執行法人の業務に係る契約に関する事務　これらの契約を締結している事業者等、これらの契約の申込みをしている事業者等及びこれらの契約の申込みをしようとしていることが明らかである事業者等

八　財政法（昭和二十二年法律第三十四号）第十八条第一項の規定による必要な調整に関する事務　当該調整を受ける国の機関

九　一般職の職員の給与に関する法律（昭和二十五年法律第九十五号）第八条第一項の規定による職務の級の定数の設定若しくは改定に関する事務若しくは当該設定若しくは改定に係る同項に規定する意見を述べることに関する事務又は同条第二項の規定による職務の級の定数の設定若しくは改定に関する事務　これらの設定又は改定を受ける国の機関

十　内閣法（昭和二十二年法律第五号）第十二条第二項第十四号の規定による定員の設置、増減及び廃止に関する審査に関する事務　当該審査を受ける国の機関

2　職員に異動があった場合において、当該異動前の官職に係る当該職員の利害関係者であった者が、異動後引き続き当該官職に係る他の職員の利害関係者であるときは、当該利害関係者であった者は、当該異動の日から起算して三年間（当該期間内に、当該利害関係者であった者が当該官職に係る他の職員の利害関係者でなくなったときは、その日までの間）は、当該異動があった職員の利害関係者であるものとみなす。

3　他の職員の利害関係者が、職員をしてその官職に基づく影響力を当該他の職員に行使させることにより自己の利益を図るためその職員と接触していることが明

らかな場合においては、当該他の職員の利害関係者は、その職員の利害関係者でもあるものとみなす。

★読替え―復興庁組織令（平二四政令二二）により一項六号の「デジタル庁」を「デジタル庁、復興庁」に読み替える。

（禁止行為）

第三条 職員は、次に掲げる行為を行ってはならない。

一 利害関係者から金銭、物品又は不動産の贈与（せん別、祝儀、香典又は供花その他これらに類するものとしてされるものを含む。）を受けること。

二 利害関係者から金銭の貸付け（業として行われる金銭の貸付けにあっては、無利子のもの又は利子の利率が著しく低いものに限る。）を受けること。

三 利害関係者から又は利害関係者の負担により、無償で物品又は不動産の貸付けを受けること。

四 利害関係者から又は利害関係者の負担により、無償で役務の提供を受けること。

五 利害関係者から未公開株式（金融商品取引法（昭和二十三年法律第二十五号）第二条第十六項に規定する金融商品取引所に上場されておらず、かつ、同法第六十七条の十一第一項の店頭売買有価証券登録原簿に登録されていない株式をいう。）を譲り受けること。

六 利害関係者から供応接待を受けること。

七 利害関係者と共に遊技又はゴルフをすること。

八 利害関係者と共に旅行（公務のための旅行を除く。）をすること。

九 利害関係者をして、第三者に対し前各号に掲げる行為をさせること。

2 前項の規定にかかわらず、職員は、次に掲げる行為を行うことができる。

一 利害関係者から宣伝用物品又は記念品であって広く一般に配布するためのものの贈与を受けること。

二 多数の者が出席する立食パーティー（飲食物が提供される会合であって立食形式で行われるものをいう。以下同じ。）において、利害関係者から記念品の贈与を受けること。

三 職務として利害関係者を訪問した際に、当該利害関係者から提供される物品を使用すること。

四 職務として利害関係者を訪問した際に、当該利害関係者から提供される自動車（当該利害関係者がその業務等において日常的に利用しているものに限る。）を利用すること（当該利害関係者の事務所等の周囲の交通事情その他の事情から当該自動車の利用が相当と認められる場合に限る。）。

五 職務として出席した会議その他の会合において、利害関係者から茶菓の提供を受けること。

六 多数の者が出席する立食パーティーにおいて、利害関係者から飲食物の提供を受けること。

七 職務として出席した会議において、利害関係者から簡素な飲食物の提供を受けること。

3 第一項の規定の適用については、職員（同項第九号に掲げる行為にあっては、同号の第三者。以下この項において同じ。）が、利害関係者から、物品若しくは不動産を購入した場合、物品若しくは不動産の貸付けを受けた場合又は役務の提供を受けた場合において、それらの対価がそれらの行為が行われた時における時価よりも著しく低いときは、当該職員は、当該利害関係者から、当該対価と当該時価との差額に相当する額の金銭の贈与を受けたものとみなす。

（禁止行為の例外）

第四条 職員は、私的な関係（職員としての身分にかかわらない関係をいう。以下同じ。）がある者であって、利害関係者に該当するものとの間においては、職務上の利害関係の状況、私的な関係の経緯及び現在の状況並びにその行おうとする行為の態様等にかんがみ、公正な職務の執行に対する国民の疑惑や不信を招くおそれがないと認められる場合に限り、前条第一項の規定にかかわらず、同項各号（第九号を除く。）に掲げる行為を行うことができる。

2 職員は、前項の公正な職務の執行に対する国民の疑惑や不信を招くおそれがないかどうかを判断することができない場合においては、倫理監督官（法第三十九条第一項の倫理監督官をいう。以下同じ。）に相談し、その指示に従うものとする。

3 第一項の「職員としての身分」には、職員が、任命権者の要請に応じ特別職国家公務員等（国家公務員法（昭和二十二年法律第百二十号）第八十二条第二項に規定する特別職国家公務員等をいう。以下同じ。）となるため退職し、引き続き特別職国家公務員等として在職した後、引き続いて当該退職を前提として職員として採用された場合（一の特別職国家公務員等として在職した後、引き続き一以上の特別職国家公務員等として在職し、引き続いて当該退職を前提として職員として採用された場合を含む。）における特別職国家公務員等としての身分を含むものとする。

（利害関係者以外の者等との間における禁止行為）

第五条 職員は、利害関係者に該当しない事業者等であっても、その者から供応接待を繰り返し受ける等社会通念上相当と認められる程度を超えて供応接待又は財産上の利益の供与を受けてはならない。

2　職員は、自己が行った物品若しくは不動産の購入若しくは借受け又は役務の受領の対価を、その者が利害関係者であるかどうかにかかわらず、それらの行為が行われた場に居合わせなかった事業者等にその者の負担として支払わせてはならない。

（特定の書籍等の監修等に対する報酬の受領の禁止）

第六条　職員は、次に掲げる書籍等（書籍、雑誌等の印刷物又は電子的方式、磁気的方式その他人の知覚によっては認識することができない方式により文字、図形、音、映像若しくは電子計算機に用いるプログラムを記録した物をいう。以下同じ。）の監修又は編さんに対する報酬を受けてはならない。

一　補助金等又は国が直接支出する費用（行政執行法人の職員にあっては、その属する行政執行法人が支出する給付金（補助金等に係る予算の執行の適正化に関する法律の規定が準用されるものに限る。以下同じ。）又は直接支出する費用）をもって作成される書籍等（国の機関（内閣官房、内閣法制局、人事院、内閣府本府、宮内庁、公正取引委員会、警察庁、個人情報保護委員会、カジノ管理委員会、金融庁、消費者庁、こども家庭庁、デジタル庁、各省及び会計検査院をいう。以下この項及び次条第一項において同じ。）の職員にあってはその属する国の機関が所管する行政執行法人が支出する給付金又は直接支出する費用をもって作成される書籍等を、行政執行法人の職員にあっては当該行政執行法人を所管する国の機関が支出する補助金等若しくは直接支出する費用又は当該国の機関が所管する当該行政執行法人以外の行政執行法人が支出する給付金若しくは直接支出する費用をもって作成される書籍等を含む。）

二　作成数の過半数を当該職員の属する国の機関又は行政執行法人において買い入れる書籍等（国の機関の職員にあってはその属する国の機関及び当該国の機関が所管する行政執行法人において買い入れる数の合計数が作成数の過半数になる書籍等を、行政執行法人の職員にあっては当該行政執行法人を所管する国の機関及び当該国の機関が所管する行政執行法人において買い入れる数の合計数が作成数の過半数になる書籍等を含む。）

2　前項の規定の適用については、独立行政法人国立公文書館は内閣府本府が所管するものとみなす。

★読替え―復興庁組織令（平二四政令二二）により一項一号の「デジタル庁」を「デジタル庁、復興庁」に読み替える。

（職員の職務に係る倫理の保持を阻害する行為等の禁止）

第七条　職員は、その属する国の機関又は行政執行法人の他の職員の第三条又は前二条の規定に違反する行為によって当該他の職員（第三条第一項第九号の規定に違反する行為にあっては、同号の第三者）が得た財産上の利益であることを知りながら、当該利益の全部若しくは一部を受け取り、又は享受してはならない。

2　職員は、国家公務員倫理審査会、任命権者、倫理監督官その他当該職員の属する行政機関等（法第三十九条第一項に規定する行政機関等をいう。以下同じ。）において職員の職務に係る倫理の保持に責務を有する者又は上司に対して、自己若しくは自己の属する行政機関等の他の職員が法若しくは法に基づく命令（訓令及び規則を含む。以下同じ。）に違反する行為を行った疑いがあると思料するに足りる事実について、虚偽の申述を行い、又はこれを隠ぺいしてはならない。

3　法第二条第三項に規定する指定職以上の職員並びに一般職の職員の給与に関する法律第十九条の三第一項の規定による管理職員特別勤務手当を支給される職員であって同法第十条の二第一項の規定による俸給の特別調整額を支給されるもの及びその職務と責任がこれに相当する職員として倫理監督官が定めるものは、その管理し、又は監督する職員が法又は法に基づく命令に違反する行為を行った疑いがあると思料するに足りる事実があるときは、これを黙認してはならない。

（利害関係者と共に飲食をする場合の届出）

第八条　職員は、自己の飲食に要する費用について利害関係者の負担によらないで利害関係者と共に飲食をする場合において、自己の飲食に要する費用が一万円を超えるときは、次に掲げる場合を除き、あらかじめ、倫理監督官が定める事項を倫理監督官に届け出なければならない。ただし、やむを得ない事情によりあらかじめ届け出ることができなかったときは、事後において速やかに当該事項を届け出なければならない。

一　多数の者が出席する立食パーティーにおいて、利害関係者と共に飲食をするとき。

二　私的な関係がある利害関係者と共に飲食をする場合であって、自己の飲食に要する費用について自己又は自己と私的な関係がある者であって利害関係者に該当しないものが負担するとき。

（講演等に関する規制）

第九条　職員は、利害関係者からの依頼に応じて報酬を受けて、講演、討論、講習若しくは研修における指導若しくは知識の教授、著述、監修、編さん又はラジオ放送若しくはテレビジョン放送の放送番組への出演（国家公務員法第百四条の許可を得てするものを除く。以下「講演等」という。）をしようとする場合は、あらかじめ倫理監督官の承認を得なければならない。

2　倫理監督官は、利害関係者から受ける前項の報酬に関し、職員の職務の種類又は内容に応じて、職員に参考となるべき基準を定めるものとする。

（倫理監督官への相談）

第十条　職員は、自らが行う行為の相手方が利害関係者に該当するかどうかを判断することができない場合又は利害関係者との間で行う行為が第三条第一項各号に掲げる行為に該当するかどうかを判断することができない場合には、倫理監督官に相談するものとする。

（贈与等の報告）

第十一条　法第六条第一項の国家公務員倫理規程で定める報酬は、次の各号のいずれかに該当する報酬とする。

一　利害関係者に該当する事業者等から支払を受けた講演等の報酬

二　利害関係者に該当しない事業者等から支払を受けた講演等の報酬のうち、職員の現在又は過去の職務に関係する事項に関する講演等の報酬

2　法第六条第一項第四号の国家公務員倫理規程で定める事項は、次に掲げる事項とする。

一　贈与等（法第六条第一項に規定する贈与等をいう。以下同じ。）の内容又は報酬（同項に規定する報酬をいう。以下同じ。）の内容

二　贈与等をし、又は報酬の支払をした事業者等と当該贈与等又は当該報酬の支払を受けた職員の職務との関係及び当該事業者等と当該職員が属する行政機関等との関係

三　法第六条第一項第一号の価額として推計した額を記載している場合にあっては、その推計の根拠

四　供応接待を受けた場合にあっては、当該供応接待を受けた場所の名称及び住所並びに当該供応接待の場に居合わせた者の人数及び職業（多数の者が居合わせた立食パーティー等の場において受けた供応接待にあっては、当該供応接待の場に居合わせた者の概数）

五　法第二条第六項の規定の適用を受ける同項の役員、従業員、代理人その他の者（以下「役員等」という。）が贈与等をした場合にあっては、当該役員等の役職又は地位及び氏名（当該役員等が複数であるときは、当該役員等を代表する者の役職又は地位及び氏名）

（報告書等の送付期限）

第十二条　法第六条第二項、第七条第二項又は第八条第二項の規定による送付は、それぞれの提出期限の翌日から起算して三十日以内にしなければならない。

（贈与等報告書の閲覧）

第十三条　法第九条第二項に規定する贈与等報告書（法第六条第一項に規定する贈与等報告書をいう。以下同じ。）の閲覧（以下「贈与等報告書の閲覧」という。）は、当該贈与等報告書の提出期限の翌日から起算して六十日を経過した日の翌日以後これをすることができる。

2　贈与等報告書の閲覧は、各省各庁の長等（法第六条第一項に規定する各省各庁の長等をいう。以下同じ。）又は法第九条第二項の規定によりその委任を受けた者が指定する場所でこれをしなければならない。

3　前二項に規定するもののほか、贈与等報告書の閲覧に関し必要な事項は、国家公務員倫理審査会の同意を得て、各省各庁の長等が定めるものとする。

4　法第九条第二項ただし書の規定による国家公務員倫理審査会の認定の申請は、各省各庁の長等又は同項の規定によりその委任を受けた者が、書面でこれをしなければならない。

（各省各庁の長等の責務）

第十四条　各省各庁の長等は、法又はこの政令に定める事項の実施に関し、次に掲げる責務を有する。

法第五条第三項又は第四項の規定に基づき、必要に応じて、訓令又は規則を制定すること。

二　贈与等報告書、法第七条第一項に規定する株取引等報告書及び法第八条第三項に規定する所得等報告書等（以下「報告書等」という。）の受理、審査及び保存、報告書等の写しの国家公務員倫理審査会への送付並びに贈与等報告書の閲覧のための体制の整備その他の当該各省各庁又は行政執行法人に属する職員の職務に係る倫理の保持のための体制の整備を行うこと。

三　当該各省各庁又は行政執行法人に属する職員が法又は法に基づく命令に違反する行為を行った場合には、厳正に対処すること。

四　当該各省各庁又は行政執行法人に属する職員が法又は法に基づく命令に違反する行為について倫理監督官その他の適切な機関に通知をしたことを理由として、不利益な取扱いを受けないよう配慮すること。

五　研修その他の施策により、当該各省各庁又は行政

執行法人に属する職員の倫理感のかん養及び保持に努めること。

（倫理監督官の責務等）

第十五条　倫理監督官は、法又はこの政令に定める事項の実施に関し、次に掲げる責務を有する。

一　その属する行政機関等の職員からの第四条第二項又は第十条の相談に応じ、必要な指導及び助言を行うこと。

二　その属する行政機関等の職員が特定の者と国民の疑惑や不信を招くような関係を持つことがないかどうかの確認に努め、その結果に基づき、職員の職務に係る倫理の保持に関し、必要な指導及び助言を行うこと。

三　その属する各省各庁の長等を助け、その属する行政機関等の職員の職務に係る倫理の保持のための体制の整備を行うこと。

四　法又は法に基づく命令に違反する行為があった場合にその旨をその属する行政機関等に係る内閣法にいう主任の大臣（倫理監督官が、法律で国務大臣をもってその長に充てることと定められている委員会に属する場合にあっては委員長とし、会計検査院又は人事院に属する場合にあってはそれぞれ会計検査院長又は人事院総裁とし、行政執行法人に属する場合にあっては当該行政執行法人の主務大臣（独立行政法人通則法第六十八条に規定する主務大臣をいう。）とする。）に報告すること。

2　倫理監督官は、その属する行政機関等の職員に、法又はこの政令に定めるその職務の一部を行わせることができる。

（地方警務官に関する特例）

第十六条　警察法（昭和二十九年法律第百六十二号）第五十六条第一項に規定する地方警務官（以下単に「地方警務官」という。）について法及びこの政令の規定を適用する場合には、法及びこの政令の規定において、「各省各庁の長」とは国家公安委員会をいうものとし、「訓令」とは国家公安委員会規則をいうものとし、「倫理監督官」とは次項の指名を受けた者をいうものとする。

2　国家公安委員会は、地方警務官の職務に係る倫理の保持を図るため、警察庁に属する職員のうちから、地方警務官に係る法及びこの政令に定める倫理監督官の職務を行うべき者として一人を指名するものとする。

3　前二項に定めるもののほか、地方警務官についての法の規定の適用については、法第五条第三項中「当該各省各庁に属する職員」とあり、並びに法第三十九条第二項中「その属する行政機関等の職員」とあり、及び「当該行政機関等の職員」とあるのは、「地方警務官」とする。

4　第一項及び第二項に定めるもののほか、地方警務官についての第六条第一項並びに第七条第一項及び第二項の規定の適用については、これを警察庁の職員とみなす。

5　第一項、第二項及び前項に定めるもののほか、地方警務官についてのこの政令の規定の適用については、第二条第一項第二号中「補助金等（補助金等に係る予算の執行の適正化に関する法律（昭和三十年法律第百七十九号）第二条第一項に規定する補助金等をいう。以下同じ。）」とあるのは「補助金（地方自治法（昭和二十二年法律第六十七号）第二百三十二条の二の規定により普通地方公共団体が支出する補助金をいう。）」と、「補助金等（当該補助金等を直接にその財源の全部又は一部とする同条第四項第一号に掲げる間接補助金等を含む。）の」とあり、及び「補助金等の」とあるのは「補助金の」と、同項第七号中「若しくは会計法（昭和二十二年法律第三十五号）第二十九条に規定する契約に関する事務又はこれらの契約に相当する行政執行法人の業務に係る契約に関する事務」とあるのは「、会計法（昭和二十二年法律第三十五号）第二十九条に規定する契約に関する事務又は地方自治法第二百三十四条第一項に規定する契約に関する事務」と、第六条第一項第一号中「補助金等又は」とあるのは「補助金等（補助金等に係る予算の執行の適正化に関する法律（昭和三十年法律第百七十九号）第二条第一項に規定する補助金等をいう。以下同じ。）又は」と、「補助金等に係る予算の執行の適正化に関する法律」とあるのは「同法」と、第十四条第二号から第五号までの規定中「当該各省各庁又は行政執行法人に属する職員」とあり、並びに前条第一項第一号から第三号まで及び第二項中「その属する行政機関等の職員」とあるのは「地方警務官」と、同条第一項第三号中「その属する各省各庁の長等を助け」とあるのは「国家公安委員会を補佐し」とする。

附　則

（施行期日）

第一条　この政令は、平成十二年四月一日から施行する。

（検討）

第二条　国家公務員倫理審査会は、この政令の施行の日から五年以内に、職員の職務に係る倫理の保持の観点からこの政令の施行状況等について検討を加え、当該検討の結果この政令の改正が必要であると認めるときは、当該改正に係る意見を内閣に申し出るものとする。

附　則（平一七・三・一六政令四一）（抄）

（経過措置）

第二条　改正後の国家公務員倫理規程第十一条第一項の規定は、この政令の施行の日（以下「施行日」という。）以後に支払を受けた報酬について適用し、施行日前に支払を受けた報酬については、なお従前の例による。

２　前項に規定するもののほか、改正後の国家公務員倫理規程は、施行日以後にする行為について適用し、施行日前にした行為については、なお従前の例による。

★復興庁組織令（平二四・二・一政令二二）（抄）

最終改正　令三・七・二政令一九五

附　則（抄）

（施行期日）

第一条　この政令は、復興庁設置法の施行の日（平成二十四年二月十日）から施行する。

（他の政令の適用の特例）

第七条　復興庁が廃止されるまでの間における次の表の第一欄に掲げる政令の規定の適用については、同欄に掲げる政令の同表の第二欄に掲げる規定中同表の第三欄に掲げる字句は、それぞれ同表の第四欄に掲げる字句とする。

〔略〕			
国家公務員倫理規程（平成十二年政令第百一号）	第二条第一項第六号及び第六条第一項第一号	デジタル庁	デジタル庁、復興庁
〔略〕			

２・３　〔略〕

○国家公務員倫理法第四十二条第一項の法人を定める政令

平一二・三・二八
政令一〇二

国家公務員倫理法第四十二条第一項の政令で定める法人は、特別の法律により設立され、かつ、その設立に関し行政官庁の認可を要する法人とする。

附　則（抄）

（施行期日）

１　この政令は、平成十二年四月一日から施行する。

○人事院規則二二―〇（倫理法の適用を受けない非常勤職員）

平一二・三・三一公布
平一二・四・一施行
最終改正　平二五・一二・一三規則二二―〇―四

倫理法第二条第一項の委員、顧問又は参与の職に準ずる職にある者は、次に掲げる者とする。
一　合議制の機関に置かれる会長又は副会長の名称を有する官職を占める者
二　内閣府設置法（平成十一年法律第八十九号）第三十七条の審議会等、国家行政組織法（昭和二十三年法律第百二十号）第八条の審議会等その他調査審議を行う合議制の機関に置かれる諮問的な官職で、幹事、専門調査員又は調査員の名称を有する官職を占める者
三　諮問的な官職で、評議員、運営協議員、参事又は客員研究官の名称を有する官職を占める者その他顧問に準ずる者として国家公務員倫理審査会が定める者
四　経済財政諮問会議、国家戦略特別区域諮問会議又は男女共同参画会議に置かれる議員の官職を占める者
五　日本芸術院の院長又は会員の官職を占める者
六　保護司の官職を占める者

附　則

この規則は、平成十二年四月一日から施行する。

○人事院規則二二―一（倫理法又は同法に基づく命令に違反した場合の懲戒処分の基準）

平一二・三・三一公布
平一二・四・一施行
最終改正　平二七・三・一八規則一―六三

（総則）
第一条　この規則は、職員が倫理法又は同法に基づく命令（同法第五条第三項の規定に基づく訓令及び同条第四項の規定に基づく規則を含む。）に違反する行為（以下「違反行為」という。）を行った場合に係る懲戒処分の基準を定めるものとする。
第二条　この規則において、懲戒処分の軽重は、免職、停職、減給、戒告の順序による。
（懲戒処分の基準）
第三条　職員が行った行為が別表の上欄に掲げる違反行為に該当するときは、当該職員が行った行為の態様、公務内外に与える影響、当該職員の官職の職責、当該行為の前後における当該職員の態度等を考慮し、当該違反行為に応じ同表の下欄に掲げる懲戒処分の種類のうち一の種類の懲戒処分（懲戒処分の種類が一である場合にあっては、当該種類の懲戒処分）を行うものとする。ただし、当該行為が、当該職員の職務に関する行為をすること若しくは行為をしたこと若しくは行為をしないこと若しくは行為をしなかったことの対価若しくは当該職員が請託を受けその地位を利用して他の職員にその職務に関する行為をさせ、若しくは行為をさせないようにあっせんすること若しくはあっせんしたことの対価として供応接待若しくは財産上の利益の供与を受けたものであるとき又はこれらの対価として第三者に対し供応接待若しくは財産上の利益の供与をさせたものであるときは、当該違反行為に応じ同表の下欄に掲げる懲戒処分の種類は、免職又は停職とする。
（違反行為に該当する複数の行為を行った場合の取扱い）
第四条　職員が別表の上欄に掲げる違反行為に該当する行為を二以上行ったときは、当該職員に対し、当該違反行為に応じ同表の下欄に掲げるそれぞれの懲戒処分の種類のうち最も重い懲戒処分（懲戒処分の種類が一である場合にあっては、当該種類の懲戒処分。以下同じ。）より重い懲戒処分を行うことができる。
2　前項の規定により重い懲戒処分を行うときは、別表の上欄に掲げる違反行為に応じ同表の下欄に掲げる懲戒処分の種類のうち最も重い懲戒処分が停職の場合にあっては免職、減給の場合にあっては停職、戒告の場合にあっては減給とする。
（情状等による加重及び軽減等）
第五条　前二条の規定により懲戒処分を行う場合において、次の各号のいずれかの事由があるときは、これらの規定により行うことのできる懲戒処分より重い懲戒処分を行うことができる。
一　職員が行った行為の態様等が極めて悪質であるとき。
二　職員が行った行為の公務内外に及ぼす影響が特に

大きいとき。

三　職員が管理又は監督の地位にあるなどその占める官職の責任の度が特に高いとき。

四　職員が違反行為に該当する行為を行ったことを理由として過去に懲戒処分を受けたことがあるとき。

2　前項の規定に基づき、前二条の規定により行うことのできる懲戒処分より重い懲戒処分を行うときは、別表の上欄に掲げる違反行為に応じ同表の下欄に掲げる懲戒処分の種類のうち最も重い懲戒処分（前条の規定により最も重い懲戒処分より重い懲戒処分を行うことができる場合にあっては、当該重い懲戒処分）が停職の場合にあっては免職、減給の場合にあっては停職、戒告の場合にあっては減給とすることを原則とする。

第六条　第三条又は第四条の規定により懲戒処分を行う場合において、次の各号のいずれかの事由があるときは、これらの規定により行うことのできる懲戒処分より軽い懲戒処分を行うことができる。

一　職員の日頃の勤務態度が極めて良好であるとき。

二　職員が自らの行為が発覚する前に自主的に申し出たとき。

三　職員が行った行為の違反の程度が軽微である等特別の事情があるとき。

2　前項の規定に基づき、第三条又は第四条の規定により行うことのできる懲戒処分より軽い懲戒処分を行うときは、別表の上欄に掲げる違反行為に応じ同表の下欄に掲げる懲戒処分の種類のうち最も軽い懲戒処分（懲戒処分の種類が一である場合にあっては、当該種類の懲戒処分）が停職の場合にあっては減給、減給の場合にあっては戒告とすることを原則とする。

第七条　職員が行った行為が別表の上欄に掲げる違反行為に該当する場合において、当該職員が行った当該違反行為の態様等に照らし懲戒処分を行わないことに相当の理由があると認められるとき（原則として当該違反行為に応じ同表の下欄に掲げる懲戒処分の種類に戒告が含まれているときに限る。）は、懲戒処分を行わないことができる。

（別表に掲げられていない行為の取扱い）

第八条　職員が行った行為が違反行為に該当する場合であって、別表の上欄に掲げる違反行為に該当しないときは、当該行為に類似する同欄に掲げる違反行為に対する懲戒処分の取扱いに準じて当該行為に対する懲戒処分を決定するものとする。

（倫理監督官に相談した場合の取扱い）

第九条　職員が、国家公務員倫理規程（平成十二年政令第百一号。以下「倫理規程」という。）第四条第二項又は第十条の規定に基づいて倫理監督官（倫理法第三十九条第一項の倫理監督官をいい、倫理規程第十五条第二項の規定に基づき同条第一項第一号の職務を行う職員を含む。以下同じ。）に相談し、その指導又は助言に従って行った行為が別表の上欄に掲げる違反行為に該当するときは、当該職員に対し懲戒処分を行わないことができる。

（違反行為に該当する行為と一般服務義務違反行為を行った場合の取扱い）

第十条　職員が違反行為に該当する行為及び法第八十二条第一項各号のいずれかに該当する行為（違反行為に該当する行為を除く。）を行ったことを理由として懲戒処分を行う場合にあっては、当該違反行為に応じ別表の下欄に掲げる懲戒処分の種類のうち最も重い懲戒処分より重い懲戒処分を行うことを妨げない。

附　則

この規則は、平成十二年四月一日から施行し、この規則の施行後に行われた行為について適用する。

附　則（平一九・九・二八規則一—五〇）（抄）

（人事院規則二二—一の一部改正に伴う経過措置）

第十一条　第三十条の規定による改正後の規則二二—一の規定は、施行日以後にした同規則第一条に規定する違反行為について適用し、同日前にした第三十条の規定による改正前の規則二二—一第一条に規定する違反行為については、なお従前の例による。

別表（第三条関係）

違反行為	懲戒処分の種類
一　倫理法第六条第一項、第七条第一項又は第八条第一項若しくは第二項の規定に違反して同法第六条第一項に規定する贈与等報告書、同法第七条第一項に規定する株取引等報告書又は同法第八条第一項に規定する所得等報告書若しくは同条第二項に規定する納税申告書の写し（以下「各種報告書等」という。）を提出しないこと。	戒告
二　倫理法第六条第一項、第七条第一項又は第八条第一項若しくは第二項の規定に違反して虚偽の事項を記載した各種報告書等を提出すること。	減給又は戒告
三　倫理規程第三条第一項第一号の規定に違反して利害関係者から金銭又は物品の贈与を受けること（第十八号に掲げるものを除く。）。	免職、停職、減給又は戒告
四　倫理規程第三条第一項第一号の規定に違反して利害関係者から不動産の贈与を受けること（第十八号に掲げるものを除く。）。	免職又は停職
五　倫理規程第三条第一項第二号の規定に違反して利害関係者から金銭の貸付けを受けること。	減給又は戒告
六　倫理規程第三条第一項第三号の規定に違反して利害関係者から又は利害関係者の負担により、無償で物品の貸付けを受けること（第十八号に掲げるものを除く。）。	減給又は戒告
七　倫理規程第三条第一項第三号の規定に違反して利害関係者から又は利害関係者の負担により、無償で不動産の貸付けを受けること（第十八号に掲げるものを除く。）。	停職又は減給
八　倫理規程第三条第一項第四号の規定に違反して利害関係者から又は利害関係者の負担により、無償で役務の提供を受けること（第十八号に掲げるものを除く。）。	免職、停職、減給又は戒告
九　倫理規程第三条第一項第五号の規定に違反して利害関係者から未公開株式を譲り受けること。	停職又は減給
十　倫理規程第三条第一項第六号の規定に違反して利害関係者から供応接待（飲食物の提供に限る。）を受けること（次号から第十三号までに掲げるものを除く。）。	減給又は戒告
十一　倫理規程第三条第一項第六号の規定に違反して遊技又はゴルフをするために要する費用を利害関係者が負担して当該利害関係者と共に遊技又はゴルフをすること。	減給又は戒告
十二　倫理規程第三条第一項第六号の規定に違反して海外旅行をするために要する費用を利害関係者が負担して当該利害関係者と共に海外旅行をすること。	停職、減給又は戒告
十三　倫理規程第三条第一項第六号の規定に違反して国内旅行をするために要する費用を利害関係者が負担して当該利害関係者と共に国内旅行をすること。	減給又は戒告
十四　倫理規程第三条第一項第七号の規定に違反して利害関係者と共に遊技又はゴルフをすること（第十一号に掲げるものを除く。）。	戒告
十五　倫理規程第三条第一項第八号の規定に違反して利害関係者と共に旅行をすること（第十二号及び第十三号に掲げるものを除く。）。	戒告

十六　倫理規程第三条第一項第九号の規定に違反して、利害関係者をして、第三者に対し同項第一号から第八号までに掲げる行為をさせること。	第三号から前号までの上欄に掲げる違反行為に応じ当該各号の下欄に掲げる懲戒処分の種類に準じて、免職、停職、減給又は戒告
十七　倫理規程第五条第一項の規定に違反して利害関係者に該当しない事業者等から供応接待を繰り返し受ける等社会通念上相当と認められる程度を超えて供応接待又は財産上の利益の供与を受けること。	減給又は戒告
十八　倫理規程第五条第二項の規定に違反して自己が行った物品若しくは不動産の購入若しくは借受け又は役務の受領の対価を、それらの行為が行われた場に居合わせなかった利害関係者にその者の負担として支払わせること。	免職、停職又は減給
十九　倫理規程第五条第二項の規定に違反して自己が行った物品若しくは不動産の購入若しくは借受け又は役務の受領の対価を、それらの行為が行われた場合に居合わせなかった利害関係者に該当しない事業者等にその者の負担として支払わせること。	減給又は戒告
二十　倫理規程第六条第一項の規定に違反して同項各号に掲げる書籍等の監修又は編さんに対する報酬を受けること。	免職、停職、減給又は戒告
二十一　倫理規程第七条第一項の規定に違反して職員の属する国の機関（倫理規程第六条第一項第一号に規定する国の機関をいう。）又は行政執行法人の他の職員の倫理規程第三条、第五条又は第六条の規定に違反する行為によって当該他の職員（倫理規程第三条第一項第九号の規定に違反する行為にあっては、同号の第三者）が得た財産上の利益であることを知りながら、当該利益の全部若しくは一部を受け取り、又は享受すること。	免職、停職、減給又は戒告
二十二　倫理規程第七条第二項の規定に違反して国家公務員倫理審査会、任命権者、倫理監督官その他職員の属する行政機関等（倫理法第三十九条第一項に規定する行政機関等をいう。以下同じ。）において職員の職務に係る倫理の保持に責務を有する者又は上司に対して、自己若しくは自己の属する行政機関等の他の職員が違反行為を行った疑いがあると思料するに足りる事実について、虚偽の申述を行い、又はこれを隠ぺいすること。	停職、減給又は戒告
二十三　倫理規程第七条第三項の規定に違反して自らが管理又は監督をする職員が違反行為を行った疑いがあると思料するに足りる事実を黙認すること。	停職又は減給
二十四　倫理規程第八条の規定に違反して、自己の飲食に要する費用について利害関係者の負担によらないで利害関係者と共に飲食をする場合において、自己の飲食に要する費用が一万円を超えるときに、倫理監督官が定める事項を倫理監督官に届け出ないこと。	戒告
二十五　倫理規程第八条の規定に違反して、自己の飲食に要する費用について利害関係者の負担によらないで利害関係者と共に飲食をする場合において、自己の飲食に要する費用が一万円を超えるときに、倫理監督官が定める事項について倫理監督官に虚偽の事項を届け出ること。	減給又は戒告
二十六　倫理規程第九条第一項の	

規定に違反して倫理監督官の承認を得ずに利害関係者からの依頼に応じて報酬を受けて同項に規定する講演等をすること。	減給又は戒告

〇人事院規則二二―二（倫理法又は同法に基づく命令の違反に係る調査及び懲戒の手続）

平一二・三・三一公布
平一二・四・一施行
最終改正　令三・三・三一規則二二―二―四

（趣旨）

第一条　この規則は、倫理法又は同法に基づく命令（同法第五条第三項の規定に基づく訓令及び同条第四項の規定に基づく規則を含む。以下同じ。）の違反に係る調査及び懲戒の手続に関し必要な事項を定めるものとする。

（任命権者の報告等）

第二条　任命権者は、次に掲げる行為を行う場合には、国家公務員倫理審査会（以下「審査会」という。）が定めるところにより、倫理法又は同法に基づく命令に違反する疑いのある行為の存在に関する文書の写しその他の必要な資料を添え、書面により行うものとする。

一　倫理法第二十二条の報告
二　倫理法第二十三条第一項の通知
三　倫理法第二十三条第二項の報告
四　倫理法第二十三条第三項の報告
五　倫理法第二十六条の承認の申請
六　倫理法第二十八条第一項の規定により求められた意見の表明
七　倫理法第二十八条第四項の規定による協議の申出
八　倫理法第二十九条第二項の報告

（退職に係る処分に関する協議）

第三条　任命権者は、職員（倫理法第二条第一項に規定する職員をいう。以下同じ。）に倫理法又は同法に基づく命令に違反する行為があると思料する場合において、当該職員に対し退職に係る処分を行おうとするとき（倫理法第二十八条第四項本文に定める場合を除く。）は、あらかじめ、審査会に協議しなければならない。

（共同調査）

第四条　審査会は、倫理法第二十五条の規定により任命権者と共同して調査を実施するときは、任命権者と協議の上、共同して調査を開始する時期、調査の態様その他共同調査の実施に関し必要な事項を定めるものとする。

（審査会による調査から任命権者による調査への移行）

第五条　審査会は、倫理法第二十八条第一項の調査を開始した後において、任命権者の意見を聴取した上、任命権者に調査を委ねることが適当であると認めるときは、同法第二十四条の規定により任命権者に対して調査を行うよう求めることができる。この場合において、任命権者が当該調査を開始したときは、同法第二十八条第一項の調査を中止するものとする。

（調査）

第六条　審査会は、法第十七条第一項の規定により、事情聴取、資料の提出要求、鑑定依頼その他の調査を行うことができる。

2　各省各庁の長等（勤務時間法第三条に規定する各省各庁の長及び行政執行法人の長をいう。以下同じ。）は、法第十七条第一項の規定により審査会から事情聴取等を求められた職員が請求したときは、その者が審査会による調査に応ずるため必要な時間、勤務しないことを承認するものとする。

第七条　審査会は、法第十七条第二項の規定により証人を呼び出すときは、次に掲げる事項を記載した呼出状によらなければならない。

一　証人の氏名、住所及び官職又は職業

二　出頭すべき日時及び場所

三　証言を求めようとする事項

四　正当な理由がなくて出頭しなかった場合又は虚偽の陳述をした場合の法律上の制裁

第八条　審査会は、法第十七条第二項の規定により文書又はその写しの提出を求めるときは、次に掲げる事項を記載した文書等提出要求書によらなければならない。

一　相手方の氏名又は名称及び住所

二　文書等の名称その他の提出を要求する文書等を特定するに足りる事項

三　提出期限及び提出すべき場所

四　正当な理由がなくて提出しない場合又は虚偽の事項を記載した文書若しくは写しを提出した場合の法律上の制裁

第九条　審査会は、法第十七条第三項の規定により調査の対象である職員に出頭を求めて質問するときは、次に掲げる事項を記載した呼出状によらなければならない。

一　当該職員の勤務する官署又は事務所、官職及び氏名

二　出頭すべき日時及び場所

三　陳述を求めようとする事項

2　各省各庁の長等は、法第十七条第三項の規定により審査会から出頭を求められた職員が請求した場合には、その者が出頭し質問に応ずるため必要な時間、勤務しないことを承認するものとする。

（調査員による調査）

第十条　審査会は、法第十七条第一項の規定により、国家公務員倫理審査会事務局の職員のうちから指名した調査員に、法第十七条第三項の立入検査及び第六条から第八条までの調査を行わせることができる。

2　審査会は、調査員に対し、別記様式の調査員証を発行し、交付しなければならない。

（雑則）

第十一条（職員の懲戒）　審査会が懲戒処分を行った場合の規則一二—〇第七条の規定の適用については、同条中「任命権者」とあるのは、「国家公務員倫理審査会」とする。

2　任命権者が倫理法又は同法に基づく命令に違反したことを理由として懲戒処分を行った場合の規則一二—〇第七条の規定の適用については、同条中「人事院に」とあるのは、「人事院及び国家公務員倫理審査会にそれぞれ」とする。

3　規則一二—〇第八条第一項の規定は、刑事裁判所に係属する間の倫理法又は同法に基づく命令に違反する行為に係る懲戒手続について準用する。この場合において、同項中「法第八十五条の人事院」とあるのは、「倫理法第三十三条の規定により読み替えて適用される法第八十五条の国家公務員倫理審査会」と読み替えるものとする。

4　任命権者は、前項において準用する規則一二—〇第八条第一項の規定により懲戒手続を進め、懲戒処分を行おうとするときは、倫理法第二十六条の承認の申請をする際に、同項に該当することを確認した資料の写しを併せて提出するものとする。

第十二条　この規則に定めるもののほか、倫理法又は同法に基づく命令に係る調査及び懲戒の手続に関し必要な事項は、審査会が定める。

附　則

この規則は、平成十二年四月一日から施行する。

附　則（平一九・九・二八規則一—五〇）（抄）

（人事院規則二二—二の一部改正に伴う経過措置）

第十二条　旧公社の職員であった者に関する第三十一条の規定による改正後の規則二二—二第一条から第三条まで、第十一条第二項及び第三項並びに第十二条の規定の適用については、これらの規定に規定する命令には、整備法附則第百七条第一項の規定によりなおその効力を有するものとされる整備法第百十二条の規定による改正前の倫理法第五条第六項の規定に基づく規則を含むものとする。

別記様式

表面

第百十条　次の各号いずれかに該当する者は、三年以下の懲役又は百万円以下の罰金に処する。 一（略） 二（略） 三　第十七条第二項（中略）の規定による証人として喚問を受け虚偽の陳述をした者 四　第十七条第二項の規定により証人として喚問を受け正当の理由がなくてこれに応ぜず、又は同項の規定により書類又はその写の提出を求められ正当の理由がなくてこれに応じなかつた者 五　第十七条第二項の規定により書類又はその写の提出を求められ、虚偽の事項を記載した書類又は写を提出した者 五の二　第十七条第三項（中略）の規定による検査を拒み、妨げ、若しくは忌避し、又は質問に対して陳述をせず、若しくは虚偽の陳述をした者（第十七条第一項の調査の対象である職員（中略）を除く。）	No.＿＿＿＿＿＿ 調　査　員　証

備考　用紙の大きさは、日本産業規格Ａ６とし、厚紙を用い、中央点線の所から二つ折とすること。

裏面

下記の者は、人事院規則22－２第10条第１項の規定により指名した調査員であることを証する。 ［写真］ 官僚 氏名＿＿＿＿＿＿＿ 生年月日（　）　年　月　日 勤務官署　国家公務員倫理審査会事務局 所在地 発行年月日 令和　　年　　月　　日 有効期限 令和　　年　　月　　日 国家公務員倫理審査会	国家公務員法（抄） （人事院の調査） 第十七条　人事院又はその指名する者は、人事院の所掌する人事行政に関する事項に関し調査することができる。 ２　人事院又は前項の規定により指名された者は、同項の調査に関し必要があるときは、証人を喚問し、又は調査すべき事項に関係があると認められる書類若しくはその写の提出を求めることができる。 ３　人事院は、第一項の調査（職員の職務に係る倫理の保持に関して行われるものに限る。）に関し必要があると認めるときは、当該調査の対象である職員に出頭を求めて質問し、又は同項の規定により指名された者に、当該職員の勤務する場所（職員として勤務していた場所を含む。）に立ち入らせ、帳簿書類その他必要な物件を検査させ、又は関係者に質問させることができる。 ４　前項の規定により立入検査をする者は、その身分を示す証明書を携帯し、関係者の請求があつたときは、これを提示しなければならない。 ５　第三項の規定による立入検査の権限は、犯罪捜査のために認められたものと解してはならない。 （国家公務員倫理審査会への権限の委任） 第十七条の二　人事院は、前条の規定による権限（職員の職務に係る倫理の保持に関して行われるものに限り、かつ、第九十条第一項に規定する審査請求に係るものを除く。）を国家公務員倫理審査会に委任する。

○国家公務員倫理法又は同法に基づく命令に違反した場合の懲戒処分の公表指針について

平一五・一一・一三
倫参―五二

国家公務員倫理審査会では、この度、国家公務員倫理法（平成十一年法律第百二十九号）第二十七条第一項により任命権者が同法又は同法に基づく命令に違反した場合の懲戒処分の公表を行うに当たっての参考に供することを目的として、下記のとおり懲戒処分の公表指針を作成しました。各府省等におかれては、本指針を踏まえて、懲戒処分の適正な公表に努められるようお願いいたします。

なお、同条第二項により、国家公務員倫理審査会は、任命権者が上記の懲戒処分を行った場合において、特に必要があると認めるときは、当該任命権者に対し、当該懲戒処分の概要の公表について意見を述べることができることを念のため申し添えます。

記

1　公表対象
懲戒処分は、公表するものとする。ただし、公表することが適当でないと認められる特段の事情があるときは、この限りでない。

2　公表内容
事案の概要、処分量定及び処分年月日並びに所属、役職段階等の被処分者の属性に関する情報を、個人が識別されない内容のものとすることを基本として公表するものとする。ただし、個別の事案に関し、当該事案の社会的影響、被処分者の職責等を勘案して、別途の取扱いをすべき場合がある。

3　公表時期
懲戒処分を行った後、速やかに公表するものとする。

4　公表方法
記者クラブ等への資料の提供その他適宜の方法によるものとする。

以　上

○自衛隊員倫理法

平一一・八・一三
法　一　三　〇

最終改正　令三・六・一一法六一

第一章　総則

（目的）

第一条　この法律は、自衛隊員が国民全体の奉仕者であってその職務は国民から負託された公務であることにかんがみ、自衛隊員の職務に係る倫理の保持に資するため必要な措置を講ずることにより、職務の執行の公正さに対する国民の疑惑や不信を招くような行為の防止を図り、もって公務に対する国民の信頼を確保することを目的とする。

（定義等）

第二条　この法律において、「自衛隊員」とは、自衛隊法（昭和二十九年法律第百六十五号）第二条第五項に規定する隊員（常勤を要しない者（同法第四十一条の二第一項に規定する短時間勤務の官職を占めるものを除く。）を除く。）をいう。

2　この法律において、「部員級以上の自衛隊員」とは、次に掲げる自衛隊員（第一号及び第三号に掲げる自衛隊員については、防衛省の職員の給与等に関する法律（昭和二十七年法律第二百六十六号。以下「給与法」という。）第十一条の三第一項に規定する俸給の特別調整額の支給を受ける者に限る。）をいう。

一　給与法別表第一自衛隊教官俸給表の適用を受ける

自衛隊員であって、同表の職務の級二級のもの
二 給与法第四条第一項の規定により一般職の職員の給与に関する法律（昭和二十五年法律第九十五号。以下「一般職給与法」という。）別表第一イ行政職俸給表㈠の適用を受ける自衛隊員であって、同表の職務の級五級以上のもの
三 給与法第四条第一項の規定により一般職給与法別表第六イ教育職俸給表㈠の適用を受ける自衛隊員であって、同表の職務の級三級以上のもの
四 給与法第四条第一項の規定により一般職給与法別表第七研究職俸給表の適用を受ける自衛隊員であって、同表の職務の級四級以上のもの
五 給与法第四条第一項の規定により一般職給与法別表第八イ医療職俸給表㈠の適用を受ける自衛隊員であって、同表の職務の級三級以上のもの
六 給与法第四条第一項の規定により一般職給与法別表第八ロ医療職俸給表㈡の適用を受ける自衛隊員であって、同表の職務の級六級以上のもの
七 給与法第四条第一項の規定により一般職給与法別表第八ハ医療職俸給表㈢の適用を受ける自衛隊員であって、同表の職務の級六級以上のもの
八 給与法第四条第一項の規定により一般職給与法別表第十専門スタッフ職俸給表の適用を受ける自衛隊員
九 給与法第四条第一項の規定により一般職給与法別表第十一指定職俸給表の適用を受ける自衛隊員
十 給与法第四条第二項の規定により一般職の任期付職員の採用及び給与の特例に関する法律（平成十二年法律第百二十五号。次項において「一般職任期付職員法」という。）第七条第一項の俸給表に定める額の俸給を受ける自衛隊員
十一 給与法第四条第三項の規定により一般職の任期付研究員の採用、給与及び勤務時間の特例に関する法律（平成九年法律第六十五号）第六条第一項の俸給表に定める額の俸給を受ける自衛隊員
十二 三等陸佐、三等海佐又は三等空佐以上の自衛隊員

3 この法律において、「本省審議官級以上の自衛隊員」とは、次に掲げる自衛隊員をいう。
一 給与法第四条第一項の規定により一般職給与法別表第十一指定職俸給表の適用を受ける自衛隊員
二 給与法第四条第二項の規定により一般職任期付職員法第七条第一項の俸給表に定める額の俸給（同表六号俸の俸給月額以上のものに限る。）を受ける自衛隊員
三 給与法別表第二自衛官俸給表の適用を受ける自衛隊員であって、同表の陸将、海将及び空将の欄に定める額の俸給を受けるもの並びに陸将補、海将補及び空将補の㈠欄に定める額の俸給を受けるもの

4 この法律において、「事業者等」とは、法人（法人でない社団又は財団で代表者又は管理人の定めがあるものを含む。）その他の団体及び事業を行う個人（当該事業の利益のためにする行為を行う場合における個人に限る。）をいう。

5 この法律の規定の適用については、事業者等の利益のためにする行為を行う場合における役員、従業員、代理人その他の者は、前項の事業者等とみなす。

（自衛隊員が遵守すべき職務に係る倫理原則）
第三条 自衛隊員は、国民全体の奉仕者であり、国民の一部に対してのみの奉仕者ではないことを自覚し、職務上知り得た情報について国民の一部に対してのみ有利な取扱いをする等国民に対し不当な差別的取扱いをしてはならず、常に公正な職務の執行に当たらなければならない。

2 自衛隊員は、常に公私の別を明らかにし、いやしくもその職務や地位を自らや自らの属する組織のための私的利益のために用いてはならない。

3 自衛隊員は、法律により与えられた権限の行使に当たっては、当該権限の行使の対象となる者からの贈与等を受けること等の国民の疑惑や不信を招くような行為をしてはならない。

（国会報告）
第四条 内閣は、毎年、国会に、自衛隊員の職務に係る倫理の保持に関する状況及び自衛隊員の職務に係る倫理の保持に関して講じた施策に関する報告書を提出しなければならない。

第二章 自衛隊員倫理規程

第五条 内閣は、第三条に掲げる倫理原則を踏まえ、自衛隊員の職務に係る倫理の保持を図るために必要な事項に関する政令（以下「自衛隊員倫理規程」という。）を、国家公務員倫理法（平成十一年法律第百二十九号）第五条第一項に規定する国家公務員倫理規程に準じて定めるものとする。この場合において、自衛隊員倫理規程には、自衛隊員の職務に利害関係を有する者からの贈与等の禁止及び制限等自衛隊員の職務に利害関係を有する者との接触その他国民の疑惑や不信を招くような行為の防止に関し自衛隊員の遵守すべき事項が含まれていなければならない。

2 防衛大臣又は防衛装備庁長官は、自衛隊員の職務に

係る倫理に関する訓令を定めることができる。

3 防衛大臣は、前項の訓令を定めるに当たっては、自衛隊員倫理審査会の意見を聴かなければならない。次項の規定による防衛装備庁長官の求めがあった場合についても、同様とする。

4 防衛装備庁長官は、第二項の訓令を定めるに当たっては、防衛大臣に対し、自衛隊員倫理審査会の意見を聴くことを求めなければならない。

5 内閣は、自衛隊員倫理規程及び第二項の訓令の制定又は改廃があったときは、これを国会に報告しなければならない。

第三章 贈与等の報告及び公開

（贈与等の報告）

第六条 部員級以上の自衛隊員は、事業者等から、金銭、物品その他の財産上の利益の供与若しくは供応接待（以下「贈与等」という。）を受けたとき又は事業者等と自衛隊員の職務との関係に基づいて提供する人的役務に対する報酬として自衛隊員倫理規程で定める報酬の支払を受けたとき（当該贈与等を受けた時又は当該報酬の支払を受けた時において部員級以上の自衛隊員であった場合に限り、かつ、当該贈与等により受けた利益又は当該支払を受けた報酬の価額が一件につき五千円を超える場合に限る。）は、一月から三月まで、四月から六月まで、七月から九月まで及び十月から十二月までの各区分による期間（以下「四半期」という。）ごとに、次に掲げる事項を記載した贈与等報告書を、当該四半期の翌四半期の初日から十四日以内に、防衛大臣（防衛装備庁の職員である自衛隊員（自衛隊法第三十条の二第一項第六号に規定する幹部隊員及び自衛官を除く。以下単に「防衛装備庁の職員である自衛隊員」という。）にあっては、防衛装備庁長官）に提出しなければならない。

一 当該贈与等により受けた利益又は当該支払を受けた報酬の価額

二 当該贈与等により利益を受け又は当該報酬の支払を受けた年月日及びその基因となった事実

三 当該贈与等をした事業者等又は当該報酬を支払った事業者等の名称及び住所

四 前三号に掲げるもののほか自衛隊員倫理規程で定める事項

2 防衛装備庁長官は、前項の規定により贈与等報告書の提出を受けたときは、当該贈与等報告書の写しを防衛大臣に送付しなければならない。

3 防衛大臣は、第一項の規定により提出を受けた贈与等報告書の写し及び前項の規定により送付を受けた贈与等報告書の写しを、自衛隊員倫理審査会に送付するものとする。

（株取引等の報告）

第七条 本省審議官級以上の自衛隊員は、前年において行った株券等（株券、新株予約権証券又は新株予約権付社債券をいい、株券、新株予約権証券又は新株予約権付社債券が発行されていない場合にあっては、これらが発行されていたとすればこれらに表示されるべき権利をいう。以下この項において同じ。）の取得又は譲渡（本省審議官級以上の自衛隊員である間に行ったものに限る。以下「株取引等」という。）について、当該株取引等に係る株券等の種類、銘柄、数及び対価の額並びに当該株取引等の年月日を記載した株取引等報告書を、毎年、三月一日から同月三十一日までの間に、防衛大臣（防衛装備庁の職員である自衛隊員にあっては、防衛装備庁長官）に提出しなければならない。

2 防衛装備庁長官は、前項の規定により株取引等報告書の写しの提出を受けたときは、当該株取引等報告書の写しを防衛大臣に送付しなければならない。

3 防衛大臣は、第一項の規定により提出を受けた株取引等報告書の写し及び前項の規定により送付を受けた株取引等報告書の写しを、自衛隊員倫理審査会に送付するものとする。

（所得等の報告）

第八条 本省審議官級以上の自衛隊員（前年一年間を通じて本省審議官級以上の自衛隊員であったものに限る。）は、次に掲げる金額及び課税価格を記載した所得等報告書を、毎年、三月一日から同月三十一日までの間に、防衛大臣（防衛装備庁の職員である自衛隊員にあっては、防衛装備庁長官）に提出しなければならない。

一 前年分の所得について同年分の所得税が課される場合における当該所得に係る次に掲げる金額（当該金額が百万円を超える場合にあっては、当該金額及びその基因となった事実）

イ 総所得金額（所得税法（昭和四十年法律第三十三号）第二十二条第二項に規定する総所得金額をいう。）及び山林所得金額（同条第三項に規定する山林所得金額をいう。）に係る各種所得の金額（同法第二条第一項第二十二号に規定する各種所得の金額をいう。以下同じ。）

ロ 各種所得の金額（退職所得の金額（所得税法第三十条第二項に規定する退職所得の金額をいう。）

及び山林所得の金額（同法第三十二条第三項に規定する山林所得の金額をいう。）を除く。）のうち、租税特別措置法（昭和三十二年法律第二十六号）の規定により、所得税法第二十二条の規定にかかわらず、他の所得と区分して計算される所得の金額

二　前年中において贈与により取得した財産について同年分の贈与税が課される場合における当該財産に係る贈与税の課税価格（相続税法（昭和二十五年法律第七十三号）第二十一条の二に規定する贈与税の課税価格をいう。）

2　前項の所得等報告書の提出は、納税申告書（国税通則法（昭和三十七年法律第六十六号）第二条第六号に規定する納税申告書をいう。以下同じ。）の写しを提出することにより行うことができる。この場合において、同項第一号イ又はロに掲げる金額が百万円を超えるときは、その基因となった事実を当該納税申告書の写しに付記しなければならない。

3　防衛装備庁長官は、第一項の規定により所得等報告書の提出を受けたとき、又は前項の規定により納税申告書の写しの提出を受けたときは、当該所得等報告書又は納税申告書の写し（以下「所得等報告書等」という。）を防衛大臣に送付しなければならない。

4　防衛大臣は、第一項又は第二項の規定により提出を受けた所得等報告書等の写し及び前項の規定により送付を受けた所得等報告書等の写しを、自衛隊員倫理審査会に送付するものとする。

（報告書の保存及び閲覧）

第九条　前三条の規定により提出された贈与等報告書、株取引等報告書及び所得等報告書等（以下「各種報告書」という。）は、これらを受理した防衛大臣（防衛装備庁の職員である自衛隊員が提出した各種報告書にあっては、これらを受理した防衛装備庁長官）において、これらを提出すべき期間の末日の翌日から起算して五年を経過する日まで保存しなければならない。

2　何人も、防衛大臣又は防衛装備庁長官に対し、前項の規定により保存されている贈与等報告書（贈与等により受けた利益又は支払を受けた報酬の価額が一件につき二万円を超える部分に限る。）の閲覧を請求することができる。ただし、防衛大臣が、自衛隊員倫理審査会の意見を聴いて、次の各号のいずれかに該当するものとしてあらかじめ認めた事項に係る部分については、この限りでない。

一　公にすることにより、国の安全が害されるおそれ、他国若しくは国際機関との信頼関係が損なわれるおそれ又は他国若しくは国際機関との交渉上不利益を被るおそれがあるもの

二　公にすることにより、犯罪の予防、鎮圧又は捜査その他の公共の安全と秩序の維持に支障を及ぼすおそれがあるもの

第四章　自衛隊員倫理審査会及び懲戒手続の特例等

（自衛隊員倫理審査会の設置）

第十条　自衛隊員の職務に係る倫理の保持に関する防衛大臣の事務を補佐させるため、防衛省本省に、自衛隊員倫理審査会（以下「審査会」という。）を置く。

（所掌事務及び権限等）

第十一条　審査会の所掌事務及び権限は、次のとおりとする。

一　次に掲げる事項を調査審議し、及びこれらに関し必要と認める事項を防衛大臣に建議すること。

イ　自衛隊員倫理規程に関する事項

ロ　この法律又はこの法律に基づく命令（第五条第二項の規定に基づく訓令を含む。以下同じ。）に違反した場合に係る懲戒処分の基準に関する事項

ハ　自衛隊員の職務に係る倫理の保持に関する事項に係る調査研究及び企画に関する事項

ニ　自衛隊員の職務に係る倫理の保持のための研修に関する事項

ホ　自衛隊員倫理規程の遵守のための体制整備に関する事項

二　各種報告書の審査を行うこと。

三　次条第一項、第十六条第二項及び第十九条第二項の規定により防衛大臣の命を受けて、この法律又はこの法律に基づく命令に違反している疑いがあると思料する行為又は違反する行為について調査を行うこと。

四　第五条第三項、第九条第二項ただし書、次条第二項及び第三項、第十四条第二項（第十五条第二項において準用する場合を含む。）、第十五条第一項、第十七条第二項、第十八条第二項、第二十条第一項及び第二項、第二十一条並びに第二十三条の規定に基づく防衛大臣の諮問に応じて意見を述べること。

五　前各号に掲げるもののほか、法律又は法律に基づく命令に基づき審査会に属させられた事務及び権限

2　審査会の組織、委員その他必要な事項については、政令で定める。

（防衛省本省の職員である自衛隊員等に対する防衛大臣による懲戒手続等）

第十二条 防衛大臣は、自衛隊員（防衛装備庁の職員である自衛隊員を除く。）にこの法律又はこの法律に基づく命令に違反する行為を行った疑いがあると思料するときは、審査会に対し、当該行為に関する調査を行うよう命じなければならない。

2 防衛大臣は、前項の調査の結果、この法律又はこの法律に基づく命令に違反する行為があることを理由として懲戒処分を行おうとするときは、審査会の意見を聴かなければならない。

3 防衛大臣は、自衛隊員（防衛装備庁の職員である自衛隊員を除く。）にこの法律又はこの法律に基づく命令に違反する行為があることを理由として懲戒処分を行った場合において、自衛隊員の職務に係る倫理の保持を図るため特に必要があると認めるときは、審査会の意見を聴いて、当該懲戒処分の概要の公表（第七条第一項の株取引等報告書中の当該懲戒処分に係る株取引等についての部分の公表を含む。以下同じ。）をすることができる。

（調査の端緒に係る防衛装備庁長官の報告）

第十三条 防衛装備庁長官は、防衛装備庁の職員である自衛隊員にこの法律又はこの法律に基づく命令に違反する行為を行った疑いがあると思料するときは、その旨を防衛大臣に報告しなければならない。

（防衛装備庁の職員である自衛隊員に対する防衛装備庁長官による調査）

第十四条 防衛装備庁長官は、防衛装備庁の職員である自衛隊員にこの法律又はこの法律に基づく命令に違反する行為を行った疑いがあると思料して当該行為に関して調査を行おうとするときは、防衛大臣にその旨を通知しなければならない。

2 防衛大臣は、防衛装備庁長官に対し、前項の調査の経過について、報告を求め、又は審査会の意見を聴いて、意見を述べることができる。

3 防衛装備庁長官は、第一項の調査を終了したときは、遅滞なく、防衛大臣に対し、当該調査の結果を報告しなければならない。

（防衛装備庁長官に対する調査の要求等）

第十五条 防衛大臣は、防衛装備庁の職員である自衛隊員にこの法律又はこの法律に基づく命令に違反する行為を行った疑いがあると思料するときは、審査会の意見を聴いて、防衛装備庁長官に対し、当該行為に関する調査を行うよう求めることができる。

2 前条第二項及び第三項の規定は、前項の調査について準用する。

（共同調査）

第十六条 防衛大臣は、第十四条第二項（前条第二項において準用する場合を含む。）の規定により報告を受けた場合において必要があると認めるときは、この法律又はこの法律に基づく命令に違反する行為に関し、防衛装備庁長官と共同して調査を行うことができる。この場合においては、防衛大臣は、防衛装備庁長官に対し、共同して調査を行う旨を通知しなければならない。

2 防衛大臣は、前項の調査を行う場合には、審査会に対し、防衛装備庁長官と共同して当該調査を行うよう命じなければならない。

（防衛装備庁長官による懲戒処分）

第十七条 防衛装備庁長官は、防衛装備庁の職員である自衛隊員にこの法律又はこの法律に基づく命令に違反する行為があることを理由として懲戒処分を行おうとするときは、あらかじめ、防衛大臣の承認を得なければならない。

2 防衛大臣は、前項の承認を行うに当たっては、審査会の意見を聴かなければならない。

（防衛装備庁長官による懲戒処分の概要の公表）

第十八条 防衛装備庁長官は、防衛装備庁の職員である自衛隊員にこの法律又はこの法律に基づく命令に違反する行為があることを理由として懲戒処分を行った場合において、自衛隊員の職務に係る倫理の保持を図るため特に必要があると認めるときは、当該懲戒処分の概要の公表をすることができる。

2 防衛大臣は、防衛装備庁長官が前項の懲戒処分を行った場合において、特に必要があると認めるときは、審査会の意見を聴いて、防衛装備庁長官に対し、当該懲戒処分の概要の公表について意見を述べることができる。

（防衛装備庁の職員である自衛隊員に対する防衛大臣による調査）

第十九条 防衛大臣は、第十三条の規定による報告又はその他の方法により防衛装備庁の職員である自衛隊員にこの法律又はこの法律に基づく命令に違反する行為を行った疑いがあると思料する場合であって、自衛隊員の職務に係る倫理の保持に関し特に必要があると認めるときは、当該行為に関する調査の開始を決定することができる。この場合においては、防衛大臣は、あらかじめ、防衛装備庁長官の意見を聴かなければならない。

2 防衛大臣は、前項の調査を行う場合には、審査会に対し、当該調査を行うよう命じなければならない。

3 防衛大臣は、第一項の規定による決定をしたときは、防衛装備庁長官にその旨を通知しなければならない。

4　防衛装備庁長官は、前項の規定による通知を受けたときは、審査会が行う調査に協力しなければならない。

5　防衛装備庁長官は、第三項の規定による通知を受けた場合において、第一項の調査の対象となっている自衛隊員に対する懲戒処分又は退職に係る処分を行おうとするときは、あらかじめ、防衛大臣に協議しなければならない。ただし、次条第二項の規定による懲戒処分の勧告を受けたとき又は第二十二条の規定による通知を受けたときは、この限りでない。

（懲戒処分の勧告等）

第二十条　防衛大臣は、前条の調査の結果、審査会の意見を聴いて、防衛装備庁長官に対し、監督上必要な措置を講ずるよう求めることができる。

2　防衛大臣は、前条の調査の結果、防衛装備庁長官において懲戒処分を行うことが適当であると思料するときは、審査会の意見を聴いて、防衛装備庁長官に対し、懲戒処分を行うべき旨の勧告をすることができる。

3　防衛装備庁長官は、前項の勧告に係る措置について、防衛大臣に対し、報告しなければならない。

（防衛装備庁の職員である自衛隊員に対する防衛大臣による懲戒処分）

第二十一条　防衛大臣は、第十九条の調査を経て、必要があると認めるときは、自衛隊法第三十一条第一項の規定にかかわらず、審査会の意見を聴いて、当該調査の対象となっている自衛隊員に対し懲戒処分を行うことができる。

（調査終了及び懲戒処分の通知）

第二十二条　防衛大臣は、第十九条の調査を終了したとき又は前条の規定により懲戒処分を行ったときは、その旨及びその内容を防衛装備庁長官に通知するものとする。

（防衛大臣による懲戒処分の概要の公表）

第二十三条　防衛大臣は、第二十一条の規定により懲戒処分を行った場合において、自衛隊員の職務に係る倫理の保持を図るため特に必要があると認めるときは、審査会の意見を聴いて、当該懲戒処分の概要の公表をすることができる。

第五章　倫理監督官

第二十四条　自衛隊員の職務に係る倫理の保持を図るため、防衛省本省及び防衛装備庁に、それぞれ倫理監督官一人を置く。

2　倫理監督官は、自衛隊員の職務に係る倫理の保持に関し、必要な指導及び助言並びに体制の整備を行う。

3　倫理監督官は、前項に規定する職務を行うに当たっては、国家公務員倫理審査会と常に緊密な連絡を保たなければならない。

第六章　雑則

第二十五条　この法律に定めるもののほか、この法律の実施に関し必要な事項は、政令で定める。

附　則（抄）

（施行期日）

第一条　この法律は、平成十二年四月一日から施行する。ただし、次の各号に掲げる規定は、当該各号に定める日から施行する。

一　第五章の規定　公布の日

二　第二条第一項及び第三項、第八条並びに附則第四条の規定　平成十二年一月一日

（経過措置）

第二条　第六条の規定は、この法律の施行の日以後に受けた贈与等又は支払を受けた報酬について適用する。

第三条　第七条の規定は、この法律の施行の日以後に行った株取引等について適用する。

第四条　第八条の規定は、平成十二年分以後の所得及び同年分以後の贈与税に係る贈与について適用する。

○会社法の施行に伴う関係法律の整備等に関する法律（抄）（平一七・七・二六法八七）

（自衛隊員倫理法の一部改正に伴う経過措置）

第百七十六条　第九十八条第二項の規定によりなお従前の例によることとされる場合における新株引受権証書（新株引受権証書が発行されていない場合にあっては、これが発行されていたとすればこれに表示されるべき新株の引受権）についての自衛隊員倫理法の規定の適用については、なお従前の例による。

附　則（平一八・五・三一法四五）（抄）

（自衛隊員倫理法の一部改正に伴う経過措置）

第九条　施行日前に前条の規定による改正前の自衛隊員倫理法第二条第二項第一号に掲げる自衛隊員であった者で前条の規定による改正後の自衛隊員倫理法第二条第二項に掲げる自衛隊員に該当しないこととなるものについての同法第六条に規定する贈与等報告書（施行日前に受けた利益又は支払を受けた報酬に係るものに

限る。）に係る同法の規定の適用については、なお従前の例による。

【その他】

○官庁綱紀の粛正について

昭六三・一二・一六
閣議決定

官庁綱紀の厳正な保持については、従来から閣議決定等により注意を喚起してきたところであるが、去る十二月十三日の閣議における内閣総理大臣の発言に基づき、次の措置を講ずるものとする。

1 管理・監督の地位にある者は、率先垂範して服務紀律の確保を図ること。

2 この場合、日常の行動については常に公私の別を明らかにし、特に、職務上利害関係のある業者等との接触に当たつては、国民の疑惑を招くような行為は厳に慎しむこと。

3 管理・監督の地位にある者は、監督責任を十分自覚し、部下職員に対する指導監督を強化すること。

4 違法行為又は服務紀律違反の行為があつた場合においては、直ちに実情を調査し、厳正な措置をとること。

5 特殊法人及び地方公共団体に対しても、上記に準じた措置をとるよう要請すること。

以上、命により通知する。

（別添）〔略〕

○官庁綱紀の粛正について

昭六三・一二・一六
閣内審一一七

標記については、十二月十三日（火）の閣議において、内閣総理大臣から発言があり、また、本日の閣議において、別添のとおり「官庁綱紀の粛正について」が決定されたところである。

各省庁においては、この閣議決定の趣旨の徹底を図るとともに、官庁綱紀の粛正に関する従前の閣議決定等による具体的措置についても改めて徹底するよう努められたい。

その際、関係業者等に係る、会食、遊技、贈答品の受領、未公開株式の譲受け、政治家あるいは立候補予定者等の行う会合のパーティー券の購入斡旋等の行為について、特に留意されたい。

以上、命により通知する。

○国家公務員の株式の取引について

平七・九・二八
事務次官等会議申合せ

株式の取引は正常な経済行為の一つであり、本来、このような取引を行うことを制限すべきではないことは言うまでもないが、公務員は、常に公私の別を明らかにし、いやしくも国民の疑惑や不信を招くような行為は厳に慎むべきであり、株式の取引に当たっても、その職務との関係から国民の疑惑や不信を招くおそれがある場合があるため、特に慎重に行うべきである。

このような観点に立って、各省庁においては、その所掌事務、権限等の内容等それぞれの事情に応じ、職員の株式の取引について、下記事項に留意の上、必要な措置を講じるものとする。

記

1 株式の取引に当たっては、いやしくも国民の疑惑や不信を招くことのないよう、職員に対し周知徹底を図ること。

2 証券取引法のいわゆるインサイダー取引規制の具体的内容等について、改めて職員に対し周知徹底を図ること。

3 自己の所属する部局が所管する企業の株式の取引については、当該職員に対し、当該企業に係る職務との関係等に応じ、取引の自粛等の適切な措置を講じること。

4 その他、株式の取引について、職務との関係から国民の疑惑や不信を招くおそれがある場合には、当該職員に対し、必要に応じ、適切な措置を講じること。

○職員の服務の宣誓に関する政令

昭四一・二・一〇
政令一四

最終改正　令四・三・三〇政令一二八

（服務の宣誓）

第一条 新たに職員（非常勤職員（国家公務員法第六十条の二第一項に規定する短時間勤務の官職を占める職員を除く。）及び臨時的職員を除く。以下同じ。）となった者は、別記様式による宣誓書を任命権者に提出しなければならない。

2 前項の規定による宣誓書の提出は、職員がその職務に従事する前にするものとする。ただし、天災その他任命権者が定める理由がある場合において、職員が同項の規定による宣誓書の提出をしないでその職務に従事したときは、その理由がやんだ後速やかにすれば足りる。

3 警察職員の服務の宣誓については、前二項の規定にかかわらず、国家公安委員会は、内閣総理大臣の承認を得て、別段の定めをすることができる。

（権限の委任）

第二条 この政令に定めるもののほか、職員の服務の宣誓に関し必要な事項は、任命権者が定める。

附　則

この政令は、昭和四十一年二月十九日から施行する。

別記様式

宣誓書

私は、国民全体の奉仕者として公共の利益のために勤務すべき責務を深く自覚し、日本国憲法を遵守し、並びに法令及び上司の職務上の命令に従い、不偏不党かつ公正に職務の遂行に当たることをかたく誓います。

年　月　日

氏　　名

○職員の服務の宣誓について

昭四一・二・一一
総人局九六

先般の国家公務員法の一部改正に伴い、職員の服務の宣誓に関する政令が昭和四十一年二月十日、政令第十四号として公布され、来たる二月十九日から施行されることになつた。

したがつて、職員の服務の宣誓については、従来の人事院規則一四―六（職員の服務の宣誓）に替わつて、来たる二月十九日からは前記政令により運用されることになつたのであるが、この改正によつて「宣誓書」の文言が職員の服務の宣誓としてよりふさわしいものに改められているので、貴職におかれては、同日から新しい「宣誓書」により服務の宣誓が実施できるよう、あらかじめ準備するとともに、今後とも服務の宣誓の制度の適正な運用に十分配慮されるようお願いする。

○人事院規則一四―七（政治的行為）

昭二四・九・一九公布
昭二四・九・一九施行
最終改正　令四・二・一八規則一―七九

（適用の範囲）

1　法及び規則中政治的行為の禁止又は制限に関する規定は、臨時的任用として勤務する者、条件付任用期間の者、休暇、休職又は停職中の者及びその他理由のいかんを問わず一時的に勤務しない者をも含む全ての一般職に属する職員に適用する。ただし、顧問、参与、委員その他人事院の指定するこれらと同様な諮問的な非常勤の職員（法第六十条の二第一項に規定する短時間勤務の官職を占める職員を除く。）が他の法令に規定する禁止又は制限に触れることなしにする行為には適用しない。

2　法又は規則によつて禁止又は制限される職員の政治的行為は、すべて、職員が、公然又は内密に、職員以外の者と共同して行う場合においても、禁止又は制限される。

3　法又は規則によつて職員が自ら行うことを禁止又は制限される政治的行為は、すべて、職員が自ら選んだ又は自己の管理に属する代理人、使用人その他の者を通じて間接に行う場合においても、禁止又は制限される。

4　法又は規則によつて禁止又は制限される職員の政治的行為は、第六項第十六号に定めるものを除いては、職員が勤務時間外において行う場合においても、適用される。

（政治的目的の定義）

5　法及び規則中政治的目的とは、次に掲げるものをいう。政治的目的をもつてなされる行為であつても、第六項に定める政治的行為に含まれない限り、法第百二条第一項の規定に違反するものではない。

一　規則一四―五に定める公選による公職の選挙において、特定の候補者を支持し又はこれに反対すること。

二　最高裁判所の裁判官の任命に関する国民審査に際し、特定の裁判官を支持し又はこれに反対すること。

三　特定の政党その他の政治的団体を支持し又はこれに反対すること。

四　特定の内閣を支持し又はこれに反対すること。

五　政治の方向に影響を与える意図で特定の政策を主張し又はこれに反対すること。

六　国の機関又は公の機関において決定した政策（法令、規則又は条例に包含されたものを含む。）の実施を妨害すること。

七　地方自治法（昭和二十二年法律第六十七号）に基く地方公共団体の条例の制定若しくは改廃又は事務監査の請求に関する署名を成立させ又は成立させないこと。

八　地方自治法に基く地方公共団体の議会の解散又は法律に基く公務員の解職の請求に関する署名を成立させ若しくは成立させず又はこれらの請求に基く解散若しくは解職に賛成し若しくは反対すること。

（政治的行為の定義）

6　法第百二条第一項の規定する政治的行為とは、次に掲げるものをいう。
一　政治的目的のために職名、職権又はその他の公私の影響力を利用すること。
二　政治的目的のために寄附金その他の利益を提供し又は提供せずその他政治的目的をもつなんらかの行為をなし又はなさないことに対する代償又は報復として、任用、職務、給与その他職員の地位に関してなんらかの利益を得若しくは得ようと企て又は得させようとすることあるいは不利益を与え、与えようと企て又は与えようとおびやかすこと。
三　政治的目的をもつて、賦課金、寄附金、会費又はその他の金品を求め若しくは受領し又はなんらの方法をもつてするを問わずこれらの行為に関与すること。
四　政治的目的をもつて、前号に定める金品を国家公務員に与え又は支払うこと。
五　政党その他の政治的団体の結成を企画し、結成に参与し若しくはこれらの行為を援助し又はそれらの団体の役員、政治的顧問その他これらと同様な役割をもつ構成員となること。
六　特定の政党その他の政治的団体の構成員となるように又はならないように勧誘運動をすること。
七　政党その他の政治的団体の機関紙たる新聞その他の刊行物を発行し、編集し、配布し又はこれらの行為を援助すること。
八　政治的目的をもつて、第五項第一号に定める選挙、同項第二号に定める国民審査の投票又は同項第八号に定める解散若しくは解職の投票において、投票するように又はしないように勧誘運動をすること。
九　政治的目的のために署名運動を企画し、主宰し又は指導しその他これに積極的に参与すること。
十　政治的目的をもつて、多数の人の行進その他の示威運動を企画し、組織し若しくは指導し又はこれらの行為を援助すること。
十一　集会その他多数の人に接し得る場所で又は拡声器、ラジオその他の手段を利用して、公に政治的目的を有する意見を述べること。
十二　政治的目的を有する文書又は図画を国又は行政執行法人の庁舎（行政執行法人にあつては、事務所。以下同じ。）、施設等に掲示し又は掲示させその他政治的目的のために国又は行政執行法人の庁舎、施設、資材又は資金を利用し又は利用させること。
十三　政治的目的を有する署名又は無署名の文書、図画、音盤又は形象を発行し、回覧に供し、掲示し若しくは配布し又は多数の人に対して朗読し若しくは聴取させ、あるいはこれらの用に供するために著作し又は編集すること。
十四　政治的目的を有する演劇を演出し若しくは主宰し又はこれらの行為を援助すること。
十五　政治的目的をもつて、政治上の主義主張又は政党その他の政治的団体の表示に用いられる旗、腕章、記章、えり章、服飾その他これらに類するものを製作し又は配布すること。
十六　政治的目的をもつて、勤務時間中において、前号に掲げるものを着用し又は表示すること。
十七　なんらの名義又は形式をもつてするを問わず、前各号の禁止又は制限を免れる行為をすること。
7　この規則のいかなる規定も、職員が本来の職務を遂行するため当然行うべき行為を禁止又は制限するものではない。
8　各省各庁の長及び行政執行法人の長は、法又は規則に定める政治的行為の禁止又は制限に違反する行為又は事実があつたことを知つたときは、直ちに人事院に通知するとともに、違反行為の防止又は矯正のために適切な措置をとらなければならない。

○人事院規則一四―七（政治的行為）第一項ただし書に定める諮問的な非常勤の職員の指定について

昭二六・八・一〇
人事院指令一四―三

最終改正　平二六・六・二三人事院指令一四―一

1　人事院は、別に指令で定めるもののほか、人事院規則一四―七（政治的行為）第一項ただし書に定める諮問的な非常勤の職員として、諮問的な非常勤の官職で、会長、副会長、議員、院長、会員、評議員、参事、客員研究官、幹事、専門調査員、調査員、審査員、報告員及び観測員の名称を有するものを占める職員並びに諮問的な非常勤の統計調査員、仲介員、保護司及び参与員の官職を占める職員を指定する。

2　人事院指令第三十四号は、廃止する。

○人事院規則一四―七（政治的行為）の運用方針について

昭二四・一〇・二一
法審発二〇七八

最終改正　令四・二・一八事企法―三七

一　この規則制定の法的根拠

この規則は、国会が適法な手続によつて制定した国家公務員法第百二条の委任によつて制定されたものである。

二　この規則の目的

国の行政は、法規の下において民主的且つ能率的に、運営されることが要請される。従つて、その運営にたずさわる一般職に属する国家公務員は、国民全体の奉仕者として政治的に中立な立場を維持することが必要であると共に、それらの職員の地位は、たとえば、政府が更迭するごとに、職員の異動が行われたりすることがないように政治勢力の影響又は干渉から保護されて、政治の動向のいかんにかかわらず常に安定したものでなければならない。又、この規則による政治的行為の禁止又は制限は、同時に、他の職員の側からするこれに対応する政治的行為をも合せて禁止することによつて、職員がこれらの政治的行為の禁止に違反しないようにすることが容易に達せられるようなものでなければならない。この規則は、このような考慮に基き、右の要請に応ずる目的をもつて制定されたものである。従つて、この規則が学問の自由及び思想の自由を尊重するように解釈され運用されなければならないことは当然である。

三　規則の適用範囲

(1)　第一項は、法及び規則中政治的行為の禁止又は制限に関する規定が、特にこの規則で適用を除外している者を除き、一般職に属するすべての職員に適用されるものであることを明らかにしている。

(2)　この規則において、「法及び規則中政治的行為の禁止又は制限に関する規定」とは、法第百二条、第一次改正法律附則第二条、規則一四―五及びこの規則中に含まれる禁止又は制限に関する規定をいう。

(3)　「法及び規則中政治的行為の禁止又は制限に関する規定」は、顧問、参与又は委員の名称を有する諮問的な非常勤の職員（国家公務員法第六十条の二第一項に規定する短時間勤務の官職を占める職員を除く。以下この(3)において同じ。）の他の法令に違反しない行為には適用されない。また、顧問、参与又は委員の名称を有しない諮問的な非常勤の職員であつても、これらと同様な諮問的な非常勤の職員で、人事院が特に指定するものの同様な行為にも適用されない。なお、委員の名称を有するものであつても、国家行政組織法（昭和二十三年法律第百二十号）第三条に規定する委員会の委員は、ここにいう委員には含まれない。第一項ただし書に該当する職員は、他の法令で禁止されていない限り、この規則に規定する政治的行為を行つたり規則一四―五に定める公選による公職の候補者となつたり、公選による公職を併せ占めたり、政党の役員等になることを禁止されない。すなわち、この規則は、これらの職員の職務と責任の特殊性に基づき、国家公務員法附則第四条の規定に従い、職員の政治的行為の制限に関する特例を定めたものである。

(4)　第二項は、職員が単独で又は他の職員と共同して行う場合だけでなく、職員以外の者と共同して行う場合でも、禁止又は制限されることを明らかにしたものである。この場合、「共同して行う」とは、職員が共同意思を単独で又は他人と共に実行に移すことをいう。

(5)　第三項は、職員が自ら選んだ又は自己の管理に属する代理人等を通じて間接に行う場合でも、その行為を行わせた職員に適用されることを明らかにしたものである。自ら選んだ又は自己の管理に属する者が職員であるか否かは問わない。「自ら選んだ」とは、明示であると黙示であるとを問わず、自らの選任行為があつたと認定されることをもつて足り、「自己の管理に属する」者とは、監督等の原因により通常本人の意思に基いて行為をなすべき地位にある者をいう。たとえば、部下、雇人等のような者である。「その他の者」とは、自ら選んだ又は自己の管理に属する者で代理人又は使用人以外の者をいう。「通じて間接に行う」とは、自己の意思を他人によつて実行に移すことをいう。

(6)　職員は、職員たる身分又は地位を有する限り、勤務時間外においても、政治的行為を行うことを禁止又は制限される。但し、政治上の主義主張又は政党その他の政治的団体の表示に用いられる腕章、記章、えり章、服飾等を勤務時間外に単に着用することは禁止されない。

(7)　なお、この規則は、職員が本来の職務を遂行するため当然行うべき行為を禁止又は制限するものではない。

四　政治的行為

職員が行うことを禁止又は制限される政治的行為に関し、この規則では政治的目的と政治的行為を区別して定義し、政治的目的をもつてなされる行為であつても、この規則にいう政治的行為に含まれない限り、国家公務員法第百二条第一項の規定に違反するものではないとしている。

(1)　政治的目的

第五項は、法及び規則中における政治的目的の定義を行い、これを明らかにしたものである。

㈠　第一号関係　本号中「規則一四―五に定める公選による公職の選挙」とは、衆議院議員、参議院議員並びに地方公共団体の長及び議会の議員の選挙をいう。「特定」とは、候補者の氏名が明示されている場合のみならず、客観的に判断してその対象が確定し得る場合をも含む。「候補者」とは、法令の規定に基づく正式の立候補届出又は推薦届出により、候補者としての地位を有するに至つた者をいう。「支持し又はこれに反対する」とは、特定の候補者が投票若しくは当選を得又は得ないように影響を与えることをいう。また、候補者としての地位を有するに至らない者を支持し又はこれに反対することは本号に含まれない。選挙に関する法令に従つて候補者の推薦届出をすること自体は本号に該当しない。

㈡　第二号関係　本号に「国民審査」とは、日本国憲法第七十九条の規定に基づき、最高裁判所裁判官国民審査法（昭和二十二年法律第百三十六号）に定める最高裁判所裁判官の任命に関する国民審査をいう。なお、本号中における「特定」及び「支持し又はこれに反対する」の意味については、前号に準じて解釈されるべきである。

㈢　第三号関係　本号中における「特定」の意味については、第一号に準じて解釈されるべきである。「政党」とは、政治上の主義若しくは施策を推進し、支持し、若しくはこれに反対し又は公職の候補者を推薦し、支持し、若しくはこれに反対することを本来の目的とする団体をいい、「その他の政治的団体」とは、政党以外の団体で政治上の主義若しくは施策を支持し、若しくはこれに反対し、又は公職の候補者を推薦し、支持し若しくはこれに反対する目的を有するものをいう。「支持し又はこれに反対する」とは、特定の政党その他の政治的団体につき、それらの団体の勢力を維持拡大するように若しくは維持拡大しないように、又はそれらの団体の有する綱領、主張の主義若しくは施策を実現するように若しくは実現しないように、又はそれらの団体に属する者が公職に就任し若しくは就任しないように影響を与えることをいう。

㈣　第四号関係　本号中「特定の内閣を支持し又はこれに反対する」とは、特定の内閣が存続するように若しくは存続しないように又は成立するように若しくは成立しないように影響を与えることをいう。なお、特定の内閣の首班若しくは閣員全員を支持し又はこれに反対する場合も本号に含まれるものと解する。

㈤　第五号関係　本号にいう「政治の方向に影響を与える意図」とは、日本国憲法に定められた民主主義政治の根本原則を変更しようとする意思をいう。

「特定の政策」とは、政治の方向に影響を与える程度のものであることを要する。最低賃金制確立、産業社会化等の政策を主張し若しくはこれらに反対する場合、又は各政党のよつて立つイデオロギーを主張し若しくはこれらに反対する場合、あるいは特定の法案又は予算案を支持し又はこれに反対するような場合も、日本国憲法に定められた民主主義政治の根本原則を変更しようとするものでない限り、本号には該当しない。

(六) 第六号関係　本号中「国の機関又は公の機関において決定した政策」とは、国会、内閣、内閣の統轄の下における行政機関、地方公共団体等政策の決定について公の権限を有する機関が正式に決定した政策をいう。「実施を妨害する」とは、その手段方法のいかんを問わず、有形無形の威力をもつて組織的、計画的又は継続的にその政策の目的の達成を妨げることをいう。従つて、単に当該政策を批判することは、これに該当しない。

(七) 第七号関係　本号中「署名を成立させ」とは、地方自治法第七十四条及び第七十五条に定める数に達する選挙権者の連署を得ることをいう。

(八) 第八号関係　本号中「地方自治法に基く地方公共団体の議会の解散の請求」とは、地方自治法第七十六条に定める地方公共団体の議会の解散の請求をいい、「法律に基く公務員の解職の請求」とは、地方自治法第八十条、第八十一条若しくは第八十六条又は地方教育行政の組織及び運営に関する法律（昭和三十一年法律第百六十二号）第八条第一項に定める公務員の解職又は改選の請求をいう。「署名を成立させ」とは、地方自治法第七十六条、第八十条、第八十一条若しくは第八十六条又は地方教育行政の組織及び運営に関する法律第八条第一項に定める数に達する選挙権者の連署又は同意の署名を得ることをいう。「賛成若しくは反対する」とは、本号の請求に基づく解散又は解職の投票において、賛成投票を得若しくは得ないように又は反対投票を得若しくは得ないように影響を与えることをいう。

(2) 政治的行為

第六項は、法第百二条第一項の規定により禁止又は制限される政治的行為を定めたものである。

(一) 第一号関係　本号は、職員が、国家公務員としての地位においてであると、私人としての地位においてであるとを問わず、政治的目的の為に自己の影響力を利用する行為を政治的行為としてこれを禁止する趣旨である。「公の影響力」とは、職員の官職に基く影響力を、「私の影響力」とは、私的団体中の地位、親族関係、債権関係等に基く影響力をいう。たとえば、上官が部下に対し、選挙に際して投票を勧誘し、あるいは職員組合の幹部が組合員に対し入党を勧誘するためにその地位を利用するような行為は違反となる。

(二) 第二号関係　「その他の利益」とは、金銭、物品のみでなく権利の授与、貸与等有形、無形の利益をいう。

(三) 第三号関係　本号は、法第百二条第一項前段の規定と同趣旨の規定であつて、「関与」とは、援助、勧誘、仲介、あつ旋等をいう。たとえば、課員が課内の党員の党費をとりまとめることは違反となる。

(四) 第四号関係　「国家公務員」には、特別職に属する国家公務員をも含み、地方公務員その他国家公務員以外の者に金品を「与え又は支払う」行為は、本号の規定に該当しない。

(五) 第五号関係　本号に掲げる行為は、それ自体で政治的目的をもつ行為とされ、他に別な政治的目的をもつてすることを要件としない。「企画し」とは、発起人となり、綱領規約等を立案し、又は結成準備会を招集すること等を、「参与し」とは、綱領規約の起草を助け又は準備委員となる等企画者を補佐して推進的役割をすることを、「これらの行為を援助する」とは、企画し参与することにつき、自ら直接に行うと、間接に行うとを問わず、労力、財産、物品等を提供し又は宣伝、広告、仲介、あつ旋等を行うことをいう。又、「政治的顧問」とは、その団体の幹部と同程度の地位にあつて、その団体の政策の決定に参与する者をいい、単なる技術的顧問は含まない。「これらと同様な役割をもつ構成員」とは、名称のいかんを問わず、役員又は政治的顧問と同等の影響力又は支配力を有する構成員をいう。なお、本号は、その団体の本部の場合のみならず地域的支部及びそれに準ずる組織体の場合にも適用される。単にこれらの団体の構成員となり、又は役員、政治的顧問若しくはこれらと同様な役割をもつ構成員以外の地位を占めることは差し支えない。

(六) 第六号関係　本号の行為も当然政治的目的をもつ行為とされる。「勧誘運動をすること」とは、組織的、計画的、又は継続的に、勧誘をすることをいい、たとえば党員倍加運動のような行為はその例である。従つて、たまたま友人間で入党について話し合うようなことは該当しない。

(七) 第七号関係　本号の行為も当然政治的目的をもつ

行為とされる。自己の購読した機関紙の一部をたまたま友人に交付するような行為及び単なる投稿等は、本号に該当しない。

（八）　第八号関係　「勧誘運動」とは、第六号にいう「勧誘運動」に準じて解釈されるべきである。従つて、選挙に際したまたま街頭であつた友人に投票を依頼するような行為は該当しない。

（九）　第九号関係　「運動」及び「企画し」とは、それぞれ第六号の「運動」及び第五号の「企画し」に準ずる。又「主宰」とは、実施につき自らの責任において総括的な役割を演ずることを、「指導し」とは、樹立された計画に基き実施を具体的に指導することを、「その他これに積極的に参与すること」とは、企画、主宰、指導の外、署名運動を企画、主宰、又は指導するものを助け又はその指示を受けて署名運動において推進的役割を演ずることをいう。なお、単に署名を行う行為は、本号の規定に該当しない。

（十）　第十号関係　「示威運動」とは、多衆の威力を示すため、公衆の目につき得る道路、広場等を行進すること等をいう。単に「示威運動」に参加することは本号に該当しない。

（十一）　第十一号関係　「集会」とは、屋内、屋外を問わず一定の目的のための多数人の集合を、「多数の人に接し得る場所」とは、公会堂、公園、街路等をいい、現に多数人の参集していることを要しないが参集し得る状態にあることを要する。「拡声器、ラジオその他の手段を利用し」とは、多数人に音声を伝達することのできる手段を用いることをいい、多数の人に接し得る場所におけると否とを問わない。又「公に」とは、「不特定の多数の者に」の意味である。従つて、組合員だけの非公開の会合の場合等は、本号に該当しない。

（十二）　第十二号関係　「文書又は図画」には、新聞、図書、書簡、壁新聞、パンフレット、リーフレット、ビラ、チラシ、プラカード、ポスター、絵画、グラフ、写真、映画の外、黒板に文字又は図形を白墨で記載したもの等も含まれる。「国又は行政執行法人の庁舎（行政執行法人にあつては、事務所。以下同じ。）、施設等」とは、国又は行政執行法人が使用し又は管理する建造物及びその附属物をいい、固定設備であることを要しない。「掲示させ」又は「利用させ」る行為には、他の者が掲示し又は利用することを、国又は行政執行法人の庁舎（行政執行法人にあつては、事務所）、施設、資材又は、資金管理の責任を有する者が許容する行為も含まれる。なお、本号後段の行為には、政治的目的のためにすることが必要であるが、前段の行為にはこれを必要とせず行為の目的物たる文書又は図画が政治的目的を有するものであることをもつて足りる。

（十三）　第十三号関係　「形象」とは、彫刻、塑像、模型、人形、面等をいう。職員が政治的目的をもつ文書、図画等を著作し又は編集した場合、それがこれらの「もの」を「発行し回覧に供し、掲示し若しくは配布し又は多数の人に対して朗読し若しくは聴取させる」ために行つたものでない限り、本号にいう政治的行為には含まれない。なお、本号の行為は、行為者の政治的目的のためにする意思の有無を問わず、行為の目的物が、政治的目的を有するものであれば足りる。

（十四）　第十四号関係　「演出」には、俳優として出演することは含まれない。「これらの行為を援助する」とは、演劇の脚本を提供し、その演劇の上演のために資金を与え又は募り、無償又は不当に安い対価で資材、設備、労働力、技術等を提供し、又はこれらをあつ旋し、積極的に宣伝を行うこと等を含む。

（十五）　第十五号関係　「その他これらに類するもの」には、まん幕、のぼり、鉢巻、たすき、ちようちん等が含まれる。

（十六）　第十七号関係　本号は、この規則の脱法行為を禁止するものである。

五　違法性を阻却する場合

第七項は、形式的には、この規則の違反に該当する行為であつても、職員が正当な職務を遂行するために当然行う行為である場合には、この規則違反の制裁を受けないことを明らかにしたものである。例えば、労働情勢の調査の職務を有する職員が、各種の政党機関紙を関係職員に配布又は回覧に供する行為等は、この規則の禁止又は制限するところではない。また、この規則は、憲法第二十三条に規定する学問の自由を拘束するような趣旨に解釈されてはならないことも当然である。

○人事院規則一四—二一（株式所有により営利企業の経営に参加し得る地位にある職員の報告等）

平一二・一二・二八公布
平一三・四・一施行

最終改正 令四・六・二〇規則一四—二一—一

（趣旨）

第一条 この規則は、株式所有により営利企業の経営に参加し得る地位にある職員について、法第百三条第三項の規定による報告の徴収、同条第四項の規定による通知、同条第五項及び第六項の規定による審査請求並びに同条第七項の規定による措置等に関し必要な事項を定めるものとする。

（報告等）

第二条 職員（非常勤職員（法第六十条の二第一項に規定する短時間勤務の官職を占める職員を除く。）及び臨時的職員を除く。以下同じ。）が株式会社の発行済株式の総数の三分の一を超える株式又は特例有限会社（会社法の施行に伴う関係法律の整備等に関する法律（平成十七年法律第八十七号）第三条第二項に規定する特例有限会社をいう。以下同じ。）の発行済株式の四分の一を超える株式を有する場合で、当該株式会社又は当該特例有限会社（以下「会社」という。）が当該職員の在職する国の機関（会計検査院、内閣、人事院、内閣府、デジタル庁、各省並びに宮内庁及び各外局をいう。）又は行政執行法人（以下「在職機関」という。）と密接な関係にあるとき（以下「株式所有により営利企業の経営に参加し得る地位にある場合」という。）は、当該職員は、株式所有状況報告書により、所轄庁の長又は行政執行法人の長（以下「所轄庁の長等」という。）を経由して、人事院に報告しなければならない。

2 前項の「密接な関係」とは、次の各号のいずれかに該当する場合の会社と在職機関との間の関係をいう。

一 会社が在職機関の有する法令に基づく行政上の権限（単に報告を受ける等の権限を除く。）の対象とされている場合

二 株式所有状況報告書の作成の日から五年さかのぼった日の属する年度以降の年度（その日の属する年度にあっては、その日以降の期間に限る。）のうちのいずれかの年度において会社と在職機関との間で締結した契約の総額が二千万円以上である場合

三 会社が在職機関による行政手続法（平成五年法律第八十八号）第二条第六号に掲げる行政指導の対象とされている場合

3 第一項の規定による報告を行うときは、職員は、株式所有により営利企業の経営に参加し得る地位にある場合に該当した日の翌日から起算して三十日以内に次に掲げる事項を記載した株式所有状況報告書を所轄庁の長等に提出するものとする。

一 職員の氏名、所属、官職及び職務内容

二 会社の名称、本店の所在地及び事業内容

三 職員が有する会社の株式の数並びにその取得の原因及び時期

四 会社の発行済株式の総数に占める職員の有する株式の数の割合

五 職員が有する議決権の状況

六 その他人事院の定める事項

4 所轄庁の長等は、第一項の規定により株式所有状況報告書が提出された場合には、次条第一項及び第二項の基準に照らし職員の職務遂行上適当でないかどうかの見解、配置換その他の方法による職員の職務内容の変更の有無及びその他の参考となる事項を記載した書類を添付して遅滞なくこれを人事院に送付するものとする。

★読替え—人事院規則一—五七により一項の「デジタル庁」を「デジタル庁、復興庁」に読み替える。

（職務遂行上適当でないと認める基準等）

第三条 前条第一項の規定による報告を行った職員が次の各号のいずれかに該当すると認める場合は、当該職員の職務遂行上適当でないと認めるものとする。

一 会社に対し行政上の権限（裁量の余地の少ない権限又は軽微な権限で人事院の定めるものを除く。）の行使に携わることを職務内容とする場合

二 在職機関と会社との間の契約の締結又は履行に携わることを職務内容とする場合

2 前項の規定にかかわらず、前条第一項の規定による報告を行った職員が前項各号のいずれかに該当する場合であって、次の各号のいずれかに該当すると認めるときは、当該職員の職務遂行上適当でないと認めないものとする。

一 会社の議決権の総数に占める職員の有する議決権の数の割合が、株式会社にあっては三分の一以下、特例有限会社にあっては四分の一以下である場合

二 会社が規則一四—一七（研究職員の技術移転事業

者の役員等との兼業）第二条第二項に規定する技術移転事業者又は規則一四―一八（研究職員の研究成果活用企業の役員等との兼業）第二条第二項に規定する研究成果活用企業である場合であって、職員が規則一四―一七第四条第一項又は規則一四―一八第四条第一項の規定によりその役員等（役員（監査役を除く。）、顧問又は評議員をいう。）の職を兼ねることについて承認されているとき。

三　その他人事院の定める場合

3　人事院は、前条第一項の規定による報告を受理した場合には、前二項の基準に照らし職員の職務遂行上適当でないかどうかについて判断し、所轄庁の長等を経由して、その結果を当該職員に対し通知するものとする。

（報告を徴する権限の委任等）

第三条の二　人事院は、法第百三条第三項の規定により第二条第一項の報告を徴する権限のうち、次の各号のいずれかに該当する場合のものを、所轄庁の長等に委任する。

一　職員が前条第一項各号のいずれにも該当しない場合

二　職員が前条第一項各号のいずれかに該当する場合であって、同条第二項第一号又は第二号のいずれかに該当するとき。

2　前項の規定により人事院の権限が所轄庁の長等に委任された場合における第二条の規定の適用については、同条第一項中「という。）」を経由して、人事院」とあるのは、「という。）」とし、同条第四項の規定は、適用しない。

3　所轄庁の長等は、前項の規定により読み替えて適用される第二条第一項の規定による報告を受理した場合には、第一項の規定により人事院への報告を要しない報告である旨を当該報告を行った職員に対し通知するものとする。

（審査請求）

第四条　第三条第三項の規定により職務遂行上適当でないと認める通知を受けた職員は、その通知の内容について不服があるときは、人事院に法第百三条第五項に規定する審査請求をすることができる。

2　人事院は、通知の内容が正当であると認めるときは、裁決で、審査請求を棄却する。

3　人事院は、通知の内容が正当でないと認めるときは、裁決で、審査請求の対象となった通知の内容を変更する。

4　前三項に定めるもののほか、審査請求の手続については、規則一三―一（不利益処分についての審査請求）の規定の例による。

（職務遂行上適当でないと認められた場合の措置等）

第五条　第三条第三項の規定により職務遂行上適当でないと認める通知を受けた職員のうち、前条第一項の審査請求をしなかった者及び前条第二項の裁決を受けた者（以下「職務遂行上適当でないと認められた職員」という。）は、前条第一項の審査請求をしなかった者にあっては法第百三条第五項に規定する審査請求の期間が経過した日の翌日から起算して六十日以内に、前条第二項の裁決を受けた者にあっては当該裁決のあった日の翌日から起算して六十日以内に、次に掲げるいずれかの措置等を行わなければならない。ただし、定款の変更等の措置が会社等によって行われたこと又は配置換その他の方法による職務内容の変更の措置が講じられたことにより第七条の規定に基づき第三条第一項及び第二項の基準に照らし当該者の職務遂行上適当でないと認められない旨の確認の通知を受けた場合並びに定款の変更等の措置が会社等によって行われたことに基づき株式所有により営利企業の経営に参加し得る地位にある場合に該当しないこととなったことにより次条第一項の報告を行った場合及び第九条第一項の報告を行った場合にあっては、この限りではない。

一　株式所有により営利企業の経営に参加し得る地位にある場合に該当しないこととなる措置

二　第三条第一項及び第二項の基準に照らし職務遂行上適当でないと認められないこととなる措置

三　辞職の申出

2　人事院は、職務遂行上適当でないと認められた職員の申出に基づき、株式の譲渡について取締役会の承認を要する場合その他やむを得ない事情があると認められる場合は、前項の期限を延長することができる。

（措置を講じた職員の報告等）

第六条　職務遂行上適当でないと認められた職員は、前条第一項第一号若しくは第二号の措置を講じたとき又は会社等により行われた定款の変更等の措置により株式所有により営利企業の経営に参加し得る地位にある場合に該当しないこととなったとき若しくは第三条第一項及び第二項の基準に照らし職務遂行上適当でないと認められないこととなったと思料するときは、直ちにその内容を所轄庁の長等に報告するものとする。

2　所轄庁の長等は、前項の規定による報告を受理したとき、職務遂行上適当でないと認められた職員が辞職したとき又は配置換その他の方法による職務内容の変更の措置により第三条第一項及び第二項の基準に照らし職員の職務遂行上適当でないと認められないこととなったと思料するときは、直ちにその内容を人事院に報告するものとする。

（人事院の確認通知）

第七条　人事院は、前条第二項の報告があった場合（職務遂行上適当でないと認められた職員が、株式所有により営利企業の経営に参加し得る地位にある場合に該当しないこととなったとき及び辞職したときを除く。）には、第三条第一項及び第二項の基準に照らし職員の職務遂行上適当でないと認められないかどうかについて確認し、所轄庁の長等を経由して、その結果を当該職員に対し通知するものとする。

（職務遂行上適当でないと認められなかった職員等の報告等）

第八条　第三条第三項、第四条第三項又は前条の規定（第三項の規定によりこれらの規定の例によることとされる場合を含む。）により第三条第一項及び第二項の基準に照らし職務遂行上適当でないと認められなかった職員（次項において「職務遂行上適当でないと認められなかった職員」という。）及び第三条の二第三項の通知を受けた職員は、次の各号のいずれかに該当することとなった場合には、その旨を所轄庁の長等に報告するものとする。

一　会社の事業内容に変更があった場合

二　第三条第二項各号のいずれにも該当しないこととなった場合

２　所轄庁の長等は、職務遂行上適当でないと認められなかった職員及び第三条の二第三項の通知を受けた職員について、前項の規定による報告を受理した場合又は配置換その他の方法によりその職員の職務内容が変更された場合において、これら職員の職務内容が第三条第一項各号のいずれかに該当する場合であって、同条第二項第一号及び第二号のいずれにも該当しないときは、その内容を人事院に報告するものとする。

３　前項の報告があった場合においては、第三条及び第四条から前条までの規定の例による。この場合において、第三条中「前条第一項の規定による報告」とあるのは、「第八条第二項の規定による報告」とする。

（経営に参加し得る地位の変更の場合の報告）

第九条　第二条第一項の規定による報告を行った職員は、第六条第一項の規定（前条第三項の規定によりその例によることとされる場合を含む。）による報告を行う場合のほか、株式所有により営利企業の経営に参加し得る地位にある場合に該当しないこととなったときは、その旨を所轄庁の長等に報告するものとする。

２　所轄庁の長等は、前項の規定による報告（第三条の二第三項の通知を受けた職員からのものについては、当該職員について前条第二項の規定による報告を行った場合に限る。）を受理したときは、その内容を人事院に報告するものとする。

（報告又は資料の請求等）

第十条　人事院は、必要があると認めるときは、第二条第一項の規定による報告を行った職員又はその所轄庁の長等に対し、株式所有の状況について報告又は資料を求めることができる。この場合において、職員に対する報告又は資料の請求及び職員による報告又は資料の提出は、それぞれその所轄庁の長等を経由して行うものとする。

（雑則）

第十一条　株式所有状況報告書の様式その他この規則の実施に関し必要な事項は、人事院が定める。

附　則（抄）

１　この規則は、平成十三年四月一日から施行する。

２　この規則の施行の日の前日までに株式所有等により営利企業の経営に参加し得る地位にある場合に該当する職員に対する第二条第三項の規定の適用については、同項中「株式所有等により営利企業の経営に参加し得る地位にある場合に該当した日」とあるのは、「この規則の施行の日」とする。

★人事院規則一―五七（復興庁設置法の施行に伴う関係人事院規則の適用の特例等に関する人事院規則）（平二四・二・一〇規則一―五七）（抄）

改正　令三・九・一規則一―七七

（復興庁が廃止されるまでの間における人事院規則の適用の特例）

第一条　復興庁が廃止されるまでの間における次の表の第一欄に掲げる規則の規定の適用については、同欄に掲げる規則の同表の第二欄に掲げる規定中同表の第三欄に掲げる字句は、それぞれ同表の第四欄に掲げる字句とする。

〔略〕			
規則一四―一二（株式所有により営利企業の経営に参加し得る地位にある職員の報告等）	第二条第一項	デジタル庁	デジタル庁、復興庁
〔略〕			

2～4　〔略〕

附　則

この規則は、公布の日から施行する。

【兼業】

○職員の兼業の許可に関する政令

昭四一・二・一〇
政令一五

最終改正　令四・三・三〇政令一二九

（権限の委任）

第一条　内閣総理大臣は、次に掲げる職員に関する国家公務員法第百四条の規定による許可（以下「兼業の許可」という。）に関するその権限を当該職員の所轄庁の長に委任することができる。

一　一般職の職員の給与に関する法律（昭和二十五年法律第九十五号）の適用を受ける職員で次に掲げるもの

イ　その属する職務の級が行政職俸給表㈠の七級以下の級である職員

ロ　行政職俸給表㈡の適用を受ける職員

ハ　その属する職務の級が専門行政職俸給表の五級以下の級である職員

ニ　その属する職務の級が税務職俸給表の七級以下の級である職員

ホ　その属する職務の級が公安職俸給表㈠の八級以下の級である職員

ヘ　その属する職務の級が公安職俸給表㈡の七級以下の級である職員

ト　その属する職務の級が海事職俸給表㈠の六級以下の級である職員

チ　海事職俸給表㈡の適用を受ける職員

リ　教育職俸給表の適用を受ける職員

ヌ　研究職俸給表の適用を受ける職員

ル　医療職俸給表㈠の適用を受ける職員

ヲ　その属する職務の級が医療職俸給表㈡の七級以下の級である職員

ワ　医療職俸給表㈢の適用を受ける職員

カ　福祉職俸給表の適用を受ける職員

ヨ　専門スタッフ職俸給表の適用を受ける職員

タ　一般職の任期付研究員の採用、給与及び勤務時間の特例に関する法律（平成九年法律第六十五号）第六条第一項又は第二項に規定する俸給表の適用を受ける職員

二　副検事

2　内閣総理大臣は、前項の規定によるほか、職員が地方公共団体の非常勤の職員（地方自治法（昭和二十二年法律第六十七号）第百三十八条の四第一項の規定により置かれる委員会の委員若しくは同項の規定により置かれる委員又は地方公務員法（昭和二十五年法律第二百六十一号）第二十二条の四第一項に規定する短時間勤務の職を占める職員を除く。）の職を兼ねる場合における兼業の許可に関するその権限を当該職員の所轄庁の長に委任することができる。

（職務専念義務の免除）

第二条　職員は、兼業の許可が与えられたときは、その許可の範囲内で、その割り振られた正規の勤務時間の一部をさくことができる。

（非常勤職員及び臨時的職員に関する特例）

第三条　非常勤職員（国家公務員法第六十条の二第一項に規定する短時間勤務の官職を占める職員を除く。）及び臨時的職員については、同法第百四条の規定は、適用しない。

附　則

この政令は、昭和四十一年二月十九日から施行する。

○職員の兼業の許可に関する内閣官房令

昭四一・二・一〇
総　理　府　令　五

最終改正　令二・一・三一内閣官房令一

（兼業の許可の基準）

第一条　内閣総理大臣及び所轄庁の長は、兼業の許可の申請があつた場合においては、その職員の占めている官職と国家公務員法（昭和二十二年法律第百二十号）第百四条の団体、事業又は事務との間に特別の利害関係がなく、又はその発生のおそれがなく、かつ、職務の遂行に支障がないと認めるときに限り、許可することができる。

（兼業の許可の申請）

第二条　兼業の許可の申請は、別記様式の兼業許可申請書でしなければならない。

（内閣総理大臣に対する申請）

第三条　内閣総理大臣に対する兼業の許可の申請は、所轄庁の長を経由しなければならない。

2　前項の場合においては、所轄庁の長は、当該兼業の許可を与えてから前条の兼業許可申請書を内閣総理大臣に対して提出しなければならない。

（許可台帳の整備）

第四条　内閣総理大臣及び所轄庁の長は、職員の兼業の許可に関する台帳を備え、これに次に掲げる事項を記載するものとする。

一　許可年月日

二　職員の氏名及びその占める官職並びにその適用を受ける俸給表の種類及びその属する職務の級

三　兼業先及びその職名

四　兼業予定期間

（権限の委任）

第五条　職員の兼業の許可に関する政令（昭和四十一年政令第十五号）第一条第一項各号に掲げる職員で次に掲げるもの以外のものに関する兼業の許可及び職員が同条第二項に規定する職を兼ねる場合における兼業の許可に関する内閣総理大臣の権限は、当該職員の所轄庁の長に委任する。

一　その属する職務の級が研究職俸給表の五級又は六級である職員

二　その属する職務の級が医療職俸給表(一)の三級、四級又は五級である職員

三　その属する職務の級が専門スタッフ職俸給表の二級、三級又は四級である職員

四　一般職の任期付研究員の採用、給与及び勤務時間の特例に関する法律（平成九年法律第六十五号）第六条第一項に規定する俸給表の適用を受ける職員

2　前項第一号、第二号又は第四号に掲げる職員で科学技術・イノベーション創出の活性化に関する法律（平成二十年法律第六十三号）第二条第十二項の研究公務員であるものが同法第十七条第一項の共同研究等その他これに類する研究に従事する場合における兼業の許可に関する内閣総理大臣の権限は、前項の規定にかかわらず、当該職員の所轄庁の長に委任する。

附　則

この府令は、昭和四十一年二月十九日から施行する。

（別記様式）　　　　　　　　　　　（表）

兼　業　許　可　申　請　書

（注意）□のついた項目は該当する□の中にレ印を入れ、数字は算用数字を使ってください。

（内閣総理大臣）＿＿＿＿＿＿＿＿殿　　　　　年　　月　　日
（所轄庁の長）＿＿＿＿＿＿＿＿殿

（申請者）

国家公務員法第104条の規定により所轄庁の長及び内閣総理大臣の許可を申請します。

1 申請者について

氏名（ふりがな）	生年月日　　　　年　　月　　日生
	現住所

2 官職について

所属局課名	職務内容と責任の程度
所在地	
官（役）職名	
俸　給 ＿＿職俸給表　（　　）＿＿級　＿＿号俸	
勤務時間　＿＿＿＿から＿＿＿＿まで 平均して、1月＿＿日、1日＿＿時間 週延べ＿＿＿＿時間	

3 兼業先について

勤務先	兼業先の事業内容 （兼業先の区分：＿＿＿＿）
所在地	
職　名	
報　酬 □総額　□月額　□時給　□その他＿＿＿＿円	
勤務時間 □常勤　□非常勤　＿＿＿＿から＿＿＿＿まで 平均して、1月＿＿日、1日＿＿時間 週延べ＿＿＿＿時間	職務内容と責任の程度
兼業予定期間　□新規　□継続 年　　月　　日から 年　　月　　日まで	

（裏）

4 兼業が官職に与える影響

（割り振られた正規の勤務時間の一部を割く必要のある場合は、割く時間数を記入すること。）

5 兼業を必要とする理由

上記の兼業を許可する。

年　　月　　日

（所轄庁の長）

【文書番号：　　　　　　　　　　】

上記の兼業を許可する。

年　　月　　日

（内閣総理大臣）

【文書番号：　　　　　　　　　　】

○職員の兼業の許可について

昭四一・二・一一
総人局九七

最終改正　令二・一・三一閣人人―六一

先般の国家公務員法の一部改正に伴い、職員の兼業の許可に関する政令（昭和四十一年政令第十五号）および職員の兼業の許可に関する総理府令（昭和四十一年総理府令第五号）が昭和四十一年二月十日公布され、来たる二月十九日から施行されることになつた。

したがつて、国家公務員法第百四条の規定による許可については、従来の人事院規則一四―八（職員が官職以外の職務又は業務に従事する場合）に替わつて、来たる二月十九日からは前記の政令および総理府令により運用されることになつたので、貴職におかれては、下記の事項に留意のうえ、その適正な運用に十分配慮されるようお願いする。

記

第一　許可権限の委任に関する事項

1　兼業の許可に関する内閣総理大臣の権限の所轄庁の長への委任については、政令第一条（権限の委任）および内閣官房令第五条（権限の委任）の規定により、教育職俸給表の適用を受ける職員を除いては、従来どおりであること。

2　所轄庁の長が、委任された兼業の許可に関する内閣総理大臣の権限を、さらに部内の職員に委任することについては、兼業の許可に関する権限を部内の職員に委任できる旨の国家公務員法上の規定がないので、要すれば、部内の専決等により処理されたいこと。

第二　職務専念義務の免除に関する事項

1　政令第二条（職務専念義務の免除）では、さかれた勤務時間についての給与の減額については規定されていないが、これについては、人事院規則一四―八第五項の規定により、従来どおり減額されることになること。

2　勤務時間をさく必要がある場合には、兼業許可申請書にさく時間数を明記すること。

3　現実に勤務時間をさく場合には、そのつど機関の長の承認を得なければならないものであること。

第三　許可基準に関する事項

1　内閣官房令第一条（兼業の許可の基準）の規定の趣旨は、従来と同様であること。

2　兼業の許可に関する申請が次の各号の一に該当する場合には、原則として、許可しない取扱いとされたいこと。

(1)　兼業のため勤務時間をさくことにより、職務の遂行に支障が生ずると認められるとき。

(2)　兼業による心身の著しい疲労のため、職務遂行上その能率に悪影響を与えると認められるとき。

(3)　兼業しようとする職員が在職する国の機関と兼業先との間に、免許、認可、許可、検査、税の賦課、補助金の交付、工事の請負、物品の購入等の特殊な関係があるとき。

(4)　兼業する事業の経営上の責任者となるとき。

(5)　兼業することが、国家公務員としての信用を傷つけ、または官職全体の不名誉となるおそれがあると認められるとき。

3　兼業の許可は、原則として、二年をこえない期間について与える取扱いとされたいこと。

第四　申請に関する事項

内閣官房令で定められた申請の方法及び手続は、従来のものと差異はないが、特に次の事項については留意されたいこと。

(1)　申請する場合には、相当の期間をおいて、事前に行なわなければならないこと。

(2)　申請する場合には、内閣官房令別記様式で定められた兼業許可申請書によらなければならないこと。

(3)　内閣総理大臣に対する申請は所轄庁の長を経由しなければならず、また、この場合において所轄庁の長は当該兼業の許可を与え、その旨を明示した兼業許可申請書を提出しなければならないこと。

第五　許可台帳に関する事項

1　内閣官房令第四条（許可台帳の整備）の規定に基づき、所轄庁の長は、兼業の許可に関する台帳を備えなければならないこと。

2　許可台帳は、兼業先を次のように区分して許可年月日順に調製すること。

(1)　特別職
(2)　地方公共団体
(3)　学校（上記以外のものに属するもの）
(4)　研究所（同上）
(5)　営利企業
(6)　その他

第六　官職に異動が生じた場合に関する事項

1　兼業の許可を受けた職員が昇任、転任、配置換等により官職を異動した場合における取扱いについては、兼業の許可は当該職員の現に占めている官職との関係を考慮して与えられるものであるから、官職に異動が生じた後も引き続き兼業するときは、必ず新たに許可を受けさせなければならないこと。

2 前記の許可の更新は、当該異動後一月以内に行なわせるものとすること。

3 前記1の場合において、例えば行政職俸給表㈠の適用を受ける職員の属する職務の級が五級から六級に昇格しただけの場合のように実質的な官職の異動がなく、かつ、政令第一条（権限の委任）および内閣官房令第五条（権限の委任）の規定により許可権者についても異動がないような場合等は、除外するものとすること。

第七 兼業の許可状況の報告に関する事項

兼業の許可を申請してきたもののうち、政令第一条（権限の委任）および内閣官房令第五条（権限の委任）の規定により、内閣総理大臣の許可権限が所轄庁の長に委任されているものに関して、毎年一月一日から六月三十日までの間に許可したものについては七月三十一日までに、毎年七月一日から十二月三十一日までの間に許可したものについては翌年一月三十一日までに、許可台帳調製の区分別の件数を内閣官房内閣人事局へ報告すること。

○大学の教員との兼業の許可について

平一六・三・八
総人恩総一六三

国家公務員法第百四条の規定による許可については、職員の兼業の許可に関する政令（昭和四十一年政令第十五号）及び職員の兼業の許可に関する内閣府令（昭和四十一年総理府令第五号）により運用されているところであるが、平成十六年四月一日以降、学校教育法（昭和二十二年法律第二十六号）第一条に規定する大学の教員との兼業を行う場合は、「職員の兼業の許可について」（昭和四十一年二月十一日総人局第九十七号）によるほか、本通知により取り扱うこととしたので、貴職におかれては、下記の事項に留意の上、その適正な運用に十分配慮されたい。

記

第一 許可基準に関する事項

1 大学の教員との勤務時間をさく兼業の許可を受けようとする場合において、当該許可の申請が次の各号のいずれにも該当するときは、許可することができること。

(1) 兼業先の職務内容が職員の職務上得た専門的知識・経験等を社会に還元するものであるとともに、公務の活性化に資するものであるとき。

(2) 兼業先の職務内容が公務に優先する政策的意義を有するものであるとき。

(3) 職員の職務内容と密接に関連すると認められるとき等、兼業先の職務内容を他の者が行うことが困難であるとき。

(4) 勤務時間をさく予定の日時における兼業先の職務を正規の勤務時間外に行うことが困難であるとともに、兼業のため勤務時間をさくことにより公務の運営に支障が生じないと認められるとき。

2 大学の教員との勤務時間をさく兼業の許可は、原則として、一年を超えない期間について与える取扱いとされたいこと。

なお、許可を得て兼業の期間を更新することは差し支えないこと。

第二 職務専念義務の免除に関する事項

大学の教員との兼業のため勤務時間をさく場合は、次の事項に留意されたいこと。

(1) 大学の教員との兼業のため勤務時間をさく場合は、さかれた勤務時間については、人事院規則一四—八第五項の規定により、給与が減額されることになること。

(2) 勤務時間をさく必要がある場合は、兼業許可申請書にさく時間数を明記すること。

○専門スタッフ職職員の兼業の許可について

平二〇・四・一
総人恩総三八二

改正　平二八・三・三〇閣人人—二六八

一般職の職員の給与に関する法律等の一部を改正する法律の一部の施行に伴う関係政令の整備に関する政令（平成二十年政令第六十七号）が平成二十年三月二十六日に、職員の兼業の許可に関する内閣府令の一部を改正する内閣府令（平成二十年内閣府令第十二号）が同月二十八日にそれぞれ公布され、同年四月一日から施行された。

これにより、一般職の職員の給与に関する法律（昭和二十五年法律第九十五号。以下「給与法」という。）別表第十専門スタッフ職俸給表の適用を受ける職員（以下「専門スタッフ職職員」という。）が兼業する場合の一部につき、国家公務員法（昭和二十二年法律第百二十号）第百四条の規定による職員の兼業の許可に関する内閣総理大臣の権限を所轄庁の長に委任することとなったが、専門スタッフ職職員の兼業については、「職員の兼業の許可について」（昭和四十一年二月十一日総人局第九十七号）（第三2⑶を除く。）及び「大学の教員との兼業の許可について」（平成十六年三月八日総人恩総第百六十三号）によるほか、本通知により取り扱うこととしたので、貴職におかれては、下記の事項に留意の上、その適正な運用に十分配慮されたい。

記

1　今回の改正は、給与法別表第十専門スタッフ職俸給表の一級の職員に関する国家公務員法第百四条の規定による許可に関する内閣総理大臣の権限を所轄庁の長に委任することとするものであること。

2　専門スタッフ職職員に係る兼業の許可に当たっては、当該許可の申請が次の各号のいずれにも該当するときは、許可することができること。

⑴　兼業先の業務内容が公共の政策に関する調査研究を行うものであって、その職務内容が行政の特定の分野における高度の専門的な知識経験に基づく調査、研究、情報の分析等を行うものであるとき。

⑵　兼業先の職務内容が職員の職務上得た高度の専門的な知識経験を社会に還元するものであるとともに、公務の活性化に資するものであるとき。

⑶　高度の専門的な知識経験に照らして、兼業先の職務内容をその者が行うことが適当であるとき。

3　専門スタッフ職職員が兼業しようとする日前三年間占めていた官職と兼業先との間に、免許、認可、許可、検査、税の賦課、補助金の交付、工事の請負、物品の購入等の特殊な関係がある場合には、原則として、許可しない取扱いとすること。

4　専門スタッフ職職員の勤務時間については、人事院規則一五—一四（職員の勤務時間、休日及び休暇）第三条第二項第二号の規定による職員の申告を経て割り振ることができる勤務時間の割振りは公務能率の向上に資すると認められる場合に執られる措置であり、いやしくも兼業を目的としたものとならないよう留意されたいこと。

○人事院規則一四—八（営利企業の役員等との兼業）

昭二五・一〇・二公布
昭二五・一〇・二施行

最終改正　令四・二・一八規則一—七九

1　職員が営利企業を営むことを目的とする会社その他の団体の役員、顧問若しくは評議員の職を兼ね又は自ら営利企業を営むこと（以下「役員兼業等」という。）については、人事院又は次項の規定により委任を受けた者は、その職員の占めている官職と当該営利企業との間に特別な利害関係又はその発生のおそれがなく、かつ、営利企業に従事しても職務の遂行に支障がないと認められる場合であって法の精神に反しないと認められる場合として人事院が定める場合のほかは、法第百三条第二項の規定により、これを承認することができない。

2　人事院は、法第百三条第二項の規定により職員の役員兼業等に承認（次に掲げる職員以外の職員については、自ら営利企業を営むことの承認に限る。）を与える権限を所轄庁の長又は行政執行法人の長（以下「所轄庁の長等」という。）に委任する。所轄庁の長等は、その委任された権限を部内の上級の職員に委任することができる。

一　給与法の適用を受ける職員で次に掲げるもの

イ　行政職俸給表㈠の職務の級七級以下の職員

ロ　行政職俸給表㈡の適用を受ける職員

ハ　専門行政職俸給表の職務の級五級以下の職員

ニ 税務職俸給表の職務の級七級以下の職員
ホ 公安職俸給表㈠の職務の級八級以下の職員
ヘ 公安職俸給表㈡の職務の級七級以下の職員
ト 海事職俸給表㈠の職務の級六級以下の職員
チ 海事職俸給表㈡の適用を受ける職員
リ 教育職俸給表㈠の職務の級三級以下の職員
ヌ 教育職俸給表㈡の適用を受ける職員
ル 研究職俸給表の職務の級四級以下の職員
ヲ 医療職俸給表㈠の職務の級二級以下の職員
ワ 医療職俸給表㈡の職務の級七級以下の職員
カ 医療職俸給表㈢の適用を受ける職員
ヨ 福祉職俸給表の適用を受ける職員
タ 専門スタッフ職俸給表の職務の級一級の職員

二 任期付研究員法第三条第一項第二号の規定により任期を定めて採用された職員

三 副検事

四 行政執行法人の職員

3 所轄庁の長は、人事院の定めるところにより、毎年一回、当該所轄庁の長等又はその委任を受けた者が第一項の規定により与えた承認の状況を人事院に報告しなければならない。

4 人事院は、所轄庁の長等又はその委任を受けた者の与えた承認が第一項の規定に反すると認める場合には、これを取り消すことができる。

5 職員が法第百三条又は法第百四条の規定による承認又は許可を得て官職以外の業務に従事するためにその勤務時間をさく場合においては、さかれた勤務時間については給与を減額する。

6 非常勤職員（法第六十条の二第一項に規定する短時間勤務の官職を占める職員を除く。）及び臨時的職員については、法第百三条第一項の規定は適用しない。

7 この規則に定める承認の手続に関し必要な事項は、事務総長が定める。

〇人事院規則一四―八（営利企業の役員等との兼業）の運用について

昭三一・八・二三
職職―五九九

最終改正 令二・一二・一五職審―三三三

第一項関係

1 「営利企業を営むことを目的とする会社その他の団体」とは、商業、工業、金融業等利潤を得てこれを構成員に配分することを主目的とする企業体をいう。会社法（平成十七年法律第八十六号）上の会社のほか、法律によつて設立される法人等で、主として営利活動を営むものがこれに該当する。

2 「役員」とは、取締役、執行役、会計参与、監査役、業務を執行する社員、理事、監事、支配人、発起人及び清算人をいう。

3 「自ら営利企業を営むこと」（以下「自営」という。）とは、職員が自己の名義で商業、工業、金融業等を経営する場合をいう。なお、名義が他人であつても本人が営利企業を営むものと客観的に判断される場合もこれに該当する。

4 前項の場合における次の各号に掲げる事業の経営が当該各号に定める場合に該当するときは、当該事業の経営を自営に当たるものとして取り扱うものとする。

一 農業、牧畜、酪農、果樹栽培、養鶏等 大規模に経営され客観的に営利を主目的とすると判断される

場合

二　不動産又は駐車場の賃貸　次のいずれかに該当する場合

(1)　不動産の賃貸が次のいずれかに該当する場合

イ　独立家屋の賃貸については、独立家屋の数が五棟以上であること。

ロ　独立家屋以外の建物の賃貸については、貸与することができる独立的に区画された一の部分の数が十室以上であること。

ハ　土地の賃貸については、賃貸契約の件数が十件以上であること。

ニ　賃貸に係る不動産が劇場、映画館、ゴルフ練習場等の娯楽集会、遊技等のための設備を設けたものであること。

ホ　賃貸に係る建物が旅館、ホテル等特定の業務の用に供するものであること。

(2)　駐車場の賃貸が次のいずれかに該当する場合

イ　建築物である駐車場又は機械設備を設けた駐車場であること。

ロ　駐車台数が十台以上であること。

(3)　不動産又は駐車場の賃貸に係る賃貸料収入の額（これらを併せて行つている場合には、これらの賃貸に係る賃貸料収入の額の合計額）が年額五百万円以上である場合

(4)　(1)又は(2)に掲げる不動産等の賃貸と同様の事情にあると認められる場合

三　太陽光電気（太陽光発電設備を用いて太陽光を変換して得られる電気をいう。以下同じ。）の販売　販売に係る太陽光発電設備の定格出力が十キロワット以上である場合

5　「人事院が定める場合」は、次に掲げる場合とする。

一　不動産又は駐車場の賃貸に係る自営を行う場合で、次に掲げる基準のいずれにも適合すると認められるとき。

(1)　職員の官職と承認に係る不動産又は駐車場の賃貸との間に特別な利害関係又はその発生のおそれがないこと。

(2)　入居者の募集、賃貸料の集金、不動産の維持管理等の不動産又は駐車場の賃貸に係る管理業務を事業者に委ねること等により職員の職務の遂行に支障が生じないことが明らかであること。

(3)　その他公務の公正性及び信頼性の確保に支障が生じないこと。

二　太陽光電気の販売に係る自営を行う場合で、次に掲げる基準のいずれにも適合すると認められるとき。

(1)　職員の官職と承認に係る太陽光電気の販売との間に特別な利害関係又はその発生のおそれがないこと。

(2)　太陽光発電設備の維持管理等の太陽光電気の販売に係る管理業務を事業者に委ねること等により職員の職務の遂行に支障が生じないことが明らかであること。

(3)　その他公務の公正性及び信頼性の確保に支障が生じないこと。

三　不動産又は駐車場の賃貸及び太陽光電気の販売以外の事業に係る自営を行う場合で、次に掲げる基準のいずれにも適合すると認められるとき。

(1)　職員の官職と当該事業との間に特別な利害関係又はその発生のおそれがないこと。

(2)　職員以外の者を当該事業の業務の遂行のための責任者としていること等により職員の職務の遂行に支障が生じないことが明らかであること。

(3)　当該事業が相続、遺贈等により家業を継承したものであること。

(4)　その他公務の公正性及び信頼性の確保に支障が生じないこと。

6　前項の「特別な利害関係」とは、補助金等の割当、交付等を行う場合、物件の使用、権利の設定等について許可、認可、免許等を行う場合、生産方式、規格、経理等に対する検査、監査等を行う場合、国税の査定、徴収を行う場合等監督関係若しくは権限行使の関係又は工事契約、物品購入契約等の契約関係をいう。

7　自営の承認を受けた職員が昇任、転任、配置換、併任等により官職に異動を生じた場合（異動前後の自営の承認権者が同一である場合であつて、当該承認権者が異動後の官職と承認に係る自営との間においても特別の利害関係又はその発生のおそれがないと認めるときを除く。）又は承認に係る自営の内容に変更があつた場合には、当該官職の異動又は自営の内容の変更後一月以内に改めて承認を受けなければならない。

第二項関係

この規則により承認しまたは許可する権限は、任命権とは異なるものであるから、本項の規定により権限を再委任する場合には、任命権の委任と必ずしも一致させる必要はない。

第三項関係

この項の規定による報告は、毎年一月末日までに、前年に与えた承認について、次に掲げる事項を記載して行うものとする。

一　承認を与えた職員の氏名、所属、官職、適用俸給表及び職務の級
二　承認を与えた年月日
三　承認を与えた事業に係る次の事項
(1)　不動産等賃貸の場合
イ　賃貸する不動産等の種類、件数及び規模の内訳
ロ　賃貸する不動産等の種類ごとの賃貸料収入の予定年額
ハ　賃貸する不動産等の管理の方法
(2)　太陽光電気の販売の場合
イ　販売に係る太陽光発電設備の定格出力
ロ　収入の予定年額
ハ　販売に係る管理の方法
(3)　不動産等賃貸及び太陽光電気の販売以外の事業の場合
イ　事業の名称、内容及び所在地
ロ　事業の業務の遂行の方法
ハ　事業の継承の事由
ニ　収入の予定年額

第七項関係

自営の承認を申請する場合には、不動産又は駐車場の賃貸に係る自営にあつては別紙第1の様式による自営兼業承認申請書（不動産等賃貸関係）、太陽光電気の販売に係る自営にあつては別紙第2の様式による自営兼業承認申請書（太陽光電気の販売関係）、不動産又は駐車場の賃貸及び太陽光電気の販売以外の事業に係る自営にあつては別紙第3の様式による自営兼業承認申請書（不動産等賃貸及び太陽光電気の販売以外の事業関係）を承認権者に提出するものとする。この場合において、当該自営兼業承認申請書には、それぞれ次に掲げる資料を添付するものとする。

一　自営兼業承認申請書（不動産等賃貸関係）の場合
(1)　不動産登記簿の謄本、不動産の図面等賃貸する不動産等の状況を明らかにする書面
(2)　賃貸契約書の写し等賃貸料収入額を明らかにする書面
(3)　不動産管理会社に管理業務を委託する契約書の写し等不動産又は駐車場の賃貸に係る管理業務の方法を明らかにする書面
(4)　事業主の名義が兼業しようとする職員の名義以外の名義である場合においては、当該事業主の氏名及び当該職員との続柄並びに当該職員の当該事業への関与の度合
(5)　職員の人事記録の写し
(6)　その他参考となる資料

二　自営兼業承認申請書（太陽光電気の販売関係）の場合
(1)　太陽光発電設備の仕様書の写し等太陽光電気の販売に係る太陽光発電設備の定格出力を明らかにする書面
(2)　太陽光電気の販売契約書の写し等太陽光電気の販売の内容を明らかにする書面
(3)　事業者に管理業務を委託する契約書の写し等太陽光電気の販売に係る管理業務の方法を明らかにする書面
(4)　事業主の名義が兼業しようとする職員の名義以外の名義である場合においては、当該事業主の氏名及び当該職員との続柄並びに当該職員の当該事業への関与の度合
(5)　職員の人事記録の写し
(6)　その他参考となる資料

三　自営兼業承認申請書（不動産等賃貸及び太陽光電気の販売以外の事業関係）の場合
(1)　職員が当該事業を継承したことを明らかにする書面
(2)　事業報告書、組織図、事業場の見取り図等当該事業の概要を明らかにする書面
(3)　職員以外の者を当該事業の業務の遂行のための責任者としていることなど職員の職務の遂行に影響がないことを明らかにする調書
(4)　事業主の名義が兼業しようとする職員の名義以外の名義である場合においては、当該事業主の氏名及び当該職員との続柄並びに当該職員の当該事業への関与の度合
(5)　職員の人事記録の写し
(6)　その他参考となる資料

別紙第1

自営兼業承認申請書（不動産等賃貸関係）

文書番号		令和　　年　　月　　日
（承認権者）　　　　　　殿 （所轄庁の長等） 下記について、国家公務員法１０３条第２項の規定により、自営に係る承認を申請します。		
1　兼業職員		
氏名（ふりがな）		生年月日　　年　　月　　日
2　官職等		
官職名	（職務内容）------------------------------------	
所属		
俸給	職俸給表（　　）　　級	
3　兼業先		
賃貸する不動産等	建物	（独立家屋）　　棟　延べ床面積　　m² （マンション等）　室　延べ床面積　　m² 所在地
	土地	貸付件数　　件　面積合計　　m² 用途　　所在地
	駐車場	駐車台数　　台　設備の有無　有□　無□ 所在地
	その他	（娯楽集会、遊技等のための設備を設けた不動産） 種類　　件数・規模 所在地 （旅館、ホテル等特定の業務の用に供する建物） 種類　　件数・規模 所在地
賃貸料収入の予定年額	合　計	円
	建物	（独立家屋）　円 （マンション等）　円
	土地	円
	駐車場	円
	その他	円
不動産又は駐車場の賃貸に係る管理業務の方法	------------------------------------ ------------------------------------	

4　職員の官職と承認に係る不動産又は駐車場の賃貸との間の特別な利害関係の有無
5　職員の職務の遂行への支障の有無
6　その他公務の公正性及び信頼性の確保への支障の有無
7　その他参考事項

兼業を行おうとする職員　　　　　氏　名

上記の記載は真実かつ正確であります。□

令和　　年　　月　　日

（□には職員本人がチェックをする。）

(注) 各欄に記入しきれない場合には、必要に応じて行を追加して差し支えない。

別紙第2

自営兼業承認申請書（太陽光電気の販売関係）

文書番号			令和　　年　　月　　日
（承認権者）　　殿 （所轄庁の長等） 下記について、国家公務員法第１０３条第２項の規定により、自営に係る承認を申請します。			
1　兼業職員			
氏名（ふりがな）			生年月日　　年　　月　　日
2　官職等			
官職名	（職務内容）		
所属			
俸給	職俸給表（　　）　　級		
3　兼業先			
太陽光電気の販売に係る太陽光発電設備の設置状況	設備の所在地		
	発電出力	kW	
	運転開始年月日（予定日）	年　　月　　日	
収入の予定年額		円	
	年間販売量（見込み）	kWh／年	
	販売価格	円／kWh	
太陽光電気の販売に係る管理業務の方法			
4　職員の官職と承認に係る太陽光電気の販売との間の特別な利害関係の有無			
5　職員の職務の遂行への支障の有無			

6　その他公務の公正性及び信頼性の確保への支障の有無

7　その他参考事項

兼業を行おうとする職員　　　　　　　　　　　氏　名

上記の記載は真実かつ正確であります。□
令和　　年　　月　　日
（□には職員本人がチェックをする。）

（注１）各欄に記入しきれない場合には、必要に応じて行を追加して差し支えない。
（注２）発電出力は、太陽電池モジュール又はパワーコンディショナーの定格出力のうちいずれか小さい方を小数１桁まで記載すること。

別紙第３

自営兼業承認申請書　(不動産等賃貸及び太陽光電気の販売以外の事業関係)

文書番号		令和　　年　　月　　日	
（承認権者）　　　　殿 （所轄庁の長等） 　下記について、国家公務員法第１０３条第２項の規定により、自営に係る承認を申請します。			
1　兼業職員			
氏名（ふりがな）		生年月日　　年　　月　　日	
2　官職等			
官職名	（職務内容）		
所属			
俸給	職俸給表（　　）　　級		
3　兼業先			
事業の名称			
所在地			
事業内容			
収入の予定年額	円		
使用人の人数及び職員との続柄			
事業の用に供する土地、建物等の施設の種類・規模及び機械等の機器の種類・数量			
職員が必要とする事業への関与の内容及びその業務への従事時間			
当該事業の継承の事由			

4 職員の官職と承認に係る事業との間の特別な利害関係の有無
5 職員の職務の遂行への支障の有無
6 その他公務の公正性及び信頼性の確保への支障の有無
7 その他参考事項

兼業を行おうとする職員　　　　　　　　　氏　名

上記の記載は真実かつ正確であります。□

令和　　年　　月　　日

（□には職員本人がチェックをする。）

（注）各欄に記入しきれない場合には、必要に応じて行を追加して差し支えない。

○人事院規則一四―一七（研究職員の技術移転事業者の役員等との兼業）

平一二・三・三一公布
平一二・四・一施行

最終改正　令四・二・一八規則一―七九

（趣旨）

第一条　研究職員が技術移転事業者の役員（会計参与及び監査役を除く。）、顧問又は評議員（以下「役員等」という。）の職を兼ねる場合における法第百三条第二項の規定による承認については、規則一四―八（営利企業の役員等との兼業）の規定にかかわらず、この規則の定めるところによる。

（定義）

第二条　この規則において「研究職員」とは、特定試験研究機関等（大学等における技術に関する研究成果の民間事業者への移転の促進に関する法律（平成十年法律第五十二号。次項において「大学等技術移転促進法」という。）第十一条第一項に規定する特定試験研究機関及び特許法（昭和三十四年法律第百二十一号）第百九条の二第三項第五号に規定する特定試験研究独立行政法人をいう。）の職員（当該特定試験研究機関の長である職員を除く。）のうち研究をその職務の全部又は一部とする者をいう。

2　この規則において「技術移転事業者」とは、営利企業を営むことを目的とする会社その他の団体であって、大学等技術移転促進法第十一条第一項の認定に係る事業又は特許法第百九条の二第三項第五号の事業（第四条第一項第二号において「研究機関認定事業等」という。）を実施するものをいう。

（承認権限の委任）

第三条　人事院は、法第百三条第二項の規定により技術移転兼業（研究職員が技術移転事業者の役員等の職を兼ねることをいう。以下同じ。）に承認を与える権限を所轄庁の長又は行政執行法人の長（以下「所轄庁の長等」という。）に委任する。

2　所轄庁の長等は、前項の規定により委任された権限を部内の上級の職員のうち人事院が指定する者に委任することができる。

（承認の基準等）

第四条　前条第一項又は第二項の規定により技術移転兼業に係る承認の権限の委任を受けた者（以下「承認権者」という。）は、技術移転兼業について法第百三条第二項の申出があった場合において、当該申出に係る技術移転兼業が次に掲げる基準のいずれにも適合すると認めるときは、これを承認するものとする。

一　技術移転兼業を行おうとする研究職員が、技術に関する研究成果又はその移転について、技術移転事業者の役員等としての職務に従事するために必要な知見を有していること。

二　研究職員が就こうとする役員等としての職務の内容が、主として研究機関認定事業等に関係するものであること。

三　研究職員の占めている官職と承認の申出に係る技術移転事業者（当該技術移転事業者が会社法（平成十七年法律第八十六号）第二条第三号に規定する子会社である場合にあっては、同条第四号に規定する親会社を含む。第六条第三号から第五号までを除き、以下同じ。）との間に、物品購入等の契約関係その他の特別な利害関係又はその発生のおそれがないこと。

四　承認の申出前二年以内に、研究職員が当該申出に係る技術移転事業者との間に、物品購入等の契約関係その他の特別な利害関係のある官職を占めていた期間がないこと。

五　研究職員としての職務の遂行に支障が生じないこと。

六　その他公務の公正性及び信頼性の確保に支障が生じないこと。

2　前項の承認は、役員等の任期等を考慮して定める期限を付して行うものとする。

（承認の申出）

第五条　技術移転兼業に係る承認の申出は、技術移転兼業承認申出書により行うものとする。

（報告）

第六条　第四条第一項の規定により承認を受けて技術移転兼業を行う研究職員は、四月から九月まで及び十月から翌年三月までの期間（第九条において「半期」という。）ごとに、技術移転兼業状況報告書により、次に掲げる事項を承認権者に報告しなければならない。

一　氏名、所属及び官職

二　技術移転事業者の名称

三　技術移転事業者の役員等としての職務の内容

四　技術移転事業者の役員等としての職務に従事した日時等

五　技術移転事業者から受領した報酬及び金銭、物品

その他の財産上の利益（実費弁償を除く。）の種類及び価額並びにその受領の事由

第七条　前条の研究職員は、第五条の技術移転兼業承認申出書に記載された事項のうち技術移転事業者に係る事項で人事院の定めるものに変更があったときは、速やかにその旨を承認権者に報告しなければならない。

（承認の取消し）

第八条　承認権者は、技術移転兼業が第四条第一項の承認の基準に適合しなくなったと認めるときは、その承認を取り消すものとする。

（公表）

第九条　所轄庁の長等は、半期ごとに、技術移転兼業の状況について第六条各号に掲げる事項を公表するものとする。

（人事院の権限）

第十条　人事院は、必要があると認めるときは、所轄庁の長等及び第三条第二項の規定により技術移転兼業に係る承認の権限の委任を受けた者に対し、技術移転兼業に関する事務の実施状況について報告を求め、及び監査を行うことができる。

2　人事院は、技術移転兼業の承認がこの規則の規定に反すると認めるとき又は技術移転兼業が第四条第一項の承認の基準に適合しなくなったと認めるときは、その承認を取り消すことができる。

（技術移転兼業終了後の業務の制限）

第十一条　所轄庁の長等は、技術移転兼業の終了の日から二年間、当該技術移転兼業を行った研究職員を、技術移転兼業に係る技術移転事業者との間に、物品購入等の契約関係その他の特別な利害関係のある業務に従事させないようにしなければならない。

（適用除外）

第十二条　この規則は、非常勤職員（法第六十条の二第一項に規定する短時間勤務の官職を占める職員を除く。）及び臨時的職員については、適用しない。

（雑則）

第十三条　技術移転兼業承認申出書及び技術移転兼業状況報告書の様式その他この規則の実施に関し必要な事項は、人事院が定める。

附　則

1　この規則は、平成十二年四月一日から施行する。

2　平成十三年三月三十一日までの間は、第十二条中「非常勤職員（法第八十一条の五第一項に規定する短時間勤務の官職を占める職員を除く。）」とあるのは、「非常勤職員」とする。

附　則（平一五・八・二九規則一—三九）（抄）

（人事院規則一四—一七の一部改正に伴う経過措置）

5　この規則の施行前に前項の規定による改正前の規則一四—一七第十一条の二第三項の規定によりされた承認又はこの規則の施行の際現に同項の規定によりされている承認の申請は、それぞれ第二条第二項の規定によりされた承認又は承認の申請とみなす。

○人事院規則一四—一七（研究職員の技術移転事業者の役員等との兼業）の運用について

平一二・三・三一　職職—七〇

最終改正　令二・一二・一五職審—三三四

第一条関係

「役員（会計参与及び監査役を除く。）」とは、取締役、執行役、業務を執行する社員、理事、支配人、発起人及び清算人をいう。

第一条第二項関係

「営利企業を営むことを目的とする会社その他の団体」とは、商業、工業、金融業等利潤を得てこれを構成員に配分することを主目的とする企業体をいう。

第三条関係

1　この条の規定により技術移転兼業に係る承認の権限の委任を受けた者は、承認その他の技術移転兼業に関する事務を行うに当たっては、審査会等を設け、その意見を聴取するなどの措置を講ずることにより、その手続の透明性及び公正性の確保を図るなど、当該事務を適正に実施するよう努めるものとする。

2　この条第二項の「人事院が指定する者」は、人事院規則一四—一七（研究職員の技術移転事業者の役員等との兼業）第二条第一項に規定する特定試験研

究機関等（独立行政法人通則法（平成十一年法律第百三号）第二条第四項に規定する行政執行法人であるものを除く。）の長とする。

第四条第一項関係

1　この項第一号の技術に関する研究成果についての知見は、承認の申出に係る技術移転事業者が現に民間事業者に移転しようとしている技術に関する研究成果についての知見に限られないものとする。

2　この項第一号の技術に関する研究成果の移転についての知見とは、特許権、実用新案権等に関する法制度等についての知見をいう。

3　この項第二号の基準には、例えば、次のような場合が適合する。

(1)　研究職員が技術移転事業者の代表取締役社長の職に就こうとする場合において、当該技術移転事業者の主たる事業が研究機関認定事業等であるとき。

(2)　研究職員が技術移転事業者の業務担当取締役の職に就こうとする場合において、主たる担当業務が研究機関認定事業等に関係するものであるとき。

4　承認権者は、承認の申出に係る技術移転兼業がこの項第五号の基準に適合すると認めるに当たっては、技術移転兼業を行おうとする研究職員が所属する部局の長に、当該技術移転兼業に従事する時間及び場所、当該研究職員について割り振られた勤務時間等の具体的事実関係に基づき当該研究職員としての職務の遂行に支障がないことを証する書面を提出させるなど、遺漏のないよう努めるものとする。

5　承認権者は、技術移転兼業を行おうとする研究職員が当該技術移転事業者から受領する金銭、有価証券等すべての財産上の利益について正確に把握し、当該技術移転兼業がこの項第六号の基準に適合すると認めるに当たり、これらの利益が正当なものであることの確認に努めるものとする。

6　承認権者は、承認の申出に係る技術移転兼業がこの項第六号の基準に適合すると認めるに当たり疑義があるときは、人事院に相談するものとする。

第四条第一項及び第十一条関係

1　「特別な利害関係」とは、物品購入契約、工事契約等の契約関係、検査、監査等の監督関係又は許可、認可等の権限行使の関係をいう。

2　前項の契約関係は、契約の締結についての決裁への参画の有無により判断するものとする。ただし、共同研究及び受託研究に係る契約については、契約の締結についての決裁を行う権限の有無により判断するものとする。

第六条関係

この条の規定による報告は、技術移転兼業状況報告書に係る期間の終了後一月以内に行うものとする。

第七条関係

「人事院の定めるもの」は、別紙第1の4の「技術移転事業者の名称」、「事業内容（技術移転事業以外の事業を含む。）」、「技術移転事業者の親会社」、「兼ねようとする役員等の職務内容」及び「役員等の職務への予定従事時間」の欄に記載された事項とする。

第八条関係

承認権者は、技術移転兼業が人事院規則一四―一七第四条第一項の承認の基準に適合しなくなったと認めるに当たっては、第四条第一項関係及び第四条第一項及び第十一条関係の規定に留意するものとする。

第十三条関係

1　技術移転兼業承認申出書の様式は別紙第1のとおりとし、技術移転兼業承認申出書には次に掲げる資料を添付するものとする。

(1)　技術移転兼業に係る研究職員の人事記録の写し

(2)　技術移転兼業を予定する技術移転事業者の定款、組織図及び事業報告

(3)　技術移転兼業に係る研究職員が就こうとする役員等の職名及び職務内容を証する技術移転事業者の作成した書面

(4)　その他参考となる資料

2　技術移転兼業状況報告書の様式は別紙第2のとおりとする。

構造改革特別区域における特例関係

1　人事院規則一四―一七第四条第一項の規定により承認を受けて技術移転兼業を行う研究職員は、当該技術移転兼業が人事院規則一―三九（構造改革特別区域における人事院規則の特例に関する措置）第二条第一項の規定に該当するものである場合には、承認権者の承認を受けて、勤務時間の一部を割くことができることとなっている。なお、その割かれた勤務時間については、給与が減額されることとなっている。

2　承認権者は、人事院規則一―三九第二条第一項の規定に該当する技術移転兼業については、勤務時間の一部を割くことができることを前提として、人事院規則一四―一七第四条第一項の承認を行うことができる。

別紙第１

技術移転兼業承認申出書

文書番号		令和　年　月　日
（承認権者）＿＿＿＿＿＿殿 （申出者）＿＿＿＿＿＿ 下記について、国家公務員法第１０３条第２項及び人事院規則１４－１７第５条の規定により、承認の申出を行います。		
１　兼業予定職員		
氏名（ふりがな）	（　　　　　　　）	
２　官職等		
官職名		
所　属		
俸　給	職俸給表（　　）＿＿級	
３　申出前２年間の在職状況		
官職（俸給表・職務の級）	在職期間	職務内容
 （　　　　　　　）	自 令和　年　月　日 至 令和　年　月　日	
 （　　　　　　　）	自 令和　年　月　日 至 令和　年　月　日	
４　兼業予定先		
技術移転事業者の名称		
所在地		
事業内容（研究機関認定事業等以外の事業を含む。）		
技術移転事業者の親会社	親会社の有・無　　名称： 所在地： 事業内容：	
兼ねようとする役員等の職務内容	□役員（名称）＿＿＿＿　□顧問　□評議員 （代表権：　有　・無　）　（業務担当：　有　・無　） 職務内容： 研究機関認定事業等への関わりの程度：	

報酬の予定年額	＿＿＿＿＿＿円
役員等の職務への予定従事時間	平均して、1月＿日　1日＿時間 週のべ＿＿時間
役員等の任期及び兼業予定期間	（任期：　有・無　＿＿年） 令和　年　月　日から令和　年　月　日まで
5　技術に関する研究成果又はその移転についての知見の有無及びその内容	
6　研究職員の職務の遂行への支障の有無	
7　研究職員が占め、又は申出前2年以内に占めていた官職と技術移転事業者（親会社を含む。）との関係	
8　その他公務の公正性及び信頼性の確保への支障の有無	
9　その他参考事項	

兼業を行おうとする職員　　　　氏　名

上記の記載は真実かつ正確であります。□

令和　年　月　日

（□には職員本人がチェックをする。）

（注）各欄に記入しきれない場合には、必要に応じて行を追加して差し支えない。

別紙第２

技術移転兼業状況報告書

令和　　年　　月　　日

（承 認 権 者）＿＿＿＿＿＿＿＿殿

所属＿＿＿＿＿＿＿＿
官職＿＿＿＿＿＿＿＿
氏名＿＿＿＿＿＿＿＿

国家公務員法第１０３条第２項の規定により承認された技術移転兼業の状況（令和　　年　　月　　日から令和　　年　　月　　日まで）について、下記のとおり報告します。

１　技術移転事業者の名称	
２　技術移転事業者の親会社	（親会社の有・無） 名称：
３　兼ねている役員等の職務内容	□役員（名称）＿＿＿＿　□顧問　□評議員 （代表権：　有　・無　）　（業務担当．　有　・無　） 職務内容：＿＿＿＿＿＿＿＿

４　役員等の職務への従事の状況

日　時	業 務 の 内 容
令和　年　月　日　　時　～　時	
令和　年　月　日　　時　～　時	
令和　年　月　日　　時　～　時	
令和　年　月　日　　時　～　時	
令和　年　月　日　　時　～　時	
令和　年　月　日　　時　～　時	
令和　年　月　日　　時　～　時	
令和　年　月　日　　時　～　時	
令和　年　月　日　　時　～　時	
令和　年　月　日　　時　～　時	
令和　年　月　日　　時　～　時	
令和　年　月　日　　時　～　時	

5　技術移転事業者から受領した報酬及び金銭、物品その他の財産上の利益			
受領年月日	種類	価　額	受領の事由
令和　年　月　日		円	
令和　年　月　日		円	
令和　年　月　日		円	
令和　年　月　日		円	
令和　年　月　日		円	
令和　年　月　日		円	
令和　年　月　日		円	
令和　年　月　日		円	
令和　年　月　日		円	

6　その他参考事項

（注）⑴　５の欄には実費弁償（役員等としての職務の遂行のために受け取った交通費、宿泊費等の経費）を除いた技術移転事業者から受領した全ての報酬及び金銭、物品その他の財産上の利益について記載するものとする。

⑵　５の「種類」の欄には、金銭、有価証券、物品及びその他の別を記載するものとする。

⑶　５の「価額」の欄には、金銭を受領した場合においてはその額を、金銭以外の財産上の利益を受領した場合においてはその利益を時価に見積もった金額を記載するものとする。

⑷　５の「受領の事由」の欄には、役員報酬、役員賞与、株式配当金、特許権等の実施料、指導料及びその他の別を記載するものとする。

⑸　各欄に記入しきれない場合には、別の用紙に記載して添付するものとする。

○人事院規則一四—一八（研究職員の研究成果活用企業の役員等との兼業）

平一二・四・一九公布
平一二・四・二〇施行
最終改正 令四・二・一八規則一—七九

（趣旨）

第一条 研究職員が研究成果活用企業の役員（会計参与及び監査役を除く。）、顧問又は評議員（以下「役員等」という。）の職を兼ねる場合における法第百三条第二項の規定による承認については、規則一四—八（営利企業の役員等との兼業）の規定にかかわらず、この規則の定めるところによる。

（定義）

第二条 この規則において「研究職員」とは、試験研究機関等（大学等における技術に関する研究成果の民間事業者への移転の促進に関する法律（平成十年法律第五十二号）第十一条第一項に規定する特定試験研究機関、特許法（昭和三十四年法律第百二十一号）第百九条の二第三項第五号に規定する特定試験研究独立行政法人、科学技術・イノベーション創出の活性化に関する法律（平成二十年法律第六十三号）第二条第八項に規定する試験研究機関等その他人事院の定める機関をいう。以下この項及び第四条第一項第五号において同じ。）の職員（試験研究機関等の長である職員を除く。）のうち研究をその職務の全部又は一部とする者をいう。

2 この規則において「研究成果活用企業」とは、営利企業を営むことを目的とする会社その他の団体であって、研究職員の研究成果を活用する事業（以下「研究成果活用事業」という。）を実施するものをいう。

（承認権限の委任）

第三条 人事院は、法第百三条第二項の規定により研究成果活用兼業（研究職員が研究成果活用企業の役員等の職を兼ねることをいう。以下同じ。）に承認を与える権限を所轄庁の長又は行政執行法人の長（以下「所轄庁の長等」という。）に委任する。

2 所轄庁の長等は、前項の規定により委任された権限を部内の上級の職員のうち人事院が指定する者に委任することができる。

（承認の基準等）

第四条 前条第一項又は第二項の規定により研究成果活用兼業に係る承認の権限の委任を受けた者（以下「承認権者」という。）は、研究成果活用兼業について法第百三条第二項の申出があった場合において、当該申出に係る研究成果活用兼業が次に掲げる基準のいずれにも適合すると認めるときは、これを承認するものとする。

一 承認の申出に係る研究職員が、当該申出に係る研究成果活用企業の事業において活用される研究成果を自ら創出していること。

二 研究職員が就こうとする役員等としての職務の内容が、主として研究成果活用事業に関係するものであること。

三 研究職員の占めている官職と承認の申出に係る研究成果活用企業（当該研究成果活用企業が会社法（平成十七年法律第八十六号）第二条第三号に規定する子会社である場合にあっては、同条第四号に規定する親会社を含む。第六条第三号から第五号までを除き、以下同じ。）との間に、物品購入等の契約関係その他の特別な利害関係又はその発生のおそれがないこと。

四 承認の申出前二年以内に、研究職員が当該申出に係る研究成果活用企業との間に、物品購入等の契約関係その他の特別な利害関係のある官職を占めていた期間がないこと。

五 研究職員が就こうとする役員等としての職務の内容に、当該研究職員が在職する試験研究機関等に対する契約の締結又は検査等の申請に係る折衝の業務（研究成果活用事業に関係する業務を除く。）が含まれていないこと。

六 研究職員としての職務の遂行に支障が生じないこと。

七 その他公務の公正性及び信頼性の確保に支障が生じないこと。

2 前項の承認は、役員等の任期等を考慮して定める期限を付して行うものとする。

（承認の申出）

第五条 研究成果活用兼業承認の申出は、研究成果活用兼業承認申出書により行うものとする。

（報告）

第六条 第四条第一項の規定により承認を受けて研究成果活用兼業を行う研究職員は、四月から九月まで及び十月から翌年三月までの期間（第九条において「半期」という。）ごとに、研究成果活用兼業状況報告書により、次に掲げる事項を承認権者に報告しなければならない。
一　氏名、所属及び官職
二　研究成果活用企業の名称
三　研究成果活用企業の役員等としての職務の内容
四　研究成果活用企業の役員等としての職務に従事した日時等
五　研究成果活用企業から受領した報酬及び金銭、物品その他の財産上の利益（実費弁償を除く。）の種類及び価額並びにその受領の事由

第七条　前条の研究職員は、第五条の研究成果活用兼業承認申出書に記載された事項のうち研究成果活用企業に係る事項で人事院の定めるものに変更があったときは、速やかにその旨を承認権者に報告しなければならない。

（承認の取消し）

第八条　承認権者は、研究成果活用兼業が第四条第一項の承認の基準に適合しなくなったと認めるときは、その承認を取り消すものとする。

（公表）

第九条　所轄庁の長等は、半期ごとに、研究成果活用兼業の状況について第六条各号に掲げる事項を公表するものとする。

（人事院の権限）

第十条　人事院は、必要があると認めるときは、所轄庁の長等及び第三条第二項の規定により研究成果活用兼業に係る承認の権限の委任を受けた者に対し、研究成果活用兼業に関する事務の実施状況について報告を求め、及び監査を行うことができる。

2　人事院は、研究成果活用兼業の承認がこの規則の規定に反すると認めるとき又は研究成果活用兼業が第四条第一項の承認の基準に適合しなくなったと認めるときは、その承認を取り消すことができる。

（研究成果活用兼業終了後の業務の制限）

第十一条　所轄庁の長等は、研究成果活用兼業の終了の日から二年間、当該研究成果活用兼業を行った研究職員を、研究成果活用兼業に係る研究成果活用企業との間に、物品購入等の契約関係その他の特別な利害関係のある業務に従事させないようにしなければならない。

（適用除外）

第十二条　この規則は、非常勤職員（法第六十条の二第一項に規定する短時間勤務の官職を占める職員を除く。）及び臨時的職員については、適用しない。

（雑則）

第十三条　研究成果活用兼業承認申出書及び研究成果活用兼業状況報告書の様式その他この規則の実施に関し必要な事項は、人事院が定める。

附　則

1　この規則は、平成十二年四月二十日から施行する。

2　平成十三年三月三十一日までの間は、第十二条中「非常勤職員（法第八十一条の五第一項に規定する短時間勤務の官職を占める職員を除く。）」とあるのは、「非常勤職員」とする。

○人事院規則一四—一八（研究職員の研究成果活用企業の役員等との兼業）の運用について

平一二・四・一九
職職—一〇四

最終改正 令二・一二・一五職審—三三五

第一条関係

「役員（会計参与及び監査役を除く。）」とは、取締役、執行役、業務を執行する社員、理事、支配人、発起人及び清算人をいう。

第二条第二項関係

「営利企業を営むことを目的とする会社その他の団体」とは、商業、工業、金融業等利潤を得てこれを構成員に配分することを主目的とする企業体をいう。

第三条関係

1 この条の規定により研究成果活用兼業に係る承認の権限の委任を受けた者は、承認その他の研究成果活用兼業に関する事務を行うに当たっては、審査会等を設け、その意見を聴取するなどの措置を講ずることにより、その手続の透明性及び公正性の確保を図るなど、当該事務を適正に実施するよう努めるものとする。

2 この条第二項の「人事院が指定する者」は、人事院規則一四—一八（研究職員の研究成果活用企業の役員等との兼業）第二条第一項に規定する試験研究機関等（独立行政法人通則法（平成十一年法律第百三号）第二条第四項に規定する行政執行法人であるものを除く。）の長とする。

第四条第一項関係

1 この項第一号の「研究成果」には、特許権、実用新案権等として権利化されたもののほか、論文、学会発表等の形で発表されているものが含まれる。

2 この項第一号の「自らの創出によるもの」とは、研究職員自らの発明、考案等に係る研究成果をいい、当該研究成果に係る権利等の帰属は問わないものとする。

3 この項第二号の基準には、例えば、次のような場合が適合する。

(1) 研究職員が研究成果活用企業の代表取締役社長の職に就こうとする場合において、当該研究成果活用企業の主たる事業が研究成果活用事業であるとき。

(2) 研究職員が研究成果活用企業の業務担当取締役の職に就こうとする場合において、主たる担当業務が研究成果活用事業に関係するものであるとき。

4 承認権者は、承認の申出に係る研究成果活用兼業がこの項第六号の基準に適合すると認めるに当たっては、研究成果活用兼業を行おうとする研究職員が所属する部局の長に、当該研究成果活用兼業に従事する時間及び場所、当該研究職員について割り振られた勤務時間等の具体的事実関係に基づき当該研究職員としての職務の遂行に支障がないことを証する書面を提出させるなど、遺漏のないよう努めるものとする。

5 承認権者は、研究成果活用兼業を行おうとする研究職員が当該研究成果活用企業から受領する金銭、有価証券等すべての財産上の利益について正確に把握し、当該研究成果活用兼業がこの項第七号の基準に適合すると認めるに当たり、これらの利益が正当なものであることの確認に努めるものとする。

6 承認権者は、承認の申出に係る研究成果活用兼業がこの項第七号の基準に適合すると認めるに当たり疑義があるときは、人事院に相談するものとする。

第四条第一項及び第十一条関係

1 「特別な利害関係」とは、物品購入契約、工事契約等の契約関係、検査 監査等の監督関係又は許可、認可等の権限行使の関係をいう。

2 前項の契約関係は、契約の締結についての決裁への参画の有無により判断するものとする。ただし、共同研究及び受託研究に係る契約については、契約の締結についての決裁を行う権限の有無により判断するものとする。

3 第一項の権限行使の関係には、審議会等の委員として、承認の申出に係る研究成果活用企業に対する許可、認可等の可否に直接影響力を有する審議に参画することが含まれる。

第六条関係

この条の規定による報告は、研究成果活用兼業状況報告書に係る期間の終了後一月以内に行うものとする。

第七条関係

「人事院の定めるもの」は、別紙第1の4の「研究成果活用企業の名称」、「研究成果活用企業の事業内容（研究成果活用事業以外の事業を含む。）」、「研究成果活用企業の親会社」、「兼ねようとする役員等の職務内容」及び「役員等の職務への予定従事時間」の欄に記載された事項とする。

第八条関係

承認権者は、研究成果活用兼業が人事院規則一四―一八第四条第一項の承認の基準に適合しなくなったと認めるに当たっては、第四条第一項関係及び第四条第一項及び第十一条関係の規定に留意するものとする。

第十三条関係

1 研究成果活用兼業承認申出書の様式は別紙第1のとおりとし、研究成果活用兼業承認申出書には次に掲げる資料を添付するものとする。

(1) 研究成果活用兼業に係る研究職員の人事記録の写し

(2) 研究成果活用兼業を予定する研究成果活用企業の定款、組織図及び事業報告

(3) 研究成果活用兼業に係る研究職員が就こうとする役員等の職名及び職務内容（在職する試験研究機関等に対する契約の締結又は検定、検査等の申請に係る折衝の業務（研究成果活用事業に関係するものを除く。）の有無を含む。）を証する研究成果活用企業の作成した書面

(4) 研究成果活用企業が研究成果の事業化に関連して国等から受けている支援措置の内容を明らかにする資料

(5) その他参考となる資料

2 研究成果活用兼業状況報告書の様式は別紙第2のとおりとする。

構造改革特別区域における特例関係

1 人事院規則一四―一八第四条第一項の規定により承認を受けて研究成果活用兼業を行う研究職員は、当該研究成果活用兼業が人事院規則一―三九（構造改革特別区域における人事院規則の特例に関する措置）第三条第一項の規定に該当するものである場合には、承認権者の承認を受けて、勤務時間の一部を割くことができることとなっている。なお、その割かれた勤務時間については、給与が減額されることとなっている。

2 承認権者は、人事院規則一―三九第三条第一項の規定に該当する研究成果活用兼業については、勤務時間の一部を割くことができることを前提として、人事院規則一四―一八第四条第一項の承認を行うことができる。

その他

研究成果活用企業の役員等の職を兼ねる場合における研究職員の休職として、人事院規則一一―四（職員の身分保障）第三条第一項第三号の規定による休職がある。

別紙第１

研究成果活用兼業承認申出書

文書番号		令和　　年　　月　　日	
（承認権者）＿＿＿＿＿＿＿殿 （申出者）＿＿＿＿＿＿＿ 下記について、国家公務員法第１０３条第２項及び人事院規則１４－１８第５条の規定により、承認の申出を行います。			
１　兼業予定職員			
氏名（ふりがな）	（　　　　　　　　）		
２　官職等			
官職名			
所属			
俸給	職俸給表（　　）＿＿級		
３　申出前２年間の在職状況			
官職（俸給表・職務の級）	在職期間	職務内容	
 （　　　　　　）	自 令和　　年　　月　　日 至 令和　　年　　月　　日		
 （　　　　　　）	自 令和　　年　　月　　日 至 令和　　年　　月　　日		
４　兼業予定先			
研究成果活用企業の名称			
所在地			
事業内容（研究成果活用事業以外の事業を含む。）			
研究成果活用企業の親会社	親会社の有・無　　名称： 所在地： 事業内容：		
兼ねようとする役員等の職務内容	□役員（名称）＿＿＿＿　□顧問　□評議員 （代表権：　有　・無　）　（業務担当：　有　・無　） 職務内容： 研究成果活用事業への関わりの程度： 在職機関に対する契約の締結の折衝又は検定、検査等の申請に係る折衝の業務（研究成果活用事業に関係する業務を除く。） ：　有・無		

報酬の予定年額	円
役員等の職務への予定従事時間	平均して、1月＿＿日　1日＿＿時間 週のべ＿＿時間
役員等の任期及び兼業予定期間	（任期：　有・無　＿＿＿＿年） 令和　年　月　日から令和　年　月　日まで

5　研究職員自らの創出による研究成果であって、研究成果活用企業が事業において活用することを予定しているものの内容

6　研究職員の職務の遂行への支障の有無

休職の予定：　有（令和　年　月　日から令和　年　月　日まで）・無

7　研究職員が占め、又は申出前2年以内に占めていた官職と研究成果活用企業（親会社を含む。）との関係

8　その他公務の公正性及び信頼性の確保への支障の有無

9　その他参考事項

兼業を行おうとする職員　　　　　氏　名

上記の記載は真実かつ正確であります。□

令和　年　月　日

（□には職員本人がチェックをする。）

（注）各欄に記入しきれない場合には、必要に応じて行を追加して差し支えない。

別紙第２

研究成果活用兼業状況報告書

令和　　年　　月　　日

（承 認 権 者）＿＿＿＿＿＿＿＿殿

所属＿＿＿＿＿＿＿＿
官職＿＿＿＿＿＿＿＿
氏名＿＿＿＿＿＿＿＿

国家公務員法第１０３条第２項の規定により承認された研究成果活用兼業の状況（令和　　年　　月　　日から令和　　年　　月　　日まで）について、下記のとおり報告します。

１　研究成果活用企業の名称	
２　研究成果活用企業の親会社	（親会社の有・無） 名称：
３　兼ねている役員等の職務内容	□役員（名称）＿＿＿＿　□顧問　□評議員 （代表権：　有　・無　）　（業務担当：　有　・無　） 職務内容：＿＿＿＿＿＿＿＿

４　役員等の職務への従事の状況

日　時	業 務 の 内 容
令和　年　月　日　時 ～　時	
令和　年　月　日　時 ～　時	
令和　年　月　日　時 ～　時	
令和　年　月　日　時 ～　時	
令和　年　月　日　時 ～　時	
令和　年　月　日　時 ～　時	
令和　年　月　日　時 ～　時	
令和　年　月　日　時 ～　時	
令和　年　月　日　時 ～　時	
令和　年　月　日　時 ～　時	
令和　年　月　日　時 ～　時	
令和　年　月　日　時 ～　時	

5　研究成果活用企業から受領した報酬及び金銭、物品その他の財産上の利益			
受領年月日	種類	価　額	受領の事由
令和　年　月　日		円	
令和　年　月　日		円	
令和　年　月　日		円	
令和　年　月　日		円	
令和　年　月　日		円	
令和　年　月　日		円	
令和　年　月　日		円	
令和　年　月　日		円	
令和　年　月　日		円	

6　その他参考事項

（注）⑴　休職にされていた期間に係る４の欄の記載については、「日時」の欄に休職の期間を、「業務の内容」の欄に休職にされていた旨を記載するものとする。

⑵　５の欄には実費弁償（役員等としての職務の遂行のために受け取った交通費、宿泊費等の経費）を除いた研究成果活用企業から受領した全ての報酬及び金銭、物品その他の財産上の利益について記載するものとする。

⑶　５の「種類」の欄には、金銭、有価証券、物品及びその他の別を記載するものとする。

⑷　５の「価額」の欄には、金銭を受領した場合においてはその額を、金銭以外の財産上の利益を受領した場合においてはその利益を時価に見積もった金額を記載するものとする。

⑸　５の「受領の事由」の欄には、役員報酬、役員賞与、株式配当金、特許権等の実施料、指導料及びその他の別を記載するものとする。

⑹　各欄に記入しきれない場合には、別の用紙に記載して添付するものとする。

○人事院規則一四—一九（研究職員の株式会社の監査役との兼業）

平一二・四・一九公布
平一二・四・二〇施行

最終改正　令四・二・一八規則一—七九

（趣旨）

第一条　研究職員が株式会社の監査役の職を兼ねる場合における法第百三条第二項の規定による承認については、規則一四—八（営利企業の役員等との兼業）の規定にかかわらず、この規則の定めるところによる。

（定義）

第二条　この規則において「研究職員」とは、試験研究機関等（大学等における技術に関する研究成果の民間事業者への移転の促進に関する法律（平成十年法律第五十二号）第十一条第一項に規定する特定試験研究機関、特許法（昭和三十四年法律第百二十一号）第百九条の二第三項第五号に規定する特定試験研究独立行政法人、科学技術・イノベーション創出の活性化に関する法律（平成二十年法律第六十三号）第二条第八項に規定する試験研究機関等その他人事院の定める機関をいう。以下この条において同じ。）の職員（試験研究機関等の長である職員を除く。）のうち研究をその職務の全部又は一部とする者をいう。

（承認権限の委任）

第三条　人事院は、法第百三条第二項の規定により監査役兼業（研究職員が株式会社の監査役の職を兼ねることをいう。以下同じ。）に承認を与える権限を所轄庁の長又は行政執行法人の長（以下「所轄庁の長等」という。）に委任する。

2　所轄庁の長等は、前項の規定により委任された権限を部内の上級の職員のうち人事院が指定する者に委任することができる。

（承認の基準等）

第四条　前条第一項又は第二項の規定により監査役兼業に係る承認の権限の委任を受けた者（以下「承認権者」という。）は、監査役兼業について法第百三条第二項の申出があった場合において、当該申出に係る監査役兼業が次に掲げる基準のいずれにも適合すると認めるときは、これを承認するものとする。

一　承認の申出に係る研究職員が、当該申出に係る株式会社における監査役の職務に従事するために必要な知見を研究職員の職務に関連して有していること。

二　研究職員の占めている官職と承認の申出に係る株式会社（当該株式会社が会社法（平成十七年法律第八十六号）第二条第三号に規定する子会社である場合にあっては、同条第四号に規定する親会社を含む。第六条第三号及び第四号を除き、以下同じ。）との間に、物品購入等の契約関係その他の特別な利害関係又はその発生のおそれがないこと。

三　承認の申出前二年以内に、研究職員が当該申出に係る株式会社との間に、物品購入等の契約関係その他の特別な利害関係のある官職を占めていた期間がないこと。

四　研究職員としての職務の遂行に支障が生じないこと。

五　その他公務の公正性及び信頼性の確保に支障が生じないこと。

2　前項の承認は、監査役の任期等を考慮して定める期限を付して行うものとする。

（承認の申出）

第五条　監査役兼業に係る承認の申出は、監査役兼業承認申出書により行うものとする。

（報告）

第六条　第四条第一項の規定により承認を受けて監査役兼業を行う研究職員は、四月から九月まで及び十月から翌年三月までの期間（第九条において「半期」という。）ごとに、監査役兼業状況報告書により、次に掲げる事項を承認権者に報告しなければならない。

一　氏名、所属及び官職

二　株式会社の名称

三　株式会社の監査役としての職務に従事した日時等

四　株式会社から受領した報酬及び金銭、物品その他の財産上の利益（実費弁償を除く。）の種類及び価額並びにその受領の事由

第七条　前条の研究職員は、第五条の監査役兼業承認申出書に記載された事項のうち株式会社に係る事項で人事院の定めるものに変更があったときは、速やかにその旨を承認権者に報告しなければならない。

（承認の取消し）

第八条　承認権者は、監査役兼業が第四条第一項の承認の基準に適合しなくなったと認めるときは、その承認を取り消すものとする。

（公表）

第九条　所轄庁の長等は、半期ごとに、監査役兼業の状

況について第六条各号に掲げる事項を公表するものとする。

（人事院の権限）

第十条　人事院は、必要があると認めるときは、所轄庁の長等及び第三条第二項の規定により監査役兼業に係る承認の権限の委任を受けた者に対し、監査役兼業に関する事務の実施状況について報告を求め、及び監査を行うことができる。

２　人事院は、監査役兼業の承認がこの規則の規定に反すると認めるとき又は監査役兼業が第四条第一項の承認の基準に適合しなくなったと認めるときは、その承認を取り消すことができる。

（監査役兼業終了後の業務の制限）

第十一条　所轄庁の長等は、監査役兼業の終了の日から二年間、当該監査役兼業を行った研究職員を、監査役兼業に係る株式会社との間に、物品購入等の契約関係その他の特別な利害関係のある業務に従事させないようにしなければならない。

（適用除外）

第十二条　この規則は、非常勤職員（法第六十条の二第一項に規定する短時間勤務の官職を占める職員を除く。）及び臨時的職員については、適用しない。

（雑則）

第十三条　監査役兼業承認申出書及び監査役兼業状況報告書の様式その他この規則の実施に関し必要な事項は、人事院が定める。

附　則（抄）

１　この規則は、平成十二年四月二十日から施行する。

２　平成十三年三月三十一日までの間は、第十二条中「非常勤職員（法第八十一条の五第一項に規定する短時間勤務の官職を占める職員を除く。）」とあるのは、「非常勤職員」とする。

○人事院規則一四―一九（研究職員の株式会社の監査役との兼業）の運用について

平一二・四・一九
職職―一〇五

最終改正　令二・一二・一五職審―三三六

第三条関係

１　この条の規定により監査役兼業に係る承認の権限の委任を受けた者は、承認その他の監査役兼業に関する事務を行うに当たっては、審査会等を設け、その意見を聴取するなどの措置を講ずることにより、その手続の透明性及び公正性の確保を図るなど、当該事務を適正に実施するよう努めるものとする。

２　この条第二項の「人事院が指定する者」は、人事院規則一四―一九（研究職員の株式会社の監査役との兼業）第二条に規定する試験研究機関等（独立行政法人通則法（平成十一年法律第百三号）第二条第四項に規定する行政執行法人であるものを除く。）の長とする。

第四条第一項関係

１　承認権者は、承認の申出に係る監査役兼業がこの項第一号の基準に適合すると認めるに当たっては、当該申出に係る株式会社における監査役の職務に従事するために必要な知見の具体的内容並びに当該申出に係る研究職員が職務として行う研究及び教育の具体的内容、実績等を的確に把握し、当該研究職員が当該知見をその職務に関連して有していることの確認に努めるものとする。

2　承認権者は、承認の申出に係る監査役兼業がこの項第四号の基準に適合すると認めるに当たっては、監査役兼業を行おうとする研究職員が所属する部局の長に、当該監査役兼業に従事する時間及び場所、当該研究職員について割り振られた勤務時間等の具体的事実関係に基づき当該研究職員としての職務の遂行に支障がないことを証する書面を提出させるなど、遺漏のないよう努めるものとする。

3　承認権者は、監査役兼業を行おうとする研究職員が当該株式会社から受領する金銭、有価証券等すべての財産上の利益について正確に把握し、当該監査役兼業がこの項第五号の基準に適合すると認めるに当たり、これらの利益が正当なものであることの確認に努めるものとする。

4　承認の申出に係る株式会社の経営に研究職員の親族が強い影響力を有していると認められる場合には、この項第五号の基準に適合しないものとして取り扱うものとする。これには、例えば、次のような場合が該当する。

(1)　研究職員の親族（配偶者並びに三親等以内の血族及び姻族に限る。以下同じ。）が所有している当該株式会社の株式の数の合計が、当該株式会社の発行済株式の総数の四分の一を超える場合

(2)　研究職員の親族が、当該株式会社の取締役の総数の二分の一を超えて当該取締役の職に就いている場合

(3)　研究職員の親族が、当該株式会社の代表取締役会長又は代表取締役社長の職に就いている場合

5　承認権者は、承認の申出に係る監査役兼業がこの項第五号の基準に適合すると認めるに当たり疑義があるときは、人事院に相談するものとする。

第四条第一項及び第十一条関係

1　「特別な利害関係」とは、物品購入契約、工事契約等の契約関係、検査、監査等の監督関係又は許可、認可等の権限行使の関係をいう。

2　前項の契約関係は、契約の締結についての決裁への参画の有無により判断するものとする。ただし、共同研究及び受託研究に係る契約については、契約の締結についての決裁を行う権限の有無により判断するものとする。

3　第一項の権限行使の関係には、審議会等の委員として、承認の申出に係る株式会社に対する許可、認可等の可否に直接影響力を有する審議に参画することが含まれる。

第六条関係

この条の規定による報告は、監査役兼業状況報告書に係る期間の終了後一月以内に行うものとする。

第七条関係

「人事院の定めるもの」は、別紙第1の4の「株式会社の名称」、「株式会社の親会社」、「監査役の職務への予定従事時間」及び「研究職員の親族による株式会社の経営への強い影響力の有無」の欄に記載された事項とする。

第八条関係

承認権者は、監査役兼業が人事院規則一四—一九第四条第一項の承認の基準に適合しなくなったと認めるに当たっては、第四条第一項関係及び第四条第一項及び第十一条関係の規定に留意するものとする。

第十三条関係

1　監査役兼業承認申出書の様式は別紙第1のとおりとし、監査役兼業承認申出書には次に掲げる資料を添付するものとする。

(1)　監査役兼業に係る研究職員の人事記録の写し

(2)　監査役兼業を予定する株式会社の定款、組織図及び事業報告

(3)　その他参考となる資料

2　監査役兼業状況報告書の様式は別紙第2のとおりとする。

構造改革特別区域における特例関係

1　人事院規則一四—一九第四条第一項の規定により承認を受けて監査役兼業を行う研究職員は、当該監査役兼業が人事院規則一—三九（構造改革特別区域における人事院規則の特例に関する措置）第四条第一項の規定に該当するものである場合には、承認権者の承認を受けて、勤務時間の一部を割くことができることとなっている。なお、その割かれた勤務時間については、給与が減額されることとなっている。

2　承認権者は、人事院規則一—三九第四条第一項の規定に該当する監査役兼業については、勤務時間の一部を割くことができることを前提として、人事院規則一四—一九第四条第一項の承認を行うことができる。

別紙第１

監査役兼業承認申出書

文書番号	令和　　年　　月　　日

（承認権者）＿＿＿＿＿＿＿＿殿

（申出者）＿＿＿＿＿＿＿＿

下記について、国家公務員法第１０３条第２項及び人事院規則１４－１９第５条の規定により、承認の申出を行います。

１　兼業予定職員

氏名（ふりがな）	（　　　　　　）

２　官職等

官職名	
所　属	
俸　給	職俸給表（　　）＿＿級

３　申出前２年間の在職状況

官職（俸給表・職務の級）	在職期間	職務内容
	自 令和　　年　　月　　日	
（　　　　　　）	至 令和　　年　　月　　日	
	自 令和　　年　　月　　日	
（　　　　　　）	至 令和　　年　　月　　日	

４　兼業予定先

株式会社の名称	
所　在　地	
事業内容	
株式会社の親会社	親会社の有・無　　名称： 所在地： 事業内容：
報酬の予定年額	＿＿＿＿＿＿＿＿円
監査役の職務への予定従事時間	平均して、1月＿＿日　　1日＿＿時間 週延べ＿＿時間
監査役の任期及び兼業予定期間	（任期：　有・無　　＿＿＿＿年） 令和　　年　　月　　日から令和　　年　　月　　日まで

研究職員の親族による株式会社の経営への強い影響力の有無	有　・　無

5　研究職員の職務に関連して有している株式会社の監査役の職務に従事するために必要な知見の内容
6　研究職員の職務の遂行への支障の有無
7　研究職員が占め、又は申出前2年以内に占めていた官職と株式会社（親会社を含む。）との関係
8　その他公務の公正性及び信頼性の確保への支障の有無
9　その他参考事項

兼業を行おうとする職員　　　　氏　名

上記の記載は真実かつ正確であります。□

令和　　年　　月　　日

（□には職員本人がチェックをする。）

（注）各欄に記入しきれない場合には、必要に応じて行を追加して差し支えない。

別紙第２

監査役兼業状況報告書

令和　　年　　月　　日

（承 認 権 者）　　　　　　　　殿

所属　　　　　　　　
官職　　　　　　　　
氏名　　　　　　　　

国家公務員法第１０３条第２項の規定により承認された監査役兼業の状況（令和　　年　　月　　日から令和　　年　　月　　日まで）について、下記のとおり報告します。

1　株式会社の名称	
2　株式会社の親会社	（親会社の有・無） 名称：

3　監査役の職務への従事の状況

日　時	業 務 の 内 容
令和　年　月　日　時 ～　時	
令和　年　月　日　時 ～　時	
令和　年　月　日　時 ～　時	
令和　年　月　日　時 ～　時	
令和　年　月　日　時 ～　時	
令和　年　月　日　時 ～　時	
令和　年　月　日　時 ～　時	
令和　年　月　日　時 ～　時	

4　株式会社から受領した報酬及び金銭、物品その他の財産上の利益

受領年月日	種類	価　額	受領の事由
令和　年　月　日		円	
令和　年　月　日		円	
令和　年　月　日		円	
令和　年　月　日		円	
令和　年　月　日		円	
令和　年　月　日		円	

5　その他参考事項

（注）⑴　４の欄には実費弁償（監査役としての職務の遂行のために受け取った交通費、宿泊費等の経費）を除いた株式会社から受領した全ての報酬及び金銭、物品その他の財産上の利益について記載するものとする。

⑵　４の「種類」の欄には、金銭、有価証券、物品及びその他の別を記載するものとする。

⑶　４の「価額」の欄には、金銭を受領した場合においてはその額を、金銭以外の財産上の利益を受領した場合においてはその利益を時価に見積もった金額を記載するものとする。

⑷　４の「受領の事由」の欄には、監査役報酬、監査役賞与、株式配当金、特許権等の実施料、指導料及びその他の別を記載するものとする。

⑸　各欄に記入しきれない場合には、別の用紙に記載して添付するものとする。

○消防団を中核とした地域防災力の充実強化に関する法律（抄）

平二五・一二・一三
法　一　一　〇

（公務員の消防団員との兼職に関する特例）

第十条　一般職の国家公務員又は一般職の地方公務員から報酬を得て非常勤の消防団員と兼職することを認めるよう求められた場合には、任命権者（法令に基づき国家公務員法（昭和二十二年法律第百二十号）第百四条の許可又は地方公務員法（昭和二十五年法律第二百六十一号）第三十八条第一項の許可の権限を有する者をいう。第三項において同じ。）は、職務の遂行に著しい支障があるときを除き、これを認めなければならない。

2　前項の規定により消防団員との兼職が認められた場合には、国家公務員法第百四条の許可又は地方公務員法第三十八条第一項の許可を要しない。

3　国及び地方公共団体は、第一項の求め又は同項の規定により認められた消防団員との兼職に係る職務に専念する義務の免除に関し、消防団の活動の充実強化を図る観点からその任命権者等（任命権者及び職務に専念する義務の免除に関する権限を有する者をいう。）により柔軟かつ弾力的な取扱いがなされるよう、必要な措置を講ずるものとする。

附　則（抄）

この法律は、公布の日から施行する。ただし、次の各号に掲げる規定は、当該各号に定める日から施行する。

一　〔略〕

二　第十条の規定　公布の日から起算して六月を経過した日

○消防団を中核とした地域防災力の充実強化に関する法律第十条第一項の規定による国家公務員の消防団員との兼職等に係る職務専念義務の免除に関する政令

平二六・六・一一
政　令　二　〇　六

最終改正　令四・三・三〇政令一二八

1　消防団を中核とした地域防災力の充実強化に関する法律（平成二十五年法律第百十号）第十条第一項の規定により非常勤の消防団員と兼職することを認められた一般職の国家公務員並びに一般職の国家公務員のうち非常勤の消防団員と兼職する非常勤職員（国家公務員法第六十条の二第一項に規定する短時間勤務の官職を占める職員を除く。）及び臨時的職員は、内閣官房令・総務省令で定めるところにより、その所轄庁の長（独立行政法人通則法（平成十一年法律第百三号）第二条第四項に規定する行政執行法人の職員にあっては、当該職員の勤務する行政執行法人の長。次項において同じ。）の承認を受けて、消防団員としての活動を行うためにその割り振られた正規の勤務時間の一部を割くことができる。

2　前項の承認の請求があった場合において、所轄庁の長は、公務の運営に支障がある場合を除き、これを承認しなければならない。

附　則

この政令は、消防団を中核とした地域防災力の充実強化に関する法律附則第二号に掲げる規定の施行の日から施行する。

○消防団を中核とした地域防災力の充実強化に関する法律第十条第一項の規定による国家公務員の消防団員との兼職等に関する規則

平二六・六・一一　内閣官房・総務令一

最終改正　令二・一二・二五　内閣官房・総務令一

（兼職の請求）

第一条　一般職の国家公務員による消防団を中核とした地域防災力の充実強化に関する法律第十条第一項に規定する求めは、別記様式第一号の兼職請求書でしなければならない。

（兼職台帳の整備）

第二条　所轄庁の長（独立行政法人通則法（平成十一年法律第百三号）第二条第四項に規定する行政執行法人の職員にあっては、当該職員の勤務する行政執行法人の長）は、一般職の国家公務員の兼職に関する台帳を備え、これに次に掲げる事項を記載するものとする。

一　兼職を認めた年月日

二　一般職の国家公務員の氏名及びその占める官職並びにその適用を受ける俸給表の種類及びその属する職務の級

三　兼職先及びその階級名

四　兼職予定期間

（職務専念義務免除の承認の請求）

第三条　消防団を中核とした地域防災力の充実強化に関する法律第十条第一項の規定による国家公務員の消防団員との兼職等に係る職務専念義務の免除に関する政令第一項に規定する承認の請求は、別記様式第二号の職務専念義務免除承認請求書でしなければならない。

附　則

この命令は、消防団を中核とした地域防災力の充実強化に関する法律附則第二号に掲げる規定の施行の日から施行する。

別記様式第一号

<table>
<tr><td colspan="2">兼　職　請　求　書</td></tr>
<tr><td colspan="2">（注意）　□のついた項目は該当する□の中にレ印を入れ、また数字は算用数字を使ってください。</td></tr>
<tr><td colspan="2">（所轄庁の長）……………………殿　　令和　年　月　日
（請求者）
消防団を中核とした地域防災力の充実強化に関する法律第１０条第１項の規定により所轄庁の長の認めを求めます。</td></tr>
<tr><td colspan="2">１請求者について</td></tr>
<tr><td rowspan="2">氏名　（ふりがな）</td><td>生年月日　昭
平
令</td></tr>
<tr><td>現住所</td></tr>
<tr><td colspan="2">２官職について</td></tr>
<tr><td>所属局課名</td><td rowspan="5">職務内容と責任の程度</td></tr>
<tr><td>所在地</td></tr>
<tr><td>官（役）職名</td></tr>
<tr><td>俸　給
……俸給表（…）……級……号俸</td></tr>
<tr><td>勤務時間　…時…分から…時…分まで
平均して、１月…日、１日…時間…分
週のべ…時間…分</td></tr>
<tr><td colspan="2">３兼職先について</td></tr>
<tr><td>消防団名</td><td>階級名</td></tr>
<tr><td colspan="2">兼職予定期間　□新規　□継続
令和　年　月　日から
令和　年　月　日まで</td></tr>
<tr><td colspan="2">上記の兼職を認める。
令和　年　月　日

（所轄庁の長）……………………</td></tr>
</table>

備考　用紙の大きさは、日本産業規格Ａ４とすること。

別記様式第二号

職務専念義務免除承認請求書	
（所轄庁の長）……………………殿　令和　年　月　日 （請求者）所属：　氏名： 消防団を中核とした地域防災力の充実強化に関する法律第１０条第１項の規定による国家公務員の消防団員との兼職等に係る職務専念義務の免除に関する政令第１項の規定により所轄庁の長の承認を求めます。	
予定期間	年　月　日　時　分から 年　月　日　時　分まで
上記の職務専念義務の免除を承認する。 令和　年　月　日 （所轄庁の長）……………………	

備考　用紙の大きさは、日本産業規格Ａ４とすること。

○矯正医官の兼業の特例等に関する法律

平二七・九・二
法　六　二

最終改正　令四・五・二五法五二

（目的）

第一条　この法律は、矯正施設に収容されている者に対する医療の重要性に鑑み、矯正医官について、その兼業についての国家公務員法（昭和二十二年法律第百二十号）の特例等を定めることにより、その能力の維持向上の機会の付与等を図り、もってその人材の継続的かつ安定的な確保に資することを目的とする。

（定義）

第二条　この法律において、次の各号に掲げる用語の意義は、それぞれ当該各号に定めるところによる。

一　矯正施設　刑務所、少年刑務所、拘置所、少年院及び少年鑑別所をいう。

二　矯正医官　矯正施設に勤務する一般職の職員の給与に関する法律（昭和二十五年法律第九十五号。第四条第四項において「給与法」という。）別表第八イ医療職俸給表(一)の適用を受ける職員をいう。

（国の責務）

第三条　国は、広報活動、啓発活動その他の活動を通じて、矯正施設に収容されている者に対する医療の重要性に対する国民の関心と理解を深めるよう努めなければならない。

2　国は、矯正医官の勤務条件の改善その他の矯正医官の確保のために必要な措置を講ずるよう努めなければならない。

（国家公務員法の特例等）

第四条　矯正医官は、部外診療（病院又は診療所その他これらに準ずるものとして内閣官房令・法務省令で定める施設（これらの職員が国家公務員の身分を有しないものに限る。）において行う医業又は歯科医業（当該矯正医官が団体の役員、顧問又は評議員の職を兼ねることとなるもの及び自ら営利を目的とする私企業を営むこととなるものを除く。）をいう。以下この条において同じ。）を行おうとする場合において、当該部外診療を行うことが、次の各号のいずれかに該当するときは、内閣官房令・法務省令で定めるところにより、法務大臣の承認を受けることができる。

一　その正規の勤務時間（一般職の職員の勤務時間、休暇等に関する法律（平成六年法律第三十三号）第十三条第一項に規定する正規の勤務時間をいう。以下この条において同じ。）において、勤務しないこととなる場合

二　報酬を得て、行うこととなる場合

2　前項の承認を受けた矯正医官が、その正規の勤務時間において、当該承認に係る部外診療を行うため勤務しない場合には、その勤務しない時間については、国家公務員法第百一条第一項前段の規定は、適用しない。

3　第一項の承認を受けた矯正医官が、報酬を得て、当該承認に係る部外診療を行う場合には、国家公務員法第百四条の許可を要しない。

4　第一項の承認を受けた矯正医官が、その正規の勤務時間において、当該承認に係る部外診療を行うため勤務しない場合には、給与法第十五条の規定にかかわらず、その勤務しない一時間につき、給与法第十九条に規定する勤務一時間当たりの給与額を減額して給与を支給する。

附　則

この法律は、公布の日から起算して三月を超えない範囲内において政令で定める日〔平二七・一二・一〕から施行する。

○矯正医官の兼業の特例等に関する法律第四条第一項の規定による矯正医官の兼業等に関する規則

平二七・一一・二
内閣官房・法務令一

最終改正　令六・三・二二内閣官房・法務令一

（法第四条第一項に規定する内閣官房令・法務省令で定める施設）

第一条　矯正医官の兼業の特例等に関する法律（以下「法」という。）第四条第一項に規定する内閣官房令・法務省令で定める施設は、次に掲げる施設とする。

一　労働安全衛生法（昭和四十七年法律第五十七号）第十三条第一項に規定する産業医を選任すべき事業場

二　介護保険法（平成九年法律第百二十三号）第八条第二十八項に規定する介護老人保健施設

三　警察及び海上保安庁が取り扱う死体について、調査、検査、解剖その他死因又は身元を明らかにするための措置を行う施設

四　監察医として死体の検案又は解剖を行う施設

五　精神保健指定医として職務を行う施設

六　その他法務大臣が内閣総理大臣と協議して定める施設

（部外診療の承認）

第二条　法務大臣は、法第四条第一項の規定により部外診療の承認の申請を受けたときは、次に掲げる要件の全てに該当すると認める場合に限り、当該部外診療を行うことを承認することができる。

一　刑事収容施設及び被収容者等の処遇に関する法律（平成十七年法律第五十号）第五十六条、少年院法（平成二十六年法律第五十八号）第四十八条又は少年鑑別所法（平成二十六年法律第五十九号）第三十条に定める措置等に必要な能力の維持向上に資するものであること。

二　兼業による著しい疲労その他の身体上又は精神上の理由により、職務の能率的な遂行に悪影響を及ぼすおそれがないこと。

三　兼業することが、国家公務員としての信用を傷つけ、又は官職全体の不名誉となるおそれがないこと。

四　正規の勤務時間において、勤務しないこととなる場合においては、公務の運営に支障がないこと。

（部外診療の承認の申請）

第三条　部外診療の承認の申請は、次に掲げる事項を記載した書面によらなければならない。

一　矯正医官の氏名、現住所及びその占める官職並びにその属する職務の級

二　矯正医官の正規の勤務時間

三　部外診療先及びその職名

四　部外診療先における勤務時間、勤務の内容及び部外診療の予定期間

五　矯正医官がその正規の勤務時間において、勤務しないこととなる必要の有無及びその内容

六　矯正医官が報酬を得て、部外診療を行う場合には、その金額

七　部外診療を必要とする理由

八　その他参考となる事項

（承認台帳の整備）

第四条　法務大臣は、矯正医官の部外診療の承認に関する台帳を備え、これに次に掲げる事項を記載するものとする。

一　部外診療を承認した年月日

二　矯正医官の氏名及びその占める官職並びにその属する職務の級

三　部外診療先及びその職名

四　部外診療の予定期間

附　則

この命令は、法の施行の日（平成二十七年十二月一日）から施行する。

○出入国管理及び難民認定法（抄）

昭二六・一〇・四
政令三一九

最終改正　令五・一二・一三法八四

（医師等職員の国家公務員法等の特例）

第五十五条の十七　医師等職員（入国者収容所又は地方出入国在留管理局の職員である医師又は歯科医師をいう。以下この章において同じ。）であつて、一般職の職員の給与に関する法律（昭和二十五年法律第九十五号）別表第八イ医療職俸給表（一）の適用を受ける者は、部外診療（病院又は診療所その他これらに準ずるものとして内閣官房令・法務省令で定める施設（これらの職員が国家公務員の身分を有しないものに限る。）において行う医業又は歯科医業（当該医師等職員が団体の役員、顧問又は評議員の職を兼ねて行うもの及び自ら営利を目的とする私企業を営んで行うものを除く。）をいう。以下この条において同じ。）を行おうとする場合において、当該部外診療を行うことが、次の各号のいずれかに該当するときは、内閣官房令・法務省令で定めるところにより、出入国在留管理庁長官の承認を受けることができる。

一　その正規の勤務時間（一般職の職員の勤務時間、休暇等に関する法律（平成六年法律第三十三号）第十三条第一項に規定する正規の勤務時間をいう。以下この条において同じ。）において、勤務しないこととなる場合

二　報酬を得て、行うこととなる場合

2　前項の承認を受けた医師等職員が、その正規の勤務時間において、当該承認に係る部外診療を行うため勤務しない場合には、その勤務しない時間については、国家公務員法（昭和二十二年法律第百二十号）第百一条第一項前段の規定は、適用しない。

3　第一項の承認を受けた医師等職員が、報酬を得て、当該承認に係る部外診療を行う場合には、国家公務員法第百四条の許可を要しない。

4　第一項の承認を受けた医師等職員が、その正規の勤務時間において、当該承認に係る部外診療を行うため勤務しない場合には、一般職の職員の給与に関する法律第十五条の規定にかかわらず、その勤務しない一時間につき、同法第十九条に規定する勤務一時間当たりの給与額を減額して給与を支給する。

附　則（抄）

（施行期日）

1　この政令は、昭和二十六年十一月一日から施行する。

○出入国管理及び難民認定法第五十五条の十七第一項の規定による医師等職員の兼業等に関する規則

令六・五・二九
内閣官房・法務令二

（法第五十五条の十七第一項に規定する内閣官房令・法務省令で定める施設）

第一条　出入国管理及び難民認定法（以下「法」という。）第五十五条の十七第一項に規定する内閣官房令・法務省令で定める施設は、次に掲げる施設とする。

一　労働安全衛生法（昭和四十七年法律第五十七号）第十三条第一項に規定する産業医を選任すべき事業場

二　介護保険法（平成九年法律第百二十三号）第八条第二十八項に規定する介護老人保健施設

三　警察及び海上保安庁が取り扱う死体について、調査、検査、解剖その他死因又は身元を明らかにするための措置を行う施設

四　監察医として死体の検案又は解剖を行う施設

五　精神保健指定医として職務を行う施設

六　その他出入国在留管理庁長官が内閣総理大臣と協議して定める施設

（部外診療の承認）

第二条　出入国在留管理庁長官は、法第五十五条の十七

第一項の規定により部外診療の承認の申請を受けたときは、次に掲げる要件の全てに該当すると認める場合に限り、当該部外診療を行うことを承認することができる。
一　法第五十五条の三十七に定める措置等に必要な能力の維持向上に資するものであること。
二　兼業による著しい疲労その他の身体上又は精神上の理由により、職務の能率的な遂行に悪影響を及ぼすおそれがないこと。
三　兼業することが、国家公務員としての信用を傷つけ、又は官職全体の不名誉となるおそれがないこと。
四　正規の勤務時間において、勤務しないこととなる場合においては、公務の運営に支障がないこと。

（部外診療の承認の申請）
第三条　部外診療の承認の申請は、次に掲げる事項を記載した書面によらなければならない。
一　医師等職員（法第五十五条の十七第一項に規定する医師等職員をいう。以下同じ。）の氏名、現住所及びその占める官職並びにその属する職務の級
二　医師等職員の正規の勤務時間
三　部外診療先及びその職名
四　部外診療先における勤務時間、勤務の内容及び部外診療の予定期間
五　医師等職員がその正規の勤務時間において、勤務しないこととなる必要の有無及びその内容
六　医師等職員が報酬を得て、部外診療を行う場合には、その金額
七　部外診療を必要とする理由
八　その他参考となる事項

（承認台帳の整備）
第四条　出入国在留管理庁長官は、医師等職員の部外診療の承認に関する台帳を備え、これに次に掲げる事項を記載するものとする。
一　部外診療を承認した年月日
二　医師等職員の氏名及びその占める官職並びにその属する職務の級
三　部外診療先及びその職名
四　部外診療の予定期間

附　則

この命令は、出入国管理及び難民認定法及び日本国との平和条約に基づき日本の国籍を離脱した者等の出入国管理に関する特例法の一部を改正する法律の施行の日（令和六年六月十日）から施行する。

○ハンセン病問題の解決の促進に関する法律（抄）

平二〇・六・一八
法　八二

最終改正　令元・一一・二二法五六

（国立ハンセン病療養所における医療及び介護に関する体制の整備及び充実のための措置）
第十一条　国は、医師、看護師及び介護員の確保等国立ハンセン病療養所における医療及び介護に関する体制の整備及び充実のために必要な措置を講ずるよう努めるものとする。
2　地方公共団体は、前項の国の施策に協力するよう努めるものとする。

（国家公務員法の特例等）
第十一条の二　国立ハンセン病療養所医師等（国立ハンセン病療養所に勤務する一般職の職員の給与に関する法律（昭和二十五年法律第九十五号。第四項において「給与法」という。）別表第八イ医療職俸給表㈠又は別表第十一指定職俸給表の適用を受ける職員をいう。以下この条において同じ。）は、所外診療（病院又は診療所その他これらに準ずるものとして内閣官房令・厚生労働省令で定める施設（これらの職員が国家公務員の身分を有しないものに限る。）において行う医業又は歯科医業（当該国立ハンセン病療養所医師等が団体の役員、顧問又は評議員の職を兼ねることとなるもの及び自ら営利を目的とする私企業を営むこととなるものを除く。）をいう。以下この条において同じ。）を行

おうとする場合において、当該所外診療を行うことが、次の各号のいずれかに該当するときは、内閣官房令・厚生労働省令で定めるところにより、厚生労働大臣の承認を受けることができる。

一　その正規の勤務時間（一般職の職員の勤務時間、休暇等に関する法律（平成六年法律第三十三号）第十三条第一項に規定する正規の勤務時間をいう。以下この条において同じ。）において、勤務しないこととなる場合

二　報酬を得て、行うこととなる場合

2　前項の承認を受けた国立ハンセン病療養所医師等が、その正規の勤務時間において、当該承認に係る所外診療を行うため勤務しない場合には、その勤務しない時間については、国家公務員法（昭和二十二年法律第百二十号）第百一条第一項前段の規定は、適用しない。

3　第一項の承認を受けた国立ハンセン病療養所医師等が、報酬を得て、当該承認に係る所外診療を行う場合には、国家公務員法第百四条の許可を要しない。

4　第一項の承認を受けた国立ハンセン病療養所医師等が、その正規の勤務時間において、当該承認に係る所外診療を行うため勤務しない場合には、給与法第十五条の規定にかかわらず、その勤務しない一時間につき、給与法第十九条に規定する勤務一時間当たりの給与額を減額して給与を支給する。

附　則（抄）

（施行期日）

第一条　この法律は、平成二十一年四月一日から施行する。〔ただし書略〕

○ハンセン病問題の解決の促進に関する法律第十一条の二第一項の規定による国立ハンセン病療養所医師等の兼業等に関する規則

令元・一二・二三
内閣官房・厚労省令一

（法第十一条の二第一項に規定する内閣官房令・厚生労働省令で定める施設）

第一条　ハンセン病問題の解決の促進に関する法律（平成二十年法律第八十二号。以下「法」という。）第十一条の二第一項に規定する内閣官房令・厚生労働省令で定める施設は、次に掲げる施設とする。

一　労働安全衛生法（昭和四十七年法律第五十七号）第十三条第一項に規定する産業医を選任すべき事業場

二　精神保健指定医として職務を行う施設

三　その他厚生労働大臣が内閣総理大臣と協議して定める施設

（所外診療の承認）

第二条　厚生労働大臣は、法第十一条の二第一項の規定により所外診療の承認の申請を受けたときは、次に掲げる要件の全てに該当すると認める場合に限り、当該所外診療を行うことを承認することができる。

一　法第七条及び第八条第二項に定める療養に必要な能力の維持向上に資するものであること。

二　兼業による著しい疲労その他の身体上又は精神上の理由により、職務の能率的な遂行に悪影響を及ぼすおそれがないこと。

三　兼業することが、国家公務員としての信用を傷つけ、又は官職全体の不名誉となるおそれがないこと。

四　正規の勤務時間において、勤務しないこととなる場合においては、公務の運営に支障がないこと。

（所外診療の承認の申請）

第三条　所外診療の承認の申請は、次に掲げる事項を記載した書面によらなければならない。

一　国立ハンセン病療養所医師等の氏名、現住所及びその占める官職並びにその属する職務の級

二　国立ハンセン病療養所医師等の正規の勤務時間

三　所外診療先及びその職名

四　所外診療先における勤務時間、勤務の内容及び所外診療の予定期間

五　国立ハンセン病療養所医師等がその正規の勤務時間において、勤務しないこととなる必要の有無及びその内容

六　国立ハンセン病療養所医師等が報酬を得て、所外診療を行う場合には、その金額

七　所外診療を必要とする理由

八　その他参考となる事項

（承認台帳の整備）

第四条　厚生労働大臣は、国立ハンセン病療養所医師等の所外診療の承認に関する台帳を備え、これに次に掲げる事項を記載するものとする。

一　所外診療を承認した年月日
二　国立ハンセン病療養所医師等の氏名及びその占める官職並びにその属する職務の級
三　所外診療先及びその職名
四　所外診療の予定期間

附　則

この命令は、ハンセン病問題の解決の促進に関する法律の一部を改正する法律（令和元年法律第五十六号）の施行の日（令和元年十一月二十二日）から施行する。

〔関係法令〕

○官吏服務紀律

明二〇・七・三〇
勅令三九

改正　昭二二・五・二勅令二〇六

（官吏服務紀律は、昭和二二年一二月三一日限りで、その効力を失っているが、国家公務員法の規定が適用せられるまでの官吏の任免等に関する法律（昭和二二年法律第一二一号）の規定により、官吏その他政府職員の服務等に関する事項については、その官職について国家公務員法の規定が適用せられるまでの間、法律等をもって別段の定めがされない限り、従前の例によることとされている。）

第一条　凡ソ官吏ハ国民全体ノ奉仕者トシテ誠実勤勉ヲ主トシ法令ニ従ヒ各其職務ヲ尽スヘシ

第二条　官吏ハ其職務ニ付本属長官ノ命令ヲ遵守スヘシ但其命令ニ対シ意見ヲ述ルコトヲ得

第三条　官吏ハ職務ノ内外ヲ問ハス廉恥ヲ重シ貪汚ノ所為アルヘカラス

②官吏ハ職務ノ内外ヲ問ハス威権ヲ濫用セス謹慎懇切ナルコトヲ務ムヘシ

第四条　官吏ハ己ノ職務ニ関スルト又ハ他ノ官吏ヨリ聞知シタルトヲ問ハス官ノ機密ヲ漏洩スルコトヲ禁ス其職ヲ退ク後ニ於テモ亦同様トス

②法令ニ依ル証人鑑定人等ト為リ職務上ノ秘密ニ属スル事項ヲ発表スルニハ本属長官ノ許可ヲ要ス

第五条　官吏ハ私ニ職務上未発ノ文書ヲ関係人ニ漏示スルコトヲ禁ス

第六条　官吏ハ本属長官ノ許可ナクシテ擅ニ職務ヲ離レ及職務上居住ノ地ヲ離ルヽコトヲ得ス

第七条　官吏ハ本属長官ノ許可ヲ得ルニ非サレハ営業会社ノ社長又ハ役員トナルコトヲ得ス

第八条　官吏ハ本属長官ノ許可ヲ得ルニ非サレハ其職務ニ関シ慰労又ハ謝儀又ハ何等ノ名義ヲ以テスルモ直接ト間接トヲ問ハス総テ他人ノ贈遺ヲ受クルコトヲ得ス

②官吏外国ノ君主又ハ政府ヨリ授与セントスル所ノ勲章栄賜俸給並贈遺ヲ受クルニハ内閣ノ許可ヲ要ス

第九条　左ニ掲ケタル者ト直接ニ関係ノ職務ニ居ルノ官吏ハ其饗燕ヲ受クルコトヲ得ス

一　官庁ノ工事ヲ受負フ者
一　官庁ノ為替方又ハ出納ヲ引受クル者
一　官庁ノ補助金ヲ受クル起業者
一　官庁ノ用品ヲ調達スル者
一　官庁ト諸般ノ契約ヲ結フ者

第十条　凡ソ上官タル者ハ職務ノ内外ヲ問ハス所属官吏ヨリ贈遺ヲ受クルコトヲ得ス

第十一条　官吏並ニ其家族ハ本属長官ノ許可ヲ得ルニ非サレハ直接ト間接トヲ問ハス商業ヲ営ムコトヲ得ス

第十二条　官吏ハ取引相場会社ノ社員タルコトヲ得ス及間接ニ相場商業ニ関係スルコトヲ得ス

第十三条　官吏ハ本属長官ノ許可ヲ得ルニ非サレハ本職ノ外ニ給料ヲ得テ他ノ事務ヲ行フコトヲ得ス

第十四条　浪費シテ産ヲ破リ其分ニ応セサル負債ヲ為ス者ハ過失ノ一タルヘシ

第十五条　官吏ハ私立郵船会社又ハ私立鉄道会社ヨリ無賃乗船無賃乗車切符ヲ受クルコトヲ得ス

第十六条　凡ソ局長所長其他一部ノ長ハ各所属官吏ヲ監督シ其過失若シ懲戒処分ヲ行フノ区域ノ内ニ在ラサル者ハ之ヲ訓告スルコトヲ務ムヘシ若シ懲戒処分ヲ要スト認ムルトキハ事状ヲ具ヘテ之ヲ本属長官ニ稟告スヘシ其情ヲ知リ隠蔽シテ稟告セサル者亦過失タルコトヲ免レス

第十七条　本紀律ハ官吏及俸給ヲ得テ公務ヲ奉スル者ニ適用ス

附　則（昭二二・五・二勅令二〇六）

この勅令は、公布の日から、これを施行する。

第二 勤務時間・休暇・休業

○国民の祝日に関する法律

昭二三・七・二〇
法 一 七 八

最終改正 平三〇・六・二〇法五七

第一条 自由と平和を求めてやまない日本国民は、美しい風習を育てつつ、よりよき社会、より豊かな生活を築きあげるために、ここに国民こぞつて祝い、感謝し、又は記念する日を定め、これを「国民の祝日」と名づける。

第二条 「国民の祝日」を次のように定める。

元日 一月一日 年のはじめを祝う。
成人の日 一月の第二月曜日 おとなになつたことを自覚し、みずから生き抜こうとする青年を祝いはげます。
建国記念の日 政令で定める日 建国をしのび、国を愛する心を養う。
天皇誕生日 二月二十三日 天皇の誕生日を祝う。
春分の日 春分日 自然をたたえ、生物をいつくしむ。
昭和の日 四月二十九日 激動の日々を経て、復興を遂げた昭和の時代を顧み、国の将来に思いをいたす。
憲法記念日 五月三日 日本国憲法の施行を記念し、国の成長を期する。
みどりの日 五月四日 自然に親しむとともにその恩恵に感謝し、豊かな心をはぐくむ。
こどもの日 五月五日 こどもの人格を重んじ、こどもの幸福をはかるとともに、母に感謝する。
海の日 七月の第三月曜日 海の恩恵に感謝するとともに、海洋国日本の繁栄を願う。
山の日 八月十一日 山に親しむ機会を得て、山の恩恵に感謝する。
敬老の日 九月の第三月曜日 多年にわたり社会につくしてきた老人を敬愛し、長寿を祝う。
秋分の日 秋分日 祖先をうやまい、なくなつた人々をしのぶ。
スポーツの日 十月の第二月曜日 スポーツを楽しみ、他者を尊重する精神を培うとともに、健康で活力ある社会の実現を願う。
文化の日 十一月三日 自由と平和を愛し、文化をすすめる。
勤労感謝の日 十一月二十三日 勤労をたつとび、生産を祝い、国民たがいに感謝しあう。

第三条 「国民の祝日」は、休日とする。

2 「国民の祝日」が日曜日に当たるときは、その日後においてその日に最も近い「国民の祝日」でない日を休日とする。

3 その前日及び翌日が「国民の祝日」である日（「国民の祝日」でない日に限る。）は、休日とする。

○建国記念の日となる日を定める政令

昭四一・一二・九
政令三七六

内閣は、国民の祝日に関する法律（昭和二十三年法律第百七十八号）第二条の規定に基づき、この政令を制定する。

国民の祝日に関する法律第二条に規定する建国記念の日は、二月十一日とする。

附　則

この政令は、公布の日から施行する。

○行政機関の休日に関する法律

昭六三・一二・一三
法九一

改正　平四・四・二法二八

（行政機関の休日）

第一条　次の各号に掲げる日は、行政機関の休日とし、行政機関の執務は、原則として行わないものとする。

一　日曜日及び土曜日

二　国民の祝日に関する法律（昭和二十三年法律第百七十八号）に規定する休日

三　十二月二十九日から翌年の一月三日までの日（前号に掲げる日を除く。）

2　前項の「行政機関」とは、法律の規定に基づき内閣に置かれる各機関、内閣の統轄の下に行政事務をつかさどる機関として置かれる各機関及び内閣の所轄の下に置かれる機関並びに会計検査院をいう。

3　第一項の規定は、行政機関の休日に各行政機関（前項に掲げる一の機関をいう。以下同じ。）がその所掌事務を遂行することを妨げるものではない。

（期限の特例）

第二条　国の行政庁（各行政機関、各行政機関に置かれる部局若しくは機関又は各行政機関の長その他の職員であるものに限る。）に対する申請、届出その他の行為の期限で法律又は法律に基づく命令で規定する期間（時をもつて定める期間を除く。）をもつて定めるものが行政機関の休日に当たるときは、行政機関の休日の翌日をもつてその期限とみなす。ただし、法律又は法律に基づく命令に別段の定めがある場合は、この限りでない。

附　則（抄）

（施行期日）

第一条　この法律は、公布の日から起算して六月を超えない範囲内において政令で定める日〔昭六四・一・一〕から施行する。

○完全週休二日制の導入について

平三・一二・二七
閣議決定

国家公務員の完全週休二日制については、昭和六十三年五月に閣議決定した経済運営五ヵ年計画において平成四年度までにその実現に努めるとしており、平成二年四月からはその実現に向けて交替制等職員の週四十時間勤務制の試行を実施してきたところである。

また、本年八月には人事院から国家公務員の完全週休二日制の実施について「平成四年度のできるだけ早い時期」に実施するよう勧告がなされたところである。

政府としては、これらを踏まえ、下記のとおり、国家公務員の完全週休二日制を導入するものとする。

記

1　完全週休二日制の原則

(1)　行政機関は、すべての土曜日において、原則として、閉庁する。

(2)　一般職の職員の給与等に関する法律の適用を受ける国家公務員については、原則として、週四十時間勤務制を実施する。

2　土曜閉庁の対象としない官署

交替制等で事務を行う必要のある官署等各行政機関の長が特に事務を行う必要があると認める官署は、土曜閉庁の対象としない。

なお、国立大学附属学校については、当面、閉庁の対象とせず、学校週五日制の検討結果を踏まえて対処する。

3　完全週休二日制の導入に当たっての留意点

(1)　完全週休二日制の導入に当たり、行政サービスを極力低下させないため、事務処理体制の整備に努めるとともに、緊急時の連絡体制の確保等の各般の工夫を行う。

(2)　行政事務の簡素・効率化等行政改革の一層の推進に努める。

(3)　現行の予算・定員の範囲内で実施する。

(4)　公務能率の一層の向上を図ることとし、超過勤務時間についても短縮に努める。

4　実施時期及び法的措置

(1)　完全週休二日制については、平成四年度のできるだけ早い時期に実施するよう、諸般の準備を進める。

(2)　完全週休二日制の実施に必要な法的措置については、関係法案を次期通常国会に提出することを目途とする。

5　国民への広報

完全週休二日制の導入の趣旨について、国民の理解を得るよう引き続き努めるとともに、閉庁官署の範囲等については、適切な広報活動を実施する。

6　その他

(1)　特別職の国家公務員及び国の経営する企業に勤務する国家公務員については、以上の方針を踏まえ、事務の特殊性、事業の実態等に配慮しながら対処する。

(2)　地方公共団体における完全週休二日制については、できる限り国との均衡をとりつつ導入することができるよう法的措置を含め所要の措置を講ずる。

また、地方公共団体に対しては、完全週休二日制の導入に向けて、必要な条件整備に努めるよう要請する。

(3)　特殊法人等に対しては、行政機関における完全週休二日制の導入の趣旨を踏まえ、それぞれの事業の性格に応じて適切な措置を講ずるよう指導する。

○一般職の職員の勤務時間、休暇等に関する法律

平六・六・一五
法　三　三

最終改正　令五・一一・二四法七三

（趣旨）

第一条　この法律は、別に法律で定めるものを除き、国家公務員法（昭和二十二年法律第百二十号）第二条に規定する一般職に属する職員（以下「職員」という。）の勤務時間、休日及び休暇に関する事項を定めるものとする。

（人事院の権限及び責務）

第二条　人事院は、この法律の実施に関し、次に掲げる権限及び責務を有する。

一　職員の適正な勤務条件を確保するため、勤務時間、休日及び休暇に関する制度について必要な調査研究を行い、その結果を国会及び内閣に同時に報告するとともに、必要に応じ、適当と認める改定を勧告すること。

二　この法律の実施に関し必要な事項について、人事院規則を制定し、及び人事院指令を発すること。

三　この法律の実施の責めに任ずること。

（内閣総理大臣の責務）

第三条　内閣総理大臣は、各省各庁の長（内閣総理大臣、各省大臣、会計検査院長及び人事院総裁並びに宮内庁長官及び各外局の長をいう。以下同じ。）が行う勤務時間、休日及び休暇に関する事務の運営に関し、その統一保持上必要な総合調整を行うものとする。

（各省各庁の長の責務等）

第四条　各省各庁の長は、勤務時間、休日及び休暇に関する事務の実施に当たっては、公務の円滑な運営に配慮するとともに、職員の健康及び福祉を考慮することにより、職員の適正な勤務条件の確保に努めなければならない。

2　各省各庁の長は、この法律による権限の一部を部内の職員に委任することができる。

（一週間の勤務時間）

第五条　職員の勤務時間は、休憩時間を除き、一週間当たり三十八時間四十五分とする。

2　国家公務員法第六十条の二第二項に規定する定年前再任用短時間勤務職員（以下「定年前再任用短時間勤務職員」という。）の勤務時間は、前項の規定にかかわらず、休憩時間を除き、一週間当たり十五時間三十分から三十一時間までの範囲内で、各省各庁の長が定める。

（週休日及び勤務時間の割振り等）

第六条　日曜日及び土曜日は、週休日（勤務時間を割り振らない日（第三項及び第八条第二項において読み替えて準用する同条第一項の規定によるものを除く。）をいう。以下同じ。）とする。ただし、各省各庁の長は、定年前再任用短時間勤務職員については、これらの日に加えて、月曜日から金曜日までの五日間において、週休日を設けることができる。

2　各省各庁の長は、月曜日から金曜日までの五日間において、一日につき七時間四十五分の勤務時間を割り振るものとする。ただし、定年前再任用短時間勤務職員については、一週間ごとの期間について、一日につき七時間四十五分を超えない範囲内で勤務時間を割り振るものとする。

3　各省各庁の長は、職員（人事院規則で定める職員及び次条の規定の適用を受ける職員を除く。以下この項において同じ。）について、職員の申告を考慮して、第一項の規定による週休日のほかに当該職員の勤務時間を割り振らない日を設け、又は当該職員の勤務時間を割り振ることが公務の運営に支障がないと認める場合には、前項の規定にかかわらず、人事院規則で定めるところにより、職員の申告を経て、四週間を超えない範囲内で週を単位として人事院規則で定める期間ごとの期間につき前条に規定する勤務時間となるように、第一項の規定による週休日のほかに当該職員の勤務時間を割り振らない日を設け、又は当該職員の勤務時間を割り振ることができる。

第七条　各省各庁の長は、公務の運営上の事情により特別の形態によって勤務する必要のある職員については、前条第一項及び第二項の規定にかかわらず、週休日及び勤務時間の割振りを別に定めることができる。

2　各省各庁の長は、前項の規定により週休日及び勤務時間の割振りを定める場合には、人事院規則で定めるところにより、四週間ごとの期間につき八日（定年前再任用短時間勤務職員にあっては、八日以上）の週休日を設け、及び当該期間につき第五条に規定する勤務時間となるように勤務時間を割り振らなければならない。ただし、職務の特殊性又は当該官庁の特殊の必要により、四週間ごとの期間につき八日（定年前再任用短時間勤務職員にあっては、八日以上）の週休日を設け、又は当該期間につき同条に規定する勤務時間となるように勤務時間を割り振ることが困難である職員に

ついて、人事院と協議して、人事院規則で定めるところにより、五十二週間を超えない期間につき一週間当たり一日以上の割合で週休日を設け、及び当該期間につき同条に規定する勤務時間となるように勤務時間を割り振る場合には、この限りでない。

（週休日の振替等）

第八条　各省各庁の長は、職員に第六条第一項又は前条の規定により週休日とされた日において特に勤務することを命ずる必要がある場合には、人事院規則の定めるところにより、第六条第二項若しくは第三項又は前条の規定により勤務時間が割り振られた日（以下この項において「勤務日」という。）のうち人事院規則で定める期間内にある勤務日を週休日に変更して当該勤務日に割り振られた勤務時間を当該勤務することを命ずる必要がある日に割り振り、又は当該期間内にある勤務日の勤務時間のうち四時間を当該勤務日に割り振ることをやめて当該四時間の勤務時間を当該勤務することを命ずる必要がある日に割り振ることができる。

2　前項の規定は、職員に第六条第三項の規定により勤務時間を割り振らない日とされた日において特に勤務することを命ずる必要がある場合について準用する。この場合において、前項中「週休日に」とあるのは、「勤務時間を割り振らない日に」と読み替えるものとする。

（休憩時間）

第九条　各省各庁の長は、第六条第二項若しくは第三項、第七条又は前条の規定により勤務時間を割り振る場合には、人事院規則の定めるところにより、休憩時間を置かなければならない。

（通常の勤務場所を離れて勤務する職員の勤務時間）

第十条　第六条第二項若しくは第三項、第七条又は第八条の規定により勤務時間が割り振られた日（以下「勤務日等」という。）に通常の勤務場所を離れる勤務のうち研修その他の勤務する時間帯が定められる勤務で人事院規則で定めるものを命ぜられた職員については、当該勤務を命ぜられた時間をこれらの規定により割り振られた勤務時間とみなす。

（船員の勤務時間の特例）

第十一条　各省各庁の長は、船舶に乗り組む職員（定年前再任用短時間勤務職員を除く。）について、人事院と協議して、第五条第一項に規定する勤務時間を一週間当たり一時間十五分を超えない範囲内において延長することができる。この場合における第六条第二項本文及び第三項並びに第七条第二項の規定の適用については、第六条第二項本文中「七時間四十五分」とあるのは「七時間四十五分に第十一条の規定により延長した時間の五分の一を超えない範囲内において各省各庁の長が定める時間を加えた時間」と、同条第三項中「前条に規定する勤務時間」とあり、及び第七条第二項中「第五条に規定する勤務時間」とあるのは「第十一条の規定により延長された後の勤務時間」と、同項ただし書中「同条に規定する勤務時間」とあるのは「同条の規定により延長された後の勤務時間」とする。

第十二条　船舶に乗り組む職員で人事院規則で定めるものの勤務時間については、当該職員が第六条第二項若しくは第三項、第七条又は第八条の規定により勤務時間が割り振られた時間以外の時間に人命を救助するため緊急を要する作業その他の人事院規則で定める作業に従事する場合には、第五条又は前条の規定による勤務時間のほか、当該作業に従事する時間は、当該職員の勤務時間とする。

（正規の勤務時間以外の時間における勤務）

第十三条　各省各庁の長は、第五条から第八条まで、第十一条及び前条の規定による勤務時間（以下「正規の勤務時間」という。）以外の時間において職員に設備等の保全、外部との連絡及び文書の収受を目的とする勤務その他の人事院規則で定める断続的な勤務をすることを命ずることができる。

2　各省各庁の長は、公務のため臨時又は緊急の必要がある場合には、正規の勤務時間以外の時間において職員に前項に掲げる勤務以外の勤務をすることを命ずることができる。

（超勤代休時間）

第十三条の二　各省各庁の長は、一般職の職員の給与に関する法律（昭和二十五年法律第九十五号）第十六条第三項の規定により超過勤務手当を支給すべき職員に対して、人事院規則の定めるところにより、当該超過勤務手当の一部の支給に代わる措置の対象となるべき時間（以下「超勤代休時間」という。）として、人事院規則で定める期間内にある勤務日等（第十五条第一項に規定する休日及び代休日を除く。）に割り振られた勤務時間の全部又は一部を指定することができる。

2　前項の規定により超勤代休時間を指定された職員は、当該超勤代休時間には、特に勤務することを命ぜられる場合を除き、正規の勤務時間においても勤務することを要しない。

（休日）

第十四条　職員は、国民の祝日に関する法律（昭和二十三年法律第百七十八号）に規定する休日（以下「祝日法による休日」という。）には、特に勤務することを命ぜられる者を除き、正規の勤務時間においても勤務することを要しない。十二月二十九日から翌年の一月三日までの日（祝日法による休日を除く。以下「年末年始の休日」という。）についても、同様とする。

（休日の代休日）

第十五条　各省各庁の長は、職員に祝日法による休日又は年末年始の休日（以下この項において「休日」と総称する。）である勤務日等に割り振られた勤務時間の全部（次項において「休日の全勤務時間」という。）について特に勤務することを命じた場合には、人事院規則の定めるところにより、当該休日前に、当該休日に代わる日（次項において「代休日」という。）として、当該休日後の勤務日等（第十三条の二第一項の規定により超勤代休時間が指定された勤務日等及び休日を除く。）を指定することができる。

2　前項の規定により代休日を指定された職員は、勤務を命ぜられた休日の全勤務時間を勤務した場合において、当該代休日には、特に勤務することを命ぜられるときを除き、正規の勤務時間においても勤務することを要しない。

（休暇の種類）

第十六条　職員の休暇は、年次休暇、病気休暇、特別休暇、介護休暇及び介護時間とする。

（年次休暇）

第十七条　年次休暇は、一の年ごとにおける休暇とし、その日数は、一の年において、次の各号に掲げる職員の区分に応じて、当該各号に掲げる日数とする。

一　次号及び第三号に掲げる職員以外の職員　二十日（定年前再任用短時間勤務職員にあっては、その者の勤務時間等を考慮し二十日を超えない範囲内で人事院規則で定める日数）

二　次号に掲げる職員以外の職員であって、当該年の中途において新たに職員となり、又は任期が満了することにより退職することとなるもの　その年の在職期間等を考慮し二十日を超えない範囲内で人事院規則で定める日数

三　当該年の前年において独立行政法人通則法（平成十一年法律第百三号）第二条第四項に規定する行政執行法人の職員、特別職に属する国家公務員、地方公務員又は沖縄振興開発金融公庫その他その業務が国の事務若しくは事業と密接な関連を有する法人のうち人事院規則で定めるものに使用される者（以下この号において「行政執行法人職員等」という。）であった者であって引き続き当該年に新たに職員となったものその他人事院規則で定める職員　行政執行法人職員等としての在職期間及びその在職期間中における年次休暇に相当する休暇の残日数等を考慮し、二十日に次項の人事院規則で定める日数を加えた日数を超えない範囲内で人事院規則で定める日数

2　年次休暇（この項の規定により繰り越されたものを除く。）は、人事院規則で定める日数を限度として、当該年の翌年に繰り越すことができる。

3　年次休暇については、その時期につき、各省各庁の長の承認を受けなければならない。この場合において、各省各庁の長は、公務の運営に支障がある場合を除き、これを承認しなければならない。

（病気休暇）

第十八条　病気休暇は、職員が負傷又は疾病のため療養する必要があり、その勤務しないことがやむを得ないと認められる場合における休暇とする。

（特別休暇）

第十九条　特別休暇は、選挙権の行使、結婚、出産、交通機関の事故その他の特別の事由により職員が勤務しないことが相当である場合として人事院規則で定める場合における休暇とする。この場合において、人事院規則で定める特別休暇については、人事院規則でその期間を定める。

（介護休暇）

第二十条　介護休暇は、職員が要介護者（配偶者（届出をしないが事実上婚姻関係と同様の事情にある者を含む。以下この項において同じ。）、父母、子、配偶者の父母その他人事院規則で定める者で負傷、疾病又は老齢により人事院規則で定める期間にわたり日常生活を営むのに支障があるものをいう。以下同じ。）の介護をするため、各省各庁の長が、人事院規則の定めるところにより、職員の申出に基づき、要介護者の各々が当該介護を必要とする一の継続する状態ごとに、三回を超えず、かつ、通算して六月を超えない範囲内で指定する期間（以下「指定期間」という。）内において勤務しないことが相当であると認められる場合における休暇とする。

2　介護休暇の期間は、指定期間内において必要と認められる期間とする。

3　介護休暇については、一般職の職員の給与に関する法律第十五条の規定にかかわらず、その期間の勤務しない一時間につき、同法第十九条に規定する勤務一時間当たりの給与額を減額する。

（介護時間）

第二十条の二　介護時間は、職員が要介護者の介護をするため、要介護者の各々が当該介護を必要とする一の

継続する状態ごとに、連続する三年の期間（当該要介護者に係る指定期間と重複する期間を除く。）内において一日の勤務時間の一部につき勤務しないことが相当であると認められる場合における休暇とする。

2　介護時間の時間は、前項に規定する期間内において一日につき二時間を超えない範囲内で必要と認められる時間とする。

3　介護時間については、一般職の職員の給与に関する法律第十五条の規定にかかわらず、その勤務しない一時間につき、同法第十九条に規定する勤務一時間当たりの給与額を減額する。

（病気休暇、特別休暇、介護休暇及び介護時間の承認）

第二十一条　病気休暇、特別休暇（人事院規則で定めるものを除く。）、介護休暇及び介護時間については、人事院規則の定めるところにより、各省各庁の長の承認を受けなければならない。

（人事院規則への委任）

第二十二条　第十六条から前条までに規定するもののほか、休暇に関する手続その他の休暇に関し必要な事項は、人事院規則で定める。

（非常勤職員の勤務時間及び休暇）

第二十三条　常勤を要しない職員（定年前再任用短時間勤務職員を除く。）の勤務時間及び休暇に関する事項については、第五条から前条までの規定にかかわらず、その職務の性質等を考慮して人事院規則で定める。

附　則

（施行期日）

第一条　この法律は、公布の日から起算して六月を超えない範囲内において政令で定める日〔平六・九・一〕から施行する。

（経過措置）

第二条　この法律の施行の際現にこの法律による改正前の一般職の職員の給与等に関する法律（昭和二十五年法律第九十五号）（以下「旧給与法」という。）第十四条第三項本文の規定に基づき月曜日から金曜日までの五日間において一日につき八時間（同条第二項の規定により一週間の勤務時間が延長されている職員にあっては、八時間に相当する時間）の勤務時間が割り振られている職員について同条第四項の規定に基づき定められている勤務を要しない日又は勤務時間の割振りは、それぞれ第八条の規定に基づき各省各庁の長が定めた週休日又は勤務時間の割振りとみなす。

2　この法律の施行の際現に前項に規定する職員以外の職員について旧給与法第十四条第三項又は第四項の規定に基づき定められている勤務を要しない日又は勤務時間の割振りは、それぞれ第六条第三項、第七条又は第八条の規定に基づき各省各庁の長が定めた週休日又は勤務時間の割振りとみなす。

3　前二項の規定が適用される職員についてこの法律の施行の日（以下「施行日」という。）前の法令の規定に基づき定められている休憩時間については、第九条の規定に基づく休憩時間とみなす。

4　この法律の施行前に、船舶の乗り組む職員であって旧給与法第十四条第二項の規定により一週間の勤務時間が延長されているものについては、施行日において第十一条の規定により一週間当たりの勤務時間が延長されたものとみなす。

5　施行日前から引き続き在職する職員の施行日以後の平成六年における年次休暇の日数については、第十七条第一項の規定にかかわらず、この法律の施行の際の旧給与法第十四条の三第一項に規定する年次休暇の残日数とする。

6　この法律の施行の際現に旧給与法第十四条の三第四項又は第七項の規定に基づき各省各庁の長又はその委任を受けた者の承認を受けている休暇については、それぞれ第十七条第三項又は第二十一条の規定に基づき各省各庁の長が承認したものとみなす。

7　前各項に規定するもののほか、この法律の施行に伴い必要な経過措置は、人事院規則で定める。

附　則（平一七・一〇・二一法一〇二）（抄）

（一般職の職員の勤務時間、休暇等に関する法律の一部改正に伴う経過措置）

第百三条　平成十八年一月一日から施行日の前日までの間において旧公社の職員であったことのある者であって平成十九年中に第百三条の規定による改正後の一般職の職員の勤務時間、休暇等に関する法律第十七条第一項の規定の適用を受ける職員となったものに関する同年における同項の規定の適用については、その者は、旧公社の職員であった間は、同項第三号に規定する給与特例法適用職員等であった者とみなす。

附　則（平二四・六・二七法四二）（抄）

（施行期日）

第一条　この法律は、平成二十五年四月一日から施行する。〔ただし書略〕

（一般職の職員の勤務時間、休暇等に関する法律の一部改正に伴う経過措置）

第四十条　平成二十四年一月一日から施行日の前日までの間において旧給与特例法適用職員であったことのあ

る者であって平成二十五年中に前条の規定による改正後の一般職の職員の勤務時間、休暇等に関する法律第十七条第一項の規定の適用を受ける職員となったものに関する同年における同項の規定の適用については、その者は、旧給与特例法適用職員であった間は、同項第三号に規定する特定独立行政法人職員等であった者とみなす。

附　則（平二六・六・一三法六七）（抄）

（施行期日）

第一条　この法律は、独立行政法人通則法の一部を改正する法律（平成二十六年法律第六十六号。以下「通則法改正法」という。）の施行の日〔平二七・四・一〕から施行する。〔ただし書略〕

（一般職の職員の勤務時間、休暇等に関する法律の一部改正に伴う経過措置）

第七条　施行日の属する年の前年一月一日から施行日の前日までの間において特定独立行政法人の職員であったことのある者であって施行日の属する年中に第七条の規定による改正後の一般職の職員の勤務時間、休暇等に関する法律第十七条第一項の規定の適用を受ける職員となったものに関する同年における同項の規定の適用については、その者は、特定独立行政法人の職員であった間は、同項第三号に規定する行政執行法人職員等であった者とみなす。

附　則（平二八・一一・二四法八〇）（抄）

（施行期日等）

第一条　この法律は、公布の日から施行する。ただし、次の各号に掲げる規定は、当該各号に定める日から施行する。

一　〔前略〕第四条〔中略〕並びに附則第四条〔中略〕の規定　平成二十九年一月一日

二　〔略〕

（一般職の職員の勤務時間、休暇等に関する法律の一部改正に伴う経過措置）

第四条　第四条の規定による改正前の一般職の職員の勤務時間、休暇等に関する法律第二十一条の規定により介護休暇の承認を受けた職員であって、附則第一条第一項第一号に掲げる規定の施行の日（以下この条及び附則第八条において「第一号施行日」という。）において当該介護休暇の初日（以下この条において単に「初日」という。）から起算して六月を経過していないものの当該介護休暇に係る第四条の規定による改正後の一般職の職員の勤務時間、休暇等に関する法律第二十条第一項に規定する指定期間については、一般職の職員の勤務時間、休暇等に関する法律第三条に規定する各省各庁の長は、人事院規則の定めるところにより、初日から当該職員の申出に基づく第一号施行日以後の日（初日から起算して六月を経過する日までの日に限る。）までの期間を指定するものとする。

（人事院規則への委任）

第五条　前三条に定めるもののほか、この法律（第九条及び附則第七条から第十条までの規定を除く。）の施行に関し必要な事項は、人事院規則で定める。

附　則（令五・一一・二四法七三）（抄）

（施行期日等）

第一条　この法律は、公布の日から施行する。ただし、次の各号に掲げる規定は、当該各号に定める日から施行する。

一　〔略〕

二　〔前略〕第三条〔中略〕の規定〔中略〕　令和七年四月一日

〇人事院規則一五―一四（職員の勤務時間、休日及び休暇）

平六・七・二七公布
平六・九・一施行
最終改正 令六・三・二九規則一―八二

第一章 総則

（趣旨）

第一条 職員の勤務時間、休日及び休暇に関する事項については、別に定めるもののほか、この規則の定めるところによる。

（健康及び福祉の確保に必要な勤務間の時間の確保）

第一条の二 各省各庁の長（勤務時間法第三条に規定する各省各庁の長をいう。以下同じ。）は、勤務時間法第四条第一項に規定する職員の適正な勤務条件の確保を図るため、職員の健康及び福祉の確保に必要な勤務の終了からその次の勤務の開始までの時間を確保するよう努めなければならない。

第二章 正規の勤務時間等

（任期付短時間勤務職員の一週間の勤務時間の基準）

第一条の三 育児休業法第十二条第一項に規定する育児短時間勤務（以下「育児短時間勤務」という。）に伴い任用されている任期付短時間勤務職員（育児休業法第二十三条第二項に規定する任期付短時間勤務職員をいう。以下同じ。）の一週間当たりの勤務時間は、三十八時間四十五分から当該育児短時間勤務をしている職員の一週間当たりの勤務時間を減じて得た時間の範囲内とする。育児休業法第二十二条の規定による短時間勤務に伴い任用されている任期付短時間勤務職員の一週間当たりの勤務時間についても、同様とする。

（勤務時間法第六条第三項の適用除外職員）

第二条 勤務時間法第六条第三項の人事院規則で定める職員は、皇宮警察学校初任科、航空保安大学校又は気象大学校の学生とする。

（勤務時間法第六条第三項の規定による勤務時間の割振り等の基準等）

第三条 各省各庁の長は、勤務時間の割振り等（勤務時間法第六条第三項の規定による勤務時間を割り振らない日（同項の規定による勤務時間を割り振らない日をいう。第六条第二項、第二十一条第五項及び第二十二条第一項第十五号を除き、以下同じ。）の設定又は勤務時間の割振りをいう。以下この条から第四条の三までにおいて同じ。）を行う場合には、勤務時間法第六条第三項に規定する申告（次条第一号及び第七条を除き、以下「申告」という。）を考慮しつつ、次に掲げる基準に適合するように行わなければならない。この場合において、当該申告どおりの勤務時間の割振り等を行うことにより公務の運営に支障が生ずると認めるときは、別に人事院の定めるところにより、当該申告と異なる勤務時間の割振り等を行うことができるものとする。

一 第四条の三第一項に規定する単位期間（以下この号及び第三号において「単位期間」という。）をその初日から一週間ごとに区分した各期間（単位期間が一週間である場合にあっては、単位期間。次号において「区分期間」という。）につき一日を限度として、勤務時間を割り振らない日を設けることができること。

二 一日につき二時間以上四時間以下の範囲内で各省各庁の長があらかじめ定める時間以上の勤務時間を割り振ること。ただし、区分期間（勤務時間を割り振らない日を含む区分期間を除く。）につき一日を限度として職員が指定する日（第四号において「特例対象日」という。）については、当該あらかじめ定める時間未満の勤務時間を割り振ることができること。

三 前二号の規定にかかわらず、休日（勤務時間法第十四条に規定する祝日法による休日又は年末年始の休日をいう。以下同じ。）その他人事院の定める日については、七時間四十五分（法第六十条の二第二項に規定する定年前再任用短時間勤務職員（以下「定年前再任用短時間勤務職員」という。）及び任期付短時間勤務職員（以下「定年前再任用短時間勤務職員等」という。）にあっては、当該定年前再任用短時間勤務職員等の単位期間ごとの期間における勤務時間を当該期間における勤務時間法第六条第一項の規定による週休日（同項に規定する週休日をいう。以下同じ。）以外の日の日数で除して得た時間）の勤務時間を割り振ること。

四 月曜日から金曜日までの午前九時から午後四時までの間において、標準休憩時間（各省各庁の長が、職員が勤務する部局又は機関の職員の休憩時間等を考慮して、その時間並びに始まる時刻及び終わる時刻を定める標準的な休憩時間をいう。）を除いて連続するように、一日につき二時間以上四時間以下の範囲内で各省各庁の長が部局又は機関ごとにあらかじめ定める時間帯に、当該部局又は機関に勤務するこの項の基準により勤務時間を割り振る職員に共通して勤務時間を割り振ること。ただし、特例対象日については、当該時間帯に勤務時間を割り振らないことができること。

五　始業の時刻を午前五時以後に、終業の時刻を午後十時以前に設定すること。

2　定年前再任用短時間勤務職員等に七時間四十五分に満たない勤務時間を割り振ろうとする日に係る勤務時間法第六条第三項の規定による勤務時間の割振りについては、人事院の定めるところにより、前項第二号及び第四号に掲げる基準によらないことができるものとする。

3　職員の健康及び福祉の確保に必要な場合として人事院の定める場合に係る勤務時間法第六条第三項の規定による勤務時間の割振りについては、人事院の定めるところにより、第一項第四号に掲げる基準によらないことができるものとする。

4　各省各庁の長は、第一項各号（第一号及び第三号を除く。）に掲げる基準によらないことが、公務の能率の向上に資し、かつ、職員の健康及び福祉に重大な影響を及ぼすおそれがないと認める場合には、人事院と協議して、当該基準について別段の定めをすることができる。この場合において、当該別段の定めが人事院が定める基準に適合するものであるときは、当該人事院との協議を要しないものとする。

（勤務時間法第六条第三項の規定による勤務時間の割振り等の変更）

第三条の二　各省各庁の長は、次の各号のいずれかに該当する場合には、勤務時間の割振り等を変更することができる。

一　勤務時間法第六条第三項に規定する申告及び第七条第四項に規定する休憩時間の申告があった場合において、これらの申告どおりに変更するとき。

二　勤務時間の割振り等を行った後に生じた事由により、当該勤務時間の割振り等の変更を行わなければ公務の運営に支障が生ずると認める場合において、別に人事院の定めるところにより変更するとき。

（勤務時間法第六条第三項の規定による勤務時間の割振り等の申告）

第四条　申告は、第三条に定める基準に適合するように、希望する勤務時間を割り振らない日並びに始業及び終業の時刻並びに第四条の三第一項各号のいずれに該当する職員として申告をするかを明らかにしてしなければならない。

（申告・割振り簿）

第四条の二　申告及び勤務時間の割振り等は、申告・割振り簿により行うものとし、申告・割振り簿に関し必要な事項は、事務総長が定める。

（単位期間等）

第四条の三　勤務時間法第六条第三項の人事院規則で定める期間（第三項において「単位期間」という。）は、次の各号に掲げる職員の区分に応じ、当該各号に定める期間とする。

一　次号に掲げる職員以外の職員　四週間（四週間では適正に勤務時間の割振り等を行うことができない場合として人事院の定める場合にあっては、人事院の定めるところにより、一週間、二週間又は三週間）

二　次のいずれかに該当する職員（以下この条において「育児介護等職員」という。）であって、当該職員として申告をしたもの　一週間、二週間、三週間又は四週間のうち職員が選択する期間

イ　小学校就学の始期に達するまでの子（民法（明治二十九年法律第八十九号）第八百十七条の二第一項の規定により職員が当該職員との間における同項に規定する特別養子縁組の成立について家庭裁判所に請求した者（当該請求に係る家事審判事件が裁判所に係属している場合に限る。）であって、当該職員が現に監護するもの又は児童福祉法（昭和二十二年法律第百六十四号）第二十七条第一項第三号の規定により同法第六条の四第二号に規定する養子縁組里親（以下このイ及び第二十二条第一項第八号において「養子縁組里親」という。）である職員若しくは同法第六条の四第一号に規定する養育里親（第二十二条第一項第八号において「養育里親」という。）である職員（児童の親その他の同法第二十七条第四項に規定する者の意に反するため、同項の規定により、養子縁組里親として当該児童を委託することができない職員に限る。）に委託されている児童を含む。第二十三条第一項第二号を除き、以下同じ。）又は小学校、義務教育学校の前期課程若しくは特別支援学校の小学部に就学している子を養育する職員

ロ　勤務時間法第二十条第一項に規定する要介護者（第二十二条第一項第十二号及び第二十三条の二第二項において「要介護者」という。）を介護する職員

ハ　イ又はロに掲げる職員のほか、これらの職員の

状況に類する状況にある職員として人事院が定める職員

2　各省各庁の長は、育児介護等職員として申告をした職員について、育児介護等職員に該当する事由を確認する必要があると認めるときは、当該申告をした職員に対して、証明書類の提出等を求めることができる。

3　育児介護等職員として申告をして勤務時間の割振り等を行われた職員は、育児介護等職員に該当しないこととなった場合には、遅滞なく、その旨を各省各庁の長に報告しなければならない。この場合においては、当該勤務時間の割振り等に係る単位期間の末日までの間、引き続き、その該当しないこととなった直前の当該単位期間に係る勤務時間の割振り等によることができるものとする。

（特別の形態によって勤務する必要のある職員の週休日及び勤務時間の割振りの基準等）

第五条　各省各庁の長は、勤務時間法第七条第二項本文の定めるところに従い週休日及び勤務時間の割振りを定める場合には、勤務日（勤務時間法第八条第一項に規定する勤務日をいう。以下同じ。）が引き続き十二日を超えないようにし、かつ、一回の勤務に割り振られる勤務時間が十六時間を超えないようにしなければならない。

2　各省各庁の長は、勤務時間法第七条第二項ただし書の定めるところに従い週休日及び勤務時間の割振りを定める場合には、次に掲げる基準に適合するように行わなければならない。

一　週休日が毎四週間につき四日以上となるようにし、かつ、当該期間につき一週間当たりの勤務時間が四十二時間を超えないこと。

二　勤務日が引き続き十二日を超えないこと。

三　一回の勤務に割り振られる勤務時間が十六時間を超えないこと。

3　各省各庁の長は、勤務時間法第七条第二項ただし書の定めるところに従い週休日及び勤務時間の割振りを定める場合において、前項各号の基準に適合し、かつ、週休日を当該期間につき一週間当たり二日の割合で設けるときは、同条第二項ただし書の規定による人事院との協議を要しないものとする。

（週休日の振替等）

第六条　勤務時間法第八条第一項（同条第二項において読み替えて準用する場合を含む。以下この項、次項第二号及び次条第二項において同じ。）の人事院規則で定める期間は、勤務時間法第八条第一項の勤務することを命ずる必要がある日を起算日とする四週間前の日から当該勤務することを命ずる必要がある日を起算日とする八週間後の日までの期間とする。

2　各省各庁の長は、週休日の振替等（次の各号のいずれかに該当するものをいう。以下同じ。）を行う場合には、週休日の振替等を行った後において、週休日又は勤務時間を割り振らない日（勤務時間法第六条第三項及び勤務時間法第八条第二項において読み替えて準用する同条第一項の規定による勤務時間を割り振らない日をいう。第二十一条第五項及び第二十二条第一項第十五号において同じ。）が毎四週間につき四日以上となるようにし、かつ、勤務日等（勤務時間法第十条に規定する勤務日等をいう。以下同じ。）が引き続き二十四日を超えないようにしなければならない。

一　週休日の振替（勤務時間法第八条第一項の規定に基づき勤務日を週休日に変更して当該勤務日に割り振られた勤務時間を同項の勤務することを命ずる必要がある日に割り振ることをいう。）

二　勤務時間を割り振らない日の振替（勤務時間法第八条第二項において読み替えて準用する同条第一項の規定に基づき勤務日を勤務時間を割り振らない日に変更して当該勤務日に割り振られた勤務時間を同項の勤務することを命ずる必要がある日に割り振ることをいう。）

三　四時間の勤務時間の割振り変更（勤務時間法第八条第一項の規定に基づき勤務日（四時間の勤務時間のみが割り振られている日を除く。以下この条において同じ。）の勤務時間のうち四時間を当該勤務日に割り振ることをやめて当該四時間の勤務時間を同項の勤務することを命ずる必要がある日に割り振ることをいう。次項において同じ。）

3　各省各庁の長は、四時間の勤務時間の割振り変更を行う場合には、第一項に規定する期間内にある勤務日の始業の時刻から連続し、又は終業の時刻まで連続する勤務時間について割り振ることをやめて行わなければならない。

（休憩時間）

第七条　各省各庁の長は、次に掲げる基準に適合するように休憩時間を置かなければならない。

一　おおむね毎四時間の連続する正規の勤務時間（勤務時間法第十三条第一項に規定する正規の勤務時間をいう。以下同じ。）の後に置くこと。

二　勤務時間法第八条第二項の規定により一日につき七時間四十五分の勤務時間を割り振る場合にあっては六十分（各省各庁の長が、業務の運営並びに職員の健康及び福祉を考慮して必要があると認める場合は、四十五分）、それ以外の場合にあっては三十分以上とすること。

三　勤務時間法第七条第一項に規定する公務の運営上の事情により特別の形態によって勤務する必要のある職員について、まず前二号の休憩時間（以下この号及び次条第一項において「基本休憩時間」という。）（当該基本休憩時間の始まる時刻まで連続する正規の勤務時間がおおむね四時間であるものに限る。）を置き、次いで当該基本休憩時間の前に十五分の休憩時間を置くこと及びまず基本休憩時間（当該基本休憩時間の終わる時刻から終業の時刻まで連続する正規の勤務時間がおおむね四時間であるものに限る。）を置き、次いで当該基本休憩時間の後に十五分の休憩時間を置くこと。ただし、次条の休息時間を置く場合は、この限りでない。

2　各省各庁の長は、勤務時間法第六条第二項又は第三項の規定により勤務時間を割り振る場合（勤務時間法第八条第一項の規定によりこれらの勤務時間を同項の勤務することを命ずる必要がある日に割り振る場合を含む。）において、公務の運営並びに職員の健康及び福祉を考慮して支障がないと認めるときは、前項第一号の規定にかかわらず、連続する正規の勤務時間が六時間三十分を超えることとなる前に休憩時間を置くことができる。

3　各省各庁の長は、第一項の規定によると職員の健康及び福祉に重大な影響を及ぼし、又は前二項の規定によると能率を甚だしく阻害する場合には、人事院の定めるところにより、休憩時間の基準について別段の定めをすることができる。

4　各省各庁の長は、勤務時間法第六条第三項の規定により勤務時間を割り振る場合には、職員からの休憩時間の申告を考慮して休憩時間を置くものとする。この場合において、当該申告どおりに休憩時間を置くことにより公務の運営に支障が生ずると認めるときは、別に人事院の定めるところにより、当該申告と異なる休憩時間を置くことができるものとする。

5　前項に規定する休憩時間の申告は、勤務時間法第六条第三項に規定する申告をする際に、併せて、第四条の二に規定する申告・割振り簿により、第一項から第三項まで及び第三条に定める基準に適合するように、休憩時間の始まる時刻及び終わる時刻を明らかにしなければならない。

6　職員は、休憩時間を自由に利用することができる。

（休息時間）

第八条　各省各庁の長は、前条第一項第三号に規定する職員について、できる限り、始業の時刻からその直後の基本休憩時間の始まる時刻まで、基本休憩時間の終わる時刻からその直後の基本休憩時間の始まる時刻まで若しくは終業の時刻の直前の基本休憩時間の終わる時刻から終業の時刻までの間における正規の勤務時間がそれぞれおおむね四時間である場合又は始業の時刻から終業の時刻まで連続する正規の勤務時間がおおむね四時間である場合には、これらの正規の勤務時間に十五分の休息時間を置かなければならない。ただし、一回の勤務における休息時間は、当該勤務に割り振られた勤務時間を考慮して二回以内において人事院が定める回数とする。

2　休息時間は、始業の時刻から連続し、又は終業の時刻まで連続して置いてはならない。

3　休息時間は、正規の勤務時間に含まれるものとし、これを与えられなかった場合においても、繰り越されることはない。

（週休日及び勤務時間の割振り等の明示）

第九条　各省各庁の長は、勤務時間法第六条第一項ただし書の規定により週休日を設け、同条第二項の規定により勤務時間を割り振り、勤務時間法第七条の規定により週休日及び勤務時間の割振りを定め、勤務時間法第九条の規定により休憩時間を置き、又は前条の休息時間を置いた場合には、適当な方法により速やかにその内容を明示するものとする。

2　各省各庁の長は、勤務時間法第六条第三項の規定により勤務時間を割り振り、又は割り振らない日を設け、若しくは勤務時間を割り振り、又は週休日の振替等を行った場合には、人事院の定めるところにより、職員に対して速やかにその内容を通知するものとする。

（通常の勤務場所を離れて勤務する職員の勤務時間）

第十条　勤務時間法第十条の人事院規則で定める勤務は、次に掲げる勤務（人事院が定める基準に適合するものに限る。）とする。

一　職員が一日の執務の全部を離れて受ける研修

二　矯正医官（矯正医官の兼業の特例等に関する法律（平成二十七年法律第六十二号）第二条第二号に規定する矯正医官をいう。）が行う施設外勤務（矯正施設（同条第一号に規定する矯正施設をいう。第十三条第一項第三号ホにおいて同じ。）の外の医療機関、大学その他の場所において医療に関する調査研究又は情報の収集若しくは交換を行う勤務をいう。）

第十一条　削除

（船員の勤務時間の特例）

第十二条　勤務時間法第十二条の人事院規則で定める職

員は、給与法別表第四ロ公安職俸給表(二)、給与法別表第五海事職俸給表又は給与法別表第八イ医療職俸給表(一)の適用を受ける職員とする。

2 勤務時間法第十二条の人事院規則で定める作業は、人命、船舶若しくは積荷の安全を図るため又は人命若しくは他の船舶を救助するため緊急を要する作業（職員が本来の業務として行う作業で人事院が定めるものを除く。）とする。

（育児短時間勤務職員等についての適用除外等）

第十二条の二 第三条から第四条の二まで、第四条の三（第一項第一号を除く。）並びに第五条第一項及び第二項の規定は、育児短時間勤務をしている職員及び育児休業法第二十二条の規定による短時間勤務をしている職員（以下「育児短時間勤務職員等」という。）には適用しない。

2 育児短時間勤務職員等に対する第五条第三項の規定の適用については、同項中「前項各号の基準に適合し、かつ、週休日」とあるのは、「週休日」とする。

第三章 宿日直勤務及び超過勤務並びに超勤代休時間

（宿日直勤務）

第十三条 勤務時間法第十三条第一項の人事院規則で定める断続的な勤務は、次に掲げる勤務とする。

一 本来の勤務に従事しないで行う庁舎、設備、備品、書類等の保全、外部との連絡、文書の収受及び庁内の監視を目的とする勤務（次号に掲げる勤務を除く。）

二 前号に規定する業務を目的とする勤務のうち、庁舎に附属する居住室において私生活を営みつつ常時行う勤務

三 次に掲げる当直勤務

イ 警察庁本庁における被疑者等の身元、犯罪経歴等の照会の処理のための当直勤務

ロ 皇宮警察本部又は宮内庁の本庁若しくは御料牧場の動物の飼育、植物の栽培等を行う施設における動物又は植物の管理等のための当直勤務

ハ 皇宮警察本部、地方検察庁又は公安調査庁における警備又は事件の捜査、調査、処理等のための当直勤務

ニ 国立児童自立支援施設又は障害者支援施設における入所者の生活介助等のための当直勤務

ホ 矯正施設における次に掲げる当直勤務

(1) 業務の管理若しくは監督又はこれらの補佐のための当直勤務

(2) 入所、釈放又は面会に関する事務処理、警備等のための当直勤務

ヘ 保護観察所における次に掲げる当直勤務

(1) 保護観察に付され保護観察所に居住している者に対する指導監督及び補導援護のための当直勤務

(2) (1)に規定する者に対する保護観察のための調査における関係人に対する質問等のための当直勤務（(1)に掲げる勤務を除く。）

ト 東京保護観察所における保護観察に付され所在不明となっている者に関する身元の照会の処理等のための当直勤務

チ 病院又は診療所である医療施設における次に掲げる当直勤務

(1) 入院患者の病状の急変等に対処するための医師又は歯科医師の当直勤務

(2) 看護業務の管理又は監督のための看護師長等の当直勤務

(3) 救急の外来患者及び入院患者に関する緊急の医療技術業務の処理等のための薬剤師、診療放射線技師（診療エックス線技師を含む。）又は臨床検査技師（衛生検査技師を含む。）の当直勤務

(4) 救急の外来患者及び入院患者に関する緊急の事務処理等のための当直勤務

リ 地方農政局、地方整備局又は北海道開発局のダム等の管理施設における機器等の監視、管理等のための当直勤務

ヌ 海上保安大学校その他の教育又は研修の機関における学生等の生活指導等のための当直勤務

ル 次に掲げる業務に関する情報連絡等のための当直勤務

(1) 内閣官房における緊急業務

(2) 内閣府本府、金融庁、消防庁本庁、経済産業省本省、首都圏臨海防災センター、近畿圏臨海防災センター又は地方気象台における災害発生に係る緊急業務

(3) 警察庁の本庁又は地方機関における事件処理業務

(4) 外務省本省における対外関係に係る緊急業務

(5) 海上保安部の分室又は海上保安署における警備救難業務

(6) 原子力規制庁における原子力施設の事故発生に係る緊急業務

2 各省各庁の長は、休日又は国の行事の行われる日で

人事院が指定する日の正規の勤務時間において職員に前項各号に掲げる勤務と同様の勤務を命ずることができる。

第十四条　各省各庁の長は、前条第一項第二号に掲げる勤務を命ずる場合には、当該勤務が必要やむを得ないものであり、かつ、職員の心身にかかる負担の程度が軽易であるようにしなければならない。

2　各省各庁の長は、前条第一項第三号に掲げる勤務を命ずる場合には、次に掲げる基準に適合するようにしなければならない。

一　当該勤務が、次のいずれかに該当するものであること。

イ　午後五時から翌日の午前九時三十分までの時間帯において行う勤務

ロ　行政機関の休日（行政機関の休日に関する法律（昭和六十三年法律第九十一号）第一条第一項各号に掲げる日をいう。）の午前八時三十分から午後六時十五分までの時間帯において行う勤務

二　当該勤務に従事する職員（以下この項において単に「職員」という。）が、当該職務の遂行に必要な知識又は技能を有する者であること。

三　職員ごとの当該勤務に従事する回数が、一月当たり五回を超えないこと。

四　当該勤務が第一号イに掲げる勤務である場合にあっては、職員について当該勤務時間中に少なくとも六時間の仮眠のための時間が確保され、かつ、当該仮眠のための施設が当該勤務が行われる官署内に整備されていること。

3　各省各庁の長は、前条第一項第三号に掲げる勤務を命ずる場合には、当該勤務に従事する職員の数を必要最小限のものとしなければならない。

4　各省各庁の長は、前条第一項第三号に掲げる勤務を命ずる場合には、当該勤務に関する規程において、人事院の定める事項を定めなければならない。

第十五条　各省各庁の長は、職員に第十三条に規定する勤務を命ずる場合には、当該勤務が過度にならないように留意しなければならない。

（育児短時間勤務職員等に正規の勤務時間以外の時間における勤務を命ずることができる場合）

第十五条の二　育児休業法第十七条（育児休業法第二十二条において準用する場合を含む。以下同じ。）の規定により読み替えられた勤務時間法第十三条第一項の人事院規則で定める場合は、第十三条第一項第三号に掲げる勤務を命じようとする時間帯に、当該勤務に従事する職員のうち育児短時間勤務職員等以外の職員に第十四条第二項の基準に適合するように当該勤務を命ずることができない場合とする。

2　育児休業法第十七条の規定により読み替えられた勤務時間法第十三条第二項の人事院規則で定める場合は、公務のため臨時又は緊急の必要がある場合において、育児短時間勤務職員等に同項に規定する勤務を命じなければ公務の運営に著しい支障が生ずると認められるときとする。

（超過勤務を命ずる際の考慮）

第十六条　各省各庁の長は、職員に超過勤務（勤務時間法第十三条第二項の規定に基づき命ぜられて行う勤務をいう。以下同じ。）を命ずる場合には、職員の健康及び福祉を害しないように考慮しなければならない。

第十六条の二　各省各庁の長は、定年前再任用短時間勤務職員等に超過勤務を命ずる場合には、定年前再任用短時間勤務職員等の正規の勤務時間が常時勤務を要する官職を占める職員の正規の勤務時間より短く定められている趣旨に十分留意しなければならない。

（超過勤務を命ずる時間及び月数の上限）

第十六条の二の二　各省各庁の長は、職員に超過勤務を命ずる場合には、次の各号に掲げる職員の区分に応じ、それぞれ当該各号に定める時間及び月数の範囲内で必要最小限の超過勤務を命ずるものとする。

一　次号に規定する部署以外の部署に勤務する職員　次に掲げる職員の区分に応じ、それぞれ次に定める時間及び月数（イにあっては、時間）

イ　ロに掲げる職員以外の職員　次の(1)及び(2)に定める時間

(1)　一箇月において超過勤務を命ずる時間について四十五時間

(2)　一年において超過勤務を命ずる時間について三百六十時間

ロ　一年において勤務する部署が次号に規定する部署からこの号に規定する部署となった職員　次の(1)及び(2)に定める時間及び月数

(1)　一年において超過勤務を命ずる時間について七百二十時間

(2)　イ及び次号（ロを除く。）に規定する時間及び月数並びに職員の健康及び福祉を考慮して、人事院が定める期間において人事院が定める時間及び月数

二　他律的業務（業務量、業務の実施時期その他の業務の遂行に関する事項を自ら決定することが困難な業務をいう。）の比重が高い部署として各省各庁の長が指定するものに勤務する職員　次のイからニま

でに定める時間及び月数

イ　一箇月において超過勤務を命ずる時間について百時間未満

ロ　一年において超過勤務を命ずる時間について七百二十時間

ハ　一箇月ごとに区分した各期間に当該各期間の直前の一箇月、二箇月、三箇月、四箇月及び五箇月の期間を加えたそれぞれの期間において超過勤務を命ずる時間の一箇月当たりの平均時間について八十時間

二　一年のうち一箇月において四十五時間を超えて超過勤務を命ずる月数について六箇月

2　各省各庁の長が、特例業務（大規模災害への対処、重要な政策に関する法律の立案、他国又は国際機関との重要な交渉その他の重要な業務であって特に緊急に処理することを要するものと各省各庁の長が認めるものをいう。以下この項において同じ。）に従事する職員に対し、前項各号に規定する時間又は月数を超えて超過勤務を命ずる必要がある場合については、同項（当該超えることとなる時間又は月数に係る部分に限る。）の規定は、適用しない。人事院が定める期間において特例業務に従事していた職員に対し、同項各号に規定する時間又は月数を超えて超過勤務を命ずる必要がある場合として人事院が定める場合も、同様とする。

3　各省各庁の長は、前項の規定により、第一項各号に規定する時間又は月数を超えて職員に超過勤務を命ずる場合には、当該超えた部分の超過勤務を必要最小限のものとし、かつ、当該職員の健康の確保に最大限の配慮をするとともに、当該超過勤務を命じた日が属する当該時間又は月数の算定に係る一年の末日の翌日から起算して六箇月以内に、当該超過勤務に係る要因の整理、分析及び検証を行わなければならない。

4　前二項に定めるもののほか、職員に超過勤務を命ずる場合における時間及び月数の上限に関し必要な事項は、人事院が定める。

（超勤代休時間の指定）

第十六条の三　勤務時間法第十三条の二第一項の人事院規則で定める期間は、給与法第十六条第三項に規定する六十時間を超えて勤務した全時間に係る月（次項において「六十時間超過月」という。）の末日の翌日から同日を起算日とする二月後の日までの期間とする。

2　各省各庁の長は、勤務時間法第十三条の二第一項の規定に基づき超勤代休時間（同項に規定する超勤代休時間をいう。以下同じ。）を指定する場合には、前項に規定する期間内にある勤務日等（休日及び代休日（勤務時間法第十五条第一項に規定する代休日をいう。以下同じ。）を除く。第四項において同じ。）に割り振られた勤務時間のうち、超勤代休時間の指定に代えようとする超過勤務手当の支給に係る六十時間超過月における給与法第十六条第三項の規定の適用を受ける時間（以下この項及び第六項において「六十時間超過時間」という。）の次の各号に掲げる区分に応じ、当該各号に定める時間数の時間を指定するものとする。

一　給与法第十六条第一項第一号に掲げる勤務に係る時間（次号に掲げる時間を除く。）　当該時間に該当する六十時間超過時間の時間数に百分の二十五を乗じて得た時間数

二　育児休業法第十六条（育児休業法第二十二条において準用する場合を含む。）又は第二十四条の規定により読み替えられた給与法第十六条第一項ただし書又は第二項に規定する七時間四十五分に達するまでの間の勤務に係る時間　当該時間に該当する六十時間超過時間の時間数に百分の五十を乗じて得た時間数

三　給与法第十六条第一項第一号に掲げる勤務に係る時間　当該時間に該当する六十時間超過時間の時間数に百分の十五を乗じて得た時間数

3　前項の場合において、その指定は、四時間又は七時間四十五分（年次休暇の時間に連続して超勤代休時間を指定する場合にあっては、当該年次休暇の時間の時間数と当該超勤代休時間の時間数を合計した時間数が四時間又は七時間四十五分となる時間）を単位として行うものとする。

4　各省各庁の長は、勤務時間法第十三条の二第一項の規定に基づき一回の勤務に割り振られた勤務時間の一部について超勤代休時間を指定する場合には、第一項に規定する期間内にある勤務日等の始業の時刻から連続し、又は終業の時刻まで連続する勤務時間について行わなければならない。ただし、各省各庁の長が、業務の運営並びに職員の健康及び福祉を考慮して必要があると認める場合は、この限りでない。

5　各省各庁の長は、職員があらかじめ超勤代休時間の指定を希望しない旨申し出た場合には、超勤代休時間を指定しないものとする。

6　各省各庁の長は、勤務時間法第十三条の二第一項に規定する措置が六十時間超過時間の勤務をした職員の健康及び福祉の確保に特に配慮したものであることにかんがみ、前項に規定する場合を除き、当該職員に対して超勤代休時間を指定するよう努めるものとする。

7 超勤代休時間の指定の手続に関し必要な事項は、人事院が定める。

第四章 休日の代休日

（代休日の指定）

第十七条 勤務時間法第十五条第一項の規定に基づく代休日の指定は、勤務することを命じた休日を起算日とする八週間後の日までの期間内にあり、かつ、当該休日に割り振られた勤務時間と同一の時間数の勤務時間が割り振られた勤務日等（勤務時間法第十三条の二第一項の規定により超勤代休時間が指定された勤務日等及び休日を除く。）について行わなければならない。

2 各省各庁の長は、職員があらかじめ代休日の指定を希望しない旨申し出た場合には、代休日を指定しないものとする。

3 代休日の指定の手続に関し必要な事項は、人事院が定める。

第五章 休暇

（年次休暇の日数）

第十八条 勤務時間法第十七条第一項第一号（育児休業法第十七条又は第二十五条の規定により読み替えて適用する場合を含む。第十八条の三において同じ。）の人事院規則で定める日数は、次の各号に掲げる職員の区分に応じ、当該各号に定める日数（一日未満の端数があるときは、これを四捨五入して得た日数）とする。

一 斉一型短時間勤務職員（定年前再任用短時間勤務職員等及び育児短時間勤務職員等のうち、一週間ごとの勤務日の日数及び勤務日ごとの勤務時間の時間数が同一であるものをいう。以下同じ。） 二十日に斉一型短時間勤務職員の一週間の勤務日の日数を五日で除して得た数を乗じて得た日数

二 不斉一型短時間勤務職員（定年前再任用短時間勤務職員等及び育児短時間勤務職員等のうち、斉一型短時間勤務職員以外のものをいう。以下同じ。） 百五十五時間に育児休業法第十七条若しくは第二十五条の規定により読み替えられた勤務時間法第五条第一項又は勤務時間法第五条第二項の規定に基づき定められた不斉一型短時間勤務職員の勤務時間を三十八時間四十五分で除して得た数を乗じて得た時間数を、七時間四十五分を一日として日に換算して得た日数

第十八条の二 勤務時間法第十七条第一項第二号の人事院規則で定める日数は、次の各号に掲げる職員の区分に応じ、当該各号に定める日数とする。

一 当該年の中途において、新たに職員となり、又は任期が満了することにより退職することとなる職員（次号に掲げる職員を除く。） その者の当該年における在職期間に応じ、別表第一の日数欄に掲げる日数（定年前再任用短時間勤務職員等及び育児短時間勤務職員等にあっては、その者の勤務時間等を考慮し、人事院が別に定める日数）（以下この条において「基本日数」という。）

二 当該年において、行政執行法人職員等（勤務時間法第十七条第一項第三号に規定する行政執行法人職員等をいう。以下この条において同じ。）となった者であって引き続き新たに職員となったもの又は官民人事交流法第二条第二項に規定する民間企業に雇用された者であって引き続き官民人事交流法第二十条に規定する交流採用職員となったもの 行政執行法人職員等となった日又は同条に規定する交流元企業に雇用された日において新たに職員となったものとみなした場合におけるその者の在職期間に応じた別表第一の日数欄に掲げる日数から、新たに職員となった日の前日までの間に使用した年次休暇に相当する休暇の日数を減じて得た日数（この号に掲げる職員が定年前再任用短時間勤務職員等である場合にあっては、その者の勤務時間等を考慮し、人事院が別に定める日数）（当該日数が基本日数に満たない場合にあっては、基本日数）

2 勤務時間法第十七条第一項第三号の人事院規則で定める法人は、沖縄振興開発金融公庫のほか、次に掲げる法人とする。

一 国家公務員退職手当法施行令（昭和二十八年政令第二百十五号）第九条の二各号に掲げる法人

二 国家公務員退職手当法施行令第九条の四各号に掲げる法人（沖縄振興開発金融公庫及び前号に掲げる法人を除く。）

三 前二号に掲げる法人のほか、人事院がこれらに準ずる法人であると認めるもの

3 勤務時間法第十七条第一項第三号の人事院規則で定める職員は、次に掲げる職員とする。

一 当該年の前年において官民人事交流法第八条第二項に規定する交流派遣職員であった者であって引き続き当該年に職務に復帰したもの

二 当該年の前年において官民人事交流法第二条第二項に規定する民間企業に雇用されていた者であって引き続き当該年に官民人事交流法第二十条に規定する交流採用職員となったもの

三　当該年の前年において職員であった者であって引き続き当該年に行政執行法人職員等となり引き続き再び職員となったもの

四　当該年の前年において職員であった者であって引き続き当該年に官民人事交流法第八条第二項に規定する交流派遣職員となり引き続き職務に復帰したもの

4　勤務時間法第十七条第一項第三号の人事院規則で定める日数は、次の各号に掲げる職員の区分に応じ、当該各号に定める日数（当該日数が基本日数に満たない場合にあっては、基本日数）とする。

一　次号に掲げる職員以外の職員　次に掲げる場合に応じ、次に掲げる日数

イ　当該年の初日に職員となった場合　二十日（当該年の中途において任期が満了することにより退職することとなる場合にあっては、当該年における在職期間に応じ、別表第一の日数欄に掲げる日数）に当該年の前年における年次休暇に相当する休暇又は年次休暇の残日数（当該残日数が二十日を超える場合にあっては、二十日）を加えて得た日数

ロ　当該年の初日後に職員となった場合　この号イの日数から職員となった日の前日までの間に使用した年次休暇に相当する休暇又は年次休暇の日数を減じて得た日数

二　定年前再任用短時間勤務職員等　その者の勤務時間等を考慮し、人事院が別に定める日数

5　第一項第二号に掲げる職員及び前項の規定の適用を受ける職員のうちその者の使用した年次休暇に相当する休暇の日数が明らかでないものの年次休暇の日数については、これらの規定にかかわらず、人事院が別に定める日数とする。

第十八条の三　次の各号に掲げる場合において、一週間ごとの勤務日の日数又は勤務日ごとの勤務時間の時間数（以下「勤務形態」という。）が変更されるときの当該変更の日以後における職員の年次休暇の日数は、当該年の初日に当該変更の日の勤務形態を始めた場合にあっては勤務時間法第十七条第一項第一号又は第二号に掲げる日数に同条第二項の規定により当該年の前年から繰り越された年次休暇の日数を加えて得た日数とし、当該年の初日後に当該変更後の勤務形態を始めた場合において、同日以前に当該変更前の勤務形態を始めたときにあっては当該日数から当該年において当該変更の日の前日までに使用した年次休暇の日数を減じて得た日数に、次の各号に掲げる場合に応じ、当該各号に定める率を乗じて得た日数（一日未満の端数があるときは、これを四捨五入して得た日数）とし、当該年の初日後に当該変更前の勤務形態を始めたときにあっては当該勤務形態を始めた日においてこの条の規定により得られる日数から同日以後当該変更の日の前日までに使用した年次休暇の日数を減じて得た日数に、次の各号に掲げる場合に応じ、当該各号に定める率を乗じて得た日数（一日未満の端数があるときは、これを四捨五入して得た日数）とする。

一　定年前再任用短時間勤務職員等及び育児短時間勤務職員等以外の職員が一週間ごとの勤務日の日数及び勤務日ごとの勤務時間の時間数が同一である育児短時間勤務（以下この条において「斉一型育児短時間勤務」という。）を始める場合、斉一型育児短時間勤務をしている職員が引き続いて勤務形態を異にする斉一型育児短時間勤務を始める場合又は育児短時間勤務職員等が斉一型育児短時間勤務若しくは斉一型短時間勤務（育児休業法第二十二条の規定による短時間勤務のうち、一週間ごとの勤務日の日数及び勤務日ごとの勤務時間の時間数が同一であるものをいう。次号において同じ。）を終える場合　勤務形態の変更後における一週間の勤務日の日数を当該勤務形態の変更前における一週間の勤務日の日数で除して得た率

二　定年前再任用短時間勤務職員等及び育児短時間勤務職員等以外の職員が斉一型育児短時間勤務以外の育児短時間勤務（以下この条において「不斉一型育児短時間勤務」という。）を始める場合、不斉一型育児短時間勤務をしている職員が引き続いて勤務形態を異にする不斉一型育児短時間勤務を始める場合又は育児短時間勤務職員等が不斉一型育児短時間勤務若しくは育児休業法第二十二条の規定による短時間勤務のうち斉一型短時間勤務以外のものを終える場合　勤務形態の変更後における一週間当たりの勤務時間の時間数を当該勤務形態の変更前における一週間当たりの勤務時間の時間数で除して得た率

三　斉一型育児短時間勤務をしている職員が引き続いて不斉一型育児短時間勤務を始める場合　勤務形態の変更後における一週間当たりの勤務時間の時間数を当該勤務形態の変更前における勤務日ごとの勤務時間の時間数を七時間四十五分とみなした場合の一週間当たりの勤務時間の時間数で除して得た率

四　不斉一型育児短時間勤務をしている職員が引き続いて斉一型育児短時間勤務を始める場合　勤務形態の変更後における勤務日ごとの勤務時間の時間数を

七時間四十五分とみなした場合の一週間当たりの勤務時間の時間数を当該勤務形態の変更前における一週間当たりの勤務時間の時間数で除して得た率

（年次休暇の繰越し）

第十九条　勤務時間法第十七条第二項の人事院規則で定める日数は、一の年における年次休暇の二十日（第十八条各号に掲げる職員にあっては、同条の規定による日数）を超えない範囲内の残日数（当該年の翌年の初日に勤務形態が変更される場合にあっては、当該残日数に前条各号に掲げる場合に応じ、当該各号に定める率を乗じて得た日数とし、一日未満の端数があるときはこれを切り捨てた日数とする。）とする。

（年次休暇の単位）

第二十条　年次休暇の単位は、一日とする。ただし、特に必要があると認められるときは、一時間（第七条第一項第三号に規定する職員にあっては、一時間又は十五分）を単位とすることができる。

2　一時間又は十五分を単位として使用した年次休暇を日に換算する場合には、次の各号に掲げる職員の区分に応じ、当該各号に定める時間数をもって一日とする。

一　次号から第四号までに掲げる職員以外の職員　七時間四十五分

二　育児休業法第十二条第一項第一号から第四号までに掲げる勤務の形態の育児短時間勤務職員等　次に掲げる規定に掲げる勤務の形態の区分に応じ、次に掲げる時間数

イ　育児休業法第十二条第一項第一号　三時間五十五分

ロ　育児休業法第十二条第一項第二号　四時間五十五分

ハ　育児休業法第十二条第一項第三号又は第四号　七時間四十五分

三　斉一型短時間勤務職員（前号に掲げる職員のうち、斉一型短時間勤務職員を除く。）　勤務日ごとの勤務時間の時間数（一分未満の端数があるときは、これを切り捨てた時間）

四　不斉一型短時間勤務職員（第二号に掲げる職員のうち、不斉一型短時間勤務職員を除く。）　七時間四十五分

（病気休暇）

第二十一条　病気休暇の期間は、療養のため勤務しないことがやむを得ないと認められる必要最小限度の期間とする。ただし、次に掲げる場合以外の場合における病気休暇（以下この条において「特定病気休暇」という。）の期間は、次に掲げる場合における病気休暇を使用した日その他の人事院が定める日（以下この条において「除外日」という。）を除いて連続して九十日を超えることはできない。

一　生理日の就業が著しく困難な場合

二　公務上負傷し、若しくは疾病にかかり、又は通勤（補償法第一条の二に規定する通勤をいう。）により負傷し、若しくは疾病にかかった場合

三　規則一〇—四第二十三条の規定により同規則別表第四に規定する生活規正の面Bの指導区分の決定又は同表に規定する生活規正の面Bへの指導区分の変更を受け、同規則第二十四条第一項の事後措置を受けた場合

2　前項ただし書、次項及び第四項の規定の適用については、連続する八日以上の期間（当該期間における週休日等以外の日の日数が少ない場合として人事院が定める場合にあっては、その日数を考慮して人事院が定める期間）の特定病気休暇を使用した職員（この項の規定により特定病気休暇の期間が連続しているものとみなされた職員を含む。）が、除外日を除いて連続して使用した特定病気休暇の期間の末日の翌日から、一回の勤務に割り振られた勤務時間（一回の勤務に割り振られた勤務時間の一部に育児休業法第二十六条第一項に規定する育児時間の承認を受けて勤務しない時間その他の人事院が定める時間（以下この項において「育児時間等」という。）がある場合にあっては、一回の勤務に割り振られた勤務時間のうち、育児時間等以外の勤務時間）のすべてを勤務した日の日数（第四項において「実勤務日数」という。）が二十日に達する日までの間に、再度の特定病気休暇を使用したときは、当該再度の特定病気休暇の期間と直前の特定病気休暇の期間は連続しているものとみなす。

3　使用した特定病気休暇の期間が除外日を除いて連続して九十日に達した場合において、九十日に達した日後においても引き続き負傷又は疾病（当該負傷又は疾病の症状等が、当該使用した特定病気休暇の期間の初日から当該負傷をし、又は疾病にかかった日（以下この項において「特定負傷等の日」という。）の前日までの期間における特定病気休暇に係る負傷又は疾病の症状等と明らかに異なるものに限る。以下この項において「特定負傷等」という。）のため療養する必要があり、勤務しないことがやむを得ないと認められるときは、第一項ただし書の規定にかかわらず、当該九十日に達した日の翌日以後の日においても、当該特定負傷等に係る特定病気休暇を承認することができる。こ

の場合において、特定負傷等の日以後における特定病気休暇の期間は、除外日を除いて連続して九十日を超えることはできない。

4　使用した特定病気休暇の期間が除外日を除いて連続して九十日に達した場合において、九十日に達した日の翌日から実勤務日数が二十日に達する日までの間に、その症状等が当該使用した特定病気休暇の期間における特定病気休暇に係る負傷又は疾病の症状等と明らかに異なる負傷又は疾病のため療養する必要が生じ、勤務しないことがやむを得ないと認められるときは、第一項ただし書の規定にかかわらず、当該負傷又は疾病に係る特定病気休暇を承認することができる。この場合において、当該特定病気休暇の期間は、除外日を除いて連続して九十日を超えることはできない。

5　療養期間中の週休日、勤務時間を割り振らない日、休日、代休日その他の病気休暇の日以外の勤務しない日は、第一項ただし書及び第二項から前項までの規定の適用については、特定病気休暇を使用した日とみなす。

6　第一項ただし書及び第二項から前項までの規定は、臨時的職員、条件付採用期間中の職員及び検察官には適用しない。

（特別休暇）

第二十二条　勤務時間法第十九条の人事院規則で定める場合は、次の各号に掲げる場合とし、その期間は、当該各号に定める期間とする。

一　職員が選挙権その他公民としての権利を行使する場合で、その勤務しないことがやむを得ないと認められるとき　必要と認められる期間

二　職員が裁判員、証人、鑑定人、参考人等として国会、裁判所、地方公共団体の議会その他官公署へ出頭する場合で、その勤務しないことがやむを得ないと認められるとき　必要と認められる期間

三　職員が骨髄移植のための骨髄若しくは末梢《しょう》血幹細胞移植のための末梢血幹細胞の提供希望者としてその登録を実施する者に対して登録の申出を行い、又は配偶者、父母、子及び兄弟姉妹以外の者に、骨髄移植のため骨髄若しくは末梢血幹細胞移植のため末梢血幹細胞を提供する場合で、当該申出又は提供に伴い必要な検査、入院等のため勤務しないことがやむを得ないと認められるとき　必要と認められる期間

四　職員が自発的に、かつ、報酬を得ないで次に掲げる社会に貢献する活動（専ら親族に対する支援となる活動を除く。）を行う場合で、その勤務しないことが相当であると認められるとき　一の年において五日の範囲内の期間

イ　地震、暴風雨、噴火等により相当規模の災害が発生した被災地又はその周辺の地域における生活関連物資の配布その他の被災者を支援する活動

ロ　障害者支援施設、特別養護老人ホームその他の主として身体上若しくは精神上の障害がある者又は負傷し、若しくは疾病にかかった者に対して必要な措置を講ずることを目的とする施設であって人事院が定めるものにおける活動

ハ　イ及びロに掲げる活動のほか、身体上若しくは精神上の障害、負傷又は疾病により常態として日常生活を営むのに支障がある者の介護その他の日常生活を支援する活動

五　職員が結婚する場合で、結婚式、旅行その他の結婚に伴い必要と認められる行事等のため勤務しないことが相当であると認められるとき　人事院が定める期間内における連続する五日の範囲内の期間

五の二　職員が不妊治療に係る通院等のため勤務しないことが相当であると認められる場合　一の年において五日（当該通院等が体外受精その他の人事院が定める不妊治療に係るものである場合にあっては、十日）の範囲内の期間

六　六週間（多胎妊娠の場合にあっては、十四週間）以内に出産する予定である女子職員が申し出た場合　出産の日までの申し出た期間

七　女子職員が出産した場合　出産の日の翌日から八週間を経過する日までの期間（産後六週間を経過した女子職員が就業を申し出た場合において医師が支障がないと認めた業務に就く期間を除く。）

八　生後一年に達しない子を育てる職員が、その子の保育のために必要と認められる授乳等を行う場合　一日二回それぞれ三十分以内の期間（男子職員にあっては、その子の当該職員以外の親（当該子について民法第八百十七条の二第一項の規定により特別養子縁組の成立について家庭裁判所に請求した者（当該請求に係る家事審判事件が裁判所に係属している場合に限る。）であって当該子を現に監護するもの又は児童福祉法第二十七条第一項第三号の規定により当該子を委託されている養子縁組里親である者若しくは養育里親である者（同条第四項に規定する者の意に反するため、同項の規定により、養子縁組里親として委託することができない者に限る。）を含む。）が当該職員がこの号の休暇を使用しようとする日におけるこの号の休暇（これに相当する休暇を

含む。）を承認され、又は労働基準法（昭和二十二年法律第四十九号）第六十七条の規定により同日における育児時間を請求した場合は、一日二回それぞれ三十分から当該承認又は請求に係る各回ごとの期間を差し引いた期間を超えない期間）

九　職員が妻（届出をしないが事実上婚姻関係と同様の事情にある者を含む。次号において同じ。）の出産に伴い勤務しないことが相当であると認められる場合　人事院が定める期間内における二日の範囲内の期間

十　職員の妻が出産する場合であってその出産予定日の六週間（多胎妊娠の場合にあっては、十四週間）前の日から当該出産の日以後一年を経過する日までの期間にある場合において、当該出産に係る子又は小学校就学の始期に達するまでの子（妻の子を含む。）を養育する職員が、これらの子の養育のため勤務しないことが相当であると認められるとき　当該期間内における五日の範囲内の期間

十一　小学校就学の始期に達するまでの子（配偶者の子を含む。以下この号において同じ。）を養育する職員が、その子の看護（負傷し、若しくは疾病にかかったその子の世話又は疾病の予防を図るために必要なものとして人事院が定めるその子の世話を行うことをいう。）のため勤務しないことが相当であると認められる場合　一の年において五日（その養育する小学校就学の始期に達するまでの子が二人以上の場合にあっては、十日）の範囲内の期間

十二　要介護者の介護その他の人事院が定める世話を行う職員が、当該世話を行うため勤務しないことが相当であると認められる場合　一の年において五日（要介護者が二人以上の場合にあっては、十日）の範囲内の期間

十三　職員の親族（別表第二の親族欄に掲げる親族に限る。）が死亡した場合で、職員が葬儀、服喪その他の親族の死亡に伴い必要と認められる行事等のため勤務しないことが相当であると認められるとき　親族に応じ同表の日数欄に掲げる連続する日数（葬儀のため遠隔の地に赴く場合にあっては、往復に要する日数を加えた日数）の範囲内の期間

十四　職員が父母の追悼のための特別な行事（父母の死亡後人事院の定める年数内に行われるものに限る。）のため勤務しないことが相当であると認められる場合　一日の範囲内の期間

十五　職員が夏季における盆等の諸行事、心身の健康の維持及び増進又は家庭生活の充実のため勤務しないことが相当であると認められる場合　一の年の七月から九月までの期間（当該期間が業務の繁忙期であることその他の業務の事情により当該期間内にこの号の休暇の全部又は一部を使用することが困難であると認められる職員にあっては、一の年の六月から十月までの期間）内における、週休日、勤務時間を割り振らない日、勤務時間法第十三条の二第一項の規定により割り振られた勤務時間の全部について超勤代休時間が指定された勤務日等、休日及び代休日を除いて原則として連続する三日の範囲内の期間

十六　地震、水害、火災その他の災害により次のいずれかに該当する場合その他これらに準ずる場合で、職員が勤務しないことが相当であると認められるとき　七日の範囲内の期間

イ　職員の現住居が滅失し、又は損壊した場合で、当該職員がその復旧作業等を行い、又は一時的に避難しているとき。

ロ　職員及び当該職員と同一の世帯に属する者の生活に必要な水、食料等が著しく不足している場合で、当該職員以外にはそれらの確保を行うことができないとき。

十七　地震、水害、火災その他の災害又は交通機関の事故等により出勤することが著しく困難であると認められる場合　必要と認められる期間

十八　地震、水害、火災その他の災害又は交通機関の事故等に際して、職員が退勤途上における身体の危険を回避するため勤務しないことがやむを得ないと認められる場合　必要と認められる期間

2　前項第五号の二及び第九号から第十二号までの休暇（以下この条において「特定休暇」という。）の単位は、一日又は一時間とする。ただし、特定休暇の残日数の全てを使用しようとする場合において、当該残日数に一時間未満の端数があるときは、当該残日数の全てを使用することができる。

3　一日を単位とする特定休暇は、一回の勤務に割り振られた勤務時間のすべてを勤務しないときに使用するものとする。

4　一時間を単位として使用した特定休暇を日に換算する場合には、次の各号に掲げる職員の区分に応じ、当該各号に定める時間数をもって一日とする。

一　次号及び第三号に掲げる職員以外の職員　七時間四十五分

二　斉一型短時間勤務職員　勤務日ごとの勤務時間の時間数（七時間四十五分を超える場合にあっては、七時間四十五分とし、一分未満の端数があるとき

は、これを切り捨てた時間）

三　不斉一型短時間勤務職員　七時間四十五分

（介護休暇）

第二十三条　勤務時間法第二十条第一項の人事院規則で定める者は、次に掲げる者（第二号に掲げる者にあっては、職員と同居しているものに限る。）とする。

一　祖父母、孫及び兄弟姉妹

二　職員又は配偶者（届出をしないが事実上婚姻関係と同様の事情にある者を含む。別表第二において同じ。）との間において事実上父母と同様の関係にあると認められる者及び職員との間において事実上子と同様の関係にあると認められる者で人事院が定めるもの

2　勤務時間法第二十条第一項の人事院規則で定める期間は、二週間以上の期間とする。

3　勤務時間法第二十条第一項に規定する職員の申出は、同項に規定する指定期間（以下「指定期間」という。）の指定を希望する期間の初日及び末日を休暇簿に記入して、各省各庁の長に対し行わなければならない。

4　各省各庁の長は、前項の規定による指定期間の指定の申出があった場合には、当該申出による期間の初日から末日までの期間（第七項において「申出の期間」という。）の指定期間を指定するものとする。

5　職員は、第三項の申出に基づき前項若しくは第七項の規定により指定された指定期間を延長して指定すること又は当該指定期間若しくはこの項の申出（短縮の指定の申出に限る。）に基づき次項若しくは第七項の規定により指定された指定期間を短縮して指定することを申し出ることができる。この場合においては、改めて指定期間として指定することを希望する期間の末日を休暇簿に記入して、各省各庁の長に対し申し出なければならない。

6　各省各庁の長は、職員から前項の規定による指定期間の延長又は短縮の指定の申出があった場合には、第四項、この項又は次項の規定により指定された指定期間の初日から当該申出に係る末日までの期間の指定期間を指定するものとする。

7　第四項又は前項の規定にかかわらず、各省各庁の長は、それぞれ、申出の期間又は第三項の申出に基づき第四項若しくはこの項の規定により指定された指定期間の末日の翌日から第五項の規定による指定期間の延長の指定の申出があった場合の当該申出に係る末日までの期間（以下この項において「延長申出の期間」という。）の全期間にわたり第二十六条ただし書の規定により介護休暇を承認できないことが明らかである場合は、当該期間を指定期間として指定しないものとし、申出の期間又は延長申出の期間中の一部の日が同条ただし書の規定により介護休暇を承認できないことが明らかな日である場合は、これらの期間から当該日を除いた期間について指定期間を指定するものとする。

8　指定期間の通算は、暦に従って計算し、一月に満たない期間は、三十日をもって一月とする。

第二十三条の二　介護休暇の単位は、一日又は一時間とする。

2　一時間を単位とする介護休暇は、一日を通じ、始業の時刻から連続し、又は終業の時刻まで連続した四時間（当該介護休暇と要介護者を異にする介護時間の承認を受けて勤務しない時間がある日については、当該四時間から当該介護時間の承認を受けて勤務しない時間を減じた時間）を超えない範囲内の時間とする。

（介護時間）

第二十三条の三　介護時間の単位は、三十分とする。

2　介護時間は、一日を通じ、始業の時刻から連続し、又は終業の時刻まで連続した二時間（育児休業法第二十六条第一項の規定による育児時間の承認を受けて勤務しない時間がある日については、当該二時間から当該育児時間の承認を受けて勤務しない時間を減じた時間）を超えない範囲内の時間とする。

（病気休暇及び特別休暇の承認）

第二十四条　勤務時間法第二十一条の人事院規則で定める特別休暇は、第二十二条第一項第六号及び第七号の休暇とする。

第二十五条　各省各庁の長は、病気休暇又は特別休暇（前条に規定するものを除く。第二十七条第一項において同じ。）の請求について、勤務時間法第十八条に定める場合又は第二十二条第一項各号に掲げる場合に該当すると認めるときは、これを承認しなければならない。ただし、公務の運営に支障があり、他の時期においても当該休暇の目的を達することができると認められる場合は、この限りでない。

（介護休暇及び介護時間の承認）

第二十六条　各省各庁の長は、介護休暇又は介護時間の請求について、勤務時間法第二十条第一項又は第二十条の二第一項に定める場合に該当すると認めるときは、これを承認しなければならない。ただし、当該請求に係る期間のうち公務の運営に支障がある日又は時間については、この限りでない。

（年次休暇、病気休暇及び特別休暇の請求等）

第二十七条 年次休暇、病気休暇又は特別休暇の承認を受けようとする職員は、あらかじめ休暇簿に記入して各省各庁の長に請求しなければならない。ただし、病気、災害その他やむを得ない事由によりあらかじめ請求できなかった場合には、その事由を付して事後において承認を求めることができる。

2 第二十二条第一項第六号の申出は、あらかじめ休暇簿に記入して各省各庁の長に対し行わなければならない。

3 第二十二条第一項第七号に掲げる場合に該当することとなった女子職員は、その旨を速やかに各省各庁の長に届け出るものとする。

（介護休暇及び介護時間の請求）

第二十八条 介護休暇又は介護時間の承認を受けようとする職員は、あらかじめ休暇簿に記入して各省各庁の長に請求しなければならない。

2 前項の介護休暇の承認を受けようとする場合において、一回の指定期間について初めて介護休暇の承認を受けようとするときは、二週間以上の期間（当該指定期間が二週間未満である場合その他の人事院が定める場合には、人事院が定める期間）について一括して請求しなければならない。

（休暇の承認の決定等）

第二十九条 第二十七条第一項又は前条第一項の請求があった場合においては、各省各庁の長は速やかに承認するかどうかを決定し、当該請求を行った職員に対して当該決定を通知するものとする。ただし、同項の規定により介護休暇の請求があった場合において、当該請求に係る期間のうちに当該請求があった日から起算して一週間を経過する日（以下この項において「一週間経過日」という。）後の期間が含まれているときにおける当該期間については、一週間経過日までに承認するかどうかを決定することができる。

2 各省各庁の長は、病気休暇、特別休暇、介護休暇又は介護時間について、その事由を確認する必要があると認めるときは、証明書類の提出を求めることができる。

（休暇簿）

第三十条 休暇簿に関し必要な事項は、事務総長が定める。

（その他の事項）

第三十一条 この章に規定するもののほか、休暇に関し必要な事項は、人事院が定める。

第六章 雑則

（第二章から第四章までの規定についての別段の定め）

第三十二条 各省各庁の長は、業務若しくは勤務条件の特殊性又は地域的若しくは季節的事情により、第三条第一項から第三項まで、第五条、第六条、第七条第一項及び第二項、第八条第一項、第十四条第二項、第十六条の三第一項及び第三項並びに第十七条第一項の規定によると、能率を甚だしく阻害し、又は職員の健康若しくは安全に有害な影響を及ぼす場合には、人事院の承認を得て、週休日、勤務時間を割り振らない日、勤務時間の割振り、週休日の振替等、休憩時間、休息時間、宿日直勤務、超勤代休時間の指定又は代休日の指定について別段の定めをすることができる。

（報告）

第三十三条 人事院は、必要があると認めるときは、各省各庁の長に対し、勤務時間、休日及び休暇に関する事務の実施状況について報告を求めることができる。

附 則

（施行期日）

1 この規則は、平成六年九月一日から施行する。

（経過措置）

2 勤務時間法の施行の際現に旧規則一五—一（職員の勤務時間等の基準）第六条第四項の規定に基づき人事院の承認を得ている勤務を要しない日及び勤務時間の割振りについての定めは、人事院が別に定める場合を除き、勤務時間法第七条第二項ただし書の規定に基づき人事院と協議した週休日及び勤務時間の割振りについての定めとみなす。

3 勤務時間法附則第二条第一項又は第二項の規定が適用される職員の勤務時間の割振りについて、この規則の施行の際現に旧規則一五—一第九条第一項若しくは第十条又は旧規則一五—一三（研究職員等の勤務時間等の基準の特例）第五条の規定に基づき置かれている休息時間については、それぞれ第八条第一項又は第三十二条の規定に基づく休息時間とみなす。

4 この規則の施行の際現に旧規則十五—一第十条の規定に基づき人事院の承認を得ている勤務を要しない日の振替え若しくは半日勤務時間の割振り変更、休憩時間又は休息時間についての別段の定めは、人事院が別に定める場合を除き、それぞれ第三十二条の規定に基づき人事院の承認を得た週休日の振替等、休憩時間又は休息時間についての別段の定めとみなす。

5 この規則の施行の際現に旧規則一五—九（宿日直勤務）第四条又は第五条の規定に基づき人事院の承認を得ている勤務については、それぞれ第十四条第二項又は第一項の規定に基づき人事院の承認を得たものとみなす。

6　この規則の施行の日前に使用された旧規則一五―一一（職員の休暇）第六条第三号、第七号、第八号、第十号又は第十一号の特別休暇であって、同一の事由について第二十二条第四号、第八号、第九号、第十一号又は第十二号に掲げる場合に該当することとなるものについては、それぞれ同条第四号、第八号、第九号、第十一号又は第十二号の特別休暇として既に使用されたものとみなす。

7　この規則の施行の日前に行われた旧規則一五―一一第六条第四号若しくは第五号の規定による申出又は旧規則一五―一一第九条第四項の規定による届出であって、同一の事項について第二十二条第五号若しくは第六号による申出又は第二十七条第三項の規定による届出を行う必要のあるものについては、それぞれ第二十二条第五号若しくは第六号又は同項の規定により行われたものとみなす。

8　この規則の施行の際現に旧規則一五―一三第二条の規定に基づき人事院が指定している機関又は業務については、それぞれ第二条の規定に基づき人事院が指定したものとみなす。

9　この規則の施行の際現に旧規則一五―一三第五条の規定に基づき人事院の承認を得ている旧規則一五―一三第三条第三項第二号に定める時間帯、同項第三号に定める時刻、旧規則一五―一三第四条に定める休憩時間又は旧規則一五―一第九条第一項に定める休息時間についての別段の定めは、それぞれ第三十二条の規定に基づき人事院の承認を得た第三条第一項第一号に定める時間帯、同項第二号に定める時刻、第七条第三項に定める休憩時間又は第八条第一項に定める休息時間についての別段の定めとみなす。

附　則（平一九・七・二〇規則一―四八）（抄）

（人事院規則一五―一四の一部改正に伴う経過措置）

2　第十七条の規定による改正後の規則一五―一四（以下「改正後の規則」という。）第二十二条第一項第九号の人事院が定める期間（当該期間の初日を除く。）又は同項第十号に規定する出産予定日の六週間（多胎妊娠の場合にあっては、十四週間）前の日から当該出産の日後八週間を経過する日までの期間（当該期間の初日を除く。）にこの規則の施行の日がある職員が同日前のそれぞれの当該期間に使用した第十七条の規定による改正前の規則一五―一四第二十二条第一項第九号又は第十号の休暇及び同日前に使用した同項第十一号の休暇については、改正後の規則第二十二条第一項第九号から第十一号までのそれぞれの休暇として使用されたものとみなす。

附　則（平二一・二・二七規則一五―一四―二三）（抄）

（経過措置）

2　この規則の施行の日（以下「施行日」という。）前から引き続き在職する職員であって、施行日の前日における年次休暇の残日数に半日の端数があるものの施行日以後の平成二十一年における年次休暇の日数については、同年一月一日から施行日の前日までの間の半日の年次休暇の使用を四時間の年次休暇の使用とみなして得られる同日における年次休暇の残日数とする。

附　則（平二二・三・一五規則一五―一四―二六）（抄）

（経過措置）

2　この規則の施行の日前に使用された改正前の規則一五―一四第二十二条第一項第十一号の休暇については、改正後の規則一五―一四第二十二条第一項第十一号の休暇として使用されたものとみなす。

附　則（平二八・一二・一規則一五―一四―三二）（抄）

改正　平三〇・二・一規則一―七一

（施行期日）

第一条　この規則は、平成二十九年一月一日から施行する。ただし、附則第三条の規定は、公布の日から施行する。

（平成二十八年改正法附則第四条の規定による指定期間の指定）

第二条　一般職の職員の給与に関する法律等の一部を改正する法律（平成二十八年法律第八十号。以下「平成二十八年改正法」という。）附則第四条に規定する職員の申出は、勤務時間法第二十条第一項に規定する指定期間（以下「指定期間」という。）の末日とすることを希望する日を休暇簿に記入して、各省各庁の長（勤務時間法第三条に規定する各省各庁の長をいう。以下同じ。）に対し行わなければならない。

2　各省各庁の長は、前項の規定による指定期間の指定の申出があった場合には、平成二十八年改正法附則第四条に規定する初日（以下「初日」という。）から当該申出による期間の末日までの期間の指定期間を指定するものとする。

3　平成二十八年改正法附則第四条に規定する職員（以下「職員」という。）は、第一項の申出に基づき前項若しくは第五項の規定により指定された指定期間を延長して指定すること又は当該指定期間若しくはこの項の申出（短縮の指定の申出に限る。）に基づき次項若しくは第五項の規定により指定された指定期間を短縮して指定することを申し出ることができる。この場合においては、改めて指定期間として指定することを希望する期間の末日を休暇簿に記入して、各省各庁の長に対し申し出なければならない。

4 各省各庁の長は、職員から前項の規定による指定期間の延長又は短縮の指定の申出があった場合には、初日から当該申出に係る末日までの期間の指定期間を指定するものとする。

5 第二項又は前項の規定にかかわらず、各省各庁の長は、それぞれ、平成二十九年一月一日から第一項の規定により申し出た指定期間の末日とすることを希望する日までの期間（以下「施行日以後の申出の期間」という。）又は第一項の申出に基づき第二項若しくはこの項の規定により指定された指定期間の末日の翌日から第三項の規定による指定期間の延長の指定の申出があった場合の当該申出に係る末日までの期間（以下「延長申出の期間」という。）の全期間にわたり規則一五—一四第二十六条ただし書の規定により介護休暇を承認できないことが明らかである場合は、当該期間を指定期間として指定しないものとし、施行日以後の申出の期間又は延長申出の期間中の一部の日が同条ただし書の規定により介護休暇を承認できないことが明らかな日である場合は、これらの期間から当該日を除いた期間について指定期間を指定するものとする。

（準備行為）

第三条 前条第一項の指定期間の指定の申出は、この規則の施行の日前においても行うことができる。

第四条 削除

附　則（令四・二・一八規則一—七九）（抄）

改正　令六・三・二九規則一—八二

（施行期日）

第一条 この規則は、令和五年四月一日から施行する。

（定義）

第二条 この附則において、次の各号に掲げる用語の意義は、それぞれ当該各号に定めるところによる。

一・二 〔略〕

三 暫定再任用職員 令和三年改正法附則第三条第四項に規定する暫定再任用職員をいう。

四 暫定再任用短時間勤務職員 令和三年改正法附則第七条第一項に規定する暫定再任用短時間勤務職員をいう。

五 定年前再任用短時間勤務職員 法第六十条の二第二項に規定する定年前再任用短時間勤務職員をいう。

六・七 〔略〕

（改正後の人事院規則一五—一四における暫定再任用職員に関する経過措置）

第二十二条 暫定再任用職員は、規則一—八二（一般職の職員の給与に関する法律等の一部を改正する法律の一部の施行に伴う関係人事院規則の整備等に関する人事院規則）第十一条の規定による改正後の規則一五—一四第三条第一項第三号に規定する定年前再任用短時間勤務職員等（次項において「定年前再任用短時間勤務職員等」という。）とみなして、同規則第十八条の二第一項（第二号に係る部分に限る。）及び第四項の規定を適用する。

2 暫定再任用短時間勤務職員は、定年前再任用短時間勤務職員等とみなして、規則一—八二第十一条の規定による改正後の規則一五—一四第三条第一項及び第二項、第十六条の二、第十八条、第十八条の二第一項（第一号に係る部分に限る。）並びに第十八条の三の規定を適用する。

附　則（令五・一・二〇規則一五—一四—二〇）（抄）

（施行期日）

第一条 この規則は、令和五年四月一日から施行する。ただし、附則第三条の規定は、公布の日から施行する。

（経過措置）

第二条 各省各庁の長（勤務時間法第三条に規定する各省各庁の長をいう。）は、この規則による改正後の規則一五—一四第三条又は第四条の三の規定にかかわらず、これらの規定に定める基準により勤務時間を割り振ることが困難である職員の勤務時間法第六条第三項又は第四項の規定に基づく勤務時間の割振りの基準について、あらかじめ人事院と協議して、一定の期間を限って、なお従前の例によることができる。

（準備行為）

第三条 この規則による改正後の規則一五—一四第三条第五項又は前条の協議は、この規則の施行の日前においても行うことができる。

附　則（令五・一二・一規則一五—一四—四二）

この規則は、令和六年一月一日から施行する。

附　則（令六・三・二九規則一—八二）（抄）

（施行期日）

第一条 この規則は、令和七年四月一日から施行する。ただし、〔中略〕第十一条中規則一五—一四の目次の改正規定、同規則中第一条の二を第一条の三とし、第一条の次に一条を加える改正規定及び同規則第十三条第一項第三号の改正規定は令和六年四月一日から施行する。

（勤務時間法の一部改正に伴う経過措置）

第二条　各省各庁の長（勤務時間法第三条に規定する各省各庁の長をいう。）は、一般職の職員の給与に関する法律等の一部を改正する法律（令和五年法律第七十三号。附則第四条において「令和五年改正法」という。）第三条の規定の施行の日（以下この条において「施行日」という。）前に勤務時間法第六条第三項（育児休業法第十七条（育児休業法第二十二条において準用する場合を含む。）の規定により読み替えて適用する場合を除く。）の規定により勤務時間を割り振ろうとする場合又は勤務時間法第六条第四項の規定により週休日を設け、及び勤務時間を割り振ろうとする場合（規則一五―一四第四条の二の規定により職員が選択する期間（以下この条において「選択単位期間」という。）が一週間である場合を除く。）において、単位期間（勤務時間法第六条第三項に規定する単位期間をいう。以下同じ。）の初日としようとする日から起算して四週間（選択単位期間が二週間又は三週間である場合にあっては、それぞれ二週間又は三週間）を経過する日が、施行日以後に到来するときは、同規則第四条の二の規定にかかわらず、当該単位期間の末日を施行日の前日以前とするために必要な限度において、当該単位期間を一週間、二週間又は三週間とすることができる。

（人事院規則一―三四の一部改正に伴う経過措置）

第三条　第二条の規定による改正前の規則一―三四別表の八の表勤務時間法の項、規則一五―一四（職員の勤務時間、休日及び休暇）の項及び規則一五―一四―四〇（人事院規則一五―一四（職員の勤務時間、休日及び休暇）の一部を改正する人事院規則）の項に掲げる人事管理文書（同条の規定による改正後の規則一―三四別表の八の表勤務時間法の項及び規則一五―一四（職員の勤務時間、休日及び休暇）の項に掲げるものを除く。）の保存期間及び保存期間が満了したときの措置については、なお従前の例による。

別表第一（第十八条の二関係）

在職期間	日数
一月に達するまでの期間	二日
一月を超え二月に達するまでの期間	三日
二月を超え三月に達するまでの期間	五日
三月を超え四月に達するまでの期間	七日
四月を超え五月に達するまでの期間	八日
五月を超え六月に達するまでの期間	十日
六月を超え七月に達するまでの期間	十二日
七月を超え八月に達するまでの期間	十三日
八月を超え九月に達するまでの期間	十五日
九月を超え十月に達するまでの期間	十七日
十月を超え十一月に達するまでの期間	十八日
十一月を超え一年未満の期間	二十日

別表第二（第二十二条関係）

親族	日数
配偶者	七日
父母	
子	五日
祖父母	三日（職員が代襲相続し、かつ、祭具等の承継を受ける場合にあっては、七日）
孫	一日
兄弟姉妹	三日
おじ又はおば	一日（職員が代襲相続し、かつ、祭具等の承継を受ける場合にあっては、七日）
父母の配偶者又は配偶者の父母	三日（職員と生計を一にしていた場合にあっては、七日）
子の配偶者又は配偶者の子	一日（職員と生計を一にしていた場合にあっては、五日）
祖父母の配偶者又は配偶者の祖父母	一日（職員と生計を一にしていた場合にあっては、三日）
兄弟姉妹の配偶者又は配偶者の兄弟姉妹	
おじ又はおばの配偶者	一日

○職員の勤務時間、休日及び休暇の運用について

平六・七・二七
職職—三二八

最終改正　令六・三・二九事企法—八七

標記について下記のとおり定めたので、平成六年九月一日以降は、これによってください。

記

第一　総則関係

1　一般職の職員の勤務時間、休暇等に関する法律（平成六年法律第三十三号。以下「勤務時間法」という。）第一条の「別に法律で定めるもの」とは、次に掲げるものをいう。

(1)　外務公務員法（昭和二十七年法律第四十一号）第二十三条に規定する休暇帰国

(2)　一般職の任期付研究員の採用、給与及び勤務時間の特例に関する法律（平成九年法律第六十五号）第八条に規定する職員の裁量による勤務

(3)　独立行政法人通則法（平成十一年法律第百三号）第二条第四項に規定する行政執行法人の職員についての勤務時間、休日及び休暇に関する事項

2　人事院規則一五—一四（職員の勤務時間、休日及び休暇）（以下「規則」という。）第一条の「別に定めるもの」とは、人事院規則一五—一五（非常勤職員の勤務時間及び休暇）及び人事院規則二〇—〇（任期付研究員の採用、給与及び勤務時間の特例）第九条から第十三条までに規定する事項をいう。な

お、この他に勤務時間等に関しては、人事院規則一〇—四（職員の保健及び安全保持）、人事院規則一〇—七（女子職員及び年少職員の健康、安全及び福祉）、人事院規則一〇—一一（育児又は介護を行う職員の早出遅出勤務並びに深夜勤務及び超過勤務の制限）及び人事院規則一九—〇（職員の育児休業等）に関連規定がある。

第二　任期付短時間勤務職員の一週間の勤務時間の基準関係

各省各庁の長は、国家公務員の育児休業等に関する法律（平成三年法律第百九号。以下「育児休業法」という。）第十二条第一項に規定する育児短時間勤務をしている職員に応じて当該育児短時間勤務に伴い任用されている任期付短時間勤務職員を把握するとともに、それぞれの一週間当たりの勤務時間を記録することその他適当な方法により、当該任期付短時間勤務職員の一週間当たりの勤務時間が規則第一条の三の基準に適合していることを確認できるようにしておかなければならない。育児休業法第二十二条の規定による短時間勤務に伴い任用されている任期付短時間勤務職員の一週間当たりの勤務時間についても、同様とする。

第三　勤務時間法第六条第三項の規定による勤務時間の割振り等関係

1　勤務時間の割振り等（規則第三条第一項に規定する勤務時間の割振り等をいう。以下第三において同じ。）及び申告（同項に規定する申告をいう。第三項において同じ。）は、十五分を単位として行うものとする。ただし、定年前再任用短時間勤務職員等（同条第一項第三号に規定する定年前再任用短時間勤務職員等をいう。以下同じ。）については、単位期間（規則第四条の三第一項に規定する単位期間をいう。以下同じ。）に休日があることその他の事情によりやむを得ない場合には、必要と認められる範囲内において、この項本文の規定によらないことができる。

2　勤務時間の割振り等は、当該勤務時間の割振り等に係る単位期間の開始前（勤務時間を割り振らない日（規則第三条第一項に規定する勤務時間を割り振らない日をいう。第五の第二項及び第七項、第十三の第二項及び第五項並びに第十五の第六項を除き、以下同じ。）とされた日を勤務日としようとし、又は勤務日とされた日を勤務時間を割り振らない日としようとする場合にあってはその日前、勤務時間の割振りを変更する場合にあっては当該変更を行おうとする日の変更前及び変更後の始業の時刻より前）に行うものとする。ただし、勤務日の始業の時刻以後に業務の状況の変化等の事情が生じた場合において、各省各庁の長が公務の運営に支障がないと認めるときは、規則第三条第一項に規定する申告及び規則第七条第四項に規定する休憩時間の申告（第十一項において「申告等」という。）を経て、当該勤務日について将来に向かって勤務時間の割振りを変更することができる。

3　規則第三条第一項後段の申告と異なる勤務時間の割振り等は、公務の運営に必要と認められる範囲内で、かつ、次に掲げる基準に適合するように行うものとする。この場合において、申告をされた勤務日を勤務時間を割り振らない日とするときは、その日の選択に当たり、できる限り、職員の希望を考慮するものとする。

(1)　申告をされた勤務時間を割り振らない日を勤務日とする場合又は申告をされた一日の勤務時間を延長する場合には、一日の勤務時間が七時間四十五分（定年前再任用短時間勤務職員等にあっては、その者の単位期間ごとの期間における勤務時間を当該期間における勤務時間法第六条第一項の規定による週休日以外の日の日数で除して得た時間。以下この(1)において同じ。）を超えないようにし、申告をされた一日の勤務時間を短縮する場合には、一日の勤務時間が七時間四十五分を下回らないようにすること。

(2)　始業の時刻は、申告をされた始業の時刻、標準勤務時間（各省各庁の長が、職員が勤務する部局又は機関の職員の勤務時間帯等を考慮して、七時間四十五分となるように定める標準的な一日の勤務時間をいう。以下この(2)及び第十五項(4)において同じ。）の始まる時刻又は官庁執務時間（大正十一年閣令第六号（官庁執務時間並休暇に関する件）第一項に定める官庁の執務時間をいう。以下この(2)及び第八の(1)ア(ア)において同じ。）の始まる時刻のうち最も早い時刻以後に設定し、かつ、終業の時刻は、申告をされた終業の時刻、標準勤務時間の終わる時刻又は官庁執務時間の終わる時刻のうち最も遅い時刻以前に設定すること。

4　規則第三条第一項第三号の「人事院の定める日」は、次のとおりとする。

(1)　職員が日を単位として出張する日

(2)　職員が規則第一条第一号に掲げる研修（同条の人事院が定める基準に適合するものに限る。）を受ける日

(3)　第十七の第二項による計画表等により、職員が休暇を使用して一日の勤務時間の全てを勤務しないことを予定していることが明らかな日

5　規則第三条第二項の規定により同項に規定する基準によらないことができるのは、当該定年前再任用短時間勤務職員等の業務内容、勤務する部局又は機関の他の職員の勤務時間帯等を考慮して公務の運営に必要と認められる範囲内に限る。

6　規則第三条第三項の「人事院の定める場合」は、次に掲げる場合とし、当該場合における勤務時間の割振りは、必要と認められる範囲内で、同条第一項第四号に定める基準によらないことができるものとする。

(1)　超過勤務（規則第十六条に規定する超過勤務をいう。以下同じ。）による職員の疲労の蓄積の防止その他の規則第一条の二に規定する職員の健康及び福祉の確保に必要な勤務の終了からその次の勤務の開始までの時間の確保のため、始業の時刻を規則第三条第一項第四号に規定する時間帯（以下この項及び第十五項(2)において「コアタイム」という。）の始まる時刻より後に設定し、又は終業の時刻をコアタイムの終わる時刻より前に設定する必要がある場合

(2)　職員が勤務時間の一部の時間帯において職員の住居における勤務その他これに類する各省各庁の長が認める場所における勤務（以下この(2)及び第六の第三項において「在宅勤務等」という。）を行う場合において、当該在宅勤務等を行う場所と通常の勤務場所との間の移動のため、コアタイムに休憩時間（標準休憩時間（規則第三条第一項第四号に規定する標準休憩時間をいう。以下同じ。）の時間に当該移動に要する時間を加えた時間を超えない範囲内のものであって、当該在宅勤務等を行う時間帯の直前又は直後に置かれるものに限る。）を置く必要があるとき。

(3)　第十三項に規定する職員の休憩に必要と認められる時間を確保するため、コアタイムに休憩時間を置く必要がある場合

7　規則第三条第四項の規定による人事院との協議は、次の事項を記載した文書により、事前に相当の期間をおいて行うものとする。当該人事院との協議をして定めた別段の定めを変更する場合においても、同様とする。

(1)　別段の定めの内容

(2)　別段の定めによることとする職員の範囲

(3)　別段の定めによることが公務の能率の向上に資すると認める理由

(4)　別段の定めによることが職員の健康及び福祉に重大な影響を及ぼすおそれがないと認める理由

(5)　その他必要な事項

8　各省各庁の長は、規則第三条第四項の規定により人事院との協議をして定めた別段の定めによる必要がなくなった場合には、速やかにその旨を人事院に報告するものとする。

9　規則第三条第四項の「人事院が定める基準」は、別段の定めが次に掲げるものであることとする。

(1)　午後十時から翌日の午前五時までの時間帯に係る勤務について勤務時間を割り振る場合においては、当該勤務を業務上必要最小限のものとなるようにし、かつ、当該勤務時間の直前及び直後に、勤務時間を割り振らない時間及び休日に割り振られた勤務時間（当該勤務時間のうち、勤務することを予定していることが明らかな時間を除く。）を合計した時間が連続して十一時間以上となるようにするもの

(2)　試験研究又は調査研究に関する業務を行う機関に勤務し、これらの研究業務に従事する職員その他これに類する職員として各省各庁の長が認める職員について、規則第三条第一項第四号中「金曜日まで」を「金曜日までのうち一日以上の日」と読み替えた場合における同項第二号、第四号及び第五号に掲げる基準に適合するように勤務時間を割り振るもの

10　規則第三条の二第二号の場合における勤務時間の割振り等の変更は、第三項(1)及び(2)に掲げる基準に適合するように行うものとする。この場合においては、できる限り、職員の希望を考慮するものとする。

11　規則第四条の二の申告・割振り簿は、各省各庁の長が作成し、次に掲げる記載事項の欄を設けるものとする。

(1)　職員の氏名

(2)　規則第四条の三第一項各号のいずれに該当する職員として規則第三条第一項に規定する申告をするかの別

(3)　申告等及び勤務時間の割振り等の対象とする期間

(4)　次に掲げる申告等及び勤務時間の割振り等に係る記載事項

ア　勤務時間を割り振らない日、始業及び終業の

時刻並びに休憩時間の始まる時刻及び終わる時刻又はこれらに代わる勤務時間及び休憩時間の形態

イ　勤務時間の割振り等の変更に係るアに掲げる記載事項

(5)　申告等に係る本人の確認及び勤務時間の割振り等に係る各省各庁の長の確認

(6)　申告等の年月日及び勤務時間の割振り等の年月日

12　規則第四条の三第一項第一号の「人事院の定める場合」は、次に掲げる場合とし、各省各庁の長は、同号の規定により、当該場合の区分に応じ、単位期間をそれぞれ次に定める一週間、二週間又は三週間とするものとする。

(1)　部局又は機関内の職員について単位期間が始まる日を同一の日とすることが公務の円滑な運営に必要と認める場合において、勤務時間の割振り等を行おうとする日の初日が当該部局又は機関内の他の職員の単位期間の中途の日であるとき　当該初日から当該単位期間の末日までの期間

(2)　勤務時間の割振り等を行おうとする日の初日から起算して四週間を経過する日前に国家公務員法(昭和二十二年法律第百二十号)第八十一条の六第一項の規定による退職その他の離職をすることが明らかである場合　当該初日から当該離職をする日までの期間

(3)　育児休業法第十七条の規定により読み替えられた勤務時間法第六条第三項の規定により勤務時間を割り振ろうとする職員の育児短時間勤務の期間をその初日から四週間ごとに区分した場合において、最後に四週間未満の期間を生じたとき　当該期間

13　規則第四条の三第二号ハの「人事院が定める職員」は、障害者の雇用の促進等に関する法律(昭和三十五年法律第百二十三号)第二条第一号に規定する障害者である職員のうち、同法第三十七条第二項に規定する対象障害者である職員及び当該職員以外の職員であって勤務時間の割振り等について配慮を必要とする者として人事院規則一〇―四第九条第一項に規定する健康管理医が認めるもの(第六の第三項において「障害者である職員等」という。)とする。

14　前項の勤務時間の割振り等について配慮を必要とする者であることについては、職員の申出により、健康管理医が、当該職員を診断した医師の意見書その他の必要な情報に基づき判断するものとする。

15　各省各庁の長は、勤務時間の割振り等を行うこととした場合には、あらかじめ次の事項について職員に周知するものとする。周知した事項を変更する場合においても、同様とする。

(1)　規則第三条第一項第二号の規定により各省各庁の長があらかじめ定める時間

(2)　コアタイム

(3)　始業及び終業の時刻を設定することができる時間帯

(4)　標準勤務時間の始まる時刻及び終わる時刻

(5)　標準休憩時間

(6)　その他必要な事項

16　各省各庁の長は、勤務時間の割振り等を行った場合には、規則第九条第二項の規定に基づき、勤務時間を割り振らない日並びに各勤務日の正規の勤務時間及び休憩時間を職員に対して通知するものとする。ただし、前項の規定によりあらかじめ職員に周知している事項については、その通知を省略することができる。

第四　特別の形態によって勤務する必要のある職員の週休日及び勤務時間の割振りの基準等関係

1　各省各庁の長は、勤務時間法第七条第一項の規定による週休日及び勤務時間の割振りを定める場合には、割振り単位期間(同条第二項本文に規定する四週間ごとの期間又は同項ただし書の規定により人事院と協議して各省各庁の長が定めた五十二週間を超えない期間をいう。)ができる限り多く連続するように一括して行うものとする。

2　勤務時間法第七条第二項ただし書の規定による人事院との協議は、次の事項を記載した文書により、事前に相当の期間をおいて行うものとする。

(1)　協議の対象となる職員の範囲

(2)　勤務時間法第七条第二項本文の定めるところに従うことが困難である理由

(3)　週休日及び勤務時間の割振りの基準の内容

3　各省各庁の長は、勤務時間法第七条第二項ただし書の規定により人事院と協議した週休日及び勤務時間の割振りについての定めを変更する場合には、変更の内容及び理由を記載した文書により、人事院と協議するものとする。

4　各省各庁の長は、規則第五条第三項の規定により人事院との協議を行うことなく、勤務時間法第七条第二項ただし書の定めるところに従い週休日及び勤務時間の割振りを定めた場合には、速やかに第二項

(1)から(3)までに掲げる事項を人事院に報告するものとする。

5　各省各庁の長は、勤務時間法第七条第二項ただし書の定めるところに従い定めた週休日及び勤務時間の割振りによる必要がなくなった場合には、速やかにその旨を人事院に報告するものとする。

第五　週休日の振替等関係

1　一の週休日又は勤務時間を割り振らない日について、週休日の振替（規則第六条第二項第一号に規定する週休日の振替をいう。以下同じ。）又は勤務時間を割り振らない日の振替（同項第二号に規定する勤務時間を割り振らない日の振替をいう。以下同じ。）及び四時間の勤務時間の割振り変更（同項第三号に規定する四時間の勤務時間の割振り変更をいう。以下同じ。）の双方を行うことができる場合には、できる限り、週休日の振替又は勤務時間を割り振らない日の振替を行うものとする。

2　週休日の振替又は勤務時間を割り振らない日の振替を行う場合において、勤務することを命ずる必要がある日に割り振る勤務時間は、週休日又は勤務時間を割り振らない日（勤務時間法第八条第二項において読み替えて準用する同条第一項の規定による勤務時間を割り振らない日をいう。第七項において同じ。）に変更される勤務日の始業の時刻から終業の時刻までの時間帯に割り振るものとする。ただし、これと異なる時間帯に割り振ることが業務上特に必要であると認められる場合には、この限りでない。

3　四時間の勤務時間の割振り変更を行う場合において、勤務することを命ずる必要がある日に割り振る勤務時間は、当該四時間の勤務時間の割振り変更が行われる職員の通常の始業の時刻から終業の時刻までの時間帯の範囲内に割り振るものとする。ただし、これと異なる時間帯に割り振ることが業務上特に必要であると認められる場合には、この限りでない。

4　勤務時間法第六条第一項又は第七条の規定に基づき毎日曜日を週休日と定められている職員にあっては、休日に割り振られている勤務時間については、できる限り、週休日の振替等（規則第六条第二項に規定する週休日の振替等をいう。以下同じ。）は行わないものとする。

5　各省各庁の長は、勤務時間法第八条第一項の規定に基づき育児短時間勤務職員等（規則第十二条の二第一項に規定する育児短時間勤務職員等をいう。以下同じ。）に週休日の振替又は四時間の勤務時間の割振り変更を行う場合には、当該育児短時間勤務職員等に対する超過勤務については、勤務時間法第十三条第二項の規定が育児休業法第十七条（育児休業法第二十二条において準用する場合を含む。）の規定により読み替えられ、他の職員よりも厳格な要件が定められていることに留意するものとする。

6　規則第六条第三項の「連続する勤務時間」には、休憩時間をはさんで引き続く勤務時間が含まれる。

7　各省各庁の長は、週休日の振替等を行った場合には、規則第九条第二項の規定に基づき、次の事項を職員に対して通知するものとする。ただし、週休日の振替等により勤務することを命ずる日の勤務時間帯等の基準をあらかじめ定め、職員に周知している場合には、当該事項について通知を省略することができる。

(1)　週休日の振替又は勤務時間を割り振らない日の振替を行った場合

ア　新たに勤務することを命ずることとなった日並びにその日の正規の勤務時間、休憩時間及び休息時間

イ　新たに勤務することを命ずることとなった日の勤務の内容

ウ　週休日又は勤務時間を割り振らない日に変更した日

(2)　四時間の勤務時間の割振り変更を行った場合

ア　新たに勤務することを命ずることとなった日並びにその日の正規の勤務時間、休憩時間及び休息時間

イ　新たに勤務することを命ずることとなった日の勤務の内容

ウ　勤務時間を割り振ることをやめることとなった日並びにその日の勤務時間を割り振ることをやめた後の正規の勤務時間及び休息時間

第六　休憩時間関係

1　規則第七条第一項第一号の「おおむね毎四時間の連続する正規の勤務時間」は、最大限四時間三十分の勤務時間とする。

2　規則第七条第一項第三号の「おおむね四時間」は、三時間十五分から四時間十五分までの間の時間とする。

3　各省各庁の長は、規則第七条第三項の規定に基づき、次に掲げる場合には、それぞれ次に定める基準に適合するように休憩時間を置くことができる。

(1)　標準休憩時間の時間帯において六十分又は四十五分の休憩時間を置くことにより業務を処理する

ために必要な要員の確保ができない場合又は障害者である職員等から申出があり、かつ、公務の運営に支障がないと認められる場合　規則第七条第一項又は第二項の規定による六十分又は四十五分の休憩時間を十五分単位で二回に分割し、そのうち四十五分又は三十分の休憩時間を標準休憩時間の時間帯に一回置き、他の一回の休憩時間を当該時間帯以外の時間帯に置くこと。この場合において、連続する正規の勤務時間が四時間三十分を超えないようにすること。

(2)　勤務時間法第六条第二項の規定により割り振られた一日の勤務時間（勤務時間法第八条第一項の規定により当該勤務時間を同項の勤務することを命ずる必要がある日に割り振る場合におけるその割り振られた勤務時間を含む。）が七時間四十五分である場合において、規則第七条第一項第二号に掲げる基準に適合するように休憩時間を置くだけでは次に掲げる場合に該当することとなるとき（イ及びウに掲げる場合に該当することとなる場合にあっては、職員から申出があり、かつ、公務の運営に支障がないと認められるときに限る。）それぞれ必要と認められる範囲内において同項又は同条第二項の規定による休憩時間を延長すること。この場合において、始業の時刻は午前五時以後に、終業の時刻は午後十時以前に設定すること。

ア　勤務時間の一部の時間帯における在宅勤務等（当該休憩時間に当該在宅勤務等を行う場所と通常の勤務場所との間の移動が必要となるものに限る。）の適切な実施を確保できない場合

イ　育児介護等職員（規則第四条の三第一項第二号に規定する育児介護等職員をいう。以下同じ。）が同号イに規定する養育又は同号ロに規定する介護を行うために必要な時間を確保できない場合（当該休憩時間の直前又は直後に在宅勤務等を行う場合に限る。）

ウ　障害者である職員等の休憩に必要と認められる時間を確保できない場合

(3)　次に掲げる場合（職員から申出があり、かつ、公務の運営に支障がないと認められる場合に限る。）規則第七条第一項又は第二項の規定による休憩時間を、当該休憩時間が六十分とされている場合にあっては四十五分又は三十分、四十五分とされている場合にあっては三十分に短縮すること。

ア　育児介護等職員が規則第四条の三第一項第二号イに規定する養育又は同号ロに規定する介護を行う場合

イ　交通機関を利用して通勤した場合に、出勤について職員の住居を出発した時刻から始業の時刻までの時間と退勤について終業の時刻から職員の住居に到着するまでの時間を合計した時間（交通機関を利用する時間に限る。）が、始業の時刻を遅らせ、又は終業の時刻を早めることにより三十分以上短縮されると認められるとき（始業及び終業の時刻を変更することにより、当該合計した時間を三十分以上短縮できる場合を除く。）。

ウ　妊娠中の女子職員が通勤に利用する交通機関の混雑の程度が当該女子職員の母体又は胎児の健康保持に影響があると認められる場合

エ　始業の時刻から終業の時刻までの時間の短縮が障害者である職員等に必要と認められる場合

(4)　障害者である職員等から申出があり、かつ、公務の運営に支障がないと認められる場合　規則第七条第一項若しくは第二項の規定又は(1)の規定により標準休憩時間の時間帯に置く休憩時間に加え、当該時間帯以外の時間帯に三十分又は十五分の休憩時間を置くこと。この場合において、勤務時間法第六条第二項の規定により勤務時間を割り振られた職員の始業の時刻は午前五時以後に、終業の時刻は午後十時以前に設定すること。

4　各省各庁の長は、前項(1)から(4)までの申出について確認する必要があると認めるときは、当該申出をした職員に照会するなど、その事由や必要な休憩時間について確認するものとする。

5　規則第七条第四項後段の規定による休憩時間は、同条第一項から第三項までに定める基準に適合するように、同条第四項に規定する休憩時間の申告をした職員の業務内容、勤務する部局又は機関の他の職員の勤務時間帯、標準休憩時間等を考慮して公務の運営に必要と認められる範囲内で、当該申告と異なる始まる時刻又は終わる時刻を設定することにより置くものとする。この場合においては、できる限り、職員の希望を考慮するものとする。

第七　休息時間関係

1　規則第八条第一項の「おおむね四時間」は、三時間三十分から四時間三十分までの間の時間とする。

2　規則第八条第一項の「人事院が定める回数」は、一回の勤務に割り振られた勤務時間が十時間十五分

未満である場合にあっては一回、当該勤務時間が十時間十五分以上十六時間以下である場合にあっては二回とする。

3　四時間の勤務時間の割振り変更を行った場合において、勤務時間を割り振ることをやめることとなった日及び新たに勤務することを命ずることとなった日については、当該四時間の勤務時間の割振り変更後におけるそれぞれの日の勤務時間の割振りに応じた休息時間を置くものとする。

第八　通常の勤務場所を離れて勤務する職員の勤務時間関係

規則第十条の「人事院が定める基準」は、次に掲げる勤務の区分に応じ、次に掲げる基準とする。

(1)　規則第十条第一号に掲げる研修　次に掲げる研修の区分に応じ、次に掲げる基準

ア　自ら実施する研修　その課業時間（講義、演習、実習等の課業のための時間をいう。以下同じ。）が次に掲げるとおりであること。

(ア)　研修の効果的実施のため特に必要があると認められる場合、講師又は施設の確保のためやむを得ないと認められる場合等を除き、課業時間は、官庁執務時間に準拠した時間内に置かれ、かつ、一日につき七時間四十五分以内であること。

(イ)　研修の課業時間は、一週間につき、当該研修を受ける職員の一週間の勤務時間を超えず、かつ、その四分の三を下らないものであること。ただし、研修の目的、内容等に照らしてこの基準により難い場合は、当該研修の期間を超えない一定の期間について、その期間内における一週間当たりの平均課業時間が当該研修を受ける職員の当該期間内における一週間当たりの勤務時間を超えず、かつ、その四分の三を下らないものとすることができる。

イ　学校その他の外部の機関に委託して実施する研修　アの基準に準じたものであること。

(2)　規則第十条第二号に掲げる施設外勤務　当該施設外勤務が次に掲げるとおりであること。

ア　勤務時間の割振り後に、矯正施設の長と施設外勤務を受け入れる医療機関、大学その他の機関との間であらかじめ取り決められていた施設外勤務を行う時間（休憩時間を除き連続し、かつ、その全部が当該職員の正規の勤務時間内に含まれるものに限る。以下「施設外勤務予定時間」という。）からその日における別の時間に変更されて命ぜられたものであること。

イ　施設外勤務予定時間に係る時間数を超えず、かつ、その四分の三を下らないものとして命ぜられたものであること。

ウ　当該職員の正規の勤務時間内における施設外勤務予定時間以外の時間と重複しないものとして命ぜられたものであること。

第九　船員の勤務時間の特例関係

1　勤務時間法第十一条の規定による人事院との協議は、事前に相当の期間をおいて行うものとする。

2　規則第十二条第二項の「人事院が定めるもの」は、公安職俸給表(二)の職員が行う人命又は他の船舶を救助するための作業とする。

第十　宿日直勤務及び超過勤務並びに超勤代休時間の指定関係

1　規則第十四条第一項の「必要やむを得ないものであり、かつ、職員の心身にかかる負担の程度が軽易」であるためには、当該勤務を命ずる必要性があること、交替制勤務により対応することが困難であること、勤務場所（庁舎に附属する居住室を含む。）の環境が整備されていること、仮眠の時間が確保されていること等が必要である。

2　規則第十四条第四項の「人事院の定める事項」は次のとおりとする。

(1)　当直勤務の内容
(2)　当直勤務の時間及び仮眠の時間
(3)　当直勤務に従事する職員の範囲
(4)　一回当たりの勤務人数
(5)　一月当たりの勤務回数
(6)　職員への周知方法
(7)　当直勤務者の休憩・仮眠施設

3　規則第十五条の二第二項の規定は、育児短時間勤務職員等の超過勤務について、他の職員よりも厳格な要件を定める趣旨である。

4　規則第十六条の二の二第一項各号の「部署」の単位は、原則として課若しくは室又はこれらに相当するものとする。

5　規則第十六条の二の二第一項第一号イ(1)並びに第二号イ、ハ及びニ並びにこの通知の第十の第十項(1)アからウまで及び(2)アの「一箇月」とは、月の初日から末日までの期間をいう。

6　規則第十六条の二の二第一項第一号イ(2)及びロ(1)並びに第二号ロ及びニ並びにこの通知の第十の第十項(1)ウの「一年」とは、四月一日から翌年三月三十一日までの期間（人事異動の時期等を考慮して円滑

に超過勤務に係る事務処理を行うため必要がある場合には、各省各庁の長が定める四月以外の月の初日から起算して一年を経過するまでの期間）をいう。

7 各省各庁の長は、前項に規定する一年を四月以外の月の初日から起算して一年を経過するまでの期間とする場合には、あらかじめ、その起算する日を人事院に報告するものとする。

8 職員が府省等（会計検査院、人事院、内閣官房、内閣法制局、各府省、デジタル庁及び復興庁、宮内庁並びに内閣府設置法（平成十一年法律第八十九号）第四十九条第一項及び第二項に規定する各機関並びに各外局（同条第一項に規定する機関を除く。）をいう。第十項(2)イにおいて同じ。）を異にする異動をした場合においては、規則第十六条の二の二第一項第一号イ(1)並びに第二号イ及びハ並びにこの通知の第十の第十項(1)ア及びイ並びに(2)アの規定の適用に係る当該異動の前後の超過勤務の時間を通算して算定するものとする。

9 職員が異動した場合には、当該職員に係る異動前の勤務時間管理員（人事院規則九―五（給与簿）第三条に規定する勤務時間管理員をいう。以下同じ。）は、当該職員に係る異動後の勤務時間管理員に規則第十六条の二の二第一項各号に規定する時間又は月数（第十四項及び第十六項において「上限時間等」という。）の算定に必要な事項を通知するものとする。

10 規則第十六条の二の二第一項第一号ロ(2)の「人事院が定める期間」及び「人事院が定める時間及び月数」は、次に掲げる期間の区分に応じ、それぞれ次に定める期間並びに時間及び月数（(2)にあっては、期間及び時間）とする。

(1) 規則第十六条の二の二第一項第二号に規定する部署（以下この項及び次項において「他律的部署」という。）から同条第一項第一号に規定する部署への異動、次項後段の他律的部署の範囲の変更その他の事由により職員が勤務する部署が同号に規定する部署となった日から当該日が属する月の末日までの期間（(2)において「特定期間」という。）　次のアからウまでに定める時間及び月数

ア 一箇月において超過勤務を命ずる時間について百時間未満

イ 一箇月ごとに区分した各期間に当該各期間の直前の一箇月、二箇月、三箇月、四箇月及び五箇月の期間を加えたそれぞれの期間において超過勤務を命ずる時間の一箇月当たりの平均時間について八十時間

ウ 一年のうち一箇月において四十五時間を超えて超過勤務を命ずる月数について六箇月

(2) 特定期間の末日の翌日から第六項に規定する一年の末日までの期間　次のア及びイに定める時間

ア 一箇月において超過勤務を命ずる時間について四十五時間

イ 当該期間において超過勤務を命ずる時間について三十時間に当該期間の月数を乗じて得た時間（府省等を異にする異動をしたことにより規則第十六条の二の二第一項第一号ロに掲げる職員に該当することとなった者に超過勤務を命ずる場合にあっては、三百六十時間から特定期間において当該職員に命じた超過勤務の時間を減じて得た時間）

11 各省各庁の長は、他律的部署の範囲を必要最小限のものとし、当該範囲を定めた場合には、速やかに職員に周知しなければならない。当該範囲を変更するときも同様とする。

12 各省各庁の長は、特例業務（規則第十六条の二の二第二項に規定する特例業務をいう。以下同じ。）の範囲を、職員が従事する業務の状況を考慮して必要最小限のものとしなければならない。

13 規則第十六条の二の二第二項の「人事院が定める期間」は、次に掲げる期間とし、同項の「人事院が定める場合」は、当該期間の区分に応じ、それぞれ次に定める場合とする。

(1) 規則第十六条の二の二第一項第一号イ(1)及び第二号イ並びにこの通知の第十の第十項(1)ア及び(2)アに規定する一箇月　当該期間において、職員が特例業務に従事していたことがある場合であって、これらの規定に規定する時間を超えて超過勤務を命ずる必要があるとき。

(2) 規則第十六条の二の二第一項第二号ハ及びこの通知の第十の第十項(1)イに規定する一箇月ごとに区分した各期間に当該各期間の直前の一箇月、二箇月、三箇月、四箇月及び五箇月の期間を加えたそれぞれの期間　当該期間のいずれかにおいて、職員が特例業務に従事していたことがある場合であって、当該従事していたことがある期間についてこれらの規定に規定する時間を超えて超過勤務を命ずる必要があるとき。

(3) 規則第十六条の二の二第一項第一号イ(2)及びロ(1)並びに第二号ロ及びニ並びにこの通知の第十の第十項(1)ウに規定する一年　当該期間において、

職員が特例業務に従事していたことがある場合であって、これらの規定に規定する時間又は月数を超えて超過勤務を命ずる必要があるとき。

(4) 第十項(2)に規定する期間　当該期間において、職員が特例業務に従事していたことがある場合であって、同項(2)イに規定する時間を超えて超過勤務を命ずる必要があるとき。

14　各省各庁の長は、規則第十六条の二の二第二項の規定により、上限時間等を超えて職員に超過勤務を命ずる場合には、あらかじめ、当該命ぜられた超過勤務は同項の規定により同条第一項の規定の適用を受けないもの（次項及び第十六項において「特例超過勤務」という。）であることを職員に通知するものとする。ただし、特例業務の処理に要する時間をあらかじめ見込み難いため上限時間等を超えて超過勤務を命ずる必要があるかどうかを判断することが困難であることその他の事由により職員にあらかじめ通知することが困難である場合は、この限りでない。

15　前項ただし書の場合においては、各省各庁の長は、事後において速やかに特例超過勤務であることを職員に通知するものとする。

16　規則第十六条の二の二第三項に規定する超過勤務に係る要因の整理、分析及び検証（次項において「整理分析等」という。）を行うに当たっては、上限時間等を超えて超過勤務を命ぜられた職員について、少なくとも、所属部署、氏名、特例超過勤務を命じた月又は年における超過勤務の時間又は月数及び当該月又は年に係る上限時間等、当該職員が従事した特例業務の概要並びに人員配置又は業務分担の見直し等によっても同条第二項の規定の適用を回避することができなかった理由を記録しなければならない。

17　各省各庁の長は、適切に情報を収集した上で、整理分析等を行うものとする。

18　各省各庁の長は、業務量の削減又は業務の効率化に取り組むなど、超過勤務の縮減に向けた適切な対策を講ずるものとする。

19　規則第十六条の三第四項の「連続する勤務時間」には、休憩時間をはさんで引き続く勤務時間が含まれる。

20　規則第十六条の三第五項に規定する超勤代休時間の指定を希望しない旨の申出は、超勤代休時間の指定前に行うものとする。

21　勤務時間法第十三条の二第一項の規定に基づく超勤代休時間の指定は、超勤代休時間指定簿により、その指定に代えようとする超過勤務手当の支給に係る六十時間超過月の末日の直後の俸給の支給定日までに行うものとする。

22　超勤代休時間指定簿の様式は別紙第1のとおりとする。ただし、別紙第1の様式に記載することとされている事項が全て含まれている場合には、各省各庁の長は、別に様式を定めることができる。

23　超勤代休時間指定簿は、一の超勤代休時間ごとに一部作成するものとする。ただし、必要に応じて、複数の超勤代休時間について同一の超勤代休時間指定簿によることができる。

第十一　休日の代休日の指定関係

1　規則第十七条第二項に規定する代休日の指定を希望しない旨の申出は、代休日の指定前に行うものとする。

2　勤務時間法第十五条第一項の規定に基づく代休日の指定は、代休日指定簿により行うものとし、できる限り、休日に勤務することを命ずると同時に行うものとする。

3　代休日指定簿の様式は別紙第2のとおりとする。ただし、別紙第2の様式に記載することとされている事項がすべて含まれている場合には、各省各庁の長は、別に様式を定めることができる。

4　代休日指定簿は、一の代休日ごとに一部作成するものとする。ただし、必要に応じて、複数の代休日について同一の代休日指定簿によることができる。

第十二　年次休暇関係

1　勤務時間法第十七条第一項の「一の年」とは、一暦年をいう。

2　勤務時間法第十七条第一項第二号の新たに職員となった者には、非常勤職員（定年前再任用短時間勤務職員等を除く。）から引き続き常勤職員となった者を含む。

3　勤務時間法第十七条第一項第二号の任期が満了することにより退職することとなる者には、国家公務員法第八十一条の六第一項の規定に基づき退職することとなる職員、同法第八十一条の七第一項の期限又は同条第二項の規定により延長された期限が到来することにより退職することとなる職員及び任期を定めて任用されている職員のうち別段の定めをしない限り繰り返し任用することとされている職員を含まない。

4　規則第十八条第二号の「不斉一型短時間勤務職員の勤務時間」に一時間未満の端数がある場合には、

これを切り上げるものとする。

5 規則第十八条の二第一項第一号の「人事院が別に定める日数」は、その者の当該年における在職期間に応じ、斉一型短時間勤務職員にあっては別表第一の下欄に掲げる一週間の勤務日の日数の区分ごとに定める日数とし、不斉一型短時間勤務職員にあっては別表第二の下欄に掲げる一週間当たりの勤務時間の区分ごとに定める日数とする。

6 勤務時間法第十七条第一項第三号並びに規則第十八条の二第一項第二号及び同条第三項第三号の引き続き職員となった者とは、人事交流等により採用された者及び独立行政法人通則法第二条第四項に規定する行政執行法人の職員から異動した者をいう。

7 規則第十八条の二第一項第二号の「使用した年次休暇に相当する休暇の日数」及び同条第四項第一号ロの「使用した年次休暇に相当する休暇又は年次休暇の日数」に一日未満の端数があるときは、これを切り上げた日数とし、同号イの「年次休暇に相当する休暇又は年次休暇の残日数」が二十日を超えない場合で一日未満の端数があるときは、これを切り捨てた日数とする。

8 規則第十八条の二第一項第二号の「人事院が別に定める日数」は、次に掲げる職員の区分に応じ、それぞれ次に定める日数とする。

(1) 当該年において、定年前再任用短時間勤務職員等に相当する行政執行法人職員等（勤務時間法第十七条第一項第三号に規定する行政執行法人職員等をいう。以下同じ。）となった者であって、引き続き定年前再任用短時間勤務職員等となったもの（(2)に掲げる職員を除く。） 当該行政執行法人職員等から引き続き定年前再任用短時間勤務職員等となった日において新たに定年前再任用短時間勤務職員等となったものとして勤務時間法第十七条第一項第二号の規定を適用した場合に得られる日数に、当該行政執行法人職員等となった日において当該行政執行法人職員等が相当する定年前再任用短時間勤務職員等となり、かつ、当該年において定年前再任用短時間勤務職員等となった日の前日において任期が満了することにより退職することとなるものとみなして同号の規定を適用した場合に得られる日数（第十項(2)イにおいて「定年前再任用短時間勤務職員等みなし付与日数」という。）から、同日までの間に使用した年次休暇に相当する休暇の日数（一日未満の端数があるときは、これを切り上げた日数）を減じて得た日数を加えて得た日数

(2) 当該年において、新たに定年前再任用短時間勤務職員等となった者（行政執行法人職員等から引き続き定年前再任用短時間勤務職員等となった者を除く。）であって、引き続き定年前再任用短時間勤務職員等に相当する行政執行法人職員等となり、当該行政執行法人職員等から引き続き定年前再任用短時間勤務職員等となったもの (1)に定める日数に、当該行政執行法人職員等となった日の前日における年次休暇の残日数（一日未満の端数があるときは、これを切り捨てた日数）を加えて得た日数

9 規則第十八条の二第二項第三号の人事院が認める法人は、特別の法律の規定により、国家公務員退職手当法（昭和二十八年法律第百八十二号）第七条の二の規定の適用について、同条第一項に規定する公庫等職員とみなされる者を使用する法人とする。

10 規則第十八条の二第四項第二号の「人事院が別に定める日数」は、次に掲げる職員の区分に応じ、それぞれ次に定める日数とする。

(1) 当該年の前年に定年前再任用短時間勤務職員等に相当する行政執行法人職員等であった者であって、引き続き当該年に定年前再任用短時間勤務職員等となったもの 次に掲げる場合に応じ、それぞれ次に定める日数

ア 当該年の初日に定年前再任用短時間勤務職員等となった場合 定年前再任用短時間勤務職員等となった日において新たに定年前再任用短時間勤務職員等となったものとして勤務時間法第十七条第一項第一号（育児休業法第二十五条の規定により読み替えて適用する場合を含む。以下同じ。）又は第二号の規定を適用した場合に得られる日数に、当該年の前年における年次休暇に相当する休暇の残日数（一日未満の端数があるときは、これを切り捨てた日数とし、当該日数が当該年の前年における当該行政執行法人職員等として在職した期間を当該行政執行法人職員等が相当する定年前再任用短時間勤務職員等として在職したものとみなして勤務時間法第十七条第一項第一号又は第二号の規定を適用した場合に得られる日数を超えるときは、当該日数。イにおいて同じ。）を加えて得た日数

イ 当該年の初日後に定年前再任用短時間勤務職員等となった場合 当該年において定年前再任用短時間勤務職員等となった日において新たに

定年前再任用短時間勤務職員等となったものとして勤務時間法第十七条第一項第二号の規定を適用した場合に得られる日数（(2)において「基礎日数」という。）に、当該年の初日において定年前再任用短時間勤務職員等となり、かつ、当該年において定年前再任用短時間勤務職員等となった日の前日において任期が満了することにより退職することとなるものとみなして同号の規定を適用した場合に得られる日数と当該年の前年における年次休暇に相当する休暇の残日数とを合計した日数から、同日までの間に使用した年次休暇に相当する休暇の日数（一日未満の端数があるときは、これを切り上げた日数）を減じて得た日数を加えて得た日数

(2) 当該年の前年に定年前再任用短時間勤務職員等であった者であって、引き続き当該年に定年前再任用短時間勤務職員等に相当する行政執行法人職員等となり、当該行政執行法人職員等から引き続き定年前再任用短時間勤務職員等となったもの　次に掲げる場合に応じ、それぞれ次に定める日数

ア 当該年の初日に定年前再任用短時間勤務職員等に相当する行政執行法人職員等となった場合　基礎日数に、当該年の初日において定年前再任用短時間勤務職員等となり、かつ、当該年において定年前再任用短時間勤務職員等となった日の前日において任期が満了することにより退職することとなるものとみなして勤務時間法第十七条第一項第二号の規定を適用した場合に得られる日数と当該年の前年における年次休暇の残日数（一日未満の端数があるときは、これを切り捨てた日数。イにおいて同じ。）とを合計した日数から、同日までの間に使用した年次休暇に相当する休暇の日数（一日未満の端数があるときは、これを切り上げた日数）を減じて得た日数を加えて得た日数

イ 当該年の初日後に定年前再任用短時間勤務職員等に相当する行政執行法人職員等となり、当該行政執行法人職員等から引き続き定年前再任用短時間勤務職員等となった場合　基礎日数に、当該年の初日において定年前再任用短時間勤務職員等となり、かつ、当該年において行政執行法人職員等となった日の前日において任期が満了することにより退職することとなるものとみなして勤務時間法第十七条第一項第二号の規定を適用した場合に得られる日数、定年前再任用短時間勤務職員等みなし付与日数及び当該年の前年における年次休暇の残日数を加えて得た日数から、当該年において定年前再任用短時間勤務職員等となった日の前日までの間に使用した年次休暇に相当する休暇の日数及び使用した年次休暇の日数（これらの日数に一日未満の端数があるときは、これを切り上げた日数）を減じて得た日数

11 規則第十八条の二第五項の「使用した年次休暇に相当する休暇の日数が明らかでないもの」とは、行政執行法人職員等として在職した期間において使用した年次休暇に相当する休暇の日数又は当該年の前年の末日における年次休暇に相当する休暇の残日数が把握できない者をいい、その者の年次休暇の日数は、当該使用した年次休暇に相当する休暇の日数を把握できない期間において当該期間に応じて規則別表第一の日数欄に掲げる日数の年次休暇に相当する休暇を使用したものとみなし又は当該把握できない残日数を二十日とみなして、それぞれ規則第十八条の二第一項第二号又は同条第四項の規定を適用した場合に得られる日数とする。

12 規則第十八条の三の「当該変更の日の前日までに使用した年次休暇の日数」に一日未満の端数がある場合には、同条の「当該変更の日の前日までに使用した年次休暇の日数を減じて得た日数」は、当該端数を切り上げた日数を減じて得た日数に、当該変更の日の前日において規則第二十条第二項の規定に基づき得られる時間数から当該端数の時間数を減じて得た時間数を当該得られる時間数で除して得た数に相当する日数を加えて得た日数とする。

13 当該年に、定年前再任用短時間勤務職員等が一週間当たりの勤務時間を異にする定年前再任用短時間勤務職員等となり、斉一型短時間勤務職員から一週間当たりの勤務時間を同じくする不斉一型短時間勤務職員となり、若しくは不斉一型短時間勤務職員から一週間当たりの勤務時間を同じくする斉一型短時間勤務職員となったこと又は定年前再任用短時間勤務職員（国家公務員法第六十条の二第二項に規定する定年前再任用短時間勤務職員をいう。以下この項において同じ。）が一週間当たりの勤務時間を同じくする任期付短時間勤務職員となり、若しくは任期付短時間勤務職員が一週間当たりの勤務時間を同じくする定年前再任用短時間勤務職員となったこと（以下この項及び第十四の第三項において「勤務時間の変更等」という。）があった場合における年次

休暇の日数は、次に掲げる場合に応じ、それぞれ次に定める日数とする。

(1) 当該年の初日に勤務時間の変更等があった場合　同日において勤務時間の変更等があった日における定年前再任用短時間勤務職員等となったものとみなして勤務時間法第十七条第一項第一号又は第二号の規定を適用した場合に得られる日数に、当該年の前年における年次休暇の残日数（一日未満の端数があるときは、これを切り捨てた日数。(2)において同じ。）を加えて得た日数

(2) 当該年の初日後に勤務時間の変更等があった場合　勤務時間の変更等があった日の前日において任期が満了することにより退職することとなるものとみなして勤務時間法第十七条第一項第二号の規定を適用した場合に得られる日数に、当該勤務時間の変更等があった日において同日における定年前再任用短時間勤務職員等となったものとみなして同号の規定を適用した場合に得られる日数及び当該年の前年における年次休暇の残日数を加えて得た日数から、当該年において同日の前日までの間に使用した年次休暇の日数（一日未満の端数があるときは、これを四捨五入して得た日数）を減じて得た日数（当該日数が零を下回る場合にあっては、零）

14　勤務時間法第十七条第二項の規定により繰り越された年次休暇がある職員から年次休暇の請求があった場合は、繰り越された年次休暇から先に請求されたものとして取り扱うものとする。

15　一日を単位とする年次休暇は、定年前再任用短時間勤務職員等及び育児短時間勤務職員等以外の職員並びに不斉一型短時間勤務職員にあっては一回の勤務に割り振られた勤務時間が七時間を超え七時間四十五分（勤務時間法第十一条の規定により勤務時間が延長された職員にあっては、八時間）を超えない時間とされている場合において当該勤務時間の全てを勤務しないときに、斉一型短時間勤務職員にあっては一日の勤務時間の全てを勤務しないときに使用できるものとする。

16　第五項、第八項、第十項、第十三項及び前項に定めるもののほか、定年前再任用短時間勤務職員等の年次休暇に関し必要な事項は、別に定める。

第十三　病気休暇関係

1　勤務時間法第十八条の「疾病」には、予防接種による著しい発熱、生理により就業が著しく困難な症状等が、「療養する」場合には、負傷又は疾病が治った後に社会復帰のためリハビリテーションを受ける場合等が含まれるものとする。

2　規則第二十一条第一項の「人事院が定める日」は、同項各号に掲げる場合における病気休暇を使用した日及び当該病気休暇に係る負傷又は疾病に係る療養期間中の週休日、勤務時間を割り振らない日（規則第六条第二項各号列記以外の部分に規定する勤務時間を割り振らない日をいう。第五項及び第十五の第六項において同じ。）、休日、代休日その他の病気休暇の日以外の勤務しない日とする。

3　前項の「病気休暇の日以外の勤務しない日」には、年次休暇又は特別休暇を使用した日等が含まれ、また、一日の勤務時間の一部を勤務しない日が含まれるものとする。

4　規則第二十一条第一項第二号の「公務」には、国際機関等に派遣される一般職の国家公務員の処遇等に関する法律（昭和四十五年法律第百十七号）第三条に規定する派遣職員の派遣先の機関の業務並びに国と民間企業との間の人事交流に関する法律（平成十一年法律第二百二十四号）第十六条、法科大学院への裁判官及び検察官その他の一般職の国家公務員の派遣に関する法律（平成十五年法律第四十号）第九条（同法第十八条において準用する場合を含む。）、福島復興再生特別措置法（平成二十四年法律第二十五号）第四十八条の九若しくは第八十九条の九、令和三年東京オリンピック競技大会・東京パラリンピック競技大会特別措置法（平成二十七年法律第三十三号）第二十三条、平成三十一年ラグビーワールドカップ大会特別措置法（平成二十七年法律第三十四号）第十条、令和七年に開催される国際博覧会の準備及び運営のために必要な特別措置に関する法律（平成三十一年法律第十八号）第三十一条又は令和九年に開催される国際園芸博覧会の準備及び運営のために必要な特別措置に関する法律（令和四年法律第十五号）第二十一条の規定（以下この項において「特定規定」という。）により一般職の職員の給与に関する法律（昭和二十五年法律第九十五号）第二十三条第一項及び附則第六項の規定の適用に関し公務とみなされる業務及び特定規定に規定する通勤が含まれるものとする。

5　規則第二十一条第二項の「人事院が定める場合」は、連続する八日以上の期間における週休日、勤務時間を割り振らない日、勤務時間法第十三条の二第一項の規定により割り振られた勤務時間の全部について超勤代休時間が指定された勤務日等、休日及び

代休日以外の日（以下この項及び第十七の第三項において「要勤務日」という。）の日数が三日以下である場合とし、規則第二十一条第二項の「人事院が定める期間」は、当該期間における要勤務日の日数が四日以上である期間とし、同項の「人事院が定める時間」は、次に掲げる時間とする。
(1) 育児休業法第二十六条第一項に規定する育児時間の承認を受けて勤務しない時間
(2) 生理日の就業が著しく困難な場合における病気休暇により勤務しない時間
(3) 人事院規則一〇―七第五条、第六条第二項、第七条又は第十条の規定により勤務しない時間
(4) 規則第二十二条第一項第八号に掲げる場合における特別休暇により勤務しない時間
(5) 介護休暇により勤務しない時間
(6) 介護時間により勤務しない時間

6 規則第二十一条第三項及び第四項の「明らかに異なる負傷又は疾病」には、症状が明らかに異なると認められるものであっても、病因が異なると認められないものは含まれないものとし、各省各庁の長は、医師が一般に認められている医学的知見に基づき行う症状や病因等についての診断を踏まえ、明らかに異なる負傷又は疾病に該当するかどうかを判断するものとし、同条第三項の「特定負傷等の日」は、各省各庁の長が、当該診断を踏まえ、これを判断するものとする。

7 規則第二十一条第五項の「病気休暇の日以外の勤務しない日」には、年次休暇又は特別休暇を使用した日等が含まれ、また、一日の勤務時間の一部を勤務しない日（当該勤務時間の一部に同条第二項に規定する育児時間等がある日であって、当該勤務時間のうち、当該育児時間等以外の勤務時間のすべてを勤務した日を除く。）が含まれるものとする。

8 病気休暇は、必要に応じて一日、一時間又は一分を単位として取り扱うものとする。ただし、特定病気休暇の期間の計算については、一日以外を単位とする特定病気休暇を使用した日は、一日を単位とする特定病気休暇を使用した日として取り扱うものとする。

第十四　特別休暇関係

1 規則第二十二条第一項の特別休暇の取扱いについては、それぞれ次に定めるところによる。
(1) 第一号の「選挙権その他公民としての権利」とは、公職選挙法（昭和二十五年法律第百号）に規定する選挙権のほか、最高裁判所の裁判官の国民審査及び普通地方公共団体の議会の議員又は長の解職の投票に係る権利等をいう。
(2) 第四号の「一の年」とは、一暦年をいい、同号の「五日」の取扱いについては、暦日によるものとする。
(3) 第四号イの「相当規模の災害」とは、災害救助法（昭和二十二年法律第百十八号）による救助の行われる程度の規模の災害をいい、「被災地又はその周辺の地域」とは、被害が発生した市町村（特別区を含む。）又はその属する都道府県若しくはこれに隣接する都道府県をいい、「その他の被災者を支援する活動」とは、居宅の損壊、水道、電気、ガスの遮断等により日常生活を営むのに支障が生じている者に対して行う炊出し、避難場所での世話、がれきの撤去その他必要な援助をいう。
(4) 第四号ロの「人事院が定めるもの」とは、次に掲げる施設とする。
ア 障害者の日常生活及び社会生活を総合的に支援するための法律（平成十七年法律第百二十三号）第五条第十一項に規定する障害者支援施設及びそれ以外の同条第一項に規定する障害福祉サービスを行う施設（ウ及びキに掲げる施設を除く。）、同条第二十七項に規定する地域活動支援センター並びに同条第二十八項に規定する福祉ホーム
イ 身体障害者福祉法（昭和二十四年法律第二百八十三号）第五条第一項に規定する身体障害者福祉センター、補装具製作施設、盲導犬訓練施設及び視聴覚障害者情報提供施設
ウ 児童福祉法（昭和二十二年法律第百六十四号）第七条第一項に規定する障害児入所施設、児童発達支援センター及び児童心理治療施設並びに児童発達支援センター以外の同法第六条の二の二第二項及び第三項に規定する施設
エ 老人福祉法（昭和三十八年法律第百三十三号）第五条の三に規定する老人デイサービスセンター、老人短期入所施設、養護老人ホーム及び特別養護老人ホーム
オ 生活保護法（昭和二十五年法律第百四十四号）第三十八条第一項に規定する救護施設、更生施設及び医療保護施設
カ 介護保険法（平成九年法律第百二十三号）第八条第二十八項に規定する介護老人保健施設及び同条第二十九項に規定する介護医療院

キ　医療法（昭和二十三年法律第二百五号）第一条の五第一項に規定する病院

ク　学校教育法（昭和二十二年法律第二十六号）第一条に規定する特別支援学校

ケ　アからクまでに掲げる施設のほか、これらに準ずる施設であって事務総長が定めるもの

(5)　第四号ハの「その他の日常生活を支援する活動」とは、身体上の障害等により常態として日常生活を営むのに支障がある者に対して行う調理、衣類の洗濯及び補修、慰問その他直接的な援助をいう。

(6)　第五号の「人事院が定める期間」は、結婚の日の五日前の日から当該結婚の日後一月を経過する日までとし、同号の「連続する五日」とは、連続する五暦日をいう。

(7)　第五号の二の「不妊治療」とは、不妊の原因等を調べるための検査、不妊の原因となる疾病の治療、タイミング法、人工授精、体外受精、顕微授精等をいい、同号の「通院等」とは、医療機関への通院、医療機関が実施する説明会への出席（これらにおいて必要と認められる移動を含む。）等をいい、同号の「一の年」とは、一暦年をいい、同号の「人事院が定める不妊治療」は、体外受精及び顕微授精とする。

(8)　第六号の「六週間（多胎妊娠の場合にあっては、十四週間）」は、分べん予定日から起算するものとする。

(9)　第七号、第九号及び第十号の「出産」とは、妊娠満十二週以後の分べんをいう。

(10)　第九号の「妻（届出をしないが事実上婚姻関係と同様の事情にある者を含む。次号において同じ。）の出産に伴い勤務しないことが相当であると認められる場合」とは、職員の妻の出産に係る入院若しくは退院の際の付添い、出産時の付添い又は出産に係る入院中の世話、子の出生の届出等のために勤務しない場合をいい、同号の「人事院が定める期間」は、職員の妻の出産に係る入院等の日から当該出産の日後二週間を経過する日までとする。

(11)　第十号の「当該出産に係る子又は小学校就学の始期に達するまでの子（妻の子を含む。）を養育する」とは、職員の妻の出産に係る子又は小学校就学の始期に達するまでの子（妻の子を含む。）と同居してこれらを監護することをいう。

(12)　第十一号の「小学校就学の始期に達するまでの子（配偶者の子を含む。以下この号において同じ。）を養育する」とは、小学校就学の始期に達するまでの子（配偶者の子を含む。）と同居してこれを監護することをいい、同号の「人事院が定めるその子の世話」は、その子に予防接種又は健康診断を受けさせることとし、同号の「一の年」とは、一暦年をいう。

(13)　第十二号の「人事院が定める世話」は、次に掲げる世話とし、同号の「一の年」とは、一暦年をいう。

ア　要介護者の介護

イ　要介護者の通院等の付添い、要介護者が介護サービスの提供を受けるために必要な手続の代行その他の要介護者の必要な世話

(14)　第十三号の休暇は、社会通念上妥当であると認められる範囲内の期間に限り使用できるものとし、「連続する日数」の取扱いについては、暦日によるものとする。

(15)　第十四号の「人事院の定める年数」は、十五年とする。

(16)　第十五号の「原則として連続する三日」の取扱いについては、暦日によるものとし、特に必要があると認められる場合には一暦日ごとに分割することができるものとする。

(17)　第十六号の「これらに準ずる場合」とは、例えば、地震、水害、火災その他の災害により単身赴任手当の支給に係る配偶者等の現住居が滅失し、又は損壊した場合で、当該単身赴任手当の支給を受けている職員がその復旧作業等を行うときをいい、同号の休暇の期間は、原則として連続する七暦日として取り扱うものとする。

2　特別休暇は、必要に応じて一日、一時間又は一分を単位として取り扱うものとする。

3　規則第二十二条第一項第五号の二、第十一号若しくは第十二号に規定する一の年の初日から末日までの期間、同項第九号に規定する人事院が定める期間又は同項第十号に規定する出産予定日の六週間（多胎妊娠の場合にあっては、十四週間）前の日から当該出産の日以後一年を経過する日までの期間（以下この項において「対象期間」という。）内において、規則第十八条の三各号に掲げる場合又は勤務時間の変更等に該当したときは、当該該当した日（その日が対象期間の初日である場合を除く。以下この項において「該当日」という。）における特定休暇の日数及び時間数は、次に掲げる場合に応じ、次に掲げ

る日数及び時間数とする。この場合において、対象期間内に二以上の該当日があるときは、直前の該当日を対象期間の初日と、当該直前の該当日においてこの項の規定を適用した場合に得られる日数及び時間数を当該該当日における特定休暇の日数及び時間数とそれぞれみなして、各々の該当日について同項の規定を順次適用した場合に得られる日数及び時間数とする。

(1)　対象期間の初日から該当日の前日までの間に使用した特定休暇の日数に一日未満の端数がない場合　対象期間の初日における特定休暇の日数から、同日から該当日の前日までの間に使用した当該特定休暇の日数を減じて得た日数

(2)　対象期間の初日から該当日の前日までの間に使用した特定休暇の日数に一日未満の端数がある場合　対象期間の初日における特定休暇の日数から、同日から該当日の前日までの間に使用した当該特定休暇の日数（当該端数を切り上げた日数）を減じて得た日数及び該当日において規則第二十二条第四項の規定により得られる時間数から当該端数の時間数を減じて得た時間数（当該時間数が零を下回る場合にあっては、零）

第十五　介護休暇関係

1　勤務時間法第二十条第三項に規定する給与の減額方法については、給実甲第二八号（一般職の職員の給与に関する法律の運用方針）第十五条関係第二項及び第三項の例による。

2　職員の介護休暇を承認した各省各庁の長と当該職員が所属する俸給の支給義務者が異なる場合においては、当該各省各庁の長は、当該俸給の支給義務者に介護休暇を承認した旨を通知しなければならない。介護休暇の承認を取り消した場合等においても、同様とする。

3　規則第二十三条第一項の「同居」には、職員が要介護者の居住している住宅に泊まり込む場合等を含む。

4　規則第二十三条第一項第二号の「人事院が定めるもの」は、次に掲げる者とする。

(1)　父母の配偶者

(2)　配偶者の父母の配偶者

(3)　子の配偶者

(4)　配偶者の子

5　規則第二十三条第五項の規定による指定期間の延長の指定の申出は、できる限り、指定期間の末日から起算して一週間前の日までに行うものとし、同項の規定による指定期間の短縮の指定の申出は、できる限り、当該申出に係る末日から起算して一週間前の日までに行うものとする。

6　各省各庁の長は、規則第二十三条第七項の規定により指定期間を指定する場合において、規則第二十六条ただし書の規定により介護休暇を承認できないことが明らかな日として申出の期間又は延長申出の期間から除く日に週休日又は勤務時間を割り振らない日が引き続くときは、当該週休日又は勤務時間を割り振らない日を除いた期間の指定期間を指定するものとする。

7　規則第二十八条第二項の「人事院が定める場合」は、次に掲げる場合とし、同項の「人事院が定める期間」は、次に掲げる場合の区分に応じ、それぞれ次に定める期間とする。

(1)　一回の指定期間の初日から末日までの期間が二週間未満である場合　当該指定期間内において初めて介護休暇の承認を受けようとする日（以下この項において「初日請求日」という。）から当該末日までの期間

(2)　一回の指定期間の初日から末日までの期間が二週間以上である場合であって、初日請求日から二週間を経過する日（以下この項において「二週間経過日」という。）が当該指定期間の末日より後の日である場合　初日請求日から当該末日までの期間

(3)　一回の指定期間の初日から末日までの期間が二週間以上である場合であって、二週間経過日が規則第二十三条第七項の規定により指定期間として指定する期間から除かれた日である場合　初日請求日から二週間経過日前の直近の指定期間として指定された日までの期間

8　介護休暇の請求は、できるだけ多くの期間について一括して行うものとする。

第十六　介護時間関係

1　勤務時間法第二十条の二第一項の「連続する三年の期間」は、同項に規定する一の継続する状態について初めて介護時間の承認を受けて勤務しない時間がある日を起算日として、民法（明治二十九年法律第八十九号）第百四十三条の例により計算するものとする。

2　第十五の第一項の規定は、勤務時間法第二十条の二第三項に規定する給与の減額方法について準用する。

3　第十五の第二項の規定は、職員の介護時間を承認

した各省各庁の長と当該職員が所属する俸給の支給義務者が異なる場合について準用する。

4　第十五の第八項の規定は、介護時間の請求について準用する。

第十七　休暇の承認関係

1　各省各庁の長は、勤務時間法第十七条第三項、規則第二十五条及び第二十六条の「公務の運営」の支障の有無の判断に当たっては、請求に係る休暇の時期における職員の業務内容、業務量、代替者の配置の難易等を総合して行うものとする。

2　各省各庁の長は、年次休暇及び規則第二十二条第一項第十五号の休暇の計画的な使用を図るため、あらかじめ各職員の休暇使用時期を把握するための計画表を作成するものとする。

3　各省各庁の長は、次に掲げる特定病気休暇を承認するに当たっては、医師の証明書その他勤務しない事由を十分に明らかにする証明書類の提出を求めるものとする。この場合において、証明書類が提出されないとき、提出された証明書類の内容によっては勤務しないことがやむを得ないと判断できないときその他特に必要があると認めるときは、健康管理医又は各省各庁の長が指定する医師の診断を求めるものとする。

(1)　連続する八日以上の期間（当該期間における要勤務日の日数が三日以下である場合にあっては、当該期間における要勤務日の日数が四日以上である期間）の特定病気休暇

(2)　請求に係る特定病気休暇の期間の初日前一月間における特定病気休暇を使用した日（要勤務日に特定病気休暇を使用した日に限る。）の日数が通算して五日以上である場合における当該請求に係る特定病気休暇

4　規則第二十二条第一項第五号の二の休暇の承認に係る証明書類には、例えば、診察券、領収書、治療の内容が分かる書類等が含まれる。

5　各省各庁の長は、規則第二十二条第一項第四号の休暇を承認するに当たっては、活動期間、活動の種類、活動場所、活動内容等活動の計画を明らかにする書類の提出を求めるものとする。なお、各省各庁の長があらかじめ当該書類の様式を定める場合の参考例を示せば、別紙第三のとおりである。

6　各省各庁の長は、規則第二十二条第一項第十二号の休暇を承認するに当たっては、要介護者の氏名、職員との続柄及び職員との同居又は別居の別その他の要介護者に関する事項並びに要介護者の状態を明らかにする書類の提出を求めるものとする。なお、各省各庁の長があらかじめ当該書類の様式を定める場合の参考例を示せば、別紙第3の2のとおりである。

第十八　休暇簿関係

1　年次休暇、病気休暇及び特別休暇の休暇簿については、次に定めるところによる。

(1)　休暇簿は、各省各庁の長が職員別に作成し、休暇の種類別に次に定める記載事項の欄を設けるものとする。

ア　年次休暇

(ア)　その年に使用することのできる年次休暇の日数（勤務時間法第十七条第一項による日数と同条第二項による日数を合計した日数）

(イ)　期間

(ウ)　残日数

(エ)　本人の確認

(オ)　請求月日

イ　病気休暇

(ア)　期間

(イ)　特定病気休暇の期間の連続性の有無（請求に係る特定病気休暇の期間と直前の特定病気休暇の期間が除外日を除いて連続する場合（請求に係る特定病気休暇を使用した場合に規則第二十一条第二項又は第五項の規定により連続することとなる場合を含む。）に該当するかどうかをいう。）及び当該請求に係る特定病気休暇の期間を含めた除外日を除いて連続する特定病気休暇の期間（請求に係る特定病気休暇を使用した場合に同条第二項又は第五項の規定により連続することとなる期間を含む。）の日数

(ウ)　理由

(エ)　本人の確認

(オ)　請求月日

(カ)　証明書類の有無

ウ　特別休暇

(ア)　期間

(イ)　特定休暇の残日数

(ウ)　理由

(エ)　本人の確認

(オ)　請求（申出）月日（規則第二十二条第一項第七号の休暇については、届出月日）

(2)　各省各庁の長は、年次休暇についての休暇の理由等休暇の趣旨に反する記載事項を定めてはなら

ないものとする。

(3)　(1)に定める記載事項のうち、ア(ア)の記載事項については勤務時間管理員が、イ(カ)の記載事項については各省各庁の長が、規則第二十二条第一項第七号の休暇の記載事項については職員の届出に基づき各省各庁の長が、それ以外の記載事項については職員が、それぞれ記入し、又は確認する（確認欄に確認した旨を示すことをいう。以下同じ。）ものとする。

(4)　各省各庁の長は、年次休暇、病気休暇及び特別休暇（規則第二十二条第一項第六号及び第七号の休暇を除く。）の承認の可否の決定について休暇簿に記入し、確認するものとする。

(5)　年次休暇、病気休暇及び特別休暇の休暇簿を作成する際の参考例を示せば、別紙第4から別紙第5の2までのとおりである。

2　介護休暇の休暇簿については、次に定めるところによる。

(1)　介護休暇の休暇簿は、各省各庁の長が作成し、その様式は別紙第6のとおりとする。ただし、別紙第6の様式に記載することとされている事項が全て含まれている場合には、各省各庁の長は、別に様式を定めることができる。

(2)　介護休暇の休暇簿の記入要領については、次のとおりとする。

ア　「要介護者の状態及び具体的な介護の内容」欄には、職員が要介護者の介護をしなければならなくなった状況及びその内容が明らかになるように、具体的に記入する。

イ　「介護が必要となった時期」欄への記入に当たっては、その時期が請求を行う時から相当以前であること等により特定できない場合には、日又は月の記載を省略することができる。

ウ　「申出の期間」欄には、職員が指定期間の指定を希望する期間の初日及び末日を記入する。

エ　各省各庁の長は、指定期間を指定する場合（カの場合を除く。）は、当該指定期間の指定について確認するとともに、規則第二十三条第七項の規定により指定期間から除いた期間がある場合には、その旨及び当該指定期間から除いた期間を「備考」欄に記入し、「期間」欄に同条第八項の規定により通算した指定期間を記入するものとする。

オ　「延長・短縮後の末日」欄には、職員が規則第二十三条第五項の規定により改めて指定期間として指定することを希望する期間の末日を記入する。

カ　各省各庁の長は、指定期間の延長又は短縮の指定をする場合は、当該指定期間の延長又は短縮の指定について確認するとともに、規則第二十三条第七項の規定により指定期間から除いた期間がある場合には、その旨及び当該指定期間から除いた期間を「備考」欄に記入し、「延長・短縮後の期間」欄に同条第八項の規定により通算した指定期間を記入するものとする。

キ　勤務時間管理員は、出勤簿に介護休暇である旨転記したことを確認するものとする。

ク　各省各庁の長は、介護休暇の承認の可否の決定について休暇簿に記入し、確認するものとする。

ケ　各省各庁の長は、請求された介護休暇の期間の一部について承認しなかった場合には、その旨を当該承認に係る「備考」欄に記入した上、当該承認しなかった日又は時間を記入する。

コ　各省各庁の長は、請求された介護休暇の期間に規則第二十九条第一項ただし書に規定する一週間経過日後の期間がある場合において、同項ただし書の規定に基づき、当該一週間経過日以前の期間のみに係る承認の可否を決定したときは、その旨を当該承認に係る「備考」欄に記入する。この場合においては、別途一週間経過日後の期間を「請求の期間」欄に記入し、当該期間に係る承認の可否の決定について記入し、確認するものとする。

サ　各省各庁の長は、職員からの申請に基づき介護休暇の承認を取り消した場合には、その旨を当該取消しに係る「備考」欄に記入する。

3　介護時間の休暇簿については、次に定めるところによる。

(1)　介護時間の休暇簿は、各省各庁の長が作成し、その様式は別紙第7のとおりとする。ただし、別紙第7の様式に記載することとされている事項が全て含まれている場合には、各省各庁の長は、別に様式を定めることができる。

(2)　介護時間の休暇簿の記入要領については、次のとおりとする。

ア　「要介護者の状態及び具体的な介護の内容」欄には、職員が要介護者の介護をしなければならなくなった状況及びその内容が明らかになるように、具体的に記入する。

イ　「介護が必要となった時期」欄への記入に当たっては、その時期が請求を行う時から相当以前であること等により特定できない場合には、日又は月の記載を省略することができる。

ウ　「連続する三年の期間」欄には、各省各庁の長が一の要介護状態について初めて介護時間により勤務しない時間がある日及び同日から起算して三年を経過する日を記入する。

エ　勤務時間管理員は、出勤簿に介護時間である旨転記したことを確認するものとする。

オ　各省各庁の長は、介護時間の承認の可否の決定について休暇簿に記入し、確認するものとする。

カ　各省各庁の長は、請求された介護時間の期間の一部について承認しなかった場合には、その旨を当該承認に係る「備考」欄に記入した上、当該承認しなかった日又は時間を記入する。

キ　各省各庁の長は、職員からの申請に基づき介護時間の承認を取り消した場合には、その旨を当該取消しに係る「備考」欄に記入する。

4　職員が各省各庁の長を異にして異動した場合は、異動前の各省各庁の長は、必要に応じ、当該職員の休暇簿又はその写しを異動後の各省各庁の長に送付するものとする。

第十九　勤務時間等についての別段の定め関係

1　規則第三十二条の規定による人事院への承認の申請は、別段の定めの内容、別段の定めを必要とする理由等を記載した文書により行うものとする。人事院の承認を得ている別段の定めを変更する場合においても、同様とする。

2　各省各庁の長は、前項の人事院の承認を得た別段の定めによる必要がなくなった場合には、速やかにその旨を人事院に報告するものとする。

第二十　規則附則関係

1　規則附則第二項の「人事院が別に定める場合」とは、旧人事院規則一五―一（職員の勤務時間等の基準）第六条第四項の規定に基づき人事院の承認を得た勤務を要しない日又は勤務時間の割振りについての定めが、規則第五条第二項第二号又は第三号の定める基準に適合していない場合とする。

2　規則附則第四項の「人事院が別に定める場合」とは、廃止前の「人事院規則一五―一（職員の勤務時間等の基準）の運用について（昭和六十三年十二月十五日職職―六二八）」第十条関係第一項の規定により、同項に規定する職員の休憩時間を十五分とすることについて人事院の承認があったものとして取り扱うことができる場合とする。

別表第一（第12の第５項関係）

在職期間		1月に達するまでの期間	1月を超え2月に達するまでの期間	2月を超え3月に達するまでの期間	3月を超え4月に達するまでの期間	4月を超え5月に達するまでの期間	5月を超え6月に達するまでの期間	6月を超え7月に達するまでの期間	7月を超え8月に達するまでの期間	8月を超え9月に達するまでの期間	9月を超え10月に達するまでの期間	10月を超え11月に達するまでの期間	11月を超え1年未満の期間
1週間の勤務日の日数	5日	2日	3日	5日	7日	8日	10日	12日	13日	15日	17日	18日	20日
	4日	1日	3日	4日	5日	7日	8日	9日	11日	12日	13日	15日	16日
	3日	1日	2日	3日	4日	5日	6日	7日	8日	9日	10日	11日	12日
	2日	1日	1日	2日	3日	3日	4日	5日	5日	6日	7日	7日	8日

別表第二（第12の第５項関係）

在職期間		１月に達するまでの期間	１月を超え２月に達するまでの期間	２月を超え３月に達するまでの期間	３月を超え４月に達するまでの期間	４月を超え５月に達するまでの期間	５月を超え６月に達するまでの期間	６月を超え７月に達するまでの期間	７月を超え８月に達するまでの期間	８月を超え９月に達するまでの期間	９月を超え10月に達するまでの期間	10月を超え11月に達するまでの期間	11月を超え１年未満の期間
１週間当たりの勤務時間	30時間を超え31時間以下	１日	３日	４日	５日	７日	８日	９日	11日	12日	13日	15日	16日
	29時間を超え30時間以下	１日	３日	４日	５日	６日	８日	９日	10日	12日	13日	14日	15日
	28時間を超え29時間以下	１日	２日	４日	５日	６日	７日	９日	10日	11日	12日	14日	15日
	27時間を超え28時間以下	１日	２日	４日	５日	６日	７日	８日	10日	11日	12日	13日	14日
	26時間を超え27時間以下	１日	２日	３日	５日	６日	７日	８日	９日	10日	12日	13日	14日
	25時間を超え26時間以下	１日	２日	３日	４日	６日	７日	８日	９日	10日	11日	12日	13日
	24時間を超え25時間以下	１日	２日	３日	４日	５日	６日	８日	９日	10日	11日	12日	13日
	23時間を超え24時間以下	１日	２日	３日	４日	５日	６日	７日	８日	９日	10日	11日	12日
	22時間を超え23時間以下	１日	２日	３日	４日	５日	６日	７日	８日	９日	10日	11日	12日
	21時間を超え22時間以下	１日	２日	３日	４日	５日	６日	７日	８日	９日	９日	10日	11日
	20時間を超え21時間以下	１日	２日	３日	４日	５日	５日	６日	７日	８日	９日	10日	11日
	19時間を超え20時間以下	１日	２日	３日	３日	４日	５日	６日	７日	８日	９日	９日	10日
	18時間を超え19時間以下	１日	２日	２日	３日	４日	５日	６日	７日	７日	８日	９日	10日
	17時間を超え18時間以下	１日	２日	２日	３日	４日	５日	５日	６日	７日	８日	９日	９日
	16時間を超え17時間以下	１日	１日	２日	３日	４日	４日	５日	６日	７日	７日	８日	９日
	15時間を超え16時間以下	１日	１日	２日	３日	３日	４日	５日	６日	６日	７日	８日	８日
	14時間を超え15時間以下	１日	１日	２日	３日	３日	４日	５日	５日	６日	６日	７日	８日
	13時間を超え14時間以下	１日	１日	２日	２日	３日	４日	４日	５日	５日	６日	７日	７日
	12時間を超え13時間以下	１日	１日	２日	２日	３日	３日	４日	４日	５日	６日	６日	７日
	11時間を超え12時間以下	１日	１日	２日	２日	３日	３日	４日	４日	５日	５日	６日	６日
	10時間を超え11時間以下	１日	１日	１日	２日	２日	３日	３日	４日	４日	５日	５日	６日
	10時間	１日	１日	１日	２日	２日	３日	３日	３日	４日	４日	５日	５日

備考　この表の下欄に掲げる勤務時間の区分に応じて定める日数は、７時間45分の年次休暇をもって１日の年次休暇として日に換算した場合の日数を示す。

別紙第１

超勤代休時間指定簿

所　　属

氏　　名

１．超勤代休時間を指定する日、当該超勤代休時間を指定する日の正規の勤務時間、当該超勤代休時間を指定する時間等

・　超勤代休時間を指定する日

　　　年　　月　　日

・　当該超勤代休時間を指定する日の正規の勤務時間

　　：　～　：　　　　：　～　：

・　当該超勤代休時間を指定する時間

　　：　～　：　　　　：　～　：

□　４時間
□　７時間４５分
□　　時間　　分
（年次休暇※に連続して指定する場合）

（　　月分）

指定に代えようとする超過勤務の時間数	規則第16条の３第２項		
	第１号	第２号	第３号
	時間	時間	時間
換算率	×25/100	×50/100	×15/100

※　年次休暇の時間

　　：　～　：　（　　時間）

２．職員の意向「超勤代休時間の指定を希望しない旨を申し出ないこと」

本人の確認

別紙第2

代休日指定簿

所　　属

氏　　名

1．勤務を命じた休日及び当該休日の全勤務時間

・令和　　年　　月　　日

　　：　　～　　：　　　　　：　　～　　：

・勤務時間数　　時間　　分

2．職員の意向「代休日の指定を希望しない旨を申し出ないこと」

本人の確認

3．代休日及び当該代休日の正規の勤務時間

・令和　　年　　月　　日

　　：　　～　　：　　　　　：　　～　　：

・勤務時間数　　時間　　分

別紙第３

ボランティア活動計画書

所　属
氏　名

１．活動期間
令和　　年　　月　　日～令和　　年　　月　　日

２．活動の種類
□被災者への支援活動　　□社会福祉施設等における活動　　□その他

３．活動場所
施設名等：
所 在 地：
電　　話：　　　（　　　）

４．具体的な活動内容

５．仲介団体等の有無及び団体名
□有　　　　□無
団 体 名：
電　　話：　　　（　　　）

６．備考

注１　「３．活動場所」及び「４．具体的な活動内容」については、当該活動が仲介団体等（社会福祉協議会等主として活動の仲介を行っている団体のほか、自らも活動主体となって活動を行う団体も含まれる。）を通じたものであり、当該仲介団体等による証明が得られる場合には、適宜記入を省略して差し支えない。
２　「３．活動場所」は、活動場所が支援する相手の居宅である場合には、その者の氏名及び住所等を記入する。
３　「６．備考」は、支援する相手の居宅における活動を仲介団体等を通じないで行う場合に、その者の状態について記入する。

別紙第３の２

要介護者の状態等申出書

（　　　年　　月　　　日提出）

所　　属
氏　　名

１　要介護者に関する事項
　(1)　氏名

　(2)　職員との続柄

　(3)　職員との同居又は別居の別
　　□同居　　　　□別居

　(4)　介護が必要となった時期
　　　　年　　月　　日

２　要介護者の状態

３　備考

注１「１(4)介護が必要となった時期」については、その時期が請求を行う時から相当以前であること等により特定できない場合には、日又は月の記載を省略することができる。
　２「２要介護者の状態」には、職員が要介護者の介護をしなければならなくなった状況が明らかになるように、具体的に記入する。

別紙第４

（表面）

年

所属	氏名

休　暇　簿

（年 次 休 暇 用）

年次休暇の日数　　日（前年からの繰越し日数　　日・本年分の日数　　日）

※ 期　　間		※ 残日数 ・時間	※ 本人の 確認	※ 請求 月日	承認の 可否	決　裁 各省各庁の 長の確認		勤務時間 管理員の 確認	備　考
月　日　時　分から 月　日　時　分まで	日 時 分	日 時 分		月　日 ｜	□承認 □不承認				
月　日　時　分から 月　日　時　分まで	日 時 分	日 時 分		月　日 ｜	□承認 □不承認				
月　日　時　分から 月　日　時　分まで	日 時 分	日 時 分		月　日 ｜	□承認 □不承認				
月　日　時　分から 月　日　時　分まで	日 時 分	日 時 分		月　日 ｜	□承認 □不承認				
月　日　時　分から 月　日　時　分まで	日 時 分	日 時 分		月　日 ｜	□承認 □不承認				
月　日　時　分から 月　日　時　分まで	日 時 分	日 時 分		月　日 ｜	□承認 □不承認				
月　日　時　分から 月　日　時　分まで	日 時 分	日 時 分		月　日 ｜	□承認 □不承認				

（※印の欄は職員が記入又は確認する。「残日数・時間」欄には、７時間45分（斉一型短時間勤務職員の場合は勤務日ごとの勤務時間の時間数（１分未満の端数があるときは、これを切り捨てた時間））を１日として算出した残日数・時間数を記入する。）

（裏面）

※期間		※残日数・時間	※本人の確認	※請求月日	承認の可否	決裁 各省各庁の長の確認		勤務時間管理員の確認	備考
月 日 時 分から 月 日 時 分まで	日 時 分	日 時 分		月 日 —	□承認 □不承認				
月 日 時 分から 月 日 時 分まで	日 時 分	日 時 分		月 日 —	□承認 □不承認				
月 日 時 分から 月 日 時 分まで	日 時 分	日 時 分		月 日 —	□承認 □不承認				
月 日 時 分から 月 日 時 分まで	日 時 分	日 時 分		月 日 —	□承認 □不承認				
月 日 時 分から 月 日 時 分まで	日 時 分	日 時 分		月 日 —	□承認 □不承認				
月 日 時 分から 月 日 時 分まで	日 時 分	日 時 分		月 日 —	□承認 □不承認				
月 日 時 分から 月 日 時 分まで	日 時 分	日 時 分		月 日 —	□承認 □不承認				
月 日 時 分から 月 日 時 分まで	日 時 分	日 時 分		月 日 —	□承認 □不承認				

別紙第５
　　　年

休　暇　簿
（病気休暇用）

所属	氏名

（表面）

※期間		※期間の連続性の有無等	※理由	※本人の確認	※請求月日	証明書類の有無	承認の可否	決裁 各省各庁の長の確認	決裁	勤務時間管理員の確認	備考
月 日 時 分から 月 日 時 分まで	日 時 分	□有 （合計 日） □無			月 日 ｜	□有 □無	□承認 □不承認				
月 日 時 分から 月 日 時 分まで	日 時 分	□有 （合計 日） □無			月 日 ｜	□有 □無	□承認 □不承認				
月 日 時 分から 月 日 時 分まで	日 時 分	□有 （合計 日） □無			月 日 ｜	□有 □無	□承認 □不承認				
月 日 時 分から 月 日 時 分まで	日 時 分	□有 （合計 日） □無			月 日 ｜	□有 □無	□承認 □不承認				
月 日 時 分から 月 日 時 分まで	日 時 分	□有 （合計 日） □無			月 日 ｜	□有 □無	□承認 □不承認				
月 日 時 分から 月 日 時 分まで	日 時 分	□有 （合計 日） □無			月 日 ｜	□有 □無	□承認 □不承認				

（※印の欄は職員が記入又は確認する。「期間の連続性の有無等」欄には、今回の請求に係る特定病気休暇の期間と前回までの特定病気休暇の期間が連続する場合（連続するものとされる場合を含む。）に該当するかについてその有無を記入し、これらの場合に該当するときには、今回の請求に係る特定病気休暇の日数と前回までに使用した特定病気休暇の日数を合計した日数（当該療養期間中の週休日等の日数を含み、１日以外を単位とする特定病気休暇を請求する日又は使用した日については、これらの日を１日として算出した日数）を記入する。）

（裏面）

※期間		※期間の連続性の有無等	※理由	※本人の確認	※請求月日	証明書類の有無	承認の可否	決裁		勤務時間管理員の確認	備考
								各省各庁の長の確認			
月 日 時 分から 月 日 時 分まで	日 時 分	□有 (合計 日) □無			月 日 ｜	□有 □無	□承認 □不承認				
月 日 時 分から 月 日 時 分まで	日 時 分	□有 (合計 日) □無			月 日 ｜	□有 □無	□承認 □不承認				
月 日 時 分から 月 日 時 分まで	日 時 分	□有 (合計 日) □無			月 日 ｜	□有 □無	□承認 □不承認				
月 日 時 分から 月 日 時 分まで	日 時 分	□有 (合計 日) □無			月 日 ｜	□有 □無	□承認 □不承認				
月 日 時 分から 月 日 時 分まで	日 時 分	□有 (合計 日) □無			月 日 ｜	□有 □無	□承認 □不承認				
月 日 時 分から 月 日 時 分まで	日 時 分	□有 (合計 日) □無			月 日 ｜	□有 □無	□承認 □不承認				
月 日 時 分から 月 日 時 分まで	日 時 分	□有 (合計 日) □無			月 日 ｜	□有 □無	□承認 □不承認				
月 日 時 分から 月 日 時 分まで	日 時 分	□有 (合計 日) □無			月 日 ｜	□有 □無	□承認 □不承認				

別紙第５の２

年

休　暇　簿
（特別休暇用）

所属	氏名

（表面）

※ 期間		※ 残日数・時間	※ 理由	※ 本人の確認	※請求（申出） 月日	承認の可否	決裁 各省各庁の長の確認	決裁	勤務時間管理員の確認	備考
月　日　時　分から 月　日　時　分まで	日 時 分	日 時 分			月　日	□承認 □不承認				
月　日　時　分から 月　日　時　分まで	日 時 分	日 時 分			月　日	□承認 □不承認				
月　日　時　分から 月　日　時　分まで	日 時 分	日 時 分			月　日	□承認 □不承認				
月　日　時　分から 月　日　時　分まで	日 時 分	日 時 分			月　日	□承認 □不承認				
月　日　時　分から 月　日　時　分まで	日 時 分	日 時 分			月　日	□承認 □不承認				
月　日　時　分から 月　日　時　分まで	日 時 分	日 時 分			月　日	□承認 □不承認				
月　日　時　分から 月　日　時　分まで	日 時 分	日 時 分			月　日	□承認 □不承認				

（※印の欄は職員が記入又は確認する。「残日数・時間」欄には、特定休暇を使用する場合に限り、７時間45分（斉一型短時間勤務職員の場合は勤務日ごとの勤務時間の時間数（７時間45分を超える場合にあっては７時間45分とし、１分未満の端数があるときは、これを切り捨てた時間））を１日として算出した残日数・時間数を記入する。）

（裏面）

※ 期間		※ 残日数 ・時間	※ 理由	※ 本人の確認	※請求 （申出） 月日	承認の 可否	決裁		勤務時間 管理員の 確認	備考
							各省各庁の長の確認			
月 日 時 分から 月 日 時 分まで	日 時 分	日 時 分			月 日 ｜	□承認 □不承認				
月 日 時 分から 月 日 時 分まで	日 時 分	日 時 分			月 日 ｜	□承認 □不承認				
月 日 時 分から 月 日 時 分まで	日 時 分	日 時 分			月 日 ｜	□承認 □不承認				
月 日 時 分から 月 日 時 分まで	日 時 分	日 時 分			月 日 ｜	□承認 □不承認				
月 日 時 分から 月 日 時 分まで	日 時 分	日 時 分			月 日 ｜	□承認 □不承認				
月 日 時 分から 月 日 時 分まで	日 時 分	日 時 分			月 日 ｜	□承認 □不承認				
月 日 時 分から 月 日 時 分まで	日 時 分	日 時 分			月 日 ｜	□承認 □不承認				
月 日 時 分から 月 日 時 分まで	日 時 分	日 時 分			月 日 ｜	□承認 □不承認				

別紙第６

休　暇　簿
（介護休暇用）

所属	氏名

（第一面）

※ 要介護者に関する事項	氏　名		※要介護者の状態及び具体的な介護の内容
	続　柄		
	同・別居	□同居　□別居	
	介護が必要となった時期 年　月　日		

指定期間の申出・指定														
第１回					第２回					第３回				
※ 申出の期間	※ 申出日	※ 本人の確認	各省各庁の長の確認	期間	※ 申出の期間	※ 申出日	※ 本人の確認	各省各庁の長の確認	期間	※ 申出の期間	※ 申出日	※ 本人の確認	各省各庁の長の確認	期間
年　月　日から 年　月　日まで				月　日	年　月　日から 年　月　日まで				月　日	年　月　日から 年　月　日まで				月　日
備考					備考					備考				

指定期間の延長・短縮														
第１回					第２回					第３回				
※延長・短縮後の末日	※ 申出日	※ 本人の確認	各省各庁の長の確認	延長・短縮後の期間	※延長・短縮後の末日	※ 申出日	※ 本人の確認	各省各庁の長の確認	延長・短縮後の期間	※延長・短縮後の末日	※ 申出日	※ 本人の確認	各省各庁の長の確認	延長・短縮後の期間
（年　月　日から） 年　月　日まで				月　日	（年　月　日から） 年　月　日まで				月　日	（年　月　日から） 年　月　日まで				月　日
（年　月　日から） 年　月　日まで				月　日	（年　月　日から） 年　月　日まで				月　日	（年　月　日から） 年　月　日まで				月　日
備考					備考					備考				

（※印の欄は職員が記入又は確認する。）

（第二面）

介護休暇の請求・承認

※請求の期間 年月日	時間	日・時間数	※請求年月日	※本人の確認	承認の可否	決裁 各省各庁の長の確認		勤務時間管理員の確認	備考
年 月 日から □毎日 年 月 日まで □その他（ ）	時 分～ 時 分 時 分～ 時 分	日 時	年 月 日		□承認 □不承認				
年 月 日から □毎日 年 月 日まで □その他（ ）	時 分～ 時 分 時 分～ 時 分	日 時	年 月 日		□承認 □不承認				
年 月 日から □毎日 年 月 日まで □その他（ ）	時 分～ 時 分 時 分～ 時 分	日 時	年 月 日		□承認 □不承認				
年 月 日から □毎日 年 月 日まで □その他（ ）	時 分～ 時 分 時 分～ 時 分	日 時	年 月 日		□承認 □不承認				
年 月 日から □毎日 年 月 日まで □その他（ ）	時 分～ 時 分 時 分～ 時 分	日 時	年 月 日		□承認 □不承認				
年 月 日から □毎日 年 月 日まで □その他（ ）	時 分～ 時 分 時 分～ 時 分	日 時	年 月 日		□承認 □不承認				
年 月 日から □毎日 年 月 日まで □その他（ ）	時 分～ 時 分 時 分～ 時 分	日 時	年 月 日		□承認 □不承認				
年 月 日から □毎日 年 月 日まで □その他（ ）	時 分～ 時 分 時 分～ 時 分	日 時	年 月 日		□承認 □不承認				
年 月 日から □毎日 年 月 日まで □その他（ ）	時 分～ 時 分 時 分～ 時 分	日 時	年 月 日		□承認 □不承認				
年 月 日から □毎日 年 月 日まで □その他（ ）	時 分～ 時 分 時 分～ 時 分	日 時	年 月 日		□承認 □不承認				
年 月 日から □毎日 年 月 日まで □その他（ ）	時 分～ 時 分 時 分～ 時 分	日 時	年 月 日		□承認 □不承認				
年 月 日から □毎日 年 月 日まで □その他（ ）	時 分～ 時 分 時 分～ 時 分	日 時	年 月 日		□承認 □不承認				

（※印の欄は職員が記入又は確認する。）

（第三面）

介護休暇の取消し等

※ 休暇の取消し等の期間 年　月　日	時　間	日・時間数	※ 本人の確認	決裁 各省各庁の長の確認	決裁	勤務時間管理員の確認	備考
年　月　日から 年　月　日まで	時　分～　時　分 時　分～　時　分	日 時					
年　月　日から 年　月　日まで	時　分～　時　分 時　分～　時　分	日 時					
年　月　日から 年　月　日まで	時　分～　時　分 時　分～　時　分	日 時					
年　月　日から 年　月　日まで	時　分～　時　分 時　分～　時　分	日 時					
年　月　日から 年　月　日まで	時　分～　時　分 時　分～　時　分	日 時					
年　月　日から 年　月　日まで	時　分～　時　分 時　分～　時　分	日 時					
年　月　日から 年　月　日まで	時　分～　時　分 時　分～　時　分	日 時					
年　月　日から 年　月　日まで	時　分～　時　分 時　分～　時　分	日 時					
年　月　日から 年　月　日まで	時　分～　時　分 時　分～　時　分	日 時					
年　月　日から 年　月　日まで	時　分～　時　分 時　分～　時　分	日 時					
年　月　日から 年　月　日まで	時　分～　時　分 時　分～　時　分	日 時					
年　月　日から 年　月　日まで	時　分～　時　分 時　分～　時　分	日 時					

（※印の欄は職員が記入又は確認する。）

別紙第7

（第一面）

休　暇　簿
（介護時間用）

所属	氏名

※ 要介護者に関する事項	氏　名		※ 要介護者の状態及び具体的な介護の内容
	続　柄		
	同・別居	□同居　□別居	
	介護が必要となった時期 年　月　日		
連続する３年の期間 年　月　日から　年　月　日まで			

※ 請求の期間 年　月　日	時　間	※ 請求 年月日	※ 本人の確認	承認の 可否	決裁 各省各庁の長の確認	決裁	勤務時間管理員の確認	備　考
年　月　日から□毎日 年　月　日まで□その他（　）	午前　時　分～　時　分 午後　時　分～　時　分	年　月　日		□承認 □不承認				
年　月　日から□毎日 年　月　日まで□その他（　）	午前　時　分～　時　分 午後　時　分～　時　分	年　月　日		□承認 □不承認				
年　月　日から□毎日 年　月　日まで□その他（　）	午前　時　分～　時　分 午後　時　分～　時　分	年　月　日		□承認 □不承認				
年　月　日から□毎日 年　月　日まで□その他（　）	午前　時　分～　時　分 午後　時　分～　時　分	年　月　日		□承認 □不承認				
年　月　日から□毎日 年　月　日まで□その他（　）	午前　時　分～　時　分 午後　時　分～　時　分	年　月　日		□承認 □不承認				
年　月　日から□毎日 年　月　日まで□その他（　）	午前　時　分～　時　分 午後　時　分～　時　分	年　月　日		□承認 □不承認				
年　月　日から□毎日 年　月　日まで□その他（　）	午前　時　分～　時　分 午後　時　分～　時　分	年　月　日		□承認 □不承認				

（※印の欄は職員が記入又は確認する。）

（第二面）

※請求の期間		※請求年月日	※本人の確認	承認の可否	決裁		勤務時間管理員の確認	備考
年月日	時間				各省各庁の長の確認			
年　月　日から□毎日 年　月　日まで□その他（　）	午前　時　分～　時　分 午後　時　分～　時　分	年　月　日		□承認 □不承認				
年　月　日から□毎日 年　月　日まで□その他（　）	午前　時　分～　時　分 午後　時　分～　時　分	年　月　日		□承認 □不承認				
年　月　日から□毎日 年　月　日まで□その他（　）	午前　時　分～　時　分 午後　時　分～　時　分	年　月　日		□承認 □不承認				
年　月　日から□毎日 年　月　日まで□その他（　）	午前　時　分～　時　分 午後　時　分～　時　分	年　月　日		□承認 □不承認				
年　月　日から□毎日 年　月　日まで□その他（　）	午前　時　分～　時　分 午後　時　分～　時　分	年　月　日		□承認 □不承認				
年　月　日から□毎日 年　月　日まで□その他（　）	午前　時　分～　時　分 午後　時　分～　時　分	年　月　日		□承認 □不承認				
年　月　日から□毎日 年　月　日まで□その他（　）	午前　時　分～　時　分 午後　時　分～　時　分	年　月　日		□承認 □不承認				
年　月　日から□毎日 年　月　日まで□その他（　）	午前　時　分～　時　分 午後　時　分～　時　分	年　月　日		□承認 □不承認				
年　月　日から□毎日 年　月　日まで□その他（　）	午前　時　分～　時　分 午後　時　分～　時　分	年　月　日		□承認 □不承認				
年　月　日から□毎日 年　月　日まで□その他（　）	午前　時　分～　時　分 午後　時　分～　時　分	年　月　日		□承認 □不承認				
年　月　日から□毎日 年　月　日まで□その他（　）	午前　時　分～　時　分 午後　時　分～　時　分	年　月　日		□承認 □不承認				
年　月　日から□毎日 年　月　日まで□その他（　）	午前　時　分～　時　分 午後　時　分～　時　分	年　月　日		□承認 □不承認				
年　月　日から□毎日 年　月　日まで□その他（　）	午前　時　分～　時　分 午後　時　分～　時　分	年　月　日		□承認 □不承認				

（※印の欄は職員が記入又は確認する。）

（第三面）

※ 休暇の取消し等の期間		※ 本人の確認	決裁		勤務時間管理員の確認	備考
年　月　日	時　間		各省各庁の長の確認			
年　月　日から 年　月　日まで	午前　時　分～　時　分 午後　時　分～　時　分					
年　月　日から 年　月　日まで	午前　時　分～　時　分 午後　時　分～　時　分					
年　月　日から 年　月　日まで	午前　時　分～　時　分 午後　時　分～　時　分					
年　月　日から 年　月　日まで	午前　時　分～　時　分 午後　時　分～　時　分					
年　月　日から 年　月　日まで	午前　時　分～　時　分 午後　時　分～　時　分					
年　月　日から 年　月　日まで	午前　時　分～　時　分 午後　時　分～　時　分					
年　月　日から 年　月　日まで	午前　時　分～　時　分 午後　時　分～　時　分					
年　月　日から 年　月　日まで	午前　時　分～　時　分 午後　時　分～　時　分					
年　月　日から 年　月　日まで	午前　時　分～　時　分 午後　時　分～　時　分					
年　月　日から 年　月　日まで	午前　時　分～　時　分 午後　時　分～　時　分					
年　月　日から 年　月　日まで	午前　時　分～　時　分 午後　時　分～　時　分					
年　月　日から 年　月　日まで	午前　時　分～　時　分 午後　時　分～　時　分					
年　月　日から 年　月　日まで	午前　時　分～　時　分 午後　時　分～　時　分					

（※印の欄は職員が記入又は確認する。）

○人事院規則一―一七九（国家公務員法等の一部を改正する法律の施行に伴う関係人事院規則の整備等に関する人事院規則）及び「国家公務員法等の一部を改正する法律の施行に伴う関係人事院事務総長通知の一部改正について」の施行に伴う経過措置について（抄）

令四・二・一八
事企法―三八
最終改正　令六・三・二九事企法―八七

人事院規則一―一七九（国家公務員法等の一部を改正する法律の施行に伴う関係人事院規則の整備等に関する人事院規則）及び「国家公務員法等の一部を改正する法律の施行に伴う関係人事院事務総長通知の一部改正について（令和四年二月十八日事企法―三七）」の施行に伴い、下記の〔中略〕第九項〔中略〕に掲げる人事院事務総長通知の経過措置について下記のとおり定めたので、令和五年四月一日以降は、これによってください。

記

1　この通知において、次の各号に掲げる用語の意義は、それぞれ当該各号に定めるところによる。
一　令和三年改正法　国家公務員法等の一部を改正する法律（令和三年法律第六十一号）をいう。
二　令和四年事企法―三七　「国家公務員法等の一部を改正する法律の施行に伴う関係人事院事務総長通知の一部改正について（令和四年二月十八日事企法―三七）」をいう。
三　暫定再任用短時間勤務職員　令和三年改正法附則第七条第一項に規定する暫定再任用短時間勤務職員をいう。
四　定年前再任用短時間勤務職員　国家公務員法（昭和二十二年法律第百二十号）第六十条の二第二項に規定する定年前再任用短時間勤務職員をいう。
五　暫定再任用職員　令和三年改正法附則第三条第四項に規定する暫定再任用職員をいう。

9　職員の勤務時間、休日及び休暇の運用について（平成六年七月二十七日職職―三二八）
一　暫定再任用短時間勤務職員は、人事院規則一―一八二（一般職の職員の給与に関する法律等の一部を改正する法律の一部の施行に伴う関係人事院規則の整備等に関する人事院規則）第十一条の規定による改正後の人事院規則一五―一四（職員の勤務時間、休日及び休暇）（以下この項において「改正後の規則一五―一四」という。）第三条第一項第三号に規定する定年前再任用短時間勤務職員等（第五号において「定年前再任用短時間勤務職員等」という。）とみなして、「一般職の職員の給与に関する法律等の一部を改正する法律の一部の施行に伴う関係人事院事務総長通知の一部改正について（令和六年三月二十九日事企法―八七）」第十五項の規定による改正後の「職員の勤務時間、休日及び休暇の運用について」（以下この項において「改正後の勤務時間等関係運用通知」という。）第三の第一項、第三項及び第五項並びに第十二の第二項及び第十五項の規定を適用する。
二　令和三年改正法附則第三条第五項に規定する旧国家公務員法勤務延長職員に対する改正後の勤務時間等関係運用通知第十二の第三項の規定の適用については、同項中「又は同条第二項の規定により延長された期限」とあるのは、「若しくは同条第二項の規定により延長された期限又は国家公務員法等の一部を改正する法律（令和三年法律第六十一号）附則第三条第五項に規定する旧国家公務員法勤務延長期限若しくは同条第六項の規定により延長された期限」とする。
三　令和十六年十二月三十一日までの間における改正後の規則一五―一四第十八条の二第一項第二号の「人事院が別に定める日数」は、改正後の勤務時間等関係運用通知第十二の第八項の規定にかかわらず、次に掲げる職員の区分に応じ、それぞれ次に定める日数とする。
イ　当該年において、暫定再任用職員等（暫定再任用職員及び令和三年改正法附則第六条第一項に規定する旧国家公務員法再任用職員（ロにおいて「旧法再任用職員」という。）のうち、常時勤務を要する官職を占める職員をいう。以下このイ及び次号において同じ。）に相当する行政執行法人職員等（一般職の職員の勤務時間、休暇等に関する法律（平成六年法律第三十三号。以下「勤務時間法」という。）第十七条第一項第三号に規定する行政執行法人職員等をいう。以下この号及び次号において同じ。）となった者であって、引き続き暫定再任用職員等となったもの　当該行政執行法人職員等となった日において新たに暫定再任用職員等となったものとみなした場合におけるその者の在職期間に応じた改正後の規則一五―一四別表第一の日数欄に掲げる日数から、当該年において暫定再任用職員等となった日の前日までの間に使用した年次休暇に相当する休暇の日数（一日未満の端数があるときは、これを切り上げた日数）を減じて得た日数

ロ　当該年において、特定再任用職員等（定年前再任用短時間勤務職員、旧法再任用職員、暫定再任用職員及び国家公務員の育児休業等に関する法律（平成三年法律第百九号）第二十三条第二項に規定する任期付短時間勤務職員をいう。以下このロ及び次号において同じ。）に相当する行政執行法人職員等となった者であって、引き続き特定再任用職員等となったもの（イに掲げる職員を除く。）　次に掲げる場合に応じ、それぞれ次に定める日数

(1)　当該年において、特定再任用職員等に相当する行政執行法人職員等から引き続き特定再任用職員等となった場合（(2)に掲げる場合を除く。）　当該行政執行法人職員等から引き続き特定再任用職員等となった日において新たに特定再任用職員等となったものとして勤務時間法第十七条第一項第二号の規定を適用した場合に得られる日数に、当該行政執行法人職員等となった日において当該行政執行法人職員等が相当する特定再任用職員等となり、かつ、当該年において特定再任用職員等となった日の前日において任期が満了することにより退職することとなるものとみなして同号の規定を適用した場合に得られる日数（次号ロ(2)において「特定再任用職員等みなし付与日数」という。）から、同日までの間に使用した年次休暇に相当する休暇の日数（一日未満の端数があるときは、これを切り上げた日数）を減じて得た日数を加えて得た日数

(2)　当該年において、新たに特定再任用職員等となった者（行政執行法人職員等から引き続き特定再任用職員等となった者を除く。）から引き続き特定再任用職員等に相当する行政執行法人職員等となり、当該行政執行法人職員等から引き続き特定再任用職員等となった場合　(1)に定める日数に、当該行政執行法人職員等となった日の前日における年次休暇の残日数（一日未満の端数があるときは、これを切り捨てた日数）を加えて得た日数

四　令和十六年十二月三十一日までの間における改正後の規則一五―一四第十八条の二第四項第二号の「人事院が別に定める日数」は、改正後の勤務時間等関係運用通知第十二の第十項の規定にかかわらず、次に掲げる職員の区分に応じ、それぞれ次に定める日数とする。

イ　当該年の前年に特定再任用職員等に相当する行政執行法人職員等であった者であって、引き続き当該年に特定再任用職員等となったもの　次に掲げる場合に応じ、それぞれ次に定める日数

(1)　当該年の初日に特定再任用職員等となった場合　特定再任用職員等となった日において新たに特定再任用職員等となったものとして勤務時間法第十七条第一項第一号（国家公務員の育児休業等に関する法律第二十五条の規定により読み替えて適用する場合を含む。以下この号において同じ。）又は第二号の規定を適用した場合に得られる日数に、当該年の前年における年次休暇に相当する休暇の残日数（一日未満の端数があるときは、これを切り捨てた日数とし、当該日数が当該年の前年における当該行政執行法人職員等として在職した期間を当該行政執行法人職員等が相当する特定再任用職員等として在職したものとみなして勤務時間法第十七条第一項第一号又は第二号の規定を適用した場合に得られる日数を超えるときは、当該日数。(2)において同じ。）を加えて得た日数

(2)　当該年の初日後に特定再任用職員等となった場合　次に掲げる場合に応じ、それぞれ次に定める日数

(イ)　暫定再任用職員等に相当する行政執行法人職員等から引き続き当該年の初日後に暫定再任用職員等となった場合　当該年における暫定再任用職員等に相当する行政執行法人職員等として在職した期間を当該行政執行法人職員等が相当する暫定再任用職員等として在職したものとみなして勤務時間法第十七条第一項第一号又は第二号の規定を適用した場合に得られる日数に、当該年の前年における年次休暇に相当する休暇の残日数を加えて得た日数から、当該年において暫定再任用職員等となった日の前日までの間に使用した年次休暇に相当する休暇の日数（一日未満の端数があるときは、これを切り上げた日数）を減じて得た日数

(ロ)　(イ)に掲げる場合以外の場合　当該年において特定再任用職員等となった日において新たに特定再任用職員等となったものとして勤務時間法第十七条第一項第二号の規定を適用した場合に得られる日数（ロにおいて「基礎日数」という。）に、当該年の初日において特定再任用職員等となり、かつ、当該年におい

て特定再任用職員等となった日の前日において任期が満了することにより退職することとなるものとみなして同号の規定を適用した場合に得られる日数と当該年の前年における年次休暇に相当する休暇の残日数とを合計した日数から、同日までの間に使用した年次休暇に相当する休暇の日数（一日未満の端数があるときは、これを切り上げた日数）を減じて得た日数を加えて得た日数

ロ　当該年の前年に特定再任用職員等であった者であって、引き続き当該年に特定再任用職員等に相当する行政執行法人職員等となり、当該行政執行法人職員等から引き続き特定再任用職員等となったもの　次に掲げる場合に応じ、それぞれ次に定める日数

(1)　当該年の初日に特定再任用職員等に相当する行政執行法人職員等となった場合　次に掲げる場合に応じ、それぞれ次に定める日数

(イ)　暫定再任用職員等であった者から引き続き当該年の初日に暫定再任用職員等に相当する行政執行法人職員等となり、当該行政執行法人職員等から引き続き暫定再任用職員等となった場合　当該年における暫定再任用職員等に相当する行政執行法人職員等として在職した期間を当該行政執行法人職員等が相当する暫定再任用職員等として在職したものとみなして勤務時間法第十七条第一項第一号又は第二号の規定を適用した場合に得られる日数に、当該年の前年における年次休暇の残日数（一日未満の端数があるときは、これを切り捨てた日数。以下このロにおいて同じ。）を加えて得た日数から、当該年において暫定再任用職員等となった日の前日までの間に使用した年次休暇に相当する休暇の日数（一日未満の端数があるときは、これを切り上げた日数）を減じて得た日数

(ロ)　(イ)に掲げる場合以外の場合　基礎日数に、当該年の初日において特定再任用職員等となり、かつ、当該年において特定再任用職員等となった日の前日において任期が満了することにより退職することとなるものとみなして勤務時間法第十七条第一項第二号の規定を適用した場合に得られる日数と当該年の前年における年次休暇の残日数とを合計した日数から、同日までの間に使用した年次休暇に相当する休暇の日数（一日未満の端数があるときは、これを切り上げた日数）を減じて得た日数を加えて得た日数

(2)　当該年の初日後に特定再任用職員等に相当する行政執行法人職員等となり、当該行政執行法人職員等から引き続き特定再任用職員等となった場合　基礎日数に、当該年の初日において特定再任用職員等となり、かつ、当該年において任期が満了することにより退職することとなるものとみなして勤務時間法第十七条第一項第二号の規定を適用した場合に得られる日数、特定再任用職員等みなし付与日数及び当該年の前年における年次休暇の残日数を加えて得た日数から、当該年において特定再任用職員等となった日の前日までの間に使用した年次休暇に相当する休暇の日数及び使用した年次休暇の日数（これらの日数に一日未満の端数があるときは、これを切り上げた日数）を減じて得た日数

五　暫定再任用職員に対する改正後の勤務時間等関係運用通知第十二の第十三項の規定の適用については、暫定再任用職員は定年前再任用短時間勤務職員等と、暫定再任用短時間勤務職員は定年前再任用短時間勤務職員とそれぞれみなして、同項の規定を適用する。

六　前各号（第二号を除く。）に定めるもののほか、暫定再任用職員の年次休暇に関し必要な事項は、別に定める。

以　上

○人事院規則一五―一四―四〇（人事院規則一五―一四（職員の勤務時間、休日及び休暇）の一部を改正する人事院規則）の運用について

令五・一・二〇
職職―一一

人事院規則一五―一四―四〇（人事院規則一五―一四（職員の勤務時間、休日及び休暇）の一部を改正する人事院規則）（以下「改正規則」という。）附則第二条及び第三条の規定の運用について下記のとおり定めたので、令和五年一月二十日以降は、これによってください。

記

1　改正規則附則第二条の規定による人事院との協議は、次の事項を記載した文書により、事前に相当の期間をおいて行うものとする。

(1)　改正規則附則第二条の規定によりなお従前の例によることとされる基準（以下「旧基準」という。）によることとする職員の範囲

(2)　改正規則による改正後の人事院規則一五―一四（職員の勤務時間、休日及び休暇）第三条又は第四条の三に定める基準によることが困難である理由

(3)　旧基準によることとする期間

(4)　その他必要な事項

2　各省各庁の長は、前項(3)の期間の満了前に旧基準によらなくなった場合には、速やかにその旨を人事院に報告するものとする。

以　上

○一般職の職員の勤務時間、休暇等に関する法律の規定に基づく勤務時間に関する事務の運営等について

平六・七・二七
総人六〇八

一般職の職員の勤務時間、休暇等に関する法律（平成六年法律第三十三号。以下「勤務時間法」という。）については、平成六年六月十五日に公布され、一般職の職員の勤務時間、休暇等に関する法律の施行期日を定める政令（平成六年政令第二百五十号）により平成六年九月一日から施行されることとなりました。

貴職におかれては、下記の事項に留意の上、勤務時間に関する事務等の適正な運営に十分配慮されるよう、命により通知します。

記

第一　勤務時間に関する事務の運営に関する事項

1　勤務時間の割振り権者の変更について

勤務時間法の施行に伴い、同法第三条に規定する各省各庁の長が勤務時間の割振り権者となるため、各省各庁の長におかれては、次の点に留意の上、勤務時間の割振りに係る訓令、規程等の整備等について遺憾なきを期すこと。

(1)　外局の職員の勤務時間の割振りは外局の長が定めることとなること。

(2)　従来、政府職員の勤務時間に関する総理庁令

（昭和二十四年総理庁令第一号。以下「総理庁令」という。）第一項の規定により勤務時間が定められていた職員の勤務時間の割振りについては、各省各庁の長が定めることとなること。また、通勤のため利用する交通機関が著しく混雑する地域に所在する官庁に勤務する職員で総理庁令第二項の規定により勤務時間が定められていたものの勤務時間の割振りについても、内閣総理大臣の承認を要することなく、各省各庁の長が定めることとなること。

なお、総理庁令は、平成六年九月一日をもって廃止されること。

2　勤務時間に関する事務の運営の基準について

※平一八・六・八総人恩総四六四により廃止された。

第二　年次休暇の計画的使用の促進及び超過勤務の縮減に関する事項

年次休暇の計画的使用の促進及び超過勤務の縮減については、引き続き、「国家公務員の労働時間短縮対策について」（平成四年十二月九日人事管理運営協議会決定）に沿った措置を積極的に講じられたいこと。

○一般職の職員の勤務時間に関する事務の運営の基準について

平一八・六・八
総人恩総四六四

最終改正　平二八・三・三〇閣人人―二六七

一般職の職員の勤務時間、休暇等に関する法律（平成六年法律第三十三号。以下「勤務時間法」という。）に基づく職員の勤務時間の割振りは、業務の実態にあった割振りが行われることにより公務の円滑な運営を確保するという観点から、各省各庁の長において行うこととされているところであるが、以下の点に留意の上、適切に行われたい。

1　勤務時間法第六条第二項の規定に基づく勤務時間の割振り

(1)　各所属における業務の効率的な遂行及び職員の健康保持の観点から、それぞれの実情に応じ、必要な場合には、弾力的な勤務時間の割振りを行うよう配慮すること。

また、育児、介護その他勤務時間の割振りに関し考慮すべき特別の事情があると各省各庁の長が認める職員については、業務運営に及ぼす影響を考慮しつつ、当該事情を勘案した勤務時間の割振りを行うことができること。

(2)　「時差通勤通学対策について」（昭和四十年十月十四日付け交通対策本部決定）により、通勤通学時間帯の混雑状況等を勘案して国家公務員の時差通勤を実施することとされた地域に所在する官庁に勤務する職員については、引き続き、必要に応じ、同決定において定められた官庁所在地ごとの混雑時間帯を考慮した勤務時間を割り振ること。

(3)　各職員の勤務時間を割り振るに当たっては、官庁執務時間並休暇ニ関スル件（大正十一年閣令第六号。以下「閣令六号」という。）の規定による執務時間（以下「執務時間」という。）中に組織体としての執務態勢をとるために必要な人員が確保されるようにすること。

なお、各府省において必要があると認める場合には、閣令六号第二項に基づき、内閣総理大臣の許可を得て、執務時間の変更等を行うことができること。

2　勤務時間法第六条第二項の規定に基づき勤務時間を割り振られた職員における早出・遅出勤務の活用

特定の日又は特定の期間内において、業務の必要性、連日にわたる超過勤務による疲労の蓄積の防止等を理由として、割り振られた勤務時間より始業・終業時刻を早く又は遅くする必要があると各省各庁の長が認める職員については、1(3)に留意しつつ、当該特定の日又は特定の期間内における勤務時間の割振りを変更することができること。

3　フレックスタイム制勤務職員及び交替制等勤務職員の勤務時間の割振り

フレックスタイム制勤務職員（勤務時間法第六条第三項又は第四項の規定に基づき、申告を経て勤務時間等を割り振られた職員）及び交替制等勤務職員（勤務時間法第七条第一項に規定する公務の運営上の事情により特別の形態によって勤務する必要のある職員）の勤務時間の割振りは、人事院規則一五―一四（職員の勤務時間、休日及び休暇）に基づき各省各庁の長において行うこと。

4　適用期日等

この通知は、平成十八年七月一日から適用する。

これに伴い、「一般職の職員の勤務時間、休暇等に関する法律の規定に基づく勤務時間に関する事務の運営等について」（平成六年七月二十七日付け総人第六百八号総務庁人事局長通知）のうち、第一の「2　勤務時間に関する事務の運営の基準について」及び別記様式を廃止する。

○一般職の職員の勤務時間、休暇等に関する法律の改正について（通知）

令五・一二・一三
閣人人八六一

一般職の職員の給与に関する法律等の一部を改正する法律（令和五年法律第七十三号。以下「給与法等改正法」という。）により、一般職の職員の勤務時間、休暇等に関する法律（平成六年法律第三十三号。以下「勤務時間法」という。）が改正され、職員の申告を考慮して勤務時間を割り振る制度（以下「フレックスタイム制」という。）における勤務時間を割り振らない日を設ける措置の対象となる職員の範囲が、令和七年四月一日から、一般の職員に拡大されることとなりました。

貴府省等におかれては、勤務時間法、人事院規則等の規定及び下記事項に御留意の上、フレックスタイム制等の適正な運用、柔軟な働き方の推進及びデジタル技術を活用した職場環境の整備に十分な御配慮をお願いします。

記

第一　勤務時間法の改正事項

1　フレックスタイム制を活用した勤務時間を割り振らない日を設ける措置の対象となる職員の範囲の拡大（勤務時間法第六条第三項関係）

一般の職員について、フレックスタイム制の活用により、勤務時間の総量を維持した上で、勤務時間を割り振らない日を設定することを可能とするものである。

※現在、育児又は介護を行う職員等に認められている措置を、一般の職員に拡大するもの。

第二　留意事項

1　基本的な考え方

今般の改正によるフレックスタイム制の更なる柔軟化を職員の柔軟な働き方につなげるために、職員に対する周知・啓発や手続の簡素化等を通じた事務負担の軽減、利用しやすい雰囲気の醸成などによる環境の整備を行うこと。

また、フレックスタイム制における勤務時間の割振りは、公務の運営に支障がないと認められる場合に、希望する職員の申告を経て行うものであり、職員に申告を強制することや職員の申告を経ずに各省各庁の長が一方的にフレックスタイム制を適用させることはできないこと。

さらに、職員がフレックスタイム制を利用する場合においても、各職場において執務体制の確保がなされていることは当然の前提であり、職員が申告したとおりの割振りを行うと公務の運営に支障が生ずると認められる場合には、各省各庁の長は当該申告と異なる割振りができることを踏まえ、対応すること。

加えて、個々の職員を尊重した働き方を各職場で実現するため、職員自身が、適切な公務運営の確保と各職員の柔軟な働き方を両立できる職場形成に積極的に参加できる機会を確保すること。

令和七年四月の施行に向けて、各府省等において、今後制定される人事院規則等の内容を踏まえ、部内規定の整備を遺漏なく行うこと。

2　勤務時間管理のシステム化など勤務時間管理の徹底

各府省等は、令和七年四月の施行に向けて、勤務時間管理システムなど関連するシステム等についての必要な改修等を遺漏なく行うこと。

なお、勤務時間管理のシステム化は、フレックスタイム制等の活用に必要な申請等手続を簡素化し、柔軟な働き方の実現をも促進するものであり、早期のシステム化が重要であることから、導入するシステムやその時期などに係る当面及び中長期の具体的な導入計画を策定し、着実に実施すること。地方支分部局等についても、業務に応じた勤務形態の多様性に配慮しつつ、早期に実現を図ること。

あわせて、勤務時間管理において、職員の在庁時間を正確に把握するため、業務端末の使用時間の記録等を利用した勤務時間の状況の客観的把握及びそのデータの活用を、引き続き着実に実施すること。地方支分部局等についても、各府省等の事例等も参考に、業務に応じた勤務形態の多様性に配慮しつつ、最も効果的な方法を遅滞なく措置するよう、計画的に取組を進めること。勤務時間の状況の客観的把握を開始するまでの間は、課室長等は現認等により正確に職員の在庁時間を把握し、記録すること。

これら勤務時間管理のシステム化・在庁時間の正確な把握による勤務時間の「見える化」を通じて勤務時間管理の徹底を図ること。

3　超過勤務縮減の更なる推進

フレックスタイム制は、ワークライフバランスの推進にも資するものであることから、フレックスタイム制の枠組みを活かすためには、全ての職員について超過勤務を縮減する方向での働き方を更に推進していくことが重要である。引き続き、「超過勤務を命ずるに当たっての留意点について」（平成三十一年二月一日人事院事務総局職員福祉局長通知）、「国家公務員の労働時間短縮対策について」（平成四年十二月九日人事管理運営協議会決定）、「国家公務員の女性活躍とワークライフバランス推進のための取組指針」（平成二十六年十月十七日女性職員活躍・ワークライフバランス推進協議会決定）及び各府省等における「女性職員活躍と職員のワークライフバランスの推進のための取組計画」に基づき、超過勤務縮減の取組を更に推進すること。

4　勤務間のインターバルの確保

勤務の終了からその次の勤務の開始までの間に、職員の心身の疲労回復や健康維持のために必要な一定以上の時間（勤務間のインターバル）を確保することについては、組織的に取り組むことが重要である。まずは、業務体制の見直しや現行制度（フレックスタイム制・早出遅出勤務等）の積極的な活用、業務合理化等による超過勤務の縮減等により実現に向け取り組み、あわせて、適切な行政サービスの提供に支障が生じないようにすること。

令和六年四月には、人事院規則において、努力義務規定が設けられることも踏まえ、各職場で勤務間のインターバルの確保が図られるよう、一層、必要な取組を進めること。

5　的確なマネジメントの実施

勤務時間を柔軟化しつつ執務体制を確保するためには、適切なマネジメントが不可欠である。管理職は、方向性の提示や適切な判断・調整など日々の業務マネジメントを適切に行うだけではなく、部下職員の超過勤務時間や時間の使い方も含めた業務の実態を把握し、業務の廃止を含めた既存業務の見直し、業務分担等の業務実施体制の見直しを実施すること。

6　テレワークの活用の更なる推進

フレックスタイム制による働く時間の柔軟化と併せてテレワークによる働く場所の柔軟化を更に進めることで、各職員の希望・事情に応じた働き方の充実に更に積極的に取り組むこと。

○官庁執務時間並休暇ニ関スル件

大一一・七・四
閣令六

最終改正 平二六・五・二九総務令五二

① 官庁ノ執務時間ハ日曜日及休日ヲ除キ午前八時三十分ヨリ午後五時迄トス但シ土曜日ハ午後零時三十分迄トス

② 土地ノ状況ニ依リ又ハ事務ノ性質上必要アル場合ニ於テハ主務大臣ハ内閣総理大臣ノ許可ヲ得テ前項ノ執務時間ノ変更、繰替又ハ延長ヲ為スコトヲ得

③ 事務ノ状況ニ依リ必要アルトキハ執務時間外ト雖執務スヘキモノトス

④ 本属長官ハ療養ノ必要其ノ他特別ノ事情アル所属職員ヲシテ遅参又ハ早退セシムルコトヲ得

⑤ 本属長官ハ所属職員ニ対シ七月二十一日ヨリ八月三十一日迄ノ間ニ於テ事務ノ繁閑ヲ計リ二十日以内ノ休暇ヲ与フルコトヲ得但シ事務ノ都合ニ依リ当該期間内ニ於テ休暇ヲ与フルコトヲ得サル場合ニ於テハ他ノ期間ニ於テ之ヲ与フルコトヲ妨ケス

⑥ 現業其ノ他特別ノ事務ヲ所掌スル官庁ノ執務時間及休暇ニ付テハ主務大臣別ニ之ヲ定ムルコトヲ得

附 則

① 本令ハ公布ノ日ヨリ之ヲ施行ス

② 明治二十五年閣令第六号ハ之ヲ廃止ス

③ 明治九年太政官達第二十七号中但書ヲ削ル

○休憩時間の運用について

平三〇・一二・七
職職—二四六

改正 令五・一・二〇職職—一四

標記については、平成三十一年一月一日以降、人事院規則一五—一四（職員の勤務時間、休日及び休暇）（以下「規則」という。）及び職員の勤務時間、休日及び休暇の運用について（平成六年七月二十七日職職—三二八）（以下「運用通知」という。）とともに、下記の事項に留意し、適切に対応してください。

なお、これに伴い、平成二十八年三月二十五日付け職職—八七は廃止します。

記

1 各省各庁の長が規則第七条第一項第二号の規定により休憩時間を四十五分とするか否かの判断は、各職場における業務の実態、職員の昼休み時間を短縮することの影響等を総合的に勘案して行うものとすること。

2 規則第七条第一項第三号及び運用通知第六の第二項の規定は、同号の十五分の休憩時間（以下「十五分の休憩時間」という。）を置く場合においては、当該十五分の休憩時間とその前後の連続する正規の勤務時間とを合計した時間が三時間三十分から四時間三十分までの間の時間となるようにするものとする趣旨であること。

3 各省各庁の長があらかじめ運用通知第六の第三項から第六項までの申出に関する書類の様式を定める場合の参考例を示せば、別紙1及び別紙2のとおりであること。

4 規則第四条の五の二に規定する職員に係る運用通知第六の第三項から第六項までの申出については、書面によらない方法で行うことも可能であり、その場合の方法としては、当該書面に係る記載事項について、職員が電子メールを送信する方法や、各省各庁の長が職員から聴取した内容を記録する方法等が考えられること。

5 運用通知第六の第四項(1)の「適切な実施を確保できない場合」とは、職員の住居と通常の勤務場所との間の移動並びに当該職員の食事及び疲労の回復のために必要な時間を確保することができない場合をいうこと。

6 運用通知第六の第五項(4)の「交通機関を利用する時間」は、交通機関を利用するために待つ時間及び乗り継ぎのために待つ時間を含むものであること。

7 運用通知第六の第五項(5)の「交通機関の混雑の程度」とは、職員が通常の勤務における登庁又は退庁の時間帯に常例として利用する交通機関の混雑の程度をいうこと。

また、母体又は胎児の健康保持への影響については、母子保健法（昭和四十年法律第百四十一号）に規定する保健指導又は健康診査に基づく指導事項により判断するものとすること。

8 一般職の職員の勤務時間、休暇等に関する法律（平成六年法律第三十三号）第七条第一項に規定する公務の運営上の事情により特別の形態によって勤務する必要のある職員について規則第七条第一項第一号及び第二号の休憩時間（以下「基本休憩時間」という。）と十五分の休憩時間を連続して置く場合における規則第

九条第一項の明示に当たっては、当該十五分の休憩時間の時間帯を当該基本休憩時間の時間帯と区別すること。

以　上

別紙１ （表面）

休憩時間変更事由届
（第６の第４項(2)及び第５項(1)から(5)まで関係）

（　　年　月　日提出）

（各省各庁の長） 殿	所属	氏名

（該当する□にレ印を付する。）

□次の事由に該当し、次のとおり休憩時間を変更したいので申し出ます。
□次に該当する事由が消滅した（する）ので申し出ます。

（申出の事由の事実発生日又は消滅日：　　年　　月　　日）

Ⅰ　休憩時間の延長（延長の内容：　　分　→　　分）

□１　小学校就学の始期に達するまでの子又は小学校、義務教育学校の前期課程若しくは特別支援学校の小学部に就学している子の養育

子の氏名	
子の生年月日又は出産予定日	年　月　日

□２　要介護者の介護

要介護者の氏名	職員との続柄	要介護者の状態及び具体的な介護の内容

Ⅱ　休憩時間の短縮（短縮後の休憩時間：□４５分　□３０分）

□１　小学校就学の始期に達するまでの子の養育

子の氏名	
子の生年月日又は出産予定日	年　月　日

□２　小学校、義務教育学校の前期課程又は特別支援学校の小学部に就学している子の送迎

子の氏名	
子の生年月日	年　月　日
送迎が必要な理由	

□３　要介護者の介護

要介護者の氏名	職員との続柄	要介護者の状態及び具体的な介護の内容

□４　通勤時間の短縮

変更前後の通勤経路及び通勤時間	変更前	
	変更後	

□５　妊娠中の女子職員の通勤

備考

（裏面）

記入上の注意

1　Ⅱ４「通勤時間の短縮」に係る「変更前」欄及び「変更後」欄の記入方法は、次の記入例を参照する。

記入例

変更前後の通勤経路及び通勤時間	変更前	10分　30分 官署 ─ 徒歩 ─ ○○停留所 ─ バス ─ 自宅 17:15終業　17:55発　18:30着
	変更後	10分　30分 官署 ─ 徒歩 ─ ○○停留所 ─ バス ─ 自宅 17:00終業　17:15発　17:50着

2　備考欄は、例えば人事担当部局において公務の運営の支障の有無等を記入する場合に用いる。

別紙２

休憩時間変更事由届

（第６の第３項、第４項⑶、第５項の⑹及び第６項関係）

（　　　年　月　日提出）

（各省各庁の長）　殿	所属	氏名

（該当する□にレ印を付する。）

□次の事由に該当し、次のとおり休憩時間を変更したいので申し出ます。

□次に該当する事由が消滅した（する）ので申し出ます。

（申出の事由の事実発生日又は消滅日：　　年　　月　　日）

□　身体障害者手帳、療育手帳又は精神障害者保健福祉手帳の交付を受けている者等（障害者の雇用の促進等に関する法律（昭和35年法律第123号）第37条第２項に規定する対象障害者）

□　勤務時間の割振りについて配慮を必要とする者として規則１０－４（職員の保健及び安全保持）第９条第１項に規定する健康管理医が認めるもの

休憩時間の変更の類型	□分割　□延長　□短縮　□追加
休憩時間の変更の具体的内容	
休憩時間の変更を必要とする理由	

備考

記入上の注意

備考欄は、例えば人事担当部局において公務の運営の支障の有無等を記入する場合に用いる。

○特別の形態によって勤務する必要のある職員の休憩時間及び休息時間の特例について

平三〇・一二・一三
職職—二六〇

改正　令五・一・二〇職職—一三

一般職の職員の勤務時間、休暇等に関する法律（平成六年法律第三十三号。以下「勤務時間法」という。）第七条第一項に規定する公務の運営上の事情により特別の形態によって勤務する必要のある職員（以下「特別の形態によって勤務する必要のある職員」という。）の休憩時間及び休息時間の置き方に関し、下記のとおりとすることについては、平成三十一年一月一日以降、人事院規則一五—一四（職員の勤務時間、休日及び休暇）（以下「規則」という。）第三十二条による人事院の承認があったものとして取り扱って差し支えありません。

なお、これに伴い、平成二十一年二月二十七日付け職職—六五は廃止します。

記

1　終業の時刻の直前の規則第七条第一項第一号及び第二号の休憩時間（以下「基本休憩時間」という。）の終わる時刻（基本休憩時間を置かない場合にあっては、始業の時刻）から終業の時刻までの間における正規の勤務時間が三時間十五分から四時間十五分までの間の時間である場合において、各省各庁の長が業務の運営並びに職員の健康及び福祉を考慮して必要がないと認めるときに、当該終業の時刻の前に同項第三号の十五分の休憩時間（以下「十五分の休憩時間」という。）を置かないこと。

2　一回の勤務又は勤務時間法第七条第二項本文に規定する四週間ごとの期間若しくは同項ただし書の規定により人事院と協議して各省各庁の長が定めた五十二週間を超えない期間に置く十五分の休憩時間及び休息時間の回数の均衡を考慮して、次のとおりとすること。

(1)　三時間三十分から四時間三十分までの間の時間の連続する正規の勤務時間（十五分の休憩時間を置く場合にあっては、当該十五分の休憩時間とその前後の連続する正規の勤務時間とを合計した時間。(2)及び(3)において同じ。）を合計した時間が三時間三十分から四時間三十分までの間の時間である場合において、十五分の休憩時間を置くこととするときに、休息時間を置かないこと。

(2)　一回の勤務に割り振られた勤務時間が十時間十五分以上十二時間十五分以下である場合であって、三時間三十分から四時間三十分までの間の時間の連続する正規の勤務時間を合計した時間が七時間から九時間までの間の時間である場合において、十五分の休憩時間を一回置くこととするときに、二回の休息時間のうち一回を置かないこと。

(3)　三時間三十分から四時間三十分までの間の時間の連続する正規の勤務時間を合計した時間が十時間三十分から十三時間三十分までの間の時間である場合において、十五分の休憩時間を二回置くこととするときに、二回の休息時間のうち一回を置かないこと。

3　規則第六条第二項に規定する四時間の勤務時間の割振り変更を行う場合において、勤務時間を割り振ることをやめることとなった日及び新たに勤務することを命ずることとなった日の休息時間の回数と、四時間の勤務時間の割振り変更を行う前の一回の勤務における休息時間の回数との均衡を考慮して、新たに勤務することを命ずることとなった日に十五分の休憩時間を置くこととするときに、休息時間を置かないこと。

4　特別の形態によって勤務する必要のある職員が勤務時間法第六条第一項及び同条第二項の規定に基づく通常の勤務時間の割振りにより勤務する職員（時差通勤職員を含む。以下同じ。）と同様の勤務時間帯に勤務する場合に、通常の勤務時間の割振りにより勤務する職員との均衡等を考慮して、次の(1)又は(2)のとおりとすること。

(1)　昼休み時間としての基本休憩時間を六十分又は四十五分とし、かつ、十五分の休憩時間及び休息時間を置かないこと。

(2)　昼休み時間としての基本休憩時間を四十五分又は三十分とし、かつ、当該基本休憩時間の前後の正規の勤務時間に十五分の休憩時間又は休息時間を置くこと。

5　第四項の規定の適用を受ける職員について、公務の運営並びに職員の健康及び福祉を考慮して支障がないと認める場合において、連続する正規の勤務時間が六時間三十分を超えることとなる前に基本休憩時間を置くこと。

6　国家公務員の育児休業等に関する法律（平成三年法律第百九号）第十二条第一項の規定による育児短時間勤務をしている職員及び同法第二十二条の規定による

短時間勤務をしている職員について、一日につき五時間以内の勤務時間を割り振る場合において、次の(1)又は(2)のとおりとすること。

(1)　基本休憩時間を置かないこと。

(2)　基本休憩時間を置かず、かつ、十五分の休憩時間又は休息時間を一回置くこと。

以　上

○超過勤務を命ずるに当たっての留意点について

平三一・二・一
職職―二二

改正　令四・三・二九職職―六三

長時間労働の是正は、職員の健康保持や人材確保の観点等から重要な課題であり、超過勤務（人事院規則一五―一四（職員の勤務時間、休日及び休暇）（以下「規則一五―一四」という。）第十六条に規定する超過勤務をいう。以下同じ。）の一層の縮減に取り組んでいく必要があります。

職員の超過勤務については、これまで、「超過勤務の縮減に関する指針について（平成二十一年二月二十七日職職―七三）」（以下「平成二十一年指針」という。）において、年間の上限目安時間を示してきたところですが、今般、超過勤務命令を行うことができる上限を、一般職の職員の勤務時間、休暇等に関する法律（平成六年法律第三十三号。以下「勤務時間法」という。）に基づいて、原則一箇月について四十五時間かつ一年について三百六十時間等と規則一五―一四で定めるとともに、職員の健康確保措置についても、人事院規則一〇―四（職員の保健及び安全保持）において、一箇月について百時間以上の超過勤務を行った職員等に対しては、職員からの申出がなくとも医師による面接指導を行うこととする等の措置を講じることとしたところです。

各府省におかれては、平成三十一年四月一日以降、職員に超過勤務を命ずるに当たっては、勤務時間法、規則一五―一四及び「職員の勤務時間、休日及び休暇の運用について（平成六年七月二十七日職職―三二八）」（以下「運用通知」という。）並びに人事院規則一〇―四、「人事院規則一〇―四（職員の保健及び安全保持）の運用について（昭和六十二年十二月二十五日職福―六九一）」及び「面接指導等の実施について（平成十八年三月三十一日職職―九六）」とともに、下記の事項に留意し、適切に対応してください。

なお、これに伴い、平成二十一年指針は廃止します。

記

1　他律的業務の比重が高い部署関係

規則一五―一四第十六条の二の二第一項第二号に規定する他律的業務の比重が高い部署（以下「他律的部署」という。）には、国会関係、国際関係、法令協議、予算折衝等に従事するなど、業務の量や時期が各府省の枠を超えて他律的に決まる比重が高い部署が該当し得るが、ある部署が他律的部署に該当するか否かについては、当該部署の業務の状況を考慮して適切に判断する必要があること。

2　上限時間の特例関係

(1)　職員に規則一五―一四第十六条の二の二第二項の規定により、同条第一項各号に規定する時間又は月数（以下「上限時間等」という。）を超えて超過勤務を命ずることができるか否かについては、当該職員が従事し、又は従事していた特例業務（同条第二項に規定する特例業務をいう。以下同じ。）の状況、当該特例業務の規模及び発生時期並びに当該特例業務に当該職員が従事した期間を考慮して、上限時間等に係る期間ごとにそれぞれ判断する必要があること。

(2) 特例業務に従事し、又は従事していた職員に対しても、できる限り上限時間等の範囲内で超過勤務を命ずる必要があることは当然であり、規則一五—一四第十六条の二の二第二項の規定により、上限時間等を超えて職員に超過勤務を命ずることができる場合とは、特例業務が発生した時期や状況によるが、当該職員が従事し、又は従事していた業務の一部に特例業務が含まれていることでは足りず、あくまでも特例業務の処理が原因となって当該職員に上限時間等を超えて超過勤務を命じざるを得ないときであること。

(3) 規則一五—一四第十六条の二の二第三項に規定する超過勤務に係る要因の整理、分析及び検証（以下「整理分析等」という。）は、職員の特例業務への従事の具体的な状況を踏まえて行う必要があること。

3 職員の異動等関係

(1) 異なる部署から異動してきた職員に超過勤務を命ずる場合は、異動前の部署における超過勤務の状況も考慮する必要があること。

(2) 異なる府省等（運用通知第十の第八項に規定する府省等をいう。以下同じ。）から異動してきた職員に超過勤務を命ずる時間についても、できる限り、異動前の府省等における超過勤務の時間も含め、規則一五—一四第十六条の二の二第一項に規定する職員の区分に応じ、同項第一号イ(2)、同号ロ(1)又は同項第二号ロに定める時間の範囲内に収まるように配慮するよう努めること。

(3) 職員が併任されている場合、本務官職に係る各省各庁の長及び併任官職に係る各省各庁の長が命ずる超過勤務の時間（職員が府省等を異にして併任されている場合は、運用通知第十の第八項に掲げる規定の適用に係る超過勤務の時間。(5)において同じ。）を合算した時間は、次に掲げる職員の区分に応じ、それぞれ次に定める時間及び月数の範囲内とする必要があること。

ア 本務官職又は併任官職のいずれかにおいて、他律的部署に勤務する職員　規則一五—一四第十六条の二の二第一項第二号イからニまでに定める時間及び月数

イ 本務官職又は併任官職のいずれにおいても、他律的部署以外の部署に勤務する職員　同項第一号イ(1)及び(2)に定める時間（同号ロに該当する職員にあっては、同号ロに定める時間及び月数）

(4) 職員が併任されている場合、本務官職に係る各省各庁の長及び併任官職に係る各省各庁の長の両者において超過勤務時間の把握を適切に行い、把握した時間の情報を共有する必要があること。

(5) 職員が併任されている場合において、本務官職に係る各省各庁の長及び併任官職に係る各省各庁の長が命ずる超過勤務の時間を合算した時間が、(3)ア及びイに定める時間及び月数の範囲を超えることができるのは、規則一五—一四第十六条の二の二第二項の規定により、上限時間等を超えて当該職員に超過勤務を命ずるときであること。

(6) (5)の上限時間等を超えた超過勤務に係る整理分析等は、本務官職に係る各省各庁の長が、併任官職に係る各省各庁の長から必要な情報の提供を受けて行う必要があること。ただし、併任されている官職の業務に当該職員が専ら従事していた場合その他の併任官職に係る各省各庁の長において整理分析等を行うことが適当と認められる場合は、当該併任官職に係る各省各庁の長が、他の各省各庁の長から必要な情報の提供を受けて整理分析等を行う必要があること。

(7) 運用通知第十の第九項の通知に係る「必要な事項」には、次のアからエまでに定める事項が含まれること。

ア 規則一五—一四第十六条の二の二第一項に規定する職員の区分の別（同項第一号ロに規定する職員にあっては、勤務する部署が他律的部署から他律的部署以外の部署となった日を含む。）

イ 異動日が属する月における異動までの超過勤務の時間数

ウ 異動日が属する月の直前十一箇月における超過勤務の時間数

エ 異動日が属する月及び当該月の直前十一箇月において、特例超過勤務（運用通知第十の第十四項に規定する特例超過勤務をいう。）を命じたことの有無

4 超過勤務縮減に向けた対策

運用通知第十の第十八項の「適切な対策」の例としては、業務の在り方や処理方法の見直し、計画的な業務遂行、管理者が超過勤務縮減に積極的に取り組み、率先して退庁するなどの職場環境の整備や、人員配置の見直し等が考えられること。

5 超過勤務時間の適切な管理

管理者は、超過勤務の運用の適正を図るため、職員の在庁の状況の把握及び超過勤務時間の管理並びに健康状態の把握を行うこととし、特に次に掲げる事項に留意すること。

(1) 客観的な記録を基礎として在庁の状況を把握している部局においては、これに基づいて適正に超過勤務時間を管理すること。

(2) (1)の超過勤務時間の管理を適正に実施するとともに超過勤務を縮減する観点から、課室長等による超過勤務予定の事前確認や、所要見込み時間と異なる場合の課室長等への事後報告については、引き続き適切に行うこと。客観的な記録を基礎とした在庁の状況の把握を開始するまでの間は、当該事後報告及び課室長等や周囲の職員による現認等を通じた超過勤務時間の管理を徹底すること。

6 長時間の超過勤務を命ぜざるを得ない場合の職員の健康への配慮

(1) 長時間の超過勤務が継続することは、職員の心身の健康及び福祉に害を及ぼすおそれがあることから、極力これを避けるよう努めること。また、公務の運営の必要上、職員に長時間の超過勤務を一定期間命ぜざるを得ない場合については、人事担当部局等に事前又は直後に報告し超過勤務命令の状況のチェックを受ける方策などにより、必要最小限にとどめるよう努めること。

とりわけ週休日において勤務を命ずる場合には、職員の健康及び福祉に与える影響の大きさに鑑み、特に厳重に出勤の必要性のチェックを行うこと。

(2) やむを得ず職員に継続して長時間の超過勤務をさせた場合には、管理者は、当該職員につき定期的な健康診断を受けさせることを徹底するとともに、必要に応じて健康管理医と相談の上臨時の健康診断を実施し、その健康状態の十分な把握に努めること。

健康診断等の結果、異常がみられる場合には、業務分担の見直しや応援体制の強化等を行うことにより、健康を回復させるよう努めること。

また、長時間の超過勤務を行った職員に対して医師による面接指導を実施する際には、脳・心臓疾患の発症の予防のほか、うつ病等のストレスが関係する精神疾患等の発症を予防するために心の健康面にも配慮するようにすること。さらに、面接指導の結果に基づき、当該職員の健康の保持のために必要な措置を講じること。

7 早出・遅出勤務の活用

各省各庁の長が勤務時間の割振りを行うに当たっては、超過勤務による職員の疲労の蓄積を防ぐため、公務の運営に支障を来さない範囲内で、業務の繁閑に応じて勤務時間の始業時刻を日ごとに弾力的に設定するいわゆる早出・遅出など、弾力的な勤務時間の割振りを必要に応じ実施すること。

以　上

○国家公務員の労働時間短縮対策について

平四・一二・九
人事管理運営協議会決定

最終改正　平二八・九・一四

1 基本的な考え方

国家公務員の労働時間の短縮については、恒常的な長時間に及ぶ超過勤務により、職員の活力が低下し、政策立案や業務遂行などに支障を来すとともに、職員の心身の健康や生活にも深刻な影響を及ぼす状況があるとの認識の下、これまでも、政府として取組を進めてきたところである。

今後、男女ともに育児・介護等時間制約のある職員の増加が見込まれる中、優秀な人材の確保、継続的勤務の促進、公務の能率的な運営の観点はもとより、公務の持続可能性の向上や女性の活躍促進という観点からも、男女全ての職員の「働き方改革」に政府一丸となって取り組むことで、労働時間の短縮を一層推進し、国家公務員の仕事と生活の調和（ワークライフバランス）を実現する必要がある。

このため、「国家公務員の女性活躍とワークライフバランス推進のための取組指針」（平成二十六年十月十七日女性職員活躍・ワークライフバランス推進協議会決定）等も踏まえ、各府省における取組を推進していくことと合わせ、関係機関と協力しつつ、政府全体を通じて　本対策に沿って超過勤務の縮減及び年次休暇の計画的使用の促進を進めていくこととする。

なお、本対策については、諸般の情勢の変化に留意しつつ、引き続き必要な見直しに努めるものとする。

II　超過勤務縮減、年次休暇の計画的使用の促進のための環境整備

各府省において、部局ごとの超過勤務や各種休暇の取得状況など、職員の勤務状況を事務次官・官房長等が直接把握した上で、以下のような徹底した削減、取得促進努力を行う。内閣人事局も各府省の取組状況を把握し、各府省と共に徹底した対策を進める。

1　超過勤務縮減のための環境整備

(1)　幹部職員・管理職員の意識向上等

①　各府省の大臣や事務次官、官房長等から全職員に対し超過勤務の縮減等に向けたメッセージを発信するとともに、各府省人事担当課から、定例の幹部会議において各部局、各課室ごとの超過勤務の状況、超過勤務縮減への取組状況についての定期的な報告を行う等により、幹部職員・管理職員（以下「幹部職員等」という。）の超過勤務に関する認識の徹底を図る。

②　幹部職員等は、超過勤務を行っている職員の業務内容、健康の維持管理等に十分な注意を払うとともに、率先して定時退庁に努めるものとする。

また、幹部職員等がフレックスタイム制（一般職の職員の勤務時間、休暇等に関する法律（平成六年法律第三十三号）第六条第三項又は第四項の規定に基づく職員の申告を考慮して勤務時間を割り振る制度をいう。）を適用し、標準勤務時間（職員の勤務時間、休日及び休暇の運用について（平成六年職職―三二八人事院事務総長発）第三の第十項(2)に規定する標準勤務時間をいう。）の終わる時刻より遅い時刻まで勤務することとなる際には、部下職員が定時退庁できるよう、留意することとする。

③　幹部職員等は、超過勤務の特に多い職員の状況の把握に努めるとともに、特定の職員に超過勤務が集中しないよう、業務配分及び人員配置の調整に努める。

④　内閣官房内閣人事局は、幹部職員等の超過勤務の縮減に対する意識調査を網羅的に実施するとともに、その結果を踏まえ、各府省幹部職員等の啓発の場等において、超過勤務が事務能率や職員の健康に与える影響、タイムマネジメントに関する講義を設けること等幹部職員等の労働時間短縮についての意識の向上を図るための施策を積極的に講じる。

(2)　勤務時間管理の徹底等

①　各府省人事担当課等は、職員の勤務状況の的確な把握のため、以下の事項とともに、各府省の実情に応じた縮減目標の設定など、勤務時間管理の徹底を図る。

ア　職員は、正規の勤務時間外に業務を実施する前に、その理由及び所要見込時間を課室長等が妥当性を判断できるよう簡潔にメール等で報告し、課室長等はこれを確認する。なお、所要見込時間と異なった場合には、事後的に課室長等に報告する。

イ　当該報告内容について、幹部職員が必要に応じて事後的に確認できるようにする。

ウ　当該報告の際は、明らかに業務に関係のない時間は除外する（例：食事の時間、休憩の時間）。

②　公務員人件費を取り巻く厳しい状況を踏まえつつ、上記の取組を行うとともに、超過勤務手当については、各府省内での配分の在り方も含め、必要に応じて予算の検討を行う。

(3)　定時退庁日

超過勤務の縮減に当たっては、各職場において、職員が業務終了後速やかに退庁できるような環境を整備することが肝要であり、全府省を通じて定時退庁に努める日（以下「全府省一斉定時退庁日」という。）を毎週水曜日とするとともに、各府省において必要に応じて自主的な定時退庁日を定めることとし、その実施に当たっては、次の措置を講ずる。

①　各府省人事担当部局（人事担当課及び各局等人事担当部署をいう。以下同じ。）は、職員に対して、当日が定時退庁日である旨を放送等により周知、徹底すること。

また、全府省一斉定時退庁日には、本府省等において、遅くとも二十時までの庁舎の消灯を励行すること。

②　管理職員は、率先して定時退庁すること。

③　管理職員は、定時退庁日における超過勤務について、その必要性を十分に点検し、止むを得ない事由による場合を除き、職員に対して超過勤務を命じないこと。

④　管理職員は、巡回指導を行うなどにより、部

下職員に対して、積極的に定時退庁の指導を行うこと。

⑤ 管理職員は、定時退庁日に定時退庁できなかった職員がいる場合は、できる限りその週において定時退庁ができるよう特に配慮すること。

⑥ 関係府省を通じた業務は勤務時間内に終了するよう努め、定時退庁日に止むを得ない事由により関係府省を通じた超過勤務が見込まれる場合には、原則として勤務時間終了時刻までに相手方の部局にその旨を連絡し、当該日の業務の進め方を協議すること。

⑦ 各府省人事担当課は、上記①～⑥の実施状況を定期的に把握するとともに、率先して巡回指導を行うなどにより、積極的に定時退庁の指導を行い、また、定時退庁できていない職員の割合が多い部署については、必要に応じ管理職員から事情を聴取し、管理職員が率先して定時退庁することを徹底するなど定時退庁日の定着と推進に努めること。

⑧ 内閣官房内閣人事局は、職員に対して全府省一斉定時退庁日を周知、徹底するため、ポスターを作成し、各府省に配付すること。

(4) その他

① 各府省人事担当部局は、研修等の機会に、超過勤務の縮減に対する管理職員の果たす役割の重要さに鑑み、特に管理職員が、超過勤務を行っている職員の業務内容、健康の維持管理に十分な注意を払うとともに、自ら率先して定時退庁に努めるとの自覚を高めるよう指導するほか、一般の職員についても、勤務時間内の事務能率の向上を図り、勤務時間内に業務が処理できるように努めるよう指導する。

② 各府省人事担当部局は、超過勤務縮減に関する取組へのよりきめ細かな対応が可能となるよう、各部局、各課室ごとの会議等において超過勤務縮減への取組状況について周知を行い超過勤務縮減を促す等、実情に応じ超過勤務縮減の推進のため、取組の充実を図る。

③ 各府省人事担当部局は、各局各課が退庁時刻以降の会議等を開催することを自粛するよう指導する。

④ 内閣官房内閣人事局は、超過勤務の縮減に関する取組事例を集めた参考資料を作成し配布する。

⑤ 内閣官房内閣人事局は、各府省人事担当課から、超過勤務縮減への取組状況を定期的に聴取し、その結果を人事管理運営協議会幹事会に報告する。

⑥ 公務能率の向上、コスト意識を持った勤務時間管理、職員の健康管理等の観点から、適切な勤務時間管理手法の導入の可能性について、検討を行う。

⑦ 連続して深夜に及ぶ超過勤務をした職員等について、早出・遅出の勤務時間とすることが、職員の職務の効率的な執行に資するとともに、職員の労働時間の短縮、健康の保持に資すると認められる場合には遅出の勤務時間にする等、早出・遅出の勤務時間の割振りについて積極的な活用を図る。

2 年次休暇の計画的使用の促進のための環境整備

(1) 連続休暇等の取得促進

年次休暇の使用促進を図るため、次により、連続休暇等を取得しやすい環境を整備する。

① 各府省人事担当部局は、次の連続休暇等の取得について、職員の指導、応援体制の整備等に努める。

ア 夏季（七～九月）及び年末年始における一週間以上の連続休暇

イ 例えば十年目、十五年目、二十年目、二十五年目、三十年目等の公務員生活の節目における心身のリフレッシュのための一週間以上の連続休暇

ウ ゴールデンウィーク期間等における連続休暇

エ 夏季以外において各部局等の実情に応じて定める月曜日又は金曜日の休暇

オ 法律案の作成、予算案の作成、行事の準備等一定程度繁忙な期間が継続するプロジェクトの終了後における連続休暇

カ 職員及びその家族の誕生日等の記念日や子どもの学校行事等、家族とのふれあいのために取得する休暇

② 各府省人事担当部局は、ゴールデンウィーク期間等の土曜日・日曜日と祝日とに挟まれた日における会議等の自粛、夏季における月曜日又は金曜日の定例会議の自粛等について指導する。

(2) 計画表の活用等

職務と私事との計画的調和により、年次休暇の使用促進を図るため、次により、年間を通じて年

次休暇等の使用計画表（以下「計画表」という。）の作成、活用等を行うこととする。

① 計画表は、年間の取得目標を設定し四半期毎に作成する等、各職場の実情に応じて作成する。

② 管理職員は、業務予定をできる限り早期に職員に対して周知し、当該業務予定に沿って業務を計画的に遂行するよう監督する等、職員の計画表に基づく年次休暇等の使用が促進されるよう配慮する。

③ 管理職員は、計画表の作成に当たり、職員が職場の理解を得やすく本人も休みやすい機会をとらえて連続休暇等を取得するよう自ら積極的な年次休暇等の取得に努めるとともに職員を指導する。

④ 各府省人事担当部局は、職員の年次休暇の取得状況を定期的に把握し、取得率の低い部署については、その管理職員等から取得の促進のために講じた取組についてヒアリング等を行うとともに、必要に応じ指導を行うなど年次休暇等の使用促進が図られるようにする。

⑤ 管理職員は、職員が法律案の作成、予算案の作成、行事の準備等一定程度繁忙な期間が継続するプロジェクトに従事している場合、特に健康状態等に注意するとともに、年次休暇の取得促進等を指導する。

(3) 職員に対する指導等

各府省人事担当部局は、研修等の機会に、年次休暇の取得促進に対する管理職員の果たす役割の重要さに鑑み、特に管理職員に対し、職員が年次休暇を取得しやすい環境作りに努めるとともに、自ら率先して年次休暇の計画的使用及び連続休暇の取得の促進に努めるとの自覚を高めるよう指導するほか、一般の職員についても、業務の計画的実施と事務能率の向上を図り、年次休暇の計画的使用及び連続休暇の取得の促進に努めるよう指導する。

3 ワークライフバランス推進強化月間の実施

働き方改革を具体化し、超過勤務縮減や休暇の取得促進などを集中的に行う期間として、全府省を通じたワークライフバランス推進強化月間（七・八月）を実施する。

Ⅲ 超過勤務縮減のための業務改善

本府省等特定部局における超過勤務状況を改善していくためには、幹部職員等の意識向上や勤務時間管理の徹底等により職場環境を整備していくだけでなく、これらの部局における深夜等に及ぶ超過勤務が生ずることのないよう、事務そのものの改善が必要である。このため、行政の機動的な運営に留意しつつ、以下のとおり対策を講じていくこととする。

なお、法令等府省間協議業務、国会関係業務及び予算等関係業務等のあり方について、関係機関と連携を図りつつ引き続き必要な見直しに努めることとする。

1 全般的な業務改善

これまでも、業務の見直し、業務の移管・移譲、ICTを活用した業務・システムの最適化やオンライン利用の促進、適正な人員の配置、業務量の平準化等に取り組んできたところであり、引き続き、超過勤務縮減の観点からも事務・事業の見直しに積極的に取り組むとともに、業務プロセスの見直しを計画的に推進していくことにより全般的な業務改善を進める。

具体的には以下の事項について重点的に取り組むこととする。

(1) 行政事務・事業の情報化の徹底

「世界最先端IT国家創造宣言」（平成二十六年六月二十四日閣議決定）に基づき、職員のワークスタイルについて、モバイル端末の利活用等を通じて、情報のデジタル化（ペーパーレス化、デジタルアーカイブ化）の推進と生産性向上を図りつつ、一層の業務の簡素化・効率化を図る。

(2) 事務・事業の簡素化に向けた見直し

各府省総務担当課及び各府省人事担当課は、日頃から事務の簡素化に向けた見直しを進め、当該府省において新たに事務・事業を実施しようとするときは既存の事務・事業の必要性について見直しを行い業務量の抑制に努めるとともに、過去から整理されずに引き続いて行われているような事務・事業について徹底的に見直すよう担当課を指導する。

(3) 人事評価の活用による業務改善の推進

効率的な業務運営やワークライフバランスに資する取組について適切に人事評価へ反映する。

特に、幹部職員等の人事評価については、仕事と生活の調和に資する働き方の改革など、時代に即した合理的かつ効率的な行政の実現に留意した目標を設定し、それに向けられた行動等を評価することを通じて、業務改善の推進を図る。

2 個別的業務改善

法令等府省間協議、国会、予算等の府省間調整について、以下のルール等が適切に運用されているか随時チェックを行うこと等により、その徹底を図る。

なお、十七時十五分以降には原則として会議を行わない。止むを得ず必要な場合には十八時十五分までに終了させることを原則とする。また、作業・調査依頼や法令・閣議決定等の協議について、十七時十五分以降の依頼や、超過勤務を前提とした短期間の締切設定を原則として避ける。

(1) 法令等府省間協議業務の改善

法令協議及びそれ以外の府省間協議（政府としての重要方針や複数の府省等にまたがる計画等の政策調整に係るもの）業務については、複数の府省に関係する施策の増に対応し、各府省間の調整を適切、かつ、円滑に行い、超過勤務を縮減する観点から、次の措置を講ずることとする。

① 協議前における基本方針の調整

ア 日頃から相手方府省との関係を円滑にするため関係部局間の情報交換を密に行う。

イ 法律案若しくは政令案又は方針案等を作成し、各府省に協議をしようとする府省（以下「原案作成府省」という。）は、当該案件に密接な関係がある府省に対して、原案を作成する以前の政策立案段階から、立案に際しての基本方針等について協議を行うとともに、全体のスケジュールについても共有し、その進行管理を徹底する。

② 協議のルール化

ア 各府省への原案の協議は、次により、適切な回答期限を付し、原則として当該案件の閣議予定日又は決定予定日の二週間前までに開始する。

a 協議を行うに当たっては、協議開始から四十八時間以上後に質問提出期限（コメント等の期限を含む。）を設定、質問提出期限から四十八時間以上後に意見提出期限を設定することとし、それより短い期間を設定する協議は原則として行わない。

b 特に、協議先府省で大臣の判断を得る必要があるような案件等については、その判断のプロセスも考慮し、適切な期限を設定する。

イ 各府省文書担当課等は、実質的な協議を十分に行うため、次により、協議の進行管理を徹底する。

a 原案作成府省は、案件の性格等を踏まえつつ、協議先府省からの要請に応じて、協議先府省に対して担当課長補佐等が案件の内容を説明する会議（以下「説明会」という。）をできる限り開催する。

b 協議先府省の文書担当課等は、説明会における質疑応答を繰り返して行わない等、質問の必要性について精査するとともに質問の趣旨の明確化に努め、文書による回答を求める質問の数を極力少なくするよう調整を行う。

c 協議先府省の文書担当課等は、回答期限を遵守するよう進行管理を行う。

d 原案作成府省及び協議先府省の文書担当課等は、調整事項を明確化し、その段階に応じ、適切な者によって実質的な調整が行われるよう、例えば協議の前にあらかじめ想定される論点を整理し、事前に調整の方向について上司と相談しておくなど担当課を指導する。

ウ 原案作成府省は、再質問、再意見等の協議においても、協議先府省が勤務時間外に作業せざるを得ないような協議（夕方に協議し翌朝提出期限、時間外に待機を求める等）は原則として行わない。

エ やむを得ず協議先府省に時間外の待機を求める場合には、協議先の部局を明確にした上で、事前に協議スケジュールを共有するなど、協議先府省の超過勤務が極力最小限となるよう努める。

オ 府省間の折衝は、原則として勤務時間外に開始しない。

③ ルールの実効性を高めるための措置

協議が原因で職員の超過勤務が過重なものとなる場合は、必要に応じて双方の人事担当課が連携を図りつつ担当課に対して配慮を求める。

④ 常会に提出する法律案の法令審査の平準化

ア 立法措置の必要性については、法律案の立案段階で十分に吟味する。

イ 常会に提出を予定する法律案の内閣法制局における下審査については、非予算関連法律案にあっては十月上旬から開始して年内に終了するよう、予算関連法律案にあっては翌年一月上旬から開始するよう努める。

ウ　一月上旬の文書課長等会議においては、予算関連法律案の審査日程の確定、内閣法制局の下審査を踏まえた非予算関連法律案の確定等を行う。

⑤　法令協議に係る内閣官房の調整

内閣官房は、法令案の閣議請議に至る進行管理上の支障が生じた場合、必要に応じ、調整を行う。

⑥　その他

ア　上記①、②及び④については、文書担当課等において適宜、実施状況を点検する。

イ　閣議請議文書の簡素化について、検討を行う。

(2)　国会関係業務の改善

国会関係業務については、質問通告が出た後の政府内における作業（待機、問起こし、割振り、作成・提出）の一層の合理化を図るため、以下のルール等の再確認とその徹底を図るとともに、国会質問の事前通告の取扱い等について、国会の理解と協力が得られるよう引き続き努力する。

①　国会関係業務の体制の合理化

ア　内閣総務官室は、各府省政府控室に対し、各府省が必要最小限の部局及び人員により対応することが可能となるよう待機体制の判断に必要な内閣総理大臣及び内閣官房長官に係る質疑に関する情報を可能な限り詳細かつ迅速に伝達する。質疑に関する情報の伝達にあたっては各府省政府控室は内閣総務官室と適宜連携に努める。

イ　各府省国会担当課は、政府控室からの情報等を適宜、適切に判断し、待機が必要とされる場合であっても、例えば、

a　連絡先登録を活用すること、

b　交替で国会待機要員を定めること、

等の工夫を講じ、必要最小限の部局及び人員により対応する。

なお、管理職員は、待機を行う者の健康管理には十分配慮し、例えば、待機が深夜に及んだ場合に翌日に半日休暇の取得を指導するなど必要な措置を講ずるよう努める。

ウ　国会担当職員、幹部職員等との連絡において、情報通信機器等を活用し、連絡方法を効率化する。

②　答弁準備作業の合理化

ア　内閣官房は、国会開会前に、複数の府省に関係する事項で、かつ、国会における質疑が予想される事項の答弁対応について、関係府省の協議を求める。

イ　内閣総理大臣及び内閣官房長官に係る答弁については、内閣総務官室が質問の割振りを速やかに行うとともに、関係府省は担当者を速やかに決定し、相互に密接に連絡を取り、現行のルールを遵守するよう努める。

ウ　内閣官房は、内閣総理大臣及び内閣官房長官答弁に係る各府省間協議の迅速化のため、積極的な調整を行う。

エ　主務大臣等に係る答弁については、各府省国会担当課が割振りの迅速化、府省内協議の簡素化、官房等審査の簡略化等を実施することにより、答弁準備作業の効率化を図る。

オ　答弁準備作業は、答弁作成に携わる者のみにより行うこととするなど、当該作業に伴い超過勤務に従事する職員の数を必要最小限に絞る。

カ　答弁準備作業に当たっては極力ＯＡ機器や電子メール等の活用に努め、作業の効率化を図る。

③　その他

政府共通ネットワークの国会関係情報事務支援システムについては、運用環境条件の整備を踏まえ、国会関係業務の改善のため内容の充実を推進する。

(3)　予算等関係業務の改善

予算等関係業務の簡素化、効率化を更に推進するため、次の措置を講ずることとする。

①　業務の平準化・簡素化の推進

ア　各府省は、概算要求のための調整をできる限り早期に開始するとともに、調整手順の簡素化等により、概算要求に向けた業務の平準化、効率化を図る。

イ　財務省主計局及び各府省予算担当課は、ヒアリングを勤務時間内に行うことを原則とし、やむを得ず勤務時間外のヒアリングを行う場合には必要最小限の待機となるよう努める。

ウ　財務省主計局及び各府省予算担当課は、資料作成依頼については、最小限にとどめるとともに、超過勤務を前提とするような依頼（夕方に依頼し翌朝提出期限等）は原則として行わないものとし、適切な作業期間を設け

るものとする。

エ　財務省主計局は、予算書作成時の印刷校正について、引き続き各府省との連絡を密にし、業務の適切な進行管理を行う。

②　その他

機構・定員、級別定数等その他の査定・審査業務についても、上記①に準じて行う。

(4)　会議等の見直し

各府省総務担当課及び各府省人事担当課は、当該府省が主催する会議等に係る勤務時間の短縮の観点から、その必要性や陪席者の削減等の効率的な運営についての見直しを推進することとする。

(5)　調査等の見直し

複数の府省を対象とする調査や照会で相当の作業量を伴うもの（以下「調査等」という。）を行う府省は、その必要性について十分な吟味を行った上で、計画的かつ効率的な実施を徹底する。また、調査等の対象となる府省が勤務時間外に作業せざるを得ないような作業依頼（夕方に依頼し翌日期限等）は原則として行わないものとし、適切な作業期間を設けるものとする。

各府省は、十以上の府省に調査等を依頼する場合には、必要最低限のものとし、適切な作業期間を設けるとともに、事前に内閣官房副長官補室に依頼内容を登録することとする。内閣官房副長官補室は、内容を精査し、既存調査等との重複や調査の必要性・合理性等の観点から問題点があれば指摘することとする。

○勤務間のインターバル確保について（通知）

令六・三・二九
職職－七八

一般職の職員の勤務時間、休暇等に関する法律（平成六年法律第三十三号）第四条第一項に規定する各省各庁の長の責務（職員の健康及び福祉を考慮し、適正な勤務条件を確保）に基づくものとして、人事院規則一五－一四（職員の勤務時間、休日及び休暇）において、勤務間のインターバル（同規則第一条の二に規定する「職員の健康及び福祉の確保に必要な勤務の終了からその次の勤務の開始までの時間」をいう。以下同じ。）の確保に係る努力義務が規定され、令和六年四月一日に施行されます。

これを踏まえ、各府省における具体的な取組の検討を支援するため、目安となる時間や確保に係る取組例等を示すこととしました。各府省におかれては、これを参考にして、勤務間のインターバル確保の取組の推進に努めてください。

記

1　勤務間のインターバル確保の基本的考え方

適切な勤務間のインターバルにより睡眠時間を含む生活時間を十分に確保することは、健康の維持のために不可欠であるとともに、仕事と生活の調和がとれた働き方を追求するためにも重要であり、公務職場の魅力向上のほか、公務能率の一層の向上につながることも期待される。また、民間労働法制では、勤務間インターバル制度導入が企業の努力義務とされており、「過労死等の防止のための対策に関する大綱（令和三年七月閣議決定）」においては、勤務間インターバル制度を導入している企業割合に関する数値目標が設定され、公務員についても、当該目標の趣旨を踏まえ、必要な取組を推進することとされている。

これらを踏まえると、国家公務員についても、勤務間のインターバル確保の取組を早期に推進していく必要があるため、当該確保に係る各省各庁の長の責務を法令上明確にすることとしたものである。

2　勤務間のインターバルの目安

勤務間のインターバルの目安は、十一時間とする。

この目安は、勤務間のインターバル確保は努力義務であることを踏まえつつ、各省各庁の長が具体的な取組を行う際の参考となるよう、原則として確保することが望ましい時間を示すものである。

（注）目安となる十一時間の算定に当たっては、正規の勤務時間及び超過勤務時間を考慮するものとする。なお、密度の薄い断続的な勤務である宿日直勤務については、当該算定の対象には含まないが、これとは別に職員の健康及び福祉の確保のため適切な取組を講ずることが求められる。

【参考】

人事院「テレワーク等の柔軟な働き方に対応した勤務時間制度等の在り方に関する研究会『最終報告』（令和五年三月）（抄）

V．勤務間インターバル

勤務間インターバルの時間数については、脳・心臓疾患の明らかなリスク上昇が報告されている長時間労働を一定程度防止することが期待できること、勤務間インターバルが短くなるほど休息時間、特に睡眠時間が短くなることが分かっており、休息時間と事故・ケガの発生程度、疲労蓄積や睡眠の質、及びその他の健康影響には明らかな負の量反応関係があるといえること、また、勤務間インターバル制を導入している諸外国の例、ヒアリングを行った民間企業や国土交通省航空局の例などを踏まえれば、原則とすべき時間数を十一時間とすることが適当であると考える。

3　勤務間のインターバル確保に係る取組

(1)　勤務間のインターバルを確保するためには、長時間の超過勤務を減らしていくことが重要であり、超過勤務命令の上限等に関する制度について人事院規則等に沿った適切な運用を行うことが有効である。また、各職場における職務内容や執務体制の実情に応じた取組を検討する必要がある。取組の一例を示せば、以下のとおりである。

①　「超過勤務を命ずるに当たっての留意点について（平成三十一年二月一日職職―二二）」等に従い、超過勤務時間の適切な管理等を行うとともに、業務の効率化等により超過勤務の縮減に向けた対策を行うこと。

②　深夜までの勤務又は早朝からの勤務を要する状況が続く場合には、早出遅出勤務の活用や、執務体制の見直しによりシフト制とするなど、できる限り職員間における負担の分散や軽減を図ること。

③　フレックスタイム制の利用方法について各職場の幹部や管理職を含む職員に適切に周知するとともに、令和七年四月一日に施行する勤務間のインターバル確保のためコアタイムに勤務時間を割り振らないことができる特例を含め、積極的にフレックスタイム制を活用できる環境を整備すること。

④　幹部や管理職が、率先して業務プロセスの見直しに取り組むことや、自らフレックスタイム制の活用を始めとする柔軟な働き方を実践することなどにより、部下職員の資料作成等に係る業務の負担軽減を図り、効率的に業務遂行できる環境を整備すること。

(2)　各省各庁の長は、適切な行政サービスを提供する執務体制を確保するため、2で示す目安となる十一時間の勤務間のインターバルを日々確保することが困難である場合であっても、(1)に示すような取組を行い、職員が睡眠時間を含む生活時間を少しでも長く確保できるよう努めるとともに、職員の深刻な健康リスクを防ぐための取組も検討する必要がある。取組の一例を示せば、以下のとおりである。

①　各職場において週や月単位で目標を定め、目安となる勤務間のインターバルを確保できない日が恒常的に続く状況は避けるよう努めること。

②　目安となる勤務間のインターバルを確保できない日が一定期間続く場合には、フレックスタイム制の活用や当該期間終了後の休暇取得がしやすい雰囲気を醸成することなどにより、職員の速やかな心身の疲労回復を支援するよう努めること。

③　各職場において、目安となる勤務間のインターバル確保が困難な要因や課題等を分析し、対応を検討すること。

4　その他

勤務間のインターバル確保に係る努力義務は、各省各庁の長に対して当該確保のための具体的な取組を求めるものであり、各職場の職員に課されるものではないことに留意が必要である。したがって、各省各庁の長は、当該取組を実効的なものとするため、効率的な業務遂行に努めることや職場の意識・慣習を変えていくことなどについて、職員の理解や協力を得ながら取り組むことが重要である。その際には、勤務間のインターバル確保は、一義的には職員自身のためであることも十分に説明し、その重要性や必要性について、意識醸成に取り組むことも求められる。

以　上

○計画表の活用による年次休暇及び夏季休暇の使用の促進について

平三〇・一二・七
職職―二五二

最終改正　令五・一二・一職職―四二二

年次休暇及び夏季休暇（人事院規則一五―一四（職員の勤務時間、休日及び休暇）第二十二条第一項第十五号に規定する休暇及び人事院規則一五―一五（非常勤職員の勤務時間及び休暇）第四条第一項第八号に規定する休暇をいう。以下同じ。）のより一層の計画的な使用を図るとともに、年次休暇を年五日以上確実に使用することを確保するため、計画表を作成し、活用することとしましたので、平成三十一年一月一日以降は、以下の点に留意の上、両休暇の使用促進に努めてください。なお、「計画表の活用による年次休暇及び夏季休暇の使用の促進について（平成四年十二月九日職職―五九八）」は、廃止します。

記

1　「職員の勤務時間、休日及び休暇の運用について（平成六年七月二十七日職職―三二八）」第十七の第二項に規定する計画表（以下「計画表」という。）は、年次休暇については年間、夏季休暇については七月から九月までの期間（人事院規則一五―一四（職員の勤務時間、休日及び休暇）第二十二条第一項第十五号の規定に基づき、当該期間が業務の繁忙期であることその他の業務の事情により当該期間内に夏季休暇の全部又は一部を使用することが困難であると認められる職員にあっては、六月から十月までの期間）について作成すること。

2　計画表の様式は、各職場の実情に応じて職員が業務と休暇との調整を図れるように工夫して定めること。

3　計画表の作成に当たっては、公務の円滑な運営及び職員の希望する休暇使用時期について十分配慮するとともに、作成された計画表は適宜各職員に周知すること。

4　計画表は、原則として年初において作成することとし、年の中途において新たに職員となった者等についても、その都度速やかに作成すること。

5　計画表は、職員の希望する休暇使用時期の変更や公務の運営に支障がある場合の休暇使用時期の変更に適宜対応できるものとすること。

6　計画表の活用による年間を通じた年次休暇の使用促進に当たっては、公務の円滑な運営に留意しつつ、職場の実情に応じた年次休暇のまとめ取り期間の設定などに努めるほか、夏季休暇等の前後における年次休暇使用による連続した休暇使用、当該職員にとっての記念日又は行事に合わせた休暇使用等ができるよう配慮すること。

7　一の年の年次休暇の日数（前年からの繰越し日数は含まない。）が十日以上である職員の計画表の作成及び変更に当たっては、当該年に五日以上の年次休暇を使用することができるよう配慮することとし、毎年九月末日時点で当該年における年次休暇の使用日数の累計が五日に達していない職員に対しては、年次休暇の使用を促すとともに、職員の希望を考慮して計画表を変更し、当該年において五日以上の年次休暇を使用することができるよう配慮すること。ただし、職員が、育児、介護その他の事情により、計画表に記載して当該年に五日以上の年次休暇を使用することを希望しない場合は、この限りではないこと。

8　勤務時間法第二十三条に規定する常勤を要しない職員（以下「非常勤職員」という。）についても、常勤職員の休暇表の例により休暇の表を作成し、活用することとし、年次休暇及び夏季休暇の使用促進に努めること。

9　非常勤職員については、その任期等の事情を考慮し、年次休暇を使用できることとなった日から次の一年間において五日以上の年次休暇を使用することができるよう配慮すること。

10　年次休暇の使用を促進するため、業務の計画的遂行、応援体制の整備等により、職員が年次休暇等を使用しやすい環境作りに努めること。

以　上

○子の看護休暇の取扱いについて

平一七・三・一四
職職—六六

改正　令三・一二・一職職—三八三

今般、人事院規則一五—一五（非常勤職員の勤務時間及び休暇）（以下「規則一五—一五」という。）及び「人事院規則一五—一五（非常勤職員の勤務時間及び休暇）の運用について（平成六年七月二十七日職職—三二九）」の一部が改正されたところですが、平成十七年四月一日以降、人事院規則一五—一四（職員の勤務時間、休日及び休暇）（以下「規則一五—一四」という。）第二十二条第一項第十一号及び規則一五—一五第四条第二項第二号の休暇については、下記のとおり取り扱ってください。

記

1　子の看護休暇の取得が認められる場合について
規則一五—一四第二十二条第一項第十一号及び規則一五—一五第四条第二項第二号の休暇は、他に看護可能な家族等がいる場合であっても、職員（非常勤職員を含む。）が子の看護を行う必要があり、実際にその看護に従事する場合には、認められる。

2　非常勤職員の「勤務日一日当たりの勤務時間」について
「人事院規則一五—一五（非常勤職員の勤務時間及び休暇）の運用について」第四条関係第一項⒀及び第三項の「勤務日一日当たりの勤務時間」の取扱いについては、「年次休暇の取扱いについて（平成六年十一月十八日職職—五二七）」の三(2)の例によるものとする。

以　上

○時差通勤通学対策について

昭四〇・一〇・一四
交通対策本部決定

最終改正　平一八・六・七

最近の大都市の通勤通学時間帯における交通混雑の激化のすう勢に対処し、当面、通勤通学のための輸送力を増強する計画の実施により通勤通学の混雑が相当程度緩和するまでの間、次の時差通勤通学対策を緊急かつ強力に推進するものとする。

1　国家公務員の時差通勤
(1)　各省庁は、東京都、さいたま市、川崎市、横浜市、大阪市に所在する諸官庁所属の職員につき、これらの諸官庁の所在地周辺駅の通勤通学時間帯における混雑状況を勘案し、これらの諸官庁の事務の遂行上その他特別の理由がある者を除き、出勤時刻を段階的に区分する等の方法により、時差通勤を強力に実施するものとする。この場合において、その実施の方法については、別紙の基準によるものとする。
(2)　上記による時差通勤は、通年実施を目標とするものとする。
(3)　各省庁の長は、時差通勤の実施方法を決定したうえ、これを交通対策本部長に報告するものとする。

2　地方公共団体、民間事業所、学校等における時差通勤通学対策の推進
(1)　時差通勤通学推進計画の策定
交通対策本部長は、地方公共団体、民間事業所、

学校等における時差通勤通学の実施に関し、次に掲げる事項を内容とする時差通勤通学推進計画を策定し、その実施を強力に推進するものとする。

イ 時差通勤通学の実施目標

ロ 時差通勤通学の実施範囲

ハ 出勤時刻及び始業時刻の調整に関する基本方針

ニ 広報その他時差通勤通学協力人員拡大のための重点方策

(2) 時差通勤懇談会の開催

イ 地方公共団体、民間事業所等における時差通勤の実施の推進を図るため、交通対策本部の主催により、時差通勤懇談会を開催する。

ロ 時差通勤懇談会は、時差通勤の実施に関する基本的事項について、連絡及び協議を行う。

ハ 時差通勤懇談会の構成は、次のとおりとする。

会　長 内閣府特命担当大臣（交通安全対策）（当該大臣が置かれていないときは、内閣官房長官。以下「担当大臣」という。）

副会長 内閣府事務次官

会　員 関係各省庁の官房長若しくは主管局長又はこれらに準ずる職にある者

関係都道府県の副知事

運輸事業者団体を代表する者で担当大臣が指名するもの

民間事業者団体を代表する者で担当大臣が指名するもの

その他担当大臣が必要と認めて指名する者

ニ 時差通勤懇談会は、必要に応じ随時、開催するものとする。

ホ 各地区における時差通勤の実施の推進を図るため、地区時差通勤懇談会を開催する。

ヘ 地区時差通勤懇談会は、当該地区における時差通勤の実施に関し必要な事項について、連絡及び協議を行う。

ト 地区時差通勤懇談会の開催、構成及び運営については、国土交通省が関係運輸事業者と協議して定めるものとする。

(3) 時差通学懇談会の開催

イ 学校における時差通学の実施の推進を図るため交通対策本部の主催により、時差通学懇談会を開催する。

ロ 時差通学懇談会の構成は、次のとおりとする。

会　長 担当大臣

副会長 内閣府事務次官

会　員 関係各省庁の官房長若しくは主管局長又はこれに準ずる職にある者

関係都道府県の副知事及び教育長

運輸関係事業者団体を代表する者で担当大臣が指名するもの

私立学校関係団体を代表する者で担当大臣が指名するもの

その他担当大臣が必要と認めて指名する者

ハ 地区時差通勤懇談会に準じて、地区時差通学懇談会を開催する。ただし、その開催、構成及び運営については、国土交通省が文部科学省及び関係運輸事業者と協議して定めるものとする。

(4) 意見聴取

交通対策本部長は、2の(1)により時差通勤通学推進計画を策定する場合には、時差通勤懇談会及び時差通学懇談会において、その構成員の意見を徴するものとする。

(5) 各省庁による時差通勤通学の推進

イ 各省庁は、時差通勤通学推進計画並びに時差通勤懇談会及び時差通学懇談会における申し合わせ事項に従って関係各界における時差通勤通学の実施を強力に推進するものとする。

ロ 各省庁は、随時、関係各界に対する時差通勤通学の推進の状況を交通対策本部長に報告するものとする。

3 実施の時期

この時差通勤通学対策は、昭和四十年十月十四日から実施する。

(別紙)

時差通勤実施基準

各省庁は、その所属の官庁における出勤時刻ができる限り次表に掲げる官庁所在地の区分に応じてそれぞれ定められた混雑時間帯外となるよう、措置するものとする。

所在地	混雑時間帯
千代田区 中央区 港区	午前8時30分～午前9時
新宿区 品川区	

東京都	文京区　台東区　墨田区　江東区	午前8時15分～午前8時45分
	荒川区　豊島区　中野区　杉並区　渋谷区　目黒区	午前8時～午前8時30分
	上記以外の地域	午前7時45分～午前8時15分
さいたま市	大宮区北袋町一丁目　中央区上落合　中央区新都心　浦和区上木崎一丁目	午前8時30分～午前9時
	上記以外の地域	午前8時15分～午前8時45分
川崎市	川崎区	午前8時30分～午前9時
	上記以外の地域	午前8時15分～午前8時45分
横浜市	中区	午前8時30分～午前9時
	上記以外の地域	午前8時15分～午前8時45分
市	中央区　西区	午前8時30分～午前9時

大阪	北区	
	上記以外の地域	午前8時30分～午前9時

○人事院規則一〇―一一（育児又は介護を行う職員の早出遅出勤務並びに深夜勤務及び超過勤務の制限）

平一〇・一一・一三公布
平一一・四・一施行

最終改正　令六・三・二九規則一―八二

（趣旨）

第一条　この規則は、育児又は介護を行う職員の福祉を増進し、もって職員の能率を発揮させるため、当該職員を早出遅出勤務とする措置、当該職員の深夜勤務を制限する措置及び当該職員の超過勤務を制限する措置に関し、必要な事項を定めるものとする。

（定義）

第二条　この規則において、次の各号に掲げる用語の意義は、当該各号に定めるところによる。

一　早出遅出勤務　始業及び終業の時刻を、職員が育児又は介護を行うためのものとしてあらかじめ定められた特定の時刻とする勤務時間の割振りによる勤務をいう。

二　深夜勤務　深夜（午後十時から翌日の午前五時までの間をいう。以下同じ。）における勤務をいう。

三　超過勤務　勤務時間法第十三条第二項に規定する勤務又は常勤を要しない職員のこれに相当する勤務をいう。

（育児を行う職員の早出遅出勤務）

第三条　各省各庁の長（勤務時間法第三条に規定する各省各庁の長をいう。以下同じ。）は、次に掲げる子（規則一五―一四（職員の勤務時間、休日及び休暇）第四条の三第一項第二号イにおいて子に含まれるものとされる者（以下「特別養子縁組の成立前の監護対象者等」という。）を含む。以下同じ。）のある職員（勤務時間法第六条第三項の規定により勤務時間を割り振られた職員及び規則一五―一五（非常勤職員の勤務時間及び休暇）第二条第二項の規定により勤務時間を定められた職員を除く。）が当該子を養育するために請求した場合には、公務の運営に支障がある場合を除き、人事院の定めるところにより、当該職員に当該請求に係る早出遅出勤務をさせるものとする。

一　小学校就学の始期に達するまでの子

二　小学校、義務教育学校の前期課程又は特別支援学校の小学部に就学している子

（育児を行う職員の早出遅出勤務の請求手続等）

第四条　職員は、早出遅出勤務請求書により、早出遅出勤務を請求する一の期間（以下「早出遅出勤務期間」という。）について、その初日（以下「早出遅出勤務開始日」という。）及び末日（以下「早出遅出勤務終了日」という。）とする日を明らかにして、あらかじめ前条の規定による請求を行うものとする。

2　前条の規定による請求があった場合においては、各省各庁の長は、公務の運営の支障の有無について、速やかに当該請求をした職員に対し通知しなければならない。当該通知後において、公務の運営に支障が生じる日があることが明らかとなった場合にあっては、各省各庁の長は、当該日の前日までに、当該請求をした職員に対しその旨を通知しなければならない。

3　各省各庁の長は、前条の請求に係る事由について確認する必要があると認めるときは、当該請求をした職員に対して証明書類の提出を求めることができる。

第五条　第三条の規定による請求がされた後早出遅出勤務開始日とされた日の前日までに、次の各号に掲げるいずれかの事由が生じた場合には、当該請求はされなかったものとみなす。

一　当該請求に係る子が死亡した場合

二　当該請求に係る子が離縁又は養子縁組の取消しにより当該請求をした職員の子でなくなった場合

三　当該請求をした職員が当該請求に係る子と同居しないこととなった場合

四　当該請求に係る特別養子縁組の成立前の監護対象者等が民法（明治二十九年法律第八十九号）第八百十七条の二第一項の規定による請求に係る家事審判事件が終了したこと（特別養子縁組の成立の審判が確定した場合を除く。）又は養子縁組が成立しないまま児童福祉法（昭和二十二年法律第百六十四号）第二十七条第一項第三号の規定による措置が解除されたことにより当該特別養子縁組の成立前の監護対象者等でなくなった場合

五　第一号、第二号又は前号に掲げる場合のほか、当該請求をした職員が第三条に規定する職員に該当しなくなった場合

2　早出遅出勤務開始日以後早出遅出勤務終了日とされた日の前日までに、前項各号に掲げるいずれかの事由が生じた場合には、第三条の規定による請求は、当該事由が生じた日を早出遅出勤務期間の末日とする請求であったものとみなす。

3　前二項の場合において、職員は遅滞なく、第一項各号に掲げる事由が生じた旨を各省各庁の長に届け出なければならない。

4　前条第三項の規定は、前項の届出について準用する。

（育児を行う職員の深夜勤務の制限）

第六条　各省各庁の長は、小学校就学の始期に達するまでの子のある職員（職員の配偶者で当該子の親であるものが、深夜において常態として当該子を養育することができるものとして人事院の定める者に該当する場合における当該職員を除く。）が当該子を養育するために請求した場合には、公務の運営に支障がある場合を除き、深夜勤務をさせてはならない。

（育児を行う職員の深夜勤務の制限の請求手続等）

第七条　職員は、深夜勤務制限請求書により、深夜勤務の制限を請求する一の期間（六月以内の期間に限る。以下「深夜勤務制限期間」という。）について、その初日（以下「深夜勤務制限開始日」という。）及び末日（以下「深夜勤務制限終了日」という。）とする日を明らかにして、深夜勤務制限開始日の一月前までに前条の規定による請求を行うものとする。

2　前条の規定による請求があった場合においては、各省各庁の長は、公務の運営の支障の有無について、速やかに当該請求をした職員に対し通知しなければならない。当該通知後において、公務の運営に支障が生じる日があることが明らかとなった場合にあっては、各省各庁の長は、当該日の前日までに、当該請求をした職員に対しその旨を通知しなければならない。

3　第四条第三項の規定は、前条の規定による請求について準用する。

第八条　第六条の規定による請求がされた後深夜勤務制

限開始日とされた日の前日までに、次の各号に掲げるいずれかの事由が生じた場合には、当該請求はされなかったものとみなす。

一　当該請求に係る子が死亡した場合

二　当該請求に係る子が離縁又は養子縁組の取消しにより当該請求をした職員の子でなくなった場合

三　当該請求をした職員が当該請求に係る子と同居しないこととなった場合

四　当該請求に係る特別養子縁組の成立前の監護対象者等が民法第八百十七条の二第一項の規定による請求に係る家事審判事件が終了したこと（特別養子縁組の成立の審判が確定した場合を除く。）又は養子縁組が成立しないまま児童福祉法第二十七条第一項第三号の規定による措置が解除されたことにより当該特別養子縁組の成立前の監護対象者等でなくなった場合

五　第一号、第二号又は前号に掲げる場合のほか、当該請求をした職員が第六条に規定する職員に該当しなくなった場合

2　深夜勤務制限開始日以後深夜勤務制限終了日とされた日の前日までに、前項各号に掲げるいずれかの事由が生じた場合には、第六条の規定による請求は、当該事由が生じた日を深夜勤務制限期間の末日とする請求であったものとみなす。

3　前二項の場合において、職員は遅滞なく、第一項各号に掲げる事由が生じた旨を各省各庁の長に届け出なければならない。

4　第四条第三項の規定は、前項の届出について準用する。

（育児を行う職員の超過勤務の制限）

第九条　各省各庁の長は、三歳に満たない子のある職員が当該子を養育するために請求した場合には、当該請求をした職員の業務を処理するための措置を講ずることが著しく困難である場合を除き、超過勤務（災害その他避けることのできない事由に基づく臨時の勤務を除く。以下同じ。）をさせてはならない。

第十条　各省各庁の長は、小学校就学の始期に達するまでの子のある職員が当該子を養育するために請求した場合には、当該請求をした職員の業務を処理するための措置を講ずることが著しく困難である場合を除き、一月について二十四時間、一年について百五十時間を超えて、超過勤務をさせてはならない。

（育児を行う職員の超過勤務の制限の請求手続等）

第十一条　職員は、超過勤務制限請求書により、超過勤務の制限を請求する一の期間について、その初日（以下「超過勤務制限開始日」という。）及び期間（一年又は一年に満たない月を単位とする期間に限る。）を明らかにして、超過勤務制限開始日の前日までに第九条又は前条の規定による請求を行わなければならない。この場合において、第九条の規定による請求に係る期間と前条の規定による請求に係る期間とが重複しないようにしなければならない。

2　第九条又は前条の規定による請求があった場合においては、各省各庁の長は、第九条又は前条に規定する措置を講ずることが著しく困難であるかどうかについて、速やかに当該請求をした職員に対し通知しなければならない。

3　各省各庁の長は、第九条又は前条の規定による請求が、当該請求があった日の翌日から起算して一週間を経過する日（以下「一週間経過日」という。）前の日を超過勤務制限開始日とする請求であった場合で、第九条又は前条に規定する措置を講ずるために必要があると認めるときは、当該超過勤務制限開始日から一週間経過日までの間のいずれかの日に超過勤務制限開始日を変更することができる。

4　各省各庁の長は、前項の規定により超過勤務制限開始日を変更した場合においては、当該超過勤務制限開始日を当該変更前の超過勤務制限開始日の前日までに当該請求をした職員に対し通知しなければならない。

5　第四条第三項の規定は、第九条又は前条の規定による請求について準用する。

第十二条　第九条又は第十条の規定による請求がされた後超過勤務制限開始日の前日までに、次の各号に掲げるいずれかの事由が生じた場合には、当該請求はされなかったものとみなす。

一　当該請求に係る子が死亡した場合

二　当該請求に係る子が離縁又は養子縁組の取消しにより当該請求をした職員の子でなくなった場合

三　当該請求をした職員が当該請求に係る子と同居しないこととなった場合

四　当該請求に係る特別養子縁組の成立前の監護対象者等が民法第八百十七条の二第一項の規定による請求に係る家事審判事件が終了したこと（特別養子縁組の成立の審判が確定した場合を除く。）又は養子縁組が成立しないまま児童福祉法第二十七条第一項第三号の規定による措置が解除されたことにより当該特別養子縁組の成立前の監護対象者等でなくなった場合

五　第一号、第二号又は前号に掲げる場合のほか、当該請求をした職員がそれぞれ第九条又は第十条に規

定する職員に該当しなくなった場合

2　超過勤務制限開始日から起算して第九条又は第十条の規定による請求に係る期間を経過する日の前日までの間に、次の各号に掲げるいずれかの事由が生じた場合には、これらの規定による請求は、超過勤務制限開始日から当該事由が生じた日までの期間についての請求であったものとみなす。

一　前項各号に掲げるいずれかの事由が生じた場合

二　当該請求に係る子が、第九条の規定による請求にあっては三歳に、第十条の規定による請求にあっては小学校就学の始期に達した場合

3　前二項の場合において、職員は遅滞なく、第一項各号に掲げる事由が生じた旨を各省各庁の長に届け出なければならない。

4　第四条第三項の規定は、前項の届出について準用する。

（介護を行う職員の早出遅出勤務並びに深夜勤務及び超過勤務の制限）

第十三条　第三条から前条まで（第五条第一項第三号から第五号まで、第八条第一項第三号から第五号まで及び前条第一項第三号から第五号までを除く。）の規定は、勤務時間法第二十条第一項に規定する要介護者を介護する職員について準用する。この場合において、第三条中「次に掲げる子（規則一五―一四（職員の勤務時間、休日及び休暇）第四条の三第一項第二号イにおいて子に含まれるものとされる者（以下「特別養子縁組の成立前の監護対象者等」という。）を含む。以下同じ。）」とあるのは「勤務時間法第二十条第一項に規定する要介護者（以下「要介護者」という。）」と、「当該子を養育」とあるのは「当該要介護者を介護」と、第五条第一項第一号、第八条第一項第一号及び前条第一項第一号中「子」とあるのは「要介護者」と、第五条第一項第二号、第八条第一項第二号及び前条第一項第二号中「子が離縁又は養子縁組の取消しにより当該請求をした職員の子でなくなった」とあるのは「要介護者と当該請求をした職員との親族関係が消滅した」と、第六条中「小学校就学の始期に達するまでの子のある職員（職員の配偶者で当該子の親であるものが、深夜において常態として当該子を養育することができるものとして人事院の定める者に該当する場合における当該職員を除く。）が当該子を養育」とあり、第九条中「三歳に満たない子のある職員が当該子を養育」とあり、及び第十条中「小学校就学の始期に達するまでの子のある職員が当該子を養育」とあるのは「要介護者のある職員が当該要介護者を介護」と、第九条中「当該請求をした職員の業務を処理するための措置を講ずることが著しく困難である」とあるのは「公務の運営に支障がある」と、第十一条第二項中「、第九条」とあるのは「、それぞれ第九条に規定する支障の有無」と、同条第三項中「第九条又は前条の」とあるのは「前条の」と、「第九条又は前条に」とあるのは「同条に」と、前条第二項中「次の各号」とあるのは「前項第一号又は第二号」と読み替えるものとする。

（雑則）

第十四条　早出遅出勤務請求書、深夜勤務制限請求書及び超過勤務制限請求書の様式その他この規則の実施に関し必要な事項は、人事院が定める。

附　則

この規則は、平成十一年四月一日から施行する。

○人事院規則一〇―一一（育児又は介護を行う職員の早出遅出勤務並びに深夜勤務及び超過勤務の制限）の運用について

平一〇・一一・一三
職福―四四三

最終改正　令六・三・二九事企法―八七

標記について下記のとおり定めたので、平成十一年四月一日以降は、これによってください。

記

第三条関係

1　各省各庁の長は、「公務の運営」の支障の有無の判断に当たっては、請求に係る時期における職員の業務の内容、業務量、代替者の配置の難易等を総合して行うものとする。

2　この条の第一号の「小学校就学の始期に達するまで」とは、満六歳に達する日以後の最初の三月三十一日までをいう。

3　各省各庁の長は、育児又は介護を行う職員を早出遅出勤務とする措置の実施に当たっては、早出遅出勤務に係る始業及び終業の時刻、休憩時間並びに休息時間をあらかじめ定めて職員に周知するものとする。この場合において、当該始業及び終業の時刻は、それぞれ午前五時以後及び午後十時以前に設定するものとす

る。

4　この条の規定による請求は、子が出生する前においてもすることができるものとする。

第四条関係

1　この条の第二項の通知は、文書により行うものとし、公務の運営に支障がある場合にあっては、当該支障のある日及び時間帯等を記載して通知するものとする。

2　子が出生する前に請求をした職員は、子が出生した後、速やかに、当該子の氏名及び生年月日を各省各庁の長に届け出なければならない。この場合において、人事院規則一五―一四（職員の勤務時間、休日及び休暇）第二十七条第三項の規定による届出又は人事院規則一五―一五（非常勤職員の勤務時間及び休暇）第四条第一項第十一号に掲げる場合に該当することとなった旨の届出を行った女子職員にあっては、これらの届出をもってこの届出に代えることができるものとする。

第五条関係

　第一項第三号の「同居しないこと」とは、早出遅出勤務をすることとなる期間を通じて同居しない状態が続くことが見込まれることをいう。

第六条関係

1　「人事院の定める者」は、次のいずれにも該当する者とする。

一　深夜において就業していない者（深夜における就業日数が一月について三日以下の者を含む。）であること。

二　負傷、疾病又は身体上若しくは精神上の障害により請求に係る子（人事院規則一五―一四第四条の三第一項第二号イにおいて子に含まれるものとされる者を含む。第十条関係第三項、別紙第1及び別紙第2において同じ。）を養育することが困難な状態にある者でないこと。

三　六週間（多胎妊娠の場合にあっては、十四週間）以内に出産する予定である者又は産後八週間を経過しない者でないこと。

2　各省各庁の長の「公務の運営」の支障の有無の判断については、第三条関係第一項の規定の例による。

3　「深夜勤務をさせてはならない」とは、常勤の職員（国家公務員の育児休業等に関する法律（平成三年法律第百九号。以下「育児休業法」という。）第十三条第一項に規定する育児短時間勤務職員及び育児休業法第二十二条の規定による短時間勤務をしている職員（以下この項において「育児短時間勤務職員等」という。）を除く。）並びに国家公務員法（昭和二十二年法律第百二十号）第六十条の二第二項に規定する定年前再任用短時間勤務職員及び育児休業法第二十三条第二項に規定する任期付短時間勤務職員（以下この項において「定年前再任用短時間勤務職員等」という。）にあっては、深夜において、勤務時間を割り振ってはならないこと並びに一般職の職員の勤務時間、休暇等に関する法律（平成六年法律第三十三号）第十三条第一項及び第二項に規定する勤務を命じてはならないことをいい、育児短時間勤務職員等にあっては、深夜において勤務時間を割り振ってはならないことをいい、常勤を要しない職員（定年前再任用短時間勤務職員等を除く。）にあっては、深夜において、勤務時間を定めてはならないこと及び当該勤務時間以外の時間における勤務を命じてはならないことをいう。

4　この条の規定による請求は、子が出生する前においてもすることができるものとする。

第七条関係

1　深夜勤務の制限の請求は、できる限り長い期間について一括して行うものとする。

2　この条の第二項の通知については、第四条関係第一項の規定の例による。

3　子が出生する前に請求をした職員の当該子の氏名及び生年月日の各省各庁の長への届出については、第四条関係第二項の規定の例による。

第八条関係

　第一項第三号の「同居しないこと」とは、深夜勤務を制限することとなる期間を通じて同居しない状態が続くことが見込まれることをいう。

第九条関係

1　「三歳に満たない」とは、満三歳の誕生日の前日までをいう。

2　「業務を処理するための措置」とは、業務の処理方法、業務分担又は人員配置を変更する等の措置をいう。

3　「災害その他避けることのできない事由」とは、地震による災害等通常予見し得る事由の範囲を超え、客観的にみて避けられないことが明らかなものをいう。

4　この条の規定による請求は、子が出生する前においてもすることができるものとする。

第十条関係

1　「業務を処理するための措置」については、第九条関係第二項の規定の例による。

2　この条の規定による請求は、子が出生する前においてもすることができるものとする。

3　各省各庁の長は、この条の規定による超過勤務の制限が、育児又は介護を行う職員が働きながら子の養育又は要介護者の介護を行うための時間を確保することができるようにするものであることを考慮し、この条の規定により超過勤務が制限される職員に、恒常的に超過勤務をさせること、特定の期間に過度に集中して超過勤務をさせることその他の当該時間の確保を妨げるような超過勤務をさせることがないように留意しなければならない。

第十一条関係

1　超過勤務の制限の請求は、制限が必要な期間について一括して行うものとする。

2　この条の第二項の通知は文書により行うものとする。

3　この条の第四項の通知は、変更した超過勤務制限開始予定日を記載した文書により行うものとする。

4　子が出生する前に請求をした職員の当該子の氏名及び生年月日の各省各庁の長への届出については、第四条関係第二項の規定の例による。

第十二条関係

第一項第三号の「同居しないこと」とは、超過勤務を制限することとなる期間を通じて同居しない状態が続くことが見込まれることをいう。

第十三条関係

この条において読み替えて準用する第五条第一項第二号、第八条第一項第二号及び第十二条第一項第二号の「要介護者と当該請求をした職員との親族関係が消滅した場合」とは、請求に係る要介護者が、離婚、婚姻の取消し、離縁等により職員の親族でなくなった場合をいう。

第十四条関係

1　早出遅出勤務請求書、深夜勤務制限請求書及び超過勤務制限請求書の様式は、別紙第1のとおりとする。ただし、各省各庁の長は、職員を早出遅出勤務とする措置又は職員の深夜勤務若しくは超過勤務を制限する措置に関し支障のない範囲内で、様式中の各欄の配列を変更し又は各欄以外の欄を設定する等当該様式を変更し、これによることができる。

2　第五条第三項、第八条第三項及び第十二条第三項の届出（第十三条において準用するこれらの届出を含む。）は、別紙第2の様式の育児又は介護の状況変更届により行うものとする。ただし、各省各庁の長は、職員を早出遅出勤務とする措置又は職員の深夜勤務若しくは超過勤務を制限する措置に関し支障のない範囲内で、様式中の各欄の配列を変更し又は各欄以外の欄を設定する等当該様式を変更し、これによることができる。

別紙第１

□　早出遅出勤務請求書
□　深夜勤務制限請求書
□　超過勤務制限請求書

（各省各庁の長）　　　　　　　　　　　　請求年月日　　　年　　月　　日

　　　　　　　　　　　　　　　　　殿

次のとおり［□　養育 □　介護］のため［□　早出遅出勤務 □　深夜勤務の制限 □　超過勤務の制限（人事院規則１０―１１ □　第９条　□　第１０条）］を請求します。

請求者　所　属
　　　　氏　名

１　請求に係る子又は要介護者	氏　　　名	（続柄等：　　　　　）
	子の生年月日	年　　月　　日生（□出産予定日）
	養子縁組の効力が生じた日	年　　月　　日
２　職員の配偶者で当該子の親である者の有無及び状況	□有［□　深夜において就業している □　負傷、疾病又は身体上若しくは精神上の障害により養育が困難である □　産前６週間（多胎妊娠の場合にあっては、１４週間）又は産後８週間以内である］	□無
３　要介護者の状態及び具体的な介護の内容		
４　請求に係る期間	早出遅出勤務 深夜勤務の制限	年　　月　　日から 年　　月　　日まで　□　毎日 □　毎週　　　曜日 □　その他（　　　）
	超過勤務の制限	年　　月　　日から □　１年　　□　　　月（１２月に満たないものに限る。）
５　請求に係る早出遅出勤務の始業及び終業の時刻並びに当該時刻とする理由	時　　分　始業 時　　分　終業	【理由】

（注）
１について
①　「続柄等」欄には、請求に係る子又は要介護者の請求者との続柄等（請求に係る子が人事院規則１０―１１第３条に規定する特別養子縁組の成立前の監護対象者等に該当する場合にあっては、その事実。）を記入する。
②　「子の生年月日」欄及び「養子縁組の効力が生じた日」欄は、子を養育するために請求する場合において記入する。なお、請求に係る子が請求の際に出生していない場合には、「子の生年月日」欄に出産予定日を記入し、「出産予定日」の□にレ印を記入する。
２について
①　この欄は、子を養育するために深夜勤務の制限を請求する場合において記入する。
②　「深夜において就業している」とは、深夜における就業日数が１月に３日を超えることをいう。
３について
この欄は、要介護者を介護するために請求する場合において記入する。
５について
この欄の始業及び終業の時刻は、あらかじめ定められた早出遅出勤務に係る始業及び終業の時刻のうち、請求するものを記入する。

別紙第２

育児又は介護の状況変更届

（各省各庁の長）　　　　　　　　　　　　　　年　月　日　届出

　　　　　　　　　　　　殿

所　属

氏　名

次のとおり ［□　早出遅出勤務　□　深夜勤務の制限　□　超過勤務の制限］ に係る ［□　子の養育　□　要介護者の介護］ の状況について

変更が生じたので届け出ます。

１　届出の事由

（１）養育の状況の変更

□　子が死亡した

□　職員の子でなくなった

（　□ 離縁　　□ 養子縁組の取消し　　□ 家事審判事件の終了

□ 児童福祉法第２７条第１項第３号の規定による措置の解除　）

□　子と同居しなくなった

□　職員の配偶者で子の親であるものが深夜において常態として当該子を養育できる者に該当することとなった

□　上記以外の事由により請求できる職員に該当しなくなった

（理由：　　　　　　　　　　　　　　　　　　　　）

（２）介護の状況の変更

□　要介護者が死亡した

□　要介護者と職員との親族関係が消滅した

（消滅の理由：　　　　　　　　　　　　　　　　　）

２　届出の事実が発生した日

年　　月　　日

○人事院規則一―七九（国家公務員法等の一部を改正する法律の施行に伴う関係人事院規則の整備等に関する人事院規則）及び「国家公務員法等の一部を改正する法律の施行に伴う関係人事院事務総長通知の一部改正について」の施行に伴う経過措置について（抄）

令四・二・一八
事企法―三八

人事院規則一―七九（国家公務員法等の一部を改正する法律の施行に伴う関係人事院規則の整備等に関する人事院規則）及び「国家公務員法等の一部を改正する法律の施行に伴う関係人事院事務総長通知の一部改正について（令和四年二月十八日事企法―三七）」の施行に伴い、下記の〔中略〕第三項から第九項までに掲げる人事院事務総長通知の経過措置について下記のとおり定めたので、令和五年四月一日以降は、これによってください。

記

1　この通知において、次の各号に掲げる用語の意義は、それぞれ当該各号に定めるところによる。

一　〔略〕

二　令和四年事企法―三七　「国家公務員法等の一部を改正する法律の施行に伴う関係人事院事務総長通知の一部改正について（令和四年二月十八日事企法―三七）」をいう。

三　暫定再任用短時間勤務職員　令和三年改正法附則第七条第一項に規定する暫定再任用短時間勤務職員をいう。

四　定年前再任用短時間勤務職員　国家公務員法（昭和二十二年法律第百二十号）第六十条の二第二項に規定する定年前再任用短時間勤務職員をいう。

五　〔略〕

8　人事院規則一〇―一一（育児又は介護を行う職員の早出遅出勤務並びに深夜勤務及び超過勤務の制限）の運用について（平成十年十一月十三日職福―四四三）

暫定再任用短時間勤務職員は、令和四年事企法―三七第十九項の規定による改正後の「人事院規則一〇―一一（育児又は介護を行う職員の早出遅出勤務並びに深夜勤務及び超過勤務の制限）の運用について」第六条関係第三項に規定する定年前再任用短時間勤務職員等とみなして、同項の規定を適用する。

以上

○早出遅出勤務の円滑な運用について（通知）

令六・三・二九
職職―七九

一般職の職員の勤務時間、休暇等に関する法律（平成六年法律第三十三号。以下「勤務時間法」という。）第六条第二項の規定に基づく各省各庁の長による勤務時間の割振りに関し、業務の状況や職員の事情等に応じた早出遅出勤務の適正かつ円滑な運用を確保するための取扱いについて定めましたので、令和七年四月一日以降は、これによってください。

記

1　基本的考え方

各省各庁の長は、勤務時間法第六条第二項の規定による勤務時間の割振り権限に基づき、必要に応じて弾力的な割振りを行い、職員に早出遅出勤務（一日の勤務時間の長さを変えずに始業及び終業の時刻を通常と異なる特定の時刻とする勤務）をさせることができる。早出遅出勤務については、より適正かつ円滑な運用の促進を図る観点から、あらかじめ、対象となる職員、勤務時間帯、手続等に関する規程を整備しておく必要がある。当該規程には、原則となる勤務時間帯等のほか、各職場における管理者の判断に基づき、業務の都合や職員の事情に応じた柔軟な勤務時間の割振りが例外的にできる旨を定めておくこともできる。

また、各省各庁の長は、各職場において制度の周知を図ることなどにより、早出遅出勤務ができる環境の整備を行うことが望ましい。

2　特に配慮が必要な早出遅出勤務

　1のとおり、早出遅出勤務は、勤務時間の割振り権限を有する各省各庁の長によって実施されるものである。しかしながら、特に次に掲げる場合には、公務の運営に支障が生じない範囲内で、職員の事情等を踏まえ早出遅出勤務について配慮することが望ましい。

一　超過勤務等による職員の疲労の蓄積を防止する必要がある場合（以下「疲労蓄積防止のための早出遅出勤務」という。）

二　「職員の勤務時間、休日及び休暇の運用について（平成六年七月二十七日職職―三二八）」第三の第十三項に規定する障害者である職員等に対して配慮が必要な場合（以下「障害の特性等に応じた早出遅出勤務」という。）

三　職員の修学等を支援する必要がある場合（以下「修学等のための早出遅出勤務」という。）

（注）上記に掲げるもののほか、人事院規則一〇―一一（育児又は介護を行う職員の早出遅出勤務並びに深夜勤務及び超過勤務の制限）において、育児又は介護を行う職員の早出遅出勤務が規定されており、各省各庁の長は、これらの職員から請求があった場合には、公務の運営に支障がある場合を除き、早出遅出勤務をさせるものとされている。

3　疲労蓄積防止のための早出遅出勤務に係る基準・手続等の参考例

　疲労蓄積防止のための早出遅出勤務の運用に当たっては、早出・遅出の「組」のパターンに合わせて、特定日の勤務時間の割振りを変更する方法（一定の要件の下で管理者が割振りを変更する方式や、前日の終業時刻に着目して管理者が翌日の割振りをあらかじめ定められたパターンで変更する方式がある。）や、早出・遅出の「組」のパターンに合わせて、一定期間の勤務時間の割振りを変更する方法が考えられる。

　参考モデルを示せば、別添のとおり。

4　障害の特性等に応じた早出遅出勤務及び修学等のための早出遅出勤務に係る基準・手続

　障害者である職員等に対しては、自らの希望や障害の特性等に応じて、無理なく、かつ、安定的に働くことができるような環境の整備が求められている。また、職員の修学等を支援することは、職員個人の能力・資質を伸ばし、長期的には公務能率の維持・向上に寄与するものと考えられる。

　このような観点から、各職場の状況を踏まえつつも職員の事情や希望をできる限り考慮するため、早出遅出勤務を活用することが考えられる。これを踏まえ、障害の特性等に応じた早出遅出勤務及び修学等のための早出遅出勤務の実施に関する基準・手続を示すと、以下のとおり。

(1)　基準

①　各省各庁の長は、他の職員への影響など各職場における状況を十分把握した上で、公務の運営上の支障の有無を判断し、早出遅出勤務の可否を決定する。その際、早出遅出勤務を希望する職員の当該希望する期間に係る業務の内容、業務量、代替者の配置の難易等を総合して当該判断を行う。

②　職員の健康及び福祉並びに公務能率の観点から、始業の時刻を午前五時以後とし、かつ、終業の時刻を午後十時以前とする。

(2)　手続

①　早出遅出勤務を希望する職員は、当該希望する理由、始業及び終業時刻及び期間を明らかにして各省各庁の長に対して申出を行う。

②　各省各庁の長は、①の申出があった場合には、公務の運営上の支障の有無について判断の上、当該申出をした職員に対して早出遅出勤務の可否を速やかに通知し、公務の運営上の支障により早出遅出勤務を認めない場合には、当該支障のある日及び時間帯等を記載して通知するとともに、職員からの求めに応じて、その理由を説明する。

③　各省各庁の長は、①の申出に係る事由について確認する必要があると認める場合には、当該申出をした職員に対して証明書類の提出等を求める。

（例：修学等のための早出遅出勤務の場合であれば、入学証明書や在学証明書等）

④　職員は、早出遅出勤務の必要がなくなった場合又は始業及び終業時刻若しくは期間を変更する必要が生じた場合その他早出遅出勤務に係る状況について変更が生じた場合には、速やかに各省各庁の長に対してその旨を届け出る。

⑤　①の申出、②の通知、④の届出に関する書類の様式を定める場合の参考例を示せば、別紙1から別紙3までのとおり。なお、障害の特性等に応じた早出遅出勤務に係る①の申出や④の届出については、様式によらず、当該書面に係る記載事項を記載した電子メールを職員が送信する方法、各省各庁の長が自ら職員から聴取した内容を記録する方法等によることもできる。

（注1）障害の特性等に応じた早出遅出勤務に関して、職員から申出があった場合には、障害者である職員

等が、自らの希望や障害の特性等に応じて、無理なく、かつ、安定的に働くことができるような環境の整備が求められていることを踏まえ、当該職員の勤務時間について可能な限り配慮を行うことが必要である。

（注2）修学等のための早出遅出勤務に関して、「修学等」の対象については、公務能率の維持・向上の観点から、夜間大学の課程や職務と関連性があるセミナー、資格講座等に限定することが基本であるが、必要に応じて、各省各庁の長の判断により、職務に密接な関連性のあるものに更に限定することができる。また、必要に応じて、任期付職員や臨時的職員など一定期間内に必要な職責を果たすことを目的として採用される職員については対象としないこと、最低勤続年数や利用回数等の要件を設けることもできる。ただし、役職、職種等により対象を限定することは適当でない。

　なお、職場内の他の職員への負担の偏りや職員間の不公平感が生じないように十分留意すべきことは当然であるが、例えば、繁忙部署で勤務していることのみをもって早出遅出勤務を認めないなどとすることは適当でなく、週一日であっても活用の可能性を探るなど、職務に対する職員の士気の維持・向上に努めるものとする。

以　上

【別添】

○「疲労蓄積防止のための早出遅出勤務」の場合の勤務時間の割振りを行う際の参考モデル

［例1］早出・遅出の「組」のパターンに合わせて、特定日の勤務時間の割振りを変更する場合

［例1の1］一定の要件の下で、管理者（各省各庁の長又は権限の委任を受けた者をいう。以下同じ。）が割振りを変更する方式

(1) 要件

・管理者は、連日にわたり超過勤務により夜間に退庁することを余儀なくされる職員につき、当該職員の負担の軽減に資すると認めるときには、通常よりも遅い始業時刻を指定することができる（なお、遅出勤務の場合、通常よりも終業時刻が遅く指定されていることから、管理者は、当該職員の負担の軽減に資するよう、できる限り終業時刻を超えて超過勤務を行わせないように努めるものとする。）。

・なお、管理者は、業務上、やむを得ず通常よりも早い時刻から勤務する必要がある場合で、かつ、勤務時間の割振りを変更することにより通常より早い時刻に退庁させることができる場合には、当該職員の負担の軽減に資するよう、できる限り勤務時間の割振りをその早い時刻から開始するよう変更して、通常より早い終業時刻で退庁させるよう努めるものとする。

・あわせて、その場合の具体的な勤務時間（早出・遅出の勤務時間）の割振り（休憩時間を含む。）のパターン（組）をあらかじめ定める（表1）。

(2) 手続

① 割振り方法

・管理者は、職員のこれまでの超過勤務の状況（特に遅出勤務を指定する前日の超過勤務の状況）、体調、業務の状況等を考慮した結果、当該職員の翌日の勤務時間を通常より遅い始業とすることが適当と判断した場合には、遅出勤務を指定する前日中に当該職員に対して翌日の勤務時間をどの組にするかにつき口頭で通知する。

・管理者が職員より早く退庁する等により職員の退庁時刻を直接把握することができない場合には、退庁時刻が○時以降のときは翌日の勤務時間はⅣ番、○時以降のときはⅤ番とするなどの条件付の割振りを口頭で通知する（あくまでも職員の任意による組の選択ではないことに留意する。）。

・なお、当該職員を翌日に早期始業・早期退庁させる場合には、翌日の勤務の状況に応じて、あらかじめ定められたパターン（組）から選択して、その都度割振りを行う。

② 確認方法

早出・遅出勤務が指定された職員は、当該指定された日の登庁後、氏名、前日の退庁時刻（条件付割振りの場合）、変更後の勤務時間（組）、その始業時刻までに登庁したことなどを管理簿等に記入し、管理者の確認を受けた上で、これを勤務時間管理員に提出する。

③ 割振りの効果

職員の勤務時間は、原則として、通知の翌日に限り変更された勤務時間とする。

（表１）勤務時間の参考モデル

通常の勤務時間（時差通勤）

	勤務時間	休憩時間
Ａ番	8:30～12:00，13:00～17:15	12:00～13:00
Ｂ番	9:00～12:00，13:00～17:45	12:00～13:00
Ｃ番	9:15～12:00，13:00～18:00	12:00～13:00
Ｄ番	9:30～12:00，13:00～18:15	12:00～13:00

早出の勤務時間

	勤務時間	休憩時間
Ⅰ番	7:00～12:00，13:00～15:45	12:00～13:00
Ⅱ番	7:30～12:00，13:00～16:15	12:00～13:00
Ⅲ番	8:00～12:00，13:00～16:45	12:00～13:00

遅出の勤務時間

	勤務時間	休憩時間
Ⅳ番	10:00～12:00，13:00～18:45	12:00～13:00
Ⅴ番	10:30～12:00，13:00～19:15	12:00～13:00
Ⅵ番	11:00～12:30，13:30～19:45	12:30～13:30
Ⅶ番	12:00～13:30，14:30～20:45	13:30～14:30
Ⅷ番	13:00～18:00，19:00～21:45	18:00～19:00

〔例1の2〕 前日の終業時刻に着目して、管理者が翌日の割振りをあらかじめ定められたパターン（組）で変更する方式

（1） 要件

・管理者は、国会関係業務への対応等により、深夜・早朝に退庁することを余儀なくされた職員につき、当該職員の負担の軽減に資すると認められるときには、あらかじめ定められた勤務終了時刻に応じて、翌日の始業時刻を指定することができる（表2）（なお、当該職員を翌日に早期始業・早期退庁させる場合には、あらかじめ定められたパターン（組）によることができないので、翌日の業務の状況に応じて、その都度割振りを行う。）。

（2） 手続

・管理者は、職員と当日の終業見込み時刻や翌日の業務等の予定に関する打合せを行い、遅出勤務とすることが必要であると認められる場合には、あらかじめ定められた組の勤務時間で翌日の勤務を行うよう指定する。

・早出・遅出勤務をした職員は、出勤後、氏名、前日の退庁時刻、変更後の勤務時間（組）、その始業時刻までに登庁したことなどを管理簿等に記入し、管理者の確認を受けた上で、これを勤務時間管理員に提出する。

（表2）退庁時刻と翌日の勤務時間の参考モデル

退庁時刻	翌日の勤務時間
23時まで	Ⅳ番（10:00～18:45）
23時以降24時まで	Ⅵ番（11:00～19:45）
24時以降25時まで	Ⅶ番（12:00～20:45）
25時以降	Ⅷ番（13:00～21:45）

＊具体的な勤務時間の割振りについては、表1の参考モデルを参照のこと

〔例2〕 早出・遅出の「組」のパターンに合わせて、一定期間の勤務時間の割振りを変更する場合

職員の超過勤務の縮減及び職員の疲労蓄積の防止の観点から、各府省の事情等に応じて、次のような規定を設けることも考えられる。

（1） 要件

・国会関係業務、国際関係業務等、業務の必要上、一定期間、連続して通常より早い時刻から勤務させることが必要な業務又は通常より遅い時刻から勤務させることが必要な業務につくことが見込まれる職員につき、管理者は、職員の健康及び福祉も考慮の上、期間を指定して、通常より早い始業時刻又は遅い始業時刻を定めることができる。

・あわせて、その場合の具体的な勤務時間の割振り（休憩時間も含む。）のパターン（組）を定める（勤務時間の参考モデルは、表1に同じ。）。

（2） 手続

① 原則

対象とされた職員は、指定された期間中は早出・遅出の勤務時間が基本となる。

② 例外

早出・遅出勤務により業務に支障が生じるおそれがある場合については、管理者は、前日中に職員に対して口頭で通常の勤務時間で勤務することを通知することによって、通常の勤務時間の割振りとすることができる。

この場合、職員は、原則として、通知を受けた翌日に限り通常の勤務時間となる。

○障害を有する職員に係る勤務時間の割振り等の手続について

平二〇・一二・七
職職―二五〇

改正　令五・一・二〇職職―一五

規則一五―一四（職員の勤務時間、休日及び休暇）第四条の五の二に規定する職員は、職員の勤務時間、休日及び休暇の運用について（平成六年七月二十七日職職―三二八）（以下「運用通知」という。）第三の第十九項の状況届及び第二十五項の状況変更届の提出を書面によらない方法で行うこともできることとします。

「書面によらない方法」としては、運用通知第三の第十九項(1)又は第二十五項(1)に定める記載事項について、職員が電子メールで送信する方法や、各省各庁の長が職員から聴取した内容を記録する方法等が考えられます。

以　上

○人事院規則一五―一五（非常勤職員の勤務時間及び休暇）

平六・七・二七公布
平六・九・一施行

最終改正　令六・三・二九規則一―八二

（趣旨）

第一条　この規則は、勤務時間法第二十三条（育児休業法第二十五条の規定により読み替えて適用する場合を含む。）に規定する常勤を要しない職員（以下「非常勤職員」という。）の勤務時間及び休暇に関し必要な事項を定めるものとする。

（勤務時間）

第二条　非常勤職員の勤務時間は、相当の期間任用される職員を就けるべき官職以外の官職である非常勤官職に任用される非常勤職員については一日につき七時間四十五分を超えず、かつ、常勤職員の一週間当たりの勤務時間を超えない範囲内において、その他の非常勤職員については当該勤務時間の四分の三を超えない範囲内において、各省各庁の長（勤務時間法第三条に規定する各省各庁の長をいう。以下同じ。）の任意に定めるところによる。

2　各省各庁の長は、期間業務職員（規則八―一二（職員の任免）第四条第十三号に規定する期間業務職員をいい、人事院の定めるものを除く。以下この項において同じ。）について、期間業務職員の申告を考慮して当該期間業務職員の勤務時間を定めることが公務の運営に支障がないと認める場合には、前項の規定にかかわらず、人事院の定めるところにより、期間業務職員の申告を経て、四週間を超えない範囲内で週を単位として人事院の定める期間ごとの期間につき常勤職員の一週間当たりの勤務時間を超えないように当該期間業務職員の勤務時間を定めることができる。

（年次休暇）

第三条　各省各庁の長は、人事院の定める要件を満たす非常勤職員に対して人事院の定める日数の年次休暇を与えなければならない。

2　前項の年次休暇については、その時期につき、各省各庁の長の承認を受けなければならない。この場合において、各省各庁の長は、公務の運営に支障がある場合を除き、これを承認しなければならない。

（年次休暇以外の休暇）

第四条　各省各庁の長は、次の各号に掲げる場合には、非常勤職員（第八号、第九号、第十二号及び第十三号に掲げる場合にあっては、人事院の定める非常勤職員に限る。）に対して当該各号に定める期間の有給の休暇を与えるものとする。

一　非常勤職員が選挙権その他公民としての権利を行使する場合で、その勤務しないことがやむを得ないと認められるとき　必要と認められる期間

二　非常勤職員が裁判員、証人、鑑定人、参考人等として国会、裁判所、地方公共団体の議会その他官公署へ出頭する場合で、その勤務しないことがやむを得ないと認められるとき　必要と認められる期間

三　地震、水害、火災その他の災害により次のいずれかに該当する場合その他これらに準ずる場合で、非

常勤職員が勤務しないことが相当であると認められるとき　七日の範囲内の期間
イ　非常勤職員の現住居が滅失し、又は損壊した場合で、当該非常勤職員がその復旧作業等を行い、又は一時的に避難しているとき。
ロ　非常勤職員及び当該非常勤職員と同一の世帯に属する者の生活に必要な水、食料等が著しく不足している場合で、当該非常勤職員以外にはそれらの確保を行うことができないとき。
四　非常勤職員が地震、水害、火災その他の災害又は交通機関の事故等により出勤することが著しく困難であると認められる場合　必要と認められる期間
五　地震、水害、火災その他の災害又は交通機関の事故等に際して、非常勤職員が退勤途上における身体の危険を回避するため勤務しないことがやむを得ないと認められる場合　必要と認められる期間
六　非常勤職員の親族（人事院の定める親族に限る。）が死亡した場合で、非常勤職員が葬儀、服喪その他の親族の死亡に伴い必要と認められる行事等のため勤務しないことが相当であると認められるとき　人事院の定める期間
七　非常勤職員が結婚する場合で、結婚式、旅行その他の結婚に伴い必要と認められる行事等のため勤務しないことが相当であると認められるとき　人事院が定める期間内における連続する五日の範囲内の期間
八　非常勤職員が夏季における盆等の諸行事、心身の健康の維持及び増進又は家庭生活の充実のため勤務しないことが相当であると認められる場合　一の年の七月から九月までの期間（当該期間が業務の繁忙期であることその他の業務の事情により当該期間内にこの号の休暇の全部又は一部を使用することが困難であると認められる非常勤職員にあっては、一の年の六月から十月までの期間）内における、人事院の定める日を除いて原則として連続する三日の範囲内の期間
九　非常勤職員が不妊治療に係る通院等のため勤務しないことが相当であると認められる場合　一の年度（四月一日から翌年の三月三十一日までをいう。以下同じ。）において五日（当該通院等が体外受精その他の人事院が定める不妊治療に係るものである場合にあっては、十日）（勤務日ごとの勤務時間の時間数が同一でない非常勤職員にあっては、その者の勤務時間を考慮し、人事院の定める時間）の範囲内の期間
十　六週間（多胎妊娠の場合にあっては、十四週間）以内に出産する予定である女子の非常勤職員が申し出た場合　出産の日までの申し出た期間
十一　女子の非常勤職員が出産した場合　出産の日の翌日から八週間を経過する日までの期間（産後六週間を経過した女子の非常勤職員が就業を申し出た場合において医師が支障がないと認めた業務に就く期間を除く。）
十二　非常勤職員が妻（届出をしないが事実上婚姻関係と同様の事情にある者を含む。次号において同じ。）の出産に伴い勤務しないことが相当であると認められる場合　人事院が定める期間内における二日（勤務日ごとの勤務時間の時間数が同一でない非常勤職員にあっては、その者の勤務時間を考慮し、人事院の定める時間）の範囲内の期間
十三　非常勤職員の妻が出産する場合であってその出産予定日の六週間（多胎妊娠の場合にあっては、十四週間）前の日から当該出産の日以後一年を経過する日までの期間にある場合において、当該出産に係る子（規則一五―一四（職員の勤務時間、休日及び休暇）第四条の三第一項第二号イにおいて子に含まれるものとされる者を含む。次項第三号イ及びハを除き、以下同じ。）又は小学校就学の始期に達するまでの子（妻の子を含む。）を養育する非常勤職員が、これらの子の養育のため勤務しないことが相当であると認められるとき　当該期間内における五日（勤務日ごとの勤務時間の時間数が同一でない非常勤職員にあっては、その者の勤務時間を考慮し、人事院の定める時間）の範囲内の期間

2　各省各庁の長は、次の各号に掲げる場合には、非常勤職員（第二号から第五号まで及び第九号に掲げる場合にあっては、人事院の定める非常勤職員に限る。）に対して当該各号に定める期間の無給の休暇を与えるものとする。
一　生後一年に達しない子を育てる非常勤職員が、その子の保育のために必要と認められる授乳等を行う場合　一日二回それぞれ三十分以内の期間（男子の非常勤職員にあっては、その子の当該非常勤職員以外の親（当該子について民法（明治二十九年法律第八十九号）第八百十七条の二第一項の規定により特別養子縁組の成立について家庭裁判所に請求した者（当該請求に係る家事審判事件が裁判所に係属している場合に限る。）であって当該子を現に監護するもの又は児童福祉法（昭和二十二年法律第百六十四号）第二十七条第一項第三号の規定により当該子を

委託されている同法第六条の四第二号に規定する養子縁組里親である者若しくは同条第一号に規定する養育里親である者（同法第二十七条第四項に規定する者の意に反するため、同項の規定により、同法第六条の四第二号に規定する養子縁組里親として委託することができない者に限る。）を含む。）が当該非常勤職員がこの号の休暇を使用しようとする日におけるこの号の休暇（これに相当する休暇を含む。）を承認され、又は労働基準法（昭和二十二年法律第四十九号）第六十七条の規定により同日における育児時間を請求した場合は、一日二回それぞれ三十分から当該承認又は請求に係る各回ごとの期間を差し引いた期間を超えない期間）

二　小学校就学の始期に達するまでの子（配偶者の子を含む。以下この号において同じ。）を養育する非常勤職員が、その子の看護（負傷し、若しくは疾病にかかったその子の世話又は疾病の予防を図るために必要なものとして人事院の定めるその子の世話を行うことをいう。）のため勤務しないことが相当であると認められる場合　一の年度において五日（その養育する小学校就学の始期に達するまでの子が二人以上の場合にあっては、十日）（勤務日ごとの勤務時間の時間数が同一でない非常勤職員にあっては、その者の勤務時間を考慮し、人事院の定める時間）の範囲内の期間

三　次に掲げる者（ハに掲げる者にあっては、非常勤職員と同居しているものに限る。）で負傷、疾病又は老齢により二週間以上の期間にわたり日常生活を営むのに支障があるもの（以下この号から第五号までにおいて「要介護者」という。）の介護その他の人事院の定める世話を行う非常勤職員が、当該世話を行うため勤務しないことが相当であると認められる場合　一の年度において五日（要介護者が二人以上の場合にあっては、十日）（勤務日ごとの勤務時間の時間数が同一でない非常勤職員にあっては、その者の勤務時間を考慮し、人事院の定める時間）の範囲内の期間

イ　配偶者（届出をしないが事実上婚姻関係と同様の事情にある者を含む。以下この号において同じ。）、父母、子及び配偶者の父母

ロ　祖父母、孫及び兄弟姉妹

ハ　非常勤職員又は配偶者との間において事実上父母と同様の関係にあると認められる者及び非常勤職員との間において事実上子と同様の関係にあると認められる者で人事院の定めるもの

四　要介護者の介護をする非常勤職員が、当該介護をするため、各省各庁の長が、人事院の定めるところにより、非常勤職員の申出に基づき、当該要介護者ごとに、三回を超えず、かつ、通算して九十三日を超えない範囲内で指定する期間（以下「指定期間」という。）内において勤務しないことが相当であると認められる場合　指定期間内において必要と認められる期間

五　要介護者の介護をする非常勤職員が、当該介護をするため、当該要介護者ごとに、連続する三年の期間（当該要介護者に係る指定期間と重複する期間を除く。）内において一日の勤務時間の一部につき勤務しないことが相当であると認められる場合　当該連続する三年の期間内において一日につき二時間（当該非常勤職員について一日につき定められた勤務時間から五時間四十五分を減じた時間が二時間を下回る場合は、当該減じた時間）を超えない範囲内で必要と認められる期間

六　女子の非常勤職員が生理日における就業が著しく困難なため勤務しないことがやむを得ないと認められる場合　必要と認められる期間

七　女子の非常勤職員が母子保健法（昭和四十年法律第百四十一号）の規定による保健指導又は健康診査に基づく指導事項を守るため勤務しないことがやむを得ないと認められる場合　必要と認められる期間

八　非常勤職員が公務上の負傷又は疾病のため療養する必要があり、その勤務しないことがやむを得ないと認められる場合　必要と認められる期間

九　非常勤職員が負傷又は疾病のため療養する必要があり、その勤務しないことがやむを得ないと認められる場合（前三号に掲げる場合を除く。）　一の年度において人事院の定める期間

十　非常勤職員が骨髄移植のための骨髄若しくは末梢《しょう》血幹細胞移植のための末梢血幹細胞の提供希望者としてその登録を実施する者に対して登録の申出を行い、又は配偶者、父母、子及び兄弟姉妹以外の者に、骨髄移植のため骨髄若しくは末梢血幹細胞移植のため末梢血幹細胞を提供する場合で、当該申出又は提供に伴い必要な検査、入院等のため勤務しないことがやむを得ないと認められるとき　必要と認められる期間

3　前二項の休暇（第一項第十号及び第十一号の休暇を除く。）については、人事院の定めるところにより、各省各庁の長の承認を受けなければならない。

（雑則）

第五条　この規則に定めるもののほか、非常勤職員の勤務時間及び休暇に関し必要な事項は、人事院が定める。

附　則（抄）

（経過措置）

2　この規則の施行の際現に旧規則一五―一二（非常勤職員の勤務時間及び休暇）（以下「旧規則」という。）第三条第二項又は第四条第三項の規定に基づき各庁の長又はその委任を受けた者の承認を受けている休暇については、それぞれ第三条第二項又は第四条第三項の規定に基づき各省各庁の長が承認したものとみなす。

3　この規則の施行の日前に与えられた旧規則第四条第一項第四号の休暇であって、同一の事由について第四条第一項第四号に掲げる場合に該当することとなるものについては、同号の休暇として既に与えられたものとみなす。

4　この規則の施行の日前に行われた旧規則第四条第二項第一号又は第二号の規定による申出であって、同一の事項について第四条第二項第一号又は第二号の規定による申出を行う必要のあるものについては、それぞれ同項第一号又は第二号の規定により行われたものとみなす。

○人事院規則一五―一五（非常勤職員の勤務時間及び休暇）の運用について

平六・七・二七
職職―三二九

最終改正　令六・三・二九事企法―八七

標記について下記のとおり定めたので、平成六年九月一日以降は、これによってください。

記

第二条関係

1　各省各庁の長は、非常勤職員の勤務時間の内容（始業及び終業の時刻、休憩時間等を含む。）について、人事異動通知書その他適当な方法により、当該非常勤職員に対して通知するものとする。

2　非常勤職員の休憩時間及び定められた勤務時間以外の時間における勤務については、常勤職員の例に準じて取り扱うものとする。

3　各省各庁の長は、この条の第一項の規定により非常勤職員の勤務時間を定めるに当たっては、常勤職員の勤務時間に関する基準を考慮するものとする。

4　この条の第二項の「人事院の定めるもの」は、人事院規則八―一二（職員の任免）第四条第十三号に規定する期間業務職員のうち、一般職の職員の勤務時間、休暇等に関する法律（平成六年法律第三十三。以下「勤務時間法」という。）第七条第一項に規定する公務の運営上の事情により特別の形態によって勤務する必要のある職員の勤務時間に関する基準を考慮して勤務時間が定められているものとする。

5　この条の第二項の規定により同項に規定する期間業務職員の勤務時間を定める場合の基準及び手続については、勤務時間法第六条第三項の規定による勤務時間を割り振らない日の設定又は勤務時間の割振りの基準及び手続の例に準じて取り扱うものとする。

6　この条の第二項の「人事院の定める期間」は、人事院規則一五―一四（職員の勤務時間、休日及び休暇）第四条の三第一項に定める期間の例に準じて取り扱うものとする。

第三条関係

1　年次休暇が認められる非常勤職員の要件及びその日数は、それぞれ次に定めるとおりとする。

(1)　一週間の勤務日が五日以上とされている職員、一週間の勤務日が四日以下とされている職員で一週間の勤務時間が二十九時間以上であるもの及び週以外の期間によって勤務日が定められている職員で一年間の勤務日が二百十七日以上であるものが、雇用の日から六月間継続勤務し全勤務日の八割以上出勤した場合　次の一年間において十日

(2)　(1)に掲げる職員が、雇用の日から一年六月以上継続勤務し、継続勤務が六月を超えることとなる日（以下「六月経過日」という。）から起算してそれぞれの一年間の全勤務日の八割以上出勤した場合　それぞれ次の一年間において、十日に、次の表の上欄に掲げる六月経過日から起算した継続勤務年数の区分に応じ同表の下欄に掲げる日数を

加算した日数

六月経過日から起算した継続勤務年数	日数
一年	一日
二年	二日
三年	四日
四年	六日
五年	八日
六年以上	十日

(3) 一週間の勤務日が四日以下とされている職員（一週間の勤務時間が二十九時間以上である職員を除く。以下この(3)において同じ。）及び週以外の期間によって勤務日が定められている職員で一年間の勤務日が四十八日以上二百十六日以下であるものが、雇用の日から六月間継続勤務し全勤務日の八割以上出勤した場合又は雇用の日から一年六月以上継続勤務し六月経過日から起算してそれぞれの一年間の全勤務日の八割以上出勤した場合それぞれ次の一年間において、一週間の勤務日が四日以下とされている職員にあっては次の表の上欄に掲げる一週間の勤務日の日数の区分に応じ、週以外の期間によって勤務日が定められている職員にあっては同表の中欄に掲げる一年間の勤務日の日数の区分に応じ、それぞれ同表の下欄に掲げる雇用の日から起算した継続勤務期間の区分ごとに定める日数

一週間の勤務日の日数	一年間の勤務日の日数	雇用の日から起算した継続勤務期間						
		六月	一年六月	二年六月	三年六月	四年六月	五年六月	六年六月以上
四日	百六十九日から二百十六日まで	七日	八日	九日	十日	十二日	十三日	十五日
三日	百二十一日から百六十八日まで	五日	六日	六日	八日	九日	十日	十一日
二日	七十三日から百二十日まで	三日	四日	四日	五日	六日	六日	七日
一日	四十八日から七十二日まで	一日	二日	二日	二日	三日	三日	三日

2 前項の「継続勤務」とは原則として同一官署において、その雇用形態が社会通念上中断されていないと認められる場合の勤務を、「全勤務日」とは非常勤職員の勤務を要する日の全てをそれぞれいうものとし、「出勤した」日数の算定に当たっては、休暇、国家公務員法（昭和二十二年法律第百二十号）第七十九条の規定による休職又は同法第八十二条の規定による停職及び国家公務員の育児休業等に関する法律（平成三年法律第百九号。以下「育児休業法」という。）第三条第一項の規定による育児休業の期間は、これを出勤したものとみなして取り扱うものとする。

3 年次休暇（この項の規定により繰り越されたものを除く。）は、二十日を限度として、次の一年間に繰り越すことができる。

4 前項の規定により繰り越された年次休暇がある職員から年次休暇の請求があった場合は、繰り越された年次休暇から先に請求されたものとして取り扱うものとする。

5 「公務の運営」の支障の有無の判断に当たっては、各省各庁の長は、請求に係る休暇の時期における非常勤職員の業務内容、業務量、代替者の配置の難易等を総合して行うものとする。

6 年次休暇の単位は、一日とする。ただし、特に必要があると認められるときは、一時間（第二条関係第四項に規定する基準を考慮して勤務時間が定められている非常勤職員にあっては、一時間又は十五分）を単位とすることができる。

7 一時間又は十五分を単位として与えられた年次休暇を日に換算する場合には、当該年次休暇を与えられた職員の勤務日一日当たりの勤務時間（一分未満の端数があるときはこれを切り捨てた時間。以下同じ。）をもって一日とする。

第四条関係

1 年次休暇以外の休暇の取扱いについては、それぞれ次に定めるところによる。

(1) この条の第一項及び第二項の「人事院の定める非常勤職員」は、次に掲げる休暇の区分に応じ、

それぞれ次に定める職員とする。この場合において、ア及びイの「継続勤務」については、第三条関係第二項の規定の例によるものとする。

ア　この条の第一項第八号及び第二項第九号の休暇　六月以上の任期が定められている職員又は六月以上継続勤務している職員（週以外の期間によって勤務日が定められている職員で一年間の勤務日が四十七日以下であるものを除く。）

イ　この条の第一項第九号、第十二号及び第十三号並びに第二項第二号及び第三号の休暇　一週間の勤務日が三日以上とされている職員又は週以外の期間によって勤務日が定められている職員で一年間の勤務日が百二十一日以上であるものであって、六月以上の任期が定められているもの又は六月以上継続勤務しているもの

ウ　この条の第二項第四号の休暇　同号に規定する申出の時点において、一週間の勤務日が三日以上とされている職員又は週以外の期間によって勤務日が定められている職員で一年間の勤務日が百二十一日以上であるものであって、当該申出において、(15)の規定により指定期間の指定を希望する期間の初日から起算して九十三日を経過する日から六月を経過する日までに、その任期（任期が更新される場合にあっては、更新後のもの）が満了すること及び任命権者（国家公務員法第五十五条第一項に規定する任命権者及び法律で別に定められた任命権者並びにその委任を受けた者をいう。）を同じくする官職に引き続き採用されないことが明らかでないもの

エ　この条の第二項第五号の休暇　初めて同号の休暇の承認を請求する時点において、一週間の勤務日が三日以上とされている職員又は週以外の期間によって勤務日が定められている職員で一年間の勤務日が百二十一日以上であるものであって、一日につき定められた勤務時間が六時間十五分以上である勤務日があるもの

(2)　(1)ウの「引き続き採用」されるものであるかどうかの判断は、その雇用形態が社会通念上中断されていないと認められるかどうかにより行うものとし、(1)ウの「引き続き採用されないことが明らかでない」かどうかの判断は、この条の第二項第四号に規定する申出の時点において判明している事情に基づき行うものとする。

(3)　この条の第一項第一号の「選挙権その他公民としての権利」とは、公職選挙法（昭和二十五年法律第百号）に規定する選挙権のほか、最高裁判所の裁判官の国民審査及び普通地方公共団体の議会の議員又は長の解職の投票に係る権利等をいう。

(4)　この条の第一項第三号の「これらに準ずる場合」とは、例えば、地震、水害、火災その他の災害により単身赴任手当に相当する給与の支給に係る配偶者等の現住居が滅失し、又は損壊した場合で、当該単身赴任手当に相当する給与の支給を受けている非常勤職員がその復旧作業等を行うときをいい、同号の休暇の期間は、原則として連続する七暦日として取り扱うものとする。

(5)　この条の第一項第六号の「人事院の定める親族」は、人事院規則一五―一四別表第二の親族欄に掲げる親族とし、同号の「人事院の定める期間」は、同規則第二十二条第一項第十三号に規定する休暇の例によるものとする。

(6)　この条の第一項第七号の「人事院が定める期間」は、結婚の日の五日前の日から当該結婚の日後一月を経過する日までとし、同号の「連続する五日」とは、連続する五暦日をいう。

(7)　この条の第一項第八号の「人事院の定める日」は、勤務時間が定められていない日とし、同号の「原則として連続する三日」の取扱いについては、暦日によるものとし、特に必要があると認められる場合には一暦日ごとに分割することができるものとする。

(8)　この条の第一項第九号の「不妊治療」とは、不妊の原因等を調べるための検査、不妊の原因となる疾病の治療、タイミング法、人工授精、体外受精、顕微授精等をいい、同号の「通院等」とは、医療機関への通院、医療機関が実施する説明会への出席（これらにおいて必要と認められる移動を含む。）等をいい、同号の「人事院が定める不妊治療」は、体外受精及び顕微授精とし、同号の「人事院の定める時間」は、勤務日一日当たりの勤務時間に五（同号に規定する人事院が定める不妊治療を受ける場合にあっては、十）を乗じて得た数の時間とし、同号の休暇の単位は、一日又は一時間（勤務日ごとの勤務時間の時間数が同一でない非常勤職員にあっては、一時間。ただし、当該非常勤職員の一回の勤務に定められた勤務時間であって一時間未満の端数があるものの全てを勤務しない場合には、当該勤務時間の時間数）とする。ただし、同号の休暇の残日数の全てを使用しようとする場合において、当該残日数に一時間未

満の端数があるときは、当該残日数の全てを使用することができる。

(9) この条の第一項第十号の「六週間（多胎妊娠の場合にあっては、十四週間）」は、分べん予定日から起算するものとする。

(10) この条の第一項第十一号から第十三号までの「出産」とは、妊娠満十二週以後の分べんをいう。

(11) この条の第一項第十二号の「妻（届出をしないが事実上婚姻関係と同様の事情にある者を含む。次号において同じ。）の出産に伴い勤務しないことが相当であると認められる場合」とは、非常勤職員の妻の出産に係る入院若しくは退院の際の付添い、出産時の付添い又は出産に係る入院中の世話、子（人事院規則一五―一四第四条の三第一項第二号イにおいて子に含まれるものとされる者を含む。(12)及び(13)において同じ。）の出生の届出等のために勤務しない場合をいい、この条の第一項第十二号の「人事院が定める期間」は、非常勤職員の妻の出産に係る入院等の日から当該出産の日後二週間を経過する日までとし、同号の「人事院の定める時間」は、勤務日一日当たりの勤務時間に二を乗じて得た数の時間とし、同号の休暇の単位は、一日又は一時間（勤務日ごとの勤務時間の時間数が同一でない非常勤職員にあっては、一時間。ただし、当該非常勤職員の一回の勤務に定められた勤務時間であって一時間未満の端数があるものの全てを勤務しない場合には、当該勤務時間の時間数）とする。ただし、同号の休暇の残日数の全てを使用しようとする場合において、当該残日数に一時間未満の端数があるときは、当該残日数の全てを使用することができる。

(12) この条の第一項第十三号の「当該出産に係る子（規則一五―一四（職員の勤務時間、休日及び休暇）第四条の三第一項第二号イにおいて子に含まれるものとされる者を含む。次項第三号イ及びハを除き、以下同じ。）又は小学校就学の始期に達するまでの子（妻の子を含む。）を養育する」とは、非常勤職員の妻の出産に係る子又は小学校就学の始期に達するまでの子（妻の子を含む。）と同居してこれらを監護することをいい、同号の「人事院の定める時間」は、勤務日一日当たりの勤務時間に五を乗じて得た数の時間とし、同号の休暇の単位は、一日又は一時間（勤務日ごとの勤務時間の時間数が同一でない非常勤職員にあっては、一時間。ただし、当該非常勤職員の一回の勤務に定められた勤務時間であって一時間未満の端数があるものの全てを勤務しない場合には、当該勤務時間の時間数）とする。ただし、同号の休暇の残日数の全てを使用しようとする場合において、当該残日数に一時間未満の端数があるときは、当該残日数の全てを使用することができる。

(13) この条の第二項第二号の「小学校就学の始期に達するまでの子（配偶者の子を含む。以下この号において同じ。）を養育する」とは、小学校就学の始期に達するまでの子（配偶者の子を含む。以下この(13)において同じ。）と同居してこれを監護することをいい、同号の「人事院の定めるその子の世話」は、その子に予防接種又は健康診断を受けさせることとし、同号の「人事院の定める時間」は、勤務日一日当たりの勤務時間に五（その養育する小学校就学の始期に達するまでの子が二人以上の場合にあっては、十）を乗じて得た数の時間とし、同号の休暇の単位は、一日又は一時間（勤務日ごとの勤務時間の時間数が同一でない非常勤職員にあっては、一時間。ただし、当該非常勤職員の一回の勤務に定められた勤務時間であって一時間未満の端数があるものの全てを勤務しない場合には、当該勤務時間の時間数）とする。ただし、同号の休暇の残日数の全てを使用しようとする場合において、当該残日数に一時間未満の端数があるときは、当該残日数の全てを使用することができる。

(14) この条の第二項第三号の「同居」には、非常勤職員が要介護者の居住している住宅に泊まり込む場合等を含むものとし、同号の「人事院の定める世話」は、次に掲げる世話とし、同号の「人事院の定める時間」は、勤務日一日当たりの勤務時間に五（要介護者が二人以上の場合にあっては、十）を乗じて得た数の時間とし、同号の「人事院の定めるもの」は、父母の配偶者、配偶者の父母の配偶者、子の配偶者及び配偶者の子とし、同号の休暇の単位は、一日又は一時間（勤務日ごとの勤務時間の時間数が同一でない非常勤職員にあっては、一時間。ただし、当該非常勤職員の一回の勤務に定められた勤務時間であって一時間未満の端数があるものの全てを勤務しない場合には、当該勤務時間の時間数）とする。ただし、同号の休暇の残日数の全てを使用しようとする場合において、当該残日数に一時間未満の端数があるときは、当該残日数の全てを使用することができる。

ア　要介護者の介護

イ　要介護者の通院等の付添い、要介護者が介護サービスの提供を受けるために必要な手続の代行その他の要介護者の必要な世話

(15)　この条の第二項第四号の申出及び指定期間の指定の手続については、人事院規則一五―一四第二十三条第三項から第七項までの規定の例によるものとし、同号の休暇の単位は、一日又は一時間とし、一時間を単位とする当該休暇は、一日を通じ、始業の時刻から連続し、又は終業の時刻まで連続した四時間（当該休暇と要介護者を異にするこの条の第二項第五号の休暇の承認を受けて勤務しない時間がある日については、当該四時間から当該休暇の承認を受けて勤務しない時間を減じた時間）の範囲内とする。

(16)　この条の第二項第五号の休暇の単位は、三十分とし、当該休暇は、一日を通じ、始業の時刻から連続し、又は終業の時刻まで連続した二時間（同号に規定する減じた時間が二時間を下回る場合にあっては、当該減じた時間）の範囲内（育児休業法第二十六条第一項の規定による育児時間の承認を受けて勤務しない時間がある日については、当該連続した二時間から当該育児時間の承認を受けて勤務しない時間を減じた時間の範囲内）とする。

(17)　この条の第二項第八号及び第九号の「疾病」には、予防接種による著しい発熱等が、これらの号の「療養する」場合には、負傷又は疾病が治った後に社会復帰のためリハビリテーションを受ける場合等が含まれるものとする。

(18)　この条の第二項第九号の「人事院の定める期間」は、第三条関係第一項(1)に掲げる職員にあっては十日の範囲内の期間とし、同項(3)に掲げる職員のうち、一週間の勤務日が四日以下とされている職員にあっては次の表の上欄に掲げる一週間の勤務日の日数の区分に応じ、週以外の期間によって勤務日が定められている職員にあっては同表の中欄に掲げる一年間の勤務日の日数の区分に応じ、それぞれ同表の下欄に掲げる日数の範囲内の期間とする。

一週間の勤務日の日数	四日	三日	二日	一日
一年間の勤務日の日数	百六十九日から二百十六日まで	百二十一日から百六十八日まで	七十三日から百二十日まで	四十八日から七十二日まで
日数	七日	五日	三日	一日

2　前項に規定するもののほか、年次休暇以外の休暇の単位は、必要に応じて一日、一時間又は一分を単位として取り扱うものとする。

3　勤務日ごとの勤務時間の時間数が同一である非常勤職員の一時間を単位として与えられたこの条の第一項第九号、第十二号若しくは第十三号若しくは第二項第二号若しくは第三号の休暇又は一日以外の単位で与えられた同項第九号の休暇を日に換算する場合には、これらの休暇を与えられた職員の勤務日一日当たりの勤務時間をもって一日とする。

4　年次休暇以外の休暇（この条の第一項第十号及び第十一号の休暇を除く。）の承認については、常勤職員の例に準じて取り扱うものとする。

第五条関係

非常勤職員の休暇の請求等の手続については、常勤職員の例に準じて取り扱うものとする。

経過措置

1　その雇用の日が平成六年四月一日前である職員であって、六月経過日が平成六年四月一日以後であるものに対する第三条関係第一項の規定の適用については、同項中「雇用の日」とあるのは「平成六年四月一日」と、「六月を」とあるのは「平成六年四月一日から起算して六月を」と、「六月経過日」とあるのは「平成六年四月一日から起算して継続勤務期間が六月を超えることとなる日」とする。

2　第三条関係第一項(1)に掲げる職員のうち平成五年十月一日前から継続勤務している者に対する同項(2)の規定の適用については、継続勤務期間が一年を超えることとなる日を六月経過日とみなす。

3　第三条関係第一項(3)に掲げる職員のうち平成十三年四月一日前に三年六月を超え、かつ、四年六月に満たない期間継続勤務している者に対する同項の規定の適用については、同日以降、継続勤務期間が四年六月を超えることとなる日の前日までの間は、同項(3)の表三日の項中「八日」とあるのは、「七日」とする。

4　第三条関係第一項(3)に掲げる職員のうち平成五年十月一日前から継続勤務している者の年次休暇については、同項の規定にかかわらず、継続勤務期間が六年を超えることとなる日から起算してそれぞれの

一年間の全勤務日の八割以上出勤した場合に認められるものとし、その日数は、それぞれ次の一年間において、一週間の勤務日が四日以下とされている職員にあっては次の表の上欄に掲げる一週間の勤務日の日数の区分に応じ、週以外の期間によって勤務日が定められている職員にあっては同表の中欄に掲げる一年間の勤務日の日数の区分に応じ、それぞれ同表の下欄に掲げる日数とする。

一週間の勤務日の日数	一年間の勤務日の日数	年次休暇の日数
四日	百六十九日から二百十六日まで	十五日
三日	百二十一日から百六十八日まで	十一日
二日	七十三日から百二十日まで	七日
一日	四十八日から七十二日まで	三日

5 平成二十九年一月一日（以下「施行日」という。）前に人事院規則一五―一五―一四（人事院規則一五―一五（非常勤職員の勤務時間及び休暇）の一部を改正する人事院規則。以下「改正規則」という。）による改正前の第四条第二項第六号の休暇（以下「改正前休暇」という。）を使用したことがある非常勤職員の当該改正前休暇と要介護者を同じくする改正規則による改正後の同号の休暇に係る指定期間については、各省各庁の長は、二回（施行日が当該改正前休暇に係る改正規則による改正前の同号の規定の例による連続する九十三日の期間内にある場合であって、施行日以後の当該期間内の日を末日とする指定期間を指定するときは、三回）を超えず、九十三日から、施行日前において当該要介護者の介護を必要とする一の継続する状態ごとに、初めて改正前休暇の承認を受けた期間の初日から最後に当該承認を受けた期間の末日までの日数を合算した日数を差し引いた日数を超えない範囲内で指定するものとする。

以上

○国家公務員の育児休業等に関する法律

平三・一二・二四
法一〇九

最終改正 令五・一一・二四法七三

第一章 総則

（目的）

第一条 この法律は、育児休業等に関する制度を設けて子を養育する国家公務員の継続的な勤務を促進し、もってその福祉を増進するとともに、公務の円滑な運営に資することを目的とする。

（定義）

第二条 この法律において「職員」とは、第二十七条を除き、国家公務員法（昭和二十二年法律第百二十号）第二条に規定する一般職に属する国家公務員をいう。

2 この法律において「任命権者」とは、国家公務員法第五十五条第一項に規定する任命権者及び法律で別に定められた任命権者並びにその委任を受けた者をいう。

3 この法律において「各省各庁の長」とは、一般職の職員の勤務時間、休暇等に関する法律（平成六年法律第三十三号。以下「勤務時間法」という。）第三条に規定する各省各庁の長及びその委任を受けた者をいう。

第二章 育児休業

（育児休業の承認）

第三条　職員（第二十三条第二項に規定する任期付短時間勤務職員、臨時的に任用された職員その他その任用の状況がこれらに類する職員として人事院規則で定める職員を除く。）は、任命権者の承認を受けて、当該職員の子（民法（明治二十九年法律第八十九号）第八百十七条の二第一項の規定により職員が当該職員との間における同項に規定する特別養子縁組の成立について家庭裁判所に請求した者（当該請求に係る家事審判事件が裁判所に係属している場合に限る。）であって、当該職員が現に監護するもの、児童福祉法（昭和二十二年法律第百六十四号）第二十七条第一項第三号の規定により同法第六条の四第二号に規定する養子縁組里親である職員に委託されている児童その他これらに準ずる者として人事院規則で定める者を含む。以下同じ。）を養育するため、当該子が三歳に達する日（常時勤務することを要しない職員にあっては、当該子の養育の事情に応じ、一歳に達する日から一歳六か月に達する日までの間で人事院規則で定める日（当該子の養育の事情を考慮して特に必要と認められる場合として人事院規則で定める場合に該当するときは、二歳に達する日））まで、育児休業をすることができる。ただし、当該子について、既に二回の育児休業（次に掲げる育児休業を除く。）をしたことがあるときは、人事院規則で定める特別の事情がある場合を除き、この限りでない。

一　子の出生の日から勤務時間法第十九条に規定する特別休暇のうち出産により職員が勤務しないことが相当である場合として人事院規則で定める場合における休暇について同条の規定により人事院規則で定める期間を考慮して人事院規則で定める期間内に、職員（当該期間内に当該休暇又はこれに相当するものとして勤務時間法第二十三条の規定により人事院規則で定める休暇により勤務しない職員を除く。）が当該子についてする育児休業（次号に掲げる育児休業を除く。）のうち最初のもの及び二回目のもの

二　任期を定めて採用された職員が当該任期の末日を育児休業の期間の末日としてする育児休業（当該職員が、当該任期を更新され、又は当該任期の満了後引き続いて任命権者を同じくする官職に採用されることに伴い、当該育児休業に係る子について、当該更新前の任期の末日の翌日又は当該採用の日を育児休業の期間の初日とする育児休業をする場合に限る。）

２　育児休業の承認を受けようとする職員は、育児休業をしようとする期間の初日及び末日を明らかにして、任命権者に対し、その承認を請求するものとする。

３　任命権者は、前項の規定による請求があったときは、当該請求に係る期間について当該請求をした職員の業務を処理するための措置を講ずることが著しく困難である場合を除き、これを承認しなければならない。

（育児休業の期間の延長）

第四条　育児休業をしている職員は、任命権者に対し、当該育児休業の期間の延長を請求することができる。

２　育児休業の期間の延長は、人事院規則で定める特別の事情がある場合を除き、一回に限るものとする。

３　前条第二項及び第三項の規定は、育児休業の期間の延長について準用する。

（育児休業の効果）

第五条　育児休業をしている職員は、職員としての身分を保有するが、職務に従事しない。

２　育児休業をしている期間については、給与を支給しない。

（育児休業の承認の失効等）

第六条　育児休業の承認は、当該育児休業をしている職員が産前の休業を始め、若しくは出産した場合、当該職員が休職若しくは停職の処分を受けた場合又は当該育児休業に係る子が死亡し、若しくは当該職員の子でなくなった場合には、その効力を失う。

２　任命権者は、育児休業をしている職員が当該育児休業に係る子を養育しなくなったことその他人事院規則で定める事由に該当すると認めるときは、当該育児休業の承認を取り消すものとする。

（育児休業に伴う任期付採用及び臨時的任用）

第七条　任命権者は、第三条第二項又は第四条第一項の規定による請求があった場合において、当該請求に係る期間（以下この項及び第三項において「請求期間」という。）について職員の配置換えその他の方法によって当該請求をした職員の業務を処理することが困難であると認めるときは、当該業務を処理するため、次の各号に掲げる任用のいずれかを行うものとする。この場合において、第二号に掲げる任用は、請求期間について一年（第四条第一項の規定による請求があった場合には、当該請求による延長前の育児休業の期間の初日から当該請求に係る期間の末日までの期間を通じて一年）を超えて行うことができない。

一　請求期間を任期の限度として行う任期を定めた採用

二　請求期間を任期の限度として行う臨時的任用

2　任命権者は、前項の規定により任期を定めて職員を採用する場合には、当該職員に当該任期を明示しなければならない。

3　任命権者は、第一項の規定により任期を定めて採用された職員の任期が請求期間に満たない場合には、当該請求期間の範囲内において、当該任期を更新することができる。

4　第二項の規定は、前項の規定により任期を更新する場合について準用する。

5　任命権者は、第一項の規定により任期を定めて採用された職員を、任期を定めて採用した趣旨に反しない場合に限り、当該任期中、他の官職に任用することができる。

6　第一項の規定により臨時的任用を行う場合には、国家公務員法第六十条第一項から第三項までの規定は、適用しない。

（育児休業をしている職員の期末手当等の支給）

第八条　一般職の職員の給与に関する法律（昭和二十五年法律第九十五号。以下「給与法」という。）第十九条の四第一項に規定するそれぞれの基準日に育児休業をしている職員のうち、基準日以前六箇月以内の期間において勤務した期間（人事院規則で定めるこれに相当する期間を含む。）がある職員には、第五条第二項の規定にかかわらず、当該基準日に係る期末手当を支給する。

2　給与法第十九条の七第一項に規定するそれぞれの基準日に育児休業をしている職員のうち、基準日以前六箇月以内の期間において勤務した期間がある職員には、第五条第二項の規定にかかわらず、当該基準日に係る勤勉手当を支給する。

（育児休業をした職員の職務復帰後における給与の調整）

第九条　育児休業をした職員が職務に復帰した場合におけるその者の号俸については、部内の他の職員との権衡上必要と認められる範囲内において、人事院規則の定めるところにより、必要な調整を行うことができる。

（育児休業をした職員についての国家公務員退職手当法の特例）

第十条　国家公務員退職手当法（昭和二十八年法律第百八十二号）第六条の四第一項及び第七条第四項の規定の適用については、育児休業をした期間は、同法第六条の四第一項に規定する現実に職務をとることを要しない期間に該当するものとする。

2　育児休業をした期間（当該育児休業に係る子が一歳に達した日の属する月までの期間に限る。）についての国家公務員退職手当法第七条第四項の規定の適用については、同項中「その月数の二分の一に相当する月数」とあるのは、「その月数の三分の一に相当する月数」とする。

（育児休業を理由とする不利益取扱いの禁止）

第十一条　職員は、育児休業を理由として、不利益な取扱いを受けない。

第三章　育児短時間勤務

（育児短時間勤務の承認）

第十二条　職員（常時勤務することを要しない職員、臨時的に任用された職員その他これらに類する職員として人事院規則で定める職員を除く。）は、任命権者の承認を受けて、当該職員の小学校就学の始期に達するまでの子を養育するため、当該子がその始期に達するまで、常時勤務を要する官職を占めたまま、次の各号に掲げるいずれかの勤務の形態（勤務時間法第七条第一項の規定の適用を受ける職員にあっては、第五号に掲げる勤務の形態）により、当該職員が希望する日及び時間帯において勤務すること（以下「育児短時間勤務」という。）ができる。ただし、当該子について、既に育児短時間勤務をしたことがある場合において、当該子に係る育児短時間勤務の終了の日の翌日から起算して一年を経過しないときは、人事院規則で定める特別の事情がある場合を除き、この限りでない。

一　日曜日及び土曜日を週休日（勤務時間法第六条第一項に規定する週休日をいう。以下この項において同じ。）とし、週休日以外の日において一日につき三時間五十五分勤務すること。

二　日曜日及び土曜日を週休日とし、週休日以外の日において一日につき四時間五十五分勤務すること。

三　日曜日及び土曜日並びに月曜日から金曜日までの五日間のうちの二日を週休日とし、週休日以外の日において一日につき七時間四十五分勤務すること。

四　日曜日及び土曜日並びに月曜日から金曜日までの五日間のうちの二日を週休日とし、週休日以外の日のうち、二日については一日につき七時間四十五分、一日については一日につき三時間五十五分勤務すること。

五　前各号に掲げるもののほか、一週間当たりの勤務時間が十九時間二十五分から二十四時間三十五分までの範囲内の時間となるように人事院規則で定める勤務の形態

2　育児短時間勤務の承認を受けようとする職員は、人

事院規則の定めるところにより、育児短時間勤務をしようとする期間（一月以上一年以下の期間に限る。）の初日及び末日並びにその勤務の形態における勤務の日及び時間帯を明らかにして、任命権者に対し、その承認を請求するものとする。

3　任命権者は、前項の規定による請求があったときは、当該請求に係る期間について当該請求をした職員の業務を処理するための措置を講ずることが困難である場合を除き、これを承認しなければならない。

（育児短時間勤務の期間の延長）

第十三条　育児短時間勤務をしている職員（以下「育児短時間勤務職員」という。）は、任命権者に対し、当該育児短時間勤務の期間の延長を請求することができる。

2　前条第二項及び第三項の規定は、育児短時間勤務の期間の延長について準用する。

（育児短時間勤務の承認の失効等）

第十四条　第六条の規定は、育児短時間勤務の承認の失効及び取消しについて準用する。

（育児短時間勤務職員の並立任用）

第十五条　一人の育児短時間勤務職員（一週間当たりの勤務時間が十九時間二十五分から十九時間三十五分までの範囲内の時間である者に限る。以下この条において同じ。）が占める官職には、他の一人の育児短時間勤務職員を任用することを妨げない。

（育児短時間勤務職員についての給与法の特例）

第十六条　育児短時間勤務職員についての給与法の規定の適用については、次の表の上欄に掲げる給与法の規定中同表の中欄に掲げる字句は、それぞれ同表の下欄に掲げる字句とする。

第六条の二第一項	決定する	決定するものとし、その者の俸給月額は、その者の受ける号俸に応じた額に、国家公務員の育児休業等に関する法律（平成三年法律第百九号。以下「育児休業法」という。）第十七条の規定により読み替えられた勤務時間法第五条第一項ただし書の規定により定められたその者の勤務時間を同項本文に規定する勤務時間で除して得た数（以下「算出率」という。）を乗じて得た額とする
第六条の二第二項並びに第八条第四項、第五項、第七項及び第八項	決定する	決定するものとし、その者の俸給月額は、その者の受ける号俸に応じた額に、算出率を乗じて得た額とする
第九条の二第四項、第十六条第三項、第十七条及び第十九条の三第一項	勤務時間法	育児休業法第十七条の規定により読み替えられた勤務時間法
第十二条第二項第二号	定年前再任用短時間勤務職員	育児休業法第十二条第一項に規定する育児短時間勤務をしている職員（以下「育児短時間勤務職員」という。）
第十六条第一項	支給する	支給する。ただし、育児短時間勤務職員が、第一号に掲げる勤務で正規の勤務時間を超えてしたもののうち、その勤務の時間とその勤務をした日における正規の勤務時間との合計が七時間四十五分に達するまでの間の勤務にあつては、同条に規定す

		る勤務一時間当たりの給与額に百分の百（その勤務が午後十時から翌日の午前五時までの間である場合は、百分の百二十五）を乗じて得た額とする
第十六条第四項	要しない	要しない。ただし、当該時間が育児休業法第十六条の規定により読み替えられた同項ただし書に規定する七時間四十五分に達するまでの間の勤務に係る時間である場合にあっては、第十九条に規定する勤務一時間当たりの給与額に百分の百五十（その時間が午後十時から翌日の午前五時までの間である場合は、百分の百七十五）から百分の百（その時間が

		午後十時から翌日の午前五時までの間である場合は、百分の百二十五）を減じた割合を乗じて得た額とする
第十九条の四第四項	俸給	俸給の月額を算出率で除して得た額
	専門スタッフ職調整手当	専門スタッフ職調整手当の月額を算出率で除して得た額
第十九条の四第五項及び第十九条の七第三項	俸給及び専門スタッフ職調整手当の月額	俸給の月額を算出率で除して得た額及び専門スタッフ職調整手当の月額を算出率で除して得た額
	俸給の月額	俸給の月額を算出率で除して得た額
第十九条の四第五項	俸給月額	俸給月額を算出率で除して得た額
第十九条の四第六項	人事院規則	育児短時間勤務職員の勤務時間を考慮して人事院規則

（育児短時間勤務職員についての勤務時間法の特例）

第十七条　育児短時間勤務職員についての勤務時間法の規定の適用については、次の表の上欄に掲げる勤務時間法の規定中同表の中欄に掲げる字句は、それぞれ同表の下欄に掲げる字句とする。

第五条第一項	とする	とする。ただし、国家公務員の育児休業等に関する法律（平成三年法律第百九号）第十二条第三項の規定により同条第一項に規定する育児短時間勤務（以下「育児短時間勤務」という。）の承認を受けた職員（以下「育児短時間勤務職員」という。）の一週間当たりの勤務時間は、当該承認を受けた育児短時間勤務の内容に従い、各省各庁の長が定める
第六条第一項ただし書及び第二項ただし書、第	定年前再任用短時間勤務職員	育児短時間勤務職員

七条第二項、第十一条並びに第十七条第一項第一号		
第六条第一項ただし書	これらの日	必要に応じ、当該育児短時間勤務の内容に従い、これらの日
	ことができる	ものとする
第六条第二項ただし書	範囲内で	範囲内で、当該育児短時間勤務の内容に従い、
第六条第三項	定める期間	定める期間（以下この項において「単位期間」という。）
	できる	できる。ただし、当該職員が育児短時間勤務職員である場合にあっては、単位期間ごとの期間について、当該育児短時間勤務の内容に従い、勤務時間を割り振るものとする
第七条第二項	ところにより、四週間ごとの期間につき八日	ところにより、四週間ごとの期間につき八日の週休日
	八日以上）の週休日を設け、及び	四週間ごとの期間につき八日以上で当該育児短時間勤務の内容に従った週休日）を設け、及び
	第五条に規定する勤務時間	第五条に規定する勤務時間（当該育児短時間勤務職員にあっては、当該育児短時間勤務の内容に従った勤務時間）
	必要	必要（育児短時間勤務職員にあっては、当該育児短時間勤務の内容）
	割合で週休日	割合で週休日（育児短時間勤務職員にあっては、五十二週間を超えない期間につき一週間当たり一日以上の割合で当該育児短時間勤務の内容に従った週休日）
	同条に規定する勤務時間	同条に規定する勤務時間（当該育児短時間勤務職員にあっては、当該育児短時間勤務の内容に従った勤務時間）
第十三条第一項	職員	、公務の運営に著しい支障が生ずると認められる場合として人事院規則で定める場合に限り、育児短時間勤務職員
第十三条第二項	公務のため臨時又は緊急の必要がある場合には	公務の運営に著しい支障が生ずると認められる場合として人事院規則で定める場合に限り
	職員	育児短時間勤務職員

（育児短時間勤務職員についての一般職の任期付研究員の採用、給与及び勤務時間の特例に関する法律の特

例）

第十八条　育児短時間勤務職員についての一般職の任期付研究員の採用、給与及び勤務時間の特例に関する法律（平成九年法律第六十五号）の規定の適用については、次の表の上欄に掲げる同法の規定中同表の中欄に掲げる字句は、それぞれ同表の下欄に掲げる字句とする。

第六条第三項	決定する	決定するものとし、その者の俸給月額は、その者の受ける号俸に応じた額に、国家公務員の育児休業等に関する法律（平成三年法律第百九号。第八条第二項において「育児休業法」という。）第十七条の規定により読み替えられた一般職の職員の勤務時間、休暇等に関する法律（平成六年法律第三十三号）第五条第一項ただし書の規定により定められたその者の勤務時間を同項本文に規定する勤務時間で除して得た数（次項において「算出率」という。）を乗じて得た額とする
第六条第四項	相当する額と	相当する額にそれぞれ算出率を乗じて得た額と
第八条第二項	については、月曜日から金曜日までの五日間	については、育児休業法第十七条の規定により読み替えられた勤務時間法第六条第一項に規定する週休日以外の日
	勤務時間法第六条第二項	同条第二項ただし書
	七時間四十五分の	育児休業法第十二条第三項の規定により承認を受けた同条第一項に規定する育児短時間勤務の内容に従った

（育児短時間勤務職員についての一般職の任期付職員の採用及び給与の特例に関する法律の特例）

第十九条　育児短時間勤務職員についての一般職の任期付職員の採用及び給与の特例に関する法律（平成十二年法律第百二十五号）の規定の適用については、次の表の上欄に掲げる同法の規定中同表の中欄に掲げる字句は、それぞれ同表の下欄に掲げる字句とする。

第七条第二項	決定する	決定するものとし、その者の俸給月額は、その者の受ける号俸に応じた額に、国家公務員の育児休業等に関する法律（平成三年法律第百九号）第十七条の規定により読み替えられた一般職の職員の勤務時間、休暇等に関する法律（平成六年法律第三十三号）第五条第一項ただし書の規定により定められたその者の勤務時間を同項本文に規定する勤務時間で除して得た数（次項において「算出率」という。）を乗じて得

		た額とする
第七条第三項	相当する額と	相当する額にそれぞれ算出率を乗じて得た額と

（育児短時間勤務職員についての国家公務員退職手当法の特例）

第二十条　国家公務員退職手当法第六条の四第一項及び第七条第四項の規定の適用については、育児短時間勤務をした期間は、同法第六条の四第一項に規定する現実に職務をとることを要しない期間に該当するものとみなす。

２　育児短時間勤務をした期間についての国家公務員退職手当法第七条第四項の規定の適用については、同項中「その月数の二分の一に相当する月数」とあるのは、「その月数の三分の一に相当する月数」とする。

３　育児短時間勤務の期間中の国家公務員退職手当法の規定による退職手当の計算の基礎となる俸給月額は、育児短時間勤務をしなかったと仮定した場合の勤務時間により勤務したときに受けるべき俸給月額とする。

（育児短時間勤務を理由とする不利益取扱いの禁止）

第二十一条　職員は、育児短時間勤務を理由として、不利益な取扱いを受けない。

（育児短時間勤務の承認が失効した場合等における育児短時間勤務の例による短時間勤務）

第二十二条　任命権者は、第十四条において準用する第六条の規定により育児短時間勤務の承認が失効し、又は取り消された場合において、過員を生ずることその他の人事院規則で定めるやむを得ない事情があると認めるときは、その事情が継続している期間、人事院規則の定めるところにより、当該育児短時間勤務をしていた職員に、引き続き当該育児短時間勤務と同一の勤務の日及び時間帯において常時勤務を要する官職を占めたまま勤務をさせることができる。この場合において、第十五条から前条までの規定を準用する。

（育児短時間勤務に伴う任期付短時間勤務職員の任用）

第二十三条　任命権者は、第十二条第二項又は第十三条第一項の規定による請求があった場合において、当該請求に係る期間について当該請求をした職員の業務を処理するため必要があると認めるときは、人事院規則で定めるところにより、当該請求に係る期間を任期の限度として、当該請求をした職員が育児短時間勤務をすることにより処理することが困難となる業務と同一の業務を行うことをその職務の内容とする常時勤務を要しない官職を占める職員を任用することができる。この場合において、国家公務員法第六十条の二第三項の規定は、適用しない。

２　第七条第二項から第四項までの規定は、前項の規定により任用された職員（以下「任期付短時間勤務職員」という。）について準用する。

（任期付短時間勤務職員についての給与法の特例）

第二十四条　任期付短時間勤務職員についての給与法の規定の適用については、次の表の上欄に掲げる給与法の規定中同表の中欄に掲げる字句は、それぞれ同表の下欄に掲げる字句とする。

第六条の二第一項	決定する	決定するものとし、その者の俸給月額は、その者の受ける号俸に応じた額に、国家公務員の育児休業等に関する法律（平成三年法律第百九号。以下「育児休業法」という。）第二十五条の規定により読み替えられた勤務時間法第五条第一項ただし書の規定により定められたその者の勤務時間を同項本文に規定する勤務時間で除して得た数（以下「算出率」という。）を乗じて得た額とする
第六条の二第二項並びに第八条第四項、第五項、第七項及び第八項	決定する	決定するものとし、その者の俸給月額は、その者の受ける号俸に応じた額に、算出率を乗じて得た額とする

第九条の二第四項、第十六条第三項、第十七条及び第十九条の三第一項	勤務時間法	育児休業法第二十五条の規定により読み替えられた勤務時間法
第十二条第二項第二号	定年前再任用短時間勤務職員	育児休業法第二十三条第二項に規定する任期付短時間勤務職員（以下「任期付短時間勤務職員」という。）
第十六条第一項	支給する	支給する。ただし、任期付短時間勤務職員が、第一号に掲げる勤務で正規の勤務時間を超えてしたもののうち、その勤務の時間とその勤務をした日における正規の勤務時間との合計が七時間四十五分に達するまでの間の勤務にあつては、同条に規定する勤務一時間当たりの給与額に百分の百（その勤務が午後十時から翌日の午前五時までの間である場合は、百分の百二十五）を乗じて得た額とする
第十六条第四項	要しない	要しない。ただし、当該時間が育児休業法第二十四条の規定により読み替えられた同項ただし書に規定する七時間四十五分に達するまでの間の勤務に係る時間である場合にあつては、第十九条に規定する勤務一時間当たりの給与額に百分の百五十（その時間が午後十時から翌日の午前五時までの間である場合は、百分の百七十五）から百分の百（その時間が午後十時から翌日の午前五時までの間である場合は、百分の百二十五）を減じた割合を乗じて得た額とする
第十九条の八第三項	第八条第四項から第十一項まで、第十条の四、第十一条、第十一条の二、第十一条の五から第十一条の七まで、第十一条の九、第十一条の十、第十三条の二及び第十四条	第十一条、第十一条の二、第十一条の十及び第十二条の二
	定年前再任用短時間勤務職員	任期付短時間勤務職員
第二十二条第一項	定年前再任用短時間勤務職員	任期付短時間勤務職員

（任期付短時間勤務職員についての勤務時間法の特例）

第二十五条　任期付短時間勤務職員についての勤務時間法の規定の適用については、次の表の上欄に掲げる勤務時間法の規定中同表の中欄に掲げる字句は、それぞれ同表の下欄に掲げる字句とする。

第五条第一項	とする	とする。ただし、国家公務員の育児休業等に関する法律（平成三年法律第百九号）第二十三条第二項に規定する任期付短時間勤務職員（以下「任期付短時間勤務職員」という。）の勤務時間は、一週間当たり十時間から十九時間二十分までの範囲内で、人事院規則で定めるところにより、各省各庁の長が定める
第六条第一項ただし書及び第二項ただし書、第七条第二項、第十一条、第十七条第一項第一号並びに第二十三条	定年前再任用短時間勤務職員	任期付短時間勤務職員

第四章　育児時間

第二十六条　各省各庁の長は、職員（任期付短時間勤務職員その他その任用の状況がこれに類する職員として人事院規則で定める職員を除く。）が請求した場合において、公務の運営に支障がないと認めるときは、人事院規則で定めるところにより、当該職員がその小学校就学の始期（常時勤務することを要しない職員（国家公務員法第六十条の二第二項に規定する定年前再任用短時間勤務職員を除く。）にあっては、三歳）に達するまでの子を養育するため一日につき二時間を超えない範囲内で勤務しないこと（以下この条において「育児時間」という。）を承認することができる。

2　職員が育児時間の承認を受けて勤務しない場合には、給与法第十五条の規定にかかわらず、その勤務しない一時間につき、給与法第十九条に規定する勤務一時間当たりの給与額を減額して給与を支給する。

3　第六条及び第二十一条の規定は、育児時間について準用する。

第五章　防衛省の職員への準用等

第二十七条　この法律（第二条、第七条第六項、第十六条から第十九条まで、第二十四条及び第二十五条を除く。）の規定は、国家公務員法第二条第三項第十六号に掲げる防衛省の職員について準用する。この場合において、これらの規定（第三条第一項第一号を除く。）中「人事院規則」とあるのは「政令」と読み替えるほか、次の表の上欄に掲げる規定中同表の中欄に掲げる字句は、それぞれ同表の下欄に掲げる字句に読み替えるものとする。

第三条第一項	職員（第二十三条第二項	職員（自衛官候補生、第二十三条第二項
	、任命権者	、自衛隊法（昭和二十九年法律第百六十五号）第三十一条第一項の規定により同法第二条第五項に規定する隊員の任免について権限を有する者（以下「任命権者」という。）
	勤務時間法第十九条に規定する特別休暇のうち出産により職員が勤務しないことが相当である場合として人事院規則で定める場合における休暇	自衛隊法第五十四条第二項の規定に基づく防衛省令で定める休暇のうち職員が出産した場合における休暇
	同条の規定により人事院規則で定める期間	防衛省令で定める期間

	人事院規則で定める期間内	防衛省令で定める期間内
	当該休暇又はこれに相当するものとして勤務時間法第二十三条の規定により人事院規則で定める休暇	当該休暇
第八条第一項	一般職の職員の給与に関する法律（昭和二十五年法律第九十五号。以下「給与法」という。）	防衛省の職員の給与等に関する法律（昭和二十七年法律第二百六十六号）第十八条の二第一項、第二十五条第三項又は第二十五条の二第三項においてその例によることとされる一般職の職員の給与に関する法律（昭和二十五年法律第九十五号）
第八条第二項	給与法	防衛省の職員の給与等に関する法律第十八条の二第一項においてその例によることとされる一般職の職員の給与に関する法律
第十二条第一項	職員（	職員（自衛官、自衛官候補生、防衛省設置法（昭和二十九年法律第百六十四号）第十五条第一項又は第十六条第一項（第三号を除く。）の教育訓練を受けている者、自衛隊法第二十五条第五項の教育訓練を受けている者、
	勤務時間法第七条第一項の規定の適用を受ける	自衛隊法第五十四条第二項の規定に基づく防衛省令の規定により一般職の職員の勤務時間、休暇等に関する法律（平成六年法律第三十三号）第七条第一項に規定する特別の形態に相当する形態によって勤務する
第十二条第一項第一号	週休日（勤務時間法第六条第一項に規定する週休日	休養日（自衛隊法第五十四条第二項の規定に基づく防衛省令の規定により勤務時間を割り振らない日
	週休日以外	休養日以外
第十二条第一項第二号から第四号まで	週休日	休養日
第二十二条	から前条まで	、前二条及び第二十七条第二項
第二十三条第一項	国家公務員法第六十条の二第三項	自衛隊法第四十一条の二第三項
前条第一項	各省各庁の長け、職員（	防衛大臣又はその委任を受けた者は、職員（自衛官候補生、
	国家公務員法第六十条の二第一項に規定する定年前再任用短時間勤務職員	自衛隊法第四十一条の二第一項の規定により採用された職員

前条第二項	給与法第十五条の規定にかかわらず、その勤務しない一時間につき、給与法第十九条に規定する勤務一時間当たりの給与額を減額して給与を	防衛省の職員の給与等に関する法律第十一条第二項、第十六条第二項又は第十八条第三項の規定による減額をして、俸給、航空手当、乗組手当、落下傘隊員手当、特別警備隊員手当、特殊作戦隊員手当又は営外手当を
次条	、第二十条及び前条	及び第二十条

2　前項において準用する第十三条第一項に規定する育児短時間勤務職員についての防衛省の職員の給与等に関する法律（昭和二十七年法律第二百六十六号）の規定の適用については、同法第四条第一項中「定める額」とあるのは「定める額に、その者の一週間当たりの通常の勤務時間を自衛隊法第四十一条の二第一項の規定により採用された職員及び国家公務員の育児休業等に関する法律（平成三年法律第百九号）第二十七条第一項において準用する同法第十三条第一項に規定する育児短時間勤務職員以外の職員の一週間当たりの通常の勤務時間として防衛省令で定めるもので除して得た数（以下「算出率」という。）を乗じて得た額」と、同条第二項及び第三項中「定める額」とあるのは「定める額に、算出率を乗じて得た額」と、同法第六条第一項中「決定する」とあるのは「決定するものとし、その者の俸給月額は、その者の受ける号俸に応じた額に、算出率を乗じて得た額とする」と、同法第六条の二第二項及び第七条第二項中「相当する額と」とあるのは「相当する額にそれぞれ算出率を乗じて得た額と」とする。

3　第一項において準用する第二十三条第二項に規定する任期付短時間勤務職員についての防衛省の職員の給与等に関する法律の規定の適用については、同法第四条第一項中「定める額」とあるのは「定める額に、その者の一週間当たりの通常の勤務時間を自衛隊法第四十一条の二第一項の規定により採用された職員及び国家公務員の育児休業等に関する法律（平成三年法律第百九号）第二十七条第一項において準用する同法第十三条第一項に規定する育児短時間勤務職員以外の職員の一週間当たりの通常の勤務時間として防衛省令で定めるもので除して得た数（第六条第一項において「算出率」という。）を乗じて得た額」と、同法第六条第一項中「決定する」とあるのは「決定するものとし、その者の俸給月額は、その者の受ける号俸に応じた額に、算出率を乗じて得た額とする」と、同法第二十二条の二第五項中「初任給調整手当、同条第二項において準用する一般職給与法第十一条の五から第十一条の七までの規定による地域手当、住居手当及び特地勤務手当」とあるのは「住居手当及び単身赴任手当」と、「定年前再任用短時間勤務職員及び自衛隊法第四十五条の二第一項の規定により採用された職員」とあるのは「国家公務員の育児休業等に関する法律第二十七条第一項において準用する同法第二十三条第二項に規定する任期付短時間勤務職員」とする。

第六章　雑則

第二十八条　この法律（第十条、第二十条及び前条を除く。）の実施に関し必要な事項は、人事院規則で定める。

附　則

（施行期日）

第一条　この法律は、平成四年四月一日から施行する。

（給与法附則第八項の規定が適用される育児短時間勤務職員等に関する読替え）

第二条　育児短時間勤務職員に対する給与法附則第八項の規定の適用については、同項中「」とする」とあるのは、「」に、国家公務員の育児休業等に関する法律（平成三年法律第百九号）第十七条の規定により読み替えられた勤務時間法第五条第一項ただし書の規定により定められたその者の勤務時間を同項本文に規定する勤務時間で除して得た数を乗じて得た額とする」とする。

2　第二十二条の規定による勤務をしている職員が給与法附則第八項の規定の適用を受ける場合における同条の規定の適用については、同条中「前条まで」とあるのは、「前条まで及び附則第二条第一項」とする。

（検察官の俸給等に関する法律附則第五条第一項の規定が適用される育児短時間勤務職員等に関する読替え）

第三条　育児短時間勤務職員に対する検察官の俸給等に関する法律（昭和二十三年法律第七十六号）附則第五条第一項の規定の適用については、同項中「」とする」とあるのは、「」に、国家公務員の育児休業等に関する法律（平成三年法律第百九号）第十七条の規定により読み替えられた一般職の職員の勤務時間、休暇等に関する法律（平成六年法律第三十三号）第五条第一項ただし書の規定により定められたその者の勤務時間を同項本文に規定する勤務時間で除して得た数を乗じて得た額とする」とする。

2　第二十二条の規定による勤務をしている職員が検察官の俸給等に関する法律附則第五条第一項の規定の適用を受ける場合における第二十二条の規定の適用については、同条中「前条まで」とあるのは、「前条まで及び附則第三条第一項」とする。

（防衛省の職員の給与等に関する法律附則第五項の規定が適用される育児短時間勤務職員等に関する読替え）

第四条　第二十七条第一項において準用する第十三条第一項に規定する育児短時間勤務職員に対する防衛省の職員の給与等に関する法律附則第五項の規定の適用については、同項中「」とする」とあるのは、「」に、その者の一週間当たりの通常の勤務時間を定年前再任用短時間勤務職員及び国家公務員の育児休業等に関する法律（平成三年法律第百九号）第二十七条第一項において準用する同法第十三条第一項に規定する育児短時間勤務職員以外の職員の一週間当たりの通常の勤務時間として防衛省令で定めるもので除して得た数を乗じて得た額とする」とする。

2　第二十七条第一項において準用する第二十二条の規定による勤務をしている職員が防衛省の職員の給与等に関する法律附則第五項の規定の適用を受ける場合における第二十七条第一項の規定の適用については、同項の表第二十二条の項中「及び第二十七条第二項」とあるのは、「、第二十七条第二項及び附則第四条第一項」とする。

附　則（平一九・五・一六法四二）（抄）

（施行期日）

第一条　この法律は、公布の日から起算して三月を超えない範囲内において政令で定める日〔平一九・八・一〕から施行する。

（育児休業をした職員の職務復帰後における給与の調整に関する経過措置）

第二条　この法律による改正後の国家公務員の育児休業等に関する法律（以下この条において「新法」という。）第九条（新法第二十七条第一項において準用する場合を含む。）の規定は、育児休業をした職員がこの法律の施行の日以後に職務に復帰した場合における給与の調整について適用し、育児休業をした職員が同日前に職務に復帰した場合における給与の調整については、なお従前の例による。

附　則（平二〇・一二・二六法九四）（抄）

（施行期日）

第一条　この法律は、平成二十一年四月一日から施行する。ただし、〔中略〕附則第三条第一項及び第三項（同条第一項の準用に係る部分に限る。）〔中略〕の規定は公布の日から施行する。

（国家公務員の育児休業等に関する法律の一部改正に伴う経過措置）

第三条　この法律の施行の日（以下「施行日」という。）以後において第三条の規定による改正後の国家公務員の育児休業等に関する法律（以下「新国家公務員育児休業法」という。）第十二条第一項に規定する育児短時間勤務をするため、新国家公務員育児休業法第十二条第三項の規定による承認又は新国家公務員育児休業法第十三条第二項において準用する新国家公務員育児休業法第十二条第三項の規定による承認を受けようとする職員は、施行日前においても、新国家公務員育児休業法第十二条第二項又は第十三条第一項の規定の例により、当該承認を請求することができる。

2　この法律の施行の際現に第三条の規定による改正前の国家公務員の育児休業等に関する法律（以下「旧国家公務員育児休業法」という。）第十二条第一項に規定する育児短時間勤務をしている職員に係る当該育児短時間勤務の承認は、施行日の前日を限り、その効力を失うものとし、施行日に、施行日から当該育児短時間勤務の期間の末日までの間において人事院規則で定める内容（国有林野事業を行う国の経営する企業に勤務する職員の給与等に関する特例法（昭和二十九年法律第百四十一号）第二条第二項に規定する職員にあっては農林水産大臣が定める内容、独立行政法人通則法（平成十一年法律第百三号）第二条第二項に規定する特定独立行政法人の職員にあっては当該特定独立行政法人の長が定める内容）の新国家公務員育児休業法第十二条第一項に規定する育児短時間勤務をすることの承認があったものとみなす。

3　前二項及び次条の規定は、国家公務員法（昭和二十二年法律第百二十号）第二条第三項第十六号に掲げる防衛省の職員について準用する。この場合において、第一項中「第十二条第一項」とあるのは「第二十七条第一項において準用する新国家公務員育児休業法第十二条第一項」と、「、新国家公務員育児休業法第十二条第三項」とあるのは「、新国家公務員育児休業法第二十七条第一項において準用する新国家公務員育児休業法第十二条第三項」と、「第十三条第二項」とあるのは「第二十七条第一項において準用する新国家公務員育児休業法第十三条第二項」と、「第十二条第二項又は第十三条第一項」とあるのは「第二十七条第一項において準用する新国家公務員育児休業法第十二条第二項又は第十三条第一項」と、前項中「）第十二条第一項」とあるのは「）第二十七条第一項において準用する旧国家公務員育児休業法第十二条第一項」と、「人事院規則で定める内容（国有林野事業を行う国の経営する企業に勤務する職員の給与等に関する特例法（昭和二十九年法律第百四十一号）第二条第二項に規定する職員にあっては農林水産大臣が定める内容、独立行政法人通則法（平成十一年法律第百三号）第二条第二項に規定する特定独立行政法人の職員にあっては当該特定独立行政法人の長が定める内容）」とあるのは「政令で定める内容」と、「新国家公務員育児休業法第十二条第一項」とあるのは「新国家公務員育児休業法第二十七条第一項において準用する新国家公務員育児休業法第十二条第一項」と、次条中「人事院規則」とあるのは「政令」と読み替えるものとする。

（人事院規則への委任）

第四条　前二条に定めるもののほか、この法律（第四条、次条、附則第八条及び第十三条の規定を除く。）の施行に関し必要な事項は、人事院規則で定める。

○人事院規則一九—〇（職員の育児休業等）

平四・一・一七公布
平四・四・一施行

最終改正　令五・一・二〇規則一九—〇—一六

第一章　総則

（趣旨）

第一条　この規則は、職員の育児休業、育児短時間勤務（育児休業法第十二条第一項に規定する育児短時間勤務をいう。以下同じ。）及び育児時間（育児休業法第二十六条第一項に規定する育児時間をいう。以下同じ。）に関し必要な事項を定めるものとする。

（任命権者）

第二条　育児休業法に規定する任命権者には、併任に係る官職の任命権者は含まれないものとする。

第二章　育児休業

（育児休業をすることができない職員）

第三条　育児休業法第三条第一項の人事院規則で定める職員は、次に掲げる職員とする。

一　育児休業法第七条第一項若しくは配偶者同行休業法第七条第一項又は規則八—一二（職員の任免）第四十二条第二項（第一号及び第二号を除く。）の規定により任期を定めて採用された職員

二　法第八十一条の五第一項から第四項までの規定により異動期間（これらの規定により延長された期間を含む。）を延長された管理監督職を占める職員

三　勤務延長職員

四　常時勤務することを要しない職員（以下「非常勤職員」という。）であって、次のいずれかに該当するもの以外の非常勤職員

イ　次のいずれにも該当する非常勤職員

(1)　その養育する子（育児休業法第三条第一項に規定する子をいう。以下同じ。）が一歳六か月に達する日（以下「一歳六か月到達日」という。）（当該子の出生の日から第四条の三に規定する期間内に育児休業をしようとする場合にあっては当該期間の末日から六月を経過する日、第三条の四の規定に該当する場合にあっては当該子が二歳に達する日）までに、その任期（任期が更新される場合にあっては、更新後のもの）が満了すること及び引き続いて任命権者を同じくする官職（以下「特定官職」という。）に採用されないことが明らかでない非常勤職員

(2)　勤務日の日数を考慮して人事院が定める非常勤職員

ロ　次のいずれかに該当する非常勤職員

(1)　その養育する子が一歳に達する日（以下「一歳到達日」という。）（当該子について当該非常勤職員が第三条の三第二号に掲げる場合に該当してする育児休業の期間の末日とされた日が当該子の一歳到達日後である場合にあっては、当該末日とされた日。以下(1)において同じ。）において育児休業をしている非常勤職員であって、同条第三号に掲げる場合に該当して当該子の一歳到達日の翌日を育児休業の期間の初日と

する育児休業をしようとするもの

(2) その任期の末日を育児休業の期間の末日とする育児休業をしている非常勤職員であって、当該任期を更新され、又は当該任期の満了後引き続いて特定官職に採用されることに伴い、当該育児休業に係る子について、当該更新前の任期の末日の翌日又は当該採用の日を育児休業の期間の初日とする育児休業をしようとするもの

（育児休業法第三条第一項の人事院規則で定める者）

第三条の二 育児休業法第三条第一項の人事院規則で定める者は、児童福祉法（昭和二十二年法律第百六十四号）第六条の四第一号に規定する養育里親である職員（児童の親その他の同法第二十七条第四項に規定する者の意に反するため、同項の規定により、同法第六条の四第二号に規定する養子縁組里親として当該児童を委託することができない職員に限る。）に同法第二十七条第一項第三号の規定により委託されている当該児童とする。

（育児休業法第三条第一項の人事院規則で定める日）

第三条の三 育児休業法第三条第一項の人事院規則で定める日は、次の各号に掲げる場合の区分に応じ、当該各号に定める日とする。

一 次号及び第三号に掲げる場合以外の場合 非常勤職員の養育する子の一歳到達日

二 非常勤職員の配偶者（届出をしないが事実上婚姻関係と同様の事情にある者を含む。以下同じ。）が当該非常勤職員の養育する子の一歳到達日以前のいずれかの日において当該子を養育するために育児休業法その他の法律の規定による育児休業（以下「国等育児休業」という。）をしている場合において、当該非常勤職員が、当該子について育児休業をしようとする場合（当該育児休業の期間の初日とされた日が当該子の一歳到達日の翌日後である場合又は当該国等育児休業の期間の初日前である場合を除く。） 当該子が一歳二か月に達する日（当該日が当該育児休業の期間の初日とされた日から起算して育児休業等可能日数（当該子の出生の日から当該子の一歳到達日までの日数をいう。）から育児休業等取得日数（当該子の出生の日以後当該非常勤職員が規則一五―一五（非常勤職員の勤務時間及び休暇）第四条第一項第十号又は第十一号（当該非常勤職員が法第六十条の二第二項に規定する定年前再任用短時間勤務職員（以下「定年前再任用短時間勤務職員」という。）である場合にあっては、規則一五―一四（職員の勤務時間、休日及び休暇）第二十二条第一項第六号又は第七号）の休暇により勤務しなかった日数と当該子について育児休業をした日数を合算した日数をいう。）を差し引いた日数を経過する日より後の日であるときは、当該経過する日）

三 一歳から一歳六か月に達するまでの子を養育する非常勤職員が、次に掲げる場合のいずれにも該当する場合（当該子についてこの号に掲げる場合に該当して育児休業をしている場合であって第四条第七号に掲げる事情に該当するときはロ及びハに掲げる場合に該当する場合、人事院が定める特別の事情がある場合にあってはハに掲げる場合に該当する場合） 当該子の一歳六か月到達日

イ 当該非常勤職員が当該子の一歳到達日（当該非常勤職員が前号に掲げる場合に該当してする育児休業又は当該非常勤職員の配偶者が同号に掲げる場合若しくはこれに相当する場合に該当してする国等育児休業の期間の末日とされた日が当該子の一歳到達日後である場合にあっては、当該末日とされた日（当該育児休業の期間の末日とされた日と当該国等育児休業の期間の末日とされた日が異なるときは、そのいずれかの日））の翌日（当該配偶者がこの号に掲げる場合又はこれに相当する場合に該当して国等育児休業をする場合にあっては、当該国等育児休業の期間の末日とされた日の翌日以前の日）を育児休業の期間の初日とする育児休業をしようとする場合

ロ 当該子について、当該非常勤職員が当該子の一歳到達日（当該非常勤職員が前号に掲げる場合に該当してする育児休業の期間の末日とされた日が当該子の一歳到達日後である場合にあっては、当該末日とされた日）において育児休業をしている場合又は当該非常勤職員の配偶者が当該子の一歳到達日（当該配偶者が同号に掲げる場合又はこれに相当する場合に該当してする国等育児休業の期間の末日とされた日が当該子の一歳到達日後である場合にあっては、当該末日とされた日）において国等育児休業をしている場合

ハ 当該子の一歳到達日後の期間について育児休業をすることが継続的な勤務のために特に必要と認められる場合として人事院が定める場合に該当する場合

ニ 当該子について、当該非常勤職員が当該子の一歳到達日（当該非常勤職員が前号に掲げる場合に該当してする育児休業の期間の末日とされた日が当該子の一歳到達日後である場合にあっては、当

該末日とされた日）後の期間においてこの号に掲げる場合に該当して育児休業をしたことがない場合

（育児休業法第三条第一項本文の人事院規則で定める場合）

第三条の四　育児休業法第三条第一項本文の人事院規則で定める場合は、一歳六か月から二歳に達するまでの子を養育する非常勤職員が、次の各号に掲げる場合のいずれにも該当する場合（当該子についてこの条の規定に該当して育児休業をしている場合であって次条第七号に掲げる事情に該当するときは第二号及び第三号に掲げる場合に該当する場合、人事院が定める特別の事情がある場合にあっては同号に掲げる場合に該当する場合）とする。

一　当該非常勤職員が当該子の一歳六か月到達日の翌日（当該非常勤職員の配偶者がこの条の規定に該当し、又はこれに相当する場合に該当して国等育児休業をする場合にあっては、当該国等育児休業の期間の末日とされた日の翌日以前の日）を育児休業の期間の初日とする育児休業をしようとする場合

二　当該子について、当該非常勤職員が当該子の一歳六か月到達日において育児休業をしている場合又は当該非常勤職員の配偶者が当該子の一歳六か月到達日において国等育児休業をしている場合

三　当該子の一歳六か月到達日後の期間について育児休業をすることが継続的な勤務のために特に必要と認められる場合として人事院が定める場合に該当する場合

四　当該子について、当該非常勤職員が当該子の一歳六か月到達日後の期間においてこの条の規定に該当して育児休業をしたことがない場合

（育児休業法第三条第一項ただし書の人事院規則で定める特別の事情）

第四条　育児休業法第三条第一項ただし書の人事院規則で定める特別の事情は、次に掲げる事情とする。

一　育児休業の承認が、産前の休業を始め又は出産したことにより効力を失った後、当該産前の休業又は出産に係る子が次に掲げる場合に該当することとなったこと。

イ　死亡した場合

ロ　養子縁組等により職員と別居することとなった場合

二　育児休業の承認が、第九条に規定する事由に該当したことにより取り消された後、同条に規定する承認に係る子が次に掲げる場合に該当することとなったこと。

イ　前号イ又はロに掲げる場合

ロ　民法（明治二十九年法律第八十九号）第八百十七条の二第一項の規定による請求に係る家事審判事件が終了した場合（特別養子縁組の成立の審判が確定した場合を除く。）又は養子縁組が成立しないまま児童福祉法第二十七条第一項第三号の規定による措置が解除された場合

三　育児休業の承認が休職又は停職の処分を受けたことにより効力を失った後、当該休職又は停職が終了したこと。

四　育児休業の承認が、職員の負傷、疾病又は身体上若しくは精神上の障害により当該育児休業に係る子を養育することができない状態が相当期間にわたり継続することが見込まれることにより取り消された後、当該子を養育することができる状態に回復したこと。

五　配偶者が負傷又は疾病により入院したこと、配偶者と別居したこと、育児休業に係る子について児童福祉法第三十九条第一項に規定する保育所、就学前の子どもに関する教育、保育等の総合的な提供の推進に関する法律（平成十八年法律第七十七号）第二条第六項に規定する認定こども園又は児童福祉法第二十四条第二項に規定する家庭的保育事業等（以下「保育所等」という。）における保育の利用を希望し、申込みを行っているが、当面その実施が行われないことその他の育児休業の終了時に予測することができなかった事実が生じたことにより当該育児休業に係る子について育児休業をしなければその養育に著しい支障が生じること。

六　第三条の三第三号に掲げる場合に該当すること又は第三条の四の規定に該当すること。

七　任期を定めて採用された職員であって、当該任期の末日を育児休業の期間の末日とする育児休業をしているものが、当該任期を更新され、又は当該任期の満了後引き続いて特定官職に採用されることに伴い、当該育児休業に係る子について、当該更新前の任期の末日の翌日又は当該採用の日を育児休業の期間の初日とする育児休業をしようとすること。

（育児休業法第三条第一項第一号の人事院規則で定める場合）

第四条の二　育児休業法第三条第一項第一号の人事院規則で定める場合は、規則一五―一四第二十二条第一項第七号に掲げる場合とする。

（育児休業法第三条第一項第一号の人事院規則で定め

る期間を考慮して人事院規則で定める期間）

第四条の三　育児休業法第三条第一項第一号の人事院規則で定める期間を考慮して人事院規則で定める期間は、五十七日間とする。

（育児休業の承認の請求手続）

第五条　育児休業の承認の請求は、育児休業承認請求書により行い、第四条第七号に掲げる事情に該当して育児休業の承認を請求する場合を除き、育児休業を始めようとする日の一月（次に掲げる場合は、二週間）前までに行うものとする。

一　当該請求に係る子の出生の日から前条に規定する期間内に育児休業をしようとする場合

二　第三条の三第三号に掲げる場合に該当する場合であって、当該請求をする日が当該請求に係る子の一歳到達日（当該請求をする非常勤職員が同条第二号に掲げる場合に該当してする育児休業又は当該非常勤職員の配偶者が同号に掲げる場合若しくはこれに相当する場合に該当してする国等育児休業の期間の末日とされた日が当該請求に係る子の一歳到達日後である場合は、当該末日とされた日（当該育児休業の期間の末日とされた日と当該国等育児休業の期間の末日とされた日が異なるときは、そのいずれかの日））以前の日である場合

三　第三条の四の規定に該当する場合であって、当該請求をする日が当該請求に係る子の一歳六か月到達日以前の日である場合

2　任命権者は、育児休業の承認の請求について、その事由を確認する必要があると認めるときは、当該請求をした職員に対して、証明書類の提出を求めることができる。ただし、任期を定めて採用された職員が第四条第七号に掲げる事情に該当して育児休業の承認を請求した場合は、この限りでない。

（育児休業の期間の延長の請求手続）

第六条　育児休業の期間の延長の請求は、育児休業承認請求書により行い、第四条第七号に規定する職員が任期を更新されることに伴い育児休業の期間の延長を請求する場合を除き、育児休業の期間の末日とされている日の翌日の一月（次に掲げる育児休業の期間を延長しようとする場合は、二週間）前までに行うものとする。

一　当該請求に係る子の出生の日から第四条の三に規定する期間内にしている育児休業（当該期間内に延長後の育児休業の期間の末日とされる日があることとなるものに限る。）

二　第三条の三第三号に掲げる場合に該当してしている育児休業

三　第三条の四の規定に該当してしている育児休業

2　前条第二項本文の規定は、育児休業の期間の延長の請求について準用する。

（育児休業の期間の再度の延長ができる特別の事情）

第七条　育児休業法第四条第二項の人事院規則で定める特別の事情は、配偶者が負傷又は疾病により入院したこと、配偶者と別居したこと、育児休業に係る子について保育所等における保育の利用を希望し、申込みを行っているが、当面その実施が行われないことその他の育児休業の期間の延長の請求時に予測することができなかった事実が生じたことにより当該育児休業に係る子について育児休業の期間の再度の延長をしなければその養育に著しい支障が生じることとする。

（育児休業をしている職員が保有する官職）

第八条　育児休業をしている職員は、その承認を受けた時占めていた官職又はその期間中に異動した官職を保有するものとする。ただし、併任に係る官職については、この限りでない。

2　前項の規定は、当該官職を他の職員をもって補充することを妨げるものではない。

（育児休業の承認の取消事由）

第九条　育児休業法第六条第一項の人事院規則で定める事由は、育児休業をしている職員について当該育児休業に係る子以外の子に係る育児休業を承認しようとするときとする。

（育児休業に係る子が死亡した場合等の届出）

第十条　育児休業をしている職員は、次に掲げる場合には、遅滞なく、その旨を任命権者に届け出なければならない。

一　育児休業に係る子が死亡した場合

二　育児休業に係る子が職員の子でなくなった場合

三　育児休業に係る子を養育しなくなった場合

2　前項の届出は、養育状況変更届により行うものとする。

3　第五条第二項本文の規定は、第一項の届出について準用する。

（育児休業をしている職員の職務復帰）

第十一条　育児休業の期間が満了したとき、育児休業の承認が休職又は停職の処分を受けたこと以外の事由により効力を失ったとき又は育児休業の承認が取り消されたとき（第九条に規定する事由に該当したことにより承認が取り消された場合を除く。）は、当該育児休業に係る職員は、職務に復帰するものとする。

（育児休業に係る人事異動通知書の交付）

第十二条　任命権者は、次に掲げる場合には、職員に対して、規則八―一二第五十八条の規定による人事異動通知書（以下「人事異動通知書」という。）を交付しなければならない。ただし、次の各号に規定する育児休業（第四号については、引き続いて承認する育児休業に限る。）が当該育児休業に係る子の出生の日から第四条の三に規定する期間内にあるものである場合にあっては、人事異動通知書に代わる文書の交付その他適当な方法をもって人事異動通知書の交付に替えることができる。

一　職員の育児休業を承認する場合

二　職員の育児休業の期間の延長を承認する場合

三　育児休業をした職員が職務に復帰した場合

四　育児休業をしている職員について当該育児休業の承認を取り消し、引き続いて当該育児休業に係る子以外の子に係る育児休業を承認する場合

（育児休業に伴う任期付採用に係る任期の更新）

第十三条　任命権者は、育児休業法第七条第三項の規定により任期を更新する場合には、あらかじめ職員の同意を得なければならない。

（育児休業に伴う任期付採用に係る人事異動通知書の交付）

第十四条　任命権者は、次に掲げる場合には、人事異動通知書を交付しなければならない。ただし、第三号に掲げる場合において、人事異動通知書の交付によらないことを適当と認めるときは、人事異動通知書に代わる文書の交付その他適当な方法をもって人事異動通知書の交付に替えることができる。

一　育児休業法第七条第一項の規定により任期を定めて職員を採用した場合

二　育児休業法第七条第一項の規定により任期を定めて採用された職員（次号において「任期付職員」という。）の任期を更新した場合

三　任期の満了により任期付職員が当然に退職した場合

（育児休業をしている職員の期末手当に係る勤務した期間に相当する期間）

第十五条　育児休業法第八条第一項の人事院規則で定める期間は、休暇の期間その他勤務しないことにつき特に承認のあった期間のうち、次に掲げる期間以外の期間とする。

一　育児休業法第三条の規定により育児休業をしていた期間

二　規則九―四〇（期末手当及び勤勉手当）第一条第三号から第五号まで、第十号又は第十二号に掲げる職員（同条第四号に掲げる職員については、勤務日及び勤務時間が常勤の職員と同様である者を除く。）として在職した期間

三　休職にされていた期間（規則九―四〇第五条第二項第五号イからニまでに掲げる期間を除く。）

（育児休業をした職員の職務復帰後における号俸の調整）

第十六条　育児休業をした職員が職務に復帰した場合において、部内の他の職員との均衡上必要があると認められるときは、その育児休業の期間を百分の百以下の換算率により換算して得た期間を引き続き勤務したものとみなして、その職務に復帰した日、同日後における最初の昇給日（規則九―八（初任給、昇格、昇給等の基準）第三十四条に規定する昇給日をいう。以下この項において同じ。）又はその次の昇給日に、昇給の場合に準じてその者の号俸を調整することができる。

2　育児休業をした職員が職務に復帰した場合における号俸の調整について、前項の規定による場合には部内の他の職員との均衡を著しく失すると認められるときは、同項の規定にかかわらず、あらかじめ人事院と協議して、その者の号俸を調整することができる。

第三章　育児短時間勤務

（育児短時間勤務をすることができない職員）

第十七条　育児休業法第十二条第一項の人事院規則で定める職員は、次に掲げる職員とする。

一　育児休業法第七条第一項若しくは配偶者同行休業法第七条第一項又は規則八―一二第四十二条第二項（第一号及び第二号を除く。）の規定により任期を定めて採用された職員

二　法第八十一条の五第一項から第四項までの規定により異動期間（これらの規定により延長された期間を含む。）を延長された管理監督職を占める職員

三　勤務延長職員

（育児短時間勤務の終了の日の翌日から起算して一年を経過しない場合に育児短時間勤務をすることができる特別の事情）

第十八条　育児休業法第十二条第一項ただし書の人事院規則で定める特別の事情は、次に掲げる事情とする。

一　育児短時間勤務の承認が、産前の休業を始め又は出産したことにより効力を失った後、当該産前の休業又は出産に係る子が第四条第一号イ又はロに掲げる場合に該当することとなったこと。

二　育児短時間勤務の承認が、第二十一条第一号に掲げる事由に該当したことにより取り消された後、同

号に規定する承認に係る子が第四条第二号イ又はロに掲げる場合に該当することとなったこと。

三　育児短時間勤務の承認が休職又は停職の処分を受けたことにより効力を失った後、当該休職又は停職が終了したこと。

四　育児短時間勤務の承認が、職員の負傷、疾病又は身体上若しくは精神上の障害により当該育児短時間勤務に係る子を養育することができない状態が相当期間にわたり継続することが見込まれることにより取り消された後、当該子を養育することができる状態に回復したこと。

五　育児短時間勤務の承認が、第二十一条第二号に掲げる事由に該当したことにより取り消されたこと。

六　育児短時間勤務（この号の規定に該当したことにより当該育児短時間勤務に係る子について既にしたものを除く。）の終了後、三月以上の期間を経過したこと（当該育児短時間勤務をした職員が、当該育児短時間勤務の承認の請求の際育児短時間勤務により当該子を養育するための計画について育児短時間勤務計画書により任命権者に申し出た場合に限る。）。

七　配偶者が負傷又は疾病により入院したこと、配偶者と別居したこと、育児短時間勤務に係る子について保育所等における保育の利用を希望し、申込みを行っているが、当面その実施が行われないことその他の育児短時間勤務の終了時に予測することができなかった事実が生じたことにより当該育児短時間勤務に係る子について育児短時間勤務をしなければその養育に著しい支障が生じること。

（育児休業法第十二条第一項第五号の人事院規則で定める勤務の形態）

第十九条　育児休業法第十二条第一項第五号の人事院規則で定める勤務の形態は、次の各号に掲げる職員の区分に応じ、当該各号に定める勤務の形態（同項第一号から第四号までに掲げる勤務の形態を除く。）とする。

一　勤務時間法第六条第三項の規定の適用を受ける職員　日曜日及び土曜日を週休日（同条第一項に規定する週休日をいう。以下この条において同じ。）とし、又は日曜日及び土曜日並びに月曜日から金曜日までの五日間のうちの二日を週休日とし、四週間ごとの期間（育児短時間勤務をしようとする期間の全てを四週間ごとに区分することができない場合にあっては、人事院の定めるところにより、当該育児短時間勤務をしようとする期間を一週間、二週間、三週間又は四週間に区分した各期間。以下この号において「単位期間」という。）につき一週間当たりの勤務時間が十九時間二十五分、十九時間三十五分、二十三時間十五分又は二十四時間三十五分となるように、かつ、週休日以外の日において一日につき午前五時から午後十時までの間において二時間以上（単位期間をその初日から一週間ごとに区分した各期間（単位期間が一週間である場合にあっては、単位期間）ごとにつき一日を限度として職員があらかじめ指定する日にあっては、二時間未満）勤務すること。

二　勤務時間法第七条第一項の規定の適用を受ける職員　次に掲げる勤務の形態（勤務日が引き続き十二日を超えず、かつ、一回の勤務が十六時間を超えないものに限る。）

イ　四週間ごとの期間につき八日以上を週休日とし、当該期間につき一週間当たりの勤務時間が十九時間二十五分、十九時間三十五分、二十三時間十五分又は二十四時間三十五分となるように勤務すること。

ロ　五十二週間を超えない期間につき一週間当たり一日以上の割合の日を週休日とし、週休日が毎四週間につき四日以上となるようにし、及び当該期間につき一週間当たりの勤務時間が十九時間二十五分、十九時間三十五分、二十三時間十五分又は二十四時間三十五分となるように、かつ、毎四週間につき一週間当たりの勤務時間が四十二時間を超えないように勤務すること。

（育児短時間勤務の承認又は期間の延長の請求手続）

第二十条　育児短時間勤務の承認又は期間の延長の請求は、育児短時間勤務承認請求書により、育児短時間勤務を始めようとする日又はその期間の末日の翌日の一月前までに行うものとする。

2　第五条第二項本文の規定は、育児短時間勤務の承認又は期間の延長の請求について準用する。

（育児短時間勤務の承認の取消事由）

第二十一条　育児休業法第十四条において準用する育児休業法第六条第一項の人事院規則で定める事由は、次に掲げる事由とする。

一　育児短時間勤務をしている職員について当該育児短時間勤務に係る子以外の子に係る育児短時間勤務を承認しようとするとき。

二　育児短時間勤務をしている職員について当該育児短時間勤務の内容と異なる内容の育児短時間勤務を承認しようとするとき。

（育児短時間勤務に係る子が死亡した場合等の届出）

第二十二条　第十条の規定は、育児短時間勤務について準用する。

（育児休業法第二十二条の人事院規則で定めるやむを得ない事情）

第二十三条　育児休業法第二十二条の人事院規則で定めるやむを得ない事情は、次に掲げる事情とする。

一　過員を生ずること。

二　当該育児短時間勤務に伴い任用されている任期付短時間勤務職員（育児休業法第二十三条第二項に規定する任期付短時間勤務職員をいう。以下同じ。）を任期付短時間勤務職員として引き続き任用しておくことができないこと。

（育児短時間勤務等に係る人事異動通知書の交付）

第二十四条　任命権者は、次に掲げる場合には、職員に対して、人事異動通知書を交付しなければならない。

一　職員の育児短時間勤務を承認する場合

二　職員の育児短時間勤務の期間の延長を承認する場合

三　育児短時間勤務の期間が満了し、育児短時間勤務の承認が効力を失い、又は育児短時間勤務の承認が取り消された場合

四　育児休業法第二十二条の規定による短時間勤務をさせる場合又は当該短時間勤務が終了した場合

（育児短時間勤務に伴う任期付短時間勤務職員の任用に係る任期の更新）

第二十五条　第十三条の規定は、任期付短時間勤務職員の任期の更新について準用する。

（育児短時間勤務に伴う任期付短時間勤務職員の任用に係る人事異動通知書の交付）

第二十六条　任命権者は、次に掲げる場合には、人事異動通知書を交付しなければならない。ただし、第三号に掲げる場合において、人事異動通知書の交付によらないことを適当と認めるときは、人事異動通知書に代わる文書の交付その他適当な方法をもって人事異動通知書の交付に替えることができる。

一　育児休業法第二十三条第一項の規定により職員を任用した場合

二　任期付短時間勤務職員の任期を更新した場合

三　任期の満了により任期付短時間勤務職員が当然に退職した場合

（任期付短時間勤務職員の職務の級の決定の特例）

第二十七条　育児短時間勤務に伴い任用されている任期付短時間勤務職員の職務の級は、当該育児短時間勤務をしている職員の属する職務の級より上位の職務の級に決定することはできない。育児休業法第二十二条の規定による短時間勤務に伴い任用されている任期付短時間勤務職員の職務の級についても、同様とする。

第四章　育児時間

（育児時間を請求することができない職員）

第二十八条　育児休業法第二十六条第一項の人事院規則で定める職員は、次に掲げる職員とする。

一　育児短時間勤務又は育児休業法第二十二条の規定による短時間勤務をしている職員

二　勤務日の日数及び勤務日ごとの勤務時間を考慮して人事院が定める非常勤職員以外の非常勤職員（定年前再任用短時間勤務職員を除く。）

（育児時間の承認）

第二十九条　育児時間の承認は、勤務時間法第十三条第一項に規定する正規の勤務時間（非常勤職員（定年前再任用短時間勤務職員を除く。以下この条において同じ。）にあっては、当該非常勤職員について定められた勤務時間）の始め又は終わりにおいて、三十分を単位として行うものとする。

2　勤務時間法第二十条の二第一項の介護時間又は規則一五—一四第二十二条第一項第八号の休暇の承認を受けて勤務しない職員に対する育児時間の承認については、一日につき二時間から当該介護時間又は当該休暇の承認を受けて勤務しない時間を減じた時間を超えない範囲内で行うものとする。

3　非常勤職員に対する育児時間の承認については、一日につき、当該非常勤職員について一日につき定められた勤務時間から五時間四十五分を減じた時間を超えない範囲内で（当該非常勤職員が規則一五—一五第四条第二項第一号又は第五号の休暇の承認を受けて勤務しない場合にあっては、当該時間を超えない範囲内で、かつ、二時間からこれらの休暇の承認を受けて勤務しない時間を減じた時間を超えない範囲内で）行うものとする。

（育児時間の承認の請求手続）

第三十条　育児時間の承認の請求は、育児時間承認請求書により行うものとする。

2　第五条第二項本文の規定は、育児時間の承認の請求について準用する。

（育児時間の承認の取消事由等）

第三十一条　第二十一条及び第二十二条の規定は、育児時間について準用する。

第五章　各省各庁の長等が講ずべき措置等

（妊娠又は出産等についての申出があった場合におけ

る措置等）

第三十二条　各省各庁の長及び行政執行法人の長（以下この章において「各省各庁の長等」という。）は、職員が当該各省各庁の長等に対し、当該職員又はその配偶者が妊娠し、又は出産したことその他これに準ずるものとして人事院の定める事実を申し出たときは、人事院の定めるところにより、当該職員に対して、育児休業に関する制度その他の人事院が定める事項を知らせるとともに、育児休業の承認の請求に係る当該職員の意向を確認するための面談その他の人事院が定める措置を講じなければならない。

2　各省各庁の長等は、職員が前項の規定による申出をしたことを理由として、当該職員が不利益な取扱いを受けることがないようにしなければならない。

（勤務環境の整備に関する措置）

第三十三条　各省各庁の長等は、育児休業の承認の請求が円滑に行われるようにするため、次に掲げる措置を講じなければならない。

一　職員に対する育児休業に係る研修の実施

二　育児休業に関する相談体制の整備

三　その他人事院が定める育児休業に係る勤務環境の整備に関する措置

2　人事院は、各省各庁の長等が前項の規定により実施する同項第一号の研修の調整及び指導に当たるとともに、自ら実施することが適当と認められる育児休業に係る研修について計画を立て、その実施に努めるものとする。

（育児休業の取得の状況の報告及び公表）

第三十四条　各省各庁の長等は、毎年度（毎年四月一日から翌年の三月三十一日までをいう。）、前年度における職員の育児休業の取得の状況として人事院が定めるものを人事院に報告しなければならない。

2　人事院は、前項の規定による報告を取りまとめ、その概要を公表しなければならない。

第六章　雑則

第三十五条　この規則に定めるもののほか、職員の育児休業、育児短時間勤務及び育児時間に関し必要な事項は、人事院が定める。

附　則

この規則は、平成四年四月一日から施行する。

附　則（平一九・七・二〇規則一九―〇―五）

（施行期日）

1　この規則は、平成十九年八月一日から施行する。

（育児休業をした職員の職務復帰後における号俸の調整に関する経過措置）

2　国家公務員の育児休業等に関する法律の一部を改正する法律（平成十九年法律第四十二号）の施行の際現に育児休業をしている職員が職務に復帰した場合におけるこの規則による改正後の規則一九―〇第十六条第一項の規定の適用については、同項中「百分の百以下」とあるのは、「百分の百以下（当該期間のうち平成十九年八月一日前の期間については、二分の一）」とする。

附　則（平二一・二・二七規則一九―〇―六）

（施行期日）

1　この規則は、平成二十一年四月一日から施行する。

（改正法附則第三条第二項の人事院規則で定める内容）

2　一般職の職員の給与に関する法律等の一部を改正する法律（平成二十年法律第九十四号。以下「改正法」という。）附則第三条第二項の人事院規則で定める内容は、改正法の施行の際現に改正法第三条の規定による改正前の育児休業法（以下「旧育児休業法」という。）第十二条第一項に規定する育児短時間勤務をしている職員の次の各号に掲げる区分に応じ、当該各号に定める内容とする。ただし、当該職員が勤務する部局又は機関のその他の職員の勤務の時間帯その他の事情によりこれにより難い場合には、それらの事情を考慮して人事院が定める内容とすることができる。

一　旧育児休業法第十二条第一項第一号に掲げる勤務の形態により勤務する職員　当該職員の同項に規定する育児短時間勤務の内容（以下「旧内容」という。）について勤務の時間帯における終業の時刻を五分繰り上げたものを改正法第三条の規定による改正後の育児休業法（以下「新育児休業法」という。）第十二条第一項第一号に掲げる勤務の形態による同項に規定する育児短時間勤務の内容（以下「新内容」という。）として勤務すること。

二　旧育児休業法第十二条第一項第二号に掲げる勤務の形態により勤務する職員　当該職員の旧内容について勤務の時間帯における終業の時刻を五分繰り上げたものを新育児休業法第十二条第一項第二号に掲げる勤務の形態による新内容として勤務すること。

三　旧育児休業法第十二条第一項第三号に掲げる勤務の形態により勤務する職員　当該職員の旧内容について勤務の時間帯における終業の時刻を十五分繰り上げたものを新育児休業法第十二条第一項第三号に掲げる勤務の形態による新内容として勤務すること。

四　旧育児休業法第十二条第一項第四号に掲げる勤務の形態により勤務する職員　当該職員の旧内容について勤務の時間帯における終業の時刻を一日につき八時間勤務することとされた日にあっては十五分、一日につき四時間勤務することとされた日にあっては五分それぞれ繰り上げたものを新育児休業法第十二条第一項第四号に掲げる勤務の形態による新内容として勤務すること。

五　旧育児休業法第十二条第一項第五号に掲げる勤務の形態により勤務する職員　当該職員の旧内容について勤務の時間帯を新育児休業法第十二条第一項第五号に適合するように人事院が定めるものを同号に掲げる勤務の形態による新内容として勤務すること。

（旧育児休業法第二十二条の規定による短時間勤務をしている職員等に関する経過措置）

3　改正法の施行の際現に旧育児休業法第二十二条の規定による短時間勤務をしている職員及び改正法の施行の日において新育児休業法第二十二条の規定による短時間勤務をすることとなった職員の同日以後における勤務の日及び時間帯は、新育児休業法第十二条第一項各号に適合するように人事院が定めるものとする。

附　則（平二二・三・一五規則一九―〇―七）（抄）

（経過措置）

2　この規則の施行の日前に改正前の規則一九―〇第四条第四号又は第十八条第五号の規定により職員が申し出た計画は、同日以後は、それぞれ改正後の規則一九―〇第四条第四号又は第十八条第五号の規定により職員が申し出た計画とみなす。

附　則（令四・二・一八規則一―七九）（抄）

（施行期日）

第一条　この規則は、令和五年四月一日から施行する。

（定義）

第二条　この附則において、次の各号に掲げる用語の意義は、それぞれ当該各号に定めるところによる。

一　令和三年改正法　国家公務員法等の一部を改正する法律（令和三年法律第六十一号）をいう。

二・三〔略〕

四　暫定再任用短時間勤務職員　令和三年改正法附則第七条第一項に規定する暫定再任用短時間勤務職員をいう。

五　定年前再任用短時間勤務職員　法第六十条の二第二項に規定する定年前再任用短時間勤務職員をいう。

六・七〔略〕

（改正後の人事院規則一九―〇における暫定再任用短時間勤務職員に関する経過措置）

第二十四条　暫定再任用短時間勤務職員は、定年前再任用短時間勤務職員とみなして、第三十八条の規定による改正後の規則一九―〇第三条の三、第二十八条及び第二十九条第一項の規定を適用する。

附　則（令四・六・一七規則一九―〇―一五）（抄）

（施行期日）

第一条　この規則は、令和四年十月一日から施行する。

（人事院規則一九―〇の一部改正に伴う経過措置）

第二条　この規則の施行日前に育児休業等計画書を提出した職員に対するこの規則による改正前の規則一九―〇第四条（第五号に係る部分に限る。）及び第十八条（第六号に係る部分に限る。）の規定の適用については、なお従前の例による。

附　則（令五・一・二〇規則一九―〇―一六）

（施行期日）

第一条　この規則は、令和五年四月一日から施行する。

（経過措置）

第二条　この規則の施行の際現に育児休業法第十二条第一項の規定により育児短時間勤務をしている職員であって、この規則による改正前の規則一九―〇第十九条第一号に定める勤務の形態によっていたものの勤務の形態については、この規則による改正後の同号の規定にかかわらず、なお従前の例による。

○育児休業等の運用について

平四・一・一七
職福—二〇

最終改正 令四・六・一七職職—一二三

第一 総則関係

1 国家公務員の育児休業等に関する法律（平成三年法律第百九号。以下「育児休業法」という。）にいう「子」とは、養子を含んだ法律上の親子関係がある子及び育児休業法第三条第一項において子に含まれるものとされる者をいう。

2 育児休業法第三条第二項の「育児休業をしようとする期間」又は育児休業法第十二条第二項の「育児短時間勤務をしようとする期間」とは、連続する一の期間をいう。

3 任命権者は、育児休業法第三条第二項、第四条第一項、第十二条第二項又は第十三条第一項の規定による請求があった場合には、速やかにその承認の可否を当該請求をした職員に通知するよう努めるものとする。

4 育児休業法第六条第一項（育児休業法第十四条又は第二十六条第三項において準用する場合を含む。次項において同じ。）の「出産」とは、妊娠満十二週以後の分べん（死産を含む。）をいう。

5 育児休業法第六条第一項の「職員の子でなくなった場合」とは、次のいずれかに該当する場合をいう。

(1) 職員と育児休業に係る子とが離縁した場合

(2) 職員と育児休業に係る子との養子縁組が取り消された場合

(3) 職員と育児休業に係る子との親族関係が民法（明治二十九年法律第八十九号）第八百十七条の二に規定する特別養子縁組により終了した場合

(4) 職員と育児休業に係る子についての民法第八百十七条の二第一項の規定による請求に係る家事審判事件が終了した場合（特別養子縁組の成立の審判が確定した場合を除く。）

(5) 職員と育児休業に係る子との養子縁組が成立しないまま児童福祉法（昭和二十二年法律第百六十四号）第二十七条第一項第三号の規定による措置が解除された場合

6 育児休業法第十二条第一項又は第二十六条第一項の「小学校就学の始期に達するまで」とは、満六歳に達する日以後の最初の三月三十一日までをいう。

7 人事院規則一九—〇（職員の育児休業等）（以下「規則」という。）第三条第三号又は第十七条第三号の「勤務延長職員」とは、国家公務員法（昭和二十二年法律第百二十号）第八十一条の七第一項又は第二項の規定により定年退職日の翌日以降引き続いて勤務している職員をいう。

8 規則第三条第四号イ(1)及びロ(2)並びに第四条第七号の引き続いて特定官職に採用されるものであるかどうかの判断は、その雇用形態が社会通念上中断されていないと認められるかどうかにより行うものとする。

9 規則第十条第二項（規則第二十二条（規則第三十一条において準用する場合を含む。）において準用する場合を含む。）の養育状況変更届には、次に掲げる事項を記載するものとする。なお、その参考例を示せば、別紙第1のとおりである。

(1) 職員の所属、官職及び氏名

(2) 規則第十条第一項各号（規則第二十二条（規則第三十一条において準用する場合を含む。）において準用する場合を含む。）に掲げる場合及びその発生日

10 任命権者は、育児休業法第七条第一項の規定により職員を採用しようとする場合は、任期を定めて採用されること及びその任期について承諾した文書を職員となる者に提出させるものとする。

11 任命権者は、育児休業法第二十三条第一項の規定により職員を任用しようとする場合は、任期を定めて任用されること及びその任期について承諾した文書を職員となる者に提出させるものとする。

12 任命権者は、規則第十三条（規則第二十五条において準用する場合を含む。）の規定により職員の同意を得る場合には、当該職員に任期を更新すること及びその更新する期間について承諾した文書を提出させるものとする。

第二 育児休業の承認関係

1 育児休業法第二条第一項の「三歳に達する日」とは、満三歳の誕生日の前日をいい、「一歳に達する日」とは、満一歳の誕生日の前日をいい、「一歳六か月に達する日」とは、満一歳の誕生日から起算して六月を経過する日をいい、「二歳に達する日」とは、満二歳の誕生日の前日をいう。

2 育児休業法第三条第一項ただし書の「二回の育児休業（次に掲げる育児休業を除く。）」については、育児休業法第二十七条において準用する育児休業法

第三条の規定による育児休業及び他の法律の規定による育児休業は含まないものとし、また、職員が複数の子を養育している場合において、そのうちの一人について育児休業（同項各号に掲げる育児休業を除く。以下この項において同じ。）の承認を受けて、当該育児休業の期間中、その他の子についても養育した事実が認められるときは、その他の子についても育児休業をしたものとして取り扱うものとする。

3　育児休業法第三条第一項第一号に掲げる育児休業については、同条の規定によりその養育する子の出生の日から五十七日間に職員（当該期間内に人事院規則一五―一四（職員の勤務時間、休日及び休暇）第二十二条第一項第七号又は人事院規則一五―一五（非常勤職員の勤務時間及び休暇）第四条第一項第十一号に掲げる場合における休暇により勤務しない職員を除く。以下この項において同じ。）が当該子についてする育児休業（育児休業法第三条第一項第二号に掲げる育児休業を除く。）のうち最初のもの及び二回目のものをいい、育児休業法第二十七条において準用する育児休業法第三条の規定による育児休業及び他の法律の規定による育児休業は含まない。また、職員が双子等複数の出生の日から五十七日を経過しない子を養育している場合において、そのうちの一人について育児休業法第三条第一項第一号に掲げる育児休業の承認を受けて、当該育児休業の期間中、その他の子についても養育した事実が認められるときは、その他の子についても同号に掲げる育児休業をしたものとして取り扱うものとする。

4　育児休業法第三条第三項の「業務を処理するための措置」とは、業務分担の変更、職員の採用、昇任、転任又は配置換、非常勤職員の採用、臨時的任用等の措置をいう。

5　規則第三条第四号イに掲げる非常勤職員に該当するかどうかの判断は、育児休業の承認の請求があった時点において判明している事情に基づき行うものとする。

6　規則第三条第四号イ(2)の「人事院が定める非常勤職員」は、一週間の勤務日が三日以上とされている非常勤職員又は週以外の期間によって勤務日が定められている非常勤職員で一年間の勤務日が百二十一日以上である非常勤職員とする。

7　規則第三条の三第三号及び第三条の四の「人事院が定める特別の事情」は、規則第四条第一号から第四号までに掲げる事情とする。

8　規則第三条の三第三号ハの「人事院が定める場合」は、次に掲げる場合とし、同号ハに掲げる場合に該当するかどうかの判断は、育児休業の承認の請求があった時点において判明している事情に基づき行うものとする。

(1)　規則第三条の三第三号ハに規定する当該子について、児童福祉法第三十九条第一項に規定する保育所若しくは就学前の子どもに関する教育、保育等の総合的な提供の推進に関する法律（平成十八年法律第七十七号）第二条第六項に規定する認定こども園における保育又は児童福祉法第二十四条第二項に規定する家庭的保育事業等による保育の利用を希望し、申込みを行っているが、当該子の一歳到達日後の期間について、当面その実施が行われない場合

(2)　常態として規則第三条の三第三号ハに規定する当該子を養育している当該子の親（当該子について民法第八百十七条の二第一項の規定により特別養子縁組の成立について家庭裁判所に請求した者（当該請求に係る家事審判事件が裁判所に係属している場合に限る。）であって当該子を現に監護するもの又は児童福祉法第二十七条第一項第三号の規定により当該子を委託されている同法第六条の四第二号に規定する養子縁組里親（以下この項及び第十四の第二項において「養子縁組里親」という。）である者若しくは同条第一号に規定する養育里親である者（児童の親その他の同法第二十七条第四項に規定する者の意に反するため、同項の規定により、養子縁組里親として委託することができない者に限る。）を含む。以下この項において同じ。）である配偶者（届出をしないが事実上婚姻関係と同様の事情にある者を含む。以下同じ。）であって当該子の一歳到達日後の期間について常態として当該子を養育する予定であったものが次のいずれかに該当した場合

ア　死亡した場合

イ　負傷、疾病又は身体上若しくは精神上の障害により当該子を養育することが困難な状態になった場合

ウ　常態として当該子を養育している当該子の親である配偶者が当該子と同居しないこととなった場合

エ　六週間（多胎妊娠の場合にあっては、十四週間）以内に出産する予定である場合又は産後八週間を経過しない場合

(3)　前項に規定する事情に該当した場合

9　前項の規定は、規則第三条の四第三号の「人事院が定める場合」について準用する。この場合において、同項中「一歳到達日」とあるのは、「一歳六か月到達日」と読み替えるものとする。

10　規則第五条第一項及び第六条第一項の育児休業承認請求書には、次に掲げる事項を記載するものとする。なお、その参考例を示せば、別紙第2のとおりである。

(1)　職員の所属、官職及び氏名

(2)　次に掲げる請求のいずれに該当するかの別

ア　育児休業の承認の請求（イに掲げる請求を除く。）

イ　同一の子に係る三回目以後の育児休業の承認の請求（既に二回の育児休業（育児休業法第三条第一項各号に掲げる育児休業を除く。）を取得した場合のものに限る。）

ウ　育児休業の期間の最初の延長の請求

エ　育児休業の期間の再度の延長の請求

(3)　(2)イ又はエに掲げる請求をする場合にあっては、当該承認又は当該延長が必要な事情

(4)　育児休業の承認又はその期間の延長の請求（以下この項において「請求」という。）に係る子の氏名、職員との続柄等（当該子が育児休業法第三条第一項において子に含まれるものとされる者に該当する場合にあっては、その事実。以下同じ。）及び生年月日

(5)　請求をしようとする期間

(6)　請求に係る子について既に育児休業をした期間

(7)　非常勤職員が規則第三条の三第二号若しくは第三号に掲げる場合に該当し、又は第三条の四の規定に該当して育児休業の承認を請求する場合にあっては、当該非常勤職員の配偶者の氏名及び当該配偶者がする国等育児休業の期間

(8)　非常勤職員が規則第三条の三第三号に掲げる場合に該当し、又は第三条の四の規定に該当して育児休業の承認を請求する場合にあっては、当該承認が必要な事情

11　任命権者は、規則第五条第二項ただし書に規定する場合及び育児休業の期間の延長の場合を除き、育児休業承認請求書に前項(4)に掲げる事項を証明する書類を添付することを求めるものとする。

12　職員が育児休業を円滑に取得できるようにするため、各省各庁の長等（規則第三十二条第一項に規定する各省各庁の長等をいう。第十四において同じ。）は、規則第五条第一項の規定により育児休業の承認を請求するものとされている期限にかかわらず育児休業の承認の請求が円滑に行われるようにするための勤務環境の整備を行い、職員は、業務の円滑な引継ぎ等のためには職員の意向に応じて早めに育児休業の承認を請求することが効果的であるという意識を持つことが重要であることに留意するものとする。

第三　育児休業の承認の取消し関係

1　育児休業法第六条第二項の「子を養育しなくなった」とは、次のいずれかに該当する場合をいう。

(1)　職員と育児休業に係る子とが同居しないこととなった場合

(2)　職員が負傷、疾病又は身体上若しくは精神上の障害により、育児休業の期間中、当該育児休業に係る子の日常生活上の世話をすることができない状態が相当期間にわたり継続することが見込まれる場合

(3)　職員が育児休業に係る子を託児するなどして常態的に当該の子の日常生活上の世話に専念しないこととなった場合

2　育児休業法第六条第二項の規定により育児休業の承認を取り消す場合には、規則第十二条第四号に掲げる場合以外の場合においても当該育児休業をしている職員にその旨を記載した文書を交付するものとする。この場合の文書については、人事異動通知書を用いることができ、その「異動内容」欄の記入要領は、第四の(5)による。

3　規則第九条の規定は、育児休業をしている職員が当該育児休業の期間中に当該育児休業に係る子以外の子を養育することとなった場合には当該養育することとなった子に係る育児休業の承認の請求をすることができるが、重ねて育児休業をすることはできないことから、任命権者がこれを承認しようとするときは現に効力を有する育児休業の承認を取り消す必要があることを定めたものである。

第四　育児休業に係る人事異動通知書の交付関係

規則第十二条の規定により交付する人事異動通知書の「異動内容」欄の記入要領は、次のとおりとする。

(1)　職員の育児休業を承認する場合

「育児休業を承認する
育児休業の期間は　年　月　日から　年　月
日までとする」

と記入する。

(2)　職員の育児休業の期間の延長を承認する場合

「育児休業の期間を　年　月　日まで延長する

ことを承認する」

と記入する。

(3) 育児休業をした職員が職務に復帰した場合（(5)の場合を除く。）

「職務に復帰した（　年　月　日）」

と記入する。

(4) 育児休業をしている職員について当該育児休業に係る子以外の子に係る育児休業を承認する場合

「育児休業を取り消し、年　月　日付けで請求のあった育児休業を承認する

育児休業の期間は　年　月　日から　年　月　日までとする」

と記入する。

(5) 育児休業の承認の取消しに人事異動通知書を用いる場合（(4)の場合を除く。）

「育児休業の承認を取り消す

職務に復帰した（　年　月　日）」

と記入する。

第五　育児休業に伴う任期付採用に係る人事異動通知書の交付関係

規則第十四条の規定により交付する人事異動通知書の「異動内容」欄の記入要領は、次のとおりとする。

(1) 育児休業法第七条第一項の規定により任期を定めて職員を採用した場合

「アに採用する（国家公務員の育児休業等に関する法律第七条第一項による）

任期は　年　月　日までとする」

と記入する。

注「ア」の記号をもって表示する事項は、官職の組織上の名称及び当該官職の属する所属部課（所属部課の表示の単位は任命権者が定めるものとする。）とする。

(2) 任期付職員の任期を更新した場合

「任期を　年　月　日まで更新する」

と記入する。

(3) 任期の満了により任期付職員が当然に退職した場合

「任期の満了により　年　月　日限り退職した」

と記入する。

第六　育児休業をしている職員の期末手当の支給関係

規則第十五条の「その他勤務しないことにつき特に承認のあった期間」とは、法令の規定により勤務しないことが認められている期間をいう。

第七　育児休業をした職員の職務復帰後における号俸の調整関係

規則第十六条の規定の適用については、給実甲第一九二号（復職時等における号俸の調整の運用について）に定めるところによる。

第八　育児短時間勤務の承認関係

1　育児休業法第十二条第一項ただし書の「当該子について、既に育児短時間勤務をした」とは、当該子について育児休業法第十二条の規定により育児短時間勤務をしたことをいい、育児休業法第二十七条の規定により準用される場合及び他の法律により育児短時間勤務をした場合は含まない。また、職員が双子等複数の小学校就学の始期に達するまでの子を養育している場合において、そのうちの一人について育児短時間勤務の承認を受けて、当該育児短時間勤務の期間中、その他の子についても養育した事実が認められるときは、その他の子についても既に育児短時間勤務をしたものとして取り扱うものとする。

2　育児休業法第十二条第三項の「業務を処理するための措置」とは、業務分担の変更、職員の採用、昇任、転任又は配置換、任期付短時間勤務職員の任用、非常勤職員の採用等の措置をいう。

3　規則第十八条第六号の育児短時間勤務計画書には、次に掲げる事項を記載するものとする。なお、その参考例を示せば、別紙第3のとおりである。

(1) 職員の所属、官職及び氏名

(2) 育児短時間勤務の承認の請求に係る子の氏名及び生年月日

(3) 育児短時間勤務をしようとする期間及び再度の育児短時間勤務をしようとする期間

4　育児短時間勤務計画書を提出した職員は、その提出後、前項(2)及び(3)に掲げる事項について変更が生じた場合には、遅滞なく当該変更が生じた事項を届け出るものとする。

5　育児短時間勤務をしようとする期間の全てを四週間ごとの期間に区分することができない場合における規則第十九条第一号に定める一週間当たりの勤務時間については、当該育児短時間勤務をしようとする期間をその初日から四週間ごとに区分した各期間及びその最後に生じる四週間未満の期間について、それぞれ当該一週間当たりの勤務時間となるようにするものとする。

6　規則第二十条第一項の育児短時間勤務承認請求書には、次に掲げる事項を記載するものとする。なお、その参考例を示せば、別紙第4のとおりである。

(1) 職員の所属、官職及び氏名
(2) 育児短時間勤務の承認、その期間の延長又は再度の育児短時間勤務の承認の請求の別
(3) 再度の育児短時間勤務の承認の請求をする場合にあっては、当該承認が必要な事情
(4) 育児短時間勤務の承認又はその期間の延長の請求（以下この項において「請求」という。）に係る子の氏名、職員との続柄等及び生年月日
(5) 請求をしようとする期間
(6) 請求に係る育児短時間勤務の内容
(7) 請求に係る子について既に育児短時間勤務をした期間

7 任命権者は、育児短時間勤務の期間の延長の場合を除き、育児短時間勤務承認請求書に前項(4)に掲げる事項を証明する書類を添付することを求めるものとする。

第九 育児短時間勤務の承認の取消し関係

1 育児休業法第十四条において準用する育児休業法第六条第二項の「子を養育しなくなった」とは、次のいずれかに該当する場合をいう。
(1) 職員と育児短時間勤務に係る子とが同居しないこととなった場合
(2) 職員が負傷、疾病又は身体上若しくは精神上の障害により、育児短時間勤務の期間中、当該育児短時間勤務に係る子の日常生活上の世話をすることができない状態が相当期間にわたり継続することが見込まれる場合
(3) 職員が育児短時間勤務に係る子を託児するなどして当該育児短時間勤務をすることにより養育しようとする時間において、当該子の日常生活上の世話に専念しないこととなった場合

2 規則第二十一条第二号の規定は、育児短時間勤務をしている職員が当該育児短時間勤務の期間中に当該育児短時間勤務の内容と異なる内容の育児短時間勤務の承認の請求をすることができるが、重ねて育児短時間勤務をすることはできないことから、任命権者がこれを承認しようとするときは現に効力を有する育児短時間勤務の承認を取り消す必要があることを定めたものである。

第十 育児短時間勤務等に係る人事異動通知書の交付関係

1 規則第二十四条の規定により交付する人事異動通知書の「異動内容」欄の記入要領は、次のとおりとする。
(1) 職員の育児短時間勤務を承認する場合
「育児短時間勤務（ア）を承認する
育児短時間勤務の期間は　年　月　日から
年　月　日までとする」
と記入する。
注 「ア」の記号をもって表示する事項は、「週○○勤務」（○○の部分には、職員の一週間当たりの勤務時間を表示する。）とする。
(2) 職員の育児短時間勤務の期間の延長を承認する場合
「育児短時間勤務の期間を　年　月　日まで延長することを承認する」

と記入する。
(3) 育児短時間勤務の期間が満了した場合
「　年　月　日限りで育児短時間勤務の期間は満了した」

と記入する。
(4) 育児短時間勤務の承認が失効した場合
「育児短時間勤務の承認は失効した」

と記入する。
(5) 育児短時間勤務の承認を取り消す場合（(6)の場合を除く。）
「育児短時間勤務の承認を取り消す」

と記入する。
(6) 育児短時間勤務をしている職員について当該育児短時間勤務に係る子以外の子に係る育児短時間勤務を承認する場合又は当該育児短時間勤務の内容と異なる内容の育児短時間勤務を承認する場合
「育児短時間勤務（ア）を取り消し、　年　月日付けで請求のあった育児短時間勤務（イ）を承認する
育児短時間勤務の期間は　年　月　日から
年　月　日までとする」
と記入する。
注 「ア」又は「イ」の記号をもって表示する事項は、取り消された育児短時間勤務又は取消し後に承認される育児短時間勤務に係る「週○○勤務」（○○の部分には、職員の一週間当たりの勤務時間を表示する。）とする。
(7) 育児休業法第二十二条の規定による短時間勤務をさせる場合
「国家公務員の育児休業等に関する法律第二十二条の規定による短時間勤務をさせる」

と記入する。
(8) 育児休業法第二十二条の規定による短時間勤務が終了した場合

「国家公務員の育児休業等に関する法律第二十二条の規定による短時間勤務は終了した」

と記入する。

2　各省各庁の長は、育児短時間勤務又は育児休業法第二十二条の規定による短時間勤務をしている職員に対して、その内容（休憩時間等を含む。）を適当な方法により速やかに通知するものとする。

3　任命権者を異にする官職に併任されている職員が規則第二十四条各号に掲げる場合に該当したときは、本務に係る官職の任命権者は、他の任命権者にその旨を通知しなければならない。

第十一　育児短時間勤務に伴う任期付短時間勤務職員の任用に係る人事異動通知書の交付関係

1　規則第二十六条の規定により交付する人事異動通知書の「異動内容」欄の記入要領は、次のとおりとする。

(1)　育児休業法第二十三条第一項の規定により職員を任用した場合

「ア（イ）に採用する（国家公務員の育児休業等に関する法律第二十三条第一項による）

任期は　年　月　日までとする」

と記入する。なお、採用以外の任用については、この例によるものとする。

注1　「ア」の記号をもって表示する事項については、第五の(1)注の規定の例による。

2　「イ」の記号をもって表示する事項は、「週○○勤務」（○○の部分には、その官職を占める職員の一週間当たりの勤務時間を表示する。）とする。

(2)　任期付短時間勤務職員の任期を更新した場合

「任期を　年　月　日まで更新する」

と記入する。

(3)　任期の満了により任期付短時間勤務職員が当然に退職した場合

「任期の満了により　年　月　日限り退職した」

と記入する。

2　各省各庁の長は、任期付短時間勤務職員に対して、その者の勤務の形態（一週間当たりの勤務時間、週休日、始業及び終業の時刻、休憩時間等）を適当な方法により速やかに通知するものとする。

第十二　育児短時間勤務職員等の俸給月額関係

育児休業法第十六条若しくは第二十四条の規定により読み替えられた一般職の職員の給与に関する法律（昭和二十五年法律第九十五号）第六条の二第一項若しくは第二項若しくは第八条第四項、第五項、第七項若しくは第八項、育児休業法第十八条の規定により読み替えられた一般職の任期付研究員の採用、給与及び勤務時間の特例に関する法律（平成九年法律第六十五号）第六条第三項又は育児休業法第十九条の規定により読み替えられた一般職の任期付職員の採用及び給与の特例に関する法律（平成十二年法律第百二十五号）第七条第二項に規定する「その者の受ける号俸」とは、その者が現に受ける号俸をいい、これらの規定により決定されたその者の号俸について、法律又は人事院規則に基づく調整が行われた場合には、当該調整が行われた後の号俸を基礎として、これらの規定を適用することとなる。

第十三　育児時間関係

1　育児休業法第二十六条第一項の「公務の運営」の支障の有無の判断に当たっては、請求に係る時期における職員の業務の内容及び業務量、当該請求に係る期間について当該請求をした職員の業務を処理するための措置の難易等を総合して行うものとする。

2　育児休業法第二十六条第一項の「三歳」に達するまでとは、満三歳の誕生日の前日までをいう。

3　育児休業法第二十六条第二項に規定する給与の減額方法については、給実甲第二八号（一般職の職員の給与に関する法律の運用方針）第十五条関係第二項及び第三項の規定の例による。

4　各省各庁の長は、職員の育児時間を承認した場合において、当該各省各庁の長と当該職員が所属する俸給の支給義務者が異なるときは、当該俸給の支給義務者にその旨を通知しなければならない。育児時間の承認を取り消した場合等についても、同様とする。

5　規則第二十八条第二号に掲げる非常勤職員に該当するかどうかの判断は、育児時間の承認の請求があった時点において判明している事情に基づき行うものとする。

6　規則第二十八条第二号の「人事院が定める非常勤職員」は、一週間の勤務日が三日以上とされている非常勤職員又は週以外の期間によって勤務日が定められている非常勤職員で一年間の勤務日が百二十一日以上である非常勤職員であって、一日につき定められた勤務時間が六時間十五分以上である勤務日があるものとする。

7　各省各庁の長は、規則第三十条第一項の規定による請求があった場合には、速やかに承認するかどうかを決定し、当該職員に対して当該決定を通知するものとする。

8　各省各庁の長は、育児時間を承認する場合には、育児時間が必要な期間についてあらかじめ包括的に請求させて承認するものとする。

9　規則第三十条第一項の育児時間承認請求書には、次に掲げる事項を記載するものとする。なお、その参考例を示せば、別紙第5のとおりである。

(1) 職員の所属、官職及び氏名
(2) 育児時間の承認の請求に係る子の氏名、職員との続柄等及び生年月日
(3) 育児時間の承認の請求をしようとする期間及び時間

10　各省各庁の長は、育児時間承認請求書に前項(2)に掲げる事項を証明する書類を添付することを求めるものとする。

第十四　各省各庁の長等が講ずべき措置等関係

1　規則第三十二条第一項の規定により、職員に対して制度等を知らせるとともに職員の意向を確認するための措置を講ずることは、職員による育児休業の承認の請求が円滑に行われるようにすることを目的とするものであることから、各省各庁の長等は、これを行うに当たっては、職員による育児休業の承認の請求を控えさせることとならないように配慮しなければならない。

2　規則第三十二条第一項の「人事院が定める事実」は、次に掲げる事実とする。

(1) 職員が民法第八百十七条の二第一項の規定により特別養子縁組の成立について家庭裁判所に請求し、当該請求に係る三歳（非常勤職員にあっては、一歳。以下この項において同じ。）に満たない者を現に監護していること又は同項の規定により特別養子縁組の成立について家庭裁判所に請求することを予定しており、当該請求に係る三歳に満たない者を監護する意思を明示したこと。
(2) 職員が児童福祉法第二十七条第一項第三号の規定により養子縁組里親として三歳に満たない児童を委託されていること又は当該児童を受託する意思を明示したこと。
(3) 職員が、三歳に満たない児童の親その他の児童福祉法第二十七条第四項に規定する者の意に反するため、同項の規定により、養子縁組里親として当該児童を受託することができない場合において、同条第一項第三号の規定により同法第六条の四第一号に規定する養育里親として当該児童を委託されていること又は当該児童を受託する意思を明示したこと。

3　規則第三十二条第一項の「人事院が定める事項」は、次に掲げる事項とする。

(1) 育児休業に関する制度
(2) 育児休業の承認の請求先
(3) 国家公務員共済組合法（昭和三十三年法律第百二十八号）第六十八条の二第一項に規定する育児休業手当金その他これに相当する給付に関する必要な事項
(4) 職員が育児休業の期間について負担すべき社会保険料の取扱い

4　規則第三十二条第一項の規定により、職員に対して前項に規定する事項を知らせる場合には、次のいずれかの方法（(3)に掲げる方法にあっては、当該職員が希望する場合に限る。）によって行わなければならない。

(1) 面談による方法
(2) 書面を交付する方法
(3) 電子メールその他のその受信をする者を特定して情報を伝達するために用いられる電気通信（電気通信事業法（昭和五十九年法律第八十六号）第二条第一号に規定する電気通信をいい、以下この(3)及び次項(3)において「電子メール等」という。）の送信の方法（当該職員が当該電子メール等の記録を出力することにより書面を作成することができるものに限る。）

5　規則第三十二条第一項の「人事院が定める措置」は、次に掲げる措置（(3)に掲げる措置にあっては、職員が希望する場合に限る。）とする。

(1) 面談
(2) 書面の交付
(3) 電子メール等の送信（当該職員が当該電子メール等の記録を出力することにより書面を作成することができるものに限る。）

6　各省各庁の長等は、規則第三十三条第一項各号に掲げる措置を講ずるに当たっては、短期はもとより長期の育児休業の取得を希望する職員が希望するとおりの期間の育児休業の承認を請求することができるように配慮するものとする。

7　規則第三十三条第一項第三号の「人事院が定める育児休業に係る勤務環境の整備に関する措置」は、次に掲げる措置とする。

(1) 職員の育児休業の取得に関する事例の収集及び職員に対する当該事例の提供
(2) 職員に対する育児休業に関する制度及び育児休

業の取得の促進に関する方針の周知

8　規則第三十四条第一項の「前年度における職員の育児休業の取得の状況として人事院が定めるもの」は、同項の規定により報告を行う日の属する年度(四月一日から翌年の三月三十一日までをいう。以下この項において同じ。)の前年度において子が出生した職員(任期付短時間勤務職員、臨時的に任用された職員及び規則第三条各号に掲げる職員を除く。以下この項において同じ。)の数、当該前年度において育児休業をした職員の数その他職員の育児休業の取得に関する必要な事項とする。

以　上

別紙第１（第１の第９項関係）

養育状況変更届

年　　月　　日　届出

殿

（承認権者の官職）

所　属

官　職

氏　名

次のとおり 育　児　休　業 / 育児短時間勤務 / 育　児　時　間 に係る子の養育の状況について変更が生じたので届け出ます。

□　育児休業等に係る子を養育しなくなった。

□　同居しなくなった。　□　負傷・疾病　□　託児できるようになった。
□　その他（　　　　　　　　　　）

□　育児休業等に係る子が死亡した。

□　育児休業等に係る子と離縁した。

□　育児休業等に係る子との養子縁組が取り消された。

□　育児休業等に係る子との親族関係が特別養子縁組により終了した。

□　育児休業等に係る子についての民法第８１７条の２第１項の規定による請求に係る家事審判事件が終了した。

□　育児休業等に係る子との養子縁組が成立しないまま児童福祉法第２７条第１項第３号の規定による措置が解除された。

□　その他（　　　　　　　　　　　　　　　　　　　　）

発生日

年　　月　　日

（注）該当する□には✓印を記入すること。

別紙第２（第２の第１０項関係）

育児休業承認請求書

（任命権者）　　　　　　　　　　　　　　　請求年月日　　　　　　年　　月　　日

＿＿＿＿＿＿＿＿殿　　請求者　所　　属＿＿＿＿＿＿＿＿

下記のとおり 育児休業の承認／育児休業の期間の延長 を請求します。　　官　　職＿＿＿＿＿＿＿＿

氏　　名＿＿＿＿＿＿＿＿

１ 請求に係る子	氏　名	
	続柄等	
	生年月日	年　月　日生
２ 請求の内容	□ 育児休業の承認（次に掲げる育児休業の承認を除く。） □ 同一の子に係る３回目以後の育児休業の承認（既に２回の育児休業（育児休業法第３条第１項各号に掲げる育児休業を除く。）を取得した場合のものに限る。） □ 育児休業の期間の最初の延長 □ 育児休業の期間の再度の延長 （同一の子に係る３回目以後の育児休業の承認（既に２回の育児休業（育児休業法第３条第１項各号に掲げる育児休業を除く。）を取得した場合のものに限る。）、育児休業の期間の再度の延長、非常勤職員の１歳６か月までの子の育児休業の承認又は非常勤職員の２歳までの子の育児休業の承認が必要な事情を記入）	
３ 請求期間	年　月　日から　年　月　日まで	
４ 既に育児休業をした期間	年　月　日から　年　月　日まで 年　月　日から　年　月　日まで 年　月　日から　年　月　日まで 年　月　日から　年　月　日まで	
５ 配偶者	氏　名	
	育児休業の期間	年　月　日から　年　月　日まで
６ 備考		

（育児休業承認請求書の裏面）

※ 任命権者記入欄

受理年月日	年 月 日				□ 承 認 □不承認
決裁年月日	年 月 日				官 職 氏 名
決 裁 欄					

記入上の注意

1 この請求書（人事院規則１９―０（職員の育児休業等）（以下「規則」という。）第４条第７号に掲げる事情に該当してする育児休業及び育児休業の期間の延長に係るものを除く。）には、請求に係る子の氏名、請求者との続柄等及び生年月日を証明する書類（医師又は助産師が発行する出生（産）証明書、母子健康手帳の出生届出済証明書、官公署が発行する出生届受理証明書又は養子縁組届受理証明書、事件が係属している家庭裁判所等が発行する事件係属証明書、児童相談所長が発行する委託措置決定通知書又は証明書等）を添付すること（写しでも可）。

2 「２ 請求の内容」欄の「１歳６か月までの子の育児休業」とは、規則第３条の３第３号に掲げる場合に該当してする育児休業をいい、「２歳までの子の育児休業」とは、規則第３条の４の規定に該当してする育児休業をいう（５において同じ。）。

3 子の出生前に請求する場合は、「３ 請求期間」欄は出産予定日以後の期間とし、「１ 請求に係る子」欄の記入及び証明書類の添付は、出生後、速やかに行うこと。

4 規則第４条第７号に掲げる事情に該当してする育児休業をしようとする場合は、所属、官職、氏名、「３ 請求期間」欄及び「４ 既に育児休業をした期間」欄のみを記入すること。

5 「５ 配偶者」欄は、非常勤職員が１歳２か月までの子の育児休業（規則第３条の３第２号に掲げる場合に該当してする育児休業をいう。）、１歳６か月までの子の育児休業又は２歳までの子の育児休業をしようとする場合に記入すること。

6 「６ 備考」欄には、(ア)請求に係る子以外に３歳に満たない子を養育する場合、その氏名、請求者との続柄等及び生年月日、(イ)請求に係る子が養子の場合においては、養子縁組の効力が生じた日、(ウ)請求に係る子以外の子について現に育児休業の承認を受けている場合においては、その旨並びに当該承認に係る子の氏名及び当該承認の請求に係る期間等について記入すること。

7 該当する□には✓印を記入すること。

別紙第３（第８の第３項関係）

育児短時間勤務計画書

（任命権者）		提出年月日	年　月　日
______________________________殿		所　属______________________	
		官　職______________________	
		氏　名______________________	
人事院規則１９—０（職員の育児休業等）第１８条第６号の規定に基づき、再度の育児短時間勤務の承認の請求をする予定ですので、育児短時間勤務の計画について下記のとおり提出します。 なお、下記の記載事項に変更が生じた場合は、遅滞なく届け出ます。			
1 請求に係る子			
子の氏名		生年月日	年　月　日生
2 請求者の計画			
請求期間	年　月　日から　年　月　日まで		
再度の請求予定期間	年　月　日から　年　月　日まで		
3 備考			

（注）①　育児短時間勤務計画書は、育児短時間勤務承認請求書と同時に（変更の届出の場合は、記載事項に変更が生じた後遅滞なく）提出するものとする。

②　「請求期間」欄には、育児短時間勤務承認請求書に記載した請求期間を記入する。

③　子の出生前に提出する場合は、「1　請求に係る子」欄の記入は、出生後、速やかに行うこと。

④　変更の届出の場合は、１及び２の記載事項のうち変更する箇所のみ記入する。

別紙第４（第８の第６項関係）

育児短時間勤務承認請求書

（任　命　権　者）　　　　　　　　　　　　　　　　請　求　年　月　日　　　　　　年　　月　　日

　　　　　　　　　　　　　　　　　　殿　　　　請求者　所　　　属

下記のとおり 育児短時間勤務の承認／育児短時間勤務の期間の延長 を請求します。　　官　　　職

　　　氏　　　名

１ 請求に係る子	氏　　名	
	続　柄　等	
	生　年　月　日	年　　月　　日生
２ 請求の内容	□ 育児短時間勤務の承認　　□ 育児短時間勤務の期間の延長	
	□ 再度の育児短時間勤務の承認（再度の育児短時間勤務が必要な事情を記入）	
３ 請求期間	年　　月　　日から　　　年　　月　　日まで	
４ 勤務の形態	週　　時間　　分勤務 （育児休業法第１２条第１項 □ 第１号 □ 第２号 □ 第３号 □ 第４号 □ 第５号 の勤務の形態）	
勤務の日及び時間帯	月（　：　～　：　）　火（　：　～　：　） 水（　：　～　：　）　木（　：　～　：　） 金（　：　～　：　）	
５ 既に育児短時間勤務をした期間	年　　月　　日から　　　年　　月　　日まで 年　　月　　日から　　　年　　月　　日まで	
６ 備　　考		

（注）① この請求書（育児短時間勤務の期間の延長に係るものを除く。）には、請求に係る子の氏名、請求者との続柄等及び生年月日を証明する書類（医師又は助産師が発行する出生(産)証明書、母子健康手帳の出生届出済証明書、官公署が発行する出生届受理証明書又は養子縁組届受理証明書、事件が係属している家庭裁判所等が発行する事件係属証明書、児童相談所長が発行する委託措置決定通知書又は証明書等）を添付すること（写しでも可）。

② 子の出生前に請求する場合は、「３ 請求期間」欄は出産予定日以後の期間とし、「１ 請求に係る子」欄の記入及び証明書類の添付は、出生後、速やかに行うこと。

③ 「勤務の日及び時間帯」欄に掲げられていない日に勤務を希望する場合等当該欄により難い場合には、「６ 備考」欄に必要な事項を記入すること。

④ 「６ 備考」欄には、(ア)請求に係る子以外に小学校就学前の子を養育する場合、その氏名、請求者との続柄等及び生年月日、(イ)請求に係る子が養子の場合においては、養子縁組の効力が生じた日、(ウ)請求に係る子以外の子について現に育児短時間勤務の承認を受けている場合においては、その旨並びに当該承認に係る子の氏名及び当該承認の請求に係る期間等について記入すること。

⑤ 該当する□には✓印を記入すること。

※　任命権者記入欄

受理年月日	年　　月　　日	□ 承　認　□ 不承認
決裁年月日	年　　月　　日	
決　裁　欄		官　職 氏　名

別紙第５（第１３の第９項関係）

育児時間承認請求書

（各省各庁の長）	請求年月日	年　月　日
……………………殿	請求者　所　属	
下記のとおり育児時間の承認を請求します。	官　職	
	氏　名	

１　請求に係る子	氏　名		
	続　柄　等		
	生　年　月　日	年　月　日生	
２　請求期間及び時間	期　間		時　間
	年　月　日から 年　月　日まで	□ 毎　日 □ その他（　）	午前　時　分～　時　分 午後　時　分～　時　分
	年　月　日から 年　月　日まで	□ 毎　日 □ その他（　）	午前　時　分～　時　分 午後　時　分～　時　分
３　備　考			

（注）①　この請求書には、請求に係る子の氏名、請求者との続柄等及び生年月日を証明する書類（医師又は助産師が発行する出生（産）証明書、母子健康手帳の出生届出済証明書、官公署が発行する出生届受理証明書又は養子縁組届受理証明書、事件が係属している家庭裁判所等が発行する事件係属証明書、児童相談所長が発行する委託措置決定通知書又は証明書等）を添付すること（写しでも可）。

②　育児時間の承認が、職員からの請求に基づき取り消された場合は、その旨を裏面に記入すること。

③　該当する□には✓印を記入すること。

※各省各庁の長記入欄

受理年月日	年　月　日	□ 承認　□ 不承認
決裁年月日	年　月　日	
決　裁　欄		官　職 氏　名

（育児時間承認請求書の裏面）

日付	育児時間の承認を取り消された時間		時間数	請求者の確認	各省各庁の長の確認	勤務時間管理員の確認	備　考
	午　前	午　後					
	時　分から 時　分まで	時　分から 時　分まで	時間 分				
	時　分から 時　分まで	時　分から 時　分まで	時間 分				
	時　分から 時　分まで	時　分から 時　分まで	時間 分				
	時　分から 時　分まで	時　分から 時　分まで	時間 分				
	時　分から 時　分まで	時　分から 時　分まで	時間 分				
	時　分から 時　分まで	時　分から 時　分まで	時間 分				
	時　分から 時　分まで	時　分から 時　分まで	時間 分				
	時　分から 時　分まで	時　分から 時　分まで	時間 分				
	時　分から 時　分まで	時　分から 時　分まで	時間 分				
	時　分から 時　分まで	時　分から 時　分まで	時間 分				
	時　分から 時　分まで	時　分から 時　分まで	時間 分				
	時　分から 時　分まで	時　分から 時　分まで	時間 分				
	時　分から 時　分まで	時　分から 時　分まで	時間 分				
	時　分から 時　分まで	時　分から 時　分まで	時間 分				
	時　分から 時　分まで	時　分から 時　分まで	時間 分				
	時　分から 時　分まで	時　分から 時　分まで	時間 分				
	時　分から 時　分まで	時　分から 時　分まで	時間 分				
	時　分から 時　分まで	時　分から 時　分まで	時間 分				
	時　分から 時　分まで	時　分から 時　分まで	時間 分				
	時　分から 時　分まで	時　分から 時　分まで	時間 分				

○人事院規則一―一七九（国家公務員法等の一部を改正する法律の施行に伴う関係人事院規則の整備等に関する人事院規則）及び「国家公務員法等の一部を改正する法律の施行に伴う関係人事院事務総長通知の一部改正について」の施行に伴う経過措置について（抄）

令四・二・一八
事企法―三八

人事院規則一―一七九（国家公務員法等の一部を改正する法律の施行に伴う関係人事院規則の整備等に関する人事院規則）及び「国家公務員法等の一部を改正する法律の施行に伴う関係人事院事務総長通知の一部改正について（令和四年二月十八日事企法―三七）」の施行に伴い、下記の第二項各号に規定する人事院事務総長通知〔中略〕の経過措置について下記のとおり定めたので、令和五年四月一日以降は、これによってください。

記

1　この通知において、次の各号に掲げる用語の意義は、それぞれ当該各号に定めるところによる。

一　令和三年改正法　国家公務員法等の一部を改正する法律（令和三年法律第六十一号）をいう。

二　令和四年事企法―三七　「国家公務員法等の一部を改正する法律の施行に伴う関係人事院事務総長通知の一部改正について（令和四年二月十八日事企法―三七）」をいう。

三～五　〔略〕

2　令和三年改正法附則第三条第五項に規定する旧国家公務員法勤務延長職員に対する令和四年事企法―三七による改正後の次に掲げる人事院事務総長通知の規定の適用については、これらの規定中「第八十一条の七第一項又は第二項」とあるのは、「第八十一条の七第一項若しくは第二項又は国家公務員法等の一部を改正する法律（令和三年法律第六十一号）附則第三条第五項若しくは第六項」とする。

一～五　〔略〕

六　「育児休業等の運用について（平成四年一月十七日職福―二〇）」第一の第七項

七～十　〔略〕

以　上

○国家公務員の自己啓発等休業に関する法律

平一九・五・一六
法　四　五

最終改正　平二九・五・三一法四一

（目的）

第一条　この法律は、国家公務員の請求に基づく大学等における修学又は国際貢献活動のための休業の制度を設けることにより、国家公務員に自己啓発及び国際協力の機会を提供することを目的とする。

（定義）

第二条　この法律において「職員」とは、第十条を除き、国家公務員法（昭和二十二年法律第百二十号）第二条に規定する一般職に属する国家公務員（常時勤務することを要しない職員、臨時的に任用された職員その他の人事院規則で定める職員を除く。）をいう。

2　この法律において「任命権者」とは、国家公務員法第五十五条第一項に規定する任命権者及び法律で別に定められた任命権者並びにその委任を受けた者をいう。

3　この法律において「大学等における修学」とは、学校教育法（昭和二十二年法律第二十六号）第八十三条に規定する大学（当該大学に置かれる同法第九十一条に規定する専攻科及び同法第九十七条に規定する大学院を含む。）の課程（同法第百四条第七項第二号の規定によりこれに相当する教育を行うものとして認められたものを含む。）又はこれに相当する外国の大学

（これに準ずる教育施設を含む。）の課程に在学してその課程を履修することをいう。

4　この法律において「国際貢献活動」とは、独立行政法人国際協力機構が独立行政法人国際協力機構法（平成十四年法律第百三十六号）第十三条第一項第四号に基づき自ら行う派遣業務の目的となる開発途上地域における奉仕活動（当該奉仕活動を行うために必要な国内における訓練その他の準備行為を含む。以下この項において同じ。）その他の国際協力の促進に資する外国における奉仕活動のうち職員として参加することが適当であると認められるものとして人事院規則で定めるものに参加することをいう。

5　この法律において「自己啓発等休業」とは、職員の自発的な大学等における修学又は国際貢献活動のための休業をいう。

（自己啓発等休業の承認）

第三条　任命権者は、職員としての在職期間が二年以上である職員が自己啓発等休業を請求した場合において、公務の運営に支障がないと認めるときは、当該請求をした職員の勤務成績、当該請求に係る大学等における修学又は国際貢献活動の内容その他の事情を考慮した上で、大学等における修学のための休業にあっては二年（大学等における修学の成果をあげるために特に必要な場合として人事院規則で定める場合は、三年）、国際貢献活動のための休業にあっては三年を超えない範囲内の期間に限り、当該職員が自己啓発等休業をすることを承認することができる。

2　前項の請求は、自己啓発等休業をしようとする期間の初日及び末日並びに当該期間中の大学等における修学又は国際貢献活動の内容を明らかにしてしなければならない。

（自己啓発等休業の期間の延長）

第四条　自己啓発等休業をしている職員は、当該自己啓発等休業を開始した日から引き続き自己啓発等休業をしようとする期間が前条第一項に規定する休業の期間を超えない範囲内において、延長をしようとする期間の末日を明らかにして、任命権者に対し、自己啓発等休業の期間の延長を請求することができる。

2　自己啓発等休業の期間の延長は、人事院規則で定める特別の事情がある場合を除き、一回に限るものとする。

3　前条第一項の規定は、自己啓発等休業の期間の延長の承認について準用する。

（自己啓発等休業の効果）

第五条　自己啓発等休業をしている職員は、職員としての身分を保有するが、職務に従事しない。

2　自己啓発等休業をしている期間については、給与を支給しない。

（自己啓発等休業の承認の失効等）

第六条　自己啓発等休業の承認は、当該自己啓発等休業をしている職員が休職又は停職の処分を受けた場合には、その効力を失う。

2　任命権者は、自己啓発等休業をしている職員が当該自己啓発等休業の承認に係る大学等における修学又は国際貢献活動を取りやめたことその他人事院規則で定める事由に該当すると認めるときは、当該自己啓発等休業の承認を取り消すものとする。

（職務復帰後における給与の調整）

第七条　自己啓発等休業をした職員が職務に復帰した場合におけるその者の号俸については、部内の他の職員との権衡上必要と認められる範囲内において、人事院規則の定めるところにより、必要な調整を行うことができる。

（自己啓発等休業をした職員についての国家公務員退職手当法の特例）

第八条　国家公務員退職手当法（昭和二十八年法律第百八十二号）第六条の四第一項及び第七条第四項の規定の適用については、自己啓発等休業をした期間は、同法第六条の四第一項に規定する現実に職務をとることを要しない期間に該当するものとする。

2　自己啓発等休業をした期間についての国家公務員退職手当法第七条第四項の規定の適用については、同項中「その月数の二分の一に相当する月数（国家公務員法第百八条の六第一項ただし書若しくは行政執行法人の労働関係に関する法律（昭和二十三年法律第二百五十七号）第七条第一項ただし書に規定する事由又はこれらに準ずる事由により現実に職務をとることを要しなかつた期間については、その月数）」とあるのは、「その月数（国家公務員の自己啓発等休業に関する法律（平成十九年法律第四十五号）第二条第五項に規定する自己啓発等休業の期間中の同条第三項又は第四項に規定する大学等における修学又は国際貢献活動の内容が公務の能率的な運営に特に資するものと認められることその他の内閣総理大臣が定める要件に該当する場合については、その月数の二分の一に相当する月数）」とする。

（人事院規則への委任）

第九条　この法律（前条及び次条を除く。）の実施に関し必要な事項は、人事院規則で定める。

（防衛省の職員への準用）

第十条　この法律（第二条第一項及び第二項を除く。）の規定は、国家公務員法第二条第三項第十六号に掲げる防衛省の職員（常時勤務することを要しない職員、臨時的に任用された職員その他の政令で定める職員を除く。）について準用する。この場合において、これらの規定中「人事院規則」とあるのは「政令」と、第三条第一項中「任命権者」とあるのは「自衛隊法（昭和二十九年法律第百六十五号）第三十一条第一項の規定により同法第二条第五項に規定する隊員の任免について権限を有する者（以下「任命権者」という。）」と、前条中「前条及び次条」とあるのは「前条」と読み替えるものとする。

附　則（抄）

（施行期日）

第一条　この法律は、公布の日から起算して三月を超えない範囲内において政令で定める日〔平一九・八・一〕から施行する。

○人事院規則二五—〇（職員の自己啓発等休業）

平一九・七・二〇公布
平一九・八・一施行
最終改正　令四・二・一八規則一—七九

（趣旨）

第一条　この規則は、職員の自己啓発等休業（自己啓発等休業法第二条第五項に規定する自己啓発等休業をいう。以下同じ。）に関し必要な事項を定めるものとする。

（自己啓発等休業をすることができない職員）

第二条　自己啓発等休業法第二条第一項の人事院規則で定める職員は、次に掲げる職員とする。

一　非常勤職員
二　臨時的職員その他任期を限られた常勤職員
三　法第八十一条の五第一項から第四項までの規定により異動期間（これらの規定により延長された期間を含む。）を延長された管理監督職を占める職員
四　勤務延長職員

（任命権者）

第三条　自己啓発等休業法に規定する任命権者には、併任に係る官職の任命権者は含まれないものとする。

（奉仕活動）

第四条　自己啓発等休業法第二条第四項の人事院規則で定める奉仕活動は、次に掲げる奉仕活動とする。

一　独立行政法人国際協力機構が独立行政法人国際協力機構法（平成十四年法律第百三十六号）第十三条第一項第四号に基づき自ら行う派遣業務の目的となる開発途上地域における奉仕活動（当該奉仕活動を行うために必要な国内における訓練その他の準備行為を含む。）
二　国際協力の促進に資する外国における奉仕活動のうち、職員として参加することが適当であると認められるものであって、前号に掲げる奉仕活動に準ずるものとして人事院が定める奉仕活動

（大学等における修学の成果をあげるために特に必要な場合）

第五条　自己啓発等休業法第三条第一項の人事院規則で定める場合は、学校教育法（昭和二十二年法律第二十六号）第九十七条に規定する大学院の課程（同法第百四条第七項第二号の規定によりこれに相当する教育を行うものとして認められたものを含む。）又はこれに相当する外国の大学（これに準ずる教育施設を含む。）の課程であって、その修業年限が二年を超え、三年を超えないものに在学してその課程を履修する場合とする。

（自己啓発等休業の承認の請求手続）

第六条　自己啓発等休業の承認の請求は、自己啓発等休業承認請求書により、自己啓発等休業を始めようとする日の一月前までに行うものとする。

2　任命権者は、自己啓発等休業の承認の請求をした職員に対して、当該請求について確認するため必要があると認める書類の提出を求めることができる。

（自己啓発等休業の期間の延長の請求手続）

第七条　前条の規定は、自己啓発等休業の期間の延長の請求について準用する。

（自己啓発等休業をしている職員が保有する官職）

第八条　自己啓発等休業をしている職員は、その承認を受けた時に占めていた官職又はその期間中に異動した官職を保有するものとする。ただし、併任に係る官職については、この限りでない。

２　前項の規定は、当該官職を他の職員をもって補充することを妨げるものではない。

（自己啓発等休業の承認の取消事由）

第九条　自己啓発等休業法第六条第二項の人事院規則で定める事由は、次に掲げる事由とする。

一　自己啓発等休業をしている職員が、正当な理由なく、その者が在学している課程を休学し、若しくはその授業を頻繁に欠席していること又はその者が参加している奉仕活動の全部若しくは一部を行っていないこと。

二　自己啓発等休業をしている職員が、その者が在学している課程を休学し、停学にされ、又はその授業を欠席していること、その者が参加している奉仕活動の全部又は一部を行っていないことその他の事情により、当該職員の請求に係る大学等における修学（自己啓発等休業法第二条第三項に規定する大学等における修学をいう。以下同じ。）又は国際貢献活動（同条第四項に規定する国際貢献活動をいう。以下同じ。）に支障が生ずること。

（職務復帰）

第十条　自己啓発等休業の期間が満了したとき又は自己啓発等休業の承認が取り消されたときは、当該自己啓発等休業に係る職員は、職務に復帰するものとする。

（自己啓発等休業に係る人事異動通知書の交付）

第十一条　任命権者は、次に掲げる場合には、職員に対して、規則八―一二（職員の任免）第五十八条の規定による人事異動通知書を交付しなければならない。

一　職員の自己啓発等休業を承認する場合

二　職員の自己啓発等休業の期間の延長を承認する場合

三　自己啓発等休業をした職員が職務に復帰した場合

（報告等）

第十二条　自己啓発等休業をしている職員は、任命権者から求められた場合のほか、次に掲げる場合には、当該職員の請求に係る大学等における修学又は国際貢献活動の状況について任命権者に報告しなければならない。

一　当該職員が、その請求に係る大学等における修学又は国際貢献活動を取りやめた場合

二　当該職員が、その在学している課程を休学し、停学にされ、若しくはその授業を欠席している場合又はその参加している奉仕活動の全部若しくは一部を行っていない場合

三　当該職員の請求に係る大学等における修学又は国際貢献活動に支障が生じている場合

２　第六条第二項の規定は、前項の報告について準用する。

３　任命権者は、自己啓発等休業をしている職員から第一項の報告を求めるほか、当該職員と定期的に連絡を取ることにより、十分な意思疎通を図るものとする。

（職務復帰後における号俸の調整）

第十三条　自己啓発等休業をした職員が職務に復帰した場合において、部内の他の職員との均衡上必要があると認められるときは、当該自己啓発等休業の期間を大学等における修学（職員としての職務に特に有用であると認められるものに限る。）又は国際貢献活動のためのものにあっては百分の百以下、それ以外のものにあっては百分の五十以下の換算率により換算して得た期間を引き続き勤務したものとみなして、その職務に復帰した日、同日後における最初の昇給日（規則九―八（初任給、昇格、昇給等の基準）第三十四条に規定する昇給日をいう。以下この項において同じ。）又はその次の昇給日に、昇給の場合に準じてその者の号俸を調整することができる。

２　自己啓発等休業をした職員が職務に復帰した場合における号俸の調整について、前項の規定による場合には部内の他の職員との均衡を著しく失すると認められるときは、同項の規定にかかわらず、あらかじめ人事院と協議して、その者の号俸を調整することができる。

（雑則）

第十四条　この規則の実施に関し必要な事項は、人事院が定める。

附　則

この規則は、平成十九年八月一日から施行する。

○自己啓発等休業の運用について

平一九・七・二〇
職職―二五六

最終改正　令四・二・一八事企法―三七

標記について下記のとおり定めたので、平成十九年八月一日以降は、これによってください。

記

第一　自己啓発等休業の承認関係

1　任命権者は、国家公務員の自己啓発等休業に関する法律（平成十九年法律第四十五号。以下「自己啓発等休業法」という。）の目的を踏まえ、できる限り承認するよう努めるものとする。

2　自己啓発等休業法第三条第一項の「公務の運営」の支障の有無の判断に当たっては、自己啓発等休業の請求に係る期間について、当該請求をした職員の業務の内容及び業務量、業務分担の変更、職員の採用、昇任、転任又は配置換、非常勤職員の採用等当該請求をした職員の業務を処理するための措置の可否等を総合して行うものとする。

3　自己啓発等休業法第三条第一項の「職員の勤務成績」とは、自己啓発等休業を請求した職員に係る人事評価記録書（人事評価の基準、方法等に関する政令（平成二十一年政令第三十一号）第二十一条に規定する人事評価記録書をいう。）その他当該職員の勤務成績を判定するに足りると認められる事実に基づくものをいう。

4　自己啓発等休業法第三条第一項の「その他の事情」には、例えば、自己啓発等休業を請求した職員の育成であって、長期的な人事管理を踏まえ、執務を通じて行われているものへの当該自己啓発等休業の影響が含まれる。

5　自己啓発等休業法第三条第二項の「自己啓発等休業をしようとする期間」とは、連続する一の期間をいう。

6　任命権者は、自己啓発等休業法第三条第二項又は第四条第一項の規定による請求があった場合には、速やかにその承認の可否を当該請求をした職員に通知するよう努めるものとする。

7　人事院規則二五―〇（職員の自己啓発等休業）（以下「規則」という。）第二条第四号の「勤務延長職員」とは、国家公務員法（昭和二十二年法律第百二十号）第八十一条の七第一項又は第二項の規定により定年退職日の翌日以降引き続いて勤務している職員をいう。

8　規則第六条第一項の自己啓発等休業承認請求書には、次に掲げる事項を記載するものとする。なお、その参考例を示せば、別紙のとおりである。

(1)　職員の所属、官職及び氏名

(2)　自己啓発等休業の請求に係る大学等における修学又は国際貢献活動の内容

(3)　自己啓発等休業をしようとする期間の初日及び末日

(4)　自己啓発等休業の期間の延長を請求する場合にあっては、既に当該自己啓発等休業をしている期間及び延長をしようとする期間の末日

第二　自己啓発等休業の承認の取消し関係

1　自己啓発等休業法第六条第二項の「大学等における修学又は国際貢献活動を取りやめたこと」には、自己啓発等休業の期間の満了前に当該自己啓発等休業をしている職員が在学している課程を修めて卒業し、又は修了したことが含まれる。

2　自己啓発等休業法第六条第二項の規定により自己啓発等休業の承認を取り消す場合には、当該自己啓発等休業をしている職員にその旨を記載した文書を交付するものとする。この場合の文書については、人事異動通知書を用いることができ、その「異動内容」欄の記入要領は、第三の(4)による。

第三　自己啓発等休業に係る人事異動通知書の交付関係

人事異動通知書の「異動内容」欄の記入要領は、次のとおりとする。

(1)　職員の自己啓発等休業を承認する場合

「自己啓発等休業を承認する
自己啓発等休業の期間は　年　月　日から
年　月　日までとする」

と記入する。

(2)　職員の自己啓発等休業の期間の延長を承認する場合

「自己啓発等休業の期間を　年　月　日まで延長することを承認する」

と記入する。

(3)　自己啓発等休業をした職員が職務に復帰した場合（(4)の場合を除く。）

「職務に復帰した（　年　月　日）」

と記入する。

(4)　自己啓発等休業の承認の取消しに人事異動通知書を用いる場合

「自己啓発等休業の承認を取り消す
　職務に復帰した（　年　月　日）」
と記入する。

第四　報告等関係

1　規則第十二条第一項第二号の「欠席している場合」又は「一部を行っていない場合」には、授業を欠席している期間又は奉仕活動の一部を行っていない期間が一月につき十四日以内の場合を含まない。

2　任命権者は、自己啓発等休業をしている職員の円滑な職場復帰のため、当該職員が所属する府省における業務の状況その他必要と認める事項について、当該職員と十分な意思疎通を図るものとする。

第五　職務復帰後における号俸の調整関係

規則第十三条の規定の適用については、給実甲第一九二号（復職時等における号俸の調整の運用について）に定めるところによる。

以　上

別紙

自己啓発等休業承認請求書

（任　命　権　者）　　　　　　　　　　請　求　年　月　日　　　　年　　月　　日
　　　　　　　　　　　　　　　　　殿　請求者　所　　属
　　　　　　　　　　　　　　　　　　　　　　　官　　職
下記のとおり　自己啓発等休業／期間の延長　を請求します。　氏　　名

1　請求の区分	□自己啓発等休業（２及び３に記入） □期間の延長（２及び４に記入）			
2　自己啓発等休業の内容	大学等における修学	大学等の名称（所在地）	（　　　）	
		課程（修業年限）	（　　　）	
		修学の期間	年　月　日から　年　月　日まで	
	国際貢献活動	活動組織		
		活動国・地域		活動分野
		活動期間　国内訓練	年　月　日から　年　月　日まで	
		活動期間　活動国滞在	年　月　日から　年　月　日まで	
3　請求期間	年　月　日から　年　月　日まで			
4　延長の期間	年　月　日から　年　月　日まで			
既に自己啓発等休業をしている期間	年　月　日から　年　月　日まで			
5　備　考				

（注）①　この請求書には、次の内容が確認できる書類を添付すること。
　ア　大学等における修学又は国際貢献活動の内容及び期間
　イ　アの内容に関する照会先
②　「修学の期間」欄には、大学等の課程に在学して履修しようとする期間を記入する。
③　「活動組織」欄には、「青年海外協力隊」、「シニア海外ボランティア」、「国連ボランティア」等を記入する。
④　「国内訓練」欄には、例えば、独立行政法人国際協力機構が行う派遣前訓練等の準備行為に参加する期間を記入する。
⑤　「5　備考」欄には、以前に自己啓発等休業をしている場合における当該自己啓発等休業の内容（大学等における修学又は国際貢献活動の別、休業期間）、自己啓発等休業の期間を延長する場合における当該自己啓発等休業の期間の延長を請求する理由その他任命権者が承認の可否を判断するに当たって必要と思われる事項を記入する。
⑥　該当する□には✓印を記入すること。

※　任命権者記入欄

受理年月日	年　月　日	□承認　□不承認
決裁年月日	年　月　日	
決裁欄		官　職 氏　名

○人事院規則一―一七九（国家公務員法等の一部を改正する法律の施行に伴う関係人事院規則の整備等に関する人事院規則）及び「国家公務員法等の一部を改正する法律の施行に伴う関係人事院事務総長通知の一部改正について」の施行に伴う経過措置について（抄）

令四・二・一八
事企法―三八

人事院規則一―一七九（国家公務員法等の一部を改正する法律の施行に伴う関係人事院規則の整備等に関する人事院規則）及び「国家公務員法等の一部を改正する法律の施行に伴う関係人事院事務総長通知の一部改正について（令和四年二月十八日事企法―三七）」の施行に伴い、下記の第二項各号に規定する人事院事務総長通知〔中略〕の経過措置について下記のとおり定めたので、令和五年四月一日以降は、これによってください。

記

1 この通知において、次の各号に掲げる用語の意義は、それぞれ当該各号に定めるところによる。

一 令和三年改正法 国家公務員法等の一部を改正する法律（令和三年法律第六十一号）をいう。

二 令和四年事企法―三七 「国家公務員法等の一部を改正する法律の施行に伴う関係人事院事務総長通知の一部改正について（令和四年二月十八日事企法―三七）」をいう。

三～五 〔略〕

2 令和三年改正法附則第三条第五項に規定する旧国家公務員法勤務延長職員に対する令和四年事企法―三七による改正後の次に掲げる人事院事務総長通知の規定の適用については、これらの規定中「第八十一条の七第一項又は第二項」とあるのは、「第八十一条の七第一項若しくは第二項又は国家公務員法等の一部を改正する法律（令和三年法律第六十一号）附則第三条第五項若しくは第六項」とする。

一～八 〔略〕

九 「自己啓発等休業の運用について（平成十九年七月二十日職職―二五六）」第一の第七項

十 〔略〕

以上

○国家公務員の配偶者同行休業に関する法律

平二五・一一・二二
法 七 八

改正 平二六・六・一三法六七

（目的）

第一条 この法律は、配偶者同行休業の制度を設けることにより、有為な国家公務員の継続的な勤務を促進し、もって公務の円滑な運営に資することを目的とする。

（定義）

第二条 この法律において「職員」とは、第十一条を除き、国家公務員法（昭和二十二年法律第百二十号）第二条に規定する一般職に属する国家公務員をいう。

2 この法律において「任命権者」とは、国家公務員法第五十五条第一項に規定する任命権者及び法律で別に定められた任命権者並びにその委任を受けた者をいう。

3 この法律にいう「配偶者」には、届出をしないが事実上婚姻関係と同様の事情にある者を含むものとする。

4 この法律において「配偶者同行休業」とは、職員（常時勤務することを要しない職員、臨時的に任用された職員その他の人事院規則で定める職員を除く。次条第一項において同じ。）が、外国での勤務その他の人事院規則で定める事由により外国に住所又は居所を定めて滞在するその配偶者と、当該住所又は居所において生活を共にするための休業をいう。

（配偶者同行休業の承認）

第三条　任命権者は、職員が配偶者同行休業を請求した場合において、公務の運営に支障がないと認めるときは、当該請求をした職員の勤務成績その他の事情を考慮した上で、三年を超えない範囲内の期間に限り、当該職員が配偶者同行休業をすることを承認することができる。

2　前項の請求は、配偶者同行休業をしようとする期間の初日及び末日並びに当該職員の配偶者が当該期間中外国に住所又は居所を定めて滞在する事由を明らかにしてしなければならない。

（配偶者同行休業の期間の延長）

第四条　配偶者同行休業をしている職員は、当該配偶者同行休業を開始した日から引き続き配偶者同行休業をしようとする期間が三年を超えない範囲内において、延長をしようとする期間の末日を明らかにして、任命権者に対し、配偶者同行休業の期間の延長を請求することができる。

2　配偶者同行休業の期間の延長は、人事院規則で定める特別の事情がある場合を除き、一回に限るものとする。

3　前条第一項の規定は、配偶者同行休業の期間の延長の承認について準用する。

（配偶者同行休業の効果）

第五条　配偶者同行休業をしている職員は、職員としての身分を保有するが、職務に従事しない。

2　配偶者同行休業をしている期間については、給与を支給しない。

（配偶者同行休業の承認の失効等）

第六条　配偶者同行休業の承認は、当該配偶者同行休業をしている職員が休職若しくは停職の処分を受けた場合又は当該配偶者同行休業に係る配偶者が死亡し、若しくは当該職員の配偶者でなくなった場合には、その効力を失う。

2　任命権者は、配偶者同行休業をしている職員が当該配偶者同行休業に係る配偶者と生活を共にしなくなったことその他人事院規則で定める事由に該当すると認めるときは、当該配偶者同行休業の承認を取り消すものとする。

（配偶者同行休業に伴う任期付採用及び臨時的任用）

第七条　任命権者は、第三条第一項又は第四条第一項の規定による請求があった場合において、当該請求に係る期間（以下この項及び第三項において「請求期間」という。）について職員の配置換えその他の方法によって当該請求をした職員の業務を処理することが困難であると認めるときは、当該業務を処理するため、次の各号に掲げる任用のいずれかを行うことができる。この場合において、第二号に掲げる任用は、請求期間について一年（同条第一項の規定による請求があった場合にあっては、当該請求による延長前の配偶者同行休業の期間の初日から当該請求に係る期間の末日までの期間を通じて一年）を超えて行うことができない。

一　請求期間を任用の期間（以下この条において「任期」という。）の限度として行う任期を定めた採用

二　請求期間を任期の限度として行う臨時的任用

2　任命権者は、前項の規定により任期を定めて職員を採用する場合には、当該職員にその任期を明示しなければならない。

3　任命権者は、第一項の規定により任期を定めて採用された職員の任期が請求期間に満たない場合にあっては、当該請求期間の範囲内において、その任期を更新することができる。

4　第二項の規定は、前項の規定により任期を更新する場合について準用する。

5　任命権者は、第一項の規定により任期を定めて採用された職員を、任期を定めて採用した趣旨に反しない場合に限り、その任期中、他の官職に任用することができる。

6　第一項の規定に基づき臨時的任用を行う場合には、国家公務員法第六十条第一項から第三項までの規定は、適用しない。

（職務復帰後における給与の調整）

第八条　配偶者同行休業をした職員が職務に復帰した場合におけるその者の号俸については、部内の他の職員との権衡上必要と認められる範囲内において、人事院規則の定めるところにより、必要な調整を行うことができる。

（配偶者同行休業をした職員についての国家公務員退職手当法の特例）

第九条　国家公務員退職手当法（昭和二十八年法律第百八十二号）第六条の四第一項及び第七条第四項の規定の適用については、配偶者同行休業をした期間は、同法第六条の四第一項に規定する現実に職務をとることを要しない期間に該当するものとする。

2　配偶者同行休業をした期間についての国家公務員退職手当法第七条第四項の規定の適用については、同項中「その月数の二分の一に相当する月数（国家公務員法第百八条の六第一項ただし書若しくは行政執行法人の労働関係に関する法律（昭和二十三年法律第二百五

十七号）第七条第一項ただし書に規定する事由又はこれらに準ずる事由により現実に職務をとることを要しなかつた期間については、その月数）」とあるのは、「その月数」とする。

（人事院規則への委任）

第十条 この法律（前条及び次条の規定を除く。）の実施に関し必要な事項は、人事院規則で定める。

（防衛省の職員への準用）

第十一条 この法律（第二条第一項及び第二項並びに第七条第六項を除く。）の規定は、国家公務員法第二条第三項第十六号に掲げる防衛省の職員について準用する。この場合において、これらの規定中「人事院規則」とあるのは「政令」と、第三条第一項中「任命権者」とあるのは「自衛隊法（昭和二十九年法律第百六十五号）第三十一条第一項の規定により同法第二条第五項に規定する隊員の任免について権限を有する者（以下「任命権者」という。）」と、前条中「前条及び次条」とあるのは「前条」と読み替えるものとする。

附 則（抄）

（施行期日）

第一条 この法律は、公布の日から起算して三月を超えない範囲内において政令で定める日〔平二六・二・二一〕から施行する。

○人事院規則二六—〇（職員の配偶者同行休業）

平二六・二・一三公布
平二六・二・二一施行
最終改正 令四・二・一八規則一—七九

（趣旨）

第一条 この規則は、職員の配偶者同行休業（配偶者同行休業法第二条第四項に規定する配偶者同行休業をいう。以下同じ。）に関し必要な事項を定めるものとする。

（任命権者の責務）

第二条 任命権者は、配偶者同行休業法の目的に鑑み、配偶者同行休業をしている職員が行う必要な能力の維持向上のための取組を支援する等当該職員の職務への円滑な復帰を図るために必要な措置を講ずるよう努めるものとする。

（任命権者）

第三条 配偶者同行休業法に規定する任命権者には、併任に係る官職の任命権者は含まれないものとする。

（配偶者同行休業をすることができない職員）

第四条 配偶者同行休業法第二条第四項の人事院規則で定める職員は、次に掲げる職員とする。

一 非常勤職員
二 臨時的職員その他任期を限られた常勤職員
三 条件付採用期間中の職員
四 法第八十一条の五第一項から第四項までの規定により異動期間（これらの規定により延長された期間を含む。）を延長された管理監督職を占める職員
五 勤務延長職員

（配偶者同行休業の対象となる配偶者が外国に滞在する事由）

第五条 配偶者同行休業法第二条第四項の人事院規則で定める事由は、次に掲げる事由（六月以上にわたり継続することが見込まれるものに限る。第九条第一号において「配偶者外国滞在事由」という。）とする。

一 外国での勤務
二 事業を経営することその他の個人が業として行う活動であって外国において行うもの
三 学校教育法（昭和二十二年法律第二十六号）による大学に相当する外国の大学（これに準ずる教育施設を含む。）であって外国に所在するものにおける修学（前二号に掲げるものに該当するものを除く。）
四 前三号に掲げるもののほか、これらに準ずる事由として人事院が定めるもの

（配偶者同行休業の請求手続）

第六条 配偶者同行休業の請求は、配偶者同行休業請求書により、配偶者同行休業を始めようとする日の一月前までに行うものとする。

2 任命権者は、配偶者同行休業の請求をした職員に対して、当該請求について確認するため必要があると認める書類の提出を求めることができる。

（配偶者同行休業の期間の延長の請求手続）

第七条 前条の規定は、配偶者同行休業の期間の延長の請求について準用する。

（配偶者同行休業の期間の再度の延長ができる特別の事情）

第七条の二 配偶者同行休業法第四条第二項の人事院規

則で定める特別の事情は、配偶者同行休業の期間の延長後の期間が満了する日における当該配偶者同行休業に係る配偶者（配偶者同行休業法第二条第三項に規定する配偶者をいう。第九条第一号及び第十条第一項第一号から第三号までにおいて同じ。）の第五条第一号の外国での勤務が同日後も引き続くこととなり、及びその引き続くことが当該延長の請求時には確定していなかったことその他人事院がこれに準ずると認める事情とする。

（配偶者同行休業をしている職員が保有する官職）

第八条　配偶者同行休業をしている職員は、その承認を受けた時に占めていた官職又はその期間中に異動した官職を保有するものとする。ただし、併任に係る官職については、この限りでない。

2　前項の規定は、配偶者同行休業をしている職員が保有する官職を他の職員をもって補充することを妨げるものではない。

（配偶者同行休業の承認の取消事由）

第九条　配偶者同行休業法第六条第二項の人事院規則で定める事由は、次に掲げる事由とする。

一　配偶者が外国に滞在しないこととなり、又は配偶者が外国に滞在する事由が配偶者外国滞在事由に該当しないこととなったこと。

二　配偶者同行休業をしている職員が、勤務時間法第十九条に規定する特別休暇のうち規則一五―一四（職員の勤務時間、休日及び休暇）第二十二条第一項第六号又は第七号で定める場合における休暇（当該職員が行政執行法人の職員である場合にあっては、これに相当するもの）を取得することとなったこと。

三　任命権者が、配偶者同行休業をしている職員について、育児休業法第三条第一項の規定による育児休業を承認することとなったこと。

（届出）

第十条　配偶者同行休業をしている職員は、次に掲げる場合には、遅滞なく、その旨を任命権者に届け出なければならない。

一　配偶者が死亡した場合

二　配偶者が職員の配偶者でなくなった場合

三　配偶者と生活を共にしなくなった場合

四　前条第一号又は第二号に掲げる事由に該当することとなった場合

2　第六条第二項の規定は、前項の届出について準用する。

（職務復帰）

第十一条　配偶者同行休業の期間が満了したとき、配偶者同行休業の承認が休職又は停職の処分を受けたこと以外の事由により効力を失ったとき又は配偶者同行休業の承認が取り消されたとき（第九条第三号に規定する事由に該当したことにより承認が取り消された場合を除く。）は、当該配偶者同行休業に係る職員は、職務に復帰するものとする。

（配偶者同行休業に係る人事異動通知書の交付）

第十二条　任命権者は、次に掲げる場合には、職員に対して、規則八―一二（職員の任免）第五十八条の規定による人事異動通知書（第十四条において「人事異動通知書」という。）を交付しなければならない。

一　職員の配偶者同行休業を承認する場合

二　職員の配偶者同行休業の期間の延長を承認する場合

三　配偶者同行休業をした職員が職務に復帰した場合

（配偶者同行休業に伴う任期付採用に係る任期の更新）

第十三条　任命権者は、配偶者同行休業法第七条第三項の規定により、同条第一項の規定により任期を定めて採用された職員（次条において「任期付職員」という。）の任期を更新する場合には、あらかじめ当該職員の同意を得なければならない。

（配偶者同行休業に伴う任期付採用に係る人事異動通知書の交付）

第十四条　任命権者は、次に掲げる場合には、人事異動通知書を交付しなければならない。ただし、第三号に掲げる場合において、人事異動通知書の交付によらないことを適当と認めるときは、人事異動通知書に代わる文書の交付その他適当な方法をもって人事異動通知書の交付に代えることができる。

一　配偶者同行休業法第七条第一項の規定により任期を定めて職員を採用した場合

二　配偶者同行休業法第七条第三項の規定により任期付職員の任期を更新した場合

三　任期の満了により任期付職員が当然に退職した場合

（職務復帰後における号俸の調整）

第十五条　配偶者同行休業をした職員が職務に復帰した場合において、部内の他の職員との均衡上必要があると認められるときは、当該配偶者同行休業の期間を百分の五十以下の換算率により換算して得た期間を引き続き勤務したものとみなして、その職務に復帰した日、同日後における最初の昇給日（規則九―八（初任給、昇格、昇給等の基準）第三十四条に規定する昇給日をいう。以下この項において同じ。）又はその次の昇給日に、昇給の場合に準じてその者の号俸を調整することができる。

２　配偶者同行休業をした職員が職務に復帰した場合における号俸の調整について、前項の規定による場合には部内の他の職員との均衡を著しく失すると認められるときは、同項の規定にかかわらず、あらかじめ人事院と協議して、その者の号俸を調整することができる。

（雑則）

第十六条　この規則に定めるもののほか、配偶者同行休業に関し必要な事項は、人事院が定める。

附　則

この規則は、平成二十六年二月二十一日から施行する。

○配偶者同行休業の運用について

平二六・二・二一
職職―四〇

最終改正　令四・二・一八事企法―三七

標記について下記のとおり定めたので、平成二十六年二月二十一日以降は、これによってください。

記

第一　定義関係

１　人事院規則二六―〇（職員の配偶者同行休業）（以下「規則」という。）第四条第五号の「勤務延長職員」とは、国家公務員法（昭和二十二年法律第百二十号）第八十一条の七第一項又は第二項の規定により定年退職日の翌日以降引き続いて勤務している職員をいう。

２　配偶者同行休業（国家公務員の配偶者同行休業に関する法律（平成二十五年法律第七十八号。以下「配偶者同行休業法」という。）第二条第四項に規定する配偶者同行休業をいう。以下同じ。）の期間中において配偶者（同条第三項に規定する配偶者をいう。以下同じ。）が外国に滞在する事由に変更を生じた場合における当該変更後の事由は、当該変更前の事由と同様、規則第五条各号に掲げる事由のいずれかに該当し、かつ、六月以上にわたり継続することが見込まれるものである必要がある。

３　規則第五条第一号の「外国での勤務」とは、配偶者が法人その他の団体に所属して外国において勤務することをいい、報酬の有無は問わない。

４　規則第五条第二号の「活動」には、例えば、次に掲げる活動が含まれる。

(1)　法律、医療等の専門的な知識又は技能が必要とされる業務に従事する活動

(2)　報道機関との契約に基づいて行う取材その他の報道上の活動

(3)　音楽、美術、文学その他の芸術上の活動

第二　配偶者同行休業の承認関係

１　配偶者同行休業法第三条第一項の「公務の運営」の支障の有無の判断に当たっては、配偶者同行休業を請求した職員の業務の内容及び業務量を考慮した上で、業務分担の変更、職員の配置換え、配偶者同行休業法第七条第一項の規定による任用その他の当該業務を処理するための措置等を総合的に勘案するものとする。

２　配偶者同行休業法第三条第一項の「職員の勤務成績」を考慮するに当たっては、配偶者同行休業を請求した職員に係る人事評価記録書（人事評価の基準、方法等に関する政令（平成二十一年政令第三十一号）第二十一条に規定する人事評価記録書をいう。）その他当該職員の勤務成績を判定するに足りると認められる事実に基づかなければならない。

３　配偶者同行休業法第三条第一項の「その他の事情」には、例えば、配偶者同行休業の請求の時点において、職務に復帰した後、一定期間在職することが見込まれ、かつ、継続して勤務する意思があることが含まれる。

４　配偶者同行休業法第三条第二項の「配偶者同行休業をしようとする期間」とは、連続する一の期間を

いう。

5　任命権者は、配偶者同行休業法第三条第一項又は第四条第一項の規定による請求があった場合には、速やかにその承認の可否を当該請求をした職員に通知するよう努めるものとする。

6　規則第六条第一項（規則第七条において準用する場合を含む。）の配偶者同行休業請求書（次項において「配偶者同行休業請求書」という。）には、次に掲げる事項を記載するものとする。なお、その参考例を示せば、別紙のとおりである。

(1)　職員の所属、官職及び氏名

(2)　職員の配偶者の氏名及び職業

(3)　配偶者が外国に住所又は居所を定めて滞在する事由（配偶者同行休業の期間の再度の延長を請求する場合にあっては、規則第七条の二に規定する特別の事情を含む。）並びに当該事由が継続することが見込まれる期間の初日及び末日

(4)　職員及び配偶者の外国における住所又は居所

(5)　配偶者同行休業をしようとする期間の初日及び末日

(6)　配偶者同行休業の期間の延長を請求する場合にあっては、既に当該配偶者同行休業をしている期間及び延長をしようとする期間の末日

7　規則第七条の二の「人事院がこれに準ずると認める事情」の認定の申請は、任命権者が、配偶者同行休業の期間の再度の延長に係る配偶者同行休業請求書の写しその他その認定を受けるため必要があると認める規則第七条において準用する規則第六条第二項の書類の写しを添付する文書により行うものとする。

8　承認を受けた配偶者同行休業（その期間の延長について承認を受けたものを含む。）の期間中に第六項(2)、(3)又は(4)に掲げる事項に変更を生じることとなった場合（同項(3)に掲げる事項にあっては、配偶者が外国に住所又は居所を定めて滞在する事由に変更を生じることとなった場合であって、当該変更後の事由が引き続き規則第五条に規定する配偶者外国滞在事由に該当するときに限る。）には、遅滞なく、その旨を任命権者に届け出るものとする。

第三　配偶者同行休業の承認の失効等関係

1　配偶者同行休業法第六条第一項の「配偶者でなくなった場合」とは、職員と配偶者とが離婚した場合（当該配偶者と事実上婚姻関係と同様の事情にあった職員にあっては、当該事情が解消した場合）をいう。

2　配偶者同行休業法第六条第二項の「配偶者と生活を共にしなくなったこと」とは、例えば、職員と配偶者とが同居しない状態が相当期間にわたり継続することが見込まれることをいう。

3　配偶者同行休業法第六条第二項の規定により配偶者同行休業の承認を取り消す場合には、当該配偶者同行休業をしている職員にその旨を記載した文書を交付するものとする。この場合の文書については、人事異動通知書を用いることができ、その「異動内容」欄の記入要領は、第四の(4)又は(5)による。

第四　配偶者同行休業に係る人事異動通知書の交付関係

配偶者同行休業に係る人事異動通知書の「異動内容」欄の記入要領は、次のとおりとする。

(1)　職員の配偶者同行休業を承認する場合

「配偶者同行休業を承認する
配偶者同行休業の期間は　年　月　日から
年　月　日までとする」

と記入する。

(2)　職員の配偶者同行休業の期間の延長を承認する場合

「配偶者同行休業の期間を　年　月　日まで延長することを承認する」

と記入する。

(3)　配偶者同行休業をした職員が職務に復帰した場合（(4)の場合を除く。）

「職務に復帰した（　年　月　日）」

と記入する。

(4)　配偶者同行休業の承認の取消しに人事異動通知書を用いる場合（(5)の場合を除く。）

「配偶者同行休業の承認を取り消す
職務に復帰した（　年　月　日）」

と記入する。

(5)　配偶者同行休業の承認の取消しに人事異動通知書を用いる場合（当該取消しに引き続いて職務に復帰しない場合に限る。）

「配偶者同行休業の承認を取り消す」

と記入する。

第五　配偶者同行休業に伴う任期付採用関係

1　任命権者は、配偶者同行休業法第七条第一項の規定により職員を採用しようとする場合は、任期を定めて採用されること及びその任期について承諾した文書を職員となる者に提出させるものとする。

2　任命権者は、規則第十三条の規定により職員の同意を得る場合には、当該職員に任期を更新すること及びその更新する期間について承諾した文書を提出

させるものとする。

3 配偶者同行休業に伴う任期付採用に係る人事異動通知書の「異動内容」欄の記入要領は、次のとおりとする。

(1) 配偶者同行休業法第七条第一項の規定により任期を定めて職員を採用する場合

「アに採用する（国家公務員の配偶者同行休業に関する法律第七条第一項による）

任期は　年　月　日までとする」

と記入する。

注 「ア」の記号をもって表示する事項は、官職の組織上の名称及び当該官職の属する所属部課（所属部課の表示の単位は任命権者が定めるものとする。）とする。

(2) 配偶者同行休業法第七条第三項の規定により任期付職員の任期を更新した場合

「任期を　年　月　日まで更新する」

と記入する。

(3) 任期の満了により任期付職員が当然に退職した場合

「任期の満了により　年　月　日限り退職した」

と記入する。

第六 職務復帰後における号俸の調整関係

規則第十五条の規定の適用については、給実甲第一九二号（復職時等における号俸の調整の運用について）に定めるところによる。

以　上

別紙

配偶者同行休業請求書

(任　命　権　者)　　　　　　　　　　　　　　　殿

請求年月日　　　　年　　月　　日
請求者　所　属　
官　職　
氏　名　

下記のとおり　配偶者同行休業／期間の延長　を請求します。

1 請求の区分		□ 配偶者同行休業（2、3及び4に記入） □ 期間の延長（2、3及び5に記入）（□ 再度の延長）
2 請求に係る配偶者	氏名	
	職業	
	請求時の所属先の名称（所在地）	（　　　　）
	外国滞在事由	（　　　　）
	外国滞在中の所属先の名称（所在地）	（　　　　）
	外国滞在事由の継続する期間	年　月　日から　年　月　日まで
3 職員及び配偶者の外国滞在中の住所（居所）		
4 請求期間		年　月　日から　年　月　日まで
5 延長の期間		年　月　日から　年　月　日まで
	既に配偶者同行休業をしている期間	年　月　日から　年　月　日まで （うち、期間の再度の延長の場合における当初の配偶者同行休業の期間　年　月　日まで）
6 備考		

(注) ①　この請求書には、配偶者の滞在事由及び期間が確認できる書類を添付すること。
②　期間の再度の延長を請求する場合には、「2　請求に係る配偶者」欄の「外国滞在事由」欄の最上欄の括弧内に、当該延長が必要な事情を記入すること。
③　「3　職員及び配偶者の外国滞在中の住所（居所）」欄は、請求時点で未定の場合には「未定」と記入し、請求期間の初日の前日までに外国滞在中の住所（居所）を定め、届け出ること。
④　「6　備考」欄には、以前に配偶者同行休業をしている場合における当該配偶者同行休業の内容（配偶者の外国滞在事由、休業期間）、配偶者同行休業の期間を初めて延長する場合における当該配偶者同行休業の期間の延長を請求する理由その他任命権者が承認の可否を判断するに当たって必要と思われる事項を記入する。
⑤　該当する□には✓印を記入すること。

※　任命権者記入欄

受理年月日	年　月　日	□ 承　認　　□ 不承認
決裁年月日	年　月　日	
決裁欄		官職 氏名

規則第7条の2の規定による人事院の認定　認定日　年　月　日　□ 不認定　□ 不要

○人事院規則一—一七九（国家公務員法等の一部を改正する法律の施行に伴う関係人事院規則の整備等に関する人事院規則）及び「国家公務員法等の一部を改正する法律の施行に伴う関係人事院事務総長通知の一部改正について」の施行に伴う経過措置について（抄）

令四・二・一八
事企法—三八

人事院規則一—一七九（国家公務員法等の一部を改正する法律の施行に伴う関係人事院規則の整備等に関する人事院規則）及び「国家公務員法等の一部を改正する法律の施行に伴う関係人事院事務総長通知の一部改正について（令和四年二月十八日事企法—三七）」の施行に伴い、下記の第二項各号に規定する人事院事務総長通知（中略）の経過措置について下記のとおり定めたので、令和五年四月一日以降は、これによってください。

記

1　この通知において、次の各号に掲げる用語の意義は、それぞれ当該各号に定めるところによる。
一　令和三年改正法　国家公務員法等の一部を改正する法律（令和三年法律第六十一号）をいう。
二　令和四年事企法—三七　「国家公務員法等の一部を改正する法律の施行に伴う関係人事院事務総長通知の一部改正について（令和四年二月十八日事企法—三七）」をいう。
三～五　〔略〕

2　令和三年改正法附則第三条第五項に規定する旧国家公務員法勤務延長職員に対する令和四年事企法—三七による改正後の次に掲げる人事院事務総長通知の規定の適用については、これらの規定中「第八十一条の七第一項又は第二項」とあるのは、「第八十一条の七第一項若しくは第二項又は国家公務員法等の一部を改正する法律（令和三年法律第六十一号）附則第三条第五項若しくは第六項」とする。
一～九　〔略〕
十　「配偶者同行休業の運用について（平成二十六年二月十三日職職—四〇）」第一の第一項

以　上

第十編

退職管理、官民人材交流センター

第一 退職管理

○職員の退職管理に関する政令

平二〇・一二・二五
政令三八九

最終改正 令六・五・二九政令一九五

（子法人）

第一条 国家公務員法（以下「法」という。）第百六条の二第一項の政令で定めるものは、一の営利企業等（同項に規定する営利企業等をいう。以下同じ。）が株主等（株主若しくは社員又は発起人その他の法人の設立者をいう。）の議決権（株主総会において決議をすることができる事項の全部につき議決権を行使することができない株式についての議決権を除き、会社法（平成十七年法律第八十六号）第八百七十九条第三項の規定により議決権を有するものとみなされる株式についての議決権を含む。以下同じ。）の総数の百分の五十を超える数の議決権を保有する法人をいい、一の営利企業等及びその子法人又は一の営利企業等の子法人が株主等の議決権の総数の百分の五十を超える数の議決権を保有する法人は、当該営利企業等の子法人とみなす。

（退職手当通算法人）

第二条 法第百六条の二第三項の政令で定める法人は、独立行政法人のほか、次に掲げる法人とする。

一 沖縄振興開発金融公庫
二 首都高速道路株式会社
三 株式会社日本政策金融公庫
四 株式会社日本政策投資銀行
五 阪神高速道路株式会社
六 日本消防検定協会
七 成田国際空港株式会社
八 国家公務員共済組合連合会
九 本州四国連絡高速道路株式会社
十 日本私立学校振興・共済事業団
十一 軽自動車検査協会
十二 日本下水道事業団
十三 消防団員等公務災害補償等共済基金
十四 企業年金連合会
十五 石炭鉱業年金基金
十六 小型船舶検査機構
十七 高圧ガス保安協会
十八 自動車安全運転センター
十九 放送大学学園
二十 日本商工会議所
二十一 地方職員共済組合
二十二 警察共済組合
二十三 中央労働災害防止協会
二十四 地方公務員災害補償基金
二十五 預金保険機構
二十六 危険物保安技術協会
二十七 中央職業能力開発協会
二十八 地方公務員共済組合連合会
二十九 全国市町村職員共済組合連合会
三十 削除
三十一 日本たばこ産業株式会社
三十二 日本電信電話株式会社（日本電信電話株式会社等に関する法律（昭和五十九年法律第八十五号）第一条の二第一項に規定する日本電信電話株式会社をいう。第三十条第十九号において同じ。）
三十三 北海道旅客鉄道株式会社
三十四 四国旅客鉄道株式会社
三十五 削除
三十六 日本貨物鉄道株式会社
三十七 社会保険診療報酬支払基金
三十八 国民年金基金連合会
三十九 公立学校共済組合
四十 日本中央競馬会
四十一 日本電信電話株式会社等に関する法律第一条の二第二項に規定する東日本電信電話株式会社
四十二 日本電信電話株式会社等に関する法律第一条の二第三項に規定する西日本電信電話株式会社
四十三 原子力発電環境整備機構
四十四 国立大学法人
四十五 大学共同利用機関法人
四十六 中間貯蔵・環境安全事業株式会社
四十七 東日本高速道路株式会社
四十八 中日本高速道路株式会社
四十九 西日本高速道路株式会社
五十 日本郵政株式会社
五十一 日本司法支援センター

五十二　削除
五十三　日本郵便株式会社
五十四　株式会社商工組合中央金庫
五十五　地方競馬全国協会
五十六　農水産業協同組合貯金保険機構
五十七　銀行等保有株式取得機構
五十八　地方公共団体金融機構
五十九　輸出入・港湾関連情報処理センター株式会社
六十　全国健康保険協会
六十一　株式会社産業革新投資機構
六十二　株式会社地域経済活性化支援機構
六十三　日本年金機構
六十四　削除
六十五　全国土地改良事業団体連合会
六十六　全国中小企業団体中央会
六十七　全国商工会連合会
六十八　漁業共済組合連合会
六十九　日本銀行
七十　日本弁理士会
七十一　東京地下鉄株式会社
七十二　日本アルコール産業株式会社
七十三　原子力損害賠償・廃炉等支援機構
七十四　沖縄科学技術大学院大学学園
七十五　株式会社東日本大震災事業者再生支援機構
七十六　株式会社国際協力銀行
七十七　新関西国際空港株式会社
七十八　株式会社農林漁業成長産業化支援機構
七十九　株式会社民間資金等活用事業推進機構
八十　株式会社海外需要開拓支援機構
八十一　地方公共団体情報システム機構
八十二　株式会社海外交通・都市開発事業支援機構
八十三　広域的運営推進機関
八十四　株式会社海外通信・放送・郵便事業支援機構
八十五　使用済燃料再処理・廃炉推進機構
八十六　外国人技能実習機構
八十七　株式会社日本貿易保険
八十八　農業共済組合連合会（農業保険法（昭和二十二年法律第百八十五号）第十条第一項に規定する全国連合会に限る。）
八十九　地方税共同機構
九十　福島国際研究教育機構
九十一　株式会社脱炭素化支援機構
九十二　金融経済教育推進機構
九十三　脱炭素成長型経済構造移行推進機構

（退職手当通算予定職員）

第三条　法第百六条の二第四項の特別の事情がない限り引き続いて選考による採用が予定されている者のうち政令で定めるものは、退職手当通算法人の役員又は退職手当通算法人に使用される者となるため退職した場合に国家公務員退職手当法（昭和二十八年法律第百八十二号）の規定による退職手当の支給を受けないこととされている者とする。

（利害関係企業等）

第四条　法第百六条の三第一項の営利企業等のうち、職員の職務に利害関係を有するものとして政令で定めるものは、職員が職務として携わる次の各号に掲げる事務の区分に応じ、当該各号に定めるものとする。

一　許認可等（行政手続法（平成五年法律第八十八号）第二条第三号に規定する許認可等をいう。以下同じ。）をする事務　当該許認可等を受けて事業を行っている営利企業等、当該許認可等の申請をしている営利企業等及び当該許認可等の申請をしようとしていることが明らかである営利企業等

二　補助金等（補助金等に係る予算の執行の適正化に関する法律（昭和三十年法律第百七十九号）第二条第一項に規定する補助金等及び地方自治法（昭和二十二年法律第六十七号）第二百三十二条の二の規定により都道府県が支出する補助金をいう。以下同じ。）を交付する事務　当該補助金等の交付を受けて当該交付の対象となる事務又は事業を行っている営利企業等、当該補助金等の交付の申請をしている営利企業等及び当該補助金等の交付の申請をしようとしていることが明らかである営利企業等

三　立入検査、監査又は監察（法令の規定に基づき行われるものに限る。以下「検査等」という。）をする事務　当該検査等を受けている営利企業等及び当該検査等を受けようとしていることが明らかである営利企業等（当該検査等の方針及び実施計画の作成に関する事務に携わる職員にあっては、当該検査等を受ける営利企業等）

四　不利益処分（行政手続法第二条第四号に規定する不利益処分をいう。以下同じ。）をする事務　当該不利益処分をしようとする場合における当該不利益処分の名宛人となるべき営利企業等

五　行政指導（行政手続法第二条第六号に規定する行政指導のうち、法令の規定に基づいてされるものをいう。以下同じ。）をする事務　当該行政指導により現に一定の作為又は不作為を求められている営利企業等

六　国、行政執行法人又は都道府県の締結する売買、

貸借、請負その他の契約（以下単に「契約」という。）に関する事務　当該契約（電気、ガス又は水道水の供給その他これらに類する継続的給付として内閣官房令で定めるものを受ける契約を除く。以下この号において同じ。）を締結している営利企業等（職員が締結に携わった契約及び履行に携わっている契約の総額が二千万円未満である場合における当該営利企業等を除く。）、当該契約の申込みをしている営利企業等及び当該契約の申込みをしようとしていることが明らかである営利企業等

七　検察官、検察事務官又は司法警察職員が職務として行う場合における犯罪の捜査、公訴の提起若しくは維持又は刑の執行に関する事務　当該犯罪の捜査を受けている被疑者、当該公訴の提起を受けている被告人又は当該刑の執行を受ける者である営利企業等

（局等組織）

第五条　法第百六条の三第二項第二号の国家行政組織法（昭和二十三年法律第百二十号）第七条第一項に規定する官房若しくは局又は同法第八条の二に規定する施設等機関に準ずる国の部局又は機関として政令で定めるものは、次に掲げるものとする。

一　国家行政組織法第二十条第一項に規定する職又は当該職のつかさどる職務の全部若しくは一部を助ける職に就いている職員で構成される組織

二　内閣府設置法（平成十一年法律第八十九号）第十七条第一項に規定する職又は当該職のつかさどる職務の全部若しくは一部を助ける職に就いている職員で構成される組織

三　デジタル庁設置法（令和三年法律第三十六号）第十二条第一項に規定する職又は当該職のつかさどる職務の全部若しくは一部を助ける職に就いている職員で構成される組織

四　別表第一の上欄に掲げる府省等に置かれる同表の当該府省等の項下欄に掲げるもの

★読替え―復興庁組織令（平二四政令二二）により同条の「次に掲げるもの」を「次に掲げるもの並びに復興庁設置法（平成二十三年法律第百二十五号）第十二条第一項に規定する職又は当該職のつかさどる職務の全部若しくは一部を助ける職に就いている職員で構成される組織及び復興庁に置かれる復興局」に読み替える。

第六条　法第百六条の三第二項第二号の行政執行法人の組織として政令で定めるものは、次に掲げるものとする。

一　独立行政法人国立公文書館

二　独立行政法人統計センター

三　独立行政法人造幣局

四　独立行政法人国立印刷局

五　独立行政法人農林水産消費安全技術センター

六　独立行政法人製品評価技術基盤機構

七　独立行政法人駐留軍等労働者労務管理機構

（意思決定の権限を実質的に有しない官職）

第七条　法第百六条の三第二項第二号の意思決定の権限を実質的に有しない官職として政令で定めるものは、国家公務員倫理法（平成十一年法律第百二十九号）第二条第二項各号に掲げる職員以外の職員が就いている官職とする。

（公務の公正性の確保に支障が生じないと認められる場合）

第八条　法第百六条の三第二項第四号の公務の公正性の確保に支障が生じないと認められる場合として政令で定める場合は、次の各号のいずれかに該当し、かつ、公務の公正性を損ねるおそれがないと認められる場合とする。

一　法第百六条の三第二項第四号の承認（以下「求職の承認」という。）の申請をした職員が当該申請に係る利害関係企業等との間で職務として携わる第四条各号に掲げる事務について、それぞれ職員の行う職務を規律する関係法令の規定及びその運用状況に照らして当該職員の裁量の余地が少ないと認められる場合

二　利害関係企業等が求職の承認の申請をした職員の有する高度の専門的な知識経験を必要とする当該利害関係企業等又はその子法人の地位に就くことを当該職員に依頼している場合において、当該職員が当該地位に就こうとする場合（当該職員が当該利害関係企業等に対し、現に検査等を行っている場合及び行おうとしている場合（当該検査等をする事務が前号に掲げる場合に該当する場合を除く。）その他当該利害関係企業等が当該職員と特に密接な利害関係にある場合として内閣官房令で定める場合を除く。）

三　職員が利害関係企業等を経営する親族からの要請に応じ、当該利害関係企業等又はその子法人の地位に就く場合（当該職員が当該利害関係企業等に対し、現に検査等を行っている場合及び行おうとしている場合（当該検査等をする事務が第一号に掲げる場合に該当する場合を除く。）その他当該利害関係企業等が当該職員と特に密接な利害関係にある場合として内閣官房令で定める場合を除く。）

四　利害関係企業等の地位に就く者が一般に募集さ

れ、その応募者が公正かつ適正な手続により選考されると認められる場合において、当該応募者になろうとする場合

２　職員は、前項各号のいずれかの場合に該当したことを理由として求職の承認を得た後、当該場合に該当しなくなった場合は、直ちに、求職の承認をした再就職等監視委員会（求職の承認の権限が、第十一条の規定により、再就職等監察官（以下「監察官」という。）に委任されている場合にあっては、監察官。次条及び第十条において「委員会等」という。）に対し、その旨を通知しなければならない。

（求職の承認の手続）

第九条　求職の承認を得ようとする職員は、内閣官房令で定めるところにより、内閣官房令で定める様式に従い、次に掲げる事項を記載した申請書に内閣官房令で定める書類を添付して、これを委員会等に提出しなければならない。

一　氏名

二　生年月日

三　官職

四　当該求職の承認の申請に係る利害関係企業等の名称

五　当該求職の承認の申請に係る利害関係企業等の業務内容

六　職務と当該求職の承認の申請に係る利害関係企業等との関係

七　その他参考となるべき事項

（求職の承認の附帯条件）

第十条　委員会等は、求職の承認の申請があった場合において、公務の公正性を確保するために必要があると認めるときは、当該求職の承認に際し必要な条件を付することができる。

２　委員会等は、前項の規定による条件に違反したときは、求職の承認を取り消すことができる。

（求職の承認の権限の委任）

第十一条　再就職等監視委員会（以下「委員会」という。）は、法第百六条の三第三項の規定により委任された承認の権限のうち、法第百六条の四第三項に規定する職に就いたことのない職員に対するものを監察官に委任することができる。

（在職していた局等組織に属する役職員に類する者）

第十二条　法第百六条の四第一項の離職前五年間に在職していた局等組織に属する役職員に類する者として政令で定めるものは、次の各号に掲げる場合における当該各号に定めるものとする。

一　再就職者が離職前五年間に国の機関若しくは部局（以下「国の機関等」という。）であって別表第二の上欄に掲げるものに属する職員であった場合（再就職者が離職前五年間に当該国の機関等以外の国の機関等に属する職員であった場合において、当該国の機関等が所掌していた事務を同欄に掲げる国の機関等が所掌しているときは、当該再就職者が離職前五年間に当該同欄に掲げる国の機関等に属する職員であったものとみなす。）又は離職前五年間に同欄に掲げる職に就いていた場合（再就職者が離職前五年間に当該職以外の職に就いていた場合において、当該職の職務を同欄に掲げる職に就いている者が担当しているときは、当該再就職者が離職前五年間に当該同欄に掲げる職に就いていたものとみなす。）同表の当該国の機関等又は当該職の項下欄に掲げるもの

二　再就職者が離職前五年間に在職していた局等組織が所掌する事務を総括整理する官房総括整理職等（次に掲げるものをいう。以下同じ。）が置かれている場合　当該官房総括整理職等（当該局等組織に置かれるものを除く。）に就いている職員

イ　国家行政組織法第二十一条第四項前段に規定する総括整理する職又は同条第五項前段に規定する総括整理する職

ロ　内閣官房の内閣総務官室に置かれる公文書監理官

ハ　内閣法制局設置法施行令（昭和二十七年政令第二百九十号）第六条の二第一項に規定する公文書監理官

ニ　人事院の事務総局に置かれる総括審議官、審議官、公文書監理官、サイバーセキュリティ・情報化審議官又は政策立案参事官

ホ　内閣府設置法第十七条第八項に規定する総括整理する職又は同法第六十三条第四項前段に規定する総括整理する職

ヘ　宮内庁法（昭和二十二年法律第七十号）第十五条第四項に規定する総括整理する職

ト　公正取引委員会の事務総局に置かれる官房に置かれる総括審議官、政策立案総括審議官、審議官、公文書監理官、サイバーセキュリティ・情報化参事官又は参事官

チ　警察法（昭和二十九年法律第百六十二号）第二十六条第三項に規定する総括整理する職

リ　デジタル庁組織令（令和三年政令第百九十二号）第三条第一項に規定する公文書監理官

ヌ　会計検査院の事務総局に置かれる官房に置かれる総括審議官、公文書監理官、サイバーセキュリティ・情報化審議官又は審議官

三　再就職者が離職前五年間に官房総括整理職等又は旧官房総括整理職（次に掲げるものをいう。以下同じ。）に就いていた場合　当該再就職者が当該官房総括整理職等又は当該旧官房総括整理職に就いていた時に総括整理していた事務を所掌する局等組織（当該再就職者がこれらの職に就いていた時に在職していた局等組織を除く。）に属する役職員

イ　国家行政組織法の一部を改正する法律（平成十一年法律第九十号）による改正前の国家行政組織法（次条第二項第一号及び第十五条第二項第一号において「旧国家行政組織法」という。）第十九条第三項前段に規定する総括整理する職

ロ　会計検査院の事務総局に置かれる官房に置かれていたサイバーセキュリティ・情報化参事官

四　再就職者が離職前五年間に就いていた職が廃止された場合　当該再就職者が当該職に就いていた時に担当していた職務を担当している役職員が属する局等組織（当該再就職者が当該職に就いていた時に在職していた局等組織を除く。）に属する役職員又は当該局等組織が所掌する事務を総括整理する官房総括整理職等に就いている職員

★読替え―復興庁組織令（平二四政令二二）により同条の「当該各号に定めるもの」を「当該各号に定めるもの並びに再就職者が離職前五年間に復興庁に属する職員であった場合（再就職者が離職前五年間に復興庁以外の国の機関若しくは部局又は特定独立行政法人に属する職員であった場合において、当該国の機関若しくは部局又は特定独立行政法人が所掌していた事務を復興庁が所掌しているときは、当該再就職者が離職前五年間に復興庁に属する職員であったものとみなす。）における復興庁の事務次官及び公文書監理官並びに再就職者が離職前五年間に復興庁の公文書監理官に就いていた場合における復興庁に属する職員」に読み替える。

（部長又は課長の職に準ずる職）

第十二条　法第百六条の四第二項の国家行政組織法第二十一条第一項に規定する部長又は課長の職に準ずる職であって政令で定めるものは、平成十三年一月六日以降の職については、次に掲げるものとする。

一　国家行政組織法第十八条第三項に規定する次長、同条第四項に規定する職（各庁に置かれるものに限る。）、同法第二十条第三項に規定する職、同法第二十一条第一項に規定する室長、同条第三項に規定する次長並びに同条第四項及び第五項に規定する職

二　内閣審議官及び内閣参事官並びに内閣官房の内閣総務官室に置かれる公文書監理官

三　内閣法制局参事官（内閣法制局設置法（昭和二十七年法律第二百五十二号）第五条第五項の規定に基づき部長に充てられた場合を除く。）、内閣法制局設置法施行令第一条の二第三項に規定する室長、同令第六条第一項の規定に基づき総務主幹に充てられた内閣法制局事務官、同条第六項に規定する課長並びに同令第六条の二第一項に規定する調査官及び公文書監理官

四　人事院の事務総局に置かれる総括審議官、審議官、公文書監理官、サイバーセキュリティ・情報化審議官、課長及び政策立案参事官並びに人事院の事務総局に置かれていた参事官並びに人事院の事務総局に置かれる各局に置かれ、又は置かれていた職であって次に掲げるもの

イ　職員福祉局に置かれる次長、職員団体審議官、課長及び参事官（職員団体審議官の下に置かれる参事官を含む。）

ロ　人材局に置かれる審議官、試験審議官、課長、首席試験専門官及び参事官（参事官にあっては、平成二十三年四月一日以降に置かれるものに限る。）並びに同局に置かれていた参事官（平成二十年十二月三十日以前に置かれていたものに限る。）

ハ　給与局に置かれる次長、課長及び参事官

ニ　公平審査局に置かれる審議官、課長及び首席審理官

五　内閣府設置法第十七条第五項に規定する課長及び室長、同条第八項及び第十項に規定する職、同法第六十三条第一項に規定する部長及び課長、同条第三項に規定する次長並びに同条第四項に規定する職

六　宮内庁法第十五条第一項に規定する課長及び同条第四項に規定する職

七　公正取引委員会の事務総局に置かれていた審判官及び公正取引委員会の事務総局に置かれる官房又は各局に置かれる職であって次に掲げるもの

イ　官房に置かれる総括審議官、政策立案総括審議官、審議官、公文書監理官、サイバーセキュリティ・情報化参事官及び参事官並びに官房に置かれる課の長

ロ　経済取引局に置かれる部及び課の長

ハ　審査局に置かれる審査管理官、審査長、訟務官及び特別審査長並びに同局に置かれる部及び課の

長

八　警察法第二十条第三項に規定する部長、同法第二十六条第二項に規定する課長及び室長、同条第三項に規定する職並びに警察庁の長官官房に置かれる首席監察官

九　金融庁設置法（平成十年法律第百三十号）第二十五条第一項に規定する審判官

十　デジタル庁組織令第二条第一項に規定する審議官並びに同令第三条第一項に規定する公文書監理官及び参事官

十一　検事長及び検事正

十二　原子力規制委員会設置法（平成二十四年法律第四十七号）第二十七条第六項において準用する国家行政組織法第二十一条第一項に規定する部長、課長及び室長並びに同条第五項に規定する職

十三　会計検査院の事務総局に置かれる官房又は各局に置かれ、又は置かれていた職であって次に掲げるもの

イ　官房に置かれる総括審議官、公文書監理官、サイバーセキュリティ・情報化審議官、審議官、課長、上席検定調査官、上席企画調査官、厚生管理官、上席情報システム調査官、能力開発官及び技術参事官並びに官房に置かれていたサイバーセキュリティ・情報化参事官及び上席情報処理調査官

ロ　第一局に置かれる課長及び監理官

ハ　第二局、第三局、第四局及び第五局に置かれる課長、上席調査官及び監理官

十四　独立行政法人国立公文書館に置かれる次長、課の長及び統括公文書専門官

十五　独立行政法人統計センターに置かれる経営審議役及び独立行政法人統計センターに置かれる部に置かれ、若しくは置かれていた職又は独立行政法人統計センターに置かれていた経営審議室、部若しくは情報技術センターに置かれていた職であって次に掲げるもの

イ　総務部、情報システム部及び統計技術・提供部に置かれる部長及び次長

ロ　統計編成部に置かれる部長、人口・消費統計編成調整官、経済統計編成調整官及び次長並びに同部に置かれていた統計編成統括官

ハ　経営審議室に置かれていた経営審議室長

ニ　管理部、統計情報・技術部及び統計情報システム部に置かれていた部長及び次長

ホ　情報技術センターに置かれていた情報技術センター長

十六　独立行政法人造幣局の本局に置かれる部の長及び当該部に置かれる次長

十七　独立行政法人国立印刷局の本局に置かれる部の長及び参事並びに当該部に置かれる参事

十八　独立行政法人農林水産消費安全技術センターの本部に置かれる情報システム・セキュリティ統括官並びに有害物質等分析調査統括チーム及び部の長

十九　独立行政法人製品評価技術基盤機構に置かれる参与及び技監並びにその本部組織に置かれる部の長

二十　独立行政法人駐留軍等労働者労務管理機構の本部に置かれる部の長及び評価・監査役

2　法第百六条の四第二項の国家行政組織法第二十一条第一項に規定する部長又は課長の職に準ずる職であって政令で定めるものは、平成十三年一月五日以前の職については、次に掲げるものとする。

一　旧国家行政組織法第十七条の二第三項に規定する次長、同条第四項に規定する職（法律で国務大臣をもってその長に充てることと定められていた庁以外の各庁に置かれていたものに限る。）、旧国家行政組織法第十九条第一項に規定する部長（宮内庁の部長を除く。）、課長及び室長、同条第二項に規定する次長並びに同条第三項に規定する職

二　内閣参事官（中央省庁等改革のための内閣関係政令等の整備に関する政令（平成十二年政令第三百三号）第二条の規定による改正前の内閣官房組織令（昭和三十二年政令第二百十九号。以下この号及び第十五条第二項第二号において「旧内閣官房組織令」という。）第九条第三項の規定に基づき首席内閣参事官に命ぜられていた場合を除く。）、内閣審議官（旧内閣官房組織令第十条第二項の規定に基づき室長に命ぜられていた場合を除く。）及び内閣調査官（旧内閣官房組織令第十二条第二項の規定に基づき室長に命ぜられていた場合を除く。）

三　内閣法制局参事官（内閣法制局設置法第五条第五項の規定に基づき部長に充てられていた場合を除く。）、内閣法制局設置法施行令第一条の二第三項に規定する室長、同令第六条第一項の規定に基づき総務主幹に充てられていた内閣法制局事務官、同条第六項に規定する課長及び同令第六条の二第一項に規定する調査官

四　人事院の事務総局に置かれていた各局に置かれていた職であって次に掲げるもの

イ　管理局に置かれていた総務審議官、審議官、職員団体審議官、課長及び参事官並びに同局に置かれていた研修審議室及び高齢対策室に置かれてい

た室長及び参事官
ロ　任用局に置かれていた審議官、試験審議官、課長、参事官及び首席試験専門官
ハ　給与局に置かれていた次長、課長及び参事官
ニ　公平局に置かれていた審議官、課長及び首席審理官
ホ　職員局に置かれていた審議官、課長及び参事官
五　公正取引委員会の事務総局に置かれていた審判官及び公正取引委員会の事務総局に置かれていた官房又は各局に置かれていた職であって次に掲げるもの
イ　官房に置かれていた審議官、課長及び参事官
ロ　経済取引局に置かれていた部長及び課長
ハ　審査局に置かれていた部長、課長、審査長及び特別審査長
六　警察法第二十条第三項に規定する部長、同法第二十六条第二項に規定する課長及び室長、同条第三項に規定する職並びに警察庁の長官官房に置かれていた首席監察官
七　検事長及び検事正
八　会計検査院の事務総局に置かれていた官房に置かれていた総務審議官、審議官、課長、上席検定調査官、上席審議室調査官、厚生管理官、上席情報処理調査官、研修官及び技術参事官並びに会計検査院の事務総局に置かれていた各局に置かれていた課長及び上席調査官

★読替え―復興庁組織令（平二四政令二二）により一項の「、次に掲げるもの」を「、次に掲げるもの並びに復興庁組織令（平成二十四年政令第二十二号）第二条第一項に規定する審議官並びに同令第三条第一項に規定する公文書監理官及び参事官」に読み替える。

（部課長等の職に就いていた時に在職していた局等組織に属する役職員に類する者）

第十四条　法第百六条の四第二項の国家行政組織法第二十一条第一項に規定する部長若しくは課長の職又は前条で定める職（以下この条において「部課長等の職」という。）に就いていた時に在職していた局等組織に属する役職員に類する者として政令で定めるものは、次の各号に掲げる場合における当該各号に定めるものとする。
一　再就職者が離職した日の五年前の日より前に部課長等の職に就いていた時に国の機関等であって別表第二の上欄に掲げるものに属する職員であった場合（再就職者が離職した日の五年前の日より前に部課長等の職に就いていた時に当該国の機関等以外の国の機関等に属する職員であった場合において、当該国の機関等が所掌していた事務を同欄に掲げる国の機関等が所掌しているときは、当該再就職者が離職した日の五年前の日より前に部課長等の職に就いていた時に当該同欄に掲げる国の機関等に属する職員であったものとみなす。）又は離職した日の五年前の日より前に同欄に掲げる職に就いていた場合（再就職者が離職した日の五年前の日より前に当該職以外の職に就いていた場合において、当該職の職務を同欄に掲げる職に就いている者が担当しているときは、当該再就職者が離職した日の五年前の日より前に当該同欄に掲げる職に就いていたものとみなす。）　同表の当該国の機関等又は当該職の項下欄に掲げるもの
二　再就職者が離職した日の五年前の日より前に部課長等の職に就いていた時に在職していた局等組織が所掌する事務を総括整理する官房総括整理職等が置かれている場合　当該官房総括整理職等（当該局等組織に置かれるものを除く。）に就いている職員
三　再就職者が離職した日の五年前の日より前に官房総括整理職等又は旧官房総括整理職に就いていた場合　当該再就職者が当該官房総括整理職等又は当該旧官房総括整理職に就いていた時に総括整理していた事務を所掌する局等組織（当該再就職者がこれらの職に就いていた時に在職していた局等組織を除く。）に属する役職員
四　再就職者が離職した日の五年前の日より前に就いていた部課長等の職が廃止された場合　当該再就職者が当該部課長等の職に就いていた時に担当していた職務を担当している役職員が属する局等組織（当該再就職者が当該部課長等の職に就いていた時に在職していた局等組織を除く。）に属する役職員又は当該局等組織が所掌する事務を総括整理する官房総括整理職等に就いている職員

★読替え―復興庁組織令（平二四政令二二）により同条の「当該各号に定めるもの」を「当該各号に定めるもの並びに再就職者が離職した日の五年前の日より前に部課長等の職に就いていた時に復興庁に属する職員であった場合（再就職者が離職した日の五年前の日より前に部課長等の職に就いていた時に復興庁以外の国の機関等に属する職員であった場合において、当該国の機関等が所掌していた事務を復興庁が所掌しているときは、当該再就職者が離職した日の五年前の日より前に部課長等の職に就いていた時に復興庁に属する職員であったものとみなす。）における復興庁の事務次官及び公文書監理官並びに再就職者が離職した日の五年前の日より前に復興庁の公文書監

理官に就いていた場合における復興庁に属する職員」に読み替える。

（長官、事務次官、事務局長又は局長の職に準ずる職）

第十五条　法第百六条の四第三項の国家行政組織法第六条に規定する長官、同法第十八条第一項に規定する事務次官又は同法第二十一条第一項に規定する事務局長若しくは局長の職に準ずる職であって政令で定めるものは、平成十三年一月六日以降の職については、次に掲げるものとする。

一　国家行政組織法第十八条第四項に規定する職（各省に置かれるものに限る。）、同法第二十条第一項に規定する職及び同法第二十一条第二項に規定する官房の長（各省に置かれるものに限る。）

二　内閣感染症危機管理対策官、内閣総務官及び人事政策統括官

三　内閣法制次長及び内閣法制局設置法第五条第五項の規定に基づき部長に充てられた内閣法制局参事官

四　人事院の事務総長及び人事院の事務総局に置かれる局長

五　内閣府の事務次官、内閣府審議官、内閣府設置法第十七条第一項に規定する職、同条第五項に規定する局長、同条第六項に規定する官房の長、同法第六十一条第一項に規定する次長、同条第二項に規定する職、同法第六十二条第一項に規定する職、同法第六十三条第一項に規定する事務局長及び局長並びに同条第二項に規定する官房の長並びに国際連合平和維持活動等に対する協力に関する法律（平成四年法律第七十九号）第五条第十項に規定する事務局長及び日本学術会議法（昭和二十三年法律第百二十一号）第十六条第二項に規定する局長

六　宮内庁次長及び宮内庁法第十五条第一項に規定する部長

七　公正取引委員会の事務総局に置かれる事務総長及び局長

八　警察庁長官、警察法第十八条第一項に規定する次長並びに同法第二十条第一項に規定する官房長及び局長

九　金融庁長官及び金融庁設置法第十九条第二項に規定する事務局長

十　消費者庁長官

十一　こども家庭庁長官

十二　デジタル審議官及びデジタル庁設置法第十三条第一項に規定する職

十三　検事総長及び次長検事

十四　国税不服審判所長

十五　農林水産省設置法（平成十一年法律第九十八号）第十五条第二項に規定する事務局長

十六　国土地理院の長及び海難審判所長

十七　原子力規制庁長官

十八　会計検査院の事務総局に置かれる事務総長、事務総局次長及び局長

2　法第百六条の四第三項の国家行政組織法第六条に規定する長官、同法第十八条第一項に規定する事務次官又は同法第二十一条第一項に規定する事務局長若しくは局長の職に準ずる職であって政令で定めるものは、平成十三年一月五日以前の職については、次に掲げるものとする。

一　旧国家行政組織法第十七条の二第一項に規定する事務次官、同条第四項に規定する職（各省又は法律で国務大臣をもってその長に充てることと定められていた各庁に置かれていたものに限る。）、旧国家行政組織法第十九条第一項に規定する事務局長及び局長並びに同条第二項の規定により置かれていた官房の長（各省又は法律で国務大臣をもってその長に充てることと定められていた各庁に置かれていたものに限る。）

二　首席内閣参事官、旧内閣官房組織令第十条第二項に規定する室長、内閣広報官及び旧内閣官房組織令第十二条第二項に規定する室長

三　内閣法制次長及び内閣法制局設置法第五条第五項の規定に基づき部長に充てられていた内閣法制局参事官

四　人事院の事務総長及び事務総局に置かれていた局長

五　総理府次長並びに国際連合平和維持活動等に対する協力に関する法律第五条第十項に規定する事務局長及び日本学術会議法第十六条第二項に規定する局長

六　公正取引委員会の事務総局に置かれていた事務総長及び局長

七　警察庁長官、警察法第十八条第一項に規定する次長並びに同法第二十条第一項に規定する官房長及び局長

八　宮内庁次長及び宮内庁の部長

九　金融監督庁設置法の施行に伴う関係法律の整備に関する法律（平成九年法律第百二号）第四条の規定による改正前の旧大蔵省設置法（昭和二十四年法律第百四十四号）第十八条第二項、旧金融再生委員会設置法（平成十年法律第百三十号）附則第三条の規

定による廃止前の金融監督庁設置法（平成九年法律第百一号）第十七条第二項及び中央省庁等改革のための国の行政組織関係法律の整備等に関する法律（平成十一年法律第百二号）第一条の規定による改正前の旧金融再生委員会設置法第二十八条第二項に規定する事務局長
十　検事総長及び次長検事
十一　国税不服審判所長
十二　中央省庁等改革のための国の行政組織関係法律の整備等に関する法律第四条第七号の規定による廃止前の農林水産省設置法（昭和二十四年法律第百五十三号）第十四条第二項に規定する事務局長
十三　工業技術院長
十四　国土地理院の長及び海難審判理事所の長
十五　会計検査院の事務総局に置かれていた事務総長、事務総局次長及び局長

★読替え―復興庁組織令（平二四政令二二）により一項の「次に掲げるもの」を「次に掲げるもの並びに復興庁の事務次官及び復興庁設置法第十二条第一項に規定する職」に読み替える。

（局長等としての在職機関）
第十六条　法第百六条の四第三項の政令で定める国の機関は、平成十三年一月六日以降の機関については、次に掲げるものとする。
一　法律の規定に基づき内閣に置かれる機関（次号、第四号から第十号まで及び第二十二号に掲げる国の機関を除く。）
二　内閣法制局
三　人事院
四　内閣府（次号から第九号まで及び第二十二号に掲げる国の機関を除く。）
五　宮内庁
六　公正取引委員会
七　警察庁
八　金融庁
九　こども家庭庁
十　デジタル庁
十一　総務省
十二　法務省
十三　外務省
十四　財務省
十五　文部科学省
十六　厚生労働省
十七　農林水産省
十八　経済産業省
十九　国土交通省
二十　環境省
二十一　防衛省
二十二　防衛庁
二十三　会計検査院
2　法第百六条の四第三項の政令で定める国の機関は、平成十三年一月五日以前の機関については、次に掲げるものとする。
一　法律の規定に基づき内閣に置かれていた機関（次号に掲げる国の機関を除く。）
二　内閣法制局
三　人事院
四　総理府（次号から第十七号までに掲げる国の機関を除く。）
五　公正取引委員会
六　警察庁
七　金融再生委員会
八　宮内庁
九　総務庁
十　行政管理庁
十一　北海道開発庁
十二　防衛庁
十三　経済企画庁
十四　科学技術庁
十五　環境庁
十六　沖縄開発庁
十七　国土庁
十八　法務省
十九　外務省
二十　大蔵省
二十一　文部省
二十二　厚生省
二十三　農林水産省
二十四　通商産業省
二十五　運輸省
二十六　郵政省
二十七　労働省
二十八　建設省
二十九　自治省
三十　会計検査院

★読替え―復興庁組織令（平二四政令二二）により一項の「次に掲げるもの」を「次に掲げるもの及び復興庁」に読み替える。
同項一号の「国の機関」を「国の機関並びに復興庁」に読み替える。

（局長等としての在職機関に属する役職員に類する者）

第十七条　法第百六条の四第三項の局長等としての在職機関に属する役職員に類する者として政令で定めるものは、局長等としての在職機関が前条第一項第一号、第三号、第四号、第六号から第八号まで若しくは第十一号から第二十一号まで又は第二項各号に掲げる国の機関である場合における当該在職機関の所掌していた事務を所掌する同条第一項各号に掲げる国の機関（当該在職機関であるものを除く。）に属する職員とする。

★読替え―復興庁組織令（平二四政令二二）により同条の「又は」を「若しくは」に、「国の機関」を「国の機関又は復興庁」に読み替える。

（在職機関たる国の機関）

第十八条　法第百六条の四第四項の政令で定める国の機関は、第十六条に定めるものとする。

（在職していた行政機関等に属する役職員に類する者）

第十九条　法第百六条の四第四項の行政機関等に属する役職員に類する者として政令で定めるものは、在職していた行政機関等が次の各号に掲げるものである場合における当該各号に定めるものとする。

一　第十六条第一項第一号、第三号、第四号、第六号から第八号まで及び第十一号から第二十二号まで並びに第二項各号に掲げる国の機関　当該行政機関等の所掌していた事務を所掌する同条第一項各号に掲げる国の機関（当該行政機関等であるものを除く。）に属する職員

二　独立行政法人消防研究所　総務省に属する職員

三　独立行政法人農林水産消費技術センター、独立行政法人肥飼料検査所又は独立行政法人農薬検査所　独立行政法人農林水産消費安全技術センターに属する役職員

★読替え―復興庁組織令（平二四政令二二）により一号の「第二項各号に掲げる国の機関」を「第二項各号に掲げる国の機関並びに復興庁」に、「国の機関（」を「国の機関及び復興庁（」に読み替える。

（国の事務又は事業と密接な関連を有する業務）

第二十条　法第百六条の四第五項第一号の国の事務又は事業と密接な関連を有する業務として政令で定めるものは、独立行政法人及び第二条各号に掲げる法人が行う業務とする。

（行政庁等への権利行使等に類する場合）

第二十一条　法第百六条の四第五項第二号の政令で定める場合は、法令に違反する事実がある場合において、その是正のためにされるべき処分がされていないと思料するときに、当該処分をする権限を有する行政庁に対し、その旨を申し出て、当該処分をすることを求める場合とする。

（再就職者による依頼等により公務の公正性の確保に支障が生じないと認められる場合）

第二十二条　法第百六条の四第五項第六号の政令で定める場合は、同号の要求又は依頼に係る職務上の行為が電気、ガス又は水道水の供給その他これらに類する継続的給付として内閣官房令で定めるものを受ける契約に関する職務その他役職員の裁量の余地が少ない職務に関するものである場合とする。

（再就職者による依頼等の承認の手続）

第二十三条　法第百六条の四第五項第六号の承認（以下「依頼等の承認」という。）を得ようとする再就職者は、内閣官房令で定めるところにより、内閣官房令で定める様式に従い、次に掲げる事項を記載した申請書を委員会（依頼等の承認の権限が、次条の規定により、監察官に委任されている場合にあっては、監察官）に提出しなければならない。

一　氏名

二　生年月日

三　離職時の官職

四　再就職者が現にその地位に就いている営利企業等の名称

五　再就職者が現にその地位に就いている営利企業等の業務内容

六　離職前五年間（再就職者が法第百六条の四第二項又は第三項に規定する職に就いていた場合にあっては、当該職に就いていた期間を含む。）の在職状況及び職務内容

七　当該依頼等の承認の申請に係る職員の官職又は行政執行法人の役員の職及びその職務内容

八　当該依頼等の承認の申請に係る法第百六条の四第五項第六号の要求又は依頼の対象となる契約等事務

九　当該依頼等の承認の申請に係る法第百六条の四第五項第六号の要求又は依頼の内容

十　その他参考となるべき事項

（再就職者による依頼等の承認の権限の委任）

第二十四条　委員会は、法第百六条の四第六項の規定により委任された承認の権限のうち、同条第三項に規定する職に就いたことのない再就職者に対するものを監察官に委任することができる。

（再就職者による依頼等の届出の手続）

第二十五条　法第百六条の四第九項の規定による届出

は、同項に規定する要求又は依頼（以下この条において「依頼等」という。）を受けた後遅滞なく、内閣官房令で定める様式に従い、次に掲げる事項を記載した書面を監察官に提出して行うものとする。
一　氏名
二　生年月日
三　官職
四　依頼等をした再就職者の氏名
五　前号の再就職者がその地位に就いている営利企業等の名称及び当該営利企業等における当該再就職者の地位
六　依頼等が行われた日時
七　依頼等の内容

（任命権者への再就職の届出等）

第二十六条　法第百六条の二十三第一項の規定による届出をしようとする職員は、内閣官房令で定める様式に従い、任命権者に届出をしなければならない。

2　法第百六条の二十三第一項の規定による届出をした職員は、当該届出に係る第四項第三号及び第六号から第十一号までに掲げる事項に変更があったときは、遅滞なく、その旨を任命権者に届け出なければならない。

3　法第百六条の二十三第一項の規定による届出をした職員は、当該届出に係る約束が効力を失ったときは、遅滞なく、その旨を任命権者に届け出なければならない。

4　法第百六条の二十三第一項の政令で定める事項は、次に掲げる事項とする。
一　氏名
二　生年月日
三　官職
四　再就職の約束をした日以前の職員としての在職中における次に掲げる日のいずれか早い日（以下「約束前の求職開始日」という。）（約束前の求職開始日がなかった場合には、その旨）
イ　再就職先に対し、再就職を目的として、最初に自己に関する情報を提供した日
ロ　再就職先に対し、再就職を目的として、最初に当該再就職先の地位に関する情報の提供を依頼した日
ハ　再就職先に対し、最初に当該再就職先の地位に就くことを要求した日
五　再就職の約束をした日
六　約束前の求職開始日以後の職員としての在職状況及び職務内容（約束前の求職開始日がなかった場合には、再就職の約束をした日以後の職員としての在職状況及び職務内容）
七　離職予定日
八　再就職予定日
九　再就職先の名称及び連絡先
十　再就職先の業務内容
十一　再就職先における地位
十二　求職の承認の有無
十三　官民人材交流センターによる離職後の就職の援助（以下「センターの援助」という。）の有無
十四　センターの援助以外の離職後の就職の援助（最初に職員となった後に行われたものに限る。以下この号及び第二十九条第三項第十三号において「センター以外の援助」という。）を行った者の氏名又は名称及び当該センター以外の援助の内容（センター以外の援助がなかった場合には、その旨）

5　第二項又は第三項の規定による届出を受けた任命権者は、当該届出を行った職員が法第百六条の二十三第三項に規定する管理職職員（以下「管理職職員」という。）である場合には、速やかに、当該届出に係る事項を内閣総理大臣に通知するものとする。

6　第三項の規定は、法第百六条の二十三第一項の規定による届出をした管理職職員であった者（離職後二年を経過しない者に限り、法第百六条の二十四第一項の規定による届出をした者を除く。）について準用する。この場合において、第三項中「届出に」とあるのは「法第百六条の二十三第一項の規定による届出に」と、「約束が効力を失った」とあるのは「地位に就くことが見込まれないこととなった」と、「任命権者」とあるのは「離職した官職又はこれに相当する官職の任命権者を経由して、内閣総理大臣」と読み替えるものとする。

（管理又は監督の地位にある職員の官職）

第二十七条　法第百六条の二十三第三項の政令で定める官職は、次に掲げる職員が就いている官職とする。
一　一般職の職員の給与に関する法律（昭和二十五年法律第九十五号。以下「給与法」という。）の適用を受ける職員であって、次に掲げるもの（給与法第十条の二第一項の規定により支給を受ける俸給の特別調整額その他の事由に照らして内閣官房令で定めるものを除く。）
イ　給与法別表第一イ行政職俸給表㈠の職務の級七級以上の職員
ロ　給与法別表第二専門行政職俸給表の職務の級五級以上の職員

ハ　給与法別表第三税務職俸給表の職務の級七級以上の職員
ニ　給与法別表第四イ公安職俸給表(一)の職務の級八級以上の職員
ホ　給与法別表第四ロ公安職俸給表(二)の職務の級七級以上の職員
ヘ　給与法別表第五イ海事職俸給表(一)の職務の級六級以上の職員
ト　給与法別表第六イ教育職俸給表(一)の職務の級四級以上の職員
チ　給与法別表第七研究職俸給表の職務の級五級以上の職員
リ　給与法別表第八イ医療職俸給表(一)の職務の級三級以上の職員
ヌ　給与法別表第八ロ医療職俸給表(二)の職務の級七級以上の職員
ル　給与法別表第八ハ医療職俸給表(三)の職務の級六級以上の職員
ヲ　給与法別表第九福祉職俸給表の職務の級六級の職員
二　給与法別表第十一指定職俸給表の適用を受ける職員
三　一般職の任期付職員の採用及び給与の特例に関する法律（平成十二年法律第百二十五号）第七条第一項の俸給表の適用を受ける職員であって、同表五号俸の俸給月額以上の俸給を受けるもの
四　一般職の任期付研究員の採用、給与及び勤務時間の特例に関する法律（平成九年法律第六十五号）第六条第一項の俸給表の適用を受ける職員であって、同表四号俸の俸給月額以上の俸給を受けるもの
五　検察官の俸給等に関する法律（昭和二十三年法律第七十六号。以下「検察官俸給法」という。）の適用を受ける職員であって、次に掲げるもの
イ　検事総長、次長検事及び検事長
ロ　検察官俸給法別表検事の項十二号の俸給月額以上の俸給を受ける検事
ハ　検察官俸給法別表副検事の項七号の俸給月額以上の俸給を受ける副検事
六　行政執行法人の職員であって、前各号に掲げる職員に相当するものとして内閣総理大臣が定めるもの

（管理職職員であった者の再就職の届出の対象となる地位）

第二十八条　法第百六条の二十四第一項の役員その他の地位であって政令で定めるものは、次に掲げるものとする。
一　役員（非常勤のものを除く。）
二　前号に掲げるもののほか、法令の規定により内閣若しくは内閣総理大臣若しくは各省大臣により任命されることとされている地位又は法令の規定により任命若しくは選任に関し行政庁の認可を要する地位

（内閣総理大臣への事前の再就職の届出）

第二十九条　法第百六条の二十四第一項の規定による届出をしようとする管理職職員であった者は、内閣官房令で定める様式に従い、離職した官職又はこれに相当する官職の任命権者を経由して、内閣総理大臣に届出をしなければならない。

2　第二十六条第二項及び第三項の規定は、法第百六条の二十四第一項の規定による届出をした者（離職後二年を経過しない者に限る。）について準用する。この場合において、第二十六条第二項及び第三項中「任命権者」とあるのは「離職した官職又はこれに相当する官職の任命権者を経由して、内閣総理大臣」と、同条第二項中「第四項第三号及び第六号から第十一号まで」とあるのは「第二十九条第三項第七号から第十号まで」と、同条第三項中「約束が効力を失った」とあるのは「地位に就くことが見込まれないこととなった」と読み替えるものとする。

3　法第百六条の二十四第一項の政令で定める事項は、次に掲げる事項とする。
一　氏名
二　生年月日
三　離職時の官職
四　職員としての在職中における次に掲げる日のいずれか早い日（以下「離職前の求職開始日」という。）（離職前の求職開始日がなかった場合には、その旨）
イ　再就職先に対し、再就職を目的として、最初に自己に関する情報を提供した日
ロ　再就職先に対し、再就職を目的として、最初に当該再就職先の地位に関する情報の提供を依頼した日
ハ　再就職先に対し、最初に当該再就職先の地位に就くことを要求した日
五　離職前の求職開始日があった場合における当該離職前の求職開始日から離職日までの間の職員としての在職状況及び職務内容
六　離職日
七　再就職予定日
八　再就職先の名称及び連絡先
九　再就職先の業務内容
十　再就職先における地位

十一　求職の承認の有無
十二　センターの援助の有無
十三　センター以外の援助を行った者の氏名又は名称及び当該センター以外の援助の内容（センター以外の援助がなかった場合には、その旨）

（内閣総理大臣への事前の再就職の届出に係る特殊法人）

第三十条　法第百六条の二十四第一項第二号の政令で定める法人は、次に掲げるものをいう。

一　沖縄振興開発金融公庫
二　株式会社商工組合中央金庫
三　株式会社日本政策金融公庫
四　株式会社日本政策投資銀行
五及び六　削除
七　四国旅客鉄道株式会社
八　首都高速道路株式会社
九　東京地下鉄株式会社
十　中日本高速道路株式会社
十一　成田国際空港株式会社
十二　西日本高速道路株式会社
十三　日本アルコール産業株式会社
十四　日本貨物鉄道株式会社
十五　中間貯蔵・環境安全事業株式会社
十六　日本私立学校振興・共済事業団
十七　日本たばこ産業株式会社
十八　日本中央競馬会
十九　日本電信電話株式会社
二十　日本放送協会
二十一　日本郵政株式会社
二十二　阪神高速道路株式会社
二十三　東日本高速道路株式会社
二十四　北海道旅客鉄道株式会社
二十五　本州四国連絡高速道路株式会社
二十六　輸出入・港湾関連情報処理センター株式会社
二十七　日本年金機構
二十八　沖縄科学技術大学院大学学園
二十九　株式会社国際協力銀行
三十　新関西国際空港株式会社
三十一　株式会社日本貿易保険
三十二　福島国際研究教育機構

（内閣総理大臣への事前の再就職の届出に係る認可法人）

第三十一条　法第百六条の二十四第一項第三号の政令で定める法人は、次に掲げるものとする。

一　日本赤十字社
二　農水産業協同組合貯金保険機構
三　日本銀行
四　銀行等保有株式取得機構
五　預金保険機構
六　株式会社産業革新投資機構
七　株式会社地域経済活性化支援機構
八　原子力損害賠償・廃炉等支援機構
九　株式会社東日本大震災事業者再生支援機構
十　株式会社農林漁業成長産業化支援機構
十一　株式会社民間資金等活用事業推進機構
十二　株式会社海外需要開拓支援機構
十三　株式会社海外交通・都市開発事業支援機構
十四　広域的運営推進機関
十五　株式会社海外通信・放送・郵便事業支援機構
十六　外国人技能実習機構
十七　株式会社脱炭素化支援機構
十八　金融経済教育推進機構
十九　脱炭素成長型経済構造移行推進機構

（内閣総理大臣への事前の再就職の届出に係る公益社団法人又は公益財団法人）

第三十二条　法第百六条の二十四第一項第四号の政令で定める公益社団法人又は公益財団法人（以下「公益法人」という。）は、当該公益法人が国から交付を受けた補助金、委託費その他これらに類する給付金（以下この条において「給付金等」という。）のうちに占める第三者へ交付した金額の割合、当該公益法人が国から交付を受けた給付金等の総額が当該公益法人の収入金額の総額に占める割合、試験、検査、検定その他の行政上の事務の当該公益法人への委託の有無その他の事情を勘案して内閣官房令で定めるものとする。

（内閣総理大臣への事後の再就職の届出を要しない場合）

第三十三条　法第百六条の二十四第二項の政令で定める場合は、次に掲げる場合とする。

一　任命権者又はその委任を受けた者の要請に応じ特別職に属する国家公務員又は地方公務員（以下この号において「特別職国家公務員等」という。）となるため退職し、引き続き特別職国家公務員等となった場合
二　法第六十条の二第一項の規定により職員として採用された場合又は自衛隊法（昭和二十九年法律第百六十五号）第四十一条の二第一項の規定により特別職に属する国家公務員として採用された場合
三　国の機関を設置する法律又はこれに基づく命令により当該国の機関に置かれる顧問、参与、参事又は

これらに準ずるもの（離職時に在職していた第十六条第一項（第二十二号を除く。）に定める国の機関に置かれるものに限る。）として採用された場合

四　営利企業以外の事業の団体の地位に就き、又は事業に従事し、若しくは事務を行うこととなった場合（前三号に掲げる場合を除く。）であって、内閣官房令で定める額以下の報酬を得る場合

（内閣総理大臣への事後の再就職の届出）

第三十四条　第二十九条第一項の規定は法第百六条の二十四第二項の規定による届出をしようとする管理職職員であった者について、第二十九条第三項の規定は法第百六条の二十四第二項の政令で定める事項について、それぞれ準用する。この場合において、第二十九条第三項第七号中「再就職予定日」とあるのは、「再就職日」と読み替えるものとする。

（内閣総理大臣による報告等）

第三十五条　法第百六条の二十五第一項の規定による報告のうち法第百六条の二十三第三項の規定による通知に係るものは、当該通知に係る者が離職した時点で当該通知に係る約束が効力を失っていない場合において、当該通知に係る者が離職した時に行うものとする。

2　法第百六条の二十五第二項の政令で定める事項は、次の各号に掲げる者の区分に応じ、当該各号に定める事項とする。

一　法第百六条の二十三第三項の規定による通知に係る者　次に掲げる事項

イ　氏名

ロ　離職時の年齢

ハ　離職時の官職

ニ　約束前の求職開始日（約束前の求職開始日がなかった場合には、その旨）

ホ　再就職の約束をした日

ヘ　約束前の求職開始日から離職日までの間の職員としての在職状況及び職務内容（約束前の求職開始日がなかった場合には、再就職の約束をした日から離職日までの間の職員としての在職状況及び職務内容）

ト　離職日

チ　再就職日又は再就職予定日

リ　再就職先の名称

ヌ　再就職先の業務内容

ル　再就職先における地位

ヲ　求職の承認の有無

ワ　センターの援助の有無

二　法第百六条の二十四の規定による届出に係る者　次に掲げる事項

イ　氏名

ロ　離職時の年齢

ハ　離職時の官職

ニ　離職前の求職開始日（離職前の求職開始日がなかった場合には、その旨）

ホ　離職前の求職開始日があった場合における当該離職前の求職開始日から離職日までの間の職員としての在職状況及び職務内容

ヘ　離職日

ト　再就職日又は再就職予定日（法第百六条の二十四第二項の規定による届出に係る者にあっては、再就職日）

チ　再就職先の名称

リ　再就職先の業務内容

ヌ　再就職先における地位

ル　求職の承認の有無

ヲ　センターの援助の有無

（在職機関たる国の機関）

第三十六条　法第百六条の二十七の政令で定める国の機関は、第十六条第一項（第二十二号を除く。）に定めるものとする。

（在職機関による公表）

第三十七条　法第百六条の二十七の規定による公表は、毎会計年度又は毎事業年度の終了後四月以内に行わなければならない。

2　前項の規定により公表を行う場合における法第百六条の二十七第二号及び第三号の額は、管理職職員の離職した日の翌日の属する年度からその日から二年を経過する日の属する年度までの各年度における総額とする。

（在職機関の公表事項）

第三十八条　法第百六条の二十七第四号の政令で定める事項は、次の各号に掲げる者の区分に応じ、当該各号に定める事項とする。

一　法第百六条の二十三第一項の規定による届出に係る者　次に掲げる事項

イ　離職時の年齢

ロ　離職時の官職

ハ　約束前の求職開始日（約束前の求職開始日がなかった場合には、その旨）

ニ　再就職の約束をした日

ホ　約束前の求職開始日から離職日までの間の職員としての在職状況及び職務内容（約束前の求職開

始日がなかった場合には、再就職の約束をした日から離職日までの間の職員としての在職状況及び職務内容）

ヘ　離職日

ト　再就職日

チ　再就職先の名称

リ　再就職先の業務内容

ヌ　再就職先における地位

ル　求職の承認を得た日

ヲ　求職の承認の理由

二　法第百六条の二十四の規定による届出に係る者　次に掲げる事項

イ　離職時の年齢

ロ　離職時の官職

ハ　離職前の求職開始日（離職前の求職開始日がなかった場合には、その旨）

ニ　離職前の求職開始日があった場合における当該離職前の求職開始日から離職日までの間の職員としての在職状況及び職務内容

ホ　離職日

ヘ　再就職日

ト　再就職先の名称

チ　再就職先の業務内容

リ　再就職先における地位

ヌ　求職の承認を得た日

ル　求職の承認の理由

（在職していた局等組織に属する役職員に類する者）

第三十九条　法第百九条第十四号の離職前五年間に在職していた局等組織に属する役職員に類する者として政令で定めるものは、第十二条に定めるものとする。

（部長又は課長の職に準ずる職）

第四十条　法第百九条第十五号の国家行政組織法第二十一条第一項に規定する部長又は課長の職に準ずる職であって政令で定めるものは、第十三条に定めるものとする。

（部課長等の職に就いていた時に在職していた局等組織に属する役職員に類する者）

第四十一条　法第百九条第十五号の国家行政組織法第二十一条第一項に規定する部長若しくは課長の職又は前条で定める職に就いていた時に在職していた局等組織に属する役職員に類する者として政令で定めるものは、第十四条に定めるものとする。

（長官、事務次官、事務局長又は局長の職に準ずる職）

第四十二条　法第百九条第十六号の国家行政組織法第六条に規定する長官、同法第十八条第一項に規定する事務次官又は同法第二十一条第一項に規定する事務局長若しくは局長の職に準ずる職であって政令で定めるものは、第十五条に定めるものとする。

（局長等としての在職機関に属する役職員に類する者）

第四十三条　法第百九条第十六号の局長等としての在職機関に属する役職員に類する者として政令で定めるものは、第十七条に定めるものとする。

（在職していた国の機関）

第四十四条　法第百九条第十七号の政令で定める国の機関は、第十六条に定めるものとする。

（在職していた行政機関等に属する役職員に類する者）

第四十五条　法第百九条第十七号の行政機関等に属する役職員に類する者として政令で定めるものは、第十九条に定めるものとする。

（非常勤職員等に関する特例）

第四十六条　非常勤職員（法第六十条の二第一項に規定する短時間勤務の官職を占める職員を除く。）、臨時的職員及び条件付採用期間中の職員（以下この条及び次条において「非常勤職員等」という。）については、法第百六条の二第一項、第百六条の三第一項、第百六条の四第九項、第百六条の二十三、第百九条第十八号及び第百十二条各号の規定は、適用しない。

2　法第百六条の二第一項の他の職員には、非常勤職員等を含まないものとする。

3　法第百六条の四第九項及び第百九条第十八号の規定の適用については、法第百六条の四第一項中「職員であった者であって離職後」とあるのは、「職員（非常勤職員（第六十条の二第一項に規定する短時間勤務の官職を占める職員を除く。）、臨時的職員及び条件付採用期間中の職員を除く。）であった者であって離職後」とする。

4　第二十六条第四項第四号、第六号及び第十四号、第三十五条第二項第一号並びに第三十八条第一号ホの職員には、非常勤職員等を含まないものとする。

第四十七条　法第百六条の四第一項から第四項まで、第百九条第十四号から第十七号まで及び第百十三条第一号の規定の適用については、法第百六条の四第一項中「職員であった者であって離職後」とあるのは、「職員（非常勤職員（第六十条の二第一項に規定する短時間勤務の官職を占める職員を除く。）、臨時的職員及び条件付採用期間中の職員を除く。）であった者であって離職後」とし、法第百六条の二十四及び第百十三条第二号の規定の適用については、法第百六条の二十四第一項中「管理職職員であった者」とあるのは「管理職職員（臨時的職員及び条件付採用期間中の職員を除く。次項において同じ。）であった者」と、「次項」とあるのは「同項」とする。

2　次に掲げる者には、非常勤職員等を含まないものとする。

一　法第百六条の四第一項の離職前五年間に在職していた局等組織に属する役職員に類する者として第十二条に定めるもの

二　法第百六条の四第二項の国家行政組織法第二十一条第一項に規定する部長若しくは課長の職又はこれらに準ずる職として第十三条に定めるものに就いていた時に在職していた局等組織に属する役職員に類する者として第十四条に定めるもの

三　法第百六条の四第三項の局長等としての在職機関に属する役職員に類する者として第十七条に定めるもの

四　法第百六条の四第四項の在職していた行政機関等に属する役職員に類する者として第十九条に定めるもの

五　法第百九条第十四号の離職前五年間に在職していた局等組織に属する役職員に類する者として第三十九条に定めるもの

六　法第百九条第十五号の国家行政組織法第二十一条第一項に規定する部長若しくは課長の職又はこれらに準ずる職として第四十条に定めるものに就いていた時に在職していた局等組織に属する役職員に類する者として第四十一条に定めるもの

七　法第百九条第十六号の局長等としての在職機関に属する役職員に類する者として第四十三条に定めるもの

八　法第百九条第十七号の在職していた行政機関等に属する役職員に類する者として第四十五条に定めるもの

3　第二十九条第三項第四号及び第五号（これらの規定を第三十四条において準用する場合を含む。）、第三十五条第二項第二号ホ並びに第三十八条第二号ニの職員には、非常勤職員等を含まないものとする。

附　則

（施行期日）

第一条　この政令は、国家公務員法等の一部を改正する法律（平成十九年法律第百八号。以下「改正法」という。）の施行の日（平成二十年十二月三十一日）から施行する。

（経過措置）

第二条　法第百六条の二第三項に規定する退職手当通算法人には、当分の間、中部国際空港の設置及び管理に関する法律（平成十年法律第三十六号）第四条の規定により国土交通大臣が指定する株式会社を含むものとする。

第三条　第三十二条に規定する公益法人には、一般社団法人及び一般財団法人に関する法律及び公益社団法人及び公益財団法人の認定等に関する法律の施行に伴う関係法律の整備等に関する法律（平成十八年法律第五十号）第四十二条第一項に規定する特例社団法人又は特例財団法人を含むものとする。

（在職機関たる国の機関）

第四条　改正法附則第六条の政令で定める国の機関は、第十六条第一項（第二十号を除く。）に定めるものとする。

（在職機関による公表）

第五条　改正法附則第六条の規定による公表は、毎会計年度又は毎事業年度の終了後四月以内に行わなければならない。

2　前項の規定により公表を行う場合における改正法附則第六条第二号及び第三号の額は、管理職職員の離職した日の翌日の属する年度からその日から二年を経過する日の属する年度までの各年度における総額とする。

（在職機関の公表事項）

第六条　改正法附則第六条第四号の政令で定める事項は、次に掲げる事項とする。

一　離職時の年齢

二　離職時の官職

三　離職日

四　再就職日

五　再就職先の名称

六　再就職先の業務内容

七　再就職先における地位

八　求職の承認及び就職の援助の承認並びに営利企業への就職の承認を得た日

九　求職の承認及び就職の援助の承認並びに営利企業への就職の承認の理由

（委員長等が任命されるまでの間の経過措置）

第七条　改正法の施行の日から委員会の委員長及び二名以上の委員が最初に任命されて法第十八条の四、第百六条の三第三項及び第四項、第百六条の四第六項及び第七項並びに第百六条の二十一第三項の規定が適用されるに至るまでの間、法第百条第五項、第百六条の三第五項、第百六条の四第八項及び第九項、第百六条の十六、第百六条の十七、第百六条の十八第一項、第百六条の十九、第百六条の二十第一項及び第三項並びに第百六条の二十一第一項及び第二項の規定並びに第八条第二項、第九条、第十条、第二十三条及び第二十五条の規定の適用については、法第百条第五項中「第十八条の四の規定により権限の委任を受けた再就職等監視委員会」とあるのは「第十八条の三第一項の規定により内閣総理大臣」と、「同項」とあるのは「前項」と、「「再就職等監視委員会」とあるのは「「内閣総理大臣」と、法第百六条の三第五項中「再就職等監視委員会が第三項の規定により委任を受けた権限に基づき行う承認（前項の規定により委任を受けた権限に基づき再就職等監察官が行う承認を含む。）」とあるのは「内閣総理大臣が第二項第四号の規定により行う承認」と、「、再就職等監視委員会」とあるのは「、内閣総理大臣」と、法第百六条の四第八項中「再就職等監視委員会が第六項の規定により委任を受けた権限に基づき行う承認（前項の規定により委任を受けた権限に基づき再就職等監察官が行う承認を含む。）」とあるのは「内閣総理大臣が第五項第六号の規定により行う承認」と、「、再就職等監視委員会」とあるのは「、内閣総理大臣」と、同条第九項中「再就職等監察官」とあるのは「内閣総理大臣」と、法第百六条の十六から第百六条の十九までの規定中「委員会」とあるのは「内閣総理大臣」と、同条中「監察官」とあるのは「その指名する者」と、法第百六条の二十（見出しを含む。）中「委員会」とあるのは「内閣総理大臣」と、同条第一項中「監察官」とあるのは「その指名する者」と、法第百六条の二十一第一項及び第二項中「委員会」とあるのは「内閣総理大臣」と、同条第一項中「監察官」とあるのは「その指名する者」と、第八条第二項中「求職の承認をした再就職等監視委員会（求職の承認の権限が、第十一条の規定により、再就職等監察官（以下「監察官」という。）に委任されている場合にあっては、監察官。次条及び第十条において「委員会等」という。）」とあり、第九条及び第十条中「委員会等」とあり、第二十三条中「委員会（依頼等の承認の権限が、次条の規定により、監察官に委任されている場合にあっては、監察官）」とあり、並びに第二十五条中「監察官」とあるのは「内閣総理大臣」とし、第十一条及び第二十四条の規定は適用しない。

2　前項の規定により読み替えて適用される法及びこの政令の規定により、内閣総理大臣がした承認その他の行為又は内閣総理大臣に対してされた承認の申請その他の行為は、委員会の委員長及び二名以上の委員が最初に任命された時以後においては、同項の規定の適用がないものとした場合における相当規定により、委員会若しくは監察官がした承認その他の行為又は委員会若しくは監察官に対してされた承認の申請その他の行為とみなす。

附　則（平二七・三・二五政令八二）

（施行期日）

1　この政令は、私的独占の禁止及び公正取引の確保に関する法律の一部を改正する法律の施行の日（平成二十七年四月一日）から施行する。

（職員の退職管理に関する政令の一部改正に伴う経過措置）

2　私的独占の禁止及び公正取引の確保に関する法律の一部を改正する法律附則第二条から第四条までの規定によりなお従前の例によることとされる審判手続（同法附則第二条の審判手続をいう。）に係る事務が終了するまでの間における第二条の規定による改正後の職員の退職管理に関する政令第十三条第一項第七号及び別表第一の規定の適用については、同号中「置かれていた審判官」とあるのは「置かれ、又は置かれていた審判官」と、同表公正取引委員会の項中「官房」とあるのは「官房（私的独占の禁止及び公正取引の確保に関する法律の一部を改正する法律（平成二十五年法律第百号）附則第八条第二項の規定によりなおその効力を有することとされる同法による改正前の私的独占の禁止及び公正取引の確保に関する法律（昭和二十二年法律第五十四号）第三十五条第七項に規定する審判官は、当該官房に属するものとする。）」とする。

附　則（平二八・三・三一政令一〇三）

（施行期日）

1　この政令は、平成二十八年四月一日から施行する。

（罰則に関する経過措置）

3　第三十五条の規定の施行前にした行為に対する罰則の適用については、なお従前の例による。

附　則（平二九・一二・二二政令三一七）

改正　令四・三・三〇政令一二八

（施行期日）

第一条　この政令は、平成三十年一月一日から施行する。

（経過措置）

第二条　この政令による改正後の職員の退職管理に関する政令（以下この条において「新令」という。）第二十六条第二項（新令第二十九条第二項において準用する場合を含む。）及び第四項（第四号、第六号、第九号及び第十四号に係る部分に限る。）、第二十九条第三項（第四号、第五号、第八号及び第十三号に係る部分に限り、新令第三十四条において準用する場合を含む。）、第三十五条第二項（第一号ニからヘまで並びに第二号ニ及びホに係る部分に限る。）並びに第三十八条（第一号ハからホまで並びに第二号ハ及びニに係る部分に限る。）の規定は、この政令の施行の日（以下この条において「施行日」という。）以後にされる国家公務員法第百六条の二十三第一項の規定による届出（施行日前にされた同項の規定による届出に係る事項の変更に係る届出を除く。）、同法第百六条の二十四第一項の規定による届出（施行日前にされた同項の規定による届出に係る事項の変更に係る届出を除く。）及び同条第二項の規定による届出について適用し、施行日前にされた同法第百六条の二十三第一項の規定による届出及び施行日以後にされる当該届出に係る事項の変更に係る届出、施行日前にされた同法第百六条の二十四第一項の規定による届出及び施行日以後にされる当該届出に係る事項の変更に係る届出並びに施行日前にされた同条第二項の規定による届出については、なお従前の例による。

2　次の各号に掲げる者に対する当該各号に定める規定の適用については、これらの規定中「早い日」とあるのは、「早い日（職員の退職管理に関する政令の一部を改正する政令（平成二十九年政令第三百十七号）の施行の日以後の日に限る。）」とする。

一　施行日前における職員（非常勤職員（国家公務員法第六十条の二第一項に規定する短時間勤務の官職を占める職員を除く。）、臨時的職員及び条件付採用期間中の職員を除く。以下この項及び次項において同じ。）としての在職中に、再就職先に対し、再就職を目的として、自己に関する情報を提供し、若しくは当該再就職先の地位に関する情報の提供を依頼し、又は当該地位に就くことを要求した職員　新令第二十六条第四項第四号

二　施行日前における職員としての在職中に、再就職先に対し、再就職を目的として、自己に関する情報を提供し、若しくは当該再就職先の地位に関する情報の提供を依頼し、又は当該地位に就くことを要求した国家公務員法第百六条の二十三第三項に規定する管理職職員（臨時的職員及び条件付採用期間中の職員を除く。第四項において「管理職職員」という。）であった者　新令第二十九条第三項第四号（新令第三十四条において準用する場合を含む。）

3　施行日前に官民人材交流センターによる離職後の就職の援助以外の離職後の就職の援助（最初に職員となった後に行われたものに限る。次項において「センター以外の援助」という。）を受けた職員に対する新令第二十六条第四項の規定の適用については、同項第十四号中「後に」とあるのは、「後であって、かつ、職員の退職管理に関する政令の一部を改正する政令（平成二十九年政令第三百十七号）の施行の日以後に」とする。

4　施行日前にセンター以外の援助を受けた管理職職員であった者に対する新令第二十九条第三項（新令第三十四条において準用する場合を含む。以下この項において同じ。）の規定の適用については、新令第二十九条第三項第十三号中「センター以外の援助を」とあるのは、「センター以外の援助（職員の退職管理に関する政令の一部を改正する政令（平成二十九年政令第三百十七号）の施行の日以後に行われたものに限る。以下この号において同じ。）を」とする。

附　則（令四・三・三〇政令一二八）（抄）

（施行期日）

第一条　この政令は、令和五年四月一日から施行する。

（職員の退職管理に関する政令及び行政執行法人の役員の退職管理に関する政令の一部改正に伴う経過措置）

第四条　この政令の施行前に、次の各号に掲げる者が、改正法第一条の規定による改正前の国家公務員法第八十一条の四第一項若しくは第八十一条の五第一項の規定により職員として採用された場合又は改正法第八条の規定による改正前の自衛隊法（昭和二十九年法律第百六十五号）第四十四条の四第一項若しくは第四十四条の五第一項の規定により特別職に属する国家公務員として採用された場合においては、当該各号に掲げる者に対する当該各号に定める規定の適用については、なお従前の例による。

一　管理職職員であった者　第八条の規定による改正前の職員の退職管理に関する政令第三十三条第二号

二　〔略〕

○国家公務員法等の一部を改正する法律及び国会職員法及び国家公務員退職手当法の一部を改正する法律の施行に伴う関係政令の整備等及び経過措置に関する政令（抄）（令四・三・三〇政令一二八）

（内閣総理大臣への事後の再就職の届出に係る職員の

（退職管理に関する政令及び行政執行法人の役員の退職管理に関する政令の適用に関する経過措置）

第十二条 次の各号に掲げる者が、改正法附則第四条第一項若しくは第二項若しくは第五条第一項若しくは第二項の規定により職員（国家公務員法第二条に規定する一般職に属する職員をいう。附則第四条において同じ。）として採用された場合又は改正法附則第九条第一項若しくは第二項若しくは第十条第一項若しくは第二項の規定により特別職に属する国家公務員として採用された場合においては、当該各号に掲げる者に対する当該各号に定める規定の適用については、これらの規定中「第六十条の二第一項」とあるのは「第六十条の二第一項若しくは国家公務員法等の一部を改正する法律（令和三年法律第六十一号。以下この号において「令和三年国家公務員法等改正法」という。）附則第四条第一項若しくは第二項若しくは第五条第一項若しくは第二項」と、「第四十一条の二第一項」とあるのは「第四十一条の二第一項若しくは令和三年国家公務員法等改正法附則第九条第一項若しくは第二項若しくは第十条第一項若しくは第二項」とする。

一　管理職職員（国家公務員法第百六条の二十三第三項に規定する管理職職員をいう。附則第四条第一号において同じ。）であった者　職員の退職管理に関する政令第三十三条第二号

二　行政執行法人（独立行政法人通則法（平成十一年法律第百三号）第二条第四項に規定する行政執行法人をいう。附則第四条第二号において同じ。）の役員であった者　行政執行法人の役員の退職管理に関する政令第十九条第一号

附　則（令六・五・二九政令一九五）（抄）

（施行期日）

1　この政令は、災害時等における船舶を活用した医療提供体制の整備の推進に関する法律の施行の日（令和六年六月一日）から施行する。

別表第一（第五条関係）

内閣	郵政民営化委員会に置かれる事務局 原子力防災会議に置かれる事務局 特定複合観光施設区域整備推進本部に置かれる事務局 船舶活用医療推進本部に置かれる事務局
内閣官房	内閣官房副長官補又は当該職を助ける職に就いている職員で構成される組織 内閣総務官室 内閣感染症危機管理統括庁 国家安全保障局 内閣広報室 内閣情報調査室 内閣人事局
内閣法制局	内閣法制局設置法第四条第一項に規定する部 内閣法制局設置法第四条第一項に規定する長官総務室
人事院	事務総局（事務総局に置かれる局、公務員研修所、地方事務局及び沖縄事務所を除く。） 事務総局に置かれる局 事務総局に置かれる公務員研修所 事務総局に置かれる地方事務局 事務総局に置かれる沖縄事務所 国家公務員倫理審査会に置かれる事務局
内閣府（宮内庁、公正取引委員会、警察庁、金融庁及びこども家庭庁を除く。）	内閣府設置法第十七条第一項に規定する官房 内閣府設置法第十七条第一項に規定する局 食品安全委員会に置かれる事務局 国会等移転審議会に置かれる事務局 公益認定等委員会に置かれる事務局 再就職等監視委員会に置かれる事務局 消費者委員会に置かれる事務局 経済社会総合研究所 迎賓館 地方創生推進事務局 知的財産戦略推進事務局 科学技術・イノベーション推進事務局 健康・医療戦略推進事務局 宇宙開発戦略推進事務局 北方対策本部 総合海洋政策推進事務局 国際平和協力本部に置かれる事務局 日本学術会議に置かれる事務局 官民人材交流センター 沖縄総合事務局 個人情報保護委員会に置かれる事務局 カジノ管理委員会に置かれる事務局 消費者庁
宮内庁	宮内庁法第三条第一項に規定する長官官房 侍従職 東宮職 式部職 書陵部 管理部 正倉院事務所 御料牧場 京都事務所
公正取引委員会	事務総局に置かれる官房 事務総局に置かれる局 事務総局に置かれる地方事務所
警察庁	警察法第十九条第一項に規定する長官官房 警察法第十九条第一項に規定する局 警察大学校 科学警察研究所

	皇宮警察本部 管区警察局 東京都警察情報通信部 北海道警察情報通信部
金融庁	総合政策局（金融庁設置法第二十五条第一項に規定する審判官は当該局に属するものとする。） 企画市場局 監督局 証券取引等監視委員会に置かれる事務局 公認会計士・監査審査会に置かれる事務局
こども家庭庁	こども家庭庁組織令（令和五年政令第百二十五号）第一条に規定する長官官房 成育局 支援局 国立児童自立支援施設
総務省	行政不服審査会に置かれる事務局 情報公開・個人情報保護審査会に置かれる事務局 官民競争入札等監理委員会に置かれる事務局 電気通信紛争処理委員会に置かれる事務局 電波監理審議会 政治資金適正化委員会に置かれる事務局 管区行政評価局 沖縄行政評価事務所 総合通信局 沖縄総合通信事務所 公害等調整委員会に置かれる事務局 消防庁（消防大学校を除く。）
法務省	最高検察庁 高等検察庁 地方検察庁（当該地方検察庁の対応する裁判所の管轄区域内にある区検察庁を含む。）
	矯正管区 地方更生保護委員会 法務局 地方法務局 保護観察所 出入国在留管理庁（入国者収容所及び地方出入国在留管理局を除く。） 出入国在留管理庁地方出入国在留管理局 公安審査委員会に置かれる事務局 公安調査庁（公安調査庁研修所及び公安調査局を除く。） 公安調査庁公安調査局
外務省	在外公館
財務省	財務局 税関 沖縄地区税関 国税庁（税務大学校、国税不服審判所、国税局及び沖縄国税事務所を除く。） 国税庁国税不服審判所 国税庁国税局 国税庁沖縄国税事務所
文部科学省	日本学士院 スポーツ庁 文化庁（日本芸術院を除く。） 文化庁日本芸術院
厚生労働省	死因究明等推進本部に置かれる事務局 地方厚生局 都道府県労働局 中央労働委員会に置かれる事務局
農林水産省	農林水産技術会議に置かれる事務局 地方農政局

	北海道農政事務所 林野庁（森林技術総合研修所及び森林管理局を除く。） 林野庁森林管理局 水産庁（漁業調整事務所を除く。） 水産庁漁業調整事務所
経済産業省	電力・ガス取引監視等委員会に置かれる事務局 経済産業局 産業保安監督部 那覇産業保安監督事務所 資源エネルギー庁 特許庁 中小企業庁
国土交通省	国土地理院 小笠原総合事務所 海難審判所 地方整備局 北海道開発局 地方運輸局 地方航空局 航空交通管制部 観光庁 気象庁（気象研究所、気象衛星センター、高層気象台、地磁気観測所、気象大学校、管区気象台及び沖縄気象台を除く。） 気象庁管区気象台 気象庁沖縄気象台 運輸安全委員会に置かれる事務局 海上保安庁（海上保安大学校、海上保安学校及び管区海上保安本部を除く。） 海上保安庁管区海上保安本部
環境省	地方環境事務所 原子力規制委員会原子力規制庁

会計検査院	事務総局に置かれる官房 事務総局に置かれる局

別表第二（第十二条、第十四条関係）

内閣法制局	内閣法制次長
人事院	人事院の事務総長
内閣府本府	内閣府の事務次官　内閣府審議官
宮内庁	宮内庁次長
公正取引委員会	公正取引委員会事務総長
警察庁	警察庁長官　警察庁の次長
金融庁	金融庁長官　金融国際審議官
こども家庭庁	こども家庭庁長官
デジタル庁	デジタル審議官
総務省	総務事務次官　総務審議官
消防庁消防大学校	消防庁長官　消防庁の次長
消防庁の次長	消防庁消防大学校の職員
法務省	法務事務次官
出入国在留管理庁入国者収容所　地方出入国在留管理局	出入国在留管理庁長官　出入国在留管理庁の次長
出入国在留管理庁の次長	出入国在留管理庁入国者収容所又は地方出入国在留管理局の職員
公安調査庁公安調査庁研修所　公安調査局	公安調査庁長官　公安調査庁の次長
公安調査庁の次長	公安調査庁公安調査庁研修所又は公安調査局の職員
外務省	外務事務次官　外務審議官
財務省	財務事務次官　財務官
国税庁税務大学校　国税不服審判所　国税局　沖縄国税事務所	国税庁長官　国税庁の次長
国税庁の次長	国税庁税務大学校、国税不服審判所、国税局又は沖縄国税事務所の職員
文部科学省	文部科学事務次官　文部科学審議官
日本芸術院	文化庁長官　文化庁の次長
文化庁の次長	日本芸術院の職員
厚生労働省	厚生労働事務次官　厚生労働審議官　医務技監
農林水産省	農林水産事務次官　農林水産審議官
林野庁森林技術総合研修所　森林管理局	林野庁長官　林野庁の次長
林野庁の次長	林野庁森林技術総合研修所又は森林管理局の職員
水産庁漁業調整事務所	水産庁長官　水産庁の次長
水産庁の次長	水産庁漁業調整事務所の職員
経済産業省	経済産業事務次官　経済産業審議官
国土交通省	国土交通事務次官　技監　国土交通審議官
気象庁気象研究所　気象衛星センター　高層気象台　地磁気観測所　気象大学校　管区気象台　沖縄気象台	気象庁長官　気象庁の次長　気象防災監
気象庁の次長　気象防災監	気象庁気象研究所、気象衛星センター、高層気象台、地磁気観測所、気象大学校、管区気象台又は沖縄気象台の職員

海上保安庁海上保安大学校　海上保安学校　管区海上保安本部	海上保安庁長官　海上保安庁の次長　海上保安監
海上保安庁の次長　海上保安監	海上保安庁海上保安大学校、海上保安学校又は管区海上保安本部の職員
環境省	環境事務次官　地球環境審議官
会計検査院	会計検査院の事務総長　会計検査院の事務総局次長

★復興庁組織令（平二四・二・一政令二二）（抄）

附　則（抄）

最終改正　平三一・三・三〇政令一二六

（施行期日）

第一条　この政令は、復興庁設置法の施行の日（平成二十四年二月十日）から施行する。

（他の政令の適用の特例）

第七条　復興庁が廃止されるまでの間における次の表の第一欄に掲げる政令の規定の適用については、同欄に掲げる政令の同表の第二欄に掲げる規定中同表の第三欄に掲げる字句は、それぞれ同表の第四欄に掲げる字句とする。

〔略〕

職員の退職管理に関する政令（平成二十年政令第三百八十九号）	第五条	次に掲げるもの	次に掲げるもの並びに復興庁設置法（平成二十三年法律第百二十五号）第十二条第一項に規定する職又は当該職のつかさどる職務の全部若しくは一部を助ける職に就いている職員で構成される組織及び復興庁に置かれる復興局
	第十二条	当該各号に定めるもの	当該各号に定めるもの並びに再就職者が離職前五年間に復興庁に属する職員であった場合（再就職者が離職前五年間に復興庁以外の国の機関若しくは部局又は行政執行法人に属する職員であった場合において、当該国の機関若しくは部局又は行政執行法人が所掌していた事務を復興庁が所掌しているときは、当該再就職者が離職前五年間に復興庁に属する職員であったものとみなす。）における復興庁の事務次官及び公文書監理官並びに再就職者が離職前五年間に

		復興庁の公文書監理官に就いていた場合における復興庁に属する職員
第十三条第一項	、次に掲げるもの	、次に掲げるもの並びに復興庁組織令（平成二十四年政令第二十二号）第二条第一項に規定する審議官並びに同令第三条第一項に規定する公文書監理官及び参事官
第十四条	当該各号に定めるもの	当該各号に定めるもの並びに再就職者が離職した日の五年前の日より前に部課長等の職に就いていた時に復興庁に属する職員であった場合（再就職者が離職した日の五年前の日より前に部課長等の職に就いていた時に復興庁以外の国の機関等に属する職員であった場合において、当該国の機関等が所掌していた事務を復興庁が所掌しているときは、当該再就職者が離職した日の五年前の日より前に部課長等の職に就いていた時に復興庁に属する職員であったものとみなす。）における復興庁の事務次官及び公文書監理官並びに再就職者が離職した日の五年前の日より前に復興庁の公文書監理官に就いていた場合における復興庁に属する職員
第十五条第一項	次に掲げるもの	次に掲げるもの並びに復興庁の事務次官及び復興庁設置法第十二条第一項に規定する職
第十六条第一項	次に掲げるもの	次に掲げるもの及び復興庁
第十六条第一項第一号	国の機関	国の機関並びに復興庁
第十七条	又は	若しくは

	国の機関	国の機関又は復興庁
第十九条第一号	第二項各号に掲げる国の機関	第二項各号に掲げる国の機関並びに復興庁
	国の機関（	国の機関及び復興庁（
〔略〕		

2・3　〔略〕

○宮内庁組織令の一部を改正する政令（抄）

平三一・四・二四
政令一五八

宮内庁組織令（昭和二十七年政令第三百七十七号）の一部を次のように改正する。

附則を附則第一条とし、同条に見出しとして「（施行期日）」を付し、附則に次の見出し及び五条を加える。

（上皇職及び皇嗣職が置かれている間の読替え等）

第六条 1～3 〔略〕

4 上皇職に関する職員の退職管理に関する政令（平成二十年政令第三百八十九号）第十三条第一項第六号及び別表第一の規定の適用については、同号中「同条第四項」とあるのは「同条第四項（同法附則第二条第七項において準用する場合を含む。）」と、同表中「侍従職」とあるのは「侍従職 上皇職」とする。

5 皇嗣職に関する職員の退職管理に関する政令第十二条第四号、第十三条第一項第六号、第十四条第四号及び別表第一の規定の適用については、同令第十二条第四号及び第十四条第四号中「廃止された」とあるのは「廃止され、又は置かないものとされた」と、同項第六号中「同条第四項」とあるのは「同条第四項（同法附則第三条第四項において準用する場合を含む。）」と、同表中「東宮職」とあるのは「皇嗣職」とする。

附 則

（施行期日）

1 この政令は、天皇の退位等に関する皇室典範特例法の施行の日（平成三十一年四月三十日）の翌日から施行する。

（罰則に関する経過措置）

2 この政令の施行前にした行為に対する罰則の適用については、なお従前の例による。

○行政執行法人の役員の退職管理に関する政令

平二〇・一二・二五
政令三九〇

最終改正 令六・四・二四政令一七四

（子法人）

第一条 独立行政法人通則法第五十四条第一項において準用する国家公務員法（以下「準用国家公務員法」という。）第百六条の二第一項の政令で定めるものは、一の営利企業等（同項に規定する営利企業等をいう。以下同じ。）が株主等（株主若しくは社員又は発起人その他の法人の設立者をいう。）の議決権（株主総会において決議をすることができる事項の全部につき議決権を行使することができない株式についての議決権を除き、会社法（平成十七年法律第八十六号）第八百七十九条第三項の規定により議決権を有するものとみなされる株式についての議決権を含む。以下同じ。）の総数の百分の五十を超える数の議決権を保有する法人をいい、一の営利企業等及びその子法人又は一の営利企業等の子法人が株主等の議決権の総数の百分の五十を超える数の議決権を保有する法人は、当該営利企業等の子法人とみなす。

（利害関係企業等）

第二条 準用国家公務員法第百六条の三第一項の営利企業等のうち、行政執行法人（独立行政法人通則法第二条第四項に規定する行政執行法人をいう。以下同じ。）の役員の職務に利害関係を有するものとして政令で定めるものは、行政執行法人の役員が職務として携わる次の各号に掲げる事務の区分に応じ、当該各号に定めるものとする。

一 許認可等（行政手続法（平成五年法律第八十八号）第二条第三号に規定する許認可等をいう。以下同じ。）をする事務 当該許認可等を受けて事業を行っている営利企業等、当該許認可等の申請をしている営利企業等及び当該許認可等の申請をしようとしていることが明らかである営利企業等

二 立入検査、監査又は監察（法令の規定に基づき行われるものに限る。以下「検査等」という。）をする事務 当該検査等を受けている営利企業等及び当該検査等を受けようとしていることが明らかである営利企業等（当該検査等の方針及び実施計画の作成に関する事務に携わる行政執行法人の役員にあっては、当該検査等を受ける営利企業等）

三 不利益処分（行政手続法第二条第四号に規定する不利益処分をいう。以下同じ。）をする事務 当該不利益処分をしようとする場合における当該不利益処分の名宛人となるべき営利企業等

四 行政執行法人の締結する売買、貸借、請負その他の契約（以下単に「契約」という。）に関する事務 当該契約（電気、ガス又は水道水の供給その他これらに類する継続的給付として内閣官房令で定めるものを受ける契約を除く。以下この号において同じ。）を締結している営利企業等（行政執行法人の役員が締結に携わった契約及び履行に携わっている契約の総額が二千万円未満である場合における当該営利企業等を除く。）、当該契約の申込みをしている営利企業等及び当該契約の申込みをしようとしていることが明らかである営利企業等

（公務の公正性の確保に支障が生じないと認められる場合）

第三条 準用国家公務員法第百六条の三第二項第四号の公務の公正性の確保に支障が生じないと認められる場合として政令で定める場合は、次の各号のいずれかに該当し、かつ、公務の公正性を損ねるおそれがないと認められる場合とする。

一 準用国家公務員法第百六条の三第二項第四号の承認（以下「求職の承認」という。）の申請をした行政執行法人の役員が当該申請に係る利害関係企業等との間で職務として携わる前条各号に掲げる事務について、それぞれ行政執行法人の役員の行う職務を規律する関係法令の規定及びその運用状況に照らし当該行政執行法人の役員の裁量の余地が少ないと認められる場合

二 利害関係企業等が求職の承認の申請をした行政執行法人の役員の有する高度の専門的な知識経験を必要とする当該利害関係企業等又はその子法人の地位に就くことを当該行政執行法人の役員に依頼している場合において、当該行政執行法人の役員が当該地位に就こうとする場合（当該行政執行法人の役員が当該利害関係企業等に対し、現に検査等を行っている場合及び行おうとしている場合（当該検査等をする事務が前号に掲げる場合に該当する場合を除く。）その他当該利害関係企業等が当該行政執行法人の役員と特に密接な利害関係にある場合として内閣官房令で定める場合を除く。）

三 行政執行法人の役員が利害関係企業等を経営する親族からの要請に応じ、当該利害関係企業等又はその子法人の地位に就く場合（当該行政執行法人の役員が当該利害関係企業等に対し、現に検査等を行っている場合及び行おうとしている場合（当該検査等をする事務が第一号に掲げる場合に該当する場合を除く。）その他当該利害関係企業等が当該行政執行法人の役員と特に密接な利害関係にある場合として内閣官房令で定める場合を除く。）

四 利害関係企業等の地位に就く者が一般に募集され、その応募者が公正かつ適正な手続により選考されると認められる場合において、当該応募者になろうとする場合

2 行政執行法人の役員は、前項各号のいずれかの場合に該当したことを理由として求職の承認を得た後、当該場合に該当しなくなった場合は、直ちに、求職の承認をした再就職等監視委員会（以下「委員会」という。）に対し、その旨を通知しなければならない。

（求職の承認の手続）

第四条 求職の承認を得ようとする行政執行法人の役員は、内閣官房令で定めるところにより、内閣官房令で定める様式に従い、次に掲げる事項を記載した申請書に内閣官房令で定める書類を添付して、これを委員会に提出しなければならない。

一 氏名

二 生年月日

三 行政執行法人の役員の職

四 当該求職の承認の申請に係る利害関係企業等の名称

五 当該求職の承認の申請に係る利害関係企業等の業務内容

六 職務と当該求職の承認の申請に係る利害関係企業

等との関係

七 その他参考となるべき事項

（求職の承認の附帯条件）

第五条 委員会は、求職の承認の申請があった場合において、公務の公正性を確保するために必要があると認めるときは、当該求職の承認に際し必要な条件を付することができる。

2 委員会は、前項の規定による条件に違反したときは、求職の承認を取り消すことができる。

（長官、事務次官、事務局長又は局長の職に準ずる職）

第六条 準用国家公務員法第百六条の四第三項の国家行政組織法（昭和二十三年法律第百二十号）第六条に規定する長官、同法第十八条第一項に規定する事務次官又は同法第二十一条第一項に規定する事務局長若しくは局長の職に準ずる職であって政令で定めるものは、次に掲げるものとする。

一 行政執行法人に置かれる役員

二 独立行政法人消防研究所、独立行政法人農林水産消費技術センター、独立行政法人肥飼料検査所又は独立行政法人農薬検査所に置かれていた役員

（局長等としての在職機関に属する役職員に類する者）

第七条 準用国家公務員法第百六条の四第三項の局長等としての在職機関に属する役職員に類する者として政令で定めるものは、局長等としての在職機関が次の各号に掲げるものである場合における当該各号に定めるものとする。

一 独立行政法人消防研究所 総務省に属する職員

二 独立行政法人農林水産消費技術センター、独立行政法人肥飼料検査所又は独立行政法人農薬検査所 独立行政法人農林水産消費安全技術センターに属する役職員

（在職していた行政機関等に属する役職員に類する者）

第八条 準用国家公務員法第百六条の四第四項の行政機関等に属する役職員に類する者として政令で定めるものは、在職していた行政機関等が前条各号に掲げるものである場合における当該各号に定めるものとする。

（行政庁等への権利行使等に類する場合）

第九条 準用国家公務員法第百六条の四第五項第二号の政令で定める場合は、法令に違反する事実がある場合において、その是正のためにされるべき処分がされていないと思料するときに、当該処分をする権限を有する行政庁に対し、その旨を申し出て、当該処分をすることを求める場合とする。

（再就職者による依頼等により公務の公正性の確保に支障が生じないと認められる場合）

第十条 準用国家公務員法第百六条の四第五項第六号の政令で定める場合は、同号の要求又は依頼に係る職務上の行為が電気、ガス又は水道水の供給その他これらに類する継続的給付として内閣官房令で定めるものを受ける契約に関する職務その他役職員の裁量の余地が少ない職務に関するものである場合とする。

（再就職者による依頼等の承認の手続）

第十一条 準用国家公務員法第百六条の四第五項第六号の承認（以下「依頼等の承認」という。）を得ようとする再就職者は、内閣官房令で定めるところにより、内閣官房令で定める様式に従い、次に掲げる事項を記載した申請書を委員会に提出しなければならない。

一 氏名

二 生年月日

三 離職時の行政執行法人の役員の職

四 再就職者が現にその地位に就いている営利企業等の名称

五 再就職者が現にその地位に就いている営利企業等の業務内容

六 離職前五年間（再就職者が準用国家公務員法第百六条の四第三項に規定する職に就いていた場合にあっては、当該職に就いていた期間を含む。）の在職状況及び職務内容

七 当該依頼等の承認の申請に係る職員の官職又は行政執行法人の役員の職及びその職務内容

八 当該依頼等の承認の申請に係る準用国家公務員法第百六条の四第五項第六号の要求又は依頼の対象となる契約等事務

九 当該依頼等の承認の申請に係る準用国家公務員法第百六条の四第五項第六号の要求又は依頼の内容

十 その他参考となるべき事項

（再就職者による依頼等の届出の手続）

第十二条 準用国家公務員法第百六条の四第九項の規定による届出は、同項に規定する要求又は依頼（以下この条において「依頼等」という。）を受けた後遅滞なく、内閣官房令で定める様式に従い、次に掲げる事項を記載した書面を再就職等監察官（以下「監察官」という。）に提出して行うものとする。

一 氏名

二 生年月日

三 行政執行法人の役員の職

四 依頼等をした再就職者の氏名

五　前号の再就職者がその地位に就いている営利企業等の名称及び当該営利企業等における当該再就職者の地位
六　依頼等が行われた日時
七　依頼等の内容

（任命権者への再就職の届出等）
第十三条　準用国家公務員法第百六条の二十三第一項の規定による届出をしようとする行政執行法人の役員は、内閣官房令で定める様式に従い、任命権者に届出をしなければならない。
2　準用国家公務員法第百六条の二十三第一項の規定による届出をした行政執行法人の役員は、当該届出に係る第四項第三号及び第六号から第十一号までに掲げる事項に変更があったときは、遅滞なく、その旨を任命権者に届け出なければならない。
3　準用国家公務員法第百六条の二十三第一項の規定による届出をした行政執行法人の役員は、当該届出に係る約束が効力を失ったときは、遅滞なく、その旨を任命権者に届け出なければならない。
4　準用国家公務員法第百六条の二十三第一項の政令で定める事項は、次に掲げる事項とする。
一　氏名
二　生年月日
三　行政執行法人の役員の職
四　再就職の約束をした日以前の行政執行法人の役員（非常勤の者を除く。第六号及び第十四号において同じ。）としての在職中における次に掲げる日のいずれか早い日（以下「約束前の求職開始日」という。）（約束前の求職開始日がなかった場合には、その旨）
イ　再就職先に対し、再就職を目的として、最初に自己に関する情報を提供した日
ロ　再就職先に対し、再就職を目的として、最初に当該再就職先の地位に関する情報の提供を依頼した日
ハ　再就職先に対し、最初に当該再就職先の地位に就くことを要求した日
五　再就職の約束をした日
六　約束前の求職開始日以後の行政執行法人の役員としての在職状況及び職務内容（約束前の求職開始日がなかった場合には、再就職の約束をした日以後の行政執行法人の役員としての在職状況及び職務内容）
七　離職予定日
八　再就職予定日
九　再就職先の名称及び連絡先
十　再就職先の業務内容
十一　再就職先における地位
十二　求職の承認の有無
十三　官民人材交流センターによる離職後の就職の援助（以下「センターの援助」という。）の有無
十四　センターの援助以外の離職後の就職の援助（最初に行政執行法人の役員となった後に行われたものに限る。以下この号及び第十五条第三項第十三号において「センター以外の援助」という。）を行った者の氏名又は名称及び当該センター以外の援助の内容（センター以外の援助がなかった場合には、その旨）
5　第二項又は第三項の規定による届出を受けた任命権者は、速やかに、当該届出に係る事項を内閣総理大臣に通知するものとする。
6　第三項の規定は、準用国家公務員法第百六条の二十三第一項の規定による届出をした行政執行法人の役員であった者（離職後二年を経過しない者に限り、準用国家公務員法第百六条の二十四第一項の規定による届出をした者を除く。）について準用する。この場合において、第三項中「届出に」とあるのは「準用国家公務員法第百六条の二十三第一項の規定による届出に」と、「約束が効力を失った」とあるのは「地位に就くことが見込まれないこととなった」と、「任命権者」とあるのは「離職した行政執行法人の役員の職又はこれに相当する職の任命権者を経由して、内閣総理大臣」と読み替えるものとする。

（再就職の届出の対象となる地位）
第十四条　準用国家公務員法第百六条の二十四第一項の役員その他の地位であって政令で定めるものは、次に掲げるものとする。
一　役員（非常勤のものを除く。）
二　前号に掲げるもののほか、法令の規定により内閣若しくは内閣総理大臣若しくは各省大臣により任命されることとされている地位又は法令の規定により任命若しくは選任に関し行政庁の認可を要する地位

（内閣総理大臣への事前の再就職の届出）
第十五条　準用国家公務員法第百六条の二十四第一項の規定による届出をしようとする行政執行法人の役員であった者は、内閣官房令で定める様式に従い、離職した行政執行法人の役員の職又はこれに相当する職の任命権者を経由して、内閣総理大臣に届出をしなければならない。
2　第十三条第二項及び第三項の規定は、準用国家公務

員法第百六条の二十四第一項の規定による届出をした者（離職後二年を経過しない者に限る。）について準用する。この場合において、第十三条第二項及び第三項中「任命権者」とあるのは「離職した行政執行法人の役員の職又はこれに相当する職の任命権者を経由して、内閣総理大臣」と、同条第二項中「第四項第三号及び第六号から第十一号まで」とあるのは「第十五条第三項第七号から第十号まで」と、同条第三項中「約束が効力を失った」とあるのは「地位に就くことが見込まれないこととなった」と読み替えるものとする。

3　準用国家公務員法第百六条の二十四第一項の政令で定める事項は、次に掲げる事項とする。

一　氏名
二　生年月日
三　離職時の行政執行法人の役員の職
四　行政執行法人の役員（非常勤の者を除く。次号において同じ。）としての在職中における次に掲げる日のいずれか早い日（以下「離職前の求職開始日」という。）（離職前の求職開始日がなかった場合には、その旨）
イ　再就職先に対し、再就職を目的として、最初に自己に関する情報を提供した日
ロ　再就職先に対し、再就職を目的として、最初に当該再就職先の地位に関する情報の提供を依頼した日
ハ　再就職先に対し、最初に当該再就職先の地位に就くことを要求した日
五　離職前の求職開始日があった場合における当該離職前の求職開始日から離職日までの間の行政執行法人の役員としての在職状況及び職務内容
六　離職日
七　再就職予定日
八　再就職先の名称及び連絡先
九　再就職先の業務内容
十　再就職先における地位
十一　求職の承認の有無
十二　センターの援助の有無
十三　センター以外の援助を行った者の氏名又は名称及び当該センター以外の援助の内容（センター以外の援助がなかった場合には、その旨）

（内閣総理大臣への事前の再就職の届出に係る特殊法人）

第十六条　準用国家公務員法第百六条の二十四第一項第二号の政令で定める法人は、次に掲げるものをいう。

一　沖縄振興開発金融公庫
二　株式会社商工組合中央金庫
三　株式会社日本政策金融公庫
四　株式会社日本政策投資銀行
五及び六　削除
七　四国旅客鉄道株式会社
八　首都高速道路株式会社
九　東京地下鉄株式会社
十　中日本高速道路株式会社
十一　成田国際空港株式会社
十二　西日本高速道路株式会社
十三　日本アルコール産業株式会社
十四　日本貨物鉄道株式会社
十五　中間貯蔵・環境安全事業株式会社
十六　日本私立学校振興・共済事業団
十七　日本たばこ産業株式会社
十八　日本中央競馬会
十九　日本電信電話株式会社等に関する法律（昭和五十九年法律第八十五号）第一条の二第一項に規定する日本電信電話株式会社
二十　日本放送協会
二十一　日本郵政株式会社
二十二　阪神高速道路株式会社
二十三　東日本高速道路株式会社
二十四　北海道旅客鉄道株式会社
二十五　本州四国連絡高速道路株式会社
二十六　輸出入・港湾関連情報処理センター株式会社
二十七　日本年金機構
二十八　沖縄科学技術大学院大学学園
二十九　株式会社国際協力銀行
三十　新関西国際空港株式会社
三十一　株式会社日本貿易保険
三十二　福島国際研究教育機構

（内閣総理大臣への事前の再就職の届出に係る認可法人）

第十七条　準用国家公務員法第百六条の二十四第一項第三号の政令で定める法人は、次に掲げるものとする。

一　日本赤十字社
二　農水産業協同組合貯金保険機構
三　日本銀行
四　銀行等保有株式取得機構
五　預金保険機構
六　株式会社産業革新投資機構
七　株式会社地域経済活性化支援機構
八　原子力損害賠償・廃炉等支援機構
九　株式会社東日本大震災事業者再生支援機構

十　株式会社農林漁業成長産業化支援機構
十一　株式会社民間資金等活用事業推進機構
十二　株式会社海外需要開拓支援機構
十三　株式会社海外交通・都市開発事業支援機構
十四　広域的運営推進機関
十五　株式会社海外通信・放送・郵便事業支援機構
十六　外国人技能実習機構
十七　株式会社脱炭素化支援機構
十八　金融経済教育推進機構
十九　脱炭素成長型経済構造移行推進機構

（内閣総理大臣への事前の再就職の届出に係る公益社団法人又は公益財団法人）

第十八条　準用国家公務員法第百六条の二十四第一項第四号の政令で定める公益社団法人又は公益財団法人（以下「公益法人」という。）は、当該公益法人が国から交付を受けた補助金、委託費その他これらに類する給付金（以下この条において「給付金等」という。）のうちに占める第三者へ交付した金額の割合、当該公益法人が国から交付を受けた給付金等の総額が当該公益法人の収入金額の総額に占める割合、試験、検査、検定その他の行政上の事務の当該公益法人への委託の有無その他の事情を勘案して内閣官房令で定めるものとする。

（内閣総理大臣への事後の再就職の届出を要しない場合）

第十九条　準用国家公務員法第百六条の二十四第二項の政令で定める場合は、次に掲げる場合とする。
一　国家公務員法第六十条の二第一項の規定により職員として採用された場合又は自衛隊法（昭和二十九年法律第百六十五号）第四十一条の二第一項の規定により特別職に属する国家公務員として採用された場合
二　営利企業以外の事業の団体の地位に就き、又は事業に従事し、若しくは事務を行うこととなった場合（前号に掲げる場合を除く。）であって、内閣官房令で定める額以下の報酬を得る場合

（内閣総理大臣への事後の再就職の届出）

第二十条　第十五条第一項の規定は準用国家公務員法第百六条の二十四第二項の規定による届出をしようとする行政執行法人の役員であった者について、第十五条第二項の規定は準用国家公務員法第百六条の二十四第二項の政令で定める事項について、それぞれ準用する。この場合において、第十五条第三項第七号中「再就職予定日」とあるのは、「再就職日」と読み替えるものとする。

（内閣総理大臣による報告等）

第二十一条　準用国家公務員法第百六条の二十五第一項の規定による報告のうち準用国家公務員法第百六条の二十三第三項の規定による通知に係るものは、当該通知に係る者が離職した時点で当該通知に係る約束が効力を失っていない場合において、当該通知に係る者が離職した時に行うものとする。
2　準用国家公務員法第百六条の二十五第二項の政令で定める事項は、次の各号に掲げる者の区分に応じ、当該各号に定める事項とする。
一　準用国家公務員法第百六条の二十三第三項の規定による通知に係る者　次に掲げる事項
イ　氏名
ロ　離職時の年齢
ハ　離職時の行政執行法人の役員の職
ニ　約束前の求職開始日（約束前の求職開始日がなかった場合には、その旨）
ホ　再就職の約束をした日
ヘ　約束前の求職開始日から離職日までの間の行政執行法人の役員（非常勤の者を除く。以下このヘ及び次号ホにおいて同じ。）としての在職状況及び職務内容（約束前の求職開始日がなかった場合には、再就職の約束をした日から離職日までの間の行政執行法人の役員としての在職状況及び職務内容）
ト　離職日
チ　再就職日又は再就職予定日
リ　再就職先の名称
ヌ　再就職先の業務内容
ル　再就職先における地位
ヲ　求職の承認の有無
ワ　センターの援助の有無
二　準用国家公務員法第百六条の二十四の規定による届出に係る者　次に掲げる事項
イ　氏名
ロ　離職時の年齢
ハ　離職時の行政執行法人の役員の職
ニ　離職前の求職開始日（離職前の求職開始日がなかった場合には、その旨）
ホ　離職前の求職開始日があった場合における当該離職前の求職開始日から離職日までの間の行政執行法人の役員としての在職状況及び職務内容
ヘ　離職日
ト　再就職日又は再就職予定日（準用国家公務員法第百六条の二十四第二項の規定による届出に係る

者にあっては、再就職日）
チ　再就職先の名称
リ　再就職先の業務内容
ヌ　再就職先における地位
ル　求職の承認の有無
ヲ　センターの援助の有無

（在職機関による公表）
第二十二条　準用国家公務員法第百六条の二十七の規定による公表は、毎会計年度又は毎事業年度の終了後四月以内に行わなければならない。
2　前項の規定により公表を行う場合における準用国家公務員法第百六条の二十七第二号及び第三号の額は、行政執行法人の役員の離職した日の翌日の属する年度からその日から二年を経過する日の属する年度までの各年度における総額とする。

（在職機関の公表事項）
第二十三条　準用国家公務員法第百六条の二十七第四号の政令で定める事項は、次の各号に掲げる者の区分に応じ、当該各号に定める事項とする。
一　準用国家公務員法第百六条の二十三第一項の規定による届出に係る者　次に掲げる事項
イ　離職時の年齢
ロ　離職時の行政執行法人の役員の職
ハ　約束前の求職開始日（約束前の求職開始日がなかった場合には、その旨）
ニ　再就職の約束をした日
ホ　約束前の求職開始日から離職日までの間の行政執行法人の役員（非常勤の者を除く。以下このホ及び次号ニにおいて同じ。）としての在職状況及び職務内容（約束前の求職開始日がなかった場合には、再就職の約束をした日から離職日までの間の行政執行法人の役員としての在職状況及び職務内容）
ヘ　離職日
ト　再就職日
チ　再就職先の名称
リ　再就職先の業務内容
ヌ　再就職先における地位
ル　求職の承認を得た日
ヲ　求職の承認の理由
二　準用国家公務員法第百六条の二十四の規定による届出に係る者　次に掲げる事項
イ　離職時の年齢
ロ　離職時の行政執行法人の役員の職
ハ　離職前の求職開始日（離職前の求職開始日がなかった場合には、その旨）
ニ　離職前の求職開始日があった場合における当該離職前の求職開始日から離職日までの間の行政執行法人の役員としての在職状況及び職務内容
ホ　離職日
ヘ　再就職日
ト　再就職先の名称
チ　再就職先の業務内容
リ　再就職先における地位
ヌ　求職の承認を得た日
ル　求職の承認の理由

（長官、事務次官、事務局長又は局長の職に準ずる職）
第二十四条　準用国家公務員法第百九条第十六号の国家行政組織法第六条に規定する長官、同法第十八条第一項に規定する事務次官又は同法第二十一条第一項に規定する事務局長若しくは局長の職に準ずる職であって政令で定めるものは、第六条に定めるものとする。

（局長等としての在職機関に属する役職員に類する者）
第二十五条　準用国家公務員法第百九条第十六号の局長等としての在職機関に属する役職員に類する者として政令で定めるものは、第七条に定めるものとする。

（在職していた行政機関等に属する役職員に類する者）
第二十六条　準用国家公務員法第百九条第十七号の行政機関等に属する役職員に類する者として政令で定めるものは、第八条に定めるものとする。

附　則

（施行期日）
第一条　この政令は、国家公務員法等の一部を改正する法律（平成十九年法律第百八号。以下「改正法」という。）の施行の日（平成二十年十二月三十一日）から施行する。

（経過措置）
第二条　第十八条に規定する公益法人には、一般社団法人及び一般財団法人に関する法律及び公益社団法人及び公益財団法人の認定等に関する法律の施行に伴う関係法律の整備等に関する法律（平成十八年法律第五十号）第四十二条第一項に規定する特例社団法人又は特例財団法人を含むものとする。

（在職機関による公表）
第三条　改正法附則第十条において準用する改正法附則第六条の規定による公表は、毎会計年度又は毎事業年度の終了後四月以内に行わなければならない。

2　前項の規定により公表を行う場合における改正法附則第十条において準用する改正法附則第六条第二号及び第三号の額は、行政執行法人の役員の離職した日の翌日の属する年度からその日から二年を経過する日の属する年度までの各年度における総額とする。

（在職機関の公表事項）

第四条　改正法附則第十条において準用する改正法附則第六条第四号の政令で定める事項は、次に掲げる事項とする。

一　離職時の年齢
二　離職時の行政執行法人の役員の職
三　離職日
四　再就職日
五　再就職先の名称
六　再就職先の業務内容
七　再就職先における地位
八　求職の承認及び就職の援助の承認並びに営利企業への就職の承認を得た日
九　求職の承認及び就職の援助の承認並びに営利企業への就職の承認の理由

（委員長等が任命されるまでの間の経過措置）

第五条　改正法の施行の日から委員会の委員長及び二名以上の委員が最初に任命されて独立行政法人通則法（以下「通則法」という。）第五十四条の二第六項の規定が適用されるに至るまでの間、通則法第五十四条第二項及び第三項並びに第五十四条の二第一項の規定並びに第三条第二項、第四条、第五条、第十一条及び第十二条の規定の適用については、通則法第五十四条第二項中「第十八条の四及び次条第六項」とあるのは「第十八条の三第一項」と、「権限の委任を受けた再就職等監視委員会で扱われる」とあるのは「内閣総理大臣が行う」と、同条第三項中「再就職等監視委員会」とあるのは「内閣総理大臣」と、通則法第五十四条の二第一項中「国家公務員法第十八条の二第一項、第十八条の三第一項、第十八条の四、第十八条の五第一項、第十八条の六、第百六条の二（第二項第三号を除く。）、第百六条の三、第百六条の四及び第百六条の十六から第百六条の二十七までの規定」とあるのは「職員の退職管理に関する政令（平成二十年政令第三百八十九号）附則第七条の規定により読み替えられた国家公務員法第十八条の二第一項、第十八条の三第一項、第十八条の五第一項、第十八条の六、第百六条の二（第二項第三号を除く。）、第百六条の三（第三項及び第四項を除く。）、第百六条の四（第六項及び第七項を除く。）及び第百六条の十六から第百六条の二十まで、第百六条の二十一第一項及び第二項並びに第百六条の二十二から第百六条の二十七までの規定」と、第三条第二項中「求職の承認をした再就職等監視委員会（以下「委員会」という。）」とあり、第四条、第五条及び第十一条中「委員会」とあり、並びに第十二条中「再就職等監察官（以下「監察官」という。）」とあるのは「内閣総理大臣」とする。

2　前項の規定により読み替えて適用される通則法及びこの政令の規定により、内閣総理大臣がした承認その他の行為又は内閣総理大臣に対してされた承認の申請その他の行為は、委員会の委員長及び二名以上の委員が最初に任命された時以後においては、同項の規定の適用がないものとした場合における相当規定により、委員会若しくは監察官がした承認その他の行為又は委員会若しくは監察官に対してされた承認の申請その他の行為とみなす。

附　則（平二九・一二・二二政令三一八）

（施行期日）

第一条　この政令は、平成三十年一月一日から施行する。

（経過措置）

第二条　この政令による改正後の行政執行法人の役員の退職管理に関する政令（以下この条において「新令」という。）第十三条第二項（新令第十五条第二項において準用する場合を含む。）及び第四項（第四号、第六号、第九号及び第十四号に係る部分に限る。）、第十五条第三項（第四号、第五号、第八号及び第十三号に係る部分に限り、新令第二十条において準用する場合を含む。）、第二十一条第二項（第一号ニからヘまで並びに第二号ニ及びホに係る部分に限る。）並びに第二十三条（第一号ハからホまで並びに第二号ハ及びニに係る部分に限る。）の規定は、この政令の施行の日（以下この条において「施行日」という。）以後にされる独立行政法人通則法第五十四条第一項において準用する国家公務員法（以下この項において「準用国家公務員法」という。）第百六条の二十三第一項の規定による届出（施行日前にされた同項の規定による届出に係る事項の変更に係る届出を除く。）、準用国家公務員法第百六条の二十四第一項の規定による届出（施行日前にされた同項の規定による届出に係る事項の変更に係る届出を除く。）及び同条第二項の規定による届出について適用し、施行日前にされた準用国家公務員法第百六条の二十三第一項の規定による届出及び施行日以後にされる当該届出に係る事項の変更に係る届出、施行日前にされた準用国家公務員法第百六条の二十四第一項の規定による届出及び施行日以後にされる当該届出に係る事項の変更に係る届出並びに施行日前にされた同条第二項の規定による届出については、なお従前の例による。

2　次の各号に掲げる者に対する当該各号に定める規定の適用については、これらの規定中「早い日（」とあるのは、「早い日（行政執行法人の役員の退職管理に関する政令の一部を改正する政令（平成二十九年政令第三百十八号）の施行の日以後の日に限る。」とする。

一　施行日前における独立行政法人通則法第二条第四項に規定する行政執行法人（以下この条において「行政執行法人」という。）の役員（非常勤の者を除く。以下この条において同じ。）としての在職中に、再就職先に対し、再就職を目的として、自己に関する情報を提供し、若しくは当該再就職先の地位に関する情報の提供を依頼し、又は当該地位に就くことを要求した行政執行法人の役員　新令第十三条第四項第四号

二　施行日前における行政執行法人の役員としての在職中に、再就職先に対し、再就職を目的として、自己に関する情報を提供し、若しくは当該再就職先の地位に関する情報の提供を依頼し、又は当該地位に就くことを要求した行政執行法人の役員であった者　新令第十五条第三項第四号（新令第二十条において準用する場合を含む。）

3　施行日前に官民人材交流センターによる離職後の就職の援助以外の離職後の就職の援助（最初に行政執行法人の役員となった後に行われたものに限る。次項において「センター以外の援助」という。）を受けた行政執行法人の役員に対する新令第十三条第四項の規定の適用については、同項第十四号中「後に」とあるのは、「後であって、かつ、行政執行法人の役員の退職管理に関する政令の一部を改正する政令（平成二十九年政令第三百十八号）の施行の日以後に」とする。

4　施行日前にセンター以外の援助を受けた行政執行法人の役員であった者に対する新令第十五条第三項（新令第二十条において準用する場合を含む。以下この項において同じ。）の規定の適用については、新令第十五条第三項第十三号中「センター以外の援助を」とあるのは、「センター以外の援助（行政執行法人の役員の退職管理に関する政令の一部を改正する政令（平成二十九年政令第三百十八号）の施行の日以後に行われたものに限る。以下この号において同じ。）を」とする。

附　則（令四・三・三〇政令一二八）（抄）

（施行期日）

第一条　この政令は、令和五年四月一日から施行する。

（職員の退職管理に関する政令及び行政執行法人の役員の退職管理に関する政令の一部改正に伴う経過措置）

第四条　この政令の施行前に、次の各号に掲げる者が、改正法第一条の規定による改正前の国家公務員法第八十一条の四第一項若しくは第八十一条の五第一項の規定により職員として採用された場合又は改正法第八条の規定による改正前の自衛隊法（昭和二十九年法律第百六十五号）第四十四条の四第一項若しくは第四十四条の五第一項の規定により特別職に属する国家公務員として採用された場合においては、当該各号に掲げる者に対する当該各号に定める規定の適用については、なお従前の例による。

一　〔略〕

二　行政執行法人の役員であった者　第九条の規定による改正前の行政執行法人の役員の退職管理に関する政令第十九条第一号

○国家公務員法等の一部を改正する法律及び国会職員法及び国家公務員退職手当法の一部を改正する法律の施行に伴う関係政令の整備等及び経過措置に関する政令（抄）（令四・三・三〇政令一二八）

（内閣総理大臣への事後の再就職の届出に係る職員の退職管理に関する政令及び行政執行法人の役員の退職管理に関する政令の適用に関する経過措置）

第十二条　次の各号に掲げる者が、改正法附則第四条第一項若しくは第二項若しくは第五条第一項若しくは第二項の規定により職員（国家公務員法第二条に規定する一般職に属する職員をいう。附則第四条において同じ。）として採用された場合又は改正法附則第九条第一項若しくは第二項若しくは第十条第一項若しくは第二項の規定により特別職に属する国家公務員として採用された場合においては、当該各号に掲げる者に対する当該各号に定める規定の適用については、これらの規定中「第六十条の二第一項」とあるのは「第六十条の二第一項若しくは国家公務員法等の一部を改正する法律（令和三年法律第六十一号。以下この号において「令和三年国家公務員法等改正法」という。）附則第四条第一項若しくは第二項若しくは第五条第一項若しくは第二項」と、「第四十一条の二第一項」とあるのは

「第四十一条の二第一項若しくは令和三年国家公務員法等改正法附則第九条第一項若しくは第二項若しくは第十条第一項若しくは第二項」とする。

一 管理職職員（国家公務員法第百六条の二十三第三項に規定する管理職職員をいう。附則第四条第一号において同じ。）であった者 職員の退職管理に関する政令第三十三条第二号

二 行政執行法人（独立行政法人通則法（平成十一年法律第百三号）第二条第四項に規定する行政執行法人をいう。附則第四条第二号において同じ。）の役員であった者 行政執行法人の役員の退職管理に関する政令第十九条第一号

附 則（令六・四・二四政令一七四）

この政令は、日本電信電話株式会社等に関する法律の一部を改正する法律の施行の日〔令六・四・二五〕から施行する。

○国家公務員法等の一部を改正する法律附則第四条第一項の政令で定める日等を定める政令

平二一・四・三
政令一一六

内閣は、国家公務員法等の一部を改正する法律（平成十九年法律第百八号）附則第四条第一項（同法附則第十条及び第十一条において準用する場合を含む。）の規定に基づき、この政令を制定する。

国家公務員法等の一部を改正する法律附則第四条第一項（同法附則第十条及び第十一条において準用する場合を含む。）の政令で定める日は、平成二十一年十二月三十一日とする。

附 則（抄）

1 この政令は、公布の日から施行する。ただし、次項及び附則第三項の規定は、平成二十二年一月一日から施行する。

2・3 〔略〕

○職員の退職管理に関する内閣官房令

平二〇・一二・二五
内閣府令八三

最終改正 令二・一二・一八内閣官房令六

（継続的給付として内閣官房令で定めるもの）

第一条 職員の退職管理に関する政令（平成二十年政令第三百八十九号。以下「令」という。）第四条第六号及び第二十二条に規定する内閣官房令で定める継続的給付は、日本放送協会による放送の役務の給付とする。

（特に密接な利害関係にある場合）

第二条 令第八条第一項第二号及び第三号に規定する内閣官房令で定める場合は、国家公務員法（昭和二十二年法律第百二十号。以下「法」という。）第百六条の三第二項第四号の承認の申請をした職員（以下この条において「職員」という。）が当該申請に係る利害関係企業等との間で職務として携わる事務が次の各号に掲げる場合とする（令第八条第一項第一号に該当する場合を除く。）。

一 職員が、当該利害関係企業等に対し不利益処分（行政手続法（平成五年法律第八十八号）第二条第四号に規定する不利益処分をいう。以下同じ。）をしようとする場合

二 検察官、検察事務官又は司法警察職員である職員が、当該利害関係企業等に対し、職務として行う場合における犯罪の捜査、公訴の提起若しくは維持又

は刑の執行をしている場合

（求職の承認の手続）

第三条　令第九条に規定する求職の承認の申請は、次の各号に掲げる当該求職の承認を得ようとする職員の区分に応じ、当該各号に定める機関を経由して行うものとする。

一　行政機関（令第十六条第一項各号又は第二項各号に掲げる国の機関をいう。以下同じ。）に在職している職員　当該行政機関

二　行政執行法人に在職している職員　当該行政執行法人

三　都道府県警察に在職している職員　国家公安委員会

2　令第九条に規定する内閣官房令で定める様式は、別記様式第一とし、正本一部及び写し一部を提出するものとする。

3　令第九条に規定する内閣官房令で定める書類は、次に掲げる書類とする。

一　承認の申請に係る利害関係企業等の定款又は寄附行為、組織図、事業報告その他の当該利害関係企業等が現に行っている事業の内容を明らかにする資料

二　承認を得ようとする職員の職務の内容を明らかにする資料

三　承認を得ようとする職員の職務と当該承認の申請に係る利害関係企業等との利害関係を具体的に明らかにする調書

四　令第八条第一項第一号に係る承認の申請である場合には、承認を得ようとする職員の行う職務を規律する関係法令の規定及びその運用状況を記載した調書

五　令第八条第一項第二号に係る承認の申請である場合には、承認を得ようとする職員が、当該承認の申請に係る利害関係企業等又はその子法人の地位に必要とされる高度の専門的な知識経験を有していることを明らかにする調書

六　令第八条第一項第三号に係る承認の申請である場合には、次に掲げる書類

イ　利害関係企業等を経営する親族からの要請があったことを証する文書

ロ　承認を得ようとする職員と利害関係企業等を経営する親族との続柄を証する文書

七　令第八条第一項第四号に係る承認の申請である場合には、当該申請に係る利害関係企業等の地位に就く者を募集する文書

八　その他参考となるべき書類

（再就職者による依頼等の承認の手続）

第四条　令第二十三条に規定する依頼等の承認の申請は、次の各号に掲げる当該依頼等の承認を得ようとする再就職者の区分に応じ、当該各号に定める機関を経由して行うものとする。

一　離職時に行政機関に在職していた再就職者　当該行政機関

二　離職時に行政執行法人に在職していた再就職者　当該行政執行法人

三　離職時に都道府県警察に在職していた再就職者　国家公安委員会

2　令第二十三条に規定する内閣官房令で定める様式は、別記様式第二とし、正本一部及び写し一部を提出するものとする。

（再就職等監察官への届出の様式）

第五条　令第二十五条に規定する内閣官房令で定める様式は、別記様式第三とする。

（任命権者への再就職の届出等の様式）

第六条　令第二十六条第一項に規定する内閣官房令で定める様式は、別記様式第四とする。

2　令第二十六条第二項の規定による届出は、別記様式第五による届出書によるものとする。

3　令第二十六条第三項の規定による届出は、別記様式第六による届出書によるものとする。

4　令第二十六条第六項において準用する同条第三項の届出は、前項の届出書によるものとする。

（管理又は監督の地位にある職員に該当しない職員）

第七条　令第二十七条第一号に規定する内閣官房令で定めるものは、次に掲げるもののうち、人事院規則九―七（俸給の特別調整額）に定める俸給の特別調整額に係る種別が一種又は二種であるもの以外のものとする。

一　一般職の職員の給与に関する法律（昭和二十五年法律第九十五号。以下「給与法」という。）別表第一イ行政職俸給表㈠の職務の級七級の職員

二　給与法別表第二専門行政職俸給表の職務の級五級の職員

三　給与法別表第三税務職俸給表の職務の級七級の職員

四　給与法別表第四イ公安職俸給表㈠の職務の級八級の職員

五　給与法別表第四ロ公安職俸給表㈡の職務の級七級の職員

六　給与法別表第五イ海事職俸給表㈠の職務の級六級の職員

七 給与法別表第六イ教育職俸給表㈠の職務の級四級の職員
八 給与法別表第七研究職俸給表の職務の級五級の職員
九 給与法別表第八イ医療職俸給表㈠の職務の級三級の職員
十 給与法別表第八ロ医療職俸給表㈡の職務の級七級の職員
十一 給与法別表第八ハ医療職俸給表㈢の職務の級六級の職員
十二 給与法別表第九福祉職俸給表の職務の級六級の職員

（内閣総理大臣への事前の再就職の届出の様式）
第八条 令第二十九条第一項に規定する内閣官房令で定める様式は、別記様式第七とする。
2 令第二十九条第二項において準用する令第二十六条第二項の届出は、別記様式第八による届出書によるものとする。
3 令第二十九条第二項において準用する令第二十六条第三項の届出は、別記様式第九による届出書によるものとする。

（内閣総理大臣への事前の再就職の届出に係る国と特に密接な関係がある公益社団法人又は公益財団法人）
第九条 令第三十二条に規定する内閣官房令で定めるものは、国の機関が所管する公益社団法人又は公益財団法人（以下「公益法人」という。）であって、次の各号に掲げるものとする。
一 一般の閲覧に供されている直近の事業年度の決算（次号において単に「直近事業年度決算」という。）において、当該公益法人が国から交付を受けた補助金、委託費その他これらに類する給付金（以下「給付金等」という。）のうちに占める当該公益法人が第三者へ交付した当該給付金等の金額の割合が二分の一以上であるもの（ただし、当該事業年度の次年度以降において、当該公益法人が国から交付を受ける給付金等のうちに占める当該公益法人が第三者へ交付する当該給付金等の金額の割合が二分の一未満であることが確実と見込まれるものを除く。）
二 直近事業年度決算において、当該公益法人の収入金額の総額に占める当該公益法人が国から受けた給付金等の総額の割合が三分の二以上であるもの（ただし、当該事業年度の次年度以降において、当該公益法人の収入金額の総額に占める当該公益法人が国から受ける給付金等の総額の割合が三分の二未満であることが確実と見込まれるものを除く。）
三 法令（告示を含む。以下この条において同じ。）の規定に基づく指定、認定その他これらに準ずる処分により、試験、検査、検定その他これらに準ずる国の事務又は事業を行うもの（ただし、法令の規定に基づく登録を受けて行うものその他これに準ずるものを除く。）
四 当該公益法人が独自に行う試験、検査、検定その他これらに準ずる事務又は事業を奨励することを目的として国が行う法令の規定に基づく指定、認定その他これらに準ずる処分を受けて、当該事務又は事業を行うもの（ただし、法令の規定に基づく登録を受けて行うものその他これに準ずるものを除く。）

（内閣総理大臣への事後の再就職の届出を要しない報酬額）
第十条 令第三十三条第四号に規定する内閣官房令で定める額は、営利企業以外の事業の団体の地位に就き、又は事業に従事し、若しくは事務を行うこととなった日から起算して一年間につき、所得税法（昭和四十年法律第三十三号）第二十八条第三項第一号括弧書に規定する給与所得控除額に相当する金額と同法第八十六条第一項第一号に掲げる場合における同条の規定による基礎控除の額に相当する金額の合計額とする。

（内閣総理大臣への事後の再就職の届出の様式）
第十一条 令第三十四条において準用する令第二十九条第一項に規定する内閣官房令で定める様式は、別記様式第十とする。

附 則

（施行期日）
第一条 この府令は、国家公務員法等の一部を改正する法律（平成十九年法律第百八号。以下「改正法」という。）の施行の日（平成二十年十二月三十一日）から施行する。

（経過措置）
第二条 第九条に規定する公益法人には、一般社団法人及び一般財団法人に関する法律及び公益社団法人及び公益財団法人の認定等に関する法律の施行に伴う関係法律の整備等に関する法律（平成十八年法律第五十号）第四十二条第一項に規定する特例社団法人又は特例財団法人を含むものとする。

（求職の承認の手続の特例）
第三条 復興庁が廃止されるまでの間における第三条第一項第一号の規定の適用については、同号中「令第十六条第一項各号又は第二項各号」とあるのは、「令第十六条第一項各号に掲げる国の機関及び復興庁又は同条第二項各号」とする。

附　則（平二九・一二・二二内閣官房令九）

（施行日）

1　この内閣官房令は、平成三十年一月一日から施行する。

（経過措置）

2　この内閣官房令による改正後の職員の退職管理に関する内閣官房令第六条第四項並びに第八条第二項及び第三項の規定並びに別記様式第四から別記様式第十までの様式は、この内閣官房令の施行の日以後にされる国家公務員法（昭和二十二年法律第百二十号）第百六条の二十三第一項の規定による届出（同日前にされた同項の規定による届出に係る事項の変更に係る届出を除く。）、同法第百六条の二十四第一項の規定による届出（同日前にされた同項の規定による届出に係る事項の変更に係る届出を除く。）及び同条第二項の規定による届出について適用し、同日前にされた同法第百六条の二十三第一項の規定による届出及び同日以後にされる当該届出に係る事項の変更に係る届出、同日前にされた同法第百六条の二十四第一項の規定による届出及び同日以後にされる当該届出に係る事項の変更に係る届出並びに同日前にされた同条第二項の規定による届出については、なお従前の例による。

附　則（令二・一二・一八内閣官房令六）

（施行期日）

第一条　この内閣官房令は、公布の日から施行する。

（経過措置）

第二条　この内閣官房令の施行の際現にある第一条の規定による改正前の職員の退職管理に関する内閣官房令の様式（第三項において「旧職員退職管理官房令様式」という。）による書類は、同条による改正後の様式によるものとみなす。

2　この内閣官房令の施行の際現にある第二条の規定による改正前の行政執行法人の役員の退職管理に関する内閣官房令の様式（次項において「旧役員退職管理官房令様式」という。）による書類は、同条による改正後の様式によるものとみなす。

3　この内閣官房令の施行の際現にある旧職員退職管理官房令様式及び旧役員退職管理官房令様式による用紙については、当分の間、これを取り繕って使用することができる。

別記様式第1（第3条関係）

利害関係企業等に対する求職承認申請書

年　月　日（第　号）

再就職等監視委員会委員長（再就職等監察官）殿

国家公務員法（昭和22年法律第120号）第106条の3第2項第4号の規定に基づき、下記のとおり承認を申請します。

この申請書及び添付書類の記載事項は、事実に相違ありません。

1　申請者

(ふりがな)（　） 氏　名	生年月日（年齢） 年　月　日生（　歳）
在職機関※	所属局課（職名）
官　職	
俸　給　職俸給表（　）　級　号俸	
現在の職務内容	
離職予定日　年　月　日	

※ 府省等、行政執行法人又は都道府県警察の名称を記載すること。

2　承認の申請に係る利害関係企業等

□ 営利企業　□ その他の法人 名　称		本社所在地
業務内容		
子法人の地位に関する承認申請の場合	□ 営利企業　□ その他の法人 子法人の名称	本社所在地
	業務内容	

3　申請者の職務と利害関係企業等との関係
（1）共通事項

利害関係の区分（職員の退職管理に関する政令（平成20年政令第389号。以下「職員政令」という。）第4条各号） □ 1号　□ 2号　□ 3号　□ 4号　□ 5号　□ 6号　□ 7号
利害関係の具体的な内容
申請者の裁量の程度

（2）特に密接な利害関係の有無※

□ 申請者が、利害関係企業等に対し、検査等を行っている又は行おうとしている
□ 申請者が、利害関係企業等に対し、不利益処分をしようとしている
□ 申請者が、利害関係企業等に対し、犯罪の捜査、公訴の提起若しくは維持又は刑の執行をしている

特に密接な利害関係の具体的な内容

□ 特に密接な利害関係はない

※ 職員政令第8条第1項第2号又は第3号に該当すると判断される場合のみ記載すること。

4　職員政令第８条第１項への該当状況

□ 第１号					
□ 第２号	高度の専門的な知識経験の内容				
	依頼内容	（ふりがな）（　　　） 依頼者の氏名		依頼を受けた日 年　月　日	
		部署名		役職	
		連絡先　TEL（　－　－　）FAX（　－　－　）			
		予定される地位の名称及び業務内容			
		必要とされる高度の専門的な知識経験の内容			
□ 第３号	（ふりがな）（　　　） 親族の氏名		続柄	利害関係企業等における役職	
□ 第４号	公募期間	年　月　日 ～　年　月　日			
	公募方法	□ 新聞、雑誌その他の刊行物に掲載 □ ホームページに掲載 □ その他（　　　）			
	選考方法	選考委員会等の有無	□ 有	□ 無	□ 不明
		選考委員会等における社外委員の有無	□ 有	□ 無	□ 不明

5　その他参考事項

在職機関※確認欄
上記３に記載されている内容について、事実に相違がないことを証明する。 年　月　日

※ 上記１に記載の在職機関とする。

再就職等監視委員会（再就職等監察官）記入欄	
受理番号	
処理結果区分 □ 承認　（職員政令第８条第１項第１号該当） □ 承認　（職員政令第８条第１項第２号該当） □ 承認　（職員政令第８条第１項第３号該当） □ 承認　（職員政令第８条第１項第４号該当） □ 不承認 □ 却下　（承認を必要としない）	
承認に際しての附帯条件	
承認又は不承認の理由	
承認番号	処理年月日 年　月　日
処理機関コード	

別記様式第２（第４条関係）

再就職者による依頼等の承認申請書

年　月　日

再就職等監視委員会委員長（再就職等監察官）殿

国家公務員法（昭和22年法律第120号）第106条の４第５項第６号の規定に基づき、下記のとおり承認を申請します。

この申請書の記載事項は、事実に相違ありません。

１　申請者

（ふりがな）（　　　） 氏　名	生年月日（年齢） 年　月　日生（　歳）
勤務先営利企業等の名称	役　職
連 絡 先　TEL（　―　―　）	FAX（　―　―　）
勤務先営利企業等の業務内容	

２　離職時及び離職前の状況

離 職 日　年　月　日	離職時の官職		
	所属・官職等	在職期間	職務内容
離職前５年間(※)の在職状況等		自　年　月　日 至　年　月　日	
		自　年　月　日 至　年　月　日	
		自　年　月　日 至　年　月　日	
		自　年　月　日 至　年　月　日	
		自　年　月　日 至　年　月　日	
		自　年　月　日 至　年　月　日	
		自　年　月　日 至　年　月　日	
		自　年　月　日 至　年　月　日	

※ 申請者が国家公務員法第106条の４第２項又は第３項に規定する職に就いていた場合にあっては、当該職に就いていた期間まで遡って記載すること。

３　要求又は依頼する事項と勤務先営利企業等との契約等の関係

在職していた行政機関等において自らが締結を決定した勤務先営利企業等又はその子法人との契約に関する要求又は依頼 □ 該当する　□ 該当しない
在職していた行政機関等において自らが決定した勤務先営利企業等又はその子法人に対する処分（行政手続法（平成５年法律第88号）第２条第２号）に関する要求又は依頼 □ 該当する　□ 該当しない

４　要求又は依頼の対象となる役職員

氏　名（ふりがな）　（　　）	
在職機関※	所属局課（職名）
官 職 等	
職務内容	

※ 府省等、行政執行法人又は都道府県警察の名称を記載すること。

５　要求又は依頼の対象となる契約等事務の内容

□ 電気、ガス若しくは水道水の供給又は日本放送協会による放送の役務の給付を受ける契約に関する職務に関するもの
□ その他役職員の裁量の余地が少ない職務に関するもの 職務の内容及び職務に係る役職員の裁量の程度
□ 上記の２項目のいずれにも該当しない

６　要求又は依頼の具体的な内容

７　その他参考事項

別記様式第３（第５条関係）

再就職者から依頼等を受けた場合の届出

年　　月　　日

再就職等監察官殿

国家公務員法（昭和22年法律第120号）第106条の４第９項規定に基づき、下記のとおり届出をします。

この届出書の記載事項は、事実に相違ありません。

1　届出者

(ふりがな)（　　　　　　） 氏　　名	生年月日（年齢） 年　　月　　日生（　　歳）
在職機関※	所属局課（職名）
官　　職	

※ 府省等、行政執行法人又は都道府県警察の名称を記載すること。

2　要求又は依頼をした再就職者の氏名等

(ふりがな)（　　　　　　） 氏　　名	要求又は依頼が行われた日時 年　　月　　日　　時
勤務先営利企業等の名称	役　　職
離職時の在職機関※	

※ 府省等、行政執行法人又は都道府県警察の名称を記載すること。

3　要求又は依頼の内容

再就職等監察官記入欄
受理番号

在職機関※確認欄
上記２に記載されている内容について、事実に相違がないことを証明する。 年　　月　　日

※ 申請者が離職時に在職していた府省等、行政執行法人又は都道府県警察とする。

再就職等監視委員会（再就職等監察官）記入欄	
受理番号	
処理結果区分 □ 承認 □ 不承認 □ 却下　（承認を必要としない）	
承認又は不承認の理由	
承認番号	処理年月日 年　　月　　日
処理機関コード	

別記様式第4（第6条第1項関係）

在職中に再就職の約束をした場合の届出

（国家公務員法（昭和22年法律第120号）第106条の23第1項関連）

年　月　日

殿

住　所

氏　名

電話番号

国家公務員法（昭和22年法律第120号）第106条の23第1項の規定により、次のとおり届け出ます。

1 （ふりがな） 氏名			
2 生年月日	年　月　日		
3 官職			
4 約束前の求職開始日	年　月　日 （□約束前の求職開始日がなかった場合）		
5 再就職の約束をした日	年　月　日		
6 約束前の求職開始日以後の職員としての在職状況及び職務内容			
所属・官職	在職期間	職務内容	
	自　年　月　日 至　年　月　日		
	自　年　月　日 至　年　月　日		
	自　年　月　日 至　年　月　日		
	自　年　月　日 至　年　月　日		
7 離職予定日	年　月　日		
8 再就職予定日	年　月　日		
9 再就職先の名称及び連絡先	再就職先の名称： 再就職先の連絡先：		
10 再就職先の業務内容			
11 再就職先における地位			
12 求職の承認の有無	□有	□無	
13 官民人材交流センターの援助の有無	□有	□無	
14 官民人材交流センター以外の援助 （□官民人材交流センター以外の援助がなかった場合）			
（ふりがな） 援助者の氏名又は名称	援助の内容		

（記載上の注意）

1　□のついた項目は該当する□の中にレ点を記入すること。

2　約束前の求職開始日以後の職員としての在職状況及び職務内容については、約束前の求職開始日がなかった場合には、再就職の約束をした日以後の職員としての在職状況及び職務内容を記載すること。

別記様式第5（第6条第2項関係）

変更届出

（国家公務員法（昭和22年法律第120号）第106条の23第1項関連）

年　月　日

殿

住　所

氏　名

電話番号

年　月　日付けの国家公務員法（昭和22年法律第120号）第106条の23第1項の規定による届出について、次のとおり変更があったので、届け出ます。

官職	変更前			
	変更後			
約束前の求職開始日以後の職員としての在職状況及び職務内容	変更前	所属・官職	在職期間	職務内容
	変更後	所属・官職	在職期間	職務内容
離職予定日	変更前			
	変更後			
再就職予定日	変更前			
	変更後			
再就職先の名称及び連絡先	変更前			
	変更後			
再就職先の業務内容	変更前			
	変更後			
再就職先における地位	変更前			
	変更後			

別記様式第６（第６条第３項、第４項関係）

失効届出

（国家公務員法（昭和22年法律第120号）第106条の23第１項関連）

年　月　日

殿

住　所
氏　名
電話番号

年　月　日付けの国家公務員法（昭和22年法律第120号）第106条の23第１項の規定による届出に係る約束の効力が失われました／地位に就くことが見込まれないこととなりましたので、届け出ます。

（記載上の注意）

職員の退職管理に関する政令（平成20年政令第389号）第26条第３項の規定により、在職中に当該失効届出を行う場合については、「約束の効力が失われました」と記載し、同条第６項において準用する同条第３項の規定により、離職後に当該失効届出を行う場合については、「地位に就くことが見込まれないこととなりました」と記載すること。

別記様式第７（第８条第１項関係）

管理職職員であった者が再就職しようとする場合の届出

（国家公務員法（昭和22年法律第120号）第106条の24第１項関連）

年　月　日

内閣総理大臣　殿

住　所
氏　名
電話番号

国家公務員法（昭和22年法律第120号）第106条の24第１項の規定により、次のとおり届け出ます。

1　（ふりがな）氏名		
2　生年月日	年　月　日	
3　離職時の官職		
4　離職前の求職開始日	年　月　日（□離職前の求職開始日がなかった場合）	
5　離職前の求職開始日から離職日までの間の職員としての在職状況及び職務内容		
所属・官職	在職期間	職務内容
	自　年　月　日 至　年　月　日	
	自　年　月　日 至　年　月　日	
	自　年　月　日 至　年　月　日	
	自　年　月　日 至　年　月　日	
6　離職日	年　月　日	
7　再就職予定日	年　月　日	
8　再就職先の名称及び連絡先	再就職先の名称： 再就職先の連絡先：	
9　再就職先の業務内容		
10　再就職先における地位		
11　求職の承認の有無	□有　□無	
12　官民人材交流センターの援助の有無	□有　□無	
13　官民人材交流センター以外の援助（□官民人材交流センター以外の援助がなかった場合）		
（ふりがな）援助者の氏名又は名称	援助の内容	

（記載上の注意）

1　□のついた項目は該当する□の中にレ点を記入すること。

2　離職前の求職開始日から離職日までの間の職員としての在職状況及び職務内容については、離職前の求職開始日があった場合に記載すること。

別記様式第8（第8条第2項関係）

変更届出

（国家公務員法（昭和22年法律第120号）第106条の24第1項関連）

年　月　日

内閣総理大臣　殿

住所

氏名

電話番号

年　月　日付けの国家公務員法（昭和22年法律第120号）第106条の24第1項の規定による届出について、次のとおり変更があったので、届け出ます。

再就職予定日	変更前	
	変更後	
再就職先の名称及び連絡先	変更前	
	変更後	
再就職先の業務内容	変更前	
	変更後	
再就職先における地位	変更前	
	変更後	

別記様式第9（第8条第3項関係）

失効届出

（国家公務員法（昭和22年法律第120号）第106条の24第1項関連）

年　月　日

内閣総理大臣　殿

住所

氏名

電話番号

年　月　日付けの国家公務員法（昭和22年法律第120号）第106条の24第1項の規定による届出に係る地位に就くことが見込まれないこととなりましたので、届け出ます。

別記様式第10（第11条関係）

管理職職員であった者が再就職した場合の届出

（国家公務員法（昭和22年法律第120号）第106条の24第２項関連）

年　月　日

内　閣　総　理　大　臣　　殿

住　所
氏　名
電話番号

国家公務員法（昭和22年法律第120号）第106条の24第２項の規定により、次のとおり届け出ます。

1 （ふりがな） 氏名			
2 生年月日	年　月　日		
3 離職時の官職			
4 離職前の求職開始日	年　月　日 （□離職前の求職開始日がなかった場合）		
5 離職前の求職開始日から離職日までの間の職員としての在職状況及び職務内容			
	所属・官職	在職期間	職務内容
		自　年　月　日 至　年　月　日	
		自　年　月　日 至　年　月　日	
		自　年　月　日 至　年　月　日	
		自　年　月　日 至　年　月　日	
6 離職日	年　月　日		
7 再就職日	年　月　日		
8 再就職先の名称及び連絡先	再就職先の名称： 再就職先の連絡先：		
9 再就職先の業務内容			
10 再就職先における地位			
11 求職の承認の有無	□有　□無		
12 官民人材交流センターの援助の有無	□有　□無		
13 官民人材交流センター以外の援助 （□官民人材交流センター以外の援助がなかった場合）			
	（ふりがな） 援助者の氏名又は名称	援助の内容	

（記載上の注意）

1　□のついた項目は該当する□の中にレ点を記入すること。

2　離職前の求職開始日から離職日までの間の職員としての在職状況及び職務内容については、離職前の求職開始日があった場合に記載すること。

○行政執行法人の役員の退職管理に関する内閣官房令

平二〇・一二・二五
内閣府令八四

最終改正　令二・一二・一八内閣官房令六

（継続的給付として内閣官房令で定めるもの）
第一条　行政執行法人の役員の退職管理に関する政令（平成二十年政令第三百九十号。以下「令」という。）第二条第四号及び第十条に規定する内閣官房令で定める継続的給付は、日本放送協会による放送の役務の給付とする。

（特に密接な利害関係にある場合）
第二条　令第三条第一項第二号及び第三号に規定する内閣官房令で定める場合は、独立行政法人通則法（平成十一年法律第百三号）第五十四条第一項において準用する国家公務員法（昭和二十二年法律第百二十号。以下「準用国家公務員法」という。）第百六条の三第二項第四号の承認の申請をした行政執行法人の役員が当該申請に係る利害関係企業等との間で職務として携わる事務が当該利害関係企業等に対し不利益処分（行政手続法（平成五年法律第八十八号）第二条第四号に規定する不利益処分をいう。以下同じ。）をしようとする場合とする（令第三条第一項第一号に該当する場合を除く。）。

（求職の承認の手続）
第三条　令第四条に規定する求職の承認の申請は、当該求職の承認を得ようとする行政執行法人の役員が属する行政執行法人を経由して行うものとする。

2　令第四条に規定する内閣官房令で定める様式は、別記様式第一とし、正本一部及び写し一部を提出するものとする。

3　令第四条に規定する内閣官房令で定める書類は、次に掲げる書類とする。

一　承認の申請に係る利害関係企業等の定款又は寄附行為、組織図、事業報告その他の当該利害関係企業等が現に行っている事業の内容を明らかにする資料

二　承認を得ようとする行政執行法人の役員の職務の内容を明らかにする資料

三　承認を得ようとする行政執行法人の役員の職務と当該承認の申請に係る利害関係企業等との利害関係を具体的に明らかにする調書

四　令第三条第一項第一号に係る承認の申請である場合には、承認を得ようとする行政執行法人の役員の行う職務を規律する関係法令の規定及びその運用状況を記載した調書

五　令第三条第一項第二号に係る承認の申請である場合には、承認を得ようとする行政執行法人の役員が、当該承認の申請に係る利害関係企業等又はその子法人の地位に必要とされる高度の専門的な知識経験を有していることを明らかにする調書

六　令第三条第一項第三号に係る承認の申請である場合には、次に掲げる書類

イ　利害関係企業等を経営する親族からの要請があったことを証する文書

ロ　承認を得ようとする行政執行法人の役員と利害関係企業等を経営する親族との続柄を証する文書

七　令第三条第一項第四号に係る承認の申請である場合には、当該申請に係る利害関係企業等の地位に就く者を募集する文書

八　その他参考となるべき書類

（再就職者による依頼等の承認の手続）
第四条　令第十一条に規定する依頼等の承認の申請は、当該依頼等の承認を得ようとする再就職者が離職時に在職していた行政執行法人を経由して行うものとする。

2　令第十一条に規定する内閣官房令で定める様式は、別記様式第二とし、正本一部及び写し一部を提出するものとする。

（再就職等監察官への届出の様式）
第五条　令第十二条に規定する内閣官房令で定める様式は、別記様式第三とする。

（任命権者への再就職の届出等の様式）
第六条　令第十三条第一項に規定する内閣官房令で定める様式は、別記様式第四とする。

2　令第十三条第二項の規定による届出は、別記様式第五による届出書によるものとする。

3　令第十三条第三項の規定による届出は、別記様式第六による届出書によるものとする。

4　令第十三条第六項において準用する同条第三項の届出は、前項の届出書によるものとする。

（内閣総理大臣への事前の再就職の届出の様式）
第七条　令第十五条第一項に規定する内閣官房令で定める様式は、別記様式第七とする。

2　令第十五条第二項において準用する令第十三条第二項の届出は、別記様式第八による届出書によるものとする。

3　令第十五条第二項において準用する令第十三条第三

項の届出は、別記様式第九による届出書によるものとする。

（内閣総理大臣への事前の再就職の届出に係る国と特に密接な関係がある公益社団法人又は公益財団法人）

第八条　令第十八条に規定する内閣官房令で定めるものは、国の機関が所管する公益社団法人又は公益財団法人（以下「公益法人」という。）であって、次の各号に掲げるものとする。

一　一般の閲覧に供されている直近の事業年度の決算（次号において単に「直近事業年度決算」という。）において、当該公益法人が国から交付を受けた補助金、委託費その他これらに類する給付金（以下「給付金等」という。）のうちに占める当該公益法人が第三者へ交付した当該給付金等の金額の割合が二分の一以上であるもの（ただし、当該事業年度の次年度以降において、当該公益法人が国から交付を受ける給付金等のうちに占める当該公益法人が第三者へ交付する当該給付金等の金額の割合が二分の一未満であることが確実と見込まれるものを除く。）

二　直近事業年度決算において、当該公益法人の収入金額の総額に占める当該公益法人が国から受けた給付金等の総額の割合が三分の二以上であるもの（ただし、当該事業年度の次年度以降において、当該公益法人の収入金額の総額に占める当該公益法人が国から受ける給付金等の総額の割合が三分の二未満であることが確実と見込まれるものを除く。）

三　法令（告示を含む。以下この条において同じ。）の規定に基づく指定、認定その他これらに準ずる処分により、試験、検査、検定その他これらに準ずる国の事務又は事業を行うもの（ただし、法令の規定に基づく登録を受けて行うものその他これに準ずるものを除く。）

四　当該公益法人が独自に行う試験、検査、検定その他これらに準ずる事務又は事業を奨励することを目的として国が行う法令の規定に基づく指定、認定その他これらに準ずる処分を受けて、当該事務又は事業を行うもの（ただし、法令の規定に基づく登録を受けて行うものその他これに準ずるものを除く。）

（内閣総理大臣への事後の再就職の届出を要しない報酬額）

第九条　令第十九条第二号に規定する内閣官房令で定める額は、営利企業以外の事業の団体の地位に就き、又は事業に従事し、若しくは事務を行うこととなった日から起算して一年間につき、所得税法（昭和四十年法律第三十三号）第二十八条第三項第一号括弧書に規定する給与所得控除額に相当する金額と同法第八十六条第一項第一号に掲げる場合における同条の規定による基礎控除の額に相当する金額の合計額とする。

（内閣総理大臣への事後の再就職の届出の様式）

第十条　令第二十条において準用する令第十五条第一項に規定する内閣官房令で定める様式は、別記様式第十とする。

附　則

（施行期日）

第一条　この府令は、国家公務員法等の一部を改正する法律（平成十九年法律第百八号。以下「改正法」という。）の施行の日（平成二十年十二月三十一日）から施行する。

（経過措置）

第二条　第八条に規定する公益法人には、一般社団法人及び一般財団法人に関する法律及び公益社団法人及び公益財団法人の認定等に関する法律の施行に伴う関係法律の整備等に関する法律（平成十八年法律第五十号）第四十二条第一項に規定する特例社団法人又は特例財団法人を含むものとする。

附　則（平二九・一二・二二内閣官房令一〇）

（施行日）

1　この内閣官房令は、平成三十年一月一日から施行する。

（経過措置）

2　この内閣官房令による改正後の行政執行法人の役員の退職管理に関する内閣官房令第六条第四項並びに第七条第二項及び第三項の規定並びに別記様式第四から別記様式第十までの様式は、この内閣官房令の施行の日以後にされる独立行政法人通則法（平成十一年法律第百三号）第五十四条第一項において準用する国家公務員法（昭和二十二年法律第百二十号。以下この項において「準用国家公務員法」という。）第百六条の二十三第一項の規定による届出（同日前にされた同項の規定による届出に係る事項の変更に係る届出を除く。）、準用国家公務員法第百六条の二十四第一項の規定による届出（同日前にされた同項の規定による届出に係る事項の変更に係る届出を除く。）及び同条第二項の規定による届出について適用し、同日前にされた準用国家公務員法第百六条の二十三第一項の規定による届出及び同日以後にされる当該届出に係る事項の変更に係る届出、同日前にされた準用国家公務員法第百六条の二十四第一項の規定による届出及び同日以後にされる当該届出に係る事項の変更に係る届出並びに同日前にされた同条第二項の規定による届出については、なお従前の例による。

附 則（令二・一二・一八内閣官房令六）

（施行期日）

第一条 この内閣官房令は、公布の日から施行する。

（経過措置）

第二条 この内閣官房令の施行の際現にある第一条の規定による改正前の職員の退職管理に関する内閣官房令の様式（第三項において「旧職員退職管理官房令様式」という。）による書類は、同条による改正後の様式によるものとみなす。

2 この内閣官房令の施行の際現にある第二条の規定による改正前の行政執行法人の役員の退職管理に関する内閣官房令の様式（次項において「旧役員退職管理官房令様式」という。）による書類は、同条による改正後の様式によるものとみなす。

3 この内閣官房令の施行の際現にある旧職員退職管理官房令様式及び旧役員退職管理官房令様式による用紙については、当分の間、これを取り繕って使用することができる。

別記様式第１（第３条関係）

利害関係企業等に対する求職承認申請書

年　月　日（第　号）

再就職等監視委員会委員長殿

独立行政法人通則法（平成11年法律第103号）第54条第１項において準用する国家公務員法（昭和22年法律第120号）第106条の３第２項第４号の規定に基づき、下記のとおり承認を申請します。

この申請書及び添付書類の記載事項は、事実に相違ありません。

1　申請者

（ふりがな）（　　） 氏　名	生年月日（年齢） 年　月　日生（　歳）
在職機関※	役員の職
俸　給	
現在の職務内容	
離職予定日　　年　月　日	

※ 行政執行法人の名称を記載すること。

2　承認の申請に係る利害関係企業等

□ 営利企業　□ その他の法人 名　称		本社所在地
業務内容		
子法人の地位に関する承認申請の場合	□ 営利企業　□ その他の法人 子法人の名称	本社所在地
	業務内容	

3　申請者の職務と利害関係企業等との関係

（1）共通事項

利害関係の区分（行政執行法人の役員の退職管理に関する政令（平成20年政令第390号。以下「役員政令」という。）第２条各号） □ 1号　□ 2号　□ 3号　□ 4号
利害関係の具体的な内容
申請者の裁量の程度

（2）特に密接な利害関係の有無※

□ 申請者が、利害関係企業等に対し、検査等を行っている又は行おうとしている □ 申請者が、利害関係企業等に対し、不利益処分をしようとしている
特に密接な利害関係の具体的な内容
□ 特に密接な利害関係はない

※ 役員政令第３条第１項第２号又は第３号に該当すると判断される場合のみ記載すること。

4 役員政令第３条第１項への該当状況

<table>
<tr><td colspan="2">□ 第１号</td><td colspan="3"></td></tr>
<tr><td rowspan="5">□ 第２号</td><td colspan="4">高度の専門的な知識経験の内容</td></tr>
<tr><td rowspan="4">依頼内容</td><td>（ふりがな）（　　　）
依頼者の氏名</td><td colspan="2">依頼を受けた日
年　月　日</td></tr>
<tr><td colspan="2">部署名</td><td>役職</td></tr>
<tr><td colspan="3">連絡先　TEL（　－　－　）FAX（　－　－　）</td></tr>
<tr><td colspan="3">予定される地位の名称及び業務内容

必要とされる高度の専門的な知識経験の内容</td></tr>
<tr><td>□ 第３号</td><td colspan="2">（ふりがな）（　　　）
親族の氏名</td><td>続柄</td><td>利害関係企業等における役職</td></tr>
<tr><td rowspan="4">□ 第４号</td><td>公募期間</td><td colspan="3">年　月　日　～　年　月　日</td></tr>
<tr><td>公募方法</td><td colspan="3">□ 新聞、雑誌その他の刊行物に掲載
□ ホームページに掲載
□ その他（　　　）</td></tr>
<tr><td rowspan="2">選考方法</td><td colspan="2">選考委員会等の有無</td><td>□ 有　□ 無　□ 不明</td></tr>
<tr><td colspan="2">選考委員会等における社外委員の有無</td><td>□ 有　□ 無　□ 不明</td></tr>
</table>

5 その他参考事項

<table>
<tr><td>在職機関※確認欄</td></tr>
<tr><td>上記３に記載されている内容について、事実に相違がないことを証明する。
年　月　日</td></tr>
</table>

※ 上記１に記載の在職機関とする

<table>
<tr><td colspan="2">再就職等監視委員会記入欄</td></tr>
<tr><td colspan="2">受理番号</td></tr>
<tr><td colspan="2">処理結果区分
□ 承認　（役員政令第３条第１項第１号該当）
□ 承認　（役員政令第３条第１項第２号該当）
□ 承認　（役員政令第３条第１項第３号該当）
□ 承認　（役員政令第３条第１項第４号該当）
□ 不承認
□ 却下　（承認を必要としない）</td></tr>
<tr><td colspan="2">承認に際しての附帯条件</td></tr>
<tr><td colspan="2">承認又は不承認の理由</td></tr>
<tr><td>承認番号</td><td rowspan="2">処理年月日
年　月　日</td></tr>
<tr><td>処理機関コード</td></tr>
</table>

別記様式第２（第４条関係）

再就職者による依頼等の承認申請書

年　月　日

再就職等監視委員会委員長殿

独立行政法人通則法（平成11年法律第103号）第54条第１項において準用する国家公務員法（昭和22年法律第120号）第106条の４第５項第６号の規定に基づき、下記のとおり承認を申請します。

この申請書の記載事項は、事実に相違ありません。

1　申請者

（ふりがな）（　　　） 氏　名	生年月日（年齢） 年　月　日生（　歳）
勤務先営利企業等の名称	役　職
連絡先　TEL（　－　－　）	FAX（　－　－　）
勤務先営利企業等の業務内容	

2　離職時及び離職前の状況

離職日　年　月　日		離職時の役員の職	
離職前5年間(※)の在職状況等	所属・役員の職等	在職期間	職務内容
		自　年　月　日 至　年　月　日	
		自　年　月　日 至　年　月　日	
		自　年　月　日 至　年　月　日	
		自　年　月　日 至　年　月　日	
		自　年　月　日 至　年　月　日	
		自　年　月　日 至　年　月　日	
		自　年　月　日 至　年　月　日	
		自　年　月　日 至　年　月　日	

※　申請者が独立行政法人通則法第54条第１項において準用する国家公務員法第106条の４第２項又は第３項に規定する職に就いていた場合にあっては、当該職に就いていた期間まで遡って記載すること。

3　要求又は依頼する事項と勤務先営利企業等との契約等の関係

在職していた行政執行法人等において自らが締結を決定した勤務先営利企業等又はその子法人との契約に関する要求又は依頼 □ 該当する　　□ 該当しない
在職していた行政執行法人等において自らが決定した勤務先営利企業等又はその子法人に対する処分（行政手続法（平成５年法律第88号）第２条第２号）に関する要求又は依頼 □ 該当する　　□ 該当しない

4　要求又は依頼の対象となる役職員

氏　名（ふりがな）　（　　）	
在職機関※	所属局課（職名）
官　職　等	
職務内容	

※ 府省等、行政執行法人又は都道府県警察の名称を記載すること。

5　要求又は依頼の対象となる契約等事務の内容

□ 電気、ガス若しくは水道水の供給又は日本放送協会による放送の役務の給付を受ける契約に関する職務に関するもの
□ その他役職員の裁量の余地が少ない職務に関するもの 職務の内容及び職務に係る役職員の裁量の程度
□ 上記の２項目のいずれにも該当しない

6　要求又は依頼の具体的な内容

7　その他参考事項

別記様式第３（第５条関係）

再就職者から依頼等を受けた場合の届出

年　月　日

再就職等監察官殿

独立行政法人通則法（平成11年法律第103号）第54条第１項において準用する国家公務員法（昭和22年法律第120号）第106条の４第９項規定に基づき、下記のとおり届出をします。

この届出書の記載事項は、事実に相違ありません。

1　届出者

（ふりがな）（　　　） 氏　名	生年月日（年齢） 年　月　日生（　歳）
在職機関※	役員の職

※ 行政執行法人の名称を記載すること。

2　要求又は依頼をした再就職者の氏名等

（ふりがな）（　　　） 氏　名	要求又は依頼が行われた日時 年　月　日　時
勤務先営利企業等の名称	役　職
離職時の在職機関※	

※ 府省等、行政執行法人又は都道府県警察の名称を記載すること。

3　要求又は依頼の内容

再就職等監察官記入欄
受理番号

在職機関※確認欄
上記２に記載されている内容について、事実に相違がないことを証明する。 年　月　日

※ 申請者が離職時に在職していた行政執行法人とする。

再就職等監視委員会記入欄	
受理番号	
処理結果区分 □ 承認 □ 不承認 □ 却下　（承認を必要としない）	
承認又は不承認の理由	
承認番号	処理年月日 年　月　日
処理機関コード	

別記様式第４（第６条第１項関係）

在職中に再就職の約束をした場合の届出

（独立行政法人通則法（平成11年法律第103号）第54条第１項において準用する国家公務員法（昭和22年法律第120号）第106条の23第１項関連）

年　月　日

殿

住　所
氏　名
電話番号

独立行政法人通則法（平成11年法律第103号）第54条第１項において準用する国家公務員法（昭和22年法律第120号）第106条の23第１項の規定により、次のとおり届け出ます。

1 （ふりがな） 氏名			
2 生年月日	年　月　日		
3 役員の職			
4 約束前の求職開始日	年　月　日 （□約束前の求職開始日がなかった場合）		
5 再就職の約束をした日	年　月　日		
6 約束前の求職開始日以後の役員としての在職状況及び職務内容			
	所属・役員の職	在職期間	職務内容
		自　年　月　日 至　年　月　日	
		自　年　月　日 至　年　月　日	
		自　年　月　日 至　年　月　日	
		自　年　月　日 至　年　月　日	
7 離職予定日	年　月　日		
8 再就職予定日	年　月　日		
9 再就職先の名称及び連絡先	再就職先の名称： 再就職先の連絡先：		
10 再就職先の業務内容			
11 再就職先における地位			
12 求職の承認の有無	□有　□無		
13 官民人材交流センターの援助の有無	□有　□無		
14 官民人材交流センター以外の援助 （□官民人材交流センター以外の援助がなかった場合）			
	（ふりがな） 援助者の氏名又は名称	援助の内容	

（記載上の注意）

1 □のついた項目は該当する□の中にレ点を記入すること。

2 約束前の求職開始日以後の役員としての在職状況及び職務内容については、約束前の求職開始日がなかった場合には、再就職の約束をした日以後の役員としての在職状況及び職務内容を記載すること。

別記様式第５（第６条第２項関係）

変更届出

（独立行政法人通則法（平成11年法律第103号）第54条第１項において準用する国家公務員法（昭和22年法律第120号）第106条の23第１項関連）

年　月　日

殿

住　所
氏　名
電話番号

年　月　日付けの独立行政法人通則法（平成11年法律第103号）第54条第１項において準用する国家公務員法（昭和22年法律第120号）第106条の23第１項の規定による届出について、次のとおり変更があったので、届け出ます。

役員の職	変更前			
	変更後			
約束前の求職開始日以後の役員としての在職状況及び職務内容	変更前	所属・役員の職	在職期間	職務内容
	変更後	所属・役員の職	在職期間	職務内容
離職予定日	変更前			
	変更後			
再就職予定日	変更前			
	変更後			
再就職先の名称及び連絡先	変更前			
	変更後			
再就職先の業務内容	変更前			
	変更後			
再就職先における地位	変更前			
	変更後			

別記様式第６（第６条第３項、第４項関係）

失効届出

（独立行政法人通則法（平成11年法律第103号）第54条第１項において準用する国家公務員法（昭和22年法律第120号）第106条の23第１項関連）

年　月　日

殿

住　所
氏　名
電話番号

年　月　日付けの独立行政法人通則法（平成11年法律第103号）第54条第１項において準用する国家公務員法（昭和22年法律第120号）第106条の23第１項の規定による届出に係る 約束の効力が失われました／地位に就くことが見込まれないこととなりました ので、届け出ます。

（記載上の注意）
行政執行法人の役員の退職管理に関する政令（平成20年政令第390号）第13条第３項の規定により、在職中に当該失効届出を行う場合については、「約束の効力が失われました」と記載し、同条第６項において準用する同条第３項の規定により、離職後に当該失効届出を行う場合については、「地位に就くことが見込まれないこととなりました」と記載すること。

別記様式第７（第７条第１項関係）

行政執行法人の役員であった者が再就職しようとする場合の届出

（独立行政法人通則法（平成11年法律第103号）第54条第１項において準用する国家公務員法（昭和22年法律第120号）第106条の24第１項関連

年　月　日

内閣総理大臣　殿

住　所
氏　名
電話番号

独立行政法人通則法（平成11年法律第103号）第54条第１項において準用する国家公務員法（昭和22年法律第120号）第106条の24第１項の規定により、次のとおり届け出ます。

1 （ふりがな） 氏名			
2 生年月日	年　月　日		
3 離職時の役員の職			
4 離職前の求職開始日	年　月　日 （□離職前の求職開始日がなかった場合）		
5 離職前の求職開始日から離職日までの間の役員としての在職状況及び職務内容			
所属・役員の職	在職期間	職務内容	
	自　年　月　日 至　年　月　日		
	自　年　月　日 至　年　月　日		
	自　年　月　日 至　年　月　日		
	自　年　月　日 至　年　月　日		
6 離職日	年　月　日		
7 再就職予定日	年　月　日		
8 再就職先の名称及び連絡先	再就職先の名称： 再就職先の連絡先：		
9 再就職先の業務内容			
10 再就職先における地位			
11 求職の承認の有無	□有	□無	
12 官民人材交流センターの援助の有無	□有	□無	
13 官民人材交流センター以外の援助 （□官民人材交流センター以外の援助がなかった場合）			
（ふりがな） 援助者の氏名又は名称	援助の内容		

（記載上の注意）
1 □のついた項目は該当する□の中にレ点を記入すること。
2 離職前の求職開始日から離職日までの間の役員としての在職状況及び職務内容については、離職前の求職開始日があった場合に記載すること。

別記様式第8（第7条第2項関係）

変更届出

（独立行政法人通則法（平成11年法律第103号）第54条第1項において準用する国家公務員法（昭和22年法律第120号）第106条の24第1項関連）

年　月　日

内閣総理大臣　殿

住　所
氏　名
電話番号

年　月　日付けの独立行政法人通則法（平成11年法律第103号）第54条第1項において準用する国家公務員法（昭和22年法律第120号）第106条の24第1項の規定による届出について、次のとおり変更があったので、届け出ます。

再就職予定日	変更前	
	変更後	
再就職先の名称及び連絡先	変更前	
	変更後	
再就職先の業務内容	変更前	
	変更後	
再就職先における地位	変更前	
	変更後	

別記様式第9（第7条第3項関係）

失効届出

（独立行政法人通則法（平成11年法律第103号）第54条第1項において準用する国家公務員法（昭和22年法律第120号）第106条の24第1項関連）

年　月　日

内閣総理大臣　殿

住　所
氏　名
電話番号

年　月　日付けの独立行政法人通則法（平成11年法律第103号）第54条第1項において準用する国家公務員法（昭和22年法律第120号）第106条の24第1項の規定による届出に係る地位に就くことが見込まれないこととなりましたので、届け出ます。

別記様式第10（第10条関係）

行政執行法人の役員であった者が再就職した場合の届出
（独立行政法人通則法（平成11年法律第103号）第54条第１項において準用する国家公務員法（昭和22年法律第120号）第106条の24第２項関連）

年　月　日

内閣総理大臣　殿

住　所
氏　名
電話番号

独立行政法人通則法（平成11年法律第103号）第54条第１項において準用する国家公務員法（昭和22年法律第120号）第106条の24第２項の規定により、次のとおり届け出ます。

1 （ふりがな） 氏　名		
2 生年月日	年　月　日	
3 離職時の役員の職		
4 離職前の求職開始日	年　月　日 （□離職前の求職開始日がなかった場合）	
5 離職前の求職開始日から離職日までの間の役員としての在職状況及び職務内容		
所属・役員の職	在職期間	職務内容
	自　年　月　日 至　年　月　日	
	自　年　月　日 至　年　月　日	
	自　年　月　日 至　年　月　日	
	自　年　月　日 至　年　月　日	
6 離職日	年　月　日	
7 再就職日	年　月　日	
8 再就職先の名称及び連絡先	再就職先の名称： 再就職先の連絡先：	
9 再就職先の業務内容		
10 再就職先における地位		
11 求職の承認の有無	□有　□無	
12 官民人材交流センターの援助の有無	□有　□無	
13 官民人材交流センター以外の援助 （□官民人材交流センター以外の援助がなかった場合）		
（ふりがな） 援助者の氏名又は名称	援助の内容	

（記載上の注意）
1 □のついた項目は該当する□の中にレ点を記入すること。
2 離職前の求職開始日から離職日までの間の役員としての在職状況及び職務内容については、離職前の求職開始日があった場合に記載すること。

○独立行政法人通則法第六十条第三項に規定する内閣総理大臣の定め

平一九・一〇・一七
内閣総理大臣決定

最終改正　平二七・三・二六

（届出の方法）

第一条　独立行政法人通則法（平成十一年法律第百三号）第六十条第三項の規定に基づく届出は、行政執行法人が次条各号に掲げるものに該当すると認めるものを新設し、変更し、又は廃止しようとする場合に、内閣官房にその内容の届出をするものとする。

2　前項の届出には、当該届出を行う事項の根拠となる資料を添付するものとする。

（内閣総理大臣が定める事項）

第二条　独立行政法人通則法第六十条第三項に規定する内閣総理大臣が定める事項は、次の各号に掲げるものとする。

一　国家行政組織法（昭和二十三年法律第百二十号）第七条第一項に規定する官房若しくは局又は同法第八条の二に規定する施設等機関その他これらに準ずる国の部局若しくは機関に相当する組織

二　前号の組織に属する役職員に類するもの

三　国家行政組織法第二十一条第一項に規定する部長又は課長の職に準ずる職

四　国家行政組織法第六条に規定する長官、同法第十八条第一項に規定する事務次官又は同法第二十一条第一項に規定する事務局長若しくは局長の職に準ずる職

五　管理又は監督の地位にある職員の官職として、次に掲げる職員が就いている官職に相当する官職

イ　一般職の職員の給与に関する法律（昭和二十五年法律第九十五号。以下この号において「給与法」という。）の適用を受ける職員であって、次に掲げるもの

㈠　給与法別表第一イ行政職俸給表㈠の職務の級七級以上の職員（ただし、七級の職員にあっては、人事院規則九—一七（俸給の特別調整額）に定める俸給の特別調整額に係る種別（以下この号において「特別調整額種別」という。）が一種又は二種の職員に限る。）

㈡　給与法別表第二専門行政職俸給表の職務の級五級以上の職員（ただし、五級の職員にあっては、特別調整額種別が一種又は二種の職員に限る。）

㈢　給与法別表第三税務職俸給表の職務の級七級以上の職員（ただし、七級の職員にあっては、特別調整額種別が一種又は二種の職員に限る。）

㈣　給与法別表第四イ公安職俸給表㈠の職務の級八級以上の職員（ただし、八級の職員にあっては、特別調整額種別が一種又は二種の職員に限る。）

㈤　給与法別表第四ロ公安職俸給表㈡の職務の級七級以上の職員（ただし、七級の職員にあっては、特別調整額種別が一種又は二種の職員に限る。）

㈥　給与法別表第五イ海事職俸給表㈠の職務の級六級以上の職員（ただし、六級の職員にあっては、特別調整額種別が一種又は二種の職員に限る。）

㈦　給与法別表第六イ教育職俸給表㈠の職務の級四級以上の職員（ただし、四級の職員にあっては、特別調整額種別が一種又は二種の職員に限る。）

㈧　給与法別表第七研究職俸給表の職務の級五級以上の職員（ただし、五級の職員にあっては、特別調整額種別が一種又は二種の職員に限る。）

㈨　給与法別表第八イ医療職俸給表㈠の職務の級三級以上の職員（ただし、三級の職員にあっては、特別調整額種別が一種又は二種の職員に限る。）

㈩　給与法別表第八ロ医療職俸給表㈡の職務の級七級以上の職員（ただし、七級の職員にあっては、特別調整額種別が一種又は二種の職員に限る。）

(十一)　給与法別表第八ハ医療職俸給表㈢の職務の級六級以上の職員（ただし、六級の職員にあっては、特別調整額種別が一種又は二種の職員に限る。）

(十二)　給与法別表第九福祉職俸給表の職務の級六級の職員（ただし、特別調整額種別が一種又は二種の職員に限る。）

ロ　給与法別表第十一指定職俸給表の適用を受ける職員

ハ　一般職の任期付職員の採用及び給与の特例に関する法律（平成十二年法律第百二十五号）第七条

第一項の俸給表の適用を受ける職員であって、同表五号俸の俸給月額以上の俸給を受けるもの

ニ 一般職の任期付研究員の採用、給与及び勤務時間の特例に関する法律（平成九年法律第六十五号）第六条第一項の俸給表の適用を受ける職員であって、同表四号俸の俸給月額以上の俸給を受けるもの

ホ 検察官の俸給等に関する法律（昭和二十三年法律第七十六号。以下「検察官俸給法」という。）の適用を受ける職員であって、次に掲げるもの

(一) 検事総長、次長検事及び検事長

(二) 検察官俸給法別表検事の項十二号の俸給月額以上の俸給を受ける検事

(三) 検察官俸給法別表副検事の項七号の俸給月額以上の俸給を受ける副検事

（内閣総理大臣が定める日）

第三条 独立行政法人通則法第六十条第三項に規定する内閣総理大臣が定める日は、前条各号に掲げるものに該当すると認めるものを新設し、変更し、又は廃止しようとする日の六週間前までとする。

附 則（抄）

（施行期日）

第一条 この決定は、平成十九年十月十七日に施行する。

附 則（平二〇・一二・三）（抄）

（施行期日）

第一条 この決定は、平成二十年十二月三日に施行する。

附 則（平二五・三・二八）

この決定は、平成二十五年四月一日から施行する。

附 則（平二六・五・二九）

この決定は、平成二十六年五月三十日から施行する。

附 則（平二七・三・二六）

この決定は、平成二十七年四月一日から施行する。

○国有林野の有する公益的機能の維持増進を図るための国有林野の管理経営に関する法律等の一部を改正する等の法律の施行に伴う関係政令の整備等に関する政令（平成二十五年政令第五十五号）第十九条の規定による改正前の職員の退職管理に関する政令第二十七条第五号に規定する国有林野事業を行う国の経営する企業に勤務する職員について

平二〇・一二・二五
内閣総理大臣決定

改正　平二五・三・二八

職員の退職管理に関する政令（平成二十年政令第三百八十九号。以下「政令」という。）第二十七条第五号の規定に基づき、次のように決定し、平成二十年十二月三十一日より、これによることとする。

国有林野の有する公益的機能の維持増進を図るための国有林野の管理経営に関する法律等の一部を改正する等の法律の施行に伴う関係政令の整備等に関する政令（平成二十五年政令第五十五号）第十九条の規定による改正前の政令第二十七条第五号の内閣総理大臣が定めるものは、国有林野の有する公益的機能の維持増進を図るための国有林野の管理経営に関する法律等の一部を改正する等の法律等の施行に伴う関係通達等の廃止について（平成二十五年三月二十六日二十四林国管第百五十六号林野庁長官通知）による廃止前の国有林野事業管理職員給与準則（昭和四十六年十月十六日林野職第二百六十六号（林野庁長官通知））第二条に定める級別区分表の適用を受ける職員であって、職務の級が七級以上のものとする。

附　則（平二五・三・二八）（抄）

1　この決定は、平成二十五年四月一日から施行する。

○職員の退職管理に関する政令第二十七条第六号に規定する行政執行法人の職員について

平二〇・一二・二五
内閣総理大臣決定

最終改正　令三・六・二九

職員の退職管理に関する政令（平成二十年政令第三百八十九号。以下「政令」という。）第二十七条第七号の規定に基づき、次のように決定し、平成二十年十二月三十一日より、これによることとする。

政令第二十七条第六号の内閣総理大臣が定めるものは、次の表の左欄に掲げる行政執行法人に属する職員である場合においては、同表の当該行政執行法人の項右欄に掲げるものとする。ただし、平成二十一年一月三十一日までの間は、次の表の国立印刷局の項右欄中「区分三種」とあるのは「支給割合一六％」とする。

国立公文書館	1　独立行政法人国立公文書館職員給与規程（平成十三年規程第二号。以下「国立公文書館給与規程」という。）別表第一事務職俸給表の適用を受ける職員のうち、職務の級が七級以上の職員であって、同規程第十四条の規定による職責手当の支給区分一種又は二種

	の支給を受けるもの 2　国立公文書館給与規程表第三研究職俸給表の適用を受ける職員のうち、職務の級が五級以上の職員であって、同規程第十四条の規定による職責手当の支給を受けるもの 3　国立公文書館給与規程別表第四特別俸給表の適用を受ける職員
統計センター	1　独立行政法人統計センター職員給与規程（平成十五年規程第十六号。以下「統計センター給与規程」という。）別表第一事務職俸給表の適用を受ける職員のうち、職務の級が七級以上の職員であって、同規程第十四条の規程による職責手当Ⅰ種又はⅡ種の支給を受けるもの 2　統計センター給与規程別表第四審議役俸給表の適用を受ける職員
造幣局	独立行政法人造幣局職員給与規程（昭和四十五年造幣局訓令第十一号。以下「造幣局給与規程」という。）別表第二その1一般職七級以上の職員であって、同規程第二十六条の規定による管理職手当の支給を受けるもの（管理職手当支給細則（平成十九年造幣局訓令第十三号）第二条第二項の規定により三種の支給区分の適用を受けるものを除く。）
国立印刷局	1　独立行政法人国立印刷局職員給与規則（平成十五年規則第十一号。以下「国立印刷局給与規則」という。）別表第二指定職群1等級以上の職員であって、同規則第二十九条の規定による管理職手当の支給を受けるもの（国立印刷局手当支給等規則（平成十七年規則第九号）別表三区分三種の指定官職を除く。） 2　国立印刷局給与規則別表第二研究職群特別等級の職員であって、同規則第二十九条の規定による管理職手当の支給を受けるもの（国立印刷局手当支給等規則別表三区分三種の指定官職を除く。）
農林水産消費安全技術センター	独立行政法人農林水産消費安全技術センター職員給与規程（平成十三年規程第十四号）の別表第一俸給表の適用を受ける職員のうち、職務の級が七級以上の職員であって、俸給の特別調整額Ⅰ種又はⅡ種の支給を受けるもの
製品評価技術基盤機構	独立行政法人製品評価技術基盤機構職員給与規程（給与―法Ａ―職員給与）の別表職員の俸給表の適用を受ける職員のうち、職務の級が七級以上の職員であって、同機構の諸手当支給規程（給与―法Ｂ―諸手当支給）第二条の規定による職責手当一種又は二種の支給を受けるもの
駐留軍等労働者労務管理機構	独立行政法人駐留軍等労働者労務管理機構職員給与規則（平成十四年駐労規第十二号）別表第一俸給表の適用を受ける職員のうち、職務の級が七級以上の職員であって、俸給の特別調整額一種又は二種の支給を受けるもの

附　則（平二五・三・二八）

1　この決定は、平成二十五年四月一日から施行する。

2　この決定による改正前の表国立印刷局の欄中第三項及び第四項に掲げる職員（以下「旧国立印刷局医療職管理職職員」という。）がこの決定の施行前に国家公務員法（昭和二十二年法律第百二十号）第百六条の二十三第一項の規定による届出をした場合における同条第三項の規定の適用については、なお従前の例による。

3　旧国立印刷局医療職管理職職員であった者（この決定の施行後に職員の退職管理に関する政令（平成二十年政令第三百八十九号）第二十七条各号のいずれかに該当するに至った者を除く。）についての国家公務員法第百六条の二十四の規定の適用については、なお従前の例による。

4　内閣総理大臣が前二項の規定によりなお従前の例によることとされる国家公務員法第百六条の二十三第三項の規定による通知及び同法第百六条の二十四の規定による届出を受けた事項についての同法第百六条の二十五の規定の適用については、なお従前の例による。

5　この決定の施行前に国家公務員法第百六条の三第二項第四号の承認を得た旧国立印刷局医療職管理職職員がこの決定の施行後に当該承認に係る営利企業等（同

法第百六条の二第一項に規定する営利企業等をいう。）の地位に就いた場合における同法第百六条の二十七の規定の適用については、なお従前の例による。

6 この決定の施行前にした行為及び附則第三項の規定によりなお従前の例によることとされる場合におけるこの決定の施行後にした行為に対する罰則の適用については、なお従前の例による。

附　則（平三〇・四・一）

1 この決定は、平成三十年四月一日から施行する。

2 この決定による改正前の表造幣局の欄中第二項に掲げる職員（以下「旧造幣局医療職管理職職員」という。）がこの決定の施行前に国家公務員法（昭和二十二年法律第百二十号）第百六条の二十三第一項の規定による届出をした場合における同条第三項の規定の適用については、なお従前の例による。

3 旧造幣局医療職管理職職員であった者（この決定の施行後に職員の退職管理に関する政令（平成二十年政令第三百八十九号）第二十七条各号のいずれかに該当するに至った者を除く。）についての国家公務員法第百六条の二十四の規定の適用については、なお従前の例による。

4 内閣総理大臣が前二項の規定によりなお従前の例によることとされる国家公務員法第百六条の二十三第三項の規定による通知及び同法第百六条の二十四の規定による届出を受けた事項についての同法第百六条の二十五の規定の適用については、なお従前の例による。

5 この決定の施行前に国家公務員法第百六条の三第二項第四号の承認を得た旧造幣局医療職管理職職員がこの決定の施行後に当該承認に係る営利企業等（同法第百六条の二第一項に規定する営利企業等をいう。）の地位に就いた場合における同法第百六条の二十七の規定の適用については、なお従前の例による。

6 この決定の施行前にした行為及び附則第三項の規定によりなお従前の例によることとされる場合におけるこの決定の施行後にした行為に対する罰則の適用については、なお従前の例による。

附　則（令三・六・二九）

この決定は、令和三年七月一日から施行する。

〇国家公務員法（昭和二十二年法律第百二十号）第百六条の二十四第一項等に関する公益社団法人及び公益財団法人に対する指導指針について

平二六・五・三〇
内閣官房内閣人事局
総務省行政管理局

最終改正　平三〇・一〇・一

国家公務員法（昭和二十二年法律第百二十号。以下「国公法」という。）第百六条の二十四第一項第四号及び独立行政法人通則法（平成十一年法律第百三号。以下「独法通則法」という。）第五十四条第一項において準用する国公法第百六条の二十四第一項第四号、職員の退職管理に関する政令（平成二十年政令第三百八十九号。以下「退職管理政令」という。）第三十二条、行政執行法人の役員の退職管理に関する政令（平成二十年政令第三百九十号。以下「役員政令」という。）第十八条、職員の退職管理に関する内閣官房令（平成二十年内閣府令第八十三号）第九条並びに行政執行法人の役員の退職管理に関する内閣官房令（平成二十年内閣府令第八十四号）第八条の諸規定（以下「密接関係法令」という。）に関し、下記のとおり、公益法人（公益社団法人及び公益財団法人の認定等に関する法律（平成十八年法律第四十九号）第二条第三号に規定するものをいう。以下同じ。）に対する指導を行うこととする。

記

1．趣旨

国公法第百六条の二十四第一項（独法通則法第五十四条第一項により準用されるものを含む。）の規定により、管理職職員であった者及び行政執行法人の役員であった者においては、その離職後二年間、公益法人のうち、「国と特に密接な関係があるものとして政令で定めるもの」の「役員その他の地位であって政令で定めるもの」に就こうとする場合には、内閣総理大臣にあらかじめ届け出なければならないこととされており、国公法第百十三条第二号（独法通則法第五十四条第一項により準用されるものを含む。）の規定により、当該届出をしない場合等には十万円以下の過料に処されることとされている。

2．指針の内容

内閣官房内閣人事局においては、公益法人のうち、密接関係法令に規定する「国と特に密接な関係があるもの」（以下「密接公益法人」という。）に関して、以下の措置を講ずる。

①公益法人の「役員その他の地位であって政令で定めるもの」として退職管理政令第二十八条及び役員政令第十四条に規定するものに、管理職職員であった者及び行政執行法人の役員であった者が就こうとする場合において、当該者から当該法人に対して、当該法人が密接公益法人であるか否かについて問合せがあった場合には遅滞なく回答するよう指導すること。

②公益法人において、密接公益法人であるか否かに関する書類（形式を問わない。）を作成し、毎年、事業年度の終了後原則として三か月以内に当該書類について更新するよう指導すること。

③公益法人において、①の問合せに対する回答、②の書類の作成及び更新に当たっては、密接関係法令に基づき、直近の事業年度の決算に基づき行うよう指導すること。

④公益法人において、密接公益法人に該当することとなった場合及び密接公益法人に該当しないこととなった場合には、遅滞なく、電子メール等により、内閣官房内閣人事局に密接公益法人であるか否かに関する書類を報告するよう指導すること。

以　上

○国家公務員法等の一部を改正する法律（平成十九年法律第百八号）による改正後の国家公務員法（昭和二十二年法律第百二十号）第百六条の二十四の規定の解釈について

平二〇・一二・二五
行政改革推進本部事務局
（公務員制度改革等担当）
総務省人事・恩給局

国家公務員法等の一部を改正する法律（平成十九年法律第百八号。以下「改正法」という。）による改正後の国家公務員法（昭和二十二年法律第百二十号。以下「改正国公法」という。）第百六条の二十四の規定の解釈については、下記のとおりである。

記

(1) **改正国公法第百六条の二十四第一項について**

改正国公法第百六条の二十四第一項本文中の括弧書「（前条第一項の規定により政令で定める事項を届け出た場合を除く。）」については、同条が過去一度でも「管理職職員であつた者」に関する再就職についての透明性を確保するために当該者の再就職状況を内閣が取りまとめて公表すること等を目的として設けられたものであり、当該括弧書における同条の適用が除外される場合は「管理職職員として改正国公法第百六条の二十三第一項の規定により政令で定める事項を届け出た場合」を意味する。

(2) **改正国公法第百六条の二十四第二項について**

改正国公法第百六条の二十四第二項の「（前条第一項（中略）の規定による届出を行つた場合」と規定している箇所については、同条が過去一度でも「管理職職員であつた者」に関する再就職についての透明性を確保するために当該者の再就職状況を内閣が取りまとめて公表すること等を目的として設けられたものであり、当該箇所における同条の適用が除外される場合は「管理職職員として改正国公法第百六条の二十三第一項の規定による届出を行つた場合」を意味する。

（参考１）
国家公務員法等の一部を改正する法律（平成十九年法律第百八号）による改正後の国家公務員法（昭和二十二年法律第百二十号）

（任命権者への届出）
第百六条の二十三　職員（退職手当通算予定職員を除く。）は、離職後に営利企業等の地位に就くことを約束した場合には、速やかに、政令で定めるところにより、任命権者に政令で定める事項を届け出なければならない。

②（略）

③ 第一項の届出を受けた任命権者は、当該届出を行つた職員が管理又は監督の地位にある職員の官職として政令で定めるものに就いている職員（以下「管理職職員」という。）である場合には、速やかに、当該届出に係る事項を内閣総理大臣に通知するものとする。

（内閣総理大臣への届出）
第百六条の二十四　管理職職員であつた者（退職手当通算離職者を除く。次項において同じ。）は、離職後二年間、次に掲げる法人の役員その他の地位であつて政令で定めるものに就こうとする場合（前条第一項の規定により政令で定める事項を届け出た場合を除く。）には、あらかじめ、政令で定めるところにより、内閣総理大臣に政令で定める事項を届け出なければならない。

一～四（略）

② 管理職職員であつた者は、離職後二年間、営利企業以外の事業の団体の地位に就き、若しくは事業に従事し、若しくは事務を行うこととなつた場合（報酬を得る場合に限る。）又は営利企業（前項第二号又は第三号に掲げる法人を除く。）の地位に就いた場合は、前条第一項又は前項の規定による届出を行つた場合、日々雇い入れられる者となつた場合その他政令で定める場合を除き、政令で定めるところにより、速やかに、内閣総理大臣に政令で定める事項を届け出なければならない。

（参考２）

具体例

1　非管理職職員が再就職の約束をした後、管理職職員となり、その後離職し再就職した場合

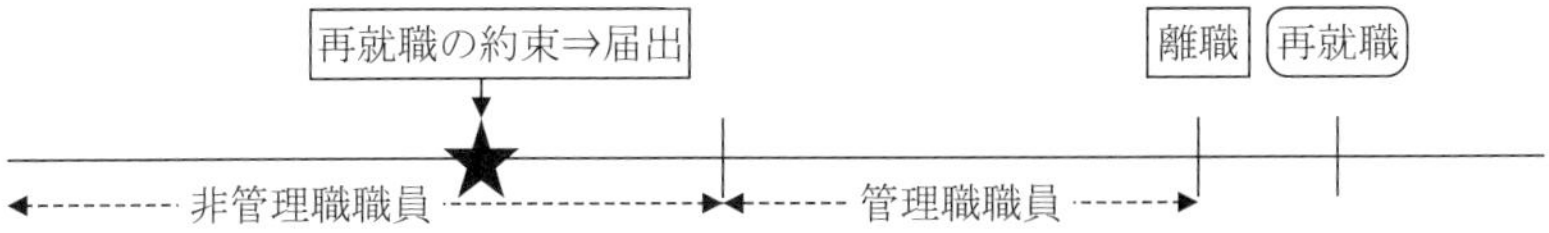

　この場合においては、非管理職職員として、改正国公法第106条の23第1項の規定による再就職の約束の届出を行っており、第106条の24第1項又は第2項の適用除外となる管理職職員としての再就職の約束の届出は行われていないことから、第106条の24の規定により、内閣総理大臣への届出を行う必要がある。

2　管理職職員であった者が、非管理職職員となった後再就職の約束をし、そのまま離職し再就職した場合

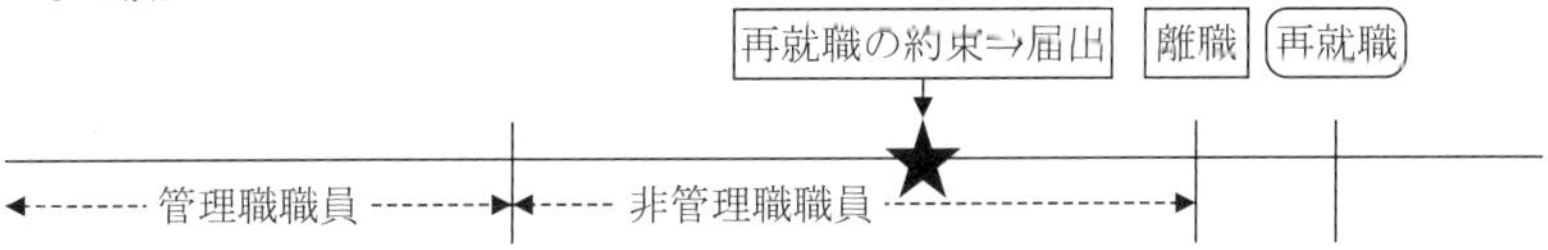

　この場合においては、非管理職職員として、改正国公法第106条の23第1項の規定による再就職の約束の届出を行っており、第106条の24第1項又は第2項の適用除外となる管理職職員としての再就職の約束の届出は行われていないことから、第106条の24の規定により、内閣総理大臣への届出を行う必要がある。

○再就職等監視委員会令

平二〇・五・二三
政令一八七

最終改正　令三・三・三一政令八三

（その者としての前歴が委員長等の任命の欠格事由となる役職員又は自衛隊員としての前歴から除かれる者）

第一条　国家公務員法（以下「法」という。）第百六条の八第一項の政令で定める者は、次に掲げる者とする。

一　検察官

二　国立大学法人法等の施行に伴う関係法律の整備等に関する法律（平成十五年法律第百十七号）第二条の規定による廃止前の国立学校設置法（昭和二十四年法律第百五十号）の規定により国が設置していた大学の学校教育法の一部を改正する法律（平成十七年法律第八十三号）による改正前の学校教育法（昭和二十二年法律第二十六号）第五十八条第一項に規定する学長、教授、助教授及び助手並びに同条第二項に規定する副学長、学部長、講師及びその他の職員（非常勤の者を除き、当該その他の職員にあっては、専ら研究又は教育に従事していたものに限る。）

三　常勤の再就職等監察官

四　非常勤の職員

五　行政執行法人（独立行政法人通則法の一部を改正する法律（平成二十六年法律第六十六号）による改正前の独立行政法人通則法（平成十一年法律第百三

号）第二条第二項に規定する特定独立行政法人を含む。）の非常勤の役員

六　非常勤の自衛隊員

（常勤とすべき再就職等監察官の定数等）

第二条　法第百六条の十四第三項の政令で定める定数は、二人とする。

２　法第百六条の十四第五項の政令で定める者は、前条各号に掲げる者とする。

３　常勤の再就職等監察官のうち一人は、検察官をもって充てられるものとする。

（議事）

第三条　再就職等監視委員会（以下「委員会」という。）は、委員長が招集する。

２　委員会は、委員長又は法第百六条の七第四項の規定により委員長の職務を代理する委員（以下この項において「委員長代理者」という。）が出席し、かつ、二名以上の委員（委員長代理者を除く。）の出席がなければ、会議を開き、議決をすることができない。

３　委員会の議事は、出席者の過半数で決し、可否同数のときは、委員長の決するところによる。

（資料の提出等の要求）

第四条　委員会は、その所掌事務を遂行するため必要があると認めるときは、関係行政機関の長に対し、資料の提出、意見の開陳、説明その他必要な協力を求めることができる。

（事務局の内部組織の細目）

第五条　委員会の事務局の内部組織の細目は、内閣府令で定める。

（委員会の運営）

第六条　この政令に定めるもののほか、議事の手続その他委員会の運営に関し必要な事項は、委員長が委員会に諮って定める。

附　則

（施行期日）

１　この政令は、国家公務員法等の一部を改正する法律（平成十九年法律第百八号）の施行の日〔平二〇・一二・三一〕から施行する。ただし、次項の規定は、公布の日から施行する。

（経過措置）

２　国家公務員法等の一部を改正する法律附則第三条第一項の規定により再就職等監視委員会の委員長及び委員の任命に関し必要な行為を同法第一条の規定による改正後の法第百六条の八第一項の規定の例により行う場合における同項の政令で定める者については、第一条の規定の例による。

○再就職等監視委員会事務局組織規則

平二〇・一二・二五
内閣府令八五

１　再就職等監視委員会事務局に、参事官一人を置く。

２　参事官は、命を受けて局務に関する重要事項の調査審議に参画する。

附　則

この府令は、国家公務員法等の一部を改正する法律（平成十九年法律第百八号）の施行の日（平成二十年十二月三十一日）から施行する。

○再就職等規制違反行為に係る調査等に関する規則

平二四・四・五
再就職等監視委員会決定

最終改正　令二・一〇・二〇委員会決定

（総則）

第一条　この規則は、国家公務員法（昭和二十二年法律第百二十号。以下「法」という。）第百六条の十六から第百六条の二十まで並びに第百六条の二十一第一項及び第二項（これらの規定を独立行政法人通則法（平成十一年法律第百三号。以下「通則法」という。）第五十四条第一項及び自衛隊法（昭和二十九年法律第百六十五号）第六十五条の八第一項において準用する場合を含む。）の規定による報告、調査及び勧告に関し、運用上必要な事項を定めるものである。

２　この規則において、次の各号に掲げる用語の意義は、当該各号に定めるところによる。

一　再就職等規制違反行為　法第百六条の二から第百六条の四まで（通則法第五十四条第一項において準用する場合を含む。）の規定又は自衛隊法第六十五条の二から第六十五条の四までの規定に違反する行為をいう。

二　役職員　法第百六条の二第一項（通則法第五十四条第一項において準用する場合を含む。）に規定する役職員をいう。

三　一般定年等隊員　自衛隊法第六十五条の三第二項第四号に規定する一般定年等隊員をいう。

四　再就職者　法第百六条の四第一項（通則法第五十四条第一項において準用する場合を含む。）又は自衛隊法第六十五条の四第一項に規定する再就職者をいう。

五　営利企業等　法第百六条の二第一項（通則法第五十四条第一項において準用する場合を含む。）又は自衛隊法第六十五条の二第一項に規定する営利企業等をいう。

六　共同調査　法第百六条の十九（通則法第五十四条第一項及び自衛隊法第六十五条の八第一項において準用する場合を含む。）の規定による調査をいう。

七　委員会調査　法第百六条の二十第一項（通則法第五十四条第一項及び自衛隊法第六十五条の八第一項において準用する場合を含む。）の規定による調査をいう。

八　監察官　法第百六条の十四第一項に規定する再就職等監察官をいう。

九　主任監察官　共同調査又は委員会調査を統括する監察官として委員長（委員長に事故がある場合にあっては、法第百六条の七第四項の規定により委員長の職務を代理する委員。以下同じ。）が指名した者をいう。

（任命権者の報告等）

第二条　任命権者（自衛隊法第六十五条の八に規定する一般定年等隊員等に係る調査においては防衛大臣。以下同じ。）が行う次の各号に掲げる行為については、それぞれ当該各号に定める事項及び参考となるべき事項を記載した書面（電磁的記録（電子的方式、磁気的方式その他人の知覚によっては認識することができない方式で作られる記録であって、電子計算機による情報処理の用に供されるものをいう。以下同じ。）を含む。以下同じ。）により行うものとする。

一　法第百六条の十六（通則法第五十四条第一項及び自衛隊法第六十五条の八第一項において準用する場合を含む。）の報告　次に掲げる事項

イ　次に掲げる区分に応じ、それぞれ次に定める事項

(1)　役職員又は一般定年等隊員（以下「役職員等」という。）が再就職等規制違反行為を行った疑いがある場合　当該役職員等の氏名、勤務する官署又は事務所及び官職又は職

(2)　役職員等であった者が再就職等規制違反行為を行った疑いがある場合　当該役職員等であった者の氏名、離職時に勤務していた官署又は事務所、離職時の官職又は職及び離職日

(3)　再就職者が再就職等規制違反行為（法第百六条の四第一項から第四項まで（これらの規定を通則法第五十四条第一項において準用する場合を含む。）の規定又は自衛隊法第六十五条の四第一項から第四項までの規定に違反する行為に限る。）を行った疑いがある場合　(2)に規定するもののほか、当該再就職者の氏名、当該行為時にその地位に就いていた営利企業等の名称、当該営利企業等における地位及び業務内容並びに当該再就職者から当該行為を受けた役職員等の氏名、当該行為を受けた時に勤務していた官署又は事務所、当該行為を受けた時の官職又は職及び職務内容

ロ　再就職等規制違反行為の疑いがある行為の内容

ハ　再就職等規制違反行為の疑いがあると思料するに至った理由及び経緯

二　法第百六条の十七第一項（通則法第五十四条第一項及び自衛隊法第六十五条の八第一項において準用する場合を含む。）の通知　次に掲げる事項

イ　前号イに定める事項

ロ　調査開始の予定時期

ハ　実施を予定している調査の概要

三　法第百六条の十七第三項（法第百六条の十八第二項（通則法第五十四条第一項及び自衛隊法第六十五条の八第一項において準用する場合を含む。）及び通則法第五十四条第一項及び自衛隊法第六十五条の八第一項において準用する場合を含む。）の報告　次に掲げる事項

イ　第一号イに定める事項

ロ　調査を終了した日

ハ　調査の経過の概要

ニ　調査の結果判明した事実及びその理由

ホ　予定する懲戒処分その他の措置の内容

ヘ　予定する再発防止対策の内容

四　法第百六条の二十一第二項（通則法第五十四条第一項及び自衛隊法第六十五条の八第一項において準用する場合を含む。）の報告　法第百六条の二十一第一項（通則法第五十四条第一項及び自衛隊法第六十五条の八第一項において準用する場合を含む。）の勧告に係る措置の内容

2　前項の書面には、再就職等規制違反行為の疑いのある行為に関する書類（電磁的記録を含む。以下同じ。）又はその写し（以下「書類等」という。）その他の必要な資料を添付するものとする。

（共同調査）

第三条　再就職等監視委員会（以下「委員会」という。）は、共同調査の開始を決定したときは、共同して調査を行うこととなる任命権者にその旨を通知するものとする。

2　共同調査を行わせる監察官は、委員長が指名する。この場合において、複数の監察官を指名しようとするときは、そのうち一名を主任監察官としなければならない。

3　前項の規定により指名された監察官（複数の監察官が指名された場合にあっては、主任監察官）は、任命権者と協議の上、調査を開始する時期、調査の態様その他共同調査の実施に関し必要な事項を定めるものとする。

4　共同調査を適正に実施するため適当と認めるときは、共同調査委員会を設置することができる。

5　共同調査委員会は、共同調査委員会委員長一名、同副委員長数名及び必要数の同委員により構成するものとし、同委員長及び同副委員長のうち一名は、第三項の監察官をもって充てるものとする。

6　第三項に定める監察官は、適時かつ適切な方法により、共同調査の実施状況（調査を終了したときは、当該調査の結果）を委員会に報告しなければならない。

（委員会調査）

第四条　委員会は、法第百六条の二十第一項の規定に基づき、委員会調査の開始を決定したときは、当該調査の対象となる役職員又は役職員であった者が再就職等規制違反を疑われる行為を行った当時の任命権者（調査の対象となる者が役職員である場合であって、調査を行う時点での任命権者が異なる場合には、当該任命権者を含む。）に、その旨を通知するものとする。

2　委員会調査を行わせる監察官は、委員長が指名する。この場合において、複数の監察官を指名し、委員長が必要と認めるときは、そのうち一名を主任監察官として指名することができる。

3　前条第六項の規定は、委員会調査について準用する。

（調査権限）

第五条　委員会（第三条第二項又は前条第一項の規定により指名された監察官を含む。以下この条において同じ。）は、法第十八条の四（通則法第五十四条第一項及び自衛隊法第六十五条の八第一項において準用する場合を含む。）その他の法令の規定により委員会に属させられた権限に基づき、事情聴取、資料の提出要求その他の調査を行うものとする。

（証人喚問）

第六条　法第十八条の三第二項において準用する法第十七条第二項、通則法第五十四条第二項又は自衛隊法第六十五条の八第二項において準用する同法第六十五条の五第二項の規定により証人を喚問しようとするときは、次に掲げる事項を記載した書面により出頭を求めるものとする。

一　出頭を求める者の氏名、住所及び官職、職若しくは地位又は職業

二　出頭を求める日時及び場所

三　証言を求めようとする事項

四　正当な理由がなくて喚問に応じなかった場合又は虚偽の陳述をした場合の法律上の制裁

（書類等提出要求）

第七条　法第十八条の三第二項において準用する法第十七条第二項、通則法第五十四条第二項又は自衛隊法第六十五条の八第二項において準用する同法第六十五条の五第二項の規定により書類等の提出を求めようとするときは、次に掲げる事項を記載した書面により提出を求めるものとする。

一　書類等の提出を求める者の氏名又は名称及び住所

二　書類等の名称その他の提出を求める書類等を特定するに足りる事項

三　書類等の提出期限及び提出場所

四　正当な理由がなくて書類等を提出しなかった場合又は虚偽の事項を記載した書類等を提出した場合の法律上の制裁

（質問）

第八条　法第十八条の三第二項において準用する法第十七条第三項、通則法第五十四条第三項又は自衛隊法第六十五条の八第二項において準用する同法第六十五条の五第三項の規定により調査の対象である役職員等又は役職員等であった者に出頭を求めて質問しようとするときは、次に掲げる事項を記載した書面により出頭を求めるものとする。

一　次に掲げる区分に応じ、それぞれ次に定める事項

イ　役職員等に出頭を求める場合　第二条第一項第一号イ(1)に定める事項

ロ　役職員等であった者に出頭を求める場合　第二条第一項第一号イ(2)に定める事項

二　出頭を求める日時及び場所

三　陳述を求めようとする事項

（立入検査）

第九条　法第十八条の三第二項において準用する法第十七条第三項、通則法第五十四条第三項又は自衛隊法第六十五条の八第二項において準用する同法第六十五条

の五第三項の規定により立入検査をしようとするときは、次に掲げる事項を記載した書面を提示し、立入検査をするものとする。

一　違反した疑いがある法令の規定

二　立入検査を行う日時及び場所

三　立入検査を拒み、妨げ、若しくは忌避し、又は質問に対して陳述をせず、若しくは虚偽の陳述をした場合の法律上の制裁

（立入検査の証明書）

第十条　法第十八条の三第二項において準用する法第十七条第四項、通則法第五十四条第四項及び自衛隊法第六十五条の八第二項において準用する同法第六十五条の五第四項に規定する立入検査をする者の身分を示す証明書は、第十三条第一項に規定する再就職等監察官証とする。

2　前項の監察官による立入検査を補助するため事務局職員が随行する場合における当該事務局職員の身分を示す証明書は、第十四条第一項に規定する調査員証とする。

（任命権者による調査への移行）

第十一条　委員会調査を開始した後において、任命権者に調査を委ねることが適当であると認めるときは、任命権者に対し、法第百六条の十八第一項（通則法第五十四条第一項及び自衛隊法第六十五条の八第一項において準用する場合を含む。）の規定による調査を行うよう求めるものとする。

2　前項の場合において、任命権者が当該調査を開始したときは、当該調査案件に係る委員会調査は中止するものとする。

（報告の要求等の方法）

第十二条　次に掲げる行為は、書面により行うものとする。

一　法第百六条の十七第二項（法第百六条の十八第二項、通則法第五十四条第一項及び自衛隊法第六十五条の八第一項において準用する場合を含む。）、通則法第五十四条第一項及び自衛隊法第六十五条の八第一項において準用する場合を含む。）の報告の要求又は意見の表明

二　法第百六条の十八第一項（通則法第五十四条第一項及び自衛隊法第六十五条の八第一項において準用する場合を含む。）の調査の要求

三　法第百六条の二十第三項（通則法第五十四条第一項及び自衛隊法第六十五条の八第一項において準用する場合を含む。）の通知

四　法第百六条の二十一第一項（通則法第五十四条第一項及び自衛隊法第六十五条の八第一項において準用する場合を含む。）の勧告

五　第三条第一項の通知

（再就職等監察官証）

第十三条　委員会は、監察官に対し、別記様式1の再就職等監察官証を発行し、交付するものとする。

2　監察官は、法第十八条の三第二項において準用する法第十七条第四項、通則法第五十四条第四項及び自衛隊法第六十五条の八第二項において準用する同法第六十五条の五第四項に規定する場合のほか、法第十八条の三第二項において準用する法第十七条第二項若しくは第三項、通則法第五十四条第二項若しくは第三項又は自衛隊法第六十五条の八第二項において準用する同法第六十五条の五第二項若しくは第三項の規定による調査（次条において「監察官による調査」という。）を行う場合には、前項の再就職等監察官証を携帯し、関係者の請求があったときは、これを提示しなければならない。

（調査員証）

第十四条　委員会は、監察官による調査を補助する事務局職員（次項において「調査員」という。）に対し、別記様式2の調査員証を発行し、交付するものとする。

2　調査員は、監察官による調査を補助する事務に従事する場合には、前項の調査員証を携帯し、関係者の請求があったときは、これを提示しなければならない。

附　則

この規則は、平成二十四年四月五日から施行する。

附　則（令二・一〇・二〇委員会決定）

この規則は、令和二年十月二十日から施行する。

別記様式１

（表面）

91mm

再就職等監察官証 令和　　年　　月　　日発行　　第　　号 所属　内閣府再就職等監視委員会 氏名　　　　　　　　　　（　　年　月　日生） 上記の者は、国家公務員法第106条の14第5項の規定により任命された再就職等監察官であることを証する。 再就職等監視委員会	写　真 （2.0cm×2.5cm） 印

55mm

（裏面）

91mm

（注　意）

(1) 再就職等監察官は、その庁舎の外において職務を行う場合は、本証を携帯しなければならない。
(2) 再就職等監察官は、調査対象者その他の関係者から請求があったときは、本証を示さなければならない。
(3) 本証を破損し、若しくは紛失したとき、又は記載事項に変更を生じたときは、その旨を遅滞なく発行者に届け出なければならない。
(4) 再就職等監察官は、調査事務に従事しなくなったときは、速やかに本証を発行者に返納しなければならない。

55mm

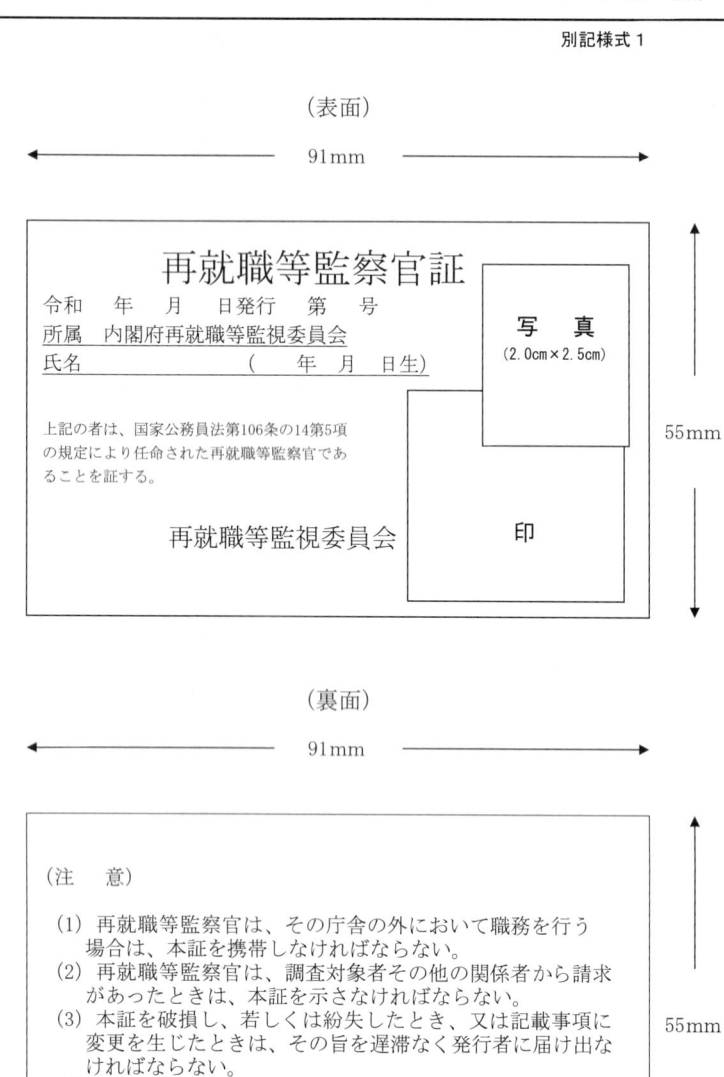

別記様式２

（表面）

91mm

55mm

調 査 員 証

令和　年　月　日発行　第　号

所属　内閣府再就職等監視委員会事務局

氏名　　　　　　　　（　年　月　日生）

写　真

(2.0cm×2.5cm)

上記の者は、再就職等規制違反行為に係る調査等に関する規則第14条第1項に規定する調査員であることを証する。

再就職等監視委員会　　印

（裏面）

91mm

55mm

（注　意）

(1) 調査員は、その庁舎の外において職務を行う場合は、本証を携帯しなければならない。
(2) 調査員は、調査対象者その他の関係者から請求があったときは、本証を示さなければならない。
(3) 本証を破損し、若しくは紛失したとき、又は記載事項に変更を生じたときは、その旨を遅滞なく発行者に届け出なければならない。
(4) 調査員は、調査補助事務に従事しなくなったときは、速やかに本証を発行者に返納しなければならない。

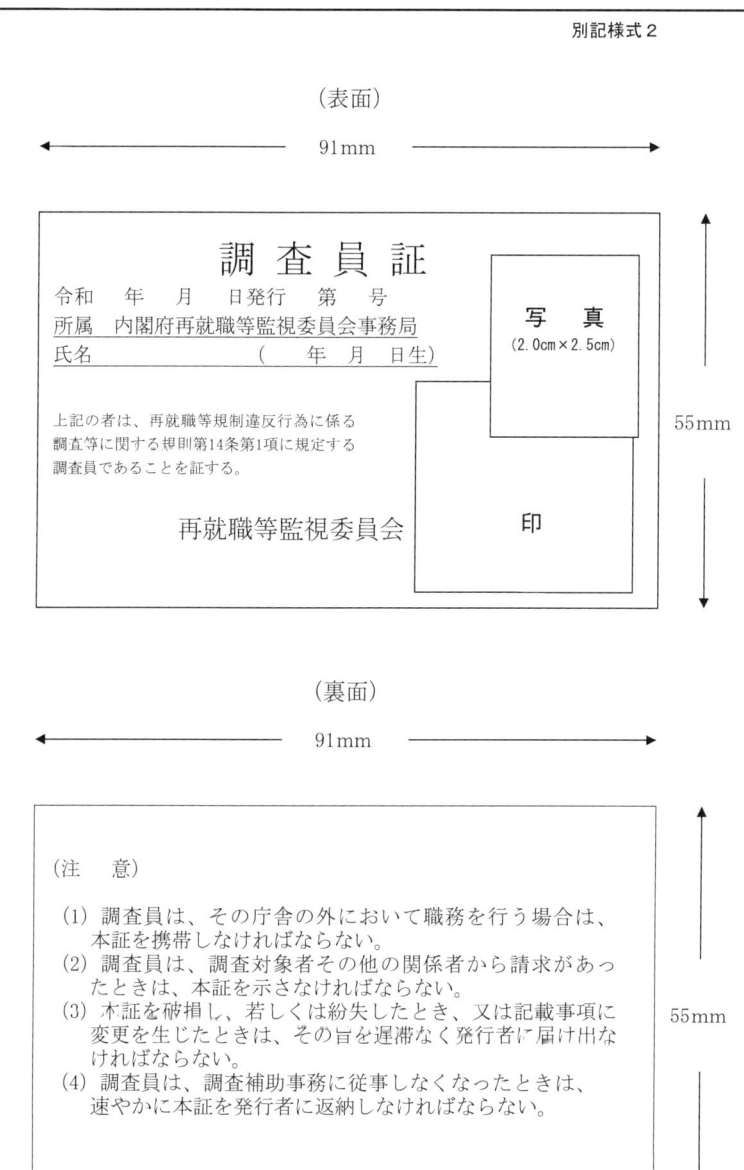

第二　官民人材交流センター

○官民人材交流センター令

平二〇・一二・二五
政令三九一

（審議官）

第一条　官民人材交流センター（以下「センター」という。）に、審議官一人を置く。

2　審議官は、命を受けて、センターの所掌事務に関する重要事項についての企画及び立案に参画し、関係事務を総括整理する。

（内閣府令への委任）

第二条　前条に定めるもののほか、センターの内部組織は、内閣府令で定める。

2　センターの支所の名称、位置、所掌事務及び内部組織は、内閣府令で定める。

附　則

この政令は、国家公務員法等の一部を改正する法律（平成十九年法律第百八号）の施行の日（平成二十年十二月三十一日）から施行する。

○官民人材交流センター組織規則

平二〇・一二・二五
内閣府令八六
最終改正　平二七・一〇・一内閣府令五七

（官民人材交流センターに置かれる課等）

第一条　官民人材交流センター（以下「センター」という。）に、総務課、法令等遵守担当室及び主任調整官二人を置く。

（総務課の所掌事務）

第二条　総務課は、次の事務をつかさどる。

一　センターの官印及びセンター印の保管に関すること。

二　センターの所掌事務に関する総合調整に関すること。

三　センターの職員の人事に関すること。

四　センターの所掌に係る会計及び会計の監査に関すること。

五　センター所属の物品の管理に関すること。

六　公文書類の接受、発送、編集及び保存に関すること。

七　センターの保有する情報の公開に関すること。

八　センターの保有する個人情報の保護に関すること。

九　広報に関すること。

十　国家公務員法（昭和二十二年法律第百二十号）第十八条の五第一項（自衛隊法（昭和二十九年法律第百六十五号）第六十五条の十第二項の規定により準用する場合を含む。）に定める職員の離職に際しての離職後の就職の援助（以下「再就職支援」という。）に関する事務のうち、再就職支援の依頼の受付けに関すること。

十一　国家公務員法第十八条の五第二項に定める官民の人材交流の円滑な実施のための支援に関すること。

十二　前各号に掲げるもののほか、センターの所掌事務で他の所掌に属しないものに関すること。

（法令等遵守担当室の所掌事務）

第三条　法令等遵守担当室は、次の事務をつかさどる。

一　再就職支援に関する事務に係る法令等の遵守（以下「法令等遵守」という。）に関すること。

二　再就職支援に関する事務に係る法令等遵守についての情報の収集及び調査に関すること。

三　再就職等監視委員会その他の行政機関に対し、再就職支援に関する事務の公正性及び透明性を確保するため、必要な情報の提供を行うこと。

四　再就職支援に関する事務に係る法令等遵守について必要な措置を検討すること。

2　法令等遵守担当室に、室長を置く。

3　室長は、非常勤とする。

（主任調整官の職務）

第四条　主任調整官は、命を受けて、再就職支援に関する事務を行う（総務課の所掌に属するものを除く。）。

附　則

この府令は、国家公務員法等の一部を改正する法律（平成十九年法律第百八号）の施行の日（平成二十年十二月三十一日）から施行する。

○官民の人材交流の範囲を定める政令

平二〇・一二・二五
政令三九二

最終改正 平三一・一・一七政令四

国家公務員法（以下「法」という。）第十八条の五第二項の政令で定めるものは、次に掲げるものとする。

一 法第七十九条の規定による休職であって、次に掲げるもの

イ 職員を当該職員の職務に密接な関連があると認められる学術研究その他の業務に従事させるための休職であって、当該業務への従事が公務の能率的な運営に特に資するものとして国家公務員退職手当法施行令（昭和二十八年政令第二百十五号）第六条第二項に定める要件を満たすもの

ロ 科学技術・イノベーション創出の活性化に関する法律（平成二十年法律第六十三号）第二条第十二項に規定する研究公務員が、同法第十七条第一項に規定する共同研究等に従事するための休職

ハ 教育公務員特例法（昭和二十四年法律第一号）第三十一条第一項に規定する研究施設研究教育職員が、同法第三十四条第一項に規定する共同研究等に従事するための休職

二 法科大学院への裁判官及び検察官その他の一般職の国家公務員の派遣に関する法律（平成十五年法律第四十号）第四条第三項又は第十一条第一項の規定による派遣

三 競争の導入による公共サービスの改革に関する法律（平成十八年法律第五十一号）第三十一条第一項に規定する特定退職

四 国と民間企業との間の人事交流に関する法律（平成十一年法律第二百二十四号）第二条第三項に規定する民間企業以外の法人（国、国際機関、地方公共団体、独立行政法人通則法（平成十一年法律第百三号）第二条第四項に規定する行政執行法人及び地方独立行政法人法（平成十五年法律第百十八号）第二条第二項に規定する特定地方独立行政法人を除く。）に現に雇用され、又は雇用されていた者の職員への法第三十六条第一項ただし書の規定による採用

五 国と民間企業との間の人事交流に関する法律第二条第四項に規定する交流採用

六 一般職の任期付研究員の採用、給与及び勤務時間の特例に関する法律（平成九年法律第六十五号）第三条の規定による採用

七 一般職の任期付職員の採用及び給与の特例に関する法律（平成十二年法律第百二十五号）第三条の規定による採用

附 則

この政令は、国家公務員法等の一部を改正する法律（平成十九年法律第百八号）の施行の日（平成二十年十二月三十一日）から施行する。

○官民人材交流センターに委任する事務の運営に関する指針

平二六・六・二四
内閣総理大臣決定

最終改正 平三〇・八・二

国家公務員法（昭和二十二年法律第百二十号）第十八条の六第二項の規定に基づき、官民人材交流センターに委任する事務の運営に関する指針を次のように決定する。

1 職員及び一般定年等隊員の離職に際しての離職後の就職の援助に関する指針

官民人材交流センター（以下「センター」という。）は、国家公務員法第十八条の五第一項及び第十八条の六第一項（自衛隊法（昭和二十九年法律第百六十五号）第六十五条の十第二項において準用する場合を含む。）の規定に基づき、職員（国家公務員法第二条第四項に規定するものをいう。以下同じ。）及び一般定年等隊員（自衛隊法第六十五条の三第二項第四号に規定するものをいう。以下同じ。）の離職に際しての離職後の就職の援助（以下「再就職支援」という。）として、以下の業務に取り組むものとする。

(1) センターは、離職後の就職を希望する職員及び一般定年等隊員（職員又は一般定年等隊員であった者を含む。以下「再就職希望者」という。）並びに再就職希望者の採用を希望する求人者に関する情報を

収集し、当該再就職希望者及び当該求人者に関する情報を、それぞれ、当該求人者及び当該再就職希望者に提供するものとし、その収集及び提供（以下「求人情報・求職者情報提供」という。）に当たっては、以下の方針に沿うものとする。

イ　センターは、求人情報・求職者情報提供による再就職支援を行うに当たり、国家公務員法第百六条の二第一項に規定されている行為のうち「当該役職員をその離職後に、若しくは役職員であった者を、当該営利企業等若しくはその子法人の地位に就かせることを要求し、若しくは依頼」する行為及び自衛隊法第六十五条の二第一項に規定されている行為のうち「当該隊員をその離職後に、若しくは隊員であった者を、当該営利企業等若しくはその子法人の地位に就かせることを要求し、若しくは依頼」する行為を行わないものとすること。

ロ　再就職希望者が、求人情報・求職者情報提供による再就職支援によって再就職活動を行う際に、国家公務員法第百六条の三第一項又は自衛隊法第六十五条の三第一項の求職活動規制に違反しないようにすること。

ハ　求人情報・求職者情報提供による再就職支援は、再就職希望者のうち、四十五歳以上であって、公的年金の報酬比例部分の支給開始年齢に達するまでの間の職員及び一般定年等隊員（職員又は一般定年等隊員であった者であって、離職後一定期間内にあるものを含む。）を対象として行うこと。ただし、懲戒免職の処分を受けた者その他の再就職支援を受けることが適切でない者への再就職支援は行わないこと。

ニ　求人情報・求職者情報提供による再就職支援においては、求人者の業務に関し役員等が贈賄罪その他の罪を犯した場合における当該求人者その他の再就職支援の対象として適切でない求人者への再就職希望者の再就職支援は行わないこと。

また、再就職希望者に対して、当該再就職希望者の所属する府省がその職員又は一般定年等隊員（職員又は一般定年等隊員であった者を含む。）の再就職を制限している求人者への求職活動を行うために必要となる情報の提供は行わないこと。

(2)　センターは、国家公務員退職手当法（昭和二十八年法律第百八十二号）第八条の二第五項に規定する認定を受けた者又は受ける予定である者（以下「応募認定退職者等」という。）に対し、民間の再就職支援会社を活用して、再就職支援を実施するものとし、その実施に当たっては、以下の方針に沿うものとする。

イ　センターは、応募認定退職者等に対しては、(1)、(3)及び(4)のほか、再就職支援を直接行わず、国家公務員法第百六条の二第一項に規定されている行為を行わないものとすること（応募認定退職者等が一般定年等隊員又は一般定年等隊員であった者である場合を含む。）。

ロ　民間の再就職支援会社を活用した再就職支援を受ける応募認定退職者等が、国家公務員法第百六条の三第一項又は自衛隊法第六十五条の三第一項の求職活動規制に違反しないようにすること。

ハ　本府省局長級以上の職員及び一般定年等隊員（職員又は一般定年等隊員であった者を含む。）は、民間の再就職支援会社を活用した再就職支援の対象としないこと。

ニ　民間の再就職支援会社を活用した再就職支援においては、営利企業等（国家公務員法第百六条の二第一項に規定する営利企業等又は自衛隊法第六十五条の二第一項に規定する営利企業等をいう。以下同じ。）の業務に関し役員等が贈賄罪その他の罪を犯した場合における当該営利企業等への応募認定退職者等の再就職支援、応募認定退職者等の所属する府省がその職員又は一般定年等隊員（職員又は一般定年等隊員であった者を含む。）の再就職を制限している営利企業等への当該応募認定退職者等の再就職支援その他の再就職支援の対象として適切でない営利企業等への応募認定退職者等の再就職支援は行わないこと。

(3)　センターは、国家公務員法第七十八条第四号又は自衛隊法第四十二条第四号に掲げる場合において離職を余儀なくされることとなる職員又は一般定年等隊員については、国家公務員法第百六条の二第一項に規定されている行為その他の再就職支援を直接行うことができるものとする。

(4)　(1)から(3)までに掲げるもののほか、センターは、関係機関と連携して、職員及び一般定年等隊員の再就職活動に資する業務を行うことができるものとする。ただし、国家公務員法第百六条の二第一項に規定されている行為（一般定年等隊員又は一般定年等隊員であった者に対する行為を含む。）は行わないものとする。

2　官民の人材交流の円滑な実施のための支援に関する指針

センターは、国家公務員法第十八条の五第二項及び第十八条の六第一項の規定に基づき、官民の人材交流（以下「官民人材交流」という。）の円滑な実施のための支援として、以下の業務に取り組むものとする。この場合において、センターは、関係機関と密接に連携するものとする。

(1) 府省等及び民間企業等に対する情報提供等

センターは、官民人材交流の実施に関し、府省等と民間企業等との意見交換会の開催など情報共有の機会の提供等を行うものとする。

(2) 官民人材交流に関する制度及びその運用状況に関する広報・啓発活動

センターは、官民人材交流に関する制度及びその運用状況に関する広報を行うとともに、民間企業等を対象とする説明会の開催等啓発活動を行うものとする。

3 事務の運営状況等に関する報告等

センターは、毎年度、内閣総理大臣に対して、1及び2に掲げた事務の運営の状況等について報告を行うとともに、これを公表するものとする。

また、センターは、当該事務の運営の状況を踏まえつつ、必要に応じ内閣総理大臣に当該事務の運営の改善等に向けた提案を行うことができるものとする。

内閣総理大臣は、上記の報告等や社会経済情勢等を踏まえ、必要に応じ本指針の見直しを行うものとする。

○官民人材交流センター求人・求職者情報提供事業実施要領

平三〇・一二・一九 内閣府官民人材交流副センター長決定

最終改正 令五・四・一

「官民人材交流センター求人・求職者情報提供事業の実施について」（平成三十年十二月十二日 内閣府官民人材交流センター長決定）に基づき、官民人材交流センター（以下「センター」という。）が求人・求職者情報提供事業（以下「本事業」という。）を実施するために必要な事項を以下のとおり定める。

1 本事業の利用者

(1) 再就職希望者

ア 職員（国家公務員法（昭和二十二年法律第百二十号）第二条に規定する一般職に属する職員をいう。以下同じ。）又は一般定年等隊員（自衛隊法（昭和二十九年法律第百六十五号）第六十五条の三第二項第四号に規定する一般定年等隊員をいう。以下同じ。）であって離職後の就職を希望するもの（職員又は一般定年等隊員であった者（以下「離職者」という。）を含む。以下「再就職希望者」という。）のうち、四十五歳以上であって、公的年金の報酬比例部分の支給開始年齢に達するまでの間のもの（離職者については、離職後二か月以内にセンターに利用の申込みをした者であって利用開始から一年を経過しないもの又は離職前から継続して利用している者であって離職後一年を経過しないものに限る。）は、本事業を利用できる。以上に規定する者のほか、特にセンターが必要と認める者については、別途センターが定めるところにより、再就職希望者として本事業を利用することができるものとする。

イ 以下に掲げる者は本事業を利用できない。

① 非常勤職員（再任用短時間職員を除く。）、臨時的職員、条件付採用期間中の職員（再任用職員を除く。）及び非常勤隊員等（自衛隊法施行令（昭和二十九年政令第百七十九号）第八十七条の三十五に規定する非常勤隊員等をいう。）

② 特定地方警務官（警察法（昭和二十九年法律第百六十二号）第五十六条の二第一項に規定する特定地方警務官をいう。）

③ 懲戒免職の処分を受けた者

④ 現に懲戒処分を受けている者（故意又は重大な過失によらないで管理又は監督に係る職務を怠った場合における懲戒処分を受けている者を除く。）

⑤ 離職した日以降に再就職をしたことがある離職者（ただし、日々雇い入れられる者又は四か月以内の期間を定めて使用される者として雇用された場合（四か月を超えて引き続き使用されるに至った場合を除く。）及び本事業を利用して再就職したものの当該再就職先の倒産、事業の縮小若しくは廃止、又は解雇（自己の責めに帰すべき重大な理由によるものを除く。）その他の理由により予期し得ず離職を余儀なくされ

た場合を除く。）

⑥　その他センターによる再就職支援の対象とすることが適当でないとセンターが判断した者

(2)　求人者

ア　自らが雇用しようとする労働者の候補として再就職希望者を募集することを希望する求人者（国の行政機関及び行政執行法人（以下「府省等」という。）を除く。）は、本事業を利用することができる。

イ　求人者は、本事業の利用申込、求人情報の登録、本事業を利用する再就職希望者（以下「利用求職者」という。）からの応募の受付及び利用求職者へのスカウト（9(1)に規定するスカウトをいう。）に係る事務を職業安定法（昭和二十二年法律第百四十一号）第四条第八項に規定する特定地方公共団体又は同条第十項に規定する職業紹介事業者（以下「職業紹介事業者等」という。）に代行させることができる。

ウ　以下に掲げる者は本事業を利用できない。

①　過去二年以内に、求人者の業務に関し当該求人者又はその役員（業務を執行する社員、取締役、執行役又はこれらに準ずる者をいい、相談役、顧問その他いかなる名称を有する者であるかを問わず、法人に対し業務を執行する社員、取締役、執行役又はこれらに準ずる者と同等以上の支配力を有するものと認められる者を含む。③まで同じ。）若しくは役員であった者が公契約関係競売等妨害罪（刑法（明治四十年法律第四十五号）第九十六条の六）、贈賄罪（同法第百九十八条）その他センターが定める罪に当たる事件について公訴を提起されていた場合（判決が確定した場合又は公訴を棄却する決定を受けた場合を除く。）又は有罪の判決を受けた場合（刑の執行が終わった場合を除く。）における当該求人者

②　過去二年以内に、公務員（公務員になろうとする者及び公務員であった者を含む。）が収賄罪（刑法第百九十七条から第百九十七条の四まで）に当たる事件について公訴を提起されていた場合（判決が確定した場合又は公訴を棄却する決定を受けた場合を除く。）又は有罪の判決を受けた場合（刑の執行が終わった場合を除く。）において、求人者又はその役員若しくは役員であった者が当該求人者の業務に関し当該公務員に対して賄賂を供与し、又はその約束をしていた場合における当該求人者

③　暴力団員による不当な行為の防止等に関する法律（平成三年法律第七十七号）第二条第六号に規定する暴力団員（以下本項において「暴力団員」という。）、役員のうちに暴力団員に該当する者がある法人その他の団体又は暴力団員がその事業活動を支配する求人者

④　業務内容が公序良俗に反するおそれがあるなど、社会的に大きな問題となる可能性があるとセンターが判断した求人者

⑤　その他センターによる再就職支援の対象とすることが適当でないとセンターが判断した求人者

(3)　職業紹介事業者等

ア　職業紹介事業者等は、(2)イの事務を代行する者として本事業を利用することができる。

イ　以下に掲げる者は利用求人者の事務を代行することができない。

①　職業安定法に基づく事業停止命令を受けている者

②　職業安定法に基づく業務改善命令を受け必要な改善がなされていない者

③　職業安定法違反を理由として地方自治法（昭和二十二年法律第六十七号）第二百四十五条の五の規定に基づく是正の要求を受け、必要な改善がなされていない者

④　その他センターによる再就職支援に関わることが適切でないとセンターが判断した者

2　利用規約等の遵守

(1)　利用者における利用規約等の遵守

利用求職者、本事業を利用する求人者（以下「利用求人者」という。）及び本事業を利用する職業紹介事業者等（以下「利用職業紹介事業者等」という。）は、利用に当たり、それぞれ別紙1―1から別紙1―3までの「官民人材交流センター求人・求職者情報提供事業利用規約」（以下「利用規約」という。）に同意し、当該利用規約及び関係法令の規定等を遵守しなければならない。

センターは、利用求職者、利用求人者及び利用職業紹介事業者等が利用規約及び関係法令の規定等に違反し、又は違反するおそれがあると認める場合は、利用の取消等の必要な措置を取ることができる。この場合において、利用の取消を受けた者は、当該取消から一年の間は、本事業の利用申込みを行うことができないものとする。

(2)　センターにおける個人情報の取扱い
センター及び下記12により委託を行う場合の委託先業者は、本事業の利用者から提供された個人情報について、本事業の目的の範囲内で適切に取り扱うものとする。

本事業（その実施のために設置するサイト（官民ジョブサイト）の運営を含む。）に係るプライバシーポリシーを、別添のとおり規定する。

3　再就職希望者による本事業の利用

(1)　利用の申込み
ア　本事業の利用を希望する再就職希望者は、別紙様式1「官民人材交流センター求人・求職者情報提供事業利用申込書」に必要事項を記入し、所属府省等（離職者の場合は離職時所属府省等、出向中の者については出向元府省等）の人事担当部署に提出する。
イ　アの申込書の提出を受けた府省等は、再就職希望者が1(1)アに基づき本事業を利用できる者であり、かつ同イ①から⑤までに掲げるものに該当しないことを確認（⑤については再就職希望者の申告による）し、当該申込書に必要事項を記入した上で、センターに提出する。新規の利用申込みについて十名以上の再就職希望者の申込書を同時に提出する場合は、別紙様式2「官民人材交流センター求人・求職者情報提供事業利用申込者一覧」を添付することにより、センターにおける登録作業の優先順位を指定することができる。
なお、申込書をセンターに提出する府省等の単位は、別紙2のとおりとする。

再就職希望者が他府省等へ出向中の者の場合は、出向元府省等から出向先府省等へ、当該再就職希望者が本事業を利用する旨情報共有するものとする。
ウ　センターは、イの申込内容を確認の上、利用を承認し、再就職希望者にその旨通知する（再就職希望者への通知の日を利用開始の日とする）。
エ　センターは、利用の申込みを行った再就職希望者が1(1)イに掲げる者である場合、申込みに虚偽の内容が含まれていた場合その他本事業の利用を認めることが適切でないと判断した場合は、利用を承認しないこと又は承認を取り消すことができる。

(2)　求職者情報の登録
ア　(1)ウの承認を受けた利用求職者は、利用求人者に提供する別紙3に掲げる事項から成る求職希望等に関する情報（以下「求職者情報」という。）について、センターの指定する方法により、登録の申込みを行うことができる。
イ　センターは、アの申込内容を確認の上、登録の処理を行い、利用求職者に登録が完了した旨を通知する。
ウ　利用求職者は、求職者情報の登録の完了をもって本事業の利用を開始できる。
エ　センターは、アにより登録の申込みのあった求職者情報に以下に掲げる情報が含まれると判断した場合は、当該申込みを受理しないことができるものとする。
①　虚偽の内容の求職者情報
②　その内容が法令に違反する求職者情報
③　希望条件の内容が公序良俗に反する求職者情報
④　内容から個人が特定されるおそれがあるとセンターが判断する求職者情報
⑤　その他利用求人者に提供することが適切でないとセンターが判断した求職者情報

(3)　登録情報の変更等の連絡
ア　利用求職者は、(1)又は(2)により登録した内容に変更があった場合は、センターの指定する方法により、速やかにセンターに変更登録を行うものとする。
イ　センターは、上記アにより求職者が変更登録を行った内容について確認の上、変更承認を行う。その際、変更対象が上記(1)により登録した事項である場合は、センターは(1)イの申込みを行った府省等の人事担当部署に対し必要に応じて確認依頼を行い、当該依頼を受けた府省等は人事担当部署において把握している事実と相違ない旨を確認の上回答するものとする。
ウ　各府省等人事担当部署は、利用求職者が1(1)イ③若しくは④に該当することとなった場合、死亡等利用求職者本人からの連絡が困難な理由により本事業の利用を継続できなくなった場合又は1(1)イ④に該当しなくなった場合は、別紙様式4「官民人材交流センター求人・求職者情報提供事業利用資格等に係る変更届」により、センターに連絡するものとする。
エ　利用求職者は、本事業の利用によらずに就職したことにより1(1)イ⑤に該当することとなった場合は、速やかにセンターに報告するものとする。
オ　利用求職者は、ウ又はエ以外の理由により本事業の利用を終了する場合は、速やかにセンターへの利用終了申請を行うものとする。その際、在職中の者にあっては、所属府省等（出向中の者は出向元府省等を含む。）に必要な報告を行うものとする。

4　求人者による本事業の利用

(1)　利用の申込み

ア　本事業の利用を希望する求人者は、利用する事業所ごとに、センターの指定する方法により別紙4の表1に掲げる所要事項を登録するとともに、利用規約への同意書・利用の欠格事由に該当しない旨の誓約書（求人者用）（別紙様式4―1）を提出することにより、利用の申込みを行う。ただし、5(1)イの承認を受けた利用職業紹介事業者等に利用の申込みを代行させる場合には、利用申込み手続きの職業紹介事業者等への委任について（別紙様式4―2）を併せて提出しなければならない。

イ　センターは、アの申込みを行った求人者が1(2)ウ③に掲げる者でないことを確認するために必要があると認めるときは、当該求人者に対し、センターの指定する方法により別紙4の表2に掲げる役員名簿を登録することを求め、その内容を警察に提出することができる。

ウ　センターは、アの申込みを行った求人者であって別紙4の表1に掲げる事項のうち法人番号及びHPアドレスのいずれの登録もない求人者その他の事業の実態等について確認する必要があると認める求人者に対し、事業の実態を確認できる資料（事業報告、決算書、投資家向け広報資料、営業許可書の写し、企業案内パンフレット等）その他の必要な書類の提出を求めることができる。

エ　センターは、アからウまでの登録内容及び提出された書類を確認の上、利用を承認し、アの申込みを行った求人者にその旨通知する。

オ　センターは、利用の申込みを行った求人者が1(2)ウに掲げる者である場合、申込みに虚偽の内容が含まれていた場合その他本事業の利用を認めることが適切でないと判断した場合は、利用を承認しないこと又は承認を取り消すことができる。

カ　利用期間は、エの承認の通知の日から三年間とし、利用期間満了後も利用の継続を希望する利用求人者は、センターの指定する方法により、利用期間の更新を申請することができる。イ及びウについては、利用期間の更新を申請した求人者についても同様とする。

(2)　求人情報の登録

ア　(1)エの承認を受けた利用求人者は、別紙5の事項から成る求人情報について、センターの指定する方法により、登録の申込みを行うことができる。

イ　センターに登録する求人情報の有効期間については、(1)カの利用期間内の期間（一年を限度とする。）を利用求人者が指定できる。

ウ　センターは、アの申込みに係る求人情報の内容を確認し、登録の処理を行い、利用求人者に登録が完了した旨を通知する。

エ　センターは、アにより登録の申込みのあった求人情報に以下に掲げる情報が含まれると判断した場合は、当該申込みを受理しないこと又は受理を取り消すことができるものとする。

①　その内容が法令に違反する求人情報

②　賃金、労働時間その他の労働条件が通常の労働条件と比べて著しく不適当であると認められる求人情報

③　業務の内容及び賃金、労働時間その他の労働条件が明示されない求人情報

④　虚偽の内容の求人情報

⑤　業務内容が公序良俗に反する求人情報

⑥　同盟罷業又は作業所閉鎖の行われている事業所に係る求人情報

⑦　その他利用求職者に提供することが適切でないとセンターが判断した求人情報

(3)　登録情報の変更等の連絡

ア　利用求人者は、センターに登録した求人情報に係る募集を停止する場合には、速やかにセンターに報告するものとする。ただし、利用求職者の応募があったことを理由に募集を停止しようとするときには、センターの定める要件を満たしていなければならない。

イ　利用求人者は、(2)により登録した求人情報の内容を変更する場合は、速やかにセンターに連絡するものとする。

ウ　利用求人者は、(1)により登録した内容又は提出書類に記載した情報に変更があった場合は、速やかにセンターに届け出るものとする。

エ　利用求人者は、1(2)ウ①から③までに掲げる者に該当することとなった場合又は本事業の利用を停止する場合は、速やかにセンターに届け出るものとする。

5 職業紹介事業者等による本事業の利用

(1) 利用の申込み

ア 本事業の利用を希望する職業紹介事業者等は、利用する事業所ごとに、センターの指定する方法により別紙6に掲げる所要事項を登録するとともに、以下に掲げる書類を提出することにより、利用の申込みを行う。

① 利用規約への同意書・利用の欠格事由に該当しない旨の誓約書（職業紹介事業者用）（別紙様式5）

② 有料・無料職業紹介事業許可証の写し、無料職業紹介事業届出書控えの写し、又は特定地方公共団体無料職業紹介事業通知書控えの写し

イ センターは、アの登録内容及び書類を確認の上、利用を承認し、アの申込みを行った職業紹介事業者等にその旨通知する。

ウ センターは、利用の申込みを行った職業紹介事業者等が1(3)イに掲げる者である場合、申込みに虚偽の内容が含まれていた場合その他本事業の利用を認めることが適切でないと判断した場合は、利用を承認しないこと又は承認を取り消すことができる。

エ 厚生労働大臣の許可を受けて職業紹介を行う利用職業紹介事業者等は、許可の有効期間が経過した場合に本事業の利用を終了する。ただし、上記ア②の有料・無料職業紹介事業許可証の写し（許可の有効期間が更新されたもの）を提出した場合は、この限りではない。

(2) 求人者の利用申込み・求人情報の登録等の事務の代行

ア (1)イの承認を受けた利用職業紹介事業者等は、求人者からの依頼を受けて、上記4の事務その他の本事業の利用に係る事務を代行することができる。

イ 利用職業紹介事業者等は、アにより4(2)の求人情報の登録の事務を代行する際に、当該求人情報について代行する事務の範囲を併せて登録することとし、当該求人情報の登録の完了以降、当該求人情報の有効期間中、当該範囲の事務を、利用求人者に代わって行うことができる。

ウ 利用職業紹介事業者等は、アの代行に係る求人情報に4(2)エ①から⑥までに掲げる情報が含まれる場合は、登録の申込みを行わないものとする。

(3) 登録情報の変更等の連絡

ア 利用職業紹介事業者等は、(1)により登録した内容又は提出書類に記載した情報に変更があった場合は、速やかにセンターに届け出るものとする。

イ 利用職業紹介事業者等は、1(3)イ①から③までに掲げる者に該当することとなった場合又は本事業の利用を停止する場合は、速やかにセンターに届け出るものとする。

6 求人情報の提供

(1) 求人情報の提供

センターは、4(2)又は5(2)により登録された求人情報を、利用求職者に対し提供することとする。

(2) 求人情報の利用

利用求職者は、センターから提供された求人情報について、自らの求職活動以外の目的に利用しないものとする。

7 求職者情報の提供

(1) 利用求人者への求職者情報の提供

センターは、利用期間中の利用求人者及び利用職業紹介事業者等（以下「利用求人者等」という。）に対し、別紙3の項目から成る求職者情報を提供する。

(2) 求職者情報の利用

利用求人者等は、センターから提供された求職者情報について、センターへの求人情報の登録の検討又はセンターに登録した求人情報に係る利用求職者の募集以外の目的に利用せず、利用職業紹介事業者等にあっては上記5(2)により事務の代行を行った利用求人者以外の第三者に提供しないものとする。

8 利用求職者からの応募希望に基づく応募

(1) 応募希望の申出

利用求職者は、6により提供された求人情報に係る求人への応募を希望するときは、その旨センターに申し出ることができる。ただし、同時に応募（応募希望の申出から採否結果の報告までの期間が重複する場合の応募をいう。）できる求人件数の上限については、別途センターが定めるところによる。

(2) 応募受付意向の確認

センターは、(1)により申出のあった応募希望の対象求人情報に係る利用求人者等に対し、応募希望者がいる旨を連絡し、募集が継続中であり応募を受け付ける意向の有無を確認する。その際、利用求職者が利害関係等確認（10に規定する利害関係等確認をいう。以下本(2)、(3)及び9において同じ。）を必要とする者である場合は、当該利用求人者等に対し、利害関係等確認の完了を待つ必要がある旨注意喚起するとともに当該利害関係等確認の結果連絡予定期

日（応募受付の意向を確認した日の翌営業日から九営業日以内の日）を示した上で、10により関係府省等に依頼して利害関係等確認を行う。

(3) 応募に係る連絡先等の連絡

(2)で応募受付の意向が示された場合であって、利用求職者が利害関係等確認を必要としない者であるとき又は利害関係等確認の結果応募可能であることが確認されたときは、センターは、利用求人者等の応募受付担当者の連絡先を当該利用求職者に連絡するとともに、当該利用求職者の氏名を当該利用求人者等に連絡する。

9 利用求人者等からのスカウトに基づく応募

(1) スカウト希望の申出

利用求人者等は、7により提供された求職者情報に係る利用求職者に対し、有効期間中の求人情報に係る求人への応募の勧奨（以下「スカウト」という。）を行うことを希望するときは、その旨センターに申し出ることができる。ただし、同時にスカウト（スカウト希望の申出から採否結果の報告までの期間が重複する場合のスカウトをいう。）できる利用求職者の人数の上限については、別途センターが定めるところによる。

(2) 応募意向の確認

センターは、(1)により申出のあったスカウト対象の利用求職者に対し、スカウトの申出があった旨及びその対象求人情報について連絡し、応募する意向の有無を確認した上で、当該確認結果を利用求人者等に連絡する。その際、当該利用求職者が利害関係等確認を必要とする者である場合には、当該利用求人者等に対し、利害関係等確認の完了を待つ必要がある旨注意喚起するとともに当該利害関係等確認の結果連絡予定期日（応募の意向を連絡した日の翌営業日から九営業日以内の日）を示した上で、10により関係府省等に依頼して利害関係等確認を行う。

(3) 応募に係る連絡先等の連絡

(2)で応募の意向が示された場合であって、利用求職者が利害関係等確認を必要としない者であるとき又は利害関係等確認の結果応募可能であることが確認されたときは、センターは、利用求人者等の応募受付担当者の連絡先を当該利用求職者に連絡するとともに、当該利用求職者の氏名を当該利用求人者等に連絡する。

10 利害関係等確認

(1) 利害関係等確認の依頼

ア センターは、8(2)又は9(2)により応募に係る利用求人者等と利用求職者の意向が一致したことが確認された場合において、当該利用求職者が以下に掲げる者に該当するときは、当該利用求職者が応募しようとする利用求人者が利害関係企業等（国家公務員法第百六条の三第一項又は自衛隊法第六十五条の三第一項に規定する利害関係企業等をいう。イにおいて同じ。）又は各府省等がその所属する職員若しくは一般定年等隊員（離職者を含む。）の再就職に係る自粛措置（以下「自粛」という。）を実施している場合の自粛対象企業等に該当するか否かの確認（以下「利害関係等確認」という。）の実施を、別紙様式6「利害関係・自粛対象企業等の確認に係るチェックシート」により、当該利用求職者が所属する府省等又は所属していた府省等（別紙2の単位による）に依頼する。

① 在職中の利用求職者（応募希望に係る利用求人者への応募について国家公務員法第百六条の三第二項第四号又は自衛隊法第六十五条の三第二項第五号の規定に基づく承認を受けていることを申し出た者を除く。）

② 自粛を行っている府省等に勤務していた利用求職者

イ アの依頼は、利害関係企業等に該当するか否かの確認については現所属府省等に対して、自粛対象に該当するか否かの確認については自粛を行う現所属府省等又は所属していた府省等に対して行う。

(2) 各府省等における利害関係等確認の実施

各府省等は、(1)により利害関係等確認の依頼を受けた場合には、依頼を受けた日の翌営業日から数えて七営業日以内に利害関係等確認を実施し、別紙様式6によりセンターに回答する。センターは、利害関係等確認の結果を受けて、当該結果の利用求人者等及び利用求職者への通知及び8(3)又は9(3)の連絡先等の連絡等の必要な処理を行う。

(3) 利害関係等確認の期間延長依頼

各府省等は、利害関係等確認を(2)の期間内に完了することが困難と見込まれる場合は、当該期間の延長を利用求人者等に依頼するよう、センターに申し出なければならない。

申出を受けた場合、センターは、延長の可否を利用求人者に確認し、申出を行った府省等に結果を回答する。利用求人者等が延長を拒否し、利害関係等確認を期間内に完了できなかった場合は、利用求職者が当該求人に応募できなくなるため、各府省等は利害関係等確認の迅速かつ適切な実施を図る必要がある。

11 応募・選考及び採否結果の報告

(1) 利用求職者の応募

8(3)又は9(3)により利用求人者等の応募受付担当者の連絡先の連絡を受けた利用求職者は、当該利用求人者等に連絡し、求人への応募を行う。

その際、当該連絡先が利用職業紹介事業者等のものである場合には、利用求職者は当該利用職業紹介事業者等の定める方法により求職申込みを行い、職業紹介を受けて利用求人者に応募する。

(2) 利用求人者による選考

応募を受けた利用求人者は、試験や面接等により必要な選考を行う。

利用求人者は応募者の人柄・意欲など多くの情報に基づき選考を行う観点から、書類選考のみならず試験又は面接により選考するよう努めるものとする。

(3) 採否結果の報告

ア 選考が完了した場合、利用求人者等は、採否結果を利用求職者に通知するほか、速やかにセンターに報告するものとする。その際、選考対象の求人に係る募集の継続の有無、不採用の場合における理由も併せて報告するものとする。

イ 利用求職者は、アの採否結果通知を受けた場合は、その結果について速やかにセンターに報告するものとする。

ウ 利用求職者は、所属府省等又は所属していた府省等への採否結果の報告については、報告を求める対象者の範囲を含む各府省等の取決めに基づき適切に行うとともに、国家公務員法第百六条の二十三若しくは第百六条の二十四又は自衛隊法第六十五条の十一の規定による届出が必要な場合は、適切に届出を行うものとする。

エ ア、イの報告の内容が、採用決定であった場合、センターは、対象の利用求職者の本事業の利用を停止するとともに、アで募集停止の意向が示された場合は、求人情報を無効にする等の必要な処理を行う。

オ 一度採用が決定したものの就職前に取消となった場合又は再就職後に予期し得ず離職を余儀なくされた場合、利用求職者は、センターに申し出ることにより、1(1)に基づき利用可能な期間に限り、本事業の利用を再開することができる。

12 センターの事務の一部を民間事業者に委託する場合の連絡先

センターは、利用求職者、利用求人者及び利用職業紹介事業者等との連絡に係る事務その他の本事業の運営に係る事務の一部を民間事業者に委託することができる。この場合、利用求職者、利用求人者及び利用職業紹介事業者等は、3から11までに掲げるもののうち委託対象の事務に係る連絡については、センターが指定する委託先事業者に対して行うものとする。

13 再就職の情報の報告・公表

センターは、利用求職者が本事業を利用して再就職した場合、以下に掲げる利用求職者の区分に応じ、それぞれに掲げる情報を、毎年度一回内閣総理大臣に対して報告するとともに、公表する。

ア 離職前に管理職職員（職員の退職管理に関する政令（平成二十年政令第三百八十九号）第二十七条に規定する官職に就いている職員をいう。）又は管理職隊員（自衛隊法施行令（昭和二十九年政令第百七十九号）第八十七条の二十四に規定する官職に就いている職員をいう。）であったことがある利用求職者

氏名、離職時の年齢、離職時の官職、離職日、再就職日、再就職先の名称、再就職先における地位

イ ア以外の利用求職者

離職時の所属部局、再就職先の名称

14 その他

再就職希望者、求人者、職業紹介事業者等向けの利用の手引きは、別途センターが定める。

本事業の利用について本要領に規定されているところと異なる取扱を要するとセンターが認める者の利用については、別途センターが定めるところによるものとする。

その他、本事業に関し、本要領に定めがない事項は、別途センターが定めるところによる。

別紙 〔略〕

○官民人材交流センター求人・求職者情報提供事業の実施について

平三〇・一二・一二
内閣府官民人材交流センター長決定

「官民人材交流センターに委任する事務の運営に関する指針」（平成二十六年六月二十四日内閣総理大臣決定）1(1)に規定する業務の実施については、以下に定めるところによるものとする。

1　**目的**

内閣府官民人材交流センター（以下「センター」という。）は、国家公務員が培ってきた能力や経験を社会全体で活かしていくため、「官民人材交流センターに委任する事務の運営に関する指針」に基づき、離職後の就職を希望する職員（国家公務員法（昭和二十二年法律第百二十号）第二条に規定する一般職に属する職員をいう。以下同じ。）及び一般定年等隊員（自衛隊法（昭和二十九年法律第百六十五号）第六十五条の三第二項第四号に規定する一般定年等隊員をいう。以下同じ。）（職員又は一般定年等隊員であった者を含む。以下「再就職希望者」という。）並びに再就職希望者の採用を希望する求人者に関する情報を収集し、相互に提供する求人・求職者情報提供事業（以下「本事業」という。）の実施により、再就職規制を遵守した自主的な求人・求職活動を支援する。

2　**本事業を利用できる再就職希望者**

再就職希望者のうち、四十五歳以上であって、公的年金の報酬比例部分の支給開始年齢に達するまでの者（職員又は一般定年等隊員であった者については、離職後二か月以内にセンターに利用の申込みをした場合であって、利用開始から一年を経過しない者に限る。）は本事業を利用することができる。ただし、懲戒免職の処分を受けた者その他の再就職支援を受けることが適当でない者は利用できないものとする。

3　**本事業を利用できる求人者**

再就職希望者の採用を希望する求人者は、本事業を利用することができる。ただし、求人者の業務に関し役員等が贈賄罪その他の罪を犯した場合における当該求人者及び暴力団関係者その他の再就職支援の対象として適切でない求人者は利用できないものとする。

4　**本事業の実施**

センターは、再就職希望者及び再就職希望者の採用を希望する求人者に関する情報を収集し、当該再就職希望者及び当該求人者に関する情報を、それぞれ、当該求人者及び当該再就職希望者に提供し、再就職希望者から求人者への応募希望や求人者から再就職希望者への応募勧奨に係る連絡の取次ぎを行う。

その際、センターは、必要に応じ、再就職希望者が応募しようとする求人者が、利害関係企業等（国家公務員法第百六条の三第一項又は自衛隊法第六十五条の三第一項に規定する利害関係企業等をいう。）又は各府省等がその所属する職員若しくは一般定年等隊員（職員又は一般定年等隊員であった者を含む。）の再就職の自粛措置を実施している場合の自粛対象に該当するか否かについて、当該再就職希望者が所属する府省等又は所属していた府省等に確認を求め、当該再就職希望者が当該求人者に応募することが国家公務員法第百六条の三第一項又は自衛隊法第六十五条の三第一項の求職活動規制及び各府省等による自粛措置に抵触しないことが確認された場合に限り、連絡先その他の応募に必要な情報を当該再就職希望者及び当該求人者に連絡する。

5　**本事業の実施状況の公表**

センターは、本事業の実施に係る状況について、毎年度一回内閣総理大臣に報告を行うとともに公表するものとする。

6　**官民人材交流副センター長への委任**

この決定に定めるもののほか、本事業を実施するために必要な事項は、官民人材交流副センター長が定める。

○民間の再就職支援会社を活用した再就職支援の実施について

平二五・八・二六
内閣府官民人材交流センター長決定

最終改正　平三〇・一二・一二

「官民人材交流センターに委任する事務の運営に関する指針」（平成二十六年六月二十四日内閣総理大臣決定）1(2)に規定する業務の実施については、以下に定めるところによるものとする。

1　**目的**

内閣府官民人材交流センター（以下「センター」という。）は、「国家公務員の退職手当の支給水準引下げ等について」（平成二十四年八月七日閣議決定）、「国家公務員の雇用と年金の接続について」（平成二十五年三月二十六日閣議決定）及び「官民人材交流センターに委任する事務の運営に関する指針」に基づき、民間の再就職支援会社（以下「支援会社」という。）を活用して、職員及び一般定年等隊員の離職に際しての離職後の就職の援助（以下「再就職支援」という。）を行う。

2　**再就職支援の対象者**

応募認定退職（国家公務員退職手当法の規定に基づく早期退職希望者の募集に応募をし、認定を受けて退職すべき期日にする退職をいう。以下同じ。）をする者（本府省局長級以上の職に就いている者又は当該職に就いていた者を除く。）であって、再就職支援を受けることを希望するもののうちから、各府省が選定した者（以下「支援対象者」という。）を対象とする。

3　**再就職支援の実施**

(1)　センターは、支援対象者に対する再就職支援の提供に係る業務（以下「再就職支援業務」という。）を支援会社に委託して実施する。その際、国家公務員法第百六条の二第一項に規定する行為を行わないものとするとともに、一般定年等隊員である場合も同様の扱いとする。このため、支援対象者に対する再就職支援業務は支援会社が行い、センターは、(2)に係る確認その他必要な場合を除いて、個別の再就職支援業務には関与しないこととする。

(2)　センターは、支援会社が再就職支援業務を行う際には、国家公務員法第百六条の三第一項又は自衛隊法第六十五条の三第一項に規定する求職活動規制を遵守したものとすること及び再就職支援の対象として適切でない法人等としてセンターが指定するものをその対象としないことを求める。

(3)　センターは、支援対象者に対して、応募認定退職をしなかった場合には、センターが定める場合を除いて、再就職支援の提供に要した費用に相当する額を償還することを求める。

(4)　センターは、支援会社に対して、再就職支援が終了した支援対象者について、再就職支援の提供の状況を報告することを求める。

4　**再就職支援の状況の公表**

センターは、再就職支援の実施に係る状況について、毎年一回公表する。

5　**官民人材交流副センター長への委任**

この決定に定めるもののほか、再就職支援を実施するため必要な事項は、官民人材交流副センター長が定める。

○組織の改廃等による分限予定者を対象とした再就職支援業務運営要領

平二〇・一二・三一
内閣府官民人材交流センター長決定

最終改正　平三〇・一二・一二

「官民人材交流センターに委任する事務の運営に関する指針」（平成二十六年六月二十四日内閣総理大臣決定）1(3)に規定する業務の実施については、以下に定めるところによるものとする。

1　**目的**
内閣府官民人材交流センター（以下「センター」という。）は、「官民人材交流センターに委任する事務の運営に関する指針」に基づき、職員及び一般定年等隊員（以下「隊員」という。）に対して、中立・公正・透明に、かつその能力・適性を踏まえ、職員の離職に際しての離職後の就職の援助（国家公務員法第百六条の二第二項第三号の規定に基づき同条第一項に規定されている行為を行う場合におけるものをいい、以下「再就職支援」という。）を行う。また、支援対象者が隊員である場合は、本運営要領（この項を除く。）中「各府省」とあるのは「防衛省」と、「職員」とあるのは「隊員」と読み替えるものとする。

2　**再就職支援対象職員**
センターは、組織の改廃等による分限予定者を対象として再就職支援を行う。

3　**再就職支援の実施**
(1)　再就職支援の類型
A　分限予定者が実際に分限免職された後にセンターが再就職支援を行う。
B　分限予定者が実際に分限免職される前にセンターが再就職支援活動を開始し、実際に分限免職される際に再就職先の提示を行う。
(2)　再就職支援の手順
①　再就職支援開始依頼の受付
各府省人事当局又は職員本人からの再就職支援の依頼を受け、センターは、当該依頼に係る職員（以下「支援対象職員」という。）の再就職支援を担当する主任調整官及び調整官を選任する。その際、センターは、支援対象職員の出身府省と同じ出身府省の主任調整官及び調整官を選任してはならない。
②　支援対象職員及び各府省人事当局へのヒアリング
担当調整官は、支援対象職員に対し、能力・適性等についてヒアリングを行うとともに、当該職員の希望を踏まえ、再就職に向けたカウンセリングを実施する。

担当調整官は、各府省人事当局に対し、支援対象職員の能力・適性等についてヒアリングを行う。
③　再就職支援方針の策定及び再就職先候補法人の選定
担当調整官は、②のヒアリングを踏まえ、支援対象職員の能力・適性に基づき、再就職支援の方針を策定するとともに、具体的な再就職先候補の法人を選定する。
④　利害関係等の基準適合確認
担当調整官は、各府省人事当局に対し、支援対象職員の再就職先候補法人の名称等を連絡し、当該法人について当該職員との利害関係等の調査及び必要な資料の提出を依頼する。

担当調整官は、各府省人事当局の利害関係等の調査結果及び提出された資料を踏まえ、利害関係等の基準適合について確認する。
⑤　支援対象職員への提示
担当調整官は、支援対象職員に対し、利害関係等の基準に適合した再就職先候補法人の提示を行う。併せて、担当調整官は、当該職員本人に対し、当該法人との利害関係等の基準適合についての確認を行う。
⑥　再就職先候補法人への提示
担当調整官は、支援対象職員から再就職先候補法人の採用面接等の手続を進めることについての応諾を得た場合は、当該法人に対し、当該職員の情報を提示する。
⑦　面接指導等の実施
担当調整官は、再就職先候補法人から支援対象職員の採用面接等の手続を進めることについての応諾を得た場合は、当該職員の希望を踏まえ、再就職に向けたカウンセリング、面接指導等の支援を行う。
⑧　再就職支援の終了
センターは、支援対象職員の再就職先候補法人への採用決定、当該職員又は各府省人事当局のセ

ンターへの支援終了の申し出等を受けて、支援を終了する。

(3) 民間のノウハウの活用

センターは、可能な限り民間委託を行い、民間のノウハウを活用した再就職支援を実施する。

4 **退職後の措置等**

センターは、再就職支援を受けた者には、その再就職先を退職する際には、センターにその旨を通知することを要請する。

センターは、再就職先の仕事に適性がなく試用期間中（一年以内に限る。）にやむなく退職せざるを得ないような場合や、再就職後一年以内に再就職先の倒産・業務縮小等により再就職先を退職せざるを得ない場合に限り、一回目の再就職を補完するものとして支援を行う。

5 **再就職支援結果の公表**

センターは、再就職支援を受けて再就職した結果について、公表する。

6 **官民人材交流副センター長への委任**

本運営要領に定めるもののほか、センターの再就職支援業務を実施するため必要な事項は、官民人材交流副センター長が定める。

○センターによる再就職支援の対象法人の範囲について

平二〇・一二・三一
内閣府官民人材交流センター長決定

最終改正 平三〇・一二・一二

「組織の改廃等による分限予定者を対象とした再就職支援業務運営要領」（平成二十年十二月三十一日内閣府官民人材交流センター長決定）に基づいて官民人材交流センターが行う再就職支援の対象法人の範囲については、以下に定めるところによるものとする。

I **語句の定義**

1 「センター」とは、官民人材交流センターをいう。

2 「職員」とは、センターの支援対象職員（一般定年等隊員及び行政執行法人の役員を含む。）をいう。

3 「所属府省」とは、職員が現に所属する府省（あっせん人事担当者が、職員が現に所属する府省以外の府省に所属する場合は、あっせん人事担当者が所属する府省を含む。）をいう。

4 「府省」とは、会計検査院、内閣官房、内閣法制局、人事院、内閣府本府、内閣府に置かれる委員会若しくは庁、警察庁及び都道府県警察、各省又は行政執行法人をいう。

5 「対象法人」とは、センター担当官による職員に対する再就職支援の対象先となる営利企業及び営利企業以外の法人をいう。

6 「親会社」とは、対象法人の議決権の百分の五十を超える議決権を保有する法人をいう。「子会社」とは、「親会社」に議決権の百分の五十を超える議決権を保有される法人をいう。

7 「再就職支援」とは、センター担当官が行う、職員の離職に際しての離職後の就職の援助であって、対象法人に対し、当該対象法人の地位に就かせることを目的として、(i)個人が特定可能な形で職員に関する情報を提供し、(ii)職員を当該地位に就かせるために必要な情報の提供を依頼し、又は、(iii)当該地位に就かせることを要求し若しくは依頼することをいう。

II **「センターによる再就職支援の対象法人の範囲」についてのルール**

1 再就職支援の対象法人については、官と民の垣根を低くし、センターが、職員の能力と適性を活かした再就職を積極的に支援するという改正国家公務員法の趣旨にかんがみ、原則として特段の制限を設けないこととする。

2 再就職支援の対象法人の範囲

ただし、以下の(1)、(2)又は(3)に該当する場合は対象外とする。

※ 対象法人が子会社である場合は、対象法人のみならず、親会社も再就職支援の対象法人の範囲に含まれる必要がある。

(1) 職員の所属府省と対象法人が①又は②の関係にある場合

※ 出向中に出向元府省が再就職支援依頼を行う場合は、出向元府省を所属府省と考える。

① 不適切な契約

入札又は契約の適正な執行の確保に関する事務を行う機関として副センター長が定めるものによ

り、公表された報告であって、副センター長が定める期間において、法令若しくは予算に違反し、又は不当であると指摘された契約であって、是正又は改善を講じたと指摘されていないものとして副センター長が定めるものが存在する場合。

② 一定金額以上の継続的な随意契約

当分の間の取扱として、可否を判断する年度（「公共調達の適正化について」（平成十八年八月二十五日財計第二〇一七号）により、既に各府省において公表されているものに限る）及び当該年度前二年度の合計三年度中、二年度以上、それぞれの年度で締結した随意契約の総額が一億円以上である場合。

ただし、地方支分部局（国家行政組織法第九条並びに内閣府設置法第四十三条第二項及び第五十七条に規定する地方支分部局であって、府省の所掌事務の全部又は一部を分掌するものをいう。以下同じ。）に会計法第十三条の規定に基づき支出負担行為事務が委任されており、職員の任命権者が当該地方支分部局の長であって、又は、職員が、地方支分部局若しくは当該地方支分部局の所掌事務の全部若しくは一部を分掌する当該地方支分部局の下部機関で採用され、当該地方支分部局の管轄区域外に異動したことのない場合であって、かつ、センターへの再就職支援依頼が当該地方支分部局からなされる場合にあっては、当該地方支分部局と対象法人との間に可否を判断する年度及び当該年度前二年度の合計三年度中、二年度以上、それぞれの年度で締結した随意契約の総額が一億円以上である場合。

※ 随意契約とは、会計法第二十九条の三第四項に規定する随意契約のうち、国の支出の原因となる随意契約であって、再就職支援に対する国民の疑念を招かないことが明白である場合として副センター長が定める場合以外のものをいう。

(2) 職員との直接の利害関係

職員（当該職員が当該事務に係る決裁権限（決裁規定上の権限及び事実上の決裁権限の両者を含む。）を有している場合の当該職員の下位職員を含む。以下(2)において同じ。）が、対象法人との間で、職務として携わる①から⑦に掲げる事務の区分に応じ、それぞれに定める関係にあること

① 許認可等

職員が、対象法人から許認可等の申請を受理していて未処理の場合

※ 許認可等とは、行政手続法第二条第三号に規定する許認可等をいう。

※ 申請受理の有無は、職員の決裁権限の及ぶ局部課の文書受付簿により確認。

※ 「未処理」とは処分（許認可又は拒否）を行っていない状態を指す（補正を求めている間は未処理とする。決裁が終了していても送達していなければ未処理と考える。）

ただし、職員の行う職務を規律する関係法令の規定及びその運用状況に照らして当該職務にある職員の裁量の余地が少ない又は現に自ら関与していないと認められる許認可等として副センター長が定める場合はこの限りではない。

② 契約の締結又は履行

職員が、対象法人との間で、(i)契約の締結に係る権限を有する職員にあっては契約の申込みを受けており、締結が未完了の場合、(ii)契約の履行に係る権限を有する職員にあっては契約締結以降契約における国の履行が完了していない場合

※ 契約とは、対象法人と国との間の、売買、貸借、請負その他の契約であって、国の支出の原因となり、かつ、履行が完了していないものをいう。

ただし、(i)公益事業として提供されるサービスの利用契約その他これらに類する継続的給付として副センター長が定めるものを受ける契約の場合、(ii)職員が締結に携わった契約（履行が完了したものを除く。）及び履行に携わっている契約の総額が二、〇〇〇万円未満である場合(iii)職員の行う職務を規律する関係法令の規定及びその運用状況に照らして当該職務にある職員の裁量の余地が少ない又は現に自ら関与していないと認められる場合として副センター長が定める場合はこの限りではない。

③ 補助金等の交付

職員が、(i)対象法人から、補助金等の交付の申請を受理していて交付決定がなされていない場合、又は、(ii)対象法人に対して、補助金等の交付決定以降、補助金等の交付を行う事務が現存している場合

※ 補助金等とは、補助金等に係る予算の執行の適正化に関する法律第二条第一項に規定する補助金等をいう。

※ 「交付を行う事務が現存している」とは、精

算交付までとする。

ただし、職員の行う職務を規律する関係法令の規定及びその運用状況に照らして当該職務にある職員の裁量の余地が少ない又は現に自ら関与していないと認められる場合として副センター長が定める場合はこの限りではない。

④ 検査等

職員が、(i)対象法人に対し、検査等を行うのに必要な手続に着手し、検査等が完了していない場合、又は、(ii)検査等の対象となる者の選定を含む、対象法人を検査等の対象とし得る実施計画の作成に着手し、作成が完了していない場合

※「検査等」とは、法令の規定により行われる質問、検査、立入検査（臨検）、監査及び監察をいう。

「質問」とは、法令の励行を確保する等のために特に認められたそのための権限に基づいて関係者に当該事実の説明を求めることをいう。（例：国税徴収法、独占禁止法における質問）

「検査」とは、法令の執行確保の見地からなされるものであって、帳簿書類などの物件を調べることをいう。（例：国税徴収法、独占禁止法における検査）

「立入検査（臨検）」とは、行政機関等の職員が行政法規の執行を確保するため、監督的立場において監督を受ける事業者等の営業所、事務所、事業場、工場又は住所等に質問のため又は帳簿書類その他の物件の検査のために立ち入ることをいう。（例：国税徴収法、独占禁止法における立入検査）

「監査」とは、主として監察的見地から、事務若しくは業務の執行又は財産の状況を検査し、その正否を調べることをいう。（例：会計検査院の行う検査）

「監察」とは、行政監督上の立場から調査し、又は検査することをいう。（例：総務省設置法に基づく評価及び監視）

ただし、(ii)に該当する場合であっても、職員の行う職務を規律する関係法令の規定及びその運用状況に照らして当該職務にある職員の裁量の余地が少ない場合又は現に自ら関与していないとして認められる場合として副センター長が定める場合はこの限りではない。

⑤ 不利益処分

職員が、対象法人に対し、不利益処分を課すために必要な手続に着手し、不利益処分の決定の通知を未送達の場合（ただし、当該処分がなされなくなった場合を除く。）

※ 不利益処分とは、行政手続法第二条第四号に規定する不利益処分をいう。

ただし、職員の行う職務を規律する関係法令の規定及びその運用状況に照らして当該職務にある職員の裁量の余地が少ない又は現に自ら関与していないと認められる場合として副センター長が定める場合はこの限りではない。

⑥ 捜査等

職員が、(i)対象法人の犯罪の捜査に着手し、当該捜査が完了していない場合(ii)対象法人に公訴を提起し、終了していない場合、又は、(iii)対象法人へ刑が確定して以降、刑の執行を行っていない場合

※ 捜査等とは、犯罪の捜査、公訴の提起又は維持をいう。

ただし、職員の行う職務を規律する関係法令の規定及びその運用状況に照らして当該職務にある職員の裁量の余地が少ないと認められる場合として副センター長が定める場合はこの限りではない。

⑦ その他

その他職員が直接の利害関係に立っていると認められる場合として副センター長が定めるもの

(3) その他

その他再就職支援に対する国民の疑念を招くおそれが明白である場合として副センター長が定める場合

3 高度の専門的能力に着目した就職

(1) 2(1)②（一定金額以上の継続的な随意契約）又は2(2)（職員との直接の利害関係）に該当する場合であっても、職員の高度の専門的能力に着目して当該法人の特定の地位に就かせようとする場合であるとして副センター長が定める場合には、再就職支援の対象とすることができる。

○「「センターによる再就職支援の対象法人の範囲」について」に関する官民人材交流副センター長決定

平二〇・一二・三一
内閣府官民人材交流副センター長決定

最終改正 平二七・四・一

2⑴① 不適切な契約

入札又は契約の適正な執行の確保に関する事務を行う機関として副センター長が定めるものにより、公表された報告であって、副センター長が定める期間において、法令又は予算に違反する、若しくは不当であると指摘された契約であって、是正又は改善を講じたと指摘されていないものとして副センター長が定めるものは以下のとおりとする。

(1) 会計検査院

可否を判断する時点で公表された直近年度のものを含めそれより前三年度分の会計検査院の決算検査報告において、法令若しくは予算に違反し、又は不当であると指摘された事項を含む契約（契約当事者の一方又は双方により組織的に行われた犯罪その他の不正な行為に起因する指摘事項に限る。）であって、当該事項に関する是正又は改善の処置が講じられていないものが存在する場合。

(2) 第三者機関

可否を判断する時点以前三年間において、第三者機関（「随意契約の適正化の一層の推進について」（平成十九年十一月二日公共調達の適正化に関する関係省庁連絡会議決定）に基づき、各府省（地方支分部局等に置かれるものも含む）に置かれる物品・役務等を含むすべての契約の監視を行う第三者機関及び行政執行法人にあっては、独立行政法人評価制度委員会をいう。）により、法令若しくは予算に違反し、又は不当であると指摘された契約であって、是正又は改善されたとの指摘がなされていないものが存在する場合。

(3) 公正取引委員会

可否を判断する時点以前三年間において、公正取引委員会が入札談合等関与行為（入札談合等関与行為の排除及び防止並びに職員による入札等の公正を害すべき行為の処罰に関する法律第二条第五項に規定されるものをいう。）があったと認めた場合であって、未だ改善措置（同法第三条第一項に規定されるものをいう。）が講じられていないものが存在する場合。

2⑴② 一定金額以上の継続的な随意契約

1 再就職支援に対する国民の疑念を招かないことが明白である場合は、以下に掲げるものとする。

(1) 予定価格が予算決算及び会計令第九十九条第二号、第三号、第四号又は第七号のそれぞれの金額を超えない契約

(2) 電気事業、電気通信事業、ガス事業、水道事業、工業用水事業、下水道事業、有料放送事業、有線テレビジョン放送事業、電気通信役務利用放送事業の利用契約及び日本放送協会の受信契約

(3) 他に役務提供等を行う法人を見つけることが極めて困難であり、価格等の条件設定に裁量の余地がない（例：一般利用者と同じ条件で締結する）事務室家賃契約、情報提供に係る定型的な契約及び一般競争入札で購入した物品についての当該購入先との保守契約

(4) 企画競争を実施し、学識経験者（所属府省職員を除く）で構成される第三者委員会において企画の審査を行い、当該第三者委員会の意見を聴いて契約が行われ、かつ、あらかじめこの方式が国民に公表されているとともに、審査及び業者選定結果を公表されている場合の委託契約

(5) 当初契約において一般競争入札により落札したシステム用機材の賃貸借契約であって、当初契約の相手方法人と継続的に契約を締結することが必要不可欠である場合

(6) 災害復旧工事であって、あらかじめ国の機関と建設業法第二十七条の三十七に規定する建設業者団体との間で締結した災害応急対策業務に関する協定書に基づき、当該国の機関の要請を受けて、当該建設業者団体により、当該国の機関が関与することなく選定された法人と締結する、会計法第二十九条の三第四項及び予算決算及び会計令第百二条の四第三号の規定に基づく随意契約

(7) 一体の構造物として完成して初めて機能を発揮する工事を、その全体工期が国庫債務負担行為の設定年限を超えるため前工事と後工事に分ける場合であって、前工事の当初契約が一般競争入札で落札した工事契約であり、かつ、一体構造物の構築の目的を達成するために、当該前工事を契約した対象法人と後工事の随意契約を継続的に締結することが必要不

可欠な場合

２　副センター長は、センター運営の実績を踏まえ、再就職支援に対する国民の疑念を招かないことが明白である場合を追加することができる。

２⑵①　許認可等

１　職員の行う職務を規律する関係法令の規定及びその運用状況に照らして当該職務にある職員の裁量の余地が少ない又は現に自ら関与していないと認められる許認可等は、以下のとおりとする。

(1)　一定の事実が存在する場合に必ずすることとされている許認可等であって、当該事実の存在の証明と併せて申請されるもの

(2)　専決委任されており、当該職員は専決による決裁には関与しないこととされている許認可等

２　副センター長は、センター運営の実績を踏まえ、職員の行う職務を規律する関係法令の規定及びその運用状況に照らして当該職務にある職員の裁量の余地が少ない又は現に自ら関与していないとして認められる許認可等を追加することができる。

２⑵②　契約の締結又は履行

１　公益事業として提供されるサービスの利用契約その他これに類するものとして副センター長が定める契約は、以下のとおりとする。

(1)　電気事業、電気通信事業、ガス事業、水道事業、工業用水事業、下水道事業、有料放送事業、有線テレビジョン放送事業、電気通信役務利用放送事業の利用契約及び日本放送協会の受信契約

(2)　他に役務提供等を行う法人を見つけることが極めて困難であり、価格等の条件設定に裁量の余地がない（例：一般利用者と同じ条件で締結する）事務室家賃契約、情報提供に係る定型的な契約、一般競争入札で購入した物品について当該購入先との保守契約

２　職員の行う職務を規律する関係法令の規定及びその運用状況に照らして当該職務にある職員の裁量の余地が少ない又は現に自ら関与していないと認められる場合は、以下のとおりとする。

(1)　専決委任されており、当該職員は専決による決裁には関与しないこととされている場合

３　副センター長は、センター運営の実績を踏まえ、公益事業として提供されるサービスの利用契約その他これに類するもの並びに職員の行う職務を規律する関係法令の規定及びその運用状況に照らして当該職務にある職員の裁量の余地が少ない又は現に自ら関与していないと認められる場合を追加することができる。

２⑵③　補助金等の交付

１　職員の行う職務を規律する関係法令の規定及びその運用状況に照らして当該職務にある職員の裁量の余地が少ない又は現に自ら関与していないと認められる場合は、以下のとおりとする。

(1)　専決委任されており、当該職員は専決による決裁には関与しないこととされている補助金等

２　副センター長は、センター運営の実績を踏まえ、職員の行う職務を規律する関係法令の規定及びその運用状況に照らして当該職務にある職員の裁量の余地が少ない又は現に自ら関与していないとして認められる場合を追加することができる。

２⑵④　検査等

１　検査等の対象となる者の選定を含む、対象法人を検査等の対象とし得る実施計画の作成に着手し、作成が完了していない場合に該当する場合であって、(ii)に該当する場合であって、職員の行う職務を規律する関係法令の規定及びその運用状況に照らして当該職務にある職員の裁量の余地が少ない又は現に自ら関与していないと認められる場合は、以下のとおりとする。

(1)　専決委任されており、当該職員は専決による決裁には関与しないこととされている検査等

２　副センター長は、センター運営の実績を踏まえ、職員の行う職務を規律する関係法令の規定及びその運用状況に照らして当該職務にある職員の裁量の余地が少ない又は現に自ら関与していないとして認められる場合を追加することができる。

２⑵⑤　不利益処分

１　職員の行う職務を規律する関係法令の規定及びその運用状況に照らして当該職務にある職員の裁量の余地が少ない又は現に自ら関与していないと認められる場合は、以下のとおりとする。

(1)　専決委任されており、当該職員は専決による決裁には関与しないこととされている不利益処分

２　副センター長は、センター運営の実績を踏まえ、職員の行う職務を規律する関係法令の規定及びその運用状況に照らして当該職務にある職員の裁量の余地が少ない又は現に自ら関与していないとして認められる場合を追加することができる。

２⑵⑥　捜査等

１　職員の行う職務を規律する関係法令の規定及びその運用状況に照らして当該職務にある職員の裁量の余地が少ないと認められる場合は、以下のとおりとする。

(1)　専決委任されており、当該職員は専決による決裁には関与しないこととされている捜査等

2　副センター長は、センター運営の実績を踏まえ、職員の行う職務を規律する関係法令の規定及びその運用状況に照らして当該職務にある職員の裁量の余地が少ない又は現に自ら関与していないとして認められる場合を追加することができる。

2(2)⑦　その他

1　その他職員が直接の利害関係に立っていると認められる場合は、以下のとおりとする。

(1)　行政指導

職員が、対象法人に対し、行政指導のために必要な手続に着手し、行政指導の通知を未送達の場合

※　行政指導とは、行政手続法第二条第六号に規定する行政指導のうち、法令の規定に基づいて、又は、許認可等（行政手続法第二条第三号に規定する許認可等）を受けて事業を行っている法人に対して、明確に、一定の作為又は不作為を求めるもので、対象法人を直接の名あて人として、職員若しくはその上司の職名又は所属府省若しくはその機関の名義にて発出されるもの又は口頭でなされるものであって、文書により確認することができるものをいう。

ただし、職員の行う職務を規律する関係法令の規定及びその運用状況に照らして当該職務にある職員の裁量の余地が少ない又は現に自ら関与していないと認められる場合として以下に定める場合はこの限りではない。

①　専決委任されており、当該職員は専決による決裁には関与しないこととされている行政指導

2(3)　その他

1　再就職支援に対する国民の疑念を招くおそれが明白である場合は、以下のとおりとする。

(1)　可否を判断する時点以前過去二年間に、対象法人又はその役員若しくは役員であった者が、以下の罪に関し起訴され、又は有罪判決を受けた場合（無罪の判決若しくは検察側の控訴を棄却する決定が確定した場合、又は、刑の執行が完了した場合を除く。）

①公契約関係競売等妨害罪（刑法第九十六条の六）

②贈賄罪（刑法第百九十八条）

③私的独占の禁止及び公正取引の確保に関する法律に規定される罪のうち、私的独占・不当な取引制限等の罪（第八十九条）、確定排除措置命令違反等の罪（第九十条）、銀行業・保険業を営む会社による議決権の取得等の規制違反の罪（第九十一条）、届出等に係る義務違反の罪（第九十一条の二）、法人の代表者に対する罰則（第九十五条の二）、事業者団体の代表等に対する罰則（第九十五条の三）

3　高度の専門的能力に着目した就職

1　職員の高度の専門的能力に着目して当該法人の特定の地位に就かせようとする場合は、以下に掲げるものとする。

(1)　国家資格又はこれに準ずる資格を直接活用する地位に、当該国家資格又はこれに準ずる資格を有している職員を就かせようとする場合

(2)　特定の学術分野の研究に関する地位に、研究職又は専門スタッフ職での長期にわたる在職、学位論文、学術誌への投稿などにより当該学術分野に関連する研究実績のある職員を就かせようとする場合

(3)　競争の導入による公共サービスの改革に関する法律に基づき提供される公共サービスを実施するために、高度の専門的知識・経験が求められる地位に、当該知識・経験を有することが職務経験から明らかである職員を就かせようとする場合

(4)　そのほか、高度の専門的知識・経験の希少性等にかんがみ、特に高度と認められる専門的知識・経験が求められる地位に、当該知識・経験を有することが職務経験から明らかな職員を就かせようとする場合

2　副センター長は、センター運営の実績を踏まえ、職員の高度の専門的能力に着目して当該対象法人の特定の地位に就かせようとする場合を追加することができる。

○「センターによる再就職支援の対象法人の範囲について」への適合確認について

平二〇・一二・三一
内閣府官民人材交流センター長決定

最終改正 平三〇・一二・一二

I 語句の定義

「センターによる再就職支援の対象法人の範囲について」（以下、「範囲について」という。）において定義するもののほか、語句の定義は以下のとおりとする。

1 「所属職員」とは、府省に所属するすべての職員をいう。

2 「所属府省調査対象再就職候補」とは、対象法人の中から、職員の能力・適性に適合するものとしてセンターが選定した単一又は複数の法人であって、所属府省に対し調査を依頼するものをいう。

3 「職員提示再就職候補」とは、センター及び所属府省が「範囲について」の適合判断を経て、再就職候補としてセンターが職員に対し提示するものをいう。

II 各府省及び対象職員の協力

(1) センター長は、各府省の長に対し、「範囲について」に基づき、対象法人が支援対象の範囲に含まれるか確認するためのセンターの調査に対する協力依頼を行う。

(2) センター長は、各府省の長に対し、所属職員が所定の調査方式に基づき調査を行い、結果報告を提出することに協力するよう職務命令を発することを求める。

(3) センター長は、各府省の長の当該職務命令があることを確認し、各府省からの再就職支援依頼を受け付ける。

III 調査

センターは、対象法人が「範囲について」に適合するかの確認を、各府省あっせん人事担当者及び職員本人に対し、以下のとおり二回に分けて行う。

（なお、出向中の支援対象職員に対して出向元府省から支援依頼があった場合、不適切な契約は出向元府省で、直接の利害関係は出向先府省において確認することとし、出向元府省のあっせん人事担当者は出向先府省のあっせん人事担当者等へ直接の利害関係の確認を依頼することを求めるものとする。）

(1) 各府省調査

① センターは、不適切な契約として会計検査院、各府省に設置される第三者機関又は公正取引委員会が指摘した事項について、是正措置又は改善措置が講じられたか判断するため、所属府省に対して、当該不適切な契約の相手方法人名及び当該不適切な契約が是正又は改善されたことを示す資料の提出を求める。

② センターは、所属府省調査対象再就職候補を所属府省あっせん人事担当者に提示する際に、所属府省調査対象再就職候補が「範囲について」に適合するかについて調査するため、所属府省に対し、次に掲げる書類の提出を求める。

1) 「「センターによる再就職支援の対象法人の範囲について」に関する調査結果報告書」（以下「報告書」という。）（様式1）

2) 随意契約に係る契約額総括表（様式2）

3) 契約額総括表（様式3）

4) その他1)に添付すべき資料

③ センターは、調査の必要に応じ追加資料の提出を求めることができる。

(2) 本人調査

センターは、職員提示再就職候補を提示する際、職員提示再就職候補が「範囲について」に適合するか判断するため、職員に対し、専決委任されている意思決定への関与の有無とともに、報告書に記載された内容について確認を求める。

職員は、報告書に署名・捺印した上で、センターに提出する。

IV 対象法人が「範囲について」に適合しないことが判明した場合の措置

(1) センターは、「III調査」に定める調査の際に、また、それ以外に府省からの連絡等により、対象法人が「範囲について」に適合しないことが判明した場合、直ちに当該対象法人への職員の再就職支援を取りやめる。なお、既に職員に対象法人を提示していた場合は、職員に対し、当該対象法人への求職活動の中止を求める。

(2) センターが再就職支援を行った職員が再就職した後、再就職先の法人が「範囲について」に適合しないことが判明した場合、センターは、「組織の改廃等による分限予定者を対象とした再就職支援業務運営要領」に基づき公表を行う際その旨を公表する。

(3) センターのあっせん先が結果として規則に定める

支援対象に含まれないという事実が判明した場合、以下の措置を採る。

① センター長から各府省の長に対し、センターの調査への協力の在り方を改善するよう要請する。

② 更にセンターのあっせん先が支援対象に含まれない事実がみられ、十分な改善がみられない場合、③の措置について警告を行う。

③ 更にセンターのあっせん先が支援対象に含まれない事実がみられ、十分な改善がみられない場合、各府省の依頼による再就職支援の受付の停止を行う。

（様式１）

「センターによる再就職支援の対象法人の範囲」調査結果報告書

府省名：

官民人材交流センター　殿

平成　　年　　月　　日

各府省・各地方支分部局人事担当課長

官職・氏名　　　　　　　　　　　　印

官民人材交流センター長運営規則「「センターによる再就職支援の対象法人の範囲について」への適合確認について」に基づき、平成　　年　　月　　日現在における下記再就職支援対象職員に関する調査結果を報告します。

再就職支援対象職員氏名	再就職先候補法人名
○　○　○　○	○　○　○　○

調　査　結　果

○　一定金額以上の継続的な随意契約

調査対象　：　本府省□　地方支分部局□　※該当箇所に✓を付けること

センター基準	基準への該当・非該当の別		提出資料
Ⅱ－２－（１）－② ［２年度以上の１億円以上の随意契約］	該当　□ （あっせん不可）	非該当　□ （あっせん可）	本府省の場合 ［該当・非該当］随意契約に係る契約額総括表（様式２） 地方支分部局の場合 ［該当・非該当］支出負担行為事務委任規定、人事記録、随意契約に係る契約額総括表（様式２）
（下記事項を確認）			
１－（１） ［予定価格が予決令の定める金額を超えない契約］	該当　□		契約書
１－（２） ［電気事業等の利用契約］	該当　□		当該事業に係る契約書
１－（３） ［価格等の条件設定に裁量の余地がない契約］	該当　□		当該事業に係る契約書及び随意契約理由書
１－（４） ［企画競争による委託契約］	該当　□		公表資料、契約書
１－（５） ［システム用機材の賃貸借契約］	該当　□		当該事業に係る契約書及び随意契約理由書
１－（６） ［災害復旧工事］	該当　□		要請文書、選定文書、随意契約理由書
１－（７） ［前工事・後工事］	該当　□		入札公告、国庫債務負担行為の承認書類、随意契約理由書、必要不可欠であることの立証資料
上記を踏まえた最終判断	「一定金額以上の継続的な随意契約」に、		□　該当する（あっせん不可） □　該当しない（あっせん可）

○　職員との直接の利害関係

センター基準	基準への該当・非該当の別		提出資料
Ⅱ－２－（２）－① ［許認可等］	該当　□ （あっせん不可）	非該当　□ （あっせん可）	［非該当］処理済みの場合は決定通知書
（下記事項を確認）			
１－（１） ［必ずすることとされている許認可等］	該当　□		許認可等決定書
１－（２） ［専決による決裁への関与がない許認可等］	該当　□		専決規定 ［再就職先候補の本人提示時］ 職員署名した調査結果報告書（様式１）
上記を踏まえた最終判断	「①許認可等」に、		□　該当する（あっせん不可） □　該当しない（あっせん可）
Ⅱ－２－（２）－②－（i） ［契約の締結］	該当　□ （あっせん不可）	非該当　□ （あっせん可）	［非該当］処理済みの場合は契約書
Ⅱ－２－（２）－②－（ii） ［契約の履行］	該当　□ （あっせん不可）	非該当　□ （あっせん可）	［非該当］処理済みの場合は検査調書及び振込通知書等
（下記事項を確認）			
Ⅱ－２－（２）－②－ただし書き（ii） ［契約総額2,000万円未満］	該当　□		契約額総括表（様式３）
１－（１） ［電気事業等の利用契約］	該当　□		当該事業に係る契約書

1－（2）［価格等の条件設定に裁量の余地がない契約］	該当　□		当該事業に係る契約書
2－（1）［専決による決裁への関与がない契約の締結又は履行］	該当　□		専決規定 ［再就職先候補の本人提示時］ 職員署名した調査結果報告書（様式1）
上記を踏まえた最終判断	「②契約の締結又は履行」に、		□　該当する（あっせん不可） □　該当しない（あっせん可）
Ⅱ－2－（2）－③－（i）［申請受理後、未処理］	該当　□ （あっせん不可）	非該当　□ （あっせん可）	［非該当］処理済みの場合は補助金等交付決定書
Ⅱ－2－（2）－③－（ii）［交付事務の現存］	該当　□ （あっせん不可）	非該当　□ （あっせん可）	［非該当］処理済みの場合は補助金等精算交付決定書
（下記事項を確認）			
1－（1）［専決による決裁への関与がない補助金等の交付］	該当　□		専決規定 ［再就職先候補の本人提示時］ 職員署名した調査結果報告書（様式1）
上記を踏まえた最終判断	「③補助金等の交付」に、		□　該当する（あっせん不可） □　該当しない（あっせん可）
Ⅱ－2－（2）－④－（i）［検査手続きに着手、未完了］	該当　□ （あっせん不可）	非該当　□ （あっせん可）	［非該当］検査等の完了の場合は検査報告書等
Ⅱ－2－（2）－④－（ii）［実施計画作成に着手、未完了］	該当　□ （あっせん不可）	非該当　□ （あっせん可）	［非該当］実施計画作成完了の場合は実施計画書
（下記事項を確認）			
1－（1）［専決による決裁への関与がない検査等］	該当　□		専決規定 ［再就職先候補の本人提示時］ 職員署名した調査結果報告書（様式1）
上記を踏まえた最終判断	「④検査等」に、		□　該当する（あっせん不可） □　該当しない（あっせん可）
Ⅱ－2－（2）－⑤［不利益処分］	該当　□ （あっせん不可）	非該当　□ （あっせん可）	［非該当］送達済みの場合は送達済みを証明する書類 不利益処分がなされなくなった場合はその事実を示す決裁文書
（下記事項を確認）			
1－（1）［専決による決裁への関与がない不利益処分等］	該当　□		専決規定 ［再就職先候補の本人提示時］ 職員署名した調査結果報告書（様式1）
上記を踏まえた最終判断	「⑤不利益処分」に、		□　該当する（あっせん不可） □　該当しない（あっせん可）
Ⅱ－2－（2）－⑥－（i）［捜査に着手後、未完了］	該当　□ （あっせん不可）	非該当　□ （あっせん可）	
Ⅱ－2－（2）－⑥－（ii）［公訴を提起後、未完了］	該当　□ （あっせん不可）	非該当　□ （あっせん可）	
Ⅱ－2－（2）－⑥－（iii）［刑の執行が未完了］	該当　□ （あっせん不可）	非該当　□ （あっせん可）	
（下記事項を確認）			
1－（1）［専決による決裁への関与がない捜査等］	該当　□		専決規定 ［再就職先候補の本人提示時］ 職員署名した調査結果報告書（様式1）
上記を踏まえた最終判断	「⑥捜査等」に、		□　該当する（あっせん不可） □　該当しない（あっせん可）
Ⅱ－2－（2）－⑦［その他（行政指導）］	該当　□ （あっせん不可）	非該当　□ （あっせん可）	［非該当］送達済みの場合は送達済みを証明する書類
（下記事項を確認）			
1－（1）－①［専決による決裁への関与がない行政指導］	該当　□		専決規定 ［再就職先候補の本人提示時］ 職員署名した調査結果報告書（様式1）
上記を踏まえた最終判断	「⑦その他」に、		□　該当する（あっせん不可） □　該当しない（あっせん可）

［職員署名欄］
※　再就職先候補提示の際に記載し、メール等でセンターに送付すること。

官民人材交流センター　殿
上記の内容に相違ありません。　　平成　　年　　月　　日
所属
官職・氏名（署名）　　印

（様式２）

随意契約に係る契約額総括表（○○年度分）

調査対象（　「本府省」・「地方支分部局」　）

府省名(地方支分部局名):
再就職先候補法人名:

（単位：千円）

契約件名	契約額(①)	「副センター長決定」該当の有無(②)							差引金額(③)	備考
		(1)	(2)	(3)	(4)	(5)	(6)	(7)		
合計										

※「公共調達の適正化について」(平成18年8月25日財計第2017号)3.(1)の規定により公表することとされている契約について、対象法人との随意契約実績額を調査する。
※調査対象が本府省全体の場合は「本府省」に、地方支分部局の場合は「地方支分部局」に○を付けること。
※各年度の契約合計額がそれぞれ１億円未満である場合は、②の確認は不要。
※契約合計額が１億円以上となる年度が２年度以上ない場合も、②の確認は不要。
※契約合計額が１億円以上となる年度が２年度以上ある場合は、契約件名毎に②の要件に該当するか確認し、該当する場合は③に差引後の金額を整理し、③の合計金額をもって１億円以上となるか判断する。
※１件１億円以上の契約で、かつ②の要件に該当しない場合は、他の契約の記載は省略することも可。
※金額については、契約件名毎に単位未満は四捨五入とする。

（様式３）

契約額総括表

（センター基準Ⅱ－２－(２)－②ただし書き(ii)に基づく調査表(契約総額２,０００万円未満の確認)）

府省名:
支援対象職員名:
再就職先候補法人名:

（単位：千円）

契約件名	契約額	備考
締結に携わった契約（履行が完了したものを除く。）		
小計		
履行に携わっている契約		
小計		
合計		

※金額については、契約件名毎に単位未満は四捨五入とする。

○官民人材交流センター職員の法令等の遵守に関する規程

平二〇・一二・三一
内閣府官民人材交流センター長決定

最終改正　平三〇・一二・一二

1　総則

（目的）

第一条　この規程は、官民人材交流センター（以下「センター」という。）に所属する職員の法令等の遵守について必要な事項を定める。

（定義）

第二条　この規程における用語の定義は、次のとおりとする。

一　法令等　法令、内閣府本府で定める訓令等及びセンターで定める諸規程をいう。

二　再就職支援　センターが行う、職員及び一般定年等隊員（以下「職員等」という。）の離職に際して離職後の就職の援助であって、再就職支援の対象先となる営利企業又は営利企業以外の法人に対して、当該企業又は当該法人の地位に就かせることを目的として、(i)個人が特定可能な形で職員等に関する情報を提供し、(ii)職員等を当該地位に就かせるために必要な情報の提供を依頼し、又は、(iii)当該地位に就かせることを要求若しくは依頼することをいう（ただし、第五条から第九条においては、「組織の改廃等による分限予定者を対象とした再就職支援業務運営要領」（平成二十年十二月三十一日内閣府官民人材交流センター長決定）に基づき組織の改廃等による分限予定者を対象として行うもの（2(2)において「分限予定者への支援」という。）に限る。）。

三　センター職員　センターに所属する職員をいう。

四　支援対象者　センターが再就職支援を行う職員等をいう。

五　再就職支援担当　支援対象者の再就職支援を行う主任調整官及び調整官をいう。

六　府省　会計検査院、内閣官房、内閣法制局、人事院、内閣府本府、内閣府に置かれる委員会若しくは庁、警察庁及び都道府県警察、各省又は行政執行法人をいう。

七　出身府省　再就職支援担当又は支援対象者を採用した府省（総務課長がその者の経歴等を踏まえて採用時の府省に準ずるものとして指定した府省を含む。以下同じ。）をいう。

2　センター職員の遵守すべきルール

(1)　共通ルール

（基本原則）

第三条　センター職員は、中立・公正・透明にかつ職員の能力・適性を踏まえた再就職支援を行うというセンターの設立目的の達成を図るため、法令等を遵守し、誠実に職務を遂行しなければならない。

（個人情報の扱い）

第四条　センター職員は、個人情報保護法及び内閣府本府の保有する個人情報管理規程（平成十七年三月十七日内閣府訓令第三号）の規定に従い、適正に個人情報を取り扱わなければならない。

(2)　分限予定者への支援に当たり遵守すべきルール

（主任調整官の選任）

第五条　総務課長又は総務課長が指定したセンター職員（以下「総務課長等」という。）は、各府省の人事担当者又は職員等からの再就職支援についての依頼を受け付けた場合において、当該依頼に係る支援対象者を担当する主任調整官を選任する。この場合において総務課長等は、支援対象者の出身府省と同じ出身府省の主任調整官を選任してはならない。

（調整官の選任）

第六条　前条の規定により支援対象者の担当者として選任された主任調整官は、当該支援対象者を担当する調整官を選任する。この場合において、当該主任調整官は、支援対象者の出身府省と同じ出身府省の調整官を選任してはならない。

（担当の再選任）

第七条　総務課長は、前二条の規定により支援対象者の担当が選任された後に、支援対象者の出身府省と再就職支援担当の出身府省が同一であったことが判明した場合には、速やかに新たな再就職支援担当の選任を行い、又は主任調整官に新たな再就職支援担当の選任を行うよう指示をする。

（再就職に係る依頼等の禁止）

第八条　センター職員は、再就職支援担当に対して、自らと同じ出身府省の支援対象者の再就職支援についての指示、依頼又は示唆を行ってはならない。

2　再就職支援担当は、自らが担当する支援対象者と同じ出身府省のセンター職員に対して、当該支援対象者の再就職支援について指示又は示唆を求めてはならない。

３　センター職員は、自らと出身府省が同じ支援対象者の再就職支援担当に代わって当該支援対象者の再就職支援を行ってはならない。

（副センター長、審議官又は総務課長への報告等の制限）

第九条　センター職員は、副センター長、審議官又は総務課長と同じ出身府省の支援対象者の再就職支援の実施に際し、それぞれ副センター長、審議官又は総務課長に対して報告し又は指示若しくは判断（別に定める官民人材交流センター決裁規程（以下「決裁規程」という。）に基づく決裁を含む。）を求めてはならない。

２　副センター長と同じ出身府省の支援対象者の再就職支援の実施に関する事項については、副センター長の決裁を経ずにセンター長に決裁を求めるものとする。この場合において、決裁規程の規定により、副センター長に専決委任がされている事項は、センター長の決裁事項とする。

３　審議官と同じ出身府省の支援対象者の再就職支援の実施に関する事項については、審議官の決裁を経ずに副センター長に決裁を求めるものとする。この場合において、決裁規程の規定により、審議官に専決委任がされている事項は、副センター長の専決事項とする。

４　総務課長と同じ出身府省の支援対象者の再就職支援に関する事項については、決裁規程の規定にかかわらず、総務課長の決裁は必要としない。

３　法令等遵守情報の収集及び調査

（情報受付窓口の設置場所）

第十条　センター職員の法令等遵守（再就職支援に関するものに限る。）に係る情報（以下「法令等遵守情報」という。）の受付窓口は、センター内にある法令等遵守担当室及びセンターとは別の独立した場所に設置する。

（通報の手段）

第十一条　法令等遵守情報の提供手段は、書面、電子メールによるものとし、電話による受付を求めてきた場合は、書面で提出するよう依頼する。

２　情報の提供に際しては氏名及び住所の記載を求め、これにより本人からの提供であることを確認できたものを対象とする。ただし、匿名による情報通報であっても、法令等遵守担当室長が、検討の必要があると判断した場合は、この限りではない。

（調査）

第十二条　法令等遵守担当室職員は、法令等遵守情報の提供を受け、必要と認める場合には、調査を行う。

２　センター職員は、前項の法令等遵守担当室の調査に対して協力しなければならない。

（センター長等への報告）

第十三条　法令等遵守担当室長は、提供された法令等遵守情報について必要と判断する場合には、審議官若しくは副センター長又は直接センター長に報告することができる。

（不利益な取り扱いの禁止）

第十四条　センター職員は、情報提供を行った者に対して、情報提供を理由に、一切の不利益な取り扱いを行ってはならない。

（守秘義務及び利益相反関係の排除）

第十五条　センター職員で法令等遵守情報の受付、調査等に関与した者は、その法令等遵守情報の秘密を漏らしてはならない。

２　法令等遵守担当室の職員は、法令等遵守情報の内容が自らに関係するものである場合は、その処理に関与することができない。

（手続）

第十六条　情報の受付手続、書式等については、副センター長が別に定める。

第十一編

職員団体

○人事院規則一七—〇（管理職員等の範囲）

昭四一・七・九公布
昭四一・七・九施行

最終改正　令五・一二・二〇規則一七—〇—一四五

（管理職員等の範囲）

第一条　法第百八条の二第三項ただし書に規定する管理職員等は、別表上欄に掲げる組織の区分に応じ、これに対応する同表下欄に掲げる職員とする。

第二条　各省各庁の長は、管理職員等以外の者が管理職員等になつたとき、又は管理職員等が管理職員等以外の職員になつたときは、文書の交付その他適当と認める方法によりその旨をその職員に通知しなければならない。

（組織の変更等についての通知）

第三条　各省各庁の長は、別表に掲げる組織に改廃があつたとき、又は管理職員等若しくはこれに相当すると認められる職員の官職の改廃若しくは新設があつたときは、すみやかにその旨を人事院に通知しなければならない。

別表　管理職員等の範囲（第一条関係）

組織		職員
内閣	内閣官房	内閣総務官　公文書監理官　総理大臣官邸事務所長　内閣審議官　内閣参事官　総理大臣官邸事務所副所長　企画官（内閣総務官室に所属する者に限る。）　調査官　内閣事務官（人事、予算又は庁舎警備に関する事務を担当する者に限る。）　秘書　守衛長　総理大臣官邸事務所に所属する守衛
	内閣人事局	人事政策統括官　内閣審議官　内閣参事官　人事企画官　企画官　調査官　参事官補佐（人事、予算、職員団体又は人事制度に関する事務を担当する者に限る。）　総務専門官　ダイバーシティ促進専門官　メンタルヘルス専門官　人事係長　予算係長　主査（人事に関する事務を担当する者に限る。）
	内閣衛星情報センター	所長　次長　部長　総括開発官　課長　主任分析官　主任開発官　副センター所長　受信管制局長　内閣事務官（人事又は予算に関する事務を担当する者に限る。）
	内閣法制局	内閣法制次長　部長　総務主幹　憲法資料調査室長　参事官　課長　調査官　公文書監理官　法令調査官　課長補佐（管理）　総務主任　人事係長　予算係長　秘書
内閣府	内部部局	事務次官　内閣府審議官　独立公文書管理監　局長　政策立案総括審議官　公文書監理官　サイバーセキュリティ・情報化審議官　審議官　参事官　課長　政府広報室長　厚生管理官　審査官　企画官　調査官　防災情報通信システム官　参事官補佐（人事全般に関する事務について参事官を直接補佐する者に限る。）　厚生管理官補佐（人事に関する事務を担当する者に限る。）　課長補佐（総括）　課長補佐（管理）（大臣官房又は男女共同参画局総務課に所属する者に限る。）　人事専

	門官　人事係長　宿舎係長　秘書　守衛長
食品安全委員会事務局	事務局長　事務局次長　課長　課長補佐（総括）　課長補佐（管理）
国会等移転審議会事務局	次長　参事官　首席局員　上席局員（人事又は予算に関する事務を担当する者に限る。）
公益認定等委員会事務局	事務局長　事務局次長　課長　企画官　課長補佐（総括）　課長補佐（管理）
再就職等監視委員会	再就職等監察官
再就職等監視委員会事務局	事務局長　参事官　参事官補佐（人事及び予算に関する事務を担当する者に限る。）
消費者委員会事務局	事務局長　参事官　参事官補佐（参事官の職務全般についてこれを直接補佐する者に限る。）
経済社会総合研究所	所長　次長　総括政策研究官　部長　経済研修所長　課長　経済研修所の総務部
	長
迎賓館	館長　次長　課長　課長補佐（管理）　庁舎係長　所長
地方創生推進事務局	事務局長　次長　審議官　参事官　企画官　参事官補佐（人事、予算又は文書の審査に関する事務を担当する者に限る。）
知的財産戦略推進事務局	事務局長　次長　参事官　企画官　参事官補佐（人事に関する事務を担当する者に限る。）
科学技術・イノベーション推進事務局	事務局長　統括官　審議官　参事官　企画官　管理審査官　参事官補佐（人事又は予算に関する事務を担当する者に限る。）
健康・医療戦略推進事務局	事務局長　次長　参事官　企画官　参事官補佐（人事に関する事務を担当する者に限る。）
宇宙開発戦略推進事務局	事務局長　審議官　参事官　企画官　参事官補佐（人事に関する事務を担当する者に限る。）
北方対策本部	審議官　参事官　調査官
総合海洋政策推進事務局	事務局長　次長　参事官　企画官　参事官補佐（参事官の職務全般についてこれを直接補佐する者に限る。）
国際平和協力本部事務局	事務局長　次長　参事官　参事官補佐（人事及び予算に関する事務を担当する者に限る。）　予算係長　庶務係長
日本学術会議事務局	事務局長　次長　課長　参事官　課長補佐（総括）　課長補佐（管理）　参事官補佐（参事官の職務全般についてこれを直接補佐する者に限る。）　人事係長　予算係長　庁舎係長
官民人材交流センター	官民人材交流副センター長　審議官　総務課長　主任調整官　課長補佐（管理）
沖縄総合事務局	局長　次長　部長　総務調整官　市町村施策支援推進官　企画調整官　技術企画官　技術管理官　公園・まちづくり調整官　適正業務管理官　総括技術検査指導

		官　品質確保対策官　収用認定調整官　課長　調査官（職員団体に関する事務を担当する者に限る。）　監査官　庁舎管理官　安心・安全対策推進官　広報室長　厚生管理室長　統括国有財産管理官　情報通信技術室長　建設工務室長　営繕監督保全室長　企画室長　首席運航労務監理官　首席海事技術専門官　首席海技試験官　首席外国船舶監督官　課長補佐（総括）　課長補佐（管理）　室長補佐（文書の審査に関する事務を担当する者に限る。）　専門官（人事に関する事務を担当する者に限る。）　職員管理専門職　調査官付主査（職員団体に関する事務を担当する者に限る。）　庁舎管理官付主査　人事係長　予算係長　宿舎係長　人事係員
	沖縄総合事務局の事務所	所長　次長　副所長　課長　支所長　首席運輸企画専門官（人事及び予算に関する事務を担当する者に限る。）　運輸企画専門官（人事及び予算に関する事務を担当する者に限る。）　庶務係長（北部ダム統合管理事務所、南部国道事務所、北部国道事務所、那覇港湾・空港整備事務所、平良港湾事務所、石垣港湾事務所又は国営沖縄記念公園事務所に所属する者に限る。）
宮内庁	内部部局	次長　部長　審議官　皇室経済主管　参事官　公文書監理官　式部副長　課長　式部官　宮殿管理官　調査企画室長　広報室長　報道室長　楽部事務長　首席楽長　楽長　鴨場長　図書調査官　編修調査官　陵墓監　陵墓監補　衛生監　主膳長　主厨長　管理事務所長　課長補佐（総括）　課長補佐（管理）　課長補佐（人事）　侍従職事務主管補佐（人事に関する事務を担当する者に限る。）　上皇職事務主管補佐（人事に関する事務を担当する者に限る。）　東宮職事務主管補佐（人事に関する事務を担当する者に限る。）　皇嗣職事務主管補佐（人事に関する事務を担当する者に限る。）　式部官補佐（式部官の職務全般についてこれを直接補佐する者に限る。）　宮殿管理官補佐　車馬官　専門官（人事に関する事務を担当する者に限る。）　人事係長　予算係長　文書係長　勤務管理専門官　秘書　人事係員
	宮内庁病院	院長　副院長　医長　事務長　総看護師長　薬局長
	正倉院事務所	所長　庶務課長
	御料牧場	場長　次長　課長　庶務係長
	京都事務所	所長　次長　課長　庶務係長
公正取引委員会	事務総局	事務総長　審判官　局長　部長　総括審議官　審議官　政策立案総括審議官　公文書監理官　サイバーセキュリティ・情報化参事官　参事官　審査管理官　課長　審査長　訟務官　特別審査長　会計室長　企画官　企画室長　デジタル市場企画調査室長　上席企業結合調査官　取引調査室長　相

		談指導室長　下請取引調査室長　上席下請取引検査官　情報管理室長　公正競争監視室長　課徴金減免管理官　上席審査専門官　課長補佐（総括）　課長補佐（管理）　課長補佐（人事）　会計室長補佐（予算に関する事務を担当する者に限る。）　審査長又は特別審査長の職務全般についてこれを直接補佐する職員　人事係長　予算係長　庶務係長　秘書
	地方事務所	所長　総務管理官　審査統括官　課長　支所長　支所の課長　経済取引指導官
個人情報保護委員会	事務局	事務局長　次長　審議官　政策立案参事官　公文書監理官　課長　参事官　企画官　調査官　課長補佐（管理）　人事係長　管理専門職
カジノ管理委員会	事務局	事務局長　次長　部長　監察官　公文書監理官　課長　企画官　国際室長　機器技術監督室長　犯罪収益移転防止対策室長　調査官　監察官補佐　課長補佐（管理）　係長（監察に関する事務を担当する者に限る。）　人事係長　予算係長
金融庁	内部部局	長官　金融国際審議官　局長　総括審議官　政策立案総括審議官　審議官　公文書監理官　参事官　課長　検査監理官　審判官　管理室長　情報化統括室長　企画官　人事調査官　管理予算調整官　国際室長　資産運用高度化室長　社会環境金融室長　金融企画管理官　情報・分析室長　リスク管理検査室長　サイバーセキュリティ対策企画調整室長　マネーローンダリング・テロ資金供与対策企画室長　経済安全保障室長　金融サービス利用者相談室長　金融サービス仲介業室長　貸金業室長　フィンテックモニタリング室長　信用機構企画室長　保険企画室長　調査室長　監督調査室長　信用機構対応室長　監督企画官　地域金融生産性向上支援室長　協同組織金融室長　損害保険・少額短期保険監督室長　課長補佐（総括）　課長補佐（管理）　課長補佐（人事）　人事係長　予算係長　文書係長　庁舎係長　宿舎係長　秘書　人事係員
	証券取引等監視委員会事務局	事務局長　次長　課長　証券検査監理官　情報解析室長　国際証券検査室長　総括調整官　課長補佐（総括）　課長補佐（管理）
	公認会計士・監査審査会事務局	事務局長　課長　総括調整官　公認会計士監査検査室長
消費者庁	内部部局	長官　次長　政策立案総括審議官　審議官　公文書監理官　参事官　課長　人事企画室長　管理室長　広報室長　サイバーセキュリティ・情報化企画官　企画官　財産被害対策室長　寄附勧誘対策室長　食品ロス削減推進室長　事故調査室長　取引デジタルプラットフォーム消費者保護室長　統括消費者取引対策官　食品表示対策室長　上席景品・表示調査官　課長補佐（総括）（総務課に所属する者に限る。）　課長補佐（管理）　専門官（人事に関す

		る事務を担当する者に限る。） 人事係長 予算係長 庁舎係長 庶務係長
こども家庭庁	内部部局	長官 官房長 局長 審議官 公文書監理官 参事官 課長 経理室長 企画官 人事調査官 サイバーセキュリティ・情報化企画官 少子化対策企画官 認可外保育施設担当室長 児童手当管理室長 課長補佐（総括） 課長補佐（管理） 課長補佐（人事） 課長補佐（予算） 参事官補佐（参事官の職務全般についてこれを直接補佐する者に限る。） 人事企画調整官 人事係長 予算係長 文書係長 庁舎係長 庶務係長 主査（人事又は予算に関する事務を担当する者に限る。） 秘書
	国立児童自立支援施設	施設長 次長 課長 センター長 副センター長
デジタル庁	デジタル庁設置法（令和三年法律第三十六号）第十三条第一項に規定する職又は当該職のつかさどる職務の全部若しくは一部を助ける職に就いている職員で構成される組織	デジタル審議官 統括官 審議官 公文書監理官 参事官 企画官 参事官補佐（参事官の職務全般についてこれを直接補佐する者及び人事、予算、文書の審査又は庁舎管理に関する事務を担当する者に限る。） 主査（人事、法令、予算、文書の審査又は庁舎管理に関する事務を担当する者に限る。） 秘書 人事係員
復興庁	復興庁設置法（平成二十三年法律第百二十五号）第十二条第一項に規定する職又は当該職のつかさどる職務の全部若しくは一部を助ける職に就いている職員で構成される組織	事務次官 統括官 審議官 公文書監理官 参事官 企画官（人事、組織又は予算に関する事務を担当する者に限る。） 参事官補佐（人事、組織又は予算に関する事務を担当する者に限る。） 主査（人事又は予算に関する事務を担当する者に限る。） 秘書
	復興局	局長 次長 参事官（人事に関する事務を担当する者に限る。） 参事官補佐（人事に関する事務を担当する者に限る。） 主査（人事に関する事務を担当する者に限る。）
総務省	内部部局	事務次官 総務審議官 官房長 局長 政策統括官 サイバーセキュリティ統括官 部長 局次長 総括審議官 政策立案総括審議官 公文書監理官 サイバーセキュリティ・情報化審議官 地域力創造審議官 審議官 審理官 参事官 課長 管理官 評価監視官 行政相談管理官 統計情報システム管理官 統計企画管理官 統計審査官 統計調整官 国際統計管理官 恩給管理官 企画官（大臣官房に所属する者のうち大臣官房の特定の課若しくは室の所掌事務に関する重要事項についての企画及び立案に関する事務を担当する者、会計課、企画調整課、行政評価局総務課若しくは統計局総務課に所属する者又は統計企画管理官の職務全般についてこれを直接補佐する者に限る。） 調査官（人事、職員団体、組織及

	び法規又は予算に関する事務を担当する者に限る。）　庁舎管理室長　厚生企画管理室長　サイバーセキュリティ・情報化推進室長　広報室長　法制管理室長　地方業務室長　人材育成室長　評価活動支援室長　総務室長　デジタル基盤推進室長　マイナンバー制度支援室長　行政経営支援室長　地域情報化企画室長　地域振興室長　過疎対策室長　給与能率推進室長　女性活躍・人材活用推進室長　応援派遣室長　安全厚生推進室長　収支公開室長　支出情報開示室長　政党助成室長　財務調査官　公営企業経営室長　準公営企業室長　資産評価室長　研究推進室長　革新的情報通信技術開発推進室長　標準化戦略室長　宇宙通信調査室長　多国間経済室長　情報通信経済室長　総合通信管理室長　情報活用支援室長　情報流通適正化推進室長　放送コンテンツ海外流通推進室長　デジタル経済推進室長　国際放送推進室長　地域放送推進室長　検査監理室長　貯金保険室長　国際企画室長　消費者契約適正化推進室長　番号企画室長　国際周波数政策室長　電波利用料企画室長　基幹通信室長　重要無線室長　新世代移動通信システム推進室長　監視管理室長　認証推進室長　地理情報室長　首席統計情報官　労働力人口統計室長　経済センサス室長　物価統計室長　恩給経理官　恩給審査官　恩給審理官　恩給相談官　恩給支給官　情報処理調整官　課長補佐（総括）　課長補佐（管理）（大臣官房、企画調整課、行政課、公務員課、福利課、財政課、自治税務局企画課、国際戦略局国際戦略課、情報流通行政局総務課、情報通信政策課、総合通信基盤局総務課又は統計局総務課に所属する者に限る。）　参事官補佐（国際戦略局参事官の職務全般についてこれを直接補佐する者に限る。）　統計情報システム管理官補佐（統計情報システム管理官の職務全般についてこれを直接補佐する者に限る。）　統計企画管理官補佐（人事及び予算に関する事務を担当する者に限る。）　恩給管理官補佐（恩給管理官の職務全般についてこれを直接補佐する者及び人事、組織又は予算に関する事務を担当する者に限る。）　専門官（人事又は職員団体に関する事務を担当する者に限る。）　専門職（人事に関する事務を担当する者に限る。）　人事係長　予算係長　文書係長　庁舎係長　宿舎係長　庶務係長（統計局に所属する者に限る。）　主査（人事、組織又は予算に関する事務を担当する者に限る。）　秘書　人事係員　守衛長
行政不服審査会事務局	事務局長　課長　審査官　課長補佐（総括）　課長補佐（管理）
情報公開・個人情報保護審査会事務局	事務局長　課長　審査官　課長補佐（管理）
官民競争入	事務局長　参事官

	札等監理委員会事務局	
	電気通信紛争処理委員会事務局	事務局長　参事官　上席調査専門官（人事及び予算に関する事務を担当する者に限る。）
	自治大学校	校長　部長教授　庶務課長
	情報通信政策研究所	所長　部長　総務課長
	統計研究研修所	所長　部長　管理課長　課長補佐（管理）　庶務係長
	政治資金適正化委員会事務局	事務局長　参事官
	管区行政評価局	局長　部長　地域総括評価官　部次長　総務課長　課長補佐（管理）　人事係長　予算係長
	行政評価支局	支局長　総務行政相談管理官　地域総括評価官　部長　総務課長　課長補佐（管理）　人事係長　予算係長
	行政評価事務所	所長　次長
	沖縄行政評価事務所	所長　次長　総務課長　課長補佐（管理）
	総合通信局	局長　部長　総合通信調整官　部次長　課長　財務室長　課長補佐（管理）　人事係長
	沖縄総合通信事務所	所長　次長　総合通信調整官　課長　課長補佐（管理）　庶務係長
公害等調整委員会	事務局	事務局長　次長　課長　審査官　調査官　課長補佐（管理）
消防庁	内部部局	長官　次長　審議官　部長　課長　参事官　救急企画室長　危険物保安室長　特殊災害室長　国民保護室長　国民保護運用室長　地域防災室長　広域応援室長　防災情報室長　応急対策室長　課長補佐（総括）　主幹（総務課に所属する者に限る。）　人事係長　予算係長　庁舎係長　秘書
	消防大学校	校長　副校長　庶務課長　部長
	消防研究センター	所長　研究統括官　部長
法務省	内部部局	事務次官　官房長　局長　部長　政策立案総括審議官　公文書監理官　サイバーセキュリティ・情報化審議官　審議官　参事官　課長　厚生管理官　民事法制管理官　刑事法制管理官　国際刑事管理官　更生支援管理官　矯正医療管理官　企画再犯防止推進室長　広報室長　政策立案・情報管理室長　企画調査官　試験管理官　監査室長　庁舎管理室長　技術企画室長　登記情報管理室長　登記情報センター室長　民事調査官　所有者不明土地等対策推進室長　地図企画官　刑事調査官　矯正調査官　恩赦管理官　精神保健観察企画官　民間活動支援企画官　保護調査官　処遇企画官　人権擁護推進室長　調査救済調整官　訟務調査室長　課長補佐（総括）　課長補佐（管理）（大臣官房、刑事局総務課又は保護局総務課に所属する者に限る。）　課長補佐（人事）　課長補佐（予算）　管理官補佐（民事

	法制管理官、刑事法制管理官、国際刑事管理官又は矯正医療管理官の職務全般についてこれを直接補佐する者に限る。） 庁舎管理室長補佐（予算又は警備に関する事務を担当する者に限る。） 登記情報管理室長補佐 登記情報センター室長補佐（登記情報センター室長の職務全般についてこれを直接補佐する者に限る。） 法務専門職（人事又は予算に関する事務を担当する者に限る。） 施設整備調整官 民事調整官 民事監査官 訟務広報官 人事係長 予算係長 文書係長 庁舎係長 宿舎係長 秘書 人事係員 労働係員 守衛長
少年院	院長 分院長 次長 部長 課長 首席専門官 統括専門官
少年鑑別所	所長 分所長 次長 課長 首席専門官 次席専門官 統括専門官
婦人補導院	院長 課長
法務総合研究所	所長 部長 総務課長 首席研究調査官 首席研修専門官 首席国際専門官 課長補佐（管理） 予算係長 庶務係長
矯正研修所	所長 副所長 部長 効果検証センター長 総務課長 試験課長 統括効果検証官 効果検証官
矯正研修所支所	支所長 教頭
最高検察庁	検察官 秘書官 事務局長 課長 情報システム管理室長 課長補佐（管理） 人事係長 予算係長 秘書 守衛長
高等検察庁	検察官 事務局長 事務局次長 課長 課長補佐（管理） 人事係長 予算係長 支部の課長
地方検察庁	検察官 事務局長 事務局次長 課長 情報解析監理官 検務監理官 首席捜査官 次席捜査官 課長補佐（管理） 人事係長 支部の課長
区検察庁	検察官 課長
法務局	局長 部長 部次長 総務管理官 課長 統括監査専門官 訟務管理官 上席訟務官（担当事務部門を総括する者に限る。） 首席登記官 次席登記官 復興事業対策官 電子認証管理官 民事行政調査官 課長補佐（人事） 課長補佐（予算） 人事係長 支局長 支局の総務課長 三人以上の登記官を置く出張所の長
地方法務局	局長 次長 課長 上席訟務官（訟務部門を総括する者に限る。） 首席登記官 次席登記官 復興事業対策官 課長補佐（人事） 人事係長 支局長 支局の総務課長 三人以上の登記官を置く出張所の長
矯正管区	管区長 部長 首席管区監査官 部次長 課長 管区調査官 管区監査官 矯正就労支援情報センター室長 矯正専門職（人事又は予算に関する事務を担当する者に限る。） 人事係長 予算係長

	地方更生保護委員会	委員長　委員　事務局長　事務局次長　課長　更生保護管理官　調整指導官　指導監査官　首席審査官　統括審査官　分室長　課長補佐（管理）　人事係長　予算係長
	保護観察所	所長　次長　課長　民間活動支援専門官　首席保護観察官　社会復帰対策官　首席社会復帰調整官　統括保護観察官　統括社会復帰調整官　課長補佐（管理）　庶務係長　支部長
出入国在留管理庁	内部部局	長官　次長　審議官　部長　参事官　課長　情報分析官　出入国在留監査指導室長　情報システム管理室長　外国人施策推進室長　難民認定室長　在留管理業務室長　課長補佐（総括）　課長補佐（人事）　課長補佐（予算）　分析官補佐（情報分析官の職務全般についてこれを直接補佐する者に限る。）　法務専門職（人事又は予算に関する事務を担当する者に限る。）　人事係長　予算係長　秘書
	入国者収容所	所長　次長　課長　課長補佐（管理）　人事係長
	地方出入国在留管理局	局長　次長　課長　監理官　審査監理官　首席審査官　課長補佐（管理）　人事係長　庶務係長
	地方出入国在留管理局支局	支局長　次長　課長　監理官　審査監理官　首席審査官
	地方出入国在留管理局出張所	二人以上の首席審査官、統括審査官又は統括入国警備官を置く出張所の長
	地方出入国在留管理局支局出張所	二人以上の首席審査官、統括審査官又は統括入国警備官を置く出張所の長
公安審査委員会	事務局	事務局長　庶務係長
公安調査庁	内部部局	長官　次長　部長　公文書監理官　参事官　課長　公安調査管理官　渉外広報調整官　国際調査企画官　統括調査官（総括）　課長補佐（総括）　課長補佐（管理）　秘書
	公安調査庁研修所	所長
	公安調査局	局長　部長　総務管理官　職員管理官　首席調査官
	公安調査事務所	所長　首席調査官
外務省	内部部局	事務次官　外務審議官　官房長　局長　国際情報統括官　部長　公文書監理官　監察査察官　儀典長　外務報道官　国際文化交流審議官　地球規模課題審議官　審議官　政策立案参事官　サイバーセキュリティ・情報化参事官　参事官　調査官　課長　儀典総括官　国際報道官　国際保健戦略官　社会条約官　国際情報官　危機管理調整室長　監察査察室長　公文書監理室長　外交史料館長　企画官（予算又は職員団体に関する事務を担当する者に限る。）　人事企画官　デジタル化推進室長　福利厚生室長　会計調査官　監査官　予算経理官　調達官　在外保健調整官　現地職員管理官　在外経理官　国内広報室長　戦略的対外発信拠点

		室長　国際文化協力室長　人物交流室長　政策企画室長　国際安全・治安対策協力室長　国際平和・安全保障協力室長　宇宙・海洋安全保障政策室長　経済安全保障政策室長　国連制裁室長　生物・化学兵器禁止条約室長　国際科学協力室長　国際原子力協力室長　地域調整官（人事又は予算に関する事務を担当する者に限る。）　日米地位協定室長　中央アジア・コーカサス室長　官民連携推進室長　資源安全保障室長　欧州連合経済室長　経済協力開発機構室長　サービス貿易室長　民間援助連携室長　開発協力企画室長　事業管理室長　専門機関室長　海洋法室長　国際裁判対策室長　領事サービス室長　ハーグ条約室長　領事デジタル化推進室長　邦人テロ対策室長　課長補佐（総括）　課長補佐（管理）（大臣官房に所属する者に限る。）　人事係長　予算係長　文書係長　庁舎係長　秘書　守衛長
	外務省研修所	所長　副所長　総括指導官　事務主事
	在外公館	総領事　参事官　一等書記官（公館次席に限る。）
財務省	内部部局	事務次官　財務官　官房長　局長　局次長　総括審議官　政策立案総括審議官　公文書監理官　サイバーセキュリティ・情報化審議官　審議官　参事官　課長　厚生管理官　主計官　主計監査官　計画官　経済財政政策調整官　企画官　専門調査官　財務官室長　首席監察官　監察官　人事調査官　企画調整室長　情報公開・個人情報保護室長　公文書監理室長　広報室長　政策評価室長　情報管理室長　業務企画室長　監査室長　管理室長　会計調査官　予算企画専門官　業務調整室長　地方連携推進室長　政策調整室長　安全保障政策室長　総務調整官　機構業務室長　共済総括調整官　主計企画官　主計事務管理室長　会計監査調整室長　法規調査官　会計制度調査官　給与調査官　共済調査官　財政調査官　主税企画官　主税調査官　国際租税総合調整官　事務管理室長　税関考査管理室長　税関考査官（人事、予算又は職員団体に関する事務を担当する者に限る。）　特殊関税調査室長　原産地規則室長　税関調査室長　経済連携室長　知的財産調査室長　調査室長　たばこ塩事業室長　理財調査官　通貨企画調整室長　デジタル通貨企画官　国債企画官　資金企画室長　国債政策情報室長　財政投融資企画官　政府出資室長　国有財産企画官　国有財産有効活用室長　国有財産監査室長　国有財産審理室長　国有財産情報室長　外国為替室長　対外取引管理室長　投資企画審査室長　為替実査室長　資金移転対策室長　国際調整室長　地域協力企画官　資金管理室長　開発企画官　人事企画室長　人事調整室長　総務調整企画室長　人事調整企画室長　課長補佐（総括）　課長補佐（管理）（大臣官房又は関税局

	総務課に所属する者に限る。）　課長補佐（人事計画官補佐（計画官の職務全般についてこれを直接補佐する者に限る。）　人事専門官　評価専門官（人事評価に関する事務を担当する者に限る。）　技術専門官　管理総括専門官　人事係長　予算係長（会計課、地方課又は関税局総務課に所属する者に限る。）　文書係長　庁舎係長　宿舎係長　秘書　人事係員　労働係員　守衛長
税関研修所	所長　副所長　部長　課長
関税中央分析所	所長　総務課長　首席分析官
財務総合政策研究所	所長　副所長　研究総務官　部長　課長
会計センター	所長　次長　部長　総務室長　課長
財務局	局長　部長　部次長　総務管理官　統括法務監査官　首席財務局監察官　財務局監察官　金融商品取引所監理官　金融商品取引所副監理官　金融安定監理官　金融安定副監理官　証券取引等監視官　証券取引等副監視官　証券検査指導官　統括証券検査官　統括証券調査官　統括証券取引審査官　統括証券取引特別調査官　検査監理官　金融監督官　課長　財務広報相談室長　合同庁舎管理官　合同庁舎管理室長　企画調整官（職員団体に関する事務を担当する者に限る。）　人事専門官　上席調査官（主計課長又は主計第一課長の職務全般についてこれを直接補佐する者に限る。）　合同庁舎管理専門官　特別主計実地監査官　統括証券監査官　検査指導官　特別金融証券検査官　統括金融証券検査官　金融調整官　国有財産調整官　特別国有財産管理官　統括国有財産管理官　特別国有財産監査官　統括国有財産監査官　首席国有財産鑑定官　国有財産総括専門官（管財総括第一課長の職務全般についてこれを直接補佐する者に限る。）　上席国有財産管理官（審理第一課長の職務全般についてこれを直接補佐する者に限る。）　課長補佐（管理）　人事係長　予算係長　庁舎係長　人事係員　労働係員
財務支局	支局長　部長　部次長　財務主幹　金融商品取引所監理官　証券取引等監視官　統括証券検査官　検査監理官　金融監督官　課長　財務広報相談室長　合同庁舎管理官　上席調査官（主計課長の職務全般についてこれを直接補佐する者に限る。）　特別主計実地監査官　検査指導官　特別金融証券検査官　統括金融証券検査官　金融調整官　国有財産調整官　統括国有財産管理官　統括国有財産監査官　首席国有財産鑑定官　国有財産総括専門官（管財総括第一課長の職務全般についてこれを直接補佐する者に限る。）　課長補佐（管理）　人事係長　予算係長　庁舎係長　人事係員
財務事務所	所長　次長　課長　統括国有財産管理官　課長補佐

	（管理）（千葉財務事務所総務課、東京財務事務所総務課、横浜財務事務所総務課、京都財務事務所総務課及び神戸財務事務所総務課に所属する者に限る。）　庁舎係長
財務局出張所	所長　課長　統括国有財産管理官　庁舎係長
財務支局出張所	所長　課長　統括国有財産管理官　庁舎係長
財務事務所出張所	所長　課長　統括国有財産管理官（立川出張所、沼津出張所、横須賀出張所、舞鶴出張所又は佐世保出張所に所属する者に限る。）　庁舎係長
税関	税関長　部長　税関情報監理官　部次長　課長　企画調整室長　システム企画調整室長　厚生管理官　総括システム企画調整官　税関考査官　首席税関考査官　税関監察官　首席税関監察官　人事専門官　監視取締センター室長　密輸対策企画室長　麻薬探知犬訓練センター室長　麻薬探知犬管
	理室長　統括監視官　特別監視官　保税地域監督官　税関相談官室長　統括審査官　税関訟務室長　統括分析官　特別分析官　総括関税鑑査官　総括原産地調査官　総括認定事業者管理官　総括知的財産調査官　総括関税評価官　税関訟務官　関税評価官　首席関税評価官　犯則調査センター室長　国際情報センター室長　情報分析室長　経済安全保障情報分析センター室長　情報管理室長　統括調査官　特別関税調査官　統括審理官（審理業務に関する総括事務を行う者に限る。）　特別審理官　総括情報管理官　課長補佐（総括）（各部の部内における庶務に関することを所掌する課に所属する者に限る。）　課長補佐（管理）　会計監査官　人事係長　予算係長　庁舎係長　人事係員　労働係員
沖縄地区税関	税関長　部長　次長　課長　税関考査官　税関監察官　密輸対策企画室長　統括監視官　保税地域監督官
	統括審査官　関税評価官　統括調査官　統括審理官（審理業務に関する総括事務を行う者に限る。）　特別審理官　課長補佐（管理）　会計監査官　人事係長　予算係長　庁舎係長　宿舎係長　人事係員
税関支署	係、主任又は出張所を置く支署の長　次長　課長　特別監視官　統括監視官　特別審理官　統括審理官　統括審査官　課長補佐（管理）
沖縄地区税関支署	支署長　次長　課長　統括監視官　統括審査官
税関出張所	係又は主任を置く出張所の長　次長　課長　統括監視官　統括審査官
沖縄地区税関出張所	係又は主任を置く出張所の長　統括審査官
税関支署出張所	係又は主任を置く出張所の長　統括監視官　統括審査官
国税庁	
内部部局	長官　次長　部長　審議官　国税庁監察官　参事官

	課長　厚生管理官　企画官　監督評価官室長　国税企画官　監督評価官　デジタル化・業務改革企画官　データ活用企画官　相互協議室長　国際企画官　資産評価企画官　鑑定企画官　消費税室長　審理室長　課税企画官　国際課税企画官　酒類業振興・輸出促進室長　国際調査管理官　主任税務相談官　調整室長　情報公開・個人情報保護室長　公文書監理室長　税理士監理室長　広報広聴室長　デジタル化・業務改革室長　データ活用推進室長　法人番号管理室長　軽減税率・インボイス制度対応室長　課長補佐（総括）　課長補佐（管理）　監督評価官補佐　厚生管理官補佐（人事に関する事務を担当する者に限る。）　国税庁監察官補佐　人事係長　予算係長　文書係長　庁舎係長　宿舎係長　秘書　人事係員　労働係員
税務大学校	校長　副校長　教頭　部長　総務課長　課長補佐（管理）　庶務係長
税務大学校地方研修所	所長　主幹　幹事　主任教育官
国税不服審判所	所長　次長　部長審判官　管理室長　管理室長補佐　人事係長
国税不服審判所支部	首席国税審判官　次席国税審判官　部長審判官（次席国税審判官を置かない支部に所属する者に限る。）　課長　支所長（横浜支所、京都支所及び神戸支所に所属する者に限る。）
国税局	局長　情報システム監理官　部長　部次長　酒類監理官　国際監理官　課長　税務相談室長　国税広報広聴室長　統括国税管理官　情報処理管理官　人事調査官　主任国税管理官（統括国税管理官の職務全般についてこれを直接補佐する者に限る。）　鑑定官室長　国税訟務官室長　審理官　資産評価官　企画調整官　統括国税実査官　納税管理官　特別国税徴収官　特別機動国税徴収官　統括国税徴収官　特別国税調査官　統括国税調査官　情報企画分析官　特別国税査察官　統括国税査察官　営繕監理官　総括税務相談官　源泉所得税事務集中処理センター室長　集中電話催告センター室長　査察情報技術解析室長　課長補佐（総括）（各部の部内における庶務に関することを所掌する課に所属する者に限る。）　課長補佐（管理）　人事係長　予算係長　文書係長　庁舎係長　宿舎係長　人事係員　労働係員　守衛長
沖縄国税事務所	所長　次長　課長　統括国税管理官　統括国税徴収官　審理官　主任国税管理官（統括国税管理官の職務全般についてこれを直接補佐する者に限る。）　総括税務相談官　集中電話催告センター室長　課長補佐（管理）　人事係長　予算係長　人事係員
税務署	署長　副署長　課長　統括国税徴収官（担当事務部門を総括する者に限る。）　統括国税調査官（担当事務部門を総括する者に限る。）

		酒類指導官　課長補佐（管理）　庶務係長
文部科学省	内部部局	事務次官　文部科学審議官　官房長　局長　国際統括官　部長　総括審議官　サイバーセキュリティ・政策立案総括審議官　公文書監理官　学習基盤審議官　審議官　参事官　技術参事官　課長　企画官　副長　福利厚生室長　人事企画官　人事調整官　人事評価調整官　人事企画推進官　障害者活躍推進官　働き方改革推進官　広報室長　連絡調整官　情報開示官　個人情報保護専門官　財務分析評価企画官　予算企画調整官　合同庁舎管理専門官　政策推進室長　サイバーセキュリティ・情報化推進室長　国際協力企画室長　契約情報室長　企画調整官　整備計画室長　災害対策企画官　防災・減災企画官　文教施設監理官　主任教育企画調整官　教員免許・研修企画室長　専修学校教育振興室長　地域学校協働推進室長　青少年教育室長　家庭教育支援室長　主任教科書調査官　主任視学官　教育制度改革室長　教育財政室長　教育課程企画室長　情報教育振興室長　外国語教育推進室長　生徒指導室長　幼児教育企画官　特別支援教育企画官　高校修学支援室長　教科書企画官　産業教育振興企画官　高等教育政策室長　大学設置室長　大学入試室長　専門職大学院室長　大学病院支援室長　国立大学戦略室長　私学共済室長　資源室長　評価・研究開発法人支援室長　戦略研究推進室長　人材政策推進室長　研究公正推進室長　競争的研究費調整室長　拠点形成・地域振興室長　研究交流管理官　主任学術調査官　学術企画室長　奨励室長　量子研究推進室長　素粒子・原子核研究推進室長　大学研究力強化室長　資金運用企画室長　企画室長　幹細胞・再生医学研究推進室長　生命倫理・安全対策室長　計算科学技術推進企画官　学術基盤整備企画官　防災科学技術推進室長　地震調査研究企画官　地震調査管理官　深海地球探査企画官　極域科学企画官　核融合開発室長　宇宙利用推進室長　宇宙科学技術推進企画官　核燃料サイクル室長　立地地域対策室長　放射性廃棄物企画室長　国際戦略企画官　人材活用推進官　国際統括官補佐（国際統括官の職務全般についてこれを直接補佐する者に限る。）　参事官補佐（参事官の職務全般についてこれを直接補佐する者に限る。）　課長補佐（総括）　課長補佐（管理）（大臣官房に所属する者に限る。）　室長補佐（福利厚生室長又は広報室長の職務全般についてこれを直接補佐する者に限る。）　専門官（人事課に所属する者に限る。）　人事係長　予算係長　文書係長　庁舎係長　宿舎係長　専門職（人事課に所属する者に限る。）　秘書　人事係員　守衛長
	国立教育政策研究所	所長　次長　部長　センター長　課長　課長補佐（管理）　人事係長

	科学技術・学術政策研究所	所長 総務研究官 総務課長 企画課長 データ解析政策研究室長 科学技術予測・政策基盤調査研究センター長 総括主任研究官 総括上席研究官 課長補佐（管理） 庶務係長
	日本学士院	事務長
スポーツ庁	内部部局	長官 次長 審議官 課長 参事官 企画調整室長 障害者スポーツ振興室長 参事官補佐（総括） 課長補佐（総括） 人事係長 予算係長 人事係員
文化庁	内部部局	長官 次長 文化財鑑査官 審議官 課長 参事官 課長補佐（総括） 課長補佐（管理） 参事官補佐（参事官の職務全般についてこれを直接補佐する者に限る。） 人事係長 秘書人事係員
	日本芸術院	事務長
厚生労働省	内部部局	事務次官 厚生労働審議官 医務技監 官房長 局長 人材開発統括官 政策統括官 部長 総括審議官
		危機管理・医務技術総括審議官 政策立案総括審議官 公文書監理官 サイバーセキュリティ・情報化審議官 医薬産業振興・医療情報審議官 高齢・障害者雇用開発審議官 年金管理審議官 審議官 参事官 課長 労働市場センター業務室長 人事調査官 調査官（人事課又は医療経営支援課に所属する者に限る。） 人事企画官 公文書監理・情報公開室長 広報室長 企画官 監査指導室長 経理室長 管理室長 会計管理官 厚生管理企画官 国際企画・戦略官 災害等危機管理対策室長 研究企画官 医療独立行政法人支援室長 試験免許室長 首席流通指導官 指導調査室長 移植医療対策推進室長 水道計画指導室長 検疫所業務企画調整官 麻薬対策企画官 石綿対策室長 労働条件確保改善対策室長 医療労働企画官 過労死等防止対策企画官 過重労働特別対策室長 主任中央労働基準監察監督官 主任中
		央賃金指導官 労災保険財政数理室長 建設石綿給付金認定等業務室長 主任中央労災補償監察官 労働保険徴収業務室長 職業病認定対策室長 労災保険審理室長 建設安全対策室長 産業保健支援室長 治療と仕事の両立支援室長 電離放射線労働者健康対策室長 化学物質評価室長 環境改善・ばく露対策室長 訓練受講支援室長 公共職業安定所運営企画室長 人材確保支援総合企画室長 首席職業指導官 主任中央職業安定監察官 労働移動支援室長 民間人材サービス推進室長 主任中央雇用保険監察官 労働市場基盤整備室長 主任中央需給調整事業指導官 海外人材受入就労対策室長 国際労働力対策企画官 就労支援室長 建設・港湾対策室長 地域就労支援室長 主任障害者雇用専門官 労働紛争処理業務室長 主任雇用環境・均等監察官 ハラスメント防止対策室長 労働者協同組合業務室長 労働金

庫業務室長　女性支援室長　自立推進・指導監査室長

保護事業室長　成年後見制度利用促進室長　消費生活協同組合業務室長　生活困窮者自立支援室長　中国残留邦人等支援室長　事業推進室長　戦没者遺骨鑑定推進室長　施設管理室長　全国健康保険協会管理室長

保険データ企画室長　保険医療企画調査室長　医療技術評価推進室長　医療指導監査室長　数理企画官　首席年金数理官　システム室長　調査室長　監査室長

会計室長　訓練企画官　特別支援企画官　就労支援訓練企画官　主任職業能力開発指導官　キャリア形成支援企画官　企業内人材開発支援企画官　主任職業能力検定官　海外協力企画官

政策企画官　社会保障財政企画官　政策立案・評価推進官　統計企画調整官　審査解析官　保健統計官　世帯統計官　賃金福祉統計官　統計管理官　情報システム管理官　主任中央産業安全専門官　主任中央労働衛生専門官　書記　会計企画調整室長　職員厚生室長

検疫所管理室長　労働保険審査会事務室長　調査資料室長　戦没者遺骨調査室長　社会保険審査調整室長

保健統計室長　社会統計室長　課長補佐（総括）　課長補佐（管理）（大臣官房、監視指導・麻薬対策課、労働基準局総務課、労災管理課、職業安定局総務課、雇用保険課、雇用環境・均等局総務課、援護企画課又は年金局総務課に所属する者に限る。）　課長補佐（予算）　室長補佐（管理室長、試験免許室長、建設石綿給付金認定等業務室長、公共職業安定所運営企画室長、自立推進・指導監査室長、消費生活協同組合業務室長、生活困窮者自立支援室長、中国孤児等対策室長、事業推進室長、戦没者遺骨鑑定推進室長、システム室長、会計室長、情報化担当参事官室長、厚生管理室長、検疫所管理室長、労働保険審査会事務室長、人材開発統括官付参事官室長、政策統括官付参事官室長、統計・情報総務室長、人口動態・保健社会統計室長、保健統計室長、社会統計室長、世帯統計室長、雇用・賃金福祉統計室長、賃金福祉統計室長又は情報システム管理室長の職務全般についてこれを直接補佐する者及び施設管理室、会計室、地方厚生局管理室、職員厚生室又は統計・情報総務室で人事又は予算に関する事務を担当する者に限る。）　人事管理調整専門官

任用専門官　給与専門官

職員管理専門官　地方人事調整専門官　人事調整専門官　予算専門官　管理専門官　庶務班長　任用班長

企画班長　予算班長　管理班長　総務班長　人事班長　人事係長　予算係長　文書係長　庁舎係長　宿舎係長　秘書　人事係員　労働係員　守衛長

検疫所	所長　次長　総務課長　輸入食品・検疫検査センター長　支所長
国立ハンセ	所長　副所長　統括事務部

（国立ハンセン病療養所）	長 科長 医長 看護部長 総看護師長 副看護部長 副総看護師長 部長 課長 事務長 課長補佐（管理） 事務長補佐（管理） 庶務班長
国立医薬品食品衛生研究所	所長 副所長 企画調整主幹 安全性生物試験研究センター長 部長 課長 課長補佐（管理） 人事係長 庁舎係長
国立保健医療科学院	院長 次長 企画調整主幹 統括研究官 部長 保健医療情報政策研究センター長 保健医療経済評価研究センター長 課長 課長補佐（管理） 施設管理室長 人事係長 庁舎係長
国立社会保障・人口問題研究所	所長 副所長 政策研究調整官 部長 総務課長
国立感染症研究所	所長 副所長 部長 研究企画調整センター長 感染症疫学センター長 エイズ研究センター長 病原体ゲノム解析研究センター長 インフルエンザ・呼吸器系ウイルス研究センター長 薬剤耐性研究センター長 感染症危機管理研究センター長 治療薬・ワクチン開発研究センター長 実地疫学研究センター長 次世代生物学的製剤研究センター長 課長 企画管理調整官 サーベイランス総括研究官 予防接種総括研究官 危機管理総括研究官 検査対応総括研究官 ワクチン開発総括研究官 治療薬開発総括研究官 課長補佐（管理） 施設管理室長 人事係長 庁舎係長
国立感染症研究所支所	支所長 部長 庶務課長
国立障害者リハビリテーションセンター	総長 部長 課長 高次脳機能障害情報・支援センター長 発達障害情報・支援センター長 課長補佐（管理） 人事係長
国立障害者リハビリテーションセンター自立支援局	自立支援局長 部長 課長 教務統括官
国立障害者リハビリテーションセンター自立支援局国立光明寮	寮長 課長
国立障害者リハビリテーションセンター自立支援局国立保養所	所長 課長
国立障害者リハビリテーションセンター自立支援局国立福祉型障害児入所施設	施設長 次長 課長
国立障害者リハビリテーションセンター病院	院長 副院長 部長 障害者健康増進・運動医科学支援センター長 医長 発達障害診療室長 薬剤科長 看護部長
国立障害者リハビリテーションセンター研究所	所長 部長 企画調整官

	所	
	国立障害者リハビリテーションセンター学院	学院長　主幹
	地方厚生局	局長　部長　総務管理官　指導総括管理官　特別指導管理官　部次長　密輸・広域事犯管理官　課長　分室長　総括社会保険審査官　課長補佐（管理）　人事係長　予算係長　庶務係長
	地方厚生局分室	分室長
	九州厚生局沖縄分室	分室長
	四国厚生支局	支局長　部長　総務管理官　指導総括管理官　課長　総括社会保険審査官　課長補佐（管理）　予算係長　庶務係長
	四国厚生支局分室	分室長
	九州厚生局沖縄麻薬取締支所	支所長　課長　調査総務室長
	都道府県労働局	局長　部長　雇用環境・均等室長　課長　労働保険徴収室長　総務調整官　総務企画官　賃金室長　主任需給調整指導官（需給調整事業室の業務を総括する者に限る。）　人事計画官　課長補佐（管理）　人事係長
	労働基準監督署	署長　副署長　課長（人事）（副署長を置かない署で、三以上の課を置く署に所属する者に限る。）　支署長
	公共職業安定所	所長　次長　庶務課長（二以上の課を置く所に所属する者に限る。）　係を置く出張所の長
中央労働委員会	事務局	事務局長　審議官　課長　審査総括官　広報調査室長　審査室長　行政執行法人室長　個別労働関係紛争業務支援室長　課長補佐（管理）　人事係長　予算係長　地方事務所長
農林水産省	内部部局	事務次官　農林水産審議官　官房長　局長　部長　局次長　総括審議官　技術総括審議官　政策立案総括審議官　サイバーセキュリティ・情報化審議官　輸出促進審議官　生産振興審議官　審議官　参事官　報道官　課長　統計企画管理官　保険監理官　調査官（人事、組織、法規、予算又は職員団体に関する事務を担当する者に限る。）　人事調査官　人事企画官　管理官（人事に関する事務を担当する者に限る。）　人事企画調整官　秘書専門官　企画官（秘書課に所属する者並びに畜産局総務課に所属する者のうち人事及び予算に関する事務を担当する者に限る。）　任用専門官　給与専門官　人事評価専門官　監査官（秘書課に所属する者に限る。）　法令審査官　予算調査官　経理調査官　予算決算管理官　施設管理専門官（宿舎に関する事務を担当する者に限る。）　技術政策室長　食料安全保障室長　広報室長　報道室長　情報管理室長　情報分析室長　災害

	総合対策室長　地球環境対策室長　再生可能エネルギー室長　持続的食料システム調整官　ファイナンス室長　商品取引室長　新事業・食品産業調査官　卸売市場室長　食品企業行動室長　基準認証室長　食品ロス・リサイクル対策室長　食文化室長　統計品質向上室長　総務・会計専門官　センサス統計室長　消費統計室長　審査室長　行政監察室長　会計監査室長　検査調整官　上席検査官　米穀流通・食品表示監視室長　食品安全科学室長　国際基準室長　食品安全危機管理官　農薬対策室長　飼料安全・薬事室長　水産安全室長　防疫対策室長　国際室長　家畜防疫対策室長　国際衛生対策室長　国際政策室長　国際連絡調整官　輸出戦略調査官　輸出連携推進調査官　輸出産地形成室長　輸出環境整備室長　海外連携推進室長　国際交渉官　上席国際交渉官　地理的表示保護推進室長　種苗室長　生産推進室長　会計室長　米麦流通加工対策室長　園芸流通加工対策室長　花き産業・施設園芸振興室長　地域対策官　米穀貿易企画室長　水田農業対策室長　米麦品質保証室長　生産資材対策室長　肥料調整官　畜産総合推進室長　畜産経営安定対策室長　畜産技術室長　家畜遺伝資源管理保護室長　畜産危機管理官　流通飼料対策室長　食肉需給対策室長　調整室長　担い手総合対策室長　経営安定対策室長　農地集積・集約化促進室長　女性活躍推進室長　経営・組織対策室長　農業経営収入保険室長　農村政策推進室長　都市農業室長　中山間地域・日本型直接支払室長　農泊推進室長　農福連携推進室長　鳥獣対策室長　農村環境対策室長　計画調整室長　施工企画調整室長　海外土地改良技術室長　農業用水対策室長　施設保全管理室長　経営体育成基盤整備推進室長　多面的機能支払推進室長　防災・減災対策室長　災害対策室長
	課長補佐（総括）　課長補佐（管理）（大臣官房、消費　安全局総務課、食品安全政策課、輸出・国際局総務課、国際地域課、国際経済課、農産局総務課、畜産局総務課、畜産振興課、経営局総務課、協同組織課又は農村振興局総務課に所属する者に限る。）　統計企画管理官補佐（統計企画管理官の職務全般についてこれを直接補佐する者並びに人事及び予算に関する事務を担当する者に限る。）　保険監理官補佐（保険監理官の職務全般についてこれを直接補佐する者に限る。）　人事係長　予算係長　文書係長　庁舎係長　宿舎係長　秘書　人事係員　労働係員　守衛長
植物防疫所及び那覇植物防疫事務所	所長　部長　統括植物検疫官　統括調査官　統括同定官　課長　管理官　課長補佐（管理）　人事係長
植物防疫所支所	支所長　次長　統括植物検疫官　課長　課長補佐（管理）

	動物検疫所	所長　部長　課長　課長補佐（管理）　人事係長
	動物検疫所支所	支所長　次長　課長　課長補佐（管理）
	農林水産技術会議事務局	事務局長　研究総務官　課長　国際研究官　研究統括官　研究開発官　研究調整官　国際研究専門官（国際研究官の職務全般についてこれを直接補佐する者に限る。）　研究専門官（研究開発官の職務全般についてこれを直接補佐する者に限る。）　管理官　イノベーション戦略室長　産学連携室長　筑波産学連携支援センター長　課長補佐（総括）　課長補佐（管理）　筑波産学連携支援センターの課長及び課長補佐（管理）　人事係長　予算係長　文書係長　庁舎係長
	動物医薬品検査所	所長　企画連絡室長　部長　課長　科長　課長補佐（管理）　庁舎係長　人事係長
	農林水産研修所	所長　副所長　課長　研修調整官
	農林水産政策研究所	所長　次長　企画広報室長　課長　総括上席研究官　政策研究調整官　課長補佐（管理）　人事係長
	地方農政局	局長　次長　部長　地方参事官　企画調整室長　調整官（企画調整室長の職務全般についてこれを直接補佐する者に限る。）　総務管理官　課長　事業経理官　管理官（総務課又は中国四国農政局会計課に所属する者に限る。）　国有財産管理・調達室長　会計専門官（予算に関する事務を担当する者に限る。）　消費・安全調整官　消費・安全管理官　農産政策調整官　経営政策調整官　事業管理調整官　洪水調節機能強化対策官　多面的機能支払推進室長　課長補佐（総括）　課長補佐（管理）　農政推進官（人事に関する事務を担当する者に限る。）　主任農政推進官（人事に関する事務を担当する者に限る。）　総括農政推進官　総括広域監視官　総括農政業務管理官　総括統計専門官　人事係長　予算係長　庁舎係長　宿舎係長　人事係員
	地方農政局の事務所及び事業所	所長　次長　課長　支所長
	地方農政局の事務所又は事業所の建設所	所長　課長
	北海道農政事務所	所長　次長　地方参事官　地方調整官　企画調整室長　部長　総務管理官　課長　調整官　管理官　特別会計室長　食品企業調整官　農産政策調整官　消費・安全管理官　総括統計官　課長補佐（管理）　農政推進官（人事に関する事務を担当する者に限る。）　主任農政推進官（人事に関する事務を担当する者に限る。）　総括農政推進官　会計専門官（予算に関する事務を担当する者に限る。）　総括農政業務管理官　総括広域監視官　総括統計専門官　人事係長
林野庁	内部部局	長官　次長　部長　課長

		監査室長　管理官（人事又は予算に関する事務を担当する者に限る。）　林業労働・経営対策室長　特用林産対策室長　木材製品技術室長　木材貿易対策室長　施工企画調整室長　海外林業協力室長　首席森林計画官　森林集積推進室長　山村振興・緑化推進室長　森林保全推進官　森林吸収源情報管理官　造林間伐対策室長　森林資源循環施業推進官　山地災害対策室長　保安林・盛土対策室長　技術開発推進室長　森林保護対策室長　放射性物質影響評価官　森林・林業技術者育成対策官　福利厚生室長　企画官（人事又は予算に関する事務を担当する者に限る。）　国有林野総合利用推進室長　国有林野生態系保全室長　国有林野管理室長　技術開発調査官　課長補佐（総括）　課長補佐（管理）　人事係長　予算係長　庁舎係長　秘書
	森林技術総合研修所	所長　課長　首席教務指導官　林業機械化センター所長
	森林管理局	局長　次長　部長　業務管理官　課長　企画官（人事に関する事務を担当する者、森林管理事務所長、事務所の所長及び副所長、治山センター所長並びに総合治山事業所長に限る。）　森林生態系保全センター所長（知床森林生態系保全センター、藤里森林生態系保全センター又は屋久島森林生態系保全センターに所属する者に限る。）　調査官　森林技術・支援センター所長　上席自然再生指導官（高尾森林ふれあい推進センター所長に限る。）　総括事務管理官　調整官　森林放射性物質汚染対策センターの所長及び副所長　課長補佐（総括）　課長補佐（管理）　人事係長
	森林管理署	署長　次長　総括事務管理官
	森林管理署支署	支署長　総括事務管理官
水産庁	内部部局	長官　次長　部長　審議官　参事官　課長　漁業保険管理官　船舶管理室長　管理官　船員管理官　水産業体質強化推進室長　指導室長　水産流通適正化推進室長　水産物貿易対策室長　資源管理推進室長　沿岸・遊漁室長　捕鯨室長　かつお・まぐろ漁業室長　海外漁業協力室長　外国漁船対策室長　海洋技術室長　生態系保全室長　内水面漁業振興室長　水産施設災害対策室長　漁業保険管理官の職務全般についてこれを直接補佐する職員　課長補佐（総括）　課長補佐（管理）　人事係長　予算係長　文書係長　庁舎係長　秘書　人事係員　船長等（一等航海士については、勤務時間の管理に関する事務を担当する者に限る。）
	漁業調整事務所	所長　次長　課長
経済産業省	内部部局	事務次官　経済産業審議官　官房長　局長　部長　総括審議官　政策立案総括審議官　公文書監理官　サイバーセキュリティ・情報化審議官　地域経済産業審議

	官　技術総括・保安審議官　商務・サービス審議官　原子力事故災害対処審議官　審議官　参事官　課長　人事企画官　人事審査官　公文書監理室長　広報室長　政策企画官　企画官　国会事務連絡調整官　業務管理官　海外広報官　文書管理官　厚生企画室長　経理審査官　監査官　厚生審査官　情報システム室長　統括経済産業調査官　経済産業調査官　統計企画調査官　企業財務室長　経済社会政策室長　知的財産政策室長　新規事業創造推進室長　地方調査企画官　統括地域活性化企画官　工業用水道計画官　通商戦略室長　東アジア経済統合企画官　アフリカ室長　南西アジア室長　韓国室長　統括通商調査官　資金協力室長　原産地証明室長　農水産室長　特殊関税等調査室長　情報調査室長　技術調査室長　国際投資管理室長　経済安全保障国際戦略企画官　統括安全保障貿易審査官　技術政策企画室長　国際室
	長　技術戦略企画官　大学連携推進室長　計量行政室長　地球環境対策室長　環境経済室長　エネルギー・環境イノベーション戦略室長　環境技術戦略企画官　環境管理推進室長　国際資源循環管理官　化学物質安全室長　化学兵器・麻薬原料等規制対策室長　化学物質管理企画官　化学物質リスク評価企画官　アルコール室長　ロボット政策室長　宇宙産業室長　デジタル取引環境整備室長　国際サイバーセキュリティ企画官　デジタル高度化推進室長　ソフトウェア・情報サービス戦略室長　サービス産業室長　教育産業室長　消費経済企画室長　消費者相談室長　商取引検査室長　産業保安企画室長　高圧ガス保安室長　ガス安全室長　企画調査官　管理審査専門職　業務管理室長　課長補佐（総括）　課長補佐（管理）（大臣官房に所属する者に限る。）　課長補佐（予算）　室長補佐（広報室長、企業財務室長、経済社会政策室長、知的財産政策室長、技術政策企画室長、国際室長、大学連携推進室長、計量行政室長、地球環境対策室長、環境経済室長、エネルギー・環境イノベーション戦略室長、環境管理推進室長、化学物質安全室長、化学兵器・麻薬原料等規制対策室長、アルコール室長又は宇宙産業室長の職務全般についてこれを直接補佐する者に限る。）　参事官補佐（参事官の職務全般についてこれを直接補佐する者に限る。）　人事専門職　予算決算専門職　人事係長　予算係長　文書係長　庁舎係長　宿舎係長　秘書　守衛長
電力・ガス取引監視等委員会事務局	事務局長　課長　統括ネットワーク事業管理官　課長補佐（総括）
経済産業研修所	所長　次長　課長　課長補佐（管理）　庶務係長
経済産業局	局長　部長　部次長　国際化調整企画官　電源開発調整官　課長　参事官　地域

		エネルギー振興企画官 課長補佐（総括）（各部の部内における庶務に関することを所掌する課に所属する者に限る。） 課長補佐（管理） 人事係長 予算係長 文書係長 庁舎係長 人事係員
	経済産業局支局	支局長 電源開発調整官 課長 参事官 課長補佐（管理） 庶務係長
	通商事務所	所長 総務課長
	産業保安監督部	部長 産業保安監督管理官 管理課長 課長補佐（管理） 人事係長 庶務係長
	那覇産業保安監督事務所	所長 課長補佐（管理） 庶務係長
	産業保安監督部支部	支部長 管理課長 課長補佐（管理） 人事係長 庶務係長
	産業保安監督署	署長
資源エネルギー庁	内部部局	長官 次長 部長 課長 会計室長 戦略企画室長 政策企画官 業務管理官 予算管理官 海洋資源開発企画官 液化天然ガス企画官 燃料流通政策室長 ガス市場整備室長 電力需給・流通政策室長 原子力国際協力推進室長 原子力発電所事故収束対応室長 核燃料サイクル産業立地企画官 原子力発電立地企画官 放射性廃棄物対策企画官 課長補佐（総括） 課長補佐（管理） 人事専門職 会計専門職 予算決算専門職 人事係長 予算係長 秘書
特許庁	内部部局	長官 特許技監 部長 課長 審査長 審判長 審査監理官 調査官 制度審議室長 情報技術統括室長 業務管理企画官 会計調査官 厚生管理官 方式審査室長 登録室長 国際出願室長 国際意匠・商標出願室長 特許行政サービス室長 審査推進室長 審査基準室長 特許侵害業務室長 課長補佐（総括） 課長補佐（管理） 課長補佐（人事） 室長補佐（情報技術統括室長、登録室長、国際出願室長又は審査推進室長の職務全般についてこれを直接補佐する者に限る。） 人事専門職 会計専門職 人事係長 予算係長 文書係長 庁舎係長 秘書
中小企業庁	内部部局	長官 次長 部長 課長 政策企画官 企画官 業務管理官 中小企業金融検査室長 調査室長 経営安定対策室長 統括官 公需対策官 統括下請代金検査官 海外展開支援室長 広報相談室長 新事業促進企画調整官 課長補佐（総括） 課長補佐（管理） 人事専門職 人事係長 予算係長 秘書
国土交通省	内部部局	事務次官 技監 国土交通審議官 官房長 局長 政策統括官 国際統括官 部長 局次長 総括審議官 技術総括審議官 政策立案総括審議官 公共交通政策審議官 土地政策審議官 危機管理・運輸安全政策審議官 海外プロジェクト審議官 公文書監理官 政策評価審議官 サイバーセキュリティ・情報化審議官

審議官　技術審議官　参事官　技術参事官　課長　危機管理官　運輸安全監理官　計画官　特別地域振興官　流域管理官　安全監理官　政策評価官　総括監察官　上席監察官　監察官　調査官　技術調査官　企画官　企画調整官（大臣官房人事課に所属する者、運輸安全監理官の職務全般についてこれを直接補佐する者及び北海道局に所属する者に限る。）人事調整官　人事調査官　公文書監理・情報公開室長　地方企画調整官　総務調整官　公共事業予算執行管理室長　監査室長　契約制度管理室長　会計管理官　予算調整官　施設管理専門官　共済管理官　技術企画官　政策企画官　交通バリアフリー政策室長　都市企画調整官　河川企画調整官　道路企画調整官　住宅企画調整官　保障事業室長　自動車登録管理企画室長　安全技術調査官　企画室長（海事局総務課に所属する者に限る。）首席海技試験官　次席海技試験官　首席運航労務監理官　労働環境対策室長　国際業務調整官　船員教育室長　職員管理室長　調整官（港湾局総務課に所属する者に限る。）計画企画官　建設企画室長　技術監理室長　技術企画調整官　管財補給管理室長　空港保安防災企画室長　空港保安防災教育訓練センター所長　首席運航審査官　首席航空機検査官　首席整備審査官　首席航空従事者試験官　首席設計審査官　管制情報処理システム室長　システム開発評価・危機管理センター所長　首席開発評価管理官　航空情報センター所長　先任航空情報管理管制運航情報官　飛行検査センター所長　首席飛行検査官　次席飛行検査官　航空灯火・電気技術室長　技術管理センター所長　性能評価センター所長　先任技術管理航空管制技術官　先任性能評価航空管制技術官　アイヌ政策調整官　開発専門官（予算又は職員団体に関する事務を担当する者に限る。）

アイヌ政策室長　経理指導官　事業計画調整官　計画推進企画官　企画専門官（人事、予算、法令又は機構に関する事務を担当する者に限る。）課長補佐（総括）課長補佐（管理）（大臣官房、水管理・国土保全局総務課、水資源政策課、道路局総務課、物流・自動車局安全政策課、海事局総務課、海技課、港湾局総務課又は北海道局総務課に所属する者に限る。）課長補佐（人事）課長補佐（予算）課長補佐（大臣官房参事官、技術監理室長又は航空灯火・電気技術室長の職務全般についてこれを直接補佐する者に限る。）専門官（人事、予算、法令又は機構に関する事務を担当する者に限る。）予算専門官　人事係長　予算係長　文書係長　庁舎係長　宿舎係長　秘書　人事係員　労働係員　守衛長

国土交通政策研究所	所長　副所長　研究調整官　総括主任研究官　総務課長

国土技術政策総合研究所	所長　副所長　研究総務官　部長　センター長　調査官　福利厚生官　課長（人事）　総務課長　会計課長　企画課長　研究評価・推進課長　施設課長　管理課長　総務管理官　室長（企画部、管理調整部、下水道研究部、河川研究部、土砂災害研究部、道路交通研究部及び道路構造物研究部の室長並びに建築研究部、住宅研究部及び都市研究部の部長を直接補佐し、部の事務の連絡調整に関する事務を担当する室長に限る。）　サイバーセキュリティ対策・情報利活用推進官　センターの室長　建設専門官（職員団体に関する事務を担当する者に限る。）　課長補佐（管理）　人事係長　予算係長　庁舎係長　宿舎係長　人事係員
国土交通大学校	校長　副校長　部長　総務課長　教務課長　建設専門官　企画調整官　柏研修センターの総務課長　課長補佐（管理）　人事係長　庁舎係長
航空保安大学校	校長　教頭　事務局長　総務課長　会計課長　岩沼研修センター所長　岩沼研修センターの首席教官及び総務課長　課長補佐（管理）　人事係長
国土地理院	院長　参事官　監査官　適正業務管理官　統括測量・防災官　部長　測地観測センター長　地理地殻活動研究センター長　課長　広報広聴室長　防災推進室長　地図情報技術開発室長　地殻変動研究室長　宇宙測地研究室長　地理情報解析研究室長　調整官　調査官　人事計画官　予算調整官　福利厚生官　技術政策企画官　建設専門官（職員団体又は庁舎管理に関する事務を担当する者に限る。）　課長補佐（総括）　課長補佐（管理）　人事係長　予算係長　庁舎係長　人事係員　労働係員
地方測量部	部長　次長　課長
国土地理院支所	支所長
小笠原総合事務所	所長　次長　課長　専門調査官　課長補佐（管理）
海難審判所	所長　課長
地方海難審判所	所長　書記官
門司地方海難審判所那覇支所	支所長　書記官
地方整備局	局長　副局長　次長　部長　主任監査官　入札契約監査官　監査官　広報広聴対策官　適正業務管理官　統括防災官　総括防災調整官　防災管理官　防災室長　災害対策マネジメント室長　総括調整官　調査官　人事計画官　人事企画官　予算調整官　福利厚生官　企画調整官　企画調査官　技術企画官　環境調整官　技術調整管理官　建設産業調整官　都市調整官　公園調整官　住宅調整官　河川調査官　道路企画官　道路調査官　港湾空港企画官　計画企画官　事業計画官　港湾危機管理官　事業継続計画官　港政調整官　港湾高

	度利用調整官　東京国際空港対策官　補償管理官　営繕特別事業管理官　営繕調査官　営繕調整官　用地調整官　用地調査官　課長　水災害予報センター長　水災害対策センター長　クルーズ振興・港湾物流企画室長　工事安全推進室長　品質確保室長　首都圏臨海防災センター長　近畿圏臨海防災センター長　保全指導・監督室長　建設専門官（人事又は職員団体に関する事務を担当する者に限る。）　課長補佐（総括）（各部の部内における庶務に関することを所掌する課に所属する者に限る。）　課長補佐（管理）　専門官（人事課に所属する者に限る。）　人事係長　予算係長　庁舎係長　宿舎係長　専門員（人事又は予算に関する事務を担当する者に限る。）　人事係員　労働係員
地方整備局の事務所	所長　センター長　副所長　課長　建設専門官（人事又は職員団体に関する事務を担当する者に限る。）　統括建設管理官　保全指導・監督官室長　専門官（人事又は職員団体に関する事務を担当する者に限る。）　専門調査官（人事又は職員団体に関する事務を担当する者に限る。）　人事係長　庶務係長　船長等
地方整備局又は事務所の出張所	出張所長
北海道開発局	局長　次長　部長　首席監察官　入札契約監察官　監察官　監査官　部次長　調整官　課長　室長　開発調査官（人事に関する事務を担当する者に限る。）　適正業務管理官　総務企画官　人事対策官　人事企画官　会計指導官　会計企画官　福利厚生管理官　職員企画官　開発企画官（予算に関する事務を担任する者に限る。）　象徴空間施設管理官　道路交通管理官　営繕品質調査官　開発専門官（人事に関する事務を担当する者に限る。）　課長補佐（総括）　課長補佐（管理）　監察官補佐　監査官補佐　営繕品質調査官補佐　入札契約監察専門官　監察専門官　上席専門官（人事、組織、予算、職員団体又は庁舎管理に関する事務を担当する者に限る。）　専門官（人事、組織又は職員団体に関する事務を担当する者に限る。）　開発専門職（人事、組織又は職員団体に関する事務を担当する者に限る。）
開発建設部	部長　次長　事業調整官　調査官　技術管理官　課長　広報官　空港対策官　農業環境保全対策官　特定業務対策官　建設監督官（地域振興対策官並びに事業所の長及び副長に限る。）　課長補佐（管理）　道路設計管理官　道路施工保全官（人事に関する事務を担当する者に限る。）　土地改良情報対策官　上席総務専門官（人事、職員団体又は庁舎管理に関する事務を担当する者に限る。）　総務専門官（人事、職員団体又は庁舎管理に関する事務を担当する者に限る。）　合同庁舎管理官　上席経理専門官（予算に関する事務を担当

		する者に限る。） 人事係員 労働係員
	開発建設部の事務所	所長 副所長 課長 支所長
	地方運輸局	局長 次長 部長 部次長 課長 首席鉄道安全監査官 首席自動車監査官 首席運航労務監理官 首席海事技術専門官 首席海技試験官 首席外国船舶監督官 課長補佐（管理） 専門官（人事課に所属する者に限る。） 人事係長
	運輸監理部	運輸監理部長 部長 部次長 企画調整官 課長 首席運航労務監理官 首席海事技術専門官 首席海技試験官 首席外国船舶監督官 首席運輸企画専門官 首席陸運技術専門官 課長補佐（管理） 専門官（人事課に所属する者に限る。） 人事係長 庶務係長
	運輸支局	支局長 次長 首席運輸企画専門官（人事に関する事務を担当する者に限る。） 運輸企画専門官（人事に関する事務を担当する者に限
		る。）
	自動車検査登録事務所	所長 首席運輸企画専門官
	海事事務所	所長 次長 首席運輸企画専門官（人事に関する事務を担当する者に限る。）
	地方航空局	局長 次長 部長 適正業務管理官 安全管理官 統括空港連携調整官 空港連携調整官 技術管理官 部次長 課長 空港経営改革調整官 地域振興・環境調整官 先任航空事業安全監督官 先任運航審査官 先任航空機検査官 先任整備審査官 先任航空従事者試験官 課長補佐（管理） 専門官（人事課に所属する者に限る。） 人事係長
	空港事務所	所長 次長 総務調整官 広域空港管理官 運航効率化推進官 システム運用管理官 部長 課長（人事） 会計課長 空港保安課長 空港保安防災課長 先任航空管制運航情報官 先任航空管制官 先任航空管制技術官 課長補佐（管理）
		人事係長
	空港出張所	所長
	空港・航空路監視レーダー事務所	所長 次長 管理課長 先任航空管制官 先任航空管制技術官
	航空交通管制部	部長 次長 総務管理官 先任航空交通管理管制官 先任航空交通管理管制運航情報官 先任航空交通管理管制技術官 先任航空管制官 先任航空管制技術官 総務課長 会計課長 課長補佐（管理） 人事係長 守衛長
観光庁	内部部局	長官 次長 部長 参事官 課長 調整室長 課長補佐（総括） 課長補佐（人事）
気象庁	内部部局	長官 次長 気象防災監 部長 参事官 課長 経理管理官 国際・航空気象管理官 広報室長 業務評価室長 調達管理室長 施設物品管理室長 厚生管理室長 人事企画官 防災企画室長 地域防災企画室長 技術開発推進室長 国際室

		長　航空気象管理室長　情報技術推進室長　気象ビジネス支援企画室長　システム運用室長　データネットワーク管理室長　気象技術開発室長　観測船運用管理官　航空予報室長　気象監視・警報センター所長　海洋気象情報室長　地震情報企画官　火山対策官　地震津波防災推進室長　地震津波監視・警報センター所長　火山防災推進室長　火山監視・警報センター所長 庁舎管理官　企画調整官　課長補佐（総括）　課長補佐（管理）　課長補佐（人事）　課長補佐（経理管理官、調達管理室長、施設物品管理室長、国際室長、航空気象管理室長、情報技術推進室長、システム運用室長、データネットワーク管理室長、気象技術開発室長　航空予報室長、気象監視・警報センター所長又は海洋気象情報室長の職務全般についてこれを直接補佐する者、経理管理官を補佐し、予算又は監査に関する事務を担当する者及び調達
		管理室で予算に関する事務を担当する者に限る。）　調査官（人事、法規、予算又は職員団体に関する事務を担当する者に限る。）　人事係長　予算係長　文書係長　庁舎係長　秘書　人事係員　労働係員　船長等
	気象研究所	所長　研究総務官　研究連携戦略官　部長　企画室長　課長　課長補佐（管理）　調査官（総務課に所属する者に限る。）　人事係長　庁舎係長
	気象衛星センター	所長　部長　課長　衛星データ品質管理官　情報セキュリティ管理官　課長補佐（管理）　調査官（総務課に所属する者に限る。）　人事係長　庁舎係長
	高層気象台	台長　課長　庶務係長
	地磁気観測所	所長　課長　庶務係長
	気象大学校	校長　教頭　総務課長　庶務係長
	管区気象台	台長　部長　防災調整官
		危機管理調整官　情報セキュリティ管理官　部次長　気象防災情報調整官　地震情報官　火山防災情報調整官　気候変動・海洋情報調整官　地震津波火山防災情報調整官　課長　地域火山監視・警報センター所長　課長補佐（管理）　調査官（職員団体に関する事務を担当する者に限る。）　人事係長　庁舎係長　人事係員
	沖縄気象台	台長　次長　防災調整官　危機管理調整官　情報セキュリティ管理官　気象防災情報調整官　地震津波火山防災情報調整官　気候変動・海洋情報調整官　課長　課長補佐（管理）　調査官（職員団体に関する事務を担当する者に限る。）　人事係長　庁舎係長　人事係員
	地方気象台	台長　次長　業務・危機管理官　業務管理官
	測候所	所長　次長　業務管理官
運輸安全委員会	事務局	事務局長　審議官　課長　参事官　首席航空事故調査

		官　首席鉄道事故調査官　首席船舶事故調査官　会計室長　課長補佐（管理）　課長補佐（人事）　課長補佐（予算）　人事係長　予算係長
	事務局の地方事務所	所長　事故調査調整官
環境省	内部部局	事務次官　地球環境審議官　官房長　局長　総合環境政策統括官　部長　局次長　政策立案総括審議官　公文書監理官　サイバーセキュリティ・情報化審議官　地域脱炭素推進審議官　審議官　課長　参事官　地方環境室長　調査官　広報室長　企画評価・政策プロモーション室長　環境研究技術室長　環境教育推進室長　市場メカニズム室長　環境影響審査室長　保健業務室長　特殊疾病対策室長　石綿健康被害対策室長　化学物質審査室長　脱炭素社会移行推進室長　気候変動適応室長　地球温暖化対策事業室長　脱炭素ビジネス推進室長　フロン対策室長　気候変動国際交渉室長　環境汚染対策室長　農薬環境管理室長　脱炭素モビリティ事業室長　海域環境管理室長　国民公園管理事務所長　千鳥ケ淵戦没者墓苑管理事務所長　生物多様性センター長　生物多様性戦略推進室長　国立公園利用推進室長　鳥獣保護管理室長　希少種保全推進室長　循環型社会推進室長　リサイクル推進室長　浄化槽推進室長　放射性物質汚染廃棄物対策室長　課長補佐（総括）　課長補佐（管理）（大臣官房、地球環境局総務課、水・大気環境局総務課、自然環境局総務課又は環境再生・資源循環局総務課に所属する者に限る。）　国民公園管理事務所の次長、分室長、総括調整官及び庶務科長　人事係長　予算係長　庁舎係長　秘書
	環境調査研修所	次長　庶務課長　国立水俣病総合研究センター所長　国立水俣病総合研究センターの次長及び総務課長
	地方環境事務所	所長　次長　保全統括官　部長　地域脱炭素創生室長　課長　統括環境保全企画官　支所長　課長補佐（管理）　人事係長
原子力規制委員会	原子力規制庁	長官　次長　原子力規制技監　部長　緊急事態対策監　核物質・放射線総括審議官　審議官　公文書監理官　政策立案参事官　サイバーセキュリティ・情報化参事官　課長　参事官　安全技術管理官　安全規制管理官　監査・業務改善推進室長　広報室長　国際室長　事故対処室長　法令審査室長　企画官（人事に関する事務を担当する者に限る。）　企画調査官（人事に関する事務を担当する者に限る。）　保障措置室長　放射線環境対策室長　火災対策室長　検査評価室長　課長補佐（総括）　課長補佐（管理）　参事官補佐（参事官の職務全般についてこれを直接補佐する者及び人事又は予算に関する事務を担当する者に限る。）　管理官補佐（安全規制管理官の職務全般についてこれを直接補佐する者に限る。）　服務

		専門職　給与専門職　人事係長　予算係長　庶務係長
	原子力安全人材育成センター	副所長　課長　課長補佐（総括）
防衛省	内部部局	課長　安全衛生室長　企画官　労務調整官
人事院	事務総局	事務総長　局長　総括審議官　局次長　審議官　公文書監理官　サイバーセキュリティ・情報化審議官　職員団体審議官　試験審議官　課長　政策立案参事官　参事官　公文書監理室長　情報管理室長　広報室長　法制調査室長　能率厚生管理室長　勤務時間調査・指導室長　健康安全対策推進室長　監査室長　首席試験専門官　人材確保対策室長　派遣研修室長　企画室長　法人給与調査室長　地域手当調整室長　首席審理官　職員相談業務室長　人事評価苦情調整室長　企画官　調査職　総合調整官　国会連絡主幹　人事企画官　上席経理監査官　上席国際専門官　上席災害補償専門官　次席試験専門官　上席情報統計官　企画調整官　生涯設計企画官　企画法制官　次席審理官　課長補佐（総括）　課長補佐（管理）（総務課、企画法制課、人事課又は会計課に所属する者に限る。）　首席試験専門官補佐　主任法令審査官　人事係長　庁舎係長　秘書　守衛長
	公務員研修所	所長　副所長　部長　総務課長
	地方事務局	局長　課長
	沖縄事務所	所長　課長
	国家公務員倫理審査会事務局	事務局長　参事官
会計検査院	事務総局	事務総長　事務総局次長　局長　総括審議官　公文書監理官　サイバーセキュリティ・情報化審議官　審議官　課長　上席検定調査官　上席企画調査官　厚生管理官　上席情報システム調査官　能力開発官　技術参事官　上席調査官　監理官　渉外広報室長　企画調整室長　人事企画官　監察官　国際業務室長　会計管理官　情報公開・個人情報保護室長　公文書監理室長　検査支援室長　会計検査院情報公開・個人情報保護審査会事務室長　研修室長　公会計監査連携室長　資料情報管理室長　決算監理室長　金融検査室長　公会計検査室長　復興検査室長　経済協力検査室長　租税統括検査室長　厚生労働統括検査室長　原価検査室長　国土交通統括検査室長　文部科学統括検査室長　農林水産統括検査室長　情報通信検査室長　法人財務検査室長　課長補佐（総括）　課長補佐（管理）（人事課又は会計課に所属する者及び厚生管理官を補佐する者に限る。）　能力開発官の職務全般についてこれを直接補佐する職員　検定調査官（総括副長に限る。）　企画調査官（総括副長に限る。）　情報システム調査官（総括副長に限る。）　調査官（総括副長に限る。）　人事

専門官　人事係長　庁舎係長　秘書　労働係員　守衛長

備考

1 この表の職員欄に掲げる職員は、法律若しくは政令で設置されている官職又は府令、省令、人事院規則、会計検査院規則その他組織に関する定めにより令和五年十一月三十日において設置されていた官職を占めている職員とする。

2 この表中次に掲げる用語については、次の定義に従うものとする。

一 課長（人事） 部内の人事に関する事務を担当する課の長をいう。

二 課長補佐（総括） 課若しくは課に準ずる室の長又は厚生管理官の職務について全般的にこれらを補佐する課長補佐（課若しくは課に準ずる室の長又は厚生管理官を直接補佐する職員であって、係（課、室、所、署等を構成する最小単位の組織で職員二名以上をもって構成し、恒常的な所掌事務を有するものをいう。以下同じ。）の長又はこれに準ずる職員を監督する地位にある者をいう。以下同じ。）をいう。

三 課長補佐（管理） 部内の人事、組織、定員、経理、文書の審査、庁舎又は宿舎に関する事務を主として担当する課長補佐をいう。

四 課長補佐（人事） 局、部又は二以上の出先機関の職員の人事に関する事務を主として担当する課長補佐をいう。

五 課長補佐（予算） 二以上の出先機関の予算に関する事務を主として担当する課長補佐をいう。

六 人事係長 部内職員の任用、昇格、昇給、保健、レクリエーション、安全、厚生、分限、懲戒、苦情処理若しくは服務に関する事務、部内の職員団体との関係に関する事務（以下「労働関係事務」という。）、部内の組織に関する事務若しくは部内の定員配置に関する事務を専ら担当する係又はこれらの事務を主として担当するほか、部内職員の人事記録、試験、給与の支払、人事評価、研修、災害補償その他人事に関する事務を担当する係の長をいう。

七 予算係長 予算に関する事務を専ら担当する係又はこれらの事務を主として担当するほか、その他の経理に関する事務を担当する係の長をいう。

八 文書係長 部内の人事、組織、職務の分掌、庁舎の管理等に関する規程案の審査に関する事務を主として担当する係の長をいう。ただし、字句の審査のみを担当する者を除く。

九 庁舎係長 主として庁舎の管理又は警備を担当する係（庁内の取締りを担当しないものを除く。）の長をいう。

十 宿舎係長 職員の宿舎に関する事務を専ら担当する係（部内職員に対する宿舎の割当に関する事務を担当しないものを除く。）の長をいう。

十一 庶務係長 人事係長の所掌事務と同様の事務を担当するほか、庶務に関することを担当する係の長をいう。

十二 秘書 大臣、副大臣、政務官、事務次官若しくは外局の長官又はこれらに相当する者の秘書事務を担当する職員のうち監督的地位にある者をいう。

十三 人事係員 主として部内職員の任用、昇格若しくは昇給又は労働関係事務についてその企画に関する事務を担当する上席係員をいう。

十四 労働係員 主として労働関係事務を担当する職員をいう。ただし、文書の謄写、浄書等の単純な事務のみを担当する者を除く。

十五 守衛長 守衛（庁舎又は構内の警備に従事する職員をいう。）のうち監督的地位にある者をいう。

十六 船長等 人事院規則九―八（初任給、昇格、昇給等の基準）別表第一の海事職俸給表㈠級別標準職務表の備考に定める大型船舶（一種）、大型船舶（二種）又は大型船舶（三種）の船長、機関長、一等航海士及び事務長、同表の備考に定める中型船舶（一種）の船長及び機関長並びに同表の備考に定める中型船舶（二種）の船長をいう。

○人事院規則一七—一（職員団体の登録）

昭四一・七・九公布
昭四一・七・九施行
最終改正　平二〇・一二・二八規則一七—一—二

（登録の申請）
第一条　職員団体が、法第百八条の三の規定に基づいて登録を申請する場合には、その代表者を通じて、次の各号に掲げる事項を記載した正副二通の申請書を提出しなければならない。
一　理事その他の役員の氏名、住所及び官職（職員でない者については、その職業）
二　すべての事務所の所在地
三　連合体である職員団体にあつては、構成団体の名称
2　前項に定める申請書には、規約のほか、次の各号に掲げる書類を添付しなければならない。
一　規約の採択、役員の選挙その他これらに準ずる重要な行為が、法第百八条の三第三項の規定に従つて行なわれたこと並びにその投票の日、場所及び結果を証明する書類
二　法第百八条の三第四項の規定に従つて組織されていることを証明する書類

（登録）
第二条　人事院は、前条に規定する申請があつた場合において、当該団体が法第百八条の三第二項から第四項までの規定に適合する職員団体であるときは、規約及び前条第一項に規定する申請書の記載事項を職員団体登録簿に登録しなければならない。
第三条　人事院は、前条の規定による登録をしたときはその旨を、しないときは理由を付してその旨を当該団体に書面で通知しなければならない。

（登録事項の変更）
第四条　登録された職員団体は、規約又は第一条第一項に規定する申請書の記載事項に変更があつたときは、その変更の日から十日以内に、その代表者を通じて、変更された事項を記載した正副二通の書面によりその旨を届け出なければならない。
2　規約の改正、役員の選挙その他これらに準ずる重要な行為とされている事項の変更があつた場合には、前項に定める書面に、その変更が法第百八条の三第三項の規定に従つて行なわれたこと並びにその投票の日、場所及び結果を証明する書類を添付しなければならない。
3　第二条及び前条の規定は、変更された事項の登録について準用する。

（申請による登録の抹消）
第五条　登録された職員団体（法人格法第二条第五項に規定する法人である登録職員団体を除く。次項において同じ。）は、人事院に登録の抹消を申請することができる。
2　登録された職員団体が、前項に規定する申請を行う場合には、その代表者を通じて、その旨を記載した申請書を提出しなければならない。
3　人事院は、第一項に規定する申請があつたときは、当該申請をした職員団体の登録を抹消し、その旨を当該職員団体に書面で通知しなければならない。

（登録された職員団体の解散）
第六条　登録された職員団体は、解散したときは、解散の日から十日以内に、その代表者を通じて、その解散が法第百八条の三第三項の規定に従つて行われたこと並びにその投票の日、場所及び結果を証明する書類を添付した書面によりその旨を届け出なければならない。この場合において、その解散が適法なものであるときは、人事院は、当該職員団体の登録を抹消するものとする。

（登録の効力停止）
第七条　人事院は、法第百八条の三第六項の規定による職員団体の登録の効力停止に係る弁明の機会の付与又は聴聞の手続を執つた場合において、登録の効力停止を行うときは理由を付してその旨及び効力停止の期間を、登録の効力停止を行わないときはその旨を、当該職員団体に書面で通知しなければならない。

（登録の取消し）
第八条　人事院は、法第百八条の三第六項の規定による職員団体の登録の取消しに係る聴聞を行うに当たつては、その期日の十五日前の日までに、行政手続法（平成五年法律第八十八号）第十五条第一項の規定による通知をしなければならない。
2　職員団体は、前項の聴聞の期日における審理の公開を請求するときは、当該期日の七日前の日までに書面で行うものとする。
第九条　人事院は、前条第一項に規定する聴聞の手続を執つた場合において、登録の取消しを行うときは理由を付してその旨を、登録の取消しを行わないときはその旨を、当該職員団体に書面で通知しなければならない。

2　前項の規定による通知を行う場合において、これを受けるべき者の所在が知れないときその他通知することができないときは、当該通知の内容を官報に掲載するものとし、官報に掲載された日から十四日を経過した時に当該通知があつたものとみなす。

（法人となる旨の申出）

第十条　法人格法第三条第一項に規定する法人となる旨の申出は、書面でしなければならない。

2　人事院は、前項の申出があつたときは、その申出の受理証明書を当該職員団体に交付しなければならない。

3　登録を申請する職員団体が登録後直ちに法人となろうとする職員団体であるときは、第一条に規定する申請書に法人となる旨の申出を記載した書類を添付することができる。この場合において、当該職員団体が登録されたときは、登録後直ちに法人格法第三条第一項に規定する法人となる旨の申出があつたものとみなす。

（証明書の交付）

第十一条　人事院は、第二条の規定により職員団体の登録をした場合において、当該職員団体が登録の際法人格法第二条第五項に規定する法人である認証職員団体等であるときは、登録された旨の証明書を当該職員団体に交付しなければならない。

○人事院規則一七—二（職員団体のための職員の行為）

昭四三・一一・六全改
昭四三・一二・一四施行

最終改正　令四・二・一八規則一—七九

（専従許可）

第一条　職員は、法第百八条の六第一項ただし書に規定する許可（以下「専従許可」という。）を求める場合には、その官職及び氏名、所属する職員団体の名称及び当該団体における役職名並びに当該団体の業務にもつぱら従事する期間を記載した申請書をあらかじめ所轄庁の長に提出しなければならない。

2　所轄庁の長は、専従許可を与えるときは、その旨及び法第百八条の六第二項に規定する許可の有効期間（以下次条及び第四条において「有効期間」という。）を明示した文書を交付するものとする。

（有効期間の更新）

第二条　所轄庁の長は、職員の申請があつたときは、法第百八条の六第三項に規定する期間の範囲内で有効期間を更新することができる。

2　前条第二項の規定は、前項の規定による有効期間の更新について準用する。

（専従許可の取消し事由が生じた場合の届出）

第三条　専従許可を受けた職員は、法第百八条の六第四項に規定する事由が生じた場合には、その旨を所轄庁の長に書面で届け出るものとする。

（復職）

第四条　専従許可を受けた職員は、専従許可が取り消されたとき又は有効期間が満了したときは、当然復職するものとする。

（諮問的な非常勤官職を占める職員に関する特例）

第五条　法第百八条の六第一項の規定は、国家行政組織法（昭和二十三年法律第百二十号）第八条の審議会等の諮問的な非常勤官職又はこれらに準ずる非常勤官職のみを占める職員（法第六十条の二第一項に規定する短時間勤務の官職を占める職員を除く。）には適用されない。

（短期従事の許可等）

第六条　所轄庁の長は、職員が、職員団体の業務にもつぱら従事する場合を除き、登録された職員団体の役員又は登録された職員団体の規約に基づいて設置される議決機関（代議員制をとる場合に限る。）、投票管理機関若しくは諮問機関の構成員として勤務時間中当該団体の業務に従事することを許可することができる。

2　前項に規定する許可（以下この条において「許可」という。）は、職員の申請があつた場合において、所轄庁の長が公務に支障がないと認めるときにその有効期間を定めて与えるものとする。

3　許可を与える場合の有効期間の単位は、一日又は一時間とする。

4　許可の有効期間は、当該職員について一年を通じて三十日をこえてはならない。

5　職員は、許可を求める場合には、その官職及び氏名、所属する職員団体の名称及び当該団体における役職名並びに許可を受けて従事する業務の内容及びその期間を記載した申請書をあらかじめ所轄庁の長に提出しなければならない。

6　許可を受けた職員は、許可の有効期間中職務に従事することができない。

7　職員が許可を受けて職務に従事しなかつた期間は、給与法第十五条の規定の例により、給与を減額する。

（職務専念義務が免除されている場合の職員の行為）

第七条　職員は、職員団体の業務にもつぱら従事する場合を除き、前条第一項の規定による許可を受けて職員団体のためその業務を行なうことができるほか、あらかじめ承認を得た休暇その他法第百一条第一項の規定に基づき職務に専念する義務が免除されている期間中は、給与を受けながら、職員団体のためその業務を行ない、又は活動することができる。

2　職員は、職員団体のためその業務を行ない、又は活動することによつて、他の職員の職務の遂行を妨げ、又は国の事務の正常な運営を阻害してはならない。

（専従の期間に関する特例）

第八条　法附則第七条の規定により読み替えられた法第百八条の六第三項の人事院規則で定める期間は、七年とする。

附　則（平一一・一〇・二五規則一—二六）

1　この規則は、平成十三年四月一日から施行する。

2　国家公務員法等の一部を改正する法律（平成十一年法律第八十三号）附則第三条に規定する旧法再任用職員に係る再任用及び再任用の任期の更新の状況の報告については、なお従前の例による。

○人事院規則一七—二（職員団体のための職員の行為）の運用について

昭四三・一一・六
職組—九六一

最終改正　平二一・二・二七職審—七二

第一条関係

1　国家公務員法（昭和二十二年法律第百二十号。以下「法」という。）第百八条の六第一項に規定する「職員団体の業務にもつぱら従事する」とは、職員が社会的活動の主体を相当長期間継続して職員団体の活動にあてることをいう。

2　第二項の「有効期間」については、所轄庁の長は、公務の適正な運営の確保の必要性および当該職員団体の活動の実態を考慮して定めるものとする。所轄庁の長が有効期間を明示するには、その始期および終期を記載して行なうものとする。

3　第二項の「文書」として、人事異動通知書を用いることができる。この場合の記載事項および記入要領は、「人事異動通知書の様式及び記載事項等について（昭和二十七年六月一日一三—七九九）」第二項に準じて所轄庁の長が定めるものとする。

第二条関係

第一項の「申請」は、更新の期間および更新を必要とする理由を記載した文書を用いて行なうものとする。

第四条関係

1　専従許可を受けた職員は、法第百八条の六第四項に規定する事由が生じた場合において、専従許可の取消しがなければ復職することができない。

2　所轄庁の長は、専従許可を取り消す場合または有効期間が満了した場合には、当該職員にその旨を記載した文書を交付するものとする。この場合の文書については、第一条関係3の例による。

第六条関係

1　第一項の「規約に基づいて設置される」ものには、当該職員団体の規約の規定に基づいて定められた細則規程類によつて設置されるものを含む。

2　第一項の「議決機関」とは、大会、中央委員会、地方委員会、代議員会等職員団体としての意思の決定を行なう機関をいう。

3　第一項の「投票管理機関」とは、法第百八条の三第三項に規定する規約の作成または変更、役員の選挙その他これらに準ずる重要な行為のための投票を管理する機関をいう。

4　第一項の「諮問機関」とは、特定の事項について調査研究を行ない、かつ、当該職員団体の諮問に応ずるための機関をいう。

5　第一項の「勤務時間」とは、一般職の職員の勤務時間、休暇等に関する法律（平成六年法律第三十三号）第十三条第一項に規定する正規の勤務時間をいい、非常勤職員にあつてはその定められた勤務時間をいう。

6　第三項の規定に基づき一時間を単位として与えられた許可を日に換算する場合は、七時間四十五分をもつて一日とする。

7　第四項に規定する許可の日数の計算は、暦年によるものとする。

その他の事項

1　専従許可およびその取消しの権限ならびにこの規則に定める所轄庁の長の権限は、部内の職員に委任することを妨げない。

2　職員団体が法第百八条の三第六項の規定に基づき登録の効力を停止された場合には、当該団体の業務に従事するための専従許可および短期従事の許可は与えることができない。ただし登録の効力が停止される以前に与えられた専従許可および短期従事の許可は、その効力を失わない。

3　法第百八条の六第三項に規定する期間の計算については、三百六十五日をもつて一年とする。ただし、専従許可の有効期間が一年以上継続する場合において、その期間内に二月二十九日が含まれるときは、その日を含む一年間の計算にあたつては、三百六十六日をもつて一年とする。

○職員団体等に対する法人格の付与に関する法律

昭五三・六・二一
法　八〇

最終改正　令元・一二・一一法七一

第一章　総則

（目的）

第一条　この法律は、職員団体等が財産を所有し、これを維持運用し、その他その目的達成のための業務を運営することに資するため、職員団体等に法律上の能力を与えることを目的とする。

（定義）

第二条　この法律において「職員団体等」とは、国家公務員職員団体、地方公務員職員団体及び混合連合団体をいう。

2　この法律において「国家公務員職員団体」とは、国家公務員法（昭和二十二年法律第百二十号）第百八条の二第一項（裁判所職員臨時措置法（昭和二十六年法律第二百九十九号）において準用する場合を含む。）に規定する職員団体をいう。

3　この法律において「地方公務員職員団体」とは、地方公務員法（昭和二十五年法律第二百六十一号）第五十二条第一項に規定する職員団体をいう。

4　この法律において「混合連合団体」とは、構成員の勤務条件の維持改善を図ることを目的とする団体で、次の各号のいずれかに該当するものをいう。

一　国家公務員職員団体又は地方公務員職員団体の連合団体（国家公務員職員団体又は地方公務員職員団体であるものを除く。）

二　国家公務員職員団体又は地方公務員職員団体及び国会職員法（昭和二十二年法律第八十五号）による国会職員の組合又は労働組合法（昭和二十四年法律第百七十四号）による労働組合の連合団体で、当該連合団体の構成員の総員中国家公務員法第百八条の二第一項の職員（以下「一般職の国家公務員」という。）の数、裁判所職員（裁判官及び裁判官の秘書官を除く。以下同じ。）の数及び地方公務員法第五十二条第一項の職員（以下「非現業の一般職の地方公務員」という。）の数の合計数が過半数を占めているもの

5　この法律において「法人である職員団体等」とは、次条第　項の規定による申出により法人となつた職員団体（以下「法人である登録職員団体」という。）及び同条第二項の規定により設立の登記をすることによつて法人となつた職員団体等（以下「法人である認証職員団体等」という。）をいう。

第二章　職員団体等に対する法人格の付与

第一節　法人格の取得等

（法人格の取得）

第三条　次の各号に掲げる職員団体は、法人となる旨を当該各号に定める機関（以下「登録機関」という。）に申し出ることにより法人となることができる。

一　国家公務員法第百八条の三の規定により登録された職員団体　人事院

二　裁判所職員臨時措置法において準用する国家公務

員法第百八条の三の規定により登録された職員団体
　最高裁判所
三　地方公務員法第五十三条の規定により登録された職員団体　当該登録を受けた地方公共団体の人事委員会又は公平委員会
2　職員団体等（前項各号に掲げる職員団体を除く。次条から第十条までにおいて同じ。）で、規約について認証機関の認証を受けたものは、その主たる事務所の所在地において設立の登記をすることによつて法人となる。

（認証の申請）
第四条　規約について認証を受けようとする職員団体等は、命令（第九条第一号又は第五号の職員団体等に係る事項については人事院規則とし、同条第二号又は第六号の職員団体等に係る事項については最高裁判所規則とする。以下同じ。）で定めるところにより、申請書及び規約を認証機関に提出しなければならない。

（認証）
第五条　認証機関は、前条の規定による申請があつた場合において、当該規約が次の各号に掲げる要件に該当するときは、次条の規定により認証を拒否する場合を除き、命令で定めるところにより、当該規約を認証し、当該職員団体等にその旨を通知しなければならない。
一　少なくとも次に掲げる事項が記載されていること。
イ　名称
ロ　目的及び業務
ハ　主たる事務所の所在地
ニ　構成員の範囲及びその資格の得喪に関する事項
ホ　重要な財産の得喪その他資産に関する事項
ヘ　理事その他の役員に関する事項
ト　業務執行、会議及び投票に関する事項
チ　経費及び会計に関する事項
リ　規約の変更に関する事項
ヌ　解散に関する事項
二　規約の変更、役員の選挙及び解散が、すべての構成員が平等に参加する機会を有する直接かつ秘密の投票による全員の過半数（役員の選挙については、投票者の過半数）によつて決定される旨の手続が定められていること。ただし、連合団体でない職員団体等で全国的規模をもつもの又は連合団体である職員団体等にあつては、すべての構成員が平等に参加する機会を有する地域若しくは職域ごと又は構成団体ごとの直接かつ秘密の投票による投票者の過半数で代議員を選挙し、この代議員の全員が平等に参加する機会を有する直接かつ秘密の投票による全員の過半数（役員の選挙については、投票者の過半数）によつて決定される旨の手続が定められていることをもつて足りる。
三　会計報告は、構成員によつて委嘱された公認会計士（外国公認会計士を含む。）又は監査法人の監査証明とともに少なくとも毎年一回構成員に公表されることとされていること。

（認証の拒否）
第六条　認証機関は、規約に法令の規定に違反する事項が記載されているとき、又は当該職員団体等が、第八条の規定により認証を取り消され、その取消しの効力が生じた日から三年を経過しないものであるときは、認証を拒否しなければならない。

（規約の変更の届出）
第七条　職員団体等は、第五条の規定により認証を受けた規約の記載事項に変更があつたときは、命令で定めるところにより、遅滞なく、その旨を認証機関に届け出なければならない。

（認証の取消し）
第八条　認証機関は、次の各号のいずれかに該当する場合においては、命令で定めるところにより、第五条の規定による認証を取り消すことができる。
一　国家公務員職員団体又は地方公務員職員団体が一般職の国家公務員、裁判所職員又は非現業の一般職の地方公務員が組織する団体又はその連合体でなくなつたとき（混合連合団体となつた場合を除く。）。
二　混合連合団体の構成員の総員中一般職の国家公務員の数、裁判所職員の数及び非現業の一般職の地方公務員の数の合計数が過半数を占めなくなつたとき。
三　規約に、構成員の勤務条件の維持改善を図ることを目的とする旨を定めた規定が存しなくなつたとき（団体の活動として規約に定める目的を著しく逸脱する行為等を継続し、又は反覆することにより、構成員の勤務条件の維持改善を図ることを目的としていると認められなくなつたときを含む。）。
四　その他当該職員団体等が職員団体等でなくなつたとき。
五　規約が第五条各号に掲げる要件に該当しないものとなつたとき、又は規約に法令の規定に違反する事項が記載されるに至つたとき。
六　当該職員団体等について規約の規定中第五条第二号又は第三号に規定する手続等に係る部分に適合し

ない事実があつたとき。

2 前項の規定による認証の取消しに係る聴聞の期日における審理は、当該職員団体等から請求があつたときは、公開により行わなければならない。

3 第一項の規定による認証の取消しは、当該処分の取消しの訴えを提起することができる期間内及び当該処分の取消しの訴えの提起があつたときは当該訴訟が裁判所に係属する間は、その効力を生じない。

（認証機関）

第九条 この法律における認証機関は、次の各号に掲げる職員団体等の区分に応じ、当該各号に掲げる機関とする。

一 一般職の国家公務員が組織する国家公務員職員団体 人事院

二 裁判所職員が組織する国家公務員職員団体 最高裁判所

三 一の地方公共団体に属する非現業の一般職の地方公務員が組織する地方公務員職員団体 当該地方公共団体の人事委員会又は公平委員会

四 前号の地方公務員職員団体以外の地方公務員職員団体 政令で定める人事委員会又は公平委員会

五 一般職の国家公務員の数と裁判所職員の数の合計数が非現業の一般職の地方公務員の数以上である混合連合団体で、一般職の国家公務員の数が裁判所職員の数以上であるもの及び全国的な組織を有する混合連合団体で、これを直接又は間接に構成する団体に国家公務員職員団体を含むもの（次号の混合連合団体を除く。） 人事院

六 一般職の国家公務員の数と裁判所職員の数の合計数が非現業の一般職の地方公務員の数以上である混合連合団体で、裁判所職員の数が一般職の国家公務員の数を超えるもの及び全国的な組織を有する混合連合団体で、これを直接又は間接に構成する団体に裁判所職員が組織する国家公務員職員団体を含むもの（これを直接又は間接に構成する団体に国家公務員職員団体を含み、かつ、一般職の国家公務員の数が裁判所職員の数以上であるものを除く。） 最高裁判所

七 前二号の混合連合団体以外の混合連合団体 政令で定める人事委員会又は公平委員会

（報告、協力等）

第十条 認証機関は、職員団体等に対し、当該職員団体等に係るこの法律の規定に基づく事務に関し必要な限度において、報告又は資料の提出を求めることができる。

2 認証機関は、この法律の規定に基づく事務に関し必要があると認めるときは、国又は地方公共団体の関係機関に対し、事実の証明、資料の提供その他必要な協力を求めることができる。

（財産目録及び構成員名簿）

第十一条 法人である職員団体等は、設立の時及び毎年一月から三月までの間に財産目録を作成し、常にこれをその主たる事務所に備え置かなければならない。ただし、特に事業年度を設けるものは、設立の時及び毎事業年度の終了の時に財産目録を作成しなければならない。

2 法人である職員団体等は、構成員名簿を備え置き、構成員の変更があるごとに必要な変更を加えなければならない。

（一般社団法人及び一般財団法人に関する法律の準用）

第十二条 一般社団法人及び一般財団法人に関する法律（平成十八年法律第四十八号）第四条及び第七十八条の規定は、法人である職員団体等について準用する。

第二節 機関

（理事）

第十三条 法人である職員団体等には、一人又は二人以上の理事を置かなければならない。

2 理事が二人以上ある場合において、規約に別段の定めがないときは、法人である職員団体等の事務は、理事の過半数で決する。

（法人である職員団体等の代表）

第十四条 理事は、法人である職員団体等のすべての事務について、法人である職員団体等を代表する。ただし、規約の規定に反することはできず、また、総会の決議に従わなければならない。

（理事の代理権の制限）

第十五条 理事の代理権に加えた制限は、善意の第三者に対抗することができない。

（理事の代理行為の委任）

第十六条 理事は、規約又は総会の決議によつて禁止されていないときに限り、特定の行為の代理を他人に委任することができる。

（利益相反行為）

第十七条 法人である職員団体等と理事との利益が相反する事項については、理事は、代理権を有しない。この場合においては、裁判所は、利害関係人又は検察官の請求により、特別代理人を選任しなければならない。

（監事）

第十八条　法人である職員団体等には、規約又は総会の決議で、一人又は二人以上の監事を置くことができる。

（監事の職務）

第十九条　監事の職務は、次のとおりとする。

一　法人である職員団体等の財産の状況を監査すること。

二　理事の業務の執行の状況を監査すること。

三　財産の状況又は業務の執行について、法令若しくは規約に違反し、又は著しく不当な事項があると認めるときは、総会に報告をすること。

四　前号の報告をするため必要があるときは、総会を招集すること。

（通常総会）

第二十条　法人である職員団体等の理事は、少なくとも毎年一回、構成員の通常総会を開かなければならない。

（臨時総会）

第二十一条　法人である職員団体等の理事は、必要があると認めるときは、いつでも臨時総会を招集することができる。

2　総構成員の五分の一以上から会議の目的である事項を示して請求があつたときは、理事は、臨時総会を招集しなければならない。ただし、総構成員の五分の一の割合については、規約でこれと異なる割合を定めることができる。

（総会の招集）

第二十二条　総会の招集の通知は、総会の日より少なくとも五日前に、その会議の目的である事項を示し、規約で定めた方法に従つてしなければならない。

（法人である職員団体等の事務の執行）

第二十三条　法人である職員団体等の事務は、規約で理事その他の役員に委任したものを除き、すべて総会の決議によつて行う。

（総会の決議事項）

第二十四条　総会においては、第二十二条の規定によりあらかじめ通知をした事項についてのみ、決議をすることができる。ただし、規約に別段の定めがあるときは、この限りでない。

（構成員の表決権）

第二十五条　各構成員の表決権は、平等とする。

2　総会に出席しない構成員は、書面で、又は代理人によつて表決をすることができる。

3　前二項の規定は、規約に別段の定めがある場合には、適用しない。

（表決権のない場合）

第二十六条　法人である職員団体等と特定の構成員との関係について議決をする場合には、その構成員は、表決権を有しない。

第三節　解散及び清算

（法人である職員団体等の解散事由）

第二十七条　法人である職員団体等は、次に掲げる事由によつて解散する。

一　規約で定めた解散事由の発生

二　破産手続開始の決定

三　法人である登録職員団体にあつては、国家公務員法第百八条の三第六項（裁判所職員臨時措置法において準用する場合を含む。）又は地方公務員法第五十三条第六項の規定による登録の取消し

四　法人である認証職員団体等にあつては、第八条第一項の規定による認証の取消し

五　総会の決議

六　構成員が欠けたこと。

（法人である職員団体等についての破産手続の開始）

第二十八条　法人である職員団体等がその債務につきその財産をもつて完済することができなくなつた場合には、裁判所は、理事若しくは債権者の申立てにより又は職権で、破産手続開始の決定をする。

2　前項に規定する場合には、理事は、直ちに破産手続開始の申立てをしなければならない。

（清算中の法人である職員団体等の能力）

第二十九条　解散した法人である職員団体等は、清算の目的の範囲内において、その清算の結了に至るまではなお存続するものとみなす。

（清算人）

第三十条　法人である職員団体等が解散したときは、破産手続開始の決定による解散の場合を除き、理事がその清算人となる。ただし、規約に別段の定めがあるとき、又は総会において理事以外の者を選任したときは、この限りでない。

（裁判所による清算人の選任）

第三十一条　前条の規定により清算人となる者がないとき、又は清算人が欠けたため損害を生ずるおそれがあるときは、裁判所は、利害関係人若しくは検察官の請求により又は職権で、清算人を選任することができる。

（清算人の解任）

第三十二条　重要な事由があるときは、裁判所は、利害関係人若しくは検察官の請求により又は職権で、清算人を解任することができる。

（清算人の職務及び権限）

第三十三条　清算人の職務は、次のとおりとする。

一　現務の結了

二　債権の取立て及び債務の弁済

三　残余財産の引渡し

2　清算人は、前項各号に掲げる職務を行うために必要な一切の行為をすることができる。

（債権の申出の催告等）

第三十四条　清算人は、その就職の日から二月以内に、少なくとも三回の公告をもつて、債権者に対し、一定の期間内にその債権の申出をすべき旨の催告をしなければならない。この場合において、その期間は、二月を下ることができない。

2　前項の公告には、債権者がその期間内に申出をしないときは清算から除斥されるべき旨を付記しなければならない。ただし、清算人は、知れている債権者を除斥することができない。

3　清算人は、知れている債権者には、各別にその申出の催告をしなければならない。

4　第一項の公告は、官報に掲載してする。

（期間経過後の債権の申出）

第三十五条　前条第一項の期間の経過後に申出をした債権者は、法人である職員団体等の債務が完済された後まだ権利の帰属すべき者に引き渡されていない財産に対してのみ、請求をすることができる。

（清算中の法人である職員団体等についての破産手続の開始）

第三十六条　清算中に法人である職員団体等の財産がその債務を完済するのに足りないことが明らかになつたときは、清算人は、直ちに破産手続開始の申立てをし、その旨を公告しなければならない。

2　清算人は、清算中の法人である職員団体等が破産手続開始の決定を受けた場合において、破産管財人にその事務を引き継いだときは、その任務を終了したものとする。

3　前項に規定する場合において、清算中の法人である職員団体等が既に債権者に支払い、又は権利の帰属すべき者に引き渡したものがあるときは、破産管財人は、これを取り戻すことができる。

4　第一項の規定による公告は、官報に掲載してする。

（残余財産の帰属）

第三十七条　解散した法人である職員団体等の財産は、規約で指定した者に帰属する。

2　規約で権利の帰属すべき者を指定せず、又はその者を指定する方法を定めなかつたときは、理事は、総会の決議を経て、当該法人である職員団体等の目的に類似する目的のために、その財産を処分することができる。

3　前二項の規定により処分されない財産は、国庫に帰属する。

（裁判所による監督）

第三十八条　法人である職員団体等の解散及び清算は、裁判所の監督に属する。

2　裁判所は、職権で、いつでも前項の監督に必要な検査をすることができる。

（清算結了の届出）

第三十九条　清算が結了したときは、清算人は、その旨を登録認証機関（法人である登録職員団体にあつては登録機関、法人である認証職員団体等にあつては認証機関をいう。第五十条において同じ。）に届け出なければならない。

（特別代理人の選任等に関する事件の管轄）

第四十条　次に掲げる事件は、法人である職員団体等の主たる事務所の所在地を管轄する地方裁判所の管轄に属する。

一　特別代理人の選任に関する事件

二　法人である職員団体等の解散及び清算の監督に関する事件

三　清算人に関する事件

（不服申立ての制限）

第四十一条　清算人の選任の裁判に対しては、不服を申し立てることができない。

（裁判所の選任する清算人の報酬）

第四十二条　裁判所は、第三十一条の規定により清算人を選任した場合には、法人である職員団体等が当該清算人に対して支払う報酬の額を定めることができる。この場合においては、裁判所は、当該清算人（監事を置く法人である職員団体等にあつては、当該清算人及び監事）の陳述を聴かなければならない。

第四十三条　削除

（検査役の選任）

第四十四条　裁判所は、法人である職員団体等の解散及び清算の監督に必要な調査をさせるため、検査役を選任することができる。

2　第四十一条及び第四十二条の規定は、前項の規定により裁判所が検査役を選任した場合について準用する。この場合において、同条中「清算人（監事を置く法人である職員団体等にあつては、当該清算人及び監事）」とあるのは、「法人である職員団体等及び検査役」と読み替えるものとする。

第三章　雑則

第一節　登記

（法人である登録職員団体の設立の登記）

第四十五条　法人である登録職員団体は、その主たる事務所の所在地において、第三条第一項の規定による申出をした日から二週間以内に設立の登記をしなければならない。

（登記の効力）

第四十六条　法人である登録職員団体の設立は、その主たる事務所の所在地において登記をしなければ、第三者に対抗することができない。

2　前項に規定するもののほか、法人である職員団体等に関して登記すべき事項は、登記をしなければ、第三者に対抗することができない。

（主たる事務所の所在地における設立の登記の登記事項及び変更の登記）

第四十七条　法人である職員団体等の主たる事務所の所在地における設立の登記においては、次に掲げる事項を登記しなければならない。

一　目的
二　名称
三　主たる事務所及び従たる事務所の所在場所
四　法人である登録職員団体にあつては、第三条第一項の規定による申出の年月日
五　法人である認証職員団体等にあつては、第五条の規定による認証の年月日
六　法人である職員団体等の存続期間又は解散の事由についての規約の定めがあるときは、その定め
七　資産の総額
八　出資の方法を定めたときは、その方法
九　理事の氏名及び住所

2　法人である職員団体等において前項各号に掲げる事項に変更が生じたときは、二週間以内に、その主たる事務所の所在地において、変更の登記をしなければならない。

（他の登記所の管轄区域内への主たる事務所の移転の登記）

第四十八条　法人である職員団体等がその主たる事務所を他の登記所の管轄区域内に移転したときは、二週間以内に、旧所在地においては移転の登記をし、新所在地においては前条第一項各号に掲げる事項を登記しなければならない。

2　新所在地における登記においては、法人である職員団体等の成立の年月日並びに主たる事務所を移転した旨及びその年月日をも登記しなければならない。

（職務執行停止の仮処分等の登記）

第四十九条　法人である職員団体等の理事の職務の執行を停止し、若しくはその職務を代行する者を選任する仮処分命令又はその仮処分命令を変更し、若しくは取り消す決定がされたときは、その主たる事務所の所在地において、その登記をしなければならない。

（清算人及び解散の登記及び届出）

第五十条　清算人は、破産手続開始の決定の場合を除き、解散後二週間以内に、主たる事務所の所在地において、その氏名及び住所並びに解散の原因及び年月日の登記をし、かつ、これらの事項を登録認証機関に届け出なければならない。

2　清算中に就職した清算人は、就職後二週間以内に、主たる事務所の所在地において、その氏名及び住所の登記をし、かつ、これらの事項を登録認証機関に届け出なければならない。

（職員団体等登記簿）

第五十一条　各登記所に、職員団体等登記簿を備える。

（設立の登記の申請）

第五十二条　法人である登録職員団体等の設立の登記は、法人である登録職員団体にあつては理事、法人である認証職員団体等にあつては法人を代表すべき者の申請によつてする。

2　法人である職員団体等の設立の登記の申請書には、次に掲げる書面を添付しなければならない。

一　規約
二　法人である登録職員団体にあつては、理事の資格を証する書面及び第三条第一項の規定による申出を証する書面
三　法人である認証職員団体等にあつては、法人を代表すべき者の資格を証する書面及び第五条の規定による通知を証する書面

（変更の登記の申請）

第五十三条　第四十七条第一項各号に掲げる事項又は第五十条の規定により登記すべき事項の変更の登記の申請書には、当該事項の変更を証する書面を添付しなければならない。

（解散の登記の申請）

第五十四条　法人である職員団体等の解散の登記の申請書には、解散の事由の発生を証する書面及び理事が清算人とならない場合にあつては清算人の資格を証する書面を添付しなければならない。

（商業登記法の準用）

第五十五条　商業登記法（昭和三十八年法律第百二十五

号）第一条の三から第五条まで、第七条から第十五条まで、第十七条、第十八条、第十九条の二、第十九条の三、第二十一条から第二十三条の二まで、第二十四条（第十四号及び第十五号を除く。）、第二十六条、第二十七条、第五十一条、第五十二条、第九十九条第一項、第百条第三項、第百三十二条から第百三十七条まで及び第百三十九条から第百四十八条までの規定は、法人である職員団体等の登記について準用する。この場合において、これらの規定中「商号」とあるのは「名称」と、「定款」とあるのは「規約」と、同法第一条の三及び第二十四条第一号中「営業所」とあるのは「事務所」と、同法第十二条の二第五項中「営業所（会社にあつては、本店）」とあり、並びに同法第十七条第二項第一号及び第五十一条第一項中「本店」とあるのは「主たる事務所」と、同法第二十七条中「営業所（会社にあつては、本店。以下この条において同じ。）の」とあり、及び「営業所の」とあるのは「主たる事務所の」と、同法第九十九条第一項第一号中「会社法第六百四十七条第一項第一号に掲げる者」とあるのは「理事（次号又は第三号に掲げる者がある場合を除く。）」と、同項第二号中「会社法第六百四十七条第一項第二号に掲げる者」とあるのは「規約で定める者」と、同項第三号中「会社法第六百四十七条第一項第三号に掲げる者」とあるのは「総会において選任された者」と、同法第百四十六条の二中「商業登記法（」とあるのは「職員団体等に対する法人格の付与に関する法律（昭和五十三年法律第八十号）第五十五条において準用する商業登記法（」と、「商業登記法第百四十五条」とあるのは「職員団体等に対する法人格の付与に関する法律第五十五条において準用する商業登記法第百四十五条」と読み替えるものとする。

第二節　法人である認証職員団体等から法人である登録職員団体への移行

第五十六条　法人である認証職員団体等が国家公務員法第百八条の三（裁判所職員臨時措置法において準用する場合を含む。）又は地方公務員法第五十三条の規定により登録されたときは、その法人である認証職員団体等は、その登録の日において、法人である登録職員団体となる。

2　前項の規定に基づく法人である登録職員団体に関する第四十七条第一項及び第五十二条第二項の規定の適用については、第四十七条第一項第四号及び第五十二条第二項第二号中「第三条第一項の規定による申出」とあるのは、「国家公務員法第百八条の三（裁判所職員臨時措置法において準用する場合を含む。）又は地方公務員法第五十三条の規定による登録」とする。

3　第一項の規定に基づく法人である登録職員団体の設立の登記においては、当該法人である登録職員団体となつた法人である認証職員団体等の名称及び主たる事務所並びに法人である認証職員団体等が同項の規定により法人である登録職員団体となつた旨をも登記しなければならない。

4　第一項の規定に基づく法人である登録職員団体の設立の登記がされたときは、登記官は、職権で、当該法人となつた法人である認証職員団体等の登記記録にその事由を記録して、その登記記録を閉鎖しなければならない。

第四章　罰則

第五十七条　法人である職員団体等の理事、監事又は清算人は、次の各号のいずれかに該当する場合には、五十万円以下の過料に処する。

一　この法律の規定による登記をすることを怠つたとき。

二　第十一条の規定に違反し、又は財産目録若しくは構成員名簿に不正の記載をしたとき。

三　第二十八条第二項又は第三十六条第一項の規定による破産手続開始の申立てを怠つたとき。

四　第二十四条第一項又は第三十六条第一項の公告を怠り、又は不正の公告をしたとき。

五　第三十八条第二項の規定による裁判所の検査を妨げたとき。

六　官庁又は総会に対し、不実の申立てをし、又は事実を隠蔽したとき。

附　則（抄）

（施行期日）

1　この法律は、公布の日から起算して三月を超えない範囲内において政令で定める日〔昭五三・九・八〕から施行する。

○一般社団法人及び一般財団法人に関する法律及び公益社団法人及び公益財団法人の認定等に関する法律の施行に伴う関係法律の整備等に関する法律（抄）（平一八・六・二法五〇）

改正　令元・一二・一一法七一

（法人格付与法の一部改正に伴う経過措置）

第二百十九条　この法律の施行の際現に登記所に備えられている前条の規定による改正前の法人格付与法第十一条において準用する旧非訟事件手続法第百十九条に規定する法人登記簿は、法人格付与法第五十一条に規定する職員団体等登記簿とみなす。

附　則（令元・一二・一一法七一）（抄）

この法律は、会社法改正法の施行の日〔令三・三・一〕から施行する。ただし、次の各号に掲げる規定は、当該各号に定める日から施行する。

一　〔略〕

二　〔前略〕第十八条中職員団体等に対する法人格の付与に関する法律第五十八条の改正規定（「第十九条の二」の下に「、第十九条の三、第二十一条」を加え、「第十五号及び第十六号」を「第十四号及び第十五号」に改める部分、「（同法第二十七条中「本店」とある部分を除く。）」を削る部分及び「「事務所」と」の下に「、同法第十二条の二第五項中「営業所（会社にあっては、本店）」とあり、並びに同法第十七条第二項第一号及び第五十一条第一項中「本店」とあるのは「主たる事務所」と」を、「「選任された者」と」の下に「、同法第百四十六条の二中「商業登記法（」とあるのは「職員団体等に対する法人格の付与に関する法律（昭和五十三年法律第八十号）第五十五条において準用する商業登記法（」と、「商業登記法第百四十五条」とあるのは「職員団体等に対する法人格の付与に関する法律第五十五条において準用する商業登記法第百四十五条」と」を加える部分に限る。）及び同法第六十条第六号中「隠ぺいした」を「隠蔽した」に改める改正規定、第十九条の規定〔中略〕　公布の日から起算して一年三月を超えない範囲内において政令で定める日〔令三・二・一五〕

三　〔前略〕第十八条の規定（前号に掲げる改正規定を除く。）〔中略〕及び第二十三条の規定　会社法改正法附則第一条ただし書に規定する規定の施行の日〔令四・九・一〕

○会社法の一部を改正する法律の施行に伴う関係法律の整備等に関する法律（抄）（令元・一二・一一法七一）

（職員団体等に対する法人格の付与に関する法律の一部改正に伴う経過措置）

第十九条　附則第二号に掲げる規定の施行の日から第三号施行日の前日までの間における前条の規定による改正後の職員団体等に対する法人格の付与に関する法律第五十八条の規定の適用については、同条中「規定中」とあるのは「規定（同法第十二条の二第五項及び同法第二十七条中「本店」とある部分を除く。）中」と、「「本店」」とあり、並びに同法第十七条第二項第一号及び第五十一条第一項中「本店」とあるのは「本店」」と、「第五十五条」とあるのは「第五十八条」とする。

２　前項に定めるもののほか、前条の規定による職員団体等に対する法人格の付与に関する法律の一部改正に伴う登記に関する手続について必要な経過措置は、法務省令で定める。

○職員団体等に対する法人格の付与に関する法律第九条第四号及び第七号の人事委員会又は公平委員会を定める政令

昭五三・九・七
政令三二四

改正　平二六・一二・二四政令四一二

職員団体等に対する法人格の付与に関する法律第九条第四号及び第七号の政令で定める人事委員会又は公平委員会は、次に掲げる人事委員会又は公平委員会とする。

一　地方公務員法（昭和二十五年法律第二百六十一号）第五十二条第一項の職員（以下「非現業の一般職の地方公務員」という。）で、都道府県に属するものを構成員としている地方公務員職員団体及び混合連合団体にあっては、その主たる事務所の所在地の属する都道府県（当該都道府県の非現業の一般職の地方公務員を構成員としていないときは、構成員である非現業の一般職の地方公務員の数が最も多い都道府県）の人事委員会

二　前号の地方公務員職員団体及び混合連合団体以外の地方公務員職員団体及び混合連合団体で、公立学校（教育公務員特例法（昭和二十四年法律第一号）第二条第一項に規定する公立学校をいう。以下同じ。）の非現業の一般職の地方公務員のみを構成員としている

もの（一の地方公共団体の公立学校の非現業の一般職の地方公務員のみを構成員としているものを除く。）にあつては、その主たる事務所の所在地の属する都道府県（当該都道府県内の公立学校の非現業の一般職の地方公務員を構成員としていないときは、都道府県の区域別の構成員の数が最も多い都道府県）の人事委員会

三　前二号の地方公務員職員団体及び混合連合団体以外の地方公務員職員団体及び混合連合団体にあつては、その主たる事務所の所在地の属する市町村又は特別区（当該市町村又は特別区の非現業の一般職の地方公務員を構成員としていないときは、構成員である非現業の一般職の地方公務員の数が最も多い地方公共団体）の人事委員会又は公平委員会

附　則

この政令は、職員団体等に対する法人格の付与に関する法律の施行の日（昭和五十三年九月八日）から施行する。

○職員団体等に対する法人格の付与に関する法律施行規則

昭五三・九・七
自治省令二一

（認証の申請）

第一条　職員団体等は、職員団体等に対する法人格の付与に関する法律（以下「法」という。）第四条の規定に基づき、規約について認証を受けようとするときは、次の各号に掲げる事項を記載した申請書及び規約二通を認証機関に提出しなければならない。

一　名称（連合団体である職員団体等にあつては、当該職員団体等及び当該職員団体等を直接又は間接に構成する団体の名称）

二　主たる事務所の所在地（連合団体である職員団体等にあつては、当該職員団体等及び当該職員団体等を直接又は間接に構成する団体の主たる事務所の所在地）

三　理事その他の役員の氏名及び住所

四　職員団体等の構成員の総数並びに構成員の総員中の国家公務員法（昭和二十二年法律第百二十号）第百八条の二第一項の職員の数、裁判所職員（裁判官及び裁判官の秘書官を除く。）の数及び地方公共団体ごとの地方公務員法（昭和二十五年法律第二百六十一号）第五十二条第一項の職員の数

五　当該職員団体等が法第二条第三項又は第四項の職員団体等である旨

（認証）

第二条　認証機関は、法第五条の規定に基づき、職員団体等の規約を認証したときは、その旨を当該職員団体等に書面で通知しなければならない。

（規約の変更の届出）

第三条　職員団体等は、法第七条の規定に基づき、規約の変更を届け出るときは、変更された事項を記載した書面に当該規約の変更が認証を受けた規約の規定に従つて行われたことを証明する書類を添付して行わなければならない。

（認証の取消し）

第四条　認証機関は、法第八条第一項の規定に基づき、職員団体等の規約の認証を取り消したときは、理由を付してその旨を当該職員団体等に書面で通知しなければならない。

附　則

この規則は、昭和五十三年九月八日から施行する。

○人事院規則一七―三（職員団体等の規約の認証）

昭五三・九・七公布
昭五三・九・八施行
最終改正 平二〇・一二・二八規則一七―三―一

（趣旨）
第一条 この規則は、法人格法第三条第一項に規定する職員団体等（法人格法第三条第一項各号に掲げる職員団体を除く。以下「職員団体等」という。）の規約の認証に関し必要な事項を定めるものとする。

（認証の申請）
第二条 職員団体等が規約について人事院の認証を受けようとする場合には、次の各号に掲げる事項を記載した申請書及び規約二通を提出しなければならない。
一 名称（連合団体である職員団体等にあつては、当該職員団体等及び当該職員団体等を直接又は間接に構成する団体の名称）
二 主たる事務所の所在地（連合団体でない職員団体等で全国的規模をもつものにあつてはすべての事務所の所在地、連合団体である職員団体等にあつては当該職員団体等及び当該職員団体等を直接又は間接に構成する団体の主たる事務所の所在地）
三 理事その他の役員の氏名及び住所
四 申請時における構成員の数（法人格法第三条第四項に規定する混合連合団体である職員団体等にあつては、構成員の数並びに構成員中の法第百八条の二第一項の職員の数、裁判所職員（裁判官及び裁判官の秘書官を除く。）の数及び地方公務員法（昭和二十五年法律第二百六十一号）第五十二条第一項の職員の数）

（規約の認証）
第三条 人事院は、職員団体等から前条の規定による規約についての認証の申請があつた場合には、これを審査し、当該規約が法人格法第五条各号に掲げる要件を満たすものであると認めたときは、法人格法第六条に規定する場合を除き、当該規約を認証しなければならない。
2 人事院は、規約を認証したときはその旨を、規約を認証することができないときは理由を付してその旨を、当該職員団体等に書面で通知しなければならない。

（規約の変更の届出）
第四条 法人格法第七条の規定による規約の変更の届出は、変更された事項を記載した書面に当該規約の変更が認証を受けた規約の規定に従つて行われたものであることを証明する書類を添付して、しなければならない。

（認証の取消し）
第五条 人事院は、法人格法第八条第一項の規定による職員団体等の規約の認証の取消しに係る聴聞を行うに当たつては、その期日の十五日前の日までに、行政手続法（平成五年法律第八十八号）第十五条第一項の規定による通知をしなければならない。
2 職員団体等は、前項の聴聞の期日における審理の公開を請求するときは、当該期日の七日前の日までに書面で行うものとする。

第六条 人事院は、前条第一項に規定する聴聞の手続を執つた場合において、規約の認証の取消しを行うときは理由を付してその旨を、規約の認証の取消しを行わないときはその旨を、当該職員団体等に書面で通知しなければならない。
2 前項の規定による通知を行う場合において、これを受けるべき者の所在が知れないときその他通知することができないときは、当該通知の内容を官報に掲載するものとし、官報に掲載された日から十四日を経過した時に当該通知があつたものとみなす。

○人事院規則一七—四（規則の制定改廃に関する職員団体からの要請）

平二六・五・二九公布
平二六・五・三〇施行

（書面の提出）

第一条　登録された職員団体は、法第百八条の五の二第一項の規定に基づいて規則を制定し、又は改廃することを要請する場合には、その代表者を通じて、次に掲げる事項を記載した書面を提出しなければならない。

一　当該職員団体の名称、主な事務所の所在地並びに代表者の当該職員団体における役職名及び氏名

二　当該要請が法第百八条の五の二第一項の規定に基づくものである旨

三　当該要請の内容

四　当該要請の理由

（公表の方法）

第二条　法第百八条の五の二第二項の規定による公表は、人事院の庁舎において一般の閲覧に供する方法、インターネットの利用その他適切な方法により行うものとする。

附　則

この規則は、国家公務員法等の一部を改正する法律（平成二十六年法律第二十二号）の施行の日〔平二六・五・三〇〕から施行する。

○職員団体の登録に関する条例（案）

昭四一・六・二二
自　治　公　四　八

（この条例の目的）

第一条　この条例は、地方公務員法（昭和二十五年法律第二百六十一号。以下「法」という。）第五十三条第一項及び第五項から第八項までの規定に基づき、職員団体の登録に関し、必要な事項を定めることを目的とする。

（登録の申請）

第二条　職員団体が人事委員会に登録を申請する場合には、その代表者を通じて、次の各号に掲げる事項を記載した正副二通の申請書にそれぞれ規約を添付して、提出しなければならない。

一　理事その他の役員の氏名、住所及び職名（職員でない者にあつてはその職業）

二　すべての事務所の所在地

三　連合体である職員団体にあつては、その構成団体の名称

2　前項の規定による申請書には、次の各号に掲げる書類を添付しなければならない。

一　規約の作成又は変更、役員の選挙その他これらに準ずる重要な行為が、法第五十三条第三項の規定に従い決定されたこと並びにその投票の日、場所及び結果を証明する書類

二　法第五十三条第四項の規定に従つて組織されていることを証明する書類

（登録の通知）

第三条　人事委員会は、登録の申請を受けた日から三十日以内に、登録をした旨又はしない旨を、申請をした職員団体に通知しなければならない。

（規約等の変更又は解散の届出）

第四条　登録を受けた職員団体は、その規約若しくは第二条第一項に規定する申請書の記載事項に変更があつたとき、又は解散したときは、その事由を生じた日から十日以内に、人事委員会に書面をもつてその旨を届け出なければならない。

2　職員団体が前項の規定により届出をする場合には、その代表者を通じて、正副二通の届出書を提出しなければならない。

3　第一項の規定による届出が規約の変更、役員の選挙その他これらに準ずる重要な行為に係るときは、それらの行為が法第五十三条第三項の規定に従い決定されたこと並びにその投票の日、場所及び結果を証明する書類を添付しなければならない。

4　前条の規定は、規約又は第二条第一項に規定する申請書の記載事項の変更の届出の場合に準用する。

（登録の効力停止及び取消しの通知）

第五条　人事委員会は、法第五十三条第六項前段の規定により職員団体の登録の効力を停止し、又は登録を取り消すときは、その旨を記載した書面をもつて当該職員団体に通知しなければならない。

（人事委員会規則への委任）

第六条　この条例に定めるもののほか、職員団体の登録に関し必要な事項は、人事委員会規則で定める。

附　則

この条例は、公布の日から施行する。

○職員団体のための職員の行為の制限の特例に関する条例（案）

昭四一・六・二一
自治公四八

（この条例の目的）

第一条 この条例は、地方公務員法（昭和二十五年法律第二百六十一号。以下「法」という。）第五十五条の二第六項の規定に基づき、職員が給与を受けながら、職員団体のためその業務を行ない、又は活動することができる場合を定めることを目的とする。

（職員団体のための行為の制限の特例）

第二条 職員は、次の各号に掲げる場合又は期間に限り、給与を受けながら、職員団体のためその業務を行ない、又は活動することができる。

一 法第五十五条第八項の規定に基づき、適法な交渉を行なう場合

二 休日（特に勤務を命ぜられた場合を除く。）及び年次有給休暇並びに休職の期間

附　則

この条例は、公布の日から施行する。

第十二編　その他

第一　宿舎

○国家公務員宿舎法

昭二四・五・三〇
法　一　一　七

最終改正　令三・六・一一法六一

第一章　総則

（目的）

第一条　この法律は、国が国家公務員等に貸与する宿舎の設置並びに維持及び管理に関する基本的事項を定めてその適正化を図ることにより、国家公務員等の職務の能率的な遂行を確保し、もつて国等の事務及び事業の円滑な運営に資することを目的とする。

（定義）

第二条　この法律において、次の各号に掲げる用語の意義は、それぞれ当該各号に定めるところによる。

一　国等　国及び独立行政法人（独立行政法人通則法（平成十一年法律第百三号）第二条第一項に規定する独立行政法人をいう。以下同じ。）をいう。

二　職員　次に掲げる者をいう。

イ　常時勤務に服することを要する国家公務員（国家公務員法（昭和二十二年法律第百二十号）第七十九条又は第八十二条の規定による休職又は停職の処分を受けた者その他法令の規定により職務に専念する義務を免除された者、同法第六十条の二第一項に規定する短時間勤務の官職を占める者で政令で定める者その他常時勤務に服することを要しない国家公務員で政令で定める者を含む。）

ロ　独立行政法人通則法第二条第四項に規定する行政執行法人以外の独立行政法人に常時勤務することを要する者（法令の規定により休業が認められた者その他政令で定める者を含む。）

三　宿舎　職員及び主としてその収入により生計を維持する者を居住させるため国が設置する居住用の家屋及び家屋の部分並びにこれらに附帯する工作物その他の施設（共同浴場、簡易な児童遊園その他政令で定める共同施設を含む。）をいい、これらの用に供する土地を含むものとする。

四　各省各庁　衆議院、参議院、裁判所、会計検査院並びに内閣（内閣府及びデジタル庁を除く。）、内閣府、デジタル庁及び各省をいう。

五　各省各庁の長　衆議院議長、参議院議長、最高裁判所長官、会計検査院長並びに内閣総理大臣及び各省大臣をいう。

★読替え―復興庁設置法（平二三法一二五）により四号の「及びデジタル庁」を「、デジタル庁及び復興庁」に、「及び各省」を「、復興庁及び各省」に読み替える。

（宿舎の種類）

第三条　宿舎は、公邸、無料宿舎及び有料宿舎の三種類とする。

第二章　宿舎の設置並びに維持及び管理に関する機関

（設置の機関）

第四条　宿舎の設置は、財務大臣が行うものとする。

2　同一の各省各庁に所属する職員（当該各省各庁の所管する独立行政法人の職員を含む。）のみに貸与する目的で設置する宿舎（以下「省庁別宿舎」という。）を設置する場合で次の各号に掲げる場合には、前項の規定にかかわらず、当該各号に掲げる各省各庁の長がその設置を行うものとする。

一　転用（宿舎の用に供し、又は供するものと決定した国有財産（以下この号において「宿舎用財産」という。）以外の国有財産を宿舎用財産とすることをいう。第九条において同じ。）、交換又は寄附の方法により設置する場合　当該転用若しくは交換をし、又は当該寄附を受ける各省各庁の長

二　特定の官署（独立行政法人の事業所を含む。以下同じ。）に勤務する職員のために一時に多数の宿舎を設置する必要がある場合その他特別の事情がある場合で財務大臣が指定する場合　当該宿舎の貸与を受けるべき職員の所属する各省各庁の長（当該職員が独立行政法人の職員の場合には、当該独立行政法人を所管する各省各庁の長。次条において同じ。）

（維持及び管理の機関）

第五条　合同宿舎（省庁別宿舎以外の宿舎をいう。以下第八条の二第二項において同じ。）は財務大臣が、省庁別宿舎は当該宿舎の貸与を受けるべき職員の所属する各省各庁の長がそれぞれ維持及び管理を行うものとする。

（総括の機関）
第六条　財務大臣は、宿舎の設置並びに維持及び管理（以下「設置等」という。）の適正を期するため、宿舎に関する制度を整え、その設置等に関する事務を統一し、及びその設置等について必要な調整をするものとする。
2　財務大臣は、宿舎の設置等の適正を期するため必要があると認めるときは、各省各庁の長に対し、当該各省各庁所属の職員若しくは当該各省各庁が所管する独立行政法人の職員の住宅事情に関する資料を求め、又は当該各省各庁の長が設置し、若しくは維持及び管理を行う省庁別宿舎について、その状況に関する報告を求め、部下の職員に実地監査を行わせ、若しくは閣議の決定を経て、宿舎の種類（第三条に規定する宿舎の種類をいう。第十三条の二第一号において同じ。）の変更その他の措置を求めることができる。
3　独立行政法人を所管する各省各庁の長は、当該独立行政法人の長に対し、当該独立行政法人の職員の住宅事情に関する資料の提出を求めることができる。
4　前項の規定により資料の提出を求められた独立行政法人の長は、遅滞なく、これを提出しなければならない。

（事務の委任）
第七条　各省各庁の長は、政令で定めるところにより、当該各省各庁所属の職員又は他の各省各庁所属の職員に、宿舎の設置に関する事務の一部を委任することができる。
2　各省各庁の長は、政令で定めるところにより、当該各省各庁所属の職員に、宿舎の維持及び管理に関する事務の一部を委任することができる。
3　財務大臣は、財務局長又は財務支局長に、前条の規定による宿舎の設置等の総括に関する事務の一部を委任することができる。

第三章　宿舎の設置及び廃止等

（設置計画）
第八条　宿舎の設置は、宿舎の設置に関する年度計画（以下次条において「設置計画」という。）に基いて行わなければならない。
第八条の二　各省各庁の長は、毎会計年度、政令で定めるところにより、宿舎設置に関する要求についての書類を作成し、これを財務大臣に提出しなければならない。
2　財務大臣は、前項の要求を調整して、政令で定めるところにより、合同宿舎及び省庁別宿舎の別（省庁別宿舎については、さらに各省各庁別）に設置計画を定め、各年度分の予算成立の日から二月以内に、これを関係の各省各庁の長に通知しなければならない。
3　各省各庁の長は、前項の通知を受けた後において、設置計画を変更する必要があると認めるときは、そのつど、政令で定めるところにより、財務大臣に対し、設置計画の変更を求めることができる。
4　財務大臣は、前項の要求がやむを得ないものであると認めるときは、すみやかに設置計画を変更し、その変更の内容をその要求に係る各省各庁の長に通知するものとする。
5　前二項に規定する場合のほか、財務大臣は、設置計画を変更する必要があると認めるときは、関係の各省各庁の長と協議して、設置計画を変更することができる。
6　財務大臣は、設置計画を定め、又は変更する場合においては、各省各庁及び独立行政法人における職員の職務の性質、宿舎の現況及び不足数その他宿舎を必要とする事情を考慮しなければならない。

（設置の方法）
第九条　宿舎の設置は、建設（土地を宅地に造成することを含む。）、購入、交換、寄付、転用及び借受の方法により行うものとする。

（公邸）
第十条　公邸は、次に掲げる職員のために予算の範囲内で設置し、無料で貸与する。
一　衆議院議長及び参議院議長
二　参議院議長及び衆議院副議長
三　内閣総理大臣及び国務大臣
四　最高裁判所裁判官
五　会計検査院長
六　人事院総裁
七　国立国会図書館長
七の二　衆議院事務総長及び参議院事務総長
七の三　衆議院法制局長及び参議院法制局長
八　宮内庁長官及び侍従長
九　検事総長
十　内閣法制局長官
十一　在外公館の長
第十一条　公邸には、いす、テーブル等公邸に必要とする備品（もつぱら居住者の私用に供するものを除く。）を備え付け、無料で貸与する。

（無料宿舎）
第十二条　無料宿舎は、次に掲げる職員のうち政令で定める者のために予算の範囲内で設置し、無料で貸与する。

一　本来の職務に伴つて、通常の勤務時間外においても、生命若しくは財産を保護するための非常勤務、通信施設に関連する非常勤務又はこれらと類似の性質を有する勤務に従事するためその勤務する官署の構内又はこれに近接する場所に居住しなければならない者

二　研究又は実験施設に勤務する者であつて継続的に行うことを必要とする研究又は実験に直接従事するため当該施設の構内又はこれに近接する場所に居住しなければならないもの

三　へき地にある官署又は特に隔離された官署に勤務する者

四　官署の管理責任者であつて、その職務を遂行するために官署の構内又はこれに近接する場所に居住しなければならないもの

２　無料宿舎は、職員の職務に対する給与の一部として貸与されるものとする。

（有料宿舎）

第十三条　有料宿舎は、次に掲げる場合において、公邸又は無料宿舎の貸与を受ける職員以外の職員のために予算の範囲内で設置し、有料で貸与することができる。

一　職員の職務に関連して国等の事務又は事業の運営に必要と認められる場合

二　職員の在勤地における住宅不足により国等の事務又は事業の運営に支障を来たすおそれがあると認められる場合

（省庁別宿舎の廃止等についての財務大臣への協議）

第十三条の二　次に掲げる場合においては、省庁別宿舎の維持及び管理を行う各省各庁の長は、政令で定めるところにより、財務大臣に協議しなければならない。

一　当該省庁別宿舎について、宿舎の廃止（宿舎をその用に供しないことと決定することをいう。以下第十八条第一項第五号において同じ。）をし、又は宿舎の種類の変更をしようとするとき。

二　当該省庁別宿舎を他の各省各庁の長が維持及び管理を行う省庁別宿舎としようとするとき。

第四章　宿舎の維持及び管理

（被貸与者に対する監督）

第十三条の三　宿舎の維持及び管理を行う各省各庁の長（以下「維持管理機関」という。）は、被貸与者（宿舎の貸与を受けた者及び第十八条第一項の規定の適用を受ける同居者（以下「同居者」という。）をいう。以下同じ。）がこの法律に定める義務を守つているかどうかを監督し、常に宿舎の維持及び管理の適正を図らなければならない。

（無料宿舎を貸与する者の選定）

第十三条の四　一の無料宿舎について当該宿舎の貸与を受けるべき職員が二人以上存する場合においては、当該宿舎の維持管理機関は、これらの者のうち職務の性質上最も必要と認められるものに当該宿舎を貸与しなければならない。

（有料宿舎を貸与する者の選定）

第十四条　有料宿舎を貸与する者の選定に当たつては、当該宿舎の維持管理機関は、政令で定めるところにより、国等の事務又は事業の円滑な運営の必要に基づき公平に行わなければならない。

（有料宿舎の使用料）

第十五条　有料宿舎の使用料は、月額によるものとし、その標準的な建設費用の償却額、修繕費、地代及び火災保険料に相当する金額を基礎とし、かつ、第十八条第一項に規定する居住の条件その他の事情を考慮して政令で定める算定方法により、各宿舎につきその維持管理機関が決定する。

２　新たに宿舎の貸与を受け、又はこれを明け渡した場合におけるその月分の使用料は、日割により計算した額とする。

３　有料宿舎の貸与を受けた者に報酬を支給する機関は、毎月報酬を支給する際その者の報酬から使用料に相当する金額を控除して、その金額をその者に代りその使用料として国に払い込まなければならない。

４　有料宿舎の貸与を受けた者が第十八条第一項第一号又は第二号の規定に該当することとなつた場合においては、その者又はその同居者は、その該当することとなつた日から同項又は同条第二項の規定による明渡期日までの期間の宿舎の使用料を、毎月その月末までに、国に払い込まなければならない。

５　前項の規定により同居者が払い込むべき宿舎の使用料に係る債務については、同居者の全員が連帯してその責に任ずるものとする。

（宿舎の使用上の義務）

第十六条　被貸与者は、善良な管理者の注意をもつてその貸与を受けた宿舎を使用しなければならない。

２　被貸与者は、その貸与を受けた宿舎の全部若しくは一部を第三者に貸し付け、若しくは居住の用以外の用に供し、又は当該宿舎につきその維持管理機関の承認を受けないで改造、模様替その他の工事を行つてはならない。

3　被貸与者は、その責に帰すべき事由によりその貸与を受けた宿舎を滅失し、損傷し、又は汚損したときは、遅滞なく、これを原状に回復し、又はその損害を賠償しなければならない。ただし、その滅失、損傷又は汚損が故意又は重大な過失によらない火災に基くものである場合には、この限りでない。

4　前条第五項の規定は、被貸与者（同居者に限る。）の第一項又は第二項の規定に違反したことに基因する債務及び前項の規定による原状回復又は損害賠償に係る債務について準用する。

（宿舎の修繕費等）

第十七条　公邸の修繕（被貸与者の責に帰すべき事由（前条第三項ただし書の火災を除く。）による損傷又は汚損に係る修繕を除く。）に要する費用及び公邸の使用につき必要とする電気、水道、ガス等に要する費用（もつぱら居住者の私用に係るものを除く。）は、国が負担する。

2　天災、時の経過その他被貸与者の責に帰することのできない事由により無料宿舎又は有料宿舎が損傷し、又は汚損した場合においては、その修繕に要する費用は、国が負担する。ただし、その損傷又は汚損が軽微である場合には、この限りでない。

（宿舎の明渡し等）

第十八条　宿舎の貸与を受けた者が次の各号の一に該当することとなつた場合においては、その者（その者が第二号の規定に該当することとなつた場合には、その該当することとなつた時においてその者と同居していた者）は、その該当することとなつた日から二十日以内に当該宿舎を明け渡さなければならない。ただし、相当の事由がある場合には、その維持管理機関の承認を受けて、その該当することとなつた日から、公邸及び無料宿舎にあつては二月、有料宿舎にあつては六月の範囲内において当該維持管理機関の指定する期間、引き続き当該宿舎を使用することができる。

一　職員でなくなつたとき。

二　死亡したとき。

三　転任、配置換、勤務する官署の移転その他これらに類する事由により当該宿舎に居住する資格を失い、又はその必要がなくなつたとき。

四　当該宿舎について国等の事務又は事業の運営の必要に基づき先順位者が生じたためその明渡しを請求されたとき。

五　国において当該宿舎につき宿舎の廃止をする必要が生じたためその明渡しを請求されたとき。

2　有料宿舎の被貸与者は、当該宿舎の維持管理機関が、第十六条の規定に違反する事実でその宿舎の維持及び管理に重大な支障を及ぼすおそれがあると認められるものにつき、期限を附してその是正を要求した場合において、その期限までにその要求に従わなかつたときは、直ちに当該宿舎を明け渡さなければならない。

3　被貸与者が前二項の規定に違反して宿舎を明け渡さないときは、その者は、政令で定めるところにより、これらの規定による明渡期日の翌日から明け渡した日までの期間に応ずる損害賠償金を支払わなければならない。この場合において、その損害賠償金の額は、当該宿舎の当該期間に応ずる使用料の額（当該宿舎が公邸又は無料宿舎である場合には、これらを有料宿舎であるとみなして第十五条第一項に規定する算定方法により算定した使用料に相当する額）の三倍に相当する金額をこえることができない。

4　第十五条第五項の規定は、前項の規定により被貸与者（同居者に限る。）が支払うべき損害賠償金に係る債務について準用する。

5　独立行政法人の長は、当該独立行政法人の職員で宿舎の貸与を受けている者が第一項第一号から第三号までの規定に該当することとなつた場合には、直ちに当該独立行政法人を所管する各省各庁の長にその旨を報告しなければならない。

第五章　雑則

（費用及び使用料の所属区分）

第十九条　宿舎の設置等に要する費用及び宿舎の使用料は、当該宿舎の所属する会計の所属とする。

（宿舎の現況に関する記録）

第二十条　維持管理機関は、その維持及び管理を行う宿舎の現況に関する記録を備え、常時その状況を明らかにして置かなければならない。

（国家公務員法との関係）

第二十一条　第八条の二、第十条、第十二条、第十三条及び第十三条の四から第十五条までに規定する事項は、国家公務員法第二十二条及び第二十八条第一項の規定による人事院の勧告に係る事項に含まれるものとする。

（施行に関する細目）

第二十二条　この法律の施行に関し必要な細目は、財務省令で定める。

附　則（抄）

1　この法律は、公布の日後二月を経過した日から施行する。

★復興庁設置法（平二三・一二・一六法一二五）（抄）

改正　令三・五・一九法三六

附　則（抄）

（施行期日）

第一条　この法律は、公布の日から起算して四月を超えない範囲内において政令で定める日〔平二四・二・一〇〕から施行する。〔ただし書略〕

（他の法律の適用の特例）

第三条　復興庁が廃止されるまでの間における次の表の第一欄に掲げる法律の規定の適用については、同欄に掲げる法律の同表の第二欄に掲げる規定中同表の第三欄に掲げる字句は、それぞれ同表の第四欄に掲げる字句とする。

〔略〕			
国家公務員宿舎法（昭和二十四年法律第百十七号）	第二条第四号	及びデジタル庁 及び各省	、デジタル庁及び復興庁 、復興庁及び各省
〔略〕			

2・3　〔略〕

〇国家公務員宿舎法施行令

昭三三・一二・二三
政令三四一

最終改正　令五・四・七政令一六三

（定義）

第一条　この政令において「独立行政法人」、「職員」、「宿舎」、「各省各庁」、「各省各庁の長」、「宿舎の種類」、「省庁別宿舎」、「官署」、「合同宿舎」、「設置計画」又は「宿舎の廃止」とは、国家公務員宿舎法（以下「法」という。）第二条、第三条、第四条第二項、第五条、第八条又は第十三条の二第一号に規定する独立行政法人、職員、宿舎、各省各庁、各省各庁の長、宿舎の種類、省庁別宿舎、官署、合同宿舎、設置計画又は宿舎の廃止をいう。

2　この政令において「自動車の保管場所」とは、法第二条第三号に規定する工作物その他の施設のうち、自動車の保管場所の確保等に関する法律（昭和三十七年法律第百四十五号）第二条第一号に規定する自動車の同条第三号に規定する保管場所として職員に使用させるため国が設置するものをいう。

（職員）

第二条　法第二条第二号イに規定する短時間勤務の官職を占める者で政令で定める者は、次に掲げる者のうち、各省各庁の長が財務大臣に協議して指定する者とする。

一　次に掲げる官署に勤務する者のうち、本来の職務に伴つて、通常の勤務時間外において、国民の生命又は財産を保護するための非常勤務に従事するために当該官署の構内又はこれに隣接する場所に居住する必要がある者

イ　警察官署

ロ　刑務所、少年刑務所、拘置所、少年院及び少年鑑別所並びに入国者収容所及び地方出入国在留管理局

ハ　国立の病院、療養所、児童自立支援施設及び障害児入所施設

ニ　独立行政法人の開設する病院（医療法（昭和二十三年法律第二百五号）第一条の五に規定する病院をいう。第九条第一号において同じ。）

二　本来の職務に伴つて、通常の勤務時間外において、著しく異常かつ激甚な非常災害が発生した場合に、国民の生命又は財産を保護するための非常勤務に従事するためにその勤務する官署に近接する場所に居住する必要がある者

三　自然科学に関する研究又は実験を行う施設に勤務する者のうち、継続的に行うことを必要とする研究又は実験に直接従事するために当該施設の構内又はこれに隣接する場所に居住する必要がある者

四　へき地にある官署に勤務する者

2　法第二条第二号イに規定する常時勤務に服することを要しない国家公務員で政令で定める者は、次に掲げる者とする。

一　国の一般会計の歳出予算の常勤職員給与又は非常勤職員手当の目から俸給が支給される者のうち、専ら合同宿舎の維持及び管理の業務を行う管理人

二　前号に定めるもののほか、その職務の性質上宿舎を貸与することが適当である者として各省各庁の長

が財務大臣に協議して指定するもの

3　法第二条第二号ロに規定する政令で定める者は、常時勤務に服することを要しない国家公務員であつて法及びこの政令の規定により宿舎の貸与を受けることができる者に準ずる者として独立行政法人を所管する各省各庁の長が財務大臣に協議して指定する者とする。

（共同施設）

第三条　法第二条第三号に規定する政令で定める共同施設は、次に掲げる共同施設とする。

一　共同の洗たく場及び物干場

二　共同物置

三　簡易な共同ごみ処理場

四　集会場

五　前各号に掲げるもののほか、共同利用のため必要な施設として財務大臣が定めるもの

第四条　削除

（事務の委任）

第五条　各省各庁の長は、法第七条第一項の規定により当該各省各庁所属の職員若しくは他の各省各庁所属の職員に宿舎の設置に関する事務の一部を委任し、又は同条第二項の規定により当該各省各庁所属の職員に宿舎の維持及び管理に関する事務の一部を委任する場合においては、当該職員及びその官職並びに委任しようとする事務の範囲について、あらかじめ、財務大臣に協議しなければならない。

2　各省各庁の長は、法第七条第一項の規定により他の各省各庁所属の職員に宿舎の設置に関する事務の一部を委任する場合においては、当該職員及びその官職並びに委任しようとする事務の範囲について、あらかじめ、当該他の各省各庁の長の同意を得なければならない。

3　各省各庁の長は、法第七条第一項又は第二項の場合において、当該各省各庁又は他の各省各庁に置かれた官職を指定することにより、その官職にある者に当該事務の一部を委任することができる。

4　前項の場合においては、第一項の協議又は第二項の同意は、その指定しようとする官職及び委任しようとする事務の範囲についてあれば足りる。

（宿舎設置に関する要求についての書類）

第六条　法第八条の二第一項に規定する宿舎設置に関する要求についての書類は、法第四条第一項の規定により設置すべき宿舎に係る書類と同条第二項の規定により設置すべき宿舎に係る書類とに区分して作成するものとし、それぞれその要求に係る宿舎について、宿舎の種類別に、次に掲げる事項を明らかにしなければならない。

一　宿舎の構造、規格及び数量

二　宿舎の設置の場所及び方法

三　宿舎の貸与を受けるべき職員の勤務する官署

四　その他参考となるべき事項

2　各省各庁の長は、前項の書類のうち、法第四条第一項の規定により設置すべき宿舎に係るものにあつては前年度の十一月三十日までに、同条第二項の規定により設置すべき宿舎に係るものにあつては同年度の二月二十日までにそれぞれ財務大臣に提出しなければならない。

3　各省各庁の長は、前項の規定により第一項の書類のうち法第四条第一項の規定により設置すべき宿舎に係るものを提出する場合においては、当該各省各庁における宿舎の現況及び不足数その他宿舎を必要とする事情を明らかにした書類を添附しなければならない。

4　第一項の書類及び前項の規定により添附すべき書類の様式及び作成の方法については、財務省令で定める。

（設置計画）

第七条　財務大臣は、法第八条の二第二項の規定により設置計画を定める場合においては、合同宿舎設置計画書及び各省各庁別に省庁別宿舎設置計画書を作成しなければならない。

2　合同宿舎設置計画書には、当該年度において設置すべき合同宿舎について、宿舎の種類別に、前条第一項第一号、第二号及び第四号に掲げる事項を明らかにしなければならない。

3　省庁別宿舎設置計画書には、当該年度において設置すべき省庁別宿舎について、宿舎の種類別に、前条第一項各号に掲げる事項を明らかにしなければならない。

4　前条第四項の規定は、第一項の計画書について準用する。

第八条　法第八条の二第三項の規定による設置計画の変更の要求は、当該変更の内容及び理由を明らかにした書面により行わなければならない。

（無料宿舎を貸与する者の範囲）

第九条　法第十二条第一項に規定する政令で定める者は、次に掲げる者として各省各庁の長が財務大臣に協議して指定する者とする。

一　次に掲げる官署に勤務する職員のうち、本来の職務に伴つて、通常の勤務時間外において、国民の生命又は財産を保護するための非常勤務に従事するために当該官署の構内又はこれに近接する場所（ロ、

ハ又はヘに掲げる官署に勤務する職員にあつては、隣接する場所）に居住する必要がある者
イ　警察官署
ロ　刑務所、少年刑務所、拘置所、少年院及び少年鑑別所並びに入国者収容所及び地方出入国在留管理局
ハ　国立の病院、療養所、児童自立支援施設及び障害児入所施設
ニ　海上保安官署
ホ　自衛隊
ヘ　独立行政法人の開設する病院
二　本来の職務に伴つて、通常の勤務時間外において、著しく異常かつ激甚な非常災害が発生した場合に、国民の生命又は財産を保護するための非常勤務に従事するためにその勤務する官署に近接する場所に居住する必要がある職員
三　自然科学に関する研究又は実験を行う施設に勤務する職員のうち、継続的に行うことを必要とする研究又は実験に直接従事するために当該施設の構内又はこれに隣接する場所に居住する必要がある者
四　へき地にある官署に勤務する職員

（法第十三条の二の規定による協議）
第十条　各省各庁の長は、法第十三条の二第一号の規定により財務大臣に協議する場合においては、次に掲げる事項を記載した協議書に必要な図面その他の関係書類を添付して、これを財務大臣に送付しなければならない。
一　宿舎の所在地
二　宿舎の種類
三　宿舎の構造及び面積
四　宿舎の廃止をし、又は宿舎の種類の変更をしようとする理由
五　現に宿舎の貸与を受けている職員の勤務する官署並びにその官職及び職務の級又はこれらに準ずるもの
六　その他参考となるべき事項

第十一条　各省各庁の長は、法第十三条の二第二号の規定により財務大臣に協議する場合においては、次に掲げる事項を記載した協議書に必要な図面その他の関係書類を添付して、これを財務大臣に送付しなければならない。
一　前条第一号から第三号まで、第五号及び第六号に掲げる事項
二　その維持及び管理を行う省庁別宿舎を他の各省各庁の長が維持及び管理を行う省庁別宿舎としようとする理由

（有料宿舎を貸与する者の選定）
第十二条　省庁別宿舎である有料宿舎を貸与する者の選定は、特別の事情がある場合を除き、次の順序に従つて行わなければならない。
一　各省各庁において内部部局の部長以上の職にある職員又はこれに準ずる職員（公邸又は無料宿舎の貸与を受ける職員を除く。以下この条において同じ。）
二　各省各庁において内部部局の課長以上の職にある職員又はこれに準ずる職員（前号に掲げる職員を除く。）
三　一般職の職員の給与に関する法律（昭和二十五年法律第九十五号。以下「給与法」という。）別表第一の行政職俸給表(一)の三級以上の職務の級に属する職員又はこれに準ずる職員（前二号に掲げる職員を除く。）
四　犯罪の捜査、国税の賦課徴収その他公権力を行使する事務に従事する職員（前三号に掲げる職員を除く。）
五　前各号に掲げる職員以外の職員
2　前項の場合において、同順位にある職員が二人以上存するときは、これらの者の職務の性質、住居の困窮度その他の事情を考慮し、その最も必要と認められる者に当該宿舎を貸与しなければならない。
3　合同宿舎である有料宿舎を貸与する者の選定は、各省各庁における宿舎の充足状況を考慮し、かつ、前二項の規定による選定の方法に準拠して行わなければならない。

（有料宿舎の使用料の算定方法）
第十三条　有料宿舎の使用料（自動車の保管場所に係るものを除く。）は、一平方メートル当たりの基準使用料の額（延べ面積（当該宿舎のうち家屋又は家屋の部分の延べ面積をいう。以下この条において同じ。）の区分及び有料宿舎の所在地の区分（別表で定める有料宿舎の所在地の区分をいう。次条第一項において同じ。）に応じた次の表に掲げる額をいい、次項の規定による調整を加えたときは、その調整後の額とする。）に当該宿舎の延べ面積（同項の規定による調整を加えたときは、その調整後の面積とし、一平方メートル未満の端数があるときは、その端数を切り捨てた面積とする。）を乗じて算定した額とする。

延べ面	有料宿舎の所在地の区分				

積	五十五平方メートル未満	五十五平方メートル以上七十平方メートル未満	七十平方メートル以上八十平方メートル未満	八十平方メートル以上
一級地	六百九十六円	八百七十円	千二百五円	千五百六十
二級地	四百九十八円	六百二十二円	八百九円	九百九十五
三級地	四百四十七円	五百五十九円	六百七十一円	八百三十九
四級地	四百十四円	五百十八円	六百二十二円	七百七十七
その他の地域	三百九十二円	四百九十円	五百八十八円	七百三十五

	百平方メートル未満	百平方メートル以上
一級地	六円	千八百二十七円
二級地	円	千二百十三円
三級地	円	千六円
四級地	円	九百三十二円
その他の地域	円	八百八十二円

2　前項の場合において、当該宿舎が建築後相当の年数を経過しているとき、その立地条件、構造又は施設が著しく他と異なるとき、その家屋又は家屋の部分に公用に供する部分があるとき、その土地又は家屋若しくは家屋の部分の延べ面積が著しく大きいとき、その他特別の事情があるときは、財務省令で定めるところにより、同項に規定する一平方メートル当たりの基準使用料の額又は当該宿舎の延べ面積に調整を加えることができる。

第十四条　有料宿舎の使用料（自動車の保管場所に係るものに限る。）は、一平方メートル当たりの基準使用料の額（自動車の保管場所の区分及び有料宿舎の所在地の区分に応じた次の表に掲げる額をいい、次項の規定による調整を加えたときは、その調整後の額とする。）に自動車一台当たりの駐車面積として財務省令で定める面積を乗じて算定した額とする。

自動車の保管場所	有料宿舎の所在地の区分 一級地	二級地	三級地	四級地	その他の地域
自動車の保管場所の敷地の地面に一定の区画を限つて設置するもの	千二百三十四円	五百二十六円	三百九十九円	三百十六円	二百六十二円
地下に設置するもの又は居住の用に供する建物の一部に設置するもの（以下この表において「地下駐車場等」という。）	二千五十円	千三百四十二円	千二百十五円	千百三十二円	千七十八円

	専ら自動車の駐車のための施設で複数の階に設置するもの（地下駐車場等を除く。）	千三百九十四円	六百八十五円	五百五十八円	四百七十五円	四百二十一円

2 前項の場合において、自動車の保管場所につき、その立地条件、施設の差異その他特別の事情があるときは、財務省令で定めるところにより、同項に規定する一平方メートル当たりの基準使用料の額に調整を加えることができる。

第十五条 在外公館に勤務する職員に貸与する有料宿舎の使用料は、前二条の規定にかかわらず、外務大臣が財務大臣に協議して定める。

（宿舎を明け渡さない場合に支払うべき損害賠償金）

第十六条 法第十八条第三項に規定する損害賠償金の額は、同項に規定する明渡期日の翌日から明け渡した日までの期間に応ずる当該宿舎の使用料の額（当該宿舎が公邸又は無料宿舎である場合には、これらを有料宿舎であるものとみなして前三条の規定により算定した使用料に相当する額）の三倍（宿舎の貸与を受けた者が、公庫その他特別の法律により設立された法人に使用されるため退職した場合その他の場合でその額を軽減することがやむを得ないものとして財務大臣が定める場合には、その定める期間に限り、一・一倍）に相当する金額とする。

附　則（抄）

1 この政令は、昭和三十四年四月一日から施行する。

別表（第十三条関係）

有料宿舎の所在地の区分	地域
一級地	東京都の特別区の存する地域
二級地	埼玉県のうちさいたま市　千葉県のうち千葉市　東京都のうち八王子市、立川市、武蔵野市、三鷹市、府中市、調布市、町田市、小金井市、国分寺市、国立市、狛江市、多摩市、稲城市及び西東京市　神奈川県のうち横浜市、川崎市、横須賀市、鎌倉市及び三浦郡葉山町　愛知県のうち名古屋市　京都府のうち京都市　大阪府のうち大阪市、堺市、岸和田市、豊中市、池田市、吹田市、泉大津市、高槻市、貝塚市、守口市、枚方市、茨木市、八尾市、泉佐野市、富田林市、寝屋川市、和泉市、箕面市、高石市及び東大阪市　兵庫県のうち神戸市、尼崎市、西宮市、芦屋市、伊丹市及び宝塚市　福岡県のうち福岡市
三級地	北海道のうち札幌市　宮城県のうち仙台市　茨城県のうちつくば市　埼玉県のうち川越市、川口市、所沢市、狭山市、草加市、越谷市、戸田市、朝霞市、志木市及び和光市　千葉県のうち市川市、船橋市、松戸市、習志野市、柏市、八千代市、浦安市及び四街道市　東京都のうち青梅市、昭島市、小平市、日野市、東村山市、福生市、清瀬市、武蔵村山市及びあきる野市　神奈

	川県のうち相模原市、平塚市、藤沢市、小田原市、茅ヶ崎市、三浦市、厚木市、大和市及び海老名市　静岡県のうち静岡市　愛知県のうち岡崎市　滋賀県のうち大津市　京都府のうち宇治市及び向日市　大阪府のうち柏原市、羽曳野市及び門真市　兵庫県のうち姫路市　奈良県のうち奈良市、大和郡山市及び生駒市　和歌山県のうち和歌山市　岡山県のうち岡山市　広島県のうち広島市　福岡県のうち北九州市　長崎県のうち長崎市
四級地	北海道のうち旭川市　青森県のうち青森市　岩手県のうち盛岡市　秋田県のうち秋田市　山形県のうち山形市　福島県のうち福島市、郡山市及びいわき市　茨城県のうち水戸市　栃木県のうち宇都宮市　群馬県のうち前橋市及び高崎市　新潟県のうち新潟市　富山県のうち富山市　石川県のうち金沢市　福井県のうち福井市　山梨県のうち甲府市　長野県のうち長野市　岐阜県のうち岐阜市　静岡県のうち浜松市　愛知県のうち豊橋市、一宮市、春日井市及び豊田市　三重県のうち津市及び四日市市　鳥取県のうち鳥取市　島根県のうち松江市　岡山県のうち倉敷市　広島県のうち福山市　山口県のうち山口市　徳島県のうち徳島市　香川県のうち高松市　愛媛県のうち松山市　高知県のうち高知市　福岡県のうち久留米市　佐賀県のうち佐賀市　熊本県のうち熊本市　大分県のうち大分市　宮崎県のうち宮崎市　鹿児島県のうち鹿児島市　沖縄県のうち那覇市
その他の地域	一級地から四級地まで以外の地域

第二　共済組合

○国家公務員共済組合法（抄）

昭三三・五・一
法　一　二　八

最終改正　令五・六・九法四八

第一章　総則

（定義）

第二条　この法律において、次の各号に掲げる用語の意義は、それぞれ当該各号に定めるところによる。

一　職員　常時勤務に服することを要する国家公務員（国家公務員法（昭和二十二年法律第百二十号）第七十九条又は第八十二条の規定（他の法令のこれらに相当する規定を含む。）による休職又は停職の処分を受けた者、法令の規定により職務に専念する義務を免除された者その他の常時勤務に服することを要しない国家公務員で政令で定めるものを含むものとし、臨時に使用される者（二月以内の期間を定めて使用される者であつて、当該定めた期間を超えて使用されることが見込まれないものに限る。第百二十四条の三において同じ。）その他の政令で定める者を含まないものとする。）をいう。

二　被扶養者　次に掲げる者（後期高齢者医療の被保険者（高齢者の医療の確保に関する法律（昭和五十七年法律第八十号）第五十条の規定による被保険者をいう。）及び同条各号のいずれかに該当する者で同法第五十一条の規定により後期高齢者医療の被保険者とならないもの（以下「後期高齢者医療の被保険者等」という。）その他健康保険法（大正十一年法律第七十号）第三条第七項ただし書に規定する特別の理由がある者に準じて財務省令で定める者を除く。）で主として組合員（短期給付に関する規定の適用を受けないものを除く。以下この号において同じ。）の収入により生計を維持するものであつて、日本国内に住所を有するもの又は外国において留学をする学生その他の日本国内に住所を有しないが渡航目的その他の事情を考慮して日本国内に生活の基礎があると認められるものとして財務省令で定めるものをいう。

イ　組合員の配偶者、子、父母、孫、祖父母及び兄弟姉妹

ロ　組合員と同一の世帯に属する三親等内の親族でイに掲げる者以外のもの

ハ　組合員の配偶者で届出をしていないが事実上婚姻関係と同様の事情にあるものの父母及び子並びに当該配偶者の死亡後におけるその父母及び子で、組合員と同一の世帯に属するもの

三　遺族　組合員又は組合員であつた者の配偶者、子、父母、孫及び祖父母で、組合員又は組合員であつた者の死亡の当時（失踪の宣告を受けた組合員であつた者にあつては、行方不明となつた当時。第三項において同じ。）その者によつて生計を維持していたものをいう。

四　退職　職員が死亡以外の事由により職員でなくなること（職員でなくなつた日又はその翌日に再び職員となる場合におけるその職員でなくなることを除く。）をいう。

五　報酬　一般職の職員の給与に関する法律（昭和二十五年法律第九十五号）の適用を受ける職員については、同法の規定に基づく給与のうち期末手当、勤勉手当その他政令で定める給与を除いたもの及び他の法律の規定に基づく給与のうち政令で定めるものとし、その他の職員については、これらに準ずる給与として政令で定めるものをいう。

六　期末手当等　一般職の職員の給与に関する法律の適用を受ける職員については、同法の規定に基づく給与のうち期末手当、勤勉手当その他政令で定める給与（報酬に該当しない給与に限る。）及び他の法律の規定に基づく給与のうち政令で定めるもの（報酬に該当しない給与に限る。）とし、その他の職員については、これらに準ずる給与として政令で定めるものをいう。

七　各省各庁　衆議院、参議院、内閣（環境省を含む。）、各省（環境省を除く。）、裁判所及び会計検査院をいう。

2　前項第二号の規定の適用上主として組合員の収入により生計を維持することの認定及び同項第三号の規定の適用上組合員又は組合員であつた者によつて生計を維持することの認定に関し必要な事項は、政令で定める。

3　第一項第三号の規定の適用については、夫、父母又は祖父母は五十五歳以上の者に、子若しくは孫は十八歳に達する日以後の最初の三月三十一日までの間にあるか、又は二十歳未満で厚生年金保険法（昭和二十九年法律第百十五号）第四十七条第二項に規定する障害等級（以下単に「障害等級」という。）の一級若しくは二級に該当する程度の障害の状態にあり、かつ、まだ配偶者がない者に限るものとし、組合員又は組合員であつた者の死亡の当時胎児であつた子が出生した場合には、その子は、これらの者の死亡の当時その者によつて生計を維持していたものとみなす。

4　この法律において、「配偶者」、「夫」及び「妻」には、婚姻の届出をしていないが、事実上婚姻関係と同様の事情にある者を含むものとする。

第二章　組合及び連合会

第一節　組合

（設立及び業務）

第三条　各省各庁ごとに、その所属の職員及びその所管する行政執行法人の職員（次項各号に掲げる各省各庁にあつては、同項各号に掲げる職員を除く。）をもつて組織する国家公務員共済組合（以下「組合」という。）を設ける。

2　前項に定めるもののほか、次の各号に掲げる各省各庁については、それぞれ当該各号に掲げる職員をもつて組織する組合を設ける。

一　法務省　矯正管区、刑務所、少年刑務所、拘置所、少年院、少年鑑別所及び政令で定める機関に属する職員

二　厚生労働省　国立ハンセン病療養所に属する職員

三　農林水産省　林野庁に属する職員

3　組合は、第五十条第一項各号に掲げる短期給付、長期給付及び第九十八条第一項第一号の二に掲げる福祉事業を行うものとする。

4　組合は、前項に定めるもののほか、高齢者の医療の確保に関する法律第三十六条第一項に規定する前期高齢者納付金等（以下「前期高齢者納付金等」という。）、同法第百十八条第一項の規定による後期高齢者支援金及び後期高齢者関係事務費拠出金並びに同法第百二十四条の五第一項の規定による出産育児関係事務費拠出金（以下「後期高齢者支援金等」という。）、介護保険法（平成九年法律第百二十三号）第百五十条第一項に規定する納付金（以下「介護納付金」という。）、感染症の予防及び感染症の患者に対する医療に関する法律（平成十年法律第百十四号）第三十六条の十四第三項に規定する流行初期医療確保拠出金等（第九十九条第一項において「流行初期医療確保拠出金等」という。）、厚生年金保険法第八十四条の五第一項に規定する拠出金（以下「厚生年金拠出金」という。）並びに国民年金法（昭和三十四年法律第百四十一号）第九十四条の二第二項に規定する基礎年金拠出金（以下「基礎年金拠出金」という。）の納付並びに第百二条の二に規定する財政調整拠出金の拠出に関する業務を行う。

5　組合は、前二項に定めるもののほか、組合員の福祉の増進に資するため、第五十一条に規定する短期給付及び第九十八条第一項各号（第一号の二を除く。）に掲げる福祉事業を行うことができる。

第二節　連合会

（設立及び業務）

第二十一条　組合の事業のうち次項各号に掲げる業務を共同して行うため、全ての組合をもつて組織する国家公務員共済組合連合会（以下「連合会」という。）を設ける。

2　連合会の業務は、次に掲げるものとする。

一　厚生年金保険給付の事業に関する業務（厚生年金拠出金の納付及び厚生年金保険法第八十四条の三に規定する交付金（以下この号において「厚生年金交付金」という。）の受入れ、基礎年金拠出金の納付並びに第百二条の二に規定する財政調整拠出金の拠出（第百二条の三第一項第一号から第三号までに掲げる場合に行われるものに限る。以下この号及び第九十九条第三項において同じ。）及び地方公務員等共済組合法（昭和三十七年法律第百五十二号）第百十六条の二に規定する財政調整拠出金の受入れ（同法第百十六条の三第一項第一号から第三号までに掲げる場合に行われるものに限る。以下この号において同じ。）に関する業務を含む。）のうち次に掲げるもの

イ　厚生年金保険給付の裁定及び支払

ロ　厚生年金拠出金及び基礎年金拠出金の納付並びに第百二条の二に規定する財政調整拠出金の拠出に要する費用その他政令で定める費用の計算

ハ　厚生年金拠出金及び基礎年金拠出金の納付並びに第百二条の二に規定する財政調整拠出金の拠出に充てるべき積立金（以下「厚生年金保険給付積立金」という。）の積立て

ニ　厚生年金保険給付積立金及び厚生年金保険給付の支払上の余裕金の管理及び運用

ホ　厚生年金拠出金の納付及び厚生年金交付金の受

入れ
ヘ　基礎年金拠出金の納付
ト　第百二条の二に規定する財政調整拠出金の拠出及び地方公務員等共済組合法第百十六条の二に規定する財政調整拠出金の受入れ
チ　その他財務省令で定める業務
二　退職等年金給付の事業に関する業務（第百二条の二に規定する財政調整拠出金の拠出（第百二条の三第一項第四号に掲げる場合に行われるものに限る。以下この号において同じ。）及び地方公務員等共済組合法第百十六条の二に規定する財政調整拠出金の受入れ（同法第百十六条の三第一項第四号に掲げる場合に行われるものに限る。以下この号において同じ。）を含む。）のうち次に掲げるもの
イ　退職等年金給付の決定及び支払
ロ　退職等年金給付に要する費用（第百二条の二に規定する財政調整拠出金の拠出に要する費用その他政令で定める費用を含む。）の計算
ハ　退職等年金給付（第百二条の二に規定する財政調整拠出金の拠出を含む。）に充てるべき積立金（以下「退職等年金給付積立金」という。）の積立て
ニ　退職等年金給付積立金及び退職等年金給付の支払上の余裕金の管理及び運用
ホ　第百二条の二に規定する財政調整拠出金の拠出及び地方公務員等共済組合法第百十六条の二に規定する財政調整拠出金の受入れ
ヘ　その他財務省令で定める業務
三　福祉事業に関する業務
3　前二項の規定は、組合が自ら前項第三号に掲げる業務を行うことを妨げるものではない。
4　連合会は、第二項に定めるもののほか、国家公務員共済組合審査会に関する事務を行うものとする。

第三章　組合員

（組合員の資格の得喪）
第三十七条　職員となつた者は、その職員となつた日から、その属する各省各庁及び当該各省各庁の所管する行政執行法人の職員をもつて組織する組合（第三条第二項各号に掲げる職員については、同項の規定により同項各号の職員をもつて組織する組合）の組合員の資格を取得する。
2　組合員は、死亡したとき、又は退職したときは、その翌日から組合員の資格を喪失する。
3　一の組合の組合員が他の組合を組織する職員となつたときは、その日から前の組合の組合員の資格を喪失し、後の組合の組合員の資格を取得する。

（組合員期間の計算）
第三十八条　組合員である期間（以下「組合員期間」という。）の計算は、組合員の資格を取得した日の属する月からその資格を喪失した日の属する月の前月までの期間の年月数による。
2　組合員の資格を取得した日の属する月にその資格を喪失したときは、その月を一月として組合員期間を計算する。ただし、その月に、更に組合員の資格を取得したとき、又は厚生年金保険の被保険者（組合員たる厚生年金保険の被保険者を除く。）若しくは国民年金の被保険者（国民年金法第七条第一項第二号に規定する第二号被保険者を除く。）の資格を取得したときは、この限りでない。
3　組合員が引き続き他の組合の組合員の資格を取得したときは、元の組合の組合員期間は、その者が新たに組合員の資格を取得した組合の組合員期間とみなす。
4　組合員がその資格を喪失した後再び元の組合又は他の組合の組合員の資格を取得したときは、前後の組合員期間を合算する。

第四章　給付

第一節　通則

（給付の決定及び裁定）
第三十九条　短期給付及び退職等年金給付を受ける権利はその権利を有する者（以下「受給権者」という。）の請求に基づいて組合（退職等年金給付にあつては、連合会。次項、第四十六条第一項、第四十七条、第九十五条及び第百十三条において同じ。）が決定し、厚生年金保険給付を受ける権利は厚生年金保険法第三十三条の規定によりその権利を有する者の請求に基づいて連合会が裁定する。
2　組合は、短期給付又は退職等年金給付の原因である事故が公務又は通勤（国家公務員災害補償法（昭和二十六年法律第百九十一号）第一条の二に規定する通勤をいう。以下同じ。）により生じたものであるかどうかを認定するに当たつては、同法に規定する実施機関その他の公務上の災害又は通勤による災害に対する補償の実施機関の意見を聴かなければならない。

（標準報酬）
第四十条　標準報酬の等級及び月額は、組合員の報酬月額に基づき次の区分（第三項又は第四項の規定により標準報酬の区分の改定が行われたときは、改定後の区分）によつて定め、各等級に対応する標準報酬の日額

は、その月額の二十二分の一に相当する金額（当該金額に五円未満の端数があるときは、これを切り捨て、五円以上十円未満の端数があるときは、これを十円に切り上げるものとする。）とする。

標準報酬の等級	標準報酬の月額	報酬月額
第一級	八八、〇〇〇円	九三、〇〇〇円未満
第二級	九八、〇〇〇円	九三、〇〇〇円以上 一〇一、〇〇〇円未満
第三級	一〇四、〇〇〇円	一〇一、〇〇〇円以上 一〇七、〇〇〇円未満
第四級	一一〇、〇〇〇円	一〇七、〇〇〇円以上 一一四、〇〇〇円未満
第五級	一一八、〇〇〇円	一一四、〇〇〇円以上 一二二、〇〇〇円未満
第六級	一二六、〇〇〇円	一二二、〇〇〇円以上 一三〇、〇〇〇円未満
第七級	一三四、〇〇〇円	一三〇、〇〇〇円以上 一三八、〇〇〇円未満
第八級	一四二、〇〇〇円	一三八、〇〇〇円以上 一四六、〇〇〇円未満
第九級	一五〇、〇〇〇円	一四六、〇〇〇円以上 一五五、〇〇〇円未満
第一〇級	一六〇、〇〇〇円	一五五、〇〇〇円以上 一六五、〇〇〇円未満
第一一級	一七〇、〇〇〇円	一六五、〇〇〇円以上 一七五、〇〇〇円未満
第一二級	一八〇、〇〇〇円	一七五、〇〇〇円以上 一八五、〇〇〇円未満
第一三級	一九〇、〇〇〇円	一八五、〇〇〇円以上 一九五、〇〇〇円未満
第一四級	二〇〇、〇〇〇円	一九五、〇〇〇円以上 二一〇、〇〇〇円未満
第一五級	二二〇、〇〇〇円	二一〇、〇〇〇円以上 二三〇、〇〇〇円未満
第一六級	二四〇、〇〇〇円	二三〇、〇〇〇円以上 二五〇、〇〇〇円未満
第一七級	二六〇、〇〇〇円	二五〇、〇〇〇円以上 二七〇、〇〇〇円未満
第一八級	二八〇、〇〇〇円	二七〇、〇〇〇円以上 二九〇、〇〇〇円未満
第一九級	三〇〇、〇〇〇円	二九〇、〇〇〇円以上 三一〇、〇〇〇円未満
第二〇級	三二〇、〇〇〇円	三一〇、〇〇〇円以上 三三〇、〇〇〇円未満
第二一級	三四〇、〇〇〇円	三三〇、〇〇〇円以上 三五〇、〇〇〇円未満
第二二級	三六〇、〇〇〇円	三五〇、〇〇〇円以上 三七〇、〇〇〇円未満
第二三級	三八〇、〇〇〇円	三七〇、〇〇〇円以上 三九五、〇〇〇円未満
第二四級	四一〇、〇〇〇円	三九五、〇〇〇円以上 四二五、〇〇〇円未満
第二五級	四四〇、〇〇〇円	四二五、〇〇〇円以上 四五五、〇〇〇円未満
第二六級	四七〇、〇〇〇円	四五五、〇〇〇円以上 四八五、〇〇〇円未満
第二七級	五〇〇、〇〇〇円	四八五、〇〇〇円以上 五一五、〇〇〇円未満
第二八級	五三〇、〇〇〇円	五一五、〇〇〇円以上 五四五、〇〇〇円未満
第二九級	五六〇、〇〇〇円	五四五、〇〇〇円以上 五七五、〇〇〇円未満
第三〇級	五九〇、〇〇〇円	五七五、〇〇〇円以上 六〇五、〇〇〇円未満

第三一級	六二〇、〇〇〇円	六〇五、〇〇〇円以上

2　短期給付等事務（短期給付の額の算定並びに短期給付、介護納付金及び福祉事業に係る掛金及び負担金の徴収をいう。次項及び次条第二項において同じ。）に関する前項の規定の適用については、同項の表は、次のとおりとする。

標準報酬の等級	標準報酬の月額	報酬月額
第一級	五八、〇〇〇円	六三、〇〇〇円未満
第二級	六八、〇〇〇円	六三、〇〇〇円以上 七三、〇〇〇円未満
第三級	七八、〇〇〇円	七三、〇〇〇円以上 八三、〇〇〇円未満
第四級	八八、〇〇〇円	八三、〇〇〇円以上 九三、〇〇〇円未満
第五級	九八、〇〇〇円	九三、〇〇〇円以上 一〇一、〇〇〇円未満
第六級	一〇四、〇〇〇円	一〇一、〇〇〇円以上 一〇七、〇〇〇円未満
第七級	一一〇、〇〇〇円	一〇七、〇〇〇円以上 一一四、〇〇〇円未満
第八級	一一八、〇〇〇円	一一四、〇〇〇円以上 一二二、〇〇〇円未満
第九級	一二六、〇〇〇円	一二二、〇〇〇円以上 一三〇、〇〇〇円未満
第一〇級	一三四、〇〇〇円	一三〇、〇〇〇円以上 一三八、〇〇〇円未満
第一一級	一四二、〇〇〇円	一三八、〇〇〇円以上 一四六、〇〇〇円未満
第一二級	一五〇、〇〇〇円	一四六、〇〇〇円以上 一五五、〇〇〇円未満
第一三級	一六〇、〇〇〇円	一五五、〇〇〇円以上 一六五、〇〇〇円未満
第一四級	一七〇、〇〇〇円	一六五、〇〇〇円以上 一七五、〇〇〇円未満
第一五級	一八〇、〇〇〇円	一七五、〇〇〇円以上 一八五、〇〇〇円未満
第一六級	一九〇、〇〇〇円	一八五、〇〇〇円以上 一九五、〇〇〇円未満
第一七級	二〇〇、〇〇〇円	一九五、〇〇〇円以上 二一〇、〇〇〇円未満
第一八級	二二〇、〇〇〇円	二一〇、〇〇〇円以上 二三〇、〇〇〇円未満
第一九級	二四〇、〇〇〇円	二三〇、〇〇〇円以上 二五〇、〇〇〇円未満
第二〇級	二六〇、〇〇〇円	二五〇、〇〇〇円以上 二七〇、〇〇〇円未満
第二一級	二八〇、〇〇〇円	二七〇、〇〇〇円以上 二九〇、〇〇〇円未満
第二二級	三〇〇、〇〇〇円	二九〇、〇〇〇円以上 三一〇、〇〇〇円未満
第二三級	三二〇、〇〇〇円	三一〇、〇〇〇円以上 三三〇、〇〇〇円未満
第二四級	三四〇、〇〇〇円	三三〇、〇〇〇円以上 三五〇、〇〇〇円未満
第二五級	三六〇、〇〇〇円	三五〇、〇〇〇円以上 三七〇、〇〇〇円未満
第二六級	三八〇、〇〇〇円	三七〇、〇〇〇円以上 三九五、〇〇〇円未満
第二七級	四一〇、〇〇〇円	三九五、〇〇〇円以上 四二五、〇〇〇円未満
第二八級	四四〇、〇〇〇円	四二五、〇〇〇円以上 四五五、〇〇〇円未満
第二九級	四七〇、〇〇〇円	四五五、〇〇〇円以上 四八五、〇〇〇円未満

第三〇級	五〇〇、〇〇〇円	四八五、〇〇〇円以上　五一五、〇〇〇円未満
第三一級	五三〇、〇〇〇円	五一五、〇〇〇円以上　五四五、〇〇〇円未満
第三二級	五六〇、〇〇〇円	五四五、〇〇〇円以上　五七五、〇〇〇円未満
第三三級	五九〇、〇〇〇円	五七五、〇〇〇円以上　六〇五、〇〇〇円未満
第三四級	六二〇、〇〇〇円	六〇五、〇〇〇円以上　六三五、〇〇〇円未満
第三五級	六五〇、〇〇〇円	六三五、〇〇〇円以上　六六五、〇〇〇円未満
第三六級	六八〇、〇〇〇円	六六五、〇〇〇円以上　六九五、〇〇〇円未満
第三七級	七一〇、〇〇〇円	六九五、〇〇〇円以上　七三〇、〇〇〇円未満
第三八級	七五〇、〇〇〇円	七三〇、〇〇〇円以上　七七〇、〇〇〇円未満
第三九級	七九〇、〇〇〇円	七七〇、〇〇〇円以上　八一〇、〇〇〇円未満
第四〇級	八三〇、〇〇〇円	八一〇、〇〇〇円以上　八五五、〇〇〇円未満
第四一級	八八〇、〇〇〇円	八五五、〇〇〇円以上　九〇五、〇〇〇円未満
第四二級	九三〇、〇〇〇円	九〇五、〇〇〇円以上　九五五、〇〇〇円未満
第四三級	九八〇、〇〇〇円	九五五、〇〇〇円以上　一、〇〇五、〇〇〇円未満
第四四級	一、〇三〇、〇〇〇円	一、〇〇五、〇〇〇円以上　一、〇五五、〇〇〇円未満
第四五級	一、〇九〇、〇〇〇円	一、〇五五、〇〇〇円以上　一、一一五、〇〇〇円未満
第四六級	一、一五〇、〇〇〇円	一、一一五、〇〇〇円以上　一、一七五、〇〇〇円未満
第四七級	一、二一〇、〇〇〇円	一、一七五、〇〇〇円以上　一、二三五、〇〇〇円未満
第四八級	一、二七〇、〇〇〇円	一、二三五、〇〇〇円以上　一、二九五、〇〇〇円未満
第四九級	一、三三〇、〇〇〇円	一、二九五、〇〇〇円以上　一、三五五、〇〇〇円未満
第五〇級	一、三九〇、〇〇〇円	一、三五五、〇〇〇円以上

3　短期給付等事務に関する前項の規定により読み替えられた第一項の規定による標準報酬の区分については、健康保険法第四十条第二項の規定による標準報酬月額の等級区分の改定措置その他の事情を勘案して、政令で定めるところにより、前項の規定により読み替えられた第一項の規定による標準報酬の等級の最高等級の上に更に等級を加える改定を行うことができる。ただし、当該改定後の標準報酬の等級のうちの最高等級の標準報酬の月額は、同条の規定による標準報酬月額等級のうちの最高等級の標準報酬月額を超えてはならない。

4　退職等年金給付の額の算定並びに退職等年金給付に係る掛金及び負担金の徴収に関する第一項の規定による標準報酬の区分については、厚生年金保険法第二十条第二項の規定による標準報酬月額の等級区分の改定措置その他の事情を勘案して、政令で定めるところにより、第一項の規定による標準報酬の等級の最高等級の上に更に等級を加える改定を行うことができる。ただし、当該改定後の標準報酬の等級のうちの最高等級の標準報酬の月額は、同条の規定による標準報酬月額等級のうちの最高等級の標準報酬月額を超えてはならない。

5 組合は、毎年七月一日において、現に組合員である者の同日前三月間（同日に継続した組合員であつた期間に限るものとし、かつ、報酬支払の基礎となつた日数が十七日（財務省令で定める者にあつては、十一日。以下この条において同じ。）未満である月があるときは、その月を除く。）に受けた報酬の総額をその期間の月数で除して得た額を報酬月額として、標準報酬を決定する。

6 前項の規定によつて決定された標準報酬は、その年の九月一日から翌年の八月三十一日までの標準報酬とする。

7 第五項の規定は、六月一日から七月一日までの間に組合員の資格を取得した者並びに第十項又は第十二項及び第十三項若しくは第十四項及び第十五項の規定により七月から九月までのいずれかの月から標準報酬を改定され又は改定されるべき組合員については、その年に限り適用しない。

8 組合は、組合員の資格を取得した者があるときは、その資格を取得した日の現在の報酬の額により標準報酬を決定する。この場合において、週その他月以外の一定期間により支給される報酬については、政令で定めるところにより算定した金額をもつて報酬月額とする。

9 前項の規定によつて決定された標準報酬は、組合員の資格を取得した日からその年の八月三十一日（六月一日から十二月三十一日までの間に組合員の資格を取得した者については、翌年の八月三十一日）までの標準報酬とする。

10 組合は、組合員が継続した三月間（各月とも、報酬支払の基礎となつた日数が、十七日以上でなければならない。）に受けた報酬の総額を三で除して得た額が、その者の標準報酬の基礎となつた報酬月額に比べて著しく高低を生じ、財務省令で定める程度に達したときは、その額を報酬月額として、その著しく高低を生じた月の翌月から標準報酬を改定するものとする。

11 前項の規定によつて改定された標準報酬は、その年の八月三十一日（七月から十二月までのいずれかの月から改定されたものについては、翌年の八月三十一日）までの標準報酬とする。

12 組合は、育児休業、介護休業等育児又は家族介護を行う労働者の福祉に関する法律（平成三年法律第七十六号）第二条第一号の規定による育児休業若しくは同法第二十三条第二項の育児休業に関する制度に準ずる措置若しくは同法第二十四条第一項（第二号に係る部分に限る。）の規定により同項第二号に規定する育児休業に関する制度に準じて講ずる措置による休業、国会職員の育児休業等に関する法律（平成三年法律第百八号）第三条第一項の規定による育児休業、国家公務員の育児休業等に関する法律（平成三年法律第百九号）第三条第一項（同法第二十七条第一項及び裁判所職員臨時措置法（昭和二十六年法律第二百九十九号）（第七号に係る部分に限る。）において準用する場合を含む。）の規定による育児休業又は裁判官の育児休業に関する法律（平成三年法律第百十一号）第二条第一項の規定による育児休業（以下「育児休業等」という。）を終了した組合員が、当該育児休業等を終了した日（以下この項及び次項において「育児休業等終了日」という。）において育児休業、介護休業等育児又は家族介護を行う労働者の福祉に関する法律第二条第一号、国会職員の育児休業等に関する法律第三条第一項、国家公務員の育児休業等に関する法律第三条第一項（同法第二十七条第一項及び裁判所職員臨時措置法（第七号に係る部分に限る。）において準用する場合を含む。）又は裁判官の育児休業に関する法律第二条第一項に規定する子（第六十八条の二及び第七十五条の三において「子」という。）であつて、当該育児休業等に係る三歳に満たないものを養育する場合において、組合に申出をしたときは、育児休業等終了日の翌日が属する月以後三月間（育児休業等終了日の翌日において継続して組合員であつた期間に限るものとし、かつ、報酬支払の基礎となつた日数が十七日未満である月があるときは、その月を除く。）に受けた報酬の総額をその期間の月数で除して得た額を報酬月額として、標準報酬を改定するものとする。ただし、育児休業等終了日の翌日に第十四項に規定する産前産後休業を開始している組合員は、この限りでない。

13 前項の規定によつて改定された標準報酬は、育児休業等終了日の翌日から起算して二月を経過した日の属する月の翌月からその年の八月三十一日（七月から十二月までのいずれかの月から改定されたものについては、翌年の八月三十一日）までの標準報酬とする。

14 組合は、産前産後休業（出産の日（出産の日が出産の予定日後であるときは、出産の予定日）以前四十二日（多胎妊娠の場合にあつては、九十八日）から出産の日後五十六日までの間において勤務に服さないこと（妊娠又は出産に関する事由を理由として勤務に服さない場合に限る。）をいう。以下同じ。）を終了した組合員が、当該産前産後休業を終了した日（以下この項及び次項において「産前産後休業終了日」という。）において当該産前産後休業に係る子を養育する場合において、組合に申出をしたときは、産前産後休業終了日の翌日が属する月以後三月間（産前産後休業終了日の翌日において継続して組合員であつた期間に限るものとし、かつ、報酬支払の基礎となつた日数が十七日未満である月があるときは、その月を除く。）に受けた報酬の総額をその期間の月数で除して得た額を報酬月額として、標準報酬を改定するものとする。ただし、産前産後休業終了日の翌日に育児休業等を開始している組合員は、この限りでない。

15　前項の規定によつて改定された標準報酬は、産前産後休業終了日の翌日から起算して二月を経過した日の属する月の翌月からその年の八月三十一日（七月から十二月までのいずれかの月から改定されたものについては、翌年の八月三十一日）までの標準報酬とする。

16　組合員の報酬月額が第五項、第八項、第十二項若しくは第十四項の規定によつて算定することが困難であるとき、又は第五項、第八項、第十項、第十二項若しくは第十四項の規定によつて算定するとすれば著しく不当であるときは、これらの規定にかかわらず、同様の職務に従事する職員の報酬月額その他の事情を考慮して組合の代表者が適当と認めて算定する額をこれらの規定による当該組合員の報酬月額とする。

（標準期末手当等の額の決定）

第四十一条　組合は、組合員が期末手当等を受けた月において、その月に当該組合員が受けた期末手当等の額に基づき、これに千円未満の端数を生じたときはこれを切り捨てて、その月における標準期末手当等の額を決定する。この場合において、当該標準期末手当等の額が百五十万円を超えるときは、これを百五十万円とする。

2　短期給付等事務に関する前項の規定の適用については、同項後段中「標準期末手当等の額が百五十万円を超えるときは、これを百五十万円」とあるのは、「組合員が受けた期末手当等によりその年度における標準期末手当等の額の累計額が五百七十三万円（前条第三項の規定による標準報酬の区分の改定が行われたときは、政令で定める金額。以下この項において同じ。）を超えることとなる場合には、当該累計額が五百七十三万円となるようその月の標準期末手当等の額を決定し、その年度においてその月の翌月以降に受ける期末手当等の標準期末手当等の額は零」とする。

3　前条第四項の規定による標準報酬の区分の改定が行われた場合における退職等年金給付の額の算定並びに退職等年金給付に係る掛金及び負担金の徴収に関する標準期末手当等の額については、第一項後段中「百五十万円を」とあるのは、「百五十万円（前条第四項の規定による標準報酬の区分の改定が行われたときは、政令で定める金額。以下この項において同じ。）を」とする。

4　前条第十六項の規定は、標準期末手当等の額の算定について準用する。

（遺族の順位）

第四十二条　給付を受けるべき遺族の順位は、次の各号の順序とする。

一　配偶者及び子
二　父母
三　孫
四　祖父母

2　前項の場合において、父母については養父母、実父母の順とし、祖父母については養父母の養父母、養父母の実父母、実父母の養父母、実父母の実父母の順とする。

3　第一項の規定にかかわらず、父母は配偶者又は子が、孫は配偶者、子又は父母が、祖父母は配偶者、子、父母又は孫が給付を受けるべき権利を有することとなつたときは、それぞれ当該給付を受けることができる遺族としない。

4　先順位者となることができる者が後順位者より後に生じ、又は同順位者となることができる者がその他の同順位者である者より後に生じたときは、その先順位者又は同順位者となることができる者については、前三項の規定は、その生じた日から適用する。

（同順位者が二人以上ある場合の給付）

第四十三条　前条の規定により給付を受けるべき遺族に同順位者が二人以上あるときは、その給付は、その人数によつて等分して支給する。

（支払未済の給付の受給者の特例）

第四十四条　受給権者が死亡した場合において、その者が支給を受けることができた給付でその支払を受けなかつたものがあるときは、これをその者の配偶者、子、父母、孫、祖父母、兄弟姉妹又はこれらの者以外の三親等内の親族であつて、その者の死亡の当時その者と生計を共にしていたもの（次条第二項において「親族」という。）に支給する。

2　前項の場合において、死亡した者が公務遺族年金の受給権者である妻であつたときは、その者の死亡の当時その者と生計を共にしていた組合員又は組合員であつた者の子であつて、その者の死亡によつて公務遺族年金の支給の停止が解除されたものは、同項に規定する子とみなす。

3　第一項の規定による給付を受けるべき者の順位は、政令で定める。

4　第一項の規定による給付を受けるべき同順位者が二人以上あるときは、その全額をその一人に支給することができるものとし、この場合において、その一人にした支給は、全員に対してしたものとみなす。

（給付金からの控除）

第四十五条　組合員が第百一条第三項の規定により第百条第一項に規定する掛金等に相当する金額を組合に払い込むべき場合において、その者に支給すべき給付金（家族埋葬料に係る給付金を除く。）があり、かつ、その者が第百一条第三項の規定により払い込まなかつた金額があるときは、当該給付金からこれを控除することができる。

2　組合員が組合員の資格を喪失した場合において、その者又はその者の親族（前条第二項の規定により同条第一項に規定する子とみなされる者を含む。）に支給すべき給付金（埋葬料及び家族埋葬料に係る給付金を除く。）があり、かつ、その者が組合に対して支払うべき金額があるときは、当該給付金からこれを控除する。

（不正受給者からの費用の徴収等）

第四十六条　偽りその他不正の行為により組合から給付を受けた者がある場合には、組合は、その者から、その給付に要した費用に相当する金額（その給付が療養の給付であるときは、第五十五条第二項又は第三項の規定により支払つた一部負担金（第五十五条の二第一項第一号の措置が採られるときは、当該減額された一部負担金）に相当する額を控除した金額）の全部又は一部を徴収することができる。

2　前項の場合において、第五十五条第一項第三号に掲げる保険医療機関において診療に従事する保険医（第五十八条第一項に規定する保険医をいう。）又は健康保険法第八十八条第一項に規定する主治の医師が組合に提出されるべき診断書に虚偽の記載をしたため、その給付が行われたものであるときは、組合は、その保険医又は主治の医師に対し、給付を受けた者と連帯して前項の規定により徴収すべき金額を納付させることができる。

3　組合は、第五十五条第一項第三号に掲げる保険医療機関若しくは保険薬局又は第五十六条の二第一項に規定する指定訪問看護事業者が偽りその他不正の行為により組合員又は被扶養者の療養に関する費用の支払を受けたときは、当該保険医療機関若しくは保険薬局又は当該指定訪問看護事業者に対し、その支払つた額につき返還させるほか、その返還させる額に百分の四十を乗じて得た額を納付させることができる。

（損害賠償の請求権）

第四十七条　組合は、給付事由（第七十条又は第七十一条の規定による給付に係るものを除く。）が第三者の行為によつて生じた場合には、当該給付事由に対して行つた給付の価額の限度で、受給権者（当該給付事由が組合員の被扶養者について生じた場合には、当該被扶養者を含む。次項において同じ。）が第三者に対して有する損害賠償の請求権を取得する。

2　前項の場合において、受給権者が第三者から同一の事由について損害賠償を受けたときは、組合は、その価額の限度で、給付をしないことができる。

（給付を受ける権利の保護）

第四十八条　この法律に基づく給付を受ける権利は、譲り渡し、担保に供し、又は差し押さえることができない。ただし、退職年金若しくは公務遺族年金又は休業手当金を受ける権利を国税滞納処分（その例による処分を含む。）により差し押さえる場合は、この限りでない。

（公課の禁止）

第四十九条　租税その他の公課は、組合の給付として支給を受ける金品を標準として、課することができない。ただし、退職年金及び公務遺族年金並びに休業手当金については、この限りでない。

第二節　短期給付

第一款　通則

（短期給付の種類等）

第五十条　この法律による短期給付は、次のとおりとする。

一　療養の給付、入院時食事療養費、入院時生活療養費、保険外併用療養費、療養費、訪問看護療養費及び移送費

二　家族療養費、家族訪問看護療養費及び家族移送費

二の二　高額療養費及び高額介護合算療養費

三　出産費

四　家族出産費

五　削除

六　埋葬料

七　家族埋葬料

八　傷病手当金

九　出産手当金
十　休業手当金
十の二　育児休業手当金
十の三　介護休業手当金
十一　弔慰金
十二　家族弔慰金
十三　災害見舞金

2　短期給付に関する規定（育児休業手当金及び介護休業手当金に係る部分を除く。以下この条において同じ。）は、後期高齢者医療の被保険者等に該当する組合員には、適用しない。

3　短期給付に関する規定の適用を受ける組合員が前項の規定によりその適用を受けない組合員となつたときは、短期給付に関する規定の適用については、そのなつた日の前日に退職したものとみなす。

4　第二項の規定により短期給付に関する規定の適用を受けない組合員が後期高齢者医療の被保険者等に該当しないこととなつたときは、短期給付に関する規定の適用については、そのなつた日に組合員となつたものとみなす。

（附加給付）

第五十一条　組合は、政令で定めるところにより、前条第一項各号に掲げる給付にあわせて、これに準ずる短期給付を行うことができる。

（短期給付の給付額の算定の基礎となる標準報酬）

第五十二条　短期給付（前二条に規定する短期給付をいう。以下同じ。）の給付額の算定の基準となるべき第四十条第一項に規定する標準報酬の月額（以下「標準報酬の月額」という。）又は同項に規定する標準報酬の日額（以下「標準報酬の日額」という。）は、給付事由が生じた日（給付事由が退職後に生じた場合には、退職の日）の標準報酬の月額又は標準報酬の日額とする。

（被扶養者に係る届出及び短期給付）

第五十三条　新たに組合員となつた者に被扶養者の要件を備える者がある場合又は組合員について次の各号の一に該当する事実が生じた場合には、その組合員は、財務省令で定める手続により、その旨を組合に届け出なければならない。

一　新たに被扶養者の要件を備える者が生じたこと。
二　被扶養者がその要件を欠くに至つたこと。

2　被扶養者に係る短期給付は、新たに組合員となつた者に被扶養者となるべき者がある場合にはその者が組合員となつた日から、組合員に前項第一号に該当する事実が生じた場合にはその事実が生じた日から、それぞれ行うものとする。ただし、同項（第二号を除く。）の規定による届出がその組合員となつた日又はその事実の生じた日から三十日以内にされない場合には、その届出を受けた日から行うものとする。

（組合員の資格の確認に必要な書面の交付等）

第五十三条の二　組合員又はその被扶養者が第五十五条第一項に規定する電子資格確認を受けることができない状況にあるときは、当該組合員は、財務省令で定めるところにより、組合に対し、当該状況にある組合員若しくはその被扶養者の資格に係る情報として財務省令で定める事項を記載した書面の交付又は当該事項の電磁的方法（電子情報処理組織を使用する方法その他の情報通信の技術を利用する方法であつて財務省令で定めるものをいう。以下この条において同じ。）による提供を求めることができる。この場合において、当該組合は、財務省令で定めるところにより、速やかに、当該書面の交付の求めを行つた組合員に対しては当該書面を交付するものとし、当該電磁的方法による提供の求めを行つた組合員に対しては当該事項を電磁的方法により提供するものとする。

2　前項の規定により同項の書面の交付を受け、若しくは電磁的方法により同項の財務省令で定める事項の提供を受けた組合員又はその被扶養者は、当該書面又は当該事項を財務省令で定める方法により表示したものを提示することにより、第五十五条第一項（第五十七条第七項において準用する場合を含む。）、第五十五条の三第一項、第五十五条の四第一項、第五十五条の五第一項又は第五十六条の二第一項（第五十七条の三第三項において準用する場合を含む。）の確認を受けることができる。

第二款　保健給付

（療養の給付）

第五十四条　組合は、組合員の公務によらない病気又は負傷について次に掲げる療養の給付を行う。

一　診察
二　薬剤又は治療材料の支給
三　処置、手術その他の治療
四　居宅における療養上の管理及びその療養に伴う世話その他の看護
五　病院又は診療所への入院及びその療養に伴う世話その他の看護

2　次に掲げる療養に係る給付は、前項の給付に含まれないものとする。

一　食事の提供である療養であつて前項第五号に掲げる療養と併せて行うもの（医療法（昭和二十三年法

律第二百五号）第七条第二項第四号に掲げる療養病床への入院及びその療養に伴う世話その他の看護であつて、当該療養を受ける際、六十五歳に達する日の属する月の翌月以後である組合員（以下「特定長期入院組合員」という。）に係るものを除く。以下「食事療養」という。）

二　次に掲げる療養であつて前項第五号に掲げる療養と併せて行うもの（特定長期入院組合員に係るものに限る。以下「生活療養」という。）

イ　食事の提供である療養

ロ　温度、照明及び給水に関する適切な療養環境の形成である療養

三　健康保険法第六十三条第二項第三号に掲げる療養（以下「評価療養」という。）

四　健康保険法第六十三条第二項第四号に掲げる療養（以下「患者申出療養」という。）

五　健康保険法第六十三条第二項第五号に掲げる療養（以下「選定療養」という。）

（療養の機関及び費用の負担）

第五十五条　組合員は、前条第一項各号に掲げる療養の給付を受けようとするときは、財務省令で定めるところにより、保険医療機関等（次に掲げる医療機関又は薬局をいう。以下同じ。）から、電子資格確認（保険医療機関等から療養を受けようとする者又は第五十六条の二第一項に規定する指定訪問看護事業者から同項に規定する指定訪問看護を受けようとする者が、組合に対し、個人番号カード（行政手続における特定の個人を識別するための番号の利用等に関する法律（平成二十五年法律第二十七号）第二条第七項に規定する個人番号カードをいう。）に記録された利用者証明用電子証明書（電子署名等に係る地方公共団体情報システム機構の認証業務に関する法律（平成十四年法律第百五十三号）第二十二条第一項に規定する利用者証明用電子証明書をいう。）を送信する方法その他の財務省令で定める方法により、組合員又は被扶養者の資格に係る情報（短期給付に係る費用の請求に必要な情報を含む。）の照会を行い、電子情報処理組織を使用する方法その他の情報通信の技術を利用する方法により、組合から回答を受けて当該情報を当該保険医療機関等又は当該指定訪問看護事業者に提供し、当該保険医療機関等又は当該指定訪問看護事業者から組合員又は被扶養者であることの確認を受けることをいう。以下同じ。）その他財務省令で定める方法（以下「電子資格確認等」という。）により、組合員であることの確認を受け、その給付を受けるものとする。

一　組合又は連合会の経営する医療機関又は薬局

二　組合員（地方公務員等共済組合法第三条第一項に規定する地方公務員共済組合（以下「地方の組合」という。）で療養の給付に相当する給付を行うものの組合員及び私立学校教職員共済法（昭和二十八年法律第二百四十五号）の規定による私立学校教職員共済制度の加入者（以下「私学共済制度の加入者」という。）を含む。）に対し療養を行う医療機関又は薬局で組合員の療養について組合が契約しているもの

三　保険医療機関又は保険薬局（健康保険法第六十三条第三項第一号に規定する保険医療機関又は保険薬局をいう。以下同じ。）

2　前項の規定により同項第二号又は第三号に掲げる医療機関又は薬局から療養の給付を受ける者は、その給付を受ける際、次の各号に掲げる場合の区分に応じ、当該給付について健康保険法第七十六条第二項の規定の例により算定した費用の額に当該各号に定める割合を乗じて得た金額を一部負担金として当該医療機関又は薬局に支払うものとする。ただし、前項第二号に掲げる医療機関又は薬局から受ける場合には、組合は、運営規則で定めるところにより、当該一部負担金を減額し、又はその支払を要しないものとすることができる。

一　七十歳に達する日の属する月以前である場合　百分の三十

二　七十歳に達する日の属する月の翌月以後である場合（次号に掲げる場合を除く。）　百分の二十

三　七十歳に達する日の属する月の翌月以後である場合であつて、政令で定めるところにより算定した報酬の額が政令で定める額以上であるとき　百分の三十

3　組合は、運営規則で定めるところにより、第一項第一号に掲げる医療機関又は薬局から療養の給付を受ける者については、前項の規定の例により算定した金額の範囲内で運営規則で定める金額を一部負担金として支払わせることができる。

4　保険医療機関又は保険薬局は、第二項に規定する一部負担金（次条第一項第一号の措置が採られるときは、当該減額された一部負担金）の支払を受領しなければならないものとし、保険医療機関又は保険薬局が善良な管理者の注意と同一の注意をもつてその支払を受領すべく努めたにもかかわらず、組合員が当該一部負担金の全部又は一部を支払わないときは、組合は、当該保険医療機関又は保険薬局の請求により、当該一

部負担金の全部又は一部を支払わなかつた組合員から、これを徴収することができる。

5　組合員が第一項の規定により療養の給付を受けた場合には、組合は、同項第一号の医療機関又は薬局については、その費用から組合員が支払うべき第三項に規定する一部負担金に相当する金額を控除した金額を負担し、第一項第二号又は第三号の医療機関又は薬局については、療養に要する費用から組合員が支払うべき第二項に規定する一部負担金（次条第一項各号の措置が採られるときは、当該措置が採られたものとした場合の一部負担金）に相当する金額を控除した金額を当該医療機関又は薬局に支払うものとする。

6　前項に規定する療養に要する費用の額は、健康保険法第七十六条第二項の規定に基づき厚生労働大臣が定めるところにより算定した金額（当該金額の範囲内において組合が第一項第二号又は第三号の医療機関又は薬局との契約により別段の定めをした場合には、その定めたところにより算定した金額）とする。

7　第二項の規定により一部負担金を支払う場合においては、当該一部負担金の額に五円未満の端数があるときは、これを切り捨て、五円以上十円未満の端数があるときは、これを十円に切り上げるものとする。

（一部負担金の額の特例）

第五十五条の二　組合は、災害その他の財務省令で定める特別の事情がある組合員であつて、前条第一項第二号又は第三号に掲げる医療機関又は薬局に同条第二項の規定による一部負担金を支払うことが困難であると認められるものに対し、次の措置を採ることができる。

一　一部負担金を減額すること。

二　一部負担金の支払を免除すること。

三　当該医療機関又は薬局に対する支払に代えて、一部負担金を直接に徴収することとし、その徴収を猶予すること。

2　前項の措置を受けた組合員は、前条第二項の規定にかかわらず、前項第一号の措置を受けた組合員にあつてはその減額された一部負担金を同条第一項第二号又は第三号に掲げる医療機関又は薬局に支払うをもつて足り、前項第二号又は第三号の措置を受けた組合員にあつては一部負担金を当該医療機関又は薬局に支払うことを要しない。

3　前条第七項の規定は、前項の場合における一部負担金の支払について準用する。

（入院時食事療養費）

第五十五条の三　組合員（特定長期入院組合員を除く。）が公務によらない病気又は負傷により、財務省令で定めるところにより、第五十五条第一項各号に掲げる医療機関から、電子資格確認等により、組合員であることの確認を受け、第五十四条第一項第五号に掲げる療養の給付と併せて食事療養を受けたときは、その食事療養に要した費用について入院時食事療養費を支給する。

2　入院時食事療養費の額は、当該食事療養について健康保険法第八十五条第二項に規定する厚生労働大臣が定める基準によりされる算定の例により算定した費用の額（その額が現に当該食事療養に要した費用の額を超えるときは、当該現に食事療養に要した費用の額）から同項に規定する食事療養標準負担額（以下「食事療養標準負担額」という。）を控除した金額とする。

3　組合員（特定長期入院組合員を除く。以下この条において同じ。）が第五十五条第一項第一号に掲げる医療機関から食事療養を受けた場合において、組合がその組合員の支払うべき食事療養に要した費用のうち入院時食事療養費として組合員に支給すべき金額の支払を免除したときは、組合員に対し入院時食事療養費を支給したものとみなす。

4　組合員が第五十五条第一項第二号又は第三号に掲げる医療機関から食事療養を受けた場合には、組合は、その組合員が当該医療機関に支払うべき食事療養に要した費用について入院時食事療養費として組合員に支給すべき金額に相当する金額を、組合員に代わり、当該医療機関に支払うことができる。

5　前項の規定による支払があつたときは、組合員に対し入院時食事療養費を支給したものとみなす。

6　第五十五条第一項各号に掲げる医療機関は、食事療養に要した費用について支払を受ける際に、その支払をした組合員に対し、領収証を交付しなければならない。

（入院時生活療養費）

第五十五条の四　特定長期入院組合員が公務によらない病気又は負傷により、財務省令で定めるところにより、第五十五条第一項各号に掲げる医療機関から、電子資格確認等により、組合員であることの確認を受け、第五十四条第一項第五号に掲げる療養の給付と併せて生活療養を受けたときは、その生活療養に要した費用について入院時生活療養費を支給する。

2　入院時生活療養費の額は、当該生活療養について健康保険法第八十五条の二第二項に規定する厚生労働大臣が定める基準によりされる算定の例により算定した費用の額（その額が現に当該生活療養に要した費用の額を超えるときは、当該現に生活療養に要した費用の額）から同項に規定する生活療養標準負担額（以下「生活療養標準負担額」という。）を控除した金額とする。

3　前条第三項から第六項までの規定は、入院時生活療養費の支給について準用する。

（保険外併用療養費）

第五十五条の五　組合員が公務によらない病気又は負傷により、財務省令で定めるところにより、保険医療機関等から、電子資格確認等により、組合員であることの確認を受け、評価療養、患者申出療養又は選定療養を受けたときは、その療養に要した費用について保険外併用療養費を支給する。

2　保険外併用療養費の額は、第一号に掲げる金額（当該療養に食事療養が含まれるときは当該金額及び第二号に掲げる金額との合算額、当該療養に生活療養が含まれるときは当該金額及び第三号に掲げる金額との合算額）とする。

一　当該療養（食事療養及び生活療養を除く。）について健康保険法第八十六条第二項第一号に規定する厚生労働大臣が定めるところによりされる算定の例により算定した費用の額（その額が現に当該療養に要した費用の額を超えるときは、当該現に療養に要した費用の額）から、その額に第五十五条第二項各号に掲げる場合の区分に応じ、同項各号に定める割合を乗じて得た額（療養の給付に係る同項の一部負担金について第五十五条の二第一項各号の措置が採られるときは、当該措置が採られたものとした場合の額）を控除した金額

二　当該食事療養について健康保険法第八十五条第二項に規定する厚生労働大臣が定める基準によりされる算定の例により算定した費用の額（その額が現に当該食事療養に要した費用の額を超えるときは、当該現に食事療養に要した費用の額）から食事療養標準負担額を控除した金額

三　当該生活療養について健康保険法第八十五条の二第二項に規定する厚生労働大臣が定める基準によりされる算定の例により算定した費用の額（その額が現に当該生活療養に要した費用の額を超えるときは、当該現に生活療養に要した費用の額）から生活療養標準負担額を控除した金額

3　第五十五条の三第三項から第六項までの規定は、保険外併用療養費の支給について準用する。

4　第五十五条第七項の規定は、前項において準用する第五十五条の三第四項の場合において、第二項の規定により算定した費用の額（その額が現に療養に要した費用の額を超えるときは、当該現に療養に要した費用の額）から当該療養に要した費用につき保険外併用療養費として支給される金額に相当する金額を控除した金額の支払について準用する。

（療養費）

第五十六条　組合は、療養の給付若しくは入院時食事療養費、入院時生活療養費若しくは保険外併用療養費の支給（以下この項において「療養の給付等」という。）をすることが困難であると認めたとき、又は組合員が保険医療機関等以外の病院、診療所、薬局その他の療養機関から診療、手当若しくは薬剤の支給を受けた場合において、組合がやむを得ないと認めたときは、療養の給付等に代えて、療養費を支給することができる。

2　組合は、組合員が第五十五条第一項第二号又は第三号の医療機関又は薬局から第五十四条第一項各号に掲げる療養を受け、緊急その他やむを得ない事情によりその費用をこれらの医療機関又は薬局に支払つた場合において、組合が必要と認めたときは、療養の給付に代えて、療養費を支給することができる。

3　前二項の規定により支給する療養費の額は、当該療養（食事療養及び生活療養を除く。）について算定した費用の額（その額が現に療養（食事療養又は生活療養を除く。）に要した費用の額を超えるときは、当該現に療養に要した費用の額）からその額に第五十五条第二項各号に掲げる場合の区分に応じ、同項各号に定める割合を乗じて得た額を控除した金額及び当該食事療養又は生活療養について算定した費用の額（その額が現に食事療養又は生活療養に要した費用の額を超えるときは、当該現に食事療養又は生活療養に要した費用の額）から食事療養標準負担額又は生活療養標準負担額を控除した金額の合算額（第一項の規定による場合には、当該合算額の範囲内で組合が定める金額）とする。

4　前項の費用の額の算定に関しては、療養の給付を受けるべき場合には第五十五条第六項の療養に要する費用の額の算定、入院時食事療養費の支給を受けるべき場合には第五十五条の三第一項の食事療養についての費用の額の算定、入院時生活療養費の支給を受けるべき場合には第五十五条の四第二項の生活療養についての費用の額の算定、保険外併用療養費の支給を受けるべき場合には前条第二項の療養についての費用の額の算定の例による。

（訪問看護療養費）

第五十六条の二　組合員が公務によらない病気又は負傷により、財務省令で定めるところにより、健康保険法第八十八条第一項に規定する指定訪問看護事業者（以下「指定訪問看護事業者」という。）から、電子資格確認等により、組合員であることの確認を受け、同項に規定する指定訪問看護（以下「指定訪問看護」という。）を受けた場合において、組合が必要と認めたときは、その指定訪問看護に要した費用について訪問看護療養費を支給する。

2　訪問看護療養費の額は、当該指定訪問看護について健康保険法第八十八条第四項に規定する厚生労働大臣が定めるところにより算定される算定の例により算定した費用の額から、その額に第五十五条第二項各号に掲げる場合の区分に応じ、同項各号に定める割合を乗じて得た額（療養の給付に係る同項の一部負担金について第五十五条の二第一項各号の措置が採られるときは、当該措置が採られたものとした場合の額）を控除した金額とする。

3　組合員が指定訪問看護事業者から指定訪問看護を受けた場合には、組合は、その組合員が当該指定訪問看護事業者に支払うべき当該指定訪問看護に要した費用について訪問看護療養費として組合員に支給すべき金額に相当する金額を、組合員に代わり、当該指定訪問看護事業者に支払うことができる。

4　前項の規定による支払があつたときは、組合員に対し訪問看護療養費を支給したものとみなす。

5　指定訪問看護事業者は、指定訪問看護に要した費用について支払を受ける際に、その支払をした組合員に対し、領収証を交付しなければならない。

6　指定訪問看護は、第五十四条第一項各号に掲げる療養に含まれないものとする。

7　第五十五条第七項の規定は、第三項の場合において、第二項の規定により算定した費用の額から当該指定訪問看護に要した費用につき訪問看護療養費として支給される金額に相当する金額を控除した金額の支払について準用する。

（移送費）

第五十六条の三　組合員が療養の給付（保険外併用療養費に係る療養を含む。）を受けるため病院又は診療所に移送された場合において、組合が必要と認めたときは、その移送に要した費用について移送費を支給する。

2　移送費の額は、健康保険法第九十七条第一項に規定する厚生労働省令で定めるところにより算定される算定の例により算定した金額とする。

（家族療養費）

第五十七条　被扶養者が保険医療機関等から療養を受けたときは、その療養に要した費用について組合員に対し家族療養費を支給する。

2　家族療養費の額は、第一号に掲げる金額（当該療養に食事療養が含まれるときは当該金額及び第二号に掲げる金額の合算額、当該療養に生活療養が含まれるときは当該金額及び第三号に掲げる金額の合算額）とする。

一　当該療養（食事療養及び生活療養を除く。）について算定した費用の額（その額が現に当該療養に要した費用の額を超えるときは、当該現に療養に要した費用の額）に次のイからニまでに掲げる場合の区分に応じ、それぞれイからニまでに定める割合を乗じて得た金額

イ　被扶養者が六歳に達する日以後の最初の三月三十一日の翌日以後であつて七十歳に達する日の属する月以前である場合　百分の七十

ロ　被扶養者が六歳に達する日以後の最初の三月三十一日以前である場合　百分の八十

ハ　被扶養者（ニに規定する被扶養者を除く。）が七十歳に達する日の属する月の翌月以後である場合　百分の八十

ニ　第五十五条第二項第三号に掲げる場合に該当する組合員その他政令で定める組合員の被扶養者が七十歳に達する日の属する月の翌月以後である場合　百分の七十

二　当該食事療養について算定した費用の額（その額が現に当該食事療養に要した費用の額を超えるときは、当該現に食事療養に要した費用の額）から食事療養標準負担額を控除した金額

三　当該生活療養について算定した費用の額（その額が現に当該生活療養に要した費用の額を超えるときは、当該現に生活療養に要した費用の額）から生活療養標準負担額を控除した金額

3　前項第一号の療養についての費用の額の算定に関しては、保険医療機関等から療養（評価療養、患者申出療養及び選定療養を除く。）を受ける場合にあつては第五十五条第六項の療養に要する費用の額の算定、保険医療機関等から評価療養、患者申出療養又は選定療養を受ける場合にあつては第五十五条の五第二項の療養についての費用の額の算定、前項第二号の食事療養についての費用の額の算定に関しては、第五十五条の三第二項の食事療養についての費用の額の算定、前項第三号の生活療養についての費用の額の算定に関して

は、第五十五条の四第二項の生活療養についての費用の額の算定の例による。

4 被扶養者が第五十五条第一項第一号に掲げる医療機関又は薬局から療養を受けた場合において、組合がその被扶養者の支払うべき療養に要した費用のうち家族療養費として組合員に支給すべき金額に相当する金額の支払を免除したときは、組合員に対し家族療養費を支給したものとみなす。

5 被扶養者が第五十五条第一項第二号又は第三号に掲げる医療機関又は薬局から療養を受けた場合には、組合は、療養に要した費用のうち家族療養費として組合員に支給すべき金額に相当する金額を、組合員に代わり、これらの医療機関又は薬局に支払うことができる。

6 前項の規定による支払があつたときは、組合員に対し家族療養費を支給したものとみなす。

7 第五十五条第一項、第五十五条の三第六項並びに第五十六条第一項及び第二項の規定は、被扶養者の療養及び家族療養費の支給について準用する。

8 前項において準用する第五十六条第一項又は第二項の規定により支給する家族療養費の額は、第二項の規定の例により算定した金額（同条第一項の規定による場合には、当該金額の範囲内で組合が定める金額）とする。

9 第五十五条第七項の規定は、第五項の場合において、療養につき第三項の規定により算定した費用の額（その額が現に療養に要した費用の額を超えるときは、当該現に療養に要した費用の額）から当該療養に要した費用につき家族療養費として支給される金額に相当する金額を控除した金額の支払について準用する。

（家族療養費の額の特例）

第五十七条の二 組合は、第五十五条の二第一項に規定する組合員の被扶養者に係る家族療養費の支給について、前条第二項第一号イからニまでに定める割合を、それぞれの割合を超え百分の百以下の範囲内において組合が定めた割合とする措置を採ることができる。

2 組合は、前項に規定する被扶養者に係る前条第五項の規定の適用については、同項中「家族療養費として組合員に支給すべき金額」とあるのは、「当該療養につき算定した費用の額（その額が現に当該療養に要した費用の額を超えるときは、当該現に療養に要した費用の額）」とする。この場合において、組合は、当該支払をした金額から家族療養費として組合員に対し支給すべき金額に相当する金額を控除した金額をその被扶養者に係る組合員から直接に徴収することとし、その徴収を猶予することができる。

（家族訪問看護療養費）

第五十七条の三 被扶養者が指定訪問看護事業者から指定訪問看護を受けた場合において、組合が必要と認めたときは、その指定訪問看護に要した費用について組合員に対し家族訪問看護療養費を支給する。

2 家族訪問看護療養費の額は、当該指定訪問看護について健康保険法第八十八条第四項に規定する厚生労働大臣が定めるところにより算定される算定の例により算定した費用の額に第五十七条第二項第一号イからニまでに掲げる場合の区分に応じ、同号イからニまでに定める割合を乗じて得た金額（家族療養費の支給について前条第一項又は第二項の規定が適用されるときは、当該規定が適用されたものとした場合の金額）とする。

3 第五十六条の二第一項及び第二項から第五項までの規定は、家族訪問看護療養費の支給及び被扶養者の指定訪問看護について準用する。

4 第五十五条第七項の規定は、前項において準用する第五十六条の二第三項の場合において、第二項の規定により算定した費用の額から当該指定訪問看護に要した費用につき家族訪問看護療養費として支給される金額に相当する金額を控除した金額の支払について準用する。

（家族移送費）

第五十七条の四 被扶養者が家族療養費に係る療養を受けるため病院又は診療所に移送された場合において、組合が必要と認めたときは、その移送に要した費用について組合員に対し家族移送費を支給する。

2 第五十六条の三第二項の規定は、家族移送費の支給について準用する。

（保険医療機関の療養担当等）

第五十八条 保険医療機関若しくは保険薬局又はこれらにおいて診療若しくは調剤に従事する保険医若しくは保険薬剤師（健康保険法第六十四条に規定する保険医又は保険薬剤師をいう。）は、同法及びこれに基づく命令の規定の例により、組合員及びその被扶養者の療養並びにこれに係る事務を担当し、又は診療若しくは調剤に当たらなければならない。

2 指定訪問看護事業者又は指定訪問看護事業者の当該指定に係る訪問看護事業所（健康保険法第八十九条第一項に規定する訪問看護事業所をいう。第百十七条第二項において同じ。）の看護師その他の従業者は、同法及びこれに基づく命令の規定の例により、組合員及びその被扶養者の指定訪問看護並びにこれに係る事務を担当し、又は指定訪問看護に当たらなければならない。

（組合員が日雇特例被保険者又はその被扶養者となつた場合等の給付）

第五十九条　組合員が資格を喪失し、かつ、健康保険法第三条第二項に規定する日雇特例被保険者又はその被扶養者（次項において「日雇特例被保険者等」という。）となつた場合において、その者が退職した際に療養の給付、入院時食事療養費、入院時生活療養費、保険外併用療養費、療養費、訪問看護療養費、家族療養費若しくは家族訪問看護療養費又は介護保険法の規定による居宅介護サービス費（同法の規定による当該給付のうち療養に相当する同法第四十一条第一項に規定する指定居宅サービスに係るものに限る。以下この条において同じ。）、特例居宅介護サービス費（同法の規定による当該給付のうち療養に相当する同法第八条第一項に規定する居宅サービス又はこれに相当するサービスに係るものに限る。以下この条において同じ。）、地域密着型介護サービス費（同法の規定による当該給付のうち療養に相当する同法第四十二条の二第一項に規定する指定地域密着型サービスに係るものに限る。以下この条において同じ。）、特例地域密着型介護サービス費（同法の規定による当該給付のうち療養に相当する同法第八条第十四項に規定する地域密着型サービス又はこれに相当するサービスに係るものに限る。以下この条において同じ。）、施設介護サービス費（同法の規定による当該給付のうち療養に相当する同法第四十八条第一項に規定する指定施設サービス等に係るものに限る。以下この条において同じ。）若しくは特例施設介護サービス費（同法の規定による当該給付のうち療養に相当する同法第八条第二十六項に規定する施設サービスに係るものに限る。以下この条において同じ。）若しくは介護予防サービス費（同法の規定による当該給付のうち療養に相当する同法第五十三条第一項に規定する指定介護予防サービスに係るものに限る。以下この条において同じ。）若しくは特例介護予防サービス費（同法の規定による当該給付のうち療養に相当する同法第八条の二第一項に規定する介護予防サービス又はこれに相当するサービスに係るものに限る。以下この条において同じ。）を受けているとき（その者が退職した際にその被扶養者が同法の規定による居宅介護サービス費、特例居宅介護サービス費、地域密着型介護サービス費、特例地域密着型介護サービス費、施設介護サービス費若しくは特例施設介護サービス費又は介護予防サービス費若しくは特例介護予防サービス費を受けているときを含む。）には、当該病気又は負傷及びこれらにより生じた病気について継続して療養の給付、入院時食事療養費、入院時生活療養費、保険外併用療養費、療養費、訪問看護療養費、移送費、家族療養費、家族訪問看護療養費又は家族移送費を支給する。

2　組合員が死亡により資格を喪失し、又は組合員であつた者が死亡により前項の規定の適用を受けることができないこととなつた場合であつて、かつ、当該組合員又は組合員であつた者の被扶養者が日雇特例被保険者等となつた場合において、当該組合員又は組合員であつた者が死亡した際に家族療養費又は家族訪問看護療養費を受けているとき（当該組合員又は組合員であつた者が死亡した際に当該被扶養者が介護保険法の規定による居宅介護サービス費、特例居宅介護サービス費、地域密着型介護サービス費、特例地域密着型介護サービス費、施設介護サービス費若しくは特例施設介護サービス費又は介護予防サービス費若しくは特例介護予防サービス費を受けているときを含む。）には、当該病気又は負傷及びこれらにより生じた病気について、継続して家族療養費、家族訪問看護療養費又は家族移送費を当該組合員であつた者の被扶養者として現に療養を受けている者に支給する。

3　前二項の規定による給付は、次の各号のいずれかに該当するに至つたときは、行わない。

一　当該病気又は負傷について、健康保険法第五章の規定による療養の給付又は入院時食事療養費、入院時生活療養費、保険外併用療養費、療養費、訪問看護療養費、移送費（次項に規定する移送費を除く。）、家族療養費、家族訪問看護療養費若しくは家族移送費（同項に規定する家族移送費を除く。）の支給を受けることができるに至つたとき。

二　その者が、他の組合の組合員（地方の組合でこれらの給付に相当する給付を行うものの組合員、私学共済制度の加入者、健康保険の被保険者（健康保険法第三条第二項に規定する日雇特例被保険者を除く。）及び船員保険の被保険者を含む。第六十一条第二項ただし書、第六十四条ただし書、第六十六条第五項ただし書及び第六十七条第三項ただし書において同じ。）若しくはその被扶養者、国民健康保険の被保険者又は後期高齢者医療の被保険者等となつたとき。

三　組合員の資格を喪失した日から起算して六月を経過したとき。

4　第一項及び第二項の規定による給付は、当該病気又は負傷について、健康保険法第五章の規定による特別療養費（同法第百四十五条第六項において準用する同法第百三十二条の規定により支給される療養費を含む。）又は移送費若しくは家族移送費（当該特別療養費に係る療養を受けるための移送に係る移送費又は家族移送費に限る。）の支給を受けることができる間は、行わない。

（他の法令による療養との調整）

第六十条　他の法令の規定により国又は地方公共団体の負担において療養又は療養費の支給を受けたときは、その受けた限度において、療養の給付又は入院時食事療養費、入院時生活療養費、保険外併用療養費、療養費、訪問看護療養費、移送費、家族療養費、家族訪問看護療養費、家族移送費若しくは高額療養費の支給は、行わない。

2　療養の給付又は入院時食事療養費、入院時生活療養費、保険外併用療養費、療養費、訪問看護療養費、移送費、家族療養費、家族訪問看護療養費若しくは家族移送費の支給は、同一の病気又は負傷に関し、国家公務員災害補償法の規定による通勤による災害に係る療養補償又はこれに相当する補償が行われるときは、行わない。

3　療養の給付又は入院時食事療養費、入院時生活療養費、保険外併用療養費、療養費、訪問看護療養費、家族療養費若しくは家族訪問看護療養費の支給は、同一の病気又は負傷に関し、介護保険法の規定によりそれぞれの給付に相当する給付が行われるときは、行わない。

（高額療養費）

第六十条の二　療養の給付につき支払われた第五十五条第二項若しくは第三項に規定する一部負担金（第五十五条の二第一項第一号の措置が採られるときは、当該減額された一部負担金）の額又は療養（食事療養及び生活療養を除く。次項において同じ。）に要した費用の額からその療養に要した費用につき保険外併用療養費、療養費、訪問看護療養費、家族療養費若しくは家族訪問看護療養費として支給される金額に相当する金額を控除した金額（次条第一項において「一部負担金等の額」という。）が著しく高額であるときは、その療養の給付又はその保険外併用療養費、療養費、訪問看護療養費、家族療養費若しくは家族訪問看護療養費の支給を受けた者に対し、高額療養費を支給する。

2　高額療養費の支給要件、支給額その他高額療養費の支給に関し必要な事項は、療養に必要な費用の負担の家計に与える影響及び療養に要した費用の額を考慮して、政令で定める。

（高額介護合算療養費）

第六十条の三　一部負担金等の額（前条第一項の高額療養費が支給される場合にあつては、当該支給額に相当する金額を控除した金額）並びに介護保険法第五十一条第一項に規定する介護サービス利用者負担額（同項の高額介護サービス費が支給される場合にあつては、当該支給額に相当する金額を控除した金額）及び同法第六十一条第一項に規定する介護予防サービス利用者負担額（同項の高額介護予防サービス費が支給される場合にあつては、当該支給額に相当する金額を控除した金額）の合計額が著しく高額であるときは、当該一部負担金等の額に係る療養の給付又は保険外併用療養費、療養費、訪問看護療養費、家族療養費若しくは家族訪問看護療養費の支給を受けた者に対し、高額介護合算療養費を支給する。

2　前条第二項の規定は、高額介護合算療養費の支給について準用する。

（出産費及び家族出産費）

第六十一条　組合員が出産したときは、出産費として、政令で定める金額を支給する。

2　前項の規定は、組合員の資格を喪失した日の前日まで引き続き一年以上組合員であつた者（以下「一年以上組合員であつた者」という。）が退職後六月以内に出産した場合について準用する。ただし、退職後出産するまでの間に他の組合の組合員の資格を取得したときは、この限りでない。

3　組合員の被扶養者（前項本文の規定の適用を受ける者を除く。）が出産したときは、家族出産費として、政令で定める金額を支給する。

（埋葬料及び家族埋葬料）

第六十三条　組合員が公務によらないで死亡したときは、その死亡の当時被扶養者であつた者で埋葬を行うものに対し、埋葬料として、政令で定める金額を支給する。

2　前項の規定により埋葬料の支給を受けるべき者がない場合には、埋葬を行つた者に対し、同項に規定する金額の範囲内で、埋葬に要した費用に相当する金額を支給する。

3　被扶養者が死亡したときは、家族埋葬料として、政令で定める金額を支給する。

4　埋葬料及び家族埋葬料は、国家公務員災害補償法の規定による通勤による災害に係る葬祭補償又はこれに相当する補償が行われるときは、支給しない。

第六十四条　組合員であつた者が退職後三月以内に死亡

したときは、前条第一項及び第二項の規定に準じて埋葬料を支給する。ただし、退職後死亡するまでの間に他の組合の組合員の資格を取得したときは、この限りでない。

（日雇特例被保険者に係る給付との調整）

第六十五条　家族療養費、家族訪問看護療養費、家族移送費、家族出産費又は家族埋葬料は、同一の病気、負傷、出産又は死亡に関し、健康保険法第五章の規定により療養の給付又は入院時食事療養費、入院時生活療養費、保険外併用療養費、療養費、訪問看護療養費、移送費、出産育児一時金若しくは埋葬料の支給があつた場合には、その限度において、支給しない。

第三款　休業給付

（傷病手当金）

第六十六条　組合員（第百二十六条の五第二項に規定する任意継続組合員を除く。第五項、次条第一項及び第三項並びに第六十八条から第六十八条の三までにおいて同じ。）が公務によらないで病気にかかり、又は負傷し、療養のため引き続き勤務に服することができない場合には、勤務に服することができなくなつた日以後三日を経過した日から、その後における勤務に服することができない期間、傷病手当金を支給する。

2　傷病手当金の額は、一日につき、傷病手当金の支給を始める日の属する月以前の直近の継続した十二月間の各月の標準報酬の月額（組合員が現に属する組合により定められたものに限る。以下この項において同じ。）の平均額の二十二分の一に相当する金額（当該金額に五円未満の端数があるときは、これを切り捨て、五円以上十円未満の端数があるときは、これを十円に切り上げるものとする。）の三分の二に相当する金額（当該金額に五十銭未満の端数があるときは、これを切り捨て、五十銭以上一円未満の端数があるときは、これを一円に切り上げるものとする。）とする。ただし、同日の属する月以前の直近の継続した期間において標準報酬の月額が定められている月が十二月に満たない場合にあつては、次の各号に掲げる金額のうちいずれか少ない額の三分の二に相当する金額（当該金額に五十銭未満の端数があるときは、これを切り捨て、五十銭以上一円未満の端数があるときは、これを一円に切り上げるものとする。）とする。

一　傷病手当金の支給を始める日の属する月以前の直近の継続した各月の標準報酬の月額の平均額の二十二分の一に相当する金額（当該金額に五円未満の端数があるときは、これを切り捨て、五円以上十円未満の端数があるときは、これを十円に切り上げるものとする。）

二　傷病手当金の支給を始める日の属する年度の前年度の九月三十日における短期給付に関する規定の適用を受ける全ての組合員の同月の標準報酬の月額の平均額を標準報酬の基礎となる報酬月額とみなしたときの標準報酬の月額の二十二分の一に相当する金額（当該金額に五円未満の端数があるときは、これを切り捨て、五円以上十円未満の端数があるときは、これを十円に切り上げるものとする。）

3　前項に規定するもののほか、傷病手当金の額の算定に関して必要な事項は、財務省令で定める。

4　傷病手当金の支給期間は、同一の病気又は負傷及びこれらにより生じた病気（以下「傷病」という。）については、第一項に規定する勤務に服することができなくなつた日以後三日を経過した日（同日において第六十九条第一項の規定により傷病手当金の全部を支給しないときは、その支給を始めた日）から通算して一年六月間（結核性の病気については、三年間）とする。

5　一年以上組合員であつた者が退職した際に傷病手当金を受けている場合には、その者が退職しなかつたとしたならば前項の規定により受けることができる期間、継続してこれを支給する。ただし、その者が他の組合の組合員の資格を取得したときは、この限りでない。

6　傷病手当金は、同一の傷病について厚生年金保険法による障害厚生年金の支給を受けることができるときは、支給しない。ただし、その支給を受けることができる障害厚生年金の額（当該障害厚生年金と同一の給付事由に基づき国民年金法による障害基礎年金の支給を受けることができるときは、当該障害厚生年金の額と当該障害基礎年金の額との合算額）を基準として財務省令で定めるところにより算定した額（以下この項において「障害年金の額」という。）が、第二項の規定により算定される額より少ないときは、当該額から次の各号に掲げる場合の区分に応じて当該各号に定める額を控除した額を支給する。

一　報酬を受けることができない場合であつて、かつ、出産手当金の支給を受けることができない場合
　障害年金の額

二　報酬を受けることができない場合であつて、かつ、出産手当金の支給を受けることができる場合
　出産手当金の額（当該額が第二項の規定により算定される額を超える場合にあつては、当該額）と障害年金の額のいずれか多い額

三　報酬の全部又は一部を受けることができる場合であつて、かつ、出産手当金の支給を受けることができない場合　当該受けることができる報酬の全部又は一部の額（当該額が第二項の規定により算定される額を超える場合にあつては、当該額）と障害年金の額のいずれか多い額

四　報酬の全部又は一部を受けることができる場合であつて、かつ、出産手当金の支給を受けることができないとしたならば支給されることとなる出産手当金の額（当該額が第二項の規定により算定される額を超える場合にあつては、当該額）と障害年金の額のいずれか多い額

7　傷病手当金は、同一の傷病について厚生年金保険法による障害手当金の支給を受けることとなつたときは、当該障害手当金の支給を受けることとなつた日からその日以後に傷病手当金の支給を受けるとする場合の第二項の規定により算定される額の合計額が当該障害手当金の額に達するに至る日までの間、支給しない。ただし、当該合計額が当該障害手当金の額に達するに至つた日において当該合計額が当該障害手当金の額を超える場合において、報酬の全部若しくは一部又は出産手当金の支給を受けることができるときその他の政令で定めるときは、当該合計額から当該障害手当金の額を控除した額その他の政令で定める額については、この限りでない。

8　第五項の傷病手当金（政令で定める要件に該当する者に支給するものに限る。）は、厚生年金保険法又は国民年金法による老齢を給付事由とする年金である給付その他の退職又は老齢を給付事由とする年金である給付であつて政令で定めるもの（以下この項及び次項において「退職老齢年金給付」という。）の支給を受けることができるときは、支給しない。ただし、その支給を受けることができる退職老齢年金給付の額（当該退職老齢年金給付が二以上あるときは、当該二以上の退職老齢年金給付の額を合算した額）を基準として財務省令で定めるところにより算定した額が、当該退職老齢年金給付の支給を受けることができないとしたならば支給されることとなる傷病手当金の額より少ないときは、当該傷病手当金の額から当該財務省令で定めるところにより算定した額を控除した額を支給する。

9　組合は、前三項の規定による傷病手当金に関する処分に関し必要があると認めるときは、第六項の障害厚生年金若しくは障害基礎年金、第七項の障害手当金又は前項の退職老齢年金給付の支給状況につき、退職老齢年金給付の支払をする者（次項において「年金支給実施機関」という。）に対し、必要な資料の提供を求めることができる。

10　年金支給実施機関（厚生労働大臣を除く。）は、厚生労働大臣の同意を得て、前項の規定による資料の提供の事務を厚生労働大臣に委託することができる。

11　厚生労働大臣は、日本年金機構に、前項の規定により委託を受けた資料の提供に係る事務（当該資料の提供を除く。）を行わせるものとする。

12　厚生年金保険法第百条の十第二項及び第三項の規定は、前項の事務について準用する。この場合において、必要な技術的読替えは、政令で定める。

13　傷病手当金は、次条の規定により出産手当金を支給する場合（第六項又は第七項に該当するときを除く。）には、その期間内は、支給しない。ただし、報酬を受けることができないとしたならば支給されることとなる出産手当金の額が、第一項の規定により算定される額より少ないときは、同項の規定により算定される額から当該出産手当金の額を控除した額を支給する。

14　傷病手当金は、同一の傷病に関し、国家公務員災害補償法の規定による通勤による災害に係る休業補償若しくは傷病補償年金又はこれらに相当する補償（次項において「休業補償等」という。）が行われるときは、支給しない。

15　組合は、前項の規定による傷病手当金に関する処分に関し必要があると認めるときは、休業補償等の支給状況につき、休業補償等の支給を行う者に対し、必要な資料の提供を求めることができる。

（出産手当金）

第六十七条　組合員が出産した場合には、出産の日（出産の日が出産の予定日後であるときは、出産の予定日）以前四十二日（多胎妊娠の場合にあつては、九十八日）から出産の日後五十六日までの間において勤務に服することができなかつた期間、出産手当金を支給する。

2　前条第二項及び第三項の規定は、出産手当金の額の算定について準用する。

3　一年以上組合員であつた者が退職した際に出産手当金を受けているときは、その給付は、第一項に規定する期間内は、引き続き支給する。ただし、その者が他の組合の組合員の資格を取得したときは、この限りでない。

（休業手当金）

第六十八条　組合員が次の各号の一に掲げる事由により

欠勤した場合には、休業手当金として、その期間（第二号から第四号までの各号については、当該各号に掲げる期間内においてその欠勤した期間）一日につき標準報酬の日額の百分の五十に相当する金額を支給する。ただし、傷病手当金又は出産手当金を支給する場合には、その期間内は、この限りでない。

一　被扶養者の病気又は負傷

二　組合員の配偶者の出産　十四日

三　組合員の公務によらない不慮の災害又はその被扶養者に係る不慮の災害　五日

四　組合員の婚姻、配偶者の死亡又は二親等内の血族若しくは一親等の姻族で主として組合員の収入により生計を維持するもの若しくはその他の被扶養者の婚姻若しくは葬祭　七日

五　前各号に掲げるもののほか、運営規則で定める事由　運営規則で定める期間

（育児休業手当金）

第六十八条の二　組合員が育児休業等（育児休業、介護休業等育児又は家族介護を行う労働者の福祉に関する法律第二十三条第二項の育児休業に関する制度に準ずる措置及び同法第二十四条第一項（第二号に係る部分に限る。）の規定により同項第二号に規定する育児休業に関する制度に準じて講ずる措置による休業を除く。以下この項から第三項までにおいて同じ。）をした場合には、育児休業手当金として、当該育児休業等により勤務に服さなかつた期間で当該育児休業等に係る子が一歳（その子が一歳に達した日後の期間について育児休業等をすることが必要と認められるものとして財務省令で定める場合に該当するときは、一歳六か月（その子が一歳六か月に達した日後の期間について育児休業等をすることが必要と認められるものとして財務省令で定める場合に該当するときは、二歳））に達する日までの期間一日につき標準報酬の日額の百分の五十（当該育児休業等をした期間が百八十日に達するまでの期間については、百分の六十七）に相当する金額を支給する。

2　組合員の養育する子について、当該組合員の配偶者がその子の一歳に達する日以前のいずれかの日において育児休業等（地方公務員の育児休業等に関する法律（平成三年法律第百十号）第二条第一項の規定による育児休業を含む。）をしている場合における前項の規定の適用については、同項中「係る子が一歳」とあるのは「係る子が一歳二か月」と、「日までの期間」とあるのは「日までの期間（当該期間において当該育児休業等をした期間（一般職の職員の勤務時間、休暇等に関する法律（平成六年法律第三十三号）第十九条の規定による特別休暇（出産に関する特別休暇であつて政令で定めるものに限る。）の期間その他これに準ずる休業であつて政令で定めるものをした期間を含む。）が一年（その子が一歳に達した日後の期間について育児休業等をすることが必要と認められるものとして財務省令で定める場合に該当するときは、一年六月（その子が一歳六か月に達した日後の期間について育児休業等をすることが必要と認められるものとして財務省令で定める場合に該当するときは、二年）。以下この項において同じ。）を超えるときは、一年」とする。

3　第一項（前項の規定により読み替えて適用する場合を含む。以下この項において同じ。）の規定により支給すべきこととされる標準報酬の日額の百分の五十（当該育児休業等をした期間が百八十日に達するまでの期間については、百分の六十七）に相当する金額が、雇用保険給付相当額（雇用保険法（昭和四十九年法律第百十六号）第十七条第四項第二号ハに定める額（当該額が同法第十八条の規定により変更された場合には、当該変更された後の額）に相当する額に三十を乗じて得た額の百分の五十（当該育児休業等をした期間が百八十日に達するまでの期間については、百分の六十七）に相当する額を二十二で除して得た額をいう。）を超える場合における第一項の規定の適用については、同項中「標準報酬の日額の百分の五十（当該育児休業等をした期間が百八十日に達するまでの期間については、百分の六十七）」とあるのは、「第三項に規定する雇用保険給付相当額」とする。

4　育児休業手当金は、同一の育児休業について雇用保険法の規定による育児休業給付の支給を受けることができるときは、支給しない。

（介護休業手当金）

第六十八条の三　組合員が介護のための休業（一般職の職員の勤務時間、休暇等に関する法律（平成六年法律第三十三号）の適用を受ける組合員（同法第二十三条の規定の適用を受ける組合員を除く。）については同法第二十条第一項に規定する介護休暇を、その他の組合員についてはこれに準ずる休業として政令で定めるものをいい、以下この条において「介護休業」という。）により勤務に服することができない場合には、介護休業手当金として、当該介護休業により勤務に服することができない期間一日につき標準報酬の日額の百分の四十に相当する金額を支給する。

2　前項の介護休業手当金の支給期間は、組合員の介護を必要とする者の各々が介護を必要とする一の継続す

る状態ごとに、介護休業の日数を通算して六十六日を超えないものとする。

3 前条第三項の規定は、第一項の場合について準用する。この場合において、同条第三項中「百分の五十（当該育児休業等をした期間が百八十日に達するまでの期間については、百分の六十七）」とあるのは「百分の四十」と、「第十七条第四項第二号ハ」とあるのは「第十七条第四項第二号ロ」と読み替えるものとする。

4 介護休業手当金は、同一の介護休業について雇用保険法の規定による介護休業給付の支給を受けることができるときは、支給しない。

（報酬との調整）

第六十九条 傷病手当金は、その支給期間に係る報酬の全部又は一部を受ける場合（第六十六条第六項、第七項又は第十三項に該当するときを除く。）には、その受ける金額を基準として政令で定める金額の限度において、その全部又は一部を支給しない。

2 出産手当金、休業手当金、育児休業手当金又は介護休業手当金は、その支給期間に係る報酬の全部又は一部を受ける場合には、その受ける金額を基準として政令で定める金額の限度において、その全部又は一部を支給しない。

第四款 災害給付

（弔慰金及び家族弔慰金）

第七十条 組合員又はその被扶養者が水震火災その他の非常災害により死亡したときは、組合員については標準報酬の月額に相当する金額の弔慰金をその遺族に、被扶養者については当該金額の百分の七十に相当する金額の家族弔慰金を組合員に支給する。

（災害見舞金）

第七十一条 組合員が前条に規定する非常災害によりその住居又は家財に損害を受けたときは、災害見舞金として、別表第一に掲げる損害の程度に応じ、同表に定める月数を標準報酬の月額に乗じて得た金額を支給する。

第三節 長期給付

第一款 通則

（長期給付の種類等）

第七十二条 この法律における長期給付は、厚生年金保険給付及び退職等年金給付とする。

2 長期給付に関する規定は、次の各号のいずれかに該当する職員（政令で定める職員を除く。）には適用しない。

一 任命について国会の両院の議決又は同意によることを必要とする職員

二 国会法（昭和二十二年法律第七十九号）第三十九条の規定により国会議員がその職を兼ねることを禁止されていない職にある職員

三 常時勤務に服することを要しない職員で政令で定めるもの

四 臨時に使用される職員その他の政令で定める職員

3 長期給付に関する規定の適用を受ける組合員がその適用を受けない組合員となつたときは、長期給付に関する規定の適用については、そのなつた日の前日に退職したものとみなす。

4 第二項の規定により長期給付に関する規定の適用を受けない組合員がその適用を受ける組合員となつたときは、長期給付に関する規定の適用については、そのなつた日に新たに組合員となつたものとみなす。

第二款 厚生年金保険給付

（厚生年金保険給付の種類等）

第七十三条 この法律における厚生年金保険給付は、厚生年金保険法第三十二条に規定する次に掲げる保険給付（同法第二条の五第一項第二号に規定する第二号厚生年金被保険者期間に基づくものに限る。）とする。

一 老齢厚生年金

二 障害厚生年金及び障害手当金

三 遺族厚生年金

2 第一節（第三十九条第一項及び第四十五条を除く。）及び次節（第九十六条を除く。）並びに第八章（第百十六条、第百十七条の二、第百二十四条の二から第百二十六条の三まで及び第百二十六条の六から第百二十七条までを除く。）の規定は、厚生年金保険給付については、適用しない。

第三款 退職等年金給付

第一目 通則

（退職等年金給付の種類）

第七十四条 この法律による退職等年金給付は、次に掲げる給付とする。

一 退職年金

二 公務障害年金

三 公務遺族年金

（給付算定基礎額）

第七十五条 退職等年金給付の給付事由が生じた日における当該退職等年金給付の額の算定の基礎となるべき額（以下「給付算定基礎額」という。）は、組合員期間の計算の基礎となる各月の掛金の標準となつた標準報酬の月額と標準期末手当等の額に当該各月において適用される付与率を乗じて得た額に当該各月から当該給付事由が生じた日の前日の属する月までの期間に応ずる利子に相当する額を加えた額の総額とする。

2　前項に規定する付与率は、退職等年金給付が組合員であつた者及びその遺族の適当な生活の維持を図ることを目的とする年金制度の一環をなすものであることその他政令で定める事情を勘案して、連合会の定款で定める。

3　第一項に規定する利子は、掛金の払込みがあつた月から退職等年金給付の給付事由が生じた日の前日の属する月までの期間に応じ、当該期間の各月において適用される基準利率を用いて複利の方法により計算する。

4　各年の十月から翌年の九月までの期間の各月において適用される前項に規定する基準利率（以下「基準利率」という。）は、毎年九月三十日までに、国債の利回りを基礎として、退職等年金給付積立金の運用の状況及びその見通しその他政令で定める事情を勘案して、連合会の定款で定める。

5　前各項に定めるもののほか、給付算定基礎額の計算に関し必要な事項は、財務省令で定める。

（退職等年金給付の支給期間及び支給期月）

第七十五条の二　退職等年金給付は、その給付事由が生じた日の属する月の翌月からその事由のなくなつた日の属する月までの分を支給する。

2　退職等年金給付は、その支給を停止すべき事由が生じたときは、その事由が生じた日の属する月の翌月からその事由がなくなつた日の属する月までの分の支給を停止する。ただし、これらの日が同じ月に属する場合には、支給を停止しない。

3　退職等年金給付の額を改定する事由が生じたときは、その事由が生じた日の属する月の翌月分からその改定した金額を支給する。

4　退職等年金給付は、毎年二月、四月、六月、八月、十月及び十二月において、それぞれの前月までの分を支給する。ただし、その給付を受ける権利が消滅したとき、又はその支給を停止すべき事由が生じたときは、その支給期月にかかわらず、その際、その月までの分を支給する。

（三歳に満たない子を養育する組合員等の給付算定基礎額の計算の特例）

第七十五条の三　三歳に満たない子を養育し、又は養育していた組合員又は組合員であつた者が、組合（組合員であつた者にあつては、連合会）に申出をしたときは、当該子を養育することとなつた日（財務省令で定める事由が生じた場合にあつては、その日）の属する月から次の各号のいずれかに該当するに至つた日の翌日の属する月の前月までの各月のうち、その標準報酬の月額が当該子を養育することとなつた日の属する月の前月（当該月において組合員でない場合にあつては、当該月前一年以内における組合員であつた月のうち直近の月。以下この条において「基準月」という。）の標準報酬の月額（この項の規定により当該子以外の子に係る基準月の標準報酬の月額が標準報酬の月額とみなされている場合にあつては、当該みなされた基準月の標準報酬の月額。以下この項において「従前標準報酬の月額」という。）を下回る月（当該申出が行われた日の属する月前の月にあつては、当該申出が行われた日の属する月の前月までの二年間のうちにあるものに限る。）については、従前標準報酬の月額を当該下回る月の標準報酬の月額とみなして、第七十五条第一項の規定を適用する。

一　当該子が三歳に達したとき。

二　当該組合員若しくは当該組合員であつた者が死亡したとき、又は当該組合員が退職したとき。

三　当該子以外の子についてこの条の規定の適用を受ける場合における当該子以外の子を養育することとなつたときその他これに準ずるものとして財務省令で定めるものが生じたとき。

四　当該子が死亡したときその他当該組合員が当該子を養育しないこととなつたとき。

五　当該組合員が第百条の二第一項の規定の適用を受ける育児休業等を開始したとき。

六　当該組合員が第百条の二の二の規定の適用を受ける産前産後休業を開始したとき。

2　前項の規定による給付算定基礎額の計算その他同項の規定の適用に関し必要な事項は、政令で定める。

3　第一項第六号の規定に該当した組合員（同項の規定により当該子以外の子に係る基準月の標準報酬の月額が基準月の標準報酬の月額とみなされている場合を除く。）に対する同項の規定の適用については、同項中「この項の規定により当該子以外の子に係る基準月の標準報酬の月額が標準報酬の月額とみなされている場合にあつては、当該みなされた基準月の標準報酬の月額」とあるのは、「第六号の規定の適用がなかつたとしたならば、この項の規定により当該子以外の子に係る基準月の標準報酬の月額が標準報酬の月額とみなされる場合にあつては、当該みなされることとなる基準月の標準報酬の月額」とする。

（併給の調整）

第七十五条の四　次の各号に掲げる退職等年金給付（第

七十九条の二第三項前段、第七十九条の三第二項前段若しくは第三項又は第七十九条の四第一項に規定する一時金を除く。以下この条において同じ。）の受給権者が当該各号に定める場合に該当するときは、その該当する間、当該退職等年金給付は、その支給を停止する。

一 退職年金 公務障害年金を受けることができるとき。

二 公務障害年金 退職年金又は公務遺族年金を受けることができるとき。

三 公務遺族年金 公務障害年金を受けることができるとき。

2 前項の規定によりその支給を停止するものとされた退職等年金給付の受給権者は、同項の規定にかかわらず、その支給の停止の解除を申請することができる。

3 現にその支給が行われている退職等年金給付が第一項の規定によりその支給を停止するものとされた場合において、その支給を停止すべき事由が生じた日の属する月に当該退職等年金給付に係る前項の申請がなされないときは、その支給を停止すべき事由が生じたときにおいて、当該退職等年金給付に係る同項の申請があつたものとみなす。

4 第二項の申請（前項の規定により第二項の申請があつたものとみなされた場合における当該申請を含む。以下この項及び次項において同じ。）があつた場合には、当該申請に係る退職等年金給付については、第一項の規定にかかわらず、同項の規定による支給の停止は行わない。ただし、その者に係る他の退職等年金給付について、第二項の申請があつたとき（次項の規定により当該申請が撤回された場合を除く。）は、この限りでない。

5 第二項の申請は、いつでも、将来に向かつて撤回することができる。

（受給権者の申出による支給停止）

第七十五条の五 退職等年金給付（この法律の他の規定により支給を停止されているものを除く。）は、その受給権者の申出により、その支給を停止する。

2 前項の申出は、いつでも、将来に向かつて撤回することができる。

3 第一項の規定による支給停止の方法その他前二項の規定の適用に関し必要な事項は、政令で定める。

（年金の支払の調整）

第七十五条の六 退職等年金給付（以下この項において「乙年金」という。）の受給権者が他の退職等年金給付（以下この項において「甲年金」という。）を受ける権利を取得したため乙年金を受ける権利が消滅し、又は同一人に対して乙年金の支給を停止して甲年金を支給すべき場合において、乙年金を受ける権利が消滅し、又は乙年金の支給を停止すべき事由が生じた月の翌月以後の分として、乙年金の支払が行われたときは、その支払われた乙年金は、甲年金の内払とみなす。

2 退職等年金給付の支給を停止すべき事由が生じたにもかかわらず、その停止すべき期間の分として退職等年金給付が支払われたときは、その支払われた退職等年金給付は、その後に支払うべき退職等年金給付の内払とみなすことができる。退職等年金給付を減額して改定すべき事由が生じたにもかかわらず、その事由が生じた月の翌月以後の分として減額しない額の退職等年金給付が支払われた場合における当該退職等年金給付の当該減額すべきであつた部分についても、同様とする。

3 第七十九条の二第三項前段又は第七十九条の三第二項前段若しくは第三項に規定する一時金の支給を受けた者が、公務障害年金の支給を受けるときは、その支払われた一時金は、その後に支払うべき公務障害年金の支給期月ごとの支給額の二分の一に相当する金額の限度において、当該支給期月において支払うべき公務障害年金の内払とみなす。

第七十五条の七 退職等年金給付の受給権者が死亡したためその受ける権利が消滅したにもかかわらず、その死亡の日の属する月の翌月以後の分として当該退職等年金給付の過誤払が行われた場合において、当該過誤払による返還金に係る債権（以下この条において「返還金債権」という。）に係る債務の弁済をすべき者に支払うべき退職等年金給付があるときは、財務省令で定めるところにより、当該退職等年金給付の支払金の金額を当該過誤払による返還金債権の金額に充当することができる。

（死亡の推定）

第七十五条の八 船舶が沈没し、転覆し、滅失し、若しくは行方不明となつた際現にその船舶に乗つていた組合員若しくは組合員であつた者若しくは船舶に乗つていてその船舶の航行中に行方不明となつた組合員若しくは組合員であつた者の生死が三月間分からない場合又はこれらの者の死亡が三月以内に明らかとなり、かつ、その死亡の時期が分からない場合には、公務遺族年金又はその他の退職等年金給付に係る支払未済の給付の支給に関する規定の適用については、その船舶が沈没し、転覆し、滅失し、若しくは行方不明となつた日又はその者が行方不明となつた日に、その者は、死亡したものと推定する。航空機が墜落し、滅失し、若しくは行方不明となつた際現にその航空機に乗つていた組合員若しくは組合員であつた者若しくは航空機に乗つていてその航空機の航行中に行方不明となつた組合員若しくは組合員であつた者の生死が三月間分からない場合又はこれらの者の死亡が三月以内に明らかとなり、かつ、その死亡の時期が分からない場合にも、同様とする。

（年金受給者の書類の提出等）

第七十五条の九　連合会は、退職等年金給付の支給に関し必要な範囲内において、その支給を受ける者に対して、身分関係の異動、支給の停止及び障害の状態に関する書類その他の物件の提出を求めることができる。

2　連合会は、前項の要求をした場合において、正当な理由がなくてこれに応じない者があるときは、その者に対しては、これに応ずるまでの間、退職等年金給付の支払を差し止めることができる。

（政令への委任）

第七十五条の十　この款に定めるもののほか、退職等年金給付の額の計算及びその支給に関し必要な事項は、政令で定める。

第二目　退職年金

（退職年金の種類）

第七十六条　退職年金は、支給期間を終身とするもの（以下「終身退職年金」という。）及び支給期間を二百四十月とするもの（以下「有期退職年金」という。）とする。

2　有期退職年金の受給権者が連合会に当該有期退職年金の支給期間の短縮の申出をしたときは、当該有期退職年金の支給期間は百二十月とする。

3　前項の申出は、当該有期退職年金の給付事由が生じた日から六月以内に、退職年金の支給の請求と同時に行わなければならない。

（退職年金の受給権者）

第七十七条　一年以上の引き続く組合員期間を有する者が退職した後に六十五歳に達したとき（その者が組合員である場合を除く。）、又は六十五歳に達した日以後に退職したときは、その者に退職年金を支給する。

2　第八十二条第二項の規定により有期退職年金を受ける権利を失つた者が前項に規定する場合に該当するに至つたときは、同条第二項の規定にかかわらず、その者に有期退職年金を支給する。この場合において、当該失つた権利に係る組合員期間は、この項の規定により支給する有期退職年金の額の計算については、組合員期間に含まれないものとするほか、当該有期退職年金の額の計算に関し必要な事項は、政令で定める。

（終身退職年金の額）

第七十八条　終身退職年金の額は、終身退職年金の額の算定の基礎となるべき額（以下「終身退職年金算定基礎額」という。）を、受給権者の年齢に応じた終身年金現価率で除して得た金額とする。

2　終身退職年金の給付事由が生じた日からその年の九月三十日（終身退職年金の給付事由が生じた日が九月一日から十二月三十一日までの間にあるときは、翌年の九月三十日）までの間における終身退職年金算定基礎額は、給付算定基礎額の二分の一に相当する額（組合員期間が十年に満たないときは、当該額に二分の一を乗じて得た額）とする。

3　終身退職年金の給付事由が生じた日の属する年（終身退職年金の給付事由が生じた日が九月一日から十二月三十一日までの間にあるときは、その翌年）以後の各年の十月一日から翌年の九月三十日までの間における終身退職年金算定基礎額は、当該各年の九月三十日における当該終身退職年金の額に同日において当該終身退職年金の受給権者の年齢に一年を加えた年齢の者に対して適用される終身年金現価率を乗じて得た額とする。

4　第一項及び前項の規定の適用については、終身退職年金の給付事由が生じた日からその日の属する年の九月三十日（終身退職年金の給付事由が生じた日が十月一日から十二月三十一日までの間にあるときは、翌年の九月三十日）までの間においては終身退職年金の給付事由が生じた日の属する年の前年の三月三十一日（終身退職年金の給付事由が生じた日が十月一日から十二月三十一日までの間にあるときは、その年の三月三十一日）における当該終身退職年金の受給権者の年齢に一年を加えた年齢を、終身退職年金の給付事由が生じた日の属する年（終身退職年金の給付事由が生じた日が十月一日から十二月三十一日までの間にあるときは、その翌年）以後の各年の十月一日から翌年の九月三十日までの間においては当該各年の三月三十一日における当該終身退職年金の受給権者の年齢に一年を加えた年齢を、当該受給権者の年齢とする。

5　各年の十月から翌年の九月までの期間において適用される第一項及び第三項に規定する終身年金現価率（第八十四条第一項及び第九十条第一項において「終身年金現価率」という。）は、毎年九月三十日までに、基準利率、死亡率の状況及びその見通しその他政令で定める事情を勘案して終身にわたり一定額の年金額を

支給することとした場合の年金額を計算するための率として、連合会の定款で定める。

6 前各項に定めるもののほか、終身退職年金の額の計算に関し必要な事項は、財務省令で定める。

（有期退職年金の額）

第七十九条 有期退職年金の額は、有期退職年金の額の算定の基礎となるべき額（以下「有期退職年金算定基礎額」という。）を、支給残月数に応じた有期年金現価率で除して得た金額とする。

2 有期退職年金の給付事由が生じた日からその年の九月三十日（有期退職年金の給付事由が生じた日が九月一日から十二月三十一日までの間にあるときは、翌年の九月三十日）までの間における有期退職年金算定基礎額は、給付算定基礎額の二分の一に相当する額（組合員期間が十年に満たないときは、当該額に二分の一を乗じて得た額）とする。

3 有期退職年金の給付事由が生じた日の属する年（有期退職年金の給付事由が生じた日が九月一日から十二月三十一日までの間にあるときは、その翌年）以後の各年の十月一日から翌年の九月三十日までの間における有期退職年金算定基礎額は、当該各年の九月三十日における当該有期退職年金の額にその年の十月一日における当該有期退職年金の支給残月数に相当する月数に対してその年の九月三十日において適用される有期年金現価率を乗じて得た額とする。

4 第一項及び前項に規定する支給残月数（次項において「支給残月数」という。）は、有期退職年金の給付事由が生じた日からその年の九月三十日（有期退職年金の給付事由が生じた日が九月一日から十二月三十一日までの間にあるときは、翌年の九月三十日）までの間においては二百四十月（第七十六条第二項の申出があつた場合は百二十月。以下この項、第七十九条の四第一項第二号及び第八十一条第四項において同じ。）とし、同日以後の各年の十月一日から翌年の九月三十日までの間においては二百四十月から当該給付事由が生じた日の属する月の翌月から当該各年の九月までの月数を控除した月数とする。

5 各年の十月から翌年の九月までの期間において適用される第一項及び第三項に規定する有期年金現価率（第七十九条の四第一項第二号及び第八十一条第四項において「有期年金現価率」という。）は、毎年九月三十日までに、基準利率その他政令で定める事情を勘案して支給残月数の期間において一定額の年金額を支給することとした場合の年金額を計算するための率として、連合会の定款で定める。

6 前各項に定めるもののほか、有期退職年金の額の計算に関し必要な事項は、財務省令で定める。

（有期退職年金に代わる一時金）

第七十九条の二 有期退職年金の受給権者は、給付事由が生じた日から六月以内に、一時金の支給を連合会に請求することができる。

2 前項の請求は、退職年金の支給の請求と同時に行わなければならない。

3 第一項の請求があつたときは、その請求をした者に給付事由が生じた日における有期退職年金算定基礎額に相当する金額の一時金を支給する。この場合においては、第七十七条の規定にかかわらず、その者に対する有期退職年金は支給しない。

4 前項の規定による一時金は、有期退職年金とみなしてこの法律の規定（第七十七条、前条及び第八十二条第二項を除く。）を適用する。

（整理退職の場合の一時金）

第七十九条の三 国家公務員退職手当法（昭和二十八年法律第百八十二号）第五条第一項第二号に掲げる者であつて、六十五歳未満であるもの（一年以上の引き続く組合員期間を有する者であつて、六十五歳未満であるものに限る。）は、同号の退職をした日から六月以内に、一時金の支給を連合会に請求することができる。

2 前項の請求があつたときは、その請求をした者に同項に規定する退職をした日における給付算定基礎額の二分の一に相当する金額の一時金を支給する。この場合において、第七十五条第一項中「退職等年金給付の給付事由が生じた日」とあるのは「国家公務員退職手当法（昭和二十八年法律第百八十二号）第五条第一項第二号の退職をした日」と、「当該給付事由が生じた日の」とあるのは「同号の退職をした日の」と、同条第三項中「退職等年金給付の給付事由が生じた日」とあるのは「同項に規定する退職をした日」とする。

3 第一項の請求をした者が、他の退職に係る同項の請求（他の法令の規定で同項の規定に相当するものとして政令で定めるものに基づく請求を含む。）をした者であるときは、前項の規定にかかわらず、その者に同項の規定の例により算定した金額から当該他の退職に関し同項の規定（他の法令の規定で同項の規定に相当するものとして政令で定めるものを含む。）により支給すべき一時金の額に相当する金額として政令で定めるところにより計算した金額を控除した金額の一時金を支給する。

4 前二項の規定による一時金は、有期退職年金とみなしてこの法律の規定（第七十七条、第七十九条及び第

八十二条第二項を除く。）を適用する。

5　連合会は、第二項又は第三項の規定による一時金の支給の決定を行うため必要があると認めるときは、当該支給の請求をした者が当該請求に係る退職をした時就いていた職又はこれに相当する職に係る任命権者又はその委任を受けた者に対し、当該退職に関して必要な資料の提供を求めることができる。

6　前各項に定めるもののほか、第二項又は第三項の規定による一時金の支給に関し必要な事項は、政令で定める。

（遺族に対する一時金）

第七十九条の四　一年以上の引き続く組合員期間を有する者が死亡した場合には、その者の遺族に次の各号に掲げる場合の区分に応じ当該各号に定める金額の一時金を支給する。

一　次号及び第三号に掲げる場合以外の場合　その者が死亡した日における給付算定基礎額（組合員であつた者が死亡した場合において、その者の組合員期間が十年に満たないときは、当該給付算定基礎額に二分の一を乗じて得た額）の二分の一に相当する金額（当該死亡した者が前条第一項の規定による一時金の請求をした者であるときは、当該二分の一に相当する金額から当該請求に基づき支払われるべき一時金の額に相当するものとして政令で定めるところにより計算した金額を控除した金額）

二　その者が退職年金の受給権者である場合（次号に掲げる場合を除く。）　その者が死亡した日における有期退職年金の額に二百四十月から当該有期退職年金の給付事由が生じた日の属する月の翌月からその者が死亡した日の属する月までの月数を控除した月数に応じた有期年金現価率を乗じて得た額に相当する金額

三　その者が退職年金の受給権者であり、かつ、組合員である場合　その者が死亡した日において退職をしたものとした場合における有期退職年金算定基礎額に相当する額として政令で定めるところにより計算した金額

2　前項第一号に規定する給付算定基礎額に係る第七十五条第一項及び第三項の規定の適用については、同条第一項中「退職等年金給付の給付事由が生じた日」とあるのは「一年以上の引き続く組合員期間を有する者が死亡した日」と、「当該給付事由が生じた日の」とあるのは「その者が死亡した日の」と、同条第三項中「退職等年金給付の給付事由が生じた日」とあるのは「その者が死亡した日」とする。

3　第一項の規定により一時金の支給を受ける者が、同項に規定する者の死亡により公務遺族年金を受けることができるときは、当該支給を受ける者の選択により、一時金と公務遺族年金のうち、そのいずれかを支給し、他は支給しない。

4　第一項の規定による一時金は、有期退職年金とみなしてこの法律の規定（第七十七条、第七十九条及び第八十二条第二項を除く。）を適用する。

（支給の繰下げ）

第八十条　退職年金の受給権者であつて当該退職年金を請求していないものは、連合会に当該退職年金の支給の繰下げの申出をすることができる。

2　退職年金の受給権を取得した日から起算して十年を経過した日（以下この項において「十年経過日」という。）後にある者が前項の申出（第四項の規定により前項の申出があつたものとみなされた場合における当該申出を除く。以下この項において同じ。）をしたときは、十年経過日において、前項の申出があつたものとみなす。

3　第一項の申出（次項の規定により第一項の申出があつたものとみなされた場合における当該申出を含む。）をした者に対する退職年金は、第七十五条の二第一項の規定にかかわらず、当該申出のあつた月の翌月から支給するものとする。

4　退職年金の受給権者が、退職年金の受給権を取得した日から起算して五年を経過した日後に当該退職年金を請求し、かつ、当該請求の際に第一項の申出をしないときは、当該請求をした日の五年前の日に同項の申出があつたものとみなす。ただし、その者が退職年金の受給権を取得した日から起算して十五年を経過した日以後にあるときは、この限りでない。

5　第一項の申出があつた場合における第七十五条から前条までの規定の適用については、第七十五条第一項中「退職等年金給付の給付事由が生じた日」とあるのは「第八十条第一項の申出（同条第四項の規定により同条第一項の申出があつたものとみなされた場合における当該申出を含む。以下この条において同じ。）があつた日」と、「給付事由が生じた日の」とあるのは「申出があつた日の」と、同条第三項中「退職等年金給付の給付事由が生じた日」とあるのは「第八十条第一項の申出があつた日」とするほか、必要な技術的読替えは、政令で定める。

6　前各項に定めるもののほか、退職年金の支給の繰下げについて必要な事項は、政令で定める。

（組合員である間の退職年金の支給の停止等）

第八十一条　終身退職年金の受給権者が組合員であるときは、組合員である間、終身退職年金の支給を停止する。

2　前項の規定により終身退職年金の支給を停止されている者が退職をした場合における当該退職をした日からその年の九月三十日（当該退職をした日が九月一日から十二月三十一日までの間にあるときは、翌年の九月三十日）までの間における終身退職年金算定基礎額は、第七十八条第三項の規定にかかわらず、最後に組合員となつた日（以下この条において「最終資格取得日」という。）の前日における終身退職年金算定基礎額に最終資格取得日の属する月から当該退職をした日の前日の属する月までの期間に応ずる利子に相当する額を加えた額及び当該退職をした日を給付事由が生じた日と、組合員期間から最終資格取得日前の組合員期間を除いた期間を組合員期間とみなして第七十八条第二項の規定の例により計算した額の合計額とする。

3　有期退職年金の受給権者が組合員であるときは、組合員である間、有期退職年金は支給しない。

4　前項の規定により有期退職年金の支給を受けないこととされている者が退職をした場合における当該退職をした日からその年の九月三十日（当該退職をした日が九月一日から十二月三十一日までの間にあるときは、翌年の九月三十日）までの間における有期退職年金算定基礎額は、第七十九条第三項の規定にかかわらず、最終資格取得日の前日における有期退職年金の額に同日における二百四十月から給付事由が生じた日の属する月の翌月から最終資格取得日の属する月までの月数を控除した月数に応じた有期年金現価率を乗じて得た額に最終資格取得日の属する月から当該退職をした日の前日の属する月までの期間に応ずる利子に相当する額を加えた額及び当該退職をした日を給付事由が生じた日と、組合員期間から最終資格取得日前の組合員期間を除いた期間を組合員期間とみなして同条第二項の規定の例により計算した額の合計額とする。

5　前項に規定する退職をした場合における第七十九条から前条までの規定の適用については、第七十九条第四項中「有期退職年金の給付事由が生じた日から」とあるのは「第八十一条第四項に規定する退職をした日（以下この項において「最終退職日」という。）から」と、「有期退職年金の給付事由が生じた日が」とあるのは「最終退職日が」と、「とし、同日」とあるのは「から有期退職年金の給付事由が生じた日の属する月の翌月から最後に組合員となつた日（以下この項において「最終資格取得日」という。）の属する月までの月数を控除した月数とし、最終退職日の属する年の九月三十日（最終退職日が九月一日から十二月三十一日までの間にあるときは、翌年の九月三十日）」と、「とする」とあるのは「に最終資格取得日の属する月の翌月から最終退職日の属する月までの月数を加えた月数とする」とするほか、必要な技術的読替えは、政令で定める。

6　第二項及び第四項に規定する利子は、最終資格取得日の属する月から退職をした日の前日の属する月までの期間に応じ、当該期間の各月において適用される基準利率を用いて複利の方法により計算する。

7　前条第一項の申出をした者に対する第四項の規定の適用については、同項中「給付事由が生じた日の」とあるのは「前条第一項の申出（同条第四項の規定により同条第一項の申出があつたものとみなされた場合における当該申出を含む。）があつた日の」と、「同条第二項」とあるのは「第七十九条第二項」とする。

8　前各項に定めるもののほか、終身退職年金算定基礎額及び有期退職年金算定基礎額の計算に関し必要な事項は、財務省令で定める。

（退職年金の失権）

第八十二条　退職年金を受ける権利は、その受給権者が死亡したときは、消滅する。

2　有期退職年金を受ける権利は、前項に規定する場合のほか、次の各号のいずれかに該当することとなつたときは、消滅する。

一　第七十六条第一項又は第二項に規定する支給期間が終了したとき。

二　第七十九条の二第一項又は第七十九条の三第一項の規定により一時金の支給を請求したとき。

第四節　給付の制限

第九十七条　組合員若しくは組合員であつた者が拘禁刑以上の刑に処せられたとき、組合員が懲戒処分（国家公務員法第八十二条の規定による減給若しくは戒告又はこれらに相当する処分を除く。）を受けたとき又は組合員（退職した後に再び組合員となつた者に限る。）若しくは組合員であつた者が退職手当支給制限等処分（国家公務員退職手当法第十四条第一項第三号に該当することにより同項の規定による一般の退職手当等（同法第五条の二第二項に規定する一般の退職手当等をいう。以下この項において同じ。）の全部若しくは一部を支給しないこととする処分若しくは同法第十五条第一項第三号に該当することにより同項の規定による一般の退職手当等の額の全部若しくは一部の返納を

命ずる処分又はこれらに相当する処分をいう。第四項において同じ。）を受けたときは、政令で定めるところにより、その者には、その組合員期間に係る退職年金又は公務障害年金の全部又は一部を支給しないことができる。

2　公務遺族年金の受給権者が拘禁刑以上の刑に処せられたときは、政令で定めるところにより、その者には、公務遺族年金の一部を支給しないことができる。

3　拘禁刑以上の刑に処せられてその刑の執行を受ける者に支給すべきその組合員期間に係る退職年金又は公務障害年金は、その刑の執行を受ける間、その支給を停止する。

4　連合会は、第一項の規定により退職手当支給制限等処分を受けたことを理由として退職年金又は公務障害年金の支給の制限を行うため必要があると認めるときは、国家公務員退職手当法第十一条第二号に規定する退職手当管理機関又はこれに相当する機関に対し、当該退職手当支給制限等処分に関して必要な資料の提供を求めることができる。

第五章　福祉事業

（福祉事業）

第九十八条　組合又は連合会の行う福祉事業は、次に掲げる事業とする。

一　組合員及びその被扶養者（以下この条において「組合員等」という。）の健康教育、健康相談及び健康診査並びに健康管理及び疾病の予防に係る組合員等の自助努力についての支援その他の組合員等の健康の保持増進のために必要な事業（次号に掲げるものを除く。）

一の二　高齢者の医療の確保に関する法律第二十条の規定による特定健康診査（次項において単に「特定健康診査」という。）及び同法第二十四条の規定による特定保健指導（第九十九条の三において「特定健康診査等」という。）

二　組合員の保養若しくは宿泊又は教養のための施設の経営

三　組合員の利用に供する財産の取得、管理又は貸付け

四　組合員の貯金の受入れ又はその運用

五　組合員の臨時の支出に対する貸付け

六　組合員の需要する生活必需物資の供給

七　その他組合員の福祉の増進に資する事業で定款で定めるもの

八　前各号に掲げる事業に附帯する事業

2　組合は、前項第一号の規定により組合員等の健康の保持増進のために必要な事業を行うに当たつて必要があると認めるときは、組合員等を使用している事業者等（労働安全衛生法（昭和四十七年法律第五十七号）第二条第三号に規定する事業者その他の法令に基づき健康診断（特定健康診査に相当する項目を実施するものに限る。）を実施する責務を有する者その他財務省令で定める者をいう。以下この条において同じ。）又は使用していた事業者等に対し、財務省令で定めるところにより、同法その他の法令に基づき当該事業者等が保存している当該組合員等に係る健康診断に関する記録の写しその他これに準ずるものとして財務省令で定めるものを提供するよう求めることができる。

3　前項の規定により、労働安全衛生法その他の法令に基づき保存している組合員等に係る健康診断に関する記録の写しの提供を求められた事業者等は、財務省令で定めるところにより、当該記録の写しを提供しなければならない。

4　組合は、第一項第一号及び第一号の二に掲げる事業を行うに当たつては、高齢者の医療の確保に関する法律第十六条第一項に規定する医療保険等関連情報、事業者等から提供を受けた組合員等に係る健康診断に関する記録の写しその他必要な情報を活用し、適切かつ有効に行うものとする。

5　財務大臣は、第一項第一号の規定により組合又は連合会が行う組合員等の健康の保持増進のために必要な事業に関して、その適切かつ有効な実施を図るため、指針の公表、情報の提供その他の必要な支援を行うものとする。

6　前項の指針は、健康増進法（平成十四年法律第百三号）第九条第一項に規定する健康診査等指針と調和が保たれたものでなければならない。

第八章　雑則

（公庫等に転出した継続長期組合員についての特例）

第百二十四条の二　組合員（長期給付に関する規定の適用を受けない者を除く。）が任命権者若しくはその委任を受けた者の要請に応じ、引き続いて沖縄振興開発金融公庫その他特別の法律により設立された法人でその業務が国若しくは地方公共団体の事務若しくは事業と密接な関連を有するもののうち政令で定めるもの（第四項において「公庫等」という。）に使用される者（役員及び常時勤務に服することを要しない者を除く。以下「公庫等職員」という。）となるため退職した場合（政令で定める場合を除く。）又は組合員（長期給

付に関する規定の適用を受けない者を除く。）が任命権者若しくはその委任を受けた者の要請に応じ、引き続いて沖縄振興開発金融公庫その他特別の法律により設立された法人でその業務が国の事務若しくは事業と密接な関連を有するもののうち政令で定めるもの（同項において「特定公庫等」という。）の役員（常時勤務に服することを要しない者を除く。以下「特定公庫等役員」という。）となるため退職した場合（政令で定める場合を除く。）には、長期給付に関する規定（第三十九条第二項の規定を除く。）の適用については、別段の定めがあるものを除き、その者の退職は、なかつたものとみなし、その者は、当該公庫等職員又は特定公庫等役員である期間引き続き転出（公庫等職員又は特定公庫等役員となるための退職をいう。以下この条において同じ。）の際に所属していた組合の組合員であるものとする。この場合においては、第四章中「公務」とあるのは「業務」と、第九十九条第二項中「及び国の負担金」とあるのは「、公庫等又は特定公庫等の負担金及び国の負担金」と、同項第三号中「国の負担金」とあるのは「公庫等又は特定公庫等の負担金」と、第百二条第一項中「各省各庁の長（環境大臣を含む。）、行政執行法人又は職員団体」とあり、及び「国、行政執行法人又は職員団体」とあるのは「公庫等又は特定公庫等」と、「それぞれ第九十九条第二項（同条第六項から第八項までの規定により読み替えて適用する場合を含む。）及び第五項（同条第七項及び第八項の規定により読み替えて適用する場合を含む。）並びに厚生年金保険法」とあるのは「厚生年金保険法」と、同条第四項中「第九十九条第二項第三号及び第四号に掲げる費用並びに同条第五項（同条第七項及び第八項の規定により読み替えて適用する場合を含む。以下この項において同じ。）の規定により負担することとなる費用（同条第五項の規定により負担することとなる費用にあつては、長期給付（基礎年金拠出金を含む。）に係るものに限る。）並びに厚生年金保険法」とあるのは「第九十九条第二項第三号に掲げる費用及び厚生年金保険法」と、「国、行政執行法人又は職員団体」とあるのは「公庫等又は特定公庫等」とする。

2　前項前段の規定により引き続き組合員であるとされる者（以下この条において「継続長期組合員」という。）が次の各号のいずれかに該当するに至つたときは、その翌日から、継続長期組合員の資格を喪失する。

一　転出の日から起算して五年を経過したとき。
二　引き続き公庫等職員又は特定公庫等役員として在職しなくなつたとき。
三　死亡したとき。

3　継続長期組合員が公庫等職員として在職し、引き続き他の公庫等職員となつた場合（その者が更に引き続き他の公庫等職員となつた場合を含む。）、継続長期組合員が特定公庫等役員として在職し、引き続き他の特定公庫等役員となつた場合（その者が更に引き続き他の特定公庫等役員となつた場合を含む。）その他の政令で定める場合における前二項の規定の適用については、その者は、公庫等職員又は特定公庫等役員として引き続き在職する間、継続長期組合員であるものとみなす。

4　第一項の規定は、継続長期組合員が公庫等職員として在職し、引き続き再び組合員の資格を取得した後、その者が財務省令で定める期間内に引き続き再び同一の公庫等に公庫等職員として転出をした場合、継続長期組合員が特定公庫等役員として在職し、引き続き再び組合員の資格を取得した後、その者が財務省令で定める期間内に引き続き再び同一の特定公庫等に特定公庫等役員として転出をした場合その他の政令で定める場合については、適用しない。

5　前各項に定めるもののほか、継続長期組合員に対する長期給付に関する規定の適用に関し必要な事項は、政令で定める。

（行政執行法人以外の独立行政法人又は国立大学法人等に常時勤務することを要する者の取扱い）

第百二十四条の三　行政執行法人以外の独立行政法人のうち別表第二に掲げるもの又は国立大学法人等に常時勤務することを要する者（行政執行法人以外の独立行政法人又は国立大学法人等に常時勤務することを要しない者で政令で定めるものを含むものとし、臨時に使用される者その他の政令で定める者を含まないものとする。）は、職員とみなして、この法律の規定を適用する。この場合においては、第三条第一項中「及びその所管する行政執行法人」とあるのは「並びにその所管する行政執行法人、第三十一条第一号に規定する独立行政法人のうち別表第二に掲げるもの及び同号に規定する国立大学法人等」と、同条第二項第二号中「国立ハンセン病療養所」とあるのは「国立ハンセン病療養所並びに独立行政法人国立病院機構及び高度専門医療に関する研究等を行う国立研究開発法人に関する法律（平成二十年法律第九十三号）第三条の二に規定する国立高度専門医療研究センター」と、同項第三号中「林野庁」とあるのは「林野庁及び国立研究開発法人森林研究・整備機構」と、第八条第一項中「及び当該各省各庁の所管する行政執行法人」とあるのは「並びに当該各省各庁の所管する行政執行法人、第三十一条第一号に規定する独立行政法人のうち別表第二に掲げるもの及び同号に規定する国立大学法人等」と、第三十七条第一項中「及び当該各省各庁の所管する行政執行法人」とあるのは「並びに当該各省各庁の所管する行政執行法人、独立行政法人のうち別表第二に掲げるもの及び国立大学法人等」と、第四章中「公務」とあるのは「業務」と、第九十九条第一項第一号及び第三号中「行政執行法人の負担に係るもの」とあるのは「行政執行法人の負担に係るもの（第百二十四条の三の規定により読み替えられた第七項及び第八項において読み替えて適用する第五項の規定による独立行政法人のうち別表第二に掲げるもの及び国立大学法人等の負担に係るものを含む。）」と、同条第六項中「（行政執行法人」とあるのは「（行政執行法人、独立行政法人のうち別表第二に掲げるもの又は国立大学法人等」と、同条第七項及び第八項中「行政執行法人」とあるのは「行政執行法人、独立行政法人のうち別表第二に掲げるもの又は国立大学法人等」と、第百二条第一項及び第四項並びに第百二十二条中「行政執行法人」とあるのは「行政執行法人、独立行政法人のうち別表第二に掲げるもの、国立大学法人等」とするほか、必要な技術的読替えは、政令で定める。

附　則（抄）

（組合員に係る福祉増進事業）

第十四条の四　組合及び連合会は、第三条第三項から第五項まで並びに第二十一条第二項及び第四項に規定する業務のほか、当分の間、政令で定めるところにより、次に掲げる事業を行うことができる。

一　組合員で勤労者財産形成促進法（昭和四十六年法律第九十二号）第九条第一項の政令で定める要件を満たす者にその持家としての住宅の建設若しくは購入のための資金（当該住宅の用に供する宅地又はこれに係る借地権の取得のための資金を含む。）又はその持家である住宅の改良のための資金を貸し付ける事業

二　前号に掲げる事業のほか、組合員の福祉の増進に資する事業として政令で定める事業

2　組合及び連合会は、前項の規定により行う事業に係る経理については、その他の事業に係る経理と区分しなければならない。

3　第十条並びに第三十五条第五項及び第六項の規定は、第一項の規定により行う事業については、適用しない。

4　前二項に規定するもののほか、第一項の規定により行う事業の実施に関し必要な事項は、政令で定める。

附　則（令二・六・五法四〇）（抄）

（施行期日）

第一条　この法律は、令和四年四月一日から施行する。ただし、次の各号に掲げる規定は、当該各号に定める日から施行する。

一～七　〔略〕

八　〔前略〕第十五条中国家公務員共済組合法第二条第一項第一号、第四十条、第七十二条〔中略〕の規定　令和四年十月一日

九　〔前略〕第十六条、〔中略〕附則〔中略〕第十八条〔中略〕の規定　令和五年四月一日

十・十一　〔略〕

（受給権を取得した日から起算して五年を経過した日後の国家公務員共済組合法による退職年金の請求に関する経過措置）

第十八条　第十六条の規定による改正後の国家公務員共済組合法第八十条の規定は、第九号施行日の前日において、七十一歳に達していない者について適用する。

附　則（令五・六・九法四八）（抄）

（施行期日）

第一条　この法律は、公布の日から起算して一年三月を超えない範囲内において政令で定める日〔令六・五・二七〕から施行する。ただし、次の各号に掲げる規定は、当該各号に定める日から施行する。

一　〔略〕

二　〔前略〕第八条から第十二条までの規定〔中略〕公布の日から起算して一年六月を超えない範囲内において政令で定める日〔令六・一二・二〕

三・四　〔略〕

○国家公務員共済組合法施行令（抄）

昭三三・六・三〇
政令二〇七

最終改正 令六・五・一七政令一八六

（職員）

第二条 法第二条第一項第一号に規定する常時勤務に服することを要しない国家公務員で政令で定めるものは、次に掲げる者（二月以内の期間を定めて使用される者であつて財務大臣が定めるものを除く。）とする。ただし、第七号から第九号までに掲げる者にあつては、地方の組合の組合員又は私学共済制度の加入者であるものを除く。

一 国家公務員法（昭和二十二年法律第百二十号）第七十九条又は第八十二条の規定による休職又は停職の処分を受けた者

二 国家公務員法第百八条の六第五項又は行政執行法人の労働関係に関する法律（昭和二十三年法律第二百五十七号）第七条第五項の規定により休職者とされた者

三 国際機関等に派遣される一般職の国家公務員の処遇等に関する法律（昭和四十五年法律第百十七号）第二条第一項の規定により派遣された者

四 国家公務員の育児休業等に関する法律（平成三年法律第百九号）第三条第一項の規定により育児休業をしている者又は同法第十三条第一項に規定する育児短時間勤務職員（同法第二十二条の規定による勤務をしている者を含む。）

四の二 国と民間企業との間の人事交流に関する法律（平成十一年法律第二百二十四号）第八条第二項に規定する交流派遣職員

四の三 法科大学院への裁判官及び検察官その他の一般職の国家公務員の派遣に関する法律（平成十五年法律第四十号）第十一条第一項の規定により派遣された者（地方の組合の組合員となつた者を除く。）

四の四 判事補及び検事の弁護士職務経験に関する法律（平成十六年法律第百二十一号）第二条第七項に規定する弁護士職務従事職員

四の五 国家公務員の自己啓発等休業に関する法律（平成十九年法律第四十五号）第二条第五項に規定する自己啓発等休業をしている者

四の六 国家公務員の配偶者同行休業に関する法律（平成二十五年法律第七十八号）第二条第四項に規定する配偶者同行休業をしている者

五 国家公務員法第二条第三項第十号、第十三号、第十四号又は第十六号に掲げる者で第一号から第四号の二まで又は前二号に掲げる者に準ずるもの

六 国の一般会計又は特別会計の歳出予算の常勤職員給与の目から俸給が支給される者

七 前各号に掲げる者以外の常時勤務に服することを要しない国家公務員のうち、財務大臣の定めるところにより、常勤職員について定められている勤務時間により勤務することを要することとされているもの

八 前各号に掲げる者以外の常時勤務に服することを要しない国家公務員のうち、その一週間の所定勤務時間及び一月間の所定勤務日数が、常勤職員について定められている一週間の勤務時間及び一月間の勤務日数の四分の三以上であるもの

九 前各号に掲げる者以外の常時勤務に服することを要しない国家公務員のうち、次のいずれにも該当するもの

イ 一週間の所定勤務時間が二十時間以上であること。

ロ 報酬月額（最低賃金法（昭和三十四年法律第百三十七号）第四条第三項各号に掲げる賃金に相当するものとして財務省令で定めるものを除く。）について、法第四十条第八項及びこの政令第十一条の二の二の規定の例により算定した額が、八万八千円以上であること。

ハ 学校教育法（昭和二十二年法律第二十六号）第五十条に規定する高等学校の生徒、同法第八十三条に規定する大学の学生その他の財務省令で定める者でないこと。

2 法第二条第一項第一号に規定する臨時に使用される者その他の政令で定める者は、次に掲げる者とする。

一 国家公務員法第六十条第一項の規定により臨時的に任用された者であつて次のイ又はロのいずれかに該当するもの

イ 二月以内の期間を定めて任用された者であつて財務大臣が定めるもの

ロ 地方の組合の組合員又は私学共済制度の加入者であるもの

二 国家公務員の育児休業等に関する法律第七条第一項又は国家公務員の配偶者同行休業に関する法律第七条第一項の規定により臨時的に任用された者であつて次のイ又はロのいずれかに該当するもの

イ　二月以内の期間を定めて任用された者であって財務大臣が定めるもの

ロ　地方の組合の組合員又は私学共済制度の加入者であるもの

三　国家公務員の育児休業等に関する法律第七条第一項その他財務省令で定める規定により二月以内の期間を定めて採用された者であつて財務大臣が定めるもの

四　国家公務員法第二条第三項第十号、第十三号、第十四号又は第十六号に掲げる者で前三号に掲げる者に準ずるもの

五　国及び行政執行法人から給与を受けない者

（災害補償の実施機関の意見）

第十一条　組合又は連合会は、法第三十九条第二項の規定により同項に規定する公務上の災害又は通勤（国家公務員災害補償法（昭和二十六年法律第百九十一号）第一条の二に規定する通勤をいう。以下この項において同じ。）による災害に対する補償の実施機関の意見を聴こうとするときは、当該実施機関に対し、その災害が公務上の災害又は通勤による災害であるかどうかの認定及びその理由につき文書で意見を求めなければならない。

2　前項に規定する実施機関は、同項の規定により意見を求められたときは、組合又は連合会に対し、文書ですみやかに回答しなければならない。

（退職等年金給付に係る標準報酬の区分の特例）

第十一条の二　法第四十条第四項の規定による改定後の標準報酬の区分については、同条第一項の表中

「

第三二級	六二〇、〇〇〇円	六〇五、〇〇〇円以上

」

とあるのは、

「

第三二級	六二〇、〇〇〇円	六〇五、〇〇〇円以上六三五、〇〇〇円未満
第三三級	六五〇、〇〇〇円	六三五、〇〇〇円以上

」

と読み替えて、法の規定（他の法令において引用する場合を含む。）を適用する。

（組合員の資格取得時における標準報酬の特例）

第十一条の二の二　法第四十条第八項の規定により標準報酬を定める場合において、組合員の資格を取得した日の現在の報酬が日により支給されるものであるときは当該組合員の資格を取得した日の属する月前一月間に同様の職務に従事し、かつ、同様の報酬を受ける者が受けた報酬の額を平均した金額を、当該組合員の資格を取得した日の現在の報酬が週その他日及び月以外の一定期間により支給されるものであるときはその報酬の額をその支給される期間の総日数をもつて除して得た額の三十倍に相当する金額を報酬月額とする。

（退職等年金給付に係る標準期末手当等の額の最高限度額の特例）

第十一条の二の三　法第四十一条第三項の規定により読み替えて適用する同条第一項に規定する政令で定める金額は、百五十万円とする。

（刑に処せられた場合等の給付の制限）

第二十一条の二　組合員若しくは組合員であつた者が禁錮以上の刑に処せられた場合、組合員が法第九十七条第一項に規定する懲戒処分（以下この条において「懲戒処分」という。）を受けた場合又は組合員（退職した後に再び組合員となつた者に限る。）若しくは組合員であつた者が同項に規定する退職手当支給制限等処分（以下この条において「退職手当支給制限等処分」という。）を受けた場合には、同項の規定により、その者には、その刑に処せられ、又は懲戒処分若しくは退職手当支給制限等処分を受けたとき以後、その組合員期間に係る退職年金（終身退職年金の額に限る。以下この条において同じ。）又は公務障害年金の額のうち、次の各号に掲げる場合に応じ当該各号に定める割合に相当する金額を支給しない。

一　禁錮以上の刑に処せられた場合　百分の百（公務障害年金にあつては、百分の五十）

二　懲戒処分によつて退職した場合　その引き続く組合員期間の月数が組合員期間の月数のうちに占める割合に百分の百（公務障害年金にあつては、百分の五十）を乗じて得た割合

三　国家公務員法第八十二条の規定による停職又はこれに相当する処分を受けた場合　当該停職の期間の日数（当該日数が三百六十五日を超える場合にあつては、三百六十五日）が三百六十五日のうちに占める割合に百分の五十（公務障害年金にあつては、百分の二十五）を乗じて得た割合

四　退職手当支給制限等処分を受けた場合　当該退職手当支給制限等処分の対象となる国家公務員退職手当法の規定による退職手当又はこれに相当する給付の額の算定の基礎となる職員としての引き続く在職

期間に係る組合員期間の月数が組合員期間の月数のうちに占める割合に百分の百（公務障害年金にあつては、百分の五十）を乗じて得た割合

2　公務遺族年金の受給権者が禁錮以上の刑に処せられた場合には、法第九十七条第二項の規定により、その者には、その刑に処せられたとき以後、当該公務遺族年金の額の百分の五十に相当する金額を支給しない。

3　前二項の場合において、これらの規定による給付の制限は、当該給付の制限を開始すべき月から、法第七十五条の四第一項の規定、法第八十一条第一項の規定、法第八十七条の規定又は法第九十一条第一項から第三項まで若しくは第九十二条第一項の規定により退職年金、公務障害年金又は公務遺族年金の支給が停止されている月を除き通算して六十月に達するまでの間に限り、行うものとする。

4　前項に規定する給付の制限を開始すべき月とは、禁錮以上の刑に処せられ懲戒処分若しくは退職手当支給制限等処分を受けた日又は退職年金、公務障害年金若しくは公務遺族年金の給付事由が生じた日のいずれか遅い日の属する月の翌月をいい、同日において法第七十五条の四第一項の規定、法第八十一条第一項の規定、法第八十七条の規定又は法第九十一条第一項から第三項まで若しくは第九十二条第一項の規定により退職年金、公務障害年金若しくは公務遺族年金の支給が停止されている場合にあつては、その停止すべき事由がなくなつた日の属する月の翌月をいう。

5　第一項第二号に規定する引き続く組合員期間の月数、同項第三号に規定する停職の期間の日数又は同項第四号に規定する引き続く在職期間に係る組合員期間の月数は、法第九十九条第六項に規定する専従職員である組合員については、その専従職員であつた期間の月数又は日数を控除した月数又は日数による。

6　第一項から第三項までの規定を適用する場合において、同一の組合員期間について第一項又は第二項の規定に定める給付の制限の二以上に該当するときは、その該当する間は、そのうち最も高い割合による給付の制限（給付の制限の割合が同じときは、そのうちいずれか一の給付の制限）を定めている規定の定めるところによる。

7　第一項又は第二項の規定に該当する者に対する給付の制限は、各省各庁の長（法第八条第一項に規定する各省各庁の長をいう。）がこれらの規定に定める割合によることを不適当と認め、かつ、その割合の範囲内で財務大臣と協議して定めた割合を連合会に通知したときは、その割合によるものとする。

8　禁錮以上の刑に処せられてその刑の全部の執行猶予の言渡しを受けた者が、その言渡しを取り消されることなく猶予の期間を経過したときは、その刑に処せられなかつたとしたならば支給を受けるべきであつた退職年金、公務障害年金又は公務遺族年金の額のうち、第一項第一号又は第二項の規定及び第三項の規定により支給されなかつた金額に相当する金額を支給するものとする。

第三　勤労者財産形成

○勤労者財産形成促進法（抄）

昭四六・六・一
法　九　二

最終改正　令四・三・三一法七

第二章　勤労者の貯蓄に関する措置

第一節　勤労者財産形成貯蓄契約等

（勤労者財産形成貯蓄契約等）

第六条　この法律において「勤労者財産形成貯蓄契約」とは、勤労者が締結した次に掲げる契約（勤労者財産形成年金貯蓄契約又は勤労者財産形成住宅貯蓄契約に該当するものを除く。）をいう。

一　銀行、信用金庫、労働金庫、信用協同組合その他の金融機関、信託会社（信託業法（平成十六年法律第百五十四号）第三条又は第五十三条第一項の免許を受けたものに限る。次条第一項（第五号を除く。）において同じ。）又は金融商品取引業者（金融商品取引法（昭和二十三年法律第二十五号）第二条第九項に規定する金融商品取引業者（同法第二十八条第一項に規定する第一種金融商品取引業を行う者に限る。）をいう。以下同じ。）で、政令で定めるもの（以下「金融機関等」という。）を相手方とする預貯金、合同運用信託又は有価証券で、政令で定めるもの（以下「預貯金等」という。）の預入、信託又は購入（以下「預入等」という。）に関する契約で、次の要件を満たすもの

イ　三年以上の期間にわたつて定期に、当該契約に基づく預入等（次に掲げる預入等を除くものとし、当該契約が金融商品取引業者と締結した有価証券の購入に関する契約で、当該購入のために金銭の預託をする旨を定めたもの（以下この条において「預託による証券購入契約」という。）である場合にあつては、当該購入のための金銭の預託（以下この条において「金銭の預託」という。）とする。）に係る金銭の払込みをするものであること。

(1)　当該契約に基づき預入等が行われた預貯金等又はこれに係る利子若しくは収益の分配（以下この条において「利子等」という。）に係る金銭により引き続き同一の金融機関等に預貯金等の預入等を行う場合における当該預入等（以下この条において「継続預入等」という。）

(2)　財産形成給付金及び財産形成基金給付金に係る金銭による預入等

(3)　当該勤労者を雇用する事業主がその委託を受けて行う勤労者の貯蓄金の管理（預金の受入れであるものに限る。）であつて厚生労働省令で定めるところにより行われるものが中止された場合（当該勤労者が貯蓄金の管理の契約を解約したことその他厚生労働省令で定める事由により中止された場合を除く。）に当該中止に伴い返還されるべき当該勤労者の貯蓄金（以下この項において「返還貯蓄金」という。）に係る金銭による預入等

ロ　当該契約に基づく預貯金等については、その預入等が行われた日から一年間（当該契約が預貯金の預入に関する契約で、一定の積立期間及び据置期間を定め、かつ、最初の預入の日から据置期間の満了の日までの間はその払出しをしない旨を定めたものである場合にあつては、当該最初の預入の日から三年間）は、その払出し又は譲渡（継続預入等で、政令で定める要件を満たすものをするための払出し又は譲渡を除く。）をしないこととされていること。

ハ　当該契約に基づく預入等（継続預入等を除くものとし、当該契約が預託による証券購入契約である場合にあつては、金銭の預託とする。次項第一号ニ及び第四項第一号ホにおいて同じ。）に係る金銭の払込みは、当該勤労者と当該勤労者を雇用する事業主との契約に基づき、当該事業主が当該預入等に係る金額を当該勤労者に支払う賃金から控除し、当該勤労者に代わつて行うか、又は当該勤労者が財産形成給付金若しくは財産形成基金給付金若しくは返還貯蓄金に係る金銭により、政令で定めるところにより行うものであること。

二　生命保険会社（保険業法（平成七年法律第百五号）第二条第三項に規定する生命保険会社及び同条第八項に規定する外国生命保険会社等をいう。）、独立行政法人郵便貯金簡易生命保険管理・郵便局ネットワーク支援機構、農業協同組合法（昭和二十二年

法律第百三十二号）第十条第一項第十号の事業のうち生命共済の事業を行う農業協同組合又は政令で定める生命共済の事業を行う者（以下この条及び第十二条において「生命保険会社等」という。）を相手方とする生命保険に関する契約、郵政民営化法等の施行に伴う関係法律の整備等に関する法律（平成十七年法律第百二号）第二条の規定による廃止前の簡易生命保険法（昭和二十四年法律第六十八号）第三条に規定する簡易生命保険契約（附則第三条において「旧簡易生命保険契約」という。）又は生命共済に関する契約（以下「生命保険契約等」という。）で、次の要件を満たすもの

イ　三年以上の期間にわたつて定期に、当該契約に基づく保険料又は共済掛金の払込み（次に掲げる払込みを除く。）をするものであること。

(1)　被保険者又は被共済者が当該契約に係る生命保険の保険期間又は生命共済の共済期間の満了の日に生存している場合に支払われる保険金若しくは共済金又は剰余金若しくは割戻金に係る金銭その他政令で定める金銭により引き続き同一の生命保険会社等に他の生命保険の保険料又は他の生命共済の共済掛金の払込みを行う場合における当該払込み（以下この号において「継続払込み」という。）

(2)　財産形成給付金及び財産形成基金給付金に係る金銭による保険料又は共済掛金の払込み

(3)　返還貯蓄金に係る金銭による保険料又は共済掛金の払込み

ロ　当該契約に係る生命保険の保険期間又は生命共済の共済期間は、三年以上であること。

ハ　当該契約に基づく保険金又は共済金の支払は、被保険者又は被共済者が保険期間又は共済期間の満了の日に生存している場合及び当該保険期間又は共済期間中に災害、不慮の事故その他の政令で定める特別の理由により死亡した場合（重度障害の状態となつた場合を含む。以下この条において同じ。）に限り、行われるものであること。

ニ　当該契約に係る被保険者又は被共済者とこれらの者が保険期間又は共済期間の満了の日に生存している場合の保険金受取人又は共済金受取人とが、共に当該勤労者であること。

ホ　当該契約に基づく剰余金の分配又は割戻金の割戻しは、利差益に係る部分に限り、行われるものであること。

ヘ　当該契約に基づき分配又は割戻しが行われた剰余金又は割戻金は、当該契約に基づく保険金又は共済金その他政令で定める金銭の支払の日まで据え置くこととされていること。

ト　当該契約に基づく保険料又は共済掛金の払込み（継続払込みを除く。）は、当該勤労者と当該勤労者を雇用する事業主との契約に基づき、当該事業主が当該保険料又は共済掛金の払込みに係る金額を当該勤労者に支払う賃金から控除し、当該勤労者に代わつて行うか、又は当該勤労者が財産形成給付金若しくは財産形成基金給付金若しくは返還貯蓄金に係る金銭により、政令で定めるところにより行うものであること。

二の二　損害保険会社（保険業法第二条第四項に規定する損害保険会社及び同条第九項に規定する外国損害保険会社等をいう。以下この条及び第十二条において同じ。）を相手方とする損害保険に関する契約（以下「損害保険契約」という。）で、次の要件を満たすもの

イ　三年以上の期間にわたつて定期に、当該契約に基づく保険料の払込み（次に掲げる払込みを除く。）をするものであること。

(1)　当該契約に係る損害保険の保険期間の満了後に支払われる満期返戻金又は剰余金に係る金銭その他政令で定める金銭により引き続き同一の損害保険会社に他の損害保険の保険料の払込みを行う場合における当該払込み（以下この号において「継続払込み」という。）

(2)　財産形成給付金及び財産形成基金給付金に係る金銭による保険料の払込み

(3)　返還貯蓄金に係る金銭による保険料の払込み

ロ　当該契約に係る損害保険の保険期間は、三年以上であること。

ハ　当該契約に基づく保険金の支払は、被保険者が保険期間中に災害、不慮の事故その他の政令で定める特別の理由により死亡した場合に限り、行われるものであること。

ニ　当該契約に係る被保険者と満期返戻金受取人とが、共に当該勤労者であること。

ホ　当該契約に基づく剰余金の分配は、利差益に係る部分に限り、行われるものであること。

ヘ　当該契約に基づき分配が行われた剰余金は、当該契約に基づく保険金、満期返戻金その他政令で定める金銭の支払の日まで据え置くこととされていること。

ト　当該契約に基づく保険料の払込み（継続払込み

を除く。）は、当該勤労者と当該勤労者を雇用する事業主との契約に基づき、当該事業主が当該保険料の払込みに係る金額を当該勤労者に支払う賃金から控除し、当該勤労者に代わつて行うか、又は当該勤労者が財産形成給付金若しくは財産形成基金給付金若しくは返還貯蓄金に係る金銭により、政令で定めるところにより行うものであること。

三　地方住宅供給公社を相手方とする地方住宅供給公社法（昭和四十年法律第百二十四号）第二十一条第二項に規定する住宅の積立分譲に関する契約（次号及び次条第一項において「積立分譲契約」という。）又は沖縄振興開発金融公庫を相手方とする沖縄振興開発金融公庫法（昭和四十七年法律第三十一号）第二十七条第四項に規定する住宅宅地債券の購入に関する契約若しくは独立行政法人都市再生機構を相手方とする独立行政法人都市再生機構法（平成十五年法律第百号）附則第十五条第一項に規定する都市再生機構宅地債券の購入に関する契約（次号及び次条第一項において「宅地債券等購入契約」という。）で、次の要件を満たすもの

イ　三年以上の期間にわたつて定期に、当該契約に基づく金銭の積立て又は債券の購入に係る金銭の払込みをするものであること。

ロ　当該契約に基づく金銭の積立て又は債券の購入に係る金額（当該積立てに係る地方住宅供給公社法第二十一条第二項に規定する受入額を超える一定額のうちその超過金額又は当該購入をした債券に係る利子若しくは償還差益を含む。）は、持家としての住宅又はその用に供する宅地の取得のための対価の一部に充てられるものであること。

ハ　当該積立て又は購入に係る金銭の払込みは、当該勤労者と当該勤労者を雇用する事業主との契約に基づき、当該事業主が当該積立て若しくは購入に係る金額を当該勤労者に支払う賃金から控除し、当該勤労者に代わつて行うか、当該勤労者が第一号に該当する契約に基づく預入等に係る預貯金等若しくはこれに係る利子等に係る金銭若しくは第二号に該当する契約に係る保険金若しくは共済金に係る金銭、剰余金若しくは割戻金に係る金銭その他政令で定める金銭若しくは財産形成給付金若しくは財産形成基金給付金に係る金銭により、政令で定めるところにより行うか、又は当該勤労者が次号に該当する契約に基づく預入等に係る預貯金等若しくはこれに係る利子等に係る金銭により行うものであること。

ニ　その他政令で定める要件

四　積立分譲契約に基づく金銭の積立て又は宅地債券等購入契約に基づく債券の購入に係る金銭の払込みを取り扱う金融機関等を相手方とする預貯金等の預入等に関する契約（第一号ハの要件を満たすものに限る。）で、当該預貯金等又はこれに係る利子等に係る金銭により、引き続き同一の金融機関等において、前号に該当する積立分譲契約に基づく金銭の積立て又は宅地債券等購入契約に基づく債券の購入に係る金銭の払込みを行うことその他政令で定める要件を満たすもの

2　この法律において「勤労者財産形成年金貯蓄契約」とは、五十五歳未満の勤労者が締結した次に掲げる契約をいう。

一　金融機関等を相手方とする預貯金等の預入等に関する契約（年金がその者に対して支払われるものに限る。）で、次の要件を満たすもの

イ　当該契約に基づく預入等（継続預入等並びに財産形成給付金及び財産形成基金給付金に係る金銭による預入等を除くものとし、当該契約が預託による証券購入契約である場合にあつては、金銭の預託とする。ロ及びハ並びに第四項第一号イにおいて同じ。）に係る金銭の払込みは、ロに規定する年金支払開始日の前日までの間に限り、五年以上の期間にわたつて定期に、政令で定めるところにより行うものであること。

ロ　当該契約に基づくその者に対する年金の支払は、年金支払開始日（その者が六十歳に達した日以後の日（最後の当該契約に基づく預入等の日から五年以内の日に限る。）であつて、当該契約で定める日をいう。）以後に、五年以上の期間（政令で定める年数以下の期間に限る。）にわたつて定期に、政令で定めるところにより行われるものであること。

ハ　当該契約に基づく預貯金等及びこれに係る利子等については、ロに定めるところにより行われる年金の支払のほか、継続預入等で政令で定める要件を満たすものをする場合、当該勤労者が死亡した場合及び最後の当該契約に基づく預入等の日の翌日からロに規定する年金支払開始日の前日までの間に当該契約に基づく預貯金等の利回りの上昇により政令で定める理由が生じ、政令で定めるところにより当該預貯金等に係る利子等の払出しを行う場合を除き、これらの払出し、譲渡又は償還

をしないこととされていること。
ニ　当該契約に基づく預入等に係る金銭の払込みは、当該勤労者と当該勤労者を雇用する事業主との契約に基づき、当該事業主が当該預入等に係る金額を当該勤労者に支払う賃金から控除し、当該勤労者に代わつて行うか、又は当該勤労者が財産形成給付金若しくは財産形成基金給付金に係る金銭により、政令で定めるところにより行うものであること。
二　生命保険会社等を相手方とする生命保険契約等（年金がその者に対して支払われるものに限る。）で、次の要件を満たすもの
イ　当該契約に基づく保険料又は共済掛金の払込み（財産形成給付金及び財産形成基金給付金に係る金銭によるものを除く。ロにおいて同じ。）は、ロに規定する年金支払開始日の前日までの間に限り、五年以上の期間にわたつて定期に、政令で定めるところにより行うものであること。
ロ　当該契約に基づくその者に対する年金の支払は、年金支払開始日（その者が六十歳に達した日以後の日（当該契約に基づく最後の保険料又は共済掛金の払込みの日から五年以内の日に限る。）であつて、当該契約で定める日をいう。以下この号及び次号において同じ。）以後に、五年以上の期間にわたつて定期に、政令で定めるところにより行われるものであること。
ハ　当該契約に基づく保険金、共済金その他政令で定める金銭の支払は、ロに定めるところにより行われる年金の支払のほか、年金支払開始日前においてその者が死亡した場合に限り行われるものであること。
ニ　ハに定めるところにより支払われる保険金又は共済金の額は、政令で定める額以下の額とされていること。
ホ　当該契約に係る被保険者又は被共済者とこれらの者が年金支払開始日において生存している場合の年金受取人とが、共にその者であること。
ヘ　当該契約に基づく剰余金の分配又は割戻金の割戻しは、利差益に係る部分に限り、行われるものであること。
ト　当該契約に基づく保険料又は共済掛金の払込みは、当該勤労者と当該勤労者を雇用する事業主との契約に基づき、当該事業主が当該保険料又は共済掛金の払込みに係る金額を当該勤労者に支払う賃金から控除し、当該勤労者に代わつて行うか、又は当該勤労者が財産形成給付金若しくは財産形成基金給付金に係る金銭により、政令で定めるところにより行うものであること。
三　損害保険会社を相手方とする損害保険契約（年金がその者に対して支払われるものに限る。）で、次の要件を満たすもの
イ　当該契約に基づく保険料の払込み（財産形成給付金及び財産形成基金給付金に係る金銭によるものを除く。第四項第三号イにおいて同じ。）は、年金支払開始日の前日までの間に限り、五年以上の期間にわたつて定期に、政令で定めるところにより行うものであること。
ロ　当該契約に基づくその者に対する年金の支払は、年金支払開始日以後に、五年以上の期間にわたつて定期に、政令で定めるところにより行われるものであること。
ハ　当該契約に基づく保険金、満期返戻金その他政令で定める金銭の支払は、ロに定めるところにより行われる年金の支払のほか、年金支払開始日前においてその者が死亡した場合に限り、行われるものであること。
ニ　ハに定めるところにより支払われる保険金の額は、政令で定める額以下の額とされていること。
ホ　当該契約に係る被保険者とその者が年金支払開始日において生存している場合の年金受取人とが、共にその者であること。
ヘ　当該契約に基づく剰余金の分配は、利差益に係る部分に限り、行われるものであること。
ト　当該契約に基づく保険料の払込みは、当該勤労者と当該勤労者を雇用する事業主との契約に基づき、当該事業主が当該保険料の払込みに係る金額を当該勤労者に支払う賃金から控除し、当該勤労者に代わつて行うか、又は当該勤労者が財産形成給付金若しくは財産形成基金給付金に係る金銭により、政令で定めるところにより行うものであること。
3　既に勤労者財産形成年金貯蓄契約を締結している勤労者は、新たに勤労者財産形成年金貯蓄契約を締結することができない。
4　この法律において「勤労者財産形成住宅貯蓄契約」とは、五十五歳未満の勤労者が締結した次に掲げる契約をいう。
一　金融機関等を相手方とする預貯金等の預入等に関する契約で、次の要件を満たすもの
イ　五年以上の期間にわたつて定期に、当該契約に

基づく預入等に係る金銭の払込みをするものであること。
ロ　当該契約に基づく預貯金等及びこれに係る利子等に係る金銭の全部又は一部は、政令で定めるところにより、持家としての住宅の取得又は持家である住宅の増改築等（増築、改築その他の工事で政令で定めるものをいう。）（以下この項において「持家の取得等」という。）のための対価の全部若しくは一部でその持家の取得等の時に支払われるもの（以下この項において「頭金等」という。）の全部若しくは一部の支払又は持家の取得等のために必要なその他の金銭の支払で政令で定めるものに充てられるものであること。
ハ　ロに定めるもののほか、当該契約に基づく預貯金等及びこれに係る利子等については、継続預入等で政令で定める要件を満たすものをする場合及び当該勤労者が死亡した場合を除き、これらの払出し、譲渡又は償還をしないこととされていること。
ニ　持家としての住宅の取得のための対価から頭金等（持家としての住宅の取得に係るものに限る。次号へ及び第三号へにおいて同じ。）を控除した残額に相当する金額がある場合には、当該勤労者が、当該金額の金銭の支払を、当該契約を締結した勤労者を雇用する事業主若しくは当該事業主が構成員となつている法人である事業主団体で政令で定めるもの（当該勤労者が国家公務員又は地方公務員である場合にあつては、第十五条第二項に規定する共済組合等）又は第九条第三項に規定する福利厚生会社（以下この項において「事業主等」と総称する。）から貸付けを受けて支払う方法その他政令で定める方法により行うことを予定している旨が明らかにされているものであること。
ホ　当該契約に基づく預入等に係る金銭の払込みは、当該勤労者と当該勤労者を雇用する事業主との契約に基づき、当該事業主が当該預入等に係る金額を当該勤労者に支払う賃金から控除し、当該勤労者に代わつて行うか、又は当該勤労者が財産形成給付金若しくは財産形成基金給付金に係る金銭により、政令で定めるところにより行うものであること。

二　生命保険会社等を相手方とする生命保険契約等で、次の要件を満たすもの
イ　五年以上の期間にわたつて定期に、当該契約に基づく保険料又は共済掛金の払込み（財産形成給付金及び財産形成基金給付金に係る金銭によるものを除く。）をするものであること。
ロ　当該契約に係る生命保険の保険期間又は生命共済の共済期間は、五年以上であること。
ハ　当該契約に係る被保険者又は被共済者が保険期間又は共済期間の満了の日に生存している場合（重度障害の状態となつた場合を除く。）に支払われる保険金又は共済金に係る金銭及び当該契約に基づく政令で定める金銭の全部又は一部は、政令で定めるところにより、頭金等の全部若しくは一部の支払又は持家の取得等のために必要なその他の金銭の支払で政令で定めるものに充てられるものであること。
ニ　ハに定めるもののほか、当該契約に基づく保険金、共済金その他政令で定める金銭の支払は、当該保険期間又は共済期間中に第一項第二号ハの政令で定める特別の理由により死亡した場合に限り、行われるものであること。
ホ　ニに定めるところにより支払われる保険金又は共済金の額は、政令で定める額以下の額とされていること。
ヘ　持家としての住宅の取得のための対価から頭金等を控除した残額に相当する金額がある場合には、当該勤労者が、当該金額の金銭の支払を、事業主等から貸付けを受けて支払う方法その他政令で定める方法により行うことを予定している旨が明らかにされているものであること。
ト　当該契約に係る被保険者又は被共済者とハに定める保険金、共済金その他の金銭の受取人とが、共に当該勤労者であること。
チ　当該契約に基づく剰余金の分配又は割戻金の割戻しは、利差益に係る部分に限り、行われるものであること。
リ　当該契約に基づく保険料又は共済掛金の払込みは、当該勤労者と当該勤労者を雇用する事業主との契約に基づき、当該事業主が当該保険料又は共済掛金の払込みに係る金額を当該勤労者に支払う賃金から控除し、当該勤労者に代わつて行うか、又は当該勤労者が財産形成給付金若しくは財産形成基金給付金に係る金銭により、政令で定めるところにより行うものであること。

三　損害保険会社を相手方とする損害保険契約で、次の要件を満たすもの
イ　五年以上の期間にわたつて定期に、当該契約に

基づく保険料の払込みをするものであること。
ロ　当該契約に係る損害保険の保険期間は、五年以上であること。
ハ　当該契約に基づく満期返戻金に係る金銭及び当該契約に基づく政令で定める金銭の全部又は一部は、政令で定めるところにより、頭金等の全部若しくは一部の支払又は持家の取得等のために必要なその他の金銭の支払で政令で定めるものに充てられるものであること。
ニ　ハに定めるもののほか、当該契約に基づく保険金その他政令で定める金銭の支払は、被保険者が保険期間中に第一項第二号の二ハの政令で定める特別の理由により死亡した場合に限り、行われるものであること。
ホ　ニに定めるところにより支払われる保険金の額は、政令で定める額以下の額とされていること。
ヘ　持家としての住宅の取得のための対価から頭金等を控除した残額に相当する金額がある場合には、当該勤労者が、当該金額の金銭の支払を、事業主等から貸付けを受けて支払う方法その他政令で定める方法により行うことを予定している旨が明らかにされているものであること。
ト　当該契約に係る被保険者とハに定める満期返戻金その他の金銭の受取人とが、共に当該勤労者であること。
チ　当該契約に基づく剰余金の分配は、利差益に係る部分に限り、行われるものであること。
リ　当該契約に基づく保険料の払込みは、当該勤労者と当該勤労者を雇用する事業主との契約に基づき、当該事業主が当該保険料の払込みに係る金額を当該勤労者に支払う賃金から控除し、当該勤労者に代わつて行うか、又は当該勤労者が財産形成給付金若しくは財産形成基金給付金に係る金銭により、政令で定めるところにより行うものであること。

5　既に勤労者財産形成住宅貯蓄契約を締結している勤労者は、新たに勤労者財産形成住宅貯蓄契約を締結することができない。

6　既に勤労者財産形成貯蓄契約（第一項第一号から第二号の二までに掲げる契約に係るものに限る。以下この条において同じ。）を締結している勤労者が、当該勤労者に代わつて当該契約（以下この項において「従前の契約」という。）に基づく預入等（従前の契約が預託による証券購入契約である場合にあつては、金銭の預託とする。第二号において同じ。）に係る金銭の払込み（従前の契約が生命保険契約等又は損害保険契約である場合には、当該従前の契約に基づく保険料又は共済掛金の払込みを含む。）を行つている事業主との雇用関係の終了（以下この項及び第九項において「退職」という。）の後に他の事業主（以下この項及び第九項において「新事業主」という。）に雇用されることとなつた場合において新事業主との間で新事業主が従前の契約の相手方である金融機関等、生命保険会社等又は損害保険会社（以下この項、第八項及び第九項において「財形貯蓄取扱機関」という。）に当該勤労者に代わつて当該金銭の払込みを行う旨の契約を締結することができないときその他の政令で定める場合に該当することとなつた場合において、当該退職その他の政令で定める事由に該当することとなつた日から政令で定める期間内に、当該勤労者が新たに締結する金融機関等を相手方とする預貯金等の預入等に関する契約、生命保険会社等を相手方とする生命保険契約等又は損害保険会社を相手方とする損害保険契約（以下この項において「新契約」という。）に基づき次に掲げる事項を定めたときは、当該新契約は、当該新契約の相手方である財形貯蓄取扱機関を相手方とする第一号の払込みを行う日の前日までの間における従前の契約に定める預貯金等の預入等、生命保険若しくは生命共済又は損害保険に関しても約定した契約とみなし、当該みなされた契約は、勤労者財産形成貯蓄契約に該当するものとみなす。
一　従前の契約の相手方である財形貯蓄取扱機関と新契約の相手方である財形貯蓄取扱機関との契約に基づき、政令で定めるところにより、従前の契約に基づく預貯金等及びこれに係る利子等又は保険料若しくは共済掛金の払込みに係る金額の金銭その他政令で定める金銭により、新契約に基づく最初の預入等（新契約が預託による証券購入契約である場合にあつては、金銭の預託とする。）に係る金銭の払込み（生命保険契約等又は損害保険契約に基づく保険料又は共済掛金の払込みを含む。）を行うこと。
二　前号の払込みの日以後、定期に（従前の契約に基づく預入等（継続預入等並びに財産形成給付金及び財産形成基金給付金に係る金銭による預入等を除く。以下この号において同じ。）に係る金銭の払込み（生命保険契約等又は損害保険契約に基づく保険料又は共済掛金の払込み（第一項第二号イ(1)又は同項第二号の二イ(1)に規定する継続払込み並びに財産形成給付金及び財産形成基金給付金に係る金銭による保険料又は共済掛金の払込みを除く。）を含む。

以下この号において同じ。）が行われた期間が三年未満であるときは、三年から従前の契約に基づく預入等に係る金銭の払込みが行われた期間を減じて得た期間以上の期間にわたつて定期に）、当該新契約に基づく預入等（新契約が預託による証券購入契約である場合にあつては、金銭の預託とする。）に係る金銭の払込みを行うものであること。

三　その他政令で定める事項

7　前項の規定は、既に勤労者財産形成年金貯蓄契約を締結している勤労者及び勤労者財産形成住宅貯蓄契約を締結している勤労者について準用する。この場合において、次の表の上欄に掲げる勤労者の区分に応じ、同項中同表の中欄に掲げる字句は、同表の下欄に掲げる字句に読み替えるものとする。

勤労者財産形成年金貯蓄契約を締結している勤労者	財形貯蓄取扱機関	財形年金貯蓄取扱機関
	勤労者財産形成貯蓄契約に	勤労者財産形成年金貯蓄契約に
	三年	五年
勤労者財産形成住宅貯蓄契約を締結している勤労者	財形貯蓄取扱機関	財形住宅貯蓄取扱機関
	勤労者財産形成貯蓄契約に	勤労者財産形成住宅貯蓄契約に
	三年	五年

8　三年以上の政令で定める期間以上の期間を通じてその締結している勤労者財産形成貯蓄契約に基づく預入等（勤労者財産形成貯蓄契約に該当する生命保険契約等又は損害保険契約に基づく保険料又は共済掛金の払込みを含む。第七条及び第十七条第二項第二号において同じ。）に係る預貯金等（勤労者財産形成貯蓄契約に該当する生命保険契約等又は損害保険契約に基づく保険料又は共済掛金の払込みに係る金額を含む。）を有している勤労者に係る当該勤労者財産形成貯蓄契約（この項の規定により勤労者財産形成貯蓄契約とみなされた契約のうち政令で定めるものを除く。以下この項において「預替え前の契約」という。）が、第六項の政令で定める場合を除き、当該勤労者により解約される場合において、当該勤労者が新たに締結する預替え前の契約の相手方である財形貯蓄取扱機関と異なる金融機関等を相手方とする預貯金等の預入等に関する契約、生命保険会社等を相手方とする生命保険契約等又は損害保険会社を相手方とする損害保険契約（以下この項において「預替え後の契約」という。）に基づき第六項各号に掲げる事項を定めたときは、当該預替え後の契約は、当該預替え後の契約の相手方である財形貯蓄取扱機関を相手方とする同項第一号の払込みを行う日の前日までの間における預替え前の契約に定める預貯金等の預入等、生命保険若しくは生命共済又は損害保険に関しても約定した契約とみなし、当該みなされた契約は、勤労者財産形成貯蓄契約に該当するものとみなす。この場合における同項各号の規定の適用については、同項第一号及び第二号中「従前の契約」とあるのは「預替え前の契約」と、「新契約」とあるのは「預替え後の契約」とする。

9　既に勤労者財産形成貯蓄契約を締結している勤労者が、退職の後に新事業主に雇用されることとなつた場合において新事業主との間で新事業主が財形貯蓄取扱機関に当該勤労者に代わつて勤労者財産形成貯蓄契約に基づく預入等（当該契約が預託による証券購入契約である場合にあつては、金銭の預託とする。）に係る金銭の払込み（当該契約が生命保険契約等又は損害保険契約である場合には、当該契約に基づく保険料又は共済掛金の払込みを含む。）を行う旨の契約を締結することができないときその他の政令で定める場合に該当することとなつた場合において、新事業主その他政令で定める事業主（以下この項において「新事業主等」という。）を構成員とする第十四条第一項に規定する事務代行団体との間で、当該退職その他の政令で定める事由に該当することとなつた日から政令で定める期間内に当該勤労者が締結する当該事務代行団体が当該勤労者の既に締結している勤労者財産形成貯蓄契約その他の政令で定める勤労者財産形成貯蓄契約に基づく預入等（当該契約が預託による証券購入契約である場合にあつては、金銭の預託とする。）に係る金銭の払込み（当該契約が生命保険契約等又は損害保険契約である場合には、当該契約に基づく保険料又は共済掛金の払込みを含む。）を当該契約の相手方である財形貯蓄取扱機関に当該勤労者に代わつて行う旨の契約（以下「払込代行契約」という。）に基づき、政令で定めるところにより、当該事務代行団体が当該金銭の払込みを行つているときは、第一項第一号ハ、第二号ト及び第二号の二トの規定の適用については、当該事務代行団体が行う当該金銭の払込みをこれらの規定により行われる当該金銭の払込みとみなす。ただし、当該事務代行団体が行う当該金銭の払込みであつて次に掲げるものについては、この限りでない。

一　当該払込代行契約の締結の日から政令で定める期間を超えて行われるもの
二　新事業主等が財形貯蓄取扱機関に当該勤労者に代わつて当該金銭の払込みを行つたとき以後に行われるもの
三　その他政令で定めるもの

（勤労者財産形成貯蓄契約等についての事業主の協力等）
第七条　事業主にあつてはその雇用する勤労者が勤労者財産形成貯蓄契約等を締結しようとする場合及び勤労者財産形成貯蓄契約等に基づく預入等（払込代行契約により行われるものを除く。）をする場合には当該勤労者に、第十四条第一項に規定する事務代行団体にあつてはその構成員である事業主の雇用する勤労者が払込代行契約を締結して勤労者財産形成貯蓄契約に基づく預入等をする場合には当該勤労者に対し、必要な協力をするとともに、当該勤労者財産形成貯蓄契約等の要件が遵守されるよう指導等に努めなければならない。

第三節　財産形成についての国の支援

第八条　勤労者が勤労者財産形成年金貯蓄契約若しくは勤労者財産形成住宅貯蓄契約に基づき預入等若しくは保険料等の払込みをした場合又は勤労者が一時金として財産形成給付金若しくは財産形成基金給付金の支払を受けた場合には、租税特別措置法（昭和三十二年法律第二十六号）及び地方税法（昭和二十五年法律第二百二十六号）で定めるところにより、その者に対する所得税及び道府県民税（都民税を含む。）の課税について特別の措置を講ずる。

第三章　勤労者の持家建設の推進等に関する措置

（機構の行う勤労者財産形成持家融資）
第九条　厚生労働大臣は、この法律の目的を達成するため、独立行政法人勤労者退職金共済機構（以下「機構」という。）に、事業主、事業主で組織された法人で政令で定めるもの（以下この条及び次条において「事業主団体」という。）又は勤労者（国家公務員及び地方公務員（以下「公務員」という。）を除く。以下第十条の二までにおいて同じ。）の持家としての住宅の建設若しくは購入のための資金の貸付けの業務を行う福利厚生会社で、事業主にあつてはその雇用する勤労者（継続して一年以上にわたつて勤労者財産形成貯蓄契約等に基づく預入等をしたことその他の政令で定める要件を満たす者に限る。以下この項において同じ。）に、事業主団体にあつてはその構成員である事業主の雇用する勤労者に、福利厚生会社にあつては当該福利厚生会社に出資する事業主又は当該福利厚生会社に出資する事業主団体の構成員である事業主（政令で定めるものに限る。）の雇用する勤労者にその持家としての住宅の建設若しくは購入のための資金（当該住宅の用に供する宅地又はこれに係る借地権の取得のための資金を含む。）又はその持家である住宅の改良のための資金（以下「住宅資金」と総称する。）の貸付けを行うものに対し、各勤労者についてその者の有する勤労者財産形成貯蓄の額の十倍に相当する額（その額が政令で定める額を超える場合には、当該政令で定める額。次条第一項及び第二項並びに第十五条第三項において「貸付限度額」という。）の範囲内で、当該貸付けのための資金の貸付けを行う業務を行わせるものとする。
2　機構の行う前項の貸付けは、次の要件に該当する場合でなければ行わないものとする。
一　貸付けを受けようとする者（その者が事業主団体である場合にはその構成員である事業主、その者が福利厚生会社である場合には当該福利厚生会社に出資する事業主のうち、政令で定める割合以上のもの）が、その雇用する勤労者に代わつて勤労者財産形成貯蓄契約等に基づく預入等に係る金銭の払込みを行つていること。
二　貸付けを受けようとする者（福利厚生会社を除くものとし、その者が事業主団体である場合には、当該事業主団体又は当該貸付けに係る資金により当該事業主団体が行う貸付けを受けようとする勤労者を雇用する事業主とする。）が、当該貸付けに係る資金により行う資金の貸付け（持家である住宅の改良のための資金の貸付けを除く。）に当たつて、当該資金の貸付けを受ける勤労者の負担を軽減するために必要な措置として政令で定める措置を講ずること。
3　前二項及び第十六条第五項の福利厚生会社とは、事業主又は事業主団体が、専ら、その雇用する勤労者又はその構成員である事業主の雇用する勤労者の福祉を増進するため、その持家としての住宅の建設又は購入のための資金の貸付けをさせる目的で出資する法人であつて、厚生労働省令で定めるものをいう。
4　機構の行う第一項の貸付けに係る貸付金の利率、償還期間その他当該貸付けについて必要な事項は、政令で定める。

（独立行政法人住宅金融支援機構等の行う勤労者財産形成持家融資）

第十条　独立行政法人住宅金融支援機構は、独立行政法人住宅金融支援機構法（平成十七年法律第八十二号）第十三条第一項に規定する業務のほか、この法律の目的を達成するため、前条第一項の政令で定める要件を満たす勤労者で、事業主若しくは事業主団体から機構の行う同項の貸付けに係る住宅資金の貸付けを受けることができないもの又は同項の政令で定める要件を満たす公務員で、第十五条第二項に規定する共済組合等から住宅資金の貸付けを受けることができないものに対し、政令で定めるところにより、当該勤労者又は当該公務員に係る貸付限度額の範囲内で、住宅資金の貸付けの業務を行う。

2　沖縄振興開発金融公庫は、この法律の目的を達成するため、沖縄振興開発金融公庫法第十九条第一項第三号に掲げる業務の一部として、前条第一項の政令で定める要件を満たす勤労者で、事業主若しくは事業主団体から機構の行う同項の貸付けに係る住宅資金の貸付けを受けることができないもの又は同項の政令で定める要件を満たす公務員で、第十五条第二項に規定する共済組合等から住宅資金の貸付けを受けることができないものに対し、政令で定めるところにより、当該勤労者又は当該公務員に係る貸付限度額の範囲内で、かつ、当該業務に係る通常の貸付けの条件と異なる条件により、住宅資金の貸付けを行うものとする。ただし、当該勤労者又は当該公務員に対し、政令で定めるところにより、当該貸付けに併せて、当該業務に係る通常の貸付けの条件により、当該資金の貸付けを行うことを妨げない。

3　独立行政法人住宅金融支援機構又は沖縄振興開発金融公庫の行う第一項又は前項本文の住宅資金の貸付け（持家である住宅の改良のための資金の貸付けを除く。）は、当該貸付けを受ける者に対し、事業主又は事業主団体が前条第二項第二号の措置に準ずる措置を講ずる場合に限り行うものとする。

4　沖縄振興開発金融公庫の行う第二項の規定による業務に関する沖縄振興開発金融公庫法第三十二条第二項及び第三十九条第六号の規定の適用については、同項中「この法律」とあるのは、「この法律及び勤労者財産形成促進法」とする。

（勤労者財産形成持家融資の原資）

第十一条　機構の行う第九条第一項の貸付け、独立行政法人住宅金融支援機構の行う第十条第一項の貸付け、沖縄振興開発金融公庫の行う同条第二項本文の貸付け又は第十五条第二項に規定する共済組合等の行う同項の貸付けに必要な資金は、次条に規定するところにより調達するものとし、当該調達のための中小企業退職金共済法（昭和三十四年法律第百六十号）第七十五条の二第一項の規定に基づく長期借入金の額、同項の規定に基づく財形住宅債券の発行額（独立行政法人雇用・能力開発機構法を廃止する法律（平成二十三年法律第二十六号）による廃止前の独立行政法人雇用・能力開発機構法（平成十四年法律第百七十号）第十五条第一項の規定に基づく雇用・能力開発債券の発行額を含む。）、中小企業退職金共済法第七十五条の二第二項の規定に基づく短期借入金の額、独立行政法人住宅金融支援機構法第十九条第一項の規定に基づく長期借入金の額、同条第三項の規定に基づく住宅金融支援機構財形住宅債券の発行額（旧住宅金融公庫法（昭和二十五年法律第百五十六号）第二十七条の三第三項の規定に基づく住宅金融公庫財形住宅債券の発行額を含む。）、独立行政法人通則法（平成十一年法律第百三号）第四十五条第一項の規定に基づく独立行政法人住宅金融支援機構の短期借入金の額、沖縄振興開発金融公庫法第二十六条第一項又は第四項の規定に基づく借入金の額、同法第二十七条第三項の規定に基づく沖縄振興開発金融公庫財形住宅債券の発行額及び当該共済組合等の借入金の額の毎年度の末日における残高の合計額として政令で定める金額は、勤労者財産形成貯蓄契約等に基づく預入等（勤労者財産形成貯蓄契約に該当する積立分譲契約に基づく金銭の積立てを除く。）に係る預貯金等（勤労者財産形成貯蓄契約等に該当する生命保険契約等又は損害保険契約に基づく保険料又は共済掛金の払込みに係る金額を含む。）の同日の属する年の前々年の九月三十日における残高のうち政令で定める額を超えないようにするものとする。

（資金の調達）

第十二条　機構、独立行政法人住宅金融支援機構、沖縄振興開発金融公庫又は第十五条第二項に規定する共済組合等が、前条に規定する資金を調達するため、勤労者財産形成貯蓄契約等を締結した金融機関等、生命保険会社等又は損害保険会社に対して協力を求めたときは、当該金融機関等、生命保険会社等又は損害保険会社は、政令で定めるところにより、その資金の調達に応じなければならない。

2　前項の場合においては、金融機関及び第六条第一項第二号の政令で定める生命共済の事業を行う者で、政令で定めるものは、他の法律の規定にかかわらず、前項の資金の調達に係る資金の貸付けの業務を行うことができる。

3　機構又は独立行政法人住宅金融支援機構は、中小企業退職金共済法又は独立行政法人住宅金融支援機構法の定めるところにより、第一項の資金の調達の事務の全部又は一部について金融機関等、生命保険会社等若しくは損害保険会社又はこれらの団体に対し必要な委託をすることができる。

第四章　雑則

（公務員に関する特例等）

第十五条　国又は地方公共団体は、国家公務員又は地方公務員で、労働基準法（昭和二十二年法律第四十九号）第二十四条第一項又は船員法（昭和二十二年法律第百号）第五十三条第一項の規定の適用を受けないものに代わつて勤労者財産形成貯蓄契約等に基づく預入等に係る金銭の払込みを行う場合には、これらの者に支払う賃金から当該預入等に係る金額を控除することができる。

2　公務員（第九条第一項の政令で定める要件を満たす者に限る。次項において同じ。）に住宅資金を貸し付ける業務及びこれに附帯する業務は、国家公務員共済組合法（昭和三十三年法律第百二十八号）第三条に規定する国家公務員共済組合若しくは同法第二十一条に規定する国家公務員共済組合連合会又は地方公務員等共済組合法（昭和三十七年法律第百五十二号）第三条に規定する地方公務員共済組合、同法第二十七条に規定する全国市町村職員共済組合連合会若しくは同法第三十八条の二に規定する地方公務員共済組合連合会（以下「共済組合等」という。）が、これらの法律で定めるところにより行うことができる。

3　共済組合等が前項の規定により行う住宅資金の貸付けは、各公務員について当該公務員に係る貸付限度額の範囲内で行うものとする。

4　機構、独立行政法人住宅金融支援機構及び沖縄振興開発金融公庫並びに共済組合等が貸付けに関する業務を行う場合には、国家公務員共済組合法第百二十四条の三の規定により同法第二条第一項第一号に規定する職員とみなされる者、同法第百二十五条に規定する組合職員及び同法第百二十六条第一項に規定する連合会役職員、地方公務員等共済組合法第百四十一条第一項に規定する組合役職員及び同条第二項に規定する連合会役職員並びに同法第百四十四条の三第一項に規定する団体職員を公務員とみなして、第九条、第十条及び前二項の規定を適用する。

5　内閣総理大臣又は総務大臣は、国家公務員又は地方公務員の財産形成について、第四条の規定に基づき定められる勤労者財産形成政策基本方針の趣旨が生かされるように配慮しなければならないものとする。

○国家公務員共済組合及び国家公務員共済組合連合会が行う国家公務員等の財産形成事業に関する政令

昭五二・六・一〇
政令一九九

最終改正　平二三・六・一〇政令一六六

（趣旨）

第一条　国家公務員共済組合（以下「組合」という。）及び国家公務員共済組合連合会（以下「連合会」という。）が国家公務員共済組合法（以下「法」という。）附則第十四条の四第一項の規定により行う事業については、この政令の定めるところによる。

（財産形成事業）

第二条　組合及び連合会は、法附則第十四条の四第一項の規定により行う事業として、次に掲げる事業（以下「財産形成事業」という。）を行うことができる。

一　組合の組合員（常時勤務に服することを要しない国家公務員のうち内閣総理大臣が定めるものを除く。第七条において同じ。）で勤労者財産形成促進法施行令（昭和四十六年政令第三百三十二号）第三十一条各号に掲げる要件を満たす者にその持家としての住宅の建設若しくは購入のための資金（当該住宅の用に供する宅地又はこれに係る借地権の取得のための資金を含む。）又はその持家である住宅の改良のための資金を貸し付ける事業

二　前号に掲げる事業に附帯する事業

（財産形成事業に係る基本計画）

第三条　内閣総理大臣は、組合及び連合会の毎事業年度の財産形成事業につき基本計画を定め、当該事業年度の開始前に、組合及び連合会に通知するものとする。これを変更したときも、同様とする。

2　内閣総理大臣は、前項の基本計画を定めようとするとき、又はこれを変更しようとするときは、あらかじめ財務大臣と協議するものとする。

3　組合及び連合会は、財産形成事業に係る法第十五条（法第三十六条において準用する場合を含む。）の事業計画及び予算を作成し、又は変更しようとするときは、第一項の基本計画に基づいて行うものとする。

（財産形成事業に係る資金の調達等）

第四条　連合会は、法第三十六条において準用する法第十七条ただし書の規定による財務大臣の承認を受けて、組合及び連合会が財産形成事業を行うために必要な資金（以下「事業資金」という。）を、勤労者財産形成促進法（昭和四十六年法律第九十二号）第十二条第一項又は附則第二条に規定するところにより、同法第六条第一項第一号、第二号及び第二号の二に規定する金融機関等、生命保険会社等及び損害保険会社又は独立行政法人勤労者退職金共済機構から調達するものとする。

2　組合は、その必要とする事業資金の金額を、あらかじめ、連合会に対し申し出なければならない。

3　連合会は、前項の規定による申出に係る事業資金を調達したときは、内閣総理大臣が財務大臣と協議して定める条件により、速やかに、当該申出をした組合にこれを貸し付けるものとする。

4　組合が前項の規定による貸付けを受ける場合には、法第十七条の規定は、適用がないものとする。

（財産形成事業に係る短期借入金）

第五条　組合及び連合会は、前条の規定による場合のほか、財産形成事業の円滑な実施のため必要があるときは、法第十七条ただし書（法第三十六条において準用する場合を含む。次項において同じ。）の規定による財務大臣の承認を受けて、短期借入金をすることができる。

2　前項の規定による短期借入金は、当該事業年度内に償還しなければならない。ただし、資金の不足のため償還することができない金額に限り、法第十七条ただし書の規定による財務大臣の承認を受けて、これを借り換えることができる。

3　前項ただし書の規定により借り換えた短期借入金は、一年以内に償還しなければならない。

（財産形成事業に係る貸付けの限度額）

第六条　第二条第一号の規定による資金の貸付けは、当該貸付けを受ける各人につき勤労者財産形成促進法第十五条第三項に規定する貸付限度額の範囲内で行わなければならない。

（財産形成事業に係る貸付けの条件等の決定）

第七条　第二条から前条までに規定するもののほか、組合の組合員に対する第二条の規定による資金の貸付けの条件その他財産形成事業の実施に関し必要な事項は、内閣総理大臣が財務大臣と協議して定める。

附　則（抄）

1　この政令は、公布の日から施行する。

附録

附録

公務員の種類と数

公務員は、国家公務員が約59.3万人、地方公務員が約280万人。

給与決定の方法

- 公務員（約3,395,000人）
  - 国家公務員（約593,000人）
    - 特別職（約298,000人）
      - 大臣、副大臣、大臣政務官、大使、公使等（約500人）――人事院勧告に準じて措置
      - 裁判官、裁判所職員（約26,000人）――人事院勧告に準じて措置
      - 国会職員（約4,000人）――人事院勧告に準じて措置
      - 防衛省職員（約268,000人）――人事院勧告に準じて措置
      - 行政執行法人役員（30人）――各法人で決定
    - 一般職（約295,000人）
      - 給与法適用職員（約285,000人）――人事院勧告
      - 検察官（約3,000人）――人事院勧告に準じて措置
      - 行政執行法人職員（約7,000人）――各法人で労使交渉の上決定
  - 地方公務員（約2,802,000人）

（注）1　国家公務員の数は、令和６年度末予算定員による。ただし、行政執行法人役職員の数は、令和６年１月１日現在の常勤役職員数。

2　地方公務員の数は、「令和５年地方公共団体定員管理調査」による一般職（教育部門、福祉関係を含む一般行政、公営企業等会計部門、警察部門及び消防部門）に属する地方公務員数である。（令和５年４月１日現在）

その他、特定地方独立行政法人職員が一般職の地方公務員である。上記の他、特別職（地方公共団体の長、副知事及び副市町村長、人事委員会の委員等）に属する地方公務員がいる。

3　職員数については、端数処理の関係で必ずしも合計数とは一致しない。

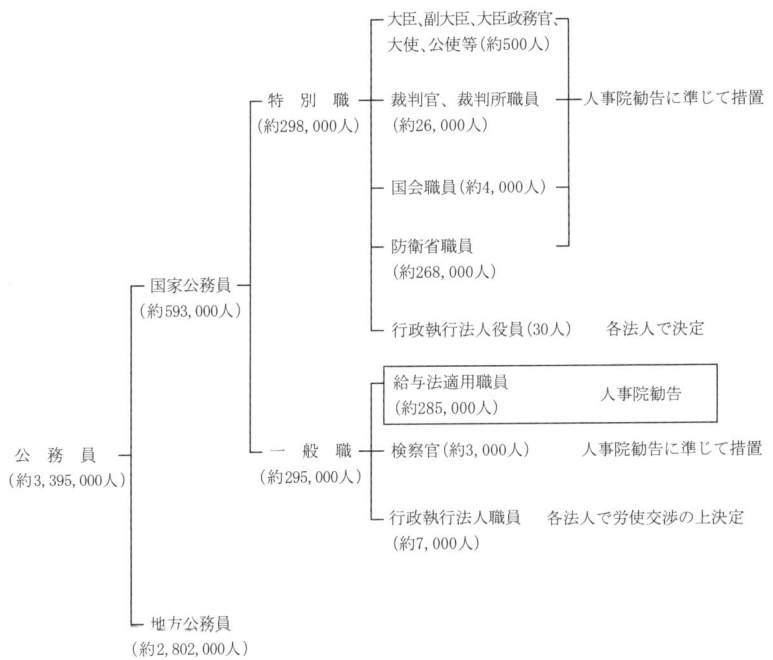

在り方等に関する閣僚会議決定）等に基づき、研修の実施、不適正取扱事案に対する厳正な処分等に取り組む。

③　近年の情報セキュリティをめぐる情勢等を踏まえ、情報を適切に管理し、適正に職務を遂行するよう職員に対し意識の改革を促すとともに、各府省等の情報セキュリティポリシーの遵守を職員に対し徹底する。

8　労務管理の充実

勤務条件に関する職員の多様なニーズの把握に努め、労使が相互の信頼関係の醸成に努めるとともに、中央・地方を通じた統一的な労務管理の実施を図るため、労務管理体制等の整備、労務管理担当職員の連携の強化、必要な知識・技能の向上等に努める。

「職員団体の活動に係る国家公務員の服務規律の確保等について」（平成21年8月26日総務事務次官通知。令和2年12月24日一部改正）等に基づき、職員団体との交渉におけるルールの適正な適用、違法・不当な活動に関する厳正な対応等、正常な労使関係の維持に努める。

9　非常勤職員の制度の適正な運用及び処遇改善の取組の推進

非常勤職員の採用・給与・休暇等については、関連する法令・通知に沿って、制度を適正に運用する。

あわせて、一般職の職員の給与に関する法律（昭和25年法律第95号）等の改正に対応した取扱いについて、「国家公務員の非常勤職員の給与に係る当面の取扱いについて」（平成29年5月24日人事管理運営協議会幹事会申合せ）において「常勤職員の給与改定に係る取扱いに準じて改定することを基本」とされていることを踏まえ適切に対応するなど、非常勤職員の処遇改善を進める。

（性的指向・ジェンダーアイデンティティの多様性に関する理解増進）

⑾　個々の職員の性的指向やジェンダーアイデンティティにかかわらず、多様な人材が公務で活躍できるよう、内閣人事局が実施する研修等を活用し、各府省等の管理職員、人事担当者等を始めとして広く公務における理解を促進するとともに、各府省等間での定期的な意見交換の機会を通じ、可能な範囲で情報共有や知見の蓄積を進め、個々の職員の事情や各職場の状況に応じて適切に対応することができるよう努める。

5　女性職員の活躍推進

女性職員の活躍について、女性の職業生活における活躍の推進に関する法律（平成27年法律第64号）等も踏まえて推進するとともに、「第５次男女共同参画基本計画」（令和２年12月25日閣議決定）に定める政府全体の目標、ＷＬＢ取組指針に定める事項及びこれに基づく各府省等の取組計画において定める目標の達成に向けて、以下の取組を進める。

⑴　女性職員の採用については、内閣人事局及び人事院と各府省等が連携・協力し、新卒採用に向けた積極的な広報活動等を実施するとともに、経験者採用試験等の積極的な活用、管理職以上の官職も含めた外部女性人材の採用・登用、国家公務員経験者への採用情報の提供等により、女性職員の中途採用の拡大に取り組む。

⑵　女性職員の登用については、将来指導的地位に登用される女性の候補者の育成、昇任意欲の向上や離職の防止を図るため、内閣人事局と各府省等が連携・協力し、女性職員のキャリア形成支援と計画的な育成、育児・介護・治療等と両立して活躍できるための改革に取り組む。また、女性特有の健康課題等もあることから、両立支援に当たってはこうした点にも配慮するとともに、女性特有の健康課題等に関するヘルスリテラシーを高めるための職員への情報提供に取り組む。

⑶　女性の職業生活における活躍の推進に関する法律第21条に基づき、公務部門においても令和４年度以降の職員の給与の男女の差異の実績を公表することとされたことを踏まえ、着実に情報の公表を進めるとともに、課題の把握・分析を行い、女性活躍の推進のための取組を進める。

6　健康の増進等

職員の勤務能率の発揮及び増進を図るため、「国家公務員健康増進等基本計画」（平成３年３月20日内閣総理大臣決定。令和３年３月２日一部改正）等に基づき、心の健康づくり、生活習慣病対策等の健康増進対策、ハラスメント防止対策等の職員の心身の健康の保持増進等を推進する。

7　服務規律の確保と法令遵守の徹底

行政及び公務員に対する国民の信頼を確保するため、国家公務員法に定められた服務規律及びその他の法令の遵守について、幹部職員や管理職員が改めて自ら確認を行うとともに、全ての職員に対し周知徹底を行い、違反する行為に対しては厳正な措置を講ずることとし、特に以下の事項について徹底する。

①　「国家公務員の再就職等規制の遵守の徹底等について」（平成29年12月15日内閣官房内閣人事局長通知）等を踏まえ、規制内容や届出制度の周知徹底、任命権者に提出された届出内容の確認、再就職等規制違反が疑われる事例があった場合の再就職等監視委員会への報告と内閣人事局への情報提供等による再就職の適正化を図る。

②　「公文書管理の適正の確保のための取組について」（平成30年７月20日行政文書の管理の

通知。令和４年３月23日一部改正）等に沿って厳正に運用するとともに、「モラール・サポート意見交換会」等を通じた当該職員の上司の指導力向上を図るなど、能力・意欲向上に向けた適切な措置を講ずる。

（適性や専門性を踏まえた人材活用）

(5)　職員本人の適性を踏まえつつ、長期的な視野に立った人事配置・職務付与や研修を実施する。また、専門性をかん養・発揮する機会の確保に配慮し、複線型キャリアパスの確立を進める。その際、専門スタッフ職制度も活用して、特定の行政分野における高度の専門性を有する人材の計画的な育成を行うとともに、当該分野に長年従事し高度の専門性を有する人材を有効に活用する。

（障害者の雇用）

(6)　各府省等において定める障害者活躍推進計画等に基づき、組織内の体制整備と障害者雇用に関する理解促進、任用面での対応等に引き続き取り組む。

また、障害者の雇用の促進等に関する法律（昭和35年法律第123号）の改正により、公務部門も含めた事業主の責務として職業能力の開発及び向上に関する措置が明示されたことや、令和６年４月から公務部門の法定雇用率の引上げが行われること等を踏まえ、着実に取組を進める。

内閣人事局においては、上記の取組を支援するための研修機会の提供や相談体制の整備等に取り組む。

（就職氷河期世代支援）

(7)　「就職氷河期世代支援に関する行動計画2024」（令和５年12月26日就職氷河期世代支援の推進に関する関係府省会議決定）等に基づき、就職氷河期世代の中途採用を集中的に推進する。

（デジタル人材並びにＥＢＰＭ及び統計人材の確保と育成）

(8)　「デジタル社会の実現に向けた重点計画」等に基づき、政府機関におけるデジタル人材の充実を中長期的に進めるため、各府省等は、組織規模や所管する情報システムの実情を踏まえつつ、「デジタル人材確保・育成計画」を策定・改定し、政府デジタル人材の確保・育成等についてその着実な実施を図る。

また、「公的統計の整備に関する基本的な計画」（令和５年３月28日閣議決定）等を踏まえ、統計作成に携わる職員について、幹部・管理職員も含め品質管理や誤り防止の取組等への的確な評価を行うとともに、研修受講や統計データアナリスト等の資格取得の促進、能力向上と適切な処遇配置等に計画的に取り組み、ＥＢＰＭ及び統計人材の確保と育成を着実に進める。

（人事交流等の円滑かつ適正な実施）

(9)　人事交流等の実施に当たっては、関係法令や通知を踏まえ、官民人事交流の交流派遣からの復帰後、その成果を還元することなく退職することとなるような人事運用は行わないなど、適切な運用に努める。

（幹部職員及び管理職員の公募等）

(10)　幹部職員及び管理職員への公募については、令和４年度以降の３年間で約200ポストの公募を目指して引き続き取り組む。

内閣人事局は、府省等横断の民間人材の交流機会を設定するなど、各府省等の取組を支援する。

くわえて、公募による人事異動の組織内への定着及び若手職員の自律的キャリア形成を促すため、いわゆる「省内公募」を積極的に活用する。

（仕事と治療等の両立に係る配慮）

(4)　不妊治療を含む治療等を受けている職員が仕事と両立して活躍できる職場環境を整備するため、勤務時間・休暇等の利用可能な制度の周知や管理監督者に対する意識啓発等を通じて、治療等を受けやすい職場環境の醸成を図るとともに、職員のプライバシー、職員の健康状況や治療の状況を踏まえた配置、業務の遂行方法等に関して配慮する。

（両立支援に係る定員の活用）

(5)　両立支援制度を職員が利用しやすい環境を整備するための定員（国家公務員の共育て等の推進のための定員）の積極的な活用を図る。

4　能力及び実績に基づく人事管理の徹底と多様な人材の活用

「採用昇任等基本方針」に基づき、採用年次、合格した採用試験の種類等にとらわれない、能力及び実績に基づく人事管理を徹底する。また、複雑・高度化する行政ニーズに迅速かつ的確に対応するとともに、多様な人材が公務で活躍できるよう、重点項目に記載した取組に加え、以下の事項にも留意して、能力や専門性をいかしつつ、社会的要請も踏まえた人材の確保、育成及び活用を進める。

（新たな人事評価制度の適正かつ公正な実施と円滑な運用）

(1)　人事評価については、令和４年10月に評語区分が５段階から６段階になるなど、新たな制度が始まったことも踏まえ、適正かつ公正な実施と円滑な運用のため、以下のとおり取り組む。

①　面談等を通じた人材育成機能の強化、マネジメント評価を通じた管理職員のマネジメント能力向上、新たな評語区分に対する正確な理解及びそれを踏まえた評価等、新たな人事評価制度について、引き続き、職員に対する周知を徹底する。

　そのため、内閣人事局は、人事院と連携し、周知に資する資料の提供や研修等を行うとともに、同局と各府省等が協力し、職員への周知や積極的な研修の受講を促す。また、人事評価に関する苦情相談及び苦情処理が適切に機能するよう努めるとともに、制度の運用状況を把握するなどして、引き続き、人事評価制度の在り方を検討する。

②　各職員の業績評価に係る目標を、組織のミッションに基づき的確に設定するため、本府省局長等の職務内容（組織のミッション）及び当該職務を遂行する上での果たすべき役割について随時見直しを加えて策定するとともに、これを適切にブレークダウンする形で局長等以下の職員の業績評価に係る目標を設定する。

　また、各職員の目標設定に当たっては、事後にその成否を判断できるようにするため、できる限り具体的に記載することを徹底する。

（研修）

(2)　効果的な人材育成に資するよう、「国家公務員の研修に関する基本方針」（平成26年６月24日内閣総理大臣決定）を踏まえ、人事院と必要な協力を行いながら研修の充実と計画的な実施に努める。その際、研修の目的や学習効果等を勘案し、適切な実施方法を選択する。

（幹部候補育成課程）

(3)　「幹部候補育成課程の運用の基準」（平成26年内閣官房告示第１号）に基づき、課程対象者の選定、配置、育成を適切に行う。内閣人事局は、各府省等が課程対象者に対して実施する研修の検討に資するよう、各府省等への情報提供等の取組を行う。

（勤務実績がよくない場合等における措置）

(4)　勤務実績がよくない職員の降給、降任又は免職に関する制度について、「勤務成績が不良な職員に対する対応について（通知）」（令和２年７月20日内閣官房内閣人事局人事政策統括官

2　シニア職員の活用

令和５年度から、65歳に向けた段階的な定年引上げ、管理監督職勤務上限年齢制（役職定年制）等が始まったことも踏まえ、健康安全管理対策を確保した上で、豊富な知識、技術、経験等を持つシニア職員（60歳以上の職員）に最大限活躍してもらうことは、少子高齢化・人口減少の本格化と複雑・高度化する行政課題へ的確に対応する上で重要であることに鑑み、以下のとおり取り組む。その際、若年層を含む全ての職員の働き方改革にも資するように留意する。

（定年の段階的な引上げの中での取組）

(1)　役職定年後の職員、定年前再任用短時間勤務職員等を含むシニア職員の具体的な職務付与や若年層等の職員との職務分担、人事運用の見直し、貢献意欲の向上策等について、引き続き、「国家公務員の定年引上げに向けた取組指針」（令和４年３月25日人事管理運営協議会決定）を踏まえた計画的な取組を進める。内閣人事局は、各府省等の運用状況を踏まえつつ、府省等横断の情報共有、シニア職員の意識改革・貢献意欲向上のための研修の実施等を通じて、各府省等の着実な取組を推進する。

（退職公務員の能力・経験の活用）

(2)　人生100年時代における人材活用の観点から、国家公務員が培った能力や経験を退職後に社会全体でいかしていくため、官民人材交流センターは、「求人・求職者情報提供事業」について、対象となる職員及び企業・団体に対し同事業の周知を図るとともに、利用者の利便性に資する情報システム（官民ジョブサイト）の運用等により、自主的な求職活動を積極的に支援する。

各府省等は、同事業及び応募認定退職者等を対象とする民間の再就職支援会社を活用した再就職支援について、旧定年年齢に達した職員を含め対象となる職員に対し周知を図ることにより、効果的な利用を促進するとともに、職員の能力や適性に応じた再就職を行うための活動に資する再就職準備セミナー等を積極的に活用する。

3　多様な事情に配慮した仕事と生活の両立支援等

時間等制約の有無にかかわらず、あらゆる職員がその能力を存分に発揮するため、フレックスタイム制、育児休業、育児短時間勤務、介護休暇、出生サポート休暇等、仕事と家庭の両立支援制度を利用しながら活躍できる職場環境の整備に加え、あらゆる職員の仕事と生活の両立が進むよう、ＷＬＢ取組指針に基づき、以下の取組を進める。

（両立支援制度の利用に係る配慮）

(1)　両立支援制度について、育児や介護等を行う職員を中心に、できる限り希望どおり対応するよう配慮するなど、働く時間の柔軟化に取り組む。

また、両立支援制度利用後に職場復帰する職員の配置や、転勤を伴う職員の異動に当たっては、本人の意向を把握し、職員の育児・介護等の事情に配慮する。

（年次休暇の取得促進）

(2)　年次休暇の取得促進について、職員による年間の取得目標の設定や計画表の活用に取り組む。また、家族の記念日や子供の学校行事等の職員のプライベートの予定等に合わせた取得や、一定程度繁忙な期間が継続するプロジェクトの終了後の連続休暇の取得を促すなど、取得促進の取組を行う。

（仕事と介護の両立支援）

(3)　職員が介護を理由として退職することなく、仕事と介護を両立して活躍できる職場環境を整備するため、家族等の介護に直面したときの対応、仕事と介護の両立支援制度、介護保険サービスの利用等に関する知識・情報の提供を行う。

長時間労働の是正のためには、業務の見直しのみならず、まず、職員の勤務時間を「見える化」した上で、適正な超過勤務命令の実施、管理職員によるマネジメント、長時間在庁の要因分析等の適切な勤務時間管理に向けた取組を行うことが必須であることを踏まえ、以下の取組を進める。

（適正な超過勤務命令の実施のための措置等）

(1)「超過勤務を命ずるに当たっての留意点について」（平成31年２月１日人事院事務総局職員福祉局長通知）、「国家公務員の労働時間短縮対策について」（平成４年12月９日人事管理運営協議会決定）等に従い、各府省等において導入が進められている「勤務時間管理システム」等も活用しつつ、適正な超過勤務命令の実施等を行うとともに、職員が超過勤務の終了次第速やかに退庁することを徹底する。

あわせて、平成31年４月に導入された超過勤務の上限等に関する制度について、人事院規則等に沿った適切な運用を行う。

（職員の勤務時間の「見える化」）

(2) 職員の在庁時間を正確に把握するため、業務端末の使用時間の記録等を利用した勤務時間の状況の客観的把握及びそのデータの活用を、引き続き着実に実施する。

地方支分部局等についても、本省等の事例等も参考に、業務に応じた勤務形態の多様性に配慮しつつ、最も効果的な方法を遅滞なく措置するよう、計画的に取組を進める。勤務時間の状況の客観的把握を開始するまでの間は、課室長等は現認等により正確に職員の在庁時間を把握し、記録する。

その上で、勤務時間管理のシステム化について、導入するシステムやその時期等に係る当面及び中長期の具体的な導入計画を策定し、着実に実施する。

地方支分部局等についても、業務に応じた勤務形態の多様性に配慮しつつ、早期に実現を図る。

（長時間在庁の要因分析及び是正策の検討・実施）

(3) 長時間労働の是正と在庁時間の縮減のための取組（以下「長時間労働等対策」という。）を以下のとおり実施する。

① 職員の在庁の実態を把握し、長時間在庁や長時間在庁者の偏在の要因を分析した上で、対象や目標をできる限り明確かつ具体的にし、業務の廃止を含む徹底的な業務見直し・効率化を確実に推進する。

② 管理職員が、部下職員の勤務時間も含めた業務状況を適切に把握した上で、業務の進め方についての指導、適切かつ柔軟な業務分担や業務の優先順位付け等、超過勤務縮減に向けた改善方策に取り組むことを徹底する。

③ 職員の健康及び福祉の確保に必要な勤務の終了からその次の勤務の開始までの時間（勤務間のインターバル）の確保について、各省各庁の長の努力義務を規定する人事院規則の改正を踏まえ、各職場における職務内容や執務体制の実情に応じて、業務の合理化、執務体制の見直し、フレックスタイム制や早出遅出勤務の活用等を通じて組織的に取り組む。

（長時間労働等対策の実施状況等を踏まえた予算・定員要求）

(4) 長時間労働等対策の実施状況等及び在庁時間の状況等を踏まえ、各部局において真に必要な超過勤務手当の額及び人員を把握し、それに沿った府省等内における超過勤務手当予算の配分や柔軟な人員配置等を図る。

これらの取組によっても、なお超過勤務手当予算や定員が不足する場合には、必要な令和７年度予算・定員要求を行う。

ｅラーニングや参加型の形式も含め、現在又は将来の職務遂行に必要な知識・技能の習得に資する効果的な研修の実施や自己啓発機会の提供に努めることができるよう、コンテンツの提供等の支援を行う。

（人事交流等の推進）

(3)　複雑・高度化する行政ニーズに迅速かつ的確に対応できるよう、「採用昇任等基本方針」（平成26年6月24日閣議決定）に沿って、府省間人事交流、地方公共団体との人事交流、官民の人材交流及び国際機関等への派遣を推進する。特に官民の人材交流については、各府省等において、交流対象者へのフォローを適切に行うなど円滑な実施に努めるとともに、内閣人事局においても、人事院等と連携して、制度や好事例に関する情報発信の強化等により、活性化を図る。

国家公務員の兼業については、国家公務員法（昭和22年法律第120号）に定める兼業許可の手続等の周知と適正な運用を図るとともに、公務に資する民間の知見の習得等、時代の要請を踏まえた在り方について引き続き検討する。

（各々の職員の成長を促す取組の実施）

(4)　各職員の適性やキャリアの希望を踏まえた成長を促す観点から、内閣人事局は、職員がキャリアを積むにつれて備えていく能力の整理や職員の業務経験等の管理の在り方に関する検討を行うとともに、各府省等は、「国家公務員の女性活躍とワークライフバランス推進のための取組指針」（平成26年10月17日女性職員活躍・ワークライフバランス推進協議会決定。令和6年1月16日一部改正。以下「ＷＬＢ取組指針」という。）の内容や、当該府省等のこれまでの取組も踏まえて人材育成策を検討し、具体的に取り組む（取組例は以下のとおり。）。

・人事当局が各職員から事情や希望を聴き取るための面談機会の拡充
・対話を通じた業務の振返り
・専門性を踏まえたキャリアパスを意識させる機会の設定
・人事異動時における、職員に異動先で期待する役割等の伝達
・手挙げに基づく人事異動の実施（いわゆる「省内公募」）
・手挙げに基づく、本業と並行しての関心業務への参画（いわゆる「Ｘ％ルール」又は「省内兼業」）
・その他職員の成長を促すメニューの拡大（府省外との交流機会の提供、自己啓発等休業の活用、修士号・博士号の取得への配慮、資格取得等の自己啓発支援等）

（人材の確保・育成等に関する取組の戦略的展開）

(5)　各府省等において、目指す組織像、それを踏まえた職員の確保・育成等についての考え方や具体策等を整理し、これらに基づき戦略的に人事管理を行っていくことは、職員の意欲や組織パフォーマンスの向上とともに、志望者にとっての魅力を高めることにもつながるものと考えられる。

このため、民間企業等の取組に豊富な経験を有する者から必要に応じて助言を得つつ、昨年度までの検討も踏まえ、府省等ごとに人材の確保・育成等についての考え方等を整理し、これに基づき人事管理を戦略的に展開するための取組を進める。内閣人事局は、府省等横断の検討・意見交換の場を設けること等により支援する。

Ⅱ．その他の項目

令和6年度も継続的に取り組む項目を中心に以下を定める。

1　適切な勤務時間管理の徹底

各府省等におけるこれらの取組に資するよう、内閣人事局は以下の取組を行う。

・ケーススタディやロールプレイを取り入れた参加型の形式を含む、マネジメントに係る研修の充実
・マネジメント評価において高く評価すべき管理職員の行動や、実際の評価手法の例について分かりやすく説明する資料等の提供
・マネジメント能力向上に資する素材の開発、各府省等の要望を踏まえた提供
・職員の心身の健康度等を把握するための意識調査の結果をマネジメントへ活用する効果的な手法の検討・提供
・管理職員の負担を軽減し、より実効あるマネジメントに注力できるよう、人事評価制度の合理化・簡素化に向けた検討
・負担が増大する管理職員の勤務実態の調査及び処遇改善に関する検討

3　人材確保・育成に関する戦略的アプローチ

国家公務員採用試験の受験者の大幅な減少、若手職員の離職の増加が見られる一方、行政ニーズの高度化・多様化が進む中、政府として公務を支える人材をいかに確保・育成していくかについて、これまで以上に力を注ぐ必要がある。

このため、職員の採用や人材育成に関する取組を一層拡充するのみならず、これらの取組が有機的に連携して実を挙げるものとなるよう、人材の確保・育成について戦略的に取り組む必要がある。

このような認識の下、以下の取組を推進する。

（多様な人材確保の取組）

⑴　国家公務員志望者の拡大を図り、優秀な人材を幅広く採用できるよう、内閣人事局及び人事院と各府省等が連携・協力し、多様な対象に向けて、ホームページやＳＮＳ等による情報発信の強化や、オンライン配信を活用したイベント等の開催、国家公務員の業務内容や働き方等が伝わる動画の作成等を通じ、国家公務員の魅力等を発信する積極的な広報活動等を実施するとともに、採用形態等に応じ、以下のとおり取り組む。

①　新卒採用については、各府省等において、大学生等に対する職場体験イベント等の機会の拡充や関連情報の発信強化を図る。内閣人事局においては、人事院や各府省等と連携して、早期段階への啓発活動を充実させるとともに、試験日程の前倒し等の変更点や、デジタル区分、政治・国際・人文区分等の新設区分を含めた試験情報等について、積極的に情報発信する。

②　中途採用の一層の活用を図るため、各府省等において、必要な体制整備や経験者採用試験の活用、公募情報の発信、業務説明会の開催等中途採用の推進に積極的に取り組むとともに、メンターの配置等の採用後の定着支援を引き続き強化する。

内閣人事局においても、人事院や各府省等と連携して、経験者採用試験の充実策の検討や公募情報の統一的な情報提供、戦略的な広報のための調査研究を行い、中途採用市場における認知度の一層の向上を図るとともに、国家公務員の中途採用比率の状況について、定期的な公表を行う。

③　デジタル人材や博士号取得者等の高度専門人材について、各府省等は、計画的に確保及び育成を進めるとともに、内閣人事局は、採用・登用に係る好事例の共有等により、公務における活躍を支援する。

（効果的な研修の実施や自己啓発機会の提供）

⑵　内閣人事局は、各府省等が職場環境や職員意識の多様化、社会情勢の変化等も考慮しつつ、

の見直し、管理職員に対する意識啓発、仕事と家庭の両立支援制度の周知・徹底等を行う。

特に国家公務員（一般職）における男性の育児休業取得率について、令和７年までに１週間以上の取得率を85%、令和12年までに２週間以上の取得率を85%とするよう、政府目標が引き上げられたことを踏まえ、内閣人事局と各府省等は連携しながら、目標達成に向けて、一層の取組を進める。

あわせて、引き続き、「男の産休」（配偶者出産休暇及び育児参加のための休暇）について全ての男性職員が両休暇を合計５日以上取得すること、また、「国家公務員の男性職員による育児に伴う休暇・休業の取得促進に関する方針」（令和元年12月27日女性職員活躍・ワークライフバランス推進協議会決定。令和６年１月16日一部改正）等に基づき、子供が生まれた全ての男性職員が１か月以上を目途に育児に伴う休暇・休業を取得することを目指し、取組を推進する。

② 内閣人事局は、人事院と連携し、民間の状況、各府省等におけるニーズ等を踏まえ、育児期の男女が共に希望に応じて、育児とキャリア形成の両立をより可能とする取組を進める。また、好事例の共有等により各府省等における取組を支援するなど、育児期における仕事と家庭の両立支援制度を利用しながら活躍できる職場環境の整備を進める。

（執務環境の向上）

(5) デジタル技術の活用等と併せ、各府省等は、より効果的・効率的に職務が遂行できるよう執務室の改善等の執務環境の向上に取り組み、それらを働き方改革に実効的につなげる。そのため、内閣人事局は、同局での取組を各府省等と共有するとともに、執務環境の向上に資する知見を創出・共有すること等により各府省等における取組を支援する。

2　マネジメント改革の推進

業務の効率的な実施や環境変化への対応、職員の人材育成や能力の活用、組織文化の醸成等の観点から、幹部・管理職員のマネジメントは極めて重要である。一方、職員の価値観や家庭事情等の多様化、職務遂行・政策決定に求められる速度の上昇、政策課題の複雑・高度化等、現在の国家公務員をめぐる環境は大きく変化しており、マネジメントを行う管理職員の責任や負担は更に大きなものとなっている。

このため、組織全体のマネジメント力を強化するためには、各府省等の幹部職員が率先して、必要なマネジメント行動を認識し、各種サーベイの結果も踏まえた改善も図りながら、より良いマネジメントの在り方や具体的な手法を組織に浸透させる不断の取組が必要である。

このような認識の下、各府省等において以下のとおり取り組む。

① 事務次官級及び局長級の幹部職員は、組織におけるマネジメントの重要性を再認識した上で、マネジメントの向上に主体的に取り組む。具体的には、管理職員等に対し、メッセージの発出、研修等を通じて、管理職員に必要な行動を徹底させる。

② 管理職員によるマネジメント強化のため、マネジメント研修を受講した全管理職員が、良質なコミュニケーションの実践等、管理職員に必要な行動を徹底する。

③ 人事評価制度の適正な運用を確保するとともに、人事評価スキルの向上に取り組む。また、マネジメント評価を通じて管理職員に必要な行動を取っている管理職員を高く評価する。

④ エンゲージメントサーベイ、多面観察等を引き続き定期的に実施する。サーベイ等の中で、マネジメント行動についての職員の受け止め等を確認し、各管理職員の気付きのために活用する。各府省等は、これらの結果に基づき、マネジメント向上策を検討し、実施する。

各府省等において、以下のとおり取り組む。

① 毎年度継続的に実施している業務について、意義の大きさ・実施のための負担の多寡を評価するなどして優先順位を付しつつ、実施の取りやめ、内容の見直し、頻度の削減、デジタル化、一部プロセスの外部委託等に取り組む。

② 職員の意見の反映に留意しつつ、既存の体制の見直し等を行い、業務の見直しを継続的に推進するための体制を整備する。

③ 業務見直しへの取組、実際の成果等について、見直しに携わった職員の人事評価（管理職員についてはマネジメント評価等）に的確に反映させる。

各府省等におけるこれらの取組に資するよう、内閣人事局は、意見交換の場の運営等を通じた各府省等の担当者との業務見直しやデジタル技術の活用に係る好事例の共有や導入支援等による府省等横断の業務見直しに係るニーズへの対応、業務見直しに係る好事例の表彰等を行う。

また、「デジタル社会の実現に向けた重点計画」（令和５年６月９日閣議決定）等に基づき、国家公務員の人事管理情報のデジタル化による業務の一層の効率的・効果的実施を推進するため、内閣人事局は、デジタル庁及び人事院と連携し、令和６年度中に各府省等が共通的に使用する機能（職員情報管理、勤務時間管理等）の共通システム化の範囲やスケジュールを始め、人事管理業務に係るシステム化全体の将来設計を整理する。これに当たっては、業務の効率化等の観点のみならず、機密性の高い職員情報の適切・安全な管理の観点にも配慮する。なお、勤務時間管理について、当面は、内閣人事局において開発した「勤務時間管理システム」の活用を進めるとともに、同システムの導入を希望する府省等への導入の支援を行う。

（テレワーク・フレックスタイム制による柔軟な働き方の推進）

(3) テレワーク・フレックスタイム制を定着させるとともにこれらを組み合わせて活用することで、時間や場所にとらわれずに柔軟に働くことを可能にする環境を整備するため、以下のとおり取り組む。

① 内閣人事局は、人事院と連携し、フレックスタイム制について、制度の運用上のポイントの周知等を行うとともに、令和７年４月からの同制度の更なる柔軟化に向けて、各府省等における同制度の円滑な活用を支援する。

② 内閣人事局は、テレワークに関して、人事院及び各府省等と連携してガイドライン等の周知を行い適正かつ円滑なテレワークの推進を図るとともに、各府省等における運用状況の把握等を行う。

③ 各府省等は、デジタル技術の活用により、テレワークで完結できる業務範囲を最大限拡大するよう努める。また、的確なマネジメントにより、在庁職員に業務が集中しないようにするとともに、在庁職員とテレワーク実施職員において取得できる情報に差が生じないよう努めることにより、職員の柔軟な働き方と執務体制の確保の両立を図る。そのため、テレワーク環境の整備及び在庁職員とテレワーク実施職員との連絡や打合せ等の的確なコミュニケーションの方法について取決め等を行うとともに、管理職員に対して、テレワークやフレックスタイム制の実施職員を含むチームに対する的確なマネジメント方法について、研修等の機会に徹底する。内閣人事局は、業務見直し、テレワークやフレックスタイム制の実施職員を含むチームのマネジメントに係る研修素材を提供する。

（共働き・共育ての推進に向けた職場環境の整備）

(4) 「こども未来戦略」（令和５年12月22日閣議決定）等に基づき、男性の育児休業取得の促進や、育児期を通じた柔軟な働き方の推進等のため、以下のとおり取り組む。

① 男性職員の家庭生活への参加を促進するため、引き続き、大臣や事務次官、官房長等の幹部職員が率先してメッセージを発出すること等により、職場の雰囲気の醸成、業務分担

令和６年度における
人事管理運営方針

令和６年度において、内閣人事局と各府省等や人事院等が連携・協力を深めつつ、政府全体を通じ統一的な人事管理を推進するため、「令和６年度における人事管理運営方針」を次のように定める。

Ｉ．重点項目

今年度、特に注力すべき項目として以下を定める。

1　業務効率化・デジタル化の推進等

広範かつ複雑な多くの行政課題に適切に対応していくとともに、業務のやりがいを高め優秀な人材を確保するためには、長時間労働の是正や柔軟な働き方を促進するとともに、業務の質や効率を恒常的に見直すことにより、業務が生み出す価値を最大限に高め、あらゆる職員の能力発揮や成長実感につなげていくことが必要である。職員へのアンケート調査によると、働き方改革が十分に進んでいない原因として、「非効率、不要な業務が多い」との意見が多数見られるとともに、早期の離職意向を持つ主な理由として「成長実感不足」や「長時間労働」等が挙げられている。

このため、業務プロセスの見直し、デジタル技術の最大限の活用等による業務効率化や非効率なルーティン業務の見直し等に取り組むことにより、長時間労働を是正するとともに、やりがいを感じ、自己成長につながる働き方に改めていく必要がある。

また、テレワーク・フレックスタイム制の組合せ等により、場所と時間にとらわれずに柔軟に働くことを可能とする環境の整備が必要である。

このような認識の下、以下の取組を推進する。

（長時間労働の是正）

⑴　優秀な人材の確保、公務の能率的な運営、更には公務の持続可能性の向上を図る観点から、長時間労働を是正し、あらゆる職員が活躍できる職場環境を整備することが急務である。職員の勤務実態を踏まえ、長時間労働の要因に対応した業務の見直し・効率化や管理職員が実行すべきマネジメント行動等、長時間労働の是正に資する的確な対策を講ずる。

特に国会答弁作成業務について、内閣人事局が実施する「国会対応業務に関するデータ集計」の結果や同局が共有したオンラインで省内外から意見交換やファイルの共同編集を可能とするツールを用いた好事例等も活用し、各府省等は、テレワークも含む定時後の業務態勢の工夫、ポータルサイト等でのプロセスの可視化、ファイルの共同編集機能の導入・活用、府省等内における答弁クリアプロセスの見直し、完成した答弁の印刷部数削減等による合理化・効率化その他国会関係業務の改善に引き続き取り組む。

あわせて、テレワークに向けた業務見直しの観点からも、国会審議に先立つ国会議員に対するいわゆる「質問取り」等について、積極的にオンラインによる対応に努める。

（デジタル技術の活用等による業務効率化等）

⑵　働き方改革の実現に向け、業務の廃止・効率化・デジタル化等を恒常的に進めることとし、

人事小六法
〔令和７年版〕

昭和60年７月15日　初　版　発　行
令和６年９月20日　７年版第１刷発行

不許複製

編　者　人事法制研究会《じんじほうせいけんきゅうかい》
発行者　佐　久　間　重　嘉

発行所　学　陽　書　房
〒102-0072　東京都千代田区飯田橋1-9-3
TEL.　(03) 3261-1111
FAX.　(03) 5211-3300
http://www.gakuyo.co.jp/

ISBN978-4-313-01307-0 C2032　印刷／三省堂印刷・製本／東京美術紙工

公務員の退職手当法詳解　第7次改訂版

退職手当制度研究会　編著

定価＝11000円（10%税込）

退職手当法を条分ごとに詳細に説いた唯一の書。今改訂では国家公務員法改正（①定年を段階的に65歳まで引き上げ　②管理職勤務上限年齢制による降任、転任制度の導入等）等、前改訂以降の法令改正を全面的に見直した最新改訂版。

諸手当質疑応答集　第14次全訂版

一般財団法人　公務人材開発協会　人事行政研究所　編集

定価＝4730円（10％税込）

複雑な公務員の諸手当の支給実務に際して生ずる法規上の疑問、諸問題をQ＆Aでわかりやすく解説。各種手当の最新改正に伴い全頁にわたって見直した最新全訂版。「諸手当支給早見表」などの便利な附録も充実。

俸給関係質疑応答集　第12次全訂版

一般財団法人　公務人材開発協会　人事行政研究所　編著

定価＝4180円（10％税込）

公務員の給与実務に関して生じる疑問や問題点について、正確に処理するのに役立つよう、わかりやすく解説した質疑応答集の最新版。人事評価制度や新採用試験制度に伴う、初任給・昇格・昇給制度の改正に対応した全訂版。

旅費法詳解　第9次改訂版

旅費法令研究会　編

定価＝3850円（10％税込）

多様な取扱いを要する公務員の旅費について、国家公務員等の旅費に関する法律を運用方針、先例などを取り入れ逐条解説した実務担当者必携の書。「国家公務員等の旅費に関する法律」第3条（旅費の支給）の改正、「国家公務員等の旅費支給規程」各別表（旅行命令簿、旅費請求書）の改正等諸改正に対応した最新版。

公務員の旅費法質疑応答集　第7次改訂版

旅費法令研究会　編

定価＝3740円（10%税込）

旅費の取り扱いについて運用のなかで起きた約290の事例を一問一答形式で解説。「国家公務員等の旅費支給規程」各別表（旅行命令簿、旅費請求書）の改正などに伴い新規の設問を追加し、全面的に見直しを図った最新版。